DICIONÁRIO

LAROUSSE ILUSTRADO

DA LÍNGUA PORTUGUESA

DICIONÁRIO

LAROUSSE ILUSTRADO

DA LÍNGUA PORTUGUESA

LAROUSSE
Cultura para todos

Concepção e consultoria
Louis Lecomte

Gerente editorial
Soraia Luana Reis

Editora
Gabriela Dias

Assistente editorial
Adriana de Oliveira

Coordenação
Diego Rodrigues, Fernando Nuno e Naiara Raggiotti (Estúdio Sabiá)

Lexicografia
Thereza Pozzoli

Redação
Estúdio Sabiá, Ângela Telma Lucena, Eliana Rocha, Márcio Della Rosa, Maria Lucia de Oliveira Marques e Thereza Pozzoli

Preparação e revisão de texto
Andréia Moroni, Célia Regina Rodrigues de Lima, Graça Couto, Luciana Soares, Márcio Della Rosa, Maria Aiko Nishijima, Maria da Anunciação Rodrigues, Paola Morsello, Rosamaria Affonso, Silvana Salerno e Viviane Campos

Seleção de quadros e ilustrações
Antonio Carlos Marques

Capa
Carlos José Takachi e Valdir Oliveira (Zapt Editora)

Projeto gráfico
Victor Aragão e Ronaldo Barsotti

Ilustrações
Acervo Larousse

Diagramação
LCT Tecnologia

Produção gráfica
Cintia M. da Silva

Dados Internacionais de Catalogação na Publicação (CIP)
(Câmara Brasileira do Livro, SP, Brasil)

Larousse ilustrado da língua portuguesa /
[coordenação editorial Diego Rodrigues, Fernando Nuno, Naiara Raggiotti (Estúdio Sabiá)]. --
São Paulo : Larousse do Brasil, 2004.

1. Dicionários ilustrados 2. Enciclopédias e dicionários
3. Português - Dicionários I. Rodrigues, Diego.
II. Nuno, Fernando. III. Raggiotti, Naiara.

04-1365 CDD-469.3

Índices para catálogo sistemático:
1. Dicionários ilustrados: Língua portuguesa 469.3
2. Língua portuguesa: Dicionários ilustrados 469.3

ISBN 85-7635-013-0

1ª. edição brasileira: 2004

Direitos de edição em língua portuguesa para o Brasil:
Larousse do Brasil Participações Ltda.
Rua Afonso Brás 473, 16º. andar – São Paulo/SP – CEP 04511-011
Tel. (11) 3044-1515 – Fax (11) 3044-3437
E-mail: info@larousse.com.br
Site: www.larousse.com.br

Sumário

« JE SÈME A TOUT VENT »

O ideal de instruir todo mundo sobre todas as coisas esteve expresso desde o princípio na marca da editora através da figura da semeadora espalhando a semente do conhecimento.
A tradução literal da frase usada nas primeiras versões é:

« EU SEMEIO POR TODOS OS VENTOS »

1876

1890

1953

1955

1993

Apresentação

O dicionário **Larousse ilustrado da língua portuguesa** descende de uma linhagem nobre de dicionários com elementos enciclopédicos — conceito inventado por Pierre Larousse, o fundador da editora.

Professor de francês inconformado com o elitismo dos manuais de ensino da língua, Pierre deixou de lecionar para se dedicar à edição de obras voltadas para toda a população. Ele deu início a esse trabalho em 1852, quando abriu a Librairie Larousse et Boyer associado a outro professor que compartilhava de seu ideal: "**Instruir todo mundo sobre todas as coisas**".

De lá para cá, a Larousse tornou-se sinônimo de dicionários e obras de referência em todo o mundo. A marca é padrão de qualidade em mais de 40 países, entre eles França (onde 6 em cada 10 dicionários vendidos trazem sua estampa) e México (onde domina 80% do segmento).

No Brasil, o **Larousse ilustrado** chega para retomar essa história de sucesso como o único do gênero no país. Com mais de 35 mil verbetes, 52 mil definições e 1.160 ilustrações e quadros, este dicionário descortina o vocabulário básico da língua portuguesa, em linguagem simples e direta, para estudantes, profissionais e usuários em geral do idioma.

Além de cumprir seu papel como dicionário de português, o **Larousse ilustrado** apresenta informações atualizadas sobre diferentes áreas do conhecimento — de biotecnologia a informática, de matemática a política. Para facilitar a consulta de tanto conteúdo, a obra usa recursos visuais como um alfabeto lateral que indica a primeira letra das palavras de cada página.

Enriquecido por ilustrações que garantem compreensão imediata e por quadros que aprofundam e contextualizam as definições fornecidas nos verbetes, este dicionário fornece ainda a classificação gramatical de todos os vocábulos, a pronúncia correta de fonemas que causam dúvidas e a indicação de gênero, número e regência de cada elemento.

E não é só. Para conhecer todas as outras características que fazem do **Larousse ilustrado da língua portuguesa** um honroso herdeiro dos ideais e da tradição da Larousse, basta virar a página e se deixar levar por esta grande aventura enciclopédica.

Cultura para todos!

A editora

Como usar o dicionário

Dirigido a profissionais, estudantes e ao público em geral, o **Larousse ilustrado da língua portuguesa** é o único dicionário no Brasil enriquecido por ilustrações e quadros enciclopédicos atualizados.

Ele exibe mais de 35 mil palavras e 52.000 definições com apresentação moderna, que agiliza a consulta. Para saber como tirar máximo proveito dele, confira aqui o significado de cada símbolo e elemento:

CATEGORIA GRAMATICAL identifica substantivos, adjetivos, advérbios etc., além de gênero, número e regência

ETIMOLOGIA mostra língua de origem e raiz etimológica (em itálico)

PALAVRA EM NEGRITO facilita a localização

ACEPÇÕES cada definição precedida por um número

SINÔNIMOS E ANTÔNIMOS vocábulos correlatos aparecem em maiúsculas

onça[1] *s.f.* (lat. *luncia*). **1.** Mamífero carnívoro, da família dos felídeos, desprovido de unhas retráteis, com muitas manchas negras e pequenas espalhadas pelo corpo, que ocorre na Ásia e África. **2.** Denominação comum a felídeos brasileiros de grande porte. **3.** Sin. de ONÇA-PINTADA. **4.** *Fig.* Pessoa muito feia. **5.** *Fig.* Pessoa muito valente. ★ *adj.2g.* **1.** Diz-se de pessoa valente, invencível, forte. **2.** Enfurecido, zangado, raivoso.

SIGLAS indicam gírias e usos regionais, específicos ou fora da norma culta

ESTRELA sinaliza variações de categoria gramatical, gênero, número e regência

ILUSTRAÇÕES complementam as definições e quadros

SEPARADOR demarca os limites entre verbetes, quadros e desenhos

VERBETE NUMERADO entradas à parte para raízes etimológicas diferentes

onça[2] *s.f.* (fr. *once*). **1.** Medida de peso utilizada especialmente na Grã-Bretanha e no Canadá, que equivale a 28,35g. **2.** Unidade de capacidade anglo-saxã (símb. oz) equivalente a 29,572ml (EUA) ou 28,412ml (Reino Unido). **3.** Antiga moeda de ouro brasileira.

REGÊNCIA VERBAL abreviaturas definem verbos transitivos, intransitivos etc.

cientificar *v.t.* (conj. 12). Tornar ciente, informar. ★ *v.pr.* Tomar conhecimento de.

MODELO DE CONJUGAÇÃO associa cada verbo a um dos 80 padrões possíveis *(v. p. XX)*

FONEMA esclarece a pronúncia correta de sons que causam dúvidas

bocejo (ê) *s.m.* Ação de bocejar, de abrir a boca por um movimento espasmódico dos músculos da face; oscitação.

VOCÊ SABIA...? Com o **bocejo** o corpo obtém mais oxigênio para o cérebro e nos faz sentir mais animados. Quando bocejamos, aspiramos ar lenta e profundamente, e logo o expiramos. Acontece com mais freqüência quando estamos cansados ou aborrecidos, ou num lugar mal ventilado. O bocejo pode indicar que uma pessoa precisa de mais ar.

VOCÊ SABIA...? informações curiosas relacionadas a verbetes em destaque

ALFABETO LATERAL: identifica, em preto, a letra inicial das palavras em cada página

A B C D E F G H I J K L M N O P Q R S T U V W X Y Z

RUBRICA introduz definições especializadas

SETA apresenta locuções gerais e subdefinições

reto *adj.* (lat. *rectus*). **1.** Que não tem curvatura; direito. **2.** Que vai sempre na mesma direção. **3.** *Fig.* Justo, íntegro, honesto, probo. ● **Geom.** *ângulo reto,* ângulo formado pela intersecção de duas linhas perpendiculares. **Anat.** *Músculo reto,* nome dado a 12 músculos pares do corpo humano. ► *Músculos retos oculares,* músculos que permitem os movimentos do globo ocular. **Gram.** *Pronomes retos,* pronomes pessoais que exercem a função sintética de sujeito. ★ *s.m.* **1.** O justo, o verdadeiro. ● **Anat.** Porção terminal do cólon, que finaliza no ânus. ★ *adv. Pop.* De modo reto; direito.

ITÁLICO destaca palavras, expressões e locuções de significado específico

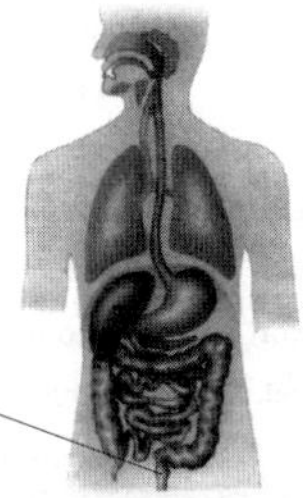

LEGENDAS detalham cada aspecto das ilustrações

QUADROS aprofundam e contextualizam as definições dos verbetes

RETO ► Os tumores benignos do reto são freqüentes e por isso devem ser extirpados para evitar que degenerem. O câncer do reto se manifesta por hemorragia, urgência em evacuar e sensação de não ter se aliviado por completo, mas pode permanecer latente durante muito tempo.

ígneo *adj.* (lat. *igneus*). **1.** Relativo ao fogo. **2.** Que tem a natureza, estado ou cor do fogo. **3.** *Fig.* Inflamado, ardente. ● **Geol.** Produzido pela ação do fogo. ► *Rocha ígnea,* sin. de ROCHA MAGMÁTICA*. **Quím.** Que se faz sob a ação do calor.

ASTERISCO indica que a palavra precedente tem verbete próprio

ATUALIZAÇÃO ENCICLOPÉDICA fenômenos complexos e fatos históricos do Brasil e do mundo em quadros especiais

INCONFIDENTE ► No fim do século XVIII, na capitania de Minas Gerais, aumentava a revolta da população contra os impostos pagos ao reino de Portugal, em especial contra o quinto, de 20% sobre o ouro extraído, e a derrama, cobrada de toda a população. Discutia-se a criação de uma República com capital em São João del Rei, mas um dos participantes delatou a conspiração às autoridades e vários inconfidentes foram presos em 1789. Por ordem real, o líder deveria ser executado, recebendo os demais o degredo ou outras penas. Joaquim José da Silva Xavier, o Tiradentes, foi enforcado e esquartejado em 1792. Com a proclamação da República, foi declarado herói nacional e, na data de sua morte, 21 de abril, instituiu-se feriado nacional.

TRANSGÊNICO ► O melhoramento genético tradicional é feito há 10.000 anos, por meio da escolha dos melhores indivíduos para reprodução, tanto de plantas como de animais. Porém, mesmo quando os conhecimentos da genética são usados para identificar os genes responsáveis por certas características, os descendentes são seres gerados por processos naturais. No caso dos transgênicos, por outro lado, os genes são colocados artificialmente em um indivíduo, que depois é reproduzido e difundido. A polêmica sobre o uso de alimentos transgênicos baseia-se na falta de estudos de longo prazo sobre as conseqüências da difusão desses alimentos e também em conflito de interesses comerciais.

Rubricas

Aeron.	Aeronáutica	**Ind.**	Indústria
Agric.	Agricultura	**Ind. Gráf.**	Indústria Gráfica
Anat.	Anatomia	**Inform.**	Informática
Arm.	Armamentos	**Jorn.**	Jornal/Jornalismo
Arqueol.	Arqueologia	**Ling.**	Lingüística
Arquit.	Arquitetura	**Liter.**	Literatura
Art. Gráf.	Artes Gráficas	**Lóg.**	Lógica
Astrol.	Astrologia	**Mat.**	Matemática
Astron.	Astronomia	**Mec.**	Mecânica
Astronáut.	Astronáutica	**Med.**	Medicina
Automóv.	Automóveis	**Metal.**	Metalurgia
B.-Art.	Belas-Artes	**Meteor.**	Meteorologia
Biol.	Biologia	**Metrol.**	Metrologia
Bot.	Botânica	**Mil.**	Militarismo
Cibern.	Cibernética	**Min.**	Mineração
Cin.	Cinema	**Miner.**	Mineralogia
Constr.	Construção	**Mús.**	Música
Cristal.	Cristalografia	**Nav.**	Construção Naval
Dir.	Direito	**Neurol.**	Neurologia
Ecol.	Ecologia	**Odont.**	Odontologia
Econ.	Economia	**Ópt.**	Óptica
Educ.	Educação	**Patol.**	Patologia
Eletr.	Eletricidade	**Pec.**	Pecuária
Eletroac.	Eletroacústica	**Pedol.**	Pedologia
Eletrôn.	Eletrônica	**Polít.**	Política
Eletrotéc.	Eletrotécnica	**Psican.**	Psicanálise
Eng.	Engenharia	**Psicol.**	Psicologia
Eng. Nucl.	Engenharia Nuclear	**Psiq.**	Psiquiatria
Esp.	Esportes	**Quím.**	Química
Estat.	Estatística	**Relig.**	Religião
Etol.	Etologia	**Sociol.**	Sociologia
Filos.	Filosofia	**Teat.**	Teatro
Fís.	Física	**Técn.**	Técnica
Fisiol.	Fisiologia	**Tecnol.**	Tecnologia
Folc.	Folclore	**Telecom.**	Telecomunicações
Fon.	Fonética	**Teol.**	Teologia
Fot.	Fotografia	**Têxt.**	Têxteis
Genét.	Genética	**Tip.**	Tipografia
Geogr.	Geografia	**Topogr.**	Topografia
Geol.	Geologia	**Veter.**	Medicina Veterinária
Geom.	Geometria	**Zool.**	Zoologia
Gram.	Gramática	**Zootec.**	Zootecnia

Abreviaturas

abrev. abreviatura
AC Acre
adj. adjetivo
adj.2g. adjetivo de dois gêneros
adj.2g.2n. adjetivo de dois gêneros e dois números
adv. advérbio
afirm. afirmativo
afr. africano
AL Alagoas
al. alemão
alter. alteração
AM Amazonas
amer. americano, americanismo
ant. antigo, antigamente
antôn. antônimo
AP Amapá
aport. aportuguesamento, aportuguesado
aprox. aproximado, aproximadamente
ár. árabe
art. artigo
art. def. artigo definido
art. indef. artigo indefinido
atr. através
aum. aumentativo
aux. auxiliar
BA Bahia
bras. brasileiro, brasileirismo
b.-lat. baixo-latim
c. cerca de
C.-O. Centro-Oeste
cat. catalão
CE Ceará
célt. céltico
cf. conferir, confrontar
chin. chinês
chul. chulo
cláss. clássico
comb. combinação
comp. composição, composto
conj. conjugação; conjunção
contr. contração
depr. depreciativo
desus. desusado
DF Distrito Federal
dial. dialeto, dialetal
dim. diminutivo
el. elemento
ES Espírito Santo
esp. espanhol
Est. Estado
ex. exemplo
expr. expressão, expressivo
f. feminino; forma
fam. familiar
fem. feminino
fig. figurado, figurativo
fr. francês
fut. futuro
g. gênero
gal. galego
ger. geral, geralmente; gerúndio
germ. germânico
gír. gíria
GO Goiás
gót. gótico
gr. grego
hebr. hebraico, hebreu
hol. holandês
imit. imitação, imitativo
imper. imperativo
imperf. imperfeito
impess. impessoal
ind. indicativo
inf. infinitivo
infl. influência
ingl. inglês
interj. interjeição
interr. interrogativo
inv. invariável
irr. irregular
it. italiano, italianismo
jap. japonês
lat. latim, latino
lat. cient. latim científico
lat. ecles. latim eclesiástico
lat. tard. latim tardio
lig. ligação
lit. literário
loc. locução
lus. lusitano, lusitanismo
m. ou *masc.* masculino
MA Maranhão
MG Minas Gerais
m.-q.-perf. mais-que-perfeito
MS Mato Grosso do Sul
MT Mato Grosso
m. us. mais usado

n.	número; nome
N	Norte
NE	Nordeste
neg.	negativo
neol.	neologia, neologismo
N.G.B.	Nomenclatura Gramatical Brasileira
nor.	norueguês
n.pr.	nome próprio
num.	numeral
num. card.	numeral cardinal
num. frac.	numeral fracionário
num. ord.	numeral ordinal
onomat.	onomatopéia, onomatopaico
or.	origem
PA	Pará
pal.	palavra
p. anal.	por analogia
part.	particípio
partic.	particularmente
pass.	passado
PB	Paraíba
PE	Pernambuco
pej.	pejorativo
perf.	perfeito
pess.	pessoa, pessoal
p. ex.	por exemplo
p. ext.	por extensão
PI	Piauí
pl.	plural
plat.	platino
poét.	poético
pol.	polonês
pop.	popular
p. opos.	por oposição
port.	português
poss.	possessivo
PR	Paraná
pr.	pronominal; próprio
pred.	predicado
pref.	prefixo
prep.	preposição
pres.	presente
pret.	pretérito
prim.	primeiro
priv.	privado, privativo
pron.	pronome
pron. dem.	pronome demonstrativo
pron. indef.	pronome indefinido
pron. int.	pronome interrogativo
pron. pess.	pronome pessoal
pron. poss.	pronome possessivo
pron. refl.	pronome reflexivo
pron. rel.	pronome relativo
prov.	provençal
p. us.	pouco usado
quimb.	quimbundo
rad.	radical
red.	reduzido, redução
reg.	regular
rel.	relativo
RJ	Rio de Janeiro
RN	Rio Grande do Norte
RO	Rondônia
RR	Roraima
RS	Rio Grande do Sul
s.	substantivo; singular
S	Sul
s.2g.	substantivo de dois gêneros
s.2g.2n	substantivo de dois gêneros e dois números
sâns.	sânscrito
SC	Santa Catarina
SE	Sudeste; Sergipe
SI	Sistema Internacional de Unidades
símb.	símbolo
simpl.	simples
sin.	sinônimo
sing.	singular
SP	São Paulo
subj.	subjuntivo
subst.	substantivo
suf.	sufixo
superl.	superlativo
t.	termo
tb.	também
TO	Tocantins
top.	topônimo
trad.	tradução, traduzido
tupi-guar.	tupi-guarani
us.	usado
usual.	usualmente
v.	verbo; veja
var.	variante
v.aux.	verbo auxiliar
v.i.	verbo intransitivo
v.impess.	verbo impessoal
v. lig.	verbo de ligação
voc.	vocativo; vocábulo
v.pr.	verbo pronominal
v.t.	verbo transitivo
v.tb.	veja também
vulg.	vulgar

Prefixos, sufixos e elementos de composição

ELEMENTO	ORIGEM	SENTIDO
acanto-, -acanto	gr. *ákanthos*	espinho, espinhoso
acet-	lat. *acetum*	vinagre
acro-	gr. *ákros*	mais elevado; mais extremo
actino-	gr. *aktís, aktînos*	raio
acuo-	gr. *akúein (akúo)*	ouvir
adeno-	gr. *adén, adénos*	glândula
adipo-	lat. *adeps, adipis*	gordura
aero-	gr. *aér, aéros*	ar
-agogo, -agogia	gr. *agogós*	que guia; condutor
agro-, agri-	gr. *agrós*	campo
algo-, -algia e -algesia	gr. *álgos* e *álgesis*	dor; sofrimento
ali-	lat. *ala*	asa
alo-	gr. *állos*	outro; diferente
alti-	lat. *altus*	alto
ambi-	lat. *ambo*	os dois, ambos
ambli-	gr. *amblýs*	enfraquecido; ângulo obtuso
-âmbulo	lat. *ambulare (ambulo)*	dar uma volta; caminhar
ampelo-	gr. *ámpelos*	vinha
ana-	gr. *aná*	(movimento) de baixo para cima; ao contrário; através de
ancilo-	gr. *agkýlos* (ou *ankýlos)*	recurvado; adunco
andro-, -andro e -andria	gr. *anér, andrós* e *andreía*	homem; caráter masculino
anemo-	gr. *ánemos*	vento
anfi-	gr. *amphí*	em torno de; dos dois lados; no meio de
anfo-	gr. *ámpho*	os dois, ambos
angio-, -ângio	gr. *aggeîon* (ou *angeîon)*	recipiente, vaso; cápsula
aniso-	gr. *ánisos*	desigual; parcial
anseri-	lat. *anser, anseris*	pato; ganso
ante-	lat. *ante*	anterioridade no tempo; antes
ântero-	lat. *anterior*	posição anterior
anti-	gr. *antí*	no lugar de; confronto com
anto-, -anto	gr. *ánthos*	flor; rebento
antrac-	gr. *ánthrax, ánthrakos*	carvão; carbúnculo
antropo-, -antropo, -antropia	gr. *ánthropos*	homem; ser humano
api-	lat. *apis*	abelha
apo-	gr. *apó*	de; fora de; longe (de); separado (de)
aqua-, aque-	lat. *aqua*	água
aracn-	gr. *aráchne*	aranha
arce-	gr. *árchein (árcho)*	ocupar o posto mais elevado ou avançado; comandar, guiar
areo-	gr. *araiós*	pouco denso; leve
argento-	lat. *argentum*	prata
-argo	gr. *argós*	branco; brilhante
aristo-	gr. *áristos*	o melhor
aritm-, -aritmo	gr. *arithmós*	quantidade; número
arque-, arqueo-	gr. *archaîos*	que está na origem; antigo; primitivo
arqui-	gr. *árchein (árcho)*	ocupar a posição mais elevada; dominar
-arquia	gr. *árchein (árcho)*	comandar; dominar
arterio-	gr. *arteria*	artéria
artri-, artro-, -artria	gr. *árthron*	articulação
asco-	gr. *askós*	saco; odre
asteno-, -astenia	gr. *asthéneia*	fraqueza; enfermidade
aster-	gr. *astér, astéros*	estrela; chama
atelo-	gr. *atelés*	que não chega ao fim; incompleto, imperfeito
atmo-	gr. *atmós*	vapor
audio-	lat. *audire*	(audio) ouvir
auri-	lat. *aurum*	ouro

ELEMENTO	ORIGEM	SENTIDO
auto-	gr. *autós*	por si mesmo; só
avi-	lat. *avis*	ave, pássaro
balan-	gr. *bálanos*	bolota, glande
bari-	gr. *barýs*	pesado
baro-	gr. *báros*	peso; pressão
bata-	gr. *baíno* (var. *batéo)*	andar, marchar
bati-	gr. *bathýs*	profundo
bene-	lat. *bene*	que faz bem
bi-	lat. *bis*	duas vezes; duplicação por repetição
biblio-	gr. *biblíon*	livro
bio-, -bio	gr. *biós*	vida
blasto-, -blasto	gr. *blastós*	germe; rebento
blefaro-, -bléfaro	gr. *blépharon*	pálpebra
brevi-	lat. *brevis*	curto
braquio-, -braquial	lat. *brachium*	braço
buco-	lat. *bucca*	boca
butiro-	gr. *bútyron*	manteiga
caco-	gr. *kakós*	mau; defeituoso
cali-, calo-	gr. *kalós*	belo; formoso
capilo-	lat. *capillus*	cabelo
carbo-, carboni-	lat. *carbo, carbonis*	carvão
carcino-	gr. *karkínos*	caranguejo; tumor; câncer
-cardia, cardio-, -cárdio	gr. *kardía*	coração; estômago
carpo-, -carpo	gr. *karpós*	fruto; pulso
cata-	gr. *katá*	(movimento) de cima para baixo
cefalo-, -céfalo, -cefalia	gr. *kephalé*	cabeça
-cele	gr. *kéle*	hérnia
centri-, -centro	lat. *centrum*	centro
ciano-	gr. *kýanos*	azul-escuro
-cidar, -cida, -cídio	lat. *caedere (caedo)*	degolar; matar
cine-, cinema-, cinemato-	gr. *kínema, kínematos*	movimento; agitação
cineto-	gr. *kinetós*	que pode mover-se; capaz de mover-se
cino-	gr. *kýon, kynós*	cão
circum-	lat. *circum*	em volta
ciste-, cisti-, cisto-	gr. *kýstis*	bexiga; vesícula
cito-, -cito	gr. *kýtos*	cavidade oca; célula
-clasto	gr. *klastós*	quebrado
clepto-	gr. *kléptein (klépto)*	roubar
cloro-	gr. *chlorós*	amarelo-esverdeado; verde-claro
coco-, -coco	gr. *kókkos*	grão esférico; semente
col-, -cole, -colia	gr. *cholé*	bílis
-cola	lat. *colere (colo)*	cultivar; habitar
-color, color-, colori-	lat. *color, coloris*	cor
colpo-	gr. *kólpos*	reentrância; cavidade; vagina
copro-	gr. *kópros*	excremento
cortico-	lat. *cortex, corticis*	casca; invólucro
-crata e -cracia	gr. *krátos e kratía*	poder, domínio
-crino	gr. *krínein (kríno)*	distinguir; escolher; secretar
cripto-	gr. *kryptós*	escondido
cromo-, cromato-, -cromo	gr. *chrôma, chrômatos*	cor; cor artificial
crono-, -crono	gr. *chrónos*	tempo; duração de um evento
cruci-	lat. *crux, crucis*	cruz
cuti-	lat. *cutis*	pele
datilo-, -dátilo ou **dáctilo**	gr. *dáktylos*	dedo
deca-	gr. *déka*	dez
deci-	lat. *decimus*	divisão por dez
demo-, -demia	gr. *dêmos*	povo; público; país
dermo-, dermato-	gr. *dérma, dérmatos*	pele
di-	gr. *dís*	duas vezes; em dobro
-didata	gr. *didáskein (didásko)*	ensinar
diplo-	gr. *diplóos*	duplo

ELEMENTO	ORIGEM	SENTIDO
dodeca-	gr. *dódeka*	doze
dolico-	gr. *dolichós*	alongado, comprido
-dromo	gr. *drómos*	corrida; lugar de corridas
eco-	gr. *ôikos*	casa, habitação
-edro	gr. *hédra*	assento; patamar; face plana
endo-	gr. *éndon*	dentro, no interior (de)
eno-	gr. *oînos*	vinho
entero-, -entério	gr. *énteron*	intestino
entomo-	gr. *éntomon*	inseto
epi-	gr. *epí*	sobre
equi-	lat. *aequus*	igual
ergo-	gr. *érgon*	trabalho; execução
eritro-	gr. *erythrós*	vermelho
escafo-, -scafo	gr. *skáphe*	barco; esquife
escato-	gr. *skór, skatós*	excremento
esclero-	gr. *sklerós*	duro; rígido
esperm(ato)-, -esperma	gr. *spérma, spérmatos*	semente
esplen-, espleno-	gr. *splén, splénos*	baço
esquizo-	gr. *schízein (schízo)*	fender, dividir
estafilo-	gr. *staphylé*	úvula; cacho de uva
esteno-	gr. *stenés*	estreito, apertado
estereo-	gr. *stereós*	sólido
-estesia	gr. *aísthesis*	sensação
estilo-, -stilo	gr. *stýlos*	coluna, pilar
estilo-	lat. *stilus*	haste pontiaguda para escrever
estomato-, -stoma	gr. *stóma, stómatos*	boca
estrati-, estrato-, -strato	lat. *stratum*	leito; extensão; camada
estrepto-	gr. *streptós*	recurvado
estrobo-	gr. *stróbos*	turbilhão
etno-	gr. *éthnos*	raça, povo
eu-	gr. *eû*	bem, com harmonia, com felicidade
ex-	lat. *ex*	(vindo) do interior de; (saído) de
exo-	gr. *éxo*	de fora; do lado de fora (de)
extra-	lat. *extra*	fora de
fago-, -fago	gr. *phagein (phagés)*	comer
farmaco-	gr. *phármakon*	remédio
-fero	lat. *ferre (fero)*	levar; trazer; conter
-filático, -filaxia	gr. *phylaktilós*	que protege, preserva
filo-, -fila	gr. *phýllon*	folha
filo-. -filo	gr. *philos*	que ama, amante; amigo (de)
fisio-	gr. *physis, physeós*	natureza; formação
fito-, -fito	gr. *phytón*	planta, árvore
flebo-	gr. *phléps, phlebós*	veia
flori-, -floro	lat. *flos, floris*	flor
-fobo, -fobia	gr. *phóbos*	fuga; medo
foli-, -foli-	lat. *folium*	folha
fono-, -fone, fon-, -fonia	gr. *phoné*	som; voz
-forme	lat. *forma*	forma
-foro	gr. *phorós*	propício, favorável
foto-	gr. *phôs, photós*	luz
-frenia	gr. *phrén, phrenós*	inteligência
-fugo	lat. *fugare (fugo)*	fazer fugir; afastar
fungi-	lat. *fungus*	cogumelo, fungo
gamo-, -gamia	gr. *gámos*	casamento, união
gastro-, -gastro, gastr-	gr. *gastér, gastrós*	ventre, estômago
gemo-	lat. *gemma*	pedra preciosa
-gênese	gr. *génnesis*	geração; produção
geno-	gr. *génos, géneos*	descendência; raça; espécie
-geno, -gênio	gr. *gennân (gennáo)*	engendrar, produzir
geo-, -geu	gr. *gê*	terra
-gero	lat. *gerare (gero)*	conter, produzir
gero-, geronto-	gr. *géron, gérontos*	idoso, velho

ELEMENTO	**ORIGEM**	**SENTIDO**
gino-, gineco-, -gino	gr. *gyné, gynaikós*	mulher
glicero-, glicer-	gr. *glykerós*	de sabor doce
glosso-, -glosso, -glota	gr. *glôssa* (var. *glôtta)*	língua; linguagem, idioma
gluco-, glico-, gli-	gr. *glykýs, glykeîa*	doce
goni-, -gono	gr. *gonía*	ângulo; aresta
gono-	gr. *gónos*	germe; semente, reprodução
grafo-, -grafo	gr. *gráphein (grápho)*	gravar, escrever
-grado	lat. *gradus*	modo de andar; marcha; escalada; degrau
-grama	gr. *grámma, grámmatos*	letra; escrita
hagio-	gr. *hágios*	santo, sagrado; puro
helio-, -elio	gr. *hélios*	sol
hemero-, hemera-	gr. *heméra*	dia
hemi-	gr. *hemi-*	meio, metade
hemo-, hemato-	gr. *haîma, haîmatos*	sangue; fluxo de sangue
hendeca-	gr. *héndeka*	onze
hepato-	gr. *hépar, hépatos*	fígado
hepta-	gr. *heptá*	sete
hetero-	gr. *héteros*	outro; diferente; oposto
hexa-	gr. *héx*	seis
hidro-, -idro	gr. *hýdor*	água
hiper-	gr. *hypér*	sobre; além (de); em excesso
hipno-	gr. *hýpnos*	sono
hipo-	gr. *híppos*	cavalo
hipo-	gr. *hypó*	sob; abaixo (de)
histero-	gr. *hystéra*	matriz, útero
homo-	gr. *homós*	semelhante; igual; comum
iatro-, -iatra	gr. *iatrós, iatér*	médico
ictio-	gr. *ichthýs, ichthýos*	peixe
igni-	lat. *ignis*	fogo
in-, im-, ir-	lat. *in-*	privação, negação
infra-	lat. *infra*	abaixo de; inferior a
inter-	lat. *inter*	no meio de; entre; durante
intra-, intro-	lat. *intra, intro*	no interior; dentro, para dentro
iso-	gr. *ísos*	igual
justa-	lat. *juxta*	perto de; ao lado de
lacto-, lacti-	lat. *lac, lactis*	leite
-lalia	gr. *lalein (laléo)*	falar
laringo-	gr. *lárygks, láryggos* (ou *lárynx, lárynkos)*	garganta
-látero, -lateral	lat. *latus, lateris*	lado
lati-	lat. *latus*	largo
-latra, -latria	gr. *latreuein (latreuo)*	servir; cultuar; adorar
lepi-, lepido-	gr. *lépis, lepídos*	escama, casca
leuco-	gr. *leukós*	branco
lipo-	gr. *lípos*	gordura
lito-, -lito	gr. *líthos*	pedra
loco-	lat. *locus*	lugar
logo-, -logia	gr. *lógos*	palavra; discurso; ciência
longi-	lat. *longus*	longo
luci-	lat. *lux, lucis*	luz
macro-	gr. *makrós*	grande
mamo-	lat. *mamma*	mama, seio
-mancia	gr. *manteía*	predição, adivinhação
mani-, manu-, -mano	lat. *manus*	mão
mani-, -mania, -mano	gr. *mania*	loucura, paixão
-maquia	gr. *machía*	combate
masto-, -mastia	gr. *mastós*	mama
mecano-	gr. *mechané*	máquina
medio-, -médio	lat. *medium*	meio
mega-, megalo-, -megalia	gr. *mégas, megále*	grande
meia-, melano-	gr. *mélas, mélaina*	negro, escuro
meli-	lat. *mel, mellis*	mel

ELEMENTO	ORIGEM	SENTIDO
melo-	gr. *mélos*	melodia, canto
meningo-	gr. *mêninx, mêniggos*	meninge
meno-	gr. *mén, menós*	mês; mênstruo
meso-	gr. *mésos*	meio, médio; no meio de
meteoro-	gr. *metéoros*	fenômenos ou corpos celestes
meta-	gr. *metá*	transcendência
metro-	gr. *métra*	matriz, útero, ventre
metro-, -metro, -metria	gr. *métron*	medida
micro-	gr. *mikrós*	pequeno
mielo-	gr. *myelós*	medula, tutano
mini-	lat. *minimum*	muito pouco, muito pequeno
miria-	gr. *myriás, myriádos*	em número muito grande
miso-	gr. *misein (miséo)*	odiar, detestar
mnemo-, -mnésia	gr. *mnéme*	memória, lembrança
mono-	gr. *mónos*	sozinho; único
morfo-, -morfo, -morfia	gr. *morphé*	forma
multi-	lat. *multi*	numerosos
nano-	gr. *nánnos*	anão
nauto-, -nauta	gr. *náutes*	navegante, navegador
necro-	gr. *nekrós*	morte, cadáver
nefelo-, nefeli-	gr. *nephéle*	nuvem
nefro-	gr. *nephrós*	rim
neo-	gr. *neós*	novo, jovem
neuro-, neuri-, nevro-	gr. *neuron*	fibra, nervo
nocti-	lat. *nox, noctis*	noite
-nomo	gr. *nómos*	que regula; lei
nonno-	lat. *nonna*	regra
noso-	gr. *nósos*	doença
octo-	gr. *októ*, lat. *octo*	oito
odonto-, -odonte	gr. *odous, odóntos*	dente
oftalmo-	gr. *ophthalmós*	olho
-óide, -oidal	gr. *eidós*	aparência, forma
oligo-	gr. *olígos*	pequeno; pouco numeroso
oni-	lat. *omnis*	todo
-ônimo	gr. *ónimos*	nome
oniro-	gr. *óneiros*	sonho
onomato-	gr. *ónoma, onómatos*	nome
ornito-	gr. *órnis, órnithos*	pássaro
oro-	gr. *ôros*	montanha
oro-	lat. *ors, oris*	boca
orto-	gr. *orthos*	certo, direito
orqui-	gr. *órchis*	testículo
osmo-, -osmia	gr. *osmé*	cheiro
osteo-	gr. *ostéon*	osso
oto-	gr. *oús, otós*	ouvido
oxi-, oxido-, -óxido	gr. *oxys*	acre, ácido
paleo-	gr. *palaiós*	antigo
pan-, panto-	gr. *pân, pantós*	todo, tudo
paqui-	gr. *pachýs*	espesso, grosso
para-	gr. *pará*	proximidade; oposição
-paro	lat. *parere (pario)*	engendrar
pato-, -patia	gr. *pathos*	paixão; sofrimento
pedi-, -pede	lat. *pes, pedis*	pé
pedo- e **-pedia**	gr. *pais, paidós* e *paidéia*	criança; educação, cultura
pedo-	gr. *pédon*	solo
-pene	lat. *pennatus*	penado, plumado
pene-	lat. *paene*	quase
penta-	gr. *pénte*	cinco
pepto-, -pepsia	gr. *peptein (pépto)*	digerir
peri-	gr. *perí*	ao redor de, em volta de
petro-, petri-	lat. *petrum*	pedra, rocha
picto-	lat. *pictus*	pintado

ELEMENTO	ORIGEM	SENTIDO
pigo-, pige-, -pígio	gr. *pygé*	nádega
pilo-	lat. *pilus*	pêlo
piro-, -pira	gr. *pýr, pyrós*	fogo
pisci-	lat. *piscis*	peixe
piteco-, -piteco, pitec-	gr. *píthekos*	macaco
plani-, -plano	lat. *planus*	plano
plasmo-, -plasma	gr. *plásma*	ação de formar, modelagem
plati-	gr. *platýs*	largo, chato
pluri-	lat. *plures*	muitos, vários
-pnéia	gr. *pnoía*	respirar, soprar
pneumo-	gr. *pneúmon, pneúmonos*	pulmão, respiração
pneumato-	gr. *pneúma, pneúmatos*	ar, gás
podo-, -pode	gr. *poús, podós*	pé
-poiese, -poiético	gr. *poíesis, poiétikos*	criação, formação, produção
poli-, -polis, -pole	gr. *polís*	cidade
poli-	gr. *pólys*	numerosos
pós-	lat. *post*	posterioridade
potamo-, -pótamo	gr. *potamós*	rio
pre-, pré-	lat. *prae*	precedência; anterioridade
primo-	lato *primus*	primeiro
pro-	lat. *pro*	para diante de; em benefício ou favor de
proto-	gr. *prôtos*	primeiro
pseudo-	gr. *pseudés*	enganoso, falso
psico-	gr. *psyché*	alma
ptero-, -ptero	gr. *pterón*	asa
quadra-, quadri-, quadru-	lat. *quadra, quadri, quadru*	quatro
quiro-	gr. *cheír, cheirós*	mão
-rragia	gr. *rhegnumai*	romper; jorrar
radico-, radic-	lat. *radix, radicis*	raiz
radio-	lat. *radius*	raio; onda
raqui-	gr. *rháchis*	espinha dorsal
re-	lat. *re*	repetição
reo-, -réia	gr. *rheía*	fluir, escorrer
retro-	lat. *retro*	(movimento) da frente para trás
rinco-, -rinco	gr. *rhýgchos (rhýnchos)*	bico, focinho
rino-	gr. *rhís, rhínos*	nariz
rizo-, -rizo	gr. *rhíza*	raiz
rodo-	gr. *rhódon*	rosa
rombo-, rombi-	gr. *rhómbos*	losango
-rostro	lat. *rostrum*	bico
sacaro-	lat. *saccharum*	açúcar
sali-	lat. *sal, salis*	sal
sanguino-	lat. *sanguis, sanguinis*	sangue
saponi-	lat. *sapo, saponis*	sabão
sarco-, -sarca	gr. *sárxs, sárkos*	carne
-sauro	gr. *saúros*	lagarto
-scópio, -scopia	gr. *skopein (skopéo)*	observar, olhar
seleno-	gr. *seléne*	lua
-(s)sema, -(s)semia	gr. *sêma*	sinal
semi-	lat. *semi*	metade
semio-	gr. *semeîon*	sinal, indicação
-sepsia e **-sético** ou **-séptico**	gr. *sêpsis e septikós*	putrefação
sidero-	lat. *sidus, sideris*	astro, estrela
sidero-	gr. *síderos*	ferro
silvi-	lat. *sylva* (ou *silva*)	floresta
simili-	lat. *similis*	similitude
sin-	gr. *sín*	com, juntamente
sinistro-	lat. *sinister*	esquerdo
sino-	lat. *Sina*	China
sismo-	gr. *seismós*	tremor de terra
-sofo e **-sofia**	gr. *sophós e sophia*	sábio, sabedoria

ELEMENTO	ORIGEM	SENTIDO
soma-, somato-, -somo	gr. *sôma, sômatos*	corpo
soni-	lat. *somnus*	sono
sono-, -sono	lat. *sonus*	som
-spermo, -espermo	gr. *spérma, spérmatos*	semente
-stase, -stasia	gr. *stásis*	estabilidade, suspensão
-stato, -stático	gr. *státos*	estacionário, estável
-stilo	gr. *stýlos*	coluna, pilar
-stíquio, -stico	gr. *stíchos*	verso, linha
-stomo	gr. *stóma, stómatos*	boca
-strato	lat. *stratum*	leito; extensão; cauda
sub-	lat. *sub*	posição ou qualidade inferior; insuficiência
super-	lat. *super*	superioridade
super-, supra-	lat. *super; supra*	superioridade; posição superior
tafo-, -táfio	gr. *táphos*	funeral, tumba
talasso-	gr. *thálassa* (var. *tálatta)*	mar
tanato-, -tanásia	gr. *thánatos*	morte
taqueo-, taqui-	gr. *tachýs*	rápido
-teca	gr. *théke*	caixa; loja, estante
tecno-, -tecnia	gr. *téchne*	arte; artifício
tele-	gr. *têle*	de longe, a distância
teo-, -teu	gr. *theós*	deus, divindade
terato-	gr. *téras, tératos*	monstro
termo-, -termo, -termia	gr. *thérmos*	calor
tetra-	gr. *tetrá*	quatro
tipo-, -tipo, -tipia	gr. *típos*	impressão, marca
tiro-, tiros-	gr. *týros*	queijo
tomo-, -tomia	gr. *tomé*	corte, seção
tono-, -tonia	gr. *tónos*	tensão, força; tom
topo-, -topo	gr. *tópos*	lugar, sítio
toraco-, -tórax	gr. *thórax, thórakos*	peito, tórax
toxico-, toxo-	lat. *toxicum*	veneno
trans-	lat. *trans*	para além, através; mudança
tri-	gr., lat. *tri*	três
tris-	gr. *tris*	três
trofo-, -trófico, -trofia	gr. *trophé*	alimento; crescimento
trombo-	gr. *thrómbos*	coágulo
tropo-, -trópico, -tropia	gr. *trópos*	ação de se voltar para
ultra-	lat. *ultra*	intensidade; além de
uni-	lat. *unus*	um, um só
urano-	gr. *ouranós*	céu; abóbada palatina
uro-, -uria, -úria	gr. *oúron*	urina
uro-, -uro	gr. *ourá*	cauda
veloci-	lat. *velox, velocis*	rápido, veloz
vermi-	lat. *vermis*	verme
vice-	lat. *vice*	substituição
vini-	lat. *vinum*	vinho
viti-	lat. *vitis*	videira, vinha
-voro	lat. *vorare (vora)*	devorar
xanto-	gr. *xantós*	amarelo
xeno-, -xeno	gr. *xénos*	estrangeiro; hóspede
xera-, -xera	gr. *xerós*	duro; seco
xilo-, -xilo	gr. *xýlon*	madeira
zigo-	gr. *zygón*	par, união de dois
zoo-, -zoário	gr. *zóon*	animal

Obs.: As formas entre parênteses referem-se à primeira pessoa dos verbos latinos e gregos, a formas variantes na língua original ou a diferentes transliterações.

Modelos de conjugação

	1 - Ter	2 - Haver	3 - Ser	4 - Falar
IND. PRESENTE	eu tenho	eu hei	eu sou	eu falo
	tu tens	tu hás	tu és	tu falas
	ele tem	ele há	ele é	ele fala
	nós temos	nós havemos/hemos	nós somos	nós falamos
	vós tendes	vós haveis/heis	vós sois	vós falais
	eles têm	eles hão	eles são	eles falam
IND. IMPERFEITO	eu tinha	eu havia	eu era	eu falava
IND. PERFEITO	eu tive	eu houve	eu fui	eu falei
IND. M.-Q.-P. SIMPL.	eu tivera	eu houvera	eu fora	eu falara
IND. M.-Q.-P. COMP.	eu tinha ido	eu tinha havido	eu tinha sido	eu tinha falado
IND. FUT. DO PRES.	eu terei	eu haverei	eu serei	eu falarei
IND. FUT. DO PRET.	eu teria	eu haveria	eu seria	eu falaria
SUBJ. PRESENTE	que eu tenha	que eu haja	que eu seja	que eu fale
SUBJ. IMPERFEITO	que eu tivesse	que eu houvesse	que eu fosse	que eu falasse
SUBJ. PERFEITO	que eu tenha tido	que eu tenha havido	que eu tenha sido	que eu tenha falado
SUBJ. M.-Q.-PERF.	que eu tivesse tido	que eu tivesse havido	que eu tivesse sido	que eu tivesse falado
SUBJ. FUTURO	quando eu tiver	quando eu houver	quando eu for	quando eu falar
INF. PESSOAL	eu ter	eu haver	eu ser	eu falar
	tu teres	tu haveres	tu seres	tu falares
	ele ter	ele haver	ele ser	ele falar
	nós termos	nós havermos	nós sermos	nós falarmos
	vós terdes	vós haverdes	vós serdes	vós falardes
	eles terem	eles haverem	eles serem	eles falarem
IMPER. AFIRM.	tem (tu)	há (tu)	sê (tu)	fala (tu)
IMPER. NEG.	não tenhas	não hajas	não sejas	não fales
GERÚNDIO	tendo	havendo	sendo	falando
PARTICÍPIO	tido	havido	sido	falado

	5 - Comer	6 - Partir	7 - Cortar-se	8 - Chamá-lo
IND. PRESENTE	eu como	eu parto	eu me corto	eu o chamo
	tu comes	tu partes	tu te cortas	tu o chamas
	ele come	ele parte	ele se corta	ele o chama
	nós comemos	nós partimos	nós nos cortamos	nós o chamamos
	vós comeis	vós partis	vós vos cortais	vós o chamais
	eles comem	eles partem	eles se cortam	eles o chamam
IND. IMPERFEITO	eu comia	eu partia	eu me cortava	eu o chamava
IND. PERFEITO	eu comi	eu parti	eu me cortei	eu o chamei
IND. M.-Q.-P. SIMPL.	eu comera	eu partira	eu me cortara	eu o chamara
IND. M.-Q.-P. COMP.	eu tinha comido	eu tinha partido	eu me tinha cortado	eu o tinha chamado
IND. FUT. DO PRES.	eu comerei	eu partirei	eu me cortarei	eu o chamarei
IND. FUT. DO PRET.	eu comeria	eu partiria	eu me cortaria	eu o chamaria
SUBJ. PRESENTE	que eu coma	que eu parta	que eu me corte	que eu o chame
SUBJ. IMPERFEITO	que eu comesse	que eu partisse	que eu me cortasse	que eu o chamasse
SUBJ. PERFEITO	que eu tenha comido	que eu tenha partido	que eu me tenha cortado	que eu o tenha chamado
SUBJ. M.-Q.-PERF.	que eu tivesse comido	que eu tivesse partido	que eu me tivesse cortado	que eu o tivesse chamado
SUBJ. FUTURO	quando eu comer	quando eu partir	quando eu me cortar	quando eu o chamar
INF. PESSOAL	eu comer	eu partir	eu me cortar	eu o chamar
	tu comeres	tu partires	tu te cortares	tu o chamares
	ele comer	ele partir	ele se cortar	ele o chamar
	nós comermos	nós partirmos	nós nos cortarmos	nós o chamarmos
	vós comerdes	vós partirdes	vós vos cortardes	vós o chamardes
	eles comerem	eles partirem	eles se cortarem	eles o chamarem
IMPER. AFIRM.	come (tu)	parte (tu)	corta-te (tu)	chama-o (tu)
IMPER. NEG.	não comas	não partas	não te cortes	não o chames
GERÚNDIO	comendo	partindo	cortando	chamando
PARTICÍPIO	comido	partido	cortado	chamado

	9 - Ser amado	10 - Estar	11 - Dar	12 - Ficar
IND. PRESENTE	eu sou amado	eu estou	eu dou	eu fico
	tu és amado	tu estás	tu dás	tu ficas
	ele é amado	ele está	ele dá	ele fica
	nós somos amados	nós estamos	nós damos	nós ficamos
	vós sois amados	vós estais	vós dais	vós ficais
	eles são amados	eles estão	eles dão	eles ficam
IND. IMPERFEITO	eu era amado	eu estava	eu dava	eu ficava
IND. PERFEITO	eu fui amado	eu estive	eu dei	eu fiquei
IND. M.-Q.-P. SIMPL.	eu fora amado	eu estivera	eu dera	eu ficara
IND. M.-Q.-P. COMP.	eu tinha sido amado	eu tinha estado	eu tinha dado	eu tinha ficado
IND. FUT. DO PRES.	eu serei amado	eu estarei	eu darei	eu ficarei
IND. FUT. DO PRET.	eu seria amado	eu estaria	eu daria	eu ficaria
SUBJ. PRESENTE	que eu seja amado	que eu esteja	que eu dê	que eu fique
SUBJ. IMPERFEITO	que eu fosse amado	que eu estivesse	que eu desse	que eu ficasse
SUBJ. PERFEITO	que eu tenha sido amado	que eu tenha estado	que eu tenha dado	que eu tenha ficado
SUBJ. M.-Q.-PERF.	que eu tivesse sido amado	que eu tivesse estado	que eu tivesse dado	que eu tivesse ficado
SUBJ. FUTURO	quando eu for amado	quando eu estiver	quando eu der	quando eu ficar
INF. PESSOAL	eu ser amado	eu estar	eu dar	eu ficar
	tu seres amado	tu estares	tu dares	tu ficares
	ele ser amado	ele estar	ele dar	ele ficar
	nós sermos amados	nós estarmos	nós darmos	nós ficarmos
	vós serdes amados	vós estardes	vós dardes	vós ficardes
	eles serem amados	eles estarem	eles darem	eles ficarem
IMPER. AFIRM.	sê amado (tu)	está (tu)	dá (tu)	fica (tu)
IMPER. NEG.	não sejas amado	não estejas	não dês	não fiques
GERÚNDIO	amando	estando	dando	ficando
PARTICÍPIO	amado	estado	dado	ficado

	13 - Dançar	14 - Pagar	15 - Passear	16 - Enviar
IND. PRESENTE	eu danço	eu pago	eu passeio	eu envio
	tu danças	tu pagas	tu passeias	tu envias
	ele dança	ele paga	ele passeia	ele envia
	nós dançamos	nós pagamos	nós passeamos	nós enviamos
	vós dançais	vós pagais	vós passeais	vós enviais
	eles dançam	eles pagam	eles passeiam	eles enviam
IND. IMPERFEITO	eu dançava	eu pagava	eu passeava	eu enviava
IND. PERFEITO	eu dancei	eu paguei	eu passeei	eu enviei
IND. M.-Q.-P. SIMPL.	eu dançara	eu pagara	eu passeara	eu enviara
IND. M.-Q.-P. COMP.	eu tinha dançado	eu tinha pagado	eu tinha passeado	eu tinha enviado
IND. FUT. DO PRES.	eu dançarei	eu pagarei	eu passearei	eu enviarei
IND. FUT. DO PRET.	eu dançaria	eu pagaria	eu passearia	eu enviaria
SUBJ. PRESENTE	que eu dance	que eu pague	que eu passeie	que eu envie
SUBJ. IMPERFEITO	que eu dançasse	que eu pagasse	que eu passeasse	que eu enviasse
SUBJ. PERFEITO	que eu tenha dançado	que eu tenha pagado	que eu tenha passeado	que eu tenha enviado
SUBJ. M.-Q.-PERF.	que eu tivesse dançado	que eu tivesse pagado	que eu tivesse passeado	que eu tivesse enviado
SUBJ. FUTURO	quando eu dançar	quando eu pagar	quando eu passear	quando eu enviar
INF. PESSOAL	eu dançar	eu pagar	eu passear	eu enviar
	tu dançares	tu pagares	tu passeares	tu enviares
	ele dançar	ele pagar	ele passear	ele enviar
	nós dançarmos	nós pagarmos	nós passearmos	nós enviarmos
	vós dançardes	vós pagardes	vós passeardes	vós enviardes
	eles dançarem	eles pagarem	eles passearem	eles enviarem
IMPER. AFIRM.	dança (tu)	paga (tu)	passeia (tu)	envia (tu)
IMPER. NEG.	não dances	não pagues	não passeies	não envies
GERÚNDIO	dançando	pagando	passeando	enviando
PARTICÍPIO	dançado	pagado/pago	passeado	enviado

	17 - ODIAR	18 - COMERCIAR	19 - SAUDAR	20 - DOAR
IND. PRESENTE	eu odeio	eu comerc(e)io	eu saúdo	eu dôo
	tu odeias	tu comerc(e)ias	tu saúdas	tu doas
	ele odeia	ele comerc(e)ia	ele saúda	ele doa
	nós odiamos	nós comerciamos	nós saudamos	nós doamos
	vós odiais	vós comerciais	vós saudais	vós doais
	eles odeiam	eles comerc(e)iam	eles saúdam	eles doam
IND. IMPERFEITO	eu odiava	eu comerciava	eu saudava	eu doava
IND. PERFEITO	eu odiei	eu comerciei	eu saudei	eu doei
IND. M.-Q.-P. SIMPL.	eu odiara	eu comerciara	eu saudara	eu doara
IND. M.-Q.-P. COMP.	eu tinha odiado	eu tinha comerciado	eu tinha saudado	eu tinha doado
IND. FUT. DO PRES.	eu odiarei	eu comerciarei	eu saudarei	eu doarei
IND. FUT. DO PRET.	eu odiaria	eu comerciaria	eu saudaria	eu doaria
SUBJ. PRESENTE	que eu odeie	que eu comerc(e)ie	que eu saúde	que eu doe
SUBJ. IMPERFEITO	que eu odiasse	que eu comerciasse	que eu saudasse	que eu doasse
SUBJ. PERFEITO	que eu tenha odiado	que eu tenha comerciado	que eu tenha saudado	que eu tenha doado
SUBJ. M.-Q.-PERF.	que eu tivesse odiado	que eu tivesse comerciado	que eu tivesse saudado	que eu tivesse doado
SUBJ. FUTURO	quando eu odiar	quando eu comerciar	quando eu saudar	quando eu doar
INF. PESSOAL	eu odiar	eu comerciar	eu saudar	eu doar
	tu odiares	tu comerciares	tu saudares	tu doares
	ele odiar	ele comerciar	ele saudar	ele doar
	nós odiarmos	nós comerciarmos	nós saudarmos	nós doarmos
	vós odiardes	vós comerciardes	vós saudardes	vós doardes
	eles odiarem	eles comerciarem	eles saudarem	eles doarem
IMPER. AFIRM.	odeia (tu)	comerc(e)ia (tu)	saúda (tu)	doa (tu)
IMPER. NEG.	não odeies	não comerc(e)ies	não saúdes	não does
GERÚNDIO	odiando	comerciando	saudando	doando
PARTICÍPIO	odiado	comerciado	saudado	doado

	21 - AVERIGUAR	22 - ENXAGUAR	23 - ADEQUAR	24 - RELAMPAGUEAR
IND. PRESENTE	eu averiguo	eu enxáguo	–	–
	tu averiguas	tu enxáguas	–	–
	ele averigua	ele enxágua	–	relampagueia
	nós averiguamos	nós enxaguamos	nós adequamos	–
	vós averiguais	vós enxaguais	vós adequais	–
	eles averiguam	eles enxáguam	–	relampagueiam
IND. IMPERFEITO	eu averiguava	eu enxaguava	eu adequava	–
IND. PERFEITO	eu averigüei	eu enxagüei	eu adeqüei	–
IND. M.-Q.-P. SIMPL.	eu averiguara	eu enxaguara	eu adequara	–
IND. M.-Q.-P. COMP.	eu tinha averiguado	eu tinha enxaguado	eu tinha adequado	–
IND. FUT. DO PRES.	eu averiguarei	eu enxaguarei	eu adequarei	–
IND. FUT. DO PRET.	eu averiguaria	eu enxaguaria	eu adequaria	–
SUBJ. PRESENTE	que eu averigúe	que eu enxágue	–	–
SUBJ. IMPERFEITO	que eu averiguasse	que eu enxaguasse	que eu adequasse	–
SUBJ. PERFEITO	que eu tenha averiguado	que eu tenha enxaguado	que eu tenha adequado	–
SUBJ. M.-Q.-PERF.	que eu tivesse averiguado	que eu tivesse enxaguado	que eu tivesse adequado	–
SUBJ. FUTURO	quando eu averiguar	quando eu enxaguar	quando eu adequar	–
INF. PESSOAL	eu averiguar	eu enxaguar	eu adequar	–
	tu averiguares	tu enxaguares	tu adequares	–
	ele averiguar	ele enxaguar	ele adequar	relampaguear
	nós averiguarmos	nós enxaguarmos	nós adequarmos	–
	vós averiguardes	vós enxaguardes	vós adequardes	–
	eles averiguarem	eles enxaguarem	eles adequarem	relampaguearem
IMPER. AFIRM.	averigua (tu)	enxágua (tu)	–	–
IMPER. NEG.	não averigúes	não enxágües	–	–
GERÚNDIO	averiguando	enxaguando	adequando	relampagueando
PARTICÍPIO	averiguado	enxaguado	adequado	relampagueado

	25 - Agradecer	26 - Eleger	27 - Erguer	28 - Roer
IND. PRESENTE	eu agradeço	eu elejo	eu ergo	eu rôo
	tu agradeces	tu eleges	tu ergues	tu róis
	ele agradece	ele elege	ele ergue	ele rói
	nós agradecemos	nós elegemos	nós erguemos	nós roemos
	vós agradeceis	vós elegeis v	ós ergueis	vós roeis
	eles agradecem	eles elegem	eles erguem	eles roem
IND. IMPERFEITO	eu agradecia	eu elegia	eu erguia	eu roía
IND. PERFEITO	eu agradeci	eu elegi	eu ergui	eu roí
IND. M.-Q.-P. SIMPL.	eu agradecera	eu elegera	eu erguera	eu roera
IND. M.-Q.-P. COMP.	eu tinha agradecido	eu tinha elegido	eu tinha erguido	eu tinha roído
IND. FUT. DO PRES.	eu agradecerei	eu elegerei	eu erguerei	eu roerei
IND. FUT. DO PRET.	eu agradeceria	eu elegeria	eu ergueria	eu roeria
SUBJ. PRESENTE	que eu agradeça	que eu eleja	que eu erga	que eu roa
SUBJ. IMPERFEITO	que eu agradecesse	que eu elegesse	que eu erguesse	que eu roesse
SUBJ. PERFEITO	que eu tenha agradecido	que eu tenha elegido	que eu tenha erguido	que eu tenha roído
SUBJ. M.-Q.-PERF.	que eu tivesse agradecido	que eu tivesse elegido	que eu tivesse erguido	que eu tivesse roído
SUBJ. FUTURO	quando eu agradecer	quando eu eleger	quando eu erguer	quando eu roer
INF. PESSOAL	eu agradecer	eu eleger	eu erguer	eu roer
	tu agradeceres	tu elegeres	tu ergueres	tu roeres
	ele agradecer	ele eleger	ele erguer	ele roer
	nós agradecermos	nós elegermos	nós erguermos	nós roermos
	vós agradecerdes	vós elegerdes	vós erguerdes	vós roerdes
	eles agradecerem	eles elegerem	eles erguerem	eles roerem
IMPER. AFIRM.	agradece (tu)	elege (tu)	ergue (tu)	rói (tu)
IMPER. NEG.	não agradeças	não elejas	não ergas	não roas
GERÚNDIO	agradecendo	elegendo	erguendo	roendo
PARTICÍPIO	agradecido	elegido, eleito	erguido	roído

	29 - Dizer	30 - Trazer	31 - Fazer	32 - Aprazer
IND. PRESENTE	eu digo	eu trago	eu faço	eu aprazo
	tu dizes	tu trazes	tu fazes	tu aprazes
	ele diz	ele traz	ele faz	ele apraz
	nós dizemos	nós trazemos	nós fazemos	nós aprazemos
	vós dizeis	vós trazeis	vós fazeis	vós aprazeis
	eles dizem	eles trazem	eles fazem	eles aprazem
IND. IMPERFEITO	eu fazia	eu aprazia	eu dizia	eu trazia
IND. PERFEITO	eu fiz	eu aprouve	eu disse	eu trouxe
IND. M.-Q.-P. SIMPL.	eu fizera	eu aprouvera	eu dissera	eu trouxera
IND. M.-Q.-P. COMP.	eu tinha feito	eu tinha aprazido	eu tinha dito	eu tinha trazido
IND. FUT. DO PRES.	eu farei	eu aprazerei	eu direi	eu trarei
IND. FUT. DO PRET.	eu faria	eu aprazeria	eu diria	eu traria
SUBJ. PRESENTE	que eu faça	que eu apraza	que eu diga	que eu traga
SUBJ. IMPERFEITO	que eu fizesse	que eu aprouvesse	que eu dissesse	que eu trouxesse
SUBJ. PERFEITO	que eu tenha feito	que eu tenha aprazido	que eu tenha dito	que eu tenha trazido
SUBJ. M.-Q.-PERF.	que eu tivesse feito	que eu tivesse aprazido	que eu tivesse dito	que eu tivesse trazido
SUBJ. FUTURO	quando eu fizer	quando eu aprouver	quando eu disser	quando eu trouxer
INF. PESSOAL	eu fazer	eu aprazer	eu dizer	eu trazer
	tu fazeres	tu aprazeres	tu dizeres	tu trazeres
	ele fazer	ele aprazer	ele dizer	ele trazer
	nós fazermos	nós aprazermos	nós dizermos	nós trazermos
	vós fazerdes	vós aprazerdes	vós dizerdes	vós trazerdes
	eles fazerem	eles aprazerem	eles dizerem	eles trazerem
IMPER. AFIRM.	faz, faze (tu)	apraz, apraze (tu)	diz, dize (tu)	traz, traze (tu)
IMPER. NEG.	não faças	não aprazas	não digas	não tragas
GERÚNDIO	fazendo	aprazendo	dizendo	trazendo
PARTICÍPIO	feito	aprazido	dito	trazido

	33 - JAZER	34 - CABER	35 - SABER	36 - PODER
IND. PRESENTE	eu jazo	eu caibo	eu sei	eu posso
	tu jazes	tu cabes	tu sabes	tu podes
	ele jaz	ele cabe	ele sabe	ele pode
	nós jazemos	nós cabemos	nós sabemos	nós podemos
	vós jazeis	vós cabeis	vós sabeis	vós podeis
	eles jazem	eles cabem	eles sabem	eles podem
IND. IMPERFEITO	eu jazia	eu cabia	eu sabia	eu podia
IND. PERFEITO	eu jazi	eu coube	eu soube	eu pude
IND. M.-Q.-P. SIMPL.	eu jazera	eu coubera	eu soubera	eu pudera
IND. M.-Q.-P. COMP.	eu tinha jazido	eu tinha cabido	eu tinha sabido	eu tinha podido
IND. FUT. DO PRES.	eu jazerei	eu caberei	eu saberei	eu poderei
IND. FUT. DO PRET.	eu jazeria	eu caberia	eu saberia	eu poderia
SUBJ. PRESENTE	que eu jaza	que eu caiba	que eu saiba	que eu possa
SUBJ. IMPERFEITO	que eu jazesse	que eu coubesse	que eu soubesse	que eu pudesse
SUBJ. PERFEITO	que eu tenha jazido	que eu tenha cabido	que eu tenha sabido	que eu tenha podido
SUBJ. M.-Q.-PERF.	que eu tivesse jazido	que eu tivesse cabido	que eu tivesse sabido	que eu tivesse podido
SUBJ. FUTURO	quando eu jazer	quando eu couber	quando eu souber	quando eu puder
INF. PESSOAL	eu jazer	eu caber	eu saber	eu poder
	tu jazeres	tu caberes	tu saberes	tu poderes
	ele jazer	ele caber	ele saber	ele poder
	nós jazermos	nós cabermos	nós sabermos	nós podermos
	vós jazerdes	vós caberdes	vós saberdes	vós poderdes
	eles jazerem	eles caberem	eles saberem	eles poderem
IMPER. AFIRM.	jaz, jaze (tu)	–	sabe (tu)	–
IMPER. NEG.	não jazas	–	não saibas	–
GERÚNDIO	jazendo	cabendo	sabendo	podendo
PARTICÍPIO	jazido	cabido	sabido	podido

	37 - CRER	38 - QUERER	39 - REQUERER	40 - VER
IND. PRESENTE	eu creio	eu quero	eu requeiro	eu vejo
	tu crês	tu queres	tu requeres	tu vês
	ele crê	ele quer	ele requer	ele vê
	nós cremos	nós queremos	nós requeremos	nós vemos
	vós credes	vós quereis	vós requereis	vós vedes
	eles crêem	eles querem	eles requerem	eles vêem
IND. IMPERFEITO	eu cria	eu queria	eu requeria	eu via
IND. PERFEITO	eu cri	eu quis	eu requeri	eu vi
IND. M.-Q.-P. SIMPL.	eu crera	eu quisera	eu requerera	eu vira
IND. M.-Q.-P. COMP.	eu tinha crido	eu tinha querido	eu tinha requerido	eu tinha visto
IND. FUT. DO PRES.	eu crerei	eu quererei	eu requererei	eu verei
IND. FUT. DO PRET.	eu creria	eu quereria	eu requereria	eu veria
SUBJ. PRESENTE	que eu creia	que eu queira	que eu requeira	que eu veja
SUBJ. IMPERFEITO	que eu cresse	que eu quisesse	que eu requeresse	que eu visse
SUBJ. PERFEITO	que eu tenha crido	que eu tenha querido	que eu tenha requerido	que eu tenha visto
SUBJ. M.-Q.-PERF.	que eu tivesse crido	que eu tivesse querido	que eu tivesse requerido	que eu tivesse visto
SUBJ. FUTURO	quando eu crer	quando eu quiser	quando eu requerer	quando eu vir
INF. PESSOAL	eu crer	eu querer	eu requerer	eu ver
	tu creres	tu quereres	tu requereres	tu veres
	ele crer	ele querer	ele requerer	ele ver
	nós crermos	nós querermos	nós requerermos	nós vermos
	vós crerdes	vós quererdes	vós requererdes	vós verdes
	eles crerem	eles quererem	eles requererem	eles verem
IMPER. AFIRM.	crê (tu)	quer (tu)	requer (tu)	vê (tu)
IMPER. NEG.	não creias	não queiras	não requeiras	não vejas
GERÚNDIO	crendo	querendo	requerendo	vendo
PARTICÍPIO	crido	querido	requerido	visto

	41 - PROVER	42 - LER	43 - VALER	44 - PERDER
IND. PRESENTE	eu provejo	eu leio	eu valho	eu perco
	tu provês	tu lês	tu vales	tu perdes
	ele provê	ele lê	ele vale	ele perde
	nós provemos	nós lemos	nós valemos	nós perdemos
	vós provedes	vós ledes	vós valeis	vós perdeis
	eles provêem	eles lêem	eles valem	eles perdem
IND. IMPERFEITO	eu provia	eu lia	eu valia	eu perdia
IND. PERFEITO	eu provi	eu li	eu vali	eu perdi
IND. M.-Q.-P. SIMPL.	eu provera	eu lera	eu valera	eu perdera
IND. M.-Q.-P. COMP.	eu tinha provido	eu tinha lido	eu tinha valido	eu tinha perdido
IND. FUT. DO PRES.	eu proverei	eu lerei	eu valerei	eu perderei
IND. FUT. DO PRET.	eu proveria	eu leria	eu valeria	eu perderia
SUBJ. PRESENTE	que eu proveja	que eu leia	que eu valha	que eu perca
SUBJ. IMPERFEITO	que eu provesse	que eu lesse	que eu valesse	que eu perdesse
SUBJ. PERFEITO	que eu tenha provido	que eu tenha lido	que eu tenha valido	que eu tenha perdido
SUBJ. M.-Q.-PERF.	que eu tivesse provido	que eu tivesse lido	que eu tivesse valido	que eu tivesse perdido
SUBJ. FUTURO	quando eu prover	quando eu ler	quando eu valer	quando eu perder
INF. PESSOAL	eu prover	eu ler	eu valer	eu perder
	tu proveres	tu leres	tu valeres	tu perderes
	ele prover	ele ler	ele valer	ele perder
	nós provermos	nós lermos	nós valermos	nós perdermos
	vós proverdes	vós lerdes	vós valerdes	vós perderdes
	eles proverem	eles lerem	eles valerem	eles perderem
IMPER. AFIRM.	provê (tu)	lê (tu)	vale (tu)	perde (tu)
IMPER. NEG.	não provejas	não leias	não valhas	não percas
GERÚNDIO	provendo	lendo	valendo	perdendo
PARTICÍPIO	provido	lido	valido	perdido

	45 - PÔR	46 - ACONTECER	47 - CHOVER	48 - DOER
IND. PRESENTE	eu ponho	–	–	–
	tu pões	–	–	–
	ele põe	acontece	chove	dói
	nós pomos	–	–	–
	vós pondes	–	–	–
	eles põem	acontecem	chovem	doem
IND. IMPERFEITO	eu punha	–	–	–
IND. PERFEITO	eu pus	–	–	–
IND. M.-Q.-P. SIMPL.	eu pusera	–	–	–
IND. M.-Q.-P. COMP.	eu tinha posto	–	–	–
IND. FUT. DO PRES.	eu porei	–	–	–
IND. FUT. DO PRET.	eu poria	–	–	–
SUBJ. PRESENTE	que eu ponha	–	–	–
SUBJ. IMPERFEITO	que eu pusesse	–	–	–
SUBJ. PERFEITO	que eu tenha posto	–	–	–
SUBJ. M.-Q.-PERF.	que eu tivesse posto	–	–	–
SUBJ. FUTURO	quando eu puser	–	–	–
INF. PESSOAL	eu pôr	–	–	–
	tu pores	–	–	–
	ele pôr	acontecer	chover	doer
	nós pormos	–	–	–
	vós pordes	–	–	–
	eles porem	acontecerem	choverem	doerem
IMPER. AFIRM.	põe (tu)	–	–	–
IMPER. NEG.	não ponhas	–	–	–
GERÚNDIO	pondo	acontecendo	chovendo	doendo
PARTICÍPIO	posto	acontecido	chovido	doído

	49 - PRAZER	50 - PRECAVER	51 - REAVER	52 - FINGIR
IND. PRESENTE	–	–	–	eu finjo
	–	–	–	tu finges
	praz	–	–	ele finge
	–	nós precavemos	nós reavemos	nós fingimos
	–	vós precaveis	vós reaveis	vós fingis
	prazem	–	–	eles fingem
IND. IMPERFEITO	–	eu precavia	eu reavia	eu fingia
IND. PERFEITO	–	eu precavi	eu reouve	eu fingi
IND. M.-Q.-P. SIMPL.	–	eu precavera	eu reouvera	eu fingira
IND. M.-Q.-P. COMP.	–	eu tinha precavido	eu tinha reavido	eu tinha fingido
IND. FUT. DO PRES.	–	eu precaverei	eu reaverei	eu fingirei
IND. FUT. DO PRET.	–	eu precaveria	eu reaveria	eu fingiria
SUBJ. PRESENTE	–	–	–	que eu finja
SUBJ. IMPERFEITO	–	que eu precavesse	que eu reouvesse	que eu fingisse
SUBJ. PERFEITO	–	que eu tenha precavido	que eu tenha reavido	que eu tenha fingido
SUBJ. M.-Q.-PERF.	–	que eu tivesse precavido	que eu tivesse reavido	que eu tivesse fingido
SUBJ. FUTURO	–	quando eu precaver	quando eu reouver	quando eu fingir
INF. PESSOAL	–	eu precaver	eu reaver	eu fingir
	–	tu precaveres	tu reaveres	tu fingires
	prazer	ele precaver	ele reaver	ele fingir
	–	nós precavermos	nós reavermos	nós fingirmos
	–	vós precaverdes	vós reaverdes	vós fingirdes
	prazerem	eles precaverem	eles reaverem	eles fingirem
IMPER. AFIRM.	–	–	–	finge (tu)
IMPER. NEG.	–	–	–	não finjas
GERÚNDIO	prazendo	precavendo	reavendo	fingindo
PARTICÍPIO	prazido	precavido	reavido	fingido

	53 - DISTINGUIR	54 - SERVIR	55 - SEGUIR	56 - SENTIR
IND. PRESENTE	eu distingo	eu sirvo	eu sigo	eu sinto
	tu distingues	tu serves	tu segues	tu sentes
	ele distingue	ele serve	ele segue	ele sente
	nós distinguimos	nós servimos	nós seguimos	nós sentimos
	vós distinguis	vós servis	vós seguis	vós sentis
	eles distinguem	eles servem	eles seguem	eles sentem
IND. IMPERFEITO	eu distinguia	eu servia	eu seguia	eu sentia
IND. PERFEITO	eu distingui	eu servi	eu segui	eu senti
IND. M.-Q.-P. SIMPL.	eu distinguira	eu servira	eu seguira	eu sentira
IND. M.-Q.-P. COMP.	eu tinha distinguido	eu tinha servido	eu tinha seguido	eu tinha sentido
IND. FUT. DO PRES.	eu distinguirei	eu servirei	eu seguirei	eu sentireI
IND. FUT. DO PRET.	eu distinguiria	eu serviria	eu seguiria	eu sentiria
SUBJ. PRESENTE	que eu distinga	que eu sirva	que eu siga	que eu sinta
SUBJ. IMPERFEITO	que eu distinguisse	que eu servisse	que eu seguisse	que eu sentisse
SUBJ. PERFEITO	que eu tenha distinguido	que eu tenha servido	que eu tenha seguido	que eu tenha sentido
SUBJ. M.-Q.-PERF.	que eu tivesse distinguido	que eu tivesse servido	que eu tivesse seguido	que eu tivesse sentido
SUBJ. FUTURO	quando eu distinguir	quando eu servir	quando eu seguir	quando eu sentir
INF. PESSOAL	eu distinguir	eu servir	eu seguir	eu sentir
	tu distinguires	tu servires	tu seguires	tu sentires
	ele distinguir	ele servir	ele seguir	ele sentir
	nós distinguirmos	nós servirmos	nós seguirmos	nós sentirmos
	vós distinguirdes	vós servirdes	vós seguirdes	vós sentirdes
	eles distinguirem	eles servirem	eles seguirem	eles sentirem
IMPER. AFIRM.	distingue (tu)	serve (tu)	segue (tu)	sente (tu)
IMPER. NEG.	não distingas	não sirvas	não sigas	não sintas
GERÚNDIO	distinguindo	servindo	seguindo	sentindo
PARTICÍPIO	distinguido	servido	seguido	sentido

	57 - Ferir	58 - Prevenir	59 - Dormir	60 - Polir
IND. PRESENTE	eu firo	eu previno	eu durmo	eu pulo
	tu feres	tu prevines	tu dormes	tu pules
	ele fere	ele previne	ele dorme	ele pule
	nós ferimos	nós prevenimos	nós dormimos	nós polimos
	vós feris	vós prevenis	vós dormis	vós polis
	eles ferem	eles previnem	eles dormem	eles pulem
IND. IMPERFEITO	eu feria	eu prevenia	eu dormia	eu polia
IND. PERFEITO	eu feri	eu preveni	eu dormi	eu poli
IND. M.-Q.-P. SIMPL.	eu ferira	eu prevenira	eu dormira	eu polira
IND. M.-Q.-P. COMP.	eu tinha ferido	eu tinha prevenido	eu tinha dormido	eu tinha polido
IND. FUT. DO PRES.	eu ferirei	eu prevenirei	eu dormirei	eu polirei
IND. FUT. DO PRET.	eu feriria	eu preveniria	eu dormiria	eu poliria
SUBJ. PRESENTE	que eu fira	que eu previna	que eu durma	que eu pula
SUBJ. IMPERFEITO	que eu ferisse	que eu prevenisse	que eu dormisse	que eu polisse
SUBJ. PERFEITO	que eu tenha ferido	que eu tenha prevenido	que eu tenha dormido	que eu tenha polido
SUBJ. M.-Q.-PERF.	que eu tivesse ferido	que eu tivesse prevenido	que eu tivesse dormido	que eu tivesse polido
SUBJ. FUTURO	quando eu ferir	quando eu prevenir	quando eu dormir	quando eu polir
INF. PESSOAL	eu ferir	eu prevenir	eu dormir	eu polir
	tu ferires	tu prevenires	tu dormires	tu polires
	ele ferir	ele prevenir	ele dormir	ele polir
	nós ferirmos	nós prevenirmos	nós dormirmos	nós polirmos
	vós ferirdes	vós prevenirdes	vós dormirdes	vós polirdes
	eles ferirem	eles prevenirem	eles dormirem	eles polirem
IMPER. AFIRM.	fere (tu)	previne (tu)	dorme (tu)	pule (tu)
IMPER. NEG.	não firas	não previnas	não durmas	não pulas
GERÚNDIO	ferindo	prevenindo	dormindo	polindo
PARTICÍPIO	ferido	prevenido	dormido	polido

	61 - Subir	62 - Fugir	63 - Frigir	64 - Convergir
IND. PRESENTE	eu subo	eu fujo	eu frijo	eu convirjo
	tu sobes	tu foges	tu friges	tu converges
	ele sobe	ele foge	ele frige	ele converge
	nós subimos	nós fugimos	nós frigimos	nós convergimos
	vós subis	vós fugis	vós frigis	vós convergis
	eles sobem	eles fogem	eles frigem	eles convergem
IND. IMPERFEITO	eu subia	eu fugia	eu frigia	eu convergia
IND. PERFEITO	eu subi	eu fugi	eu frigi	eu convergi
IND. M.-Q.-P. SIMPL.	eu subira	eu fugira	eu frigira	eu convergira
IND. M.-Q.-P. COMP.	eu tinha subido	eu tinha fugido	eu tinha frigido	eu tinha convergido
IND. FUT. DO PRES.	eu subirei	eu fugirei	eu frigirei	eu convergirei
IND. FUT. DO PRET.	eu subiria	eu fugiria	eu frigiria	eu convergiria
SUBJ. PRESENTE	que eu suba	que eu fuja	que eu frija	que eu convirja
SUBJ. IMPERFEITO	que eu subisse	que eu fugisse	que eu frigisse	que eu convergisse
SUBJ. PERFEITO	que eu tenha subido	que eu tenha fugido	que eu tenha frigido	que eu tenha convergido
SUBJ. M.-Q.-PERF.	que eu tivesse subido	que eu tivesse fugido	que eu tivesse frigido	que eu tivesse convergido
SUBJ. FUTURO	quando eu subir	quando eu fugir	quando eu frigir	quando eu convergir
INF. PESSOAL	eu subir	eu fugir	eu frigir	eu convergir
	tu subires	tu fugires	tu frigires	tu convergires
	ele subir	ele fugir	ele frigir	ele convergir
	nós subirmos	nós fugirmos	nós frigirmos	nós convergirmos
	vós subirdes	vós fugirdes	vós frigirdes	vós convergirdes
	eles subirem	eles fugirem	eles frigirem	eles convergirem
IMPER. AFIRM.	sobe (tu)	foge (tu)	frige (tu)	converge (tu)
IMPER. NEG.	não subas	não fujas	não frijas	não convirjas
GERÚNDIO	subindo	fugindo	frigindo	convergindo
PARTICÍPIO	subido	fugido	frigido, frito	convergido

	65 - Refletir	66 - Ir	67 - Vir	68 - Sair
IND. PRESENTE	eu reflito	eu vou	eu venho	eu saio
	tu refletes	tu vais	tu vens	tu sais
	ele reflete	ele vai	ele vem	ele sai
	nós refletimos	nós vamos	nós vimos	nós saímos
	vós refletis	vós ides	vós vindes	vós saís
	eles refletem	eles vão	eles vêm	eles saem
IND. IMPERFEITO	eu refletia	eu ia	eu vinha	eu saia
IND. PERFEITO	eu refleti	eu fui	eu vim	eu saí
IND. M.-Q.-P. SIMPL.	eu refletira	eu fora	eu viera	eu saíra
IND. M.-Q.-P. COMP.	eu tinha refletido	eu tinha ido	eu tinha vindo	eu tinha saído
IND. FUT. DO PRES.	eu refletirei	eu irei	eu virei	eu sairei
IND. FUT. DO PRET.	eu refletiria	eu iria	eu viria	eu sairia
SUBJ. PRESENTE	que eu reflita	que eu vá	que eu venha	que eu saia
SUBJ. IMPERFEITO	que eu refletisse	que eu fosse	que eu viesse	que eu saísse
SUBJ. PERFEITO	que eu tenha refletido	que eu tenha ido	que eu tenha vindo	que eu tenha saído
SUBJ. M.-Q.-PERF.	que eu tivesse refletido	que eu tivesse ido	que eu tivesse vindo	que eu tivesse saído
SUBJ. FUTURO	quando eu refletir	quando eu for	quando eu vier	quando eu sair
INF. PESSOAL	eu refletir	eu ir	eu vir	eu sair
	tu refletires	tu ires	tu vires	tu saíres
	ele refletir	ele ir	ele vir	ele sair
	nós refletirmos	nós irmos	nós virmos	nós sairmos
	vós refletirdes	vós irdes	vós virdes	vós sairdes
	eles refletirem	eles irem	eles virem	eles saírem
IMPER. AFIRM.	reflete (tu)	vai (tu)	vem (tu)	sai (tu)
IMPER. NEG.	não reflitas	não vás	não venhas	não saias
GERÚNDIO	refletindo	indo	vindo	saindo
PARTICÍPIO	refletido	ido	vindo	saído

	69 - Rir	70 - Pedir	71 - Ouvir	72 - Produzir
IND. PRESENTE	eu rio	eu peço	eu ouço, oiço	eu produzo
	tu ris	tu pedes	tu ouves	tu produzes
	ele ri	ele pede	ele ouve	ele produz
	nós rimos	nós pedimos	nós ouvimos	nós produzimos
	vós rides	vós pedis	vós ouvis	vós produzis
	eles riem	eles pedem	eles ouvem	eles produzem
IND. IMPERFEITO	eu ria	eu pedia	eu ouvia	eu produzia
IND. PERFEITO	eu ri	eu pedi	eu ouvi	eu produzi
IND. M.-Q.-P. SIMPL.	eu rira	eu pedira	eu ouvira	eu produzira
IND. M.-Q.-P. COMP.	eu tinha rido	eu tinha pedido	eu tinha ouvido	eu tinha produzido
IND. FUT. DO PRES.	eu rirei	eu pedirei	eu ouvirei	eu produzirei
IND. FUT. DO PRET.	eu riria	eu pediria	eu ouviria	eu produziria
SUBJ. PRESENTE	que eu ria	que eu peça	que eu ouça	que eu produza
SUBJ. IMPERFEITO	que eu risse	que eu pedisse	que eu ouvisse	que eu produzisse
SUBJ. PERFEITO	que eu tenha rido	que eu tenha pedido	que eu tenha ouvido	que eu tenha produzido
SUBJ. M.-Q.-PERF.	que eu tivesse rido	que eu tivesse pedido	que eu tivesse ouvido	que eu tivesse produzido
SUBJ. FUTURO	quando eu rir	quando eu pedir	quando eu ouvir	quando eu produzir
INF. PESSOAL	eu rir	eu pedir	eu ouvir	eu produzir
	tu rires	tu pedires	tu ouvires	tu produzires
	ele rir	ele pedir	ele ouvir	ele produzir
	nós rirmos	nós pedirmos	nós ouvirmos	nós produzirmos
	vós rirdes	vós pedirdes	vós ouvirdes	vós produzirdes
	eles rirem	eles pedirem	eles ouvirem	eles produzirem
IMPER. AFIRM.	ri (tu)	pede (tu)	ouve (tu)	produz, produze (tu)
IMPER. NEG.	não rias	não peças	não ouças	não produzas
GERÚNDIO	rindo	pedindo	ouvindo	produzindo
PARTICÍPIO	rido	pedido	ouvido	produzido

	73 - CONSTRUIR	74 - ATRIBUIR	75 - ARGÜIR	76 - REUNIR
IND. PRESENTE	eu construo	eu atribuo	eu arguo	eu reúno
	tu constróis	tu atribuis	tu argúis	tu reúnes
	ele constrói	ele atribui	ele argúi	ele reúne
	nós construímos	nós atribuímos	nós argüimos	nós reunimos
	vós construís	vós atribuís	vós argüis	vós reunis
	eles constroem	eles atribuem	eles argúem	eles reúnem
IND. IMPERFEITO	eu construía	eu atribuía	eu argüia	eu reunia
IND. PERFEITO	eu construí	eu atribuí	eu argüi	eu reuni
IND. M.-Q.-P. SIMPL.	eu construíra	eu atribuíra	eu argüira	eu reunira
IND. M.-Q.-P. COMP.	eu tinha construído	eu tinha atribuído	eu tinha argüido	eu tinha reunido
IND. FUT. DO PRES.	eu construirei	eu atribuirei	eu argüirei	eu reunirei
IND. FUT. DO PRET.	eu construiria	eu atribuiria	eu argüiria	eu reuniria
SUBJ. PRESENTE	que eu construa	que eu atribua	que eu argua	que eu reúna
SUBJ. IMPERFEITO	que eu construísse	que eu atribuísse	que eu argüisse	que eu reunisse
SUBJ. PERFEITO	que eu tenha construído	que eu tenha atribuído	que eu tenha argüido	que eu tenha reunido
SUBJ. M.-Q.-PERF.	que eu tivesse construído	que eu tivesse atribuído	que eu tivesse argüido	que eu tivesse reunido
SUBJ. FUTURO	quando eu construir	quando eu atribuir	quando eu argüir	quando eu reunir
INF. PESSOAL	eu construir	eu atribuir	eu argüir	eu reunir
	ele construir	ele atribuir	ele argüir	ele reunir
	tu construíres	tu atribuíres	tu argüires	tu reunires
	nós construirmos	nós atribuirmos	nós argüirmos	nós reunirmos
	vós construirdes	vós atribuirdes	vós argüirdes	vós reunirdes
INF. PESSOAL	eles construírem	eles atribuírem	eles argüirem	eles reunirem
IMPER. AFIRM.	constrói (tu)	atribui (tu)	argúi (tu)	reúne (tu)
IMPER. NEG.	não construas	não atribuas	não arguas	não reúnas
GERÚNDIO	construindo	atribuindo	argüindo	reunindo
PARTICÍPIO	construído	atribuído	argüido	reunido

	77 - PROIBIR	78 - EMERGIR	79 - FALIR	80 - REMIR
IND. PRESENTE	eu proíbo	–	–	–
	tu proíbes	tu emerges	–	–
	ele proíbe	ele emerge	–	–
	nós proibimos	nós emergimos	nós falimos	nós remimos
	vós proibis	vós emergis	vós falis	vós remis
	eles proíbem	eles emergem	–	–
IND. IMPERFEITO	eu proibia	eu emergia	eu falia	eu remia
IND. PERFEITO	eu proibi	eu emergi	eu fali	eu remi
IND. M.-Q.-P. SIMPL.	eu proibira	eu emergira	eu falira	eu remira
IND. M.-Q.-P. COMP.	eu tinha proibido	eu tinha emergido	eu tinha falido	eu tinha remido
IND. FUT. DO PRES.	eu proibirei	eu emergirei	eu falirei	eu remirei
IND. FUT. DO PRET.	eu proibiria	eu emergiria	eu faliria	eu remiria
SUBJ. PRESENTE	que eu proíba	–	–	–
SUBJ. IMPERFEITO	que eu proibisse	que eu emergisse	que eu falisse	que eu remisse
SUBJ. PERFEITO	que eu tenha proibido	que eu tenha emergido	que eu tenha falido	que eu tenha remido
SUBJ. M.-Q.-PERF.	que eu tivesse proibido	que eu tivesse emergido	que eu tivesse falido	que eu tivesse remido
SUBJ. FUTURO	quando eu proibir	quando eu emergir	quando eu falir	quando eu remir
INF. PESSOAL	eu proibir	eu emergir	eu falir	eu remir
	tu proibires	tu emergires	tu falires	tu remires
	ele proibir	ele emergir	ele falir	ele remir
	nós proibirmos	nós emergirmos	nós falirmos	nós remirmos
	vós proibirdes	vós emergirdes	vós falirdes	vós remirdes
	eles proibirem	eles emergirem	eles falirem	eles remirem
IMPER. AFIRM.	proíbe (tu)	emerge (tu)	–	–
IMPER. NEG.	não proíbas	–	–	–
GERÚNDIO	proibindo	emergindo	falindo	remindo
PARTICÍPIO	proibido	emergido, emerso	falido	remido

Aa Aa Aa

a[1] *s.m.* Primeira letra do alfabeto português.

a[2] *art. def., pron. pess.* e *pron. dem.* (lat. *illa*). Fem. de *o.*

a[3] *prep.* Expressa localização, permanência ou situação no tempo e no espaço, assim como direção, destinação, aproximação, afastamento, distância, meio, instrumento, medida, fim etc.

a[4] símbolo do are.

A símbolo do ampère.

à contr. da prep. *a* com o art. def. *a.*

Ac símbolo químico do actínio.

aba *s.f.* **1.** Extensão ou parte pendente de um objeto ou traje. **2.** Rebordo de chapéu. **3.** Margem, borda, orla, fralda. ★ *s.f.pl.* Cercanias, arredores.

abacate *s.m.* (asteca *awakatl*). Fruto do abacateiro, de polpa macia e comestível.

abacateiro *s.m.* Árvore frutífera de flores brancas e folhas consideradas diuréticas, originária da América Central.

abacaxi *s.m.* (tupi *ibaka'ti*). **1.** Planta de folhas espinhosas, originária da América tropical, que fornece fruto comestível de polpa açucarada. **2.** O fruto dessa planta (Sin. ANANÁS.) **3.** *Gír.* Pessoa ou coisa maçante, complicada ou desagradável.

abacial *adj.2g.* Relativo a abade, abadessa, abadia.

ábaco *s.m.* (gr. *ábakos,* mesa). **1.** Parte superior do capitel de uma coluna, que serve de apoio para arco ou arquitrave. **2.** Gráfico que permite a resolução de diversos cálculos numéricos; nomograma. **3.** Prancheta retangular provida de pequenas esferas ou discos móveis, utilizada para calcular.

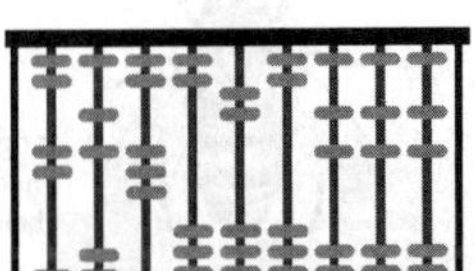

abade *s.m.* (lat. *abbas, abbatis*). **1.** Superior de uma abadia ou de uma ordem religiosa. **2.** *Fig.* Homem muito gordo.

abadia *s.f.* (lat. *abbatia*). **1.** Comunidade de monges ou monjas dirigida por abade ou abadessa. **2.** Prédio que abriga essa comunidade. **3.** Benefício das rendas de que o abade usufruía.

abafadiço *adj.* **1.** Que não favorece a respiração; abafado. **2.** *Fig.* Irascível, temperamental.

abafado *adj.* **1.** Privado de ar; abafadiço. **2.** Abafante. **3.** Encoberto, tapado. **4.** Dominado, reprimido.

abafador (ô) *adj.* Abafante. ★ *s.m.* **1.** O que abafa. **2.** Pano grosso com que se cobrem recipientes, a fim de lhes conservar o calor. **3.** Dispositivo de certos instrumentos musicais que permite a diminuição da intensidade do som e a alteração do timbre.

abafamento *s.m.* Ato ou efeito de abafar; abafação, abafo.

abafante *adj.2g.* **1.** Que abafa; abafador. **2.** Abafado, sufocante.

abafar *v.t.* (conj. 4). **1.** Impedir a respiração; sufocar. **2.** Cobrir para aquecer ou conservar o calor. **3.** Impedir a propagação. **4.** Encobrir, ocultar. **5.** *Fig.* Reprimir, dominar. **6.** *Gír.* Furtar, roubar. ★ *v.i.* **1.** Não poder respirar; sufocar. **2.** *Gír.* Sobressair a todos, destacar-se.

abaixar *v.t.* (conj. 4). **1.** Diminuir a altura de. **2.** Fazer descer. **3.** Enfraquecer. **4.** Dirigir para baixo. **5.** Diminuir a importância, o valor de uma coisa. ★ *v.pr.* **1.** Tornar-se mais baixo. **2.** Curvar-se, dobrar-se. **3.** *Fig.* Humilhar-se, decair, rebaixar-se.

abaixo *adv.* **1.** Em lugar mais baixo. **2.** Em posição, condição ou situação inferior. **3.** Para baixo. **4.** Posteriormente, adiante (como referência de texto). **5.** *Abaixo de,* debaixo de; em posição, condição ou situação inferior a, menos que, menos do que. ★ *interj.* Exprime reprovação, aversão, repúdio.

abaixo-assinado *s.m.* Documento particular assinado por várias pessoas, em que se expressam reivindicações, solidariedade ou protesto.

abajur *s.m.* (fr. *abat-jour*). **1.** Peça que recobre lâmpadas, candeeiros etc., para concentrar e dirigir a luz. **2.** O conjunto formado pelo abajur e sua respectiva base.

abalada *s.f.* **1.** Ato ou efeito de abalar; abalamento. **2.** Partida repentina, correria.

abalançar *v.t.* (conj. 13). **1.** Pesar (com balança), balancear. **2.** Dar balanço a. **3.** Calcular, avaliar. **4.** Equilibrar. **5.** Impelir, arrojar, lançar. **6.** Balançar. ★ *v.pr.* **1.** Arriscar-se, atrever-se. **2.** Balançar.

abalar *v.t.* (conj. 4). **1.** Fazer tremer; provocar oscilação em. **2.** Diminuir a resistência; enfraquecer. **3.** Agitar; incitar. **4.** Comover, causar grande emoção. ★ *v.i.* Sair correndo, fugir. ★ *v.pr.* **1.** Sacudir-se, agitar-se. **2.** Abater-se, prostrar-se.

abalizado *adj.* **1.** Marcado com balizas. **2.** De elevada competência; ilustre, notável.

abalo *s.m.* **1.** Ato ou efeito de abalar. **2.** Tremor, oscilação. **3.** Perturbação, desordem. **4.** Choque, comoção.

abalroamento *s.m.* **1.** Ato ou efeito de abalroar; abalroada. **2.** Investida impetuosa; choque violento.

abalroar *v.t.* (conj. 20). **1.** Atacar com balroas. **2.** Ir de encontro; chocar-se.

abanar *v.t.* (conj. 4). **1.** Fazer vento com o movimento do abano, leque ou coisa semelhante. **2.** Sacudir, mover. **3.** Demover, dissuadir. **4.** Mover a mão em sinal de cumprimento ou despedida. ★ *v.i.* Tremer. ★ *v.pr.* Refrescar-se com abano, leque etc.

abancar[1] *v.t.* (conj. 12). Guarnecer com bancos. ★ *v.i.* e *v.pr.* Acomodar-se em banco ou em outro assento.

abancar[2] *v.t.* (conj. 12). **1.** Dispor em ou ao redor de banca ou mesa. **2.** Assentar-se, sentar-se. **3.** Permanecer longamente; demorar-se. ★ *v.pr.* Assentar-se a banca ou mesa.

abandalhar *v.t.* e *v.pr.* (conj. 4). Tornar(-se) bandalho; desmoralizar(-se).

abandonar *v.t.* (conj. 4). **1.** Deixar, largar. **2.** Desamparar. **3.** Renunciar a, desistir. **4.** Desprezar. ★ *v.pr.* **1.** Entregar-se. **2.** Dar-se ao desprezo.

abandono *s.m.* **1.** Ação de abandonar(-se). **2.** Esquecimento, renúncia. **3.** Estado ou condição de abandonado.

abano *s.m.* Objeto semelhante ao leque, que se usa para atiçar o fogo; ventarola.

abará *s.m.* (or. ioruba). Bolinho feito com massa de feijão-fradinho, temperado com pimenta e azeite-de-dendê.

abarbado *adj.* **1.** Que está em apuros por excesso de serviço a fazer. **2.** Atrapalhado, embaraçado. **3.** Encostado, próximo.

abarcar *v.t.* (conj. 12). **1.** Abraçar, abranger, cingir. **2.** Compreender. **3.** Alcançar, atingir. **4.** Monopolizar.

abarracar *v.t.* (conj. 12). **1.** Armar, instalar barracas em. **2.** Colocar em barracas. **3.** Dar forma de barraca. ★ *v.i.* e *v.pr.* **1.** Instalar(-se) em barracas. **2.** Deter-se (um homem) em conversa (com mulher) num ponto retirado.

abarrotar *v.t.* (conj. 4). **1.** Cobrir, encher com barrotes. **2.** Atravancar, superlotar. ★ *v.pr.* **1.** Encher-se de comida; fartar-se. **2.** Encher-se demais.

abastado *adj.* **1.** Suprido do necessário. **2.** Rico, endinheirado.

abastança *s.f.* **1.** Abundância, fartura. **2.** Riqueza. **3.** Vida cômoda, sem privações.

abastar *v.t.* (conj. 4). Prover de bens, do necessário; abastecer. ★ *v.i.* Ser suficiente; bastar. ★ *v.pr.* Abastecer-se.

abastardar *v.t.* e *v.pr.* (conj. 4). Corromper(-se), degenerar.

abastecer *v.t.* e *v.pr.* (conj. 25). Prover(-se), munir(-se) do necessário.

abate *s.m.* **1.** Matança de animais para consumo. **2.** Abatimento.

abatedouro *s.m.* Sin. de MATADOURO.

abater *v.t.* (lat. *abbattuere*) [conj. 5]. **1.** Pôr abaixo, derrubar. **2.** Dar cabo de, matar. **3.** Abaixar, fazer descer. **4.** Abalar, tornar triste, desanimar. **5.** Enfraquecer, debilitar. **6.** Vencer, sobrepujar. **7.** Diminuir o preço de. ★ *v.i.* **1.** Cair, desabar. **2.** Calcar-se (a terra) e baixar por efeito da chuva. ★ *v.pr.* **1.** Cair, vir abaixo. **2.** Rebaixar-se, humilhar-se.

abatido *adj.* **1.** Que se abateu. **2.** Caído, derrubado. **3.** Desanimado, deprimido. **4.** Debilitado. **5.** Fatigado.

abatimento *s.m.* **1.** Ato ou efeito de abater(-se). **2.** Corte de árvores. **3.** Enfraquecimento físico ou moral; depressão, prostração. **4.** Desconto no preço; abate.

abaular (a-u) *v.t.* (conj. 19). **1.** Dar forma de baú a. **2.** Tornar convexo; arquear, curvar.

abdicação *s.f.* (lat. *abdicatio*). **1.** Ato ou efeito de abdicar; renúncia. **2.** Documento em que consta a abdicação.

abdicar *v.t.* e *v.i.* (lat. *abdicare*) [conj. 12]. Renunciar voluntariamente a.

abdome ou **abdômen** *s.m.* (lat. *abdomen*). **1.** Região inferior do corpo do homem e dos mamíferos, separada do tórax pelo diafragma e limitada pela bacia. **2.** Parte posterior do corpo dos artrópodes.

abdominal *adj.2g.* Relativo a abdome. ★ *s.m.* Exercício para os músculos do abdome.

abdução *s.f.* (lat. *abductio*). Ato ou efeito de abduzir. ● **Fisiol.** Movimento que afasta um membro do plano sagital do corpo. (Cf. ADUÇÃO.)

abducente *adj.2g.* **1.** Que produz abdução; abdutor. ● **Fisiol.** *Nervo abducente,* cada um dos nervos que compõem o sexto par de nervos cranianos, associados ao músculo do globo ocular.

abdutor (ô) *adj.* (lat. *abductor*). **1.** Abducente. **2.** Diz-se do músculo que produz um movimento de abdução. ★ *s.m.* Tubo por meio do qual se podem recolher fluidos.

abduzir *v.t.* (lat. *abducere*) [conj. 72]. Desviar, afastar.

abeberar *v.t.* (lat. *abbiberare*) [conj. 4]. **1.** Dar de beber a, levar a beber, dessedentar. **2.** Regar, embeber. ★ *v.pr.* **1.** Matar a própria sede. **2.** *Fig.* Retirar ensinamentos, instruir-se.

á-bê-cê ou **abecê** *s.m.* **1.** Alfabeto. **2.** Pequeno livro que contém o alfabeto; cartilha. **3.** As primeiras letras. **4.** *Fig.* Primeiros elementos de um aprendizado, de uma arte ou ciência.

abecedário *s.m.* (lat. *abecedarius*). Alfabeto.

abeirar *v.t.* e *v.pr.* (conj. 4). Chegar(-se) à beira; avizinhar(-se), aproximar(-se).

abelha (ê) *s.f.* (lat. *apicula*). Denominação comum a diferentes espécies de insetos solitários e sociais; estes últimos, importantes produtores de cera e mel.

zangão (macho de abelha)

abelhudo *adj.* e *s.m.* Diz-se de ou pessoa intrometida, curiosa, indiscreta.

abençoar *v.t.* (conj. 20). **1.** Dar a bênção; benzer. **2.** Fazer feliz, bem-sucedido.

aberração *s.f.* (lat. *aberratio*). **1.** Ato ou efeito de aberrar. **2.** Defeito, deformidade, distorção. **3.** Desvio ou desregramento da conduta. ● **Med.** *Aberração cromossômica,* anomalia de número ou de estrutura dos cromossomos que determina o surgimento de uma doença genética. **Ópt.** Defeito de uma lente ou de um espelho em que não há a produção de uma imagem correspondente do objeto.

aberrar *v.i.* (lat. *aberrare*) [conj. 4]. Afastar-se, desviar-se do normal, do padrão vigente.

aberta *s.f.* **1.** Abertura, fenda, buraco. **2.** Intervalo, vão. **3.** Vala, canal. **4.** Descampado. **5.** Cessação passageira da chuva. **6.** Nesga de céu que as nuvens, rompendo-se, deixam ver. **7.** *Fig.* Oportunidade, ensejo, saída. **8.** Clareira.

aberto *adj.* (lat. *apertus*). **1.** Não fechado, descerrado. **2.** Sem obstáculo que impeça de entrar, sair ou ver. **3.** Descoberto. **4.** Desabotoado, não unido. **5.** Afastado, separado um do outro. **6.** Não cicatrizado. **7.** Espaçoso, largo. **8.** Em exercício, em funcionamento. **9.** *Fig.* Acessível; que admite e compreende facilmente. **10.** Franco, sincero. **11.** Declarado, manifesto. ● **Fon.** Diz-se de uma vogal pronunciada com maior abertura do canal vocal.

abertura *s.f.* (lat. *apertura*). **1.** Ato ou efeito de abrir. **2.** Fenda, buraco, espaço vazio de um corpo. **3.** Afastamento, separação; vão. **4.** *Fig.* Começo, inauguração. **5.** Possibilidade de participação democrática nas decisões de um regime político ou administrativo até então centralizador e autoritário.

? VOCÊ SABIA...? A **abertura** do regime militar brasileiro marcou o início da redemocratização, cujos principais marcos foram: a anistia política, que permitiu o retorno de exilados políticos e a autorização legal para existência de mais de um partido de oposição (1979); eleições para governadores e prefeitos (1982); escolha, pelo Colégio Eleitoral, de um candidato de oposição para a presidência do Brasil (1985); eleição presidencial (em 1989, a primeira desde 1960).

---

abespinhar *v.t.* e *v.pr.* (conj. 4). Zangar(-se) a cada instante e por qualquer motivo; irritar(-se), exasperar(-se).

abeto (ê) *s.m.* (lat. *abies, abietis*). Denominação comum a diferentes árvores coníferas cultivadas como ornamentais.

abicar *v.t.* (conj. 12). **1.** Dar forma de bico, aguçar. **2.** Apontar (a embarcação) a proa. **3.** Aproximar, chegar. ★ *v.i.* Avizinhar, chegar.

abieiro *s.m.* Árvore originária do Peru, que fornece fruto comestível e madeira própria para a fabricação de instrumentos musicais.

abio *s.m.* Var. de ABIU.

abiogênese *s.f.* Formação de vida a partir de matéria inerte.

abiótico *adj.* **1.** Que é impróprio à vida. **2.** Diz-se da reação química que não requer a intervenção de seres vivos. ● **Ecol.** Diz-se de cada um dos fatores físicos e químicos que influenciam os seres vivos.

abiscoitar *v.t.* (conj. 4). **1.** Secar ao forno até obter consistência de biscoito (pão ou bolo). **2.** Ganhar, receber, lucrar. **3.** Alcançar, conseguir, obter.

abismar *v.t.* (conj. 4). **1.** Precipitar, lançar no abismo. **2.** Causar assombro a. ★ *v.pr.* **1.** Atirar-se no abismo. **2.** *Fig.* Ser tomado por grande admiração.

abismo *s.m.* (alter. do lat. *abyssus*). **1.** Precipício profundo, despenhadeiro; abisso. **2.** Sorvedouro, voragem. **3.** *Fig.* O oceano. **4.** Diferença ou distância que divide ou separa profundamente. **5.** O extremo, o último grau. **6.** Desastre, ruína.

abissal *adj.2g.* **1.** Relativo a abisso.

Himantolophus, espécie de peixe abissal

---

abissínio *adj.* e *s.m.* Da Abissínia, atual Etiópia, país da África.

abisso *s.m.* (gr. *ábyssos*). **1.** Região profunda do oceano. **2.** Abismo.

abiu *s.m.* (tupi *a'biu*). Fruto do abieiro. (Var. ABIO.)

abjeção *s.f.* (lat. *abjectio*). Baixeza, aviltamento, torpeza.

abjeto *adj.* (lat. *abjectus*). Desprezível, baixo, vil.

abjurar *v.t.* e *v.i.* (lat. *abjurare*) [conj. 4]. **1.** Jurar contra, renunciar publicamente a (religião, opinião, sentimento); perjurar. **2.** Desdizer-se ou retratar-se de (opinião).

ablação *s.f.* (lat. *ablatio*). **1.** Ato ou efeito de separar, arrancar, tirar, cortar. **2.** Cirurgia destinada à remoção de um órgão ou tumor.

ablativo *s.m.* (lat. *ablativus*). Caso da declinação latina que indica afastamento, instrumento, origem etc. ★ *adj.* Relativo ao ablativo.

ablução *s.f.* (lat. *ablutio*). **1.** Ato ou efeito de abluir. **2.** Lavagem do corpo ou de parte dele. **3.** Em numerosas religiões, ato ritual de purificação através da água.

abluir *v.t.* (lat. *abluere*) [conj. 74]. **1.** Fazer ablução; limpar, lavar. **2.** Purificar (por meio da água).

abnegação *s.f.* (lat. *abnegatio*). Renúncia, sacrifício desinteressado.

abnegado *adj.* e *s.m.* (lat. *abnegatus*). Que ou aquele que demonstra abnegação.

abnegar *v.t.* (lat. *abnegare*) [conj. 14]. Abrir mão de; privar-se de; renunciar a. ★ *v.pr.* Sacrificar a si próprio.

abóbada *s.f.* **1.** Cobertura abaulada, geralmente feita de tijolos ou pedras colocadas em cunha, de modo que suportem seu peso e o de cargas externas. **2.** Parte superior das câmaras subterrâneas ou cavernas. **3.** *Abóbada celeste,* o céu.

abobado *adj.* Bobo, tolo.

abobalhado *adj.* Bobo, apalermado, pateta.

abobar *v.t.* e *v.pr.* (conj. 4). Tornar(-se) bobo; apalermar(-se).

abóbora *s.f.* (lat. *apopores*). **1.** Fruto da aboboreira. (Sin. JERIMU.) **2.** *Fig.* Mulher gorda. ★ *s.m. Fig.* Homem mole e fraco; molenga.

aboboreira *s.f.* Nome comum a diversas espécies de plantas rasteiras que fornecem fruto de polpa comestível. (Sin. JERIMU, JERIMUZEIRO.)

abobrinha *s.f.* **1.** Fruto verde da aboboreira. **2.** *Pop.* Conversa fiada.

abocanhar *v.t.* (conj. 4). **1.** Morder ou tirar pedaços com os dentes. **2.** Apanhar com a boca; abocar. **3.** *Pop.* Apoderar-se por meio de astúcia ou trapaça. **4.** *Fig.* Difamar.

aboiar[1] *v.t.* (conj. 16). Amarrar a uma bóia.

aboiar[2] *v.i.* (conj. 16). **1.** Dirigir ao gado canto monótono e triste com o fim de reuni-lo ou guiá-lo. **2.** Trabalhar com bois.

aboio (ô) *s.m.* Canto entoado pelos vaqueiros quando conduzem o gado.

aboletar *v.t.* (conj. 4). **1.** Dar boleto a. **2.** Aquartelar (soldados). **3.** Alojar, instalar. ★ *v.pr.* Aquartelar-se, instalar-se.

abolição *s.f.* (lat. *abolitio*). **1.** Ato ou efeito de abolir. **2.** Anulação. **3.** Extinção.

abolicionismo *s.m.* (ingl. *abolitionism*). Doutrina que defende a abolição de uma lei, de um costume e, antigamente, da escravatura.

abolir *v.t.* (lat. *abolere*) [conj. 79]. **1.** Revogar. **2.** Pôr fora de uso. **3.** Eliminar, extinguir.

abominação *s.f.* (lat. *abominatio*). **1.** Ato ou efeito de abominar; repulsão. **2.** Coisa, ação execrável.

abominar *v.t.* (lat. *abominare*) [conj. 4]. **1.** Repelir com horror, principalmente o que ofende a crença, o que traz infortúnio, o que é torpe. **2.** Sentir horror a, detestar, odiar.

abominável *adj.2g.* (lat. *abominabilis*). **1.** Que excita a aversão, o horror. **2.** Muito mau; detestável.

abonação *s.f.* Abono.

abonado *adj.* **1.** Que se abonou. **2.** *Pop.* Abastado, rico, endinheirado.

abonançar *v.t.* (conj. 13). **1.** Tornar bonançoso. **2.** Tranqüilizar, sossegar, aplacar. ★ *v.i.* Sossegar, serenar. ★ *v.pr.* Moderar-se, aquietar-se.

abonar *v.t.* (conj. 4). **1.** Declarar bom ou verdadeiro; aprovar. **2.** Afiançar. **3.** Relevar faltas de comparecimento ao trabalho. **4.** Adiantar (dinheiro).

abono *s.m.* **1.** Ato ou efeito de abonar, abonamento, abonação. **2.** Garantia, fiança. **3.** Adiantamento em dinheiro por conta de vencimentos. **4.** Defesa, elogio, aprovação. **5.** Citação usada como garantia da validade do uso de uma palavra ou conceito. **6.** Complemento de salário pago a título precário, como antecipação de futuro aumento, gratificação especial ou compensação de encargos individuais.

abordagem *s.f.* (fr. *abordage*). **1.** Ato ou efeito de abordar, abordada. **2.** Tratamento dado a um assunto.

abordar[1] *v.t.* (conj. 4). **1.** Chegar à borda de. **2.** Alcançar a margem, chegar a terra (a embarcação).

abordar[2] *v.t.* (fr. *aborder*) [conj. 4]. **1.** Acercar-se de alguém com determinado objetivo. **2.** Tratar ou falar de um assunto, um tema específico.

aborígine *adj.2g.* e *s.2g.* (lat. *aborigines*). Diz-se de ou habitante originário do país ou região onde vive, p. opos. àquele que veio de outra região ou país; autóctone.

aborrecer *v.t.* (lat. *abhorrescere*) [conj. 25]. **1.** Sentir horror a, detestar. **2.** Desagradar a, desgostar. ★ *v.i.* Desagradar, entediar. ★ *v.pr.* **1.** Contrariar-se. **2.** Entediar-se.

aborrecido *adj.* **1.** Que se aborreceu. **2.** Aborrecível. **3.** Enfadonho, maçante.

aborrecimento *s.m.* **1.** Ato ou efeito de aborrecer(-se). **2.** Contrariedade, descontentamento. **3.** Repugnância, aversão.

abortado *adj.* **1.** Que abortou. **2.** Malogrado, falhado.

abortar *v.i.* (lat. *abortare*) [conj. 4]. **1.** Expulsar um embrião ou um feto inviável. **2.** *Fig.* Não ter êxito, malograr, fracassar.

abortivo *adj.* **1.** Que cessa antes do seu termo habitual. **2.** Diz-se da substância que provoca o aborto.

aborto (ô) *s.m.* (lat. *abortus*). Expulsão natural ou provocada de um embrião ou de um feto antes da data de viabilidade; abortamento.

abotoadura *s.f.* **1.** Abotoamento. **2.** Jogo de botões removíveis para punhos de camisas.

abotoar *v.t.* (conj. 20). Fechar as vestes com botões, metendo-os nas suas casas. ★ *v.i.* Deitar botão (a planta).

abracadabra *s.m.* (de or. obscura, pelo gr. *abracadabra*). **1.** Palavra cabalística à qual se atribuíam virtudes curativas. **2.** Talismã com essa palavra.

abraçadeira *s.f.* Peça constituída de um braço munido de uma corrente ou cinta que contorna a peça que se quer aparafusar ou manusear.

abraçar *v.t.* (conj. 13). **1.** Estreitar nos braços. **2.** *Fig.* Envolver, cingir. **3.** Adotar, seguir. **4.** Conter, abranger.

abraço *s.m.* Ato de abraçar.

abrandar *v.t.* (conj. 4). **1.** Tornar brando; suavizar. **2.** Diminuir, aplacar. **3.** Enternecer. ★ *v.i.* Serenar, amainar, abonançar.

abrangência *s.f.* **1.** Qualidade de abrangente. **2.** Capacidade de abranger.

abranger *v.t.* (conj. 26). **1.** Abraçar, cingir, abarcar. **2.** Conter em si; encerrar. **3.** Alcançar, atingir. **4.** Compreender, perceber.

abrasado *adj.* **1.** Ardente. **2.** Vermelho, corado. **3.** Entusiasmado, excitado.

abrasão *s.f.* (lat. *abrasio*). **1.** Desgaste por atrito. **2.** Efeito de um abrasivo. **3.** Esfoladura. ● **Geol.** Desgaste da rocha pela ação da água carregada de materiais sólidos.

abrasar *v.t.* (conj. 4). **1.** Transformar em brasa; queimar. **2.** Aquecimento. **3.** Tornar vermelho como brasa; avermelhar. **4.** Destruir, devastar. **5.** *Fig.* Entusiasmar, apaixonar.

abrasileirar *v.t.* (conj. 4). **1.** Dar feição brasileira; adaptar ao gênio brasileiro. **2.** Pronunciar à moda dos brasileiros.

abrasivo *adj.* e *s.m.* **1.** Que ou o que pode produzir abrasão. **2.** Diz-se de ou substância capaz de arrancar, por atrito, pequenas quantidades de matéria de outros corpos.

ab-reptício *adj.* (lat. *abreptus*). Possesso, arrebatado, exaltado.

abreugrafia *s.f.* (de *M. Abreu*, n.pr.). Registro radiográfico de imagens que podem ser examinadas em tela fluoroscópica.

abreviação *s.f.* (lat. *abbreviatio*). **1.** Ato ou efeito de abreviar; abreviamento. **2.** Abreviatura.

abreviar *v.t.* (lat. *abbreviare*) [conj. 16]. **1.** Tornar breve; encurtar, reduzir. **2.** Antecipar, precipitar. **3.** Resumir. **4.** Escrever ou compor uma abreviatura. ★ *v.i.* **1.** Encurtar um relato, resumir. **2.** Ganhar tempo.

abreviatura *s.f.* (lat. *abbreviatura*). Representação de uma palavra por meio de suas primeiras letras ou sílabas; abreviação.

abricó *s.f.* (fr. *abricot*). Fruto do abricoteiro.

abricoteiro *s.m.* Árvore que produz fruto amarelo, de polpa carnosa, e madeira para marcenaria.

abrideira *s.f.* **1.** Bebida alcoólica que se toma como aperitivo. **2.** Cachaça.

abridor (ô) *adj.* e *s.m.* Que ou o que abre. ★ *s.m.* Instrumento que serve para abrir (latas, garrafas etc.).

abrigar *v.t.* (lat. *apricari*) [conj. 14]. **1.** Pôr ao abrigo. **2.** Proteger, amparar, esconder. **3.** Acolher, agasalhar.

abrigo *s.m.* **1.** Tudo o que protege das intempéries, de dano ou perigo. **2.** *Fig.* Refúgio, proteção. **3.** Agasalho, abafo. **4.** Casa de caridade onde se recolhem os desamparados. **5.** *Fig.* Amparo, auxílio, proteção, socorro.

abril *s.m.* (lat. *aprilis*). O quarto mês do ano, que tem 30 dias.

abrilhantar *v.t.* (conj. 4). **1.** Dar brilho, tornar brilhante. **2.** *Fig.* Realçar, dar maior destaque.

abrir *v.t.* (lat. *aperire*) [conj. 6]. **1.** Descerrar. **2.** Separar, afastar o que está junto. **3.** Desimpedir, desobstruir. **4.** Fazer uma incisão, furar. **5.** *Fig.* Começar, inaugurar. **6.** Estabelecer, instalar, fundar. **7.** Pôr em funcionamento, em uso. **8.** Lavrar, registrar. ★ *v.i.* **1.** Dar acesso. **2.** Desabrochar (as flores). **3.** Desanuviar (o tempo). ★ *v.pr.* **1.** Fender-se, rasgar-se. **2.** Fazer confidências.

ab-rogar *v.t.* (lat. *abrogare*) [conj. 14]. **1.** Suprimir, colocar fora de uso. **2.** Anular, abolir, revogar (lei, decreto etc.).

abrolho (ô) *s.m.* **1.** Designação comum a diversas plantas rasteiras e espinhosas. **2.** Qualquer espinho. ● **Geol.** Forma do relevo submarino constituída por afloramentos de rocha cobertos por menos de 20 m de água, que por vezes emergem; escolho. ★ *s.m.pl. Fig.* Dificuldades, amarguras.

abroquelar *v.t.* (conj. 4). **1.** Proteger com broquel. **2.** *Fig.* Defender, resguardar.

abrupto *adj.* (lat. *abruptus*). **1.** Quase vertical, com grande inclinação; íngreme, escarpado. **2.** *Fig.* Repentino, inesperado. **3.** *Fig.* Áspero, rude.

abrutalhado *adj.* Grosseiro, rude.

abrutalhar *v.t.* (conj. 4). Tornar bruto, rude, grosseiro.

abscesso *s.m.* (lat. *abscessus*). Depósito de pus em uma cavidade do corpo devido ao desenvolvimento de uma infecção.

abscissa *s.f.* (lat. *abscissa*). **1.** Em uma reta orientada, distância algébrica de um ponto à origem. **2.** Primeira coordenada cartesiana de um ponto.

COORDENADAS CARTESIANAS

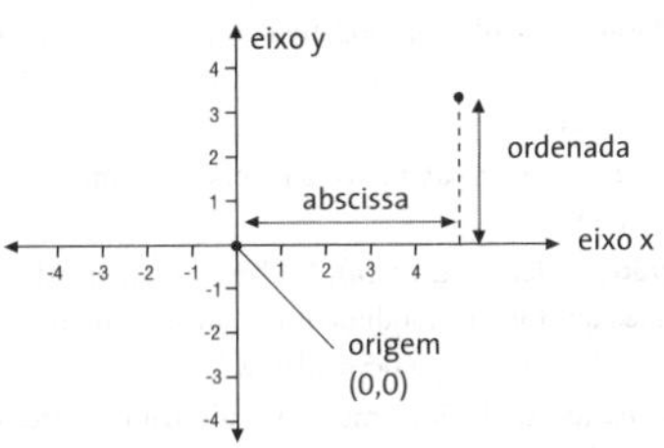

abside *s.f.* (gr. *apsídos*). Extremidade semicircular ou poligonal do coro de uma igreja.

absinto *s.m.* (gr. *apsínthion*). **1.** Planta herbácea aromática, que contém essência amarga e tóxica. **2.** Licor alcoólico aromatizado com essa planta.

absolto (ô) *adj.* Absolvido, perdoado.

absolutismo *s.m.* Regime político no qual todos os poderes estão centralizados na pessoa do chefe de Estado.

absoluto *adj.* (lat. *absolutus*). **1.** Que não depende de nada ou de ninguém; ilimitado, irrestrito. **2.** Que não admite nenhuma exceção ou concessão. **3.** Diz-se de um estado, de uma qualidade em seu grau extremo. **4.** Diz-se de um poder político que não está submetido a nenhuma limitação, ou da pessoa que o exerce. ● **Filos.** Que tem em si mesmo a razão de ser; que independe, para ser concebido ou existir, de qualquer outra coisa. **Gram.** Diz-se de um adjetivo que não é suscetível a grau de comparação. ► Diz-se do superlativo quando livre de complemento de comparação. ► Diz-se da oração que tem sentido completo. ★ *s.m.* O que existe independentemente de qualquer condição.

absolver *v.t.* (lat. *absolvere*) [conj. 5]. Relevar da culpa, inocentar. ★ *v.pr.* Desculpar-se, eximir-se.

absolvição *s.f.* **1.** Ato ou efeito de absolver. ● **Dir.** Ação de absolver juridicamente o autor de uma infração ou crime isentando-o de pena. **Relig.** Remissão dos pecados concedida por um sacerdote.

absolvido *adj.* Relevado de culpa ou pena.

absorção *s.f.* (lat. *absorptio*). **1.** Ato ou efeito de absorver; absorvência. **2.** Ação pela qual um fluido penetra num corpo. **3.** Assimilação. **4.** *Fig.* Contemplação em enlevo. ● **Fís.** Atenuação de energia mecânica, eletromagnética etc. devida à passagem por um meio natural. **Fisiol.** Passagem de nutrientes e gases através de parede permeável.

ABSORÇÃO ► As plantas são formadas principalmente de água. Como este líquido se perde continuamente através das folhas, a planta deve, através de suas raízes, absorver do solo mais água do que perde.

absorto (ô) *adj.* (lat. *absorptus*). Concentrado em seus pensamentos; abstraído.

absorvente *adj.2g.* **1.** Que absorver; absorvedor. **2.** *Fig.* Que exige ocupação incessante. **3.** Atraente. **4.** Dominador. ★ *s.m.* O que absorve, absorvedor.

absorver *v.t.* (lat. *absorbere*) [conj. 5]. **1.** Embeber-se de, sorver. **2.** Consumir, comer, beber. **3.** Neutralizar, fazer desaparecer. **4.** Ocupar, tomar (a atenção, o espírito). **5.** *Fig.* Dissipar inteiramente. **6.** Realizar (substância ou meio) a absorção de. **7.** Acolher ou assimilar uma população. ★ *v.pr.* Concentrar-se.

abstêmio *adj.* e *s.m.* (lat. *abstemius*). Que ou aquele que se abstém de bebidas alcoólicas.

abstenção *s.f.* (lat. *abstentio*). **1.** Abstinência. **2.** Recusa em participar de uma votação.

abster *v.t.* (lat. *abstinere*) [conj. 1]. Privar do exercício de uma função ou direito. ★ *v.pr.* **1.** Privar-se de. **2.** Deixar de intervir ou de participar.

abstinência *s.f.* (lat. *abstinentia*). **1.** Ato ou efeito de abster(-se); abstenção. **2.** Privação voluntária de um alimento ou de práticas sexuais.

abstinente *adj.2g.* e *s.2g.* (lat. *abstinens*). Que ou aquele que pratica a abstinência.

abstração *s.f.* (lat. *abstractio*). **1.** Ato ou efeito de abstrair(-se); abstraimento. **2.** Idéia abstrata. **3.** Estado de alheamento do espírito; distração.

abstracionismo *s.m.* (fr. *abstractionnisme*). Movimento artístico da primeira metade do séc. XX, caracterizado pela ausência da representação figurativa de um objeto.

abstrair *v.t.* (lat. *abstrahere*) [conj. 68]. **1.** Isolar mentalmente um elemento ou uma propriedade de um objeto a fim de considerá-lo separadamente. **2.** Separar, afastar; excluir. ★ *v.pr.* **1.** Alhear-se, distrair-se.

abstrato *adj.* (lat. *abstractus*). **1.** Que resulta de abstração. **2.** Que expressa qualidade, ação ou estado, abstraídos dos seres a que pertencem. **3.** Que opera unicamente com noções. **4.** Que não é concreto; intangível. **5.** Relativo ao abstracionismo.

absurdo *adj.* (lat. *absurdus*). **1.** Contrário à razão e ao bom senso. **2.** Estúpido, disparatado, tolo. ★ *s.m.* Coisa absurda; asneira, disparate, absurdidade.

abulia *s.f.* (gr. *aboulía*). Ausência mórbida de vontade.

abundância *s.f.* (lat. *abundantia*). **1.** Grande quantidade, fartura. **2.** Riqueza, opulência.

abundante *adj.2g.* **1.** Que existe ou tem em abundância; farto. **2.** *Fig.* Rico em idéias e expressões. ● **Gram.** Diz-se do verbo que apresenta mais de uma forma para o mesmo tempo, modo ou pessoa.

abundar *v.i.* (conj. 4). **1.** Existir em grande quantidade, em abundância. **2.** Sobrar. ★ *v.t.* **1.** Ter ou produzir em abundância. **2.** Ser da mesma opinião; concordar.

aburguesar *v.t.* (conj. 4). Dar valores e hábitos burgueses. ★ *v.pr.* Adquirir valores e hábitos burgueses; tornar-se burguês.

abusado *adj.* e *s.m.* **1.** Que ou aquele que abusa. **2.** Atrevido, intrometido.

abusão *s.f.* **1.** Abuso. **2.** Erro, engano. **3.** Superstição.

abusar *v.t.* (lat. *abusari*) [conj. 4] **1.** Fazer uso desmedido, ultrapassar os limites de. **2.** Valer-se excessivamente de, aproveitar-se de, explorar. **3.** Trair a confiança de, enganar. **4.** Desvirginar. ★ *v.i.* Cometer abusos.

abusivo *adj.* Em que há abuso; excessivo.

abuso *s.m.* (lat. *abusus*). **1.** Uso mau, excessivo ou injusto; abusão. **2.** Exorbitância, descomedimento.

VOCÊ SABIA...? O **abuso** do álcool destrói as células e modifica a personalidade (preguiça, tristeza, agressividade). Mesmo em pequenas quantidades, o álcool diminui a velocidade dos reflexos, entorpece os movimentos e provoca perda da memória.

---

abutre *s.m.* (lat. *vultur*). **1.** Ave de rapina que habita regiões montanhosas da Europa e que se alimenta de cadáveres. **2.** Sin. impróprio de URUBU. **3.** *Fig.* Indivíduo que tira proveito da desgraça alheia.

acabado *adj.* **1.** Completo, terminado. **2.** Perfeito em seu gênero, consumado. **3.** Envelhecido, gasto. **4.** Esgotado, exausto, enfraquecido. **5.** Submetido a acabamento.

acabamento *s.m.* **1.** Ato ou efeito de acabar; conclusão. **2.** Retoque, aperfeiçoamento. ● **Constr.** Conjunto de obras de remate de uma construção (execução de revestimentos, obras em gesso, fixação de divisórias etc.). ► Tratamento ou remate final, como polimento ou pintura, dado a obras em madeira, metal, vidro etc. para melhorar o estado de sua superfície.

acabar *v.t.* (conj. 4). **1.** Levar a seu termo; perfazer, concluir. **2.** Estar ou situar-se no fim de. **3.** Esgotar, exaurir. **4.** Dar cabo, matar. ★ *v.pr.* **1.** Ter fim. **2.** Envelhecer, desgastar-se.

acaboclado *adj.* Semelhante a caboclo.

acaboclar *v.t.* (conj. 4). **1.** Dar aspecto, modos de caboclo. **2.** Acaipirar.

acabrunhar *v.t.* (conj. 4). **1.** Abater, prostrar. **2.** Contristar, afligir. **3.** Humilhar, magoar.

acaçá *s.m.* **1.** Bolinho de massa de milho moído, cozida e embrulhada em folhas verdes de bananeira. **2.** Fubá mimoso fermentado com água e açúcar, servido como refrigerante.

acaçapar *v.t.* (conj. 4). **1.** Tornar semelhante a caçapo. **2.** Encolher, achatar. **3.** *Fig.* Acabrunhar, humilhar.

acácia *s.f.* (gr. *akakía*). Designação comum a diversas árvores de folhagem rendilhada e de flores roxas, róseas, vermelhas ou amarelas, reunidas em pequenos cachos esféricos.

---

academia *s.f.* (gr. *Akadémeia*). **1.** Agremiação científica, literária ou artística. **2.** Lugar onde se ensina ou pratica uma ciência, arte ou esporte. **3.** Escola de nível universitário.

acadêmia *s.f.* Modelo em gesso ou plástico usado no estudo das formas humanas ou em exercícios de desenho.

academicismo *s.m.* **1.** Corrente artística dos sécs. XVIII e XX, orientada pelos princípios extraídos da arte clássica. **2.** Tendência artística ou intelectual presa a padrões conservadores; academismo.

acadêmico *adj.* **1.** Relativo ou pertencente a academia. **2.** Universitário. **3.** *Depr.* Exageradamente convencional e artificial. **4.** Relativo ao academicismo. ★ *s.m.* **1.** Membro de uma academia. **2.** Estudante universitário.

acadiano ou **acádio** *adj.* Relativo ou pertencente à Acádia, antiga cidade da Mesopotâmia. ★ *s.m.* O natural ou habitante da Acádia.

açafate *s.m.* (ár. *as-safat*). Pequeno cesto de vime, sem arco, asa ou tampa.

açafrão *s.m.* (ár. *az-za'afran*). **1.** Planta originária do Mediterrâneo que fornece condimento amarelo utilizado em culinária. **2.** Extrato em pó dessa planta.

açaí *s.m.* (or. tupi). **1.** Palmeira de cujo fruto se produz refresco. (Sin. AÇAIZEIRO, JUÇARA.) **2.** O fruto dessa palmeira.

açaimo *s.m.* **1.** Mordaça. **2.** Focinheira.

acaipirar-se *v.pr.* (conj. 7). Adquirir hábitos ou modos caipiras.

açaizeiro (a-i) *s.m.* Sin. de AÇAÍ.

acaju *s.m.* (tupi *aka'yú*) Sin. de MOGNO-VERDADEIRO. ★ *adj.* De cor castanho-avermelhada.

acalanto *s.m.* **1.** Acalento. **2.** Canção de ninar.

acalentar *v.t.* (conj. 4). **1.** Embalar e fazer dormir cantando; ninar. **2.** Acariciar, mimar. **3.** Alimentar, alentar, manter.

acalento *s.m.* Ação de acalentar; acalanto.

acalmar *v.t.* (conj. 4) **1.** Tornar calmo; tranqüilizar. **2.** Tornar menos intenso; mitigar, aplacar. ★ *v.i.* e *v.pr.* Tornar(-se) calmo; tranqüilizar(-se).

acalorado *adj.* **1.** Que tem calor. **2.** Entusiasmado, vivo, animado.

acamar *v.t.* (conj. 4). **1.** Pôr na cama. **2.** Dispor em camadas. **3.** Forçar alguém a guardar o leito. ★ *v.i.* Ficar doente, de cama.

acamaradar *v.i.* e *v.pr.* (conj. 4). Tornar(-se) camarada.

açambarcar *v.t.* (conj. 12). **1.** Assenhorear-se, com exclusividade, de um serviço ou situação. **2.** Tomar para si, apoderar-se. **3.** Abarcar, monopolizar.

acampamento *s.m.* **1.** Ato de acampar. **2.** O lugar em que se acampa.

acampar *v.t.* (conj. 4). **1.** Estabelecer, instalar em campo ou acampamento. **2.** Instalar-se de maneira provisória.

acanalhar *v.t.* (conj. 4). Tornar canalha, desprezível. ★ *v.pr.* **1.** Tornar-se canalha. **2.** Aviltar-se, desmoralizar-se.

acanhado *adj.* **1.** Tímido, retraído. **2.** Menor que o necessário ou desejado; exíguo.

acanhar *v.t.* (conj. 4). **1.** Tolher, embaraçar. **2.** Apertar, estreitar, restringir. **3.** Oprimir, acabrunhar, intimidar. **4.** Vexar, envergonhar. ★ *v.pr.* **1.** Vexar-se, envergonhar-se. **2.** Tornar-se tímido. **3.** Estreitar-se.

acanto *s.m.* (gr. *ákanthos*). Planta ornamental, originária da Europa, de folhas longas muito recortadas, notáveis pela beleza. ● **Arquit.** Ornamento que imita as folhas dessa planta.

ação *s.f.* (lat. *actio*). **1.** O que resulta do fato de agir. **2.** Manifestação de uma força agente. **3.** Conjunto de atos, principalmente voluntários; conduta. **4.** Seqüência de acontecimentos no interior de uma peça literária, filme etc. ● **Dir.** Ato de se dirigir à Justiça para obter o respeito de uma lei ou o reconhecimento e a proteção de um direito. **Econ.** Documento que indica que seu possuidor é subscritor do capital de uma empresa e, em conseqüência, é proprietário de uma fração dela. **Fís.** Força que um corpo exerce sobre outro.

acará *s.m.* (tupi *aka'ra*). Nome comum a diversos peixes teleósteos de água doce. (Var. CARÁ.)

acarajé *s.m.* (or. ioruba). Bolinho de massa de feijão-fradinho, frito em azeite-de-dendê e servido com molho de pimenta e camarão seco.

acarear *v.t.* (conj. 15). **1.** Juntar, reunir. **2.** Comparar, confrontar, cotejar. ● **Dir.** Pôr testemunhas umas diante de outras para confrontar seus depoimentos ou declarações.

acariciar *v.t.* (conj. 16). **1.** Fazer carícias; acarinhar, afagar. **2.** *Fig.* Alimentar, afagar (idéias, sonhos etc.).

acarinhar *v.t.* (conj. 4). Acariciar, afagar.

ácaro *s.m.* (gr. *ákari*). Denominação comum a diferentes espécies de aracnídeos parasitas dos animais e do homem.

acarretar *v.t.* (conj. 4). **1.** Transportar em carreta ou carro. **2.** *Fig.* Causar, ocasionar.

acasalar *v.t.* (conj. 4). **1.** Reunir macho e fêmea para procriação. **2.** Formar casais ou pares. **3.** *Fig.* Reunir, emparelhar. ★ *v.i.* e *v.pr.* Juntar(-se) [macho e fêmea] para procriação.

acaso[1] *adv.* (lat. *a casu*). **1.** De modo casual. **2.** Talvez, porventura.

acaso[2] *s.m.* **1.** Causa imprevisível, inexplicável de um acontecimento. **2.** Acontecimento fortuito, casualidade. **3.** Destino, sorte. **4.** *Ao acaso,* a esmo, inadvertidamente.

acastanhado *adj.* Tirante ao castanho.

acastelhanar *v.t.* (conj. 4). Espanholar ★ *v.pr.* Falar ou vestir-se à moda dos castelhanos.

acatar *v.t.* (conj. 4). **1.** Respeitar, reverenciar. **2.** Obedecer, cumprir.

acaule *adj.2g.* Que não tem caule.

acautelado *adj.* **1.** Cauteloso, prudente. **2.** Astuto, manhoso.

acautelar *v.t.* (conj. 4). Prevenir, precaver. ★ *v.pr.* Precatar-se, resguardar-se.

acebolado *adj.* Preparado e guarnecido com cebola.

acedência *s.f.* (lat. *accedentia*). Ato ou efeito de aceder; aquiescência.

aceder *v.t.* (lat. *accedere*) [conj. 5]. Aquiescer, consentir, concordar. (Cf. ASCENDER.)

acéfalo *adj.* (gr. *aképhalos*). **1.** Que apresenta acefalia. **2.** Sem inteligência. **3.** *Fig.* Sem chefe ou dirigente.

aceiro *s.m.* (lat. *aciarium*). Faixa desbastada de vegetação para evitar o perigo de incêndio ou impedir sua propagação.

aceitação *s.f.* (lat. *acceptatio*). **1.** Ato ou efeito de aceitar; aceitamento. **2.** Concordância, aprovação. **3.** Receptividade.

aceitante *adj.2g.* e *s.2g.* Que ou aquele que aceita.

aceitar *v.t.* (lat. *acceptare*) [conj. 4]. **1.** Receber de boa vontade aquilo que é oferecido. **2.** Anuir a; estar de acordo com. **3.** Admitir. **4.** Receber, acolher.

aceitável *adj.2g.* (lat. *acceptabilis*). Que pode ou deve ser aceito.

aceite *s.m.* Ato de aceitar.

aceito *adj.* (lat. *acceptus*). **1.** Que se aceitou. **2.** Acolhido, admitido, recebido.

aceleração *s.f.* (lat. *acceleratio*). **1.** Ação de acelerar(-se); aceleramento. **2.** Aumento da velocidade. **3.** Pressa, precipitação. ● **Fís.** Variação da velocidade de um corpo em movimento durante um certo tempo.

acelerado *adj.* (lat. *acceleratus*). **1.** Que sofre ou sofreu aceleração. **2.** Apressado, rápido, veloz.

acelerador (ô) *adj.* Que acelera. ★ *s.m.* **1.** Aquele ou aquilo que acelera. ● **Automóv.** Dispositivo, geralmente acionado por um pedal, que controla a potência do motor de um veículo, pela regulagem da quantidade de mistura combustível.

acelerar *v.t.* (lat. *accelerare*) [conj. 4]. **1.** Aumentar a velocidade; apressar, ativar. **2.** Fazer com que aconteça mais rapidamente; antecipar. ★ *v.i.* Aumentar a velocidade de um veículo.

acelga *s.f.* (ár. *as-silqa*). Planta hortícola apreciada em saladas.

acelular *adj.2g.* Diz-se de um organismo, tecido ou órgão cujo protoplasma não se encontra dividido em células.

acém *s.m.* (ár. *as-semn*). Carne magra que se encontra junto ao osso da espádua do boi.

acenar *v.i.* (conj. 4). Fazer sinais, com a cabeça, olhos ou mãos, procurando chamar a atenção. ★ *v.t.* **1.** Chamar. **2.** *Fig.* Tentar com; provocar.

acendedor (ô) *s.m.* **1.** Aquele ou aquilo que acende. **2.** Instrumento próprio para acender. **3.** Isqueiro. **4.** *Fig.* Aquilo que estimula, incita.

acender *v.t.* (lat. *accendere*) [conj. 5]. **1.** Pôr fogo, fazer arder. **2.** Pôr em funcionamento um aparelho elétrico de iluminação; ligar. **3.** *Fig.* Provocar, incitar. ★ *v.pr.* **1.** Arder em chamas, inflamar-se. **2.** Tornar-se luminoso.

aceno *s.m.* **1.** Ação de acenar. **2.** Chamamento, convite.

acento *s.m.* (lat. *accentus*). **1.** Tom ou inflexão de voz. **2.** Elevação da voz na pronúncia de uma sílaba, de uma palavra ou de um conjunto de palavras. **3.** Sinal diacrítico sobreposto a uma vogal para marcar a sílaba tônica de uma palavra. **4.** Sotaque. (Cf. ASSENTO.)

acentuação *s.f.* Ato ou efeito de acentuar(-se).

acentuado *adj.* **1.** Que leva acento ortográfico. **2.** Marcante, saliente. **3.** Nítido.

acentuar *v.t.* (lat. *accentuare*) [conj. 4]. **1.** Ressaltar a pronúncia de uma sílaba, aumentando-lhe a intensidade ou duração. **2.** Aplicar acento gráfico a. **3.** Exprimir com força; ressaltar, sublinhar. **4.** Dar ênfase, relevo. ★ *v.pr.* Tornar-se mais forte, mais intenso; aumentar.

acepção *s.f.* (lat. *acceptio*). Cada um dos sentidos ou significações que uma palavra pode possuir (ex. "sujeito" tem as acepções de "pessoa", "termo da oração" etc.).

acepilhar *v.t.* (conj. 4). **1.** Aplainar com cepilho. **2.** Desbastar, polir, limar. **3.** *Fig.* Aperfeiçoar, apurar, lapidar.

acepipe *s.m.* (ár. *az-zebib*). **1.** Guisado apetitoso. **2.** Iguaria, guloseima, petisco.

acerado *adj.* **1.** Que contém ou se assemelha ao aço. **2.** Afiado, aguçado. **3.** *Fig.* Mordaz, causticante.

acerar *v.t.* (conj. 4). **1.** Dar a têmpera do aço; converter em aço. **2.** Afiar, aguçar, tornar cortante. **3.** *Fig.* Acirrar, exacerbar.

acerbo *adj.* (lat. *acerbus*). **1.** Azedo, ácido, áspero. **2.** Cruel, pungente.

acerca (ê) *adv.* (lat. *ad circa*). **1.** *Ant.* Perto. **2.** Quase; cerca. **3.** *Acerca de,* a respeito de, quanto a, sobre.

acercar *v.t.* e *v.pr.* (conj. 12). Abeirar(-se), aproximar(-se), avizinhar(-se).

acerola *s.f.* (ár. *az-za'arora*). **1.** Arbusto originário das Antilhas que produz um fruto semelhante à cereja, com elevado teor de vitamina C. **2.** O fruto desse arbusto.

acertar *v.t.* (conj. 4). **1.** Fazer certo; realizar corretamente. **2.** Descobrir, encontrar. **3.** Pôr de acordo; ajustar. **4.** Atingir, bater. **5.** Tornar (a cavalgadura) dócil ao comando da rédea. ★ *v.i.* **1.** Agir com acerto. **2.** Dar no alvo. **3.** Ganhar (num jogo). **4.** Acontecer, suceder.

acerto (ê) *s.m.* **1.** Ato ou efeito de acertar. **2.** Acordo, ajuste. **3.** Tino, perícia.

acervo (ê) *s.m.* (lat. *acervus*). **1.** Grande quantidade, porção, cúmulo, montão. **2.** Conjunto de obras ou bens que fazem parte de um patrimônio. **3.** Patrimônio, riqueza, cabedal.

aceso (ê) *adj.* (lat. *accensus*). **1.** Que se acendeu; que está em brasa, ardente. **2.** Inflamado, excitado, irritado. **3.** Rubro, avermelhado. **4.** Brilhante, vivo.

acessão *s.f.* (lat. *accessio*). **1.** Ato ou efeito de aceder, de consentir, anuência. **2.** Aumento, acréscimo. **3.** Promoção a posto superior. **4.** Subida ao trono.

acessar *v.t.* **1.** Chegar a, atingir (um local). ● **Inform.** Estabelecer comunicação, conexão ou troca de dados com (um sistema, rede ou fonte de informações).

acessível *adj.2g.* (lat. *accessibilis*). **1.** A que se pode chegar, abordável. **2.** Afável, comunicativo, tratável. **3.** *Fig.* Compreensível, inteligível. **4.** Moderado, razoável.

acesso *s.m.* (lat. *accessus*). **1.** Entrada, passagem. **2.** Aproximação, chegada. **3.** Caminho aberto na floresta, trilha. **4.** Ataque súbito, ímpeto. **5.** Comunicação, contato, uso (de um sistema ou fonte de informação). ● **Inform.** Cada uma das vezes em que alguém carrega o ou os arquivos de uma página na internet. **Med.** Conjunto de perturbações mórbidas agudas que pode ocorrer de uma só vez ou a intervalos regulares.

acessório *adj.* **1.** Que segue ou acompanha o principal. **2.** Complementar, suplementar. **3.** Que é menos importante; secundário. (Cf. ASSESSÓRIO.) ● **Anat.** *Nervo acessório,* cada um dos nervos que compõem o décimo primeiro par de nervos cranianos. ★ *s.m.* **1.** Coisa secundária. **2.** Peça suplementar de uma máquina. **Dir.** Objeto que, dependendo estritamente de outro, adquire a mesma natureza jurídica.

acetábulo *s.m.* (lat. *acetabulum*). Antigo vaso romano usado para guardar vinagre. ● **Anat.** Cavidade artícular do osso ilíaco onde se encaixa a cabeça do fêmur; cavidade cotilóide. **Zool.** Cavidade ou ventosa de certos animais.

acetato *s.m.* **1.** Sal ou éster do ácido acético. **2.** Base da película fotográfica e cinematográfica.

acético *adj.* (lat. *acetum*). **1.** Relativo ao vinagre. (Cf. ASCÉTICO.) ● **Quím.** *Ácido acético,* ácido originado da oxidação do álcool etílico, responsável pelo sabor e propriedades do vinagre. ▸ *Aldeído acético,* composto químico derivado do álcool etílico ou do acetileno, que constitui um importante intermediário na produção de diversas substâncias industriais; acetaldeído.

acetificar *v.t.* e *v.pr.* (conj. 12). Converter(-se) em vinagre; transformar(-se) em vinagre.

acetilcolina *s.f.* Mediador químico que diminui o ritmo cardíaco e abaixa a pressão arterial.

acetileno *s.m.* Composto químico gasoso e explosivo, usado na iluminação e em maçaricos para solda.

acetilsalicílico *adj.* *Ácido acetilsalicílico,* ácido empregado como analgésico. (Sin. ASPIRINA.)

VOCÊ SABIA...? O ácido **acetilsalicílico** foi obtido em 1853 pelo químico francês Gerhardt e preparado em estado puro e estável por Felix Hofmann, químico dos laboratórios Bayer, em 1897. Os gregos antigos, porém, já usavam o ácido acetilsalicílico natural com finalidade terapêutica, a partir da casca de salgueiro (*Salix salicis*). Sua reduzida toxidez, sua grande atividade e sua ação antiinflamatória fazem da aspirina um inestimável medicamento contra a febre e a dor, sobretudo a de origem reumática. Mas sua acidez produz irritação da mucosa gástrica e torna perigoso o uso prolongado. A aspirina potencializa a ação dos anticoagulantes, o que a torna perigosa em associação com esses produtos.

acetinar *v.t.* [conj. 4]. Tornar semelhante ao cetim.

acetona *s.f.* A mais simples das cetonas, preparada industrialmente a partir do acetileno e utilizada como dissolvente de diversas substâncias.

acetonúria ou **acetonuria** *s.f.* Presença de acetona ou compostos cetônicos na urina.

acha *s.f.* (lat. *astula*). Pedaço de madeira tosca para o lume; cavaca.

achacadiço *adj.* Sujeito a achaques; enfermiço.

achacar *v.t.* (conj. 12). **1.** Desgostar, magoar, maltratar. **2.** Imputar, acusar, tachar. **3.** *Gír.* Extorquir. ★ *v.i.* e *v.pr.* Adoecer, ter achaques.

achado *adj.* Que se achou; encontrado. ★ *s.m.* **1.** Ato ou efeito de achar. **2.** Aquilo que se achou. **3.** Invento ou descoberta feliz; solução ou idéia providencial. **4.** Coisa providencial, sorte.

achanar *v.t.* (conj. 4). **1.** Tornar chão, plano; aplanar, achatar. **2.** Abater, dominar, humilhar. **3.** Apaziguar, tranqüilizar.

achaque *s.m.* (ár. *ax-xaqq*). **1.** Padecimento sem gravidade. **2.** Vício, imperfeição. **3.** Pretexto, motivo. **4.** Lamúria, chasco.

achar *v.t.* (lat. *afflare*) [conj. 4]. **1.** Encontrar (procurando ou não). **2.** Descobrir, inventar. **3.** Julgar, supor, considerar. **4.** Sentir, experimentar. **5.** Resolver, deliberar. ★ *v.pr.* **1.** Estar num lugar, ou em companhia de alguém; encontrar-se. **2.** Julgar-se, considerar-se.

achatar *v.t.* (conj. 4). **1.** Tornar chato. **2.** Esmagar. **3.** Aniquilar, abater. **4.** *Fig.* Humilhar; abater moralmente. ★ *v.pr.* Humilhar-se, curvar-se.

achavascado *adj.* Rústico, tosco.

achega (ê) *s.f.* **1.** Acréscimo, aditamento. **2.** Ajuda, auxílio. **3.** Subsídio; contribuição para aperfeiçoamento de algo. ★ *s.f.pl.* Materiais de construção.

achegar *v.t.* (conj. 14). **1.** Unir, ligar. **2.** Aproximar, ajeitar. ★ *v.pr.* Acolher-se, aconchegar-se.

achincalhar *v.t.* (conj. 4). Ridicularizar, escarnecer, aviltar.

aciaria *s.f.* Estabelecimento industrial especializado na fabricação de aço.

acicatar *v.t.* (conj. 4). **1.** Estimular com acicate; esporear. **2.** *Fig.* Incentivar, excitar.

acicate *s.m.* **1.** Espora comprida, com um único aguilhão. **2.** *Fig.* Estímulo, excitante.

acíclico *adj.* Diz-se do composto químico orgânico que apresenta cadeia aberta. (Sin. ALIFÁTICO.)

acidentado *adj.* **1.** Que sofreu um acidente. ★ *s.m.* Vítima de acidente.

acidental *adj.2g.* (lat. *accidentalis*). **1.** Causado por uma circunstância imprevista. **2.** Que é contingente. **3.** Que não é substancial.

acidentar *v.t.* (conj. 4). **1.** Alterar, modificar, produzir acidentes em. **2.** Tornar irregular, acidentado (o terreno). **3.** Ferir em um acidente. ★ *v.pr.* Ser vítima de acidente.

acidente *s.m.* (lat. *accidens*). **1.** Acontecimento fortuito, casual, imprevisto. **2.** Desastre, desgraça. **3.** Irregularidade do solo. ● **Filos.** Aquilo que numa coisa pode ser modificado ou suprimido sem comprometer-lhe a existência nem alterar-lhe a natureza. **Geogr.** *Acidente geográfico* ou *de relevo,* qualquer forma de relevo que apresente contrastes ou desigualdades com outras que lhe estão próximas. **Gram.** Mudança gramatical numa palavra; flexão. **Mús.** Nome genérico dado aos sinais utilizados para alterar a altura de uma nota, como o bemol, o sustenido e o bequadro.

acidez (ê) *s.f.* **1.** Qualidade do que é ácido, azedo. **2.** Azedume de uma fruta verde, de um vinho ainda novo; azedia, agror. ● **Med.** Sensação de azedo na boca provocada geralmente por hiperacidez estomacal. **Quím.** Propriedade dos ácidos.

acidificar *v.t.* (conj. 12). **1.** Transformar em ácido. **2.** Praticar ou proceder à acidificação. **3.** Tornar azedo, aziumar, envinagrar. ★ *v.pr.* **1.** Tornar-se ácido. **2.** Converter-se em ácido; botar-se (o vinho).

ácido *adj.* (lat. *acidus*). **1.** Que tem sabor azedo. **2.** Que apresenta as propriedades dos ácidos. **3.** *Fig.* Desagradável. ● **Ecol.** *Chuva ácida,* precipitação provocada por fumaças saturadas de certos compostos químicos, emitidos por indústrias. ★ *s.m.* **Quím.** Composto químico hidrogenado, orgânico ou inorgânico, que pode dar origem a um sal.

acidular *v.t.* (conj. 4). Tornar ácido ou acídulo; acidificar. ● **Ind. Gráf.** Passar a preparação litográfica sobre a pedra litográfica ou sobre a chapa *off-set.*

acídulo *adj.* (lat. *acidulus*). Um pouco ácido.

acima *adv.* **1.** Em lugar mais alto. **2.** Em lugar, posição ou situação superior. **3.** Para cima. **4.** Anteriormente, atrás (como referência em texto).

acinte *s.m.* **1.** Ação premeditada para prejudicar alguém. **2.** Provocação. ★ *adv.* De propósito, deliberadamente.

acinzentar *v.t.* (conj. 4). Tornar cinzento.

acionar *v.t.* (conj. 4). **1.** Pôr em movimento. **2.** Intentar uma ação na Justiça contra alguém; processar.

acionário *adj.* Relativo a ação (de uma sociedade). ★ *s.m.* Acionista.

acionista *s.2g.* Pessoa que possui uma ou mais ações de uma empresa; acionário.

acirrar *v.t.* (conj. 4). **1.** Instigar, açular. **2.** Exacerbar, inflamar.

aclamação *s.f.* (lat. *acclamatio*). **1.** Ato ou efeito de aclamar. **2.** Grito de aprovação e entusiasmo de uma multidão; ovação. **3.** Ovações que saudavam os vencedores ou os imperadores. **4.** Fórmula que exprime o desejo de realização, de satisfação, ou uma invocação (por ex., *aleluia*).

A B C D E F G H I J K L M N O P Q R S T U V W X Y Z

aclamar *v.t.* (lat. *acclamare*) [conj. 4]. **1.** Saudar com aplausos, com aclamações. **2.** Eleger alguém por aclamação; assentir, proclamar, aprovar. ★ *v.i.* Levantar clamor, aprovando. ★ *v.pr.* Proclamar-se; atribuir-se a si mesmo um título, uma dignidade.

aclarar *v.t.* (lat. *acclarare*) [conj. 4]. **1.** Tornar claro; iluminar. **2.** Esclarecer, elucidar. **3.** Tornar distinto; distinguir. **4.** Purificar, limpar. ★ *v.i.* Clarear, desanuviar-se (o céu).

aclimação *s.f.* Sin. de ACLIMATAÇÃO.

aclimar *v.t.* (conj. 4). Habituar a um clima; climatizar, aclimatar. ★ *v.pr.* Acostumar-se a, adaptar-se a (um meio, clima, ambiente).

aclimatação *s.f.* **1.** Ato ou efeito de aclimatar. ● **Biol.** Adaptação de um organismo animal ou vegetal a um outro clima que não o de seu local de origem. (Sin. ACLIMAÇÃO.)

aclimatar *v.t.* (fr. *acclimater*) [conj. 4]. Habituar a um clima. ★ *v.pr.* Acostumar-se, adaptar-se (a um meio, clima, ambiente). (Sin. ACLIMAR, ACLIMATIZAR.)

aclimatizar *v.t.* (conj. 4). Sin. de ACLIMATAR.

aclive *s.m.* (lat. *acclivis*). Inclinação ascendente do terreno; ladeira, rampa, vertente, encosta. (Antôn. DECLIVE). ★ *adj.2g.* Íngreme.

acme *s.m.* (gr. *akmé*). Ponto culminante, apogeu, ápice.

acne *s.f.* (alter. do gr. *akhné*). Afecção cutânea, comum na adolescência, caracterizada por espinhas principalmente no rosto.

? VOCÊ SABIA...? A **acne** que aparece na adolescência geralmente consiste em pontos pretos (chamados de cravos) e pequenas zonas inflamadas que variam de acordo com a infecção. A acne surge sobretudo por ação dos hormônios (os andrógenos, hormônios masculinos, embora estejam presentes nos dois sexos) nas glândulas sebáceas. A vitamina A e o peróxido de benzoíla são as substâncias mais usadas no tratamento da acne. A acne costuma desaparecer no fim da adolescência; depois disso, deve-se em geral a fatores químicos ou climáticos.

---

aço *s.m.* **1.** Liga ferro-carbono com teor de carbono inferior a 1,8% em massa e susceptível de adquirir, por meio de tratamento mecânico e térmico, variadas propriedades. **2.** Arma branca. **3.** *Fig.* O que é resistente, forte. ● **Metal.** *Aço doce,* aço com baixo teor de carbono (0,15 a 0,25%). ► *Aço duro,* aço com elevado teor de carbono (0,60 a 0,70%). ► *Aço inoxidável,* aço especial que resiste aos diversos agentes corrosivos.

acobardar *v.t.* (conj. 4). Var. de ACOVARDAR.

acobertar *v.t.* (conj. 4). **1.** Cobrir com coberta etc.; agasalhar. **2.** Dissimular, disfarçar. **3.** Defender, proteger. **4.** Favorecer, patrocinar. **5.** Cobrir, encobrir. ★ *v.pr.* **1.** Agasalhar-se. **2.** Proteger-se. **3.** Disfarçar-se.

acobreado *adj.* Da cor do cobre.

acochar *v.t.* (conj. 4). **1.** Acamar apertando. **2.** Aconchegar, comprimir. **3.** Apressar, instigar. ★ *v.pr.* Acocorar-se, agachar-se.

acocorar *v.t.* e *v.pr.* (conj. 4). Pôr(-se) de cócoras.

açodar *v.t.* (conj. 4). **1.** Apressar, acelerar. **2.** Precipitar. **3.** Incitar, instigar. **4.** Perseguir, acossar. ★ *v.pr.* **1.** Apressar-se. **2.** Precipitar-se.

acoimar *v.t.* (conj. 4). **1.** Impor coima; punir, castigar. **2.** Tachar, acusar. **3.** Qualificar negativamente.

acoitar *v.t.* (conj. 4). **1.** Dar coito[1]; acolher, abrigar. **2.** Proteger, defender.

açoitar *v.t.* (conj. 4). **1.** Bater com açoite; fustigar, surrar. **2.** Ferir, magoar. **3.** Devastar, assolar.

açoite *s.m.* (ár. *as-sot*). **1.** Instrumento feito com tiras de couro, para castigar; látego. **2.** Chicote. **3.** Golpe aplicado com açoite. **4.** Castigo, flagelo.

acolá *adv.* (lat. *eccum illac*). Naquele lugar; lá, adiante, além.

acolchetar *v.t.* (conj. 4). Ajustar, prender ou apertar com colchetes. ★ *v.pr.* Ligar-se, prender-se.

acolchoado *adj.* e *s.m.* **1.** Diz-se de ou tecido com forro macio, em algodão ou plástico, costurado nele. **2.** Diz-se de ou peça, em especial coberta, feita com esse tecido.

jaqueta acolchoada

---

acolchoamento *s.m.* Ato ou efeito de acolchoar.

acolhedor (ô) *adj.* e *s.m.* Que ou o que dá boa acolhida.

acolher *v.t.* (conj. 5). **1.** Receber alguém, hospedar, agasalhar. **2.** Aceitar, receber. ★ *v.pr.* Abrigar-se, refugiar-se.

acolhida *s.f.* **1.** Recepção que se faz a alguém. **2.** Acolhimento.

acolhimento *s.m.* **1.** Ato ou efeito de acolher; acolhida, recepção. **2.** Refúgio, guarida.

acolitar *v.t.* (conj. 4). **1.** Servir de acólito. **2.** Acompanhar, seguir como ajudante.

acólito *s.m.* (gr. *akólouthos*). **1.** Pessoa que ajuda o padre no altar; sacristão. **2.** *Fam.* Aquele que acompanha ou ajuda alguém. **3.** Cúmplice.

acometer *v.t.* (conj. 5). **1.** Assaltar, atacar, investir. **2.** Hostilizar, injuriar, provocar. **3.** Chocar-se com, abalroar. **4.** Manifestar-se (doença, paixão etc.), intensa e repentinamente.

acometida *s.f.* Acometimento.

acometimento *s.m.* **1.** Ato ou efeito de acometer; acometida. **2.** Ataque, investida. **3.** Empreendimento.

acomodação *s.f.* (lat. *accommodatio*). **1.** Ação de acomodar(-se). **2.** Disposição, arranjo. **3.** Dependências (de casa, hotel) onde as pessoas se instalam; cômodo. **4.** Alojamento. ● **Fisiol.** Fenômeno pelo qual o cristalino do olho sofre uma modificação em sua forma, o que permite a visão distinta a diferentes distâncias. **Sociol.** Comportamento que tende a evitar ou reduzir os conflitos, considerado necessário para a manutenção da ordem social.

acomodado *adj.* **1.** Arrumado, adaptado. **2.** Quieto, sossegado. **3.** Hospedado, alojado. **4.** Conformado com uma certa situação.

acomodar *v.t.* (lat. *accommodare*) [conj. 4]. **1.** Tornar cômodo, pôr em boa ordem. **2.** Alojar, hospedar. **3.** Colocar algo ou alguém em determinado lugar; arrumar. **4.** Ajustar amigavelmente partes em conflito. ★ *v.pr.* **1.** Alojar-se. **2.** Conformar-se.

acomodatício *adj.* Que se acomoda facilmente; amoldável.

acompanhamento *s.m.* **1.** Ação de acompanhar. **2.** O que acompanha algo ou alguém. **3.** Comitiva, séquito. ● **Mús.** Parte vocal ou instrumental secundária, que sustenta a principal. **Técn.** Conjunto de operações de controle de um processo.

acompanhante *adj.2g.* e *s.2g.* Que ou aquele que acompanha.

acompanhar *v.t.* (conj. 4). **1.** Ir junto com, seguir. **2.** Fazer companhia. **3.** Comboiar, conduzir. **4.** Observar a marcha, a evolução, o desenvolvimento. **5.** Ter as mesmas opiniões, atos, sentimentos que alguém. **6.** Sustentar por um acompanhamento musical.

aconchegante *adj.2g.* Que aconchega.

aconchegar *v.t.* (conj. 14). **1.** Aproximar, unir. **2.** Agasalhar, abrigar.

aconchego (ê) *s.m.* **1.** Agasalho, abrigo. **2.** Amparo, proteção.

acondicionar *v.t.* (conj. 4). **1.** Embrulhar, empacotar, embalar. **2.** Acomodar, arrumar, reunir. **3.** Guardar, armazenar, preservar.

acônito *s.m.* (gr. *akonitom*). **1.** Planta venenosa de uso medicinal das regiões montanhosas, que apresenta flores azuis. **2.** Medicamento preparado com essa planta.

aconselhar *v.t.* (conj. 4). **1.** Dar conselhos; recomendar. **2.** Sugerir.

aconselhável *adj.2g.* Que se aconselha; recomendável.

acontecer *v.t.* e *v.i.* (conj. 25). Verificar-se, realizar-se um fato, suceder.

acontecimento *s.m.* **1.** O que acontece; ocorrência, fato. **2.** Sucesso, evento. **3.** Acontecido.

acoplagem *s.f.* (fr. *accoplage*). Acoplamento.

acoplamento *s.m.* (fr. *accouplement*). **1.** Agrupamento, junção; acoplagem. ● **Tecnol.** Interligação entre dois circuitos elétricos ou sistemas mecânicos, que permite a transferência recíproca de suas energias. ▸ Dispositivo que permite esta ligação.

acoplar *v.t.* (fr. *accopler*) [conj. 4]. **1.** Interligar, conectar. **2.** Reunir dois elementos, peças etc. **3.** Estabelecer acoplamento.

açor (ô) *s.m.* Ave de rapina, falconiforme, que ocorre no hemisfério Norte.

açorda (ô) *s.f.* (ár. *ath-thurda*). Sopa grossa feita com pão, alho e azeite.

acórdão *s.m.* Sentença, decisão de uma instância superior.

acordar *v.t.* (lat. *accordare*) [conj. 4]. **1.** Tirar do sono, despertar. **2.** Ativar, reanimar. **3.** Combinar. **4.** Concordar. ★ *v.i.* **1.** Pôr-se de acordo, concordar. **2.** Sair do sono, despertar.

acorde[1] *adj.2g.* Concorde.

acorde[2] *s.m.* (fr. *accord*). Conjunto de sons musicais emitidos simultaneamente.

ACORDES DE DÓ

dó maior — dó menor

acordeão *s.m.* (fr. *accordéon*). Instrumento musical portátil munido de teclado cuja ação, associada à de um fole de vaivém, faz vibrar um jogo de palhetas metálicas; sanfona.

acordo (ô) *s.m.* **1.** Conformidade de sentimentos, bom entendimento, harmonia. **2.** Pacto, convenção, ajuste. ● **Dir.** Encontro de vontades com o objetivo de produzir efeitos de direito desejados pelas partes.

açoriano *adj.* Relativo ou pertencente às ilhas dos Açores. ★ *s.m.* Indivíduo natural ou habitante dessas ilhas.

acoroçoar *v.t.* (conj. 20). Animar, encorajar, incentivar; acorçoar.

acorrentar *v.t.* (conj. 4). **1.** Prender com corrente. **2.** Atrelar, jungir. **3.** Escravizar, aprisionar.

acorrer *v.i.* (lat. *accurrere*) [conj. 4]. Vir apressadamente, acudir. ★ *v.t.* **1.** Ir correndo a algum lugar. **2.** Acudir, socorrer.

acossar *v.t.* (conj. 4). **1.** Perseguir com empenho, com ardor. **2.** Acuar, encurralar.

acostamento *s.m.* Parte lateral de uma estrada, fora da pista, destinada à parada ou ao estacionamento em caso de emergência.

acostar *v.t.* (conj. 4). **1.** Encostar no cais ou em outro barco. **2.** Encostar, aproximar. ★ *v.pr.* **1.** Aproximar-se da costa. **2.** Encostar-se, apoiar-se.

acostumar *v.t.* (conj. 4). Fazer adquirir um costume; habituar. ★ *v.pr.* Tomar um costume, habituar(-se).

acotovelar *v.t.* (conj. 4). **1.** Dar ou tocar com o cotovelo em; dar cotovelada. **2.** Empurrar, dar encontrões em. ★ *v.pr.* Encontrar-se em local muito cheio, comprimir-se.

açougue *s.m.* (ár. *as-sok*). **1.** Local onde se vende a carne no varejo. **2.** Estabelecimento que realiza a transformação dos animais de criação em carne.

açougueiro *s.m.* **1.** Pessoa que trabalha em açougue. **2.** *Fig.* Homem sanguinário; carniceiro.

acovardar *v.t.* e *v.pr.* (conj. 4). Tornar(-se) covarde; amedrontar(-se), intimidar(-se).

acre[1] *s.m.* (fr. *acre*). Medida agrária de superfície, de origem inglesa, que vale 40,47 ares.

acre[2] *adj.2g.* (lat. *acer*). **1.** Que tem muita acidez; picante, ácido. **2.** Azedo. **3.** Áspero, desagradável.

acreano *adj.* Relativo ou pertencente ao Estado do Acre. ★ *s.m.* Indivíduo natural ou habitante desse Estado.

acreditar *v.t.* e *v.i.* (conj. 4). **1.** Crer, dar crédito. **2.** Crer na existência de. **3.** Confiar. **4.** Reconhecer alguém oficialmente perante as autoridades de outro país. ★ *v.pr.* Adquirir crédito.

acrescentar *v.t.* (conj. 4). Adicionar, aumentar, juntar.

acrescer *v.t.* (lat. *acrescere*) [conj. 25]. Juntar, adicionar. ★ *v.i.* Tornar-se maior, crescer.

acréscimo *s.m.* O que se acrescenta; adição.

acrílico *s.m.* (fr. *acrylique*). Substância transparente e rígida obtida por polimerização, empregada na indústria.

acrimônia *s.f.* (lat. *acrimonia*). **1.** Disposição para o mau humor; azedume. **2.** Acidez, amargor. **3.** Aspereza.

acrisolar *v.t.* (conj. 4). **1.** Apurar no crisol. **2.** Depurar, purificar. ★ *v.pr.* Purificar-se, apurar-se.

acrobacia *s.f.* (fr. *acrobatie*). **1.** Exercício de acrobata. **2.** Conjunto de manobras incomuns na pilotagem normal de um avião.

acrobata ou **acróbata** *s.2g.* (gr. *akrobatos*). **1.** Pessoa que pratica exercício de agilidade, equilíbrio ou demonstração de força. **2.** Equilibrista, malabarista. **3.** Aquele que faz acrobacias aéreas.

acrobático *adj.* (gr. *akrobatíkos*). Relativo aos acrobatas ou às acrobacias.

acrofobia *s.f.* Medo mórbido de altura.

acrografia *s.f.* **1.** Sin. de SIGLA. **2.** Arte de gravar em relevo, em pedra ou metais, por meio de ácidos.

acromático *adj.* **1.** Que não tem cor. **2.** Que não toma cor. • **Ópt.** Diz-se da lente que impede a dispersão dos raios luminosos.

acromegalia *s.f.* Afecção não congênita provocada por uma hipersecreção do hormônio do crescimento e que se traduz por um crescimento exagerado das extremidades do corpo.

acrônimo *s.m.* Palavra formada pelas primeiras letras ou sílabas de uma expressão.

acrópole *s.f.* (gr. *akropolis*). **1.** Colina fortificada das antigas cidades gregas que abrigava o palácio real e depois a sede da vida política ou religiosa. **2.** Qualquer cidade proto-histórica fortificada sobre uma colina.

acróstico *s.m.* Composição em que as letras iniciais de cada verso, lidas no sentido vertical, formam uma palavra ou frase.

actina *s.f.* (lat. cient. *actina*). Proteína contráctil do músculo.

actínia *s.f.* Sin. de ANÊMONA-DO-MAR.

actínio *s.m.* (fr. *actinius*). Elemento químico radioativo (símb. Ac) de número atômico 89.

acuar v t. (conj. 4). **1.** Perseguir a caça com os cães até que ela esteja entocada ou sem saída; encurralar, bater. **2.** Perseguir um inimigo até que ele se renda. **3.** Deixar alguém em má situação, embaraçar.

açúcar *s.m.* (ár. *as-sukkar*). **1.** Produto alimentar cristalizado, de sabor doce, extraído da cana-de-açúcar ou da beterraba. (Sin. SACAROSE.) **2.** Nome genérico da molécula de carboidrato simples, presente no açúcar, nas frutas e no mel.

açucarado *adj.* **1.** Que contém açúcar. **2.** Doce, melífluo. **3.** Que açucarou; cristalizado.

açucarar *v.t.* (conj. 4). **1.** Adoçar com açúcar. **2.** Tornar doce, melífluo. ★ *v.i.* Tomar a consistência do açúcar; cristalizar-se.

açúcar-cande *s.m.* Açúcar refinado e cristalizado.

açucareiro *s.m.* **1.** Recipiente em que se serve o açúcar. **2.** Fabricante ou comerciante de açúcar. ★ *adj.* Relativo à produção e ao comércio de açúcar.

açucena *s.f.* (ár. *as-susana*). Planta ornamental, originária da Ásia, de flores brancas e aromáticas empregadas em perfumaria. (Sin. LÍRIO-BRANCO.)

açude *s.m.* (ár. *as-sudd*). Construção para represamento de águas; represa, comporta.

acudir *v.t.* (conj. 61). **1.** Ir em socorro, defesa, auxílio ou proteção de; socorrer. **2.** Obedecer, atender prontamente. **3.** Afluir, acorrer. **4.** Vir à lembrança; ocorrer. ★ *v.i.* **1.** Socorrer. **2.** Atender a chamado, aviso, convite etc. ★ *v.pr.* Socorrer-se, valer-se de.

acuidade (u-i) *s.f.* (lat. tard. *acuitas*). **1.** Qualidade daquilo que é agudo. **2.** Intensidade.

açular *v.t.* (conj. 4). **1.** Instigar, incitar (cães) a atacar ou morder. **2.** Provocar, atiçar, incitar.

acúleo *s.m.* (lat. *aculeus*). **1.** Aguilhão, ferrão, espinho. **2.** Estrutura semelhante a um espinho encontrada na epiderme de algumas plantas. **3.** Incitamento, estímulo.

aculturação *s.f.* (ingl. amer. *acculturation*). **1.** Modificação dos modelos culturais pela interpenetração de culturas. **2.** Adaptação de um indivíduo ou de um grupo étnico à cultura que o rodeia.

acumpliciar *v.t.* e *v.pr.* (conj. 16). Tornar(-se) cúmplice.

acumulação *s.f.* (lat. *accumulatio*). **1.** Acúmulo. **2.** Aumento. • **Geogr.** Deposição de material aluvial por um agente morfogenético qualquer.

acumulada *s.f.* Modalidade de aposta de turfe na qual o rateio do primeiro páreo é jogado no segundo, o produto deste no terceiro e assim sucessivamente.

acumulador (ô) *adj.* (fr. *accumulateur*). Que acumula, amontoa. ★ *s.m.* **Eletrotéc.** Aparelho que armazena energia e que se descarrega fornecendo corrente elétrica; bateria.

acumular *v.t.* (lat. *accumulare*) [conj. 4]. **1.** Amontoar, juntar, reunir. **2.** Cumular. **3.** Ocupar simultaneamente dois ou mais cargos. **4.** Exercer simultaneamente duas ou mais funções. ★ *v.pr.* Amontoar-se, juntar-se.

acúmulo *s.m.* **1.** Ato ou efeito de acumular(-se); acumulação. **2.** Amontoamento, sobrecarga.

acuometria *s.f.* Sin. de AUDIOMETRIA.

acupuntura *s.f.* (lat. *acus,* agulha, e *punctura,* picada). Terapia milenar chinesa que busca atingir o equilíbrio funcional de um organismo estimulando seus pontos energéticos com agulhas.

acurar *v.t.* (lat. *accurare*) [conj. 4]. Tratar com cuidado; apurar, aperfeiçoar.

ACRÓPOLE ► A colina que dominava a cidade era originalmente uma cidadela. No século V antes de Cristo, Péricles a transformou num imenso santuário. Magníficos templos, como o Partenon, construído em honra de Atena, ou o Erectéion, fizeram de Atenas a primeira cidade do mundo grego. Hoje, suas ruínas são uma das atrações turísticas da Grécia.

acusação *s.f.* (lat. *accusatio*). **1.** Ato ou efeito de acusar. **2.** Atribuição de uma ação repreensível. ● **Dir.** Imputação de crime ou delito feita a uma pessoa. ▸ A parte que acusa.

acusar *v.t.* (lat. *accusare*) [conj. 4]. **1.** Imputar uma falta, um erro, um crime a alguém. **2.** Mostrar, indicar, apontar. ★ *v.pr.* **1.** Reconhecer-se, confessar-se culpado. **2.** Acentuar-se.

acusativo *adj.* (lat. *accusativus*). Em que há acusação. ★ *s.m.* **Gram.** Caso das declinações grega, latina e de outras línguas que indica o objeto que sofre a ação expressa pelo verbo.

acusatório *adj.* (lat. *accusatorius*). Relativo à acusação.

acústica *s.f.* (gr. *akoustike*). Parte da física que estuda o som.

acústico *adj.* (fr. *acoustique*). **1.** Que diz respeito à acústica. **2.** Que se refere ao som. **3.** Que concerne ao ouvido, à impressão que os sons causam no ouvido. ● **Anat.** *Nervo acústico*, sin. de NERVO AUDITIVO*. ★ *s.m.* Especialista em acústica.

acutângulo *adj.* Diz-se do triângulo que tem os três ângulos agudos.

acutilar *v.t.* (conj. 4). Dar cutiladas; golpear.

adaga *s.f.* Espada de lâmina larga e curta, terminada em ponta.

adágio[1] *s.m.* (lat. *adagium*). **1.** Provérbio, máxima. **2.** Enunciação breve e marcante de uma regra de conduta, emprestada do direito costumeiro ou escrito.

adágio[2] *s.m.* (it. *adagio*). **1.** Andamento musical vagaroso. **2.** Peça musical executada em tempo lento.

adamantino *adj.* (gr. *adamantinos*). Semelhante ao diamante; diamantino.

adamascado *adj.* **1.** Diz-se de um tecido fabricado em tons de uma mesma cor e com desenhos definidos unicamente por oposição de ligamentos. **2.** Que imita na cor ou no sabor o damasco.

adâmico *adj.* **1.** Relativo ou pertencente a Adão, o primeiro homem, segundo a Bíblia. **2.** Primitivo.

adão *s.m.* Pomo-de-adão.

adaptação *s.f.* **1.** Ato ou efeito de adaptar(-se); ajuste, adequação. **2.** Conjunto de modificações hereditárias, tanto morfológicas e fisiológicas como etológicas, que permite a um organismo, a uma população ou a uma espécie se ajustar às condições do meio em que vive.

adaptador (ô) *s.m.* (fr. *adaptateur*). **1.** Pessoa que faz uma adaptação. ● **Eletrotéc.** Dispositivo que, acoplado a um aparelho, em especial elétrico, permite ampliar sua utilização. ★ *adj.* Que adapta.

adaptar *v.t.* (lat. *adaptare*) [conj. 4]. **1.** Ajustar uma coisa a outra; adequar. **2.** Tornar possível a utilização em uma função ou meio diferente do original. **3.** Pôr em harmonia, em conformidade. ★ *v.pr.* Acomodar-se, conformar-se.

adaptativo *adj.* (fr. *adaptatif*). Relativo à adaptação. ● **Biol.** Diz-se de todo fenômeno que contribui para a adaptação de um organismo ao meio.

adega *s.f.* (gr. *apotheke*, depósito). Aposento, geralmente subterrâneo, onde se guardam o vinho e outras bebidas.

adejar *v.i.* (conj. 4). **1.** Pairar sobre. **2.** Esvoaçar, voejar.

adejo (ê) *s.m.* Ato de adejar.

adelgaçar *v.t.* (conj. 13). **1.** Tornar delgado, fino. **2.** Rarefazer, desgastar. ★ *v.pr.* **1.** Tornar-se delgado. **2.** Emagrecer.

ademais *adv.* Além do mais, além disso.

ademanes *s.m.pl.* Maneirismos, trejeitos.

adenda *s.f.* ou **adendo** *s.m.* (lat. *addenda*). Aquilo que se acrescenta a uma obra para completá-la; apêndice, suplemento.

adenina *s.f.* Composto químico nitrogenado encontrado nos nucleosídeos, nos nucleotídeos e em diversas coenzimas.

adenóide *adj.2g.* **1.** Diz-se da estrutura que tem aspecto de adenoma. **2.** Relativo ao tecido ganglionar. **3.** *Vegetações adenóides*, sin. de ADENÓIDES.

adenóides *s.f.pl.* Hipertrofia do tecido ganglionar na nasofaringe das crianças; vegetações adenóides.

adenoma *s.m.* (do gr. *aden* + *noma*). Tumor epitelial benigno desenvolvido à custa de um tecido glandular (p. ex. adenoma do seio).

adenosina *s.f.* Nucleosídeo formado de adenina e ribose.

adensar *v.t.* e *v.pr.* (lat. *addensare*) [conj. 4]. **1.** Tornar(-se) denso. **2.** Avolumar(-se). ★ *v.t.* Efetuar o adensamento de uma peça, de um material.

adentrar *v.t.* (conj. 4). **1.** Entrar, penetrar em. **2.** Fazer entrar, introduzir. ★ *v.i.* Entrar.

adentro *adv.* **1.** No interior, dentro. **2.** Para dentro.

adepto *s.m.* (lat. *adeptus*). **1.** Membro ou partidário de uma doutrina, religião ou partido; seguidor, prosélito.

adequação *s.f.* (lat. *adaequatio*). **1.** Ato ou efeito de adequar(-se). **2.** Adaptação, ajustamento.

adequar(-se) *v.t.* e *v.pr.* (lat. *adaequare*) [conj. 23]. Tornar(-se) próprio, conveniente, oportuno; pôr(-se) em conformidade.

adereçar *v.t.* (conj. 13). Ornar(-se), enfeitar(-se) com adereços.

adereço (ê) *s.m.* Objeto de adorno; enfeite. ★ *s.m.pl.* **1.** Arreios de cavalo. **2.** Trastes, móveis. **3.** Acessórios cênicos.

aderência *s.f.* (lat. *adhaerentia*). **1.** Ligação, união, enlace. **2.** Tendência a aderir. **3.** Adesão, assentimento. **4.** Resistência de deslizamento das rodas de um veículo. ● **Med.** Junção normal ou patológica de dois órgãos ou tecidos.

aderente *adj.2g.* e *s.2g.* (lat. *adhaerens*). Que ou aquele que adere.

aderir *v.t.* (lat. *adhaerere*) [conj. 57]. **1.** Prender-se firmemente. **2.** Tornar-se adepto de um partido, uma causa etc. **3.** Enlaçar, unir, adaptar.

adernar *v.t.* e *v.i.* (lat. *ad latere*) [conj. 4]. **1.** Inclinar-se (o navio) sobre um dos bordos. **2.** *Pop.* Emborcar-se (o recipiente), deixando entornar o conteúdo.

adesão *s.f.* (lat. *adhaesio*). **1.** Ato ou efeito de aderir. **2.** União, junção; acordo. **3.** Consentimento, aprovação.

adesismo *s.m.* **1.** Adesão política. **2.** Tendência ou hábito de aderir por interesse a situações vantajosas.

adesivo *adj.* Que adere, prende-se ou cola. ★ *s.m.* **1.** Substância capaz de manter materiais unidos ou colados por adesão superficial. **2.** Fita de papel, tecido etc. com uma das faces recoberta por um produto que adere a determinadas superfícies.

fita adesiva

adestrar *v.t.* e *v.pr.* (conj. 4). Tornar(-se) destro, ágil, hábil (pessoa ou animal). ★ *v.t.* Treinar, amestrar, ensinar.

adeus *interj.* Saudação de despedida ou separação. ★ *s.m.* Despedida.

adiabático *adj.* (gr. *adiabatos*). Diz-se de uma transformação ou reação que ocorre dentro de um sistema fechado, sem troca de calor com o meio externo.

adiantado *adj.* **1.** Que se adiantou, avançou. **2.** Desenvolvido, avançado. **3.** Pago por antecipação. ★ *adv.* Antecipadamente.

adiantar *v.t.* (conj. 4). **1.** Mover ou levar para adiante. **2.** Antecipar, apressar. **3.** Emprestar. **4.** Pagar antecipadamente. **5.** Apressar-se em dizer. ★ *v.i.* **1.** Valer a pena, compensar. **2.** Avançar muito depressa. ★ *v.pr.* **1.** Avançar. **2.** Antecipar-se, antepor-se. **3.** Apressar-se.

adiante *adv.* **1.** Na frente, em frente; diante. **2.** Para a frente, avante. **3.** Em primeiro lugar. **4.** Mais à frente. ★ *interj.* Emprega-se para incitar à ação ou à persistência, ou para convidar alguém a entrar.

adiar *v.t.* (conj. 16). **1.** Transferir para outro dia. **2.** Procrastinar, retardar, protelar.

adição *s.f.* (lat. *additio*). **1.** Ação de adicionar. **2.** Aquilo que se adiciona; acréscimo. **3.** Uma das quatro operações fundamentais da aritmética, simbolizada pelo sinal + (mais); reunião (soma) em um único número de unidades ou frações de unidades constitutivas de dois ou mais números.

adicional *adj.2g.* e *s.m.* **1.** Que ou o que se adiciona, acrescenta. **2.** Diz-se de ou quantia suplementar acrescentada a um salário, taxa, imposto etc.

adicionar *v.t.* (conj. 4). **1.** Agrupar em um só número as unidades ou frações de unidade contidas em vários outros; somar. **2.** Acrescentar, ajuntar, aditar.

adicto *adj.* (lat. *addictus*). **1.** Inclinado, dedicado. **2.** Habituado, afeito.

adido *s.m.* (lat. *additus*). **1.** Funcionário suplementar. **2.** Funcionário de embaixada ou consulado, com tarefas específicas.

adimplente *adj.2g.* e *s.2g.* Que ou aquele que cumpre as obrigações de um contrato.

adimplir *v.t.* (lat. *adimplere*) [conj. 6]. Cumprir, executar, implementar.

adipócito *s.m.* Célula arredondada caracterizada por um vacúolo lipídico e que é o elemento constitutivo do tecido adiposo.

adiposo (ô) *adj.* **1.** Gorduroso. ● **Anat.** *Tecido adiposo,* tecido conjuntivo constituído de adipócitos, que forma sob a pele e ao redor dos órgãos internos uma camada de gordura denominada *panículo adiposo.*

adir *v.t.* (lat. *addere*) [conj. 79]. Adicionar, acrescentar, agregar.

aditamento *s.m.* (lat. *additamentum*). Acrescentamento, suplemento.

aditar *v.t.* (conj. 4). Adicionar, acrescentar.

aditivo *adj.* (lat. *additivus*). Que se adita; adicional. ★ *s.m.* Produto adicionado a certas substâncias para melhorar algumas de suas propriedades.

adivinha[1] *s.f.* Enigma ou pergunta enigmática para ser decifrado ou adivinhado; adivinhação.

adivinha[2] *s.f.* **1.** Praticante de uma ou mais técnicas divinatórias. **2.** Vidente, pitonisa.

adivinhação *s.f.* (lat. *divinatio, divinationis*). **1.** Arte de predizer o futuro através da observação e interpretação de certos fenômenos. **2.** Ação de adivinhar. **3.** Enigma, adivinha.

adivinhão *s.m.* Adivinhador.

adivinhar *v.t.* (lat. *divinare*) [conj. 4]. **1.** Proceder à adivinhação. **2.** Predizer o futuro. **3.** Descobrir, por meios sobrenaturais, coisas passadas e presentes. **4.** Decifrar, descobrir. **5.** Pressentir.

adivinho *s.m.* **1.** Praticante da adivinhação. **2.** Profeta.

adjacência *s.f.* (lat. *adjacentia*). Local próximo ou limítrofe; cercania.

adjacente *adj.2g.* (lat. *adjacens*). Junto, contíguo, próximo, limítrofe. ● **Geom.** *Ângulos adjacentes,* ângulos que apresentam o mesmo vértice e que, tendo um lado comum, estão situados consecutivamente a esse lado.

adjetivar *v.t.* (conj. 4). **1.** Empregar, usar adjetivos. **2.** Tornar adjetivo, dar forma e função de adjetivo.

adjetivo *s.m.* (lat. *adjectivus*). Palavra que se pode acrescentar ao substantivo para exprimir uma qualidade do ser, do objeto ou da noção designada. ★ *adj.* Que tem valor de adjetivo.

adjudicação *s.f.* (lat. *adjudicatio*). ● **Dir.** Ato, judicial ou administrativo, que dá a alguém a posse de determinados bens.

adjudicar *v.t.* (lat. *adjudicare*) [conj. 12]. **1.** Dar por sentença a adjudicação. **2.** Atribuir ao adjudicatário o objeto ou a mercadoria postos em adjudicação. ★ *v.pr.* Chamar a si, tomar por sua conta, apropriar-se.

adjudicatário *s.m.* Pessoa a quem se adjudica alguma coisa.

adjunção *s.f.* (lat. *adjunctio*). Junção de uma pessoa ou coisa a outra.

adjunto *adj.* (lat. *adjunctus*). Contíguo, próximo, vizinho, associado. ★ *s.m.* **1.** Ajudante, auxiliar. **2.** Suplente, substituto. ● **Gram.** Termo acessório de uma oração que acrescenta informações a um substantivo (*adjunto adnominal*) ou a um verbo (*adjunto adverbial*).

adjutório *s.m.* (lat. *adjutorium*). **1.** Ajuda, auxílio, mutirão. **2.** Clister, purgante.

adjuvante *adj.2g.* e *s.2g.* Que ou aquele que ajuda, auxilia.

administração *s.f.* (lat. *administratio*). **1.** Ação de administrar. **2.** Governo, gestão de negócios.

administrador (ô) *adj.* e *s.m.* (lat. *administrator*). Que ou aquele que administra, dirige, governa um negócio ou estabelecimento público ou privado.

administrar *v.t.* (lat. *administrare*) [conj. 4]. **1.** Gerenciar um negócio, um estabelecimento etc. público ou privado. **2.** Conferir, dar.

administrativo *adj.* (lat. *administrativus*). **1.** Que diz respeito à administração. ● **Dir.** *Direito administrativo,* ramo do direito público que tem por objeto o funcionamento dos serviços públicos e suas relações com os particulares. **Geogr.** *Divisão administrativa,* aquela que divide em circunscrições o território do Estado. ★ *s.m.* Um dos três poderes soberanos do Estado (Usa-se com maiúscula.)

admiração *s.f.* (lat. *admiratio*). **1.** Espanto, assombro, surpresa. **2.** Respeito.

admirar *v.t.* (conj. 4). **1.** Olhar com admiração. **2.** Sentir admiração. ★ *v.i.* Causar admiração, ser admirável. ★ *v.pr.* Ficar admirado, surpreso, assombrado.

admirativo *adj.* (lat. *admirativus*). Que denota admiração.

admirável *adj.2g.* (lat. *admirabilis*). Digno de admiração.

admissão *s.f.* (lat. *admissio*). Ato ou efeito de admitir.

admissível *adj.2g.* (lat. *admissibilis*). Que pode ser admitido, recebido, aceito.

admitido *adj.* **1.** Recebido, aceito. **2.** Aprovado.

admitir *v.t.* (lat. *admittere*) [conj. 6]. **1.** Permitir o acesso; receber. **2.** Reconhecer como verdadeiro ou legítimo. **3.** Tolerar, permitir. **4.** Supor.

admoestação *s.f.* **1.** Advertência, reprimenda, com caráter de reprovação ou censura. **2.** Aviso, conselho.

admoestar *v.t.* (conj. 4). **1.** Censurar, repreender. **2.** Advertir, avisar.

ADN (abrev. de *ácido desoxirribonucléico*). Molécula cuja estrutura é a de uma dupla hélice e que contém as informações genéticas de um organismo. (DNA, em ingl.)

adnominal *adj.2g.* *Adjunto adnominal,* termo de valor adjetivo que especifica ou delimita o significado de um substantivo.

adobe (ô) ou **adobo** (ô) *s.m.* (ár. *at-tub*). Tijolo rudimentar de terra misturada com palha, seco ao sol.

adoçante *adj.2g.* Que adoça. ★ *s.m.* **1.** Qualquer substância capaz de tornar doce um alimento, uma bebida, um medicamento etc., principalmente o açúcar comum. (Sin. EDULCORANTE.) **2.** Adoçante dietético ou adoçante, qualquer substância que apresenta o mesmo efeito e não eleva o nível de açúcar no sangue.

adoção *s.f.* (lat. *adoptio*). **1.** Ato ou efeito de adotar. ● **Dir.** Ato pelo qual, observados os preceitos legais, alguém estabelece vínculo fictício de filiação e traz para sua família uma pessoa na condição de filho.

adoçar *v.t.* (conj. 13). **1.** Tornar doce. **2.** Suavizar, abrandar, moderar. ★ *v.pr.* Serenar-se, abrandar-se.

adocicar *v.t.* (conj. 12). Tornar levemente doce.

adoecer *v.i.* (conj. 25). Ficar doente.

adoentado *adj.* Que adoeceu.

adoentar *v.t.* e *v.pr.* (conj. 4). Tornar(-se) levemente doente.

adoidado *adj.* **1.** Um tanto doido, desatinado; amalucado. **2.** Estouvado, imprudente.

adoidar *v.t.* (conj. 4). Tornar doido ou ligeiramente doido; endoidar. ★ *v.i.* e *v.pr.* Enlouquecer; ficar doido.

adolescência *s.f.* (lat. *adolescentia*). Período intermediário entre a infância e a idade adulta, caracterizado pela maturidade genital e por uma nova interação do sujeito consigo mesmo e com seu meio social.

adolescente *adj.2g.* (lat. *adolescens*). Relativo à adolescência. ★ *adj.* e *s.2g.* Que ou aquele que está na adolescência.

adolescer *v.i.* (lat. *adolescere*) [conj. 25]. **1.** Entrar na adolescência. **2.** Crescer, desenvolver-se.

adorar *v.t.* (lat. *adorare*) [conj. 4]. **1.** Render culto a uma divindade; venerar. **2.** Amar exageradamente.

adorável *adj.2g.* (lat. *adorabilis*). **1.** Digno de ser adorado. **2.** Encantador.

adormecer *v.t.* (lat. *addormiscere*) [conj. 25]. **1.** Fazer dormir. **2.** Embotar a sensibilidade de. ★ *v.i.* **1.** Começar a dormir. **2.** Diminuir ou cessar uma atividade, um movimento.

adornar *v.t.* (lat. *adornare*) [conj. 4]. **1.** Pôr adorno; enfeitar. **2.** Embelezar.

adorno (ô) *s.m.* Enfeite, ornato, atavio.

adotar *v.t.* (lat. *adoptare*) [conj. 4]. **1.** Tomar por filho aquele que não o é naturalmente. **2.** Admitir em seu meio, considerar como um dos seus. **3.** Tornar sua a conduta, as idéias de alguém. **4.** Escolher, optar, preferir.

adotivo *adj.* (lat. *adoptivus*). **1.** Que foi adotado. **2.** Que adota. **3.** Relativo à adoção.

adquirir *v.t.* (lat. *adquirere*) [conj. 6]. **1.** Obter, alcançar, conseguir. **2.** Comprar, tornar-se proprietário de.

adrede (ê) *adv.* De propósito, intencionalmente.

ad-renal *adj.2g.* Situado junto ao rim. ★ *s.f.* Sin. de GLÂNDULA SUPRA-RENAL*.

adrenalina *s.f.* Hormônio secretado pela glândula supra-renal cuja ação, antagônica à da acetilcolina, acelera o ritmo cardíaco e eleva a pressão arterial.

ADRENALINA ▸ Este hormônio está armazenado na glândula supra-renal, de onde passa diretamente para a circulação. Em terapêutica, é usado para tratar colapsos circulatórios causados por reações alérgicas graves.

---

adriça *s.f.* (it. *addrizza*). Corda ou cabo utilizado para içar e fixar uma vela, uma verga ou bandeira; driça.

adro *s.m.* (lat. *atrium*). Espaço aberto diante da fachada principal de um templo ou de uma igreja.

adsorção *s.f.* (ingl. *adsorption*). Retenção, adesão ou concentração de um gás ou de um líquido na superfície de um sólido.

adsorvente *adj.2g.* Que adsorve. ★ *s.m.* Substância que adsorve.

adsorver *v.t.* (conj. 5). Falando-se de um sólido, reter ou concentrar um gás ou um líquido em sua superfície.

adstringência *s.f.* (lat. *adstringentia*). Qualidade do que é adstringente.

adstringente *adj.2g.* (lat. *adstringens*). Que aperta, adstringe. ★ *adj.* e *s.m.* Diz-se de ou substância ou produto que provoca constrição dos tecidos orgânicos.

adstringir *v.t.* (lat. *adstringere*) [conj. 52]. **1.** Apertar, contrair. **2.** Diminuir, limitar, reduzir. **3.** Coagir, constranger. ★ *v.pr.* Cingir-se, limitar-se.

adstrito *adj.* (lat. *adstrictus*). **1.** Apertado, exíguo. **2.** Limitado, reduzido.

aduana *s.f.* (ár. *ad-diuana*). Alfândega.

aduaneiro *adj.* Pertencente ou relativo a aduana ou alfândega.

adubar *v.t.* (conj. 4). Fertilizar a terra com adubo mineral ou orgânico.

adubo *s.m.* **1.** Produto orgânico ou mineral utilizado para enriquecer o solo. ● **Agric.** *Adubo mineral*, adubo não orgânico, em geral produzido industrialmente; adubo químico, fertilizante.

adução *s.f.* (lat. *adductio*). **1.** Ato ou efeito de aduzir. **2.** Condução da água às instalações de tratamento e, a seguir, ao sistema de distribuição. ● **Fisiol.** Movimento que aproxima um membro do plano sagital do corpo. (Cf. ABDUÇÃO.)

aduela *s.f.* (fr. *douelle*). **1.** Cada um dos blocos que constituem uma platibanda, um arco ou uma abóbada. **2.** Tábua recurvada que concorre para formar o corpo dos tonéis, pipas etc. **3.** Tábua que reveste o vão das ombreiras das portas e janelas.

adufe ou **adufo** *s.m.* (ár. *ad-duff*). Pandeiro quadrado, oco, de madeira leve, que se toca com os dedos, sustentado pelos polegares.

adular *v.t.* (lat. *adulare*) [conj. 4]. **1.** Lisonjear baixa e servilmente; bajular. **2.** Acarinhar, agradar.

adulterar *v.t.* (lat. *adulterare*) [conj. 4]. Alterar, falsificar. ★ *v.pr.* Corromper-se, estragar-se.

adulterino *adj.* (lat. *adulterinus*). Nascido do adultério.

adultério *s.m.* (lat. *adulterium*). Infidelidade conjugal.

adúltero *adj.* e *s.m.* (lat. *adulter*). Que ou aquele que pratica o adultério.

adulto *adj.* e *s.m.* (lat. *adultus*). **1.** Que ou aquele que chegou ao fim de seu crescimento, de seu desenvolvimento pleno. **2.** Que ou aquele que atingiu a maioridade. ★ *adj.* Equilibrado, maduro.

adunco *adj.* (lat. *aduncus*). **1.** Curvo, recurvado. **2.** Em forma de garra ou gancho.

adurente *adj.2g.* (lat. *adurens*). Que causa adustão; cáustico.

adustão *s.f.* (lat. *adustio*). **1.** Abrasamento. **2.** Cauterização pelo calor.

adusto *adj.* (lat. *adustus*). **1.** Queimado, ardente. **2.** Moreno.

adutor (ô) *adj.* (lat. *adductor*). **1.** Que traz, que aproxima. **2.** Diz-se do músculo que produz um movimento de adução.

adutora (ô) *s.f.* Canal ou tubo que leva água de uma fonte a um reservatório, ou de um reservatório a outro.

aduzir *v.t.* (lat. *adducere*) [conj. 72]. **1.** Apresentar, expor (razões). **2.** Conduzir.

ádvena *adj.2g.* e *s.2g.* (lat. *advena*). **1.** Que ou aquele que chega a um lugar. **2.** Que ou aquele que não é nascido no país. **3.** Adventício.

adventício *adj.* (lat. *adventicius*). **1.** Que vem de fora; estranho, forasteiro, ádvena. **2.** Acidental, casual. ● **Bot.** Diz-se das raízes que se desenvolvem em um ponto da planta situado fora do eixo radicular.

adventista *adj.2g.* (ingl. *adventist*). Relativo ou pertencente a uma Igreja protestante que prega a iminência da segunda vinda (segundo advento) de Cristo. ★ *s.2g.* Membro da Igreja Adventista.

advento *s.m.* (lat. *adventus*). **1.** Chegada, aparecimento, vinda. **2.** Início, instituição. ● **Relig.** As quatro semanas que precedem a festa do Natal.

adverbial *adj.2g.* (lat. *adverbialis*). Que tem o valor de um advérbio. ● **Gram.** *Adjunto adverbial*, adjunto que denota alguma circunstância do fato expresso pelo verbo.

advérbio *s.m.* (lat. *adverbium*). Palavra invariável que modifica, qualitativa ou quantitativamente, o significado de um verbo, de um adjetivo, de um outro advérbio ou de um substantivo; pode expressar afirmação, intensidade, negação, tempo etc.

adversário *adj.* e *s.m.* (lat. *adversarius*). Opositor, competidor contrário, inimigo.

adversativo *adj.* (lat. *adversativus*). **1.** Oposto; adverso. **2.** Que expressa oposição.

adversidade *s.f.* (lat. *adversitas*). **1.** Infortúnio, desgraça. **2.** Contrariedade, transtorno.

adverso *adj.* (lat. *adversus*). **1.** Contrário, desfavorável. **2.** Oposto. **3.** Que traz infortúnios.

advertência *s.f.* **1.** Ação de advertir. **2.** Repreensão, admoestação. **3.** Conselho, observação.

advertir *v.t.* (conj. 54). **1.** Chamar a atenção para; informar, avisar. **2.** Admoestar, repreender. **3.** Notar, fazer notar, reparar. **4.** Aconselhar.

advir *v.i.* (lat. *advenire*) [conj. 67]. Acontecer por acidente; sobrevir, ocorrer casualmente.

advocacia *s.f.* **1.** Ato de pleitear em juízo. **2.** Profissão de advogado.

advocatício *adj.* Relativo à advocacia.

advogado *s.m.* (lat. *advocatus*). Pessoa legalmente habilitada e autorizada a exercer a advocacia.

advogar *v.i.* (lat. *advocare*) [conj. 14]. Exercer a advocacia. ★ *v.t.* **1.** Defender em juízo. **2.** Defender, patrocinar.

aedo *s.m.* (gr. *aoides,* cantor). Poeta da Grécia antiga que, acompanhado de uma lira, homenageava os deuses e os heróis.

aeração *s.f.* (fr. *aération*). **1.** Ato ou efeito de arejar. **2.** Aumento do teor de oxigênio da água, por injeção de ar.

aéreo *adj.* (gr. *aerios*). **1.** Formado de ar; da natureza do ar. **2.** Que se passa no ar. **3.** Relativo à aviação. **4.** Leve, vago, diáfano. **5.** Diz-se de pessoa distraída, desatenta. ● **Anat.** Diz-se do conjunto de vias (laringe, traquéia, brônquios) pelas quais o ar chega aos pulmões. **Bot.** Diz-se de todo órgão que se desenvolve acima do solo. **Zool.** *Saco aéreo,* divertículo extrapulmonar das aves que aumenta a ventilação do sistema respiratório e assegura a passagem do ar através dos capilares.

aerícola *adj.2g.* e *s.2g.* Que ou aquele que vive no ar.

aerobata ou **aeróbata** *adj.* e *s.2g.* **1.** Que ou aquele que anda no ar. **2.** Diz-se de ou pessoa que pratica acrobacias aéreas.

aeróbica *s.f.* Ginástica com coreografia, executada como competição ou para condicionamento físico.

aeróbico *adj.* **1.** Relativo a aerobiose. **2.** Diz-se da atividade física que acelera o batimento cardíaco, ativando a respiração e a oxigenação dos tecidos, com pouca exigência de força.

AERÓBICO ▸ São atividades aeróbicas a caminhada, a corrida, a natação e também andar de bicicleta, dançar e várias outras práticas que, exercitadas regularmente, mantêm o sistema cardiorrespiratório em boas condições.

aeróbio *adj.* **1.** Que vive no ar. ● **Fisiol.** *Capacidade aeróbia,* nível de consumo máximo de oxigênio pelo organismo, por unidade de tempo. ★ *s.m.* **Biol.** Microorganismo que se desenvolve apenas em presença de ar ou de oxigênio.

aerobiose *s.f.* Condição de vida dos microorganismos cujo metabolismo depende da presença de oxigênio.

aeroclube *s.m.* Centro de reunião e de formação de pilotos para a aviação civil.

aerodinâmica *s.f.* Ciência que estuda os gases em movimento e a interação de sólidos com o meio gasoso à sua volta.

aerodinâmico *adj.* Relativo à aerodinâmica.

aeródromo *s.m.* Área preparada para decolagem e aterrissagem de aviões; campo de aviação.

aeroduto *s.m.* Condutor ou duto de ar.

aeroespacial *adj.2g.* Relativo à aeronáutica e à astronáutica.

aeroespaço *s.m.* Região destinada a lançamento e controle de foguetes e satélites artificiais.

aerofagia *s.f.* Deglutição de ar, considerada patológica quando excessiva.

aerofólio *s.m.* Peça adaptada a um veículo, destinada a melhorar sua aerodinâmica.

aerofoto ou **aerofotografia** *s.f.* **1.** Processo pelo qual são tiradas fotografias aéreas. **2.** Fotografia panorâmica tomada com câmaras especiais que corrigem distorções de perspectiva.

aerógrafo *s.m.* Instrumento usado na pintura ou envernizamento, que funciona mediante compressão do ar.

aerograma *s.m.* **1.** Carta especialmente franqueada por impressão que, dobrada, é o envelope. **2.** Mensagem transmitida por telégrafo sem fio.

aerolito ou **aerólito** *s.m.* **1.** Sin. ant. de METEORITO. **2.** Variedade de meteorito composta principalmente de silicatos.

aerômetro *s.m.* Instrumento utilizado para medir a densidade do ar.

aeromoça (ô) *s.f.* Mulher encarregada de prestar, a bordo das aeronaves comerciais, serviços úteis ao conforto e à segurança dos passageiros; comissária de bordo.

aeromodelismo *s.m.* **1.** Técnica e prática da construção e utilização de aeromodelos. **2.** O esporte que se pratica com aeromodelos.

aeromodelo (ê) *s.m.* Modelo em escala reduzida de aviões a motor, planadores ou helicópteros, para fins de estudo ou recreação.

aeronauta *s.2g.* Pessoa que pratica a navegação aérea.

aeronáutica *s.f.* **1.** Ciência da navegação aérea e da técnica de construção de aeronaves. **2.** A força aérea de um país.

aeronáutico *adj.* Relativo à aeronáutica.

aeronave *s.f.* Nome genérico dos aparelhos voadores (aviões, planadores, helicópteros, balões dirigíveis etc.).

aeronavegação *s.f.* Navegação aérea.

aeropista *s.f.* Pista destinada a aviões.

aeroplano *s.m.* (fr. *aéroplane*). Sin. ant. de AVIÃO.

aeroporto (ô) *s.m.* Conjunto de instalações técnicas e comerciais necessárias à exploração dos transportes aéreos.

DIFERENTES PROJETOS DE AEROPORTOS

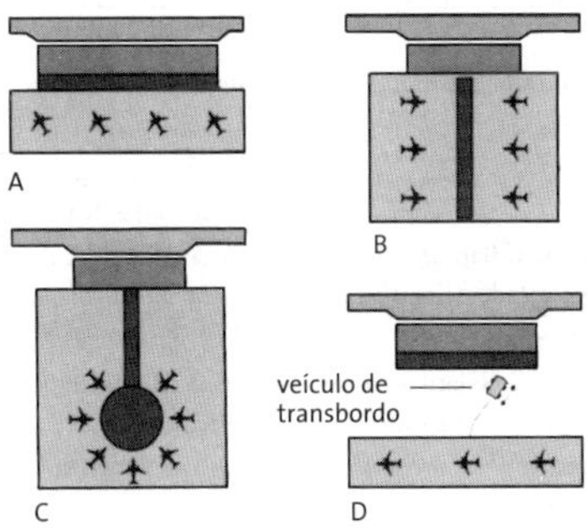

A - disposição linear C - disposição satélite
B - disposição dique D - disposição transbordo

aeroportuário *adj.* Relativo aos aeroportos. ★ *s.m.* Aquele que trabalha em aeroportos.

aeroposta *s.f.* Correio aéreo.

aerossol *s.m.* **1.** Suspensão de partículas muito finas de um líquido, ou de uma solução, no ar. **2.** Embalagem provida de válvula que, graças a um gás sob pressão, permite a aspersão do líquido nela contido.

aeróstata *s.2g.* Aquele que manobra um aeróstato, ou balão.

aerostática *s.f.* **1.** Ciência que estuda os gases em repouso e a interação de sólidos com o meio gasoso à sua volta, apenas pela ação da força de gravidade. **2.** Estudo da elevação dos corpos mais leves que o ar, como os balões.

aerostático *adj.* Relativo aos aeróstatos e à aerostática.

aeróstato *s.m.* Sin. de BALÃO.

A

aerovia *s.f.* **1.** Rota regular dos aviões comerciais. **2.** Espaço reservado à navegação aérea.

aeroviário *adj.* Relativo ao tráfego aéreo. ★ *s.m.* Funcionário que trabalha numa companhia de aviação.

afã *s.m.* **1.** Ânsia, cuidado. **2.** Trabalho penoso, lida. **3.** Fadiga, cansaço.

afabilidade *s.f.* (lat. *affabilitas*). Qualidade de quem é afável.

afadigar *v.t.* (conj. 14). **1.** Causar fadiga; cansar, fatigar. **2.** Importunar, molestar. **3.** Acossar, perseguir.

afagar *v.t.* (ár. *khalaqa*) [conj. 14]. **1.** Fazer carinhos, acariciar, agradar. **2.** Passar levemente os dedos sobre. **3.** Ter em mente (algo que nos é grato); alimentar.

afago *s.m.* Ação de afagar; carinho, agrado.

afamado *adj.* Famoso, célebre, insigne.

afanar *v.t.* (conj. 4). **1.** Buscar, adquirir com afã. **2.** *Pop.* Furtar, surrupiar. ★ *v.pr.* Cansar-se, fatigar-se.

afasia *s.f.* (gr. *aphasia*). Perda da capacidade de compreensão ou de expressão das palavras, símbolos ou gestos, geralmente provocada por lesão nas regiões cerebrais correspondentes a essas funções. (Sin. DISFASIA.)

afásico *adj.* Relativo à afasia. ★ *s.m.* Pessoa acometida de afasia.

afastado *adj.* **1.** Longe no tempo ou no espaço; distante, longínquo. **2.** Diz-se de um parente que tem apenas um grau mínimo de parentesco.

afastar *v.t.* (conj. 4). **1.** Pôr longe, enviar para longe. **2.** Arredar, desviar. **3.** Repelir. ★ *v.pr.* **1.** Ir embora **2.** Apartar-se.

afável *adj.2g.* (lat. *affabilis*). Cortês, polido, benévolo, agradável.

afazer *v.t.* e *v.pr.* (conj. 31). Acostumar(-se), habituar(-se).

afazeres (ê) *s.m.pl.* (fr. *affaires*). Negócios, ocupações, serviços; quefazeres.

afear *v.t.* e *v.pr.* (conj. 15). Tornar(-se) feio; enfear(-se).

afecção *s.f.* (lat. *affectio*). Doença encarada sob seu aspecto atual, segundo o órgão afetado, independente do diagnóstico.

afegane *s.m.* Unidade monetária do Afeganistão.

afegão *adj.* Relativo ou pertencente ao Afeganistão ★ *s.m.* Indivíduo natural ou habitante do Afeganistão.

afeição *s.f.* (lat. *affectio*). **1.** Afeto, amizade. **2.** Gosto, amor. **3.** Pendor, inclinação.

afeiçoado[1] *adj.* Que tem afeição, que se afeiçoa a.

afeiçoado[2] *adj.* Que tem feição.

afeiçoar[1] *v.t.* (conj. 20). Inspirar afeição. ★ *v.pr.* Tomar afeição, ter gosto, predileção por.

afeiçoar[2] *v.t.* (conj. 20). Dar certa forma ou feição a; amoldar.

afeito *adj.* Acostumado, habituado; feito.

afélio *s.m.* Ponto da órbita de um planeta que fica à maior distância possível do Sol (p. opos. a *periélio*).

aferente *adj.2g.* (lat. *afferens*). Que conduz; que leva. ● **Anat.** Diz-se de um vaso que leva líquido para um órgão ou de uma via (trato ou nervo) que conduz os influxos nervosos a um órgão ou a um centro. (Antôn. EFERENTE.)

aférese *s.f.* (lat. *aphairesis*). Supressão de fonema ou sílaba no início da palavra.

aferição *s.f.* Ato ou efeito de aferir.

aferidor (ô) *adj.* e *s.m.* **1.** Pessoa que afere pesos e medidas. **2.** Instrumento que serve para aferir.

aferir *v.t.* (conj. 57). **1.** Conferir as indicações de um instrumento de medida e os valores da grandeza a ser medida, por comparação com um padrão. **2.** Cotejar, avaliar, comparar.

aferrar *v.t.* (conj. 4). **1.** Prender com ferro. **2.** Ancorar. **3.** Segurar com força; agarrar, prender. **4.** Cravar, fincar. ★ *v.pr.* **1.** Perseguir ou dedicar-se com afinco; ferrar-se. **2.** Obstinar-se, teimar.

aferroar *v.t.* (conj. 20). **1.** Ferir com ferrão; picar. **2.** Instigar, provocar. **3.** Magoar, afligir.

aferrolhar *v.t.* (conj. 4). **1.** Fechar com ferrolho; ferrolhar. **2.** Prender, aprisionar, encarcerar.

aferventar *v.t.* (conj. 4). **1.** Fazer ferver por pouco tempo; ferventar. **2.** Cozer ligeiramente. **3.** Incitar, estimular.

afervorar *v.t.* (conj. 4). Provocar fervor; estimular, excitar, entusiasmar. ★ *v.pr.* Encher-se de zelo, aplicar-se com fervor.

afetação *s.f.* (lat. *affectatio*). **1.** Ato ou efeito de afetar. **2.** Fingimento, simulação. **3.** Ostentação, presunção.

afetado *adj.* **1.** Que mostra afetação; fingido. **2.** Presunçoso, vaidoso. **3.** Que sofreu afecção.

afetar *v.t.* (lat. *affectare*) [conj. 4]. **1.** Fingir, simular, aparentar. **2.** Abalar, atingir. **3.** Atingir (algum órgão), causando lesão. **4.** Molestar, incomodar. **5.** Exagerar artificialmente gestos ou palavras.

afetividade *s.f.* Qualidade de afetivo. ● **Psicol.** Conjunto das reações psíquicas do indivíduo frente ao mundo exterior.

afetivo *adj.* (lat. *affectivus*). Que diz respeito aos afetos, aos sentimentos.

afeto *s.m.* (lat. *affectus*). **1.** Disposição de alma, sentimento. **2.** Amizade, simpatia. ★ *adj.* **1.** Afeiçoado. **2.** Inclinado. **3.** Aplicado, incumbido.

afetuoso (ô) *adj.* (lat. *affectuosus*). Que tem afeto.

afiançar *v.t.* (conj. 13). **1.** Ser fiador de; abonar, responsabilizar-se por. **2.** Garantir, assegurar.

afiar *v.t.* (conj. 16). **1.** Dar fio a, tornar mais cortante o gume. **2.** Preparar, apurar, aperfeiçoar.

aficionado *s.m.* (esp. *aficionado*). Amador de esportes, de uma arte.

afidalgar *v.t.* e *v.pr.* (conj. 14). Tornar(-se) fidalgo.

afigurar *v.t.* (conj. 4). **1.** Dar figura ou forma a; representar. **2.** Imaginar, crer. ★ *v.pr.* Parecer, representar-se ao entendimento.

afilado *adj.* Delgado, fino.

afilar *v.t.* e *v.pr.* (conj. 4). Adelgaçar(-se), afinar(-se), afiar(-se).

afilhadagem *s.f.* **1.** Conjunto de afilhados. **2.** Afilhadismo.

afilhadismo *s.m.* **1.** Proteção a afilhado. **2.** Favoritismo, nepotismo; afilhadagem.

afilhado *s.m.* **1.** Aquele que é assistido no batismo, na crisma, no casamento religioso ou civil. **2.** Protegido, favorecido.

afiliar *v.t.* e *v.pr.* (conj. 16). Tornar(-se) membro ou sócio; associar(-se); agregar(-se).

afim *adj.2g.* (lat. *affinis*). **1.** Que tem afinidade; análogo, semelhante. **2.** Relacionado, conexo. **3.** Que é parente por afinidade.

afinação *s.f.* **1.** Ato ou efeito de afinar; afinamento. **2.** Harmonia de vozes ou instrumentos. **3.** Tom, diapasão. **4.** Ajuste das cordas de um instrumento de maneira que as notas emitidas coincidam, em freqüência, com uma escala tipo.

afinal *adv.* **1.** Por fim, finalmente. **2.** *Afinal de contas,* afinal, em conclusão.

B C D E F G H I J K L M N O P Q R S T U V W X Y Z

afinar *v.t.* (conj. 4). **1.** Tornar fino. **2.** Purificar, refinar. **3.** Regular os sons de um instrumento pelo diapasão. **4.** Harmonizar vários instrumentos ou vozes e instrumentos entre si. **5.** Ajustar, harmonizar. ★ *v.i. Pop.* Deixar a luta; fugir, render-se.

afincar *v.t.* (conj. 12). Fincar. ★ *v.pr.* Perseverar, insistir, teimar.

afinco *s.m.* Perseverança, pertinácia, obstinação.

afinidade *s.f.* (lat. *affinitas*). **1.** Conformidade, analogia, semelhança. **2.** Conexão, relação. **3.** O parentesco que se contrai, pelo matrimônio, com a família do cônjuge. **4.** Tendência que as substâncias químicas têm de se combinarem.

afirmação *s.f.* (lat. *affirmatio*). **1.** Ato ou efeito de afirmar. **2.** O que se afirma; asseveração, afirmativa.

afirmar *v.t.* (lat. *affirmare*) [conj. 4]. **1.** Declarar com firmeza a; assegurar, asseverar. **2.** Ratificar, confirmar. **3.** Tornar firme, fixar. ★ *v.pr.* Manifestar-se clara ou veementemente.

afirmativa *s.f.* Afirmação.

afirmativo *adj.* (lat. *affirmativus*). **1.** Que afirma; categórico. **2.** Que expressa concordância, aquiescência.

afivelar *v.t.* (conj. 4). Prender, fechar com fivela; enfivelar.

afixar (cs) *v.t.* (conj. 4). Fixar, pregar.

afixo (cs) *adj.* (lat. *affixus*). Fixado, unido. ★ *s.m.* **Gram.** Desinência (prefixo, sufixo, infixo) que se acrescenta a uma palavra para lhe modificar o sentido ou o valor gramatical.

aflar *v.t.* (lat. *afflare*) [conj. 7]. **1.** Bafejar, soprar. **2.** Inspirar. **3.** Insuflar. **4.** Arfar, ofegar. ★ *v.i.* Balançar ao vento.

afleimar-se *v.pr.* (conj. 4). Amofinar-se, impacientar-se, irritar-se.

aflição *s.f.* (lat. *afflictio*). **1.** Intenso sofrimento físico ou moral. **2.** Inquietação. **3.** Angústia.

afligir *v.t.* (lat. *affligere*) [conj. 52]. Causar aflição; preocupar, angustiar. ★ *v.pr.* Entrar em aflição, agoniar-se.

aflitivo *adj.* Que causa aflição; afligente.

aflito *adj.* e *s.m.* (lat. *afflictus*). Que ou aquele que sente aflição; angustiado.

aflorar *v.i.* (fr. *effleurer*) [conj. 4]. Assomar, surgir; vir à tona, à superfície. ★ *v.t.* Tocar levemente; acariciar.

afluência *s.f.* (lat. *affluentia*). **1.** Afluxo. **2.** Corrente caudalosa de água. **3.** Grande concorrência de pessoas ou de coisas.

afluente *adj.2g.* e *s.m.* (lat. *affluens*). Diz-se de ou curso de água que deságua em outro ou em um lago e contribui para aumentar-lhe o volume. (Sin. TRIBUTÁRIO.)

afluir *v.i.* (lat. *affluere*) [conj. 74]. **1.** Correr para, convergir. **2.** Chegar em grande quantidade.

afluxo (cs) *s.m.* (lat. *affluxus*). **1.** Ato ou efeito de afluir; afluência. **2.** Movimento de fluido ou de cargas elétricas em direção a um ponto.

afobação *s.f.* **1.** Precipitação, pressa. **2.** Atrapalhação. **3.** Cansaço, esfalfamento. **4.** Afobamento.

afobado *adj.* **1.** Precipitado. **2.** Atrapalhado.

afobamento *s.m.* Afobação.

afobar *v.t.* e *v.pr.* (conj. 4). **1.** *Pop.* Apressar(-se), precipitar(-se). **2.** Atrapalhar(-se). **3.** Cansar(-se), esfalfar(-se).

afocal *adj.2g.* Diz-se de um sistema óptico sem agrupamento de raios em um ponto único.

afocinhar *v.t.* (conj. 4). **1.** Bater com o focinho em. **2.** Escavar com o focinho; fossar, fuçar. ★ *v.i.* **1.** Cair de focinho. **2.** Afundar a parte anterior, mergulhar.

afofar *v.t.* e *v.pr.* (conj. 4). **1.** Tornar(-se) fofo. **2.** *Fig.* Envaidecer(-se), vangloriar(-se). ★ *v.i.* Ficar fofo.

afogadilho *s.m.* **1.** Precipitação, afobação. **2.** De afogadilho, às pressas, com precipitação.

afogador (ô) *s.m.* Colar, gargantilha. ● **Automóv.** Válvula que restringe o fluxo de ar para o carburador, de modo a enriquecer a mistura combustível e facilitar a partida em caso de motor frio.

afogar *v.t.* (lat. *offocare*) [conj. 14]. **1.** Privar de ar; sufocar. **2.** Fazer morrer por asfixia num líquido qualquer. **3.** *Fig.* Fazer desaparecer, procurar esquecer. ★ *v.i.* Parar de funcionar (o motor de um veículo) por excesso de combustível no carburador. ★ *v.pr.* Matar-se ou morrer na água por asfixia.

afogueado *adj.* **1.** Submetido a muito fogo. **2.** Ardente, abrasado. **3.** Avermelhado, enrubescido; esfogueado.

afoitar *v.t.* e *v.pr.* (conj. 4). Tornar(-se) afoito; encorajar(-se); animar(-se).

afoito *adj.* **1.** Arrojado, audaz, corajoso, ousado. **2.** Apressado, ansioso.

afônico *adj.* Que sofre de afonia.

afora *adv.* Fora, no exterior, exteriormente. ★ *prep.* Exceto, salvo, menos, fora.

aforismo *s.m.* (gr. *aphorismos*). **1.** Frase de caráter sentencioso que encerra, de modo conciso, um pensamento ou advertência. **2.** Expressão concisa de um pensamento moral.

aformosear *v.t.* (conj. 15). Tornar formoso; embelezar, enfeitar, adornar.

afortunado *adj.* Feliz, ditoso, venturoso.

afoxé *s.m.* Rancho negro do carnaval da Bahia, com canções em nagô ou ioruba.

afrancesar *v.t.* e *v.pr.* (conj. 4). Tornar(-se) semelhante na forma, no uso ou nos costumes ao francês.

afreguesado *adj.* Que tem fregueses; concorrido, freqüentado.

afreguesar *v.t.* (conj. 4). Granjear fregueses. ★ *v.pr.* Tornar-se freguês.

afresco (ê) *s.m.* (it. *affresco*). **1.** Técnica de pintura mural caracterizada pela aplicação de pigmentos de cor diluídos em água sobre o revestimento fresco. (Diz-se também *pintura a fresco.*). **2.** Obra executada com essa técnica. **3.** Grande pintura mural.

africâner *adj.* e *s2g.* Diz-se de um indivíduo de origem holandesa nascido na África do Sul. ★ *s.m.* Língua oriunda do holandês falada na África do Sul, onde é, junto com o inglês, língua oficial.

africano *adj.* Relativo ou pertencente à África; afro. ★ *s.m.* Indivíduo natural ou habitante da África; afro.

AFRICANO ▸ Os africanos pertencem a vários grupos étnicos e lingüísticos. Mais marcante que a diversidade étnica, contudo, é a herança da colonização: um mosaico político e a desigualdade demográfica e econômica são responsáveis por graves conflitos sociais.

---

afro *adj.* e *s.m.* Africano.

afrodisíaco *adj.* e *s.m.* (gr. *aphrodisiakos*). Diz-se de ou substância que restaura ou aumenta o desejo sexual.

afro-lusitano *adj.* Relativo ou pertencente ao mesmo tempo à África e a Portugal.

afronta *s.f.* Injúria pública; ofensa, ultraje.

afrontar *v.t.* (conj. 4). **1.** Fazer afronta a; injuriar. **2.** Atacar de frente, com audácia; defrontar. ★ *v.pr.* **1.** Fatigar-se, afligir-se. **2.** Medir-se, comparar-se.

afrontoso (ô) *adj.* **1.** Injurioso, ignominioso. **2.** Asfixiante.

afrouxar *v.t.* (conj. 4). **1.** Desapertar, alargar, soltar. **2.** Diminuir a rapidez. **3.** *Fig.* Enfraquecer, moderar, reduzir. ★ *v.i.* Tornar-se frouxo, perder a ação.

afta *s.f.* (gr. *áphtha*). Pequena ulceração superficial das mucosas, especialmente na boca, língua e lábios.

aftosa *s.f.* Doença infecciosa, contagiosa, de origem viral, que atinge bovinos, ovinos, caprinos e suínos, caracterizada por febre e aparecimento de aftas na mucosa bucal. (Sin. FEBRE AFTOSA.)

aftoso (ô) *adj.* Que tem aftas.

afugentar *v.t.* (conj. 4). Pôr em fuga; espantar, repelir.

afundar *v.t.* (conj. 4). Impelir para o fundo; fazer penetrar profundamente. ★ *v.i.* Ir ao fundo, mergulhar. ★ *v.pr.* **1.** Meter-se, penetrar profundamente. **2.** Desaparecer. **3.** *Fig.* Arruinar-se, periclitar.

afunilar *v.t.* (conj. 4). **1.** Dar forma de funil. **2.** Estreitar. ★ *v.pr.* Tomar a forma de funil; estreitar-se.

Ag símbolo químico da prata.

agachar-se *v.pr.* (conj. 7). **1.** Abaixar-se, acocorar-se. **2.** *Fig.* Humilhar-se, sujeitar-se; render-se.

agadanhar *v.t.* (conj. 4). **1.** Agarrar com gadanho. **2.** Ferir com as unhas; agatanhar. **3.** *Fig.* Furtar, roubar, surripiar.

agaloado *adj.* Ornado com galão. ★ *s.m.* Guarnição de galões.

agaloar *v.t.* (conj. 20). **1.** Guarnecer de galão. **2.** *Fig.* Exaltar, honrar, gabar.

ágape *s.m.* (gr. *agápe*). **1.** Refeição que os primitivos cristãos faziam em comum. **2.** Refeição entre amigos.

ágar ou **ágar-ágar** *s.m.* (or. malaia). Mucilagem extraída de diversas algas, muito utilizada na indústria alimentar e de cosméticos.

agarração *s.f.* Agarramento.

agarrado *adj.* **1.** Que se agarrou, preso. **2.** Avarento. **3.** Muito dependente ou afeiçoado.

agarramento *s.m.* **1.** Ato ou efeito de agarrar(-se); agarração. **2.** Relacionamento estreito, união íntima entre pessoas. **3.** Avareza.

agarrar *v.t.* (conj. 4). **1.** Pegar, segurar, apanhar firmemente. **2.** Prender. ★ *v.pr.* **1.** Apegar-se, firmar-se. **2.** Recorrer à proteção de, socorrer(-se). ★ *v.i.* *Pop.* Decidir-se, tomar uma deliberação súbita.

agasalhar *v.t.* (conj. 4). **1.** Cobrir, proteger com agasalho. **2.** Abrigar, proteger, hospedar. ★ *v.pr.* **1.** Recolher-se, abrigar-se. **2.** Aquecer-se (com roupas).

agasalho *s.m.* **1.** Ato ou efeito de agasalhar; acolhimento, hospedagem. **2.** Abrigo. **3.** Roupa que protege da chuva ou do frio. **4.** *Fig.* Proteção, amparo.

agasalho do tipo suéter

agastar *v.t.* e *v.pr.* (lat. *vastare*) [conj. 4]. Irritar(-se), aborrecer(-se) enfadar(-se).

ágata *s.f.* (gr. *achátes*). Variedade de calcedônia que apresenta faixas concêntricas de colorações diversas.

agatanhar *v.t.* (conj. 4). Agadanhar.

agauchar-se (a-u) *v.pr.* (conj. 19). Assumir costumes de gaúcho.

agência *s.f.* (it. *agenzia*). **1.** Atividade, diligência. **2.** Cargo do agente. **3.** Dependência de repartições públicas. **4.** Filial de banco ou empresa comercial. **5.** Empresa que se encarrega de trabalhos por conta de terceiros.

agenciar *v.t.* (conj. 16). **1.** Tratar de negócios. **2.** Solicitar, diligenciar, providenciar.

agenda *s.f.* (lat. *agenda*). **1.** Caderneta ou livrinho destinado a anotar, dia a dia, aquilo que se deve fazer. **2.** As atividades assim programadas.

agendar *v.t.* (conj. 4). Incluir na agenda; programar.

agente *adj.2g.* e *s.2g.* (lat. *agens*). Que ou o que opera, age (p. opos. a *paciente*). ★ *s.2g.* **1.** Aquele que é encarregado dos negócios de outrem; preposto, mandatário. **2.** Qualquer coisa que é a origem de um fenômeno ou de um processo; causa, fator. ● **Dir.** Autor de um ato jurídico ou que por ele é responsável. **Filos.** Princípio ou sujeito de uma ação. **Gram.** *Agente da passiva*, termo que, na oração passiva, designa o ser que pratica a ação sofrida pelo sujeito. **Quím.** *Agente químico*, substância que reage com outra.

agigantar *v.t.* (conj. 4). **1.** Tornar gigante; engrandecer. **2.** Aumentar, crescer de modo descomunal. ★ *v.pr.* *Fig.* Distinguir-se, sobressair.

ágil *adj.2g.* (lat. *agilis*). Que tem grande facilidade de se mover; ligeiro, leve.

agilizar *v.t.* (conj. 4). Tornar mais rápido, mais ágil, eficiente.

ágio *s.m.* (it. *agio*). **1.** Diferença cobrada a mais sobre o valor de determinado bem ou produto. **2.** Lucro resultante do câmbio da moeda ou da troca de papéis de crédito por dinheiro. **3.** Juro cobrado sobre dinheiro emprestado; usura.

agiota *s.2g.* Aquele que pratica a agiotagem; usurário.

agiotagem *s.f.* (fr. *agiotage*). **1.** Especulação com mercadorias, títulos públicos, câmbio, valores mobiliários. **2.** Empréstimo de dinheiro a juros exagerados.

agir *v.i.* (lat. *agere*) [conj. 52]. **1.** Fazer qualquer coisa, atuar. **2.** Produzir um efeito. **3.** Comportar-se, conduzir-se.

agitação *s.f.* (lat. *agitatio*). **1.** Ato ou efeito de agitar(-se). **2.** Atividade desordenada. **3.** Movimento de contestação; desordem política ou social. **4.** *Fig.* Inquietação, tormento. ● **Med.** Perturbação do comportamento em que uma excitação motora se associa a uma excitação mental.

agitador (ô) *s.m.* (lat. *agitator*). **1.** Aquele que agita. **2.** Revolucionário, ativista. **3.** Dispositivo acionado manual ou mecanicamente que serve para revolver as misturas e homogeneizá-las. ★ *adj.* Que agita.

agitar *v.t.* (lat. *agitare*) [conj. 4]. **1.** Movimentar, sacudir em diversos sentidos. **2.** Revolucionar, sublevar. **3.** *Fig.* Excitar, perturbar. ★ *v.pr.* Inquietar-se, perturbar-se.

aglomerado *s.m.* **1.** Aglomeração. **2.** Argamassa hidráulica de cimento e pedra britada. **3.** Chapa obtida por prensagem de partículas de madeira, usada em marcenaria. ● **Astron.** Conjunto formado por um grande número de astros (estrelas ou galáxias), pertencentes a um mesmo sistema. ★ *adj.* Reunido, apinhado.

aglomerante *adj.2g.* Que aglomera ou aglutina. ★ *s.m.* **Constr.** Produto (cal, cimento etc.) que serve para aglomerar os materiais inertes (areia, cascalho, agregados); aglutinante.

aglomerar *v.t.* (lat. *agglomerare*) [conj. 4]. Juntar, acumular, enfeixar, amontoar. ★ *v.pr.* Amontoar-se, fundir-se.

aglutinação *s.f.* (lat. *agglutinatio*). Ação de aglutinar. ● **Fisiol.** Fixação dos anticorpos sobre um determinado antígeno que resulta na reunião das partículas (células ou bactérias).

aglutinante *adj.2g.* (lat. *agglutinans*). Que junta, reúne, cola; aglutinador. ★ *s.m.* Substância que produz aglutinação; cola, grude. ● **Constr.** Aglomerante.

aglutinar *v.t.* (lat. *agglutinare*) [conj. 4]. Unir, juntar, colar, fundir.

aglutinina *s.f.* **Biol.** Anticorpo que, na presença do antígeno correspondente, provoca uma reação de aglutinação.

agnosticismo *s.m.* (ingl. *agnosticism*). Doutrina que considera o conhecimento do absoluto inacessível ao espírito humano.

agnóstico *adj.* (gr. *agnostós*). Relativo ao agnosticismo. ★ *s.m.* Partidário do agnosticismo.

agogô *s.m.* (or. ioruba). Instrumento musical de origem africana, constituído de duas campânulas de metal percutidas com varetas também de metal.

agonia *s.f.* (gr. *agonía*). **1.** Momento da vida que precede a morte. **2.** Estado de enfraquecimento das funções vitais que caracteriza esse momento. **3.** Ânsia, angústia, aflição. **4.** *Fig.* Declínio, fim próximo.

agoniar *v.t.* (conj. 16). **1.** Afligir, inquietar. **2.** Irritar, importunar. ★ *v.pr.* **1.** Angustiar-se, afligir-se. **2.** Irritar-se, agastar-se.

agonizante *adj.2g.* e *s.2g.* Que ou aquele que está em agonia, à morte; moribundo.

agonizar *v.t.* (conj. 4). Causar agonia, afligir. ★ *v.i.* **1.** Estar em agonia. **2.** *Fig.* Declinar, aproximar-se do fim.

agora *adv.* (lat. *hac hora*). **1.** Neste momento, neste instante, nesta hora. **2.** No presente, atualmente, ora. ★ conj. **1.** Ora. **2.** Mas.

ágora *s.f.* (gr. *agorá*). Praça pública onde se realizavam as assembléias políticas na Grécia antiga.

agorafobia *s.f.* Medo mórbido de lugares abertos como praças e jardins.

agostiniano *adj.* (lat. *Augustinus*, n.pr.). Relativo ou pertencente a Santo Agostinho ou à ordem por ele fundada. ★ *s.m.* Frade dessa ordem.

agosto (ô) *s.m.* (lat. *Augustus*, n.pr.). O oitavo mês do ano, que possui 31 dias.

agourar *v.t.* (conj. 4). **1.** Fazer agouro; adivinhar, predizer, conjeturar, vaticinar. **2.** Desejar má sorte, pressagiar.

agourento *adj.* Que tem, anuncia ou traz mau agouro; agoureiro.

agouro *s.m.* (lat. *augurium*). **1.** Profecia, presságio, pressentimento. **2.** Predição através do canto ou vôo das aves; augúrio.

agraciar *v.t.* (conj. 16). **1.** Conceder graça, mercê. **2.** Galardoar, condecorar.

agradar *v.t.* (conj. 4). **1.** Contentar, satisfazer, causar prazer. **2.** Fazer carinhos, afagar. ★ *v.i.* Parecer bem, ter encantos. ★ *v.pr.* Sentir prazer.

agradável *adj.2g.* e *s.m.* Que ou o que agrada, dá prazer, satisfação.

agradecer *v.t.* (conj. 25). Mostrar, demonstrar gratidão.

agrado *s.m.* **1.** Ato ou efeito de agradar(-se). **2.** Contentamento, satisfação. **3.** Carinho, festas. **4.** Presente.

ágrafo *adj.* (gr. *ágraphos*). Que não tem escrita.

agrário *adj.* (lat. *agrarius*). **1.** Relativo ou pertencente à agricultura, à propriedade agrícola, à população agrícola, às terras. **2.** *Reforma agrária,* reformulação da estrutura agrária de um país, que se dá através da expropriação de terras e do assentamento de novos proprietários com vistas ao equilíbrio da distribuição da terra e da renda agrícola.

agraudar (a-u) *v.i.* (conj. 19) Tornar-se graúdo; crescer.

agravante *adj.2g.* e *s.f.* Que ou o que torna mais grave o crime (p.opos. a *atenuante*).

agravar *v.t.* (lat. *aggravare*) [conj. 4]. **1.** Tornar mais grave, mais pesado. **2.** Ofender, injuriar. ★ *v.i.* Interpor recurso do agravo.

agravo *s.m.* Ofensa, injúria, afronta. ● **Dir.** Recurso interposto pela parte interessada que permite ao juiz, em certos casos, rever sua decisão anterior.

agredir *v.t.* (conj. 58). Cometer agressão; atacar, provocar.

agregação *s.f.* (lat. *aggregatio*). **1.** Reunião de partes homogêneas formando um todo; aglomeração, conjunto. **2.** Congregação, união, associação. ● **Biol.** Conjunto de numerosos indivíduos de uma mesma espécie em um espaço restrito. **Fisiol.** *Agregação plaquetária,* fenômeno pelo qual as plaquetas se agregam e que inicia a obstrução de uma brecha vascular.

agregado *adj.* Anexo, reunido. ★ *s.m.* **1.** Reunião de substâncias diversas formando um todo. **2.** Pessoa que vive em uma casa como membro da família. **3.** Pessoa que cultiva terra alheia, dando em troca trabalho ou produtos cultivados. **4.** Trabalhador de um sítio ou fazenda que presta serviços avulsos sem ser empregado. ● **Constr.** Conjunto dos constituintes inertes (areias, cascalhos, pedras britadas) das argamassas e concretos.

agregar *v.t.* (lat. *aggregare*) [conj. 4]. Reunir, acumular, juntar. ★ *v.pr.* Reunir-se, associar-se.

agremiação *s.f.* **1.** Ajuntamento, reunião. **2.** Grêmio, associação.

agremiar *v.t.* (conj. 16). Reunir em grêmio ou assembléia.

agressão *s.f.* (lat. *aggressio*). **1.** Ataque violento e intempestivo. **2.** Insulto, ofensa. **3.** Qualquer ato individual, grupal ou governamental que envolva situações de força contra pessoas, grupos ou nações. ● **Etol.** Interação interespecífica ou intraespecífica em que dois ou mais animais se enfrentam com ameaças, combates, e que constitui um fator importante na

A B C D E F G H I J K L M N O P Q R S T U V W X Y Z

dinâmica dos grupos sociais. **Psican.** *Pulsão de agressão,* fração da pulsão de morte a serviço da pulsão sexual, que se manifesta pela agressividade.

agressividade *s.f.* **1.** Tendência a atacar, a agredir. **2.** Qualidade de agressivo. **3.** Energia, força. ● **Psican.** Conjunto de manifestações reais ou fantasmáticas da pulsão de agressão.

agressivo *adj.* **1.** Que denota ou envolve agressão. **2.** Voltado para o ataque, lutador.

agressor (ô) *adj.* e *s.m.* (lat. *aggressor*). Que ou aquele que ataca, agride.

agreste *adj.2g.* (lat. *agrestis*). **1.** Rústico, silvestre. **2.** *Fig.* Áspero, inculto, indelicado. ★ *s.m.* Zona do NE brasileiro, entre a mata e a caatinga, de solo pedregoso e escassa vegetação.

agrião *s.m.* (gr. *ágrion*). Planta herbácea, rica em vitamina C, cujas folhas podem ser consumidas cruas ou cozidas.

agrícola *adj.2g.* (lat. *agricola*). Relativo à agricultura.

agricultor (ô) *s.m.* (lat. *agricultor*). Pessoa que cultiva a terra; lavrador.

agricultura *s.f.* (lat. *agricultura*). Conjunto de atividades que visa obter produtos vegetais úteis ao homem, principalmente aqueles destinados à alimentação.

AGRICULTURA ► O cultivo de certas gramíneas já existia no Oriente Próximo desde 9.000 a.C. (desde 7.000 a.C. na América Central). As primeiras evidências de animais domésticos (ovinos ou caprinos) datam aproximadamente da mesma época. Entretanto, como quase nada se sabe sobre as regiões tropicais úmidas, apenas supõe-se a existência de uma antiga cultura doméstica de tubérculos (inhame, mandioca, batata ou batata-doce), da qual infelizmente não há vestígios. A prática da agricultura é tida como a principal causa do sedentarismo de povos nômades primitivos.

---

agridoce *adj.2g.* De sabor acre e doce ao mesmo tempo.

agrilhoar *v.t.* (conj. 20). **1.** Prender com grilhões; acorrentar, amarrar. **2.** *Fig.* Comprimir, reprimir, constranger.

agrimensor (ô) *s.m.* Profissional encarregado da medição de terras.

agrimensura *s.f.* Técnica da medição de terras.

agro *adj.* (lat. *acrus*). **1.** Ácido, azedo, acre. **2.** Íngreme, escabroso. **3.** *Fig.* Árduo, difícil, rigoroso.

agroalimentar *adj.2g.* ou **agroalimentício** *adj.* Diz-se dos produtos agrícolas alimentares embalados ou transformados pela indústria.

agroindústria *s.f.* Atividade industrial que beneficia produtos originados da agricultura.

agroindustrial *adj.2g.* Referente à agroindústria.

agronomia *s.f.* Estudo das relações entre as plantas cultivadas, o solo, o clima e as técnicas da cultura.

agronômico *adj.* Relativo à agronomia.

agrônomo *s.m.* (gr. *agronómos*). Especialista em agronomia.

agropecuária *s.f.* Estudo ou prática das relações mútuas da pecuária e da agricultura.

agropecuário *adj.* Relativo à agropecuária.

agrotóxico (cs) *s.m.* Produto químico utilizado para proteção ou tratamento de culturas e criações em agropecuária. (Sin. DEFENSIVO* AGRÍCOLA, PESTICIDA, PRAGUICIDA.)

agrupamento *s.m.* **1.** Ação de agrupar. **2.** Reunião de várias pessoas ou coisas; grupamento.

agrupar *v.t.* (conj. 4). Reunir em grupo, formar grupo; grupar. ★ *v.pr.* Juntar-se em grupo; amontoar-se.

agrura *s.f.* **1.** Aspereza, escabrosidade. **2.** *Fig.* Amargura, desgosto, dissabor.

água *s.f.* (lat. *aqua*). **1.** Substância líquida, em condições normais de temperatura e pressão, incolor, inodora e insípida, cujas moléculas são formadas por um átomo de oxigênio e dois de hidrogênio. **2.** Chuva. **3.** Líquido obtido por destilação ou maceração. **4.** Rio, lago, mar. **5.** Suco de certas frutas. ● **Constr.** Cada uma das superfícies planas que constituem um telhado. **Quím.** *Água destilada,* água isenta de sais minerais, usada na produção de remédios. ► *Água dura,* água que contém determinados sais em solução. ► *Água oxigenada,* solução de peróxido de hidrogênio, empregada como desinfetante e alvejante. ► *Água pesada,* composto químico análogo à água, cuja molécula é formada por um átomo de oxigênio e dois de deutério.

ÁGUA (ciclo da) ► O calor do Sol evapora a água dos oceanos, lagos, rios e plantas; esse gás ou vapor de água permanece no ar. O ar sobe quando se aquece e é impelido para cima dos montes, ou também quando o ar frio (mais pesado) o empurra para cima. Ao subir, o ar quente e úmido se esfria e o vapor de água se condensa em gotículas que se juntam para formar nuvens. À medida que mais ar se eleva, mais vapor se converte em água e as nuvens crescem. Quando se tornam grandes demais para que o ar as suporte, as gotas de água caem em forma de chuva e o ciclo recomeça.

---

aguaceiro *s.m.* Chuva súbita e abundante; bátega.

aguacento *adj.* Encharcado; aquoso.

aguada *s.f.* **1.** Lugar onde os animais bebem água. **2.** Lugar onde existem cacimbas, fontes ou poços. **3.** Provisão de água potável, especialmente para viagens. **4.** Técnica de desenho e pintura que consiste no emprego de um pigmento diluído em água, especialmente tinta nanquim, passada com pincel; obra assim obtida.

aguadeiro *s.m.* Vendedor ou distribuidor de água.

aguado *adj.* **1.** Diluído em água, misturado com água. **2.** *Fig.* Diluído, desvanecido, não carregado, pálido. **3.** Diz-se do animal que sofre de aguamento. **4.** *Pop.* Que está com água na boca, com desejo de comer certa iguaria.

água-forte *s.f.* (it. *acquafforte*). **1.** Nome vulgar do ácido nítrico. **2.** Gravura em metal obtida pela ação corrosiva do ácido nítrico nos locais onde o estilete removeu a camada de verniz aplicada sobre a chapa.

água-furtada *s.f.* Espécie de sótão ou cômodo em que as janelas abrem sobre o telhado.

aguagem *s.f.* **1.** Ato ou efeito de aguar; rega. **2.** Correnteza de água.

aguamento *s.m.* Inflamação e congestão da pata dos ungulados, principalmente cavalos, percebidas pelo andar manco.

aguapé *s.m.* (tupi *awa'pé*). Nome comum a diversas espécies de plantas aquáticas, flutuantes, de crescimento rápido.

aguar *v.t.* (conj. 22). **1.** Borrifar com água, regar, molhar. **2.** Misturar com água. **3.** Pôr água em excesso. ★ *v.i.* **1.** Apanhar aguamento. **2.** Ter aumentada a salivação, pelo desejo de comer ou beber algo.

aguardar *v.t.* (conj. 4). **1.** Esperar. **2.** Espreitar, observar, vigiar. **3.** Acatar, respeitar.

aguardente *s.f.* Bebida alcoólica obtida por destilação de várias plantas, raízes, frutas etc., após sua fermentação.

água-régia *s.f.* (it. *acqua regia*). Mistura de ácido nítrico e ácido clorídrico, usada para dissolver o ouro e a platina.

aguarrás *s.f.* Essência de terebintina usada como dissolvente.

água-viva *s.f.* Denominação comum aos celenterados marinhos, de corpo gelatinoso e transparente, provido de células urticantes. (Sin. ALFORRECA, CARAVELA[2], MEDUSA, URTIGA-DO-MAR.)

aguçar *v.t.* (conj. 13). **1.** Afiar, amolar. **2.** Aparar de modo que termine em ponta. **3.** *Fig.* Excitar, estimular.

agudez (ê) ou **agudeza** (ê) *s.f.* **1.** Propriedade do que é agudo. **2.** *Fig.* Perspicácia, sagacidade, sutileza.

agudo *adj.* (lat. *acutus*). **1.** Terminado em ponta, afiado. **2.** Diz-se de um som de elevada freqüência; alto (p.opos. a *grave*). **3.** *Fig.* Fino, penetrante. **4.** Vivo, intenso. **5.** Perspicaz, sutil. ● **Gram.** Diz-se de um vocábulo oxítono. ► *Acento agudo,* acento descendente da direita para a esquerda, utilizado em português para marcar as vogais tônicas abertas (*céu, história*) ou as vogais *a, i* e *u* das sílabas tônicas (*átimo, íntimo, último*). **Geom.** *Ângulo agudo,* ângulo menor que o ângulo reto. **Med.** Diz-se da doença que apresenta uma evolução rápida. ★ *s.m.* Som de alta freqüência (p. opos. a *grave*).

agüentar *v.t.* (it. *agguantare*) [conj. 4]. **1.** Sustentar, manter, equilibrar. **2.** Resistir, sofrer, suportar.

aguerrido *adj.* **1.** Acostumado à guerra. **2.** Corajoso, valente.

aguerrir *v.t.* (fr. *aguerrir*) [conj. 79]. **1.** Acostumar à guerra. **2.** Habituar a lutas, trabalhos, contrariedades. **3.** Tornar valoroso. ★ *v.pr.* Exercitar-se nas armas, na guerra.

águia *s.f.* (lat. *aquila*). **1.** Designação dada às grandes aves de rapina que nidificam em regiões montanhosas, principalmente na Europa. **2.** *Fig.* Espírito superior, gênio. ★ *s.m. Fam.* Espertalhão, velhaco.

aguilhada *s.f.* Vara comprida, com ferrão na ponta, usada para conduzir bois; picana, pereiro, aguilhão.

aguilhão *s.m.* **1.** Ferrão, aguilhada. **2.** *Fig.* Incitamento, estímulo. **3.** *Fig.* Sofrimento pungente. ● **Zool.** Ferrão próprio de alguns insetos e escorpiões, ligado a uma glândula de veneno e situado na extremidade do abdome.

aguilhoada *s.f.* Picada com a aguilhada; ferroada.

aguilhoar *v.t.* (conj. 20). **1.** Picar ou ferir com o aguilhão ou a aguilhada; aferroar. **2.** *Fig.* Estimular, espicaçar.

agulha[1] *s.f.* **1.** Pequena haste de aço temperado, polida, aguçada numa das extremidades e perfurada na outra, por onde passa a linha para coser. **2.** Pequena haste de aço ou outro material que tem diversos usos. **3.** Extremidade de uma pirâmide, de uma torre, de um obelisco. **4.** Pico de montanha. **5.** Pequena peça de safira ou diamante para leitura de discos gravados fonograficamente. ● **Arm.** Sin. de PERCUSSOR. **Automóv.** Peça do carburador que regula a entrada de combustível na cuba a nível constante. **Fís.** *Agulha magnética,* pequena lâmina de metal de formato alongado que pode girar livremente em torno de um eixo e que, por ser imantada, permanece sempre orientada na direção do N-S magnético.

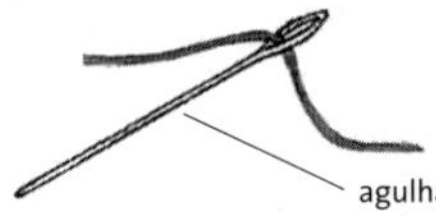

agulha[2] *s.f.* Sin. de PEIXE-AGULHA.

agulhada *s.f.* **1.** Ferimento com agulha. **2.** Uma enfiada de linha. **3.** Dor semelhante à provocada por picada de agulha.

agulheiro *s.m.* **1.** Pequeno estojo ou almofada para guardar agulhas. ● **Constr.** Buraco feito na parede para receber e apoiar os travessões dos andaimes. ★ *s.m.pl.* Aberturas para escoamento da água dos tanques.

ah *interj.* Exprime alegria, admiração, desejo, alívio, dúvida, assombro, ironia, pesar, dor, compaixão, impaciência etc.

Ah símbolo do ampère-hora.

ai *interj.* Geralmente exprime dor, lamento, mas pode expressar também alegria, excitação etc.

aí[1] *s.m.* Sin. de PREGUIÇA.

aí[2] *adv.* (lat. *ad hic*). **1.** No lugar em que está a pessoa a quem se fala; nesse lugar. **2.** Nesse momento. **3.** Nisso. **4.** *Por aí,* pelo mundo afora. ★ *interj.* Exprime incentivo, aplauso ou ironia.

aia *s.f.* **1.** Preceptora encarregada da educação de crianças, em casa de famílias nobres ou ricas. **2.** Criada de uma dama nobre; camareira.

aiatolá *s.m.* (ár. *ayatallah*). Título dos principais líderes islâmicos xiitas, inferior apenas ao imã.

aidético *adj.* Relativo à aids. ★ *s.m.* Indivíduo que sofre de aids; sidático.

aids *s.f.* (abrev. do ingl. *acquired immuno-deficiency syndrome*). Síndrome da imunodeficiência adquirida (SIDA), afecção grave, fatal e contagiosa, transmitida por via sexual ou sanguínea, que se manifesta pelo desaparecimento das defesas imunitárias do organismo.

AIDS ► O vírus da aids (HIV) pode estar presente no líquido seminal e no sangue. São três os principais meios de transmissão:

- Ato sexual sem preservativo, com penetração vaginal ou anal; o vírus penetra no sangue através de erosões ou pequenas feridas nas paredes da vagina ou do reto.
- Sangue ou derivados de sangue infectados, que podem entrar no organismo através de agulhas contaminadas (utilizadas por viciados em drogas injetáveis, no processo de tatuagem etc.), por transfusão de sangue contaminado ou por exposição (muito mais rara) a sangue contaminado através de uma ferida aberta.
- Da mãe infectada para o filho, antes ou durante o nascimento, ou na lactação.

aiereba *s.f.* (tupi *aye'reb*). Espécie de arraia de cor pardacenta.

ai-jesus *s.m.* (da loc. interj. *Ai, Jesus!*). O predileto, o mais querido.

aijuba *s.f.* (tupi). Espécie de árvore de casca aromática.

aikidô *s.m.* Arte marcial de origem japonesa em que todos os movimentos se iniciam com uma defesa, motivo pelo qual a arte tem apenas apresentações, nunca lutas ou competições.

aimará *s.2g.* Indivíduo dos aimarás, povo indígena da Bolívia e do Peru. ★ *s.m.* A língua desse povo.

aimoré *s.2g.* Indivíduo dos aimorés, povo indígena de Minas Gerais, Bahia e Espírito Santo, extinto.

ainda *adv.* (lat. *ab inde*). **1.** Até agora, até o momento. **2.** Até então. **3.** Mais; além disso. **4.** Um dia, futuramente. **5.** Também. **6.** Até. **7.** Mesmo, mesmo assim. **8.** Nem mesmo. **9.** Novamente. **10.** Pelo menos. **11.** *Ainda agora,* há pouco tempo. ► *Ainda assim,* mesmo assim. ► *Ainda bem,* felizmente. ► *Ainda que, ainda quando,* mesmo que.

aio *s.m.* **1.** Preceptor encarregado da educação de crianças, em casa de famílias nobres ou ricas. **2.** Camareiro, escudeiro.

aipim *s.m.* (tupi *oyi-pii*). Sin. de MANDIOCA.

aipo *s.m.* (lat. *apium*). Sin. de SALSÃO.

airoso (ô) *adj.* (esp. *airoso*). **1.** Gentil. **2.** Elegante, gracioso. **3.** Digno, decente.

ajaezar *v.t.* (conj. 4). Adornar com jaezes. ★ *v.pr.* Enfeitar-se.

ajantarado *adj.* Semelhante a um jantar (diz-se especialmente do almoço). ★ *s.m.* Refeição única e abundante que se faz aos domingos e feriados, um pouco mais tarde que a hora habitual do almoço.

ajardinar *v.t.* (conj. 4). **1.** Plantar e cultivar (terreno) à maneira de jardim. **2.** Transformar em jardim.

ajeitar *v.t.* (conj. 4). **1.** Acomodar, arranjar. **2.** Modificar, tornando mais confortável. **3.** Dar jeito; harmonizar. ★ *v.pr.* Pôr-se a jeito, acomodar-se.

ajeru *s.m.* (tupi *ayu'ru*). Sin. de PAPAGAIO.

ajoelhar *v.t.* (conj. 4). Pôr de joelhos. ★ *v.i.* e *v.pr.* Pôr-se de joelhos.

ajoujar *v.t.* (conj. 4). **1.** Prender com ajoujo. **2.** *Fig.* Juntar, unir. **3.** Carregar, oprimir, **4.** Vergar sob excesso de carga. ★ *v.pr.* **1.** Unir-se. **2.** Deixar-se dominar.

ajoujo *s.m.* **1.** Correia ou corrente com que se jungem animais, dois a dois. **2.** Par de animais ajoujados. **3.** *Fig.* União forçada.

ajuda *s.f.* Auxílio, assistência, favor.

ajudante *s.2g.* Pessoa que ajuda outra; auxiliar. ★ *adj.2g.* Que ajuda.

ajudar *v.t.* (lat. *adjutare*) [conj. 4]. **1.** Auxiliar, assistir, socorrer. **2.** Facilitar. ★ *v.i.* Dar ajuda. ★ *v.pr.* Valer-se, servir-se.

ajuizado (u-i) *adj.* **1.** Que tem juízo; sensato, prudente. **2.** Que se ajuizou; apreciado, processado.

ajuizar (u-i) *v.t.* (conj. 4). **1.** Julgar; fazer juízo. **2.** Levar a juízo, a julgamento. ★ *v.i.* Supor, conjeturar. ★ *v.pr.* Julgar-se, considerar-se.

ajuntamento *s.m.* **1.** Ato ou efeito de ajuntar. **2.** Reunião, aglomeração de pessoas.

ajuntar *v.t.* (conj. 4). **1.** Pôr junto. **2.** Reunir (pessoas, coisas que têm entre si relações de conveniência). **3.** Acrescentar. **4.** Acasalar, casar, amigar. ★ *v.i.* Economizar, poupar. ★ *v.pr.* **1.** Unir-se, reunir-se. **2.** *Pop.* Amasiar-se, amigar-se.

ajustagem *s.f.* Ato ou efeito de ajustar.

ajustamento *s.m.* **1.** Ato ou efeito de ajustar(-se); ajuste. **2.** Justiça, retidão. **3.** Adaptação, conformação. **4.** Encaixe, acoplamento.

ajustar *v.t.* (conj. 4). **1.** Tornar justo, exato. **2.** Preparar, acertar nos mínimos detalhes, com precisão. **3.** Adaptar. **4.** Inteirar, completar. **5.** Combinar, acordar. **6.** *Fig.* Tomar satisfação. ★ *v.pr.* Igualar-se, acomodar-se.

ajuste *s.m.* Ato ou efeito de ajustar; ajustamento.

ajutório *s.m.* (lat. *adjutorium*). Ajuda, auxílio.

Al símbolo químico do alumínio.

al símbolo de ano-luz.

ala *s.f.* (lat. *ala*). **1.** Fila de coisas ou de pessoas; fileira, renque. **2.** Cada um dos agrupamentos internos de um partido político. **3.** Subdivisão de uma escola de samba. **4.** Asa. ● **Arquit.** Parte de um edifício que se prolonga de um ou outro lado do corpo principal.

alabarda *s.f.* (médio al. *helmbarte*). Arma com uma haste rematada por um ferro pontiagudo, tendo do outro lado uma lâmina cortante.

alabastrino *adj.* **1.** Próprio do alabastro. **2.** Muito branco.

alabastro *s.m.* (gr. *alábastros*). Rocha branca translúcida, semelhante ao mármore, porém menos resistente, muito usada em trabalhos de escultura.

álacre *adj.2g.* (lat. *alacris*). Alegre, jovial; vivo, animado.

alacridade *s.f.* (lat. *alacritas*). Alegria, entusiasmo, vivacidade.

alado *adj.* (lat. *alatus*). Que tem asas.

alagação *s.f.* **1.** Alagamento. **2.** Cheia periódica do rio Amazonas.

alagadiço *adj.* Pantanoso, paludoso. ★ *s.m.* **1.** Terreno alagadiço. **2.** Solo úmido e pesado, que serve para cultivo de arroz.

alagar *v.t.* (conj. 14). **1.** Cobrir de água; inundar. **2.** *Fig.* Encher, invadir, infestar. **3.** Destruir, arruinar, arrasar. ★ *v.pr.* Naufragar, submergir.

alagoano *adj.* Relativo ou pertencente ao Estado de Alagoas. ★ *s.m.* Indivíduo natural ou habitante desse Estado.

alamanda *s.f.* (gr. *allemande*). Denominação comum a arbustos e trepadeiras ornamentais, de flores amarelas, grandes e abundantes.

alamar *s.m.* (ár. *al-amara*). Cordão ou trança de fio de seda, ouro etc. que guarnece a frente de uma peça de vestuário.

alambicado *adj.* **1.** Destilado no alambique. **2.** Complicado, arrevesado, obscuro. **3.** Presumido, afetado.

alambicar *v.t.* (conj. 12). **1.** Destilar no alambique. **2.** Arrevesar, tornar afetado, requintar. ★ *v.pr.* Tornar-se afetado, presunçoso.

alambique *s.m.* (ár. *al-anbiq*). Aparelho para destilação constituído de uma caldeira que é submetida ao calor e de onde os vapores se desprendem, para sofrer condensação em uma serpentina esfriada pela água.

alambrado *adj.* Diz-se do terreno cercado com arame; aramado. ★ *s.m.* Cerca de arame.

alameda (ê) *s.f.* **1.** Rua ornada de álamos; terreno plantado de álamos. **2.** Qualquer rua ou avenida arborizada.

álamo *s.m.* (lat. *ulmus*). Sin. de CHOUPO.

alano *s.m.* Indivíduo dos alanos, antigo povo bárbaro originário da região do mar Cáspio. ★ *adj.* Pertencente ou relativo a esse povo.

alar *v.t.* (conj. 4). Dar asas, elevar, erguer.

alaranjado *adj.* e *s.m.* Diz-se da ou a cor da laranja, intermediária entre o vermelho e o amarelo.

alarde *s.m.* (ár. *al-'arD*). **1.** Ostentação, jactância. **2.** Bazófia.

alardear *v.t.* (conj. 15). **1.** Fazer alarde; ostentar. **2.** Gabar-se, bazofiar.

alargar *v.t.* (conj. 14). **1.** Tornar mais largo. **2.** *Fig.* Acrescentar, estender. ★ *v.pr.* Tornar-se mais largo.

alarido *s.m.* **1.** Gritaria, berreiro, algazarra. **2.** Choradeira, lamúrias.

alarmar *v.t.* (conj. 4). Causar inquietação, pavor; assustar. ★ *v.pr.* Assustar-se, alvoroçar-se.

alarme ou **alarma** *s.m.* (it. *all'arme*). **1.** Grito, apelo às armas. **2.** Sinal usado para avisar de algum perigo. **3.** Pavor súbito, abalo, tumulto, confusão.

alarmista *adj.2g.* e *s.2g.* Que ou quem espalha boatos inquietadores; pessimista.

alastrar *v.t.* (conj. 4). **1.** Pôr lastro; lastrar, lastrear. **2.** Encher, cobrir. **3.** Difundir, propagar (a epidemia). **4.** Derramar, ampliar. ★ *v.pr.* Espalhar-se, derramar-se.

alatinar *v.t.* (conj. 4). Assemelhar (palavra ou frase) à morfologia ou sintaxe latinas.

alaúde *s.m.* (ár. *al-'aud*). Instrumento musical de cordas dedilháveis, cujo corpo apresenta a forma de uma meia pêra e a pá do cravelhame, inclinada, forma um ângulo reto com o braço.

alavanca *s.f.* **1.** Máquina simples, constituída de uma base rígida, móvel em torno de um ponto fixo, sobre a qual atuam uma força motriz (ou potência) e uma força resistente (ou resistência). **2.** Pedaço de ferro ou madeira utilizado para levantar objetos de grande peso. **3.** *Fig.* Meio utilizado para vencer uma dificuldade ou atingir uma meta. ● **Automóv.** *Alavanca de mudanças* ou *alavanca de câmbio,* dispositivo que serve para trocar as marchas do veículo.

alazão *adj.* e *s.m.* Diz-se de ou cavalo da cor da canela.

alba *s.f.* (provenç. *auba.*) **1.** Composição poética, de origem provençal, cujo tema era uma cena ocorrida ao amanhecer. **2.** Var. de ALVA.

albanês *adj.* Relativo ou pertencente à Albânia. ★ *s.m.* **1.** O natural ou habitante desse país. **2.** Língua indo-européia utilizada principalmente na Albânia e Iugoslávia.

albarda *s.f.* (ár. *al-barda'a*). **1.** Sela grosseira que se coloca no lombo dos animais de carga. **2.** *Pop.* Roupa malfeita. **3.** *Fig.* Vexame, opressão.

albatroz *s.m.* Grande pássaro dos mares austrais, que nidifica em altas falésias.

albergar *v.t.* (conj. 14). **1.** Hospedar, abrigar. **2.** Conter, encerrar. ★ *v.pr.* Hospedar-se.

albergaria *s.f.* **1.** Hospedaria. **2.** Contrato de hospedagem.

albergue *s.m.* (or. gótica). **1.** Hospedaria. **2.** Abrigo ou asilo onde os mendigos se recolhem à noite.

albinismo *s.m.* Doença metabólica hereditária e congênita caracterizada pela ausência total ou parcial de melanina.

albino *adj.* e *s.m.* (lat. *albinus*). Que ou aquele que sofre de albinismo.

albor (ô) *s.m.* (lat. *albor*). Alvor.

albornoz *s.m.* (ár. *al-burnus*). Manto de lã, comprido e com capuz, usado pelos árabes.

álbum *s.m.* (lat. *album*). **1.** Caderno ou livro destinado a receber versos, fotografias, selos, desenhos etc. **2.** Tabuleta ou painel branco, no qual os romanos publicavam atos oficiais, para afixar em público.

albume ou **albúmen** *s.m.* (lat. *albumen*). Tecido rico em reservas nutritivas que envolve o embrião de certas sementes.

albumina *s.f.* (lat. *albumina*). Proteína viscosa, solúvel em água, contida na clara do ovo, no plasma sanguíneo e no leite.

albuminóide *adj.* (de *albumina* + gr. *eidos*). Da natureza da albumina.

albuminoso (ô) *adj.* Que contém albumina.

alburno *s.m.* Parte nova do tronco e dos galhos de uma árvore, situada na periferia, sob a casca.

alça *s.f.* **1.** O que serve para erguer ou segurar alguma coisa. **2.** Asa, argola, puxadeira, aselha. **3.** Suspensório. **4.** Pedaço de sola que os sapateiros ajustam às formas para torná-las mais altas. **5.** *Alça de mira,* aparelho de pontaria das armas de fogo leves. ● **Anat.** Nome dado a qualquer porção de um órgão que descreve um arco. ► *Alça de Henle,* parte tubular do néfron, situada no córtex do rim.

alcácer *s.m.* (ár. *al-qaçr*). Antiga fortaleza ou castelo fortificado.

alcachofra (ô) *s.f.* (ár. *al-kharxofa*). Planta hortícola cuja inflorescência fornece, antes de desabrochar, um receptáculo comestível.

alcaçuz *s.m.* (ár. *'arq as-sus*). **1.** Planta cuja raiz adocicada possui propriedades medicinais. **2.** Suco dessa planta.

alçada *s.f.* **1.** Competência, atribuição, alcance. **2.** Jurisdição de um magistrado ou oficial de justiça.

alcagüetar *v.t.* e *v.i.* (conj. 4) *Gír.* Delatar, cagüetar.

alcagüete (ê) *s.m.* (ár. *al-qauuad*). *Gír.* Delator, cagüeta, dedo-duro.

alcaide *s.m.* (ár. *al-qaid*). **1.** Antigo governador de província. **2.** Antigo oficial de justiça. **3.** *Pop.* Objeto velho, imprestável. **4.** *Pop.* Pessoa muito velha, gagá.

álcali *s.m.* (ár. *al-qali*). Substância com as propriedades das bases. ● **Quím.** Hidróxido de um metal alcalino.

alcalinidade *s.f.* Estado de alcalino.

alcalinizar *v.t.* (conj. 4). **1.** Dar a uma substância propriedades alcalinas. **2.** Administrar substâncias alcalinas em caso de acidose.

alcalino *adj.* **1.** Relativo aos álcalis e aos metais alcalinos. **2.** Sin. de BÁSICO. ● **Quím.** *Metais alcalinos,* metais monovalentes (lítio, sódio, potássio, rubídio, césio e frâncio) cuja oxidação fornece álcalis.

alcalinoterroso (ô) *adj.* Diz-se do grupo de metais bivalentes, muito eletropositivos (magnésio, cálcio, estrôncio, bário e rádio).

alcalóide *s.m.* Substância orgânica semelhante aos álcalis, cuja molécula contém pelo menos um átomo de nitrogênio salificável, como a morfina, a estricnina e a atropina.

alcançar *v.t.* (conj. 13). **1.** Atingir. **2.** Encontrar. **3.** Vencer distância. **4.** Conseguir. **5.** Perceber, compreender. ★ *v.pr.* Seguir-se, suceder-se.

alcance *s.m.* **1.** Ato ou efeito de alcançar. **2.** Encalço. **3.** Importância. **4.** Distância que se alcança com a vista ou projétil. **5.** Inteligência, acuidade.

alcândora *s.f.* (ár. *al-kandara*). Poleiro de aves, em especial do falcão e do papagaio.

alcano *s.m.* Nome genérico dos hidrocarbonetos saturados acíclicos. (Sin. PARAFINA.)

alcantil *s.m.* **1.** Rocha alta e escarpada. **2.** Despenhadeiro a pique. **3.** Pico.

alcantilada *s.f.* Conjunto de alcantis; despenhadeiro longo.

alcantilado *adj.* Relativo a alcantil; escarpado, íngreme.

alçapão *s.m.* **1.** Portinhola horizontal que comunica dois pavimentos. **2.** Armadilha para passarinhos que consiste numa pequena gaiola cuja tampa se fecha automaticamente à entrada da presa.

alcaparra *s.f.* (ár. *al-kabbara*). **1.** Botão da flor da alcaparreira utilizado em conserva, como condimento. **2.** Sin. de ALCAPARREIRA.

alcaparreira *s.f.* Arbusto espinhoso, originário do Mediterrâneo, cujos botões florais são empregados em culinária. (Sin. ALCAPARRA.)

alça-pé *s.m.* **1.** Armadilha de caça, que prende a ave pelo pé. **2.** Golpe no qual o lutador enfia o pé entre as pernas do adversário e derruba-o. **3.** *Fig.* Ato traiçoeiro e doloso.

alçaprema *s.f.* **1.** Alavanca para levantar grandes pesos. **2.** Tenaz para extrair dentes.

alçar *v.t.* (conj. 13). **1.** Altear, erguer, levantar; alcear. **2.** Erigir, edificar. **3.** Celebrar, exaltar, louvar. ★ *v.pr.* **1.** Erguer-se, sobressair. **2.** Sublevar-se, revoltar-se. **3.** Extraviar-se, tornar-se selvagem (o gado).

alcatéia *s.f.* (ár. *al-qatai'a,* rebanho). **1.** Bando de lobos. **2.** Bando de animais ferozes. **3.** Quadrilha de malfeitores.

alcatifa *s.f.* (ár. *al-qatifa*). **1.** Tapete grande; alfombra. **2.** *Fig.* Qualquer coisa que se estende como tapete.

alcatra *s.f.* (ár. *al-qaTra*). **1.** Lugar onde acaba o fio do lombo do boi ou da vaca, junto aos rins. **2.** Peça de carne localizada na parte posterior da coxa dos bovinos.

alcatrão *s.m.* (ár. *al-qaTran*). Substância escura e viscosa obtida da destilação de diversas matérias orgânicas, como madeira, hulha e petróleo.

alcatraz *s.m.* (ár. *al-qattas*). Ave pelicaniforme, piscívora, muito comum nas costas brasileiras. (Sin. FRAGATA.)

alcatroar *v.t.* (conj. 20). Untar, recobrir com alcatrão.

alce *s.m.* (lat. *alces*). Mamífero ruminante com chifres ramificados presente na Escandinávia, Sibéria, Canadá e Alasca.

alcíone *s.f.* (gr. *alkyón*). Ave fabulosa que, segundo se acreditava, fazia o ninho sobre o mar calmo e era considerada portadora de felizes presságios.

alcoice *s.m.* Alcouce.

álcool *s.m.* (ár. *al-kuhl*). **1.** Líquido obtido mediante a destilação de substâncias açucaradas e fermentadas. **2.** *P. ext.* Qualquer bebida alcoólica. ● **Quím.** Nome genérico dos compostos que derivam dos hidrocarbonetos pela substituição de um átomo de hidrogênio por uma hidroxila. ► *Álcool absoluto* ou *anidro,* álcool que contém no máximo 1% de água.

alcoólatra *adj.2g.* e *s.2g.* Que ou aquele que sofre de alcoolismo; alcoolista.

alcoólico *adj.* **1.** Concernente ao álcool. **2.** Que contém álcool. ★ *s.m.* Aquele que abusa das bebidas alcoólicas; alcoólatra.

alcoolismo *s.m.* Dependência de bebidas alcoólicas que acarreta perturbações fisiológicas e psicológicas.

alcoolizar *v.t.* (conj. 4). **1.** Acrescentar álcool a um líquido. **2.** Conter álcool. **3.** Embebedar. ★ *v.pr.* Estar alcoolizado; intoxicar-se de álcool.

alcoômetro *s.m.* Densímetro utilizado para medir a concentração de álcool contido nos líquidos.

alcorão *s.m.* (ár. *al-guran*). Livro sagrado do islamismo, com as revelações feitas a Maomé; corão.

alcova (ô) *s.f.* (ár. *al-qubba,* quarto lateral). Pequeno quarto interior sem janelas.

alcovitar *v.t.* (conj. 4). **1.** Ser intermediário em relações amorosas. **2.** Mexericar, intrigar. **3.** Denunciar, delatar. ★ *v.i.* Mexericar, intrigar.

alcoviteiro *s.m.* **1.** Aquele que alcovita. **2.** Cafetão. **3.** Mexeriqueiro, leva-e-traz.

alcovitice *s.f.* **1.** Ofício de alcoviteiro; lenocínio. **2.** Mexerico.

alcunha *s.f.* (ár. *al-kunya,* sobrenome). Apelido dado devido a uma particularidade física ou moral.

alcunhar *v.t.* (conj. 4). Pôr alcunha; apelidar.

aldeamento *s.m.* **1.** Ação de aldear. **2.** Povoado indígena fundado e dirigido por missionário ou autoridade leiga.

aldeão *s.m.* Habitante de uma aldeia. ★ *adj.* **1.** Relativo a aldeia. **2.** *Fig.* Tosco, rude; simplório.

aldear *v.t.* (conj. 15). **1.** Dividir em aldeias. **2.** Congregar, reunir formando aldeia ou aldeamento.

aldeia *s.f.* (ár. *aD-Dai'a*). **1.** Pequena povoação, de categoria inferior à de vila. **2.** Povoação indígena.

aldeia do neolítico

aldeído *s.m.* Composto formado pela desidrogenação ou oxidação de um álcool.

aldeola *s.f.* Pequena aldeia.

aldraba ou **aldrava** *s.f.* (ár. *aD-Dabba*). Tranqueta de metal para fechar ou bater à porta.

aldrabar ou **aldravar** *v.t.* (conj. 4). **1.** Pôr aldrava; fechar com aldrava. **2.** *Pop.* Executar mal (qualquer trabalho). ★ *v.i.* **1.** Bater com aldraba para que se abra a porta. **2.** Falar confusamente. **3.** Mentir muito.

aleatório *adj.* (lat. *aleatorius*). Que repousa sobre um acontecimento incerto, fortuito. ● **Mat.** Diz-se de uma grandeza ou processo cujos valores ou resultados ocorrem ao acaso, sem obedecer a alguma lei determinística.

alecrim *s.m.* (ár. *al-iklil*). Arbusto que exala um aroma ativo, típico da Itália, Grécia e Oriente Médio; alecrim-de-cheiro.

alegação *s.f.* **1.** Ato ou efeito de alegar. **2.** Argumento, razão, prova; alegado.

alegante *adj.2g.* e *s.2g.* Que ou aquele que alega.

alegar *v.t.* (lat. *allegare*) [conj. 14]. **1.** Citar fato para provar alguma coisa. **2.** Dar como pretexto. ● **Dir.** Expor em juízo argumentos, razões, fatos.

alegoria *s.f.* (gr. *allegoría*). **1.** Representação de conceitos abstratos por figuras simbólicas. **2.** Obra artística ou literária que utiliza esse processo.

alegrar *v.t.* (conj. 4). **1.** Tornar contente; causar alegria. **2.** Guarnecer com algum enfeite. **3.** Embelezar. ★ *v.pr.* Sentir alegria.

alegre *adj.2g.* **1.** Que tem ou sente alegria; contente, satisfeito. **2.** Que causa alegria. **3.** *Fig.* Ligeiramente embriagado; tocado.

alegria *s.f.* **1.** Júbilo, contentamento, gáudio. **2.** Tudo o que alegra e contenta. **3.** Festa, divertimento.

alegro *s.m.* (it. *allegro*). Composição ou parte de uma composição executada viva e alegremente.

aléia *s.f.* (fr. *allée*). Caminho ladeado de árvores; alameda. ● **Arqueol.** Conjunto de pedras ou figuras esculpidas dispostas em avenida, na frente de templos.

aleijado *adj.* e *s.m.* Que ou aquele que tem algum aleijão; mutilado.

aleijão *s.m.* (lat. *laesio, laesionis,* lesão). **1.** Deformidade física. **2.** *Fig.* Defeito moral. **3.** Monstro, pessoa muito disforme.

aleijar *v.t.* (conj. 4). **1.** Deformar, mutilar, estropiar. **2.** Deturpar, adulterar. **3.** Magoar, ferir moralmente. ★ *v.i.* e *pr.* Ficar aleijado.

aleirar *v.t.* (conj. 4). Dispor em sulcos ou leiras.

aleitar *v.t.* (lat. *allactare*) [conj. 4]. **1.** Alimentar com leite. **2.** *Fig.* Tornar claro como o leite.

aleive *s.m.* (do gót.). Aleivosia.

aleivosia *s.f.* **1.** Traição; aleive. **2.** Fraude. **3.** Calúnia.

aleivoso (ô) *adj.* **1.** Traiçoeiro. **2.** Fraudulento. **3.** Calunioso.

alélico *adj.* Relativo a um alelo.

alelo *adj.* e *s.m.* **1.** Diz-se de ou caráter hereditário que se opõe a outro (por ex.: semente de ervilha de casca lisa ou rugosa). **2.** Diz-se de ou um dos dois genes situados no mesmo *locus* em dois cromossomos homólogos.

aleluia[1] *s.2g.* (hebr. *hallelu-yah,* louvai ao senhor). **1.** Júbilo, alegria. **2.** Pequeno trecho litúrgico da missa. **3.** Sábado em que se celebra a Ressurreição de Cristo.

aleluia[2] *s.f.* Forma alada do cupim. (Sin. SILILUIA.)

além *adv.* (lat. *ecce hinc,* eis ali). **1.** Lá, para lá, acolá. **2.** Mais adiante. **3.** Longe, mais longe. **4.** Do lado de lá. **5.** *Além de,* para mais de; para lá de; mais do que. ► *Além disso,* mais do que isso; ademais. ► *Além do mais,* além disso. ★ *s.m.* O outro mundo; a eternidade.

alemão *adj.* Relativo ou pertencente à Alemanha, país da Europa; alemânico. ★ *s.m.* **1.** Indivíduo natural ou habitante da Alemanha. **2.** Língua indo-européia, falada principalmente na Alemanha e na Áustria.

além-mar *adv.* Do outro lado do mar; no ultramar. ★ *s.m.* Terra situada do outro lado do mar; ultramar.

além-túmulo *s.m.* O que está além do túmulo, além da morte.

alentado *adj.* **1.** Que tem alento. **2.** Corpulento, avantajado. **3.** Esforçado, valente, persistente.

alentar *v.t.* (conj. 4). **1.** Dar alento; animar. **2.** Excitar, estimular. **3.** Alimentar, sustentar. ★ *v.i.* Respirar, resfolegar. ★ *v.pr.* Animar-se.

alentejano *adj.* e *s.m.* Relativo ou pertencente ao Alentejo.

alento *s.m.* **1.** Fôlego, respiração, bafo. **2.** Ânimo, resistência, coragem. **3.** Alimento, nutrição, sustento. **4.** Aragem, sopro. **5.** *Poét.* Inspiração, estro. **6.** Cada um dos orifícios das ventas do cavalo.

alérgeno *s.m.* Agente causador de alergias, como poeira, veneno de animais etc.

alergia *s.f.* Conjunto de manifestações fisiológicas provocadas pelo contato com um alérgeno.

alérgico *adj.* **1.** Relativo à alergia. **2.** Que sofre de alergia. **3.** *Fig.* Que possui caráter incompatível com. ★ *s.m.* Aquele que sofre de alergia.

alergologia *s.f.* Parte da medicina que trata as alergias.

alergologista *adj.2g.* e *s.2g.* Especialista em alergologia.

alerta *adv.* (it. *all'erta,* no alto). Em atitude de vigilância; de sobreaviso. ★ *adj.2g.* Atento, pronto, vigilante. ★ *s.m.* Sinal ou aviso preventivo diante de uma ameaça. ★ *interj.* Ordem ou incitamento à atenção, especialmente diante de perigo.

alertar *v.t.* e *v.i.* (conj. 4). Dar o alerta; prevenir de um perigo, despertar. ★ *v.pr.* Pôr-se alerta.

aletria *s.f.* (ár. *al-iTria*). Variedade de macarrão de sêmola de trigo muito fino.

alevantar *v.t.* e *v.pr.* (conj. 4). Levantar(-se).

alevim ou **alevino** *s.m.* (fr. *alevin*). Filhote de peixe que vive ainda das reservas nutritivas de seu saco vitelino.

alexandrino *adj.* Relativo ou pertencente à cidade de Alexandria, no Egito. ★ *adj.* e *s.m.* Diz-se de ou verso de doze sílabas. ★ *s.m.* O natural ou habitante de Alexandria.

alexandrita *s.f.* Pedra semipreciosa, variedade de crisoberilo, verde-escura sob luz natural, avermelhada sob luz artificial.

alexia (cs) *s.f.* Perturbação da leitura em conseqüência de uma lesão no hemisfério cerebral dominante, sem alteração da percepção visual.

alfa *s.2g.* (gr. *álpha*). **1.** Nome da primeira letra do alfabeto grego. **2.** *Fig.* Princípio, início.

alfabetação *s.f.* Ato ou efeito de alfabetar; alfabetamento.

alfabetar *v.t.* (conj. 4). Pôr em ordem alfabética.

alfabético *adj.* **1.** Que está segundo a ordem das letras do alfabeto. **2.** Relativo ao alfabeto. **3.** Diz-se de uma língua ou escrita que utiliza o alfabeto.

alfabetização *s.f.* Ato ou efeito de alfabetizar.

alfabetizado *adj.* e *s.m.* Que ou aquele que se alfabetizou.

alfabetizar *v.t.* (conj. 4). **1.** Ensinar a ler e a escrever. **2.** Dar instrução primária. ★ *v.pr.* Aprender a ler e a escrever sozinho.

alfabeto *s.m.* (gr. *alphábetos*). **1.** Conjunto de signos gráficos, letras e diacríticos, utilizado para representar os sons de uma língua. **2.** Qualquer sistema de signos gráficos, visuais, sonoros.

alface *s.f.* (ár. *al-khass*). Planta hortícola, com diversas variedades cultiváveis, consumida basicamente em saladas.

alfafa *s.f.* (ár. *al-halfa*). Planta forraginosa, originária da Ásia, usada na alimentação do gado e considerada uma das forrageiras mais importantes.

alfaia *s.f.* (do ár.). **1.** Móveis ou utensílios, de adorno ou de uso doméstico ou pessoal. **2.** Enfeite, jóia, baixela. **3.** Paramento de igreja. **4.** Utensílio agrícola.

alfaiataria *s.f.* Estabelecimento ou oficina de alfaiate.

alfaiate *s.m.* (ár. *al-khaiiaT*). Indivíduo cuja profissão é fazer roupas de homem. ● **Zool.** Sin. de TIZIU.

alfândega *s.f.* (ár. *al-funduqa*). **1.** Administração pública que fiscaliza as bagagens e mercadorias que entram ou saem do país e cobra as taxas de importação e exportação; aduana. **2.** Casa ou recinto onde funciona essa repartição. **3.** *Fig.* Lugar de algazarra, desordem.

alfandegagem *s.f.* **1.** Armazenamento ou permanência de mercadorias na alfândega. **2.** Cobrança das taxas aduaneiras.

alfandegário *adj.* Relativo à alfândega; aduaneiro.

alfanje *s.m.* (ár. *al-khanjar*). **1.** Sabre mourisco, de lâmina curta, larga e convexa pelo fio. **2.** Ancinho de dentes grandes de ferro; gadanha.

alfarrábio *s.m.* (do ár. *Al-Farabi*, n.pr.). Livro antigo e de leitura cansativa.

alfarrabista *adj.2g.* Negociante ou colecionador de livros velhos.

alfavaca *s.f.* (ár. *al-habaqa*). Arbusto originário do Oriente, lenhoso, de folhas lanceoladas, aromáticas, utilizadas como condimento e na fabricação de licores.

alfazema *s.f.* (ár. *al-khuzama*). Planta de origem européia, da qual se extrai um óleo aromático utilizado pela indústria de perfumes. (Sin. LAVANDA.)

alféloa *s.f.* (ár. *al-halaua*). **1.** Massa de açúcar ou melaço, usada em confeitaria. **2.** Bala feita com essa massa.

alfenim *s.m.* (ár. *al-fanid*). **1.** Doce de origem árabe, feito de massa de açúcar branca e dura e óleo de amêndoas doces. **2.** *Fig.* Indivíduo delicado, efeminado.

alferes *s.m.2n.* (ár. *al-fars*). Antigo posto militar do oficial porta-estandarte.

alfinetada *s.f.* **1.** Ato ou efeito de alfinetar. **2.** Dor muito aguda e rápida. **3.** *Fig.* Dito mordaz.

alfinetar *v.t.* (conj. 4). **1.** Prender, fixar com alfinetes. **2.** Picar com alfinetes. **3.** Criticar, ferir com palavras. **4.** Dirigir epigramas a.

alfinete (ê) *s.m.* (do ár.). Pequena haste metálica, com cabeça em uma das extremidades e com ponta aguda na outra. ★ *s.m.pl.* **1.** Miudezas de pequeno valor. **2.** Despesas miúdas.

alfineteira *s.f.* **1.** Caixa para guardar alfinetes. **2.** Almofadinha onde se cravam alfinetes.

alfombra *s.f.* (ár. *al-humra*). **1.** Alcatifa, tapete. **2.** Terreno coberto de grama, musgo etc.

alforje *s.m.* (ár. *al-khurje*). Saco fechado em ambas as extremidades e com uma abertura no centro, que forma duas bolsas e é usado ao ombro ou no lombo de animais de carga.

alforreca *s.f.* (ár. *al-hurraiqa*). [Lus.]. Sin. de ÁGUA-VIVA.

alforria *s.f.* (ár. *al-hurria*). Ato ou efeito de alforriar.

alforriado *adj.* e *s.m.* Dizia-se do ou o escravo que recebeu de seu senhor a carta de alforria; emancipado, liberto.

alforriar *v.t.* (conj. 16). Dar liberdade a um escravo. ★ *v.pr.* Libertar-se, livrar-se.

alga *s.f.* (lat. *alga*). Vegetal clorofilado, unicelular ou pluricelular, desprovido de raízes e vasos, que vive em mares, rios ou em meios cujo ar seja úmido.

ALGUMAS ESPÉCIES DE ALGAS

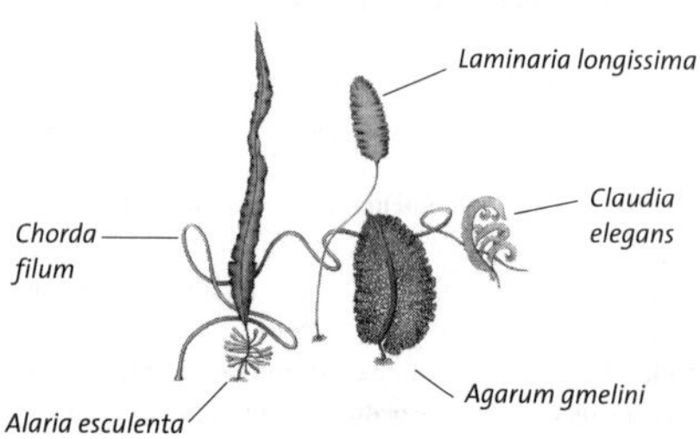

algaravia *s.f.* (ár. *al-'arabiia*). **1.** Modo de falar dos árabes da península ibérica. **2.** Confusão de vozes. **3.** Qualquer coisa dita ou escrita confusamente.

algarismo *s.m.* (do ár. *Al-Khuarizmi,* n.pr.). Sinal gráfico que representa um número.

algazarra *s.f.* (do ár.). **1.** Alarido, tumulto. **2.** Vozearia confusa.

álgebra *s.f.* (ár. *al-jabr,* redução). Ramo da matemática que trata do cálculo das grandezas representadas por letras e dotadas de valor positivo ou negativo.

? VOCÊ SABIA...? A palavra ***álgebra*** se origina de *Kitab al jabr* (Livro da redução), título de um livro do matemático Al-Khwarizmi de Bagdá (séc. IX). A expressão árabe *al jabr* significa "ato de recompor os ossos". No livro, o termo significa "restauração", ou "terminação", e se refere à técnica de simplificar uma equação de modo a deixar a mesma quantidade em ambos os membros.

---

algébrico *adj.* Relativo à álgebra.

algebrista *s.2g.* Especialista em álgebra.

algema *s.f.* (ár. *al-jama'a,* pulseira). **1.** Argola de ferro provida de fechadura, que serve para prender uma pessoa pelo pulso. (Usa-se mais comumente no pl.) **2.** *Fig.* Obstáculo moral; opressão.

algemar *v.t.* (conj. 4). **1.** Prender com algemas, manietar. **2.** *Fig.* Oprimir, coagir, constranger.

algia *s.f.* (gr. *álgos,* dor). Qualquer tipo de dor, seja local, regional ou generalizada.

algibeira *s.f.* (ár. *al-jibaira*). **1.** Bolso da roupa. **2.** Pequena bolsa que as mulheres prendiam à cintura.

álgido *adj.* (lat. *algidus*). Muito frio; gelado.

algo *pron. indef.* (lat. *aliquod*). Alguma coisa, qualquer coisa. ★ *adv.* Um tanto, um pouco.

algodão *s.m.* (ár. *al-cuTun*). **1.** Fibra têxtil constituída pela penugem natural que envolve as sementes do algodoeiro. **2.** Tecido fabricado com essa fibra.

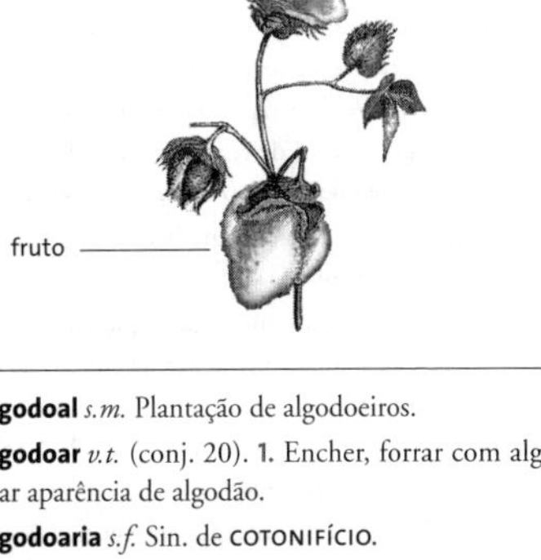

---

algodoal *s.m.* Plantação de algodoeiros.

algodoar *v.t.* (conj. 20). **1.** Encher, forrar com algodão. **2.** Dar aparência de algodão.

algodoaria *s.f.* Sin. de COTONIFÍCIO.

algodoeiro *s.m.* Planta herbácea ou arbustiva originária da Índia, cultivada em países quentes, que fornece o algodão e uma semente da qual se extrai um óleo. ★ *adj.* Relativo ao algodão ou à sua fabricação.

algoritmo *s.m.* (lat. *algorithmus*). Conjunto de regras formais cuja aplicação permite resolver um cálculo ou um problema enunciado por meio de um número finito de operações.

algoz (ô) *s.m.* (ár. *al-gozz*). **1.** Carrasco, verdugo. **2.** *Fig.* Pessoa desumana, cruel. **3.** Torturador, seviciador.

alguém *pron. indef.* (lat. *aliquem*). **1.** Alguma pessoa. **2.** Pessoa importante. ★ *s.m.* Pessoa, ser.

algum *pron. indef.* **1.** Um entre dois ou mais. **2.** Qualquer. **3.** Certo. **4.** Um. **5.** Nenhum (posposto ao substantivo). **6.** Pouco. **7.** No pl. (*alguns*), mais de um. ★ *s.m. Pop.* Dinheiro.

algures *adv.* Em algum lugar, em alguma parte.

alhada *s.f.* **1.** Punhado de alhos. **2.** Guisado com muito alho. **3.** Embaraço, dificuldades, trapalhada.

alheado *adj.* **1.** Que se alheou. **2.** Distraído.

alheamento *s.m.* **1.** Ato ou efeito de alhear(-se). **2.** Arroubo, contemplação.

alhear *v.t.* (lat. *alienare*) [conj. 15]. **1.** Tornar alheio. **2.** Desviar. **3.** Alucinar, desvairar, enlouquecer. ★ *v.pr.* **1.** Tornar-se alheio; evitar intencionalmente tomar conhecimento de algo. **2.** Arrebatar-se, extasiar-se.

alheio *adj.* (lat. *alienus,* estranho). **1.** Que não é nosso. **2.** Estrangeiro. **4.** Impróprio. **5.** Distante, distraído. **6.** Alienado, louco.

alheiro *s.m.* Aquele que vende ou cultiva alho.

alho *s.m.* (lat. *alium*). Planta cujo bulbo (ou cabeça) é formado por bulbilhos (dentes) de gosto forte e picante, utilizados como tempero.

alho-poró ou **alho-porro** *s.m.* Erva cujos bulbos e folhas são utilizados como condimento; alho-porró.

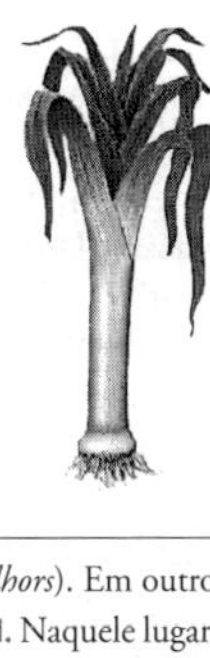

---

alhures *adv.* (prov. *alhors*). Em outro lugar.

ali *adv.* (lat. *ad illic*). **1.** Naquele lugar. **2.** Naquele momento. **3.** Naquilo. **4.** Aquele lugar. **5.** Para aquele lugar.

aliado *adj.* e *s.m.* **1.** Que ou aquele que está unido por um pacto, por um tratado de aliança. **2.** Diz-se de ou pessoa ou grupo que traz ajuda. **3.** Apaniguado, cúmplice.

aliança *s.f.* **1.** Ato ou efeito de aliar(-se). **2.** Pacto de amizade e cooperação. **3.** Anel simbólico de noivado e casamento. **4.** Casamento.

aliar *v.t.* (lat. *alligare*) [conj. 16]. **1.** Juntar, combinar, conciliar. **2.** Reunir por interesse comum. ★ *v.pr.* **1.** Fazer um tratado de aliança. **2.** Harmonizar-se, conciliar-se.

aliás *adv.* (lat. *alias,* outra vez). **1.** De outro modo. **2.** Diga-se de passagem. **3.** Todavia. **4.** Além disso; além do mais.

álibi *s.m.* (lat. *alibi,* em outro lugar). Meio de defesa do réu que declara que, no momento do crime, não se encontrava no local em que ele ocorreu.

alicate *s.m.* (ár. *al-liqaT,* tenazes). Ferramenta constituída de duas barras cruzadas de ferro ou aço terminada em pontas em forma de mordente, que serve para segurar, prender, cortar.

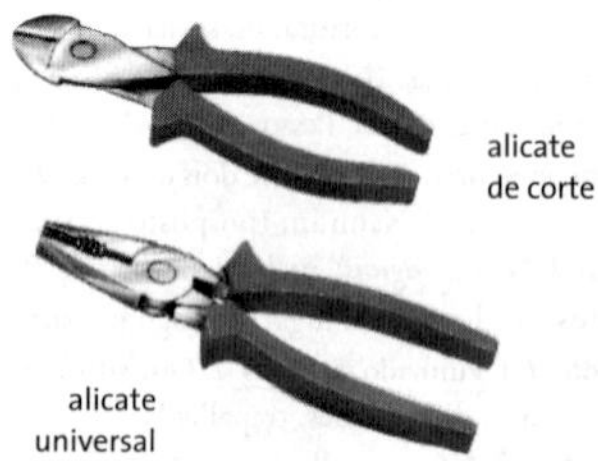

alicerçar *v.t.* (conj. 13). **1.** Lançar o alicerce de. **2.** Basear, fundamentar, consolidar.

alicerce *s.m.* (ár. *al-isas,* base). **1.** Maciço de alvenaria assentado no solo que se destina a suportar o peso total das superestruturas. **2.** *Fig.* Aquilo que fundamenta e sustenta; base, apoio.

aliciar *v.t.* (lat. *allicere*) [conj. 16]. **1.** Atrair, seduzir. **2.** Convidar, convocar. **3.** Subornar.

alienação *s.f.* (lat. *alienatio*). **1.** Ato ou efeito de alienar(-se). **2.** Cessão de bens. **3.** Arrebatamento, enlevo. **4.** Falta de consciência dos problemas políticos, sociais ou intelectuais. ▸ *Alienação mental,* estado de uma pessoa cujas faculdades mentais estão alteradas a ponto de comprometer suas relações sociais; loucura. ● **Filos.** Situação do homem enquanto despojado daquilo que constitui seu ser essencial, sua razão de ser, de viver.

alienado *adj.* (lat. *alienatus*). **1.** Que perdeu a razão; louco. **2.** Absorto, extasiado. **3.** Transferido, cedido. ★ *s.m.* Pessoa que sofre de alienação mental.

alienar *v.t.* (lat. *alienare*) [conj. 4]. **1.** Transferir uma propriedade a outrem; vender, doar. **2.** Desviar, afastar. ★ *v.t.* e *v.pr.* **1.** Perturbar(-se). **2.** Separar(-se), alhear(-se). ★ *v.pr.* **1.** Mostrar-se indiferente a certos assuntos. **2.** Enlouquecer.

alienígena *adj.2g.* (lat. *alienigena*). Estrangeiro, estranho.

alienista *adj.2g.* e *s.2g.* Diz-se de ou especialista em tratamento de alienados.

alifático *adj.* Sin. de ACÍCLICO.

aligátor *s.m.* (ingl. *alligator*). Réptil crocodiliano da América, que atinge até 5 m de comprimento e tem o focinho mais largo e mais curto que os crocodilos e jacarés.

aligeirar *v.t.* (conj. 4). **1.** Tornar ligeiro; apressar. **2.** Tornar leve. **3.** *Fig.* Aliviar, abrandar.

alijar *v.t.* (lat. *alleviare*) [conj. 4]. **1.** Livrar-se de, desembaraçar-se de. **2.** Aliviar a carga de uma embarcação. **3.** *Fig.* Arremessar, expulsar, eliminar. ★ *v.pr.* Desvencilhar-se, desembaraçar-se.

alimária *s.f.* (lat. *animalia*). **1.** Animal irracional, cavalgadura. **2.** *Fig.* Pessoa estúpida e grosseira.

alimentação *s.f.* **1.** Ato ou ação de alimentar (-se). **2.** Aprovisionamento, abastecimento. ● **Arm.** Conjunto de operações que levam a munição à posição de disparo. **Eletr.** Fornecimento de energia necessária ao funcionamento de um circuito elétrico ou eletrônico.

alimentar[1] *adj.2g.* **1.** Relativo aos alimentos. **2.** Alimentício; próprio para a alimentação. ● **Ecol.** *Cadeia alimentar,* nos ecossistemas, seqüência representativa de uma série de espécies vivas, na qual a energia e a matéria são transferidas mediante a nutrição de uma espécie por outra.

alimentar[2] *v.t.* (conj. 4). **1.** Dar alimento; sustentar, nutrir, manter. **2.** Abastecer, prover do necessário ao funcionamento. **3.** *Fig.* Fazer durar, incentivar. **4.** Atear. ★ *v.pr.* Sustentar-se, nutrir-se.

alimentício *adj.* Relativo a alimento, que alimenta; nutritivo. ● **Dir.** *Pensão alimentícia,* a que se concede a alguém para seu sustento.

alimento *s.m.* (lat. *alimentum*). **1.** Denominação comum às substâncias que nutrem, sustentam os seres vivos. **2.** *Fig.* Aquilo que serve para desenvolver as faculdades intelectuais. ★ *s.m.pl.* **Dir.** Recursos necessários ao sustento, habitação, vestuário e educação de uma pessoa, a que se obrigam parentes de certo grau.

alimpar *v.t.*, *v.i.* e *v.pr.* (conj. 4). Tornar(-se) limpo; limpar(-se).

alindar *v.t.* e pr. (conj. 4). Tornar(-se) lindo.

alínea *s.f.* (lat. *a linea,* do começo da linha). **1.** Linha de um texto em que se abre parágrafo. **2.** Parágrafo. **3.** Cada uma das subdivisões de um artigo de lei ou regulamento.

alinhado *adj.* **1.** Posto em alinhamento. **2.** Vestido com esmero. **3.** Que tem linha, compostura, boas maneiras.

alinhamento *s.m.* **1.** Ato ou efeito de alinhar (-se). **2.** Estado daquilo que está em linha reta. **3.** Balizagem, marcação. ● **Ind. Gráf.** Disposição de linhas sucessivas em que um texto é alinhado verticalmente, em linha reta, segundo as margens.

alinhar *v.t.* e *v.pr.* (conj. 4). **1.** Dispor(-se) em linha reta. **2.** Enfileirar(-se), endireitar(-se). **3.** Embelezar-se, vestir-se com apuro. ★ *v.pr.* Filiar-se, aderir a um partido ou função política.

alinhavar *v.t.* (conj. 4). **1.** Ajustar ou coser com pontos largos o que depois tem de ser cosido com ponto miúdo. **2.** Pôr em ordem, preparar. **3.** Executar mal, rascunhar.

alinhavo *s.m.* Ato ou efeito de alinhavar.

aliquanta *adj.* e *s.f.* (lat. *aliquanta pars*). Que ou o que não está contido um exato número de vezes em um todo (p. ex., dois é uma parte aliquanta de nove). (Antôn. ALÍQUOTA.)

alíquota (quo ou co) *adj.* e *s.f.* (lat. *aliquot*). Que ou o que está contido um exato número de vezes em um todo (p. ex., três é uma parte alíquota de doze). (Antôn. ALIQUANTA.)

alisar *v.t.* (conj. 4). **1.** Tornar liso; aplainar. **2.** Pentear. **3.** Amaciar, suavizar. **4.** Afagar.

alísio *adj.* e *s.m.* Diz-se de ou vento regular que sopra constantemente sobre quase uma terça parte da superfície do globo, nas baixas latitudes.

alistamento *s.m.* **1.** Ato ou efeito de alistar(-se). **2.** Arrolamento. **3.** Recrutamento para o serviço militar.

alistar *v.t.* (conj. 4). **1.** Arrolar, inventariar, registrar. **2.** Recrutar para o serviço militar. ★ *v.pr.* Inscrever-se nas Forças Armadas.

aliteração *s.f.* Repetição de um ou mais fonemas no início, meio ou fim de palavras de um verso ou de uma frase.

aliviar *v.t.* (lat. *alleviare*) [conj. 16]. **1.** Diminuir o peso, tornar mais leve. **2.** Mitigar, abrandar, minorar. **3.** Serenar, tranqüilizar. **4.** *Pop.* Furtar, roubar. ★ *v.i.* Diminuir de intensidade, abrandar. ★ *v.pr.* Distrair-se, livrar-se.

alívio *s.m.* **1.** Diminuição de peso, carga, dor, ansiedade etc. **2.** Consolo. **3.** Descanso, repouso, folga.

aljava *s.f.* (ár. *al-ja'aba*). Bolsa ou estojo que se usava pendente do ombro, em que se guardavam as flechas.

aljôfar ou **aljofre** (ô) *s.m.* (ár. *al-juHar,* jóia). **1.** Pérola pequena. **2.** Gotas de água; orvalho.

alma *s.f.* (lat. *anima,* sopro, ar). **1.** Princípio imaterial de vida. **2.** A parte emocional da vida humana. **3.** A parte essencial de um ser. **4.** Ser humano, pessoa viva, habitante. **5.** O que anima um empreendimento, uma ação. **6.** Expressão, animação, vida. ● **Arm.** O interior do cano de armas de fogo. **Eletr.** Parte central metálica de um condutor, por onde passa a corrente.

almácega *s.f.* (ár. *al-maçTaka*). Tanque pequeno destinado a receber água de chuva.

almaço *adj.* e *s.m.* Diz-se de ou papel, tamanho ofício, de folha dupla, geralmente pautado.

almagra *s.f.* ou **almagre** *s.m.* (ár. *al-magra*). Argila ocre-avermelhada utilizada em pintura.

almanaque *s.m.* (ár. *al-manack*). Publicação que contém calendário e informações variadas.

almeirão *s.m.* (ár. *al-miron*). Planta hortícola de gosto amargo, cultivada em várias regiões do mundo. (Sin. CHICÓRIA-AMARGA, CHICÓRIA-CATALONHA.)

almejar *v.t.* (conj. 4). Desejar ardentemente; ansiar. ★ *v.i.* Estar moribundo, agonizar.

almejo (ê) *s.m.* Desejo veemente.

almirantado *s.m.* **1.** Posto de almirante. **2.** Corpo de almirantes que constitui o alto comando da Marinha de Guerra.

almirante *s.m.* **1.** Posto máximo da Marinha de Guerra brasileira, preenchido apenas em tempo de guerra. **2.** Pessoa que ocupa esse posto.

almirante-de-esquadra *s.m.* **1.** Posto máximo da Marinha de Guerra brasileira em tempo de paz. **2.** Pessoa que ocupa esse posto.

almíscar *s.m.* (ár. *al-misk*). **1.** Líquido de odor penetrante e persistente, secretado por uma glândula abdominal ou perianal de vários mamíferos, usado em perfumaria. **2.** Arbusto grande de flores brancas, que fornece madeira escura e resina balsâmica usada em farmácia e perfumaria.

almiscarar *v.t.* e *v.pr.* (conj. 4). **1.** Perfumar(-se) com almíscar. **2.** Perfumar(-se) excessivamente.

almoçar *v.i.* (conj. 13). Tomar o almoço. ★ *v.t.* Comer ao almoço.

almoço (ô) *s.m.* **1.** Refeição substancial, entre o desjejum e o jantar. **2.** Os pratos que constituem essa refeição.

almocreve *s.m.* (ár. *al-mukari*). Aquele que aluga e conduz animais de carga.

almofada *s.f.* (ár. *al-muhadda*). Espécie de saco fechado, com matéria mole ou elástica (algodão, penas, espuma de plástico), que serve de encosto, assento, ornato etc.; coxim.

almofadinha *s.f.* Pequena almofada em que se pregam alfinetes. ★ *adj.* e *s.m.* *Ant.* Diz-se de ou rapaz extremamente bem vestido; janota.

almofariz *s.m.* (ár. *al-miharas*). Vaso de metal, madeira ou pedra em que se trituram medicamentos ou alimentos; gral, pilão.

almôndega *s.f.* (ár. *al-bundqâ*). Bolinho de carne moída, ovos, farinha de trigo e temperos.

almotolia *s.f.* (ár. *al-motoliia*). Pequeno recipiente metálico com um tubo longo e afilado, que contém óleo e é utilizado na lubrificação de mecanismos.

almoxarifado *s.m.* **1.** Serviço que, numa empresa ou instituição, é incumbido de fornecer os materiais necessários a todos os demais setores. **2.** Depósito de materiais e objetos de um estabelecimento.

almoxarife *s.2g.* (ár. *al-muxrif*). Funcionário responsável pelo almoxarifado.

almuadem *s.m.* Aquele que, do alto do minarete, chama os muçulmanos para a oração; muezim.

alô (ingl. *hallo*) *interj.* Empregada como saudação, principalmente na comunicação telefônica. ★ *s.m.* Cumprimento, saudação.

alocação *s.f.* Ato ou efeito de alocar (recursos, verbas).

alocar *v.t.* (conj. 12). **1.** Colocar em determinado lugar. **2.** Destinar (verbas, recursos) a um fim específico ou a uma entidade.

alóctone *adj.2g.* **1.** Que não é originário do país ou região em que habita. **2.** Diz-se de uma espécie animal ou vegetal de aparecimento recente em uma região. ★ *s.m.* O solo que recebeu materiais de outras regiões.

alocução *s.f.* (lat. *allocutio*). Discurso muito breve, de caráter oficial, pronunciado em público.

áloe *s.2g.* ou **aloés** *s.m.2n.* (gr. *aloe*). Babosa.

alogia *s.f.* (gr. *alogia*). Ausência de lógica; absurdo, contrasenso, disparate.

alógico *adj.* Que dispensa demonstração ou prova; evidente. ● **Filos.** Diz-se do pensamento que não tem determinações lógicas.

aloirar *v.t.* e *v.pr.* (conj. 4). Alourar(-se).

alojamento *s.m.* **1.** Ato ou efeito de alojar. **2.** Lugar em que se acomodam os internos de um colégio, hospital; acomodação. **3.** Local em que se arranjam objetos. **4.** Local em que se aquartelam tropas em campanha, em trânsito etc. **5.** Nome comum dado aos compartimentos do navio onde se acomoda a tripulação.

alojar *v.t.* (conj. 4). **1.** Acomodar alguém por algum tempo ou permanentemente; hospedar. **2.** Abrigar, acolher. **3.** Depositar, instalar. ★ *v.pr.* Hospedar-se, agasalhar-se.

alongamento *s.m.* **1.** Ato ou efeito de alongar(-se). **2.** Prolongamento. **3.** Demora, tardança. **4.** Ginástica para alongar os músculos.

alongar *v.t.* (conj. 14). **1.** Tornar mais longo. **2.** Desdobrar, estender. **3.** Aumentar a duração de; prolongar. ★ *v.pr.* **1.** Estender-se, prolongar-se. **2.** Afastar-se, retirar-se de.

alopata ou **alópata** *adj.2g.* e *s.2g.* (fr. *allopathe*). Diz-se de ou médico que pratica a alopatia.

alopatia *s.f.* (fr. *allopathie*). Método de tratamento que utiliza medicamentos com efeitos contrários à doença. (Cf. HOMEOPATIA.)

alopático *adj.* Relativo à alopatia.

alopatria *s.f.* Condição natural em que duas populações animais ou vegetais ocupam locais geograficamente distintos.

alopecia *s.f.* (gr. *alopekia*). Queda ou ausência de pêlos e de cabelos.

alotropia *s.f.* Propriedade de certas substâncias, como o carbono e o fósforo, de se apresentar sob diversas formas e com propriedades físicas diferentes.

alótropo *adj.* e *s.m.* Diz-se de ou variedade alotrópica de um elemento químico.

aloucado *adj.* Amalucado, sem muito juízo.

alourar *v.t.* e *v.pr.* (conj. 4). Tornar(-se) louro; aloirar(-se).

alpaca[1] *s.f.* (quíchua *paco*, pelo esp. *alpaca*). **1.** Mamífero ruminante criado no Peru e na Bolívia para aproveitamento do pêlo longo e sedoso. **2.** Tecido feito com a lã deste animal. **3.** Sin. de LHAMA.

alpaca[2] *s.f.* **1.** Liga metálica de cobre, zinco, níquel e prata, também chamada metal branco. **2.** *Prata de alpaca,* metal branco prateado galvanicamente, empregado na fabricação de talheres e objetos de arte.

alpargata ou **alparcata** *s.f.* (ár. *al-pargat*). **1.** Sandália de couro que se prende ao pé por meio de correias. **2.** Calçado de pano com sola de corda.

alpendrado *adj.* **1.** Que tem alpendre. **2.** Em forma de alpendre.

alpendre *s.m.* **1.** Telhado inclinado, de uma só água, com a parte mais baixa apoiada em pilastras ou colunas e a mais alta encostada à parede de um prédio. **2.** Varanda.

alpestre *adj.2g.* (lat. *alpestris*). **1.** Alpino. **2.** Rústico, grosseiro.

alpinismo *s.m.* Esporte que consiste em escalar rochas e montanhas; montanhismo.

alpinista *adj.2g.* e *s.2g.* Que ou aquele que pratica o alpinismo.

alpino *adj.* (lat. *alpinus*). **1.** Relativo ou pertencente aos Alpes; alpestre. **2.** Relativo aos movimentos orogênicos do terciário e às formas de relevo que eles produziram.

alpiste *s.m.* (esp. *alpiste*). Gramínea cujos grãos são utilizados como alimento para pássaros de estimação.

alporque *s.m.* Sin. de MERGULHÃO[1].

alquebrar *v.t.* (conj. 4). **1.** Curvar, quebrar. **2.** Enfraquecer, abater. ★ *v.i.* Descair, debilitar-se.

alqueire *s.m.* (ár. *al-kail*). Medida de terra equivalente, em Minas Gerais, Rio de Janeiro e Goiás, a 4,84 hectares (*alqueire mineiro*) e, em São Paulo, a 2,42 hectares (*alqueire paulista*).

alquimia *s.f.* (ár. *al-kimiya*). Ciência hermética da Antiguidade e Idade Média cujo objetivo era, através da pedra filosofal, transmutar metais em ouro e obter o elixir da longa vida, ou panacéia universal.

alquímico[1] *adj.* Relativo à alquimia.

alquímico[2] *s.2g.* Praticante da alquimia.

alquimista *s.2g.* Praticante da alquimia.

alta *s.f.* **1.** Elevação de preços, de cotação de títulos. **2.** Ordem médica que dá por terminado um tratamento ou uma internação hospitalar. **3.** Volta ao serviço, principalmente de militar, depois de um período de afastamento por licença.

alta-fidelidade *s.f.* Técnica que permite a gravação e reprodução de sons sem distorções consideráveis.

altaico *adj.* Relativo ou pertencente ao Altai (Ásia Central).

altaneiro *adj.* (esp. *altanero*). **1.** Que se eleva muito. **2.** Altivo, soberbo, orgulhoso.

altar *s.m.* (lat. *altare*). **1.** Mesa ou balcão de pedra ou madeira para celebração dos cultos religiosos. **2.** *Fig.* A religião, a Igreja. **3.** Objeto santo, venerável, digno de culto.

altar-mor *s.m.* Altar principal de uma igreja, colocado em frente à nave central.

alta-roda *s.f.* Alta sociedade.

altazímute ou **altazimute** *s.m.* **1.** Instrumento óptico que permite a medição simultânea da altura e do azimute de um astro. **2.** Sin. de TEODOLITO.

altear *v.t.* (conj. 15). **1.** Aumentar a altura de; tornar mais alto. **2.** Aumentar (preços ou valor). **3.** Elevar, erguer. ★ *v.i.* e *v.pr.* Crescer, avultar, elevar-se.

alteração *s.f.* (lat. *alteratio*). **1.** Ato ou efeito de alterar(-se). **2.** Mudança, modificação. **3.** Falsificação. **4.** Passagem do estado normal para outro; perturbação. **5.** Alvoroço, agitação, confusão.

alterar *v.t.* (lat. *alterare*) [conj. 4]. **1.** Mudar, modificar. **2.** Falsificar. ★ *v.t.* e *v.pr.* **1.** Inquietar(-se), perturbar(-se). **2.** Agitar(-se), alvoroçar(-se).

altercação *s.f.* (lat. *altercatio*). **1.** Discussão acalorada; polêmica. **2.** Querela breve, súbita e violenta; bate-boca.

altercar *v.t.* (lat. *altercare*) [conj. 12]. Discutir, debater acaloradamente. ★ *v.t.* e *v.i.* Polemizar, travar polêmica.

alternação *s.f.* Alternância, revezamento.

alternado *adj.* **1.** Diz-se das coisas que se revezam em sucessão, ora uma, ora outra. **2.** Que apresenta alternância. **3.** Diz-se de uma corrente elétrica que apresenta inversões de sentido no fluxo de elétrons. **4.** Diz-se das rimas que se repetem sempre na mesma ordem, em seqüências de mais de dois versos.

alternador (ô) *adj.* Que alterna. ★ *s.m.* Dispositivo elétrico que produz tensões e correntes alternadas.

alternância *s.f.* **1.** Ação de alternar. **2.** Repetição de dois motivos diferentes, sempre na mesma ordem. **3.** Intercalação, interpolação.

alternar *v.t.* (lat. *alternare*) [conj. 4]. Fazer suceder repetida e regularmente; revezar. ★ *v.i.* Suceder, aparecer intercaladamente. ★ *v.pr.* Mostrar-se alternadamente.

alternativa *s.f.* **1.** Sucessão de coisas que se repetem com alternação. **2.** Escolha entre duas possibilidades. ● **Lóg.** Sistema de duas proposições em que a verdade de uma resulta na falsidade da outra, e vice-versa.

alternativo *adj.* **1.** Que se diz ou faz com alternância. **2.** Que permite escolha. ● **Sociol.** Diz-se de pessoas, comunidades etc. que buscam gêneros de vida diferentes dos impostos pelas sociedades industriais contemporâneas.

alterno *adj.* Diz-se de ângulos situados em lados diferentes da secante que corta duas retas.

alteroso (ô) *adj.* **1.** De grande altura. **2.** Majestoso, imponente.

alteza[1] (ê) *s.f.* **1.** Qualidade do que é alto. **2.** Nobreza, sublimidade.

alteza[2] (ê) *s.f.* Tratamento dado a príncipes.

altímetro *s.m.* Instrumento para medir as altitudes.

altiplano *s.m.* Sin. de PLANALTO.

ALTIPLANO ▸ Na América do Sul, utiliza-se a palavra *altiplano* para designar a região compreendida entre as encostas ocidental e oriental dos Andes centrais. Essa zona se estende por parte da Argentina, Bolívia, Chile e Peru. A região mantém fortes elementos da cultura indígena original.

---

altissonante *adj.2g.* **1.** Que soa muito alto; altíssono. **2.** Pomposo.

altíssono *adj.* Altissonante.

altista[1] *adj.2g.* e *s.2g.* Diz-se de ou pessoa que eleva o preço das mercadorias ou especula com a alta do câmbio. (Cf. AUTISTA.)

altista[2] *s.2g.* **1.** Aquele cuja voz tem as características de contralto. **2.** Aquele que toca a viola.

altitude *s.f.* (fr. *altitude*). Elevação vertical de um ponto acima do nível do mar.

altivez (ê) *s.f.* Qualidade do que é altivo.

altivo *adj.* Nobre, brioso, digno.

alto[1] *adj.* (lat. *altus*). **1.** De grande extensão vertical; elevado. **2.** Levantado, erguido. **3.** Que está acima ou na parte de cima. **4.** Excelso, eminente, insigne. **5.** Intenso, forte. **6.** Grande, importante. **7.** Excessivo, exagerado. **8.** Que está no grau máximo. **9.** *Pop.* Embriagado. ★ *s.m.* **1.** O que está na parte de cima. **2.** Cume, cimo, topo. **3.** *Fig.* O céu. ★ *adv.* **1.** A grande altura. **2.** Em voz alta. **3.** *Por alto,* sem preocupação com exatidão; superficialmente.

alto[2] (al. *Halt*). *interj.* Empregada para ordenar suspensão da marcha, parada. ► *Alto lá,* alto.

alto-cúmulo *s.m.* Conjunto de nuvens médias a c. 4.000 m, dispostas em grandes flocos mais ou menos espaçados.

alto-falante *s.m.* Aparelho que converte variações de corrente elétrica em sons audíveis e os irradia no espaço circundante.

alto-forno *s.m.* **1.** Forno para reduzir minérios de ferro a metal fundido. **2.** Usina onde funcionam fornos deste tipo.

alto-mar *s.m.* Região do mar afastada da costa, fora dos limites de águas territoriais.

alto-relevo (ê) *s.m.* Ornato ou figura esculpida em saliência ou sobre um plano de fundo de pedra, metal ou madeira, do qual se sobressai mais do que a metade. (V.tb. BAIXO-RELEVO.)

altruísmo *s.m.* (fr. *altruisme*). **1.** Amor desinteressado ao próximo. **2.** Desprendimento, abnegação. **3.** Filantropia, beneficência.

altruísta *adj.2g.* e *s.2g.* Que ou aquele que demonstra altruísmo.

altura *s.f.* **1.** Qualidade do que é alto. **2.** Dimensão vertical de um corpo. **3.** Lugar elevado, eminência, monte. **4.** Momento, ocasião. **5.** Céu, firmamento. **6.** Intensidade de uma onda sonora. ● **Geom.** Em um triângulo ou em certas figuras geométricas, perpendicular traçada do vértice ao lado ou face opostos; comprimento dessa perpendicular.

aluá *s.m.* Bebida refrigerante feita de farinha de milho ou arroz ou casca de abacaxi fermentado com açúcar e água.

aluado *adj.* **1.** Influenciado pela Lua; lunático, doido. **2.** Diz-se do animal que está no cio.

alucinação *s.f.* (lat. *alucinationis*). **1.** Delírio, desvairio. **2.** Ilusão, visão. **3.** Arrebatamento, deslumbramento, alheação. ● **Psiq.** Percepção sem objeto mas muito convincente para quem a experimenta.

alucinado *adj.* e *s.m.* Que ou aquele que sofre de alucinações.

alucinar *v.t.* (conj. 4) **1.** Privar do entendimento, da razão; desvairar. **2.** Levar à alucinação. **3.** Deslumbrar, arrebatar. ★ *v.i.* **1.** Causar alucinação. **2.** Ter alucinações. ★ *v.pr.* Perder a razão, o entendimento.

alucinógeno *adj.* e *s.m.* Diz-se de ou substância psicodisléptica que provoca artificialmente alucinações.

alude *s.m.* (esp. *alud*). Massa de neve que se precipita do alto da montanha; avalancha.

aludir *v.t.* (lat. *alludere*) [conj. 6]. Fazer alusão; referir indiretamente.

alugar *v.t.* (lat. *locare*) [conj. 14]. Dar, tomar em aluguel.

aluguel *s.m.* **1.** Cessão de uso e gozo de um imóvel, objeto, animal ou veículo por tempo e pagamento determinados. **2.** O que se recebe em troca dessa cessão. (Var. ALUGUER.)

aluguer *s.m.* Var. de ALUGUEL.

aluído *adj.* Abalado, desmoronado.

aluir *v.t.* (lat. *alludere*) [conj. 74]. **1.** Fazer vacilar; abalar. **2.** Derrubar. ★ *v.i.* Ameaçar ruir ou desmoronar; oscilar.

alumbramento *s.m.* **1.** Iluminação, deslumbramento. **2.** Inspiração sobrenatural.

alumbrar *v.t.* e *v.pr.* (esp. *alumbrar*) [conj. 4]. Iluminar(-se), inspirar(-se), deslumbrar(-se).

alume ou **alúmen** *s.m.* (lat. *alumen*). Sulfato duplo de alumínio e potássio, ou composto análogo com propriedades adstringentes; pedra-ume, ume.

alumiar *v.t.* e *v.i.* (conj. 16). Iluminar.

alumina *s.f.* **1.** Óxido de alumínio que constitui certo número de pedras preciosas, como o rubi e a safira. ● **Miner.** *Alumina hidratada,* bauxita.

alumínio *s.m.* (lat. cient. *aluminium*). Elemento químico (símb. Al) de número atômico 13, que constitui um metal leve e maleável, de vasta aplicação industrial.

alunissar *v.i.* (conj. 4). Pousar na Lua.

aluno *s.m.* (lat. *alumnus*). Aquele que recebe ensino em estabelecimento escolar.

alusão *s.f.* (b.-lat. *allusio,* jogo ou jogo de palavras). **1.** Ação de aludir. **2.** Palavra, frase que evoca algo sem nomeá-lo diretamente.

alusivo *adj.* (fr. *allusif*). Que contém alusão.

aluvial *adj.2g.* Diz-se de um terreno constituído por aluviões ou gerado por processos de aluvionamento. (Sin. ALUVIONÁRIO.)

aluvião *s.2g.* (fr. *alluvion*). **1.** Depósito de matérias orgânicas e inorgânicas deixado pelas águas. **2.** Acúmulo de areia, cascalho ou argila que se forma junto à margem do rio, com o trabalho anterior da erosão em outro local. **3.** Enxurrada, enchente. ● **Dir.** Acréscimo da propriedade pelo recuo sucessivo do mar.

aluvionamento *s.m.* Formação de aluviões.

aluvionário *adj.* Sin. de ALUVIAL.

alva[1] *s.f.* (lat. *alba*). **1.** Primeira claridade do dia; alvor. **2.** Composição poética, de origem provençal, cujo tema era uma cena ocorrida ao amanhecer. (Var. ALBA.)

alva[2] *s.f.* Longa vestidura branca usada pelos padres para a celebração de ofícios litúrgicos.

alvacento *adj.* Quase branco; alvadio.

alvadio *adj.* Alvacento.

alvaiade *s.m.* (ár. *al-baiad*). Nome usual do hidrocarbonato básico de chumbo; cerusa, cerusita, branco de chumbo.

alvará *s.m.* (ár. *al-baraá*). Documento passado por autoridade judiciária ou administrativa a favor de alguém, certificando, autorizando, aprovando ou confirmando algum ato, estado ou direito.

alvarenga *s.f.* Embarcação para carga e descarga de navios.

A B C D E F G H I J K L M N O P Q R S T U V W X Y Z

alvedrio *s.m.* Arbítrio.

alveitar *s.m.* (ár. *al-baitar*). Indivíduo que, sem ser veterinário, trata de doenças de animais.

alvejante *adj.2g.* e *s.m.* Que ou o que alveja, descora.

alvejar[1] *v.t.* (conj. 4). Tomar como alvo.

alvejar[2] *v.t.* (conj. 4). Tornar branco; descorar. ★ *v.i.* Branquejar.

alvenaria *s.f.* (ár. vulg. *al-banni*). **1.** Obra composta de materiais (pedra de cantaria, tijolos etc.) ligados ou não por um aglomerante (argamassa, gesso, cimento etc.). **2.** Conjunto de elementos que entram na composição de paredes, muros, alicerces. **3.** Pedra tosca, sem acabamento. **4.** Ofício de pedreiro.

álveo *s.m.* (lat. *alveus*). **1.** Leito de rio. **2.** Sulco, escavação, canal.

alveolar *adj.2g.* **1.** Relativo ou pertencente aos alvéolos. **2.** Em forma de alvéolo. ● **Fon.** Diz-se de uma consoante articulada com a ponta da língua ao nível dos alvéolos dentários superiores; ápico-alveolar.

alvéolo *s.m.* (lat. *alveolus*). **1.** Pequena cavidade. **2.** Célula do favo das abelhas ou das vespas, destinada a receber tanto o ovo como, nos favos de abelhas, o mel. ● **Anat.** *Alvéolo dentário,* cada uma das cavidades dos maxilares onde estão implantadas as raízes dos dentes. ► *Alvéolo pulmonar,* cada uma das pequenas cavidades do parênquima pulmonar onde se efetuam as trocas gasosas da respiração. **Bot.** Pequena cavidade, limitada por paredes retas, existente em alguns fungos, polens, sementes, receptáculos.

ALVÉOLO PULMONAR

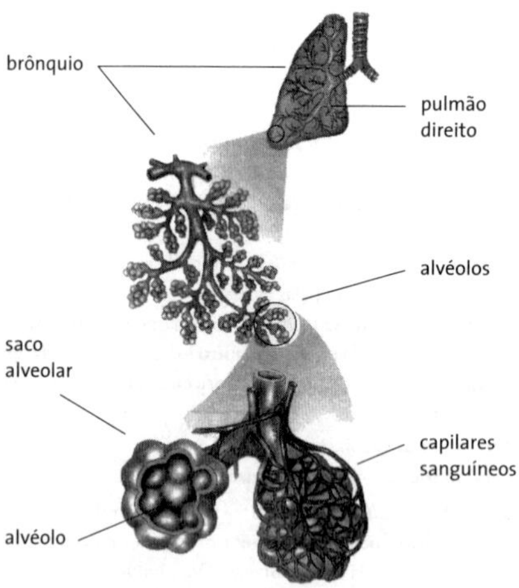

alvião *s.m.* Espécie de picareta; enxadão.

alvinegro *adj.* Branco e negro.

alvinitente *adj.2g.* Branco imaculado.

alvirrubro *adj.* Branco e vermelho.

alvíssaras *s.f.pl.* (ár. *al-bixara*). Prêmio que se dá a quem traz boas notícias ou entrega coisa perdida ao dono. ★ *interj.* Expressão com que se saúdam boas notícias.

alvissareiro *adj.* e *s.m.* Que ou aquele que anuncia boas novas, que dá ou promete alvíssaras. ★ *adj.* Auspicioso, promissor.

alvitrar *v.t.* (conj. 4). Propor, sugerir, aconselhar, lembrar.

alvitre *s.m.* (lat. *arbitrium*). Opinião, parecer, conselho.

alvo *s.m.* (lat. *albus*). **1.** Qualquer ponto em que se procura acertar com tiro. **2.** *Fig.* Objetivo, fim, meta. **3.** *Fig.* Objeto, motivo, assunto. ★ *adj.* e *s.m.* Branco.

alvor (ô) *s.m.* (lat. *albor*). **1.** Claridade fraca ou efêmera. **2.** Alva.

alvorada *s.f.* **1.** Crepúsculo matutino; antemanhã, madrugada. **2.** Canto das aves, ao nascer do dia. **3.** Qualquer toque de música que se faz de madrugada; matinada. **4.** *Fig.* Juventude, mocidade.

alvorecer *v.i.* (conj. 25). **1.** Surgir o dia; amanhecer. **2.** *Fig.* Aparecer, surgir. ★ *s.m.* O romper do dia.

alvoroçar *v.t.* e *v.pr.* (conj. 13). **1.** Agitar(-se), amotinar(-se), sublevar(-se). **2.** Inquietar(-se), sobressaltar(-se), assustar(-se). **3.** Alegrar(-se), entusiasmar(-se).

alvoroço (ô) *s.m.* (ár. *al-buruz*). **1.** Agitação, tumulto, revolta. **2.** Pressa, entusiasmo, sobressalto. **3.** Gritaria, confusão, algazarra.

alvura *s.f.* **1.** Brancura. **2.** *Fig.* Pureza, inocência, candura.

Am símbolo químico do amerício.

ama *s.f.* **1.** Doméstica que tem a seu encargo as crianças; ama-seca. **2.** Mulher que amamenta, mediante ajuste, criança alheia. **3.** A dona da casa em relação aos criados.

amabilidade *s.f.* (lat. *amabilitas*). Qualidade de amável.

amaciamento *s.m.* Ato ou efeito de amaciar. ● **Mec.** Funcionamento, temporário e limitado, abaixo do desempenho nominal de uma máquina ou do motor (novo ou retificado) de um veículo.

amaciante *s.m.* Substância orgânica utilizada no processo de acabamento ou ao final da lavagem, a fim de tornar os materiais têxteis mais suaves ao toque.

amaciar *v.t.* (conj. 16). Tornar macio. ★ *v.pr.* Acalmar-se, serenar.

amada *s.f.* Mulher a quem se ama.

amado *adj.* e *s.m.* (lat. *amatus*). Que ou o que é objeto de amor.

amador (ô) *adj.* e *s.m.* (lat. *amator*). **1.** Que ou aquele que pratica qualquer arte ou esporte, sem ser um profissional. **2.** Amante. **3.** Que é feito por amador.

amadorismo *s.m.* **1.** Qualidade de amador. **2.** Regime ou prática oposta ao profissionalismo. **3.** Falta de técnica adequada à realização de um trabalho.

amadrinhar *v.t.* (conj. 4). **1.** Servir de madrinha; paraninfar. **2.** Proteger. **3.** *(S)* Emparelhar (cavalo) com égua ou burro. **4.** Habituar (os muares) a seguir a égua madrinha. **5.** Seguir em animal manso o animal bravo que está sendo domado.

amadurecer *v.t., v.i.* e *v.pr.* (conj. 25). **1.** Tornar(-se) maduro; maturar, sazonar. **2.** Aprimorar (-se), aperfeiçoar(-se). ★ *v.t.* **1.** Tornar (alguém) experiente, refletido, ponderado. **2.** Refletir longamente sobre; ponderar.

âmago *s.m.* **1.** Cerne, durame. **2.** A parte mais íntima; essência, alma.

amainar *v.t.* (conj. 4). **1.** Colher (as velas). **2.** Abrandar, acalmar, sossegar. ★ *v.i.* Diminuir, serenar.

amaldiçoado *adj.* e *s.m.* Maldito.

amaldiçoar *v.t.* (conj. 20). **1.** Deitar maldição; blasfemar, maldizer, maldiçoar. **2.** Condenar, reprovar, execrar.

amálgama *s.2g.* (lat. *amalgama*). **1.** Mistura de elementos heterogêneos. **2.** Designação genérica de ligas metálicas de mercúrio com outro metal. **3.** *Fig.* Mistura de pessoas ou coisas heterogêneas; confusão.

amalgamar *v.t.* (conj. 4). **1.** Fazer amálgama. **2.** *Fig.* Juntar, misturar. ★ *v.pr.* Combinar-se, juntar-se.

amalucar *v.i.* e *v.pr.* (conj. 12). Tornar-se maluco.

amamentação *s.f.* Ato ou efeito de amamentar.

AMAMENTAÇÃO ▸ Todos os animais mamíferos amamentam seus filhos. Para isso, servem-se das glândulas mamárias, que produzem o leite, líquido essencial para o desenvolvimento dos bebês. Além disso, o ato de amamentar cria um laço entre mãe e filho, o que dá início à vida social.

---

amamentadeira *adj.* e *s.f.* Diz-se de ou mulher que amamenta.

amamentar *v.t.* (conj. 4). **1.** Dar de mamar; aleitar. **2.** *Fig.* Alimentar, nutrir, sustentar.

amancebado *adj.* Amigado, amasiado. ★ *s.m.* Amante.

amancebar-se *v.pr.* (conj. 7). Viver em estado de casado sem o ser; amigar-se, amasiar-se.

amaneirado *adj.* **1.** Exagerado em suas maneiras. **2.** *Fig.* Rebuscado.

amanhã *adv.* **1.** No dia seguinte ao presente. **2.** No futuro, futuramente, mais tarde. ★ *s.m.* **1.** O dia seguinte. **2.** O futuro, o porvir.

amanhar *v.t.* (conj. 4). **1.** Preparar, arranjar. **2.** Cultivar, preparar, tratar (a terra). ★ *v.pr.* Vestir-se, enfeitar-se.

amanhecer *v.i.* (conj. 25). **1.** Raiar, surgir o dia. **2.** Acordar, despertar. **3.** Estar ou encontrar-se ao romper do dia. ★ *s.m.* O alvorecer.

amanho *s.m.* **1.** Ato ou efeito de amanhar; preparo, arranjo. **2.** Cultivo, lavoura.

amansar *v.t.* (conj. 4). **1.** Tornar manso; domesticar. **2.** *Fig.* Apaziguar, sossegar, serenar. **3.** Aplacar, diminuir. ★ *v.pr.* Acalmar-se.

amante *adj.2g.* (lat. *amans*). **1.** Que ama, afetuoso. **2.** Cultor (das artes e ofícios); amador. ★ *s.2g.* **1.** Pessoa que ama, que aprecia. **2.** Pessoa que mantém com outra relações amorosas ilícitas; concubino. **3.** Namorado.

amanteigado *s.m.* Pequeno biscoito feito com manteiga.

amanteigar *v.t.* (conj. 14). **1.** Dar aspecto ou sabor de manteiga. **2.** Untar com manteiga. **3.** Abrandar, amaciar.

amanuense *adj.2g.* e *s.2g.* (lat. *amanuensis*). Copista, escrevente, escriturário.

amar *v.t.* (lat. *amare*) [conj. 4]. **1.** Ter amor, afeição, ternura, dedicação, devoção; querer bem. **2.** Estimar, gostar, apreciar. ★ *v.i.* Estar apaixonado. ★ *v.pr.* Praticar o ato sexual.

amaragem *s.f.* Amerissagem.

amaranto *s.m.* (gr. *amaranthos*). **1.** Planta de folhagem ornamental, originária de regiões quentes e temperadas. **2.** Corante nitrogenado utilizado para tingir de vermelho a lã e certos alimentos.

amarar *v.i.* (conj. 4). Amerissar.

amarelão *s.m.* Ancilostomíase, opilação.

amarelar *v.t.* e *v.pr.* (conj. 4). Tingir(-se) de amarelo, tornar(-se) amarelo; amarelecer.

amarelecer *v.t.* e *v.i.* (conj. 25). **1.** Amarelar. **2.** Empalidecer.

amarelento *adj.* Amarelado.

amarelinha *s.f.* Jogo infantil que consiste em pular num pé só sobre as casas de um tabuleiro riscado no chão.

amarelo *adj.* **1.** Que é de uma cor situada, no espectro solar, entre o verde e o alaranjado, e que é a do ouro, da gema do ovo etc. **2.** Pálido. **3.** Diz-se do riso forçado, contrafeito. **4.** Palidez doentia. ★ *s.m.* A cor amarela.

amarfanhar *v.t.* (conj. 4). **1.** Amachucar, amarrotar, amassar. **2.** *Fig.* Acabrunhar, abater, magoar.

amargar *v.t.* (lat. tard. *amaricare*). (conj. 14). **1.** Tornar amargo. **2.** *Fig.* Tornar desagradável, difícil, penoso. **3.** Sofrer, amargurar. ★ *v.i.* **1.** Ter sabor amargo. **2.** *Fig.* Ser desagradável; causar amargura.

amargo *adj.* **1.** De sabor semelhante ao do quinino, do fel, do absinto; amaro. **2.** De sabor desagradável; amargoso, acerbo, travoso, acre. **3.** *Fig.* Triste, difícil, penoso, doloroso. ★ *s.m.* **1.** O sabor amargo. **2.** (*RS*) Chimarrão.

amargor (ô) *s.m.* Qualidade do que é amargo; amargura.

amargoso (ô) *adj.* e *s.m.* Amargo.

amargura *s.f.* **1.** Amargor. **2.** Tristeza, angústia, aflição. **3.** Acerbidade, acrimônia, azedume. **4.** Sabor amargo.

amargurar *v.t.* (conj. 4). Causar amargura a.

amaricar-se *v.pr.* (conj. 12). Tornar-se maricas; efeminar-se.

amárico *s.m.* Língua oficial da Etiópia.

amarílis *s.f.2n.* (lat. *Amaryllis*, n.pr.) Planta ornamental, originária da África, de bulbo volumoso e flores grandes que variam do violeta ao branco.

amaro *adj.* Amargo.

amarra *s.f.* **1.** Corrente de ferro batido ligada à âncora para segurar o navio no fundeadouro; cabo ou corda que serve para tal fim. **2.** Qualquer corda ou corrente que serve para amarrar. **3.** *Fig.* Dependência, proteção. ● **Nav.** Antiga medida de comprimento aplicada aos cabos das âncoras, que servia para estimar as distâncias curtas. (Equivalia a 120 braças; com a adoção do sistema métrico, foi fixada em 200 metros).

amarração *s.f.* **1.** Ação de amarrar. **2.** Fixação por meio de amarras (de uma embarcação a uma estrutura fixa.) **3.** Conjunto destas amarras. **4.** Espécie de ancoradouro. **5.** *Pop.* Enleio amoroso. ● **Constr.** Sistema de assentamento em que as peças são dispostas de forma que o conjunto de uma construção tenha mais estabilidade.

amarrado *adj.* **1.** Que se amarrou. **2.** *Fig.* Preso, comprometido. **3.** *Fig.* Apreensivo, cuidadoso. **4.** *Pop.* Apaixonado, casado. ★ *s.m.* **1.** Cipoal. **2.** Embrulho em volume atado.

amarrar *v.t.* (fr. *amarrer*) [conj. 4]. **1.** Atar, prender com amarra. **2.** Prender, fixar. **3.** Dificultar, estorvar. **4.** *Fig.* Prender, empatar. ★ *v.pr.* **1.** Obstinar-se. **2.** *Pop.* Gostar muito.

amarrilho *s.m.* Linha ou corda que amarra alguma coisa.

amarrotar *v.t.* (conj. 4). Amarfanhar, amassar.

ama-seca *s.f.* Mulher encarregada de cuidar de crianças; ama, babá.

amasio *s.m.* Concubinato, mancebia.

amásio *s.m.* (lat. *amasius*). Indivíduo amasiado; amante.

amassadeira *s.f.* **1.** Aquela que amassa farinha para fazer pão. **2.** Máquina de amassar; amassador.

amassador (ô) *s.m.* **1.** Aquele que amassa, especialmente o pão nas padarias. **2.** Amassadeira.

amassadouro *s.m.* Recipiente onde se amassa manualmente o pão.

amassar *v.t.* (conj. 4). **1.** Converter em massa. **2.** Amolgar, achatar. **3.** Misturar, preparar. ★ *v.pr.* Misturar-se.

amasso *sm. Gír.* Um ou mais abraços apertados acompanhados de longos beijos.

amatilhar *v.t.* (conj. 4). **1.** Reunir em matilha. **2.** Agrupar, emparceirar. ★ *v.pr.* Arranchar-se, emparceirar-se (para fins negativos).

amável *adj.*2g (lat. *amabilis*). **1.** Digno de ser amado. **2.** Gentil, cortês. **3.** Agradável, delicado.

amavio *s.m.* **1.** Filtro que desperta o amor. **2.** Encanto, feitiço.

amazona *s.f.* (gr. *Amazon,* n.pr., pelo lat.). **1.** Mulher de caráter guerreiro e viril. **2.** Mulher que monta a cavalo. **3.** Traje feminino composto de jaqueta e saia longa, para montar.

amazonense *adj.2g.* Relativo ou pertencente ao Amazonas. ★ *s.2g.* Indivíduo natural ou habitante do Amazonas.

amazônico *adj.* Relativo à Amazônia ou ao rio Amazonas.

âmbar *s.m.* (ár. *anbar*). Resina fóssil do oligoceno, proveniente de coníferas, translúcida, dura e quebradiça, cuja cor varia do amarelo-pálido ao vermelho, encontrada principalmente no litoral do mar Báltico e utilizada em bijuteria, marcenaria etc. (Sin. ÂMBAR-AMARELO.)

âmbar-amarelo *s.m.* Sin de ÂMBAR.

âmbar-cinzento *s.m.* Concreção intestinal dos cachalotes, utilizada em perfumaria.

ambarino *adj.* **1.** Relativo ao âmbar. **2.** Que tem a cor e o cheiro do âmbar.

ambição *s.f.* (lat. *ambitio*). **1.** Desejo imoderado de glória, fortuna etc. **2.** Desejo, intenção. **3.** Aspiração, avidez, interesse.

ambicionar *v.t.* (conj. 4). Buscar com empenho; cobiçar.

ambicioso (ô) *adj.* (lat. *ambitiosus).* **1.** Que tem ambição. **2.** Ousado, audacioso. ★ *s.m.* Indivíduo ambicioso.

ambidestro (ê) *adj.* e *s.m.* Diz-se de alguém que utiliza uma ou outra mão, indiferentemente, com a mesma facilidade.

ambiência *s.f.* Ambiente.

ambientação *s.f.* Ato ou efeito de ambientar(-se).

ambiental *adj.2g.* **1.** Relativo ao ambiente ou ao meio ambiente. **2.** *Impacto ambiental,* impacto causado no meio ambiente pela introdução brusca, repetida ou contínua de elementos que o modificam.

ambientalista *adj.* e *s.2g.* Que ou aquele que se dedica a preservar o meio ambiente, evitando poluição, extinção de espécies ou outra forma de degradação ambiental.

ambientar *v.t.* (conj. 4). Criar ambiente favorável. ★ *v.pr.* Adaptar-se, integrar-se.

ambiente *adj.2g.* (lat. *ambiens).* **1.** Que está em volta de (pessoa ou coisa). ● **Ecol.** *Meio ambiente,* conjunto de fatores bióticos e abióticos que atuam sobre um organismo ou comunidade ecológica e que se relacionam com a sobrevivência de cada indivíduo ou espécie. ★ *s.m.* **1.** O meio em que se vive; o ar que se respira. **2.** Recinto, lugar, espaço. ● **Sociol.** Conjunto de condições externas, materiais e sociais, que envolve uma pessoa ou grupo de pessoas.

ambigüidade *s.f.* (lat. *ambiguitatis*). **1.** Caráter do que é ambíguo. **2.** Dúvida, irresolução. ● **Gram.** Sin. de ANFIBOLOGIA.

ambíguo *adj.* (lat. *ambiguus,* equívoco). **1.** Que apresenta duas naturezas diferentes. **2.** Que pode ser tomado em mais de um sentido. **3.** Incerto, duvidoso. **4.** Ininteligível, enigmático.

âmbito *s.m.* (lat. *ambitus*). **1.** Espaço compreendido dentro de certos limites. **2.** Área, campo. **3.** Recinto.

ambivalência *s.f.* Caráter daquilo que possui dois aspectos radicalmente diferentes ou mesmo opostos.

ambivalente *adj.2g.* Que apresenta ambivalência.

ambos *pron.* (lat. *ambo*). Um e outro; os dois.

ambrosia *s.f.* (gr. *ambrosia*). **1.** Manjar dos deuses do Olimpo, muito doce e capaz de dar e conservar a imortalidade. **2.** Comida ou bebida deliciosa. **3.** Doce feito com leite e ovos.

âmbula *s.f.* (lat. *ampulla*). Pequeno vaso de gargalo estreito e bojo largo e redondo.

âmbulacrário *adj. Pé ambulacrário,* pequeno tubo cuja extremidade constitui uma ventosa que serve à locomoção do ouriço-do-mar e outros equinodermos.

ambulância *s.f.* **1.** Veículo destinado ao transporte de doentes e feridos. **2.** Estado daquilo que é ambulante.

ambulante *adj.2g.* e *s.2g.* (lat. *ambulans*). Que ou aquele que se move de um lugar para outro; volante, ambulatório.

ambulatório *adj.* (lat. *ambulatorius*). Ambulante. ★ *s.m.* Local de uma clínica ou hospital onde são atendidos doentes sem gravidade e que não precisam ser internados.

ameaça *s.f.* (lat. *minacia*). **1.** Palavra ou gesto intimidativo. **2.** Promessa de castigo ou de malefícios. **3.** O que constitui perigo ou risco grave. **4.** Indício, prenúncio de doença, desgraça; ameaço.

ameaçar *v.t.* (conj. 13). **1.** Dirigir ameaças a. **2.** Anunciar malefícios, fazer medo. **3.** Pôr em perigo. **4.** Estar na iminência de.

ameaço *s.m.* Ameaça.

amealhar *v.t.* e *v.i.* (conj. 4). **1.** Juntar aos poucos; economizar, poupar. **2.** Dividir em pequenas porções.

ameba *s.f.* (lat. cient. *amoeba*). Protozoário que se movimenta por meio de pseudópodes e ocorre, normalmente, em ambientes aquáticos.

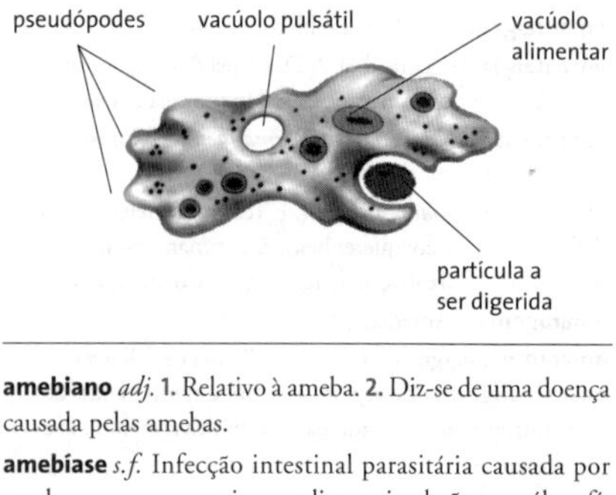

amebiano *adj.* **1.** Relativo à ameba. **2.** Diz-se de uma doença causada pelas amebas.

amebíase *s.f.* Infecção intestinal parasitária causada por amebas que se caracteriza por disenteria e lesões no cólon, fígado e baço.

amedrontar *v.t.* (conj. 4). Causar medo, assustar, atemorizar. ★ *v.pr.* Assustar-se.

ameia *s.f.* (lat. *mina*). Cada uma das partes salientes retangulares, separadas por intervalos iguais, que rematam muralhas, torres ou castelos.

ameigar *v.t.* (conj. 14). Acariciar, afagar, mimar. ★ *v.pr.* Tornar-se meigo.

amêijoa *s.f.* Molusco bivalve, de concha arredondada, muito apreciado como alimento. (Sin. CERNAMBI.)

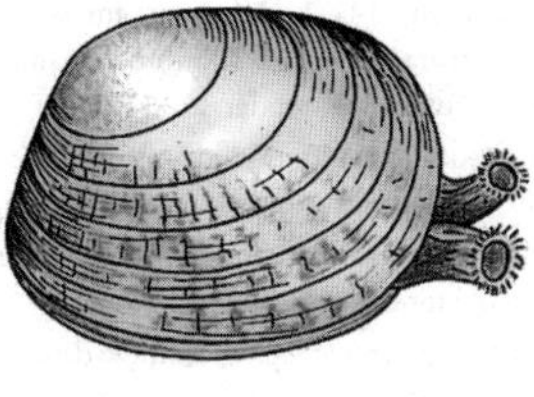

ameixa *s.f.* Fruto da ameixeira, de polpa doce e aderida ao caroço, que pode ser consumido *in natura,* seco ou em forma de doces.

ameixeira *s.f.* Árvore frutífera originária do Cáucaso e da Europa, de pequenas folhas redondas, cultivada em diversas regiões do mundo.

amém *interj.* (hebr. *amen,* pelo lat.). Assim seja! (Usada principalmente na conclusão de orações cristãs e judaicas.) ★ *s.m.* Concordância, anuência, consentimento.

amêndoa *s.f.* **1.** Fruto ou semente da amendoeira, comestível, rico em gordura e substâncias glucídicas. **2.** Óleo fornecido por essa semente.

amendoado *adj.* **1.** Em forma de amêndoa. **2.** Que contém amêndoas.

amendoeira *s.f.* Árvore frutífera originária da Ásia, cultivada por suas sementes, as amêndoas.

amendoim (o-i) *s.m.* (tupi *mãndu'bi,* com infl. de *amêndoa*). **1.** Planta herbácea originária do Brasil, cujos grãos, além de poderem ser consumidos crus ou torrados, fornecem um óleo muito utilizado em culinária. **2.** O grão dessa planta.

? VOCÊ SABIA...? O **amendoim** cresce debaixo da terra. Tem uma casca fina avermelhada e está encerrado numa casca reticulada amarelada.

amenidade *s.f.* **1.** Qualidade do que é ameno. **2.** Trivialidade.

ameninar *v.t.* (conj. 4). Dar aparência ou modos de menino a. ★ *v.pr.* Tomar aparência de menino.

amenizado *adj.* Tornado ameno.

amenizar *v.t.* e *v.pr.* (conj. 4). Tornar(-se) ameno; abrandar(-se), suavizar(-se).

ameno *adj.* (lat. *amoenus*). **1.** Agradável, aprazível. **2.** Suave, brando. **3.** Que não encerra preocupação.

amenorréia *s.f.* (fr. *amenorrhée*). Ausência de menstruação.

amensalismo *s.m.* **Ecol.** Tipo de interação entre duas populações de espécies diferentes na qual o crescimento e a sobrevivência de uma espécie são inibidos, enquanto a outra espécie não é afetada.

amercear *v.t.* (conj. 15). Conceder mercê a. ★ *v.pr.* Apiedar-se, compadecer-se, condoer-se.

americanismo *s.m.* **1.** Admiração e imitação das coisas e da vida da América, especialmente dos Estados Unidos. **2.** Tudo o que se refere à cultura, tradição e instituições do continente americano.

americanizar *v.t.* (conj. 4). Dar caráter americano a. ★ *v.pr.* Tomar modos e costumes americanos.

americano *adj.* **1.** Relativo ou pertencente às Américas do Norte, Central e do Sul. **2.** Relativo ou pertencente aos Estados Unidos da América; estadunidense, norte-americano; ianque. ★ *s.m.* **1.** O natural ou habitante do continente americano. **2.** O natural ou habitante dos Estados Unidos da América; estadunidense, norte-americano, ianque.

amerício *s.m.* (de *América,* p. anal. com o *európio,* elemento químico homólogo). Elemento químico artificial e radiativo (símb. Am), de número atômico 95.

ameríndio *adj.* Relativo ou pertencente aos indígenas das Américas. ★ *s.m.* Esse indígena.

amerissagem *s.f.* Ato de amerissar, amaragem.

amerissar *v.i.* (conj. 4). Pousar (aeronave) na superfície da água; amarar.

amesquinhar *v.t.* (conj. 4). **1.** Tornar mesquinho. **2.** Humilhar, depreciar, diminuir, abater. ★ *v.pr.* **1.** Tornar-se avarento. **2.** Humilhar-se.

amestrar *v.t.* e *v.pr.* (conj. 4). Adestrar(-se), instruir(-se), industriar(-se).

ametista *s.f.* (gr. *améthystos,* sem "embriaguez"). Variedade violeta de quartzo colorido pelo óxido de ferro, considerada pedra semipreciosa.

amianto *s.m.* (gr. *amíantos,* puro). Variedade de asbesto.

amida *s.f.* Classe de compostos orgânicos obtidos pela desidratação dos sais amoniacais.

amídala *s.f.* Var. de AMÍGDALA.

amidalite *s.f.* Var. de AMIGDALITE.

amido *s.m.* (gr. *ámylon*). Substância orgânica freqüentemente encontrada como reserva nos vegetais (cereais, batata etc.), muito utilizada na indústria alimentar.

amigado *adj.* Amancebado, amasiado.

amigar *v.t.* (conj. 14). Fazer, tornar amigo. ★ *v.pr.* Amancebar-se, amasiar-se.

amigável *adj.2g.* (lat. *amicabilis*). **1.** Próprio de amigos. **2.** Amoroso, benigno, complacente. ● **Dir.** Que ocorre por meio de conciliação (p. opos. a *contencioso*).

amígdala *s.f.* (gr. *amygdále,* amêndoa). **Anat.** Órgão linfóide, em forma de amêndoa, situado na faringe. (Sin. TONSILA; var. AMÍDALA.) ▸ Cada uma das quatro formações nervosas situadas nos hemisférios cerebrais, com função associada ao aprendizado e às reações emocionais.

amigdalite *s.f.* Inflamação da amígdala. (Sin. TONSILITE; var. AMIDALITE.)

amigo *s.m.* (lat. *amicus*). **1.** Pessoa a quem se está ligado por uma afeição recíproca. **2.** Apreciador, amante. **3.** *Pop.* Amante, companheiro. **4.** Simpatizante, partidário. ★ *adj.* **1.** Que está ligado por uma afeição recíproca. **2.** Em que há amizade; amistoso, amical. **3.** Aliado. **4.** Propício, favorável. **5.** Acolhedor.

amilase *s.f.* Enzima que provoca a hidrólise dos glucídios.

amilóide *adj.2g.* **1.** Semelhante ao amido. ● **Med.** Diz-se da substância glicoprotéica anormal que se infiltra no tecido conjuntivo no curso da amiloidose.

amimar *v.t.* (conj. 4). Tratar com carinho, com mimo; mimar.

amina *s.f.* Composto orgânico derivado do amoníaco por substituição do hidrogênio por um ou vários radicais alquilas.

aminado *adj.* Diz-se da substância química que contém amina.

aminoácido *s.m.* Nome genérico dos compostos orgânicos que possuem ao menos uma função ácida e uma função amina, constituintes básicos das proteínas.

amistoso (ô) *adj.* (esp. *amistoso*). Que denota amizade; amigável. ★ *adj.* e *s.m.* Diz-se de ou partida de futebol fora de campeonato.

amiudado (i-u) *adj.* Freqüente, repetido.

amiudar (i-u) *v.t.* (conj. 19). **1.** Praticar com freqüência; repetir. **2.** Tornar miúdo; esmiuçar. ★ *v.i.* **1.** Cantar (o galo) de madrugada, a curtos intervalos. **2.** Tornar-se freqüente. ★ *v.pr.* Tornar-se meticuloso.

amiúde *adv.* Repetidas vezes, freqüentemente, a miúdo.

amizade *s.f.* (lat. *amicitia*). **1.** Afeição, estima, dedicação recíproca entre pessoas. **2.** Amor. **3.** Acordo. **4.** Benevolência, favor, serviço. **5.** Dedicação que certos animais manifestam ao homem. **6.** *Pop.* Forma de tratamento; meu amigo, meu chapa.

amnésia ou **amnesia** *s.f.* (gr. *amnesía,* esquecimento). Diminuição ou perda total da memória.

amnésico *adj.* Relativo à amnésia. ★ *s.m.* Indivíduo acometido de amnésia.

âmnio *s.m.* (gr. *amníon*). Saco membranoso repleto de líquido, que envolve e protege o embrião dos vertebrados superiores contra choques mecânicos e adesão.

amniotas *s.m.pl.* Grupo de vertebrados que apresenta âmnio na fase embrionária.

amniótico *adj.* (fr. *amniotique*). **1.** Relativo ao âmnio. ● **Fisiol.** *Líquido amniótico,* fluido que ocupa o âmnio e envolve o embrião.

amo *s.m.* **1.** Dono da casa. **2.** Patrão, senhor, chefe.

amocambado *adj.* **1.** Aquilombado, refugiado. **2.** Oculto, escondido.

amofinar *v.t.* (conj. 4). Apoquentar. ★ *v.pr.* Aborrecer-se.

amoitar *v.i.* e *v.pr.* (conj. 4). Esconder(-se), ocultar(-se).

amojado *adj.* Cheio de leite ou suco.

amojar *v.t.* (conj. 4). *Ant.* Ordenhar. ★ *v.i.* e *v.pr.* **1.** Encher(-se) de leite ou suco. **2.** Aumentar (o úbere das fêmeas dos animais) na véspera do parto.

amojo (ô) *s.m.* Intumescimento dos peitos ou das tetas pela abundância de leite.

amolação *s.f.* **1.** Ato ou efeito de amolar; afiação, aguçamento. **2.** Aborrecimento. **3.** Importunação, incômodo.

amolador (ô) *s.m.* **1.** Pessoa que amola ou afia ferramentas e instrumentos cortantes. **2.** *Fig.* Indivíduo maçante, importuno. ★ *adj.* Que amola, importuna.

amolar *v.t.* (esp. *amolar*) [conj. 4]. **1.** Tornar cortante; afiar. **2.** *Fig.* Molestar, importunar, aborrecer.

amoldar *v.t.* e *v.pr.* (conj. 4). **1.** Adaptar(-se) ao molde ou modelo. **2.** Moldar(-se), modelar(-se). **3.** Acostumar(-se), habituar(-se).

amolecado *adj.* **1.** Que tem ar de moleque ou age como tal. **2.** Em que há ou que denota molecagem.

amolecar *v.t.* (conj. 12). Tratar de maneira aviltante; ridicularizar, aviltar. ★ *v.pr.* Tornar-se igual ou semelhante a moleque.

amolecer *v.t.* (conj. 25). **1.** Tornar mole. **2.** *Fig.* Enfraquecer. **3.** *Fig.* Comover, enternecer. ★ *v.i.* e pr. Tornar-se mole.

amolentar *v.t.* (conj. 4). Amolecer, afrouxar, enfraquecer.

amolgar *v.t.* (conj. 14). **1.** Deformar, amassando ou esmagando. **2.** Derrotar, esmagar. **3.** Submeter, sujeitar. ★ *v.pr.* Submeter-se, sujeitar-se, render-se.

amônia *s.f.* Combinação gasosa de nitrogênio e hidrogênio, que existe em estado livre ou dissolvida na água.

amoniacal *adj.2g.* Que contém ou diz respeito à amônia ou ao amoníaco; amoniacado.

amoníaco *s.m.* (gr. *ammoniakón*). Solução de amônia em água.

amontoa (ô) *s.f.* Cobertura de terra da base da planta para proteger a raiz.

amontoar *v.t.* (conj. 20). **1.** Juntar em grande quantidade; acumular. **2.** Juntar, reunir desordenadamente. ● **Agric.** Praticar a amontoa. ★ *v.pr.* Multiplicar-se.

amor (ô) *s.m.* (lat. *amor*). **1.** Sentimento que predispõe as pessoas a desejarem o bem de outrem, ou de alguma coisa. **2.** Devoção que se tem por outra pessoa ou divindade; adoração, idolatria. **3.** Interesse, gosto muito vivo manifestado por alguém, por uma categoria de coisas, por uma determinada fonte de prazer ou de satisfação. **4.** Afeição ou ternura entre os membros de uma família. **5.** Inclinação de uma pessoa por outra, de caráter passional e/ou sexual. **6.** Relação amorosa.

amora *s.f.* (gr. *moron*). Infrutescência da amoreira, muito utilizada na fabricação de geléias.

amoral *adj.2g.* e *s.2g.* **1.** Que ou o que não é nem contrário nem conforme à moral. **2.** Que ou o que desconhece os princípios morais.

amoralismo *s.m.* Ética que não dá lugar a nenhum julgamento de valor, por não considerar a existência de uma moral universalmente válida.

amorável *adj.2g.* **1.** Afável, carinhoso, meigo, terno. **2.** Ameno, agradável.

amor-crescido *s.m.* Sin. de ONZE-HORAS.

amordaçar *v.t.* (conj. 13). **1.** Pôr mordaça em; açaimar. **2.** *Fig.* Reduzir ao silêncio.

amoreira *s.f.* Designação comum a diversas plantas, entre as quais a que produz amoras, e cujas folhas servem de alimento ao bicho-da-seda.

amorenar *v.t.* e *v.pr.* (conj. 4). Tornar(-se) moreno.

amorfo *adj.* (gr. *ámorphos*). **1.** Que não tem forma determinada. **2.** Sem vivacidade, sem energia, inativo. ● **Quím.** Diz-se de substâncias cuja estrutura não é cristalizada.

amornar *v.t.* (conj. 4). Tornar morno, aquecer ligeiramente; mornar. ★ *v.i. Fig.* Entibiar, perder o ímpeto. ★ *v.pr.* Tornar-se morno, entibiar-se.

amoroso (ô) *adj.* **1.** Que sente amor, terno, carinhoso, meigo. **2.** Brando, suave. ★ *s.m.* Aquele que tem ou sente amor.

amor-perfeito *s.m.* Planta originária da Europa, com diversas variedades cultivadas no mundo inteiro por suas flores grandes e coloridas.

amor-próprio *s.m.* Sentimento de dignidade própria, de valor próprio; brio, orgulho; auto-estima.

amortalhar *v.t.* (conj. 4). Envolver em mortalha. ★ *v.pr.* Vestir-se com hábito simples por penitência ou desprendimento.

amortecedor (ô) *adj.* e *s.m.* Que ou aquilo que amortece. ★ *s.m.* Dispositivo usado em máquinas, automóveis etc., para amortecer o movimento provocado por choques ou vibrações.

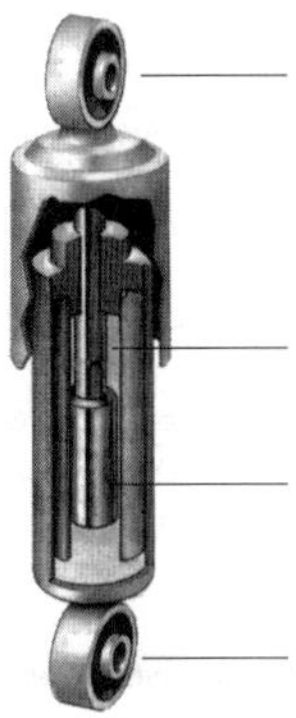

amortecer *v.t.* (conj. 25). **1.** Tornar como morto. **2.** Tornar menos violento, diminuir a força, o ímpeto. **3.** *Fig.* Acalmar, abrandar, enfraquecer. ★ *v.i.* e *v.pr.* Desfalecer, moderar(-se), aplacar(-se).

amortecimento *s.m.* **1.** Ação de amortecer(-se). **2.** Diminuição ou perda da força, da luz, do ímpeto. ● **Mec.** Diminuição progressiva, devido a resistências diversas, da amplitude das oscilações de um movimento.

amortiçar *v.t.* e *v.pr.* (conj. 13). **1.** Tornar(-se) mortiço. **2.** Extinguir(-se).

amortizar *v.t.* (conj. 4). Saldar uma dívida em prestações periódicas.

amortizável *adj.2g.* Que se pode amortizar.

amostra *s.f.* **1.** Porção ou unidade de substância ou produto, utilizada para mostrar sua qualidade e tipo. **2.** Fração representativa de uma população ou de um universo estatístico.

amostragem *s.f.* Método de coleta de informações a partir de uma amostra.

amotinar *v.t.* (conj. 4). **1.** Colocar em motim, sublevar, revoltar. **2.** Perturbar. ★ *v.pr.* **1.** Obstinar-se na desobediência. **2.** Revoltar-se, insurgir-se.

amovível *adj.2g.* **1.** Que pode ser removido, transferido. **2.** Que não é vitalício.

amparar *v.t.* (conj. 4). Dar amparo; proteger, suster. ★ *v.pr.* **1.** Apoiar-se. **2.** Abrigar-se.

amparo *s.m.* **1.** Ação de amparar. **2.** Esteio, proteção, arrimo, auxílio. **3.** Refúgio, abrigo. **4.** Pessoa que protege, sustenta.

amperagem *s.f.* Designação da intensidade de uma corrente elétrica.

ampère *s.m.* (de *A. M. Ampère*, n.pr.). Unidade de medida SI de intensidade da corrente elétrica (símb. A).

amperímetro ou **amperômetro** *s.m.* Instrumento de medida de intensidade da corrente elétrica, graduado em ampères.

amplexo (cs) *s.m.* (lat. *amplexus*). Abraço.

ampliação *s.f.* (lat. *ampliatio*). **1.** Ato ou efeito de ampliar(-se); aumento. **2.** O que se ampliou.

ampliar *v.t.* (lat. *ampliare*) [conj. 16]. **1.** Tornar amplo; aumentar, dilatar. **2.** Aumentar a área ou o tamanho de. **3.** Exagerar. **4.** Expor, desenvolver. ★ *v.pr.* Tornar-se amplo ou mais amplo.

amplidão *s.f.* (lat. *amplitudo*). **1.** Qualidade daquilo que é amplo. **2.** Grandeza, extensão, importância. **3.** Amplitude.

amplificação *s.f.* (lat. *amplificatio*). **1.** Ato ou efeito de amplificar. **2.** Desenvolvimento de um tema.

amplificador (ô) *adj.* **1.** Que amplifica. **2.** Que exagera. ★ *s.m.* Dispositivo que permite obter, no sinal de saída de um aparelho, aumento de um parâmetro de sinal de entrada (corrente, potência ou tensão), pela utilização da energia de uma fonte externa.

amplificar *v.t.* (lat. *amplificare*) [conj. 12]. **1.** Aumentar o volume, a extensão, a intensidade. **2.** Desenvolver, expor em detalhes. **3.** *Fig.* Exagerar, alongar além do necessário. ● **Eletrotéc.** Aumentar, com o auxílio de um amplificador.

amplitude *s.f.* (lat. *amplitudo*). Extensão considerável; amplidão. ● **Fís.** *Amplitude de deslocamento,* elongação máxima de um corpo em movimento periódico oscilatório. ► *Amplitude de onda,* deslocamento vertical máximo de uma onda mecânica transversal.

amplo *adj.* (lat. *amplus*). **1.** Extenso, largo, vasto. **2.** Desenvolvido, completo. **3.** Irrestrito, ilimitado. **4.** Abundante, rico.

ampola (ô) *s.f.* (lat. *ampulla*). **1.** Tubo de vidro de paredes delgadas e formas diversas, afilado em uma das extremidades. **2.** Conteúdo desse frasco. **3.** Globo de vidro dentro do qual estão os filamentos das lâmpadas incandescentes ou dos eletrodos dos tubos eletrônicos. ● **Anat.** Dilatação ou alargamento natural de certos órgãos. **Zool.** *Ampola de Lorenzini,* órgão sensorial presente em tubarões e raias, cuja função é detectar distúrbios de temperatura e eletricidade que ocorrem ao seu redor.

ampulheta (ê) *s.f.* (esp. *ampolleta*). Aparelho composto de dois cones de vidro sobrepostos pelo vértice, no qual certa quantidade de areia fina, escoando de um compartimento para o outro, mede uma fração de tempo.

amputação *s.f.* (lat. *amputatio*). **1.** Ação de amputar. **2.** Operação cirúrgica destinada a retirar um membro, uma porção dele, um órgão ou um tecido qualquer. **3.** *Fig.* Diminuição, restrição, corte.

amputado *adj.* (lat. *amputatus*). Que amputou. ★ *s.m.* Pessoa que sofreu uma amputação.

amputar *v.t.* (lat. *amputare*) [conj. 4]. **1.** Praticar uma amputação, cortar. **2.** Retirar uma parte de alguma coisa; diminuir, limitar. **3.** Eliminar, proscrever.

amuado *adj.* Que se amuou; enfadado.

amuar *v.t.* (conj. 4). Provocar amuo; enfadar. ★ *v.i.* **1.** Ter amuo. **2.** Teimar, insistir muito. **3.** Não se desenvolver; não amadurecer. ★ *v.pr.* Ficar amuado.

amulatado *adj.* Que tem cor ou feições de mulato.

amulatar *v.t.* e *v.pr.* (conj. 7). Tornar(-se) mulato.

amuleto (ê) *s.m.* (lat. *amuletum*). **1.** Objeto ao qual se atribui poder mágico de afastar desgraças ou malefícios. **2.** Talismã.

amuo *s.m.* **1.** Enfado, mau humor. **2.** Gesto de mau humor.

amurada *s.f.* **1.** Prolongamento do costado, do navio, acima do convés descoberto. **2.** Paredão ou muro de arrimo.

amurado *adj.* **1.** Emparedado, amuralhado. **2.** Encurralado.

amuralhado *adj.* Cercado de muralhas ou muros.

amuralhar *v.t.* (conj. 4). Cercar de muralhas; murar, emparedar.

amurar *v.t.* (conj. 4). Amuralhar.

anã *adj.* e *s.f.* Diz-se de ou estrela de dimensão reduzida. ► Diz-se de ou galáxia de pequena dimensão e de luminosidade mais fraca do que uma galáxia típica. ► *Anã branca,* estrela de diâmetro próximo ao da Terra, de baixa luminosidade e de densidade e temperatura superficial elevadas, que se encontra no último estágio de sua evolução.

anabatista *adj.2g.* e *s.2g.* Referente a ou membro de uma seita protestante que, por considerar inválido o batismo das crianças devido à ausência do ato pessoal de fé, rebatiza os adultos.

anabiótico *adj.* Diz-se do estado de suspensão temporária das funções vitais do organismo.

anabolismo *s.m.* Conjunto das reações bioquímicas que levam à formação de tecido vivo a partir dos nutrientes. (Antôn. CATABOLISMO.)

anabolizante *adj.* e *s.m.* Diz-se de ou substância que favorece o anabolismo e provoca um aumento do peso e das forças.

? VOCÊ SABIA...? Os hormônios **anabolizantes** são produzidos no organismo e promovem o crescimento de tecidos musculares. Os hormônios sintetizados são prescritos por médicos em alguns casos de distúrbio hormonal (tomados sem prescrição, criam um aumento muscular temporário sob risco de efeitos colaterais permanentes). A combinação de exercícios próprios e alimentação adequada apresenta um efeito anabolizante saudável e duradouro.

---

anacoluto *s.m.* (gr. *anakólouthos*). Ruptura da ordem lógica da frase, de tal forma que um termo fica sem ligação sintática com os demais.

anaconda *s.f.* Sin. de SUCURI.

anacoreta (ê) *s.2g.* (gr. *anachoretés*). **1.** Monge que se afasta da sociedade para viver como eremita. **2.** *Fig.* Pessoa que se retira do convívio social.

anacrônico *adj.* **1.** Que contém ou implica anacronismo. **2.** Antiquado, obsoleto, retrógrado, extemporâneo.

anacronismo *s.m.* (gr. *anachronismós,* inversão do tempo). **1.** Impropriedade cronológica. **2.** Erro ou recurso que consiste em situar numa época personalidades, acontecimentos, costumes ou estilos próprios de outra. **3.** Idéia, costume, objeto ultrapassados em relação à atualidade.

anacruse *s.f.* (gr. *anákrousis*). Nota ou grupo de notas musicais que precedem o primeiro compasso.

anaeróbio *adj.* e *s.m.* Diz-se de ou organismo capaz de viver na ausência de ar ou oxigênio livre.

anaeróbico *adj.* Relativo à anaerobiose.

anaerobiose *s.f.* Condição de vida dos microorganismos cujo metabolismo se encontra adaptado à ausência de ar.

anáfase *s.f.* Terceira etapa da mitose.

anafilático *adj.* **1.** Relacionado à anafilaxia. ● **Med.** *Choque anafilático,* conjunto de manifestações alérgicas violentas que se produzem após a penetração de uma substância em um organismo previamente sensibilizado.

anafilaxia *s.f.* Aumento da sensibilidade do organismo a uma substância estranha após um contato anterior com ela.

anáfora *s.f.* (gr. *anaphorá*). Repetição de uma ou mais palavras no início de versos ou frases sucessivas.

anagrama *s.m.* Vocábulo criado pela troca de posição das letras ou das sílabas de outro.

anágua *s.f.* (esp. ant. *enagua*). Saia que se veste sob o vestido.

anais *s.m.pl.* (lat. *annales*). **1.** História contada ano a ano. **2.** Publicação periódica de ciências, artes ou letras.

anal[1] *s.m.* (lat. *annalis*). Cerimônia religiosa celebrada todos os dias, durante um ano.

anal[2] *adj.2g.* Relativo ao ânus. ● **Psican.** *Fase anal,* segunda fase da organização libidinal infantil, que tem como zona erógena a região anal e que se caracteriza pela oposição atividade-passividade.

analéptico *adj.* e *s.m.* (gr. *analeptikós*). Diz-se de ou substância estimulante que restabelece as forças e o funcionamento dos diferentes aparelhos orgânicos.

analfabetismo *s.m.* Estado de analfabeto.

analfabeto *adj.* e *s.m.* (gr. *analphábetos*). **1.** Que ou aquele que não sabe ler nem escrever. **2.** *Fig.* Que ou aquele que é muito ignorante.

analgesia *s.f.* Perda total ou parcial, espontânea ou terapêutica, da sensibilidade à dor.

analgésico *adj.* e *s.m.* Diz-se de ou substância que produz insensibilidade à dor; análgico.

analisador (ô) *adj.* Que analisa. ★ *s.m.* Aquele que analisa, que examina com minúcia. ● **Eletrôn.** Aparelho destinado ao estudo das formas de onda das redes de distribuição (corrente e tensão), dos harmônicos originados em instalações diversas bem como à análise dos espectros de freqüência de origem acústica, vibratória etc.

analisar *v.t.* (conj. 4). **1.** Fazer análise, decompor um todo em suas partes. **2.** Estudar, examinar. **3.** Criticar. **4.** Submeter à psicanálise. ★ *v.pr.* Submeter-se à análise.

análise *s.f.* (gr. *análysis,* libertação). **1.** Ato ou efeito de analisar(-se). **2.** Identificação dos elementos constituintes de uma substância, conceito, problema etc. **3.** Exame, observação. **4.** Crítica. **5.** Análise sintática. **6.** Psicanálise. ● **Gram.** Exame dos elementos de uma palavra ou frase.

analista *s.2g.* **1.** Pessoa que faz análises. **2.** Observador, analisador. **3.** Psicanalista. ● **Inform.** *Analista de sistema,* profissional da área de informática encarregado da análise e da definição dos procedimentos ou algoritmos adequados para a resolução de problemas com o auxílio de um computador.

analítico *adj.* (gr. *analytikós*). **1.** Que procede por via da análise. **2.** Psicanalítico. ● **Gram.** Diz-se de uma construção gramatical que emprega mais de uma palavra para exprimir uma idéia.

analogia *s.f.* (gr. *analogía*). Relação, semelhança entre coisas diferentes.

analógico *adj.* (gr. *analogikós*). **1.** Conforme com a analogia. **2.** Fundado na analogia. **3.** Diz-se de uma grandeza física medida por uma função contínua ou de um sinal cujas variações são contínuas.

mostrador de relógio analógico

análogo *adj.* (gr. *análogos*). **1.** Que guarda analogia com outra coisa; semelhante, similar. **2.** Comparável, correspondente, homólogo. ● **Biol.** Diz-se dos órgãos de diferentes espécies animais que apresentam função biológica similar, e origem e estrutura diferentes.

anamnese *s.f.* (gr. *anámnesis*). Conjunto de informações fornecidas pelo paciente, ou por seus acompanhantes, relativas à história da doença e ao passado do paciente. (Sin. ANAMNÉSIA, ANAMNESIA.)

anamnésia ou **anamnesia** *s.f.* Sin. de ANAMNESE.

ananás *s.m.* (tupi *na'na*). Sin. de ABACAXI.

anânico ou **ananico** *adj.* Que tem forma de anão; nanico.

anão *adj.* (gr. *nánnos,* muito pequeno). **1.** De estatura muito baixa. **2.** Muito pequeno. ● **Astron.** *Estrela* ou *galáxia anã,* anã. ★ *s.m.* **1.** Personagem fictícia de tamanho diminuto. **2.** Pigmeu. **3.** *Pop.* Nanico.

anapesto *s.m.* Verso composto por duas sílabas breves seguidas de uma longa.

anarmônico *adj.* Diz-se do fenômeno ou movimento oscilatório em que não há uma periodicidade constante em torno de um ponto de equilíbrio.

anarquia *s.f.* (gr. *anarchía*). **1.** Estado de um povo que não tem mais governo. **2.** Desordem, confusão.

anárquico *adj.* Relativo à anarquia.

anarquismo *s.m.* Doutrina política que rejeita toda autoridade, em especial a do Estado, e preconiza a liberdade absoluta e a cooperação voluntária.

anarquista *adj.2g.* **1.** Relativo ao anarquismo. **2.** Anárquico, confuso. ★ *s.2g.* Partidário do anarquismo.

anarquização *s.f.* Ato ou efeito de anarquizar.

anarquizar *v.t.* (conj. 4). **1.** Tornar anárquico. **2.** Incitar à desordem; sublevar, subverter, amotinar. **3.** Desmoralizar, ridicularizar, desacreditar.

anastomose *s.f.* (gr. *anastomosis*). **1.** Reunião de dois vasos sangüíneos, de dois nervos, de duas fibras musculares ou de duas porções do tubo digestivo. **2.** Ramo vascular que põe dois vasos em circulação. **3.** Comunicação criada cirurgicamente entre dois vasos, nervos, condutos ou canais.

anátema *s.m.* (gr. *anáthema,* oferenda votiva). **1.** Sentença que excomunga, que expulsa do seio da Igreja; excomunhão. **2.** Reprovação, opróbrio, condenação.

anatematizar *v.t.* (conj. 4). Lançar anátema; excomungar, execrar, banir, repudiar.

anatomia *s.f.* (gr. *anatome,* dissecação). **1.** Ciência que estuda a forma, a estrutura dos seres organizados e as relações entre seus órgãos, assim como a forma e disposição destes. **2.** Ação de dissecar. **3.** Conformação do corpo. **4.** *Fig.* Análise minuciosa.

anatômico *adj.* (gr. *anatomikós*). **1.** Relativo à anatomia. **2.** Que se adapta à anatomia do corpo humano.

anatomista *s.2g.* Especialista em anatomia.

anatomizar *v.t.* (conj. 4). **1.** Abrir, cortar segundo os preceitos da anatomia; dissecar. **2.** *Fig.* Estudar a fundo, minuciosamente; investigar.

anatomopatologia *s.f.* Ciência que estuda as modificações orgânicas provocadas pela doença.

anavalhar *v.t.* (conj. 4). **1.** Ferir com navalha. **2.** Dar aparência de navalha a.

anca *s.f.* (do germ.). **1.** Porção traseira dos quadrúpedes; garupa. **2.** Cadeiras, nádegas, quadril.

ancestral *adj.2g.* (fr. ant. *ancestre*). Que diz respeito aos antepassados; antigo, primitivo. ★ *s.m.pl.* Antepassados.

anchova (ô) *s.f.* **1.** Peixe teleósteo marinho, semelhante ao arenque, que ocorre no Mediterrâneo e ocasionalmente faz incursões em águas doce e salobra. **2.** Var. de ENCHOVA.

ancião *adj.* (lat. *antianus*). **1.** Que tem muita idade, provecto. **2.** Antigo, velho. **3.** Venerável, respeitável. ★ *s.m.* Homem velho e respeitável.

ancilostomose *s.f.* Enfermidade parasitária devida à presença de vermes nematóides no duodeno, caracterizada por dores ulcerosas, duodenite e anemia crônica; anquilostomíase, anquilostomose.

ancinho *s.m.* (lat. *uncinus*). Instrumento agrícola ou para jardinagem composto de um cabo longo com uma travessa perpendicular dentada, usado para remover folhas secas, juntar palha etc.

âncora *s.f.* (gr. *ágkyra*). **1.** Peça de aço ou de ferro fundido, presa a uma embarcação, que se lança ao fundo das águas para prendê-la. **2.** *Fig.* Esteio, apoio. **3.** Proteção, amparo, abrigo, asilo.

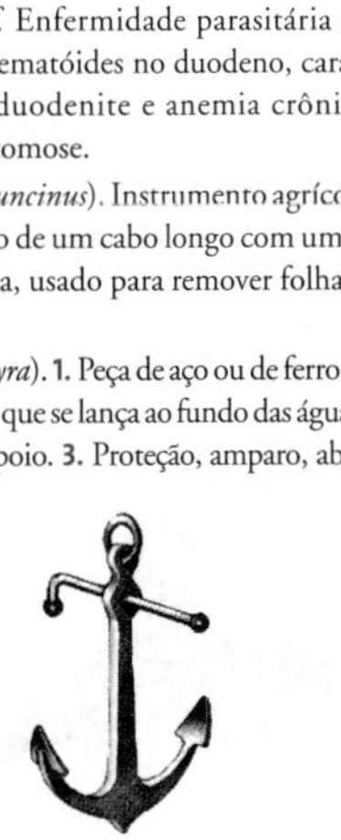

ancoradouro *s.m.* **1.** Local apropriado e seguro para ancoragem de embarcações; fundeadouro. **2.** Amarração.

ancorar *v.t.* e *v.i.* (conj. 4). **1.** Lançar âncoras; fundear. **2.** Fundar-se, fundamentar-se, basear-se. **3.** Aportar, atracar.

ancoreta (ê) *s.f.* **1.** Âncora pequena. **2.** Barril pequeno, chato, para transportar vinho ou aguardente.

andaço *s.m.* **1.** Pequena epidemia. **2.** Disenteria, diarréia.

andador (ô) *adj.* Que anda muito, que é veloz e ligeiro no andar. ★ *s.m.* **1.** *Ant.* Moço que levava recados ou papéis, geralmente em irmandades ou confrarias. **2.** Aparelho provido de rodas com que crianças aprendem a andar. **3.** Aparelho com quatro apoios no chão e barras laterais, para pessoas com dificuldade de apoio ou equilíbrio ao andar.

andadura *s.f.* **1.** Maneira de andar. **2.** Cada um dos diferentes modos de andar dos quadrúpedes.

andaime *s.m.* (ár. *ad-da'aim*). Estrutura provisória de madeira ou metal, fixa ou móvel, utilizada pelos operários que trabalham em construção civil.

andaluz *adj.* Relativo ou pertencente à Andaluzia. ★ *s.m.* O natural ou habitante da Andaluzia.

andamento *s.m.* **1.** Ato de andar; andança. **2.** Seguimento, progressos de um negócio. ● **Mús.** Velocidade em que deve ser executado um trecho musical.

andança *s.f.* **1.** Andamento. **2.** *Fig.* Lida, faina, pressa.

andante[1] *adj.2g.* **1.** Que anda; errante, vagabundo. **2.** Que está em transcurso. ★ *s.2g.* Transeunte, passante.

andante[2] *adv.* (it. *andante*). Indica andamento musical não muito lento, fluente e moderado.

andar[1] *v.i.* (lat. *andare*) [conj. 4]. **1.** Dar passos; caminhar. **2.** Locomover-se, mover-se, deslocar-se. **3.** Avançar, progredir. **4.** Decorrer, transcorrer (tempo). **5.** Estar em atividade; funcionar. **6.** Percorrer. ★ *v.lig.* Estar. ★ *s.m.* Maneira, modo de caminhar; passo.

andar[2] *s.m.* Espaço compreendido entre dois pisos de um edifício.

andarilho *s.m.* (esp. *andarillo*). Aquele que anda muito.

andejo (ê) *adj.* **1.** Que anda ou caminha muito. **2.** Que gosta de andar por uma parte e outra. **3.** *Fig.* Versátil, desvairado.

andino *adj.* Relativo ou pertencente aos Andes. ★ *s.m.* O natural ou habitante dos Andes.

andirá *s.m.* (do tupi). Sin. de MORCEGO.

andor (ô) *s.m.* (malaiala *andola*). **1.** Padiola portátil e ornamentada na qual se transportam ao ombro as imagens nas procissões. **2.** Liteira.

andorinha *s.f.* (lat. *hirundo*). Ave passeriforme, canora, de cauda bifendida que, em bandos, realiza migrações periódicas.

andorrano *adj.* Relativo ou pertencente a Andorra. ★ *s.m.* O natural ou habitante de Andorra.

andrajo *s.m.* (esp. *andrajo*). Pedaço de pano velho e roto; trapo. ★ *s.m.pl.* Veste suja e rota.

androceu *s.m.* Conjunto dos órgãos masculinos da flor, representados pelos estames.

andrógeno *adj.* Diz-se do fator que origina ou estimula os caracteres masculinos. ★ *s.m.* Hormônio sexual masculino, presente em ambos os sexos.

androginia *s.f.* Qualidade ou caráter do que é andrógino.

androginismo *s.m.* Sin. de HERMAFRODITISMO.

andrógino *adj.* (gr. *andrógynos*). Que participa dos dois sexos; hermafrodita. ● **Biol.** Sin. de HERMAFRODITA. ★ *s.m.* **1.** Ser andrógino. **2.** Ente que os gregos imaginavam provido de dois corpos, um masculino e outro feminino.

andróide *s.m.* **1.** Autômato de forma humana. **2.** Títere, marionete. ★ *adj.* Que apresenta características masculinas.

andrologia *s.f.* Estudo do aparelho genital do homem em sua morfologia, seu funcionamento e suas doenças.

andrologista *s.2g.* Especialista em andrologia.

andropausa *s.f.* Conjunto de manifestações somáticas e psíquicas que sobrevêm ao homem após os 50 anos, principalmente a diminuição da atividade sexual.

anedota *s.f.* (gr. *anékdotos*, inédito). **1.** Episódio histórico curioso e pouco divulgado. **2.** Narrativa curta e divertida; piada.

anedotário *s.m.* Coleção de anedotas.

anel *s.m.* (lat. *anellus*). **1.** Objeto de forma circular com que se prende alguma coisa; elo, argola. **2.** Pequeno círculo de metal com ou sem ornamento, usado como enfeite nos dedos das mãos. **3.** Qualquer linha ou figura circular. ● **Anat.** Nome dado a certas regiões corporais de passagem (anel inguinal, anel crural). ▸ *Anel tátil*, terminação nervosa cutânea, disposta em torno de um pêlo ou de um cabelo. **Astron.** Zona circular de matéria que contorna certos planetas, formada por numerosas partículas sólidas. **Biol.** Restos do véu parcial dos fungos, que persiste em forma de colarinho após a expansão do píleo. ▸ Fileira de células que circula o esporângio nas pteridófitas. ▸ *Anéis anuais*, camadas concêntricas de lenho, que correspondem a períodos de crescimento das árvores. **Eletrotéc.** *Anel coletor*, anel condutor montado sobre um eixo e que se destina a manter, por meio de escovas, a comunicação elétrica entre um condutor giratório e outro fixo.

anelado *adj.* **1.** Que tem forma de anel; encaracolado. **2.** Ansiado, desejado.

anelante *adj.2g.* (lat. *anhelans*). **1.** Que anela, que deseja com ânsia. **2.** Ofegante.

anelar[1] *adj.2g.* Aneliforme.

anelar[2] *v.t.* e *v.pr.* (conj. 4). Dar ou tomar forma de anel; encaracolar(-se).

anelar[3] *v.i.* (lat. *anhelare*). [conj. 4]. Respirar com dificuldade; ofegar. ★ *v.t.* e *v.i.* *Fig.* Desejar com ansiedade.

anelídeos *s.m.pl.* Filo que engloba os vermes de corpo mole e segmentação metamérica, representado pelas classes dos hirudíneos, dos oligoquetas e dos poliquetas.

anelo *s.m.* (lat. *anhelus*, ofegante). Desejo, aspiração, ânsia; anelação.

anemia *s.f.* (gr. *anaimía,* falta de sangue). Estado mórbido caracterizado por uma diminuição do número de eritrócitos no sangue ou de seu teor de hemoglobina.

anêmico *adj.* Causado pela anemia. ★ *adj.* e *s.m.* Que ou aquele que sofre de anemia.

anemologia *s.f.* (do gr. *ánemos,* vento). Estudo relativo aos ventos.

anemometria *s.f.* Medição da força e da velocidade dos ventos.

anemômetro *s.m.* Instrumento que serve para indicar a direção e medir a velocidade do vento.

anêmona-do-mar *s.f.* Celenterado marinho, solitário, séssil, provido de tentáculos e esqueleto calcário; flor-das-pedras. (Sin. de ACTÍNIA.)

anencefalia *s.f.* Malformação que consiste na ausência do encéfalo e da abóbada craniana.

anestesia *s.f.* (gr. *anaisthesía,* insensibilidade). Privação parcial ou total da sensibilidade geral ou de uma região particular, produzida por um agente anestésico.

anestesiar *v.t.* (conj. 16). **1.** Suspender, por meio de um anestésico, a sensibilidade à dor. **2.** *Fig.* Distrair, alienar.

anestésico *adj.* e *s.m.* Diz-se de ou substância que, como o éter, provoca anestesia.

anestesista *s.2g.* **1.** Médico que pratica a anestesia. **2.** Especialista em anestesiologia.

aneto *s.m.* (gr. *ánethon*). Erva originária da Europa e Ásia, cujas sementes são utilizadas como condimento e aromatizante para licores e xaropes. (Sin. ENDRO.)

aneurisma *s.m.* (gr. *aneúrysma,* dilatação). **1.** Saco formado pelas paredes dilatadas de um vaso sanguíneo. **2.** Tumor causado pela dilatação de uma artéria.3. *Aneurisma arteriovenoso cerebral,* sin. de ANGIOMA CEREBRAL.

aneurismal *adj.2g.* ou **aneurismático** *adj.* Relativo a aneurisma.

anexar (cs) *v.t.* (conj. 4). **1.** Juntar, ligar. **2.** Incorporar a. **3.** Acrescentar. ★ *v.pr.* Juntar-se, incorporar-se.

anexim *s.m.* (ár. *an-naxid,* canto). **1.** Dito conceituoso, rifão, adágio. **2.** Estribilho.

anexo (cs) *adj.* (lat. *annexus*). **1.** Acrescentado, incorporado. **2.** Subordinado, dependente. ★ *s.m.* **1.** O que está ligado ou subordinado a algo. **2.** Prédio que se liga a outro, principal.

anfetamina *s.f.* Designação comum a certos compostos químicos e seus derivados medicamentosos, utilizados como estimulante intelectual e físico, cujo uso pode acarretar dependência psicofísica.

anfíbio *s.m.* (gr. *amphíbios,* "que vive em dois elementos diferentes"). Espécime dos anfíbios. ★ *adj.* **1.** Relativo aos anfíbios. **2.** Diz-se do veículo militar que pode se mover na terra e na água.

anfíbios *s.m.pl.* Classe de vertebrados que engloba os sapos, as rãs, as pererecas, as salamandras e os tritões, caracterizados por pele glandular úmida, coração com três câmaras, respiração por brânquias na fase larval, pulmonar e cutânea quando adultos; as larvas geralmente são aquáticas e os adultos, aquáticos ou terrestres.

EXEMPLOS DE ANFÍBIOS

anfíbio ápode da América do Sul (ordem dos ápodes)

tritão comum (ordem dos urodelos)

VOCÊ SABIA...? As rãs e os sapos formam o maior grupo de **anfíbios** vivos. Em geral, os sapos se adaptam melhor às condições terrestres do que as rãs, e têm a pele mais seca. Todos os sapos e rãs são carnívoros e, regra geral, só comem presas vivas. Sua dieta é constituída por insetos, aranhas, lesmas e lombrigas. Tanto as rãs quanto os sapos têm uma língua grande e pegajosa, que utilizam para capturar suas presas.

anfibologia *s.f.* Construção gramatical defeituosa que torna o sentido de um enunciado ambíguo, obscuro ou ridículo. (Sin. AMBIGÜIDADE.)

anfibológico *adj.* De duplo sentido, ambíguo.

anfisbena *s.f.* (gr. *amphísbaina*). Sin. de COBRA-DE-DUAS-CABEÇAS.

anfiteatro *s.m.* (gr. *amphithéatron*). **1.** Antigo edifício de planta geralmente elíptica, com uma arena ao centro, cercada de degraus, destinado aos espetáculos (combates de gladiadores, jogos etc.). **2.** Sala de aula ou de espetáculos cujos assentos são dispostos em forma de arquibancada.

anfitrião *s.m.* (gr. *Amphitryon,* n.pr.). **1.** Aquele que recebe convivas à sua mesa. **2.** Aquele que hospeda pessoas de suas relações; dono da casa.

ânfora *s.f.* (lat. *amphora*). Vaso antigo de duas asas, de gargalo estreito e terminado por uma ponta ou um pé, que servia para o transporte e a conservação de alimentos.

angariar *v.t.* (lat. *angariare*) [conj. 16]. **1.** Recolher, obter. **2.** Aliciar, recrutar.

angélica *s.f.* Grande arbusto aromático, de origem européia, utilizado na produção de bebidas e de medicamentos.

angelical *adj.2g.* Angélico.

angélico *adj.* (lat. *angelicus*). **1.** Da natureza do anjo; angelical. **2.** Puro, imaculado.

angico *s.m.* **1.** Nome comum a várias árvores que fornecem madeira de boa qualidade e cujas cascas são produtoras de tanino. **2.** A madeira dessas árvores.

angina *s.f.* (lat. *angina*). Inflamação aguda das mucosas do istmo da garganta e da faringe, geralmente de origem infecciosa. ► *Angina do peito,* crise dolorosa e violenta na região do coração, devida à falta de sangue no miocárdio.

angiologia *s.f.* Parte da anatomia que trata do aparelho circulatório.

angiologista *s.2g.* Especialista em angiologia.

angioma *s.m.* Tumor benigno, em geral congênito, constituído por uma proliferação de vasos sanguíneos ou linfáticos. ► *Angioma cerebral,* malformação vascular caracterizada por comunicações arteriovenosas anormais no cérebro, que se manifesta por cefalias e crises epilépticas. (Sin. ANEURISMA* ARTERIOVENOSO CEREBRAL.)

angiospermas *s.f.pl.* Grupo de plantas que apresentam sementes encerradas em um ovário, transformado em fruto.

anglicanismo *s.m.* Religião oficial da Inglaterra desde o reinado de Elizabeth I, criada pela ruptura de Henrique VIII com Roma (1534).

anglicano *adj.* Relativo ou pertencente ao anglicanismo. ★ *s.m.* Indivíduo que professa o anglicanismo.

anglicismo *s.m.* Palavra ou estrutura sintática da língua inglesa introduzida em outra língua.

anglicizar *v.t.* (conj. 4). Dar aspecto, feição inglesa. ★ *v.pr.* Tomar caráter inglês, imitar os costumes ingleses.

anglo *s.m.* Indivíduo dos anglos, povo germânico que colonizou parte da Inglaterra. ★ *adj.* e *s.m.* Inglês.

anglo-saxão *s.m.* **1.** Indivíduo dos anglos ou dos saxões, povos que colonizaram a Inglaterra. **2.** A língua falada por esses povos. ★ *adj.* **1.** Relativo ou pertencente a esses povos; anglo-saxônico. **2.** Inglês.

anglo-saxônico *adj.* Anglo-saxão.

angolano *adj.* Relativo ou pertencente a Angola; angolense. ★ *s.m.* Indivíduo natural ou habitante de Angola; angolense.

angolense *adj.2g.* e *s.2g.* Angolano.

angorá *adj.2g.* Relativo ou pertencente a Angora (ou Ankara). ★ *s.2g.* Raça de gato, cabra ou coelho que possui pêlo fino e comprido.

angra *s.f.* Enseada aberta, em litoral geralmente escarpado.

angu *s.m.* **1.** Massa consistente de farinha de milho. **2.** *Pop.* Confusão, intriga.

angu-de-caroço *s.m. Pop.* Confusão, intriga.

angulado *adj.* Que tem ângulos; anguloso.

angular[1] *adj.2g.* (lat. *angularis*). **1.** Relativo a ângulo. **2.** Que forma ângulos. **3.** Anguloso. ● **Fís.** Diz-se da velocidade, aceleração ou deslocamento de um corpo em um sistema circular ou de coordenadas esféricas.

angular[2] *v.i.* (lat. *angulare*) [conj. 4]. Andar formando ângulo; enviesar.

ângulo *s.m.* (lat. *angulus*). **1.** Figura geométrica formada por duas retas que se cruzam ou duas semi-retas que partem da mesma origem. **2.** Saliência ou reentrância formada por duas linhas ou superfícies que se cortam; canto, esquina. **3.** Ponto afastado, confins, extremidade. **4.** *Fig.* Aspecto, ponto de vista. ● **Geom.** *Ângulo sólido,* sólido delimitado por todas as semi-retas de mesma origem que se apóiam sobre um dado contorno.

TIPOS DE ÂNGULOS

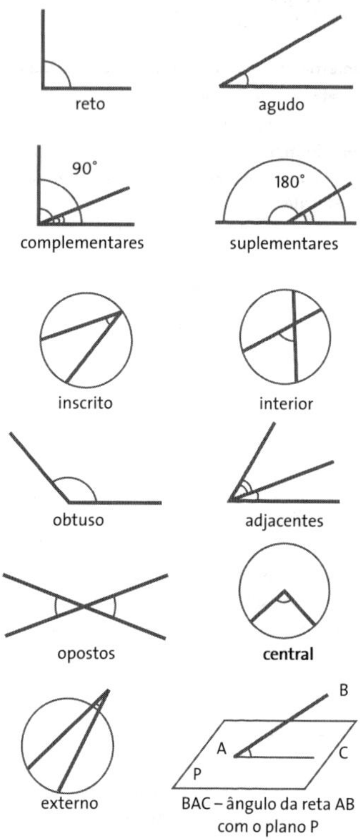

anguloso (ô) *adj.* (lat. *angulosus*). Que tem ângulos; angular, angulado.

angústia *s.f.* (lat. *angustia,* estreiteza). Inquietação, ansiedade profunda. ● **Psican.** Sentimento penoso de alerta psíquico diante de uma ameaça indeterminada.

angustiado *adj.* Cheio de angústia; agoniado, atormentado.

angustiar *v.t.* (lat. *angustiare,* estreitar) [conj. 16]. **1.** Causar angústia. **2.** Agoniar, atormentar. ★ *v.pr.* Afligir-se.

angusto *adj.* (lat. *angustus*). Estreito, apertado, constrito.

anhangá *s.m.* Na mitologia tupi-guarani, alma, espírito maligno, o diabo.

anho *s.m.* (lat. *agnus*). *P.us.* Cordeiro.

anhuma *s.f.* (tupi *na'um*). Ave anseriforme de pernas grossas e dedos longos que ocorre nos banhados e alagadiços. (Var. INHAÚMA, INHUMA.)

aniagem *s.f.* Tecido de linho cru ou juta, para sacos e fardos.

anidrido ou **anídrido** *s.m.* Composto que, combinado com a água, pode formar um ácido.

anidro *adj.* Que não contém água.

anil *s.m.* (ár. *al-nil,* cor celeste; azul). Substância que tinge de azul, encontrada em abundância no reino vegetal; índigo.

anilado *adj.* Azulado.

anilho *s.m.* (esp. *anillo*). **1.** Argola para enfiar cabos ou guarnecer ilhós. **2.** Anel de ferro com que se prendem os dois dedos polegares dos criminosos que são levados presos.

anilina *s.f.* **1.** Amina primária aromática derivada do benzeno, empregada na fabricação de corantes sintéticos. **2.** Matéria corante sintética.

animação *s.f.* (lat. *animatio*). **1.** Ato ou efeito de animar(-se). **2.** Calor, vivacidade, entusiasmo. ● **Cin.** Processo para execução de audiovisual que produz movimento em imagens de desenhos, bonecos ou objetos, por meio de filmagem quadro a quadro ou de programas de computação gráfica. ► Filme assim produzido.

animado *adj.* (lat. *animatus*). **1.** Diz-se do que tem vida ou aparência de vida. **2.** Alegre, bem-disposto. **3.** Decidido. 4. Desenho animado, seqüência de desenhos que, filmados, dão idéia de movimento; filme com esse efeito.

animador (ô) *adj.* e *s.m.* (lat. *animator*). Que ou aquele que anima.

animadversão *s.f.* (lat. *animadversio*). **1.** Censura, advertência, repreensão. **2.** Aversão, ódio, antipatia declarada.

animal *s.m.* (lat. *animal, animalis,* ser vivente). **1.** Organismo vivo caracterizado pela presença de cavidade corporal, sistemas digestivo, excretor, respiratório, circulatório e nervoso com vários graus de complexidade, com algum tipo de esqueleto e segmentação. **2.** Por oposição a homem, ser animado, desprovido de linguagem articulada. **3.** *Fig.* Pessoa estúpida e grosseira. ★ *adj.2g.* Relativo ao animal.

animalesco (ê) *adj.* **1.** Relativo aos animais. **2.** Que participa da qualidade dos animais; estúpido, brutal.

animália *s.f.* (lat. *animalia*). Animal, besta, alimária, fera.

animalidade *s.f.* (lat. *animalitas*). **1.** Conjunto de atributos próprios do animal. **2.** Bestialidade.

animalizar *v.t.* (conj. 4). **1.** Converter (alimentos) em substância animal. **2.** Rebaixar ao nível dos animais. ★ *v.pr.* Embrutecer-se, bestializar-se.

animar *v.t.* (lat. *animare*) [conj. 4]. **1.** Dar vida, dar ânimo. **2.** Tornar mais vivo; interessar, entusiasmar. **3.** Excitar, encorajar. ★ *v.pr.* Mostrar vivacidade, entusiasmo.

anímico *adj.* Que pertence à alma.

animismo *s.m.* **1.** Crença que atribui uma alma a todos os fenômenos naturais e que procura torná-los propícios por meio de práticas mágicas. ● **Filos.** Concepção filosófica que atribui a todos os seres do universo uma alma análoga à alma humana.

animista *adj.2g.* Relativo ou pertencente ao animismo. ★ *s.2g.* Adepto do animismo.

ânimo *s.m.* (lat. *animus*). **1.** Disposição de espírito; índole, gênio. **2.** Coragem, vontade. ★ *interj.* Exprime encorajamento.

animosidade *s.f.* (lat. tard. *animositas*). **1.** Hostilidade, agressividade. **2.** Antipatia acentuada, malquerença.

animoso (ô) *adj.* (lat. *animosus*). **1.** Que tem ânimo. **2.** Que tem animosidade.

aninhar *v.t.* (conj. 4). Pôr no ninho. ★ *v.i.* Fazer ninho; nidificar. ★ *v.pr.* **1.** Fazer ninho, recolher-se ao ninho. **2.** *Fig.* Esconder-se.

ânion ou **anion** *s.m.* (gr. *ánion*). Íon de carga elétrica negativa.

aniquilar *v.t.* (lat. tard. *annihilare*) [conj. 4]. **1.** Destruir, exterminar. **2.** Abater, esgotar. ★ *v.pr.* Abater-se, humilhar-se.

anis *s.m.* (gr. *ánison*). Erva originária do Egito, de flores brancas e frutos aromáticos, de uso medicinal, culinário e para a fabricação de licores.

anisete *s.m.* (fr. *anisette*). Licor de anis.

anistia *s.f.* (gr. *amnéstia,* esquecimento, perdão). **1.** Medida legislativa que anula o caráter criminoso de atos, geralmente políticos, praticados individual ou coletivamente. **2.** Perdão, esquecimento, absolvição.

anistiar *v.t.* (conj. 16). **1.** Conceder anistia a alguém. **2.** Perdoar, desculpar.

aniversariante *adj.2g.* e *s.2g.* Que ou aquele que faz anos, que aniversaria.

aniversariar *v.i.* (conj. 16). Fazer anos; celebrar aniversário.

aniversário *adj.* e *s.m.* (lat. *anniversarius*). Diz-se de ou dia em que se completa um ano, ou mais, de idade ou de um acontecimento. ★ *s.m.* Comemoração desse evento. ★ *adj.* Relativo a esse evento.

anjinho *s.m.* **1.** *Fig.* Criancinha morta. **2.** Ingênuo, inocente.

anjo *s.m.* (gr. *ággelos,* pelo lat. *angelus*). **1.** Ser celeste intermediário entre Deus e os homens. **2.** Criança vestida de anjo nas procissões. **3.** Criança calma. **4.** Criança morta.

ano *s.m.* (lat. *annus*). **1.** Duração convencional próxima do período de revolução da Terra em torno do Sol, que corresponde a um período de 12 meses que começa em 1º de janeiro e vai até 31 de dezembro. **2.** Tempo que um planeta leva para completar sua revolução em torno do Sol. **3.** Intervalo de 12 meses. **4.** Período do ano durante o qual se exerce efetivamente uma atividade letiva, judiciária etc.

anodal *adj.2g.* Relativo ou pertencente ao ânodo.

anodinia *s.f.* Insensibilidade à dor.

anódino *adj.* (gr. *anodynos,* sem dor). **1.** Que abranda as dores. **2.** Sem efeitos, sem eficácia.

ânodo ou **anodo** *s.m.* (gr. *ánodos,* sem caminho). Eletrodo de carga positiva para onde migram os ânions em uma eletrólise. (Sin. ANTICÁTODO; var. ANÓDIO.)

anoitecer *v.i.* (conj. 25). **1.** Fazer-se noite. **2.** Achar-se ao anoitecer. ★ *v.t.* Escurecer. ★ *s.m.* O cair da noite.

anojar *v.t.* (conj. 4). **1.** Causar nojo a. **2.** Molestar, causar desgosto. ★ *v.pr.* **1.** Enlutar-se. **2.** Aborrecer-se.

ano-luz *s.m.* Unidade de comprimento equivalente à distância percorrida em um ano pela luz no vácuo, correspondente a aproximadamente 9,4 x 10^{12} km (símb. al).

A B C D E F G H I J K L M N O P Q R S T U V W X Y Z

anomalia *s.f.* (gr. *anomalía*). **1.** O que se desvia da norma, da regra geral; irregularidade. **2.** Monstruosidade, deformação.

anômalo *adj.* (gr. *anomalos,* irregular). Em que há anomalia; irregular, anormal. ● **Gram.** Diz-se dos verbos *ser* e *ir,* que possuem mais de um radical. (Alguns gramáticos incluem o *pôr.*)

anomia *s.f.* (gr. *anomía*). Ausência ou não observância de leis, normas ou regras.

anonimato *s.m.* Estado daquilo que é anônimo.

anônimo *adj.* (gr. *anonymos*). Que não tem o nome ou a assinatura do autor. ★ *s.m.* Aquele que oculta seu nome.

ano-novo *s.m.* O dia 1º de janeiro.

anopluros *s.m.pl.* Ordem de insetos sugadores, ectoparasitas de aves e mamíferos.

anorexia (cs) *s.f.* **1.** Perda do apetite, de origem orgânica ou psíquica. ● **Med.** *Anorexia nervosa,* distúrbio da conduta alimentar caracterizado por uma recusa ativa ou passiva da alimentação, como reação a conflitos psíquicos.

anoréxico (cs) *adj.* Relativo à anorexia. ★ *s.m.* Pessoa acometida de anorexia.

anorgânico *adj.* Que não é devido a uma lesão orgânica ou a uma anomalia de um órgão. (Sin. INORGÂNICO, EXTRA-ORGÂNICO.)

anormal *adj.2g.* (lat. tard. *anormalis*). Que não está conforme a norma ou padrão; anômalo. ★ *s.2g.* Indivíduo anormal; desequilibrado.

anorretal *adj.2g.* Relativo ao ânus e ao reto.

anotação *s.f.* (lat. *annotatio*). **1.** Ação de anotar. **2.** Nota, apontamento por escrito, comentário.

anotar *v.t.* (lat. *annotare*) [conj. 4]. **1.** Fazer anotações, tomar nota. **2.** Apor notas explicativas a um texto.

anovulação *s.f.* Estado caracterizado pela ausência de ovulação regular, de caráter fisiológico, antes da puberdade, após a menopausa e durante a gravidez.

anovulatório *adj.* Relativo à ausência de ovulação. ★ *s.m.* Substância que suprime a ovulação.

anseio *s.m.* **1.** Desejo ardente, anelo, ambição. **2.** Aflição, perturbação, ansiedade. **3.** *Fig.* Angústia, ânsia.

anseriformes *s.m.pl.* Ordem de aves aquáticas, palmípedes, de bico largo, com a ponta da mandíbula superior em forma de unha córnea e dura.

anserino *adj.* (lat. *anserinus*). Relativo a patos ou a gansos.

ânsia *s.f.* (lat. *anxia*). **1.** Aflição, angústia. **2.** *Fig.* Tormento de espírito, causado por expectativa e incerteza. **3.** Desejo ardente. ★ *s.f.pl.* Náuseas.

ansiar *v.t.* (lat. tard. *anxiare*) [conj. 17]. **1.** Causar ânsia; angustiar, afligir. **2.** Desejar ardentemente, almejar.

ansiedade *s.f.* (lat. *anxietas*). Inquietação intensa e penosa; angústia.

ansiolítico *adj.* e *s.m.* Diz-se de ou substância psicotrópica que atua essencialmente sobre a ansiedade e seus componentes somáticos. (Sin. TRANQÜILIZANTE.)

ansioso (ô) *adj.* (lat. *anxiosus*). **1.** Que sente ansiedade, próprio da ansiedade; angustiado, preocupado. **2.** Impaciente, sôfrego, ávido.

anta *s.f.* (ár. *lamTa*). Mamífero perissodáctilo, herbívoro, com nariz alongado em forma de tromba, que ocorre na América Central e do Sul, península Malaia e Sumatra; acredita-se que esteja ameaçado de extinção. (Sin. TAPIR.)

antagônico *adj.* Contrário, oposto.

antagonismo *s.m.* **1.** Oposição, ação em sentido contrário. **2.** Luta, incompatibilidade. ● **Med.** Oposição funcional entre dois sistemas, órgãos ou substâncias bioquímicas.

antagonista *adj.2g.* e *s.2g.* (gr. *antagonistés*). **1.** Que ou o que está em posição ou sentido contrário, oposto. **2.** Diz-se de ou pessoa que se opõe ou luta com outra; adversário, opositor.

antálgico *adj.* Diz-se da substância que atenua a dor.

antanho *adv.* Antigamente, outrora.

antártico *adj.* Relativo ao pólo Sul e às regiões circundantes.

ante *prep.* (lat. *ante*). **1.** Em presença de, diante de, perante. **2.** Em conseqüência de.

anteboca (ô) *s.f.* Parte da boca que se estende dos lábios até os dentes.

antebraço *s.m.* Parte do membro superior compreendida entre o cotovelo e o pulso.

ESQUELETO DOS ANTEBRAÇOS

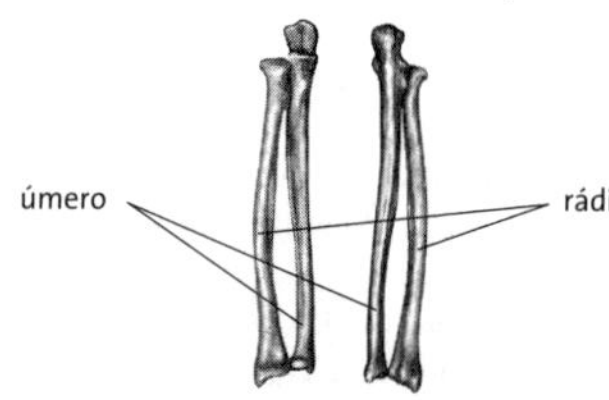

antecâmara *s.f.* **1.** Vestíbulo que antecede a câmara. **2.** Antesala.

antecedência *s.f.* Estado do que é antecedente; precedência, anterioridade.

antecedente *adj.2g.* (lat. *antecedens*). Que antecede, precede; anterior. ★ *s.m.* ● **Gram.** Elemento que precede e ao qual se refere um outro. **Lóg.** Primeira proposição de um silogismo que exprime uma condição, seguida pelo conseqüente. ★ *s.m.pl.* Fatos da vida passada de alguém.

anteceder *v.t.* (lat. *antecedere*) [conj. 5]. **1.** Vir, estar, realizar-se antes. **2.** Exceder, ser superior a, antepor-se. **3.** Ser anterior, preceder.

antecessor (ô) *s.m.* (lat. *antecessor*). O que antecede; predecessor. ★ *s.m.pl.* Antepassados.

antecipação *s.f.* (lat. *antecipatio*). **1.** Ação de antecipar, de fazer alguma coisa de antemão; adiantamento, previsão. **2.** Precaução, prevenção.

antecipar *v.t.* (lat. *antecipare*) [conj. 4]. Fazer antes do tempo estabelecido. ★ *v.pr.* Adiantar-se, acontecer antes do tempo.

antecos *s.m.pl.* (gr. *ántikos*). **1.** Os dois lugares do globo situados em um mesmo meridiano, a igual distância do equador, mas em latitudes opostas. **2.** Os habitantes desses lugares.

antedata *s.f.* Data anterior que se põe em documento para fazer supor que foi escrito nessa data.

antedatar *v.t.* (conj. 4). Apor uma antedata.

antediluviano *adj.* **1.** Que existiu antes do dilúvio; pré-diluviano. **2.** *Fig.* Muito antigo, obsoleto, arcaico.

anteflexão (cs) *s.f.* Situação anatômica normal do corpo uterino, cujo eixo apresenta um desvio para a frente em relação ao eixo do colo uterino.

antegozar *v.t.* (conj. 4). Gozar antecipadamente; prelibar.

antegozo (ô) *s.m.* Ato de antegozar.

antelóquio *s.m.* (lat. *anteloquium*). Prolóquio, prefácio, prólogo.

antemanhã *adv.* Pouco antes do amanhecer. ★ *s.f.* Alvorada.

antemão *adv. De antemão,* antecipadamente, previamente, anteriormente.

antena *s.f.* (lat. *antenna*). **1.** Dispositivo que permite irradiar ou captar ondas eletromagnéticas. **2.** *Fig.* Sensibilidade aguda. ● **Zool.** Apêndice sensorial localizado na região cefálica dos artrópodes.

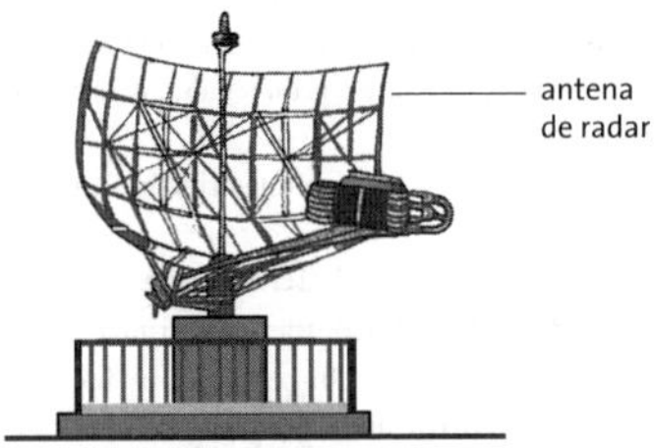

antenífero *adj.* Relativo às antenas dos artrópodes. ▸ *Glândula antenal,* órgão excretor dos crustáceos.

anteontem *adv.* Na véspera de ontem.

anteparar *v.t.* (conj. 4). **1.** Pôr anteparos a. **2.** Resguardar, defender. ★ *v.t.* e *v.i.* Parar subitamente.

anteparo *s.m.* **1.** Objeto que se põe diante de alguém ou de alguma coisa, para resguardo ou defesa. **2.** *Fig.* Defesa, proteção. ● **Eletrotéc.** Superfície sobre a qual se reproduz a imagem visível em um tubo catódico.

antepassado *adj.* Que passou antes. ★ *s.m.* Ascendente, antecessor, avoengo, ancestral.

antepasto *s.m.* Iguarias que se servem antes do prato principal; entrada.

antepenúltimo *adj.* (lat. tard. *antepaenultimus*). Que precede o penúltimo; o terceiro a contar do último.

antepor *v.t.* (lat. *anteponere*) [conj. 45]. Pôr antes; preferir. ★ *v.pr.* Pôr-se antes.

anteposição *s.f.* **1.** Ação de antepor. **2.** Posição de um elemento que está antes de outro; precedência. **3.** Preferência.

anteprojeto *s.m.* **1.** Estudo preparatório de um projeto. **2.** Esboço, minuta, rascunho.

antera *s.f.* (gr. *antherás,* florida). Parte do estame que produz e contém os grãos de pólen.

anterídio *s.m.* Órgão onde se formam as células sexuais masculinas dos vegetais.

anterior (ô) *adj.2g.* (lat. *anterior*). **1.** Que vem antes, na ordem do tempo ou do espaço; precedente. ● **Fon.** Diz-se de um fonema cuja zona de articulação se situa na parte anterior da cavidade bucal.

ântero-superior *adj.2g.* Situado na parte anterior e superior.

antes *adv.* (lat. *ante*). **1.** Em tempo anterior, previamente, antigamente. **2.** Em primeiro lugar. **3.** Acima. **4.** De preferência. **5.** Pelo contrário. **6.** Mais rapidamente.

ante-sala *s.f.* Sala que antecede a principal; antecâmara.

antever *v.t.* (lat. *antevidere*) [conj. 40]. Ver antecipadamente; prever, adivinhar.

antevéspera *s.f.* O dia anterior à véspera.

antevisão *s.f.* Ato de antever; visão antecipada, previsão, prognóstico, presságio.

antiácido *adj.* Que protege contra a ação dos ácidos. ★ *s.m.* Substância que combate a hiperacidez gástrica.

antiaéreo *adj.* Que defende ou protege dos ataques aéreos.

antialcoólico *adj.* **1.** Que combate os efeitos do álcool. **2.** Que se opõe ao abuso do álcool.

antialérgico *adj.* e *s.m.* Diz-se de ou substância empregada no tratamento ou prevenção de alergias.

antibiótico *s.m.* Substância natural ou sintética com a propriedade de inibir o crescimento ou de destruir as bactérias e outros microorganismos. ★ *adj.* Relativo aos antibióticos.

? VOCÊ SABIA...? O médico francês E. Duchesne demonstrou em 1897 que certos bolores podiam deter a proliferação de cepas bacterianas. Em 1929, A. Fleming mostrou que uma cepa de *Penicillium notatum* inibia o crescimento dos estreptococos. O primeiro **antibiótico**, a penicilina, foi isolado em 1941 por E. B. Chain.

---

anticanceroso (ô) *adj.* e *s.m.* Que ou o que é empregado para combater o câncer; antineoplásico.

anticauda *s.f.* Fenômeno de perspectiva pelo qual uma pessoa situada na Terra, ao observar um cometa, enxerga uma cauda orientada na direção do Sol.

anticiclone *s.m.* Região da atmosfera onde a pressão é alta em relação à das regiões vizinhas localizadas ao mesmo nível.

anticoagulante *adj.2g.* e *s.m.* Diz-se de ou substância que impede a coagulação do sangue, como a heparina.

anticolinérgico *adj.* Que bloqueia a ação da acetilcolina; acetilcolinolítico.

anticoncepcional *adj.2g.* e *s.m.* Que ou o que impede a concepção; contraceptivo. ★ *adj.* **Med.** *Pílula anticoncepcional,* comprimido à base de hormônios femininos que, ingerido regularmente pela mulher, impede a concepção.

anticonstitucional *adj.2g.* Contrário à constituição de um país.

anticorpo (ô) *s.m.* Proteína presente no soro sanguíneo, produzida por certos linfócitos após a introdução no organismo de um antígeno.

anticorrosivo *adj.* Que evita ou retarda a corrosão.

anticristão *adj.* Contrário aos cristãos, ao cristianismo.

anticristo *s.m.* (gr. *antíchristos*). Segundo o Apocalipse, impostor que virá, no final dos tempos, atentar contra os valores cristãos.

antidemocrata *adj.2g.* Contrário à democracia.

antidepressivo *adj.* e *s.m.* Diz-se de ou substância que combate a depressão. (Sin. TIMOANALÉPTICO.)

antiderrapante *adj.2g.* Diz-se de ressaltos praticados em pneus, solas de tênis etc. com a finalidade de evitar derrapagens ou deslizamentos.

antidiurético (i-u) *adj.* e *s.m.* **1.** Que se opõe à secreção urinária. **2.** *Hormônio antidiurético,* sin. de VASOPRESSINA.

antídoto *s.m.* (gr. *antídoton*). Substância que impede outra de exercer efeitos tóxicos.

antiemético *adj.* e *s.m.* Diz-se de ou medicamento eficaz contra o vômito. (Sin. ANTIVOMITIVO.)

antiespasmódico *adj.* e *s.m.* Diz-se de ou medicamento que combate os espasmos e dores da musculatura lisa. (Sin. ESPASMOLÍTICO.)

antiestético *adj.* Sem estética; desprovido de bom gosto.

antiético *adj.* Contrário à ética.

antifebril *adj.2g.* Sin. de ANTIPIRÉTICO.

antífona *s.f.* (gr. *antiphone*). Versículo cantado por um coro, antes ou depois de um salmo, em resposta a outro.

antigênico *adj.* Relativo aos antígenos.

antígeno *s.m.* Substância que, introduzida no organismo, é capaz de nele provocar a estimulação de células produtoras de anticorpos ou daquelas que participam de reações imunitárias.

antigo *adj.* (lat. *antiquus*). **1.** Que existe ou que data de longo tempo; velho. **2.** Relativo à Antiguidade. **3.** Que não está mais em atividade. ★ *s.m. pl.* **1.** Homens de outras épocas. **2.** Velhos, anciãos.

antigualha *s.f.* (it. *anticaglia*). Objetos antigos; antiqualha.

antiguano *adj.* Relativo ou pertencente a Antígua e Barbuda, país da América Central. ★ *s.m.* O natural ou habitante de Antígua e Barbuda.

antiguidade ou **antigüidade** *s.f.* **1.** Qualidade de antigo. **2.** Período histórico que começa com o aparecimento da escrita em 3500 a.C. e termina em 476 d.C.

ANTIGUIDADE ▸ *Antiguidade egípcia*: período que dura cerca de 3.000 anos e termina com a invasão do Egito pelos romanos no ano 30 a.C. *Antiguidade grega*: período que remonta a 2.000 anos a.C. e termina com a invasão romana no ano 197 a.C. *Antiguidade romana*: começa com a fundação de Roma em 753 a.C, declina com a divisão do Império Romano em Império do Oriente e Império do Ocidente e termina com a queda do último imperador do Ocidente em 476 d.C. *Oriente Médio*: entre 1700 e 331 a.C., sucederam-se vários impérios poderosos, como o hitita, o assírio, o babilônico e o persa.

---

anti-higiênico *adj.* Contrário à higiene.

antiinflacionário *adj.* Contrário à inflação ou que a combate.

antilhano *adj.* Relativo ou pertencente às Antilhas Holandesas, território holandês na América Central. ★ *s.m.* O natural ou habitante das Antilhas Holandesas.

antílope *s.m.* (lat. tard. *antilops*). Mamífero artiodáctilo, ruminante, com chifres direcionados para cima e para trás, que ocorre no Velho Mundo, principalmente na África.

antimatéria *s.f.* Denominação que se daria à matéria formada por antipartículas, caso estas se estruturassem em forma macroscópica.

antimilitarismo *s.m.* **1.** Sistema, sentimento contrário ao militarismo. **2.** Atitude hostil à guerra.

antimônio *s.m.* (lat. tard. *antimonium*). Elemento químico (símb. Sb), de número atômico 51, com propriedades semelhantes às do arsênio.

antinatural *adj.2g.* Contrário às leis da natureza.

antinêutron *s.m.* Antipartícula correspondente ao nêutron.

antinomia *s.f.* (gr. *antinomía*). Contradição, oposição entre duas leis ou princípios.

antinômico *adj.* (gr. *antinomikós*). **1.** Que forma antinomia. **2.** Contraditório, oposto.

antiofídico *adj.* Diz-se dos soros preparados a partir do veneno de cobras e usados para neutralizar os efeitos desse veneno.

antiovulatório *adj.* Que impede a ovulação.

antioxidante (cs) *adj.2g.* Que protege da oxidação ou a retarda.

antipartícula *s.f.* Partícula correspondente e semelhante a determinada partícula atômica elementar, exceto na carga atômica e no número bariônico, que são contrários.

antipatia *s.f.* (gr. *antipátheia,* sentimento contrário). **1.** Repugnância instintiva; aversão, repulsa. **2.** Incompatibilidade, desarmonia.

antipático *adj.* **1.** Que inspira antipatia. **2.** Discorde, desarmônico.

antipatizar *v.t.* (conj. 4). Ter antipatia.

antipedagógico *adj.* Contrário aos princípios da pedagogia.

antipirético *adj.* e *s.m.* Diz-se de ou substância que faz baixar a febre. (Sin. ANTIFEBRIL, ANTITÉRMICO, FEBRÍFUGO.)

antípoda *adj.2g.* e *s.2g.* (gr. *antipodos*). **1.** Diz-se de ou habitante de um lugar da Terra diametralmente oposto a outro. **2.** *Fig.* Contrário, oposto.

antiquado *adj.* Antigo, obsoleto, fora de uso.

antiqualha *s.f.* Antigualha.

antiquário *s.m.* (lat. *antiquarius*). **1.** Estudioso, colecionador ou comerciante de objetos antigos. **2.** Loja de coisas antigas.

anti-rábico *adj.* Diz-se da vacina usada no combate à raiva ou hidrofobia.

anti-ressonância *s.f.* Característica do circuito eletrônico cuja impedância de entrada é muito pequena.

anti-semita *adj.2g.* Hostil aos judeus.

anti-semitismo *s.m.* Doutrina ou atitude daqueles que são hostis aos judeus e pregam medidas discriminatórias contra eles.

anti-sepsia *s.f.* Antissepsia.

anti-séptico *adj.* Antisséptico.

anti-social *adj.2g.* Contrário à organização, costumes ou interesses da sociedade.

antissepsia ou **anti-sepsia** *s.f.* Conjunto dos métodos que têm por objetivo destruir os micróbios.

antisséptico ou **anti-séptico** *adj.* e *s.m.* Diz-se de ou substância que destrói os germes patogênicos ou se opõe à sua proliferação.

antitérmico *adj.* e *s.m.* Sin. de ANTIPIRÉTICO.

antítese *s.f.* (gr. *antíthesis,* oposição). **1.** Figura de estilística que consiste em aproximar palavras ou expressões de sentidos contrários para acentuar essa oposição. **2.** Pessoa ou coisa nitidamente oposta a outra. **3.** Contraste, oposição. ● **Filos.** Idéia ou proposição que forma o segundo termo de uma antinomia ou de uma contradição de tipo dialético.

antitetânico *adj.* e *s.m.* Diz-se de ou substância que previne ou combate o tétano.

antitóxico (cs) *adj.* e *s.m.* Diz-se de ou substância que se opõe ao veneno de um alimento (cogumelos, peixes, crustáceos) naturalmente tóxico.

antitoxina (cs) *s.f.* Anticorpo desenvolvido pelo organismo contra as toxinas produzidas por certas bactérias.

antitruste *adj.2g.2n.* Diz-se de ação ou medida destinada a combater a formação de trustes.

antivirótico *adj.* e *s.m.* Diz-se de ou substância que se opõe à multiplicação de um vírus biológico.

antivírus *adj.* e *s.m.* Diz-se de ou programa que detecta e elimina vírus de computador.

antivomitivo ou **antivômico** *adj.* Sin. de ANTIEMÉTICO.

antolhos (ô) *s.m.pl.* Peça de pano ou couro, presa à cabeçada, que protege os olhos do cavalo e o impede de ver lateralmente.

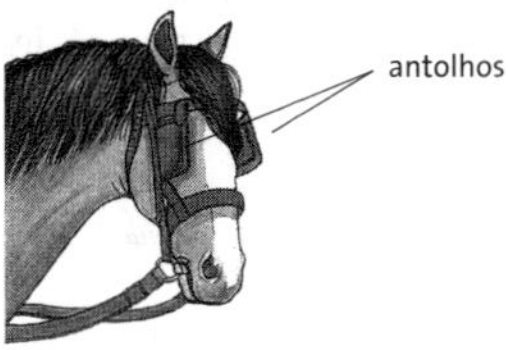

antologia *s.f.* (gr. *anthología*). Coleção de trechos escolhidos, literários ou musicais.

antológico *adj.* **1.** Referente à antologia. **2.** Digno de constar de uma antologia.

antonímia *s.f.* **1.** Estudo ou caráter das palavras antônimas. **2.** Utilização de antônimos.

antônimo *adj.* e *s.m.* (gr. *antonymos*). **1.** Diz-se de ou palavra de significado contrário, oposto ao de outra. **2.** Contrário, oposto.

antonomásia *s.f.* (gr. *antonomasía*). **1.** Substituição de um nome próprio por um comum ou por uma perífrase, ou vice-versa. **2.** Alcunha, apelido, cognome.

antozoários *s.m.pl.* Classe de animais celenterados que inclui os corais e anêmonas-do-mar, com forma medusóide ausente e pólipos mais especializados que os dos hidrozoários.

antracito *s.m.* (do gr. *ánthraxs*). Carvão natural de baixo teor de matérias voláteis, que queima sem fumaça, e libera muito calor.

antro *s.m.* (lat. *antrum*). **1.** Gruta, caverna. **2.** *Fig.* Casa ou lugar de perdição e vícios. ● **Anat.** Cavidade no interior de um osso.

antropocêntrico *adj.* Relativo ao antropocentrismo.

antropocentrismo *s.m.* Filosofia que considera o homem como o centro do universo.

antropocentrista *adj.2g.* Relativo ao antropocentrismo.

antropofagia *s.f.* (gr. *anthropophagía*). Ato ou hábito de comer carne humana; canibalismo.

ANTROPOFAGIA ► Praticada nos cinco continentes em alguma época, a antropofagia tem caráter ritual e simbólico intrínseco à cultura de alguns povos, sendo porém psicopatológica se praticada individualmente. Vários povos indígenas brasileiros praticaram, até o séc. XVII, rituais antropofágicos com sentido simbólico de aquisição das qualidades do inimigo abatido, ou como uma forma de aquisição de prestígio e *status* social. Esse costume foi invocado no séc. XX pelos modernistas, grupo de intelectuais e artistas que propunham assimilar elementos de culturas estrangeiras mediante uma transformação e aculturação, em vez de cópia ou rejeição.

antropofágico *adj.* **1.** Relativo à antropofagia. ● **Liter.** Relativo a uma tendência literária do Modernismo paulista, expressa a partir de 1928 na *Revista de Antropofagia* e no *Manifesto Antropofágico.*

antropófago *adj.* e *s.m.* (gr. *anthropophágos*). Que ou aquele que come carne humana.

antropóide *adj.2g.* (gr. *anthropoeides*). **1.** Semelhante ao homem. **2.** Relativo aos antropóides. ★ *s.m.* Indivíduo dos antropóides.

antropóides *s.m.pl.* Grupo de macacos desprovidos de cauda que engloba os orangotangos, gorilas e chimpanzés.

antropologia *s.f.* Ciência que estuda a história natural e cultural do homem e dos grupos humanos.

antropólogo *s.m.* Especialista em antropologia.

antropomorfia *s.f.* Qualidade de antropomorfo.

antropomórfico *adj.* **1.** Relativo ao antropomorfismo. **2.** Antropomorfo.

antropomorfismo *s.m.* Crença ou doutrina que atribui a Deus ou aos deuses características humanas.

antropomorfo *adj.* (gr. *anthropómorphos*). Semelhante ao homem; antropomórfico.

antroponímia *s.f.* Estudo da etimologia e história dos antropônimos.

antropônimo *s.m.* Nome próprio de pessoa.

antroposofia *s.f.* Movimento pedagógico, medicinal e místico fundado em 1913 por Rudolf Steiner, com influência da teosofia.

antúrio *s.m.* Denominação comum a diversas plantas originárias da América tropical, cultivadas como ornamentais.

anu *s.m.* Ave cuculiforme cosmopolita que apresenta cauda longa e pés com dois dedos voltados para a frente e dois para trás. (Var. ANUM.)

anual *adj.2g.* (lat. *annualis*). **1.** Que dura ou é válido por um ano. **2.** Que se dá uma vez por ano.

anuário *s.m.* (fr. *annuaire*). Publicação anual.

anuência *s.f.* (lat. *annuentia*). Ato ou efeito de anuir, aprovação, consentimento.

anuidade (u-i) *s.f.* (ingl. *annuity*). **1.** Quantia paga anualmente a uma instituição. **2.** Quantia paga anualmente para a constituição de um capital ou amortização de uma dívida.

anuir *v.t.* (lat. *annuere*) [conj. 74]. Dar consentimento; aquiescer, autorizar.

anular[1] *adj.2g.* (lat. *anularis*). Que tem a forma de um anel. ★ *s.m.* O quarto dedo da mão, no qual ordinariamente se usa o anel.

anular[2] *v.t.* (lat. tard. *annullare,* aniquilar) [conj. 4]. Tornar, declarar nulo, sem efeito; invalidar, ab-rogar.

anum *s.m.* Var. de ANU.

anunciação *s.f.* (lat. *annuntiatio*). **1.** Ato de anunciar; comunicação. **2.** Mensagem do anjo Gabriel à Virgem Maria, anunciando-lhe que seria a mãe do Messias.

anunciante *adj.2g.* e *s.2g.* Que ou quem anuncia; anunciador.

anunciar *v.t.* (lat. *annuntiare*) [conj. 16]. **1.** Tornar público, noticiar. **2.** Predizer, profetizar, prever. ★ *v.i.* Fazer anúncios, propaganda.

anúncio *s.m.* **1.** Ato de anunciar, de levar ao conhecimento do público um fato, um produto etc. **2.** Mensagem comercial, publicidade. **3.** Indício, sintoma.

anurese *s.f.* Diminuição anormal da urina; anúria.

anúria ou **anuria** *s.f.* Redução drástica da secreção urinária.

anuro *s.m.* Espécime dos anuros. ★ *adj.* **1.** Relativo aos anuros. **2.** Desprovido de cauda. (Sin. BATRÁQUIO.)

anuros *s.m.pl.* Grupo de anfíbios, desprovidos de cauda e dentes verdadeiros, que apresentam o corpo curto, patas posteriores mais desenvolvidas adaptadas para o salto e membranas entre os artelhos. (Sin. BATRÁQUIOS.)

ânus *s.m.2n.* (lat. *anus,* anel). Orifício do reto por onde são expelidas as fezes.

anuviar *v.t.* e *v.pr.* (lat. *annubilare*) [conj. 16]. **1.** Cobrir(-se) de nuvens; nublar(-se), toldar(-se), enuviar(-se). **2.** *Fig.* Carregar(-se), entristecer(-se).

anverso *s.m.* (lat. *anteversus*). **1.** O lado principal dos objetos que apresentam dois lados opostos. **2.** O lado da medalha ou moeda que contém a efígie.

anzol *s.m.* **1.** Pequeno gancho de aço, farpado, que se coloca na extremidade de uma linha de pescar e onde se prende a isca para fisgar o peixe. **2.** *Fig.* Promessa falsa para seduzir alguém; engodo.

ao comb. da prep. *a* com o art. def. *o.*

aonde comb. da prep. *a* com o adv. *onde.* Para onde.

aorta *s.f.* (gr. *aorte*). Tronco comum das artérias que transportam o sangue oxigenado a todas as partes do corpo.

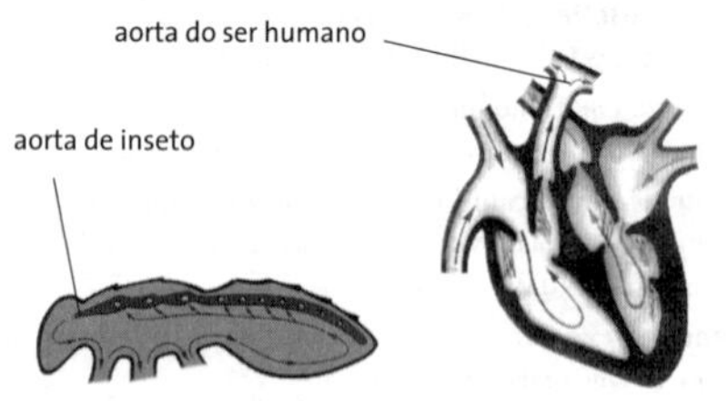

apache *adj.2g.* e *s.2g.* Diz-se de ou indivíduo dos apaches, povo indígena da América do Norte.

apadrinhar *v.t.* (conj. 4). **1.** Servir de padrinho. **2.** Proteger. **3.** Patrocinar.

apagador (ô) *s.m.* **1.** Objeto com que se apaga. **2.** Pedaço de feltro colado a um suporte de madeira, destinado a apagar o que se escreve no quadro-negro.

apagão *s.m.* Interrupção no fornecimento de energia elétrica mais ou menos duradoura, adotada como defesa antiaérea ou causada por problema técnico. (Sin. BLECAUTE.)

apagar *v.t.* (lat. *pacare*) [conj. 14]. **1.** Eliminar, fazer desaparecer (algo que estava escrito ou gravado). **2.** Fazer cessar uma combustão. **3.** Esmorecer, abrandar, mitigar. **4.** Desbotar, esmaecer (cores). **5.** *Pop.* Matar. **6.** Desfazer, destruir. ★ *v.i.* **1.** Entrar em estado letárgico por ingestão de álcool ou droga. **2.** *Pop.* Morrer. ★ *v.pr.* Deixar de queimar ou de arder; extinguir-se.

apaixonado *adj.* **1.** Tomado de paixão; enamorado. **2.** Que se manifesta com paixão; exaltado. ★ *s.m.* **1.** Pessoa apaixonada; amante, namorado. **2.** Pessoa que denota paixão em suas ações ou suas preferências.

apaixonante *adj.2g.* Que apaixona, que prende.

apaixonar *v.t.* (conj. 4). **1.** Despertar paixão em. **2.** Arrebatar, exaltar, excitar. **3.** Consternar, prostrar. ★ *v.pr.* **1.** Encher-se de paixão. **2.** Encolerizar-se, irritar-se.

apalaçado *adj.* Que tem aspecto de palácio.

apalavrar *v.t.* (conj. 4). Ajustar sob palavra, pactuar. ★ *v.pr.* Obrigar-se de palavra, empenhar-se.

apalermar *v.t.* e *v.pr.* (conj. 4). Tornar(-se) palerma; aparvalhar(-se).

apalpadela *s.f.* Ato de apalpar uma vez.

apalpar *v.t.* (lat. *palpare*) [conj. 4]. **1.** Tocar com a mão para conhecer pelo tato; tatear. **2.** Tentear, sondar. **3.** Maltratar, afligir. **4.** Sofrer, sentir. ★ *v.pr.* Tocar-se com a mão para procurar ou examinar algo.

apanágio *s.m.* (lat. tard. *appanagium*). Propriedade característica, atributo, dom.

apanha *s.f.* **1.** Ato ou efeito de apanhar. **2.** Colheita, em especial de frutos das árvores.

apanhadeira *s.f.* **1.** Trabalhadora que apanha frutos. **2.** Pá de apanhar lixo, junto com a vassoura.

apanhado *adj.* Colhido. ★ *s.m.* **1.** Resumo, sinopse. **2.** Prega, refego.

apanha-moscas *s.m.2n.* **1.** Aparelho para apanhar moscas. **2.** Espécie de espanador feito de fios que se usa para afastar as moscas. ★ *s.f.2n.* Planta insetívora cujas folhas se fecham sobre a presa.

apanhar *v.t.* (esp. *apañar*) [conj. 4]. **1.** Colher, recolher. **2.** Tomar, segurar com as mãos. **3.** Caçar, pescar. **4.** Alcançar, pegar um veículo. **5.** Prender, capturar. **6.** Contrair (doença). ★ *v.i.* **1.** Levar pancada. **2.** Perder em guerra, competição.

apaniguado *s.m.* (esp. *paniaguado*). **1.** Favorito, protegido. **2.** Sectário, partidário.

apara *s.f.* Sobra no corte de madeira, papel etc.

aparador (ô) *adj.* e *s.m.* Diz-se de ou aparelho que serve para aparar. ★ *s.m.* Móvel de sala de jantar sobre o qual se colocam os pratos e a baixela.

aparafusar *v.t.* (conj. 4). Fixar com parafuso; parafusar.

aparar *v.t.* (lat. *apparare,* preparar) [conj. 4]. **1.** Tomar, segurar. **2.** Receber (golpe ou coisa arremessada). **3.** Cortar as bordas ou extremidades de. **4.** Desbastar, alisar. **5.** Aguçar, apontar.

aparato *s.m.* (lat. *apparatus*). **1.** Pompa, ostentação. **2.** Aparelho. **3.** Conjunto de elementos materiais usados para ostentar poderio, força.

aparceirar *v.t.* (conj. 4). Tomar como parceiro; associar, congregar. ★ *v.pr.* Entrar em parceria; emparceirar-se.

aparecer *v.i.* (lat. *apparescere*) [conj. 25]. **1.** Tornar-se visível, mostrar-se, surgir. **2.** Manifestar-se. **3.** Ser publicado. **4.** *Fig.* Brilhar, fazer-se notar.

aparelhagem *s.f.* **1.** Conjunto de aparelhos e acessórios. **2.** Ato ou efeito de aparelhar a madeira com plaina e lixa.

aparelhar *v.t.* (conj. 4). **1.** Preparar, dispor. **2.** Aprontar, colocar em condição. **3.** Ornar, enfeitar. **4.** Arrear (o cavalo). **5.** Serrar a madeira para obtenção de cantos vivos; desbastar. ★ *v.pr.* Preparar-se, dispor-se.

aparelho (ê) *s.m.* **1.** Instrumento necessário para executar um trabalho; utensílio. **2.** Reunião de peças dispostas para funcionar em conjunto. **3.** Ato de aparelhar; preparativos. **4.** Conjunto de peças para o serviço de cozinha ou mesa. ● **Anat.** Conjunto de órgãos que participam de uma mesma função orgânica.

aparência *s.f.* (lat. *apparentia*). **1.** Aspecto exterior. **2.** Engano, ilusão, disfarce.

aparentado *adj.* **1.** Que tem parentesco. **2.** Ligado, semelhante.

aparentar *v.t.* (conj. 4). **1.** Mostrar na aparência; parecer. **2.** Afetar, fingir. ★ *v.pr.* Contrair parentesco.

aparente *adj.2g.* **1.** Que aparece; visível. **2.** Que parece real. **3.** Suposto, enganador.

aparição *s.f.* (lat. *apparitio*). **1.** Ato ou efeito de aparecer; aparecimento. **2.** *Fig.* Origem, princípio. **3.** Manifestação súbita de um ser ou de um objeto. **4.** Presença momentânea. **5.** Visão, fantasma.

apartado *adj.* **1.** Afastado, desviado do caminho. **2.** Longínquo, remoto.

apartamento *s.m.* (fr. *appartement*). Parte de um imóvel com várias peças que formam um conjunto destinado à habitação.

apartar *v.t.* (conj. 4). **1.** Separar, desunir, pôr de parte. **2.** Escolher conforme a qualidade. **3.** Apaziguar, separar os que estão brigando. **4.** Afastar, pôr em distância. ★ *v.pr.* Afastar-se.

aparte *s.m.* **1.** Interrupção que se faz a quem discursa. ● **Teat.** O que um ator diz em cena, como se estivesse falando consigo ou com o público.

apartear *v.t.* (conj. 15). Interromper com apartes; dirigir apartes a.

apartheid *s.m.* (africâner, separação). Sistema político e social de segregação das populações negras da África do Sul, mantido pelo governo da minoria branca desde 1948 até 1994, quando uma nova constituição instituiu igualdade de direitos.

apartidário *adj.* Indiferente ou contrário a partidos.

aparvalhado *adj.* **1.** Parvo, idiota. **2.** Atrapalhado, desorientado.

aparvalhar *v.t.* e *v.pr.* (conj. 4). **1.** Tornar(-se) parvo, idiota. **2.** Atrapalhar(-se), desorientar(-se). **3.** Espantar(-se), assustar(-se).

apascentar *v.t.* (conj. 4). **1.** Levar ao pasto. **2.** Pastorear. **3.** Doutrinar, instruir, guiar. **4.** Recrear, deleitar. **5.** Alimentar, nutrir. ★ *v.pr.* **1.** Nutrir-se. **2.** Entreter-se, recrear-se.

apassivador (ô) *adj.* Que apassiva. ● **Gram.** Diz-se do pronome *se*, quando expressa a voz passiva.

apassivar *v.t.* (conj. 4). Tornar passivo, inerte. ● **Gram.** Pôr (o verbo) na voz passiva.

apatetado *adj.* Atoleimado, aparvalhado.

apatia *s.f.* (gr. *apátheia*, ausência de paixão). **1.** Estado de indiferença, insensibilidade. **2.** Indolência, marasmo, inércia.

apático *adj.* Que tem apatia.

apátrida *adj.2g.* e *s.2g.* Que ou aquele que perdeu sua nacionalidade e não adquiriu legalmente outra.

apavorar *v.t.* (conj. 4). Causar pavor; assustar, terrificar. ★ *v.i.* Infundir pavor. ★ *v.pr.* Encher-se de pavor.

apaziguar *v.t.* e *v.pr.* (conj. 21). **1.** Pacificar(-se), aplacar(-se). **2.** Acalmar(-se), tranqüilizar(-se).

apear *v.t.* (conj. 15). **1.** Fazer descer, colocar no chão. **2.** Derrubar, demolir. ★ *v.i.* e *v.pr.* Descer do cavalo, do veículo etc.

apedeuta *s.2g.* (gr. *apaideutos*). Pessoa sem instrução; ignorante.

apedrejamento *s.m.* Ato ou efeito de apedrejar.

apedrejar *v.t.* (conj. 4). **1.** Atirar pedras contra. **2.** Ferir ou matar a pedradas; lapidar. **3.** Ofender, insultar.

apegar *v.t.* (conj. 14). **1.** Juntar, colar. **2.** Transmitir por contágio. ★ *v.pr.* **1.** Segurar-se a, agarrar(-se). **2.** Afeiçoar-se. **3.** Recorrer a, valer-se de.

apego (ê) *s.m.* Sentimento de afeição, de simpatia por alguém ou por alguma coisa.

apelação *s.f.* (lat. *appellatio*). **1.** Ação de apelar; apelo. **2.** Recurso, remédio. ● **Dir.** Recurso de sentença ou despacho de magistrado ou de tribunal *inferior para o superior.*

apelar *v.i.* (lat. *appellare*) [conj. 4]. **1.** Pedir auxílio ou providências. **2.** Recorrer, invocar, valer-se de. ● **Dir.** Proceder à apelação.

apelativo *adj.* (lat. *appellatious*). Relativo a apelação.

apelidar *v.t.* (lat. *appellitare*) [conj. 4]. **1.** Chamar por apelido ou alcunha. **2.** Convocar, convidar.

apelido *s.m.* **1.** Sobrenome. **2.** Alcunha, cognome.

apelo (ê) *s.m.* **1.** Ato ou efeito de apelar; apelação. **2.** Pedido de auxílio, de providências. **3.** Invocação, convocação.

apenas *adv.* **1.** Só, somente. **2.** Dificilmente, pelo menos, quando muito.

apêndice *s.m.* (lat. *appendix*). **1.** Parte anexa, acréscimo. **2.** Suplemento no fim de uma obra. **3.** Qualquer expansão corporal do homem, dos animais ou das plantas. ● **Anat.** *Apêndice ileocecal* ou *vermiforme*, prolongamento do ceco intestinal, com cerca de 8 cm de comprimento.

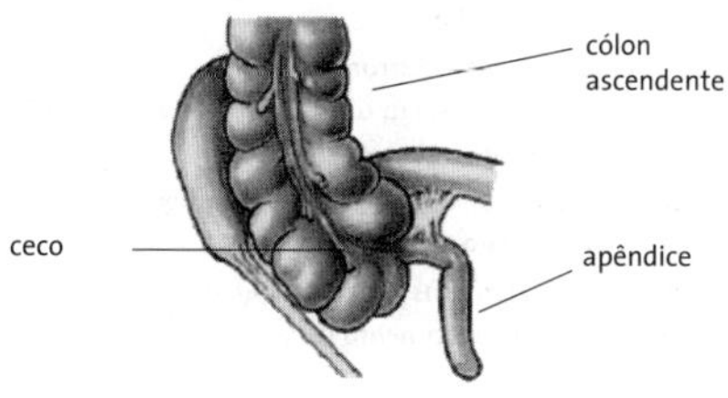

apendicite *s.f.* Inflamação do apêndice ileocecal, caracterizada por febre e dor abdominal localizada.

apendoar *v.t.* (conj. 20). Guarnecer de pendões. ★ *v.i.* Soltar pendão (o milho ou a cana).

apensar *v.t.* (conj. 4). Juntar, anexar.

apenso *adj.* (lat. *appensus*). Junto, anexo. ★ *s.m.* Aquilo que se apensa.

A B C D E F G H I J K L M N O P Q R S T U V W X Y Z

apequenar *v.t.* e *v.pr.* (conj. 4). **1.** Tornar(-se) pequeno. **2.** *Fig.* Humilhar(-se).

aperceber *v.t.* (conj. 5). **1.** Preparar; aparelhar. **2.** Prover, abastecer. ★ *v.pr.* **1.** Perceber, notar. **2.** Munir-se, prover-se.

apercepção *s.f.* **1.** Ato ou efeito de aperceber (-se). **2.** Consciência imediata de si e do mundo. **3.** Intuição.

aperfeiçoamento *s.m.* Ato ou efeito de aperfeiçoar(-se).

aperfeiçoar *v.t.* (conj. 20). **1.** Aproximar da perfeição; trazer melhoramento a. **2.** Apurar, aprimorar. ★ *v.pr.* Desenvolver-se, aprimorar-se.

aperiódico *adj.* Diz-se do fenômeno físico que não apresenta um período de repetição definido.

aperitivo *adj.* (lat. *aperitivus*). Que estimula o apetite. ★ *s.m.* **1.** Aquilo que faz despertar o apetite. **2.** Bebida espirituosa que se toma antes das refeições.

aperrear *v.t.* (esp. *aperrear*) [conj. 15]. **1.** Atormentar, oprimir. **2.** Lançar cães sobre alguém. ★ *v.pr.* Apoquentar(-se).

apertado *adj.* **1.** Que se apertou, comprimiu. **2.** Estreito. **3.** Difícil. **4.** Que se acha em dificuldades financeiras.

apertão *s.m.* **1.** Grande aperto. **2.** Aperto com intenção libidinosa.

apertar *v.t.* (conj. 4). **1.** Segurar com força. **2.** Estreitar, comprimir. **3.** Aproximar muito. **4.** *Fig.* Insistir. ★ *v.pr.* **1.** Afligir-se. **2.** Achar-se em dificuldades financeiras.

aperto (ê) *s.m.* ou **apertura** *s.f.* **1.** Ato de apertar(-se). **2.** Ajuste, estreitamento. **3.** Aflição, angústia. **4.** Penúria, situação difícil.

apesar *adv.* *Apesar de,* não obstante, a despeito de. ► *Apesar de que,* ainda que.

apessoado *adj.* Bem-apessoado.

apétalo *adj.* Desprovido de pétalas.

apetecer *v.t.* (lat. *appetere*) [conj. 25]. Desejar, ter apetite de; cobiçar, ambicionar. ★ *v.i.* Causar apetite; agradar.

apetência *s.f.* (lat. *appetentia*). Apetite.

apetite *s.m.* (lat. *appetitus*). **1.** Vontade de comer; apetência. **2.** Disposição, vontade. **3.** Sensualidade, concupiscência.

apetitivo *adj.* (lat. *appetitivus*). **1.** Que tem apetite. **2.** Sensual.

apetitoso (ô) *adj.* **1.** Que excita o apetite; gostoso, saboroso. **2.** Tentador, provocador, apetecível. **3.** Cobiçoso.

apetrechar *v.t.* (conj. 4). Munir de apetrechos; petrechar.

apetrechos (ê) *s.m.pl.* Conjunto de coisas necessárias a determinado uso; petrechos.

ápex (cs) *s.m.* (lat. *apex*). **Astron.** Ponto do espaço situado na constelação de Hércules, em direção do qual se dá o movimento aparente relativo do Sistema Solar.

apiacá *s.2g.* Indivíduo dos apiacás, povo indígena tupi-guarani que vive no Mato Grosso.

apiário *adj.* **1.** Relativo às abelhas. **2.** Que se parece com a abelha. ★ *s.m.* Estabelecimento de apicultura.

APIÁRIO ► O apiário pode se estabelecer em qualquer lugar onde haja campos naturais ou artificiais, matas e plantas que produzam muitas flores, além de água em abundância. As atividades no apiário vão desde a vistoria para verificar o estado das colméias até a substituição das rainhas.

---

apical *adj.2g.* Que termina em ápice.

ápice *s.m.* (lat. *apex, apicis*). **1.** O ponto mais elevado; vértice. **2.** Porção terminal de um órgão vegetal.

apícola *adj.2g.* Relativo à criação de abelhas. ★ *s.2g.* Apicultor.

apicultor (ô) *s.m.* Pessoa que pratica a apicultura; apícola.

apicultura *s.f.* Arte de criar e de cuidar das abelhas para a obtenção de mel, cera e outros produtos da colméia.

ELEMENTOS LIGADOS À APICULTURA

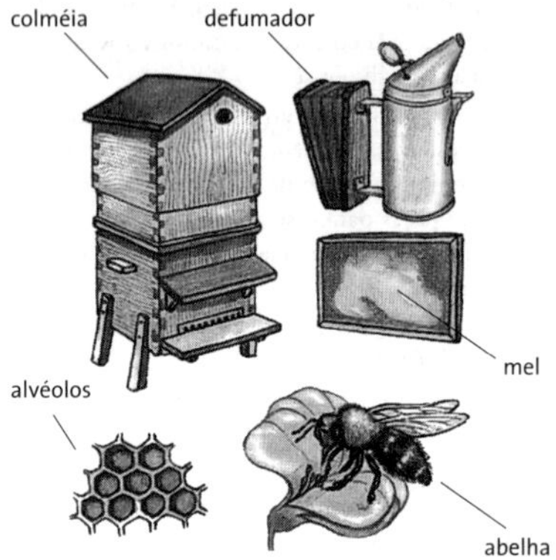

---

apiedar *v.t.* (conj. 4). Levar à piedade. ★ *v.pr.* Ter piedade, condoer-se.

apiloar *v.t.* (conj. 20). Socar com pilão.

apimentar *v.t.* (conj. 4). **1.** Temperar com pimenta. **2.** *Fig.* Tornar picante, malicioso.

apinajé *s.2g.* Indivíduo dos apinajés, povo indígena jê que vive no Tocantins.

apinhar *v.t.* (conj. 4). **1.** Apertar, unir, ajuntar. **2.** Encher. ★ *v.pr.* Unir-se apertadamente; aglomerar-se.

apisoar *v.t.* (conj. 20). **1.** Bater o pano com o pisão; pisoar. **2.** Consolidar o terreno batendo com soquete.

apitar *v.i.* (onomat.) [conj. 4]. **1.** Tocar apito. **2.** *Pop.* Arbitrar (jogo).

apito *s.m.* **1.** Instrumento para apitar ou assobiar. **2.** O som produzido pelo apito.

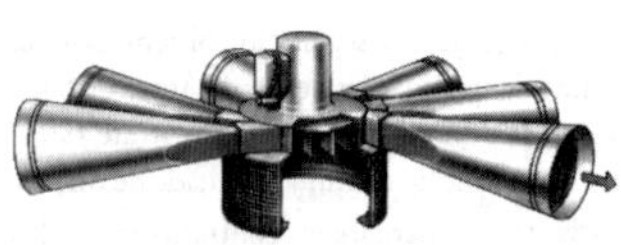

apito de fábrica

---

aplacar *v.t.* (lat. *placare*) [conj. 12]. Tornar plácido; abrandar. ★ *v.i.* e *v.pr.* Aquietar-se.

aplainar *v.t.* (conj. 4). **1.** Alisar com a plaina. **2.** Nivelar, igualar, aplanar. **3.** *Fig.* Facilitar, simplificar.

aplanar *v.t.* (lat. *applanare*) [conj. 4]. **1.** Tornar plano, nivelar. **2.** Desembaraçar, facilitar.

aplasia *s.f.* Desenvolvimento insuficiente ou imperfeito de um órgão, de um tecido.

aplaudir *v.t.* (lat. *applaudere*) [conj. 6]. Aprovar, elogiar. ★ *v.i.* Bater palmas.

aplauso *s.m.* (lat. *applausus*). **1.** Ato ou efeito de aplaudir; aprovação, aclamação. **2.** Manifestação de aprovação com palmas, vozes, ruídos etc. **3.** Louvor, elogio.

aplicabilidade *s.f.* Qualidade de aplicável.

aplicação *s.f.* (lat. *applicatio*). **1.** Ação de aplicar(-se). **2.** Emprego, investimento. **3.** Dedicação, devotamento. **4.** Adorno que se aplica a uma peça de costura. **5.** Sin. de APLICATIVO.

aplicado *adj.* **1.** Que se aplicou. **2.** Estudioso, atento, esforçado.

aplicar *v.t.* (lat. *applicare*) [conj. 12]. **1.** Justapor, sobrepor. **2.** Empregar dinheiro em; investir. **3.** Dedicar, devotar. **4.** Infligir, impor. **5.** Administrar, ministrar. ★ *v.pr.* Entregar-se com afinco; dedicar-se.

aplicativo *s.m.* Qualquer programa ou *software* usado para realizar tarefas como processamento de texto, cálculo em planilha, desenho, gerenciar dados de clientes, produção etc. (Sin. APLICAÇÃO.)

aplicável *adj.2g.* Que pode ser aplicado.

apnéia *s.f.* (*gr. ápnoia*). Parada respiratória.

apocalipse *s.m.* (gr. *apokálypsis*, revelação). **1.** Livro do Novo Testamento que contém as revelações feitas ao apóstolo João sobre o destino da humanidade e o fim do mundo. **2.** Flagelo, catástrofe.

apocalíptico *adj.* (gr. *apokalyptikós*). **1.** Relativo ao Apocalipse de João. **2.** Obscuro, enigmático.

apocarpo *s.m.* Fruto originado de um gineceu apocárpico.

apocopado *adj.* Que sofreu apócope.

apócope *s.f.* (gr. *apokope*, amputação). Supressão de um ou vários fonemas no final de uma palavra.

apócrifo *adj.* (gr. *apokryphos*, oculto). **1.** Diz-se de um texto que não é do autor a que se atribui. **2.** Duvidoso, suspeito. **3.** Diz-se dos textos bíblicos que não fazem parte do cânon das Escrituras.

apodar *v.t.* (conj. 4). **1.** Dizer apodos a; zombar de. **2.** Alcunhar, qualificar. **3.** Comparar depreciativamente.

ápode *s.m.* (gr. *ápons, ápodos*). **1.** Qualquer grupo animal que se caracteriza pela ausência de pés.

apodo (ô) *s.m.* (gr. *apodós*). **1.** Alcunha. **2.** Comparação ridícula. **3.** Zombaria, mofa.

apodrecer *v.t.* e *v.i.* (conj. 25). **1.** Tornar(-se) podre; estragar(-se); deteriorar(-se). **2.** *Fig.* Ficar muito tempo.

apodrecimento *s.m.* Putrefação.

apófise *s.f.* (gr. *apóphysis*). **1.** Saliência óssea que pode suportar uma superfície articular (*apófise articular*) ou servir de ponto de inserção a um músculo ou a um tendão. **2.** Prolongamento aguçado de um maciço de rochas eruptivas.

apogeu *s.m.* (gr. *apógeios*). **1.** Posição mais afastada que um corpo em órbita da Terra pode atingir. **2.** Posição mais afastada do Sol em relação à Terra, em seu movimento aparente no céu. **3.** O mais alto grau de elevação, o auge.

apoiado *adj.* **1.** Que se apóia ou apoiou. **2.** Encostado, sustentado, escorado. ★ *s.m.* Aplauso, apoio. ★ *interj.* Exprime aplauso, entusiasmo, adesão, apoio.

apoiar *v.t.* (it. *appoggiare*) [conj. 16]. **1.** Dar apoio a. **2.** Favorecer. **3.** Sustentar. **4.** Aplaudir. ★ *v.pr.* Amparar-se.

apoio (ô) *s.m.* **1.** Sustentáculo, esteio. **2.** Auxílio, proteção.

apojado *adj.* Intumescido com algum líquido.

apojadura *s.f.* ou **apojamento** *s.m.* Afluência intermitente de leite às mamas da mulher ou das fêmeas dos mamíferos.

apojar *v.i.* (conj. 4). Encher-se de leite ou de outro líquido.

apojo (ô) *s.m.* Leite mais grosso tirado da vaca, após tirar-se o primeiro, pouco espesso.

apólice *s.f.* **1.** Certificado de obrigação mercantil. **2.** Ação de uma companhia. **3.** Título de dívida pública.

apolíneo *adj.* (lat. *apollineus*). **1.** Relativo ao deus Apolo. **2.** Belo como Apolo. **3.** Que é caracterizado pelo equilíbrio, sobriedade e comedimento (p. opos. a *dionisíaco*).

? VOCÊ SABIA...? Na mitologia grega, Apolo é o deus do Sol e conduz diariamente seu carro solar de um extremo ao outro do céu, sendo responsável pelos dias e pelas noites. Apolo ainda é considerado protetor das atividades **apolíneas**: as artes, a música e a inspiração poética.

---

apolítico *adj.* e *s.m.* Que ou o que está fora da política; que não se interessa por política.

apologético *adj.* (gr. *apologetikós*). Que contém apologia.

apologia *s.f.* (gr. *apologia*). Discurso de defesa ou louvor, elogio, louvor, encômio.

apólogo *s.m.* (gr. *apólogos*). Narrativa alegórica e moral, cujos personagens são seres inanimados.

aponevrose *s.f.* Membrana resistente formada por fibras conjuntivas que envolvem um músculo ou o inserem no osso.

apontador (ô) *s.m.* **1.** Profissional encarregado de controlar a freqüência dos empregados. **2.** Instrumento para apontar lápis.

apontamento *s.m.* **1.** Ato ou efeito de apontar. **2.** Registro escrito de coisa lida ou ouvida; nota.

apontar *v.t.* (conj. 4). **1.** Fazer ponta em; aguçar. **2.** Indicar com o dedo, o olhar etc. uma pessoa ou um objeto. **3.** Citar, mencionar. **4.** Fazer pontaria; assestar. **5.** Anotar o horário de entrada e saída de trabalhadores. **6.** Assinalar, marcar. **7.** Dirigir um objeto para um ponto. **8.** Alinhavar. ★ *v.i.* Começar a surgir; despontar. ★ *v.pr.* **1.** Dirigir-se com a ponta ou a proa. **2.** Caprichar.

apoplético *adj.* (gr. *apoplektikós*). **1.** Relativo à apoplexia. **2.** Predisposto à apoplexia. **3.** *Fig.* Acalorado, entusiasmado.

apoplexia (cs ou ss) *s.f.* (gr. *apoplexia*). **Med.** Parada brutal de todas as funções cerebrais que resulta em coma profundo. ▸ Designação genérica de todo derramamento de sangue em um órgão, devido a uma lesão na parede venosa ou arterial.

apoquentação *s.f.* **1.** Ato ou efeito de apoquentar; importunação, aporrinhação. **2.** Incômodo, mal-estar.

apoquentar *v.t.* e *v.pr.* (conj. 4). Atormentar (-se), importunar(-se), irritar(-se).

apor (ô) *v.t.* (lat. *apponere*) [conj. 45]. **1.** Pôr junto ou sobre; justapor, sobrepor. **2.** Inserir, acrescentar, anexar.

aporia *s.f.* (gr. *aporía*, embaraço). **1.** Contradição insolúvel que aparece num raciocínio. **2.** Dúvida, hesitação.

aporrinhar *v.t.* e *v.pr.* (conj. 4). Apoquentar (-se), chatear(-se), aborrecer(-se).

aportar *v.i.* (conj. 4). Chegar (a embarcação) ao porto. ★ *v.t.* **1.** Fazer chegar ao porto. **2.** Ancorar, fundear. **3.** Chegar a algum lugar.

aportuguesamento *s.m.* **1.** Ato ou efeito de aportuguesar(-se). **2.** Adaptação fonológica e morfológica de palavras estrangeiras ao português; a palavra assim adaptada.

aportuguesar *v.t.* e *v.pr.* (conj. 4). Dar ou tomar forma, caráter, maneira de português.

após *prep.* **1.** Depois de. **2.** Atrás de, trás, empós. ★ *adv.* Depois, em seguida.

aposentado *adj.* e *s.m.* **1.** Que ou aquele que se aposentou. **2.** Beneficiário da aposentadoria.

aposentadoria *s.f.* **1.** Ato ou efeito de aposentar(-se). **2.** Direito que tem um trabalhador de retirar-se do emprego e continuar recebendo remuneração depois de certo tempo de serviço, por causa de idade avançada, por invalidez ou outros motivos previstos em lei. **3.** Pensão recebida por quem se aposentou. **4.** Hospedagem, albergaria.

aposentar *v.t.* (conj. 4). **1.** Dar pousada a, alojar. **2.** Pôr de lado, abandonar. **3.** Dispensar do serviço, com o ordenado inteiro ou parcial; reformar, jubilar. ★ *v.pr.* **1.** Deixar cargo ou serviço, conservando inteira ou parcialmente o ordenado. **2.** Hospedar-se; habitar, morar.

aposento *s.m.* **1.** Residência, morada. **2.** Compartimento de uma casa; quarto.

aposição *s.f.* (lat. *appositio*). Ação de apor. ● **Gram.** Emprego de substantivo ou locução substantiva na função de aposto.

apositivo *adj.* Que tem função de aposto.

apossar *v.t.* (conj. 4). Dar posse a; empossar. ★ *v.pr.* **1.** Apoderar-se; tomar indevidamente posse de; usurpar. **2.** *Fig.* Dominar, senhorear-se.

aposta *s.f.* **1.** Compromisso firmado entre duas pessoas de opinião diferente pelo qual aquele que errar seu prognóstico pagará ao outro uma quantia ou algo previamente combinado. **2.** A coisa ou quantia apostada. **3.** Quantia empenhada num jogo visando à percepção de uma soma.

apostar *v.t.* (conj. 4). **1.** Fazer uma aposta. **2.** Afirmar com certa convicção.

apostasia *s.f.* (gr. *apostasía*). Abandono voluntário e público de uma religião, de um partido ou de uma doutrina.

apóstata *adj.2g.* e *s.2g.* (gr. *apostátes*). Que ou quem pratica apostasia.

apostatar *v.i.* (lat. *apostatare*) [conj. 4]. Abandonar, abjurar a religião, a doutrina que professava.

apostema *s.m.* (gr. *apóstema*). Abscesso.

apostemar *v.i.* (conj. 4). Criar abscesso. ★ *v.t.* **1.** Infectar, contaminar. **2.** *Fig.* Irritar-se, agastar-se. ★ *v.pr.* Resultar em abscesso.

apostila *s.f.* **1.** Aditamento ou notação à margem de um escrito. **2.** Resumo de aulas ou preleções, distribuído em cópias aos alunos ou ouvintes.

apostilar *v.t.* (conj. 4). Pôr em apostilas, anotar explicações ou comentários marginais.

aposto (ô) *adj.* (lat. *appositus*). Que se apôs; adjunto. ★ *s.m.* **Gram.** Termo acessório da oração, de caráter nominal, que define ou determina aquele ao qual se refere e possui o mesmo valor sintático.

apostolado *s.m.* **1.** Missão de um apóstolo ou dos apóstolos. **2.** Grupo dos apóstolos.

apostolar[1] *adj.2g.* Edificante; próprio de apóstolo.

apostolar[2] *v.t.* (conj. 4). Pregar como apóstolo; ensinar publicamente. ★ *v.i.* Evangelizar; pregar doutrina religiosa.

apostólico *adj.* (gr. *apostolikós*). Relativo ou pertencente aos apóstolos ou à Santa Sé.

apóstolo *s.m.* (gr. *apóstolos*, enviado). **1.** Cada um dos doze discípulos escolhidos por Jesus. **2.** Nome dado aos primeiros pregadores do Evangelho. **3.** Aquele que se dedica à propagação e defesa de uma doutrina.

apostrofar *v.t.* (conj. 4). **1.** Dirigir apóstrofe a. **2.** Interpelar. ● **Gram.** Pôr apóstrofo.

apóstrofe *s.f.* (gr. *apostrophe*). **1.** Figura de estilo em que o orador ou escritor se dirige a algo ou alguém exterior ao encadeamento direto do texto. **2.** Interpelação direta e pouco cortês. (Cf. APÓSTROFO.)

apóstrofo *s.m.* (gr. *apóstrophos*). Sinal gráfico (') que indica a elisão de um ou mais fonemas. (Cf. APÓSTROFE.)

apotécio *s.m.* Corpo de frutificação em forma de taça rasa que ocorre nos cogumelos e em alguns liquens.

apótema *s.m.* (gr. *apotíthemi*). Segmento de reta que une o centro de um polígono regular ao centro de um de seus lados.

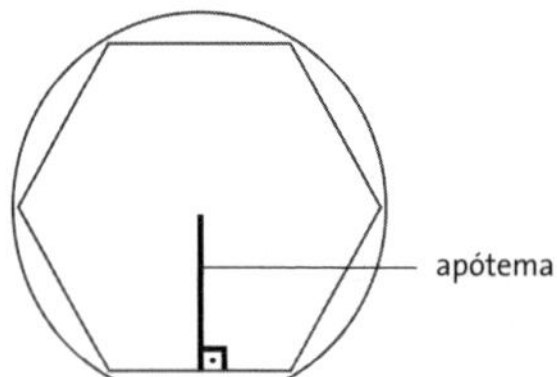

hexágono regular
inscrito num círculo

apoteose *s.f.* (gr. *apothéosis*). **1.** Na Antiguidade, cerimônia de deificação de um mortal. **2.** Honraria extraordinária; glorificação. **3.** Desfecho glorioso de uma ação, de um espetáculo. ● **Teat.** Cena final de uma representação teatral de que participam todos os atores.

apoteótico *adj.* Relativo à apoteose.

apoucar *v.t.* (conj. 12). **1.** Reduzir a pouco ou a poucos; restringir. **2.** Humilhar. **3.** Descoroçoar, tirar o ânimo. ★ *v.pr.* Humilhar-se; dar-se pouco valor.

aprazar *v.t.* (conj. 4). **1.** Marcar prazo para. **2.** Designar lugar e prazo certos; convocar. **3.** Combinar, ajustar.

aprazer *v.t.* (conj. 32). Agradar, ser aprazível. ★ *v.pr.* Gostar de, contentar-se com.

aprazível *adj.2g.* Que apraz; agradável, alegre.

apreçar *v.t.* (lat. *appretiare*) [conj. 13]. Ajustar, marcar o preço de; avaliar.

apreciação *s.f.* **1.** Ato de apreciar; estima, avaliação. **2.** Julgamento, observação.

apreciar *v.t.* (lat. *appretiare*) [conj. 16]. **1.** Dar apreço; prezar. **2.** Gostar.

apreciável *adj.2g.* **1.** Que se pode apreciar. **2.** Digno de apreço, estimável. **3.** Considerável.

apreço (ê) *s.m.* **1.** Estima. **2.** Valor atribuído a; consideração.

apreender *v.t.* (lat. *apprehendere*) [conj. 5]. **1.** Fazer apreensão; tomar, prender. **2.** Confiscar, apropriar-se judicialmente. **3.** Aprender, compreender.

apreensão *s.f.* (lat. *apprehensio*). **1.** Ato ou efeito de apreender; tomada, prisão. **2.** Receio, preocupação. **3.** Compreensão, conhecimento.

apreensível *adj.2g.* (lat. *apprehensibilis*). Que se pode apreender.

apreensivo *adj.* **1.** Que apreende. **2.** Receoso; desconfiado. **3.** Preocupado.

apreensor (ô) *adj.* e *s.m.* Que ou o que apreende.

apreensório *adj.* Que serve para apreender.

apregoar *v.t.* (conj. 20). **1.** Anunciar com pregão. **2.** Dizer em voz alta. **3.** Publicar, divulgar. ★ *v.pr.* Gabar-se.

aprender *v.t.* (lat. *apprehendere*) [conj. 5]. **1.** Adquirir o conhecimento de, instruir-se. **2.** Tornar-se apto, capaz, em conseqüência da experiência e observação.

aprendiz *s.m.* (ant. fr. *aprentis*). **1.** Pessoa que aprende um ofício ou arte. **2.** Principiante, inexperiente.

aprendizado *s.m.* **1.** Ato ou efeito de aprender; aprendizagem. **2.** Tempo que se leva para aprender. ● **Etol.** e **Psicol.** Conjunto de processos de memorização colocados em ação pelo animal ou pelo homem, para elaborar ou modificar comportamentos específicos sob a influência de seu desenvolvimento e de sua experiência.

aprendizagem *s.f.* Aprendizado.

apresar *v.t.* (conj. 4). **1.** Capturar, tomar como presa. **2.** Embargar.

apresentação *s.f.* **1.** Ato de apresentar(-se). **2.** Informação dada sobre uma pessoa, grupo ou idéia. **3.** Aparência, visual de algo ou alguém.

apresentar *v.t.* (conj. 4). **1.** Mostrar, exibir, expor. **2.** Informar sobre uma pessoa, grupo ou idéia a outra pessoa ou grupo; fazer a apresentação. **3.** Exprimir. ★ *v.pr.* **1.** Comparecer. **2.** Aparecer.

apresentável *adj.2g.* **1.** Que se pode apresentar, que é digno de ser apresentado. **2.** Que tem boa apresentação.

apressado *adj.* **1.** Que tem pressa. **2.** Pronto, açodado, precipitado.

apressar *v.t.* (conj. 4). **1.** Ativar, acelerar, precipitar. **2.** Instigar, instar. ★ *v.pr.* Tornar-se mais rápido.

apressurar *v.t.* (conj. 4). Apressar, aprontar, aviar. ★ *v.pr.* Apressar-se, despachar-se.

aprestamento *s.m.* **1.** Ato ou efeito de aprestar. **2.** Preparo, aprontamento.

aprestar *v.t.* (conj. 4). Aprontar, aparelhar, preparar. ★ *v.pr.* Preparar-se, dispor-se.

apresto *s.m.* Preparativo, preparo. ★ *s.m.pl.* Utensílios, petrechos.

aprimorar *v.t.* e *v.pr.* (conj. 4). Aperfeiçoar(-se), esmerar(-se).

aprisco *s.m.* **1.** Curral, redil de ovelhas. **2.** Choupana, cabana. **3.** *Fig.* Família, casa paterna.

aprisionar *v.t.* (conj. 4). **1.** Fazer prisioneiro; meter em prisão, encarcerar, prender. **2.** Apresar. **3.** Cativar.

aproar *v.t.* (conj. 20). **1.** Direcionar a proa de uma embarcação. **2.** *Fig.* Encaminhar, dirigir. ★ *v.i.* Arribar, chegar.

aprobativo *adj.* Que aprova ou exprime aprovação.

aprobatório *adj.* Aprobativo.

aprofundar *v.t.* (conj. 4). **1.** Fazer fundo, tornar mais fundo; profundar, escavar. **2.** *Fig.* Examinar a fundo. ★ *v.pr.* Penetrar até o fundo, investigar minuciosamente.

aprontar *v.t.* (conj. 4). Tornar pronto; acabar. ★ *v.pr.* **1.** Dispor-se, preparar-se, aparelhar-se. **2.** *Fam.* Vestir-se.

apropriado *adj.* Próprio, conveniente, adequado.

apropriar *v.t.* (conj. 16). Tornar próprio; adaptar, acomodar, conformar. ★ *v.pr.* Tomar para si; apossar-se, usurpar.

aprovação *s.f.* (lat. *approbatio*). **1.** Ação de aprovar; consentimento, autorização. **2.** Louvor, aplauso. **3.** Homologação.

aprovado *adj.* Sancionado, admitido.

aprovar *v.t.* (lat. *approbare*) [conj. 4]. **1.** Dar seu consentimento a. **2.** Achar bom, louvável. **3.** Dar por habilitado. **4.** Autorizar, sancionar. ★ *v.i.* **1.** Fazer jus à aprovação. **2.** Dar como aprovado.

aproveitamento *s.m.* **1.** Ato ou efeito de aproveitar. **2.** Bom emprego ou aplicação; vantagem. **3.** Desenvolvimento, progresso.

aproveitar *v.t.* e *v.i.* (conj. 4). **1.** Tirar vantagem, proveito. **2.** Trazer lucro. **3.** Ter aproveitamento, ser proveitoso. ★ *v.pr.* Utilizar-se; prevalecer-se.

aprovisionamento *s.m.* **1.** Ação de aprovisionar, de prover. **2.** Abastecimento, fornecimento. ★ *s.m. pl.* As provisões tomadas em conjunto.

aprovisionar *v.t.* (conj. 4). Fornecer provisões; prover, abastecer.

aproximação (ss) *s.f.* **1.** Ato de aproximar(-se). **2.** Avaliação; estimativa aproximada.

aproximar (ss) *v.t.* (lat. *approximare*) [conj. 4]. **1.** Colocar perto de alguém ou de alguma coisa. **2.** Apressar, fazer chegar. **3.** Relacionar, estabelecer analogias. ● **Mat.** Arredondar. ★ *v.pr.* **1.** Ficar mais perto, ser iminente. **2.** Avizinhar-se. **3.** *Fig.* Ter semelhança, parecer-se.

aproximativo (ss) *adj.* Feito por aproximação; aproximado.

aprumado *adj.* **1.** Erguido a prumo, direito. **2.** Hirto, teso. **3.** Melhorado de saúde ou de finanças; bem-vestido.

aprumar *v.t.* (conj. 4). Colocar na vertical. ★ *v.pr.* **1.** Melhorar de posição. **2.** Endireitar-se. **3.** Vestir-se com apuro.

aprumo *s.m.* **1.** Posição vertical. **2.** *Fig.* Segurança, altivez, sobranceria.

apterigiformes *s.m.pl.* Ordem de aves terrestres, que apresentam asas degeneradas e esterno sem quilha, a que pertencem os quivis.

áptero *adj.* (gr. *ápteros*). Desprovido de asas.

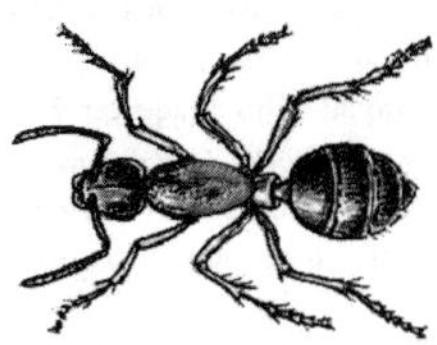

formiga, inseto áptero

aptidão *s.f.* (lat. *aptitudo*). Disposição natural ou adquirida para qualquer coisa.

apto *adj.* (lat. *aptus*). Que tem aptidão para alguma coisa; hábil, capaz.

apunhalar *v.t.* (conj. 4). **1.** Ferir com punhal. **2.** *Fig.* Ofender profundamente; causar dor violenta. ★ *v.pr.* Ferir-se com punhal.

apupar *v.t.* (conj. 4). Vaiar, escarnecer.

apupo *s.m.* Apupada.

apuração *s.f.* **1.** Ato ou efeito de apurar; apuro. **2.** Verificação de uma conta para liquidá-la. **3.** Contagem dos votos de uma eleição.

apurar *v.t.* (conj. 4). **1.** Purificar, livrar de impurezas. **2.** Aperfeiçoar, esmerar. **3.** Cobrar, arrecadar. **4.** Averiguar, inquirir. **5.** Contar, selecionar. ★ *v.t.* e *v.i.* Tornar(-se) mais concentrado (líquido) por meio de fervura. ★ *v.pr.* **1.** Tornar-se puro. **2.** Aperfeiçoar-se. **3.** Apressar-se, impacientar-se.

apuro *s.m.* **1.** Apuração. **2.** Correção, esmero. **3.** Dificuldade, aperto, embaraço.

aquacultor (ô) *s.m.* Var. de AQÜICULTOR.

aquacultura *s.f.* Var. de AQÜICULTURA.

aquarela *s.f.* (it. *acquarello*). **1.** Tinta diluída em água, leve, transparente; aguarela. **2.** Pintura obtida com essa tinta.

aquarelista *s.2g.* Pessoa que pinta aquarelas.

aquariano *adj.* e *s.m.* Diz-se de ou indivíduo nascido sob o signo de Aquário (de 21 de janeiro a 19 de fevereiro).

REPRESENTAÇÕES GRÁFICAS DO SIGNO ASTROLÓGICO DE AQUÁRIO

aquário *s.m.* (lat. *aquarium*). **1.** Reservatório de água salgada ou doce no qual são conservados e alimentados plantas e animais. **2.** Local onde estão reunidos diversos aquários.

aquariofilia *s.f.* Técnica de criação de peixes ornamentais ou não em aquário.

aquartelar *v.t.* e *v.pr.* (conj. 4). Alojar(-se) em quartel.

aquático *adj.* (lat. *aquaticus*). **1.** Que cresce ou vive na água. **2.** Relativo à água.

aquecedor (ô) *s.m.* Aparelho destinado a aquecer. ★ *adj.* Que aquece.

aquecer *v.t.* (conj. 25). **1.** Esquentar, tornar quente. **2.** Excitar, estimular. ★ *v.i.* **1.** Adquirir calor. **2.** Entusiasmar(-se), animar(-se). **3.** Irritar(-se), agastar(-se). ★ *v.pr.* **1.** Esquentar-se. **2.** Animar-se. **3.** Irritar-se.

aquecimento *s.m.* **1.** Ato ou efeito de aquecer. **2.** Calefação.

aqueduto *s.m.* (lat. *aquaeductus*). Canal, subterrâneo ou construído acima do solo, destinado a conduzir água de um lugar para outro. ● **Anat.** Nome dado a certos canais do organismo.

aquela *pron. dem.* **1.** Fem. de *aquele.* **2.** *Sem mais aquela,* sem cerimônia; inesperadamente, bruscamente.

aquele *pron. dem.* (lat. *eccum ille*). **1.** Que ou o que está ali (distante, no espaço ou no tempo, de quem fala e de com quem se fala). **2.** Que ou o que se mencionou primeiro.

àquele contr. da prep. *a* com o pron. dem. *aquele.*

aquém *adv.* **1.** Do lado de cá. **2.** Em posição ou condição inferior; abaixo.

aquênio *s.m.* Fruto simples, seco, indeiscente, que apresenta uma única semente presa à parede do fruto.

aquentar *v.t.* (conj. 4). **1.** Tornar quente, aquecer. **2.** *Fig.* Excitar, reanimar. ★ *v.pr.* Aquecer-se.

aqueu *s.m.* Indivíduo dos aqueus, povo heleno que dominou a ilha de Creta na Antiguidade.

aqui *adv.* **1.** Neste lugar, cá. **2.** Neste momento, nesta ocasião. **3.** Nisto. **4.** A este lugar.

aqüícola *adj.* Relativo à aqüicultura.

aqüicultor (ô) *s.m.* Pessoa que pratica aqüicultura. (Var. AQUACULTOR.)

aqüicultura *s.f.* A arte de multiplicar e criar os animais e as plantas aquáticas. (Var. AQUACULTURA.)

aquiescência *s.f.* (lat. *acquiescentia*). Concordância, consentimento, anuência.

aquiescer *v.i.* (lat. *acquiescere*) [conj. 25]. Consentir, concordar.

aquietar *v.t.* (conj. 4). Tornar quieto; apaziguar; tranqüilizar. ★ *v.pr.* Tranqüilizar-se.

aqüífero *adj.* Que contém água.

aqüifoliáceas *s.f.pl.* Família de plantas dicotiledôneas, que têm no mate seu representante mais conhecido.

aquilão *s.m.* (lat. *aquilo*). Vento norte.

aquilatar *v.t.* (conj. 4). **1.** Determinar o quilate ou o número de quilates de. **2.** Apreciar, avaliar. ★ *v.t.* e *v.pr.* Apurar(-se), aperfeiçoar(-se).

aquilino *adj.* (lat. *aquilinus*). **1.** Relativo a águia. **2.** Recurvo como o bico da águia.

aquilo *pron. dem.* (lat. *eccum illud*). **1.** Aquela(s) coisa(s). **2.** *Depr.* Aquela pessoa.

àquilo contr. da prep. *a* com o pron. dem. *aquilo.*

aquinhoar *v.t.* (conj. 20). **1.** Repartir em quinhões. **2.** Partilhar, distribuir. ★ *v.pr.* Tomar para si algum quinhão.

aquisição *s.f.* (lat. *acquisitio*). **1.** Ação de adquirir. **2.** Coisa adquirida.

aquisitivo *adj.* (lat. *acquisitivus*). Relativo a aquisição.

aquosidade *s.f.* Qualidade de aquoso.

aquoso (ô) *adj.* (lat. *aquosus*). **1.** Que contém água. **2.** Que é da natureza da água ou a ela semelhante. **3.** Diz-se de um meio de dissolução em que o solvente é a água.

ar *s.m.* (lat. *aer*). **1.** Substância gasosa que compõe a camada atmosférica que envolve a Terra. **2.** Vento, aragem. **3.** *Fig.* Aparência, fisionomia, semelhança.

Ar símbolo químico do argônio.

árabe *adj.2g.* **1.** Relativo ou pertencente à Arábia; arábico. **2.** *Cavalo árabe,* raça de cavalos de sela, originária da Arábia, que serviu de base para a formação de muitas outras raças. ★ *s.2g.* O natural ou habitante da Arábia. ★ *s.m.* Língua semítica falada principalmente no norte da África, Oriente Próximo e Arábia, escrita com um alfabeto próprio.

arabesco (ê) *s.m.* (it. *arabesco*). **1.** Ornato decorativo inspirado na arte islâmica. **2.** Rabisco, garatuja.

arábico *adj.* **1.** Árabe. **2.** Diz-se dos algarismos que representam os números comumente usados, notados pelos símbolos de numeração decimal: 0, 1, 2, 3, 4, 5, 6, 7, 8 e 9.

arabismo *s.m.* Forma ou expressão próprias da língua ou da cultura árabe.

arabista *adj.2g.* e *s.2g.* Diz-se de ou pessoa que estuda a língua e a civilização árabe.

arabizar *v.t.* e *v.pr.* (conj. 4). Dar ou tomar feição árabe.

araçá *s.m.* (tupi *ara'sá*). **1.** Fruto do araçaeiro. **2.** Sin. de ARAÇAEIRO.

araçaeiro *s.m.* Arbusto de frutos amarelos ou vermelhos com polpa branca e doce, cuja madeira é avermelhada e resistente. (Sin. ARAÇÁ.)

aração *s.f.* Ato de lavrar a terra com pá, lâmina, enxada ou arado, para sulcá-la, revolvê-la e prepará-la para o plantio.

VOCÊ SABIA...? Quando se ara o solo, de 20 a 40 cm da superfície são revolvidos. Normalmente, depois disso se passa um arado de discos ou de outro tipo com o objetivo de desfazer os grandes torrões. Muitas vezes, a **aração** é feita com um arado arrastado por um trator. O arado corta uma faixa de terra e a revolve. A aração permite que os resíduos da colheita e os adubos se incorporem à terra, o que facilita sua preparação.

---

aracajuano *adj.* Relativo ou pertencente à cidade de Aracaju (SE). ★ *s.m.* O natural ou habitante de Aracaju.

araçari *s.m.* (tupi *arasa'ri*). Ave piciforme, de bico longo e hábitos frugívoros, que ocorre nas matas virgens do Brasil.

aracnídeo *s.m.* Espécime dos aracnídeos. ★ *adj.* Relativo aos aracnídeos.

aracnídeos *s.m.pl.* Classe de artrópodes que se caracteriza pelo corpo dividido em cefalotórax e abdome, pela presença de quatro pares de patas, peças bucais denominadas quelíceras, pedipalpos, respiração por traquéias ou pulmões foliáceos e excreção por glândulas coxais ou túbulos de Malpighi.

aracnóide *s.f.* Uma das três meninges, situada entre a pia-máter e a dura-máter.

arado[1] *s.m.* (lat. *aratrum*). Instrumento agrícola, de tração animal ou mecânica, utilizado para lavrar e trabalhar a terra.

arado[2] *adj.* Lavrado, sulcado.

aragem *s.f.* **1.** Vento muito brando; brisa. **2.** *Fig.* Sorte, boa fortuna.

aramaico *adj.* Relativo aos arameus. ★ *s.m.* Língua semítica do Oriente antigo, escrita com alfabeto próprio.

arame *s.m.* (lat. *aeramen*). **1.** Fio metálico flexível, obtido por trefilação ou estiramento, com seção transversal circular ou elíptica. **2.** *Pop.* Dinheiro. **3.** *Arame farpado,* arame que apresenta pontas ou farpas metálicas de fio retorcido, usado em cercas.

arameu *s.m.* Indivíduo dos arameus, povo que vivia em Aram, na Mesopotâmia, atual Síria. ★ *adj.* Relativo ou pertencente a esse povo; aramaico.

arandela *s.f.* (esp. *arandela*). **1.** Disco de vidro ou metal adaptado a um castiçal para receber os pingos de cera das velas. **2.** Peça que, presa à parede, suporta lâmpada ou vela. **3.** Luminária fixada em parede.

aranha *s.f.* (lat. *aranea*). **1.** Aracnídeo com cefalotórax e abdome não segmentado, quelíceras venenosas e fiandeiras que produzem seda; a maioria é terrestre e insetívora. **2.** Nome genérico de objetos e dispositivos que apresentam braços ou ramificações múltiplos, que evocam as patas de uma aranha. **3.** Lustre simples de ferro onde se põem velas. **4.** Viatura puxada por cavalo, para uma ou duas pessoas.

aranha-armadeira *s.f.* Sin. de ARMADEIRA.

aranha-caranguejeira *s.f.* Nome comum a diferentes espécies de aranhas solitárias, de grande porte mas inofensivas, que vivem em galerias subterrâneas. (Sin. CARANGUEJEIRA.)

aranhol *s.m.* **1.** Toca onde se recolhem as aranhas. **2.** Armadilha para apanhar pássaros.

aranzel *s.m.* Arenga.

araponga *s.f.* (tupi *guiparong*). Ave passeriforme frugívora das florestas da América do Sul, que emite um canto de som metálico semelhante à batida de um martelo sobre a bigorna. (Sin. FERREIRO, FERRADOR.)

arapuca *s.f.* (do tupi). **1.** Armadilha para apanhar pássaros pequenos, formada por pauzinhos cada vez mais curtos, dispostos e amarrados em forma piramidal; arataca. **2.** *Fig.* Casa velha, esburacada. **3.** *Fig.* Casa de negócio mal-afamada. **4.** *Fig.* Embuste, engodo.

arapuru *s.m.* Var. de UIRAPURU.

arar *v.t.* (lat. *arare*) [conj. 4]. **1.** Abrir e revolver a terra com o arado, a enxada ou a pá; lavrar, sulcar. **2.** *Fig.* Navegar.

arara[1] *s.f.* (tupi *a'rara*). **1.** Denominação comum a aves psitaciformes da América do Sul, com penas de coloração muito viva, bico forte e recurvado, que se alimentam de frutos e sementes. **2.** *Pop.* Tolo, pateta.

---

arara[2] *s.2g.* Indivíduo dos araras, povos indígenas tupi e caribe que vivem no Mato Grosso.

ararajuba *s.f.* Sin. de GUARUBA.

araruta *s.f.* **1.** Erva originária do Brasil, de cujo rizoma se extrai uma fécula branca e nutritiva, utilizada na alimentação. **2.** A fécula extraída dessa erva.

arataca *s.f.* (do tupi). Armadilha para pegar animais silvestres; arapuca.

arauá *s.2g.* Indivíduo dos arauás, povo indígena aruaque que vive no Amazonas e no Acre.

araucária *s.f.* (de *Arauco,* n.pr.). Sin. de PINHEIRO-DO-PARANÁ.

araucariáceas *s.f.pl.* Família de plantas do grupo das gimnospermas, típicas das regiões mais frias do hemisfério Sul, que têm como representante no Brasil o pinheiro-do-paraná.

arauto *s.m.* (fr. *héraut*). **1.** Emissário de um príncipe, encarregado de fazer as proclamações solenes, anunciar a guerra e fazer a paz. **2.** *Fig.* Mensageiro, porta-voz.

arável *adj.2g.* (lat. *arabilis*). Que pode ser arado.

arbitragem *s.f.* **1.** Ato ou efeito de arbitrar; arbitramento. **2.** Julgamento.

arbitral *adj.2g.* (lat. *arbitralis*). **1.** Proferido por um árbitro. **2.** Composto por árbitros.

arbitrar *v.t.* (lat. *arbitrare*) [conj. 4]. **1.** Decidir como árbitro. **2.** Julgar, sentenciar, ajuizar.

arbitrariedade *s.f.* **1.** Qualidade de arbitrário. **2.** Procedimento caprichoso.

arbitrário *adj.* (lat. *arbitrarius*). **1.** Que depende só da vontade pessoal. **2.** Que não respeita leis ou regras; ilegal.

arbítrio *s.m.* (lat. *arbitrium*). **1.** Resolução dependente apenas da vontade. **2.** Juízo, sentença de árbitro. **3.** Opinião, voto.

árbitro *s.m.* (lat. *arbiter*). **1.** Pessoa escolhida pelas partes litigantes para decidir uma questão. **2.** Autoridade suprema. **3.** Juiz.

arbóreo *adj.* (lat. *arboreus*). **1.** Que pertence à árvore. **2.** Que tem o porte de uma árvore.

arborescência *s.f.* Qualidade e estado do que é arborescente.

arborescente *adj.2g.* Que tem quase a forma, as características de uma árvore.

arborescer *v.i.* (lat. *arborescere*) [conj. 25]. Tornar-se árvore; crescer como árvore.

arborícola *adj.2g.* Que habita árvores.

arboricultura *s.f.* Cultura de árvores e arbustos frutíferos ou ornamentais.

arborização *s.f.* **1.** Ato ou efeito de arborizar. **2.** Plantação de árvores; reflorestamento.

arborizado *adj.* Plantado ou cheio de árvores.

arborizar *v.t.* (conj. 4). Plantar árvores em.

arbovirose *s.f.* Doença infecciosa devida a um arbovírus, como o da dengue e febre amarela.

arbovírus *s.m.* Vírus transmitido pela picada principalmente de insetos.

arbusto *s.m.* (lat. *arbustum*). Vegetal lenhoso desprovido de tronco que apresenta ramificações desde a base.

arca *s.f.* (lat. *arca*). **1.** Caixa grande com tampa e fechadura; baú, cofre. **2.** Tesouro de uma instituição.

arcabouço *s.m.* **1.** Esboço, delineamento. **2.** Madeiramento de uma construção; armação. **3.** Esqueleto. **4.** O tórax ou o peito.

arcabuz *s.m.* (hol. *haalkbus*). Antiga arma de fogo portátil.

arcada *s.f.* **1.** Seqüência de arcos sustentados por colunas. **2.** Passagem coberta sob arcos contíguos. **3.** Nome de diferentes formações ósseas, fibrosas, vasculares ou nervosas em forma de arco. ● **Odont.** *Arcada dentária,* arco formado pelos dentes de um mesmo maxilar.

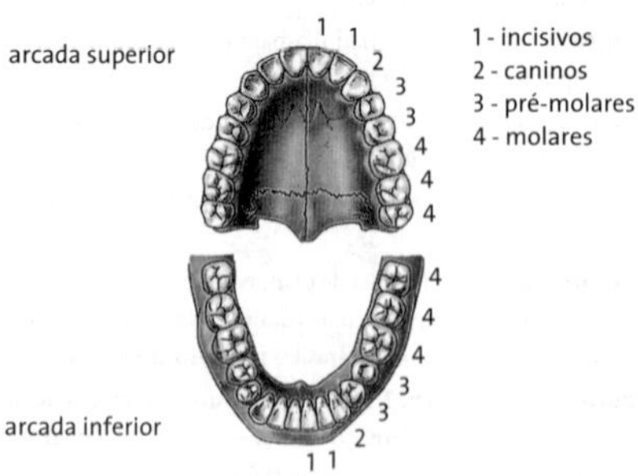

árcade *adj.2g.* (lat. *arcades*). Da Arcádia, região da Grécia. ★ *s.2g.* **1.** Indivíduo natural ou habitante da Arcádia. **2.** Membro de uma arcádia.

arcádia *s.f.* Sociedade literária típica do final do Classicismo, cujos membros preconizavam o cultivo das formas da literatura clássica e adotavam nomes poéticos simbólicos.

arcádico *adj.* (gr. *arkadikós*). **1.** Da Arcádia, região grega. **2.** Relativo às arcádias. **3.** Bucólico.

arcadismo *s.m.* **1.** Corrente literária da arcádia. **2.** Influência dessa corrente. **3.** Bucolismo.

arcaico *adj.* (gr. *archaikós*). **1.** Relativo a épocas antigas. **2.** Obsoleto, antiquado, desusado.

arcaísmo *s.m.* (gr. *archaismós*). Caráter de coisa já em desuso. ● **Gram.** Palavra, forma ou construção frásica em desuso na língua corrente, remanescente de estágios anteriores.

arcaizante (a-i) *adj.2g.* Que tende para o arcaísmo.

arcaizar (a-i) *v.t.* (conj. 4). Tornar(-se) arcaico. ★ *v.i.* Empregar arcaísmos.

arcanjo *s.m.* (gr. *archángelos*). Anjo de ordem superior.

arcano[1] *adj.* (lat. *arcanus*). Que encerra mistério; oculto, cabalístico.

arcano[2] *s.m.* (lat. *arcanum*). **1.** Segredo profundo. **2.** Lugar recôndito.

arcar[1] *v.t.* (conj. 12). **1.** Arquear, curvar. **2.** Guarnecer de arcos. ★ *v.pr.* Curvar-se.

arcar[2] *v.t.* (conj. 12). **1.** Lutar. **2.** Arrostar, assumir.

arcebispado *s.m.* **1.** Dignidade de arcebispo; arquiepiscopado. **2.** Residência oficial de arcebispo. **3.** Território sob a jurisdição de um arcebispo.

arcebispo *s.m.* (gr. *archiepískopos*). Primeiro bispo de uma província eclesiástica que compreende várias dioceses.

arcediago *s.m.* (lat. *archidiákonos*). Vigário-geral encarregado pelo bispo de administrar parte da diocese.

archote *s.m.* (esp. *hachote*). Corda coberta de breu que se acende para iluminar, em geral ao ar livre.

arcipreste *s.m.* Título dos vigários de certas igrejas que lhes confere preeminência sobre os outros vigários.

arco *s.m.* (lat. *arcus*). **1.** Arma portátil formada por uma vara de madeira ou metal, encurvada por uma corda distendida, para disparar flechas. **2.** Objeto, linha, desenho que possui essa forma. ● **Arquit.** Elemento arquitetônico de forma curva, para cobrir um vão, reforçar uma abóbada etc. **Esp.** *Arco e flecha,* modalidade esportiva que consiste no tiro ao alvo, com o uso do arco e da flecha. **Fís.** *Arco elétrico,* tipo de descarga elétrica de alta densidade de corrente e baixa tensão elétrica, que se forma no vapor ou gás sob condições especiais. **Fisiol.** *Arco reflexo,* trajeto seguido pelo impulso nervoso do receptor sensorial ao efetor, o último geralmente situado em um músculo. **Mat.** Projeção de um ângulo no perímetro de uma circunferência. ► Função recíproca das funções trigonométricas, como o arco seno e o arco co-seno. **Mús.** Peça de madeira flexível, cujas extremidades são ligadas por fios de seda ou crina de cavalo, com que se fazem vibrar as cordas do violino, violoncelo etc.

arco-íris *s.m.2n.* Fenômeno natural caracterizado pela decomposição do feixe de luz solar nas cores do espectro ao atravessar as gotículas de água da atmosfera, visível no céu como arcos concêntricos.

ÁREA DAS PRINCIPAIS SUPERFÍCIES GEOMÉTRICAS

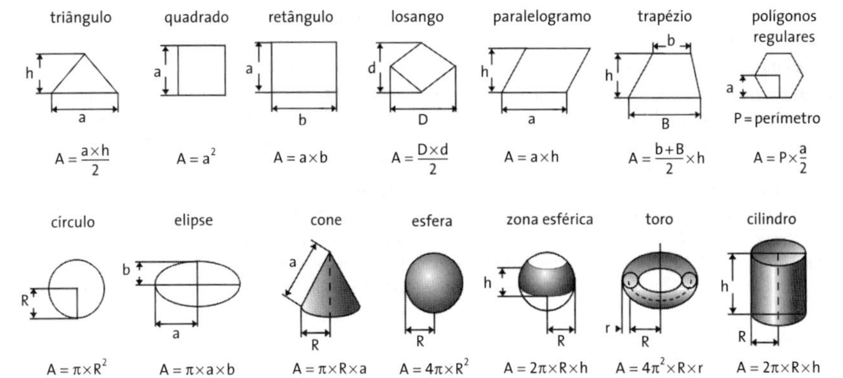

ar-condicionado *s.m.* Aparelho utilizado para regular a temperatura de um ambiente fechado.

árdego *adj.* **1.** Fogoso, ardente, vivo. **2.** Irritável. **3.** Árduo, espinhoso.

ardência *s.f.* **1.** Qualidade de ardente. **2.** Sensação de queimadura na pele; ardor. **3.** Sensação provocada no paladar pela ingestão de substâncias picantes.

ardente *adj.2g.* (lat. *ardens*). **1.** Que arde, que queima. **2.** Que tem sabor picante. **3.** *Fig.* Intenso, vivo, impetuoso.

arder *v.i.* (lat. *ardere*) [conj. 5]. **1.** Inflamar-se, queimar-se. **2.** Causar ardor. **3.** Estar aceso. **4.** Brilhar, cintilar. **5.** Desejar ardentemente. **6.** *Fig.* Estar apaixonado, entusiasmado.

ardido *adj.* Que ardeu; queimado. ★ *s.m.* Irritação da pele; assadura.

ardil *s.m.* **1.** Estratagema, truque, artifício. **2.** Armadilha, cilada. **3.** Astúcia, sagacidade.

ardiloso (ô) *adj.* Que faz uso de ardis; astuto.

ardor (ô) *s.m.* (lat. *ardor*). **1.** Calor intenso. **2.** Ardência, ardume. **3.** Entusiasmo, paixão. **4.** Sabor picante de certas substâncias.

ardoroso (ô) *adj.* Cheio de ardor, entusiasta.

ardósia *s.f.* (fr. *ardoise*). **1.** Xisto argiloso, de cor preta ou cinza, que se separa facilmente em folhas finas e resistentes, utilizadas em coberturas, revestimentos e calçamentos. **2.** Lousa.

ardume *s.m.* Queimor, ardor.

árduo *adj.* (lat. *arduus*). **1.** Escarpado, íngreme. **2.** Difícil, penoso.

are *s.m.* (lat. *areu*). Unidade de medida para as superfícies agrárias (símb. *a*), que equivale a 100 m^2.

área *s.f.* (lat. *area*). **1.** Superfície plana; espaço. **2.** Medida de uma superfície. **3.** Campo, âmbito de certos ramos de conhecimento, de uma determinada atividade. **4.** Pátio interno de casa ou edifício, quase sempre cimentado. ● **Geogr.** *Área* ou *região metropolitana,* conjunto de municípios integrados econômica e socialmente a uma metrópole.

areal *s.m.* **1.** Trecho de terreno onde há muita areia. **2.** Praia.

arear *v.t.* (conj. 15). **1.** Cobrir com areia. **2.** Limpar ou polir uma superfície através de jateamento ou abrasão com areia.

areento *adj.* Arenoso.

areia[1] *s.f.* (lat. *arena*). **1.** Partículas de rochas silicosas em desagregação, que se apresentam em grãos diminutos, provenientes da erosão rochosa. **2.** *P. ext.* Qualquer pó.

areia[2] *s.m.* Tonalidade de bege. ★ *adj.2g.2n.* Diz-se dessa tonalidade.

arejar *v.t.* (conj. 4). **1.** Expor ao ar, ventilar. **2.** *Fig.* Renovar, liberalizar. ★ *v.i.* Tomar ar, espairecer. ★ *v.pr.* Expor-se ao ar, refrescar-se.

arena *s.f.* (lat. *arena*). **1.** Espaço coberto de areia, nos antigos circos romanos, onde combatiam os gladiadores. **2.** Espaço circular fechado onde se representam peças teatrais; anfiteatro. **3.** Terreno circular fechado onde se realizam touradas e outros espetáculos. ● **Geol.** Saibro.

arenga *s.f.* **1.** Discurso pronunciado em público. **2.** Discurso prolixo e aborrecido; aranzel. **3.** Intriga. **4.** Altercação.

arengada *s.f.* Conversa longa e aborrecida.

arengar *v.t.* (conj. 14). Dirigir arenga ou discurso a. ★ *v.i.* **1.** Pronunciar uma arenga. **2.** Altercar, rezingar. **3.** Mexericar, enredar.

arengueiro *adj.* **1.** Que arenga. **2.** Altercador. **3.** Mexeriqueiro, intrigante. ★ *s.m.* Pessoa mexeriqueira.

arenícola *adj.2g.* e *s.2g.* Diz-se de ou animal ou planta que vive na areia.

arenífero *adj.* Que contém areia; arenoso.

arenítico *adj.* Que é da natureza do arenito ou que o contém.

arenito *s.m.* Rocha sedimentar silicosa resultante da cimentação natural da areia.

arenoso (ô) *adj.* (lat. *arenosus*). **1.** Coberto de areia; areento. **2.** Arenífero.

arenque *s.m.* (do germ.). Peixe migratório de grande importância comercial, que forma cardume, muito comum no canal da Mancha e nas águas do Atlântico e Pacífico da costa norte-americana.

aréola *s.f.* (lat. *areola*). **1.** Pequena área. **2.** Círculo de cor mais escura que rodeia o mamilo do seio. **3.** Círculo, geralmente rosa, que contorna um ponto inflamatório.

areolar *adj.2g.* Relativo a aréola.

areopagita *s.m.* (gr. *Areopagítes*). Membro do areópago.

areópago *s.m.* (gr. *Áreios pagós*, n.pr.). **1.** Tribunal supremo de Atenas. **2.** Reunião de sábios, de letrados, de políticos etc.

aresta *s.f.* (lat. *arista*). **1.** Linha de interseção de dois planos; canto. **2.** Linha de relevo ósseo particularmente saliente. **3.** Linha que separa duas encostas de montanha. **4.** Insignificância, bagatela. ● **Arquit.** Ângulo saliente. **Geom.** Interseção de duas faces de um poliedro.

arfar *v.i.* (conj. 4). **1.** Respirar com dificuldade; ofegar. **2.** Balouçar, zimbar. **3.** Oscilar (embarcação) no sentido longitudinal.

argamassa *s.f.* Aglomerado aglutinante, preparado com areia, água, cal ou cimento, utilizado no assentamento de alvenaria ou em revestimentos.

argelino *adj.* Relativo ou pertencente à Argélia, país da África. ★ *s.m.* O natural ou habitante da Argélia.

argentaria *s.f.* Guarnição ou baixela de prata.

argentário *adj.* e *s.m.* (lat. *argentarius*). Homem muito rico, milionário.

argênteo *adj.* (lat. *argenteus*). **1.** Prateado; argentino. **2.** Feito de prata.

argentífero *adj.* Diz-se de um mineral que contém prata.

argentino[1] *adj.* (lat. *argentinus*). Argênteo.

argentino[2] *adj.* Relativo ou pertencente à Argentina, país da América do Sul. ★ *s.m.* O natural ou habitante da Argentina.

argila *s.f.* (gr. *árgilos*). **1.** Rocha sedimentar de tonalidades diversas que, embebida em água, forma uma pasta plástica (barro), que pode ser moldada e endurecida por cozimento. **2.** Barro. **3.** *Fig.* Fragilidade.

argiláceo *adj.* Semelhante à argila.

argiloso (ô) *adj.* Da natureza da argila.

arginina *s.f.* Aminoácido que é um dos vinte constituintes fundamentais das proteínas.

argola *s.f.* (ár. *al-gulla*). **1.** Anel ou círculo de metal, madeira ou plástico, para prender ou puxar qualquer coisa; aro. ● **Esp.** Aparelho de ginástica esportiva, composto de dois aros de aço fixos às extremidades, de cabos presos a uma trave.

argolinha *s.f.* **1.** Argola pequena. **2.** Massa em forma de argola para sopa. ● **Folc.** Jogo folclórico de origem medieval em que um cavaleiro a galope tenta retirar de um poste uma pequena argola, com auxílio de uma lança.

argonauta *s.2g.* (lat. *argonautes*). Grande navegante, explorador de mares.

argônio *s.m.* (gr. *árgon*, inerte). Elemento químico (símb. Ar) de número atômico 18, que constitui um gás raro e incolor, presente em pequena quantidade na atmosfera.

argúcia *s.f.* (lat. *argutia*). Sutileza de espírito; perspicácia.

argueiro *s.m.* **1.** Cisco. **2.** *Fig.* Coisa sem importância.

argüição *s.f.* (lat. *arguitio*). **1.** Ação de argüir; acusação. **2.** Argumentação. **3.** Exame.

argüir *v.t.* (lat. *arguere*) [conj. 75]. **1.** Perguntar a, examinar. **2.** Acusar, julgar. **3.** Repreender, verberar. **4.** Impugnar. ★ *v.pr.* Acusar-se de falta.

argumentação *s.f.* (lat. *argumentatio*). **1.** Ato ou arte de argumentar; discussão, controvérsia. **2.** Conjunto de argumentos.

argumentar *v.t.* e *v.i.* (lat. *argumentari*) [conj. 4]. **1.** Usar de argumentos, apresentar razões. **2.** Concluir, inferir. **3.** Objetar, discutir. **4.** Alegar.

argumento *s.m.* (lat. *argumentum*). **1.** Prova que serve para afirmar ou negar um fato. **2.** Sumário do enredo de uma peça literária, teatral ou cinematográfica. ● **Lóg.** Raciocínio desenvolvido para provar ou refutar uma proposição ou teoria.

arguto *adj.* (lat. *argutus*). **1.** De espírito vivo, penetrante. **2.** Afinado, canoro.

ária *s.f.* (it. *aria*). **1.** Peça musical melódica, geralmente composta para uma única voz. **2.** Canto, melodia.

arianismo *s.m.* Doutrina nazista que pregava a superioridade dos brancos europeus de origem não judaica, supostos descendentes dos povos arianos.

ariano[1] *s.m.* **1.** Indivíduo ou descendente dos árias, povos primitivos de origem indo-européia. **2.** Adepto do arianismo. ★ *adj.* **1.** Relativo ou pertencente aos árias. **2.** Relativo ou pertencente ao arianismo.

ariano[2] *adj.* e *s.m.* Diz-se de ou indivíduo nascido sob o signo de Áries (de 21 de março a 20 de abril).

REPRESENTAÇÕES GRÁFICAS DO SIGNO ASTROLÓGICO DE ÁRIES

aridez (ê) *s.f.* (lat. *ariditas*). Qualidade de árido.

árido *adj.* (lat. *aridus*). **1.** Sem umidade; estéril, seco. **2.** *Fig.* Insensível. **3.** Indigesto, fatigante.

aríete *s.m.* (lat. *aries, arietis*, carneiro). **1.** Antiga máquina de guerra que servia para arrombar portas e muralhas. **2.** Bomba hidráulica que força parte de uma massa líquida a elevar-se a uma altura superior à da queda.

ariquém *s.2g.* Indivíduo dos ariquéns, povo indígena tupi que viveu em Roraima.

ariramba *s.f.* Sin. de MARTIM-PESCADOR.

ariranha *s.f.* (tupi *are'rãya*). Mamífero carnívoro de pele preciosa, ameaçado de extinção; atualmente ocorre apenas em regiões selvagens do Amazonas e Brasil Central.

arisco *adj.* **1.** Esquivo, arredio. **2.** Intratável.

aristocracia *s.f.* (gr. *aristokratía*). **1.** Forma de governo que concentra o poder em um pequeno grupo de pessoas. **2.** Esse grupo de pessoas; nobreza.

aristocrata *adj.2g.* e *s.2g.* **1.** Que ou aquele que pertence à aristocracia; nobre, fidalgo. **2.** Que ou aquele que tem maneiras distintas e qualidades da aristocracia.

aristocrático *adj.* (gr. *aristokratikós*). **1.** Relativo à aristocracia. **2.** Próprio de aristocrata; nobre.

aristocratismo *s.m.* Modos ou princípios de aristocrata.

aristotélico *adj.* (gr. *aristotelikós*). Relativo ou pertencente a Aristóteles ou ao aristotelismo. ★ *s.m.* Partidário do aristotelismo.

aristotelismo *s.m.* Doutrina do filósofo grego Aristóteles (384-322 a.C.) e de seus discípulos, primeira formalização da lógica.

aritmética *s.f.* (gr. *arithmetike*). **1.** Ramo da matemática que estuda os números. **2.** Cálculo, conta. **3.** Livro que contém os princípios da aritmética.

aritmético *adj.* (lat. *arithmetikós*). **1.** Relativo à aritmética. **2.** Diz-se do cálculo realizado com números. ★ *s.m.* Aquele que sabe ou ensina aritmética.

arlequim *s.m.* (it. *arlecchino* personagem da comédia italiana, com roupa de losangos coloridos). **1.** Palhaço, bufão. **2.** Indivíduo irresponsável, fanfarrão.

arma *s.f.* (lat. *arma*). **1.** Instrumento que serve para atacar ou defender-se. **2.** Cada uma das divisões dos exércitos (infantaria, artilharia, cavalaria etc.). **3.** *Arma branca,* qualquer arma de mão com lâmina cortante. ► *Arma de fogo,* arma que utiliza o poder explosivo de pólvora e similares (pistola, fuzil, canhão). ★ *s.f.pl.* **1.** A carreira militar. **2.** Esgrima. **3.** *Fig.* Recursos, expedientes. **4.** Conjunto de figuras, insígnias, ornamentos que constituem o brasão de uma nação ou de uma casa nobre.

armação *s.f.* (lat. *armatio*). **1.** Ato ou efeito de armar. **2.** Preparação, aparelhamento. **3.** Conjunto que mantém unidas, que reforça ou sustenta as várias partes de um todo. ● **Constr.** Madeiramento que sustenta o telhado de um edifício; tesoura, asna.

armada *s.f.* **1.** A força naval de um país. **2.** Reunião de esquadras e frotas sob um mesmo comando.

armadeira *s.f.* Aracnídeo que não constrói teias e que, em situações de ataque ou defesa, levanta o cefalotórax e as patas anteriores; é uma aranha agressiva e de picada dolorosa. (Sin. ARANHA-ARMADEIRA.)

armadilha *s.f.* **1.** Engenho para atrair e prender certos animais. **2.** Artifício traiçoeiro para enganar outrem. **3.** Estratagema, ardil.

armado *adj.* (lat. *armatus*). **1.** Provido de arma. **2.** Revestido de armadura. **3.** Prevenido, acautelado.● **Constr.** Diz-se de um material (betume, plástico, vidro etc.) no qual foi incorporada na fabricação uma armadura feita geralmente de fibras e de fios.

armador (ô) *adj.* e *s.m.* (it. *armatore*). Que ou aquele que arma. ★ *s.m.* Pessoa ou empresa que, à sua custa, equipa, mantém e explora comercialmente embarcação mercante, como proprietário ou locador.

armadura *s.f.* (lat. *armatura*). **1.** Conjunto das defesas metálicas (couraça, capacete) que protegiam o corpo dos antigos guerreiros. **2.** Armação. ● **Constr.** Conjunto de ferros de uma obra em concreto armado; ferragem.

? VOCÊ SABIA...? Nas batalhas da Idade Média, cavaleiros e cavalos se cobriam com uma **armadura** feita de sessenta peças de metal. A invenção das armas de fogo tornou a armadura uma invenção obsoleta.

armamentismo *s.m.* Teoria que advoga o armamento das nações, como meio de evitar as guerras.

armamento *s.m.* **1.** Ato ou efeito de armar. **2.** Conjunto dos equipamentos de guerra. **3.** Conjunto das armas. **4.** Ação de aparelhar um navio do que lhe é necessário para poder navegar.

armar *v.t.* (lat. *armare*) [conj. 4]. **1.** Prover de armas. **2.** Preparar um aparelho, uma arma, um mecanismo, para funcionamento. **3.** Montar. **4.** Fabricar, construir, realizar. ● **Constr.** Dispor os ferros em construção de concreto armado. ★ *v.pr.* **1.** Resguardar-se, autoproteger-se. **2.** Fortalecer-se, prevenir-se.

armaria *s.f.* **1.** Arsenal. **2.** Arte heráldica.

armarinho *s.m.* **1.** Armário pequeno. **2.** Casa comercial que vende artigos para costura, tecidos etc.

armário *s.m.* (lat. *armarium*). Móvel com divisões internas, prateleiras e gavetas, para guardar utensílios.

armazém *s.m.* (ár. *al-makhazan*). **1.** Depósito de mercadorias, armas, provisões. **2.** Estabelecimento de comércio onde são vendidas mercadorias no atacado e no varejo.

armazenagem *s.f.* Armazenamento.

armazenamento *s.m.* Ato ou efeito de armazenar; armazenagem.

armazenar *v.t.* (conj. 4). **1.** Depositar provisoriamente em armazém, em entreposto. **2.** Pôr em depósito, guardar, conservar. **3.** Acumular, estocar.

armeiro *s.m.* Que fabrica, vende ou conserta armas.

armênio *adj.* Relativo ou pertencente à Armênia. ★ *s.m.* **1.** O natural ou habitante da Armênia. **2.** Língua indo-européia falada pelos armênios, escrita com alfabeto próprio.

arminho *s.m.* Mamífero carnívoro de regiões periárticas, de pelagem valiosa, cuja coloração, parda durante o verão, torna-se branca durante o inverno, com exceção da cauda, que termina em tufo negro; armelino.

armistício *s.m.* (lat. *armistitium*). Convenção pela qual os beligerantes suspendem as hostilidades sem pôr fim ao estado de guerra; trégua, cessar-fogo.

ARN (abrev. de ácido ribonucléico). Ácido nucléico localizado no citoplasma e no nucléolo, que desempenha um importante papel na síntese das proteínas. (RNA, em ingl.)

VOCÊ SABIA...? As moléculas de ARN se compõem de nucleotídeos formados por ribose e uma de quatro bases: adenina, guanina, citosina ou uracila. Ao contrário do ADN, o ARN possui uma só cadeia, embora em certos pontos esta possa dobrar-se sobre si mesma, formando porções de dupla hélice, como ocorre no ADN. Também como no ADN, essas porções têm estabilidade graças às pontes de hidrogênio que se estabelecem entre as bases.

---

arnês *s.m.* **1.** Equipamento completo de um cavalo de sela ou de tiro. **2.** *Fig.* Amparo, proteção.

arnica *s.f.* (lat. *armica*). Erva originária da Europa cujas flores, folhas e raízes fornecem uma resina útil no preparo de medicamentos.

aro *s.m.* **1.** Pequeno círculo de metal ou madeira. **2.** Anel, argola. **3.** Peça circular metálica das rodas de automóveis e de bicicletas. **4.** Marco de portas e janelas.

aroeira *s.f.* Árvore de grande porte que fornece madeira dura e cuja casca é considerada medicinal. (Sin. CORNEÍBA.)

aroma *s.m.* (gr. *aroma*). Emanação, odor que se exala de certas substâncias.

aromático *adj.* (gr. *aromatikós*). Que tem aroma. ● **Quím.** Diz-se de um composto que apresenta propriedades físicas e químicas comparáveis às do benzeno.

aromatização *s.f.* Ação de aromatizar. ● **Quím.** Transformação de um composto orgânico em um composto aromático, por desidrogenação.

aromatizante *adj.2g.* e *s.2g.* Diz-se de ou substância que serve para aromatizar.

aromatizar *v.t.* e *v.pr.* (lat. *aromatizare*) [conj. 4]. Perfumar(-se) com substâncias aromáticas. ● **Quím.** Proceder à aromatização de um composto químico.

arpão *s.m.* Seta de ferro utilizada para fisgar peixes grandes.

arpejar *v.i.* (conj. 4). Executar um arpejo.

arpejo (ê) *s.m.* (it. *arpeggio*). Acorde de notas sucessivas em instrumentos de cordas.

arpéu *s.m.* (fr. *harpeau*). **1.** Pequeno arpão. **2.** Fateixa. **3.** Anzol de três fisgas; garatéia.

arpoar *v.t.* (conj. 20). **1.** Ferir, fisgar, segurar com o arpão. **2.** *Fig.* Agarrar, seduzir.

arqueação (e-a) *s.f.* **1.** Ato ou efeito de arquear. **2.** Curvatura de ou em arco. ● **Nav.** Operação destinada a determinar a capacidade de um navio.

arqueadura *s.f.* Arqueamento.

arqueamento *s.m.* **1.** Ação de arquear(-se); arqueadura. **2.** Operação de curvar os ramos de árvores frutíferas ou sarmentos da videira para diminuir-lhes o vigor e aumentar a produção.

arqueano *adj.* e *s.m.* Diz-se do ou período mais antigo da história geológica da Terra, ao qual correspondem as mais antigas rochas conhecidas e as primeiras manifestações de vida no planeta. Iniciado há mais de 4 bilhões de anos, equivale à primeira metade do pré-cambriano.

arquear *v.t.* (conj. 16). Curvar em arco; dobrar, vergar. ★ *v.pr.* Tomar a forma de arco; dobrar-se.

arquegônio *s.m.* (gr. *archégomos*, primitivo). Órgão presente nas criptógamas e gimnospermas que dá origem aos gametas femininos.

arqueiro *s.m.* **1.** Fabricante ou vendedor de arcos ou de arcas. **2.** Combatente que luta com arco. **3.** Goleiro.

arquejante *adj.2g.* Que arqueja; ofegante, arfante.

arquejar *v.i.* (conj. 4). Respirar com dificuldade; ofegar, arfar.

arquejo (ê) *s.m.* Ação de arquejar.

arqueologia *s.f.* (gr. *archaiología*). Ciência que estuda as civilizações antigas a partir de vestígios encontrados em escavações.

arqueológico *adj.* (gr. *archaiologikós*). Relativo ou pertencente à arqueologia.

arqueólogo *s.m.* Especialista em arqueologia.

ARQUEÓLOGO ▸ Inicialmente, os sítios arqueológicos eram saqueados em busca dos tesouros que continham. No início do século XVIII, os arqueólogos começaram a escavar os sítios com cuidado e fazer um registro de cada objeto que encontravam e do lugar onde o haviam encontrado. Atualmente, a idade de um objeto é obtida por vários procedimentos, entre os quais um que usa um tipo especial de carbono (mede-se a quantidade de carbono que o objeto contém), e também através da dendrocronologia (datação baseada nos anéis dos troncos das árvores), que se aplica às árvores e objetos de madeira.

---

arquétipo *s.m.* (gr. *archétypos*). **1.** Modelo ideal dos seres criados. **2.** Molde, padrão.

arquibancada *s.f.* Série de assentos dispostos em degraus para acomodar o público nos estádios, anfiteatros etc.

arquidiocese *s.f.* Diocese de um arcebispo.

arquiducado *s.m.* Domínio de um arquiduque.

arquiducal *adj.2g.* Relativo a arquiduque.

arquiduque *s.m.* **1.** Título dos príncipes da casa de Áustria. **2.** Título superior ao de duque.

arquiepiscopado *s.m.* Arcebispado.

arquiepiscopal *adj.2g.* Relativo ao arcebispo.

arquiinimigo *s.m.* Inimigo poderoso, supremo.

arquimilionário *adj.* e *s.m.* Que ou aquele que é muitas vezes milionário; ricaço.

arquipélago *s.m.* Grupo de ilhas próximas umas das outras.

arquitetar *v.t.* (lat. *architectari*) [conj. 4]. **1.** Edificar, construir. **2.** Idear, projetar.

arquiteto *s.m.* (gr. *architékton,* pelo lat. *architectus*). **1.** Aquele que exerce a arquitetura. **2.** *Fig.* Aquele que delineia os planos de qualquer empreendimento.

arquitetônico *adj.* (gr. *architektonikós*). Relativo à arquitetura.

arquitetura *s.f.* (lat. *architectura*). **1.** Arte de projetar e construir edifícios. **2.** *Fig.* Forma, estrutura, contextura. **3.** Plano, projeto.

arquitrave *s.f.* (it *architrave*). Viga mestra disposta imediatamente sobre coluna ou pilar.

arquivamento *s.m.* Ato ou efeito de arquivar.

arquivar *v.t.* (conj. 4). **1.** Classificar, depositar em arquivos. **2.** Conservar, guardar.

arquivista *s.2g.* Pessoa encarregada de um arquivo.

arquivo *s.m.* (lat. tard. *archivum*). **1.** Acervo de documentos. **2.** Móvel onde se guardam documentos. ● **Inform.** Conjunto de dados agrupados em uma unidade.

ARQUIVO ► Os dados de um arquivo eletrônico podem ser codificados em diversos formatos. Para acessar os dados de um arquivo, é necessário utilizar um programa capaz de ler dados no formato em que eles foram gravados, e um sistema operacional que o suporte.

---

arrabalde *s.m.* (ár. *ar-rabaD,* subúrbios). Cercanias de uma cidade; subúrbio.

arraia[1] *s.f.* (ár. *ar-raia,* rebanho). Arraia-miúda.

arraia[2] *s.f.* Var. de RAIA[1].

arraia[3] *s.f.* Papagaio de papel; raia.

arraial *s.m.* **1.** Acampamento, campo. **2.** Festa campestre. **3.** Pequena povoação, lugarejo.

arraia-miúda *s.f.* A plebe, o populacho; arraia.

arraigado *adj.* **1.** Que criou raízes; enraizado. **2.** Aferrado, agarrado, entranhado.

arraigar *v.t.* (conj. 14). **1.** Firmar pela raiz; enraizar, fixar. **2.** *Fig.* Tornar permanente. ★ *v.i.* Lançar raízes. ★ *v.pr.* Fixar-se, estabelecer-se.

arrais *s.m.2n.* (ár. *ar-raiç,* capitão). Patrão ou mestre de barco.

arrancada *s.f.* **1.** Ação de arrancar, de tirar. **2.** Arranque. **3.** Arranco.

arrancar *v.t.* (conj. 12). **1.** Tirar da terra; desarraigar. **2.** Tirar à força; arrebatar. **3.** Obter à custa de insistência; extrair. **4.** Despertar, suscitar. **5.** Fazer sair à força. ★ *v.i.* Movimentar-se ou sair com ímpeto; afastar-se. ★ *v.pr.* **1.** Sair de repente. **2.** Fugir.

arranca-rabo *s.m.* *Pop.* Discussão, briga.

arranchar *v.t.* (conj. 4). **1.** Reunir em ranchos. **2.** Dar pousada. ★ *v.i.* Reunir-se em casernas, em rancho. ★ *v.pr.* Estabelecer-se provisoriamente.

arranco *s.m.* **1.** Impulso, ímpeto, arrancada. **2.** Competição olímpica de levantamento de peso na qual a barra deve ser erguida em um só movimento, acima da cabeça.

arranha-céu *s.m.* Edifício de muitos andares.

arranhadura *s.f.* **1.** Ferida leve na pele; arranhão. **2.** Escoriação. **3.** Ranhura que danifica uma superfície lisa.

arranhão *s.m.* Arranhadura.

arranhar *v.t.* (conj. 4). **1.** Ferir ou raspar de leve. **2.** Produzir arranhadura. **3.** *Fig.* Conhecer pouco; tocar mal. ★ *v.i.* **1.** Produzir arranhadura. **2.** Ser áspero.

arranjado *adj.* **1.** Que se arranjou. **2.** *Pop.* Remediado.

arranjar *v.t.* (fr. *arranger*) [conj. 4]. **1.** Ordenar, arrumar. **2.** Conseguir, obter. **3.** Fazer um arranjo musical. ★ *v.pr.* *Pop.* Obter emprego.

arranjo *s.m.* **1.** Ato ou efeito de arranjar. **2.** Boa disposição. **3.** *Fig.* Acordo. **4.** Cambalacho, negociata. ● **Estat.** Grupo de números ordenados, amostrados em conjunto finito de forma seqüencial. **Mús.** Adaptação de uma obra musical para vozes ou instrumentos para os quais não foi originalmente escrita.

arranque *s.m.* **1.** Ação de arrancar, de partir com ímpeto; arrancada. **2.** *Motor de arranque,* motor elétrico utilizado para dar partida em automóveis etc.

arras *s.f.pl.* (lat. *arras*). **1.** Garantia ou sinal de um contrato; penhor. **2.** Dotes que, através de contrato, o noivo garante à noiva.

arrasado *adj.* **1.** Tornado raso. **2.** *Fig.* Devastado, aniquilado.

arrasar *v.t.* (conj. 4). **1.** Tornar raso. **2.** Aplainar, nivelar. **3.** Demolir, destruir. **4.** *Fig.* Humilhar. ★ *v.pr.* Arruinar-se.

arraso *s.m.* Ação de arrasar, destruição.

arrastão *s.m.* **1.** Esforço violento para arrastar; puxão, repelão. **2.** Grande rede de pesca que as traineiras arrastam pelo fundo das águas. **3.** Grande rede acionada manualmente, usada em águas de pouca profundidade, junto à praia; arrasto.

arrasta-pé *s.m.* Baile popular; forró, forrobodó.

arrastar *v.t.* (conj. 4). **1.** Levar de rastros. **2.** Mover com esforço ou dificuldade. **3.** Atrair, impelir, conduzir. **4.** Suportar vida sofrida, miserável. ★ *v.i.* Rastejar. ★ *v.pr.* *Fig.* Tardar uma solução.

arrasto *s.m.* **1.** Ação de arrastar, de rastejar. **2.** Marcas que deixam no solo as coisas arrastadas. **3.** Porção de madeira conduzida de rojo desde a mata até a borda de água. **4.** Rede que se arrasta pelo fundo do mar; barco que aciona essa rede. ● **Fís.** Diz-se da força de resistência a um movimento. ► *Coeficiente de arrasto,* coeficiente que mede a intensidade da força de resistência.

FORÇAS AERODINÂMICAS QUE ATUAM SOBRE O VÔO

---

arrátel *s.m.* (ár. *ar-raTl*). Antiga unidade de medida de peso equivalente a 459 g ou 16 onças.

arrazoado *adj.* Conforme à razão; sensato. ★ *s.m.* Argumentação em defesa de uma causa.

arrazoar *v.t.* (conj. 20). **1.** Apresentar razões. **2.** Discutir. ★ *v.i.* Discorrer, falar.

arre *interj.* Expressão usada para incitar animais ou para demonstrar aborrecimento, irritação etc.

arreamento *s.m.* **1.** Ato ou efeito de arrear(-se). **2.** Arreio.

arrear *v.t.* (conj. 15). **1.** Pôr arreios em. **2.** Enfeitar, ornar. (Cf. ARRIAR.) ★ *v.pr.* Adornar-se.

arreata *s.f.* Corda ou cabresto com que se atam e conduzem as bestas.

arrebanhar *v.t.* (lat. *rapinare*) [conj. 4]. **1.** Ajuntar, reunir em rebanho. **2.** Juntar, reunir. ★ *v.pr.* Reunir-se, juntar-se.

arrebatado *adj.* **1.** Entusiasmado, extasiado. **2.** Impetuoso, violento.

arrebatamento *s.m.* **1.** Ato ou efeito de arrebatar(-se). **2.** Excitação. **3.** Exaltação, irritação. **4.** Êxtase, enlevo.

arrebatar *v.t.* (conj. 4). **1.** Tirar com violência; arrancar. **2.** Roubar, tomar. **3.** Encantar, extasiar, enlevar. **4.** Provocar ira; enfurecer. ★ *v.pr.* **1.** Encantar-se, extasiar-se. **2.** Enfurecer-se.

arrebentação *s.f.* **1.** Ação de arrebentar(-se). **2.** Marulho das ondas do mar de encontro à praia ou a um rochedo. **3.** Local onde as ondas se quebram na praia.

arrebentar *v.i.* (conj. 4). **1.** Romper-se, quebrar-se com violência; rebentar. **2.** Estourar, explodir. **3.** Irromper violentamente; desencadear-se. **4.** Estalar, fazer em pedaços; romper. **5.** Fazer-se em espuma; quebrar-se. **6.** Lançar rebentos. ★ *v.t.* **1.** Quebrar com estrondo; espatifar, desmantelar. **2.** Fazer morrer de fadiga.

arrebicar *v.t.* (conj. 12). Pôr arrebiques em. ★ *v.pr.* Enfeitar-se, ornar-se.

arrebique *s.m.* (ár. *ar-rabik,* mistura). **1.** Disfarce, enfeite exagerado. **2.** Cosmético para pintar o rosto. **3.** *Fig.* Afetação e amaneiramento do estilo.

arrebitado *adj.* **1.** Revirado na ponta. **2.** Petulante, vivo. **3.** De mau gênio.

arrebitar *v.t.* (conj. 4). Revirar (a ponta ou a aba) para cima. ★ *v.pr.* Emproar-se; revirar-se para cima.

arrebol *s.m.* Vermelhidão da aurora ou do pôr-do-sol.

arrecada *s.f.* Argola ou brinco para as orelhas.

arrecadação *s.f.* **1.** Ato ou efeito de arrecadar; arrecadamento. **2.** Cobrança. **3.** Lugar onde se arrecada ou guarda algo; depósito.

arrecadar *v.t.* (conj. 4). **1.** Receber, recolher. **2.** Guardar; ter em segurança.

arredamento *s.m.* Ato ou efeito de arredar(-se); afastamento, recuo.

arredar *v.t.* (conj. 4). Afastar, desviar, remover para trás. ★ *v.i.* Pôr-se longe. ★ *v.pr.* Apartar-se, recuar.

arredio *adj.* **1.** Que se afasta dos lugares que freqüentava, dos amigos que tinha; isolado, separado. **2.** Diz-se da rês tresmalhada, desgarrada.

arredondado *adj.* **1.** Que tem forma redonda, circular. **2.** Que sofreu arredondamento. ● **Fon.** Vogal ou consoante cuja articulação é acompanhada de arredondamento dos lábios.

arredondar *v.t.* (conj. 4). **1.** Tornar redondo. **2.** Aproximar o resultado de uma operação aritmética, sem considerar os algarismos finais de um número; aproximar. **3.** Tornar mais harmonioso. **4.** *Fig.* Aumentar.

arredor *adv.* Ao redor, em volta, em torno. ★ *adj.* Circunvizinho. ★ *s.f.* Circunvizinhança.

arredores *s.m.pl.* Cercanias, arrabaldes.

arrefecer *v.i.* (lat. *refrigescere*) [conj. 25]. **1.** Esfriar. **2.** Desanimar. ★ *v.t.* Moderar o fervor. ★ *v.pr.* Tornar-se frio; perder o calor, a vivacidade.

arregaçar *v.t.* (conj. 13). **1.** Dobrar para cima. **2.** Colher a borda, a barra. ★ *v.pr.* Erguer-se, enrugando-se ou enrolando-se.

arregalar *v.t.* (conj. 4). Abrir muito (os olhos), por admiração, espanto.

arreganhado *adj.* Com os dentes à mostra.

arreganhar *v.t.* (conj. 4). **1.** Mostrar os dentes abrindo os lábios com expressão de riso ou cólera. **2.** Abrir, enrugando. ★ *v.pr.* Rir-se; escarnecer.

arreganho *s.m.* **1.** Ato ou efeito de arreganhar. **2.** Gesto de desassombro, altivez. **3.** Ameaça.

arregimentar *v.t.* (conj. 4). **1.** Agrupar unidades militares em regimento. **2.** *Fig.* Atrair para um grupo ou partido.

arreio *s.m.* Adorno; atavio, enfeite, ornamento. ★ *s.m.pl.* Aparelhamento dos cavalos de tiro ou sela (sela ou selim, freio ou bridão e os respectivos acessórios).

arrelia *s.f.* **1.** Agouro mau. **2.** Zanga, quizília, azucrinação.

arreliar *v.t.* (conj. 16). Provocar arrelia em; irritar, aborrecer, azucrinar. ★ *v.pr.* Zangar-se.

arreliento *adj.* Que gosta de rixas; briguento.

arrematante *s.2g.* Pessoa física ou jurídica que adquire um bem em leilão.

arrematar *v.t.* (conj. 4). **1.** Pôr remate a; acabar, rematar. **2.** Comprar em leilão. ★ *v.pr.* Concluir-se.

arremate *s.m.* Ato ou efeito de arrematar; remate.

arremedar *v.t.* (conj. 4). **1.** Imitar a fala, os gestos etc., de uma pessoa, geralmente por zombaria; parodiar, macaquear. **2.** Parecer, ter semelhança com.

arremedo (ê) *s.m.* **1.** Ato ou efeito de arremedar. **2.** Imitação grotesca, paródia, simulacro.

arremessar *v.t.* (lat. *remissus*) [conj. 4]. **1.** Lançar, jogar, atirar com ímpeto. **2.** Impelir, impulsionar. ★ *v.pr.* **1.** Lançar-se para diante com impetuosidade. **2.** Aventurar-se, expor-se, arriscar-se.

arremesso (ê) *s.m.* **1.** Ato ou efeito de arremessar; arremessamento. **2.** Investida, arrojo. ● **Esp.** Prova olímpica em que o peso deve ser levantado em dois tempos, primeiro do chão ao peito e depois acima da cabeça. ★ *s.m.pl.* Vôos, assomos, rasgos.

arremeter *v.t.* (conj. 5). Investir, acometer, atacar com fúria. ★ *v.i.* Avançar com ímpeto, arrojar-se. ● **Aeron.** Desviar subitamente o avião de um obstáculo, ganhando altitude.

arremetida *s.f.* **1.** Ato ou efeito de arremeter; ataque, investida. **2.** Ato arrojado.

arrendador (ô) *adj.* e *s.m.* Que ou aquele que cede algo em regime de arrendamento.

arrendamento *s.m.* **1.** Ato ou efeito de arrendar. **2.** Aluguel, locação. ● **Dir.** Convenção pela qual o dono ou o detentor legal de um bem móvel ou imóvel cede seu uso ou usufruto a outra parte, durante um certo tempo e mediante o pagamento de uma certa quantia.

arrendar *v.t.* (conj. 4). **1.** Dar ou tomar em arrendamento. **2.** Dar forma de renda, rendilhar. ● **Dir.** Colocar alguma coisa para alugar, consentir em uma locação.

arrendatário *adj.* e *s.m.* **1.** Que ou aquele que toma em arrendamento um imóvel, geralmente rural; rendeiro. **2.** Inquilino, locatário de imóvel urbano.

arrendável *adj.2g.* Que é passível de arrendamento.

arrenegação *s.f.* **1.** Ato ou efeito de arrenegar (-se); arrenego, renegação. **2.** Renúncia, abjuração, apostasia. **3.** Zanga, fúria.

arrenegado *adj.* **1.** Que se zanga ou enfada. **2.** Renegado, apóstata, perjuro, traidor.

arrenegar *v.t.* (conj. 14). **1.** Detestar, aborrecer. **2.** Blasfemar, amaldiçoar. **3.** Renegar. ★ *v.pr.* Enraivecer-se, zangar-se.

arrepanhar *v.t.* (conj. 4). **1.** Enrugar, engelhar. **2.** Arrebatar. **3.** Poupar com sovinice. ★ *v.pr.* Enrugar-se.

arrepelamento *s.m.* Arrepelação.

arrepelão *s.m.* **1.** Arrepelação, arrepelamento. **2.** Repelão, empurrão.

arrepelar *v.t.* (conj. 4). Puxar, arrancar os cabelos, as penas etc. ★ *v.pr.* **1.** Puxar os próprios cabelos ou as barbas. **2.** Arrepender-se, lamentar-se.

arrepender-se *v.pr.* (lat. *repoenitere*) [conj. 5]. **1.** Sentir verdadeiro pesar de faltas cometidas; penitenciar-se. **2.** Mudar de opinião.

arrependido *adj.* e *s.m.* Que ou aquele que se arrependeu.

arrependimento *s.m.* **1.** Pesar por alguma falta cometida. **2.** Contrição, remorso. **3.** Mudança de opinião; desistência.

arrepiar *v.t.* (lat. *horripilare*) [conj. 16]. **1.** Levantar, eriçar (o cabelo). **2.** *Fig.* Causar horror. ★ *v.i.* Causar arrepios. ★ *v.pr.* **1.** Eriçar-se. **2.** Tremer de frio. **3.** Apavorar-se.

arrepio *s.m.* Estremecimento que resulta do frio, do medo ou de uma emoção violenta; calafrio.

arrestar *v.t.* (lat. tard. *arrestare*) [conj. 4]. Apreender judicialmente; embargar, confiscar.

arresto *s.m.* Apreensão judicial dos bens de um devedor, necessários à garantia de uma dívida, cuja cobrança foi ou vai ser ajuizada; embargo, confisco.

arrevesado *adj.* **1.** Feito ao revés. **2.** Difícil, obscuro, ininteligível.

arrevesar *v.t.* (conj. 4). **1.** Pôr ao revés. **2.** Dar sentido contrário; inverter. **3.** Tornar obscuro.

arrevessar *v.t.* (lat. *revertere*) [conj. 4]. Vomitar, expulsar. ★ *v.i.* Fazer-se revolto (o mar, as águas).

arriar *v.t.* (cat. *arriar*) [conj. 16]. Abaixar, fazer descer. (Cf. ARREAR.) ★ *v.i.* e *v.pr.* **1.** Desabar sob o próprio peso. **2.** Perder as forças, o ânimo.

arriba *adv.* Acima, adiante. ★ *interj.* Adiante.

arribação *s.f.* Ato ou efeito de arribar.

arribar *v.i.* (conj. 4). **1.** Chegar o navio ao porto. **2.** Subir, chegar ao alto. **3.** Mudar de lugar, migrar. **4.** *Fig.* Restabelecer-se, melhorar de saúde ou de fortuna.

arrieiro *s.m.* **1.** Condutor de bestas de carga; tropeiro. **2.** Homem rude.

arriel *s.m.* (cat. *riell*). Argola de ouro ou metal precioso que certos povos usam no nariz ou nas orelhas.

arrimar *v.t.* (conj. 4). **1.** Apoiar, escorar. **2.** Amparar, servir de arrimo. ★ *v.pr.* **1.** Apoiar-se, encostar-se. **2.** Agregar-se, juntar-se. **3.** Socorrer-se, valer-se de.

arrimo *s.m.* **1.** Amparo, valimento, proteção. **2.** Apoio, escora. **3.** *Muro de arrimo,* construção de pedra ou cimento armado com que se revestem as encostas para resguardá-las da erosão.

arriosca *s.f.* Cilada, armadilha, esparrela.

arriscado *adj.* Que envolve risco.

arriscar *v.t.* e *v.i.* (conj. 12). **1.** Pôr em risco ou perigo. **2.** Expor à boa ou má sorte; aventurar. ★ *v.pr.* Expor-se ao risco.

arritmia *s.f.* (gr. *arrhythmía*). **1.** Ausência de ritmo. **2.** Irregularidade das contrações cardíacas.

ARRITMIA ▸ Arritmia é qualquer transtorno do ritmo cardíaco. Ela ocorre quando há uma perturbação na condução de um impulso elétrico gerado no marcapasso natural. Em conseqüência disso, os batimentos cardíacos podem se tornar muito lentos ou muito rápidos, ou produzir-se desorganizadamente, reduzindo a eficácia do bombeamento do coração. As arritmias podem ocorrer durante outra doença ou isoladamente. A maior parte delas pode ser tratada com sucesso mediante a implantação de um marcapasso artificial na parede torácica.

---

arrítmico *adj.* **1.** Sem ritmo. **2.** Relativo à arritmia. **3.** Diz-se das contrações cardíacas irregulares.

arrivismo *s.m.* (fr. *arrivisme*). Ambição, desejo de alcançar êxito a todo custo.

arrivista *adj.2g.* e *s.2g.* (fr. *arriviste*). Diz-se de ou pessoa ambiciosa, que quer ter êxito a todo custo.

arrizotônico *adj.* Diz-se da palavra em que o acento recai fora de raiz ou do radical.

arroba (ô) *s.f.* (ár. *ar-ruba'a,* a quarta parte). Unidade de peso equivalente a 15 kg, utilizada no Brasil na medição dos produtos agropecuários.

arrochar *v.t.* (conj. 4). **1.** Apertar com arrocho. **2.** Apertar com muita força. **3.** *Fig.* Pressionar, oprimir. **4.** *Pop.* Não fazer a correção monetária de (salário). ★ *v.pr.* Apertar-se muito, comprimir-se.

arrocho (ô) *s.m.* **1.** Pau torto e curto com que se torcem as cordas utilizadas para apertar fardos, cargas etc. **2.** *Fig.* Situação difícil, aperto. **3.** Repressão policial. **4.** *Pop.* Ação de arrochar (salário).

arrogância *s.f.* (lat. *arrogantia*). **1.** Atitude altaneira; altivez, orgulho. **2.** Insolência, petulância.

arrogante *adj.2g.* (lat. *arrogans*). **1.** Que tem ou mostra arrogância; soberbo, altivo, orgulhoso. **2.** Insolente, pretensioso, atrevido.

arrogar *v.t.* (lat. *arrogare*) [conj. 14]. Ter como próprio; apropriar-se de. ★ *v.pr.* Atribuir a si, ter como seu.

arroio (ô) *s.m.* (lat. tard. *arrugium*). Pequeno curso de água, permanente ou não; córrego, riacho.

arrojado *adj.* **1.** Intrépido, ousado, audaz. **2.** Temerário, arriscado. **3.** Violento, impetuoso.

A B C D E F G H I J K L M N O P Q R S T U V W X Y Z

arrojar *v.t.* (esp. *arrojar*) [conj. 4]. **1.** Levar de rojo, de roldão; arrastar. **2.** Atirar, arremessar, lançar. ★ *v.pr.* **1.** Arremessar-se, precipitar-se. **2.** Ousar, atrever-se. **3.** Andar de rastos.

arrojo (ô) *s.m.* **1.** Ação de arrojar ou atirar. **2.** Ousadia, audácia.

arrolamento *s.m.* **1.** Ato ou efeito de arrolar. **2.** Inventário.

arrolar[1] *v.t.* (conj. 4). Pôr em rol; inventariar.

arrolar[2] *v.t.* (conj. 4). Envolver em rolo; enrolar. ★ *v.i.* Formar rolos.

arrolhar *v.t.* (conj. 4). Tampar com rolha; rolhar.

arromba *s.f.* Canção ruidosa para viola.

arrombar *v.t.* (conj. 4). **1.** Fazer rombo, romper. **2.** Abrir à força. **3.** *Fig.* Abater, humilhar, arruinar.

arrostar *v.t.* (conj. 4). **1.** Encarar sem medo, fazer face a, enfrentar. **2.** Afrontar. ★ *v.pr.* Defrontar-se.

arrotar *v.i.* (lat. *eructare,* lançar) [conj. 4]. Soltar arrotos. ★ *v.t. Fig.* Bravatear, pretender, blasonar, jactar-se de.

arrotear *v.t.* (conj. 15). Cultivar, limpar terreno para semear.

arroto (ô) *s.m.* Emissão sonora, pela boca, de gases estomacais; eructação.

arroubar *v.t.* e *v.pr.* (esp. *arrobar*) [conj. 4]. Extasiar(-se), enlevar(-se), arrebatar(-se).

arroubo *s.m.* Êxtase, enlevo, encanto.

arroxear *v.t.* (conj. 15). Tornar roxo.

arroz (ô) *s.m.* (ár. *ar-ruz*). **1.** Gramínea de origem asiática, com diversas variedades cultiváveis, cujos grãos constituem importante alimento. **2.** O grão dessa planta. **3.** Prato preparado com tais grãos.

? VOCÊ SABIA...? Aparentemente a cultura do **arroz** teve início na Índia, no III milênio a.C. Na Idade Média foi introduzida na Europa e África pelos árabes. No Brasil foi introduzida pelos portugueses. Há dois tipos de cultivo: o irrigado e o sequeiro. O primeiro, mais produtivo, é o mais utilizado em nosso país.

---

arrozal *s.m.* Campo semeado de arroz.

arruaça *s.f.* Desordem nas ruas, motim.

arruaçar *v.i.* (conj. 13). Fazer arruaça.

arruar *v.t.* (conj. 4). **1.** Traçar ruas e passeios em. **2.** Dividir, distribuir em ruas. **3.** Passear como vadio.

arruçado *adj.* Que se tornou ruço, encanecido.

arruda *s.f.* (lat. *ruta*). Planta originária da Europa, cultivada em hortas e jardins e utilizada na preparação de medicamentos.

arruela *s.f.* (lat. tard. *rotella,* roda). Pequeno disco com um furo, por onde passa o parafuso, que se coloca entre a porca e a peça a ser apertada, para evitar desgaste.

arrufar *v.t.* e *v.pr.* (conj. 4). **1.** Tornar(-se) irritado, amuado, agastado. **2.** Arrepiar(-se), ouriçar(-se).

arrufo *s.m.* **1.** Ato ou efeito de arrufar. **2.** Despeito, amuo, agastamento de pouca duração, especialmente entre namorados.

arruinar (u-i) *v.t.* (conj. 4). **1.** Causar ruína a, destruir. **2.** Estragar, danificar. ★ *v.pr.* **1.** Perder todas as riquezas, empobrecer. **2.** Perder-se, destruir-se.

arruivar *v.t.* Tornar ruivo, tingir de ruivo.

arrulhar *v.i.* (esp. *arrullar*) [conj. 4]. **1.** Cantar, emitir sons como os pombos e rolas. **2.** Murmurar meiguices, proferir frases ternas e amorosas. **3.** Cantar acalantos. ★ *v.t.* Exprimir com ternura (um sentimento).

arrulho *s.m.* **1.** Ato de arrulhar, canto ou gemido das rolas e dos pombos. **2.** *Fig.* Murmúrios, gemidos ou palavras de amor. **3.** *Fig.* Toada para adormentar crianças; acalanto. **4.** *Fig.* Meiguice, carícia, ternura.

arrumação *s.f.* **1.** Ação ou efeito de arrumar; arranjo, boa disposição. **2.** Escrituração regular dos livros. **3.** *Pop.* Emprego. **4.** *Pop.* Negociata.

arrumadeira *adj.* Diz-se de mulher cuidadosa na arrumação da casa. ★ *s.f.* Empregada encarregada da arrumação e limpeza da casa.

arrumador (ô) *s.m.* **1.** O que arruma. **2.** Criado de quarto. **3.** Operário de empresa de transporte que nivela a carga para facilitar o serviço de cubagem.

arrumar *v.t.* (fr. *arrumer*) [conj. 4]. **1.** Pôr em ordem. **2.** Acomodar. **3.** Conseguir, obter. **4.** Acertar o rumo. **5.** Arranjar. ★ *v.pr.* **1.** Estabelecer-se, colocar-se. **2.** Enfeitar-se. **3.** Vestir-se.

arsenal *s.m.* (ár. *dār aç-çina'a,* fábrica). **1.** Nome das fábricas de armas e munições de guerra. **2.** Centro de construção e reparação dos navios de guerra. **3.** Grande quantidade de armas.

arseniato *s.m.* Sal derivado do ácido arsênico.

arsenical *adj.2g.* Que contém ou se relaciona com o arsênico. (Sin. ARSENÍFERO.)

arsênico *adj.* (gr. *arsenikón*). *Ácido arsênico,* ácido solúvel em água, derivado do arsênio, muito tóxico, empregado na fabricação de agrotóxicos. ★ *s.m.* **1.** Nome usual dado a qualquer composto arsenical venenoso e ao arsênio. **2.** Sin. de ANIDRIDO ARSENIOSO*.

arsenífero *adj.* Sin. de ARSENICAL.

arsênio *s.m.* Elemento químico (símb. As) de número atômico 33, impropriamente denominado arsênico, que constitui uma substância simples, de aparência metálica, comum em diversos minerais.

arsenioso (ô) *adj. Anidrido arsenioso,* composto químico venenoso usado em raticidas. (Sin. ARSÊNICO.)

arte *s.f.* (lat. *ars, artis*). **1.** Conjunto de regras para bem realizar alguma coisa. **2.** Habilidade, talento, perícia para uma atividade. **3.** Caráter, produção, expressão ou concepção do que é belo. **4.** Objeto criado dentro desta concepção. **5.** Conjunto de obras artísticas. **6.** Travessura, traquinada.

artefato *s.m.* (lat. *arte factus*). Produto ou obra do trabalho mecânico.

arteiro *adj.* **1.** Que revela arte ou astúcia; manhoso, ardiloso. **2.** *Pop.* Travesso.

artelho (ê) *s.m.* (lat. *articulus,* articulação). **1.** Dedo do pé. (Sin. PODODÁCTILO.) **2.** Parte arredondada da tíbia e do perônio, na articulação com o pé; tornozelo.

artemísia *s.f.* (gr. *artemisía*). Planta ramosa originária da Europa e da Ásia, aromática e de sabor amargo, cujas folhas e raiz são utilizadas para perturbações estomacais e na fabricação de bebidas alcoólicas.

artéria *s.f.* (gr. *artería*). **1.** Vaso que conduz sangue oxigenado do coração aos tecidos e órgãos. **2.** Via de comunicação urbana por onde circula intenso volume de tráfego; rua, avenida.

arterial *adj.2g.* Relativo às artérias.

arteriosclerose *s.f.* Designação geral de doença involutiva do sistema arterial, causada pelo desenvolvimento de ateromas, com necrose e calcificação da parede das artérias (Cf. ARTEROSCLEROSE.)

arterite *s.f.* Qualquer lesão arterial de origem inflamatória ou degenerativa.

artesanal *adj.2g.* **1.** Relativo a artesão ou artesanato. **2.** Que é elaborado segundo os métodos tradicionais, individuais (p. opos. a *industrial.*)

artesanato *s.m.* (fr. *artisanat*). **1.** Ofício e método de trabalho do artesão. **2.** Obra de artesão.

artesão *s.m.* (it. *artigiano*). **1.** Indivíduo que se dedica a ofício manual; artífice. **2.** Ornato entre molduras no teto de um edifício.

artesiano *adj.* (fr. *artésien,* do top. Artois). **1.** Diz-se de um lençol de água em que a pressão é superior à atmosférica. **2.** *Poço artesiano,* perfuração por meio de sonda que atinge um lençol artesiano, cuja pressão superior à atmosférica faz a água jorrar espontaneamente.

ártico *adj.* Relativo ao pólo Norte e às regiões adjacentes.

articulação *s.f.* (lat. *articulatio*). **1.** Ato ou efeito de articular. **2.** Ligação entre dois elementos. ● **Anat.** Modo de conexão entre dois ou mais ossos; conjunto de elementos pelos quais dois ou mais ossos unem-se uns aos outros. **Fon.** Emissão dos sons de uma língua. ► *Modo de articulação,* maneira pela qual o ar passa pelos órgãos fonadores e que caracteriza um fonema como constritivo, nasal, oclusivo etc. ► *Zona* ou *ponto de articulação,* região da cavidade bucal onde a corrente de ar é total ou parcialmente obstruída e que caracteriza um fonema como dental, labial, velar etc. **Mec.** Junção de duas ou mais partes de um mecanismo que possibilita um movimento coordenado.

ARTICULAÇÃO ► As articulações dos ossos são de três tipos: *fixas*, como as do crânio; *semimóveis*, como as das vértebras; e *móveis*, como as do joelho e do cotovelo. As articulações móveis contêm uma membrana que secreta o líquido *sinovial*, cuja função é lubrificar a articulação, reduzindo o atrito no movimento.

articulado *adj.* **1.** Que tem uma ou mais articulações. **2.** Enunciado, expresso com nitidez. **3.** Bem concatenado, coerente.

articular[1] *adj.2g.* (lat. *articularis*). Relativo às articulações.

articular[2] *v.t.* (lat. *articulare*) [conj. 4]. **1.** Unir pelas juntas, juntar pelas articulações. **2.** Pronunciar sons ou palavras de uma língua. ★ *v.pr.* **1.** Juntar-se, especialmente falando de ossos. **2.** Suceder-se numa ordem coerente.

articulista *s.2g.* Pessoa que escreve artigos em jornais ou revistas.

artífice *s.m.* (lat. *artifex, artificis*). **1.** Artesão. **2.** Autor, inventor. **3.** Artista.

artificial *adj.2g.* **1.** Que é produzido não pela natureza, mas por uma técnica. **2.** Que envolve artifício. **3.** *Fig.* A que falta naturalidade; afetado.

artifício *s.m.* (lat. *artificium,* profissão). **1.** Processo, modo, meio; arte. **2.** Sutileza, finura, habilidade. **3.** Astúcia (a fim de enganar); artimanha, subterfúgio. **4.** Disfarce, fraude. **5.** Explosivo pirotécnico. **6.** *Fogos de artifício,* seqüência organizada de disparos pirotécnicos com efeitos luminosos e sonoros.

artificioso (ô) *adj.* (lat. *artificiosus*). **1.** Astucioso, que procura enganar. **2.** Engenhoso, habilidoso. **3.** Arteiro, traquinas.

artigo *s.m.* (lat. *articulus,* articulação). **1.** Divisão elementar de uma lei, decreto, contrato etc., que resume uma de suas disposições. **2.** Tópico ou item de um texto escrito. **3.** Texto opinativo sobre um tema específico. **4.** Peça posta à venda; mercadoria. ● **Gram.** Palavra que precede e determina um substantivo e indica seu gênero e número.

artiguelho (ê) ou **artiguete** (ê) *s.m.* Artigo insignificante; escrito sem valor.

artilharia *s.f.* (fr. *artillerie.*) **1.** Conjunto de canhões e bocas-de-fogo para lançamento de projéteis a grande distância. **2.** Uma das armas do Exército; corpo de artilheiros.

artilheiro *s.m.* **1.** Militar pertencente à artilharia. **2.** Jogador de futebol que marca a maioria dos gols de uma equipe, de uma partida ou de um campeonato.

artimanha *s.f.* Astúcia, ardil; fraude, dolo.

artiodáctilo *s.m.* Espécime dos artiodáctilos. ★ *adj.* Relativo aos artiodáctilos.

artiodáctilos ou **artidátilos** *s.m.pl.* Ordem de mamíferos ungulados, de dedos pares, normalmente com dois artelhos funcionais no pé, cada um envolvido por um casco cornificado, que engloba os porcos, os camelos, os hipopótamos e os bovinos.

casco de bovino da ordem dos artiodáctilos

artista *adj.2g.* e *s.2g.* (lat. tard. *artista*). **1.** Pessoa que pratica alguma das artes, especialmente as artes plásticas. **2.** Profissional que vive de uma atividade artística, especialmente o canto, a dança e as artes cênicas. **3.** Pessoa de muito talento. **4.** Artesão ou artífice.

artístico *adj.* **1.** Relativo às artes (pintura, escultura, arquitetura etc.), aos artistas, às obras de arte. **2.** Que é feito com arte, com preocupação de beleza.

artrite *s.f.* (gr. *arthritis*). Distúrbio articular inflamatório caracterizado por dor, vermelhidão e, às vezes, inchaço das articulações.

artrítico *adj.* (gr. *arthritikós*). Relativo à artrite ou ao artritismo. ★ *s.m.* Aquele que sofre de artrite ou de artritismo.

artrópodes *s.m.pl.* Filo de invertebrados de simetria bilateral, com um par de apêndices por segmento, exoesqueleto quitinoso característico e que sofre ecdise no processo de crescimento.

EXEMPLOS DE ARTRÓPODES

artrose *s.f.* (gr. *árthrosis*). Lesão crônica, degenerativa e não inflamatória de uma articulação.

aruaque *s.2g.* Indivíduo dos aruaques, conjunto de povos indígenas da América do Sul e Antilhas. ★ *s.m.* Grupo de línguas faladas por esses povos. ★ *adj.* Relativo ou pertencente aos aruaques ou ao aruaque.

arumará *s.m.* Sin. de PÁSSARO-PRETO.

arvoar *v.t.* (conj. 20). Estontear, aturdir. ★ *v.i.* Sentir tonturas. ★ *v.pr.* Ficar atordoado; aturdir-se.

arvorado *adj.* Hasteado, erguido, içado.

arvorar¹ *v.t.* (conj. 4). **1.** Erguer, içar; desfraldar, hastear. **2.** Mostrar ostensivamente o que se deseja aparentar; afetar ares de; alardear. ★ *v.pr.* **1.** Assumir por vontade própria qualquer título, encargo etc.; arrogar-se. **2.** *Pop.* Topetar-se.

arvorar² *v.t.* (conj. 4). *Ant.* Arborizar.

árvore *s.f.* (lat. *arbor, arboris*). **1.** Vegetal lenhoso de grande porte, provido de troncos e ramificações na parte superior que formam uma copa. **2.** *Árvore genealógica,* quadro que dá, sob forma de árvore com suas ramificações, a filiação dos membros de uma família. **3.** *Árvore de Natal,* árvore que se arma na noite de Natal na sala principal da casa e de cujos ramos pendem presentes e brindes. ● **Automóv.** *Árvore de transmissão,* eixo propulsor, nos veículos convencionais, que transmite o movimento da caixa de mudanças ao diferencial. ► *Árvore de manivelas,* sin. de VIRABREQUIM.

árvore-da-felicidade *s.f.* Nome comum a duas espécies de plantas ornamentais de folhagem recortada, vulgarmente conhecidas como "macho" e "fêmea", originárias respectivamente da Flórida e Polinésia.

arvoredo (ê) *s.m.* (lat. *arboretum,* bosque). Lugar plantado de árvores; bosque. ● **Nav.** A mastreação do navio.

As símbolo químico do arsênio.

ás *s.m.* (lat. *as*). **1.** Carta de jogo marcada com um único ponto. **2.** Face de dado marcada com um único ponto. **3.** Pessoa que sobressai numa atividade, sobretudo esportiva.

asa¹ *s.f.* **1.** Cada um dos membros emplumados das aves, associado principalmente ao vôo, e, em algumas espécies, à corrida e natação. **2.** Cada um dos planos de sustentação do avião. **3.** Órgão responsável pelo vôo em morcegos. **4.** Expansão toráxica membranosa ou córnea dos insetos. **5.** *Fig.* Tudo o que é rápido, ligeiro, veloz. **6.** Nadadeira peitoral de alguns peixes. **7.** *Asas do nariz,* partes laterais do nariz.

asa² *s.f.* (lat. *ansa*). Apêndice, semicircular ou em forma de argola, de certos utensílios, que serve para segurá-los.

asa-delta *s.f.* Estrutura metálica leve, triangular, coberta por uma vela, sob a qual se sustenta uma pessoa, utilizada em vôo livre.

asado *adj.* e *s.m.* Que tem asa; alado.

asa-negra *s.2g.* Pessoa que prejudica outra, que lhe dá azar.

asbesto *s.m.* (gr. *ásbestos,* inextinguível). Silicato natural hidratado de cálcio e magnésio, de contextura fibrosa, empregado na fabricação de tecidos e lacas incombustíveis, como o amianto.

ascaridíase ou **ascaríase** *s.f.* Doença parasitária, comum em regiões tropicais, causada por um nematóide intestinal, a lombriga, contraída pela ingestão de água e alimentos contaminados.

ascendência *s.f.* **1.** Ação de subir, ou direcionar para cima; ascensão, elevação. **2.** Superioridade, predomínio de uma pessoa sobre outra. **3.** Série das gerações que precederam uma geração atual. **4.** Origem, procedência. **5.** Influência positiva de ordem moral.

ascendente *adj.2g.* **1.** Que ascende. **2.** Antepassado, avoengo, ancestral. ● **Astrol.** *Signo ascendente,* signo do Zodíaco que se encontra no horizonte leste no horário do evento em referência e cuja cúspide corresponde ao início da primeira casa de um mapa astral. **Mús.** Diz-se da escala que vai do grave ao agudo. ★ *s.2g.* O pai, a mãe ou qualquer parente de geração anterior.

ascender *v.i.* (lat. *ascendere*) [conj. 5]. Elevar-se, subir. (Cf. ACEDER.)

ascensão *s.f.* (lat. *ascensio*). **1.** Ato ou efeito de ascender; elevação. **2.** Subida, escalada. **3.** *Fig.* Elevação a um posto, dignidade ou poderio; promoção. **4.** Festa que comemora a elevação de Jesus ao céu, 40 dias após a Ressurreição. **5.** O dia dessa festa. ● **Astron.** *Ascensão reta,* coordenada celeste que indica a distância angular da projeção de um ponto da esfera celeste sobre o plano do equador, medida em relação ao ponto vernal.

ascensional *adj.2g.* Que tende a subir ou a fazer subir.

ascensionista *s.2g.* Pessoa que faz uma ascensão a pontos elevados.

ascensor (ô) *s.m.* (lat. *ascensom*). Elevador.

ascensorista *s.2g.* Pessoa encarregada de manobrar um ascensor ou elevador.

ascese *s.f.* (gr. *áskesis*). Conjunto de exercícios práticos que visa ao aperfeiçoamento espiritual através de uma constante disciplina de vida.

asceta *s.2g.* (gr. *asketes*). Pessoa que se consagra à ascese.

ascético *adj.* (gr. *asketikós*). **1.** Relativo a asceta ou ascetismo. **2.** Contemplativo, místico. (Cf. ACÉTICO.)

ascetismo *s.m.* **1.** Doutrina moral ou filosófica centrada na ascese. **2.** Vida rude e austera, com privação dos prazeres materiais.

asco¹ *s.m.* (gr. *eschára,* casca). Nojo, enjôo, náusea; repugnância, aversão.

asco² *s.m.* (gr. *askós,* odre). Órgão em forma de saco, no qual se formam esporos sexuais nos ascomicetos.

ascomicetos *s.m.pl.* Classe de fungos que se caracteriza pela presença de micélio pluricelular e esporos formados em um asco.

ascórbico *adj.* *Ácido ascórbico,* vitamina C.

ascósporo *s.m.* Esporo formado no interior de um asco.

aselha (ê) *s.f.* **1.** Pequena alça de cadarço colocada na parte superior traseira do cano das botinas, usada como puxadeira. **2.** Presilha de cordel ou fita. **3.** *Fig.* Pessoa desastrada, desajeitada.

asfaltar *v.t.* (conj. 4). Cobrir com asfalto.

asfalto *s.m.* (gr. *ásphaltos,* betume). **1.** Designação geral de substâncias betuminosas, viscosas ou sólidas, cuja cor varia do castanho-escuro ao negro, encontradas em certas rochas. (Sin. BETUME.) **2.** Substância preparada com o breu de petróleo, subproduto residual da refinação que se utiliza na pavimentação de ruas e estradas e em impermeabilização. (Sin. PICHE.) **3.** *Fig.* A rua, a estrada.

asfixia (cs) *s.f.* (gr. *asphyxía*). **1.** Falta de ar; sufocação. **2.** *Fig.* Cerceamento, estrangulação. ● **Agric.** Estado das partes vegetais que se encontram privadas de oxigênio, em solo muito compacto ou inundado, ou ainda em água estagnada. **Med.** Estado de um indivíduo ao qual o oxigênio não chega em quantidade normal no nível dos tecidos.

asfixiante (cs) *adj.2g.* **1.** Relativo à asfixia. **2.** Que causa asfixia; sufocante.

asfixiar (cs) *v.t.* (conj. 16). **1.** Causar asfixia a; sufocar. **2.** Matar por asfixia. **3.** *Fig.* Causar opressão, tiranizar. ★ *v.i.* Respirar com dificuldade; ficar privado da respiração. ★ *v.pr.* Suicidar-se por asfixia.

asiático *adj.* **1.** Relativo ou pertencente à Ásia, um dos cinco continentes; asiano. **2.** *Fig.* Exagerado, excessivo, extraordinário. ★ *s.m.* Indivíduo natural ou habitante da Ásia.

asilado *adj.* e *s.m.* **1.** Que ou aquele que se internou em asilo ou a quem se deu asilo. **2.** Abrigado, protegido.

asilar *v.t.* (conj. 4). **1.** Recolher em asilo; abrigar, hospedar. **2.** Dar asilo, guarida, proteção, amparo. ★ *v.pr.* **1.** Procurar amparo em lugar seguro. **2.** Recolher-se em asilo.

asilo *s.m.* (gr. *ásylon*). **1.** Instituição de assistência social que abriga crianças desvalidas, idosos desamparados ou doentes incuráveis. **2.** Lugar onde se fica em segurança. **3.** *Asilo político,* autorização de permanência concedida por alguns países a perseguidos políticos de outros países.

asinino *adj.* (lat. *asininus*). Relativo ao asno. ★ *s.m.* Espécime dos asininos.

asininos *s.m.pl.* Animais mamíferos da ordem dos perissodáctilos, que compreende os asnos e os jegues.

asma *s.f.* (gr. *asthma*). Afecção respiratória caracterizada por crises de dispnéia expiratória.

ASMA ▸ Os medicamentos contra a asma são aplicados nos pulmões mediante o uso de um inalador. Os casos mais graves exigem um nebulizador, que cria uma fina névoa com o medicamento.

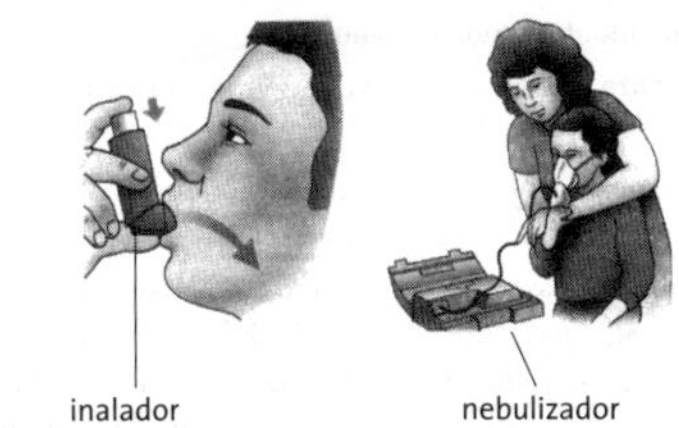

asmático *adj.* (gr. *asthmatikós*). Relativo à asma. ★ *s.m.* Aquele que sofre de asma.

asnático *adj.* Estúpido, parvo, idiota.

asneira *s.f.* **1.** Disparate, besteira, asnice. **2.** Ato ou palavra obscena.

asno *s.m.* (lat. *asinus,* burro). **1.** Jumento. **2.** *Fig.* Pessoa ignorante, destituída de bom senso; tolo, cabeçudo, imbecil, idiota.

aspa *s.f.* (do gót.). Instrumento de suplício em forma de X. ★ *s.f.pl.* Sinais ("") colocados antes (") e depois (") de uma citação ou de uma expressão pouco usual.

asparagina *s.f.* Um dos vinte aminoácidos constituintes essenciais das proteínas.

aspargo *s.m.* (gr. *aspáragos*). Planta originária da Ásia e África setentrional, cultivada para consumo dos brotos carnosos. (Sin. MELINDRE; var. ESPARGO.)

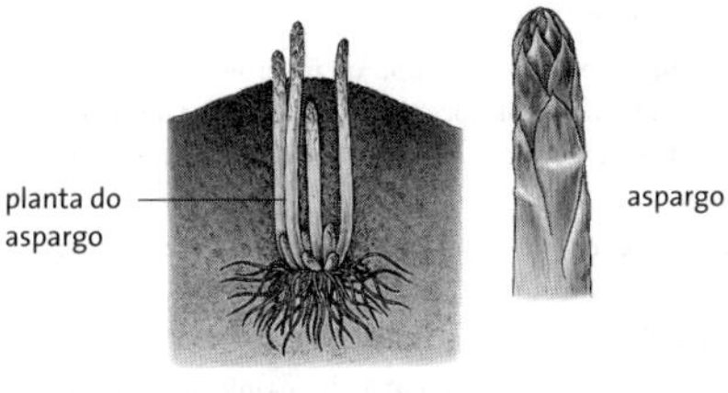

aspartame *s.m.* Sucedâneo do açúcar, pouco calorífico, obtido a partir de proteínas naturais, utilizado como adoçante.

aspartato *s.m.* Sal ou éster do ácido aspártico.

aspecto *s.m.* (lat. *aspectus*). **1.** Maneira pela qual uma pessoa ou coisa se apresenta à vista; aparência. **2.** *Fig.* Semblante, rosto, ar. **3.** Maneira de ver, ponto de vista. ● **Astron.** Termo que designa indiferentemente as configurações chamadas de conjunção, oposição e quadratura. **Gram.** Flexão do verbo que manifesta o ponto de vista do qual o locutor considera a ação expressa pelo verbo.

aspereza (ê) *s.f.* Qualidade do que é áspero.

aspergido *adj.* Asperso.

aspergilose *s.f.* Doença micótica devida a um fungo ascomiceto, que ataca os animais, mas raramente afeta o homem.

aspergir *v.t.* (lat. *aspergere*) [conj. 64]. Borrifar, molhar leve e superficialmente.

aspermia *s.f.* **1.** Ausência de sementes em frutos. **2.** Ausência de produção ou emissão de esperma. **3.** Ausência de espermatozóides no esperma; aspermatismo.

áspero *adj.* (lat. *asper*). **1.** Que tem superfície cheia de pequenas saliências e irregularidades. **2.** Desagradável, ríspido. **3.** Grosseiro, rude. **4.** Acre, azedo.

aspersão *s.f.* (lat. *aspersio*). **1.** Ação de aspergir. **2.** Borrifo, respingo.

asperso *adj.* (lat. *aspersus*). Borrifado, respingado; aspergido.

aspersório *s.m.* (lat. *aspersorium*). Instrumento de aspergir; hissope.

áspide *s.f.* (gr. *aspís, aspídos,* escudo). Animal fabuloso com rabo de serpente, emblema da incredulidade.

aspiração *s.f.* (lat. *aspiratio*). **1.** Ação de aspirar. **2.** Primeiro movimento da respiração. **3.** Desejo, anelo. ● **Mec.** Admissão de ar ou da mistura combustível pelo cilindro de um motor a combustão interna.

aspirado *adj.* Diz-se de uma consoante, geralmente surda, pronunciada com fricção da corrente de ar contra as paredes da glote entreabertas.

aspirador (ô) *adj.* e *s.m.* Diz-se de ou aparelho que serve para aspirar fluidos, água, poeira etc.

aspirante *adj.2g.* Que aspira, que suga. ★ *s.2g.* Pessoa que aspira a alguma coisa. ● **Esp.** Desportista mais jovem ou de categorias inferiores que aguarda uma vaga nas equipes principais. **Mil.** Posto do Exército e da Aeronáutica brasileiros, imediatamente inferior a segundo-tenente e superior a sargento. ▸ Pessoa que ocupa esse posto.

aspirar *v.t.* (lat. *aspirare*) [conj. 4]. **1.** Atrair o ar às vias respiratórias. **2.** Absorver, sorver. **3.** Sugar. **4.** Desejar ardentemente, pretender.

aspirina *s.f.* (al. *Aspirin*, nome comercial). Sin. de ÁCIDO ACETILSALICÍLICO*.

asquelmintos *s.m.pl.* Grupo de invertebrados aquáticos, pseudocelomados, não segmentados, de forma normalmente alongada e cilíndrica, desprovidos de sistema respiratório e sanguíneo.

asqueroso (ô) *adj.* **1.** Que causa asco; imundo, repelente, nojento. **2.** Sórdido, torpe.

assacadilha *s.f.* Calúnia, maledicência.

assacar *v.t.* (conj. 12). Imputar aleivosamente; inventar (calúnias).

assadeira *s.f.* Utensílio plano em que se colocam alimentos para assar; tabuleiro.

assado *adj.* **1.** Que se assou. **2.** Que apresenta assadura (falando-se de pele). ★ *s.m.* Qualquer alimento assado, principalmente carne.

assadura *s.f.* (lat. *assatura*). Erupção, inflamação ou alergia da pele, provocada por atrito e calor; intertrigem.

assalariado *adj.* e *s.m.* Que ou aquele que trabalha por salário.

assalariar *v.t.* (conj. 16). **1.** Dar salário a; estipendiar. **2.** *Fig.* Subornar. ★ *v.pr.* Empregar-se por salário.

assaltante *adj.2g.* Que assalta; atacante. ★ *s.2g.* Pessoa que ataca para roubar.

assaltar *v.t.* (conj. 4). **1.** Atacar violentamente; investir de súbito. **2.** Investir, assediar, surpreender. **3.** Ocorrer, lembrar de repente.

assalto *s.m.* (it. *assalto*). **1.** Ato ou efeito de assaltar; investida, arremetida. **2.** Ataque inesperado, violento, com intuito de roubo. **3.** No boxe, cada um dos períodos em que se divide um combate; *round*.

assanhar *v.t.* (conj. 4). **1.** Encher de sanha; irritar, enfurecer. **2.** Agravar, exacerbar. **3.** Excitar. ★ *v.pr.* **1.** Encolerizar-se. **2.** Proceder de maneira indecorosa. **3.** Tornar-se caudaloso (o rio), tempestuoso (o mar).

assar *v.t.* (lat. *assare*) [conj. 4]. **1.** Submeter à ação do fogo até ficar cozido. **2.** Causar grande calor; queimar. **3.** Causar assadura.

assassinar *v.t.* (conj. 4). **1.** Matar uma pessoa com premeditação ou à traição. **2.** Extinguir, arruinar, aniquilar.

assassinato *s.m.* Assassínio.

assassínio *s.m.* Homicídio cometido com premeditação ou emboscada; assassinato.

assassino *s.m.* **1.** Aquele que mata com premeditação ou à traição. **2.** *Fig.* Aquele que destrói, aniquila. ★ *adj.* **1.** Que mata. **2.** Homicida, matador.

assaz *adv.* (lat. *ad satiem*). **1.** Bastante, suficientemente. **2.** Muito.

assear *v.t.* [conj. 15]. **1.** Tornar limpo, higienizar, limpar. **2.** Purificar, desinfetar. ★ *v.pr.* **1.** Limpar-se, higienizar-se. **2.** Vestir-se com esmero.

assecla *s.2g.* (lat. *assecla*). **1.** Sequaz, sectário, partidário. **2.** Capanga, guarda-costas.

assediar *v.t.* (conj. 16). **1.** Pôr assédio ou cerco a; sitiar, cercar. **2.** *Fig.* Importunar com pedidos ou perguntas.

assédio *s.m.* **1.** Cerco, sítio a um lugar fortificado. **2.** *Fig.* Insistência importuna junto a alguém.

assegurar *v.t.* (conj. 4). **1.** Tornar seguro; garantir. **2.** Afirmar com convicção. ★ *v.pr.* Certificar-se, convencer-se.

asseio *s.m.* **1.** Ato ou efeito de assear(-se); limpeza. **2.** Apuro no trajar. **3.** Esmero, capricho.

asselvajar *v.t.* e *v.pr.* (conj. 4). Tornar(-se) selvagem; embrutecer(-se).

assembléia *s.f.* (fr. *assemblée*). **1.** Reunião de pessoas para deliberar sobre objetivos comuns. **2.** Corporação, junta. **3.** *Assembléia legislativa*, câmara de deputados estaduais. **4.** *Assembléia nacional*, assembléia eleita pelo sufrágio universal direto, que compreende o Senado e a Câmara dos Deputados.

assemelhar *v.t.* (conj. 4). **1.** Tornar parecido ou semelhante; imitar, arremedar. **2.** Comparar com. ★ *v.pr.* Parecer-se, ser semelhante a.

assenhorear *v.t.* (conj. 15). Dominar como dono ou senhor. ★ *v.pr.* Tornar-se senhor, apossar-se, apoderar-se.

assentada *s.f.* **1.** Sessão do tribunal para audiência de testemunhas. **2.** Termo em que se lança o depoimento das testemunhas.

assentado *adj.* **1.** Que se assentou; sentado. **2.** Firme, solidamente estabelecido. **3.** Combinado, decidido, resolvido. ★ *s.m.* Terreno plano no alto de um morro.

assentador (ô) *s.m.* Operário que assenta tijolos, azulejos ou demais revestimentos de uma construção.

assentamento *s.m.* **1.** Ato ou efeito de assentar(-se). **2.** Registro, nota, averbamento. **3.** Ajustamento de peças de um aparelho ou construção. **4.** Núcleo de povoamento formado por trabalhadores rurais.

assentar *v.t.* (conj. 4). **1.** Colocar sobre; sentar. **2.** Anotar por escrito, registrar. **3.** Determinar, estipular. **4.** Aplicar, dar. **5.** Combinar, convir. ★ *v.i.* Tornar-se ajuizado, comedido. ★ *v.i.* e *v.pr.* Tomar assento.

assente *adj.2g.* **1.** Assentado, firme, sólido, estável. **2.** Decidido, resolvido, firmado. **3.** Tranqüilo.

assentimento *s.m.* Ato ou efeito de assentir; consentimento, aprovação, anuência.

assentir *v.t.* e *v.i.* (lat. *assentire*) [conj. 56]. Consentir, acordar, concordar, anuir, aprovar, aquiescer.

assento *s.m.* **1.** Móvel ou outro objeto em que se assenta. **2.** Lugar onde alguma coisa está assentada. **3.** Parte do corpo humano que fica apoiada no assento; nádegas, traseiro. **4.** Planalto, chapada. **5.** Juízo, discrição. **6.** Repouso, tranqüilidade. **7.** Assentamento, registro. (Cf. ACENTO.)

assépalo *adj.* Diz-se do vegetal destituído de sépalas.

assepsia *s.f.* **1.** Ausência de qualquer germe patogênico. **2.** Conjunto de medidas que permitem proteger o organismo contra qualquer contaminação microbiana, especialmente em operações cirúrgicas.

asséptico *adj.* **1.** Relativo à assepsia. **2.** Isento de todo germe patogênico.

asserção *s.f.* (lat. *assertio*). Afirmação, proposição, asseveração.

assertiva *s.f.* Frase assertiva, afirmação.

assertivo *adj.* Que contém asserção; afirmativo.

asserto (ê) *s.m.* (lat. *assertum*). Proposição afirmativa, asserção.

A B C D E F G H I J K L M N O P Q R S T U V W X Y Z

assessor (ô) *s.m.* (lat. *assessor*). Aquele que dá assistência a outrem; assistente.

assessorar *v.t.* (conj. 4). Servir de assessor, auxiliar, assistir.

assessoria *s.f.* **1.** Ato ou efeito de assessorar; assessoramento. **2.** Órgão ou conjunto de pessoas que assessora um chefe. **3.** Cargo de assessor.

assessório *adj.* (lat. *assessorium*). Que se refere a assessor. (Cf. ACESSÓRIO.)

assestar *v.t.* (conj. 4). **1.** Apontar ou dirigir. **2.** Pôr na direção de.

asseverar *v.t.* (lat. *asseverare*) [conj. 4]. **1.** Afirmar, assegurar. **2.** Dar como certo, certificar, garantir; confirmar.

assexuado (cs) *adj.* **1.** Diz-se do ser animal ou vegetal desprovido de sexo. **2.** *Reprodução assexuada,* tipo de reprodução em que não ocorre a participação de gametas.

? VOCÊ SABIA...? A reprodução **assexuada** origina indivíduos geneticamente idênticos entre si, ou seja, produz o que conhecemos por *clones*.

---

assiduidade (u-i) *s.f.* (lat. *assiduitas*). Qualidade de assíduo.

assíduo *adj.* (lat. *assiduus*). **1.** Que não falta a suas obrigações; aplicado, pontual. **2.** Que se aplica pertinazmente a alguma coisa. **3.** Contínuo, constante.

assim *adv.* (lat. *ad sic*). **1.** Deste, desse ou daquele modo. **2.** Tão, tanto. **3.** Do mesmo modo. **4.** *Assim (e) assim,* do mesmo modo que. **5.** *Assim como assim,* de qualquer modo. **6.** *Assim mesmo,* igualmente, desse modo; contudo. **7.** *Assim que,* logo que, quando. ★ *conj.* Logo, portanto, pois.

assimetria *s.f.* Falta de simetria; dessimetria.

assimilação *s.f.* (lat. *assimilatio*). **1.** Ato ou efeito de assimilar. **2.** Incorporação, apropriação. ● **Fisiol.** Propriedade que possuem os organismos vivos de reconstituir sua própria substância a partir de elementos retirados de seu meio e transformados pela digestão. **Fon.** Ação pela qual um fonema comunica um ou vários de seus traços a um fonema vizinho. **Sociol.** Processo de ajustamentos progressivos através dos quais o indivíduo ou o grupo se integra no meio ecológico e no ambiente sociocultural que o recebem.

assimilar *v.t.* (lat. *assimilare*) [conj. 4]. **1.** Tornar semelhante, identificar a. **2.** Estabelecer comparação. **3.** Transformar, converter em sua própria substância. **4.** Fazer seus conhecimentos, hábitos etc.; apropriar-se de. ★ *v.pr.* Tornar-se semelhante.

assinalar *v.t.* (conj. 4). **1.** Marcar com sinal, estampar. **2.** Notar, apontar. **3.** Distinguir, particularizar. **4.** Dar notícia, tomar conhecimento de, festejar. ★ *v.pr.* Distinguir-se, tornar-se ilustre.

assinante *adj.2g.* e *s.2g.* **1.** Que ou aquele que faz a assinatura de uma revista, jornal, provedor de internet, tevê a cabo etc.

assinar *v.t.* (lat. *assignare*) [conj. 4]. **1.** Firmar com sua assinatura, marcar com o próprio nome. **2.** Adquirir a assinatura de periódicos ou de uma série de espetáculos; subscrever. **3.** Destinar, conceder. ★ *v.pr.* Escrever a própria assinatura.

assinatura *s.f.* **1.** Ato ou efeito de assinar; firma, nome escrito. **2.** Contrato pelo qual se adquire, mediante pagamento, o direito de receber publicações periódicas ou ter direito a determinados serviços por um período determinado; subscrição. **3.** O nome que identifica a autoria de uma matéria em jornal ou revista.

? VOCÊ SABIA...? A **assinatura** tem origem no sinal que se traçava com a pena ao pé dos documentos que se desejava autenticar. O Talmude apresenta uma lista de sinais que os rabinos empregavam para indicar que haviam tomado conhecimento de um escrito. Os cristãos adotaram o costume de traçar uma cruz como sinal de assinatura.

---

assíncrono *adj.* *Fís.* Não sincrônico.

assindético *adj.* **1.** Em que há assíndeto. **2.** Diz-se das orações assim relacionadas.

assíndeto ou **assíndeton** *s.m.* (gr. *asyndetos*). Supressão do termo de ligação entre palavras ou orações que, não obstante, estão em relação de coordenação.

assinergia *s.f.* Incapacidade de executar simultaneamente os movimentos de uma atividade motora.

assintomático *adj.* Que não apresenta sintomas clínicos.

assíntota *s.f.* Reta que tangencia uma curva no infinito.

assírio *adj.* Relativo ou pertencente à Assíria, Estado da Mesopotâmia na Antiguidade. ★ *s.m.* **1.** Indivíduo natural ou habitante da Assíria. **2.** Dialeto do acadiano utilizado na Assíria.

assisado *adj.* Que tem siso; ajuizado.

assistência *s.f.* **1.** Ato ou efeito de assistir. **2.** Conjunto dos assistentes. **3.** Presença, assiduidade. **4.** Auxílio, amparo. **5.** Ambulância. **6.** Hospital de pronto-socorro.

assistencial *adj.2g.* Relativo a assistência, em que há assistência.

assistente *adj.2g.* e *s.2g.* **1.** Que ou aquele que assiste. **2.** Ouvinte. **3.** Que ou aquele que exerce uma função sob a responsabilidade imediata de outrem; auxiliar. **4.** *Assistente social,* pessoa encarregada por um serviço social de assistir e aconselhar os membros de uma comunidade na resolução de problemas de ordem moral, médica ou material.

assistido *adj.* Socorrido, acompanhado, acolitado.

assistir *v.t.* (lat. *assistere*) [conj. 6]. **1.** Estar presente; presenciar, comparecer. **2.** Ver, acompanhar. **3.** Ajudar, auxiliar. **4.** Caber, pertencer. **5.** Residir, morar.

assistolia *s.f.* **1.** Parada cardíaca. **2.** Conjunto de perturbações cardiocirculatórias provocadas por uma insuficiência cardíaca.

assistólico *adj.* Relativo à assistolia. ★ *s.m.* Aquele que é afetado por assistolia.

assoalhado[1] *adj.* Que tem soalho ou sobrado. ★ *s.m.* O soalho, o pavimento sobradado.

assoalhado[2] *adj.* **1.** Exposto ao sol. **2.** *Fig.* Divulgado, vulgarizado.

assoalhar[1] *v.t.* (conj. 4). Cobrir de tábuas o piso de um cômodo, pôr soalho em; soalhar.

A B C D E F G H I J K L M N O P Q R S T U V W X Y Z

assoalhar² *v.t.* (conj. 4). **1.** Expor ao sol. **2.** Divulgar, propalar (maldosamente o que era íntimo ou secreto). **3.** *Fig.* Ostentar, fazer garbo de. ★ *v.pr.* Vangloriar-se, gabar-se.

assoalho *s.m.* Soalho.

assoar *v.t.* (conj. 20). Forçar o ar pelas narinas para expelir a secreção nasal. ★ *v.pr.* Livrar-se do muco nasal forçando o ar pelas narinas.

assoberbado *adj.* **1.** Que ficou soberbo, altivo; enfatuado. **2.** Rico, cheio de. **3.** Dominado. **4.** Abarbado de serviço; sobrecarregado.

assoberbar *v.t.* (conj. 4). **1.** Tratar com soberba; humilhar. **2.** Dominar, oprimir. **3.** Ensoberbecer, envaidecer. **4.** Abarbar. ★ *v.i.* Portar-se com soberba. ★ *v.pr.* Fazer-se soberbo; enfatuar-se.

assobiada *s.f.* **1.** Assuada, troça, desfeita a alguém com assobios, vaia. **2.** Zunido forte e prolongado.

assobiar *v.i.* (lat. *adsibilare*) [conj. 16]. **1.** Produzir um som agudo soprando o ar entre os lábios; assoviar. **2.** Silvar, apitar. ★ *v.t.* **1.** Reproduzir assobiando. **2.** Vaiar, apupar.

assobio *s.m.* **1.** Ato ou efeito de assobiar; assovio. **2.** Som agudo, apito, silvo.

assobradar *v.t.* (conj. 4). Pôr pavimento de sobrado em.

associação *s.f.* **1.** Ato ou efeito de associar(-se). **2.** Entidade ou agrupamento que congrega pessoas com objetivos e interesses comuns. **3.** *Associação de idéias,* fato psicológico que consiste em uma imagem ou uma idéia evocar outra. ● **Biol.** Interação intra ou interespecífica, que pode ser *animal* ou *vegetal.* **Dir.** Ato pelo qual duas ou mais pessoas reúnem, de maneira permanente, seus conhecimentos ou suas atividades com fins diversos da repartição de lucros; pessoa jurídica nascida desse tipo de união.

associacionismo *s.m.* Sistema filosófico que explica pela associação de idéias todas as operações intelectuais e o conjunto da vida mental.

associado *adj.* e *s.m.* **1.** Ligado por interesses comuns a uma ou mais pessoas; membro, congregado. **2.** Sócio.

associar *v.t.* (lat. *associare*) [conj. 16]. **1.** Unir, juntar, agregar. **2.** Relacionar. **3.** Fazer participar de. ★ *v.pr.* **1.** Entrar em sociedade, em aliança. **2.** Aliar-se, combinar. **3.** *Fig.* Manifestar solidariedade.

associativo *adj.* Que cria uma associação. ● **Mat.** Diz-se do cálculo em que uma ou mais variáveis são associadas. ▸ *Propriedade associativa,* propriedade das operações aritméticas que permite a combinação de cálculos.

assolar *v.t.* (conj. 4). Devastar, arrasar, arruinar.

assoldadar *v.t.* (conj. 4). **1.** Tomar a soldo. **2.** Assalariar. ★ *v.pr.* **1.** Alistar-se para servir na guerra. **2.** Assalariar-se.

assomar *v.i.* (conj. 4). **1.** Subir ao cume. **2.** Mostrar-se em ponto elevado. **3.** Surgir; aparecer. ★ *v.pr.* **1.** Deixar-se ver, mostrar-se. **2.** Encolerizar-se. **3.** Começar a embriagar-se.

assombração *s.f.* **1.** Ser, objeto fantástico ou fantasma que assombra, que causa terror; aparição. **2.** Susto causado pelo encontro ou aparição de coisas sobrenaturais.

assombradiço *adj.* Que se assombra com facilidade; assustadiço.

assombrado *adj.* **1.** Coberto de sombra; sombrio, umbroso. **2.** Cheio de assombro. **3.** Atônito, admirado. **4.** Aterrorizado, perplexo. **5.** Diz-se do lugar em que aparecem assombrações.

assombrar *v.t.* (conj. 4). **1.** Fazer sombra a. **2.** Causar assombro, deixar atônito; aterrorizar, consternar. **3.** Maravilhar. ★ *v.pr.* **1.** Sobressaltar-se, maravilhar-se. **2.** Cobrir-se de sombra.

assombro *s.m.* **1.** Grande espanto. **2.** Susto, pavor. **3.** Maravilha, prodígio.

assombroso (ô) *adj.* Que causa assombro; espantoso, extraordinário, pasmoso, formidável, fantástico, estupendo.

assomo *s.m.* **1.** Ação de assomar. **2.** Aparência, indício. **3.** Ímpeto, impulso.

assonância *s.f.* (fr. *assonance*). Tipo de rima caracterizada pela repetição apenas das vogais.

assonante *adj.2g.* **1.** Que produz assonância. **2.** *Rima assonante,* rima caracterizada pela assonância. (Sin. RIMA TOANTE*.)

assopradela *s.f.* *Pop.* Ação de soprar levemente.

assoprar *v.t.* e *v.i.* (conj. 4). **1.** O mesmo que SOPRAR. **2.** *Fig.* Segregar. **3.** *Fig.* Inchar; exagerar.

assopro (ô) *s.m.* **1.** Sopro. **2.** Pequena aragem, brisa. **3.** *Fig.* Favor, proteção. **4.** Estímulo, inspiração. **5.** *Fam.* Denúncia, delação.

assoreamento *s.m.* **1.** Acúmulo de areia num rio ou porto causado por enchentes, construções etc. **2.** Ação ou método de aterrar por processo mecânico, quando da construção de barragens, diques, praias etc.

assoviar *v.i.* e *v.t.* (conj. 16). O mesmo que ASSOBIAR.

assovio *s.m.* Assobio.

assuada *s.f.* **1.** Ajuntamento de gente armada para fazer desordem. **2.** Vozearia, balbúrdia, vaia. **3.** Motim.

assuar *v.t.* (conj. 4). **1.** Insultar com vaias, apupar. **2.** Amotinar.

assumir *v.t.* (lat. *assumere*) [conj. 6]. **1.** Encarregar-se de. **2.** Aceitar, tomar para si. **3.** Entrar no exercício de. **4.** Adotar. ★ *v.pr.* *Pop.* Aceitar-se.

assunção *s.f.* (lat. *assumptio*). **1.** Ação de assumir. **2.** Elevação a uma dignidade. **3.** Na religião católica, elevação de Maria, mãe de Jesus, ao céu em corpo e alma após sua morte. **4.** Festa que celebra essa passagem.

assuntar *v.t.* (conj. 4). **1.** Prestar atenção a, vigiar, observar. **2.** Apurar, verificar. ★ *v.i.* Observar, bisbilhotar.

assunto *s.m.* Matéria de que se trata; tema, objeto.

assustar *v.t.* (conj. 4). Causar susto a; intimidar, atemorizar. ★ *v.i.* Dar motivo de susto. ★ *v.pr.* Ter susto ou medo.

astático *adj.* Instável. ● **Fís.** Diz-se do equipamento próprio para eliminar a influência de campos elétricos ou magnéticos externos.

astatínio *s.m.* (gr. *ástatos*). Elemento químico artificial e radioativo (símb. At), de número atômico 85. (Sin. ASTATINO, ÁSTATO.)

astatino *s.m.* Sin. de ASTATÍNIO.

ástato *s.m.* Sin. de ASTATÍNIO.

asteca *s.2g.* Indivíduo dos astecas, povo que habitava o México antes da invasão espanhola. ★ *adj.2g.* Relativo ou pertencente a esse povo.

astenia *s.f.* (gr. *asthéneia*). Estado de fadiga e de esgotamento.

astênico *adj.* Relativo à astenia. ★ *s.m.* Indivíduo acometido de astenia.

áster *s.m.* (gr. *aster*). Em uma célula, conjunto de túbulos dispostos radialmente em torno do centrossomo, durante a mitose.

asterisco *s.m.* (gr. *asterískos*). Sinal gráfico em forma de estrela (*) empregado para remeter a uma nota, indicar a supressão de um nome ou outra convenção qualquer.

asteróide *adj.2g.* Que tem forma de estrela. ★ *s.m.* Pequeno planeta com dimensão da ordem de algumas centenas de quilômetros. (Sin. PLANETÓIDE.)

astigmático *adj.* **1.** Relativo ao astigmatismo. **2.** Que apresenta astigmatismo. ★ *s.m.* Pessoa que tem astigmatismo.

astigmatismo *s.m.* **1.** Aberração de um sistema óptico na qual a imagem não se forma como ponto e sim como segmento de reta. **2.** Anomalia da visão provocada por irregularidades da curvatura da córnea ou por falta de homogeneidade na refringência dos meios transparentes do olho.

astrágalo *s.m.* (gr. *astrágalos*). **1.** Pequeno osso do tarso que se articula com a tíbia e o perônio. ● **Arquit.** Numa coluna, moldura arredondada entre o fuste e o capitel.

astral *adj.2g.* (lat. *astralis*). **1.** Relativo aos astros; sideral. ● **Astrol.** *Mapa astral,* mapa com a posição dos astros e casas astrológicas no momento do evento considerado. ★ *s.m.* **1.** Para os ocultistas, mundo intermediário e sutil entre o humano (material) e o divino (espiritual). **2.** *Gír.* Aura, clima.

astro *s.m.* (gr. *astron.*). **1.** Todo corpo celeste natural. **2.** *Fig.* Pessoa que se distingue pelo talento, virtude, sabedoria, beleza etc. **3.** *Fig.* Ator de cinema, teatro, televisão etc., que se tornou famoso.

ASTRO ▸ O Sol e as estrelas têm luz própria, ao passo que os planetas e seus satélites apenas refletem a luz solar. As nebulosas, os agrupamentos de estrelas mais ou menos organizados e as galáxias são freqüentemente chamados de objetos celestes.

---

astrócito *s.m.* Célula constitutiva da neuróglia.

astrofísica *s.f.* Parte da astronomia que estuda a natureza, a formação e a evolução dos astros e objetos celestes.

astrofísico *adj.* Relativo à astrofísica. ★ *s.m.* Especialista em astrofísica.

astróglia *s.f.* Conjunto dos astrócitos.

astrolábio *s.m.* (gr. *astrolábion*). **1.** Antigo instrumento de astronomia utilizado para observar a posição dos astros e determinar sua altura acima do horizonte. **2.** Designação de diversos instrumentos de precisão atualmente utilizados na astrometria.

astrologia *s.f.* (gr. *astrología*). Prática divinatória que se baseia na influência dos astros no curso dos acontecimentos na Terra e sobre o destino dos seres vivos.

astrológico *adj.* (gr. *astrologikós*). Relativo à astrologia.

astrólogo *s.m.* (gr. *astrológos*). Pessoa que se ocupa da astrologia.

astrometria *s.f.* Ramo da astronomia que compreende as técnicas e os métodos que permitem determinar a posição e calcular as trajetórias dos astros.

astronauta *s.2g.* (ingl. *austronaut*). Aportuguesamento do termo usado pelos norte-americanos para designar o piloto ou passageiro de uma espaçonave. (Cf. COSMONAUTA.)

astronáutica *s.f.* Conjunto das ciências, técnicas e atividades humanas que tornam possíveis os vôos espaciais.

astronave *s.f.* Veículo espacial; espaçonave.

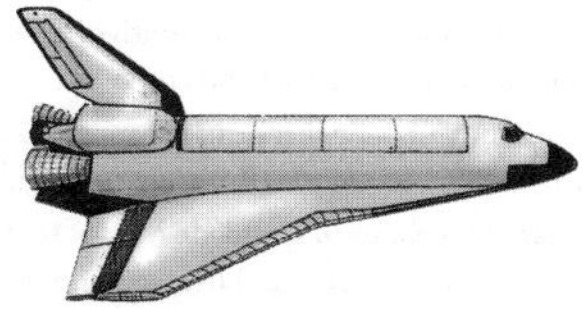

ônibus espacial americano

---

astronomia *s.f.* (gr. *astronomía*). Ciência que estuda as posições relativas, os movimentos, a estrutura e a evolução dos astros.

astronômico *adj.* (gr. *astronomikós*). **1.** Relativo à astronomia. **2.** *Fig.* De grandes proporções; exagerado, exorbitante.

astrônomo *s.m.* (gr. *astronómos*). Especialista em astronomia.

astroquímica *s.f.* Ciência que trata do estudo químico do espaço sideral.

astrostática *s.f.* Parte da astronomia que trata do cálculo do volume e da distância dos astros.

astúcia *s.f.* (lat. *astutia*). Habilidade em enganar ou usar artifícios; esperteza, sagacidade.

astucioso (ô) *adj.* Que tem astúcia; sagaz, ardiloso.

asturiano *adj.* Relativo ou pertencente às Astúrias, na Espanha. ★ *s.m.* O natural ou habitante das Astúrias.

astuto *adj.* e *s.m.* (lat. *astutus*). **1.** Astucioso, ardiloso. **2.** Sutil, sagaz.

ata¹ *s.f.* (lat. *acta,* coisas feitas). **1.** Registro escrito do que se passou numa sessão ou numa cerimônia. **2.** Transcrição das deliberações de um corpo coletivo.

ata² *s.f.* Sin. de FRUTA-DO-CONDE.

atabalhoado *adj.* **1.** Feito às pressas; precipitado, inconsiderado. **2.** Atrapalhado, aturdido.

atabalhoar *v.t.* (conj. 20). **1.** Fazer ou dizer alguma coisa impensadamente. **2.** Fazer mal e às pressas. **3.** Aturdir, atrapalhar. ★ *v.i.* Agir precipitadamente. ★ *v.pr.* Confundir-se, atrapalhar-se.

atabaque *s.m.* (ár. *aT-Tabaq*). Espécie de tambor cilíndrico ou ligeiramente cônico com uma das bocas cobertas de couro, que se percute com as mãos; tabaque.

atacadista *s.2g.* Negociante que vende por atacado. ★ *adj.2g.* Pertencente ou relativo ao comércio por atacado.

atacado *adj.* **1.** Que sofreu ataque. **2.** *Gír.* Nervoso, de mau humor. ★ *s.m.* **1.** Comércio de mercadorias em grandes quantidades. **2.** *Por atacado,* em grandes quantidades.

atacador (ô) *s.m.* Cordão fino e resistente que se passa pelos ilhós, a fim de apertar uma peça do vestuário; atilho.

atacante *adj.2g.* **1.** Que ataca, agride, acomete. **2.** Injurioso, ofensivo. ★ *s.2g.* **1.** Aquele que ataca. **2.** Jogador que cumpre funções ofensivas no futebol.

atacar *v.t.* (it. *attaccare*) [conj. 12]. **1.** Executar uma ação ofensiva contra alguém ou alguma coisa; assaltar, agredir. **2.** Criticar, incriminar. **3.** Corroer, desgastar. **4.** Começar, iniciar. **5.** Acometer. **6.** Prender com atacador. **7.** *Pop.* Jogar, atirar; atear. ★ *v.i.* Efetuar um ataque. ★ *v.pr.* Investir mutuamente.

A B C D E F G H I J K L M N O P Q R S T U V W X Y Z

atadura *s.f.* **1.** Ato ou efeito de atar. **2.** Tira comprida de gaze própria para curativos. **3.** Qualquer dispositivo ou aparelho utilizado para manter no lugar um curativo, exercer uma compressão, imobilizar uma parte do corpo etc.

atafulhar *v.t.* (conj. 4). **1.** Encher demasiadamente. **2.** Encher, em demasia, o estômago. ★ *v.pr.* Fartar-se, comer demais.

atalaia *s.f.* (ár. *aT-Talai'a*). **1.** Na Idade Média, torre de um castelo onde ficavam os vigias. **2.** Lugar elevado de onde se pode vigiar. **3.** Observação visual, o ato de vigiar. **4.** *De atalaia,* à espreita. ★ *s.2g.* Vigia, sentinela.

atalhar *v.t.* (conj. 4). **1.** Abrir uma passagem, um atalho ou vereda através de uma floresta. **2.** Encurtar caminho. **3.** Impedir, cortar, interromper. **4.** Embaraçar, obstruir. ★ *v.i.* Encurtar o caminho indo por um atalho. ★ *v.pr.* Ficar confuso, indeciso.

atalho *s.m.* **1.** Caminho fora da estrada principal, pelo qual se encurtam distâncias. **2.** Remate, corte. **3.** Obstáculo, empecilho. **4.** *Fig.* Expediente para evitar demoras.

atamancar *v.t.* (conj. 12). **1.** *Fam.* Consertar toscamente. **2.** Fazer algo com precipitação e de maneira insatisfatória, sem ordem e sem método.

atanazar *v.t.* Atenazar.

atapetar *v.t.* (conj. 4). Cobrir de tapete; alcatifar. ★ *v.pr.* Revestir-se como que de tapete.

atapu *s.m.* Sin. de BÚZIO.

ataque *s.m.* **1.** Ato ou efeito de atacar, investida, agressão. **2.** Ação militar com propósito de conquistar uma posição, um país, ou destruir as forças inimigas. **3.** Acesso súbito de um mal. **4.** *Fig.* Acusação, agressão, crítica. **5.** No futebol, linha de atacantes. ● **Med.** Sin. de ACESSO.

atar *v.t.* (lat. *aptare*) [conj. 4]. **1.** Prender, apertar com atilho, corda ou atadura. **2.** Unir, vincular. **3.** Estorvar, impedir. **4.** Combinar, contratar. ★ *v.pr.* **1.** Prender-se, ligar-se. **2.** Embaraçar-se.

atarantar *v.t.* e *v.pr.* (it. *attarantare*) [conj. 4]. Atrapalhar(-se), confundir(-se).

atarefar *v.t.* (conj. 4). **1.** Dar tarefa a. **2.** Sobrecarregar de trabalho. ★ *v.pr.* Entregar-se muito ao trabalho; agitar-se.

atarracado *adj.* **1.** Apertado, arrochado. **2.** *Fig.* Diz-se de um indivíduo baixo e musculoso; achaparrado.

atarracar *v.t.* (conj. 12). **1.** Preparar a ferradura para aplicá-la ao casco do cavalo. **2.** Apertar muito. **3.** Perturbar, confundir.

atarraxar *v.t.* (conj. 4). Apertar com tarraxa, parafusar.

atascadeiro ou **atascal** *s.m.* Atoleiro, lamaçal.

atascar *v.t.* (conj. 12). Meter em atoleiro. ★ *v.pr.* **1.** Enlamear-se. **2.** Degradar-se.

atassalhar *v.t.* (conj. 4). **1.** Fazer em tassalhos ou pedaços. **2.** Rasgar, dilacerar. **3.** Retalhar, golpear. **4.** *Fig.* Desacreditar, caluniar. **5.** Abocanhar, morder. ★ *v.pr.* Morder-se, reciprocamente.

ataúde *s.m.* (ár. *at-tabut*). Caixão de defunto, esquife.

ataviamento *s.m.* Ato ou efeito de ataviar(-se).

ataviar *v.t.* (gót. *taujan*) [conj. 16]. Ornar, enfeitar, adereçar. ★ *v.pr.* Ornar-se, enfeitar-se.

atávico *adj.* **1.** Relativo ao atavismo. **2.** Transmitido por atavismo.

atavio *s.m.* Adorno, enfeite, gala. ★ *s.m.pl.* Aparelhos, apetrechos.

atavismo *s.m.* (lat. *atavus,* ancestrais, pelo fr. *atavisme*). Reaparecimento de um caráter em um organismo, na forma típica de um ancestral remoto, e que não está presente em ascendentes mais recentes.

ataxia (cs) *s.f.* (gr. *ataxía*). Distúrbio da motricidade voluntária, de origem nervosa, caracterizado por incoordenação dos movimentos sem comprometimento dos músculos.

atazanar *v.t.* (conj. 4). Atenazar.

até *prep.* Estabelece relações de limite, fim, ou extensão de um termo para outro, no espaço e no tempo. ★ *adv.* Ainda, também, mesmo.

atear *v.t.* (conj. 15). **1.** Lançar fogo a. **2.** Avivar o fogo, a chama, o lume. **3.** *Fig.* Provocar, excitar; propagar (discórdias, guerras etc.). ★ *v.i.* Alastrar-se, grassar. ★ *v.pr.* Avivar-se (o fogo); desenvolver-se.

ateira *s.f.* Sin. de PINHEIRA.

ateísmo *s.m.* **1.** Doutrina que nega a existência de Deus. **2.** Atitude de quem não crê na existência de deuses ou de um deus único; descrença religiosa.

ateísta *s.2g.* Aquele que segue o ateísmo; ateu. ★ *adj.2g.* Relativo ao ateísmo; ateístico.

ateliê *s.m.* (fr. *atelier*). Estúdio ou oficina onde trabalham artistas, sobretudo pintores, escultores e fotógrafos.

atemorizar *v.t.* (conj. 4). Inspirar, causar temor; intimidar, assustar. ★ *v.pr.* Sentir medo ou temor; intimidar-se, assustar-se.

atenazamento *s.m.* **1.** *Ant.* Suplício que consistia em tirar as carnes da vítima com tenazes em brasa. **2.** *P. ext.* Tormento, tortura, mortificação, apoquentação.

atenazar *v.t.* (conj. 4). **1.** Apertar com tenazes. **2.** Causar dor física ou moral muito intensa; atormentar, afligir. (Var. ATAZANAR, ATANAZAR.)

atenção *s.f.* (lat. *attentio*). **1.** Ação de fixar a mente sobre alguma coisa; ponderação, meditação. **2.** Solicitude; consideração, respeito, cortesia. ● **Psicol.** Atividade ou estado pelo qual um indivíduo aumenta sua eficiência em relação a certos conteúdos psicológicos (perceptivos, intelectuais etc.), em geral através da seleção ou inibição de certos elementos ou aspectos. ★ *interj.* Emprega-se para exigir cuidado ou concentração.

atencioso (ô) *adj.* **1.** Atento, que presta atenção. **2.** Que revela cuidados, solicitude; cortês, polido, obsequioso.

atendente *s.2g.* Pessoa encarregada de cuidar dos doentes nos hospitais e consultórios, mas que não tem diploma de enfermagem.

atender *v.t.* (lat. *attendere*) [conj. 5]. **1.** Acolher com atenção, ouvir atentamente. **2.** Tomar em consideração, deferir. **3.** Atentar, notar, acompanhar, observar. **4.** Cuidar de.

ateneu *s.m.* (gr. *Athénaion*). **1.** Templo de Atenas onde os oradores e os poetas liam suas obras. **2.** Título de alguns estabelecimentos de ensino médio.

ateniense *adj.2g.* Relativo ou pertencente à cidade de Atenas, na Grécia. ★ *s.2g.* O natural ou habitante de Atenas.

atentado *s.m.* **1.** Agressão ou ofensa lesiva a pessoas, direito, ou bens. **2.** Ato criminoso.

atentar¹ *v.t.* e *v.i.* (lat. *attentare*) [conj. 4]. Cometer um atentado.

atentar² *v.t.* (conj. 4). Reparar em, observar, prestar atenção, refletir, olhar, ver, notar. ★ *v.i.* Dar atenção, considerar, ponderar.

atentatório *adj.* Que prejudica, que atenta contra.

atento *adj.* (lat. *attentus*). **1.** Que presta atenção, que revela interesse; aplicado, estudioso. **2.** Considerado, ponderado. **3.** Atencioso, cortês.

atenuante *adj.2g.* Que atenua. ★ *s.f.* Circunstância que atenua a responsabilidade de um réu pela prática de um crime, assim como promove uma diminuição da pena.

atenuar *v.t.* e *v.pr.* (lat. *attenuare*) [conj. 4]. Tornar(-se) mais tênue, menos vivo, menos grave; minorar, diminuir.

aterosclerose *s.f.* Esclerose da parede de uma artéria que apresenta ateromas. (Cf. ARTERIOSCLEROSE.)

aterragem *s.f.* **1.** Ato ou ação de aterrar, cobrir com terra. **2.** Ação de buscar ou tocar a terra; aterrissagem.

aterrar[1] *v.t.* (conj. 4). Aterrorizar, apavorar, assustar. ★ *v.i.* Provocar terror. ★ *v.pr.* Encher-se de terror, aterrorizar-se.

aterrar[2] *v.t.* (conj. 4). Colocar terra ou entulho para nivelar ou altear um terreno.

aterrar[3] *v.i.* (conj. 4). Aterrissar.

aterrissagem *s.f.* Ação de aterrissar. ● **Aeron.** *Trem de aterrissagem,* dispositivo, geralmente retrátil, colocado debaixo da fuselagem ou da asa do avião para permitir sua decolagem e aterrissagem.

aterrissar *v.i.* (conj. 4). Pousar (avião, espaçonave) sobre o solo; aterrar.

aterro (ê) *s.m.* **1.** Ato ou efeito de aterrar, de cobrir com terra ou entulho um terreno, uma área. **2.** Local aterrado. **3.** *Aterro sanitário,* aterro em que se deposita o lixo sólido recolhido das cidades.

VOCÊ SABIA...? No **aterro** sanitário, o lixo é enterrado em camadas alternadas de terra e lixo. Porém é importante que o solo seja impermeabilizado antes, para evitar a contaminação do subsolo. Além disso, são necessários canais de drenagem para conduzir o chorume (gases e líquidos) que se forma durante a decomposição do lixo.

---

aterrorizar *v.t.* (conj. 4). Encher de terror; causar grande medo ou grande abalo moral; aterrar. ★ *v.pr.* Encher-se de terror.

ater-se *v.pr.* (lat. *attinere*) [conj. 1]. **1.** Arrimar-se a, estribar-se em; aderir. **2.** Limitar-se. **3.** *Fig.* Fiar-se, confiar em.

atestado *s.m.* Declaração verbal ou, mais freqüentemente, escrita, testemunhando a veracidade de um fato.

atestar[1] *v.t.* (lat. *attestari*) [conj. 4]. **1.** Certificar, garantir a exatidão ou a realidade de alguma coisa. **2.** *Fig.* Servir de prova, de testemunho.

atestar[2] *v.t.* (conj. 4). Encher até o testo, até as bordas; abarrotar. ★ *v.pr.* Encher-se, comer em excesso.

ateu *adj.* e *s.m.* (gr. *átheos*). Que ou o que nega a existência de qualquer divindade; ímpio.

atiçar *v.t.* (conj. 13). **1.** Avivar (o fogo). **2.** *Fig.* Excitar, espicaçar; fomentar, incitar. ★ *v.pr.* Irritar-se, enfurecer-se, irar-se.

ático *adj.* (gr. *Aktikós*). **1.** Relativo à Ática, na Grécia. **2.** Relativo a Atenas e aos atenienses. **3.** *P. ext.* Elegante, sóbrio, puro. ★ *s.m.* **1.** O natural ou habitante da Ática. **2.** Dialeto da Ática. **3.** Pavimento no topo de um edifício, freqüentemente ornado de pilastras, que serve de remate a uma fachada.

atijolar *v.t.* (conj. 4). Pavimentar ou ladrilhar com tijolos.

atilado *adj.* **1.** Esperto, sagaz. **2.** Ajuizado, discreto, prudente. **3.** Esmerado, apurado. **4.** Pontual, escrupuloso.

atilamento *s.m.* **1.** Tino, sagacidade. **2.** Pontualidade, exatidão. **3.** Esmero, elegância.

atilar *v.t.* (conj. 4). **1.** Fazer com cuidado ou minúcia; aperfeiçoar. **2.** Tornar hábil ou esperto. ★ *v.pr.* Tornar-se esperto, hábil.

atilho *s.m.* **1.** Tira estreita de pano, couro etc.; cordão, fita, cordel. **2.** Aquilo que serve para atar; barbante, atadura. **3.** Estopim.

átimo *s.m.* Instante, momento.

atinado *adj.* **1.** Ajuizado, prudente, atilado. **2.** Inteligente, astuto.

atinar *v.t.* e *v.i.* (conj. 4). **1.** Acertar com, descobrir pelo tino, dar com. **2.** Encaminhar-se, dirigir-se. **3.** Encontrar, perceber, notar.

atinente *adj.2g.* (lat. *attinens*). Pertencente, concernente, relativo, referente.

atingir *v.t.* (lat. *attingere*) [conj. 52]. **1.** Alcançar; conseguir, obter. **2.** *Fig.* Atacar, ferir. ★ *v.t.* e *v.i.* Compreender, perceber.

atípico *adj.* Irregular, que se afasta do normal, do típico.

atiradeira *s.f.* Forquilha munida de elástico com que se atiram pequenas pedras; bodoque, estilingue.

atirado *adj.* **1.** Arremessado, lançado. **2.** Ousado, atrevido.

atirador (ô) *adj.* e *s.m.* Que ou aquele que atira.

atirar *v.t.* e *v.i.* (conj. 4). **1.** Arremessar, lançar, arrojar. **2.** Disparar arma de fogo. ★ *v.pr.* Arrojar-se, ostentar-se.

atitude *s.f.* (it. *attitudine*). **1.** Jeito, posição do corpo; postura, porte, pose. **2.** Disposição, propósito. **3.** Ação, conduta, procedimento. **4.** *Fig.* Exteriorização de um intento ou propósito. **5.** Norma de procedimento, comportamento. ● **Astronáut.** Direção dos eixos de um foguete ou espaçonave em relação a um sistema de referência triédrico. **Psicol.** Estado interno prévio a uma atividade psicológica. ▸ Sistema de disposições cognitivas de um indivíduo em face de um objeto ou situação cujo conteúdo ele avalia com vistas a uma decisão e a uma ação.

ativa *s.f.* Serviço ativo.

ativação *s.f.* Ato ou efeito de ativar. ● **Fís.** Processo no qual se aumenta a capacidade de adsorção de uma substância. **Quím.** Passagem de uma molécula, átomo ou íon de seu estado normal para um estado mais rico em energia.

ativador (ô) *adj.* e *s.m.* Que ou aquele que ativa; ativante. ● **Quím.** Diz-se de ou substância necessária ou favorável à atividade de uma enzima.

ativar *v.t.* (conj. 4). Apressar, acelerar, intensificar. ★ *v.pr.* Tornar-se ativo; intensificar-se.

atividade *s.f.* (lat. *activitas*). **1.** Vivacidade e energia na ação; diligência, prontidão. **2.** Qualidade de ativo. **3.** Ocupação de uma pessoa. **4.** Capacidade de agir. ● **Etol.** Conjunto de deslocamentos e movimentos de um organismo. **Fís.** Sin. de RADIOATIVIDADE ▸ Quantidade de desintegrações de núcleos atômicos radioativos por unidade de tempo. **Geol.** Manifestação (vulcanismos, sismos) de forças internas da Terra. **Psican.** *Atividade/passividade,* par fundamental de tendências psíquicas opostas que, com os pares prazer/desprazer e sujeito/objeto, integra as três grandes polaridades da vida psíquica. **Psicol.** Característica de um indivíduo que apresenta uma disposição à ação com respeito aos seus objetivos. ▸ *Atividade psicológica,* conjunto dos processos psicológicos internos, independentemente de suas manifestações comportamentais.

ativismo *s.m.* **1.** Sistema de conduta que privilegia a ação direta (em particular, no campo político, ideológico e social). **2.** Atitude moral que privilegia as necessidades da vida e da ação em detrimento dos princípios teóricos.

ativista *s.2g.* Membro ativo de um partido, de uma organização; militante. ★ *adj.2g.* Relativo ao ativismo.

ativo *adj.* (lat. *activus*). **1.** Que exerce ação, que atua, que opera. **2.** Vivo, laborioso, diligente, empreendedor. **3.** Enérgico, eficaz. ● **Dir.** *Cidadão ativo,* aquele que tem direito de voto. **Eletrôn.** Diz-se de um componente (válvula, transistor etc.) ou de um circuito que realiza uma conversão de energia a partir de alimentação contínua. **Fís.** Sin. de RADIOATIVO. **Gram.** Diz-se da voz e da forma verbal em que o sujeito pratica a ação ou processo expresso pelo verbo. **Quím.** Diz-se de certos metais que, quando se encontram sob determinada forma, podem sofrer catálise. ★ *s.m.* **1.** Conjunto de bens e crédito que constituem o patrimônio de uma empresa comercial ou industrial (p. opos. a *passivo*). **2.** Capital em circulação.

atlântico *adj.* (lat. *atlanticus*). Relativo ao oceano Atlântico ou aos locais por ele banhados.

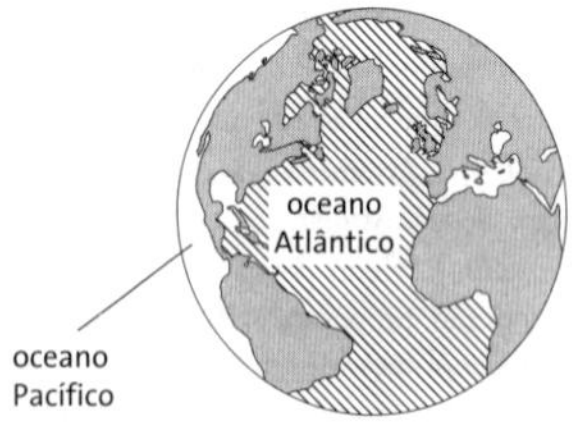

ATLÂNTICO ► Oceano que separa Europa e África da América, e que tem 106 milhões de km^2 (se contarmos seus mares). É formado por uma série de grandes depressões sob a plataforma continental, que se estende sobretudo pelo hemisfério Norte, onde se localizam o mar Mediterrâneo, o mar do Norte, o mar Báltico e o mar do Caribe, mares anexos ao Atlântico. Essas cavidades oceânicas são separadas, na parte central do oceano, por uma grande cadeia montanhosa submarina, cujos cumes constituem ilhas como os Açores (de Portugal), Ascensão ou Tristão da Cunha (possessões britânicas).

atlas *s.m.2n.* (lat. *Atlas,* n.pr.). **1.** Coleção ordenada de cartas, concebida para representar um espaço dado e expor um ou vários temas (geografia, economia, história, astronomia, lingüística etc.). **2.** Conjunto de pranchas de idêntico objetivo anexo a um texto. ● **Anat.** Primeira vértebra cervical, que se articula com o occipital e o áxis.

atleta *s.2g.* (gr. *athletes*). **1.** Pessoa que pratica regularmente esportes e exercícios físicos que requerem grande esforço e habilidade física. **2.** Esportista profissional que se dedica ao atletismo. **3.** Ginasta.

atlético *adj.* (gr. *athletikós*). **1.** Próprio do atleta. **2.** Fisicamente vigoroso; forte. **3.** Diz-se de pessoa com pouca gordura corporal e musculatura desenvolvida.

atletismo *s.m.* Esporte olímpico por excelência, com competições de corrida, salto, arremesso e outros.

atmosfera *s.f.* **1.** Camada gasosa que envolve o globo terrestre ou qualquer outro astro. **2.** Ar que se respira. **3.** Ambiente moral em que se vive.

VOCÊ SABIA...? Além do vapor de água e do gás carbônico, os gases que predominam na **atmosfera** são o nitrogênio, que a ocupa em quase 80 por cento do volume total, o oxigênio, com 20 por cento, e o hélio e o argônio, com menos de 1 por cento. O vapor de ar se distribui de maneira muito variável e sua presença determina a umidade. O gás carbônico, embora represente atualmente uma pequena fração do volume da atmosfera, desempenha com o vapor de água um importante papel no equilíbrio térmico do planeta. Outro gás importante, o ozônio, protege os seres vivos dos nocivos raios ultravioleta.

atmosférico *adj.* Relativo à atmosfera.

ato[1] *s.m.* (lat. *actum*). **1.** Para um ser vivo, movimento adaptado a um fim; ação. **2.** Manifestação da vontade humana; ato de bondade, de caridade. ● **Filos.** O ser plenamente realizado.

ato[2] *s.m.* Documento escrito em que se expressam as decisões da autoridade; edito.

ato[3] *s.m.* (lat. *actus*). Cada uma das partes em que se divide uma peça de teatro, um balé etc.

à-toa *adj.2g.2n.* **1.** Irrefletido, inútil, sem importância. **2.** Desprezível, vil. (Cf. TOA.)

atoalhar *v.t.* (conj. 4). Cobrir, guarnecer com toalha.

atobá *s.m.* Ave pelicaniforme, de bico reto, corpo marrom e barriga branca, que ocorre em regiões costeiras tropicais e subtropicais, principalmente do Atlântico. (Sin. MERGULHÃO[2]; var. TOBÁ.)

atocaiar *v.t.* (conj. 16). Tocaiar.

atochar *v.t.* (conj. 4). Encher em excesso; atulhar, abarrotar; atravancar.

atocho (ô) *s.m.* Pau, cunha para atochar; tocho.

atol *s.m.* Tipo de recife de coral que se ergue sobre vulcões submersos, de forma oval ou circular, com uma laguna central.

atolador (ô) *adj.* Que atola.

atolar *v.i.* e *v.pr.* (conj. 4). **1.** Afundar-se, prender-se em atoleiro; atascar-se. **2.** Embaraçar-se, enlear-se, enredar-se (em dificuldades, maus negócios). ★ *v.t.* Meter em atoleiro.

atoleimar *v.t.* e *v.pr.* (conj. 4). Tornar(-se) tolo.

atoleiro *s.m.* **1.** Depressão do solo cheia de lama grossa; lamaçal. **2.** *Fig.* Situação crítica da qual é difícil livrar-se; dificuldade, obstáculo. **3.** *Fig.* Aviltamento moral; degradação.

atômico *adj.* Relativo a átomo. ● **Fís.** *Energia atômica,* energia liberada em reações atômicas. (Sin. ENERGIA NUCLEAR.) ► *Bomba atômica,* bomba cujo poder de destruição provém da grande quantidade de energia liberada durante uma fissão (bomba A) ou fusão (bomba H) nuclear. (Sin. BOMBA NUCLEAR.) ► *Reação atômica,* reação inter ou intranuclear de átomos, com grande liberação de energia. (Sin. REAÇÃO NUCLEAR.) **Mil.** Diz-se de uma arma ou projétil cujo poder de destruição provém de reações atômicas.

atomismo *s.m.* Doutrina filosófica que considera o universo como formado pela combinação mecânica e fortuita de átomos.

atomista *adj.2g.* Relativo ao atomismo; atomístico. ★ *s.2g.* Partidário do atomismo.

átomo *s.m.* (gr. *átomos,* indivisível). **1.** Constituinte fundamental da matéria, formado de partículas elementares cujos movimentos e combinações determinam as propriedades macroscópicas da matéria. **2.** Corpo muito pequeno; corpúsculo, partícula. **3.** *Fig.* Bagatela, insignificância.

REPRESENTAÇÕES HISTÓRICAS DO ÁTOMO

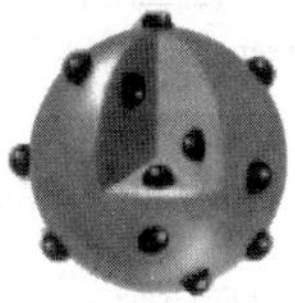

1898. Para J. J. Thompson, os elétrons negativos estão incorporados ao núcleo positivo.

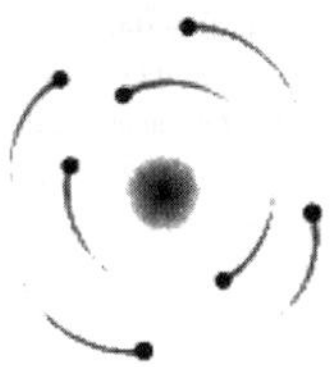

1902. Para N. Hantaro, os elétrons devem girar ao redor de um centro positivo.

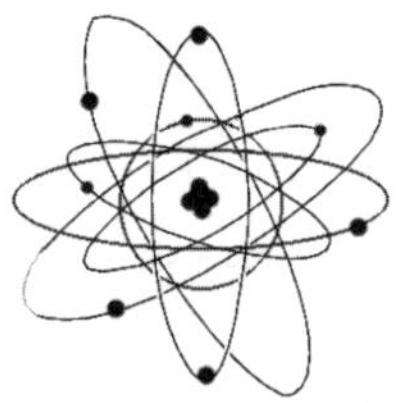

1911-1913. Para E. Rutherford e N. Bohr, os elétrons estão em diferentes órbitas.

? VOCÊ SABIA...? Quando os **átomos** se unem para formar moléculas, o vínculo que se cria entre eles é conhecido como ligação química. Hoje se sabe que o comportamento dos átomos é determinado por seus elétrons mais externos. São eles que determinam o tipo e o número de ligações que se estabelecem.

átomo-grama *s.m.* O valor, em gramas, da massa de um mol de átomos. (Corresponde à massa atômica expressa em gramas.)

atonia *s.f.* (gr. *atonía*). **1.** Falta de força. **2.** Diminuição da tonicidade normal de um órgão contrátil; frouxidão. **3.** *Fig.* Inércia, relaxamento, marasmo.

atônico *adj.* **1.** Relativo à atonia. **2.** Que perdeu sua tonicidade normal.

atônito *adj.* (lat. *attonitus*). **1.** Espantado, estupefato. **2.** Assombrado de susto ou de admiração; extasiado, maravilhado.

átono *adj.* (gr. *átonos*). **1.** Diz-se da sílaba ou da vogal não acentuada. **2.** Diz-se de certas formas pronominais, como *me, te, lhe etc.*, que se opõem às formas ditas tônicas (*mim, ti, ele etc.*).

atopetar *v.t.* (conj. 4). **1.** Chegar ao tope de. **2.** Encher muito; abarrotar, atulhar, entulhar.

ator (ô) *s.m.* (lat. *actor*). **1.** Agente do ato. **2.** Indivíduo que representa em teatro, cinema, televisão etc. **3.** *Fig.* Indivíduo fingidor.

atordoar *v.t.* (conj. 20). **1.** Aturdir, estontear. **2.** *Fig.* Confundir, desorientar. **3.** Apoquentar, aborrecer. **4.** Deslumbrar, maravilhar, pasmar.

atormentar *v.t.* (conj. 4). **1.** Causar aflição ou tormento. **2.** Afligir, mortificar. **3.** Molestar, torturar. **4.** Enfadar, acabrunhar. ★ *v.pr.* Afligir-se.

ATP (sigla do ingl. *adenosine triphosphate*). Trifosfato de adenosina, nucleotídeo constituído de adenina, ribose e fosfato, cuja hidrólise fornece energia livre utilizada nos mais diversos processos biológicos.

atração *s.f.* (lat. *attractio*). **1.** Ação de atrair. **2.** Força em virtude da qual um corpo é atraído. **3.** Atributo pelo qual uma pessoa ou coisa é capaz de atrair. **4.** Divertimento colocado à disposição do público. **5.** *Fig.* Poder de encanto; atrativo. **6.** Pendor, inclinação, propensão. ● **Fís.** Força de origem elétrica, magnética ou gravitacional que tende a aproximar os corpos materiais.

atracar *v.t.* (it. *attraccare*) [conj. 12]. **1.** Amarrar um barco à terra. **2.** Encostar um barco a outro ou ao cais. **3.** Aproximar-se com impertinência de alguém para lhe fazer pedidos. **4.** Chegar-se alguém a outrem para conversas amorosas. ★ *v.i.* **1.** Encostar-se ao cais. **2.** Acercar-se o homem da mulher para com esta ter uma conversa amorosa. ★ *v.pr.* Lutar, engalfinhar-se.

atraente *adj.2g.* **1.** Que atrai; cativante, simpático. **2.** Sedutor, insinuante. **3.** Que prende a atenção.

atraiçoar *v.t.* (conj. 20). **1.** Entregar por perfídia ou traição. **2.** Ser infiel, trair. **3.** Denunciar. **4.** Adulterar, deturpar. ★ *v.pr.* Acusar-se; revelar involuntariamente algum segredo; comprometer-se.

atrair *v.t.* e *v.i.* (lat. *attrahere*) [conj. 68]. **1.** Aproximar, chamar a si; exercer atração sobre. **2.** *Fig.* Chamar, convidar. **3.** Provocar, suscitar. **4.** Seduzir, empolgar. **5.** Fazer aderir a uma opinião, partido, doutrina; aliciar.

atrapalhado *adj.* **1.** Embaraçado, perturbado, confuso. **2.** Desordenado, desconexo. **3.** Tumultuado, bagunçado.

atrapalhar *v.t.* e *v.i.* (conj. 4). **1.** Embaraçar, confundir, perturbar. **2.** Desempenhar mal. ★ *v.pr.* Confundir-se, embaraçar-se.

atrás *adv.* **1.** Na parte posterior; detrás. **2.** Anteriormente, antes. **3.** Depois. **4.** *Atrás de,* em lugar posterior a, depois de; em busca de; empós.

atrasado *adj.* **1.** Que ficou atrás; antigo, obsoleto. **2.** Que chegou depois da hora; retardatário. **3.** Pouco desenvolvido mental ou fisicamente; retardado. **4.** Que não foi pago no prazo devido; vencido. ★ *s.m.* Indivíduo atrasado.

atrasar *v.t.* (conj. 4). **1.** Fazer demorar; retardar, retrasar. **2.** Pôr para trás; retrasar. **3.** Impedir de progredir, sustar o desenvolvimento de; retrasar. ★ *v.pr.* Ficar para trás; retrogradar, retrasar-se.

atraso *s.m.* **1.** Ato ou efeito de atrasar ou de se atrasar; demora. **2.** *Fig.* Falta de cultura, de civilização; ignorância, primitivismo.

atrativo *adj.* **1.** Qualidade ou propriedade de atrair ou conciliar a vontade, o afeto; sedução, encanto. **2.** Propensão, simpatia, tendência. ★ *s.m.pl.* Formosura, encanto.

atravancar *v.t.* (conj. 12). **1.** Obstruir com travancas; embaraçar, estorvar. **2.** *Fig.* Sobrecarregar. ★ *v.pr.* Meter-se de permeio.

através *adv.* **1.** De lado a lado, transversalmente. **2.** *Através de,* de um para outro lado de; por entre; no decurso de.

atravessador (ô) *adj.* e *s.m.* Intermediário.

atravessar *v.t.* (conj. 4). **1.** Pôr de través ou obliquamente. **2.** Passar através de; transpassar. **3.** Passar além de; cruzar, transpor. **4.** Passar, sofrer. **5.** Resistir, subsistir a (o tempo). **6.** Comprar mercadorias para revendê-las mais caro. ★ *v.i.* **1.** Passar de uma parte para outra. **2.** Interromper alguém. ★ *v.pr.* **1.** Pôr-se ao través. **2.** Contrapor-se. **3.** Cruzar-se, encontrar-se.

atrelar *v.t.* (conj. 4). **1.** Prender pela trela. **2.** Prender um animal a um veículo. **3.** Unir veículos através de dispositivos específicos. **4.** *Fig.* Dominar, atrair alguém com promessas. ★ *v.pr. Fig.* Seguir permanentemente.

atrevido *adj.* e *s.m.* Que ou aquele que procede com petulância, insolência.

atrevimento *s.m.* Modo de proceder de uma pessoa atrevida; insolência, petulância.

atrial *adj.2g.* Relativo ao átrio.

atribuição (u-i) *s.f.* (lat. *attributio*). **1.** Ato ou efeito de atribuir. **2.** Direito, pertinência. **3.** Função conferida a alguém; competência. **4.** Prerrogativa, privilégio. ★ *s.f.pl.* Poderes, direitos, jurisdição, funções, competência atribuída a alguém.

atribuir *v.t.* e *v.i.* (lat. *attribuere*) [conj. 74]. **1.** Conceder, outorgar. **2.** Supor, emprestar. **3.** Imputar. ★ *v.pr.* Reivindicar, arrogar-se.

atribulação *s.f.* (lat. *attribulatio*). **1.** Ato ou efeito de atribular. **2.** Aflição, tormento. **3.** Infelicidade, adversidade.

atribular *v.t.* (lat. *tribulare*) [conj. 4]. **1.** Angustiar, atormentar, afligir. **2.** Molestar, inquietar. ★ *v.pr.* Afligir-se, atormentar-se.

atributivo *adj.* **1.** Que indica ou enuncia um atributo. **2.** Que dá um direito que não se tinha anteriormente, que faz passar de uma pessoa a outra.

atributo *s.m.* (lat. *attributum*). **1.** Faculdade ou qualidade que pertence e caracteriza um ser. **2.** Acessório ou emblema que caracteriza uma figura mitológica ou alegórica. **3.** Signo, símbolo, emblema. ● **Gram.** A qualidade atribuída ao sujeito. **Lóg.** Caráter afirmado ou negado de um sujeito; predicado.

atrição *s.f.* (lat. *attritio*). **1.** Ação de atritar. **2.** Escoriação ou esmagamento por atrito.

átrio *s.m.* (lat. *atrium*). **1.** Pátio, vestíbulo. **2.** Pórtico coberto no interior das casas romanas. **3.** Espaço entre a escadaria e a porta principal, nas casas modernas. ● **Anat.** Parte inferior da caixa timpânica. ▸ Cada uma das duas cavidades situadas na parte superior do coração, acima dos ventrículos, com os quais se comunicam através dos orifícios atrioventriculares ou auriculoventriculares. (A denominação *átrio* tende a substituir o termo *aurícula*.) ▸ Cavidade anatômica que oferece entrada ou passagem para um outro órgão ou estrutura.

ÁTRIO ▸ Em sua origem, na Roma antiga, o átrio era uma sala retangular totalmente coberta, e não um pátio. Posteriormente, surgiu a abertura central (*compluvium*), que permitia recolher a água da chuva em um tanque (*impluvium*). O átrio começou a desaparecer em Roma no século I a.C., e, na época imperial, só se encontrava excepcionalmente nas casas de província.

atrioventricular *adj.2g.* Relativo tanto aos átrios como aos ventrículos do coração; auriculoventricular.

atritar *v.t.* (conj. 4). **1.** Provocar atrito, friccionar, roçar. **2.** Magoar, afligir, penalizar. ★ *v.pr.* **1.** Friccionar-se (um corpo com outro). **2.** Irritar-se, brigar.

atrito *s.m.* (lat. *attritus*). **1.** Fricção entre dois corpos. **2.** *Fig.* Conflito, desavença, choque. ● **Fís.** *Força de atrito,* força contrária ao movimento de um corpo, resultante da interação de sua superfície com a superfície do meio sobre o qual se desloca.

atriz *s.f.* (lat. *actrix*). **1.** Feminino de ator. **2.** Artista de teatro, televisão, cinema. **3.** *Fig.* Mulher dissimulada.

atro *adj.* (lat. *ater,* negro). **1.** Negro, lúgubre. **2.** *Fig.* Aziago, infausto.

atroada *s.f.* Estrondo, grande ruído.

atroar *v.t.* (conj. 20). **1.** Fazer estremecer com estrondo. **2.** Aturdir. ★ *v.i.* Retumbar, trovejar.

atrocidade *s.f.* (lat. *atrocitas*). **1.** Qualidade de atroz; grande crueldade. **2.** Ação atroz; desumanidade, sevícia.

atrofia *s.f.* (gr. *atrophía*). Diminuição adquirida de peso e de volume de uma célula, de um tecido ou de um órgão.

atrofiado *adj.* **1.** Que tem atrofia. **2.** Que não se desenvolve.

atrofiar *v.t.* (conj. 16). **1.** Causar atrofia. **2.** Tolher, impedir o desenvolvimento. ★ *v.pr.* **1.** Não crescer, estiolar-se. **2.** *Fig.* Definhar(-se).

atrôo *s.m.* Ato ou efeito de atroar.

atropelado *adj.* **1.** Que sofreu atropelamento. **2.** Confuso, atormentado. **3.** Precipitado, apressado. ★ *s.m.* Vítima de atropelamento.

atropelar *v.t.* (conj. 4). **1.** Fazer cair ou derrubar, passando por cima ou não. **2.** Empurrar, precipitar-se. **3.** Torturar, afligir. **4.** *Fig.* Menosprezar, embaraçar a lei. ★ *v.i.* Arrancar com ímpeto (o cavalo) no fim de uma corrida. ★ *v.pr.* **1.** Empurrar-se, passar com precipitação. **2.** Confundir-se.

atropelo (ê) *s.m.* **1.** Precipitação, pressa. **2.** Confusão, desordem.

atroz *adj.2g.* (lat. *atrox*). **1.** De grande perversidade; cruel, desumano. **2.** Horrível de suportar. **3.** Assombroso.

atuação *s.f.* Ato de atuar; ação.

atual *adj.2g.* (lat. tard. *actualis*). **1.** Presente, contemporâneo. **2.** Imediato, real. ● **Filos.** Que concerne ao ato, concebido como real, efetivo, histórico. **Geol.** Diz-se dos depósitos, das formações e dos fenômenos contemporâneos ao período histórico.

atualidade *s.f.* (lat. tard. *actualitas*). **1.** Qualidade daquilo que acompanha o momento presente. **2.** Conjunto dos acontecimentos atuais.

atualização *s.f.* **1.** Ação de atualizar(-se). **1.** Acréscimo de informação mais recente. **3.** Alteração, mudança, adaptação. ● **Filos.** Passagem da potência ao ato, ou da virtualidade à realidade. **Ling.** Operação pela qual uma unidade lingüística é realizada concretamente na fala.

atualizar *v.t.* e *v.pr.* (conj. 4). **1.** Tornar(-se) atual. **2.** Adaptar(-se) às novas necessidades; modernizar(-se). ★ *v.t.* Colocar informações mais recentes em (página da internet).

atuante *adj.2g.* Ativo, eficaz.

atuar *v.i.* (lat. tard. *actuare*). **1.** Exercer ação, agir. **2.** Exercer atividade. **3.** Desempenhar um papel dramático. ★ *v.t.* **1.** Exercer pressão. **2.** Exercer influência. **3.** *Lus.* Tratar por tu; tutear.

atuária *s.f.* Estudo teórico dos seguros.

atuário *s.m.* (lat. *actuarius*). **1.** Especialista em atuária. **2.** Funcionário de companhia de seguros.

atulhar *v.t.* (conj. 4). **1.** Encher completamente. **2.** Impedir, atrapalhar. ★ *v.pr.* Entulhar-se, encher-se completamente.

atum *s.m.* (ár. *at-tunn*). Peixe de ampla importância comercial que ocorre em grandes cardumes no Atlântico.

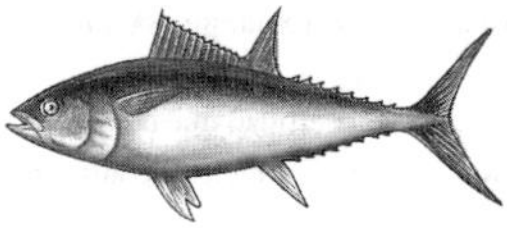

atum-vermelho

ATUM ► O atum é um peixe migratório. Reproduz-se em lugares muito precisos, onde é pescado com armações especiais de redes chamadas *almadrabas*, mas também com vara e com redes de arrasto. Os tipos de atum mais conhecidos são o vermelho (até 3 m de comprimento e 700 kg) e o branco, ou albacora.

aturar *v.t.* (lat. *obturare*) [conj. 4]. **1.** Sofrer, suportar (coisa penosa ou molesta). **2.** Sustentar, agüentar. **3.** Comportar, satisfazer. ★ *v.i.* Persistir, perseverar.

aturdir *v.t.* (conj. 6). **1.** Atordoar, perturbar. **2.** *Fig.* Assombrar; surpreender. ★ *v.pr.* Atordoar-se.

auçá (a-u) *s.2g.* Sin. de CARANGUEJO.

audácia *s.f.* (lat. *audacia*). **1.** Impulso que leva a cometer ações extraordinárias. **2.** Arrojo, ousadia. **3.** Atrevimento.

audacioso (ô) *adj.* e *s.m.* **1.** Decidido, audaz. **2.** Atrevido, insolente.

audaz *adj.2g.* (lat. *audax*). **1.** Que tem audácia; ousado, destemido. **2.** Em que há audácia.

audibilidade *s.f.* Característica do que é audível.

audição *s.f.* (lat. *auditio*). **1.** Ato ou efeito de ouvir, escutar. **2.** Concerto musical. ● **Fisiol.** Percepção dos sons através da transformação das vibrações mecânicas que chegam aos ouvidos em impulsos nervosos decodificados no cérebro em uma sensação auditiva.

audiência *s.f.* (lat. *audientia*). **1.** Recepção dada por uma autoridade à pessoa que lhe pretende falar. **2.** Conjunto de pessoas que assistem a um programa de rádio ou televisão. **3.** Sessão de tribunal.

audiofreqüência *s.f.* Faixa de freqüência das ondas sonoras, entre 20 e 20.000 hertz, utilizada em transmissões de rádio.

audiolivro *s.m.* Registro em voz alta do texto de um livro, para distribuição.

audiologia *s.f.* Ciência que estuda a audição.

audiometria *s.f.* Conjunto de medidas e técnicas que permite a avaliação da função do aparelho auditivo. (Sin. ACUOMETRIA.)

audiovisual *adj.2g.* **1.** Relativo simultaneamente aos sentidos da audição e da visão. **2.** Diz-se de uma técnica ou de um trabalho que associa a imagem e o som.

auditivo *adj.* **1.** Relativo ao ouvido, à audição, à orelha. **2.** *Aparelho auditivo,* conjunto dos órgãos da audição. ► *Aparelho auditivo,* ou *aparelho de correção auditiva,* aparelho que, regulado para as diferentes formas de surdez, permite restabelecer a audição. ► *Nervo auditivo,* cada um dos nervos que compõem o oitavo par de nervos cranianos, relacionados à audição e ao equilíbrio. (Sin. NERVO ACÚSTICO*.)

auditor (ô) *s.m.* (lat. *auditor*). **1.** Aquele que ouve; ouvinte. **2.** Pessoa encarregada das tarefas de auditoria. **3.** Juiz togado com exercício na justiça militar.

auditoria *s.f.* **1.** Exame da contabilidade de uma empresa ou instituição por peritos (auditores) que analisam as operações contábeis, desde seu início até o balanço final. **2.** Local onde se exerce essa função.

auditório *s.m.* (lat. *auditorium*). **1.** Reunião de pessoas para assistir a um discurso, conferência, peça teatral ou sessão. **2.** Local em que esse público se reúne.

audível *adj.2g.* (lat. *audibilis*). Diz-se dos sons que o ouvido pode perceber.

auê *s.m.* *Pop.* Confusão, tumulto.

auferir *v.t.* (lat. *auferre*) [conj. 57]. Colher, lucrar.

auge *s.m.* (ár. *auj,* apogeu). **1.** O ponto mais elevado; pináculo, zênite, fastígio. **2.** O grau mais desenvolvido e pleno; apogeu, fastígio.

augurar *v.t.* (lat. *augurare*) [conj. 4]. **1.** Fazer um presságio, predizer, vaticinar. **2.** Dar sinal ou indício de. **3.** Fazer votos, desejar.

áugure *s.m.* (lat. *augur, auguris*). **1.** Sacerdote romano que fazia predições sobre a vontade dos deuses, interpretando o vôo das aves. **2.** Adivinho, vaticinador.

augúrio *s.m.* (lat. *augurium*). **1.** Predição tirada pelos áugures. **2.** Vaticínio, agouro, presságio.

augusto *adj.* (lat. *Augustus,* n.pr.). **1.** Que inspira respeito; venerável. **2.** Grandioso, magnífico, majestoso. **3.** Título dado aos imperadores romanos.

aula *s.f.* (gr. *aule,* pátio). **1.** Sala onde se leciona; classe. **2.** Explanação proferida por professor para um grupo de alunos.

áulico *adj.* (lat. *aulicus*). **1.** Próprio de cortesão. **2.** *Pej.* Que bajula os poderosos. ★ *s.m.* Cortesão, palaciano.

aumentar *v.t.* (lat. *augmentare*) [conj. 4]. **1.** Tornar maior; ampliar, majorar. **2.** Pagar um salário mais alto. **3.** Agravar, exacerbar (males). **4.** Acrescentar. ★ *v.i.* **1.** Prosperar. **2.** Tornar-se maior. ★ *v.pr.* Dilatar-se, fazer-se maior.

aumentativo *adj.* Que aumenta. ★ *s.m.* **1.** Grau em que a significação do substantivo é aumentada, engrandecida. **2.** Palavra assim formada.

aumento *s.m.* (lat. *augmentum*). **1.** Ato ou efeito de aumentar; acréscimo, majoração. **2.** Elevação de salário, do custo de vida.

aura *s.f.* (gr. *aúra,* sopro de ar). **1.** Brisa, aragem. **2.** Zona luminosa em torno de um corpo.

áureo *adj.* (lat. *aureus*). **1.** Relativo ao ouro. **2.** De ouro. **3.** Da cor do ouro, precioso como ouro. **4.** *Fig.* Magnífico, brilhante, nobre.

auréola *s.f.* (lat. *aureola*). **1.** Halo luminoso com que os pintores freqüentemente circundam a cabeça de Deus, da Virgem e dos santos; nimbo. **2.** *Fig.* Glória, prestígio.

aureolar[1] *v.t.* (conj. 4). **1.** Envolver numa auréola; coroar. **2.** *Fig.* Glorificar. ★ *v.pr.* Glorificar-se, elevar-se.

aureolar[2] *adj.2g.* Que tem a forma de auréola.

aurícula *s.f.* (lat. *auricula*). **1.** Pavilhão da orelha. **2.** Nome dado a dois apêndices existentes sobre os átrios cardíacos. **3.** Nome tradicionalmente dado ao átrio cardíaco.

auricular *adj.2g.* (lat. *auricularis*). **1.** Relativo ao ouvido e à orelha. **2.** Que tem forma de orelha. **3.** Relativo às aurículas do coração; atrial.

AURICULAR (aparelho) ► Os aparelhos auriculares se compõem de um microfone, um amplificador de volume regulável e um fone (ou um vibrador para condução óssea, em certos casos). A utilização de transistores, e posteriormente de circuitos integrados, permitiu a fabricação de aparelhos de volume reduzido, que funcionam com correntes muito fracas.

auriculiforme *adj.2g.* Que tem forma de pequena orelha.

aurífero *adj.* (lat. *aurifer*). Que contém ou produz ouro.

aurifulgente *adj.2g.* Que brilha como o ouro.

auriverde (ê) *adj.2g.* Verde e ouro; verde-amarelo.

aurora *s.f.* (lat. *aurora*). **1.** Claridade que precede o nascer do sol; alvorada, madrugada. **2.** *Fig.* Começo, origem, princípio. **3.** O nascente; oriente, levante. ● **Fís.** *Aurora boreal, aurora austral,* fenômenos luminosos que ocorrem nas camadas superiores da atmosfera, respectivamente nos pólos Norte e Sul.

auscultação *s.f.* (lat. *auscultatio*). **1.** Ato ou efeito de auscultar. **2.** Método de exame clínico que permite escutar os ruídos normais ou anormais produzidos pelos órgãos (coração e pulmões) ou vasos.

auscultar *v.t.* (lat. *auscultare*) [conj. 4]. **1.** Praticar a auscultação de um paciente. **2.** *Fig.* Procurar conhecer; sondar, inquirir.

ausência *s.f.* (lat. *absentia*). **1.** Afastamento, falta de presença. **2.** *Fig.* Inexistência, carência.

ausentar-se *v.pr.* (lat. *absentare*) [conj. 7]. **1.** Afastar-se momentaneamente, deixar um lugar. **2.** Retirar-se, ir-se, partir.

ausente *adj.2g.* (lat. *absens*). **1.** Afastado, não presente. **2.** *Fig.* Distraído. ★ *s.2g.* Indivíduo que deixou seu domicílio e se encontra em outro.

auspiciar *v.t.* (conj. 16). Fazer auspício de; prognosticar, predizer.

auspício *s.m.* (lat. *auspicium*). **1.** Augúrio. **2.** *Fig.* Promessa.

auspicioso (ô) *adj.* De bom augúrio, esperançoso, prometedor.

austeridade *s.f.* (lat. *austeritas*). **1.** Caráter de austero. **2.** Severidade, rigidez. **3.** Integridade.

austero *adj.* (lat. *austerus,* áspero). **1.** Duro de caráter. **2.** Sério, grave. **3.** Que não possui ornatos.

austral[1] *adj.2g.* (lat. *australis,* do sul). Diz-se da posição geográfica oposta ao N; meridional.

austral[2] *s.m.* Unidade monetária da Argentina.

australiano *adj.* Relativo ou pertencente à Austrália. ★ *s.m.* Indivíduo natural ou habitante da Austrália.

VOCÊ SABIA...? Os aborígines **australianos**, que vivem nas regiões semidesérticas do país, fabricam armas de pedra e de madeira. A mais notável, usada para caça e para guerra, é o bumerangue, ou bastão de arremesso, uma peça recurvada que, após ser lançada, gira sobre si mesma e percorre uma trajetória ao fim da qual retorna próximo ao ponto de lançamento.

austríaco *adj.* Relativo ou pertencente à Áustria. ★ *s.m.* O natural ou habitante da Áustria.

autarquia *s.f.* (gr. *autárkheia*). **1.** Qualidade do que se basta a si próprio; autonomia. **2.** Independência relativa de um ramo da administração pública. **3.** Órgão da administração descentralizada, dotado de personalidade jurídica de direito público e patrimônio, criado pela lei para o desempenho de atribuições específicas.

autárquico *adj.* Relativo à autarquia. ★ *s.m.* Funcionário de autarquia.

autêntica *s.f.* Carta ou certidão que faz fé.

autenticação *s.f.* **1.** Ato ou efeito de autenticar. **2.** Selo, chancela.

autenticar *v.t.* (conj. 12). **1.** Tornar autêntico; legalizar, validar. **2.** Reconhecer como verdadeiro ou legítimo.

autenticidade *s.f.* **1.** Caráter do que é autêntico, legítimo, verdadeiro. **2.** Veracidade, fidedignidade, legitimidade.

autêntico *adj.* (gr. *authentikós,* pelo lat. *authenticus*). **1.** Revestido das formalidades legais requeridas. **2.** Verdadeiro, fidedigno, legítimo.

autismo *s.m.* Estado patológico em que ocorre um distanciamento da realidade devido à recusa de contato com o mundo exterior e à predominância de um mundo interior imaginário.

autista *adj.2g.* e *s.2g.* Que ou aquele que é acometido de autismo. (Cf. ALTISTA.)

auto[1] *s.m.* Automóvel.

auto[2] *s.m.* (lat. *actus,* movimento). **1.** Ato público; solenidade. **2.** Narração escrita e autenticada de qualquer ato que se junta a um processo (mais usado no *pl.*). **3.** Forma dramática medieval.

auto-ajuda *s.f.* **1.** Tentativa de resolver dificuldades e problemas psicológicos ou sociais sem recorrer a profissional habilitado. **2.** Categoria de livros que oferecem encorajamento, conselhos, informações etc.

auto-anticorpo *s.m.* Anticorpo produzido por um organismo contra um de seus próprios constituintes e causa das doenças auto-imunes.

autobiografia *s.f.* História da vida de uma pessoa escrita por ela mesma.

autobiográfico *adj.* Relativo à autobiografia.

autoclave *s.2g.* Aparelho destinado à cocção ou esterilização de instrumentos pelo vapor sob pressão, a temperatura elevada.

autoconfiança *s.f.* Confiança em si próprio.

autoconhecimento *s.m.* Conhecimento de si próprio.

autocontrole (ô) *s.m.* **1.** Controle de si próprio; domínio dos próprios sentimentos. **2.** Controle das próprias funções fisiológicas.

autocracia *s.f.* (gr. *autokráteia*). Sistema político no qual o poder é exercido por um chefe absoluto; despotismo.

autocrata *adj.2g.* e *s.2g.* (gr. *autokrates*). Diz-se de ou monarca absoluto e independente.

VOCÊ SABIA...? Na Rússia, vigorou o sistema da autocracia a partir do reinado de Ivan III, que, por volta de 1500, adotou o título de **autocrata** (*samoderiets*), que passou a designar os czares (imperadores) até 1917, ano em que ocorreu a revolução que pôs fim ao czarismo.

autocrítica *s.f.* **1.** Crítica que alguém faz de si mesmo, de seus trabalhos ou atitudes. **2.** Capacidade de crítica de si mesmo.

autóctone *adj.2g.* (gr. *autochthon*). Que é originário da região onde ocorre; nativo. ★ *adj.2g.* e *s.2g.* Que ou o que vive ou se situa no seu local de origem; aborígine, nativo.

autoctonia *s.f.* Qualidade das espécies vegetais, animais ou das raças humanas cujo hábitat não variou desde os tempos mais recuados; autoctonismo.

autoctonismo *s.m.* Autoctonia.

auto-de-fé *s.m.* Cerimônia da proclamação e execução das sentenças do Tribunal da Inquisição.

autodefesa (ê) *s.f.* Ação de se defender a si mesmo, por seus próprios recursos. ● **Dir.** Defesa de um direito feita pelo próprio titular.

autodenominação *s.f.* **1.** Ato ou efeito de autodenominar-se. **2.** Denominação dada por um grupo a si próprio.

autodenominar-se *v.pr.* (conj. 7). Nomear a si mesmo.

autodepuração *s.f.* Processo biológico que efetua a mineralização de poluentes orgânicos em um meio aquático.

autodeterminação *s.f.* **1.** Ação ou efeito de decidir por si mesmo. **2.** Faculdade de uma nação de decidir livremente sobre a gestão de seus interesses.

autodidata *adj.2g.* e *s.2g.* (gr. *autodídaktos*). Diz-se de ou pessoa que se instruiu ou se instrui por si mesma, sem mestre.

autodidatismo *s.m.* Ação de instruir-se sem auxílio de professores.

autodisciplina *s.f.* Disciplina que um indivíduo ou grupo impõe a si mesmo.

autodomínio *s.m.* Domínio sobre si mesmo.

autódromo *s.m.* Local onde se realizam corridas de automóvel.

auto-ecologia *s.f.* Ciência que estuda a ecologia de um único indivíduo ou espécie.

auto-estima *s.f.* Estima de si mesmo; amor próprio.

auto-estrada *s.f.* Estrada para altas velocidades, de pistas duplas, sem cruzamento de nível; autopista.

autofagia *s.f.* **1.** Nutrição de um organismo a partir de substâncias ou estruturas do próprio corpo. **2.** Processo através do qual uma célula degrada porções de seu próprio citoplasma. (Sin. AUTÓLISE.)

autofecundação *s.f.* **1.** Polinização de uma flor pelo seu próprio pólen; autogamia. **2.** Fecundação de um indivíduo bissexuado por ele mesmo, como nas tênias.

autoflagelação *s.f.* Ato ou efeito de autoflagelar-se.

autoflagelar-se *v.pr.* (conj. 7). **1.** Castigar a si mesmo. **2.** *Fig.* Atormentar-se, torturar-se.

autógeno *adj.* (gr. *autogenes*). Que se gera a si mesmo.

autogestão *s.f.* Gerenciamento de uma empresa pelos próprios trabalhadores.

autografar *v.t.* (conj. 4). Pôr autógrafo ou assinatura em.

autógrafo *adj.* (gr. *autógraphos*). Escrito pela própria mão do autor. ★ *s.m.* **1.** Texto redigido pelo próprio autor; original. **2.** Assinatura ou grafia autêntica de próprio punho.

auto-imune *adj.2g.* **1.** Referente à auto-imunidade. **2.** *Doenças auto-imunes,* classe de doenças provocadas pela produção em um organismo de auto-anticorpos.

auto-imunidade *s.f.* Estado de imunização de um indivíduo frente a seus próprios constituintes antigênicos.

autólise *s.f.* Sin. de AUTOFAGIA.

automação *s.f.* Automatização.

automático *adj.* **1.** Que opera por si mesmo. **2.** Que se move ou funciona por meios mecânicos. **3.** *Fig.* Involuntário, inconsciente. **4.** Diz-se de uma arma de fogo capaz de disparar uma rajada de tiros sem interrupção para realimentação, como a metralhadora. **5.** *Escrita automática,* técnica introduzida pelos surrealistas que consiste em escrever, sem qualquer controle racional, estético ou moral, o fluxo espontâneo das palavras e das imagens.

automatismo *s.m.* **1.** Atributo do que é automático. **2.** Falta de vontade própria; movimento inconsciente, involuntário. **3.** Aparelho, máquina ou instalação que funciona automaticamente.

automatização *s.f.* **1.** Ato ou efeito de automatizar. **2.** Funcionamento de uma máquina ou grupo de máquinas que, sob o controle de um programa único, efetua uma série de operações sem intervenção do homem; automação.

automatizar *v.t.* (conj. 4). Tornar automático.

autômato *s.m.* (gr. *autómaton,* que se move por si mesmo). **1.** Figura que imita os movimentos humanos. **2.** Máquina que imita o movimento de um corpo animado; robô, andróide. **3.** *Fig.* Pessoa que não pensa nem age por si mesma.

automedicação *s.f.* Ato ou efeito de automedicar-se.

automedicar-se *v.pr.* (conj. 7). Usar medicamentos sem prescrição de profissional competente.

automobilismo *s.m.* **1.** Fabrico e uso de veículos automotores. **2.** Esporte praticado com automóveis.

automobilista *s.2g.* Pessoa que se dedica ao automobilismo.

automobilístico *adj.* Relativo ao automobilismo.

automotivo *adj.* Relativo a automotor.

automotor (ô) *adj.* Diz-se de um veículo dotado de tração própria.

automotriz *s.f.* Veículo ferroviário com motor próprio, que conjuga as funções de locomotiva e carro de passageiros. (Sin. LITORINA.)

automóvel *adj.2g.* Que se move por si mesmo. ★ *s.m.* Veículo movido por um motor a explosão, a combustão interna, elétrico ou por turbina a gás, usado sobretudo no transporte de passageiros; carro, auto.

AUTOMÓVEL ▸ Em 1885, o alemão Carl Benz produziu o primeiro automóvel comercial. Tinha três rodas e era impulsionado por um motor de nafta ou gasolina. Depois dele, outros inventores puseram seus modelos no mercado, mas foi o norte-americano Henry Ford quem criou a linha de produção, uma maneira mais rápida e barata de fabricar automóveis.

A B C D E F G H I J K L M N O P Q R S T U V W X Y Z

autônimo *adj.* Diz-se de uma obra assinada com o nome do autor, ou do autor que assina uma obra com seu próprio nome.

autonomia *s.f.* (gr. *autonomía*). **1.** Faculdade de se governar por suas próprias leis, por vontade própria. **2.** Distância máxima que um veículo pode percorrer sem novo reabastecimento.

autonômico *adj.* Que tem autonomia.

autônomo *adj.* (gr. *autónomos*). **1.** Governado por suas próprias leis. **2.** Livre, independente. ● **Anat.** *Sistema nervoso autônomo* ou *sistema autônomo,* sin. de SISTEMA NERVOSO VEGETATIVO*. ★ *s.m.* Pessoa que trabalha por conta própria.

autopeça *s.f.* Peça ou acessório de automóveis.

autopista *s.f.* Auto-estrada.

autópsia ou **autopsia** *s.f.* (gr. *autopsía*). Abertura e exame de um cadáver para verificação do estado dos órgãos e da causa da morte. (Sin. NECROPSIA.)

autor (ô) *s.m.* (lat. *auctor*). **1.** Aquele que está na origem de, que é a causa de. **2.** Criador, inventor, fundador. **3.** Aquele que cria uma obra literária, científica, artística. **4.** Aquele que pratica uma ação; agente. ● **Dir.** Aquele que executou materialmente um crime ou uma infração ou que a planejou.

autoral *adj.2g.* Relativo ao autor ou à autoria.

autorama *s.m.* Autódromo em miniatura para corridas de carrinhos de brinquedo, geralmente elétricos.

auto-regulação *s.f.* Sin. de FEEDBACK.

auto-retrato *s.m.* Retrato de uma pessoa feito por ela mesma.

autoria *s.f.* Qualidade de autor.

autoridade *s.f.* (lat. *auctoritas*). **1.** Poder legítimo, direito de mandar. **2.** Aquele que tem tal poder. **3.** Ascendência, influência resultante de estima, de prestígio. **4.** Pessoa que tem uma opinião abalizada sobre determinado assunto.

autoritário *adj.* **1.** Que usa com rigor sua autoridade. **2.** Que não admite contradição. **3.** Dominador, despótico.

autoritarismo *s.m.* **1.** Caráter de autoritário. **2.** Despotismo. **3.** Concepção ou prática autoritária do poder que limita as liberdades individuais e públicas.

autorização *s.f.* **1.** Ação de autorizar. **2.** Permissão ou consentimento para fazer alguma coisa. **3.** Documento que expressa essa permissão.

autorizado *adj.* **1.** Dotado de autoridade. **2.** Permitido, expressamente consentido. **3.** Respeitável, digno de crédito.

autorizar *v.t.* (lat. tard. *auctorizare*) [conj. 4]. **1.** Dar poder ou autorização. **2.** Conceder licença, consentir. **3.** Tornar possível, dar pretexto a. **4.** Confirmar, abonar.

autossomo *s.m.* Cromossomo não sexual.

auto-suficiência *s.f.* Condição ou qualidade de auto-suficiente.

auto-suficiente *adj.2g.* Que se basta a si próprio.

auto-sugestão *s.f.* Sugestão ou influência que alguém exerce sobre si mesmo.

autotomia *s.f.* Recurso utilizado por certos animais que consiste na mutilação voluntária de partes do corpo para escapar de predadores.

autotrófico *adj.* Diz-se de organismo capaz de suprir suas necessidades nutricionais, pela síntese de substâncias orgânicas a partir de substâncias inorgânicas.

autótrofo *s.m.* Organismo autotrófico.

autovacina *s.f.* Vacina obtida pela cultura do próprio micróbio que determinou a infecção em curso.

autuar *v.t.* (conj. 4). **1.** Lavrar um auto. **2.** Processar, reunir documentos para formar um processo.

auxiliar[1] (ss) *adj.2g.* e *s.2g.* (lat. *auxiliaris*). Que ou aquele que auxilia, que presta ajuda; ajudante, colaborador. ★ *adj.* Diz-se do mecanismo, peça etc. que não é o principal ou central. ● **Gram.** Diz-se do verbo que se combina com um outro verbo numa forma nominal para formar um tempo composto, voz passiva ou locução verbal.

auxiliar[2] (ss) *v.t.* (lat. *auxiliari*) [conj. 16]. Dar auxílio a; socorrer, ajudar.

auxílio (ss) *s.m.* (lat. *auxilium*). **1.** Socorro, ajuda, colaboração. **2.** Proteção, assistência. **3.** Esmola.

auxina (cs) *s.f.* Hormônio vegetal que promove o crescimento das plantas.

avacalhar *v.t.* (conj. 4). Executar com desleixo. ★ *v.t.* e *v.pr.* Desmoralizar(-se).

avá-canoeiro *s.2g.* Indivíduo dos avás-canoeiros, povo indígena tupi-guarani que vive em Goiás e no Tocantins.

aval *s.m.* (fr. *aval*). **1.** Garantia pessoal. **2.** *Fig.* Apoio moral ou intelectual. **3.** Garantia dada ao portador de uma letra de câmbio ou de nota promissória por um terceiro, que se obriga a pagar o montante da dívida caso ela não seja quitada pelo emitente.

avalancha ou **avalanche** *s.f.* (fr. *avalanche*). **1.** Grande massa de neve que desce pelas encostas das montanhas em direção aos vales, arrastando consigo tudo quanto encontra em sua passagem. **2.** Massa de objetos que caem. **3.** *Fig.* Grande número de coisas que incomodam.

avaliação *s.f.* **1.** Ato ou efeito de avaliar. **2.** Apreciação, análise. **3.** Cálculo do valor de um bem, geralmente por prescrição legal ou judicial. **4.** Estimativa. **5.** Valor determinado por quem avalia.

avaliar *v.t.* (conj. 16). **1.** Determinar o valor, o preço, a importância de. **2.** Apreciar o mérito de. **3.** Calcular, estimar. **4.** Imaginar, fazer idéia de. ★ *v.pr.* Apreciar-se, reputar-se.

avalista *s.2g.* Pessoa que dá aval; fiador, abonador.

avalizar *v.t.* (fr. *avaliser*) [conj. 4]. **1.** Dar aval, abonar. **2.** *Fig.* Apoiar, afiançar.

avançada *s.f.* **1.** Acometimento súbito contra o inimigo; avanço, investida, assalto. **2.** Vanguarda, dianteira.

avançado *adj.* **1.** Adiantado, que vai adiante. **2.** Moderno, progressista. ● **Mil.** Diz-se de um posto, sentinela etc. que está à frente dos demais, mais próximo do inimigo.

avançar *v.i.* (conj. 13). **1.** Caminhar para a frente, progredir. **2.** Adiantar-se. **3.** Decorrer, passar (o tempo). ★ *v.t.* **1.** Fazer ir para a frente. **2.** Investir contra, atacar. **3.** Expor, proferir (idéia). ★ *v.pr.* Dirigir-se; investir; caminhar para a frente.

avanço *s.m.* **1.** Ato ou efeito de avançar; avançada. **2.** Vantagem, dianteira. **3.** Melhoria, progresso.

avantajado *adj.* **1.** Diz-se do que é superior a, excede, leva vantagem sobre. **2.** Corpulento.

avantajar *v.t.* (conj. 4). **1.** Levar vantagem, exceder. **2.** Elevar, promover. ★ *v.pr.* **1.** Levar vantagem a, sobressair. **2.** Progredir, aperfeiçoar-se.

avante *adv.* (lat. tard. *abante*). **1.** Adiante. **2.** Para diante, por diante. ★ *interj.* Adiante. ★ *s.m.* No futebol, atacante.

avarandado *adj.* Que tem varanda. ★ *s.m.* **1.** Casa com varanda. **2.** Alpendre.

avarento *adj.* e *s.m.* Que ou aquele que alimenta a paixão de juntar dinheiro; avaro, sovina, unha-de-fome, usurário.

avareza (ê) *s.f.* (lat. *avaritia*). **1.** Apego excessivo às riquezas. **2.** Mesquinhez, sovinice, usura.

avaria *s.f.* **1.** Dano causado, especialmente a um navio ou a sua carga. **2.** Deterioração, estrago, prejuízo.

avariar *v.t.* (conj. 16). Causar dano; estragar, deteriorar. ★ *v.i.* e *v.pr.* Sofrer avaria; corromper-se, estragar-se.

avaro *adj.* e *s.m.* (lat. *avarus,* ávido). Avarento.

avassalar *v.t.* (conj. 4). **1.** Reduzir à condição de vassalo. **2.** Dominar, oprimir, sujeitar, escravizar. ★ *v.pr.* Tornar-se vassalo.

avatar *s.m.* (sâns. *avatara*). **1.** Cada uma das sucessivas encarnações de uma divindade, em especial de Vixnu. **2.** Metamorfose, transfiguração.

ave[1] *s.f.* (lat. *avis*). Espécime das aves.

ave[2] (lat. *ave*). *interj.* Emprega-se como saudação.

ave-do-paraíso *s.f.* Nome comum a várias espécies de aves passeriformes, originárias da Nova Guiné e ilhas próximas, de plumagem vivamente colorida e acentuado dimorfismo sexual.

aveia *s.f.* (lat. *avena*). **1.** Gramínea originária da Europa Ocidental, que fornece grãos de excelente qualidade nutritiva, utilizada também como forragem verde para o gado. **2.** O grão dessa planta.

avelã *s.f.* (lat. *abellana nux,* noz de Abela, cid. da Itália). Fruto da aveleira, cuja semente, comestível, é empregada em culinária.

aveleira ou **avelaneira** *s.f.* Pequena árvore, originária das regiões temperadas do hemisfério Norte, que fornece a avelã.

avelhacado *adj.* **1.** Um tanto velhaco. **2.** Dito ou feito com velhacaria.

avelhentado *adj.* **1.** Um tanto velho, envelhecido. **2.** Com aspecto de velho.

avelórios *s.m.pl.* **1.** Miçangas; contas miúdas de vidro. **2.** *Fig.* Ninharias, bagatelas.

aveludar *v.t.* e *v.pr.* (conj. 4). **1.** Tornar(-se) macio como o veludo; amaciar(-se). **2.** *Fig.* Tornar(-se) suave, agradável.

ave-maria *s.f.* Oração católica à Virgem Maria.

avena *s.f.* (lat. *avena*). *Poét.* Flauta pastoril.

avenca *s.f.* Nome comum a várias plantas delicadas, pteridófitas, de folhas pequenas e recortadas, que necessitam de ambientes úmidos e sombrios.

avença *s.f.* **1.** Acordo, pacto, ajuste entre partes litigantes. **2.** Concórdia, união. **3.** Soma paga por serviços durante certo tempo. **4.** Quantia paga antecipadamente por conta de impostos etc.

avenida *s.f.* (fr. *avenue*). Via pública mais larga que a rua, geralmente com canteiro central.

avental *s.m.* Peça de pano, couro, plástico ou outro material usada para proteger a roupa.

aventar *v.t.* (conj. 4). **1.** Ventilar. **2.** Agitar ou mover no ar. **3.** Arremessar pedras etc. **4.** Sugerir, expor, proferir. **5.** Descobrir pelo faro. **6.** *Fig.* Pressentir, suspeitar, adivinhar. ★ *v.i.* Tomar vento ou ar. ★ *v.pr.* **1.** Ocorrer. **2.** Irritar-se.

aventura *s.f.* (lat. *adventura*). **1.** Empreendimento ou ato que envolve riscos e ações temerárias e não oferece garantias do resultado. **2.** Acontecimento imprevisto, surpreendente. **3.** Acaso, sorte. **4.** Experiência amorosa fortuita.

aventurar *v.t.* (conj. 4). **1.** Expor ao acaso, arriscar. **2.** Ousar dizer ou fazer. ★ *v.pr.* Arriscar-se, expor-se.

aventureiro *adj.* e *s.m.* **1.** Que ou aquele que procura aventura. **2.** Que ou o que não tem meio certo de vida.

averbação *s.f.* **1.** Ato ou efeito de averbar. **2.** Nota à margem de um documento.

averbar[1] *v.t.* (conj. 4). **1.** Escrever à margem de. **2.** Anotar, registrar.

averbar[2] *v.t.* (conj. 4). Empregar uma palavra como verbo.

averiguar *v.t.* (conj. 21). Inquirir, investigar, indagar, informar-se de, certificar-se de. ★ *v.pr.* Certificar-se; persuadir-se.

avermelhado *adj.* Diz-se de tonalidade que se aproxima do vermelho.

avermelhar *v.t.* e *v.pr.* (conj. 4). Tornar(-se) vermelho; ruborescer(-se), corar, ruborizar(-se).

aversão *s.f.* (lat. *aversio*). Grande repugnância; antipatia.

aves *s.m.pl.* Classe de vertebrados homeotermos e ovíparos, que apresentam penas, sacos aéreos, membros anteriores transformados em asas, mandíbula projetada em um bico córneo e dentes ausentes ou reduzidos.

avessas *s.f.pl.* **1.** Coisas contrárias, opostas. **2.** *Às avessas,* ao contrário.

avesso (ê) *adj.* e *s.m.* (lat. *adversus*). **1.** Que ou o que é oposto, contrário, reverso. **2.** Diz-se de ou lado escondido de alguém ou de alguma coisa. ★ *adj.* Contrário a, hostil a.

avestruz *s.2g.* Ave estrutioniforme que possui asas reduzidas, dois artelhos em cada pé, atinge 2,10m de altura e que habita regiões semidesérticas da África e Arábia.

avezar *v.t.* (conj. 4). Habituar, acostumar. ★ *v.pr.* Acostumar-se, habituar-se; adquirir o vezo ou o hábito de.

aviação *s.f.* (fr. *aviation*). **1.** Navegação aérea por meio de aparelhos mais pesados que o ar. **2.** Técnica do estudo e da construção de aviões. **3.** Conjunto dos aviões, das tripulações e das instalações utilizadas para a navegação aérea.

aviador[1] (ô) *s.m.* (fr. *aviateur*). Pessoa que pilota aviões; aeronauta.

aviador[2] (ô) *s.m.* Aquele que avia.

aviamento *s.m.* **1.** Ato ou efeito de aviar. **2.** Despacho, conclusão ou andamento de negócio. **3.** Auxílio, coadjuvação. **4.** Preparos e todos os acessórios necessários à conclusão de qualquer obra. **5.** Preparos e petrechos necessários ao acabamento de obras de costura.

avião *s.m.* (fr. *avion*). **1.** Qualquer aparelho de navegação aérea mais pesado que o ar e com asas. **2.** *Pop.* Mulher de belas formas físicas. **3.** *Avião de caça,* sin. de CAÇA.

aviar *v.t.* (conj. 16). **1.** Preparar, manipular (medicamentos prescritos). **2.** Concluir, acabar. **3.** Livrar-se de; despachar, despedir, matar. ★ *v.pr.* Aprontar-se, apressar-se.

aviário *s.m.* (lat. *aviarium*). **1.** Lugar ou construção destinados à manutenção e criação em grande escala das aves domésticas, especialmente galinhas e frangos. (Sin. VIVEIRO.) **2.** Casa em que se abatem e vendem aves; avícola. ★ *adj.* Referente às aves.

avícola *adj.2g.* Referente à avicultura. ★ *s.f.* Aviário.

avicultor (ô) *s.m.* Criador de aves; aquele que se dedica à avicultura.

avicultura *s.f.* **1.** Criação regular de aves para diversos fins. **2.** Criação de aves para fins utilitários, especialmente produção de carne e ovos.

avidez (ê) *s.f.* **1.** Desejo ardente; sofreguidão. **2.** Cobiça, ambição. **3.** Apetite, voracidade.

ávido *adj.* (lat. *avidus*). **1.** Que deseja com muito ardor. **2.** Cobiçoso. **3.** Voraz, guloso, esfaimado. **4.** Curioso, ansioso.

aviltante *adj.2g.* **1.** Que avilta, desonra. **2.** Vil, degradante, afrontoso, deprimente.

aviltar(-se) *v.t.* e *v.pr.* (conj. 4). **1.** Tornar(-se) vil; envilecer(-se). **2.** Desonrar(-se), humilhar(-se).

avinagrar *v.t.* (conj. 4). **1.** Temperar com vinagre; azedar, acidificar. **2.** *Fig.* Fazer zangar-se; irritar, encolerizar. ★ *v.pr.* Azedar-se; irritar-se, irar-se, encolerizar-se.

avindo *adj.* Que se aveio; ajustado, concorde, harmonizado.

avinhado *adj.* **1.** Embebido em vinho. **2.** Que tem sabor ou cheiro de vinho. **3.** Que bebeu demais; ébrio, bêbado. **4.** Que tem a cor de vinho tinto.

avinhar *v.t.* (conj. 4). **1.** Temperar com vinho. **2.** Dar o sabor e o cheiro de vinho a. **3.** Embriagar, embebedar. ★ *v.pr.* Embebedar-se.

avios *s.m.pl.* Os apetrechos necessários a determinados fins; aviamentos.

avir(-se) *v.t.* e *v.pr.* (lat. *advenire,* chegar) [conj. 67]. Pôr(-se) de acordo; ajustar(-se), conciliar(-se), acomodar(-se).

avisado *adj.* **1.** Que recebeu aviso; prevenido. **2.** Instruído, perito. **3.** Prudente, ajuizado. ★ *s.m.* Atilado, ajuizado.

avisar *v.t.* e *v.i.* (lat. *advisare*) [conj. 4]. **1.** Informar, fazer saber. **2.** Prevenir, aconselhar. ★ *v.pr.* Acautelar-se.

aviso[1] *s.m.* **1.** Ato ou efeito de avisar. **2.** Notícia, recado. **3.** Conselho, exortação. **4.** Informação para ser lida pelo público. **5.** Opinião, conceito. **6.** Notícia transmitida por sinalização.

aviso[2] *s.m.* **1.** Barco de transporte de mala postal. **2.** Navio ligeiro da Marinha de Guerra encarregado, em geral, de operações de reconhecimento e de transmissão de notícias e de informações. **3.** Navio de pequena tonelagem e velocidade média utilizado principalmente na escolta de comboios ou de embarcações isoladas.

avistar *v.t.* (conj. 4). **1.** Ver ao longe; divisar. **2.** Pôr à vista; descortinar. **3.** Encontrar, defrontar, deparar. ★ *v.pr.* Encontrar-se; ter entrevista com.

avitaminose *s.f.* Conjunto de fenômenos patológicos devidos à insuficiência na aplicação, absorção ou utilização das vitaminas.

avivar *v.t.* (conj. 4). **1.** Tornar mais ardente, mais vivo. **2.** Dar brilho. **3.** Apressar, acelerar. **4.** Estimular, animar. **5.** *Fig.* Refrescar, retocar. ★ *v.i.* e *v.pr.* **1.** Reanimar-se. **2.** Tornar-se mais nítido.

avizinhar *v.t.* (conj. 4). Estar nas proximidades, ser vizinho de. ★ *v.pr.* Aproximar-se.

avo *s.m.* **1.** Palavra que se acrescenta a um cardinal maior que dez para designar o numeral fracionário correspondente, p. ex., *onze avos* (contido onze vezes num todo ou dividido em onze partes). **2.** Porção ínfima, desprezível.

avó *s.f.* (lat. *aviola*). Mãe do pai ou da mãe.

avô *s.m.* **1.** Pai do pai ou da mãe. **2.** *Fam.* Ancião. ★ *s.m.pl.* Antepassados, ascendentes maiores.

avoado *adj.* **1.** Tonto, adoidado. **2.** Trapalhão, embrulhão.

avoante *s.f.* Pomba de hábitos migratórios, de cor castanha com manchas negras, duas das quais embaixo dos olhos, que ocorre em todo o sul da América do Sul, até o Equador. (Sin. POMBA-DE-BANDO.)

avocar *v.t.* (lat. *avocare*) [conj. 12]. **1.** Chamar a si; atrair. **2.** Atribuir-se, arrogar-se. **3.** Deslocar uma causa para outro juízo ou tribunal.

avoengo *adj.* **1.** Que vem ou se herdou dos avós. **2.** Ancestral, antigo, velho. ★ *s.m.pl.* Os antepassados, os ascendentes.

avolumar *v.t.* e *v.i.* (conj. 4). **1.** Aumentar o volume de. **2.** Encher, pejar. **3.** Fazer volume, atravancar. ★ *v.pr.* Tornar-se volumoso.

à-vontade *s.m.* Desembaraço, naturalidade.

avós *s.m.pl.* **1.** Conjunto de avô(s) e avó(s). **2.** Ascendentes, antepassados.

avulso *adj.* (lat. *avulsus*). **1.** Separado por força; arrancado. **2.** Solto, que não faz parte de coleção. **3.** Vago, anônimo. **4.** Esporádico, esparso.

avultar *v.t.* (conj. 4). Representar em vulto ou relevo; engrandecer; aumentar, avolumar. ★ *v.i.* **1.** Realçar, sobressair. **2.** Crescer, aumentar.

avuncular *adj.2g.* (do lat. *avuncullus,* tio materno). Relativo ao tio ou à tia.

axadrezado *adj.* Xadrez.

axadrezar *v.t.* (conj. 4). **1.** Guarnecer de xadrez. **2.** Traçar quadros como os do tabuleiro de xadrez.

axial (cs) *adj.2g.* (lat. *axis,* eixo). Relativo a um eixo. ● **Fís.** Diz-se do que está orientado de acordo com um eixo.

axila (cs) *s.f.* (lat. *axilla*). **1.** Cavidade situada sob o ombro, entre a extremidade superior do braço e o tórax. **2.** Espaço que corresponde à junção de dois órgãos ou partes de uma planta.

axilar (cs) *adj.2g.* Relativo ou pertencente à axila.

axiologia (cs) *s.f.* Teoria dos valores filosóficos ou morais.

axiológico (cs) *adj.* Que concerne à axiologia.

axioma (cs ou ss) *s.m.* (gr. *axíoma*). **1.** Proposição, premissa evidente por si mesma. **2.** Sentença, máxima que encerra uma verdade indiscutível. **3.** Enunciado indemonstrável admitido como ponto de partida para as demonstrações de uma teoria.

axiomático (cs ou ss) *adj.* (gr. *axiomatikós*). **1.** Relativo a axioma. **2.** Que possui o caráter de um axioma; evidente, inquestionável.

axiômetro (cs) *s.m.* Instrumento colocado à frente da roda do leme e constituído de um mostrador em que se desloca uma agulha que indica a posição do leme.

áxis[1] (cs) *s.m.2n.* A segunda vértebra cervical.

áxis[2] (cs) *s.m.2n.* (lat. *axis,* eixo). Cervo da Ásia, com três esgalhos e pelagem ruiva com manchas brancas.

axolotle (cs) *s.m.* (do náuatle). Anfíbio urodelo que vive e se reproduz na fase larval e raramente se metamorfoseia em adulto; ocorre no México e oeste dos Estados Unidos.

axônio (cs) *s.m.* Prolongamento tubular do corpo celular do neurônio, que forma as fibras nervosas responsáveis pela condução do impulso nervoso.

az *s.m.* (lat. *acies*). **1.** Gume. **2.** Ala de exército. **3.** Fileira.

azado *adj.* **1.** Ágil, jeitoso. **2.** Oportuno; próprio para alguma coisa.

azáfama *s.f.* (ár. *az-zahma*). Pressa, atrapalhação, grande afã.

azafamar *v.t.* (conj. 4). Dar pressa. ★ *v.pr.* Trabalhar ativamente.

azagaia *s.f.* (berbere *az-zagaya*). **1.** Lança comprida usada pelos árabes como arma de arremesso; zagaia. **2.** Lança curta própria para a caça; zagaia.

azálea ou **azaléia** *s.f.* (gr. *azaléos,* seco). Arbusto originário da China, de ramos sedosos e flores que vão do branco ao vermelho, cultivado como ornamental.

azar *s.m.* (ár. *az-zaHar,* o dado). **1.** Má sorte, caiporismo. **2.** Infortúnio, desgraça. **3.** Acaso, casualidade.

azaração *s.f.* **1.** Tentativa de aproximação amorosa. **2.** Busca de companhia para namorar.

azarado *adj.* e. *s.m.* Que ou o que tem azar; infeliz, caipora.

azarão *s.m.* *Pop.* O cavalo menos cotado para vencer uma corrida.

azarar *v.t.* (conj. 4). 1. Dar azar ou má sorte a. 2. *Gír.* Tentar uma aproximação amorosa com (outra pessoa). ★ *v.i.* *Gír.* Buscar companhia para namorar.

azarento *adj.* **1.** Que tem azar; infeliz. **2.** Que dá azar, nefasto, aziago.

azedar *v.t.* (conj. 4). **1.** Tornar azedo; acidificar. **2.** *Fig.* Causar mau humor a; irritar, exasperar. ★ *v.i.* e *v.pr.* **1.** Tornar-se azedo, coalhar. **2.** Irritar-se.

azedinha *s.f.* Nome comum a certas espécies de ervas rasteiras, algumas cultivadas como ornamentais e a maioria, infestante.

azedo (ê) *adj.* (lat. *acetum,* vinagre). **1.** Que tem sabor ácido; acre, acerbo. **2.** *Fig.* Irritado, de mau humor; ríspido, irascível.

azedume *s.m.* **1.** Estado daquilo que é azedo; acidez, amargueza. **2.** *Fig.* Acrimônia; irritação.

azeitar *v.t.* (conj. 4). **1.** Temperar com azeite. **2.** Lubrificar.

azeite *s.m.* (ár. *az-zait,* óleo, azeite). **1.** Óleo de oliva ou azeitona. **2.** Óleo extraído de outros frutos, de plantas ou da gordura de certos animais.

azeiteira *s.f.* Galheta do azeite; almotolia.

azeiteiro *s.m.* **1.** O que fabrica ou vende azeite. **2.** Recipiente para azeite. ★ *adj.* Relativo ao azeite.

azeitona *s.f.* (ár. *az-zaituna*). Fruto com caroço, produzido pela oliveira, que pode ser consumido em conservas ou usado na produção de azeite. (Sin. OLIVA.)

azêmola *s.f.* (ár. *az-zamila*). **1.** Besta de carga. **2.** Cavalo velho e estropiado. **3.** *Fig.* Pessoa estúpida.

azeviche *s.m.* (ár. *az-zabij*). **1.** Variedade de linhito, compacto, preto e brilhante, para uso em bijuteria. **2.** *Fig.* Coisa muito preta.

azia *s.f.* (lat. *acidiva*). Acidez, azedume do estômago.

aziago (á) *adj.* De mau agouro; infausto.

ázigo *adj.* (gr. *ázygos,* isolado). Que não tem par. ★ *adj.* e *s.m.* Diz-se de ou veias pertencentes ao sistema cava, que drenam o sangue das paredes torácica e abdominal.

ázimo *adj.* e *s.m.* (gr. *ázymos*). Diz-se do ou pão sem fermento que os israelitas cozem na véspera da Páscoa, em recordação da refeição que seus antepassados fizeram, ao deixarem o Egito.

azimute *s.m.* (ár. *as-sumut*). Ângulo de um plano vertical com outro escolhido como plano de origem. ● **Astron.** Ângulo medido na esfera celeste entre um astro visto da Terra por um observador e o ponto projetado, a partir desse observador, perpendicularmente sobre a esfera.

azinhavre *s.m.* (ár. *az-zinjar*). Mistura de hidróxidos e de carbonatos de cobre, de cor esverdeada, que se forma como uma camada sobre os objetos de cobre expostos à umidade; zinabre.

azo *s.m.* (prov. *aize*). **1.** Ocasião, pretexto, motivo. **2.** Auxílio. **3.** Risco.

azoada *s.f.* Azoamento.

azóico *adj.* Diz-se de certos compostos orgânicos nitrogenados. ● **Ecol.** Diz-se do meio que não apresenta qualquer indício de vida, principalmente animal.

azoospermia *s.f.* Ausência total de espermatozóides no esperma, causa de esterilidade.

azorrague *s.m.* **1.** Açoite, látego, chicote. **2.** *Fig.* Flagelo, castigo.

azotado *adj.* Sin. ant. de NITROGENADO.

azoto (ô) *s.m.* Sin. ant. de NITROGÊNIO.

azougar *v.t.* (conj. 14). **1.** Cobrir ou juntar com azougue; amalgamar. **2.** Desassossegar. **3.** Definhar. **4.** Espertar.

azougue *s.m.* (ár. *az-zauq,* mercúrio). **1.** Nome vulgar do mercúrio. **2.** *Fig.* Indivíduo esperto, rápido e buliçoso.

azucrinar *v.t.* e *v.i.* (conj. 4). Importunar, molestar, maçar.

azul *s.m.* (prov. *azur*). **1.** A cor azul, em todas as suas gradações entre o violeta e o verde, no espectro solar. **2.** Cor do céu sem nuvens. **3.** *Fig.* O céu, o firmamento. ★ *adj.2g.* **1.** Diz-se dessa cor. **2.** Que é dessa cor.

azulado *adj.* Que é levemente azul.

azulão *s.m.* **1.** Ave passeriforme, de coloração geral azul e cauda negra, que se alimenta de grãos e habita o campo. (Sin. AZULÃO-BICUDO, GUARANDI-AZUL.) **2.** Sin. de CHOPIM. **3.** Inseto lepidóptero de asas branco-azuladas, cuja envergadura atinge 135 mm.

azulão-bicudo *s.m.* Sin. de AZULÃO.

azular *v.t.* (conj. 4). Tornar azul, tingir de azul; anilar. ★ *v.i.* *Pop.* Fugir, desaparecer.

azul-celeste *adj.2g.2n.* e *s.m.* Azul da cor do céu.

azulejar *v.t.* (conj. 4). **1.** Revestir de azulejos. **2.** Tornar azul. ★ *v.i.* Ficar ou tornar-se azul.

azulejo (ê) *s.m.* (ár. *az-zulaiju*). Ladrilho de revestimento em louça vidrada e esmaltada, empregado para o revestimento de paredes e composição de painéis decorativos.

azul-ferrete (ê) *adj.2g.2n.* Azul muito carregado, quase preto. ★ *s.m.* Essa cor.

azul-marinho *adj.2g.2n.* Azul muito escuro, da cor do mar profundo. ★ *s.m.* Essa cor.

azul-turquesa (ê) *adj.2g.2n.* Azul do tom da turquesa, mineral azul-esverdeado. ★ *s.m.* Essa cor.

azurita *s.f.* Carbonato básico natural de cobre, de cor azul.

azurrar *v.i.* (conj. 4). Zurrar.

B C D E F G H I J K L M N O P Q R S T U V W X Y Z

Bb **Bb** *Bb*

b (bê) *s.m.* Segunda letra do alfabeto português.

B símbolo químico do boro.

Ba símbolo químico do bário.

baba *s.f.* Saliva que escorre da boca.

babá *s.f.* Ama, ama-seca.

babaçu *s.m.* (do tupi). Palmeira de origem brasileira, totalmente aproveitável, cujos frutos contêm sementes comestíveis, que fornecem óleo alimentício e de uso industrial.

babado[1] *adj.* Molhado de baba.

babado[2] *s.m.* Guarnição de pregas para adorno do vestuário, toalhas etc.

babador (ô) *s.m.* Pano que se põe no peito das crianças para evitar que se sujem com a baba ou a comida.

babalorixá *s.m.* Pai-de-santo.

babar *v.t.* (conj. 4). Molhar ou umedecer com baba. ★ *v.i.* Molhar-se, sujar-se com baba.

babilônio *adj.* Relativo à Babilônia, antiga cidade da Mesopotâmia; babilônico. ★ *s.m.* O natural ou habitante dessa cidade.

babosa *s.f.* Planta ornamental, originária da região do mar Vermelho, de folhas carnosas que fornecem um líquido utilizado para fins medicinais.

babuíno *s.m.* (fr. *babouin*). Primata africano, de cauda curta, focinho saliente, dentes caninos desenvolvidos e temperamento selvagem.

bacalhau *s.m.* **1.** Peixe marinho de grande importância comercial, pescado pela carne e pelo óleo de fígado, rico em vitaminas A e D. **2.** *Fig.* Pessoa muito magra.

bacalhoada *s.f.* Prato preparado com bacalhau.

bacana *adj.2g.* *Pop.* Excelente, muito bom.

bacanal *s.f.* (lat. *Bacchanalis, pl. Bacchanalia*). Festim dissoluto, orgia.

bacante *s.f.* (lat. *bacchans*). Cada uma das seguidoras de Baco que celebravam as bacanais dançando seminuas.

bacará[1] *s.m.* (fr. *baccara*). Jogo de cartas entre um banqueiro e vários jogadores.

bacará[2] *s.m.* Cristal da manufatura de Baccarat, cidade da França.

bacelo (ê) *s.m.* (lat. *bacillum*). **1.** Vara que se tira de uma videira velha para formar uma nova planta. **2.** Vinha nova.

bacharel *s.m.* (fr. ant. *bacheler*). **1.** Aquele que obteve o primeiro grau de formatura dos estudos universitários. **2.** O que se formou em Direito, Filosofia ou Letras. **3.** *Fig.* Indivíduo tagarela.

bacharelado *s.m.* **1.** Grau de bacharel; bacharelato. **2.** Curso que confere esse grau.

bacharelando *s.m.* Aquele que vai tomar o grau de bacharel.

bacharelar *v.pr.* (conj. 4). Obter o grau de bacharel; colar grau de bacharel.

bacharelato *s.m.* Bacharelado.

bacia *s.f.* **1.** Vaso redondo, de bordas largas e pequena profundidade, utilizado para lavagens. **2.** Prato de balança. **3.** Conjunto das vertentes que circundam um rio ou mar interior. **4.** Depressão de um terreno. **5.** Nos seres humanos, cintura óssea situada na extremidade inferior do tronco. **6.** Nos animais, conjunto formado pela cintura pélvica e pelas vértebras sacrais.

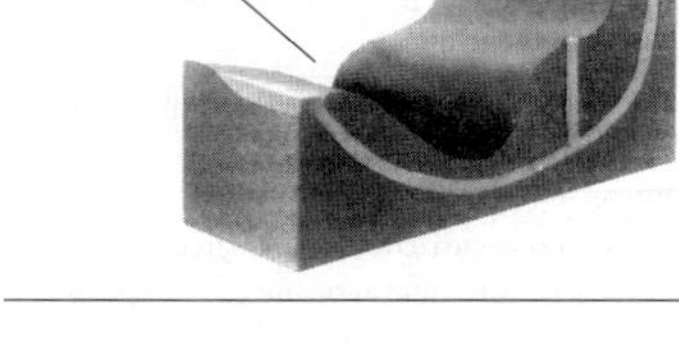

baciada *s.f.* O conteúdo de uma bacia.

bacilar *adj.2g.* **1.** Referente a bacilo. **2.** Diz-se de uma doença que foi provocada por bacilos. **3.** Diz-se de um doente que sofre de tuberculose pulmonar e que está em sua fase contagiosa. **4.** Que tem forma de bastonete.

baciliforme *adj.2g.* Que tem forma de bastonete ou de bacilo.

bacilo *s.m.* (lat. *bacillus*). Bactéria que apresenta forma de bastonete.

bacilose *s.f.* **1.** Nome às vezes dado à tuberculose pulmonar. **2.** Infecção generalizada por bacilos.

bacinete (ê) *s.m.* (fr. *bassinet*). Segmento alargado da porção excretora do rim, situado na junção dos grandes cálices renais, e que continua pelo ureter.

bacio *s.m.* **1.** Vaso de noite, vaso de câmara, urinol. **2.** *Ant.* Vaso chato de boca larga.

baço[1] *adj.* (lat. *opacus,* escuro). Que tem pouco ou nenhum brilho.

baço[2] *s.m.* Órgão linfóide situado na porção esquerda do abdome, abaixo do diafragma, com funções hematopoética e hemolítica.

bacorinho *s.m.* **1.** Bácoro pequeno; leitão. **2.** Bebê, criança.

bácoro *s.m.* (lat. *bacharus*). Leitão.

bactéria *s.f.* (gr. *baktería*). Organismo unicelular procarionte, provido de parede celular, cujo material genético se encontra espalhado no citoplasma.

BACTÉRIA ► Ser vivo unicelular menor que as células do nosso corpo. As bactérias estão em toda parte: no ar, no chão, na nossa pele e dentro do nosso corpo. Elas têm um papel importante em muitos processos biológicos. Certas bactérias são necessárias à fabricação do vinho, do queijo, dos antibióticos. Outras causam doenças, entre as quais a coléra, o tétano, a tuberculose, a febre tifóide e quase todas as intoxicações por alimentos.

---

bacteriano *adj.* Relativo às bactérias.

bactericida *adj.2g.* e *s.m.* Que ou que destrói bactérias.

bacteriófago *s.m.* Qualquer vírus que destrói bactérias.

bacteriologia *s.f.* Parte da microbiologia que se ocupa das bactérias.

bacteriologista *s.2g.* Especialista em bacteriologia; bacteriólogo.

bacteriólogo *s.m.* Bacteriologista.

bacterioscopia *s.f.* Pesquisa feita por exame microscópico de germes microbianos em um produto patológico, em uma secreção corpórea etc.

bacteriostático *adj.* Que evita a multiplicação das bactérias, sem destruí-las.

bacu *s.m.* (do tupi). Peixe teleósteo, de água doce, revestido por placas ósseas.

báculo *s.m.* (lat. *baculum*). **1.** Bastão com a ponta superior recurvada em voluta, símbolo da autoridade episcopal e abacial. **2.** Cajado, bordão alto.

bacurau *s.m.* (do tupi). **1.** Denominação comum a várias espécies de aves de hábitos noturnos. (Sin. IBIJAÚ.) **2.** Indivíduo que só costuma sair à noite.

bacuri *s.m.* Fruto do bacurizeiro, baga amarela, ovóide, de polpa branca, macia, consumida crua ou em compotas.

bacurizeiro *s.m.* Árvore de casca resinosa, flores rosadas, que fornece madeira de lei amarelada, própria para marcenaria e carpintaria, e frutos comestíveis.

badalação *s.f.* **1.** Ato ou efeito de badalar. **2.** Exibição, ostentação. **3.** Divulgação de alguma coisa, promoção.

badalada *s.f.* Som que provém da pancada de um badalo num sino, campainha etc.

badalado *adj.* Muito falado, comentado.

badalar *v.i.* (conj. 4). **1.** Fazer soar. **2.** Divulgar um mexerico, fofocar. **3.** *Pop.* Exibir-se em reuniões sociais. ★ *v.t.* **1.** Tocar o sino. **2.** *Pop.* Bajular. **3.** Divulgar, promover.

badalo *s.m.* **1.** Haste metálica terminada em bola, suspensa no interior de um sino ou campainha, contra cujas paredes ele bate. **2.** *Fam.* A língua.

badejo (ê) *s.m.* (esp. *abadejo*). Denominação comum a peixes teleósteos, de carne saborosa, muito procurados por pescadores submarinos, com seis espécies na costa brasileira.

baderna *s.f.* **1.** Grupo de folgazões. **2.** Matulagem, súcia. **3.** Confusão, briga.

badulaque *s.m.* **1.** Guisado de fígado e bofes em bocados pequenos. **2.** Penduricalho, berloque. ★ *s.m.pl.* Trastes de pouco valor.

baeta (ê) *s.f.* Pano de lã felpudo que não foi apisoado. ★ *s.m.* Denominação dada pela população litorânea aos antigos habitantes de Minas Gerais.

bafafá *s.m.* (onomat). *Pop.* Confusão, tumulto, barulho, briga.

bafejar *v.t.* (conj. 4). **1.** Aquecer com o bafo. **2.** Soprar brandamente. **3.** *Fig.* Proteger, favorecer. **4.** Acalentar, acariciar. **5.** Inspirar. **6.** Animar, incitar. ★ *v.i.* Exalar bafo, baforar.

bafejo (ê) *s.m.* **1.** Ato ou efeito de bafejar. **2.** Hálito, soprozinho. **3.** *Fig.* Proteção, favor.

bafio *s.m.* Mau cheiro característico da umidade e da ausência de renovação de ar em recinto fechado; ranço.

bafo *s.m.* **1.** Ar expelido pelos pulmões durante a respiração; sopro leve e quente. **2.** Hálito. **3.** *Fig.* Bafejo, favor, proteção.

bafômetro *s.m.* Aparelho que mede o grau de concentração alcoólica do ar expirado por um condutor de veículo automotor.

baforada *s.f.* **1.** Expiração de hálito desagradável. **2.** Golfada de fumaça (de cigarro, charuto, cachimbo) expelida pela boca. **3.** Bafo prolongado e ruidoso. **4.** Fanfarronada.

baforar *v.t.* (conj. 4). **1.** Expelir o bafo; soprar. **2.** Arrotar. ★ *v.i. Fig.* Vangloriar-se, jactar-se, bravatear.

baga *s.f.* (lat. *baca*). **1.** Gota, pingo de suor. **2.** Fruto simples, carnoso, indeiscente, normalmente com várias sementes.

bagaceira *s.f.* **1.** Local em que se acumula o bagaço de uva. **2.** Aguardente feita com o bagaço da uva; cachaça. **3.** Ambiente do engenho. **4.** Conjunto de coisas inúteis; restolho. **5.** *Fig.* Ralé, gentalha.

bagaço *s.m.* **1.** Resíduo sólido de frutos ou de outras substâncias após a extração do suco. **2.** Restos, coisa que se tornou imprestável. **3.** Grupo de desordeiros.

bagageiro *adj.* Que transporta bagagem. ★ *s.m.* **1.** Condutor de bagagens. **2.** Estrutura metálica colocada sobre o teto de um automóvel para o transporte de bagagens. **3.** Vagão coberto incorporado a um trem de passageiros, para transporte de bagagens, remessas etc.

bagagem *s.f.* (fr. *bagage*). **1.** Conjunto de objetos empacotados ou em malas que os viajantes levam consigo. **2.** *Fig.* Conjunto de experiências. **3.** *Fig.* Empecilho, estorvo, peso.

bagana *s.f.* **1.** *Pop.* Ponta de cigarro ou de charuto já fumados; guimba. **2.** Alimento de péssima qualidade.

bagatela *s.f.* (it. *bagattella*). **1.** Coisa sem importância, de pouco valor; ninharia, insignificância. **2.** Ocupação fútil, desprovida de seriedade. **3.** Soma insignificante ou, ironicamente, vultosa.

bago[1] *s.m.* **1.** Fruto do cacho de uva, e fruto ou semente de algumas outras plantas. **2.** *Gír.* Testículo.

bago[2] *s.m.* (lat. *baculum*). Grão de chumbo.

bagre *s.m.* (lat. *bagrus*). Denominação comum a peixes teleósteos, com barbilhões muito desenvolvidos e que não possuem escamas.

bagual *adj.2g.* e *s.m.* **1.** Diz-se de ou potro recém-domado. **2.** Diz-se de ou o cavalo que se tornou selvagem. **3.** Diz-se de ou animal domesticado que voltou ao estado selvagem. ★ *adj. Fig.* Intratável, espantadiço.

baguete *s.f.* (fr. *baguette*). Pão cilíndrico e alongado, de origem francesa.

bagulho *s.m.* **1.** Semente de certos frutos, como a uva e a pêra, contida no bago. **2.** *Gír.* Produto de furto ou roubo. **3.** Objeto sem valor.

bagunça *s.f.* **1.** Confusão, desordem. **2.** Algazarra, tumulto.

baia *s.f.* (quimbundo *baia,* abrev. de *ribaia,* tábua). **1.** Pequeno local cercado, reservado para alojamento individual de cavalos, touros e bezerros. **2.** Compartimento de um pavilhão de criação destinado ao alojamento de um ou vários animais. **3.** Estábulo individual limitado lateralmente, onde as vacas dormem nos regimes de criação de semiconfinamento.

baía *s.f.* **1.** Reentrância costeira, de abertura estreita e interior alargado, que concentra um avanço de mar; pequeno golfo. **2.** Lago em comunicação com um rio.

baiacu *s.m.* (tupi *uambaiaku*). Peixe teleósteo cujo corpo é recoberto por escamas, espinhos ósseos ou placas dérmicas e que infla a barriga para flutuar, fugir de inimigos ou quando fora d'água.

baiano *adj.* Relativo ou pertencente à Bahia, Estado do Nordeste. ★ *s.m.* O natural ou habitante da Bahia.

baião *s.m.* Dança e canto popular nordestino acompanhado de viola, sanfona e outros instrumentos.

baila *s.f.* **1.** Baile, bailado. **2.** *Vir à baila,* ser citado, vir a propósito.

bailado *s.m.* Composição coreográfica feita para ser representada em palco e interpretada por um ou mais dançarinos; balé. ★ *adj.* Relativo à dança.

bailar *v.i.* (lat. *ballare*) [conj. 4]. **1.** Dançar. **2.** *Fig.* Oscilar, tremer. ★ *v.t.* Executar dançando. ★ *v.pr.* Mover-se descrevendo curvas.

bailarina *s.f.* Mulher que, por profissão, se dedica à dança; dançarina.

bailarino *s.m.* Aquele que, por profissão, dança; dançarino.

baile *s.m.* **1.** Reunião festiva em que se dança. **2.** Dança, bailado, baila.

bainha (a-i) *s.f.* (lat. *vagina,* bainha, estojo). **1.** Dobra com costura na extremidade de um pano ou peça do vestuário. **2.** Estojo em que se mete a lâmina de punhal, espada ou outro objeto semelhante. **3.** Tubo que serve para proteger condutos ou fios na travessia de paredes, de assoalhos; envoltório. ● **Bot.** Base da folha que envolve o caule, parcial ou totalmente. ► Camada de mucilagem que envolve os filamentos de algumas algas. **Zool.** *Bainha de mielina,* membrana especializada que envolve os neurônios de vertebrados.

baio *adj.* e *s.m.* (lat. *badius*). Diz-se de ou cavalo de pêlo castanho com crina e extremidades pretas.

baioneta (ê) *s.f.* (fr. *baïonnete*). Espécie de sabre que se adapta ao fuzil.

bairrismo *s.m.* **1.** Defesa dos interesses de um bairro ou de uma região, de maneira obsessiva e em detrimento dos demais. **2.** Apego exclusivo à cidade de origem.

bairrista *adj.2g.* e *s.2g.* **1.** Que ou aquele que habita ou freqüenta um bairro. **2.** Que ou aquele que demonstra bairrismo.

bairro *s.m.* Cada um dos núcleos habitacionais, industriais ou comerciais em que uma cidade é dividida.

baita *adj.2g. Pop.* Grande, desmedido.

baiúca *s.f.* (esp. *bayuca*). Bodega, pequena taberna ou restaurante barato e mal freqüentado.

baixa *s.f.* **1.** Ação de descer; nível inferior, abaixamento. **2.** Diminuição de preço. **3.** Depressão de um terreno. **4.** Lugar onde há pouca altura de água no mar, num rio. **5.** *Fig.* Situação desfavorável, decadência, quebra. ● **Mil.** Perda do integrante de uma força militar, por morte, ferimento etc.

baixada *s.f.* Planície entre montes; terreno baixo ao pé de uma elevação.

baixa-mar *s.f.* Período de refluxo da maré; maré baixa, vazante, jusante.

baixar *v.t.* e *v.i.* (conj. 4). **1.** Pôr mais baixo, abaixar, arriar. **2.** Diminuir, moderar. **3.** Inclinar para o chão. **4.** Fazer descer. **5.** Expedir (ordem, portaria, aviso), determinar, mandar. ● **Inform.** Transferir (dados) para equipamento próprio; fazer *download,* carregar. ★ *v.i.* **1.** Abaixar. **2.** Diminuir em preço, cotação. ★ *v.pr.* **1.** Inclinar-se, curvar-se. **2.** *Fig.* Humilhar-se.

baixeiro *s.m.* Manta grossa que se põe por baixo da sela. ★ *adj.* Que se põe por baixo.

baixela *s.f.* (lat. *vascella*). Conjunto de utensílios utilizados no serviço da mesa.

baixeza (ê) *s.f.* **1.** Qualidade do que é baixo ou do que está embaixo. **2.** Pouca elevação. **3.** *Fig.* Falta de dignidade, covardia, vileza.

baixio *s.m.* Banco de areia ou rochedo que fica submerso nos mares e rios, constituindo perigo para a navegação.

baixista *adj.2g.* e *s.2g.* Que ou quem joga ou manobra para provocar a baixa das cotações na bolsa de valores. ★ *s.2g.* Aquele que toca o instrumento musical classificado como baixo.

baixo *adj.* (lat. tard. *bassus*). **1.** Pouco elevado; menos alto em valor absoluto ou relativo. **2.** De pequeno porte, de pequena estatura. **3.** Abaixado, inclinado para baixo. **4.** Que, geograficamente, está situado ao sul, em altitude inferior ou mais próximo da foz (rio). **5.** Que é inferior em quantidade, em gradação, em nível social ou em valor comercial. **6.** *Fig.* Vil, desprezível, ignóbil, abjeto. ● **Fon.** Diz-se de uma vogal emitida com a língua posicionada na parte inferior da cavidade bucal. ★ *s.m.* A parte inferior. ● **Mús.** A mais grave das vozes masculinas. ► Cantor que possui essa voz. ► O instrumento mais grave de cada família de instrumentos. ► Forma reduzida de *contrabaixo*. ★ *adv.* **1.** Em um lugar pouco elevado. **2.** A pequena altitude. **3.** Em voz baixa. **4.** *Por baixo,* em situação ou condição inferior.

baixo-latim *s.m.* Latim da alta Idade Média, corrompido em relação ao latim clássico.

baixo-relevo *s.m.* Escultura em que as figuras ficam pouco salientes em relação ao plano em que foram moldadas. (V.tb. ALTO-RELEVO.)

BAIXO-RELEVO ► Desde a Antiguidade, os assírios e os egípcios decoraram com baixos-relevos câmaras funerárias, templos, altares e obeliscos. Os gregos utilizaram o baixo-relevo para enfeitar os frisos dos templos. Os romanos os empregaram em seus monumentos (arcos de Tito e de Constantino, coluna de Trajano). Essas culturas costumavam representar episódios da vida de seus governantes ou cenas cotidianas. No século IV, essa arte entrou num período de relativa decadência (sarcófagos cristãos). Na Idade Média obteve um impulso considerável (portas de igrejas, frisos), da mesma forma que no Barroco, representando preferencialmente cenas religiosas.

---

baixote *adj.* e *s.m.* Que ou aquele que tem pouca estatura.

baixo-ventre *s.m.* Parte inferior do ventre, situada abaixo do umbigo.

bajoujo *adj.* **1.** Que se excede em lisonjas. **2.** Perdido de amores. **3.** Palerma.

bajulação *s.f.* Adulação, servilismo, lisonja interesseira.

bajular *v.t.* (lat. *bajulare,* carregar às costas) [conj. 4]. Adular, lisonjear, visando vantagens ou recompensas.

bala[1] *s.f.* (it. *palla*). **1.** Projétil metálico, adaptado à cápsula do cartucho, nas armas de fogo. **2.** O conjunto da bala e da cápsula. **3.** Pequeno doce, de sabores variados, que se deixa dissolver na boca; rebuçado.

bala[2] *s.f.* Fardo com dez resmas, ou seja, 5.000 folhas de papel.

balaço *s.m.* **1.** Bala grande, balázio. **2.** Tiro de bala.

balada *s.f.* (prov. ant. *ballada*). **1.** Poema lírico medieval, inicialmente cantado e depois só declamado. **2.** Poema composto por três estrofes e uma meia estrofe final. **3.** Pequeno poema narrativo, histórico ou lendário. **4.** Peça instrumental de origem romântica. **5.** Canção popular romântica. **6.** *Pop.* Diversão em clube de dança, casa de espetáculo ou festa, em geral noturna; noite.

balaiada *s.f.* Rebelião popular que ocorreu no Maranhão, na fase final do período regencial.

balaio *s.m.* (fr. *balai*). **1.** Cesto de palha, geralmente em forma de alguidar. **2.** Partidário da Balaiada.

balalaica *s.f.* (russo *balaláika*). Instrumento musical de três cordas dedilháveis, de formato triangular e dimensões variadas, característico da música folclórica russa e do Leste europeu em geral.

balança *s.f.* (esp. *balanza*). **1.** Instrumento que determina a massa ou o peso de um corpo. **2.** Equilíbrio em geral. **3.** Emblema da Justiça.

balançar *v.t.* (conj. 13). **1.** Fazer oscilar. **2.** Equilibrar, balancear. **3.** Comparar. ★ *v.i.* e *v.pr.* **1.** Oscilar. **2.** Menear o corpo de um lado para o outro.

balancê *s.m.* (fr. *balancé*). **1.** Passo de dança no qual o peso do corpo é deslocado compassadamente de um pé ao outro. **2.** *Pop.* Pequeno baile. **3.** Balancim.

balanceado *adj.* **1.** Que balança; oscilante. **2.** Que se balanceou. **3.** Diz-se de uma alimentação equilibrada.

balanceamento *s.m.* **1.** Ação de balancear. **2.** Repartição das massas de um sistema em rotação (roda, rotor, máquina etc.) para estabilizar e equilibrar o movimento.

balancear *v.t.* (conj. 15). **1.** Regular, ajustar uma balança ou um aparelho de tal modo que atinjam seu ponto de equilíbrio. **2.** Compor uma ração alimentar de maneira a assegurar que ela contenha todas as substâncias nutritivas. **3.** Balançar.

balancete (ê) *s.m.* **1.** Balanço parcial de uma empresa. **2.** Resumo do balanço anual.

balancim *s.m.* **1.** Máquina de copiador utilizada para a reprodução, por prensagem, de documentos em livros, mediante o emprego de tinta e papel especiais. **2.** Primeira máquina utilizada para a cunhagem de moedas e medalhas. ● **Automóv.** Peça que transmite e inverte o movimento das hastes dos tuchos para a haste das válvulas, nos motores com válvulas no cabeçote. **Nav.** Conjunto de peças de madeira que se prende em certas embarcações e que delas se projeta sobre a água, para aumentar-lhes a estabilidade.

balanço *s.m.* **1.** Ato ou efeito de balançar, resultante de um movimento oscilatório; balouço. **2.** Brinquedo que consiste em um banco suspenso a uma armação por correntes ou cordas, para balançar; balouço. ● **Econ.** Descrição minuciosa do ativo e do passivo de uma empresa.

balangandã *s.m.* (onomat.). **1.** Adorno ou amuleto de metal usado pelas negras baianas em dias de festa. **2.** Enfeite, penduricalho de qualquer formato.

bálano *s.m.* (gr. *balanós,* castanha). Sin. de CRACA.

balão *s.m.* (it. *pallone*). **1.** Aeronave, sem meios próprios de locomoção, que utiliza um gás mais leve que o ar para se elevar e se manter na atmosfera. (Sin. AERÓSTATO.) **2.** Invólucro de papel colorido que se eleva na atmosfera pela ação de uma mecha, solto durante as festas juninas. **3.** Bexiga. **4.** *Fig.* Balela, mentira, notícia exagerada. **5.** *Pop.* Curva fechada para retorno de veículos. ● **Esp.** No futebol, chute alto, sem direção. **Med.** *Balão de oxigênio,* aparelho constituído por uma máscara conectada a um recipiente com oxigênio, usado em pessoas com dificuldades para respirar. **Quím.** Recipiente de vidro, geralmente esférico, usado em laboratório.

balão-de-ensaio *s.m.* **1.** Pequeno balão que se solta antes da ascensão de um balão maior, a fim de observar a direção dos ventos. **2.** *Fig.* Tentativa, ensaio. **3.** Notícia que se solta para sondar a opinião.

balão-sonda *s.m.* Balão livre que conduz aparelhos meteorológicos para observação na alta atmosfera, cujos resultados são transmitidos ao solo por rádio.

balaustrada (a-u) *s.f.* **1.** Série, fileira de balaústres. **2.** Parapeito ou grade de proteção ou apoio, com ou sem balaústres.

balaústre *s.m.* (gr. *balaústion*). **1.** Pequena coluna que, junto com outras, serve de sustentação para um corrimão ou peitoril. **2.** Cada uma das peças torneadas que constituem o espaldar de uma cadeira. **3.** Nos veículos coletivos, coluneta que serve de apoio aos passageiros.

balázio *s.m.* Balaço.

balboa (ô) *s.m.* Unidade monetária do Panamá.

balbuciar *v.t.* e *v.i.* (lat. *balbutiare,* gaguejar) [conj. 16]. **1.** Articular imperfeitamente, com hesitação e dificuldade; gaguejar. **2.** Exprimir(-se) de maneira confusa.

balbúcie *s.f.* Dificuldade para pronunciar palavras, em geral associada a distúrbios psíquicos.

balbucio *s.m.* Ato de balbuciar.

balbúrdia *s.f.* Desordem ou tumulto que reina em meio a uma multidão; vozearia, algazarra.

balcânico *adj.* Relativo ou pertencente aos Bálcãs, península do SE da Europa.

balcão *s.m.* (it. *balcone*). **1.** Varanda cercada por uma balaustrada, situada em pavimento superior, à qual se tem acesso por uma ou mais portas. **2.** Em uma sala de espetáculos, a primeira galeria acima da orquestra. **3.** Espécie de mesa comprida que serve para o atendimento da clientela ou público e, ocasionalmente, para a exposição de mercadorias.

balconista *s.2g.* Empregado que trabalha no balcão.

balda *s.f.* **1.** Mania, falta habitual. **2.** Carta que não serve no jogo.

baldado *adj.* Baldo.

baldaquim ou **baldaquino** *s.m.* (it. *baldacchino*). **1.** Espécie de dossel ou pálio, armação levantada sobre um trono, um catafalco, um leito. **2.** Construção em madeira, mármore ou metal colocada acima e em volta do altar de uma igreja.

baldar *v.t.* (conj. 4). **1.** Malograr, frustrar; tornar inútil. **2.** Empregar com mau efeito. ★ *v.pr.* **1.** Frustrar-se, ser ineficaz. **2.** Descartar, desfazer-se de cartas inúteis (em jogo de baralho).

balde *s.m.* Vaso de metal, madeira ou plástico, geralmente com alça, para tirar água de poços, receber despejos de lavatórios etc.

baldear *v.t.* (conj. 15). **1.** Passar um líquido de um balde ou vaso para outro. **2.** Passar bagagens ou passageiros de um transporte para outro. **3.** Balouçar, sacudir. **4.** Aguar, molhar. ★ *v.pr.* Lançar-se, passar-se para outro lado. ★ *v.i.* Amalucar-se.

baldio *adj.* Diz-se de um terreno inculto, sem proveito. ★ *s.m.* Terreno abandonado.

baldo *adj.* Falto, inútil; baldado.

baldrame *s.m.* **1.** Viga de concreto armado que une os blocos de fundação e serve de apoio às paredes. **2.** Viga de madeira, colocada sobre os alicerces de alvenaria, que serve de apoio ao vigamento do soalho.

balé *s.m.* (fr. *ballet*). **1.** Composição coreográfica interpretada por um ou vários dançarinos. **2.** Grupo que trabalha em espetáculos coreográficos.

balear *v.t.* (conj. 16). Atingir ou ferir com bala.

baleeira *s.f.* **1.** Baleeiro. **2.** Embarcação leve, pontuda nas extremidades.

baleeiro *s.m.* **1.** Navio destinado à pesca dos grandes cetáceos e ao tratamento de suas carnes; baleeira. **2.** Aquele que pesca baleias.

baleia *s.f.* (lat. *ballaena*). Grande cetáceo marinho de pele lisa, desprovido de pêlo, que possui espessa camada de gordura sob a pele, membros posteriores atrofiados e anteriores adaptados para natação, narinas localizadas no topo da cabeça e dentes ou barbatanas que variam conforme a espécie.

baleia-franca

baleiro *s.m.* Vendedor de balas ou rebuçados em caixas ou tabuleiros portáteis.

balela *s.f.* Dito falso ou boato; notícia sem fundamento, mentira.

balido *s.m.* **1.** A voz do carneiro e da ovelha. **2.** *Fig.* Queixa, queixume.

balir *v.i.* (conj. 4). Soltar balidos, falando-se do carneiro e da ovelha.

balística *s.f.* Ramo da física que estuda o movimento de projéteis, principalmente os impulsionados por armas de fogo.

balístico *adj.* Relativo à balística.

baliza *s.f.* **1.** Marca, sinal. **2.** Limite. **3.** Dispositivo destinado a assinalar um perigo ou a delimitar uma estrada, uma via de navegação marítima ou interior ou de circulação aérea. **4.** Marca do termo de uma corrida de cavalos, de uma regata etc. **5.** Em certos esportes, alvo que se deve alcançar com a bola. **6.** Cada uma das peças que compõem o arcabouço do navio. ★ *s.2g.* Pessoa que vai à frente de um grupo manejando um bastão e fazendo acrobacias, em paradas e desfiles.

balizamento *s.m.* **1.** Ato de pôr balizas. **2.** Conjunto de balizas. ● **Eng.** Conjunto de trabalhos preliminares para demarcação de pontos ou linhas de referência para o traçado de uma estrada, canal, túnel etc.

balizar *v.t.* (conj. 4). **1.** Marcar por meio de balizas. **2.** Delimitar, indicar uma rota.

balnear *adj.2g.* (lat. *balnearis*). Relativo a banho.

balneário *adj.* (lat. *balnearius*). Relativo a banho. ★ *s.m.* **1.** Recinto destinado aos banhos. **2.** Estabelecimento de banhos; termas.

balneoterapia *s.f.* Tratamento de doenças pelo emprego metódico de banhos.

balofo (ô) *adj.* **1.** Fofo, de pouca densidade; volumoso. **2.** *Fig.* Aparente, vão, que impressiona e vale pouco. **3.** Gorducho.

balote *s.m.* Fardo de algodão.

balouçar *v.t.* (conj. 13). **1.** Balançar. **2.** Abanar, sacudir. ★ *v.i.* Oscilar. ★ *v.pr.* Agitar-se.

balouço *s.m.* Balanço.

balroa (ô) *s.f.* Instrumento com três ou quatro ganchos reunidos a uma haste única, que serve para abordar uma embarcação.

balsa *s.f.* **1.** Embarcação larga e chata, motorizada ou não, para transportar veículos, passageiros, carga etc. de uma margem a outra. **2.** Jangada de grande porte, geralmente feita com toras ou tábuas, para transporte de carga. **3.** Estrado de madeira provido de amurada tosca, utilizado na travessia de cursos d'água. **4.** Balseiro. **5.** *Balsa salva-vidas,* embarcação pneumática utilizada para salvamento.

balsameiro *s.m.* Nome comum a diversas árvores que produzem bálsamo.

balsâmico *adj.* **1.** Que tem as propriedades do bálsamo. **2.** Diz-se do medicamento aplicado topicamente à pele e às mucosas, por sua ação anti-séptica e trófica, devida à presença de bálsamo. **3.** Diz-se das plantas de que se extrai bálsamo.

bálsamo *s.m.* (gr. *bálsamon*). **1.** Secreção vegetal complexa, odorante, em geral dotada de propriedades sedativas ou expectorantes, produzida por várias espécies vegetais. **2.** Planta que produz o bálsamo. **3.** Resina aromática que é benta pelo bispo na quinta-feira santa e misturada com óleo para formar o santo crisma. **4.** Eflúvio, aroma, perfume. **5.** *Fig.* Alívio, conforto, lenitivo.

balseiro *s.m.* **1.** Dorna ou balsa grande em que são pisadas as uvas; balsa. **2.** Condutor de balsa, na travessia dos cursos d'água.

báltico *adj.* Diz-se dos países limítrofes ao mar Báltico.

baluarte *s.m.* (prov. ant. *baloart*). **1.** Obra de fortificação avançada, em ponta, com face e flanco de defesa; bastião. **2.** *P. ext.* Fortaleza inexpugnável, lugar seguro. **3.** Ponto forte de uma linha de defesa; sustentáculo, bastião.

balzaquiana *adj.* e *s.f.* Diz-se da, ou mulher de 30 anos, ou mais ou menos dessa idade, com alusão ao romance de Balzac *A mulher de trinta anos.*

balzaquiano *adj.* Relativo ou pertencente ao escritor francês Honoré de Balzac (1799-1850) ou à sua obra.

bamba *adj.2g.* e *s.2g.* (quimb. *mbamba,* exímio; mestre). *Fam.* Diz-se de ou autoridade (em determidado assunto). ★ *s.m.* Valentão, arruaceiro.

bambear *v.t.* (conj. 15). **1.** Tornar bambo, afrouxar. **2.** *Fig.* Vacilar, hesitar.

bambo *adj.* **1.** Frouxo, lasso, mole. **2.** Atrapalhado, indeciso.

bambochata *s.f.* (it. *bambocciata*). **1.** Pequeno quadro que representa cenas populares ou burlescas. **2.** *Fig.* Comezaina, patuscada, troça.

bambolê *s.m.* Aro largo de plástico com que brincam as crianças, fazendo-o movimentar-se em torno da cintura.

bambolear *v.i.* e *v.pr.* (conj. 15). Balançar o corpo ou os quadris; gingar, requebrar.

bamboleio *s.m.* Ato ou efeito de bambolear(-se).

bambolim *s.m.* Sanefa que se sobrepõe ao varal dos cortinados.

bambu *s.m.* **1.** Gramínea de colmos verdes, amarelos ou estriados que podem atingir vários metros de altura, utilizada como ornamental ou para o aproveitamento do lenho e dos brotos comestíveis. **2.** Vara de pesca.

bambual *s.m.* Bambuzal.

bambuzal *s.m.* Lugar plantado de bambus; bambual.

banal *adj.2g.* (fr. *banal*). **1.** Sem originalidade. **2.** Comum, trivial, corriqueiro.

banalidade *s.f.* **1.** Caráter do que é banal. **2.** Coisa ou ação banal; trivialidade.

banalizar *v.t.* e *v.pr.* (conj. 4). **1.** Tornar(-se) banal. **2.** Vulgarizar(-se).

banana *s.f.* **1.** Fruto da bananeira, que se agrupa em cachos e cuja polpa é comestível crua ou cozida e utilizada na produção de doces. **2.** Gesto obsceno. **3.** Carga de explosivos utilizada em perfurações e remoção de pedras. ★ *s.2g.* Pessoa sem energia; palerma.

bananada *s.f.* Doce feito com a polpa da banana.

banana-da-terra *s.f.* Variedade de bananeira de frutos de polpa dura, consumidos cozidos, assados ou fritos. (Sin. BANANA-PACOVA.)

bananal *s.m.* Plantação de bananeiras.

banana-maçã *s.f.* Variedade de bananeira de frutos pequenos, doces, com polpa macia e perfumada.

banana-nanica *s.f.* Variedade de bananeira originária da China, de frutos grandes de polpa doce, cultivada no mundo todo.

banana-ouro *s.f.* Variedade de bananeira que produz frutos pequenos, de casca fina.

banana-pacova *s.f.* Sin. de BANANA-DA-TERRA.

banana-prata *s.f.* Variedade de bananeira de frutos médios, quase retos.

bananeira *s.f.* **1.** Planta que produz frutos comestíveis, originária do Sudeste asiático, de folhas verdes e grandes, cujo tronco é um pseudocaule. **2.** Fazer, plantar bananeira, equilibrar-se esticando os pés para cima, com apoio nas mãos.

bananeiro *adj.* Relativo à produção, ao comércio de bananas. ★ *s.m.* Negociante ou cultivador de bananas.

bananicultor (ô) *s.m.* Cultivador de bananeiras.

bananicultura *s.f.* Cultura de bananeiras.

banca *s.f.* (it. *banca*). **1.** Local onde se vendem jornais, revistas, fascículos e, atualmente, até livros. **2.** Local onde se vende e compra peixe ou, em feiras, qualquer produto. **3.** Mesa para escrever; secretária, carteira. **4.** Mesa de trabalho; bancada. **5.** Escritório de advocacia. **6.** Em certos jogos, a quantia posta sobre a mesa pelo banqueiro para arriscar no jogo. **7.** Comissão examinadora de provas escolares e concursos.

bancada *s.f.* **1.** Conjunto de bancos dispostos em determinada ordem. **2.** Conjunto de parlamentares de um partido ou de um Estado no Legislativo. **3.** Espécie de mesa de trabalho ampla e reforçada, muitas vezes incluindo prateleiras e gavetas, utilizada em oficinas de carpinteiros, serralheiros etc.

bancar *v.i.* (conj. 12). Ser o responsável pela banca de jogo; fazer jogo, aceitar a parada. ★ *v.t.* **1.** Tomar ares de, fingir. **2.** Passar por. **3.** Financiar. ★ *v.pr.* Montar, assentar-se, sentar-se.

bancário *adj.* Relativo a banco. ★ *s.m.* Empregado de banco ou casa bancária.

bancarrota (ô) *s.f.* (it. *bancarotta*). **1.** Cessação de pagamento por parte de um comerciante ou de uma casa comercial. **2.** Falência de negociantes; quebra. **3.** Declaração expressa ou implícita de insolvência.

banco *s.m.* (do germ.). **1.** Assento estreito e comprido de madeira, ferro, pedra ou outros materiais, com ou sem encosto; cepo, tamborete. **2.** Empresa, privada ou estatal, cuja atividade básica consiste em receber, emprestar e salvaguardar dinheiro ou valores. **3.** Edifício onde se efetuam as operações bancárias. **4.** Ramo de atividade econômica constituída por empresas bancárias. **5.** Acumulação de areia ou de seixos, mais ou menos móvel, que se forma no leito de rios ou mares, próximo à costa; baixio, escolho. **6.** Camada ou leito de pedra numa pedreira. **7.** *Banco de dados,* coleção ordenada de informações para consulta rápida e direta, armazenada digitalmente. ● **Med.** Estabelecimento de coleta, conservação e distribuição de tecidos, órgãos ou produtos de origem humana (sangue, esperma etc.).

banda[1] *s.f.* (fr. ant. *bande*). **1.** Lado, parte lateral. **2.** Lugar, origem. **3.** Faixa ou fita larga que serve para ligar, segurar alguma coisa. **4.** Cinta dos oficiais de exército. ● **Arquit.** Moldura chata e comprida. ► Saliência de pequena espessura. **Eletroac.** Pista. **Inform.** Capacidade de transmissão de dados de um fio, fibra óptica ou outro canal. ► *Largura de banda*, quantidade de *bytes* que atravessa uma conexão de rede por unidade de tempo.

banda[2] *s.f.* **1.** Conjunto de músicos que executam instrumentos de sopro e percussão, especializado sobretudo em músicas militares. **2.** Conjunto de música popular. **3.** Grupo, facção.

bandagem *s.f.* **1.** Atadura que se aplica sobre um ferimento. **2.** Trabalho com bandas ou faixas.

bandalheira *s.f.* Atitude de bandalho; safadeza.

bandalho *s.m.* Pessoa desprezível, sem brio nem dignidade.

bandear *v.t.* (conj. 15) **1.** Inclinar para o lado, para a banda. **2.** Juntar em bando. **3.** Estar indeciso entre duas bandas, facções. ★ *v.pr.* **1.** Juntar-se em bando. **2.** Passar para o lado oposto, mudando de opinião.

bandeira[1] *s.f.* **1.** Pedaço de pano de uma ou mais cores, preso na parte superior de uma haste, que serve de distintivo de uma nação, corporação ou partido, ou para fazer sinais; estandarte, pavilhão. **2.** Partido, facção. **3.** Idéia que motiva um movimento, partido, teoria etc.; causa. **4.** Peça do taxímetro que aciona a bandeirada. ● **Constr.** Painel, envidraçado ou não, na parte superior de uma porta ou janela, fixo ou basculante, pelo qual passa luz ou ar. **Ind. Gráf.** Retângulo de papel, fixado em original ou prova, que contém acréscimo ao texto; papagaio.

bandeira[2] *s.f.* Expedição armada, de iniciativa particular, destinada a explorar os sertões e apresar índios ou descobrir minas. (Cf. ENTRADA.)

bandeirada *s.f.* **1.** Taxa inicial marcada pelo taxímetro dos carros de praça. **2.** Sinalização no final de uma corrida automobilística.

bandeirante *s.2g.* **1.** Participante de uma bandeira; bandeirista. **2.** Menina ou moça que pratica o bandeirantismo.

bandeirantismo *s.m.* **1.** Bandeirismo. **2.** Sistema educativo extra-escolar criado pela inglesa Agnes Baden-Powell (1858-1945), aplicado a crianças e jovens do sexo feminino e análogo ao escotismo.

bandeira-paulista *s.f.* Peixe originário da Índia, prateado, com cinco estrias azuis longitudinais, muito apreciado pelos aquariofilistas. (Sin. PEIXE-ZEBRA.)

bandeirinha *s.m.* Auxiliar do árbitro numa partida de futebol; juiz de linha.

bandeirismo *s.m.* Conjunto de fatos referentes às expedições denominadas bandeiras; bandeirantismo.

bandeirista *s.2g.* Bandeirante.

bandeirola *s.f.* **1.** Pequena bandeira, presa a um fio ou na extremidade de uma haste e usada em ornamentação, sinalização, balizamento etc. **2.** Faixa de pano ou pergaminho, comprida, com inscrições.

bandeja (ê) *s.f.* **1.** Tabuleiro de madeira ou metal, para serviço de mesa. **2.** Peça com esse formato, usada como suporte de cabos. **3.** No basquete, jogada em que o atacante arremessa a bola à cesta num salto que dá dois passos dentro do garrafão.

bandejão *s.m.* Refeição servida em bandeja, em escolas, indústrias etc.

bandido *adj.* e *s.m.* (it. *bandito*). **1.** Indivíduo que vive de assaltos a mão armada. **2.** Salteador, malfeitor, criminoso.

banditismo *s.m.* (fr. *banditisme*). **1.** Condição, vida de bandido; bandidismo. **2.** Costumes de bandido. **3.** Criminalidade. ● **Sociol.** *Banditismo social,* ação criminosa de contestação à ordem social.

bando *s.m.* **1.** Grande número de pessoas ou animais. **2.** Facção, partido. **3.** Quadrilha de malfeitores.

bandó *s.m.* (fr. *bandeau*). Penteado feminino em que o cabelo se divide em duas partes iguais, ao longo da cabeça.

bandô *s.m.* Banda ornamental de madeira ou tecido aplicada sobre portas ou janelas para ocultar o trilho das cortinas.

bandoleira *s.f.* (esp. *bandolera*). Faixa de couro usada sobre o peito para prender armas.

bandoleiro *s.m.* (esp. *bandolero*). **1.** Bandido; salteador de estradas. **2.** *Fig.* Homem inconstante com mulheres; volúvel. ★ *adj.* **1.** Errante, andejo. **2.** Ocioso, vadio.

bandolim *s.m.* (it. *mandolino*). Instrumento musical de quatro cordas duplas que se toca com palheta.

bandulho *s.m.* Pandulho.

bandurra *s.f.* Espécie de guitarra de braço curto, cordas de tripa e bordões.

bangalô *s.m.* (hindi *bangla*). **1.** Habitação indiana, térrea, rodeada de varandas. **2.** Pequena casa de campo ou praia.

bangüê *s.m.* (quimb. *mbanguê*). **1.** Padiola que era utilizada para carregar cadáveres de escravos. **2.** Padiola usada para levar material de construção. **3.** Padiola em que nos engenhos se conduz o bagaço verde da moenda para a bagaceira.

bangue-bangue *s.m.* Filme que versa sobre a conquista do Oeste americano e a vida aventureira dos desbravadores.

banguela *adj.2g.* e *s.2g.* (do quimb.). Que ou aquele que perdeu um ou vários dentes da frente.

banha *s.f.* **1.** Gordura de animais, especialmente do porco. **2.** Pomada aromatizada para o cabelo.

banhado *s.m.* Terreno baixo alagadiço, que pode, periodicamente, ficar seco; pântano. ★ *adj.* **1.** Diz-se de um objeto que tem somente a superfície em metal precioso. **2.** *Fig.* Impregnado.

banhar *v.t.* (lat. *balneare*) [conj. 4]. **1.** Dar banho em; lavar. **2.** Passar por. **3.** Umedecer, molhar. **4.** Introduzir em água ou outro líquido. ★ *v.pr.* Tomar banho.

banheira *s.f.* Recipiente grande, côncavo, para banho de imersão.

banheiro *s.m.* **1.** Aposento com instalações sanitárias para a higiene pessoal; quarto de banho. **2.** *Pop.* Privada, latrina. **3.** *Lus.* Salva-vidas.

banhista *s.2g.* **1.** Pessoa que se banha. **2.** Nas praias, o salva-vidas.

banho[1] *s.m.* (lat. *balneum*). **1.** Imersão de um corpo em água ou em outro líquido; ablução. **2.** O líquido em que a pessoa se banha. **3.** Lugar em que se toma banho. **4.** Exposição do corpo a raios solares, luminosos etc. **5.** Solução de material corante para tingimento (de roupas, p. ex.). **6.** *Pop.* Derrota expressiva infligida ao adversário. ● **Metal.** Metal fundido em que se mergulha uma peça para dar-lhe recobrimento.

banho[2] *s.m.* (do germ.). Proclamas de casamento (mais usado no pl.).

banho-maria *s.m.* Processo para aquecer ou cozinhar um alimento numa vasilha que fica mergulhada em água fervente.

banido *adj.* **1.** Expatriado por sentença. **2.** Expulso, proscrito.

banir *v.t.* (fr. *bannir*, anunciar) [conj. 79]. **1.** Expulsar da pátria, desterrar, expatriar. **2.** Excluir, proscrever, eliminar.

banjo *s.m.* (ingl. amer. *banjo*). Instrumento musical de quatro cordas duplas, com braço longo e estreito, cuja caixa de ressonância é um pequeno tambor.

banqueiro *s.m.* **1.** Pessoa que dirige um banco. **2.** Proprietário de casa bancária. **3.** O que tem banca para jogo do bicho. **4.** Pessoa que, no jogo, tira as cartas e põe o dinheiro para pagar aos parceiros. **5.** *Fig.* Homem muito rico.

banqueta (ê) *s.f.* **1.** Pequeno banco sem encosto. **2.** Escavação pequena aberta ao lado de uma grande.

banquete (ê) *s.m.* (it. *banchetto*). **1.** Refeição solene e aparatosa. **2.** Festim.

banquetear *v.t.* (conj. 15). Dar banquete. ★ *v.pr.* **1.** Tomar parte em banquete. **2.** Tratar-se à grande, gastar muito em comida.

banto *s.m.* **1.** Indivíduo dos bantos, conjunto de povos negros do sul da África. **2.** Conjunto de línguas bastante semelhantes entre si, faladas por esses povos. ★ *adj.* Pertencente ou relativo aos bantos ou ao banto.

banzar *v.t.* (conj. 4). **1.** Espantar, surpreender. **2.** Meditar. ★ *v.i.* **1.** Vaguear. **2.** Cismar.

banzé *s.m.* *Pop.* **1.** Barulho, desordem; banzeiro. **2.** Festa popular.

banzeiro *adj.* **1.** Diz-se do mar levemente agitado. **2.** Diz-se do jogo em que sorte e azar se alternam, sem grandes resultados para os jogadores. **3.** Nostálgico, triste. ★ *s.m.* **1.** Vento rijo. **2.** Banzé.

banzo *s.m.* (de or. africana). Nostalgia mortal dos negros da África, quando cativos ou ausentes do seu país. ★ *adj.* Triste, pensativo.

baobá *s.m.* (de or. africana, atrav. do fr. *baobab*). Árvore de grande porte, cujo tronco pode ter mais de 20 metros de circunferência; é um dos maiores vegetais existentes no mundo.

baque *s.m.* (onomat.). **1.** Estrondo de um corpo que cai. **2.** Queda, choque. **3.** Desastre ou ruína súbita. **4.** Momento, instante.

baquear *v.i.* (conj. 15). **1.** Cair de chofre, com baque. **2.** *Fig.* Falir. ★ *v.pr.* Prostrar-se.

baquelita ou **baquelite** *s.f.* (de *L. B. Baekeland*, n.pr.). Resina sintética largamente comercializada, obtida por condensação de um fenol com aldeído fórmico.

bar[1] *s.m.* (ingl. *bar*). **1.** Balcão diante do qual as pessoas consomem bebidas, quase sempre de pé ou sentadas em bancos altos. **2.** Estabelecimento com tal balcão; botequim. **3.** Móvel onde se guardam bebidas.

bar[2] *s.m.* (gr. *baros*). Unidade de medida de pressão (símb. bar), que equivale a 100.000 Pa.

baraço *s.m.* (ár. *maraç*, corda). **1.** Corda fina feita de fios torcidos; cordel. **2.** Corda ou laço para enforcar os condenados. **3.** *Fig.* Pessoa prepotente, despótica.

barafunda *s.f.* **1.** Grupo desordenado de pessoas ou coisas. **2.** Confusão, desordem.

barafustar *v.i.* (conj. 4). Debater-se, agitar-se desordenadamente. ★ *v.t.* Meter-se com violência.

baralhada *s.f.* Barafunda, confusão.

baralhar *v.t.* (conj. 4). **1.** Misturar (as cartas do baralho). **2.** Confundir, desordenar. ★ *v.pr.* Confundir-se.

baralho *s.m.* Conjunto de cartas de jogar distribuídas em naipes.

barão *s.m.* (do germ.). **1.** Título de nobreza situado abaixo de visconde e acima de cavaleiro. **2.** Pessoa poderosa pela posição ou riqueza. **3.** *Ant.* Homem, varão.

barata *s.f.* (lat. *blatta*). Inseto da ordem dos ortópteros, onívoro, noturno, que pode ser agente de contaminação de alimentos.

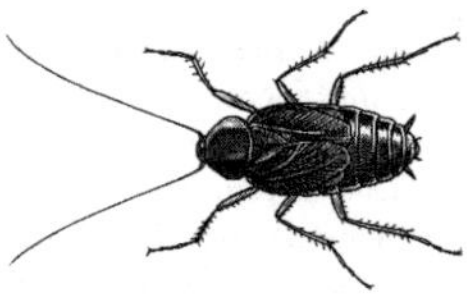

barata-d'água *s.f.* Inseto hemíptero, aquático, de picada venenosa, que ocorre em países quentes.

baratariа *s.f.* **1.** Ato de quem dá tendo em vista a retribuição. **2.** Negócio especulativo. ● **Dir.** Prejuízo voluntário causado aos armadores, aos carregadores e aos seguradores de um navio pelo capitão ou por um membro da tripulação.

barateamento *s.m.* Ato ou efeito de baratear(-se); barateio.

baratear *v.t.* (conj. 15). **1.** Baixar o preço. **2.** Discutir o preço, regatear. **3.** Conceder sem dificuldade. ★ *v.pr.* Darse pouco valor.

barateio *s.m.* Barateamento.

barateiro *adj.* Que vende barato. ★ *s.m.* O que cobra o barato nas casas de jogo.

barateza (ê) *s.f.* **1.** O que é barato. **2.** Exigüidade de preços.

baratinha *s.f.* **1.** Pequena barata doméstica, que atinge 1,5 centímetros de comprimento. **2.** Sin. de TATUZINHO.

barato *adj.* **1.** Que custa um preço módico ou baixo; acessível. **2.** Banal, ordinário, sem valor. ★ *s.m.* **1.** Porcentagem que o banqueiro de um jogo paga ao dono do estabelecimento. **2.** *Gír.* Coisa muito bonita ou boa. **3.** *Gír.* Estímulo causado por drogas. ★ *adv.* Por preço módico.

barba *s.f.* (lat. *barba*). **1.** Conjunto dos pêlos que crescem na região inferior do rosto do homem a partir da puberdade. **2.** Qualquer agrupamento de fios ou pêlos. **3.** Arestas filiformes na superfície da madeira serrada, do metal fundido ou nas bordas do papel aparado.

barba-azul *s.m.* Mulherengo.

barbaças *s.m.2n.* Aquele que tem barbas grandes e bastas. ★ *s.f.pl.* Barbas compridas e densas.

barbada *s.f.* **1.** Lábio inferior do cavalo. **2.** *Pop.* Páreo ou jogo que se julga fácil de ganhar.

barbadiano *adj.* Relativo a Barbados, país da América Central, nas Antilhas. ★ *s.m.* O natural ou habitante de Barbados.

barbadinho *s.m.* Frade franciscano que usa barba comprida.

barbado *adj.* Que tem barba. ★ *s.m.* Homem adulto.

barbante *s.m.* (de *Brabante,* top.). Cordel delgado, geralmente de algodão.

barbaria *s.f.* **1.** Barbárie. **2.** Multidão de bárbaros.

barbaridade *s.f.* **1.** Ação de bárbaro, crueldade, maldade. **2.** Interjeição que exprime espanto.

barbárie *s.f.* (lat. *barbaries*). **1.** Condição de bárbaro, falta de civilização. **2.** Crueldade, ferocidade.

barbarismo *s.m.* (gr. *barbarismós,* linguagem ininteligível). **1.** Estado de bárbaro. **2.** Ato praticado por bárbaros. ● **Gram.** Emprego de palavras ou construções estrangeiras num contexto vernáculo; essas palavras. (Sin. ESTRANGEIRISMO.)

BARBARISMO ▸ Trata-se da escritura ou dicção imprópria ou errônea de uma palavra. Classificam-se nos seguintes casos: erros de ortografia (*honrra*); formações errôneas (*algeriano*); estrangeirismos e cópias literais de outras línguas (*delivery*); uso de vozes antiquadas no discurso moderno (*assaz peregrino*).

barbarizar *v.t.* (conj. 4). **1.** Fazer ou tornar bárbaro; embrutecer. **2.** Mesclar barbarismos em. ★ *v.i.* Cometer barbarismos.

bárbaro *adj.* (gr. *bárbaros,* estrangeiro). **1.** Que não tem leis nem civilização; grosseiro. **2.** Contrário às regras ou ao uso; incorreto. **3.** Cruel, selvagem. **4.** *Pop.* Formidável, admirável. ★ *s.m.* Indivíduo dos bárbaros, nome dado pelos romanos aos povos que não participavam da civilização greco-romana, como os anglos, saxões, vândalos, godos e outros.

barbatana *s.f.* **1.** Lâmina córnea presente na maxila superior de alguns cetáceos, responsável pela filtração do alimento. **2.** Termo impróprio usado para designar a nadadeira dos peixes.

barbatimão *s.m.* Árvore pequena, própria para obras externas e marcenaria, de cuja casca se extrai uma tinta vermelha.

barbeador (ô) *s.m.* Aparelho para barbear.

barbear *v.t.* (conj. 15). Fazer ou podar as barbas a. ★ *v.pr.* Fazer a própria barba.

barbearia *s.f.* **1.** Loja de barbeiro. **2.** Profissão de barbeiro.

barbeiragem *s.f.* **1.** Ação de conduzir inabilmente um veículo. **2.** *P. ext.* Incompetência em qualquer coisa.

barbeiro[1] *s.m.* **1.** O que exerce ofício de fazer a barba e cortar ou aparar os cabelos. **2.** Mau condutor de veículos, especialmente automóveis. **3.** *P. ext.* Indivíduo inábil em sua profissão.

barbeiro[2] *s.m.* Inseto hemíptero, hematófago, transmissor da doença de Chagas. (Sin. PERCEVEJÃO, GAUDÉRIO.)

barbela *s.f.* **1.** Prega de pele pendente sob o manto do boi e de outros animais. **2.** Corrente que passa por baixo da barbada do cavalo e se prende ao freio. **3.** Barbicacho.

barbicacho *s.m.* **1.** Cabeçada de corda para cavalos; cabresto. **2.** *Fig.* Obstáculo, dificuldade, empecilho. **3.** Cordão entrançado que segura o chapéu à cabeça, passando por baixo do queixo; barbela.

barbicha *s.f.* Barba pequena e rala que cobre o queixo.

barbilhão *s.m.* **1.** Filamento olfativo ou gustativo de cada lado da boca, em certos peixes e algumas aves. **2.** Excrescência na mucosa, de cada lado da língua, no boi e no cavalo.

barbilho *s.m.* **1.** Focinheira. **2.** *Fig.* Empecilho, freio.

barbitúrico *s.m.* Nome comum a diversos medicamentos hipnóticos.

barbudo *adj.* e *s.m.* Que ou aquele que tem muita barba.

barca *s.f.* (lat. *barca*). **1.** Embarcação larga e pouco profunda utilizada na pesca e no transporte de carga e passageiros. **2.** Cantiga de barqueiros.

barcaça *s.f.* **1.** Embarcação própria para carga e descarga de mercadorias ou transporte de passageiros de navios que não podem atracar no cais. **2.** Grande barca. **3.** Embarcação costeira com velas semelhantes às das jangadas.

barcagem *s.f.* **1.** Contrato pelo qual alguém se obriga a transportar, por água, pessoas, animais ou mercadorias. **2.** O frete pago pelo transporte em barca. **3.** Carga de uma barca.

barcarola *s.f.* (it. *barcarola*). **1.** Canção dos gondoleiros venezianos. ● **Mús.** Peça vocal ou instrumental, em andamento moderado, evocativa do balanço de um barco. ▸ Cantiga medieval portuguesa inspirada em assunto marítimo.

barco *s.m.* **1.** Nome genérico dado a qualquer embarcação de pequeno porte, sem coberta. **2.** *P. ext.* Qualquer embarcação.

barda *s.f.* **1.** Armadura peitoral do cavalo de guerra (séc. XIII ao XVI). **2.** Sebe, bardo. **3.** Montão, camada. **4.** Pranchão que se estende no cimo de um muro ou de uma casa rústica, para proteção contra intempéries.

bardana *s.f.* (lat. tard. *bardana,* alter. de *dardana*). Erva originária da Europa, de flores púrpura e raiz de propriedades diuréticas, que, depois de cozida, é consumida como legume.

bardo[1] *s.m.* (de or. celta, atrav. do lat. *bardus*). **1.** Poeta e cantor do povo celta. **2.** *P. ext.* Qualquer poeta.

bardo[2] *s.m.* Cerca de silvado; barda.

bardoto (ô) *s.m.* **1.** Híbrido do cavalo e da jumenta. **2.** Pequena mula que, na cabeça da tropa de burros, transporta as provisões do tropeiro.

barganha *s.f.* **1.** *Pop.* Troca, permuta. **2.** Transação cavilosa, trapaça.

barganhar *v.t.* (it. *bargagnare*) [conj. 4]. *Pop.* Permutar, trocar, negociar.

baricentro *s.m.* Ponto de intersecção das medianas de um polígono ou poliedro regular. ● **Fís.** Ponto onde atuam as forças em um corpo; centro de gravidade.

bário *s.m.* (gr. *barys,* pesado). Elemento químico alcalinoterroso (símb. Ba), de número atômico 56, que constitui um metal branco, muito eletropositivo.

bárion *s.m.* Nome genérico das partículas elementares pesadas da classe dos núcleons e híperons.

barisfera *s.f.* *Desus.* O núcleo central do globo terrestre.

barita *s.f.* (gr. *barytes,* peso). Óxido ou hidróxido de bário.

barítono *s.m.* (gr. *barytonos*). **Mús.** Voz masculina entre o tenor e o baixo. ▸ Cantor que possui essa voz.

barlavento *s.m.* **1.** Direção de onde sopra o vento. **2.** Bordo do navio voltado para essa direção. (Antôn. SOTAVENTO.)

barn *s.m.* (ingl. *barn,* celeiro). Unidade de medida de superfície (símb. b), empregada em física de partículas.

barnabé *s.2g.* *Pop.* Funcionário público de baixa categoria.

barologia *s.f.* Parte da física que estuda o peso.

barômetro *s.m.* Instrumento utilizado para medir a pressão atmosférica.

BARÔMETRO DE MERCÚRIO

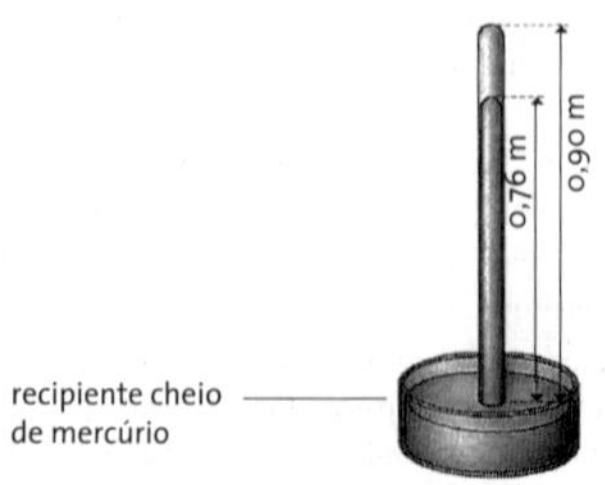

baronato *s.m.* Título ou dignidade de um barão; baronia.

baronesa (ê) *s.f.* **1.** Mulher que tem o título de barão. **2.** Esposa de um barão.

baronia *s.f.* **1.** Terra de um barão. **2.** Baronato.

barquinha *s.f.* **1.** Pequena barca; barqueta. **2.** Cesto pendurado ao balão, onde viajam os tripulantes.

barra *s.f.* **1.** Peça alongada e estreita, rígida e reta, de metal, madeira ou outro material. **2.** Lingote de forma alongada. **3.** Dobra de tecido que guarnece as peças de vestuário, junto à orla; bainha. **4.** Faixa ou arremate em peças de crochê, tricô etc. **5.** Pintura de cor diferente na parte inferior de uma parede. **6.** Gradil que tradicionalmente separa, no recinto de um tribunal, os magistrados do público. **7.** Traço oblíquo usado para separar números, versos ou abreviaturas. ● **Esp.** *Barra fixa,* aparelho de ginástica formado por uma peça roliça de ferro ou madeira fixada horizontalmente sobre dois esteios. **Geogr.** Banco de areia que se forma na foz de um rio, onde a corrente fluvial se encontra com o mar. ▸ Foz, boca de rio. ▸ Entrada estreita de uma baía ou porto. **Inform.** *Código de barras,* código constituído por pequenos traços verticais reproduzidos em documento ou embalagem para leitura óptica.

barraca *s.f.* **1.** Tenda, de materiais leves, geralmente tábuas e lona, facilmente removível, usada como abrigo temporário ou no comércio ambulante. **2.** Casa modesta e mal construída; cabana, choupana. **3.** *Fam.* Grande guarda-sol de praia.

barracão *s.m.* **1.** Barraca grande. **2.** Telheiro ou abrigo provisório para a guarda de materiais ou mercadorias. **3.** Toldo de lona. **4.** Estabelecimento comercial em lugares pouco habitados.

barraco *s.m.* Pequena habitação de madeira, coberta de palha, telha ou zinco, onde vivem favelados.

barracuda *s.f.* Peixe teleósteo, marinho, carnívoro e agressivo, que atinge 3 metros de comprimento e ocorre nas águas quentes do Atlântico. (Sin. BICUDA-DE-CORSO.)

barrado *adj.* **1.** Que tem barra. **2.** Fechado à circulação.

barragem *s.f.* **1.** Ação de barrar. **2.** Estrutura para obstruir transversalmente um curso d'água, geralmente construída em vales; represa. **3.** Barreira em caminho, rua etc.

barranca *s.f.* Barranco.

barranco *s.m.* (lat. *barrancus*). **1.** Ribanceira de rio; barranca. **2.** Encosta íngreme não coberta de vegetação; escarpa. **3.** Despenhadeiro, precipício.

barranqueira *s.f.* Extenso desbarrancado; ribanceira, riba.

barranqueiro *adj.* Diz-se daquele que mora nos barrancos ou barrancas. ★ *s.m.* Habitante ribeirinho do rio São Francisco.

barrar[1] *v.t.* (conj. 4). **1.** Fechar (uma passagem) por meio de obstáculo, barreira etc. **2.** Obstar, impedir. **3.** Atravessar com barra de metal ou de outra substância. **4.** Enganar, ludibriar. **5.** Excluir, afastar.

barrar[2] *v.t.* (conj. 4). **1.** Encher, cobrir ou revestir de barro; barrear. **2.** *Fig.* Recobrir alguma coisa com uma substância pastosa.

barreado *adj.* Coberto de barro. ★ *s.m.* Prato paranaense constituído de carne cozida longamente em panela vedada com barro.

barrear *v.t.* (conj. 15). **1.** Revestir com barro. **2.** Vedar com barro.

barregão *s.m.* Homem amancebado.

barreira *s.f.* **1.** Reunião de peças de madeira ou metal para fechar uma passagem. **2.** Escarpa sem vegetação que margeia um rio ou estrada até certa extensão. **3.** Deslizamento de terra sobre o leito de uma rodovia ou ferrovia. **4.** *Fig.* Obstáculo maior, grande dificuldade. **5.** Posto fiscal nas divisas dos Estados, destinado ao controle da circulação de veículos, mercadorias etc. ● **Aeron.** *Barreira do som,* conjunto de fenômenos aerodinâmicos que se produzem quando um corpo se desloca com velocidade próxima à velocidade do som no ar. **Esp.** No atletismo, obstáculo disposto a intervalos regulares numa pista, que os corredores têm de saltar. ► No futebol, grupo de jogadores colocados em linha, na cobrança de um tiro livre, encobrindo o gol. ► No vôlei e no pólo aquático, defesa para impedir que a bola ultrapasse a rede.

barreiro[1] *s.m.* **1.** Lugar onde existe barro ou de onde se retira o barro. **2.** Lugar onde o barro é amassado para revestir casas de taipa.

barreiro[2] *s.m.* Sin. de JOÃO-DE-BARRO.

barrela *s.f.* Dissolução alcalina que serve para branquear a roupa e que é produzida fazendo-se passar água quente por uma camada de cinzas de madeira ou de soda; água de barrela. (Sin. LIXÍVIA.)

barrento *adj.* Que tem muito barro; barroso.

barrete (ê) *s.m.* (it. *baretta*). **1.** Cobertura de tecido flexível que se ajusta à cabeça, terminada ou não em ponta que pende para trás ou para o lado; gorro. **2.** Chapéu quadrangular vermelho dos cardeais.

barrica *s.f.* (fr. *barrique*). **1.** Tonel ou pipa de madeira de 200 a 250 litros, para transportar ou guardar mercadorias, sobretudo líquidos. **2.** *P. ext.* Seu conteúdo. **3.** Recipiente com parede cilíndrica formada por folhas superpostas de papel colado ou madeira laminada.

barricada *s.f.* (fr. *barricade*). **1.** Trincheira feita com barricas cheias de materiais diversos para interditar o acesso de uma rua ou de uma passagem. **2.** Qualquer espécie de entrincheiramento (veículos, estacas, arame farpado), sobretudo por ocasião de motins populares.

barrido *s.m.* (lat. *barritus*). Som emitido pelo elefante e pelo rinoceronte. (Var. BARRITO.)

barriga *s.f.* **1.** Cavidade abdominal onde se encontram o estômago e os intestinos; ventre, pança. **2.** Saliência, protuberância. **3.** *Barriga da perna,* parte mais volumosa da face posterior da perna, constituída pela saliência dos músculos gêmeos ou gastrocnêmios.

barrigada *s.f.* **1.** Barriga cheia; pançada. **2.** Pancada com a barriga. **3.** *Pop.* Prenhez. **4.** Vísceras de reses abatidas.

barriga-d'água *s.f.* Esquistossomose.

barriga-verde *s.2g.* *Pop.* Alcunha dada ao natural do Estado de Santa Catarina.

barrigudinho *s.m.* Peixe teleósteo cuja fêmea apresenta barriga volumosa e cuja nadadeira anal do macho serve de órgão sexual fixador durante a fecundação. (Sin. GUARU.)

barrigudo *adj.* Que tem barriga grande.

barrigueira *s.f.* **1.** Peça de arreio que passa por baixo da barriga do cavalo; chincha. **2.** Couro da barriga do animal. **3.** Carne da barriga da rês. **4.** *Pop.* Barriga da mulher grávida.

barril *s.m.* **1.** Pequeno tonel. **2.** O que ele contém. **3.** Recipiente de madeira, plástico ou metal, com o formato genérico de um cilindro abaulado. ● **Metrol.** Medida americana de capacidade equivalente a 158,98 litros (símb. bbl).

barrir *v.i.* (lat. *barrire*) [conj. 6]. Emitir barridos.

barrista *adj.2g.* e *s.2g.* Ginasta que se exercita nas barras fixas.

barrito *s.m.* Var. de BARRIDO.

barro *s.m.* **1.** Terra vermelha, amarela ou branca, composta principalmente de alumina e sílica, que é utilizada na fabricação de telhas, tijolos, vasos, potes etc. **2.** Argila, greda. **3.** Lama. **4.** *Fig.* Coisa insignificante, de pouco valor. ● **Constr.** Mistura de argila e água, utilizada no assentamento de tijolos de alvenaria em obras de pouca responsabilidade, geralmente provisórias.

barroca *s.f.* **1.** Grande escavação ocasionada por erosão. **2.** Despenhadeiro. **3.** Amontoamento de barro. **4.** *Lus.* Passagem entre penedos.

barroco (ô) *s.m.* Estilo artístico e literário nascido na Itália, estreitamente vinculado à Contra-Reforma, que se espalhou em grande parte da Europa e América Latina nos séculos XVII e XVIII. ★ *adj.* **1.** Relativo ou pertencente ao barroco. **2.** Ornamentado em demasia, rebuscado.

exemplo de arte barroca (detalhe do retábulo do Museu Regional de Querétaro, no México)

BARROCO ► O Barroco é um estilo de arte européia e latino-americana que se estendeu aproximadamente de 1600 a 1750. Desenvolveu-se em países onde a maioria da população era católica, como Itália, Espanha, México, Peru e Brasil. O Barroco se caracteriza pela profusão de enfeites e intensa expressão das emoções, que se manifestaram na pintura, na escultura, na arquitetura, na música e na literatura.

barroso (ô) *adj.* Da natureza do barro.

barrote *s.m.* Viga de madeira de seção reduzida utilizada na sustentação de soalhos e tetos.

bartolinite *s.f.* Inflamação das glândulas de Bartholin.

barulhada *s.f.* Barulheira, zoeira.

barulheira *s.f.* Grande barulho, barulhada, algazarra.

barulhento *adj.* **1.** Que faz muito barulho; ruidoso, rumoroso. **2.** Agitado, turbulento.

barulho *s.m.* **1.** Ruído, rumor. **2.** Tumulto, desordem. **3.** Revolta, motim.

basáltico *adj.* Formado de basalto.

basalto *s.m.* Rocha vulcânica, geralmente negra ou parda, composta essencialmente de plagioclásio cálcico, piroxênio e olivina. (Sin. pop. PEDRA-FERRO.)

basbaque *adj.2g.* e *s.2g.* Que ou aquele que fica pasmado diante de tudo; palerma, tolo.

basco *adj.* (lat. *vasco*). Relativo ou pertencente ao País Basco, no norte da Espanha e sul da França. ★ *s.m.* **1.** Indivíduo dos bascos, povo ibérico das vertentes orientais dos Pireneus. **2.** Língua do País Basco, não indo-européia. (Sin. VASCO, VASCONÇO.)

báscula *s.f.* (fr. *bascule*). Balança decimal para fardos pesados.

basculante *adj.2g.* Que funciona com movimento de básculo. ★ *s.m.* Caminhão equipado com uma caçamba basculante, muito utilizado em canteiros de obras.

básculo *s.m.* **1.** Ponte levadiça. **2.** Peça de ferro chato que gira sobre uma cavilha para abrir ou fechar, alternadamente, dois ferrolhos de uma porta.

base *s.f.* (gr. *básis,* marcha). **1.** Suporte sobre o qual repousa um objeto; pedestal, apoio. **2.** Parte inferior de um corpo, que o sustenta. **3.** Camada que recobre uma superfície e sobre a qual se aplica uma outra para fins de acabamento. **4.** Fundamento, princípio, origem. **5.** Preparo intelectual, conhecimentos necessários. **6.** Conjunto dos militantes de uma instituição, por oposição aos dirigentes. **7.** Ingrediente principal de uma mistura. **8.** Zona da reunião e trânsito dos meios necessários ao desenvolvimento das operações militares. **9.** Elemento de referência que serve para comparações ou cálculos. ● **Eletrôn.** Eletrodo intermediário de um transistor, utilizado como eletrodo de comando. **Esp.** No beisebol, cada uma das três almofadas colocadas no campo, pelas quais deve passar o jogador que rebate a bola. **Geom.** Lado de um polígono ou face de um sólido geométrico. **Mat.** Lado ou face de uma figura geométrica que serve como apoio. ▸ Número que é elevado a uma potência. ▸ Em um logaritmo, número escrito como índice e que, elevado ao resultado desse logaritmo, é igual ao número submetido à operação logarítmica. **Quím.** Substância que, combinada com um ácido, é capaz de neutralizá-lo.

baseado *adj.* **1.** Que assenta numa base, fundamentado. **2.** Experiente, experimentado. **3.** Sagaz, astucioso. ★ *s.m. Pop.* Cigarro de maconha.

basear *v.t.* (conj. 15). **1.** Servir de base a; fundamentar. **2.** Firmar, apoiar. ★ *v.pr.* Fundar-se em.

básico *adj.* e *s.m.* **1.** Que ou o que serve de base; fundamental. **2.** Principal, essencial. ★ *adj.* ● **Quím.** Diz-se da substância, ou do meio, que apresenta as características de uma base. (Sin. ALCALINO.) ▸ Diz-se do meio cujo pH é superior a 7. ▸ Diz-se dos óxidos que produzem bases em solução.

basídio *s.m.* Estrutura característica de um basidiomiceto.

basidiomicetos *s.m.pl.* Classe de fungos superiores cuja reprodução sexual resulta na formação de basídios, e que se caracteriza pela presença de hifas.

basilar *adj.2g.* **1.** Que pertence à base. **2.** Que nasce ou está situado na base. **3.** Fundamental, básico.

basílica[1] *s.f.* (lat. *basilica*). Igreja católica que tem alguns privilégios sobre as outras, com exceção das catedrais; igreja principal.

basílica[2] *adj.* (lat. *basilica vena*). *Veia basílica,* veia superficial da face interna do braço.

basilicão *s.m.* (gr. *basilikón*). Ungüento de cera, azeite, pez e resina.

basilisco *s.m.* (lat. *basiliscus*). **1.** Réptil fantástico capaz de destruir só com o olhar ou com o bafo. **2.** Antigo canhão que atirava balas de ferro.

basquete *s.m.* (ingl. *basketball*). Esporte em que duas equipes de cinco jogadores se empenham em marcar o maior número possível de pontos fazendo a bola entrar numa cesta, tocando-a com as mãos. (Sin. BASQUETEBOL, BOLA-AO-CESTO.)

BASQUETE ▸ No basquete, os jogadores não podem segurar a bola por mais de três segundos sem quicá-la no solo ou fazer um passe. O esporte surgiu no final do séc. XIX nos EUA e é modalidade olímpica.

basquetebol *s.m.* Sin. de BASQUETE.

basta *interj.* Empregada como repúdio a situações que não devem perdurar. ★ *s.m.* Interrupção, ponto-final.

bastante *adj.2g.* **1.** Que basta. **2.** Suficiente, satisfatório. ★ *adv.* **1.** Suficientemente. **2.** Muito.

bastão *s.m.* **1.** Pedaço fino de madeira, redondo e alongado, que serve de apoio ou de arma. **2.** Bordão, bengala, cajado. **3.** Marca, insígnia de certas dignidades. ● **Esp.** Tubo que cada corredor de revezamento deve passar para o outro da equipe.

bastar *v.i.* e *v.t.* (conj. 4). Ser suficiente; chegar, dar. ★ *v.pr.* Ser auto-suficiente.

bastardia *s.f.* **1.** Estado de bastardo. **2.** Descendência bastarda. **3.** *Fig.* Degeneração.

bastardo *adj.* e *s.m.* **1.** Diz-se de ou pessoa que nasceu de pais não legitimamente casados. **2.** Diz-se de ou animal que não é de raça pura.

bastião *s.m.* (it. *bastione*). Baluarte.

bastida *s.f.* **1.** Trincheira de paus muito unidos e fincados; cerca, paliçada. **2.** Multidão de pessoas ou objetos bem unidos.

bastidor (ô) *s.m.* **1.** Aparelho composto de dois aros de madeira que se encaixam, onde se coloca, esticado, o tecido para bordar. **2.** Cada uma das armações de madeira forradas de pano colocadas nas laterais do palco para estabelecer o âmbito do espaço cênico. **3.** Móvel que serve de suporte para equipamentos elétricos ou eletrônicos. ★ *s.m.pl.* **1.** Os corredores que ficam ao redor da cena, no palco do teatro. **2.** *Fig.* Intrigas, enredos e tramas íntimas, particulares ou que não vêm a público.

bastilha *s.f.* (fr. *bastille*). **1.** *Ant.* Fortaleza; castelo fortificado. **2.** *Fig.* Prisão, cadeia.

basto *adj.* **1.** Espesso, denso, grosso. **2.** Abundante, copioso, numeroso.

bastonada *s.f.* Golpe, pancada com bastão.

bastonete (ê) *s.m.* **1.** Pequeno bastão; varinha. **2.** Prolongamento em forma de bastonete, característico de certas células visuais da retina.

bata *s.f.* **1.** Vestimenta feminina, larga, abotoada na frente de cima a baixo. **2.** Blusa larga e solta. **3.** Espécie de roupão usado por dentistas, médicos etc., durante o exercício de suas funções.

batalha *s.f.* (lat. *battualia,* esgrima). **1.** Combate entre exércitos. **2.** Qualquer combate; peleja, luta. **3.** Discussão, polêmica.

batalhador (ô) *adj.* e *s.m.* **1.** Que ou o que batalha. **2.** *Fig.* Defensor audaz de uma idéia, princípio etc. **3.** Polemista.

batalhão *s.m.* (it. *battaglione*). **1.** Parte de um regimento, subdividida em companhias. **2.** *Fam.* Grande número de pessoas.

batalhar *v.i.* (conj. 4). **1.** Entrar em batalha; combater, lutar. **2.** *Fig.* Argumentar, discutir, polemizar.

batata *s.f.* (esp. *patata*). **1.** Planta rasteira, originária dos Andes, de tubérculos de forma e tamanho variados, ricos em fécula. **2.** O tubérculo dessa planta. (Sin. BATATA-INGLESA.) **3.** Qualquer tubérculo ou bulbo sólido que lembre a batata. **4.** *Fam.* Nariz muito grosso e muito chato. **5.** Batatada.

BATATA ► A batata foi introduzida na Europa a partir de 1534, ou seja, após o descobrimento da América. Multiplica-se vegetativamente pela plantação de tubérculos, não tolera o gelo e prolifera nos solos leves, que facilitam sua coleta.

---

batata-baroa *s.f.* Sin. de MANDIOQUINHA.

batatada *s.f.* **1.** Grande quantidade de batatas. **2.** Erro grosseiro; tolice, batata.

batata-da-terra *s.f.* Sin. de BATATA-DOCE.

batata-doce *s.f.* **1.** Erva rasteira, originária da América do Sul, de raízes tuberosas, utilizadas na alimentação humana. **2.** O tubérculo dessa planta. (Sin. BATATA-DA-TERRA.)

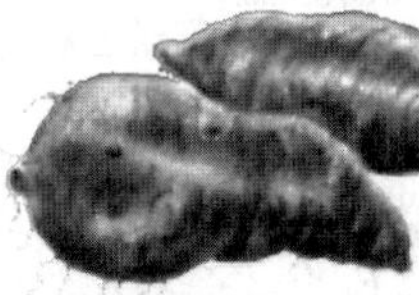

---

batata-inglesa *s.f.* Sin. de BATATA.

batatal *s.m.* Terreno de plantio de batatas.

batavo *adj.* Relativo ou pertencente à Batávia, antigo nome da Holanda. ★ *s.m.* **1.** Indivíduo natural ou habitante da Holanda; holandês. **2.** Indivíduo dos batavos, antigos habitantes dos Países Baixos.

batear *v.t.* (conj. 15). Lavar na bateia.

bate-boca *s.m.* **1.** Discussão, altercação. **2.** Vozearia de pessoas discutindo.

bate-bola *s.m.* **1.** Troca rápida de passes executada por jogadores de futebol antes de uma partida, para aquecimento. **2.** Pelada.

batedeira *s.f.* **1.** Aparelho que bate o leite para produzir manteiga. **2.** Aparelho para bater ovos, massas de bolo etc.

batedor (ô) *adj.* e *s.m.* Que ou o que bate. ★ *s.m.* **1.** Policial que abre caminho para a passagem de autoridade ou visitante ilustre. **2.** Cunhador de moeda. **3.** Instrumento para debulhar milho. **4.** *Fig.* Precursor.

batedouro *s.m.* Pedra inclinada em que as lavadeiras batem a roupa.

bateeiro *s.m.* Trabalhador que manuseia a bateia nas lavras de ouro e diamante.

bate-estacas *s.m.2n.* Aparelho para cravar estacas no chão, por percussão.

bátega *s.f.* Aguaceiro forte; toró.

bateia *s.f.* Gamela de madeira para lavagem manual das areias auríferas ou do cascalho diamantífero.

batel *s.m.* (fr. ant. *batel*). Barco pequeno; canoa.

batelada *s.f.* **1.** Carregamento de um batel. **2.** *Fig.* Grande quantidade.

batelão *s.m.* Barca grande para carregar artilharia e carga pesada.

bateleiro *s.m.* O que dirige batel; dono de batel.

batente *s.m.* **1.** Ombreira em que bate a porta ou a janela quando se fecha. **2.** Folha que se fecha primeiro, em portas ou janelas de duas folhas. **3.** Aldrava. **4.** *Fig.* Trabalho de onde se tira o sustento.

bate-papo *s.m.* **1.** Conversa despreocupada; prosa. ● **Inform.** Página de um *site* que exibe, em tempo real, as mensagens enviadas pelos usuários, possibilitando uma interação semelhante à conversa. (Sin. CHAT.)

bate-pé *s.m.* Sapateado, dança rústica.

bater *v.t.* (lat. *battuere*) [conj. 5]. **1.** Dar pancadas ou golpes sucessivos em. **2.** Dar pancadas para lavar. **3.** Cunhar moeda. **4.** Apertar tecla de máquina com o dedo. **5.** Fechar, empurrando ou puxando com violência. **6.** Vencer, triunfar. **7.** Furtar. **8.** Usar todo dia. ★ *v.i.* **1.** Dar pancada(s). **2.** Soar ou dar horas. **3.** Palpitar, pulsar. ● **Esp.** Em algumas lutas, reconhecer a própria derrota, dando três batidas sobre o tatame. ★ *v.pr.* **1.** Combater, lutar. **2.** Sustentar discussões.

bateria *s.f.* (fr. *batterie*). **1.** Conjunto dos utensílios de cozinha. **2.** Conjunto dos instrumentos de percussão ou dos músicos que os tocam. **3.** Obra fortificada com peças de artilharia. ● **Eletrotéc.** Conjunto de dispositivos de um mesmo tipo, tais como acumuladores, pilhas ou condensadores, interligados de modo a constituir uma unidade funcional. **Mil.** Parte de um corpo de artilharia.

VOCÊ SABIA...? As **baterias** de artilharia adotam diferentes denominações conforme a especialidade de seus materiais. Assim, existem *baterias antiaéreas* (de canhões automáticos ou mísseis, caso em que freqüentemente se utilizam dois lançadores), *de lança-foguetes, autopropulsadas, de montanha* e *de costa.* O grosso da artilharia, entretanto, é constituído pelas *baterias de artilharia de campanha.*

---

baticum *s.m.* **1.** Barulho de palmas e sapateados, como nos batuques. **2.** *Fig.* Pulsação forte do coração e das artérias.

batida *s.f.* **1.** Ato ou efeito de bater. **2.** Choque de um corpo contra outro. **3.** Movimento alternado, pulsação. **4.** Ação de bater o mato para forçar a caça a levantar-se. **5.** Diligência policial realizada em lugares suspeitos. **6.** Trilha estreita no mato. **7.** Choque entre dois ou mais veículos. **8.** Marcação de tempo musical feita com a mão ou o metrônomo. **9.** Bebida preparada com cachaça, açúcar e suco de fruta ou outro ingrediente que lhe define o sabor.

batido *adj.* **1.** Endurecido por pressão repetida; pisado. **2.** Gasto pelo uso, muito usado. **3.** Trombado. **4.** Vencido.

batimento *s.m.* **1.** Ação de bater. **2.** Embate. ● **Fisiol.** Pulsação rítmica, regular ou não, de um órgão ou de um vaso, devido à passagem do fluxo sanguíneo no momento da sístole.

batina *s.f.* (lat. *abbatina,* veste). **1.** Veste talar de eclesiásticos ou estudantes. **2.** Estado eclesiástico.

batiscafo *s.m.* Veículo autônomo de submersão a grande profundidade, habitável, cuja flutuabilidade é controlada pela manutenção de um líquido menos pesado que a água e por um lastro ejetável.

batismal *adj.2g.* **1.** Relativo ao batismo, conferido pelo batismo. **2.** Que atesta o batismo.

batismo *s.m.* (gr. *baptismós,* ablução). **1.** O primeiro dos sete sacramentos da maioria das Igrejas cristãs, que consiste em lançar água sobre a cabeça do neófito, com sentido de purificação. **2.** Admissão solene no grêmio de uma religião ou seita; iniciação. **3.** Ação ou cerimônia de pôr nome ou apelido em. **4.** *Pop.* Adulteração de uma bebida pela adição de água. **5.** *Nome de batismo,* prenome que se recebe no momento do batismo.

batista *adj.2g.* e *s.2g.* (gr. *baptistes*). **1.** Que ou aquele que batiza. **2.** Diz-se de ou membro de igreja protestante que prega o batismo só para adultos. **3.** Pertencente ou relativo a essa igreja.

batistério *s.m.* (gr. *baptísterion*). Recinto na igreja onde se acha a pia batismal.

batizado *s.m.* Cerimônia religiosa com que se celebra o batismo. ★ *adj.* Que recebeu o batismo.

batizando *s.m.* Aquele que vai receber o batismo.

batizar *v.t.* (conj. 4) **1.** Administrar o batismo. **2.** Dar um nome de batismo. **3.** *Pop.* Adicionar água.

batom *s.m.* Cosmético em forma de bastão, de diversas cores, para pintar os lábios.

batoque *s.m.* **1.** Orifício redondo em uma das aduelas de barrica ou tonel, para a saída do líquido. **2.** Rolha grossa que tapa esse orifício; tampão. **3.** *Fig.* Pessoa de baixa estatura; baixote. **4.** Botoque.

batota *s.f.* **1.** *Pop.* Trapaça ou logro no jogo. **2.** Jogo de azar. **3.** Casa de jogo.

batoteiro *adj.* e *s.m.* **1.** Que ou aquele que faz trapaça no jogo. **2.** Que ou quem freqüenta casas de jogo de azar.

batráquio *s.m.* e *adj.* (gr. *batracheios*). Sin. de **ANURO.**

batráquios *s.m.pl.* (gr. *batrachos,* rã). Sin. de **ANUROS.**

batucada *s.f.* **1.** Ritmo de batuque. **2.** Batuque. **3.** Canto ou dança acompanhada de batuque.

batucador (ô) *adj.* e *s.m.* **1.** Que ou quem batuca. **2.** Mau tocador de piano.

batucar *v.i.* (conj. 12). **1.** Dançar o batuque. **2.** Marcar um ritmo batendo com as mãos. **3.** Tocar instrumento de percussão. **4.** Tocar piano sem habilidade. **5.** Bater, martelar.

batuíra *s.f.* (or. tupi). Sin. de **MAÇARICO.**

batuque *s.m.* **1.** Ato ou efeito de batucar. **2.** Dança de origem africana acompanhada de instrumentos de percussão; batucada. **3.** Ato de martelar.

batuta *s.f.* (it. *battuta*). Bastão utilizado pelos regentes de orquestra para marcar os compassos e andamentos. ★ *adj.2g.* Entendido, notável, exímio, sagaz.

baú *s.m.* (fr. ant. *bahur*). Caixa de forma retangular, com a tampa convexa, geralmente revestida de couro.

baunilha *s.f.* **1.** Trepadeira ornamental, originária do México e da América Central, cujo fruto é utilizado como aromatizante. **2.** A essência preparada com esse fruto.

bauxita *s.f.* (fr. *bauxite*). Rocha sedimentar formada sobretudo de alumina hidratada misturada com uma proporção variável de óxidos de ferro; é o principal minério do alumínio.

bávaro *adj.* **1.** Relativo ou pertencente à Baviera, na Alemanha. ★ *s.m.* Indivíduo natural ou habitante da Baviera.

bazar *s.m.* (persa *bazar*). **1.** Loja onde se vende toda sorte de objetos, principalmente quinquilharias e brinquedos. **2.** Mercado público e coberto no Oriente e norte da África.

bazófia *s.f.* (it. *bazoffia,* fábula). **1.** Impostura, fanfarrice, prosápia. **2.** Guisado feito de restos de comida.

bazofiar *v.t.* (conj. 16). **1.** Ostentar ares de grandeza, de jactância. **2.** Mostrar bazófia; gabar-se, vangloriar-se.

bazuca *s.f.* (ingl. *bazooka*). Arma portátil antitanque constituída por um tubo aberto em ambas as extremidades que lança um projétil autopropulsado.

BCG *s.m.* (abrev. de Bacilo de Calmette e Guérin). Vacina utilizada contra a tuberculose.

Be símbolo químico do berílio.

bê-á-bá *s.m.* **1.** Exercício de soletração. **2.** Abecedário. **3.** *P. ext.* Primeiras lições de qualquer coisa.

beata[1] *s.f.* **1.** Mulher beatificada. **2.** Mulher demasiadamente voltada para as práticas religiosas. **3.** Mulher que finge grande devoção.

beata[2] *s.f.* *Pop.* Ponta de cigarro.

beatice *s.f.* Qualidade ou ação própria de beato.

beatificação *s.f.* Ato ou efeito de beatificar. ● **Relig.** Cerimônia na qual o papa declara que uma pessoa já falecida mereceu, por suas virtudes, entrar no rol dos bem-aventurados, recomendando-a assim ao culto dos fiéis.

beatificado *adj.* Que recebeu beatificação.

beatificar *v.t.* (lat. *beatificare*) [conj. 12]. Tornar ou declarar bem-aventurado. ★ *v.pr.* Tornar-se bem-aventurado, feliz.

beatífico *adj.* (lat. *beatificus*). **1.** Relativo a beato. **2.** Que torna feliz.

beatitude *s.f.* (lat. *beatitudo*). **1.** Felicidade eterna gozada no céu pelos santos. **2.** Felicidade serena, sem inquietações. **3.** Tratamento honorífico que às vezes se dá ao papa.

beato *adj.* (lat. *beatus*). **1.** Bem-aventurado, ditoso, feliz. **2.** Beatificado. **3.** Que tem grande devoção. ★ *s.m.* **1.** O que foi beatificado. **2.** O que tem grande devoção religiosa; fanático.

bêbado *adj.* e *s.m.* (lat. *bibitus*). **1.** Embriagado, ébrio, bêbedo. **2.** Alcoólatra.

bebê ou **bebé** *s.m.* (fr. *bébé*). **1.** Criança pequenina; nenê. **2.** *Bebê de proveta,* criança oriunda de um ovo obtido pela fecundação, em proveta, do óvulo pelo espermatozóide.

bebedeira *s.f. Pop.* Embriaguez, porre.

bêbedo *adj.* e *s.m.* Bêbado.

bebedor (ô) *adj.* e *s.m.* **1.** Que ou aquele que bebe. **2.** Que ou aquele que abusa de bebidas alcoólicas.

bebedouro *s.m.* **1.** Lugar onde se bebe água. **2.** Aparelho com água encanada, de onde esguicha, mediante o acionamento de um pedal ou de uma espécie de maçaneta, pequeno jato, ao qual se chega a boca para beber. **3.** Pequena gamela ou tanque onde bebem os animais.

beber *v.t.* (lat. *bibere*) [conj. 5]. **1.** Tornar, ingerir líquido. **2.** Absorver, impregnar-se. ★ *v.i.* **1.** Tomar um líquido, em especial bebida alcoólica. **2.** Embriagar-se.

beberagem *s.f.* **1.** Bebida desagradável. **2.** Preparado líquido caseiro de uso medicinal.

bebericar *v.t.* (conj. 12). *Fam.* Beber em pequenos goles, degustando. ★ *v.i.* Beber pouco e com freqüência.

beberrão *adj.* Que bebe muito. ★ *s.m.* Pessoa dada à embriaguez; ébrio.

bebida *s.f.* **1.** Todo líquido que se bebe. **2.** Bebida alcoólica.

beca *s.f.* **1.** Túnica talar usada pelos magistrados judiciais, pelos catedráticos e pelos que vão receber título universitário; toga. **2.** *P. ext.* Magistratura.

beco (ê) *s.m.* Rua estreita e curta, às vezes sem saída, e pouco própria para o trânsito; viela.

becquerel *s.m.* (de *Becquerel,* n.pr.). Unidade de medida SI de radioatividade (símb. Bq).

bedel *s.m.* (ant. fr. *bedel*). Funcionário encarregado de manter a disciplina nas escolas; inspetor.

bedelho (ê) *s.m.* **1.** Pequena tranca de ferro que se coloca em sentido horizontal entre o batente e a ombreira e que, pelo movimento de levantar ou abaixar, ou de ir e vir, abre ou fecha a porta. **2.** Criança, fedelho.

beduíno *adj.* e *s.m.* (ár. *baduii*). **1.** Diz-se de ou indivíduo das populações nômades e seminômades de língua árabe da África do Norte e do Oriente Médio. **2.** Diz-se de ou indivíduo selvagem, intratável.

bege *adj.2g.* (fr. *beige*). De cor amarela, ligeiramente acastanhada, como a lã natural. ★ *s.m.* Essa cor.

begônia *s.f.* (de *M. Bégon,* n.pr.). Nome comum a várias espécies de plantas cultivadas como ornamentais.

beiço *s.m. Pop.* Lábio.

beiçola *s.f.* Lábio inferior grosso e saliente. ★ *s.2g.* Beiçudo.

beiçudo *adj.* e *s.m.* Que ou aquele que tem lábios grossos e salientes; beiçola.

beija-flor *s.m.* Denominação comum às aves de hábitos noturnos, bico pequeno e fraco, pernas muito curtas e asas pontudas. Alimentam-se sobretudo durante o vôo, que é muito veloz. (Sin. COLIBRI.)

beija-mão *s.m.* Gesto de polidez que consiste em beijar a mão de alguém.

beija-pé *s.m.* Cerimônia em que o papa, o bispo ou o sacerdote beijam os pés de doze pobres, na quinta-feira santa, imitando o ato de Jesus Cristo na véspera de sua morte.

beijar *v.t.* (lat. *basiare*) [conj. 4]. **1.** Encostar, pousar os lábios em; oscular. **2.** *Fig.* Tocar de leve, roçar. ★ *v.pr.* Trocar beijos.

beijo[1] *s.m.* (lat. *basium*). Ato ou efeito de beijar; ósculo.

beijo[2] *s.m.* Planta ornamental, originária da Ásia, cujos frutos rebentam quando maduros. (Sin. CIÚMES, MARIA-SEM-VERGONHA.)

beijoca *s.f. Fam.* Beijo em que os lábios fazem estalido; boquinha, bicota.

beijoqueiro *adj.* e *s.m.* Que ou aquele que gosta de beijar.

beiju *s.m.* (tupi *mbe'yu*). Bolo feito de massa de tapioca ou de mandioca muito fina. (Var. BIJU.)

beira *s.f.* **1.** Borda, margem, orla. **2.** Proximidade, vizinhança. **3.** Beiral.

beirada *s.f.* Beira, beiral.

beiral *s.m.* Parte do telhado que se projeta além do prumo das paredes externas; beirada.

beira-mar *s.f.* **1.** Litoral, borda do mar, praia. **2.** Cantiga popular.

beirão *adj.* Relativo ou pertencente à província da Beira, em Portugal; beirense. ★ *s.m.* Indivíduo natural ou habitante da Beira; beirense.

beirar *v.t.* (conj. 4). **1.** Estar ou caminhar à beira de; abeirar-se. **2.** Estar próximo de.

beirense *adj.* e *s.2g.* Beirão.

beisebol *s.m.* (ingl. *baseball*). Esporte em que, após rebater a bola com o taco, o jogador tenta completar o maior número de voltas no campo, passando por três pontos, ou bases, do campo.

BEISEBOL ▸ Bastante difundido nos EUA e no Japão, o beisebol é disputado entre duas equipes de nove jogadores cada uma e é modalidade olímpica.

beladona *s.f.* (it. *bella donna*). Planta originária da Europa e da Ásia, ornamental, utilizada no preparo de diversos medicamentos.

belas-artes *s.f.pl.* Termo que designa a arquitetura, as artes plásticas e gráficas (escultura, pintura, desenho, gravura), às vezes extensivo também à música e à dança.

belas-letras *s.f.pl.* Nome dado à gramática, à poesia e à literatura em geral.

belchior *s.m.* (de *Belchior*, n.pr.). **1.** Negociante de objetos velhos e usados; adeleiro. **2.** Estabelecimento onde se vendem e compram objetos velhos e usados. **3.** Ferro-velho.

beldade *s.f.* **1.** Beleza, formosura, graça. **2.** Mulher muito bonita.

beleguim *s.m.* **1.** *Ant.* Empregado inferior de Justiça que citava, prendia etc. **2.** *Pej.* Agente policial ou judicial; tira.

belemita *adj.* Relativo ou pertencente a Belém, na Jordânia. ★ *s.2g.* Indivíduo natural ou habitante de Belém.

belenense *adj.* Relativo ou pertencente à cidade de Belém, no Pará. ★ *s.2g.* Indivíduo natural ou habitante de Belém.

beleza (ê) *s.f.* **1.** Qualidade do que é belo, conforme um ideal estético. **2.** Harmonia, perfeição de formas. **3.** Mulher bela, sedutora.

belga *adj.2g.* Relativo ou pertencente à Bélgica. ★ *s.2g.* Indivíduo natural ou habitante da Bélgica.

beliche *s.m.* **1.** Móvel constituído de duas ou mais camas superpostas. **2.** Compartimento nos camarotes dos navios no qual são embutidas as camas dos passageiros.

bélico *adj.* (lat. *bellicus*). Que diz respeito à guerra; próprio da guerra.

belicoso (ô) *adj.* (lat. *bellicosus*). **1.** Que gosta da guerra e a procura. **2.** Pronto, aparelhado para a guerra. **3.** Que incita à guerra. **4.** Guerreiro, marcial.

beligerante *adj.2g.* e *s.2g.* Que ou aquele que faz guerra ou está em guerra.

beliscão *s.m.* Ação de beliscar.

beliscar *v.t.* (lat. *vellicare*) [conj. 12]. **1.** Apertar a pele com as unhas ou com a ponta dos dedos. **2.** Comer uma porção mínima. **3.** Lambiscar. ★ *v.i.* Comer pouco, lambiscar.

belizenho (ê) *adj.* Relativo ou pertencente a Belize, país da América Central. ★ *s.m.* O natural ou habitante de Belize.

belo *adj.* (lat. *bellus*). **1.** Que tem forma ou aparência agradável, perfeita, harmoniosa. **2.** Agradável aos sentidos. **3.** Lindo, formoso. **4.** Grandioso, imponente. **5.** Considerável pela quantidade. ★ *s.m.* O que faz despertar sentimentos de admiração, de prazer.

belo-horizontino *adj.* Relativo ou pertencente à cidade de Belo Horizonte (*MG*). ★ *s.m.* O natural ou habitante de Belo Horizonte.

belonave *s.f.* Navio de guerra.

bel-prazer *s.m.* Vontade própria, arbítrio, talante.

beltrano *s.m.* Pessoa indeterminada, mencionada depois de outra, designada por fulano.

belvedere (dê) ou **belveder** *s.m.* (it. *belvedere*). Pequeno mirante.

belzebu *s.m.* (hebr. *ba'al zebub*). Príncipe dos demônios, segundo o Novo Testamento.

bem *s.m.* (lat. *bene*). **1.** O que é moralmente bom. **2.** Benefício ou favor. **3.** O que é útil, vantajoso, proveitoso. **4.** Virtude. **5.** Felicidade, ventura. ● **Dir.** Todo ente suscetível de avaliação econômica, corpórea ou incorpórea (direito), móvel ou imóvel. ★ *s.m.pl.* Propriedade, domínio, possessão. ★ *adv.* **1.** De maneira boa, correta, conveniente. **2.** Satisfatória ou suficientemente. **3.** Muito. **4.** Com saúde, boa disposição. **5.** *Bem como*, assim como. ► *Bem que, se bem que*, embora.

bem-acabado *adj.* Diz-se de objeto executado com perfeição técnica.

bem-aceito *adj.* e *s.m.* Bem-visto.

bem-afortunado *adj.* e *s.m.* Que ou aquele que é feliz, próspero.

bem-amado *adj.* e *s.m.* Que ou quem é alvo de afeição; querido.

bem-apessoado *adj.* De boa aparência; apessoado.

bem-aventurado *adj.* **1.** Muito venturoso, muito feliz. **2.** Que traz ventura, que favorece. ★ *adj.* e *s.m.* **Teol.** Diz-se de ou pessoa morta que, no Céu, goza a beatitude eterna; beatificado, santo.

bem-aventurança *s.f.* **1.** Na teologia cristã, felicidade e glória eternas, no Céu. **2.** Felicidade completa.

bem-comportado *adj.* Que se comporta bem, comportado.

bem-educado *adj.* Educado, cortês, delicado.

bem-estar *s.m.* **1.** Boa disposição física. **2.** Conforto, tranqüilidade.

bem-falante *adj.2g.* Que fala com fluência; que fala com certa afetação.

bem-feito *adj.* Esmerado, caprichado, de proporções perfeitas.

bem-humorado *adj.* De bom humor, alegre.

bem-me-quer *s.m.* Sin. de MALMEQUER.

bem-nascido *adj.* Que pertence a família ilustre; nobre, bem-nado.

bemol *s.m.* (it. *bemolle*). Acidente que indica o abaixamento de um semitom na altura de uma nota musical. ► Sinal (*b*) que o representa.

bem-querer[1] *s.m.* **1.** Bem-amado. **2.** Benquerença.

bem-querer[2] *v.t.* (conj. 38). Querer bem, gostar muito.

bem-te-vi *s.m.* (onomat.). Ave passeriforme, de bico grande e recurvado, dorso bege, abdome amarelado, garganta branca e mancha branca no centro da cabeça, que ocorre em todo o Brasil; siririca.

bem-vindo *adj.* Recebido cordialmente, bem acolhido à chegada.

bem-visto *adj.* Benquisto, estimado, insuspeito.

bênção *s.f.* (lat. *benedictio*). **1.** Ação de benzer, de consagrar. **2.** Ato sacerdotal que chama sobre uma pessoa a benevolência de Deus. **3.** Graça concedida por Deus, acontecimento feliz. **4.** Sentimentos e expressões de gratidão.

bênçãos *s.f.pl.* **1.** Graça, favor particular (quando emanado de Deus). **2.** Sentimentos de gratidão.

bendito[1] *adj.* (lat. *benedictus*). Abençoado, louvado.

bendito[2] *s.m.* Sin. de LOUVA-A-DEUS.

bendizer *v.t.* (conj. 29). Dizer bem de; louvar, glorificar.

beneditino *s.m.* **1.** Religioso da Ordem de São Bento. **2.** Sábio muito laborioso. ★ *adj.* Relativo ou pertencente a essa ordem.

beneficência *s.f.* (lat. *beneficentia*). **1.** Inclinação à prática do bem. **2.** Ação de fazer bem a alguém.

beneficente *adj.2g.* Que beneficia, que faz bem; caridoso.

beneficiado *adj.* e *s.m.* Que se beneficiou. ★ *adj.* Que ou aquele que recebeu benefício.

beneficiamento *s.m.* **1.** Beneficiação. **2.** Tratamento dado a produtos agrícolas para que sejam consumidos.

beneficiar *v.t.* (conj. 16). **1.** Fazer benefício a; favorecer. **2.** Melhorar, consertar. **3.** Tirar vantagem de algo, desfrutar. **4.** Tornar (um produto agrícola) próprio para o consumo. **5.** Apurar por processos técnicos. ★ *v.pr.* Conferir benefícios a si mesmo.

beneficiário *adj.* (lat. *beneficiarius*). **1.** Relativo a benefício. **2.** Diz-se de quem recebe ou usufrui um benefício. ★ *s.m.* **1.** Herdeiro a quem se concedeu benefício de inventário. **2.** Aquele que recebeu ou usufrui uma vantagem, um favor; beneficiado, favorecido. **3.** Indivíduo que, como segurado ou como dependente, tem direito à prestação de benefícios e serviços.

benefício *s.m.* (lat. *beneficium*). **1.** Serviço gratuito, favor, mercê. **2.** Ganho, proveito. **3.** Melhoria, aperfeiçoamento, benfeitoria. **4.** Vantagem concedida por lei. **5.** Lucro obtido em um negócio. **6.** Cargo eclesiástico ligado à fruição de um bem.

benéfico *adj.* (lat. *beneficus*). **1.** Favorável, útil. **2.** Que faz bem aos outros; beneficente.

benemerência *s.f.* Qualidade de benemérito.

benemérito *adj.* **1.** Que merece o bem. **2.** Digno de honras, prêmios ou louvores por serviços prestados. **3.** Ilustre. ★ *s.m.* Indivíduo que merece o bem.

beneplácito *s.m.* (lat. *beneplacitum*). Aprovação, consentimento, licença.

benesse *s.2g.* **1.** Emolumento de pé-de-altar. **2.** *Fig.* Lucro que não advém de trabalho.

benevolência *s.f.* (lat. *benevolentia*). **1.** Disposição favorável em relação a alguém. **2.** Cordialidade, tolerância.

benevolente *adj.2g.* (lat. *benevolens*). **1.** Benigno, benévolo, bondoso. **2.** Tolerante, complacente.

benévolo *adj.* (lat. *benevolus*). **1.** Que tem disposições favoráveis; benevolente, benigno. **3.** Que dá ajuda voluntária e gratuitamente.

benfazejo (ê) *adj.* **1.** Que faz, que pratica o bem; caridoso. **2.** Benéfico, útil.

benfeitor (ô) *adj.* e *s.m.* **1.** Que ou aquele que pratica o bem; caritativo. **2.** Que ou aquele que faz benfeitorias.

benfeitoria *s.f.* (lat. *benefactoria*). Obra, construção, instalação ou reparo realizado num imóvel, visando a sua conservação e valorização.

bengala *s.f.* Bastão de madeira ou de outro material, sobre o qual se apóia a mão ao andar.

bengalês *adj.* e *s.m.* Bengali.

bengali *adj.2g.* Relativo ou pertencente a Bengala, na Índia, ou a Bangladesh, país a leste da Índia. ★ *s.2g.* **1.** O natural ou habitante de Bengala e de Bangladesh. **2.** Língua falada em Bangladesh e na Índia.

benigno *adj.* (lat. *benignus*). **1.** Que gosta de fazer o bem; benévolo. **2.** Complacente, indulgente. **3.** *Fig.* Agradável, propício. ● **Med.** Que não aparenta gravidade. ▸ *Tumor benigno,* tumor que não é canceroso.

beninense *adj.2g.* e *s.2g.* Relativo ou pertencente a Benin, na África. ★ *s.2g.* O natural ou habitante de Benin.

benjamim *s.m.* **1.** O filho mais amado, em geral o filho mais novo da família. **2.** A pessoa mais jovem de um grupo. **3.** Dispositivo para ligar vários aparelhos elétricos em uma só tomada.

benjoeiro *s.m.* Nome comum a diferentes espécies de árvores de flores brancas, madeira resistente, cujo caule fornece, por incisão, uma resina aromática conhecida como incenso da América. (Sin. ESTORAQUE.)

benjoim (o-in) *s.m.* (ár. *lubam jauí*). Bálsamo obtido do estoraque, de propriedades medicinais, utilizado também em perfumaria. (Sin. ESTORAQUE.)

benodáctilo *adj.* Diz-se do animal que caminha sobre os dedos.

benquerença *s.f.* O querer-bem; benevolência, estima.

benquisto *adj.* Estimado por todos; bem-aceito.

bento *adj.* (lat. *benedictus*). Benzido, consagrado pela bênção.

bentônico *adj.* Diz-se do organismo que vive no fundo de mares, rios, lagos e represas.

bentos *s.m.pl.* (gr. *benthos*). Conjunto de organismos de hábitos bentônicos.

benzedura *s.f.* Ação de benzer.

benzênico *adj.* **1.** Relativo ao benzeno. **2.** *Anel* ou *núcleo benzênico,* conjunto de seis átomos de carbono que formam uma estrutura hexagonal plana.

benzeno *s.m.* (fr. *benzène*). Hidrocarboneto de cadeia fechada, com um anel benzênico característico, obtido por destilação da hulha ou por aromatização de hidrocarbonetos saturados.

benzer *v.t.* (lat. *benedicere*) [conj. 5]. **1.** Fazer o sinal-da-cruz para consagrar alguma coisa ao culto divino. **2.** Invocar a proteção de Deus sobre pessoas ou coisas. **3.** Louvar alguém por reconhecimento. ★ *v.pr.* Fazer uma cruz com a mão direita aberta, da testa ao peito e do ombro esquerdo ao direito.

benzina *s.f.* **1.** Antigo nome do benzeno. **2.** Mistura de hidrocarbonetos provenientes da destilação do benzol e que serve como solvente.

benzol *s.m.* (lat. *benzoe,* nome lat. do benjoim). **1.** Nome comercial de uma mistura de hidrocarbonetos obtida na destilação dos alcatrões de hulha, composta essencialmente de benzeno, tolueno e xileno. **2.** Nome comercial do benzeno que não se destina ao uso analítico.

beócio *adj.* Relativo à Beócia, região da antiga Grécia. ★ *s.m.* O natural ou habitante da Beócia. ★ *adj.* e *s.m.* **1.** Ignorante, boçal. **2.** *Fig.* Simplório, ingênuo.

bequadro *s.m.* (it. *bequadro*). **1.** Acidente que repõe no tom natural uma nota musical anteriormente modificada por sustenido ou bemol. **2.** Sinal (♮) que o representa.

beque[1] *s.m.* (fr. *bec,* bico das aves). Extremidade superior da proa de um navio, em forma de bico, que serve de apoio ao gurupés.

beque[2] *s.m.* (ingl. *back,* atrás). Jogador de defesa; zagueiro.

béquer *s.m.* (de *Becher,* n.pr). Pequeno recipiente que serve principalmente para dosagens volumétricas.

berbere *s.2g.* Indivíduo dos berberes, conjunto de povos do norte da África. ★ *s.m.* Conjunto de línguas faladas pelos berberes.

berçário *s.m.* Nas maternidades e creches, aposento para os recém-nascidos.

berço (ê) *s.m.* **1.** Pequena cama para crianças de colo, com dispositivo para embalar. **2.** A mais tenra infância. **3.** *Fig.* Lugar de nascimento ou origem. **4.** Estrutura destinada a sustentar o navio.

bereba *s.f.* Pereba.

bergamota *s.f.* (it. *bergamotta*) [*SC, RS*]. Sin. de TANGERINA.

bergantim *s.m.* (it. *brigantino,* de *brigante,* bandido). Antiga embarcação pequena, movida à vela ou a remo.

beribéri *s.m.* Doença provocada por carência de vitamina B_1, caracterizada por transtornos neurológicos, rigidez dos membros, anemia e insuficiência cardíaca.

berílio *s.m.* Elemento químico (símb. Be) alcalino-terroso, de número atômico 4, que constitui um metal cinza, duro e quebradiço.

berilo *s.m.* (gr. *beryllos*). Mineral constituído de silicato de berílio e alumínio, que possui diversas variedades de pedras preciosas, como a esmeralda e a água-marinha.

berimbau *s.m.* (quimb. *mbirimbau*). Instrumento musical de origem africana, constituído por um arco com extremidades ligadas por um fio de metal, ao qual se prende uma meia-cabaça que serve como caixa de ressonância. (Sin. URUCUNGO.)

berinjela *s.f.* (ár. *badinjana*). **1.** Planta originária da Índia, de flores roxas, cujos frutos são bagas carnudas com forma oval e cilíndrica, utilizados na alimentação. **2.** O fruto dessa planta.

berlinda *s.f.* (fr. *berline*). **1.** Pequeno coche de quatro rodas puxado a cavalo, de quatro a seis lugares, suspenso entre dois varais. **2.** Maquineta para o transporte de imagens de santos.

berlinense *adj.2g.* Relativo ou pertencente a Berlim, cidade da Alemanha. ★ *s.2g.* O natural ou habitante de Berlim.

berloque *s.m.* (fr. *breloque*). Pequena jóia de fantasia que se prende a uma pulseira ou a uma corrente de relógio; penduricalho.

bermuda *s.f.* Calça curta que se estende quase até o joelho.

berne *s.m.* **1.** Larva de mosca que penetra no tecido epitelial dos animais ou do homem e que causa um tumor doloroso. **2.** Tumor provocado por essa larva. (Sin. HIPODERMOSE.) **3.** Furo deixado por essa larva no couro dos bovídeos.

bernense *adj.2g.* e *s.2g.* Bernês.

bernento *adj.* Que tem bernes.

bernês *adj.* Relativo ou pertencente a Berna, cidade da Suíça. ★ *s.m.* O natural ou habitante de Berna.

berquélio *s.m.* (De *Berkeley,* n. pr.). Elemento químico radioativo (símb. Bk), artificial, de número atômico 97.

berrante *adj.2g.* **1.** Que berra. **2.** *Fig.* Diz-se das cores muito intensas e vivas, que chocam a vista. ★ *s.m.* **1.** Buzina de chifre usada pelos boiadeiros. **2.** *Pop.* Revólver.

berrar *v.i.* (conj. 4). **1.** Soltar berros, em se falando de cabras, veados e outros animais. **2.** Chamar em altos brados e com insistência; clamar. **3.** Gritar, vociferar. **4.** Reclamar, pedir com estardalhaço. ★ *v.t.* Dizer aos berros; vociferar.

berreiro *s.m.* **1.** *Fam.* Berros altos e freqüentes; berraria, gritaria. **2.** Choro alto de criança; manha.

berro *s.m.* **1.** Grito de alguns animais. **2.** A voz humana quando emitida em tom elevado e áspero; grito. **3.** *Pop.* Revólver.

berruga *s.f.* Verruga.

besouro *s.m.* Nome comum a insetos coleópteros, que possuem corpo duro e peças bucais mastigadoras; algumas espécies são nocivas à agricultura. (Sin. CASCUDO.)

besta[1] (ê) *s.f.* (lat. *bestia*). **1.** Animal quadrúpede, de grande porte, geralmente destinado ao transporte de carga. **2.** *Fig.* Pessoa tola ou estúpida; ignorante, ingênua, simplória. **3.** *Fig.* Pessoa pretensiosa, pedante. ★ *adj.* **1.** Ingênuo, tolo, estúpido. **2.** Pretensioso, pedante, presunçoso.

besta[2] *s.f.* (lat. *balista*). Arma antiga em forma de arco, para arremessar pelouros ou setas.

besta-fera (ê-é) *s.f.* **1.** Animal selvagem, feroz e cruel. ★ *s.2g.* Pessoa cruel ou selvagem.

bestalhão *adj.* e *s.m.* **1.** Paspalhão, pateta. **2.** Ignorante, inculto.

bestar *v.i.* (conj. 4). **1.** Dizer estupidez, asneira; disparatar. **2.** Vaguear, à toa; vagabundear, vadiar.

besteira *s.f.* **1.** Asneira, tolice; ato impensado, bobagem. **2.** Coisa ou valor insignificante.

bestial *adj.2g.* (lat. *bestialis*). **1.** Que é próprio de besta. **2.** Estúpido, errôneo, absurdo. **3.** Brutal, grosseiro. **4.** Feio, repugnante, imoral. **5.** *Lus.* Formidável.

bestializar *v.t.* (conj. 4). Bestificar.

bestiário *s.m.* (lat. *bestiarium*). Livro sobre animais, fabulosos ou não, encarados como símbolos de qualidades sobrenaturais ligadas ao cristianismo.

BESTIÁRIO ▸ Na Idade Média, o simbolismo animal revestia-se de grande importância e fazia as vezes de história natural. O bestiário medieval distingue os animais puros (pomba, cordeiro, cervo) dos animais impuros (cabrito, serpente, morcego), opondo-se o bestiário divino ao bestiário de Satã. Em ambas as categorias encontram-se criaturas imaginárias: a fênix e o unicórnio na primeira, a áspide (víbora), o basilisco (lagarto fabuloso a que se atribui o poder de matar com a vista) e a quimera, na segunda.

bestificar *v.t.* (conj. 12). **1.** Tornar estúpido; bestializar. **2.** Aparvalhar, assombrar, pasmar. ★ *v.pr.* **1.** Tornar-se estúpido. **2.** Pasmar-se.

best-seller *s.m.* (ingl.). Livro que permanece entre os mais vendidos durante determinado período.

bestunto *s.m. Fam.* Cabeça de pouco juízo.
besuntar *v.t.* (lat. *bis unctare*) [conj. 4]. Untar, lambuzar, sujar de gordura ou de substância pastosa.
beta *s.f.* A segunda letra do alfabeto grego. ● **Fís.** *Raios, radiação beta,* fluxo de elétrons emitidos espontaneamente por alguns elementos radioativos.
bétatron *s.m.* Equipamento acelerador de elétrons, que pode gerar raios X, quando os elétrons são projetados sobre substância metálica adequada.
betão *s.m.* (fr. *béton*). *s.m. Lus.* Sin. de CONCRETO[2].
beterraba *s.f.* (fr. *betterave*). **1.** Planta originária da Europa, de raiz tuberosa, comestível, com grande quantidade de sacarose. **2.** A raiz dessa planta.
betoneira *s.f.* Máquina empregada para amassar o concreto.
bétula *s.f.* Árvore típica de regiões frias, de folhas pequenas, flores agrupadas em cachos e madeira branca, utilizada como lenha; a seiva fornece açúcar e uma bebida alcoólica. (Sin. VIDOEIRO.)
betuláceas *s.f.pl.* Família de plantas dicotiledôneas, que engloba espécies de regiões frias como a bétula e a avelã.
betumar *v.t.* (conj. 4). Tapar, calafetar ou pintar com betume.
betume *s.m.* Sin. de ASFALTO.
betuminoso (ô) *adj.* Que contém betume.
bexiga *s.f.* (lat. *vesica*). **1.** Artefato inflável e colorido, empregado como enfeite ou brinquedo; balão **2.** Nome popular da varíola ou da marca por ela deixada no rosto. ● **Anat.** Reservatório situado atrás da sínfise pubiana, onde se acumula a urina nos intervalos das micções.
bexigoso (ô) *adj.* Que tem marcas de varíola; bexiguento.
bexiguento *adj.* Relativo à bexiga (varíola); que sofre de bexiga. ★ *s.m.* Pessoa que tem marcas de bexiga.
bezerra (ê) *s.f.* Sin. de NOVILHA.
bezerro (ê) *s.m.* Cria da vaca. (Sin. NOVILHO, VITELO[1]).
Bi símbolo químico do bismuto.
biatômico *adj.* Sin. de DIATÔMICO.
biaxial (cs) *adj.2g.* Que apresenta dois eixos.
bibelô *s.m.* (fr. *bibelot*). **1.** Pequeno objeto decorativo, que se põe sobre os móveis. **2.** Objeto de pouco valor.
bíblia *s.f.* (gr. *bibliá,* os livros.) **1.** Conjunto de livros sagrados do Antigo e do Novo Testamento. (Usa-se com maiúscula.) **2.** Livro que contém esses textos. **3.** *Fig.* Obra em que se reconhece autoridade no assunto versado.
bíblico *adj.* Relativo à Bíblia.
bibliofilia *s.f.* Amor aos livros, qualidade de bibliófilo.
bibliófilo *s.m.* Amante ou colecionador de livros.
bibliografia *s.f.* (gr. *bibliographía*). **1.** Estudo e descrição de textos impressos. **2.** Registro dos livros escritos sobre determinado assunto ou de determinado autor. **3.** Citação das obras de referência consultadas por determinado autor.
bibliográfico *adj.* Relativo à bibliografia.
bibliógrafo *s.m.* (gr. *bibliográfos,* copista). Pessoa versada no conhecimento dos livros, das edições, ou que escreve obras bibliográficas.
biblioteca *s.f.* (gr. *bibliotheke,* estante de livros). **1.** Coleção de livros classificados em determinada ordem. **2.** Edifício ou aposento onde se guardam livros.
bibliotecário *s.m.* Pessoa encarregada da conservação, classificação e distribuição de livros numa biblioteca.
bibliotecologia *s.f.* Estudo ou conhecimento das bibliotecas.
biblioteconomia *s.f.* Ciência e técnica de organizar e administrar bibliotecas.
biboca *s.f.* (do tupi). **1.** Buraco, fenda, grota. **2.** Barranco escavado por enxurrada. **3.** Local de difícil acesso. **4.** Casa pequena; casebre, palhoça. **5.** Pequena venda ou taberna modesta. **6.** Habitação situada muito longe.
bica *s.f.* **1.** Tubo ou conduto por onde escorre a água de fonte, reservatório etc., a certa altura do solo, a fim de que possa ser retirada em vasilhas. **2.** Orifício por onde esguicha ou escorre qualquer líquido (p. ex. um metal em fusão).
bicada *s.f.* **1.** Golpe com o bico. **2.** O que as aves levam no bico para dar aos filhotes.
bicama *s.f.* Espécie de cama que, em sua parte inferior, traz uma outra, embutida.
bicampeão *adj.* e *s.m.* Que ou aquele que se sagrou duas vezes campeão.
bicanca *s.f. Pop.* Nariz grande.
bicar *v.t.* (conj. 12). Picar com o bico. ★ *v.pr.* Ficar um tanto embriagado.
bicarbonato *s.m.* **1.** Nome comum dos sais que conservam um átomo de hidrogênio ácido, formados por um metal alcalino. **2.** *Bicarbonato de sódio,* sal cujo metal alcalino é o sódio, utilizado no tratamento da acidez gástrica.
bicéfalo *adj.* Que tem duas cabeças.
bicentenário *adj.* Que tem duzentos anos. ★ *s.m.* O segundo centenário.
bíceps *s.m.* (lat. *biceps,* de duas cabeças). Nome dado a dois músculos do corpo, o flexor do antebraço (*bíceps braquial*) e um flexor da perna (*bíceps crural*).

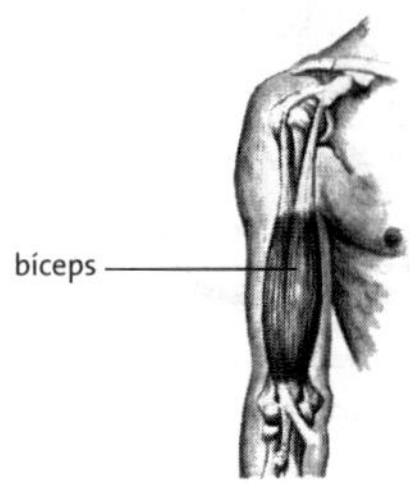

bicha *s.f.* (lat. *bestia,* animal). **1.** Denominação comum dada a todo animal comprido e sem pernas. **2.** Brinquedo infantil, comprido e com uma figura de lagarto ou cobra na ponta. **3.** *Lus.* Fila. **4.** Nos engenhos de açúcar, serpentina de alambique. **5.** Aguardente, cachaça. **6.** *Fam.* Mulher irritadiça. ★ *s.f.* ou *m. Gír.* Homossexual masculino.
bichano *s.m. Fam.* Gato, em especial quando novo.
bichar *v.i.* (conj. 4). Encher-se de bichos (frutas, madeiras, livros etc.).
bicharada *s.f.* Grupo de bichos.
bicheira *s.f.* Ferida cheia de bichos, nos animais.
bicheiro *s.m.* **1.** Frasco onde se guardam bichas ou sanguessugas. **2.** No jogo do bicho, indivíduo que registra e recebe as apostas. **3.** O banqueiro desse jogo.
bicho *s.m.* (lat. *bestia*). **1.** Qualquer animal terrestre. **2.** Denominação comum a certos insetos que atacam madeira, papel, cereais e frutas. **3.** Animal irracional, por oposição a homem. **4.** Pessoa muito feia. **5.** Pessoa de mau gênio, intratável.

6. *Gír.* Sujeito, indivíduo. **7.** *Fam.* Piolho. **8.** Calouro de faculdade. **9.** *Jogo do bicho,* tipo de loteria praticada no Brasil, clandestinamente, baseada na divisão de dezenas entre 25 grupos, cada um simbolizado por um animal. ● **Esp.** Gratificação em dinheiro com que se recompensa um atleta ou uma equipe pela obtenção de um resultado favorável em uma partida ou competição.

bicho-carpinteiro *s.m.* Sin. de ESCARAVELHO.

bicho-da-seda *s.m.* Inseto lepidóptero cuja lagarta produz um fio de seda, na fabricação do casulo.

bicho-de-pé *s.m.* Inseto que se alimenta do sangue de diversos mamíferos, e cuja fêmea, após o acasalamento, penetra na pele do homem, principalmente na região dos pés, onde deposita os ovos.

bicho-de-sete-cabeças *s.m. Pop.* **1.** Coisa muito complicada, difícil de resolver. **2.** Coisa que amedronta.

bicho-papão *s.m.* Criação monstruosa do imaginário popular com que se amedronta as crianças; papão.

bicho-pau *s.m.* **1.** Nome comum a insetos cuja forma lembra gravetos ou folhas. (Sin. TAQUARINHA.) **2.** Denominação comum a insetos ortópteros, saltadores, que vivem nas extremidades das folhas.

bicho-preguiça *s.m.* Sin. de PREGUIÇA.

bicicleta *s.f.* (fr. *bicyclette*). Veículo leve, de duas rodas geralmente de igual diâmetro, sendo a de trás motriz, acionada por uma corrente ligada ao pedal do veículo. ● **Esp.** No futebol, lance em que o jogador salta e, no ar, chuta a bola por cima da cabeça.

biciclo *s.m.* Velocípede de duas rodas desiguais, hoje em desuso.

bico *s.m.* (gaul., pelo lat. *beccus*). **1.** Projeção córnea da boca das aves e outros animais. **2.** *P. anal.* A boca proeminente de alguns outros animais. **3.** A boca do homem. **4.** Extremidade pontiaguda ou angulosa. **5.** *Pop.* Trabalho ocasional que permite ganhos complementares à renda principal da pessoa; biscate. **6.** *Bico de Bunsen* ou *bico de gás,* aparelho de gás que produz uma chama. ▸ *Bico do peito,* o mamilo.

bico-de-papagaio *s.m.* **1.** Designação corrente de um osteófito. **2.** Nariz adunco.

bicolor (ô) *adj.2g.* Que tem duas cores.

bicôncavo *adj.* Que tem duas faces côncavas opostas.

biconvexo (cs) *adj.* Que tem duas faces convexas opostas.

bicorne *adj.2g.* ou **bicórneo** *adj.* Que tem dois chifres ou duas pontas. ★ *s.m.* Chapéu de dois bicos.

bicota *s.f.* Beijoca.

bicuda *s.f.* **1.** Nome comum a vários ofídios de cabeça afilada, que ocorrem nas regiões tropicais e equatoriais do Brasil. **2.** Peixe teleósteo, marinho, que ocorre em recifes de coral e atinge 45 centímetros de comprimento.

bicuda-de-corso *s.f.* Barracuda.

bicudo[1] *adj.* **1.** Que tem bico. **2.** Pontiagudo, aguçado. **3.** Zangado, irritado.

bicudo[2] *s.m.* **1.** Peixe teleósteo que ocorre nas bacias do Amazonas e Paraná. **2.** Inseto lepidóptero que ataca os botões florais do algodoeiro.

bicúspide *adj.2g.* **1.** Diz-se da folha que tem o vértice fendido e termina em duas partes divergentes. **2.** Diz-se da válvula mitral do coração.

bidê ou **bidé** *s.m.* (fr. *bidet*). **1.** Aparelho sanitário de louça ou metal esmaltado, destinado a abluções íntimas. **2.** (*N e RS*) Mesa-de-cabeceira, criado-mudo.

bidimensional *adj.2g.* Que apresenta duas dimensões. ● **Mat.** *Espaço bidimensional,* espaço plano; área.

bíduo *s.m.* (lat. *biduum*). O período de dois dias.

biela *s.f.* (fr. *bielle*). **1.** Barra destinada a transmitir movimento entre duas peças articuladas em suas extremidades, segundo eixos paralelos. **2.** Peça que une o pino do pistão de um automóvel ao mancal da árvore de manivelas, transformando o movimento alternado em movimento rotativo.

bienal *adj.2g.* (lat. *biennalis*). **1.** Que diz respeito ao período de dois anos. **2.** Que se repete de dois em dois anos. ★ *s.f.* Exposição, geralmente de arte, realizada de dois em dois anos.

biênio *s.m.* (lat. *biennium*). Período de dois anos consecutivos.

bifásico *adj.* Que apresenta duas fases; difásico.

bife *s.m.* (ingl. *beef,* carne de vaca). **1.** Fatia de carne bovina, em geral servida frita ou grelhada. **2.** *Fam.* Partícula da pele ou do rosto cortada por descuido ao se fazer a unha ou a barba.

bifendido *adj.* Separado, dividido em duas pontas ou partes; bífido.

bífido *adj.* (lat. *bifudus*). Bifendido.

bifocal *adj.2g.* **1.** Que possui duas distâncias focais diferentes. **2.** Diz-se da lente ou sistema óptico que apresenta dois focos.

biforme *adj.2g.* (lat. *biformis*). Que possui duas formas.

bifurcação *s.f.* **1.** Ação de bifurcar. **2.** Lugar em que uma coisa se divide em duas.

bifurcar *v.t.* e *v.pr.* (conj. 12). Dividir(-se) em dois (ramos, caminhos).

biga *s.f.* (lat. *biga*). Antigo carro romano de duas rodas, puxado por dois cavalos.

bigamia *s.f.* Estado de bígamo.

bígamo *adj.* e *s.m.* Que ou aquele que tem, simultaneamente, dois cônjuges.

bigode *s.m.* **1.** Parte da barba que cresce sobre o lábio superior. **2.** Pêlo longo e espesso de certos animais.

bigodear *v.t.* (conj. 15). **1.** Lograr, iludir, enganar. **2.** Escarnecer, zombar, troçar.

bigodeira *s.f.* **1.** Bigode farto e hirsuto. **2.** Escova para limpar animais.

bigorna *s.f.* (lat. *bicornia,* de dois cornos). **1.** Peça de ferro sobre a qual são malhados ou moldados metais, cujas extremidades têm forma piramidal, cônica ou cilíndrica. **2.** Segundo ossículo do ouvido médio.

bigorrilha *s.2g.* Indivíduo desprezível, vil.

biguá *s.2g.* (tupi *mbi gwa,* pé redondo). Ave pelicaniforme, negra, de pescoço longo e bico recurvado, que ocorre nos grandes rios e na costa marítima da América Central e meridional.

biju *s.m.* (tupi *mbe'yu*). **1.** Bolo de tapioca ou mandioca. **2.** Var. de BEIJU.

bijuteria *s.f.* (fr. *bijouterie*). **1.** Peça de ourivesaria fabricada com material não precioso. **2.** Enfeite barato; badulaque, quinquilharia.

bilabial *adj.2g.* Relativo aos dois lábios. ● **Fon.** Diz-se de consoantes de cuja emissão os dois lábios participam ativamente na articulação.

bilateral *adj.2g.* **1.** Que se refere aos dois lados de um objeto, de um organismo. **2.** Que apresenta dois aspectos. **3.** Que tem duas faces. ● **Dir.** Diz-se do contrato que prevê reciprocidade de obrigações entre as partes contratantes.

bilboquê *s.m.* (fr. *bilboquet*). Brinquedo que consiste em embocar, pelo impulso, uma bola de madeira a um furo no cabo a que se liga por um cordel.

bile *s.f.* Var. de BÍLIS.

bilha *s.f.* Vaso bojudo, de gargalo estreito, próprio para conter água; moringa, quartinha.

bilhão *num. card.* (fr. *billion*). Mil milhões. (Var. BILIÃO.)

bilhar *s.m.* (fr. *billard*). **1.** Jogo praticado com bolas de marfim impulsionadas por um taco de madeira sobre uma mesa retangular recoberta de feltro. **2.** Sala ou estabelecimento em que se pratica esse jogo.

bilhete (ê) *s.m.* (fr. *billet*). **1.** Mensagem curta, escrita em linguagem simples e coloquial. **2.** Senha impressa ou manuscrita que dá acesso a reuniões, espetáculos etc.; entrada, ingresso. **3.** Cédula numerada que habilita a concorrer a sorteios ou prêmios lotéricos.

bilheteiro *s.m.* Aquele que vende bilhetes para espetáculos, loteria, passagens etc.

bilheteria *s.f.* Local em que se vendem bilhetes para espetáculos, passagens etc.

bilião *num. card.* Var. de BILHÃO.

biliar *adj.2g.* **1.** Relativo à bílis ou às partes anatômicas a ela relacionadas. **2.** *Pigmentos biliares,* substâncias provenientes do catabolismo da hemoglobina e contidas na bílis; os principais são a bilirrubina e a biliverdina. ► *Sais biliares,* sais sódicos ou potássicos dos ácidos biliares. ► *Ácidos biliares,* ácidos provenientes do catabolismo do colesterol.

biliário *adj.* Que contém bílis.

bilíngüe *adj.2g.* e *s.2g.* (lat. *bilinguis*). **1.** Diz-se de um texto escrito em duas línguas diferentes. **2.** Diz-se de um indivíduo, país etc., que utiliza duas línguas.

bilionário *adj.* e *s.m.* Diz-se de ou indivíduo que é duas vezes bilionário; multimilionário.

bilionésimo *num. ord.* Que ocupa a posição indicada pelo número 1 bilhão (p. us. na prática). ★ *num. frac.* e *s.m.* Parte que está contida um bilhão de vezes num todo; a bilionésima parte (us. princ. em frações infinitesimais de tempo).

bilioso (ô) *adj.* (lat. *biliosus*). **1.** Que tem grande quantidade de bílis. **2.** *Fig.* Inclinado à cólera; de mau gênio.

bílis *s.f.2n.* (lat. *bilis*). **1.** Líquido secretado pelo fígado, rico em sais biliares e colesterol, que contribui para a digestão das gorduras. **2.** *Pop.* Fel. (Var. BILE.)

bilontra *adj.2g.* e *s.2g.* **1.** Espertalhão, velhaco, patife. **2.** Diz-se de ou indivíduo metido a conquistador. **3.** Freqüentador de prostíbulos.

bilro *s.m.* **1.** Peça semelhante ao fuso, de metal ou madeira, para fazer rendas. **2.** *P.ext.* A renda feita com bilros. **3.** *Fig.* Homem pequeno e janota.

biltre *s.m.* (hol. *bedelare,* mendigo). Homem desprezível; tratante, patife.

bímano *adj.* Que tem duas mãos. ★ *s.m. Fig.* O homem. ★ *s.m.pl.* A espécie humana.

bimba *s.f.* **1.** *Pop.* Parte superior da coxa. **2.** *Pop.* Pênis de criança.

bimbalhada *s.f.* Toque de muitos sinos ao mesmo tempo.

bimbalhar *v.i.* (onomat.) [conj. 4]. Repicar (sinos).

bimbarra *s.f.* **1.** Alavanca de grande dimensão. **2.** Aparelho constituído por uma viga longa e um balde para tirar água de poços.

bimembre *adj.2g.* (lat. *bimembris*). Que dispõe de dois membros.

bimensal *adj.2g.* Que acontece ou aparece duas vezes por mês; quinzenal.

bimestral *adj.2g.* Que se realiza, que aparece ou acontece de dois em dois meses.

bimestre *s.m.* Período de dois meses.

bimetálico *adj.* Que é constituído por dois metais. ● **Fís.** *Liga bimetálica,* liga constituída por dois metais.

bimotor (ô) *adj.* e *s.m.* Diz-se de ou mecanismo provido de dois motores.

binário *adj.* (lat. *binarius,* duplo). **1.** Que é composto de dois elementos. ● **Inform.** Diz-se de um processo cuja representação simbólica usa apenas dois valores. **Mat.** Diz-se da numeração (*sistema binário*) que usa apenas dois dígitos, 0 e 1, e do valor (*número binário*) assim escrito ou calculado.

binga *s.2g.* **1.** Chifre. **2.** Tabaqueira de chifre. **3.** Lampião de querosene.

bingo *s.m.* Jogo em que são usados cartões com números e letras, que devem ser preenchidos à medida que estes vão sendo sorteados.

binóculo *s.m.* Instrumento óptico portátil para ver à distância, formado por dois óculos ou lunetas.

binocular *adj.2g.* Diz-se do instrumento óptico que apresenta duas lentes oculares.

binomial *adj.2g.* Relativo ao binômio.

binômio *s.m.* (lat. tard. *binomium*). Qualquer expressão algébrica, de potência variável, constituída por apenas duas variáveis ou constantes.

biobibliografia *s.f.* Estudo da vida e da obra de um escritor.

biocenose *s.f.* Conjunto de animais e plantas que ocupam o mesmo biótopo e formam uma comunidade.

biociclo *s.m.* Conjunto de etapas da vida de um organismo.

biociência *s.f.* Conjunto das ciências que investigam os seres vivos, nos seus diversos aspectos.

bioco (ô) *s.m.* **1.** Véu ou mantilha para envolver o rosto. **2.** Capuz. **3.** *Fig.* Afetação, disfarce. **4.** Gesto feito para assustar; ameaça.

biodegradação *s.f.* Decomposição dos produtos industriais e dejetos domésticos pela ação de bactérias, normalmente em um meio aquático.

biodegradável *adj.2g.* Diz-se da substância que sofre decomposição por microorganismos.

biófago *adj.* Que utiliza organismos vivos como alimento.

biofísica *s.f.* Estudo dos fenômenos vitais pelos métodos da física.

biogênese *s.f.* Princípio que defende a origem dos organismos vivos a partir de outro ser vivo, e nunca da matéria não viva.

biografar *v.t.* (conj. 4). Escrever a história da vida de uma pessoa. ★ *v.pr.* Escrever a história da própria vida.

biografia *s.f.* História da vida de uma pessoa.

biográfico *adj.* **1.** Relativo à biografia. **2.** Que contém biografias.

biógrafo *s.m.* Autor de biografias.

biologia *s.f.* Ciência que estuda os seres vivos e as leis gerais que governam a vida.

BIOLOGIA ▸ Desde Aristóteles, os cientistas têm reconhecido os reinos animal e vegetal. Mas o desenvolvimento do microscópio no século XVII revelou a existência de grandes grupos de microorganismos, alguns dos quais reuniam características de plantas e de animais. No século XIX, o biólogo alemão Ernst Haeckel propôs um terceiro reino, o protista, para agrupar todos os organismos que não se incluem nos reinos animal e vegetal. Em 1959, o biólogo americano R. H. Whittaker propôs um sistema de cinco reinos: *monera* (bactérias e cianofíceas), *protista* (algas e protozoários), *fungi* (fungos), *plantae* (plantas) e *animalia* (animais).

---

biológico *adj.* **1.** Relativo à biologia. **2.** *Controle biológico,* controle de pestes através de inimigos naturais ou pela interferência em seu ciclo de vida. ▸ *Relógio biológico,* conjunto dos mecanismos bioquímicos e fisiológicos responsáveis pela organização temporal rítmica de um organismo. ● **Mil.** Diz-se da arma que utiliza organismos vivos (insetos, micróbios) para provocar doença ou morte dos homens, animais e vegetais; diz-se da guerra em que são utilizadas essas armas.

biologista *adj.2g.* e *s.2g.* Biólogo.

biólogo *s.m.* Especialista em biologia; biologista.

bioma *s.m.* Região caracterizada por uma formação vegetal, com clima e fatores físicos característicos, e flora e fauna adaptadas a essas condições.

biomassa *s.f.* Peso total da matéria viva em uma área determinada.

biombo *s.m.* (jap. *byóbu*). Tabique móvel, formado de caixilhos ligados por dobradiças e revestidos comumente com papel ou tecido, utilizado para dividir um quarto ou criar um recanto resguardado.

biomedicina *s.f.* Área que reúne conhecimentos de biologia e medicina, na pesquisa de causas de doenças, desenvolvimento de testes laboratoriais, vacinas e medicamentos.

biometria *s.f.* Conjunto das técnicas de mensuração dos seres vivos e dos métodos estatísticos de tratamento dessas medidas.

biônica *s.f.* (ingl. *bionics*). Estudo das características e funções observáveis em seres vivos para emprego na construção de máquinas, sistemas eletrônicos, ou em projetos de engenharia.

biônico *adj.* Relativo à biônica. ★ *adj.* e *s.m.* Diz-se de ou pessoa não eleita por voto popular, mas nomeada para um cargo.

biópsia ou **biopsia** *s.f.* Retirada de um fragmento de tumor, órgão ou tecido para análise.

bioquímica *s.f.* Parte da química que trata dos constituintes da matéria viva e de suas reações.

bioquímico *adj.* Relativo à bioquímica. ★ *s.m.* Especialista em bioquímica.

biorritmo *s.m.* **1.** Ritmo biológico. **2.** Gráfico que pretende representar as oscilações periódicas das atividades fisiológicas, mental e emocional de um indivíduo.

biosfera *s.f.* Parte da litosfera, hidrosfera e atmosfera habitada por seres vivos. (Sin. ECOSFERA.)

biota *s.f.* Conjunto de seres vivos, animal ou vegetal, de uma região.

biotecnologia *s.f.* Uso de manipulação genética e outros recursos da biologia para produzir industrialmente moléculas ou substâncias de interesse agroalimentar, farmacêutico etc.

biotério *s.m.* Reserva de animais vivos para estudos laboratoriais, bacteriológicos, produção de soros, vacinas etc.

biótico *adj.* (gr. *biotikós*). Relativo aos seres vivos.

biotina *s.f.* Vitamina H.

biótipo *s.m.* Grupo de indivíduos com patrimônio genético igual.

biotipologia *s.f.* Classificação dos indivíduos humanos em número limitado de tipos (morfológicos, fisiológicos, psicológicos e genéticos).

biótopo *s.m.* Área geográfica com condições ambientais uniformes, habitada por plantas e animais.

bióxido (cs) *s.m.* Sin. de DIÓXIDO.

bipartir *v.t.* (conj. 6). Partir ao meio ou em duas partes. ★ *v.pr.* Bifurcar-se.

bípede *adj.2g.* Que anda sobre dois pés. ★ *s.m.* Animal que se locomove apoiado sobre dois pés.

tucano, um animal bípede

---

bipolar *adj.2g.* Que tem dois pólos, dois centros de atração.

bipolo *s.m.* Dispositivo elétrico dotado de dois terminais acessíveis.

biqueira *s.f.* **1.** Remate ajustado na extremidade de alguma coisa; ponteira. **2.** Tubo de metal ou telha que se destaca da fachada do edifício e por onde escorrem as águas pluviais. **3.** Peça metálica ou de couro que, por vezes, guarnece o bico do calçado.

biquíni *s.m.* (de *Bikini,* n.pr.). Maiô feminino de duas peças, muito reduzidas e cavadas.

bira *s.f.* Buraco que as crianças cavam para o jogo de pião.

biriba *s.m.* Jogo de cartas.

birmanês *adj.* Relativo à Birmânia. ★ *s.m.* **1.** O natural ou habitante da Birmânia. **2.** Língua oficial da Birmânia.

birosca *s.f.* **1.** Pequeno estabelecimento comercial que funciona nas favelas. **2.** Boteco, botequim.

birote *s.m.* Penteado feminino em que os cabelos são enrolados no alto da cabeça.

birra *s.f.* **1.** Teimosia, capricho. **2.** Antipatia. **3.** Comportamento da cavalgadura quando ferra os dentes em alguma coisa, especialmente na manjedoura.

birreme *s.f.* (lat. *biremis*). Galera ou pequena embarcação em que há duas ordens de remos de cada lado. ★ *adj.2g.* Diz-se dos apêndices dos crustáceos que terminam em dois ramos.

birrento *adj.* e *s.m.* Que faz birra; irascível, embirrento.

biruta *s.f.* Dispositivo feito com uma espécie de saco cônico fixado perpendicularmente a um mastro, a fim de indicar, por sua orientação, a direção do vento. ★ *adj.2g.* e *s.2g.* Diz-se de ou pessoa inquieta, meio amalucada.

bis *interj.* (lat. *bis,* duas vezes). Empregada como apelo à repetição de uma apresentação artística. ★ *s.m.* Repetição, réplica.

bisão *s.m.* (gr. *bíson*). Mamífero ruminante que apresenta uma corcunda na região anterior do dorso e pêlos longos e crespos na região anterior do corpo.

bisar *v.t.* (conj. 4). Repetir ou fazer repetir.

bisavó *s.f.* Mãe do avô ou da avó.

bisavô *s.m.* Pai do avô ou da avó. ★ *s.m.pl.* **1.** Os pais da avó ou do avô. **2.** Antepassados.

bisbilhotar *v.i.* (conj. 4). **1.** *Fam.* Fazer mexericos. **2.** Investigar. ★ *v.t.* Examinar, esquadrinhar.

bisbilhoteiro *adj.* e *s.m.* (it. *bisbigliatore*). Diz-se de ou pessoa curiosa, mexeriqueira.

bisbilhotice *s.f.* **1.** Ação de bisbilhotar. **2.** Intromissão na vida alheia; mexerico.

bisca *s.f.* **1.** Jogo de cartas com diversas variações. **2.** Alusão satírica que se dirige a alguém. **3.** Pessoa hipócrita; patife. **4.** *Pej.* Meretriz.

biscate *s.m.* **1.** Trabalho extraordinário, ocasional e de pouca monta; bico. **2.** *Gír.* Prostituta, meretriz. **3.** Coisa sem importância.

biscatear *v.i.* (conj. 15). Fazer biscate.

biscateiro *s.m.* *Pop.* Pessoa que vive de biscates.

biscoiteira *s.f.* Recipiente onde se guardam biscoitos.

biscoiteiro *s.m.* Fabricante ou vendedor de biscoitos.

biscoito *s.m.* (lat. *biscoctus,* cozido duas vezes). Massa de farinha de trigo, aveia, maisena etc., doce ou salgada, assada ao forno, com formas variadas e de consistência firme.

bismuto *s.m.* (al. *Wismut*). Elemento químico (símb. Bi) de número atômico 83, que constitui um metal branco-amarelado, facilmente reduzível a pó.

bisnaga *s.f.* (lat. *pastinaca*). **1.** Tubo flexível de plástico ou chumbo, geralmente empregado como embalagem de óleos e pastas. **2.** Pão de forma cilíndrica e alongada.

bisneto *s.m.* Filho do neto ou da neta.

bisonho (ô) *adj.* (it. *bisogno,* necessidade). Pouco experiente; novato, principiante.

bispado *s.m.* **1.** Território sob a jurisdição de um bispo. **2.** Dignidade episcopal.

bispar *v.t.* (conj. 4). **1.** Descobrir, avistar ao longe; entrever. **2.** Furtar, surripiar. **3.** Olhar atentamente; espiar, observar. **4.** Iludir, enganar. ★ *v.i.* Queimar-se (o feijão). ★ *v.pr.* *Pop.* Fugir, escapar-se.

bispo *s.m.* (gr. *epískopos*). **1.** Padre na Igreja Católica que tem a plenitude do sacerdócio e a direção espiritual de uma diocese. **2.** Em várias Igrejas reformadas, dignitário eclesiástico. **3.** Peça do jogo de xadrez.

bispote *s.m.* Urinol.

bissectriz *s.f.* Bissetriz.

bissemanal *adj.2g.* Que se realiza ou publica duas vezes por semana.

bissetriz *s.f.* Semi-reta ou segmento de reta que divide um ângulo ao meio; bissectriz.

bissexto (ê) *adj.* (lat. tard. *bisextus*). Diz-se do ano de 366 dias. ★ *s.m.* O dia que se acrescenta a fevereiro de quatro em quatro anos.

bissexuado (cs) *adj.* Sin. de HERMAFRODITA.

bissexual (cs) *adj.2g.* e *s.2g.* Diz-se de ou indivíduo que pratica o bissexualismo.

bissexualidade (cs) *s.f.* Característica apresentada pelas plantas e animais bissexuados. ● **Psican.** Hipótese segundo a qual coexistiriam, no psiquismo de todo sujeito, disposições sexuais masculinas e femininas.

bissexualismo (cs) *s.m.* Prática sexual tanto com parceiros do mesmo sexo quanto do sexo oposto.

bissílabo *adj.* e *s.m.* Sin. de DISSÍLABO.

bistre *adj.2g.* (fr. *bistre*). Que tem cor castanho-amarelada. ★ *s.m.* **1.** Tinta cor de ferrugem, preparada com fuligem e goma. **2.** O roxo das olheiras.

bisturi *s.m.* (fr. *bistouri*). Instrumento cirúrgico em forma de pequena faca, cuja lâmina apresenta diversos formatos, destinado a fazer incisões.

bit *s.m.* (ingl. *binary digit*). **Inform.** Unidade elementar de informação que só pode ter dois valores: 0 ou 1.

VOCÊ SABIA...? Os *bits* são reunidos em grupos com um número fixo. Uma seqüência de oito *bits* forma um *byte*, que é a unidade de informação básica com a qual um computador opera e pode corresponder a uma letra, número ou outro caractere.

---

bitácula *s.f.* (lat. *habitaculum,* morada). **1.** Caixa cilíndrica onde se guarda a bússola de um navio; morteiro. **2.** *Gír.* Nariz.

bitola *s.f.* **1.** Distância entre as rodas (dianteiras ou traseiras) de um mesmo eixo. **2.** *Fig.* Padrão rígido de conduta; estreiteza mental. **3.** Medida, modelo, padrão. **4.** Largura de um filme, expressa em milímetros.

bitolado *adj.* **1.** Medido com bitola. **2.** *Fig.* Acanhado; de visão estreita.

bitolar *v.t.* (conj. 4). **1.** Estabelecer em bitola. **2.** Medir com bitola. **3.** Julgar, avaliar. ★ *v.pr.* Tornar-se bitolado.

bitonal *adj.2g.* Relativo à bitonalidade.

bitonalidade *s.f.* Utilização simultânea de duas tonalidades diferentes.

biunívoco (i-u) *adj.* Diz-se da relação entre dois conjuntos, segundo a qual cada elemento de um conjunto corresponde a apenas um do segundo, e vice-versa.

bivalência *s.f.* Característica dos radicais ou elementos químicos bivalentes. (Sin. DIVALÊNCIA.)

bivalente *adj.2g.* e *s.2g.* Diz-se de elementos ou radicais cuja valência química é 2. (Sin. DIVALENTE.)

bivalve *adj.2g.* Relativo aos bivalves. ★ *s.m.* Espécime dos bivalves.

bivalves *s.m.pl.* Classe de moluscos marinhos e de água doce cuja concha é formada por duas valvas.

bivaque *s.m.* (fr. *bivouac*). **1.** Acampamento de tropas ao ar livre, sem abrigo. **2.** Acampamento que os alpinistas instalam na montanha para passar a noite.

bivitelino *adj.* Diz-se de cada um dos gêmeos que provêm do desenvolvimento de dois óvulos fecundados; gêmeo fraterno. (Sin. DIZIGÓTICO.)

bizantino *adj.* (lat. *byzantinus*). **1.** Relativo ou pertencente a Bizâncio, depois Constantinopla, atual Istambul, e ao Império Bizantino (330-1453). **2.** Diz-se das manifestações culturais e artísticas que se desenvolveram no Império Bizantino. **3.** *Fig.* Que demonstra interesse por insignificâncias. ★ *s.m.* **1.** O natural de Bizâncio. **2.** O estilo bizantino. ● **Relig.** *Rito bizantino,* rito praticado pela maioria dos fiéis ortodoxos e por determinados cristãos orientais unidos a Roma.

mosaico bizantino

VOCÊ SABIA...? Depois que o Império Romano do Ocidente foi invadido pelos bárbaros, o Império Romano do Oriente (com capital em Bizâncio) ficou conhecido como Império Bizantino. Porém seus habitantes continuaram sendo chamados de "romanos" e acreditavam na continuidade do império e em sua restauração.

bizarria *s.f.* (esp. *bizarría*). Qualidade do que é bizarro.

bizarro *adj.* (vasconço *bizarra,* barba). **1.** Nobre, gentil. **2.** Garboso, elegante. **3.** Esquisito, estranho, extravagante.

Bk símbolo químico do berquélio.

blackout *s.m.* (ingl. *blackout,* escurecimento total). **1.** Blecaute. **2.** Tecido emborrachado usado para vedar a passagem de luz sob as cortinas.

blandícia ou **blandície** *s.f.* (lat. *blanditia*). **1.** Carícia, afago, mimo. **2.** Meiguice, carinho.

blasfemar *v.t.* e *v.i.* (lat. tard. *blasphemare*) [conj. 4]. Proferir blasfêmia; amaldiçoar, praguejar.

blasfêmia *s.f.* (gr. *blasphemía*). **1.** Palavra que ultraja a divindade ou a religião. **2.** Palavra injuriosa contra pessoa ou coisa respeitável. **3.** Proposição absurda; contra-senso.

blasfemo *adj.* (gr. *blásphemos*). **1.** Blasfematório. **2.** Ultrajante, insultante. ★ *s.m.* Aquele que profere blasfêmias.

blasonar *v.t.* (fr. *blasonner*) [conj. 4]. **1.** Exibir com alarde; ostentar. **2.** Apregoar, proclamar. **3.** Descrever o brasão de alguém. ★ *v.i.* Vangloriar-se, jactar-se.

blastocele *s.f.* Cavidade central da blástula dos embriões animais.

blastoderme *s.f.* Pequena lâmina de células do ovo cujo desenvolvimento dá origem ao embrião.

blastômero *s.m.* Célula não diferenciada, originada da segmentação do ovo.

blástula *s.f.* Estágio do desenvolvimento do embrião animal em que os blastômeros estão dispostos em uma única camada, em torno da cavidade central.

blaterar *v.i.* (lat. *blaterare*) [conj. 4]. Gritar, em se falando do camelo. ★ *v.t.* **1.** Tagarelar. **2.** Xingar, reclamar em voz alta. **3.** Vociferar, deblaterar.

blazer *s.m.* (ingl.). Casaco esportivo, aberto na frente, geralmente dotado de botões.

blecaute *s.m.* (ingl. *blackout,* escurecimento total). **1.** Sin. de APAGÃO. **2.** Tecido emborrachado usado para vedar a passagem de luz sob as cortinas.

blefar *v.i.* (conj. 4). **1.** Iludir no jogo, fingindo ter boas cartas. **2.** Enganar por falsas aparências; tapear. ★ *v.t.* Iludir, lograr.

blefarite *s.f.* Inflamação das pálpebras.

blefe *s.m.* (ingl. *bluff*). **1.** Ato ou efeito de blefar. **2.** *P. ext.* Engano, logro, tapeação.

blenorragia *s.f.* Infecção bacteriana geniturinária, freqüentemente de origem venérea; blenorréia. (Sin. GONORRÉIA.)

blenorréia *s.f.* Blenorragia.

blindado *adj.* **1.** Protegido por blindagem. **2.** Recoberto de material sólido e resistente. **3.** *Fig.* Resguardado, protegido, imune. ★ *s.m.* Veículo de combate com blindagem.

blindagem *s.f.* **1.** Ação de blindar. **2.** Revestimento metálico. **3.** Couraça de aço que protege navios e veículos contra projéteis inimigos. ● **Eletr.** Dispositivo que visa reduzir a interferência de um campo elétrico, magnético ou eletromagnético de um dado componente ou circuito elétrico.

blindar *v.t.* (al. *blenden,* cegar) [conj. 4]. **1.** Isolar por intermédio de blindagem; encouraçar. **2.** Proteger, defender, resguardar.

blitz *s.f.* (do al. *Blitzkrieg*). **1.** *Bras.* Batida policial, muitas vezes de surpresa, que pode mobilizar grande aparato. **2.** *P.ext.* Operação coordenada de qualquer tipo realizada sem aviso prévio (fiscalização, pesquisa de rua etc.). ● **Mil.** Ofensiva poderosa e repentina, realizada em conjunto por forças aéreas e terrestres.

bloco *s.m.* **1.** Massa considerável, sólida e pesada. **2.** Cada um dos edifícios que formam um conjunto de prédios. **3.** Conjunto de folhas de papel coladas em uma das bordas e facilmente destacáveis. **4.** Agrupamento de Estados, partidos políticos, unidos por interesses ou ideais comuns. **5.** Grupo carnavalesco. **6.** Elemento industrializado utilizado na construção de muros e paredes. ● **Geol.** Fragmento rochoso, anguloso ou gasto, de tamanho superior a 25 centímetros. ► *Bloco continental,* conjunto geológico de grande extensão, que engloba terras emersas (continente) e imersas (plataforma continental).

blog *s.m.* (ingl. *weblog*). **Inform.** Página pessoal sobre o cotidiano ou outro assunto de interesse do autor, com atualização freqüente.

bloquear *v.t.* (fr. *bloquer*) [conj. 15]. **1.** Sitiar, cercar, assediar. **2.** Obstruir. **3.** Interromper a ação ou o desenvolvimento de algo. **3.** Dificultar, obstar.

bloqueio *s.m.* **1.** Ato ou efeito de bloquear. **2.** Obstáculo colocado em uma via para interromper a circulação. **3.** Incapacidade momentânea de reagir, intelectual ou afetivamente, a uma situação ou de lembrar um fato desagradável. **4.** Faculdade que tem o sacador de um cheque ou de uma promissória de se opor a seu pagamento em caso de perda, roubo ou liquidação de bens do portador.

blusa *s.f.* (fr. *blouse*). Parte superior da indumentária feminina, com ou sem mangas ou gola, que se usa em combinação com saias ou calças.

blusão *s.m.* Vestimenta esportiva, mais folgada e mais comprida que a blusa, usada geralmente por fora da saia ou da calça.

boa-fé *s.f.* **1.** Sinceridade, lisura. **2.** Forma de agir de acordo com a lei, ou sem afrontá-la. **3.** Ausência de dolo. **4.** Ingenuidade, credulidade.

boa-noite *s.m.* Saudação que se usa de noite.

boas-festas *s.f.pl.* Cumprimentos que se enviam no Natal ou no Ano-Novo.

boas-vindas *s.f.pl.* Recepção cordial, saudação à chegada de alguém.

boa-tarde *s.m.* Saudação usada desde as doze horas até o escurecer.

boate *s.f.* (fr. *boîte,* caixa). Estabelecimento de diversões noturnas que conta, geralmente, com bar, restaurante, pista de dança e palco para espetáculos de variedades.

boateiro *adj.* e *s.m.* Que ou aquele que divulga boatos.

boato *s.m.* (lat. *boatus,* mugido). **1.** Notícia, novidade que circula na boca do povo, sem origem conhecida que a autentique; rumor, zunzunzum, falatório. **2.** Notícia falsa.

boa-vida *s.2g.* Pessoa folgada, que não gosta de trabalhar.

bobagem *s.f.* **1.** Afirmação sem valor, improcedente, tola, inverídica. **2.** Coisa de bobo.

bobalhão *s.m.* Indivíduo muito bobo.

bobear *v.i.* (conj. 15). **1.** Dizer ou fazer bobice. **2.** Proceder como bobo. **3.** Deixar-se lograr. **4.** Perder uma boa oportunidade.

bobeira *s.f.* Bobice.

bobice *s.f.* Procedimento, gracejo ou gesto de bobeira; bobagem.

bobina *s.f.* (fr. *bobine*). Pequeno cilindro de madeira, metal ou matéria plástica, no qual se enrolam materiais flexíveis (fios, fitas, filmes etc.). ● **Eletrotéc.** Conjunto de espiras que, conectadas em série, funcionam como indutor em um circuito elétrico.

bobinar *v.t.* (conj. 4). Executar o enrolamento de uma bobina.

bobo (ô) *adj.* (lat. *balbus,* gago). Palerma, idiota, parvo, tolo. ★ *s.m.* **1.** Bufão. **2.** *Gír.* Relógio de bolso.

bobó *s.m.* (fulbe *bovó*). **1.** Prato de origem africana feito com feijão e azeite-de-dendê, servido com inhame e mandioca. **2.** *Bobó de camarão,* camarão refogado com creme de leite de coco e mandioca.

boboca *adj.2g.* e *s.2g.* Que ou aquele que é muito bobo, muito parvo.

boca (ô) *s.f.* (lat. *bucca*). **1.** Cavidade situada na face, limitada pelos dois maxilares, início do tubo digestivo e sede dos órgãos da fala. **2.** Qualquer abertura ou corte que lembre uma boca. **3.** *Pop.* Emprego arranjado, colocação vantajosa. ● **Anat.** *Boca do estômago,* a parte externa e anterior do corpo humano correspondente ao epigástrio. **Arm.** Parte do cano de uma arma de fogo por onde sai o projétil. **Geogr.** Embocadura de um rio.

boca-aberta *s.2g.* **1.** Pessoa que fica admirada com qualquer coisa; palerma. **2.** Pessoa descuidada ou indolente.

boca-de-leão *s.f.* Planta ornamental originária da Europa cujas flores têm, na abertura, duas partes sobrepostas que dão a impressão de lábios.

bocado *s.m.* **1.** Quantidade de alimento que cabe na boca. **2.** Boa porção. **3.** Certa quantidade.

bocaina *s.f.* **1.** Depressão numa serra. **2.** Vale. **3.** Entrada de um rio ou de um canal. **4.** Braço de água que une um lago a um igarapé.

bocaiúva *s.f.* Nome comum a duas espécies de palmeiras cujos frutos são drupas comestíveis.

bocal *s.m.* (lat. *bucale,* mordaça de ferro). **1.** Boca ou abertura de recipientes (vaso, frasco, castiçal, candeeiro etc.). **2.** Embocadura de alguns instrumentos de sopro. **3.** Parte do freio que entra na boca da cavalgadura. ● **Mec.** Tubo curto terminado por uma aba em forma de coroa para ligação de uma tubulação.

boçal *adj.2g.* e *s.2g.* Ignorante, estúpido, rude, grosseiro.

boca-livre *s.f.* **1.** Reunião de entrada franca onde são servidas graciosamente comida e bebida. **2.** Uso abusivo ou fraudulento de serviços públicos.

bocarra *s.f.* Boca muito grande.

bocejar *v.i.* (conj. 4). **1.** Respirar abrindo muito e involuntariamente a boca, indício de sono ou aborrecimento; oscitar. **2.** Enfastiar-se, aborrecer-se.

bocejo (ê) *s.m.* Ação de bocejar, de abrir a boca por um movimento espasmódico dos músculos da face; oscitação.

VOCÊ SABIA...? Com o **bocejo** o corpo obtém mais oxigênio para o cérebro, o que nos faz sentir mais animados. Quando bocejamos, aspiramos ar lenta e profundamente, e logo o expiramos. Acontece com mais freqüência quando estamos cansados ou aborrecidos, ou num lugar mal ventilado. O bocejo pode indicar que uma pessoa precisa de mais ar.

---

boceta (ê) *s.f.* **1.** Pequena caixa redonda ou oval. **2.** Caixa de rapé. **3.** *Chul.* Vulva.

bocha *s.f.* (esp. *bocha*). **1.** Jogo que consiste em atirar bolas de madeira de uma certa distância e aproximá-las o mais possível de uma outra, pequena. **2.** A bola de madeira que se usa nesse jogo.

bochecha (ê) *s.f.* Parte carnuda e saliente da face.

bochechar *v.t.* e *v.i.* (conj. 4). Agitar um líquido na boca pelo movimento das bochechas.

bochecho (ê) *s.m.* **1.** Ato ou efeito de bochechar. **2.** Porção de líquido com que se bochecha. **3.** Pequena porção de qualquer líquido.

bochechudo *adj.* Que tem grandes bochechas.

bócio *s.m.* **1.** Hipertrofia da glândula tireóide, principalmente devida à insuficiência na ingestão de iodo.

bocó *adj.2g.* e *s.2g.* Tolo, bobo.

boda (ô) *s.f.* (lat. *vota*, votos). **1.** Celebração do casamento. **2.** Festa para celebrar um casamento.

bode *s.m.* **1.** Mamífero artiodáctilo, ruminante, da família dos bovídeos, que apresenta um tufo de pêlos longos no queixo. **2.** *Fig.* Homem de cavanhaque, homem muito feio. **3.** *Pop.* Confusão, situação embaraçosa.

bodega *s.f.* (lat. *apotheca*, depósito). **1.** Taberna. **2.** Comida rude e malfeita. **3.** Pequeno armazém. **4.** *Pop.* Coisa sem préstimo.

bodegueiro *s.m.* **1.** Proprietário ou vendedor de uma bodega. **2.** Cozinheiro pouco limpo. **3.** Indivíduo porcalhão. **4.** Indivíduo desleixado.

bodoque *s.m.* (ár. *bunduq*). **1.** Arco com que se arremessam bolas de barro endurecidas ao fogo. **2.** Atiradeira.

bodum *s.m.* **1.** Cheiro característico do bode e da cabra. **2.** Cheiro e sabor de sebo próprio da carne de carneiro. **3.** Cheiro forte e nauseabundo do suor de animais e mesmo de pessoas; xexéu. **4.** Cheiro de restos de alimentos engordurados e deteriorados. **5.** Sin. de OPILIÃO.

boêmia ou **boemia** *s.f.* (*Boêmia*, top.). **1.** Vida desregrada e sem preocupações com o futuro; vida airada. **2.** Farra, vadiagem.

boêmio *adj.* **1.** Relativo ou pertencente à Boêmia, na República Checa. **2.** Diz-se daquele que vive na boêmia; vadio. ★ *s.m.* **1.** Indivíduo natural ou habitante da Boêmia. **2.** Raça nômade que se supunha natural da Boêmia; cigano.

bôer *adj.2g.* e *s.2g.* (hol. *boer*, camponês). Diz-se de ou descendente sul-africano dos colonizadores holandeses da África do Sul.

bofe *s.m.* *Pop.* **1.** O pulmão. **2.** Caráter, temperamento. **3.** Mulher feia. **4.** Prostituta de baixa categoria. **5.** Gíria dos homossexuais para "homem".

bofetada *s.f.* **1.** Pancada no rosto com a palma da mão. **2.** *Fig.* Insulto, injúria, desfeita; bofete.

bofetão *s.m.* Bofetada muito forte.

bofete (ê) *s.m.* (fr. *buffet*). Bofetada.

bofetear *v.t.* (conj. 15) Esbofetear.

bogotano *adj.* Relativo ou pertencente a Bogotá, capital da Colômbia. ★ *s.m.* Indivíduo natural ou habitante de Bogotá.

boi *s.m.* (lat. *bos, bovis*). **1.** Mamífero ruminante da família dos bovídeos, que só existe em estado de domesticidade. **2.** Bovino macho castrado. **3.** Sin. de BUMBA-MEU-BOI.

bóia *s.f.* (fr. ant. *boye*). **1.** Flutuador utilizado para balizamento, que emite sinais sonoros ou luminosos, fundeado em locais perigosos para a navegação ou para delimitar percursos de regata. **2.** Objeto flutuante em forma de anel, ferradura etc., que serve para manter uma pessoa à tona da água. **3.** Objeto flutuante que veda a entrada de líquido em uma caixa-d'água quando esta se enche. **4.** *Pop.* Comida, refeição.

boiada *s.f.* Manada de bois.

boiadeiro *s.m.* Pessoa que conduz ou toma conta de uma boiada.

VOCÊ SABIA...? A atividade dos **boiadeiros** é a mesma em todos os países, mas muda de nome, estilo e indumentária de acordo com o lugar. Por exemplo, o boiadeiro típico do oeste dos EUA é o *cowboy*, que usa botas pontiagudas de salto alto e chapéu; no Brasil, além do tradicional peão boiadeiro das regiões Sudeste e Centro-Oeste e do boiadeiro das regiões Nordeste e Norte, encontram-se na região Sul os gaúchos (também típicos da Argentina e do Uruguai), que usam calça folgada, chapéu de aba curta e cinto largo e muito enfeitado.

---

bóia-fria *s.2g.* Trabalhador rural braçal que se desloca para o campo na época de colheitas e que recebe por dia ou tarefa.

boi-almiscarado *s.m.* Mamífero ruminante, de pelagem espessa e rabo curto, que habita as regiões frias da América do Norte.

boião *s.m.* **1.** Recipiente bojudo e de boca larga, para doces, conservas etc. **2.** Fogão onde se defuma a borracha.

boiar *v.t.* (conj. 4). Prender à bóia. ★ *v.i.* **1.** Permanecer na superfície da água; flutuar, sobrenadar. **2.** *Fig.* Oscilar, balançar-se. **3.** Ficar irresoluto; hesitar. **4.** *Gír.* Não compreender, não entender.

boi-bumbá *s.m.* Sin. de BUMBA-MEU-BOI.

boicotagem *s.f.* Boicote.

boicotar *v.t.* (conj. 4). **1.** Interditar relações comerciais ou sociais com pessoa, classe ou país. **2.** Não comercializar, intencionalmente, mercadoria de certa origem.

boicote *s.m.* (de *J. Boycott*, n.pr.). Ato ou efeito de boicotar; boicotagem.

boiçununga *s.f.* Sin. de CASCAVEL.

boiguaçu *s.m.* (tupi *mboy-guassú*, cobra-grande). Sin. de SUCURI.

boina *s.f.* (esp. *boina*). Espécie de boné chato, sem costura e sem pala.

boipeba ou **boipeva** *s.2g.* (tupi *mboy-peba,* cobra chata). Nome comum a algumas espécies de répteis ofídios que ocorrem em todo o Brasil.

boiquira *s.f.* (tupi *'moy'kira*). Sin. de CASCAVEL.

boitatá *s.m.* (tupi *mbaeta'ta*). **1.** Figura mitológica protetora dos campos que aparece como uma serpente de fogo. **2.** *Pop.* Fogo-fátuo.

boiúna *s.f.* (tupi *mboi'una,* cobra negra). **1.** Enorme serpente mitológica da Amazônia. **2.** Sin. de SUCURI. **3.** Sin. de PIRAMBÓIA.

bojo (ô) *s.m.* **1.** Alargamento ou saliência em forma convexa. **2.** *Fig.* Ventre, barriga grande. **3.** Capacidade. ● **Nav.** Na carena de um navio, a parte mais arredondada e convexa.

bojudo *adj.* Que tem bojo; arredondado.

bola *s.f.* (lat. *bulla*). **1.** Qualquer objeto de forma esférica; globo, esfera. **2.** *Fig.* Cabeça, miolo, juízo. **3.** Artefato redondo ou arredondado, maciço ou inflado de ar comprimido, usado em diversos esportes.

BOLAS UTILIZADAS EM ALGUNS ESPORTES

basquete futebol handebol rúgbi voleibol

bola-ao-cesto *s.m.* Basquete.

bolacha *s.f.* **1.** Tipo de biscoito de forma peculiar, achatada. **2.** *Pop.* Bofetada.

bolada *s.f.* **1.** Pancada com a bola. **2.** *Pop.* Grande quantia (de dinheiro).

bolandeira *s.f.* **1.** Grande roda que transmite o movimento às mós dos engenhos. **2.** Máquina de descaroçar algodão.

bolar *v.t.* (conj. 4). **1.** Acertar com a bola. **2.** *Pop.* Conceber, planejar, arquitetar. ★ *v.i.* Conceber, formular uma idéia.

bolchevique *adj.2g.* e *s.2g.* Bolchevista.

bolchevismo *s.m.* **1.** Doutrina política e social defendida por Lênin. **2.** *P. ext.* Comunismo.

bolchevista *adj.2g.* (russo *bolchevik*). Relativo ou pertencente ao bolchevismo; bolchevique. ★ *s.2g.* Partidário do bolchevismo; bolchevique.

boldo (ô) *s.m.* Arbusto originário da África, cujas folhas, de propriedades medicinais, são utilizadas como tônico hepático e digestivo; ÁRVORE-DE-PINGUÇO.

boldrié *s.m.* (fr. *baudrier*). Correia de couro usada a tiracolo onde se prende a arma.

boleadeiras *s.f.pl.* Apetrecho constituído por três bolas pesadas ligadas por correias, usado pelos gaúchos para capturar o gado.

bolear *v.t.* (conj. 15). **1.** Imprimir a forma de bola a; arredondar, tornear. **2.** Enredar um animal com as boleadeiras. **3.** *Fig.* Cativar, fascinar. ★ *v.pr.* Cair o cavalo com o cavaleiro.

boleeiro *s.m.* O que conduz à boléia; cocheiro.

boléia *s.f.* **1.** Peça de madeira boleada que se fixa na lança das carruagens e da qual partem os tirantes dos animais dianteiros. **2.** Assento do cocheiro. **3.** Assento do motorista, no caminhão.

bolero *s.m.* (esp. *bolero*). **1.** Dança e música espanholas. **2.** Casaco curto feminino que se usa sobre a blusa ou o vestido.

boletim *s.m.* (it. *bollettino,* escrito breve). **1.** Publicação periódica de informações de entidades oficiais ou privadas. **2.** Noticiário veiculado em rádio ou televisão, a intervalos regulares. **3.** Caderneta escolar em que se registram as notas dos alunos, bem como seu comportamento.

boleto *s.m.* **1.** Articulação arredondada da perna do cavalo, acima da ranilha. **2.** Região dos membros dos eqüídeos e dos ruminantes, situada entre a canela e quartela.

bolha (ô) *s.f.* **1.** Pequena quantidade de ar, de gás, de vapor, que toma a forma esférica num líquido ou num material em fusão (vidro, metal) ou solidificado. **2.** Formação saliente da epiderme, repleta de líquido, que se desenvolve após queimaduras, atrito constante ou em certas moléstias. ★ *s.m. Gír.* Pessoa enfadonha, sem iniciativa.

boliche *s.m.* (esp. *boliche*). **1.** Pequeno estabelecimento comercial; vendinha, bodega. **2.** Jogo em que se arremessa uma bola visando derrubar um conjunto de pinos dispostos na extremidade de uma pista.

bólide *s.2g.* ou **bólido** *s.m.* (gr. *bolís, bolídos,* projétil). Meteorito que, ao penetrar na atmosfera, torna-se brilhante como uma bola de fogo.

bolina *s.f.* (ingl. *bowline,* linha de arco, pelo fr. *bouline*). **1.** Cabo de sustentação da vela, destinado a dar-lhe a obliqüidade necessária para colher o vento de maneira ideal. **2.** *Pop.* Bolinação.

bolinação *s.f.* **1.** Ação de bolinar. **2.** Pressão feita com o corpo ou com as mãos no corpo de outra pessoa, com intenção sexual.

bolinar *v.t.* (conj. 4). **1.** Alar com a bolina. **2.** Enganar, lograr. ★ *v.i.* e *v.t.* **1.** Velejar usando a bolina para colocar a proa próxima da direção de onde vem o vento. **2.** Apalpar outra pessoa ou nela encostar-se com interesse sexual.

bolívar *s.m.* (de *S. Bolívar,* n.pr.) Unidade monetária da Venezuela.

boliviano *adj.* Relativo ou pertencente à Bolívia. ★ *s.m.* Indivíduo natural da Bolívia.

bolo (ô) *s.m.* **1.** Massa de farinha, quase sempre com açúcar, ovos, leite etc., geralmente assada em forma. **2.** Soma de dinheiro formada mediante rateio ou pelas apostas de parceiros de jogo. **3.** Ajuntamento de pessoas; confusão. **4.** Golpe de palmatória dado como punição. **5.** *Bolo alimentar,* massa de alimentos após a deglutição.

bolonhês *adj.* Relativo ou pertencente à cidade de Bolonha, na Itália. ★ *s.m.* Indivíduo natural ou habitante da Bolonha.

bolor (ô) *s.m.* (lat. *pallor, palloris,* palidez). **1.** Designação comum de fungos cujas frutificações filamentosas formadas na superfície desprendem esporos em forma de pó. (Sin. MOFO.) **2.** Bafio. **3.** *Fig.* Decadência, velhice.

bolorento *adj.* **1.** Coberto de bolor. **2.** *Fig.* Decadente, velho.

bolota *s.f.* Objeto ou substância de forma esférica; pequena bola.

bolsa (ô) *s.f.* (gr. *byrsa*). **1.** Saco de pequena dimensão, selado, para embalar produtos líquidos ou pastosos. **2.** Saco de couro, plástico ou pano, usado para carregar dinheiro e miudezas. **3.** *Fig.* Dinheiro. **4.** Alforje. **5.** Subsídio concedido a estudantes ou pesquisadores para que prossigam seus trabalhos específicos. **6.** Instituição em que se negociam títulos, ações e mercadorias. **7.** Edifício onde se realizam essas operações. **8.** Distensão da pele sob os olhos, formada pela fadiga, idade etc. ● **Med.** *Bolsa-d'água,* coleção líquida intra-uterina que se rompe por ocasião da dilatação do colo do útero no momento do parto. **Zool.** *Bolsa de Fabricius,* órgão linfóide das aves.

bolsista *adj.2g.* Relativo a bolsa (de comércio, de estudos etc.). ★ *s.2g.* **1.** Aquele que tem uma bolsa de estudos, pesquisa etc. **2.** Pessoa que joga na bolsa ou que se dedica profissionalmente às operações da bolsa.

bolso (ô) *s.m.* **1.** Espécie de pequeno saco preso ao vestuário, interna ou externamente; algibeira. **2.** Dinheiro que alguém leva consigo ou que está reservado para despesas.

bom *adj.* (lat. *bonus*). **1.** Que tem as qualidades que convêm à sua natureza ou destinação; útil. **2.** Honesto, honrado. **3.** Que gosta de fazer o bem; caridoso. **4.** Que tem aptidão profissional; competente. **5.** Indulgente, afetuoso. **6.** Feliz, favorável. **7.** Violento, forte. **8.** Saboroso, delicioso. **9.** Seguro, garantido.

bomba[1] *s.f.* (gr. *bómbos,* ruído surdo). **1.** Dispositivo ou projétil carregado de matéria explosiva. **2.** Artefato bélico de grande poder de destruição, proveniente de energia liberada em fusão ou fissão nuclear ou de agentes químicos, biológicos etc. **3.** *Fig.* Fato ou notícia que causa impacto, grande espanto. **4.** *Pop.* Reprovação em exame. **5.** Espécie de doce com recheio de creme e recoberto por uma camada de chocolate ou glacê; *éclair.*

bomba[2] *s.f.* **1.** Máquina apropriada para impelir ou sugar um líquido por ação combinada de aspiração e compressão. **2.** Aparelho com que se enchem câmaras-de-ar. **3.** Artefato para aspergir ou vaporizar certos líquidos (inseticidas, desodorantes). **4.** Canudo que se introduz numa cuia para tomar mate.

bombachas *s.f.pl.* (esp. *bombacho*). **1.** Calças folgadas, presas no tornozelo, típicas do vestuário gaúcho. **2.** *Ant.* Calções largos que se atavam por baixo dos joelhos.

bombarda *s.f.* (it. *bombarda*). Peça de artilharia do fim da Idade Média, que lançava projéteis de ferro ou pedra. ● **Mús.** Instrumento de palheta dupla, antecessor do oboé. ► Um dos teclados manuais do órgão de concerto.

bombardão *s.m.* Tuba.

bombardeamento *s.m.* **1.** Ato ou efeito de bombardear, bombardeio. **2.** *Bombardeamento nuclear,* emissão de partículas atômicas aceleradas sobre o núcleo de determinados elementos químicos, com o intuito de gerar reações nucleares.

bombardear *v.t.* (conj. 15). **1.** Lançar bombas ou obuses sobre; canhonear. **2.** Atirar quaisquer projéteis. **3.** Submeter (um alvo) ao impacto de partículas aceleradas para obter reações nucleares.

bombardeio *s.m.* **1.** Ataque a um objetivo por meio de bombas ou qualquer projétil pesado. **2.** Bombardeamento.

bombardeiro *s.m.* **1.** Avião de bombardeio. **2.** Membro de sua equipagem. **3.** Soldado que manejava a bombarda.

bombardino *s.m.* (it. *bombardino*). Instrumento metálico de sopro, espécie de trompa, usado nas bandas militares.

bombástico *adj.* (it. *bombastico*). **1.** Estrondoso, estrepitoso. **2.** *Fig.* Empolado, pretensioso.

bombeamento *s.m.* Ação de bombear. ● **Geol.** Arqueamento.

bombear *v.t.* (conj. 15). **1.** Extrair um fluido por meio de bomba. **2.** Reprovar em exames. **3.** Bombardear.

bombeiro *s.m.* **1.** Homem que pertence a um corpo de combate de incêndios e outros sinistros. **2.** Encanador.

corpo de bombeiros em ação

bombilha *s.f.* Canudo com que se toma chimarrão.

bombo *s.m.* **1.** Grande tambor usado em orquestras sinfônicas e nas bandas militares; bumbo. **2.** Músico que toca esse instrumento.

bom-bocado *s.m.* Doce feito com ovos, coco e queijo ralados, açúcar.

bombom *s.m.* (fr. *bonbon*). Guloseima de chocolate com recheios diversos (frutas, nozes, licores etc.).

bombordo *s.m.* O lado esquerdo de uma embarcação, quando se está dentro dela, olhando para a proa (frente).

bom-tom *s.m.* **1.** Maneiras distintas, que indicam boa educação. **2.** Comportamento ou linguagem própria da alta sociedade.

bonachão *adj.* e *s.m.* Que ou aquele que tem bondade natural, que é simples, ingênuo e paciente; bonacheirão.

bonacheirão *adj.* e *s.m.* Bonachão.

bonança *s.f.* **1.** Tranqüilidade do mar, propícia à navegação. **2.** Calmaria. **3.** *Fig.* Tranqüilidade, calma, ventura, felicidade.

bonançoso (ô) *adj.* Que está em bonança; calmo, tranqüilo.

bondade *s.f.* (lat. *bonitas*). **1.** Qualidade de bom. **2.** Benevolência, indulgência. **3.** Amabilidade, cortesia. **4.** Ternura, brandura.

bonde *s.m.* (ingl. *bond*). **1.** Veículo elétrico, destinado ao transporte urbano e suburbano de passageiros. **2.** *Fig.* Mau negócio, prejuízo. **3.** *Pop.* Pessoa sem atrativos.

bondoso (ô) *adj.* **1.** Que tem bondade; benévolo, caridoso. **2.** (*N*) Soberbo, orgulhoso.

boné *s.m.* (fr. *bonnet*). Cobertura de cabeça sem abas, com uma pala sobre os olhos.

boneca *s.f.* **1.** Figura de louça, papelão, pano, plástico, que imita a forma feminina e serve de brinquedo para crianças. **2.** Bola de algodão recoberta de tecido, usada para espalhar tinta ou verniz sobre a chapa de gravação. **3.** Mulher muito enfeitada. **4.** Mulher bonita. **5.** Indivíduo efeminado. ● **Bot.** Denominação dada à espiga do milho ainda em formação. **Nav.** Cada uma das peças de madeira em que se apóiam as antenas sobressalentes dianteiras do mastro grande.

boneco *s.m.* **1.** Figura de louça, plástico, borracha, cartão, que imita a forma masculina e serve de brinquedo infantil. **2.** Manequim. **3.** Almofadinha. **4.** Fantoche. **5.** Desenho, estampa, gravura. **6.** *Boneco de engonço*, o que é manipulado por cordel ou se move por engenho mecânico. ● **Ind. Gráf.** Anteprojeto gráfico de trabalho tipográfico, ainda não impresso, mas que apresenta as principais características (espessura, formato etc.) da obra definitiva.

bonificação *s.f.* (fr. *bonification*). **1.** Ação de bonificar. **2.** Abatimento no preço ou acréscimo de mercadorias que o vendedor oferece ao comprador. **3.** Gratificação, prêmio.

bonificar *v.t.* (fr. *bonifier*) [conj. 12]. **1.** Dar bonificação. **2.** Gratificar.

bonifrate *s.m.* **1.** Fantoche. **2.** Pessoa que se deixa manipular pelos outros.

boniteza (ê) *s.f.* Qualidade de bonito.

bonito[1] *adj.* **1.** Agradável à vista, ao ouvido; formoso. **2.** Vantajoso, bom. **3.** Nobre, generoso. **4.** Brilhante, invejável. **5.** Censurável.

bonito[2] *s.m.* Denominação comum a peixes oceânicos, de coloração geral prateada, dorso azul ou esverdeado, com ampla distribuição geográfica.

bonomia *s.f.* (fr. *bonhomie*). **1.** Modo de quem é simples, bom, crédulo. **2.** Simplicidade excessiva, extrema credulidade. **3.** Pachorra.

bonsai *s.m.* **1.** Técnica japonesa que cultiva árvores em tamanho muito reduzido. **2.** Árvore assim cultivada.

BONSAI ► É uma árvore cultivada em vaso como planta ornamental. Espera-se que seja uma cópia perfeita em miniatura da árvore de tamanho natural. O bonsai é originário do Japão, embora hoje em dia seja produzido em todo o mundo.

bônus *s.m.2n.* (lat. *bonus*). **1.** Prêmio ou vantagem dada aos portadores de certos títulos financeiros ou ações. **2.** Título da dívida pública. **3.** Prêmio ou brinde oferecido a usuários ou clientes.

bonzo *s.m.* (jap. *bónzu*). **1.** Sacerdote ou monge budista. **2.** *Fig.* Sonso.

boqueira *s.f.* *Pop.* Inflamação nos cantos dos lábios.

boqueirão *s.m.* **1.** Grande boca. **2.** Abertura em rio ou canal. **3.** Passagem escarpada entre montanhas cortadas por um rio; grotão. **4.** Travessa ou viela que desemboca em um rio ou praia. **5.** Saída larga para um campo, após uma estrada estreita ou desfiladeiro.

boquejar *v.t.* (conj. 4). **1.** Falar entre dentes; murmurar, sussurrar. **2.** Falar mal de. ★ *v.i.* **1.** Bocejar. **2.** Murmurar, sussurrar.

boquiaberto *adj.* **1.** Com a boca aberta. **2.** Pasmado, admirado. **3.** Com ar de imbecil.

boquilha *s.f.* (esp. *boquilha*). **1.** Piteira. **2.** Encaixe destinado a unir os caixilhos das portas e janelas. **3.** Peça do instrumento de sopro que serve de embocadura.

boquinha *s.f.* **1.** Boca pequena. **2.** Beijo. **3.** Refeição ligeira. **4.** O ruído do beijo.

borato *s.m.* Sal ou éster do ácido bórico.

bórax (cs) *s.m.* (persa *burah*). Borato sódico que constitui uma substância cristalina, incolor, encontrada em solos alcalinos e lagos salinos.

borboleta (ê) *s.f.* **1.** Inseto lepidóptero que possui dois pares de asas membranosas, em geral coloridas, e apresenta peças bucais adaptadas para a sucção do néctar. **2.** *Fig.* Pessoa de vida airada, inconstante e volúvel. **3.** Porca com asas que se aperta e desaperta manualmente. **4.** Peça com asas giratórias que controla uma passagem de pedestres; catraca, roleta, torniquete, rodízio. **5.** Peça móvel que segura uma janela de guilhotina. ● **Esp.** Nado ou estilo de natação com braçadas simultâneas, a cabeça acima da superfície da água e nenhuma inclinação ou rotação lateral.

borboletear *v.i.* (conj. 15). **1.** Ir de um a outro lugar, como as borboletas; voejar. **2.** *Fig.* Divagar, devanear.

borborigmo *s.m.* (gr. *borborygmós*, gorgolejo). Conjunto de ruídos produzidos pelos movimentos das bolhas gasosas nos líquidos do tubo digestivo; borborismo.

borborismo *s.m.* Borborigmo.

borbotão *s.m.* **1.** Jato, jorro, golfada. **2.** Lufada, rajada.

borbotar *v.t.* (conj. 4). **1.** Expelir em borbotões. **2.** Fazer ou dizer em profusão. ★ *v.i.* **1.** Sair em borbotões. **2.** Jorrar com violência.

borbulha *s.f.* **1.** Bolha gasosa. **2.** Agitação produzida na superfície de um líquido que entra em ebulição.

borbulhar *v.i.* (conj. 4). **1.** Sair em borbulhas ou bolhas; borbotar, bolhar, ferver. **2.** Sair aos grupos e precipitadamente. **3.** Tratando-se de um gás, passar sob a forma de borbulhas através de um líquido. ★ *v.t.* Soltar aos borbotões.

borco (ô) *s.m.* *De borco*, de boca para baixo, emborcado.

borda *s.f.* (do germ.). **1.** Extremidade, limite de uma superfície. **2.** Parte contígua a um contorno; orla, beira, bordo.

bordadeira *s.f.* **1.** Máquina ou artefato para bordar. **2.** Mulher que faz bordados.

bordado *s.m.* Trabalho decorativo, em relevo, executado sobre tecido com agulha e linha.

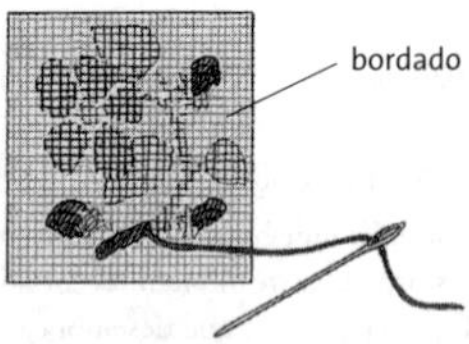

bordão *s.m.* (lat. tard. *burdo, burdonis*). **1.** Pau roliço e resistente que se leva à mão para servir de apoio; cajado, bengala. **2.** *Fig.* Apoio, proteção, amparo. **3.** Palavra ou frase que se repete muito; lugar-comum. ● **Mús.** A corda mais grossa de certos instrumentos musicais, que dá as notas graves.

bordar *v.i.* e *v.t.* (conj. 4). **1.** Fazer bordado em. **2.** Enfeitar, guarnecer a borda de. **3.** *Fig.* Ampliar uma narrativa com detalhes fantasiosos. **4.** *Fig. Pintar e bordar,* fazer estripulias, traquinagens.

bordejar *v.i.* (it. *bordeggiare*) [conj. 4]. **1.** Navegar, ora por um bordo ora por outro, em ziguezague; voltear. **2.** *Fig.* Cambalear por efeito de bebedeira.

bordejo (ê) *s.m.* Ato ou efeito de bordejar.

bordel *s.m.* (fr. *bordel*). Casa de prostituição, prostíbulo, lupanar.

borderô *s.m.* (fr. *bordereau,* lista). **1.** Relação de títulos de crédito que o cliente entrega aos bancos para operações de desconto, cobrança etc. **2.** Formulário de análise de um documento preparado para processamento via computador.

bordo *s.m.* (do germ.). **1.** O lado do navio. **2.** Borda, beira, extremidade. **3.** Superfície curva pela qual se verifica a espessura de uma moeda. **4.** *A bordo,* no interior do navio e, *p. ext.,* do avião, do trem.

bordo (ô) *s.m.* Árvore originária da América do Norte que fornece madeira leve, própria para obras internas, e seiva com alto teor de sacarose. (Sin. ÁCER.)

bordô *adj.2g.2n.* Que tem cor semelhante à do vinho tinto originário de Bordéus, cidade da França. ★ *s.m.* Essa cor.

bordoada *s.f.* Pancada com bordão.

boré *s.m.* (do tupi). **1.** Trombeta de bambu usada por indígenas. **2.** O mastro da jangada.

boreal *adj.2g.* (lat. *borealis*). Situado nas proximidades do pólo Norte; setentrional.

bóreas *s.m.2n.* (gr. *boréas,* vento norte). *Poét.* Vento do norte; aquilão.

boreste *s.m.* O lado direito de uma embarcação, estando-se dentro dela, olhando para a proa (frente). (Sin. ESTIBORDO.)

borgonhês *adj.* Relativo ou pertencente à Borgonha, na França. ★ *s.m.* Indivíduo natural ou habitante da Borgonha.

boricado *adj.* **1.** Que contém ácido bórico. **2.** *Água boricada,* solução de ácido bórico utilizada como anti-séptico.

bórico *adj. Ácido bórico,* sólido cristalizado que, em solução, forma a água boricada.

borla *s.f.* (lat. *burrula,* floco de lã). **1.** Ornamento de passamanaria composto de um botão de onde pende um feixe de fios. **2.** Tufo redondo no topo de um mastro de embarcação ou de bandeira.

bornal *s.m.* **1.** Saco de pano ou de couro, geralmente usado a tiracolo, onde se levam provisões, ferramentas etc. **2.** Saco de pano que se prende ao focinho das cavalgaduras para nele comerem a ração. (Var. EMBORNAL.)

borne *s.m.* (do fr. *borne*). Peça metálica utilizada para prender um condutor ao terminal de um aparelho elétrico.

boro *s.m.* Elemento químico não metálico (símb. B), de número atômico 5, que forma uma substância simples, de propriedades similares às do carbono.

borocoxô *adj.2g.* e *s.2g. Pop.* Diz-se de ou indivíduo sem ânimo, mole ou envelhecido.

bororo (ô) *s.2g.* Indivíduo dos bororos, povo indígena jê que vive no Mato Grosso.

borra (ô) *s.f.* (lat. *burra*). **1.** Depósito espesso de qualquer matéria sólida em suspensão em um líquido; sedimento. **2.** *Fig.* Escória, ralé.

borra-botas *s.2g.2n.* **1.** Mau engraxate. **2.** Indivíduo insignificante; joão-ninguém.

borracha *s.f.* (esp. *borracha*). **1.** Substância elástica e impermeável, natural ou sintética, que exibe, após a vulcanização, grande elasticidade à temperatura ambiente. **2.** Artigo de escritório à base de borracha que serve para apagar traços de lápis ou de tinta. **3.** Nome usual do látex.

borracharia *s.f.* Local onde se fazem reparos e substituição de pneumáticos e câmaras-de-ar.

borracheiro *s.m.* Indivíduo que conserta pneumáticos e câmaras-de-ar.

borrachudo *s.m.* Inseto díptero que ocorre na faixa litorânea, principalmente próximo a cachoeiras e rios, cuja fêmea é hematófaga, de picada dolorosa. (Sin. PIUM.) ★ *adj.* Inchado, rotundo.

borrador (ô) *s.m.* **1.** Livro ou caderno de rascunhos. **2.** *Fig.* Mau pintor, mau escritor.

borragináceas *s.f.pl.* Família de plantas dicotiledôneas, herbáceas ou lenhosas, arbustivas ou arbóreas, floríferas, como o miosótis.

borralha *s.f.* **1.** Borralho. **2.** Cinzas.

borralheira *s.f.* Lugar onde se juntam as cinzas, ou borralho, da cozinha ou do forno; borralheiro.

borralheiro *adj.* **1.** Que fica junto ao borralho, na cozinha. **2.** Que sai pouco de casa. ★ *s.m.* Borralheira.

borralho *s.m.* **1.** Braseiro coberto de cinzas; borralha. **2.** *Fig.* Lar.

borrão *s.m.* **1.** Mancha, nódoa de tinta. **2.** Primeiras linhas, esboço. **3.** *Fig.* Ação desabonadora; desdouro.

borrar *v.t.* (conj. 4). **1.** Sujar, manchar. **2.** Pintar grosseiramente. ★ *v.pr.* **1.** Defecar involuntariamente. **2.** Ter grande medo.

borrasca *s.f.* (it. *burrasca*). **1.** Temporal com ventania violenta e de pouca duração. **2.** *Fig.* Ocorrência súbita de contrariedades e desgostos.

borrego (ê) *s.m.* (do lat. *burrus*). **1.** Carneiro que não tem mais de um ano. **2.** Burro fraco ou ordinário. **3.** *Fig.* Pessoa pacífica, mansa.

borrifar *v.t.* (conj. 4). **1.** Molhar ligeiramente; esborrifar. **2.** Orvalhar, aspergir. ★ *v.i.* Chuviscar.

borrifo *s.m.* **1.** Difusão de pequenas gotas de água ou outro líquido. **2.** Pequenas manchas espalhadas numa superfície.

borzeguim *s.m.* (hol. *broseken,* pelo fr. ant. *brosequin*). Botina cujo cano se fecha por meio de cordões.

bosque *s.m.* (do germ.) **1.** Conjunto de árvores que cobre certa área. **2.** Floresta não muito extensa nem muito densa; mata.

bosquejar *v.t.* (conj. 4). **1.** Traçar o bosquejo de; delinear, esboçar. **2.** Descrever resumidamente, sem desenvolvimento.

bosquejo (ê) *s.m.* **1.** Primeiros traços de uma obra; esboço. **2.** Plano geral. **3.** Descrição sumária.

bosquímano *s.m.* Indivíduo dos bosquímanos, povo sul-africano. ★ *adj.* Relativo ou pertencente a esse povo.

bossa *s.f.* (fr. *bosse,* protuberância). **1.** Protuberância natural em certos animais, como camelo, dromedário. **2.** Saliência mais ou menos volumosa num organismo; corcova. **3.** Protuberância, calombo. **4.** *Fig.* Habilidade, jeito, lábia. **5.** *Bossa nova,* movimento da música popular brasileira caracterizado pela renovação rítmica, melódica e harmônica do samba.

bosta *s.f.* **1.** Excremento de qualquer animal. **2.** *Pej.* Coisa ou pessoa desprezível, insignificante.

bosteiro *s.m.* Sin. de ESCARAVELHO.

bostela *s.f.* (lat. *pustella*). Pequena ferida; pústula.

bota *s.f.* (fr. *botte*). Calçado de couro ou borracha que envolve o pé, a perna e, por vezes, a coxa.

bota-fora *s.m.2n.* **1.** Ato de acompanhar um viajante até a partida. **2.** Despedida festiva. **3.** Depósito de materiais de construção não utilizados; os próprios materiais.

botânica *s.f.* (gr. *botanike*). Ciência que estuda os vegetais.

botânico *adj.* (gr. *botanikós*). **1.** Relativo à botânica. **2.** Relativo ao reino vegetal. ★ *s.m.* Especialista em botânica.

botão *s.m.* (ant. fr. *boton,* atual *bouton*). **1.** Peça móvel, acionada manualmente, que serve para controlar um aparelho. **2.** Pequena peça, em geral arredondada, que serve para unir duas partes do vestuário. **3.** O estado da flor antes de desabrochar.

botar *v.t.* (conj. 4). **1.** Colocar, pôr. **2.** Atirar. **3.** Depositar. **4.** Vestir, calçar. **5.** Preparar, arranjar. **6.** Deitar, estender. **7.** Guardar, depositar. **8.** Introduzir, enfiar. **9.** Atribuir, imputar. ★ *v.t.* e *v.i.* Pôr ovos. ★ *v.pr.* **1.** Lançar-se, atrever-se. **2.** Partir.

bote[1] *s.m.* (ingl. ant. *bôt*). Embarcação sem convés, geralmente movida a remo.

bote[2] *s.m.* **1.** Golpe de arma branca; cutilada, estocada. **2.** Investida do animal sobre a presa (falando-se especialmente da cobra). **3.** *Fig.* Investida, ataque.

boteco *s.m.* *Pop.* Pequeno botequim.

botequim *s.m.* Pequeno estabelecimento comercial onde se servem bebidas, café etc.

botica *s.f.* (gr. *apotheke,* armazém, pelo lat. *apotheca*). *Ant.* Farmácia.

boticão *s.m.* **1.** Instrumento odontológico, semelhante a uma tenaz, utilizado para extrair dentes. **2.** Pinça para a extração de fragmentos ósseos.

boticário *s.m.* Dono de botica; farmacêutico.

botija *s.f.* (lat. *butticula,* tonelzinho, pelo esp. *botija*). **1.** Vaso de cerâmica, bojudo, de gargalo pequeno e boca estreita. **2.** *Fig.* Indivíduo gordo.

botijão *s.m.* Recipiente para gases sob pressão relativamente baixa, como gás liquefeito de petróleo.

botina *s.f.* (fr. *bottine*). Bota de cano curto, comumente para homem.

boto (ô) *s.m.* **1.** Designação genérica de mamíferos cetáceos marinhos e de água doce. (Sin. GOLFINHO.) **2.** Mito da região Norte em que um boto se transforma em homem sedutor e engravida as mulheres.

botocudo *s.m.* Indivíduo dos botocudos, povos indígenas jês, que viviam no sul da Bahia e Minas Gerais, extintos. ★ *adj.* Relativo aos botocudos.

botoeira *s.f.* Pequena casa na lapela dos casacos masculinos, em que se enfia o pedúnculo de uma flor, botão de comenda etc.

botoque *s.m.* Rodela de madeira introduzida em furos artificiais dos lóbulos da orelha e do lábio inferior pelos botocudos e outros índios.

botsuanense *adj.2g.* Relativo ou pertencente a Botsuana, na África; botsuanês. ★ *s.2g.* Indivíduo natural ou habitante de Botsuana; botsuanês.

botsuanês *adj.* e *s.m.* Botsuanense.

botulismo *s.m.* (do lat. *botulus,* salsicha). Intoxicação alimentar de natureza infecciosa, provocada pela ingestão de conservas mal esterilizadas.

bouba *s.f.* **1.** Doença bacteriana não venérea, endêmica em certas regiões tropicais, caracterizada por lesões cutâneas na face e nas extremidades. (Sin. PIÃ.) **2.** *Bouba das aves,* virose que se caracteriza por nódulos epiteliais na cabeça, na crista e na barbela das aves domésticas.

boubento *adj.* e *s.m.* Que ou aquele que tem bouba.

bovídeo *s.m.* Espécime dos bovídeos. ★ *adj.* Relativo aos bovídeos.

bovídeos *s.m.pl.* Família de mamíferos ruminantes, com cornos ocos, pares e não ramificados, que engloba os carneiros, cabras, búfalos e bois.

bovino *adj.* (lat. *bovinus*). Que diz respeito a ou é próprio do boi. ★ *s.m.pl.* Os bois, as vacas e os touros.

bovinocultor (ô) *s.m.* Criador de bovinos.

bovinocultura *s.f.* Criação de bovinos.

boxe[1] (cs) *s.m.* (ingl. *box,* caixa). **1.** Unidade de uma série de compartimentos separados entre si, em mercado etc. **2.** Pequeno compartimento onde se instala chuveiro ou ducha, geralmente localizado no banheiro.

boxe[2] (cs) *s.m.* (ingl. *box,* soco). Esporte em que dois contendores trocam socos mediante a observância de certas regras; pugilismo.

boxeador (cs...ô) *s.m.* Lutador de boxe; pugilista.

bóxer (cs) *s.m.* Cão de guarda de pêlos curtos e duros, coloração amarela ou estriado de marrom e preto.

Br símbolo químico do bromo.

brabeza (ê) *s.f.* Braveza.

brabo *adj.* Bravo.

braça *s.f.* (lat. *bracchia, pl.* de *bracchium,* braço). Medida correspondente ao comprimento de dois braços abertos (2,2 metros).

braçada *s.f.* **1.** Movimento dos braços, especialmente em natação. **2.** Quantidade de coisas que se pode levar nos braços.

braçadeira *s.f.* **1.** Tira de pano que se leva no braço. **2.** Correia com que atletas cingem o pulso. **3.** Presilha metálica em formato de argola usada para manter unidas as partes de um objeto.

braçal *adj.2g.* (lat. *brachialis*). **1.** Pertencente ou relativo ao braço. **2.** Que é feito com os braços.

bracejar *v.t.* (conj. 4). Estender para ambos os lados, como se fossem braços; agitar, balançar. ★ *v.i.* **1.** Agitar os braços; gesticular. **2.** Mover os membros anteriores (o animal). **3.** Mover-se, agitar-se, como braços.

bracelete (ê) *s.m.* (fr. *bracelet*). **1.** Adorno que se usa no braço; pulseira. **2.** Ornamento do fuste das colunas.

braço *s.m.* (lat. *brachium*). **1.** Parte do membro superior do homem, compreendida entre a espádua e o cotovelo. **2.** O membro superior inteiro. **3.** Força, poder. **4.** *Fig.* Trabalhador, operário. **5.** Cada uma das hastes horizontais da cruz ou da balança. **6.** Escora lateral de uma cadeira, poltrona, sofá etc., própria para apoio dos braços. **7.** Prolongamento estreito de mar ou rio que avança profundamente terra adentro. **8.** Qualquer peça que se prolonga de um objeto à semelhança de um braço. **9.** *Fig.* Abraço. ● **Mec.** Numa máquina, elemento fixo ou móvel que suporta um dispositivo afastado da estrutura principal.

MÚSCULOS DO BRAÇO (FACE ANTERIOR)

bráctea *s.f.* (lat. *bractea,* folha de metal). Folha modificada que apresenta uma flor ou inflorescência na região axilar.

braçudo *adj.* Que tem braços fortes, robustos.

bradar *v.i.* (conj. 4). **1.** Gritar, berrar. **2.** Reclamar, protestar. ★ *v.t.* **1.** Falar gritando. **2.** Pedir, rogar em altos brados. **3.** Propalar, divulgar.

bradicardia *s.f.* Redução do ritmo cardíaco para menos de 60 batimentos por minuto.

brado *s.m.* **1.** Grito, berro. **2.** Reclamação em voz alta. **3.** Fama.

braguilha *s.f.* Abertura na parte dianteira das calças, calções, cuecas.

braile *s.m.* (de *L. Braille,* n.pr.). Sistema de escrita que representa as letras e os sinais em relevo, utilizado pelos cegos.

brâmane *s.m.* (sânsc. *brahmana*). Membro da casta sacerdotal, a mais alta das quatro principais castas hindus.

bramanismo *s.m.* Sistema social, político e religioso dos brâmanes, caracterizado pelo reconhecimento da autoridade dos vedas e pelo sistema de castas.

bramar *v.i.* (conj. 4). **1.** Berrar (veado, tigre, onça); bramir. **2.** Protestar aos gritos. **3.** Clamar. **4.** Irritar-se.

bramido *s.m.* **1.** Rugido de fera. **2.** Grito furioso. **3.** Som forte do mar, do vento ou da trovoada.

bramir *v.i.* (conj. 79). **1.** Dar bramido (o animal); bramar. **2.** Dar gritos coléricos. **3.** Fazer estrondo; retumbar. ★ *v.t.* Dizer aos brados.

brancacento *adj.* Que é quase branco.

branco *adj.* (germ. *blank,* claro). **1.** Que é da cor da neve, da cal, do leite; alvo, níveo. **2.** Pálido, lívido. **3.** Grisalho, encanecido. **4.** Que não foi escrito ou preenchido. **5.** *Fig.* Puro, inocente. ● **Liter.** Diz-se do verso não rimado. **Neurol.** *Substância branca,* conjunto de tecidos nervosos formados por fibras mielinizadas ou não, que constituem os prolongamentos ou axônios das células nervosas ou neurônios. ★ *s.m.* **1.** A cor branca. **2.** Indivíduo de pele clara. **3.** Espaço livre em textos ou documentos escritos.

brancura *s.f.* **1.** Qualidade do que é branco; alvura. **2.** *Fig.* Pureza.

brandir *v.t.* (al. *brand,* espada) [conj. 79]. Agitar na ou com a mão uma arma, antes de atacar. ★ *v.i.* Vibrar, oscilar.

brando *adj.* (lat. *blandus,* meigo). **1.** Que oferece pouca resistência à pressão; mole, flexível. **2.** Tenro, macio. **3.** Que tem pouca atividade, pouco vigor. **4.** Sem firmeza moral; fraco. **5.** Terno, meigo, suave.

brandura *s.f.* Qualidade do que é brando.

branquear *v.i., v.t.* e *v.pr.* (conj. 15). Tornar(-se) branco; branquejar. ★ *v.t.* **1.** Tornar limpo, alvejar. **2.** *Fig.* Purificar.

branquejar *v.i.* (conj. 4). Branquear.

brânquia *s.f.* (gr. *brágchia,* guelras, pelo lat. *branchia*). Órgão respiratório de alguns animais aquáticos, como os peixes. (Sin. GUELRA.)

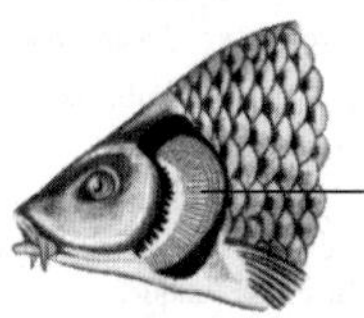

branquial *adj.2g.* **1.** Relativo às brânquias. **2.** *Arco branquial,* estrutura esquelética que sustenta as brânquias dos peixes.

braquial *adj.2g.* **1.** Relativo ao braço. **2.** *Plexo braquial,* plexo nervoso que assegura a inervação do membro superior.

brasa *s.f.* **1.** Carvão incandescente sem chama. **2.** *Fig.* Estado de ardência, afogueamento.

brasão *s.m.* (fr. *blason*). **1.** Emblema da nobreza. **2.** *Fig.* Glória, honra.

braseiro *s.m.* **1.** Recipiente no qual são colocadas brasas para aquecer um aposento e seus ocupantes. **2.** Conjunto das brasas que sobram de um incêndio, que restam de uma fogueira. **3.** Fogareiro.

brasileirismo *s.m.* **1.** Caráter do que é brasileiro. **2.** Brasilidade. **3.** Fato lingüístico peculiar ao português do Brasil.

brasileiro *adj.* Relativo ou pertencente ao Brasil; brasiliense. ★ *s.m.* Indivíduo natural ou habitante do Brasil; brasiliense.

brasiliana *s.f.* Coleção de livros e estudos sobre o Brasil.

brasilianista *s.2g.* Estrangeiro especialista em assuntos brasileiros.

brasílico *adj.* Diz-se do povo e das coisas indígenas do Brasil.

brasilidade *s.f.* **1.** Característica distintiva do brasileiro e do Brasil. **2.** Sentimento de amor ao Brasil; brasileirismo.

brasiliense *adj.2g.* **1.** Relativo ou pertencente a Brasília, capital do Brasil. **2.** Brasileiro. ★ *s.2g.* **1.** Indivíduo natural ou habitante de Brasília. **2.** Brasileiro.

bravata *s.f.* (it. *bravata*). Ameaça arrogante de falso valentão; bazófia, fanfarronice.

bravatear *v.i.* (conj. 15). Dizer bravatas, vangloriar-se de valente; bazofiar, fanfarronar. ★ *v.t.* Falar com arrogância, ameaçar.

braveza (ê) *s.f.* **1.** Selvageria, ferocidade, brabeza. **2.** Impetuosidade, arrebatamento. **3.** Coragem, bravura.

bravio *adj.* **1.** Feroz, bravo. **2.** Agitado, tempestuoso. **3.** Não domesticado. **4.** Brutal, rude. ★ *s.m.* Terreno não cultivado, coberto de mato.

bravo[1] *adj.* **1.** Que afronta o perigo. **2.** Enraivecido, furioso, irado; brabo. **3.** Violento, revolto; brabo. **4.** Notável, extraordinário. ★ *s.m.* Homem corajoso. ★ *interj.* Palavra que serve para aplaudir, exprimir satisfação ou, ironicamente, para enfatizar uma tolice.

bravo[2] (it.) *interj.* Exprime aplauso, admiração.

bravura *s.f.* Qualidade do que é bravo; coragem, valentia, intrepidez.

breca *s.f.* **1.** *Ant.* Furor, sanha. **2.** Cãibra.

brecar *v.t.* (conj. 12). Frear.

brecha *s.f.* (fr. *brèche*). **1.** Abertura feita em alguma coisa. **2.** Espaço vazio, lacuna. **3.** Ferida larga e profunda feita com objeto cortante ou contundente.

brega *adj.2g.* **1.** Que tem pretensão de ser luxuoso ou requintado, mas é de mau gosto; cafona. **2.** Vulgar, ordinário.

brejeiro *adj.* **1.** Vadio, vagabundo. **2.** Impudico, malicioso. **3.** Canalha, tratante. **4.** Relativo a brejo. ★ *s.m.* **1.** Vadio, garoto, moleque. **2.** Patife, biltre. **3.** Indivíduo malicioso, galanteador.

brejo *s.m.* **1.** Pântano, terra em que só dá urze. **2.** *Fig.* Lugar muito frio e batido de vento.

brenha *s.f.* **1.** Mata espessa; matagal. **2.** *Fig.* Coisa complicada; confusão. **3.** *Fig.* Segredo, mistério.

breque *s.m.* (ingl. *break*). **1.** Carruagem de quatro rodas, de tração animal, com um assento elevado à frente e dois atrás, um fronteiro ao outro. **2.** Freio de veículo automóvel.

bretão *adj.* **1.** Relativo ou pertencente à Bretanha, França. **2.** Britânico. ★ *s.m.* **1.** Indivíduo natural ou habitante da Bretanha. **2.** Língua céltica falada na parte ocidental da Bretanha. **3.** Britânico. **4.** *Cavalo bretão,* raça de cavalos pesados, originária da região da Bretanha, na França.

brete (ê) *s.m.* (esp. *brete*). Corredor estreito que liga a mangueira à balança e/ou banheiro de um curral e que mantém a rês presa para efetuar marcação, curativo ou vacinação.

breu *s.m.* (fr. *brai*). Substância sólida, com propriedades impermeabilizantes, resíduo da destilação de alcatrões de petróleo, hulha, madeira etc.

breve *adj.2g.* (lat. *brevis,* curto). **1.** De curta duração; transitório. **2.** Expresso em poucas palavras; conciso. **3.** De pouca extensão, pequeno. **4.** Ligeiro, leve. **5.** *Em breve,* em pouco tempo. ● **Fon.** Diz-se de vogal ou sílaba cujo tempo de emissão é curto. ★ *s.f.* **Mús.** Figura da notação musical medieval e renascentista cujo valor corresponde a duas semibreves. ★ *adv.* Em pouco tempo, em breve.

brevê *s.m.* (fr. *brevet*). Título que habilita a pilotar aviões.

breviário *s.m.* (lat. *breviarium,* resumo). **1.** Livro das preces diárias dos clérigos. **2.** Preces contidas nesse livro. **3.** *Fig.* Leitura predileta. **4.** Síntese, sinopse.

brevidade *s.f.* (lat. *brevitas*). **1.** Qualidade do que é breve. **2.** Pequeno bolo feito de polvilho e ovos.

bricabraque *s.m.* (fr. *bric-à-brac,* termo expressivo). **1.** Conjunto de vários objetos de arte, artesanato, antiguidades, móveis, vestuário etc. **2.** Estabelecimento que se dedica a esse comércio. **3.** Amontoado de coisas velhas.

brida *s.f.* (fr. *bride*). **1.** Parte do arreio de um cavalo que compreende o freio e as rédeas. **2.** Rédea. ● **Med.** Ligadura de tecido conjuntivo que reúne anormalmente dois órgãos. ► *Brida amniótica,* véu membranoso consecutivo à aderência da membrana amniótica sobre uma parte do corpo do feto.

bridão *s.m.* **1.** Freio leve, articulado ao meio. **2.** Cada uma das partes do freio do cavalo apoiadas nas barras.

bridge *s.m.* (ingl. amer. *bridge*). Certo jogo de cartas.

briga *s.f.* **1.** Luta, combate. **2.** Disputa, desavença. **3.** Más relações, discórdia.

brigada *s.f.* (fr. *brigade*). Unidade militar de organização variável destinada a missões específicas.

brigadeiro *s.m.* **1.** Posto máximo da Aeronáutica brasileira. **2.** Pessoa que ocupa esse posto. **3.** Docinho de leite condensado e chocolate.

brigadeiro-do-ar *s.m.* **1.** Posto da Aeronáutica brasileira, imediatamente inferior a major-brigadeiro e superior a capitão-de-mar-e-guerra. **2.** Pessoa que ocupa esse posto.

brigão *adj.* e *s.m.* Que ou aquele que briga; rixento.

brigar *v.i.* (conj. 4). **1.** Lutar, provocar confusão. **2.** *Fig.* Não condizer, disparatar. ★ *v.t.* **1.** Disputar. **2.** Destoar.

brigue *s.m.* (ingl. *brig*). Antigo navio de pequena tonelagem, com dois mastros aparelhados e velas quadrangulares, usado na guerra ou no comércio.

briguento *adj.* Brigão, rixento.

brilhante *adj.2g.* **1.** Que brilha. **2.** Inteligente, talentoso. **3.** Cativante, fascinante. **4.** Hábil, notável. **5.** Resplandecente, magnífico. ★ *s.m.* Diamante lapidado.

brilhantina *s.f.* **1.** Pó com o qual se dá brilho. **2.** Óleo ou substância perfumada para dar brilho aos cabelos.

A B C D E F G H I J K L M N O P Q R S T U V W X Y Z

brilhantismo *s.m.* **1.** Qualidade do que é brilhante; brilho, esplendor. **2.** Celebridade. **3.** Inteligência, vivacidade.

brilhar *v.i.* (it. *brillare*) [conj. 4]. **1.** Emitir a luz, ter brilho, cintilar. **2.** *Fig.* Aparecer, manifestar-se como uma luz. **3.** Sobressair-se, revelando talento ou habilidade. ★ *v.t.* Ostentar.

brilho *s.m.* **1.** Luz viva; cintilação. **2.** Radiação luminosa emitida ou refletida por um corpo celeste. **3.** Vivacidade de espírito. **4.** Talento, habilidade. **5.** *Fig.* Suntuosidade, pompa. **6.** *Fig.* Fama, glória. **7.** *Gír.* Cocaína em pó.

brim *s.m.* (cat. *brí*). Tecido forte de linho e algodão.

brincadeira *s.f.* **1.** Ato ou efeito de brincar; folgança. **2.** Gracejo, zombaria. **3.** Jogo ou divertimento popular, adulto ou infantil. **4.** *Pop.* Baile improvisado. **5.** Coisa que se faz por ostentação, imprudência, e que custou mais do que se esperava.

Pular elástico é uma brincadeira de criança.

brincalhão *adj.* e *s.m.* Que ou aquele que gosta de brincar; galhofeiro, zombeteiro.

brincar *v.i.* (conj. 12). **1.** Divertir-se, folgar. **2.** Zombar, escarnecer. **3.** Proceder levianamente.

brinco *s.m.* **1.** Adorno ou jóia que se usa presa ou pendente ao lobo auricular. **2.** *Fig.* Coisa delicada, fina, bem-acabada.

brinco-de-princesa *s.m.* Nome comum a vários arbustos ornamentais, de flores coloridas, em forma de campainha. (Sin. FÚCSIA.)

brindar *v.t.* (conj. 4). **1.** Beber à saúde de, em honra de. **2.** Beber ao sucesso de. **3.** Oferecer uma dádiva, um presente a. **4.** Conceder, dar. ★ *v.i.* Levantar um brinde; beber à saúde de alguém. ★ *v.pr.* Trocar brindes.

brinde *s.m.* (fr. *brinde*). **1.** Saudação que acompanha o ato de beber. **2.** Presente, dádiva.

brinquedo (ê) *s.m.* **1.** Objeto destinado a divertir uma criança. **2.** Brincadeira, folguedo, divertimento.

avião de brinquedo

pista de corrida para carrinhos elétricos

BRINQUEDO ► Foram encontrados restos de brinquedos em escavações arqueológicas. Em Susa, Lagash e Pompéia, nas sepulturas egípcias e cristãs, têm sido achados: bonecas, mobiliário de tamanho reduzido, carrinhos e guerreiros em posição de combate. O brinquedo goza de uma indubitável perenidade: desde as origens da humanidade até os nossos dias, as marionetes, as bonecas, o cavalo e o bambolê estiveram presentes nas mais diversas culturas.

brio *s.m.* (prov. *briu*). **1.** Sentimento da própria dignidade; orgulho, pundonor. **2.** Amor-próprio. **3.** Garbo, galhardia.

brioche *s.m.* (fr. *brioche*). Pãozinho de massa leve, feito com farinha, manteiga e ovos.

briófitas *s.f.pl.* Divisão de plantas não vasculares, geralmente terrestres, mas também de água doce, sem raízes, de pequeno porte, providas de folhas, caule ou talo, que constituem os musgos e as hepáticas.

brioso (ô) *adj.* **1.** Cheio de brio; pundonoroso. **2.** Generoso, bom. **3.** Corajoso, valente. **4.** Diz-se do cavalo garboso, fogoso. **5.** Vaidoso, orgulhoso.

briozoários *s.m.pl.* Filo de animais invertebrados, aquáticos e sésseis, que vivem em colônias, cada indivíduo envolvido por cápsula córnea, calcária ou gelatinosa.

brisa *s.f.* (fr. *brise*). Vento suave e fresco.

brita *s.f.* Material que resulta da fragmentação de pedras por um britador.

britadeira *s.f.* Britador.

britador (ô) *s.m.* **1.** O que brita. **2.** Máquina utilizada para moer, britar; britadeira.

britânico *adj.* Relativo ou pertencente à Grã-Bretanha ou aos países da Comunidade Britânica. ★ *s.m.* O natural ou habitante da Grã-Bretanha ou dos países da Comunidade Britânica.

britar *v.t.* (conj. 4). **1.** Quebrar, partir (a pedra) em pequenos fragmentos. **2.** Arrombar, espedaçar. **3.** Moer, pisar. **4.** *Ant.* Invalidar, anular.

broa (ô) *s.f.* **1.** Pão arredondado de milho, cará, polvilho etc. **2.** *Fig.* Mulher gorda.

broca[1] *s.f.* (lat. *broccha*). **1.** Pequena haste de aço, estriada, que se adapta a instrumento próprio e com que se abrem furos circulares em madeiras, concreto, alvenaria etc., mediante movimento de rotação. **2.** Pua. **3.** Ferramenta utilizada em perfurações de sondagem. **4.** Moléstia que ataca o interior dos chifres e dos cascos do gado. **5.** *Pop.* Mentira, patranha.

broca[2] *s.f.* Designação comum a vários insetos que geralmente, quando em fase larval, penetram no tronco das árvores, abrem galerias e prejudicam o desenvolvimento da planta.

brocado *s.m.* (it. *broccato,* tecido bordado). Estofo de seda lavrado com fios de ouro ou prata.

brocar *v.t.* (conj. 12). **1.** Furar com broca. **2.** Limpar, joeirar (o café em grão). **3.** Cortar com foice (mato rasteiro).

brocardo *s.m.* (de *Brocardus,* n.pr.). Aforismo, sentença, provérbio, máxima, rifão.

brocha *s.f.* (fr. *broche*). **1.** Tacha. **2.** Corda que interliga os fueiros do carro (de bois) para proteger ou segurar a carga. (Cf. BROXA.)

brochado *adj.* Diz-se do livro não encadernado.

brochar *v.t.* (conj. 4). Juntar e coser as folhas de um livro, depois de ordenadas e dobradas, e encerrá-las numa capa de papel, mediante colagem do dorso. (Cf. BROXAR.)

broche *s.m.* (fr. *broche*). Jóia ou adorno feminino que tem alfinete e fecho para se usar preso na roupa.

brochura *s.f.* (fr. *brochure*). **1.** Ato ou efeito de brochar livros. **2.** Livro de capa mole.

brócolis ou **brócolo** *s.m.* (it. *broccoli*). Hortaliça arbustiva de pequeno porte, cuja brotação floral constitui a principal parte comestível.

bródio *s.m.* **1.** Refeição animada e galhofeira. **2.** *Ant.* Caldo que se distribuía na porta dos conventos.

bromar *v.t.* (conj. 4). **1.** Corroer, gastar, estragar. **2.** Estragar (a calda do açúcar nos engenhos) fazendo com que se transforme em melaço. ★ *v.i.* **1.** Dar-se mal; não avançar, degenerar. **2.** Abortar, malograr-se.

bromato *s.m.* Sal ou éster do ácido brômico.

bromatologia *s.f.* Ciência que estuda os alimentos.

bromélia *s.f.* (de *Bromel*, n.pr.). **1.** Nome atribuído a diversas plantas sem caule, geralmente espinhosas, que vegetam em vários tipos de solo e rochas; muitas dessas plantas são também epífitas. **2.** Sin. de CARAGUATÁ.

brometo (ê) *s.m.* Sal ou éster do ácido bromídrico.

brômico *adj.* *Ácido brômico*, ácido análogo ao clorídrico, conhecido somente em solução, e que, com as bases, produz os bromatos.

bromídrico *adj.* *Ácido bromídrico*, ácido resultante da combinação do bromo com o hidrogênio, que constitui um gás incolor, muito solúvel em água.

bromo *s.m.* (gr. *bromos*, odor fétido). Elemento químico (símb. Br.) de número atômico 35, da família dos halogênios, líquido à temperatura ambiental, empregado na fabricação de corantes e de produtos terapêuticos.

bronca *s.f.* *Pop.* Descompostura, repreensão, reprimenda verbal.

bronco *adj.* (it. *bronco*, cepo). **1.** Grosseiro, rude, áspero. **2.** Obtuso, estúpido, ignorante.

broncoconstrição *s.f.* Contração dos músculos brônquicos que leva a uma diminuição do calibre dos brônquios.

broncodilatação *s.f.* Relaxamento dos músculos brônquicos que leva a um aumento do calibre dos brônquios.

broncodilatador (ô) *adj.* e *s.m.* Que ou o que provoca broncodilatação.

broncopneumonia *s.f.* Inflamação dos brônquios, bronquíolos e do parênquima pulmonar adjacente, devida a uma infecção viral ou bacteriana.

bronquear *v.i.* e *v.t.* (conj. 15). *Pop.* Dar bronca, passar descompostura, censurar com rispidez.

bronquial *adj.2g.* Relativo aos brônquios; brônquico.

brônquico *adj.* Bronquial.

brônquio *s.m.* (gr. *brónchion*, garganta). Conduto semi-rígido destinado ao transporte de ar entre a traquéia e os alvéolos pulmonares.

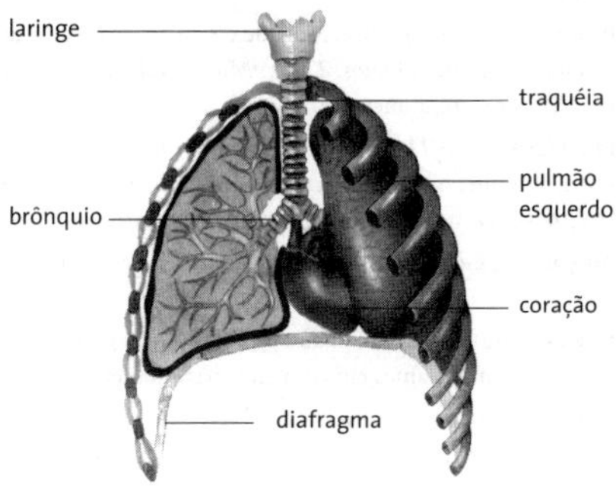

bronquíolo *s.m.* A menor e mais delgada divisão dos brônquios no interior dos pulmões.

bronquite *s.f.* Inflamação, crônica ou aguda, das mucosas dos brônquios, que constitui a mais comum afecção respiratória.

bronze *s.m.* (it. *bronzo*). **1.** Liga de cobre e estanho, de fácil conformação por fundição. **2.** Obra de arte ou objeto decorativo em bronze. **3.** *Fig.* Insensibilidade, rigidez, frieza.

bronzeado *adj.* **1.** Da cor do bronze. **2.** Que se bronzeou; queimado.

bronzeador (ô) *adj.* Que bronzeia. ★ *s.m.* Óleo para bronzear a pele.

bronzear *v.t.* (conj. 15). **1.** Dar cor de bronze a. **2.** Tornar (a pele) da cor do bronze pela ação do sol; queimar. ★ *v.i.* e *v.pr.* Tomar a cor do bronze pela ação do sol; queimar-se.

brônzeo *adj.* Relativo ao bronze.

broquel *s.m.* (fr. ant. *bocler*). **1.** Escudo redondo, usado na Antiguidade e na Idade Média. **2.** *Fig.* Proteção, defesa.

brotamento *s.m.* Ato ou efeito de brotar. ● **Biol.** Reprodução assexuada, na qual o novo indivíduo se desenvolve de uma parte do indivíduo parental, que ocorre em esponjas, celenterados, briozoários, urocordados, fungos e leveduras; gemiparidade.

brotar *v.t.* (conj. 4). Produzir brotos. ★ *v.i.* **1.** Despontar, desabrochar. **2.** Jorrar, irromper.

brotinho *s.m.* *Pop.* A mulher, quando adolescente; broto.

broto (ô) *s.m.* **1.** Primórdio de uma folha ou flor. **2.** Gema. **3.** *Pop.* Jovem, adolescente. **4.** *Gír.* Namorado(a).

brotoeja (ê) *s.f.* Erupção cutânea formada por pequenas vesículas, acompanhada de prurido.

browser *s.m.* (ingl.). Sin. de NAVEGADOR.

broxa *s.f.* **1.** Pincel robusto e largo utilizado por pintores de edificações. **2.** Pincel de pêlo grosso usado pelos pintores para espalhar na tela as tintas e os vernizes. ★ *adj.* e *s.m.* *Chul.* Diz-se de homem impotente. (Cf. BROCHA.)

broxante *s.2g.* Pintor que mistura as tintas e se encarrega dos trabalhos menos importantes. ★ *adj.2g.* **1.** Que causa inibição sexual. **2.** Enfadonho, desestimulante.

broxar *v.t.* (conj. 4). Pintar com broxa ou pincel grosso. ★ *v.i.* **1.** *Chul.* Perder, ocasional ou definitivamente, a potência sexual; tornar-se broxa. **2.** *Pop.* Perder o entusiasmo. (Cf. BROCHAR.)

bruaca *s.f.* (esp. *burjaca*). **1.** Mala de couro cru, para a cavalgadura transportar objetos. **2.** *Pop.* Mulher velha, feia, rabugenta. **3.** Prostituta, meretriz.

brucelose *s.f.* (de *D. Bruce,* n.pr.). Doença infecciosa bacteriana, comum ao homem e a certos animais. (Sin. FEBRE DE MALTA, FEBRE MEDITERRÂNEA, FEBRE ONDULANTE.)

bruços *s.m.pl. De bruços,* (deitado) com o peito e o rosto para baixo.

brucutu *s.m.* Veículo blindado empregado pela polícia para dispersar manifestantes em comícios, passeatas etc.

bruma *s.f.* (lat. *bruma,* inverno). **1.** Nevoeiro, especialmente no mar; neblina, cerração. **2.** *Fig.* Falta de clareza, de nitidez.

brumoso (ô) *adj.* **1.** Coberto de bruma; nevoento. **2.** *Fig.* Vago, incerto.

brunido *adj.* **1.** Diz-se do metal polido com um brunidor; luzidio, polido. **2.** Engomado. **3.** *Fig.* Esmerado, bem-acabado. **4.** *Fig.* Afetado, pedante.

brunidor (ô) *adj.* e *s.m.* **1.** Que ou aquele que tem por ofício brunir metais; lustrador. **2.** Diz-se de ou instrumento para brunir; polidor.

brunidura *s.f.* **1.** Ação de brunir. **2.** Lustro ou brilho obtido com o brunidor.

brunir *v.t.* (germ. *brûnen*) [conj. 6]. **1.** Polir, tornar brilhante, luzidio. **2.** Engomar. **3.** *Fig.* Aperfeiçoar, aprimorar.

brusco *adj.* **1.** Diz-se do tempo nublado, escuro. **2.** Rude, áspero, indelicado. **3.** Repentino, imprevisto. **4.** Irrefletido, precipitado.

brutal *adj.2g.* **1.** Próprio de bruto. **2.** Grosseiro, violento, agressivo. **3.** Desumano, cruel. **4.** Excessivo.

brutalidade *s.f.* **1.** Qualidade de brutal. **2.** Rudeza, violência, crueldade.

brutalizar *v.t.* (conj. 4). **1.** Tratar de maneira brutal. **2.** Seviciar. ★ *v.pr.* Tornar(-se) bruto.

brutamontes *s.2g.2n.* **1.** Indivíduo alto, corpulento, estúpido; brutamonte. **2.** Bruto, selvagem, grosseirão.

bruto *adj.* (lat. *brutus,* pesado). **1.** Diz-se de um produto tal como é encontrado na natureza. **2.** Que não foi trabalhado, manufaturado ou polido. **3.** Diz-se de um total considerado independentemente de descontos ou deduções. **4.** Grosseiro, violento, selvagem. **5.** *Pop.* Grande, desmedido. **6.** *Peso bruto,* peso de uma mercadoria compreendendo a embalagem. ★ *s.m.* **1.** Animal irracional. **2.** Indivíduo brutal, agressivo, violento.

bruxa *s.f.* **1.** Mulher que pratica a magia negra; feiticeira. **2.** *Fig.* Mulher velha e feia. **3.** Boneca de pano.

bruxaria *s.f.* Ação ou fato que se atribui a bruxas ou forças sobrenaturais; feitiçaria.

bruxismo *s.m.* Fricção intensa e prolongada dos dentes durante o estado de vigília ou de sono, que pode provocar seu abalo ou abrasão.

bruxo *s.m.* **1.** Indivíduo que faz bruxarias; feiticeiro. **2.** Boneco de pano utilizado na bruxaria.

bruxulear *v.i.* (esp. *brujulear*) [conj. 15]. **1.** Brilhar tremulamente (luz de lamparina, vela etc.); tremeluzir. **2.** Brilhar fracamente; estar prestes a extinguir-se (a luz). **3.** *Fig.* Agonizar.

bubalino *adj.* Referente aos búfalos.

bubalinocultor (ô) *s.m.* Criador de búfalos.

bubalocultura ou **bubalinocultura** *s.f.* Criação de búfalos.

bubão *s.m.* (gr. *boubon,* tumor na virilha). Tumefação inflamatória de um gânglio linfático inguinal, devida à peste e a algumas doenças venéreas. (Sin. BUBO.)

bubo *s.m.* Sin. de BUBÃO.

bubônico *adj.* **1.** Caracterizado pela presença de bubões, como a peste bubônica. **2.** Relativo aos bubões.

bucal *adj.2g.* (lat. *buccalis*). **1.** Relativo ou pertencente à boca. **2.** Oral.

bucha[1] *s.f.* **1.** Pedaço de pano ou outro material para comprimir e manter no interior do cano a carga das antigas armas de fogo. **2.** Peça de madeira ou outro material para tapar buracos, fendas etc.; tampão. **3.** Engano, logro. **4.** Peça em geral de plástico que se embute num furo para aumentar o poder de fixação de um parafuso, prego etc. **5.** Peça em forma de anel que garante o apoio de peças em rotação; luva.

bucha[2] *s.f.* Trepadeira originária da África, cujo fruto é uma baga que, na maturidade, forma uma rede lenhosa e é usada como esponja para banho.

buchada *s.f.* Prato feito com bucho de bode ou carneiro recheado com miúdos e cozido.

bucho *s.m.* (lat. *musculum*). **1.** Estômago de animais, exceto aves. **2.** *Fam.* O estômago do homem. **3.** *Pop.* Barriga, ventre. **4.** *Pop.* Mulher feia.

buço *s.m.* Penugem do lábio superior do adolescente e de algumas mulheres.

bucólica *s.f.* Poesia pastoril; écloga.

bucólico *adj.* (gr. *boukolikós*). **1.** Relativo à vida dos pastores ou à poesia pastoril. **2.** *Fig.* Singelo, ingênuo, inocente.

bucolismo *s.m.* Estilo literário caracterizado por temas da vida pastoril.

búdico *adj.* Relativo ou pertencente a Buda, ou ao estado de consciência por ele atingido.

budismo *s.m.* Estilo e filosofia derivada dos ensinamentos de Buda (563-483 a.C.), em que o ser, preso ao ciclo de reencarnações (*samsara*), busca atingir o nirvana e a iluminação.

budista *adj.2g.* Pertencente ou relativo ao budismo. ★ *s.2g.* Adepto do budismo.

bueiro *s.m.* **1.** Abertura para escoamento de água. **2.** Conjunto de caixa e tampa gradeada por onde entram as águas pluviais que escorrem para os coletores subterrâneos. **3.** Canal que serve de respiradouro a uma fornalha.

buenairense *adj.2g.* Relativo ou pertencente a Buenos Aires, na Argentina. ★ *s.2g.* Indivíduo natural ou habitante de Buenos Aires; portenho.

búfalo *s.m.* (gr. *boúfalos*). **1.** Mamífero ruminante, de ocorrência na Europa, África e Ásia, que possui as bases dos cornos achatadas sobre a cabeça e as pontas afastadas para os lados opostos. **2.** *Búfalo indiano* ou *búfalo aquático,* espécie de búfalo domesticável, originária da Ásia.

bufão *s.m.* (it. *buffone,* aum. de *buffo*). **1.** Personagem de farsa. **2.** Personagem grotesca que os reis mantinham a seu lado para diverti-los; bobo. ★ *adj.* Engraçado, ridículo, bufo.

bufar *v.i.* (conj. 4). **1.** Expelir ar pela boca, com força. **2.** Expelir fumaça ou vapores. **3.** Encolerizar-se, enfurecer-se. **4.** Fanfarronar. ★ *v.t.* **1.** Soprar com força. **2.** Alardear, ostentar. **3.** Vangloriar-se, bazofiar.

bufarinheiro *s.m.* Vendedor ambulante de bugigangas.

bufê *s.m.* (fr. *buffet*). **1.** Aparador ou armário em que se guarda a baixela. **2.** Mesa para servir iguarias e bebidas em festas. **3.** Serviço de comidas e bebidas especializado em festas e reuniões.

bufo[1] *adj.* (it. *buffo*). Bufão, ridículo, grotesco. ★ *s.m.* Ação de bufar.

bufo[2] *s.m.* (lat. *bufo*, sapo). **1.** Som que se produz bufando. **2.** *Fig.* Homem avarento e misantropo.

bufonaria *s.f.* **1.** Dito ou ação de bufão. **2.** Graça, pilhéria; chocarrice, momice, truanice.

bugalho *s.m.* **1.** Galha arredondada que se forma nos carvalhos, produzida por larva de inseto. **2.** Qualquer coisa de forma arrendondada. **3.** Globo do olho.

buganvília *s.f.* Sin. de PRIMAVERA.

bugiganga *s.f.* Coisa de pouco valor; quinquilharia, bagatela.

bugio *s.m.* (de *Bugia*, top.). **1.** Sin. de MACACO. **2.** *Fig.* O que arremeda os modos de outrem. **3.** Bate-estacas de batente elevado; macaco.

bugrada *s.f.* Grupo de índios ou bugres.

bugre *s.2g.* (fr. *bougre*). **1.** Índio, em especial bravio. **2.** *Fig.* Indivíduo selvagem, desconfiado. **3.** *Fig.* Pessoa ignorante, rude.

bujão *s.m.* **1.** Tampão metálico de atarraxar, usado para vedação de orifícios em tonéis, tanques e no cárter de alguns veículos. **2.** *Pop.* Botijão.

bula *s.f.* (lat. *bulla*). **1.** Selo que se prendia aos antigos documentos emitidos por papas e reis. **2.** Carta apostólica sobre assuntos de interesse geral, timbrada com o selo pontificial. **3.** Impresso explicativo que acompanha um medicamento, com informações sobre o uso, a composição e a posologia.

bulbar *adj.2g.* **1.** Relativo ou pertencente ao bulbo. (Sin. BULBOSO.) **2.** Que tem a forma de bulbo. **3.** Relativo ao bulbo raquidiano.

bulbo *s.m.* (gr. *bolbós*, cebola). **1.** Sistema caulinar modificado, subterrâneo, que possui eixo caulinar reduzido e forma globulosa, como a cebola. **2.** Qualquer parte orgânica do corpo, com forma globulosa. **3.** Invólucro hermeticamente fechado que contém o elemento luminoso de uma lâmpada. **4.** Parte dilatada de um órgão. **5.** *Bulbo raquidiano*, parte do tronco cerebral compreendida entre a medula espinhal e a protuberância anular, por onde passam as grandes vias sensitivas e motoras.

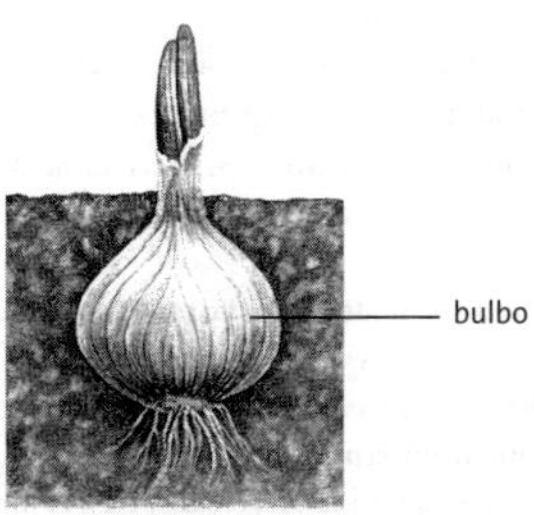

bulboso (ô) *adj.* Sin. de BULBAR.

bulcão *s.m.* (lat. *Vulcanus*, n.pr.). **1.** Denso nevoeiro que antecede a tempestade. **2.** Massa densa de líquidos ou gases. **3.** Nuvem de fumo. **4.** Breu, trevas.

buldogue *s.m.* (ingl. *bulldog*, cachorro boi). Cão de guarda musculoso, de focinho achatado e curto, com orelhas pequenas caídas e pêlo curto.

bule *s.m.* (malaio *búli*, frasco). Recipiente em que se prepara e se serve chá ou café.

bulevar *s.m.* (fr. *boulevard*). Rua larga, arborizada; avenida.

búlgaro *adj.* Relativo ou pertencente à Bulgária (Europa). ★ *s.m.* **1.** Indivíduo natural ou habitante da Bulgária. **2.** Língua eslava falada principalmente na Bulgária, escrita em caracteres cirílicos.

bulha *s.f.* **1.** Confusão de ruídos, barulho. **2.** Gritaria. **3.** Desordem, desavença, motim.

bulhento *adj.* e *s.m.* Que ou aquele que provoca bulhas, rixas.

bulhufas *s.f.pl.* *Pop.* Coisa nenhuma, nada.

bulício *s.m.* **1.** Ruído pouco distinto e prolongado de coisas ou vozes; sussurro. **2.** Agitação, inquietação. **3.** Motim, desavença.

buliçoso (ô) *adj.* **1.** Que bole; inquieto. **2.** Esperto, desenvolto.

bulimia *s.f.* (gr. *boulimía*, fome de boi). Distúrbio de origem neurótica ou orgânica que se manifesta por uma necessidade compulsiva de ingerir uma quantidade não controlada e excessiva de alimentos.

bulir *v.t.* (lat. *bullire*, ferver) [conj. 61]. **1.** Agitar, mover. **2.** Pôr as mãos, tocar levemente. ★ *v.i.* e *v.pr.* Mover-se ligeiramente.

bumba-meu-boi *s.m.* Manifestação folclórica brasileira em que são representados acontecimentos ligados à vida, morte e ressurreição de um boi e fatos do cotidiano, através de danças, cantos, declamações e improvisos. (Sin. BOI, BOI-BUMBÁ.)

bumbar *v.t.* (conj. 4). Surrar.

bumbo *s.m.* Bombo.

bumbum *s.m.* (onomat.). **1.** Ruído de pancada, que se repete. **2.** Vários estrondos sucessivos. **3.** Som de zabumba. **4.** *Fam.* As nádegas.

bunda *s.f.* (quimb. *mbunda*). *Pop.* As nádegas. ★ *adj.2g.* e *s.2g.* *Pop.* Sem valor; reles, ordinário.

bundo *adj.* e *s.m.* Sin. de QUIMBUNDO.

buquê *s.m.* (fr. *bouquet*). **1.** Ramalhete ou ramo de flores. **2.** Ornamento que remata os frontões e pináculos do estilo gótico. **3.** A combinação de aromas dos vinhos.

buraco *s.m.* **1.** Depressão natural ou artificial na superfície de um corpo; cavidade, toca. **2.** Qualquer abertura num corpo; furo, orifício. **3.** Certo jogo de cartas. **4.** *Fam.* Dificuldade, complicação. **5.** *Fam.* Lugar muito distante ou atrasado; cafundó. **6.** Lacuna, lapso. ● **Astron.** *Buraco negro*, suposta região do Universo em que o campo gravitacional é tão intenso que nenhuma radiação pode escapar.

buraqueira *s.f.* **1.** Terreno com muitos buracos. **2.** Local afastado de qualquer povoação.

burburejar *v.i.* (onomat.) [conj. 4]. Rumorejar, como água aos borbotões.

burburinhar *v.i.* (conj. 4). Fazer burburinho.

burburinho *s.m.* (onomat.). **1.** Ruído prolongado e confuso de muitas vozes; murmúrio. **2.** Agitação, tumulto.

burel *s.m.* (fr. ant. *burel*). **1.** Estofo de lã grosso, de cor escura. **2.** Hábito de frades e freiras feito com esse tecido.

bureta (ê) *s.f.* Tubo de vidro graduado, munido de torneira ou outro dispositivo, destinado principalmente às dosagens químicas.

burgo *s.m.* (lat. *burgus,* fortaleza). **1.** Castelo fortificado. **2.** Aldeia formada em torno de castelo fortificado, na Idade Média. **3.** Arrabaldes de cidade; vila, aldeia. **4.** Povoação que se caracteriza por sua tranqüilidade e pouca importância.

burguês *adj.* Relativo ou pertencente à burguesia. ★ *s.m.* **1.** Habitante dos burgos. **2.** Indivíduo da burguesia.

burguesia *s.f.* Classe social dominante no regime capitalista, que possui ou dirige os meios de produção.

buri *s.m.* (tupi *bu'ri*). Palmeira com espique de 4 a 7 metros de altura, de folhas compridas e fruto drupáceo.

buril *s.m.* (cat. *burí*). **1.** Utensílio de gravador composto de uma ponta quadrada ou triangular e de um cabo de madeira. **2.** Cinzel de aço para talhar metais, desbastar peças metálicas etc. **3.** Instrumento semelhante para lavrar pedras.

burilar *v.t.* (conj. 4). **1.** Trabalhar com buril; gravar. **2.** *Fig.* Trabalhar qualquer coisa com cuidado; retocar.

buriti *s.m.* (tupi *mburi'ti,* refúgio de macacos). **1.** Palmeira de até 50 metros de altura, de frutos amarelos ou vermelhos, que contêm polpa amarelo-avermelhada e amêndoa comestível. **2.** O fruto dessa palmeira.

burla *s.f.* (esp. *burla*). **1.** Ação de burlar; engano, fraude. **2.** Zombaria, escárnio.

burlão *adj.* Que faz burla. ★ *s.m.* Trapaceiro, embusteiro.

burlar *v.t.* (conj. 4). **1.** Enganar, fraudar. **2.** Escarnecer, zombar de.

burlesco (ê) *adj.* (it. *burlesco*). Que é de comicidade exagerada; grotesco, caricato. ★ *s.m.* Gênero literário paródico, modernamente caracterizado pela vulgarização de temas ou personagens heróicos ou célebres.

burocracia *s.f.* (fr. *bureaucratie*). **1.** Conjunto dos órgãos e procedimentos da administração pública, segundo uma rígida hierarquia. **2.** Os dirigentes de uma organização. **3.** A classe dos funcionários públicos. **4.** *Pej.* Morosidade e exigências formais no desempenho dos serviços públicos.

burocrata *s.2g.* (fr. *bureaucrate*). **1.** Indivíduo que pertence à burocracia. **2.** Pessoa que usa o poder decorrente dessa atividade. **3.** Funcionário aferrado à rotina e a excessivas formalidades.

burocrático *adj.* Relativo à burocracia, ao burocrata.

burocratização *s.f.* Ato ou efeito de burocratizar(-se).

burocratizar *v.t.* (conj. 4). Dar caráter burocrático a uma organização. ★ *v.pr.* Tornar-se burocrata.

burquinense *adj.2g.* Relativo ou pertencente a Burquina, na África Ocidental. ★ *s.2g.* Indivíduo natural ou habitante de Burquina.

burra *s.f.* **1.** Fêmea do burro; jumenta. **2.** Arca ou cofre em que se guarda dinheiro. **3.** Espécie de cavalete utilizado para serrar madeira, a fim de firmar a peça.

burrada *s.f.* **1.** Grande quantidade de burros; burrama. **2.** Asneira, estupidez.

burrama *s.f.* Burrada.

burrego (ê) *s.m.* Burro pequeno, magro ou ordinário. ★ *adj.* e *s.m.* Que ou aquele que é estúpido como um burro.

burrice *s.f.* **1.** Besteira, burrada. **2.** Casmurrice, teimosia.

burrico *s.m.* (lat. *burricus*). Burro pequeno, burrinho.

burrificar *v.t.* e *v.pr.* (conj. 12). Tornar(-se) estúpido; bestificar(-se).

burrinho *s.m.* **1.** Burrico. **2.** Nos automóveis, bomba de freio hidráulico. **3.** Nos navios, pequeno motor que aciona uma bomba. **4.** Pequeno compressor de ar ou óleo.

burro *s.m.* (lat. *burrus*). **1.** Produto do cruzamento de jumento com égua ou de cavalo com jumenta, estéril. (Sin. MULO.) **2.** Sin. de JUMENTO. **3.** *Fig.* Homem estúpido, grosseiro ou muito ignorante. **4.** Engenho para tirar água dos poços. **5.** Certo jogo de cartas. **6.** *Burro de carga,* animal asinino usado como cargueiro. ● **Automóv.** Pontalete que sustenta horizontalmente o cabeçalho do carro. ★ *adj.* **1.** Tolo, grosseiro. **2.** Ignorante. **3.** Teimoso, obstinado.

bursite *s.f.* Inflamação das bolsas serosas das articulações.

burundiano *adj.* e *s.m.* Burundinês.

burundinês *adj.* Relativo ou pertencente a Burundi, país da África Central; burundiano. ★ *s.m.* Indivíduo natural ou habitante de Burundi; burundiano.

busca *s.f.* **1.** Ato ou efeito de buscar. **2.** Procura, investigação, pesquisa, exame.

busca-pé *s.m.* Engenho pirotécnico que corre pelo chão em movimento sinuoso e em geral termina num estouro.

buscar *v.t.* (conj. 12). **1.** Procurar com empenho ou intenção de descobrir. **2.** Trazer, pegar. **3.** Imaginar, inventar. **4.** Tentar, recorrer. **5.** Tratar de obter, pedir.

busílis *s.m.2n.* A dificuldade principal na resolução de um problema.

bússola *s.f.* (it. *bussola*). **1.** Caixa com uma agulha imantada que repousa livremente sobre um eixo e cujas extremidades se dirigem para os pólos magnéticos da Terra. **2.** A agulha contida nessa caixa. **3.** *Fig.* Orientação moral ou intelectual; guia.

busto *s.m.* (lat. *bustum,* monumento fúnebre). **1.** Parte superior do corpo humano. **2.** Seios. **3.** Pintura ou escultura que representa a cabeça humana com pescoço e parte do peito.

butanense *adj.2g.* e *s.2g.* Butanês.

butanês *adj.* Relativo ou pertencente ao Butão, país da Ásia; butanense. ★ *s.m.* Indivíduo natural ou habitante do Butão; butanense.

butano *s.m.* Hidrocaboneto saturado que, sob pequena pressão, é utilizado como gás combustível.

butiá *s.m.* (tupi *mbuti'á*). **1.** Palmeira alta, de folhas em espiral e frutos drupáceos, pequenos e comestíveis. **2.** Palmeira alta, de folhas compridas, frutos de polpa comestível e amêndoa oleaginosa, cujo lenho fornece fécula comestível.

butique *s.f.* (fr. *boutique*). Pequena loja de artigos de vestuário e bijuterias.

butiráceo *adj.* (lat. *butyrum,* manteiga). **1.** Relativo à manteiga. **2.** Da natureza ou da consistência da manteiga.

buxo *s.m.* (gr. *púxos,* pelo lat. *buxus*). Arbusto ornamental, originário da Europa e da Ásia, de folhas pequenas e flores brancas, que fornece madeira amarela, compacta, utilizada em esculturas e peças torneadas.

buzina *s.f.* (lat. *bucina,* trombeta). **1.** Antigo instrumento de sopro feito de chifre ou metal retorcido. **2.** Espécie de corneta ou trombeta. **3.** Instrumento de metal que funciona por excitação elétrica de uma placa vibratória e cujo som serve de advertência.

buzinar *v.i.* (conj. 4). **1.** Tocar buzina. **2.** Imitar o som da buzina, com sopro forte. **3.** *Fig.* Importunar (alguém), repetindo(-lhe) a mesma coisa várias vezes.

búzio *s.m.* **1.** Denominação comum a moluscos marinhos gastrópodes, com concha em forma de corneta ou oval, com saliência arredondada de um lado e fenda serrilhada de outro. (Sin. ATAPU; var. BUZO.) **2.** Buzina feita com a concha desse molusco. **3.** A concha desses moluscos, usada nos cultos afro-brasileiros como oferenda, enfeite ritual e, principalmente, na técnica divinatória chamada jogo de búzios.

buzo *s.m.* Var de BÚZIO.

byte *s.m.* (ingl. *binary term*). **Inform.** Seqüência de oito *bits*, que constitui a unidade básica de medida de informação, mais usada em múltiplos.

BYTE ▸ Como o sistema binário é utilizado pelos computadores, em informática são usuais os seguintes múltiplos do *byte*:

- quilobyte (KB) = *1.024 bytes* (*2^{10} bytes*)
- megabyte (MB) = *1.024 KB = 1.048.576 bytes*
- gigabyte (GB) = *1.024 MB = 1.073.741.824 bytes*
- terabyte (TB) = *1.024 GB = 1.099.511.627.776 bytes*

Uma vez que são bastante próximos dos valores habituais dos prefixos quilo, mega, giga e tera, de unidades do Sistema Internacional, costuma-se dizer que 1 KB = 1.000 *bytes*, 1 MB = 1 milhão de *bytes* etc.

Cc Cc Cc

c *s.m.* Terceira letra do alfabeto português.

C[1] símbolo químico do carbono.

C[2] símbolo do coulomb.

cá *adv.* (lat. *eccum hac*). **1.** Neste lugar, aqui. **2.** Para este lugar. **3.** Entre nós.

cã[1] *s.f.* (lat. *canus,* branco). O cabelo branco. (Usa-se mais no plural, *cãs.*)

cã[2] *s.m.* Título de alguns chefes ou soberanos asiáticos.

caaba *s.f.* (ár. *Ka'aba,* dado de jogar; cubo). **1.** Templo cúbico, em Meca, ao qual todo muçulmano deve fazer pelo menos uma peregrinação. **2.** A pedra negra, também cúbica, que está nesse templo.

caapora *s.2g.* (tupi *kaa'pora,* o que há no mato). **1.** Var. de CAIPORA. **2.** Homem do mato; caipira.

caatinga ou **catinga** *s.f.* (do tupi). Vegetação de regiões secas, típica do sertão nordestino, que se caracteriza pela presença de arbustos de pouca folhagem e caules retorcidos e por escassa vegetação rasteira.

cabaça *s.f.* **1.** Fruto do cabaceiro-amargoso, amarelo, comestível quando pequeno e depurativo quando maduro. **2.** A casca desse fruto depois de seca, utilizada como cuia ou tigela e para confecção de instrumentos de percussão; cabaço. **3.** Sin. de CABACEIRO-AMARGOSO.

cabaceira *s.f.* Sin. de CUIEIRA.

cabaceiro *s.m.* Árvore de flores brancas ou amareladas, frutos cilíndricos, duros, semelhantes a uma cabaça, que fornece madeira branca, leve, útil para fabricação de caixotes e papel.

cabaceiro-amargoso *s.m.* Planta aromática e ornamental, de flores brancas e frutos que são bagas amareladas, com até 50 cm de comprimento. (Sin. CABAÇA.)

cabaço[1] *s.m.* Cabaça.

cabaço[2] *s.m. Chul.* **1.** O hímen. **2.** Falta de experiência ou de aptidão; ingenuidade.

cabal *adj.2g.* Completo, perfeito, pleno.

cabala *s.f.* (hebr. *qabbalah,* tradição). **1.** Conjunto de comentários místicos e esotéricos hebraicos de textos bíblicos que trata, entre outras coisas, do simbolismo das letras e números. **2.** Manobra secreta, conspiração.

cabalar *v.i.* (conj. 4). Fazer cabala; tramar. ★ *v.t.* Trabalhar em favor de um candidato, quando de eleição política ou não.

cabalístico *adj.* **1.** Relativo à cabala judaica. **2.** Misterioso. **3.** Relativo ao ocultismo.

cabana *s.f.* (lat. tard. *capanna*). Pequena casa rústica; choupana.

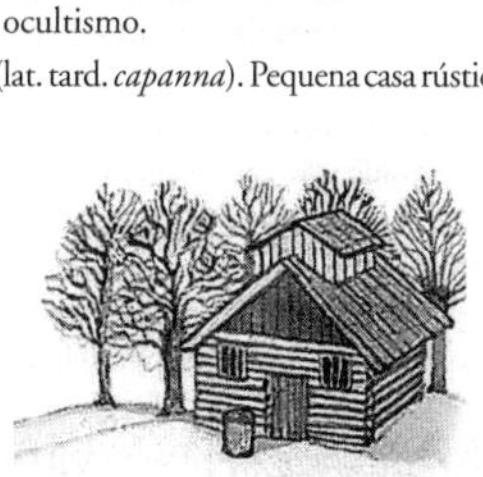

cabano *adj.* **1.** Diz-se do boi que tem os chifres horizontais ou derrubados, e do cavalo que tem as orelhas caídas. **2.** Diz-se de cavalo ou burro lento, mas forte.

cabaré *s.m.* (fr. *cabaret*). Casa noturna que serve bebidas e apresenta espetáculos de variedade.

cabaz *s.m.* (fr. *cabas*). **1.** Cesto fundo de junco, vime etc., com asas, para condução de frutas ou objetos miúdos. **2.** Caixa para transportar comida.

cabeça (ê) *s.f.* (lat. *caput, capitis*). **1.** Extremidade superior do corpo humano ou anterior de numerosos animais, onde estão localizados os principais órgãos sensoriais, a boca e o cérebro.

2. Extremidade bojuda de um objeto. 3. Pensamento, razão, vontade. 4. *Fig.* Espírito, imaginação. 5. Pessoa ou animal, como unidade. ● **Anat.** Extremidade de alguns ossos. **Astron.** Conjunto formado pelo núcleo e pela cabeleira de um cometa. **Eletrôn.** *Cabeça magnética,* transdutor eletromagnético que se destina a garantir uma função de gravação, de leitura ou de cancelamento. ★ *s.m.* Chefe, dirigente.

cabeça-chata *s.2g.* Alcunha dada aos cearenses e, p. ext., aos nordestinos.

cabeçada *s.f.* 1. Pancada ou golpe com a cabeça. 2. Cabresto ou focinheira enfeitada. 3. Correia ou alça que, passando por trás das orelhas, sustenta o freio dos cavalos. 4. *Fig.* Desatino, tolice, asneira.

cabeça-de-negro *s.f.* Produto pirotécnico utilizado nos festejos juninos.

cabeça-de-proa *s.f.* Sin. de CARRANCA.

cabeça-de-vento *s.2g.* Pessoa leviana, imprudente.

cabeça-inchada *s.f.* 1. Atribulação de amor. 2. Ciúme, zelo, dor-de-cotovelo. 3. Despeito de quem foi vencido.

cabeçalho *s.m.* 1. Princípio de exposição escrita. 2. Parte superior da primeira página de um jornal. 3. Título de livro. 4. Timão do carro de boi, do qual pende o jugo.

cabeção *s.m.* 1. Cabeça grande. 2. Gola ampla. 3. Gola da veste do sacerdote em que se prende o colarinho.

cabecear *v.i.* (conj. 15). 1. Menear a cabeça. 2. Deixar pender a cabeça por efeito de sono. ● **Esp.** Rebater a bola com a cabeça. ★ *v.t.* Fazer sinais com a cabeça, assentindo, cumprimentando etc.

cabeceira *s.f.* 1. Lugar da cama onde se descansa a cabeça. 2. Lugar ocupado à mesa pelos donos da casa. 3. Nascente de rio (mais usado no plural). 4. Dianteira, vanguarda. ● **Aeron.** As extremidades de uma pista de pouso. **Arquit.** Parte da igreja onde se situa o altar-mor.

cabecilha *s.2g.* Chefe de um bando; caudilho.

cabeço (ê) *s.m.* (lat. *capitium*). 1. Cume arredondado de um monte. 2. Monte pouco elevado e de forma arredondada.

cabeçote *s.m.* 1. Cada uma das testeiras do banco de marceneiros e carpinteiros. 2. Peça bifurcada da cangalha, na parte anterior do dorso, onde vão as cargas. 3. Cabeça magnética de um gravador. 4. Parte superior de um motor de combustão interna, onde fica a câmara de combustão e são montadas as válvulas, os balancins e, às vezes, a árvore de ressaltos. 5. Dispositivo que recebe, em uma máquina, uma árvore de transmissão ou que serve de ponto fixo para um movimento de rotação.

cabeçudo *adj.* e *s.m.* 1. Que tem a cabeça grande. 2. Obstinado, teimoso.

cabedal *s.m.* (lat. *capitalis,* capital). 1. Acumulação de coisa de valor. 2. Bens, riqueza, dinheiro. 3. *Fig.* Os bens intelectuais e morais adquiridos pelo estudo ou experiência. 4. Régua de aresta fina para verificar o aplainamento das tábuas. 5. Couro preparado para manufatura de calçados, solas.

cabeleira *s.f.* 1. Os cabelos, sobretudo quando muito compridos. 2. Cabelos postiços; chinó. ● **Astron.** Parte da nebulosidade que envolve o núcleo de um cometa, formada quando de sua aproximação do Sol. ★ *s.m.* (*NE*) Malfeitor, salteador.

cabeleireiro *s.m.* Pessoa que tem a profissão de cortar e pentear cabelos.

cabelo (ê) *s.m.* (lat. *capillus,* cabeleira). 1. Pêlo ou conjunto de pêlos de cabeça humana. 2. Pêlo de qualquer parte do corpo.

VOCÊ SABIA...? A cor do **cabelo** depende da mistura de pigmentos que os fios contêm. As células que produzem o cabelo podem formar uma mistura das cores preta, vermelha e amarela. Por exemplo, as pessoas de cabelo escuro têm muito pigmento preto, e as de cabelo claro têm mais pigmento amarelo.

---

cabeluda *s.f.* Sin. de PREGUIÇA.

cabeludo *adj.* 1. Coberto de cabelo. 2. Que tem muito cabelo. 3. Que tem cabelos compridos. 4. Difícil, complicado. 5. Obsceno, imoral.

caber *v.t.* (lat. *capere*) [conj. 34]. 1. Poder ser contido ou poder estar dentro. 2. Ser compatível. 3. Pertencer em partilha ou quinhão. 4. Ser admissível, oportuno, competir. ★ *v.i.* 1. Vir a propósito. 2. Ser admissível.

cabida *s.f.* 1. Cabimento, aceitação. 2. Boas relações, valimento.

cabide *s.m.* Suporte de madeira, metal ou plástico, de pé ou de pendurar, no qual se colocam roupas, chapéus.

cabidela *s.f.* Guisado feito com miúdos, sangue e pedaços de aves.

cabido *s.m.* (lat. *capitulum,* cabecinha). Corpo de cônegos de uma igreja, catedral ou colegiado.

cabimento *s.m.* 1. Valimento, aceitação. 2. Oportunidade, conveniência.

cabina ou **cabine** *s.f.* (fr. *cabine*). 1. Pequeno compartimento isolado do restante do ambiente. 2. Alojamento de tripulação ou de passageiros num navio. 3. Guarita, posto de vigia. 4. Nas aeronaves de transporte, parte da fuselagem reservada aos passageiros.

cabineiro *s.m.* 1. Sinaleiro de estrada de ferro. 2. Ascensorista.

cabisbaixo *adj.* 1. De cabeça baixa. 2. *Fig.* Abatido. 3. Humilhado.

cabiúna *s.f.* (tupi *kawi'una*). Árvore alta, de flores dispostas em cachos e fruto que é uma vagem; fornece madeira dura, de ótima qualidade, utilizada em marcenaria, carpintaria, construção civil e naval.

cabível *adj.2g.* Que tem cabimento; admissível, oportuno.

cabo[1] *s.m.* (b.-lat. *capum,* extremidade). 1. Posto das três Armas brasileiras, imediatamente inferior a terceiro-sargento e superior a soldado e marinheiro. 2. Pessoa que ocupa esse posto. 3. Ponta de terra que entra pelo mar; promontório. 4. Término, fim, limite.

cabo[2] *s.m.* (lat. *capulum*). 1. Extremidade por onde se segura ou maneja um objeto ou um instrumento. 2. Corda grossa usada nos navios. 3. Designação vulgar do pedúnculo floral. 4. Feixe de fios metálicos protegido por invólucro isolante, usado para comunicações telegráficas ou telefônicas, ou para condução de eletricidade, sinal de telefone, de televisão ou dados. 5. Sin. de CABOGRAMA.

caboclada *s.f.* Bando de caboclos.

caboclo (ô) *s.m.* (do tupi). 1. Mulato de cor acobreada, descendente de índio. 2. Mestiço de branco com índio. 3. Sertanejo, caipira, roceiro. ★ *adj.* 1. Próprio de caboclo. 2. Nativo, nacional. 3. Da cor acobreada.

cabo-de-guerra *s.m.* Competição de força em que um cabo grosso ou corda é puxado em direções opostas por duas ou mais pessoas, vencendo quem conseguir arrastar o adversário.

cabograma *s.m.* (ingl. amer. *cablegram*). Telegrama transmitido por cabo submarino. (Sin. CABO.)

caborteiro *adj.* e *s.m.* **1.** Diz-se de ou indivíduo velhaco, mentiroso, manhoso. **2.** Diz-se de ou cavalo arisco.

cabotinagem *s.f.* Cabotinismo.

cabotinismo *s.m.* Procedimento de cabotino; cabotinagem.

cabotino *adj.* e *s.m.* (fr. *cabotin*). **1.** Cômico ambulante; comediante reles. **2.** *Fig.* Pessoa que procura chamar sobre si a atenção alheia. **3.** Pessoa que se gaba vaidosamente, exagerando suas próprias qualidades; exibicionista.

cabo-verdiano *adj.* Relativo ou pertencente ao arquipélago de Cabo Verde, na África. ★ *s.m.* Indivíduo natural ou habitante de Cabo Verde.

cabra[1] *s.f.* (lat. *capra*). Mamífero ruminante que conta com raças selvagens e domesticadas, criadas para obtenção de leite, carne e eventualmente lã; a fêmea do bode.

cabra[2] *s.2g.* **1.** Mestiço, mulato. **2.** Valentão. **3.** Cangaceiro, capanga. **4.** *Pop.* Qualquer indivíduo; sujeito. **5.** *Cabra da peste,* indivíduo mau, de péssimo caráter.

cabra-cega *s.f.* Jogo infantil no qual uma criança, de olhos vendados, procura agarrar outra, que a substituirá no posto.

cabra-montesa *s.f.* Denominação comum a várias cabras que vivem em regiões montanhosas.

cábrea *s.f.* (lat. *caprea,* cabra montês). Espécie de guindaste, bastante potente, utilizado nos portos marítimos ou obras de engenharia em geral, para içamento de fardos pesados.

cabreiro *adj.* **1.** Que guarda cabras. **2.** Esperto. **3.** *Pop.* Manhoso, sonso. **4.** Desconfiado. ★ *s.m.* **1.** Pastor de cabras. **2.** Indivíduo diligente.

cabrestante *s.m.* (prov. *cabestan*). Máquina de eixo vertical, própria para trabalhos de força, com largo emprego em embarcações (para içar vergas, suspender âncoras, levantar grandes pesos etc.).

cabresto (ê) *s.m.* (lat. *capistrum,* mordaça). **1.** Correia que se prende à cabeça do animal e que serve para amarrá-lo ou dirigi-lo. **2.** Boi manso utilizado para guiar os touros. **3.** *Fig.* Tudo aquilo que submete; freio.

cabreúva *s.f.* Var. de CABRIÚVA.

cabril[1] *adj.2g.* Áspero, rústico.

cabril[2] *s.m.* Lugar em que se criam cabras.

cabrim *s.m.* (lat. *caprinus*). Pele de cabra ou cabrito que já passou por processo de curtimento.

cabrinha *s.f.* Peixe marinho que apresenta cabeça óssea, com acúleos, e os três primeiros raios da nadadeira peitoral modificados e utilizados para deslocamento sobre o fundo arenoso.

cabriola *s.f.* (it. *capreola,* salto de cabra). **1.** Cambalhota, salto, pulo. **2.** *Fig.* Mudança súbita de opinião.

cabriolé *s.m.* (fr. *cabriolet*). **1.** Carruagem leve, aberta, com duas rodas e dois lugares, com uma capota móvel. **2.** Automóvel conversível.

cabrita *s.f.* **1.** Cabra pequena ou jovem. **2.** *Ant.* Máquina de guerra para atirar pedras. **3.** *Pop.* Mulatinha nova.

cabritar *v.i.* (conj. 4). Brincar como os cabritos; pular, saltar.

cabrito *s.m.* (lat. *capritum,* pequena cabra). **1.** Pequeno bode. **2.** Filhote de cabra. **3.** *Fig.* Criança ágil e peralta. **4.** Moreno, mulato.

cabriúva *s.f.* (tupi *kabu'ré iwa,* árvore do caburé). **1.** Árvore de grande porte, que fornece madeira aromática e resistente, e resina com propriedades balsâmicas e expectorantes. (Var. CABREÚVA.) **2.** Bebida feita com aguardente, gengibre e açúcar.

cabrocha *s.f.* Mulata jovem. ★ *s.2g.* Mulato.

cábula *s.f.* **1.** Falta ou pouca freqüência às aulas. **2.** Caiporismo, azar. **3.** Artimanha para fugir às obrigações. ★ *s.2g.* O estudante que falta ou escapa às aulas. ★ *adj.2g.* e *s.2g.* Manhoso, astuto.

cabular *v.i.* (conj. 4). **1.** Usar de cábula. **2.** Ser cábula.

caburé *s.m.* (tupi *kabu'ré*). **1.** Mestiço de negro e índio; cafuzo. **2.** Caipira, matuto; sertanejo. **3.** Sujeito feio e melancólico. **4.** Indivíduo que só sai à noite; coruja.

caca *s.f.* **1.** Fezes. **2.** Sujeira, porcaria.

caça *s.f.* **1.** Ato ou efeito de caçar; caçada. **2.** Os animais capturados ou mortos durante essa atividade. **3.** Perseguição, busca. ● **Mil.** Perseguição e destruição de aviões inimigos. ► O avião, rápido e bem equipado, usado nessa tarefa. (Sin. AVIÃO DE CAÇA.)

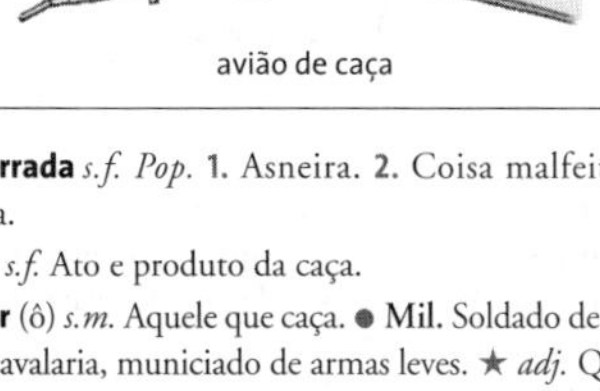

avião de caça

cacaborrada *s.f.* *Pop.* **1.** Asneira. **2.** Coisa malfeita, malacabada.

caçada *s.f.* Ato e produto da caça.

caçador (ô) *s.m.* Aquele que caça. ● **Mil.** Soldado de infantaria ou cavalaria, municiado de armas leves. ★ *adj.* Que caça.

caça-dotes *s.2g.2n.* Pessoa pobre que procura casamento com pessoa rica.

caçamba *s.f.* (quimb. *ki'sambu,* cesto grande). **1.** Balde preso a uma corda para tirar água dos poços. **2.** Qualquer balde. **3.** Recipiente para transporte de argamassa. **4.** Carroça para remoção de terra, entulho etc., e, p. ext., carroceria de caminhão, geralmente basculante, para os mesmos fins. **5.** Recipiente para apreensão de terra ou entulho, preso ao cabo dos guindastes, dragas etc.

caça-minas *s.m.2n.* Embarcação apropriada para detectar e destruir minas submarinas.

caça-níqueis *s.m.2n.* Aparelho de jogos de azar.

caçanje *s.m.* **1.** Dialeto crioulo do português falado em Angola. **2.** Português mal falado ou mal escrito; linguagem estropiada.

cação *s.m.* Denominação comum a peixes cartilaginosos de pequeno e médio porte, que apresentam fendas branquiais laterais e corpo alongado.

caçapa *s.f.* Cada um dos seis buracos da mesa de sinuca.

caçapo *s.m.* **1.** Coelho novo, láparo. **2.** *Fig.* Homem baixo e gordo.

caçar *v.t.* (conj. 13). **1.** Perseguir animais silvestres a fim de os matar ou aprisionar. **2.** Perseguir, procurar, buscar. ● **Nav.** Colher, atar (velas, cabos etc.). ★ *v.i.* Andar à caça.

cacareco *s.m.* Trastes velhos de pouco valor; cacaréu.

cacarejar *v.i.* (onomat.) [conj. 4]. **1.** Cantar como a galinha ou aves semelhantes. **2.** Tagarelar monotonamente.

cacarejo (ê) *s.m.* **1.** O canto da galinha e de outras aves. **2.** *Fig.* Tagarelice importuna, indiscreta.

cacaréu *s.m.* Cacareco.

caçarola *s.f.* (fr. *casserole*). Frigideira com tampa.

caça-submarino *s.m.* Navio de combate, de perseguição a submarinos, escolta ou defesa costeira.

cacatua *s.f.* (malaio *kakatuwa*). Denominação comum às aves psitaciformes, de porte grande, que apresentam penas de coloração diversa, bico grande, cauda curta e penacho erétil.

cacau *s.m.* (náuatle *kakáwa*). **1.** Fruto do cacaueiro. **2.** A semente deste fruto. **3.** Pó obtido a partir dos extratos dessa semente e utilizado na alimentação. **4.** *Manteiga de cacau,* matéria gordurosa extraída da semente ou da pasta de cacau.

cacau

cacaueiro

cacaual *s.m.* Plantação de cacaueiros.

cacaueiro *s.m.* Árvore originária das Américas do Sul e Central, de frutos com sementes que contêm gordura, a manteiga de cacau, e que servem, depois de torradas, para preparar o chocolate. (Var. CACAUZEIRO.)

cacauicultura (au-i) *s.f.* Cultivo de cacau.

cacauzeiro *s.m.* Var. de CACAUEIRO.

cacetada *s.f.* **1.** Pancada com cacete. **2.** Caceteação, coisa maçante.

cacete (ê) *s.m.* **1.** Pedaço de pau com uma das extremidades mais grossa que a outra; porrete. **2.** *Chul.* Pênis. ★ *adj.2g.* Que abusa da paciência; maçante, importuno.

caceteação *s.f.* Ato de cacetear; amolação, importunação.

cacetear *v.t.* (conj. 15). Maçar, amolar, importunar.

cachaça *s.f.* **1.** Aguardente destilada de cana-de-açúcar; pinga. **2.** Espuma que se retira do suco da cana durante a fervura na caldeira. **3.** *Fig.* Mania, obsessão, paixão dominante.

cachação *s.m.* Pancada no cachaço; pescoção, cachaço.

cachaceiro *adj.* e *s.m.* **1.** Que ou aquele que se embriaga habitualmente com cachaça ou outras bebidas. **2.** *Pop.* Arrogante, soberbo.

cachaço *s.m.* **1.** Parte posterior do pescoço. **2.** *Fig.* Arrogância, soberba. **3.** Macho reprodutor da espécie suína. (Sin. VARRÃO.) **4.** Cachação.

cachalote *s.m.* Mamífero cetáceo, marinho, que apresenta cabeça retangular, dentição poderosa e que normalmente atinge 12 m de comprimento.

cachão *s.m.* (lat. *coctio,* cocção, cozimento). **1.** Borbotão, borbulhão. **2.** Fervura.

cachê *s.m.* (fr. *cachet*). Quantia paga a um artista por uma apresentação ou audição.

cacheado *adj.* Diz-se dos cabelos crespos, que formam cachos.

cachear *v.t.* (conj. 15). Fazer cachos (em cabelos); encrespar (os cabelos).

cachecol *s.m.* (fr. *cache-col*). Manta comprida e estreita para agasalhar o pescoço.

cachenê *s.m.* (fr. *cache-nez*). Espécie de manta comprida, para agasalhar o pescoço e a parte inferior do rosto.

cachimbada *s.f.* **1.** Ação de aspirar a fumaça do cachimbo. **2.** A porção de tabaco que enche o cachimbo.

cachimbar *v.i.* (conj. 4). Fumar cachimbo.

cachimbo *s.m.* **1.** Aparelho para fumar composto de um fornilho de madeira, louça etc. em que se põe o fumo e ao qual está adaptado um tubo por onde se aspira a fumaça. **2.** Peça metálica da dobradiça.

cachimônia *s.f.* *Pop.* **1.** Cabeça, juízo. **2.** Capacidade, paciência.

cacho *s.m.* **1.** Tipo de inflorescência em que as flores, dispostas alternadamente, se inserem num eixo comum. **2.** Conjunto de flores ou frutos dispostos em um mesmo eixo. **3.** Anel de cabelo. **4.** *Pop.* Caso amoroso.

cachoeira *s.f.* **1.** Salto na corrente de um rio. **2.** Queda-d'água, catarata, salto.

cachola *s.f.* *Pop.* Cabeça, cachimônia.

cacholeta (ê) *s.f.* **1.** Pancada leve na cabeça com a mão ou com uma vara. **2.** *Fig.* Censura, ofensa.

cachopa (ô) *s.f.* *Lus.* Rapariga, moça.

cachopo (ô) *s.m.* **1.** *Lus.* Rapaz. **2.** Escolho. **3.** *Fig.* Obstáculo perigoso.

cachorrada *s.f.* **1.** Bando de cachorros. **2.** *Fig.* Ação vil ou malévola; cachorrice.

cachorrice *s.f.* Cachorrada.

cachorro (ô) *s.m.* **1.** Cão novo. **2.** Filhote de leão, lobo ou de qualquer animal parecido com o cão. **3.** Qualquer cão. **4.** *Pop.* Homem desaforado, de mau caráter ou mau gênio; canalha.

cachorro-do-mato *s.m.* Denominação comum a mamíferos carnívoros que ocorrem em quase todas as matas da América do Sul. (Sin. CACHORRO-DO-MATO-VINAGRE.)

cachorro-do-mato-vinagre *s.m.* Sin. de CACHORRO-VINAGRE.

cachorro-quente *s.m.* (trad. do ingl. *hot dog*). Sanduíche feito com salsicha quente e pão.

cachorro-vinagre *s.m.* Mamífero carnívoro, raro, ameaçado de extinção, com barriga ruiva, cauda e pernas pardo-escuras, que ocorre na América do Sul. (Sin. CACHORRO-DO-MATO-VINAGRE.)

cacife *s.m.* Quantia que corresponde à cota que cada parceiro paga para entrar no jogo.

cacifo *s.m.* (ár. *qafiz,* medida de grãos). **1.** Gaveta, caixa, cofre. **2.** Quarto ou recanto pequeno de uma casa.

cacimba *s.f.* (quimb. *kixima,* poço) **1.** Escavação feita em baixadas úmidas ou em leitos secos de rio, em que se acumula a água, como num poço. **2.** Olho-d'água, fonte.

cacique *s.m.* (do taino). **1.** Chefe indígena. **2.** *Fig.* Chefe político.

caco *s.m.* **1.** Fragmento de vidro, cerâmica etc. **2.** Traste, coisa gasta, sem valor. **3.** *Fig.* Pessoa consumida pela idade ou por doença. ● **Teat.** Palavra ou frase que o ator introduz em sua fala, como acréscimo ao texto original ou em sua substituição.

caçoada *s.f.* Ação de caçoar; zombaria, troça.

caçoar *v.t.* e *v.i.* (conj. 20). Fazer troça, zombar de, escarnecer, troçar.

cacoete (ê) *s.m.* (gr. *kakoethes,* mau, vicioso). **1.** Hábito corporal involuntário; sestro, trejeito, mania, tique, momice. **2.** Gesto, palavra ou expressão repetida habitualmente por uma pessoa ou por um grupo.

cacófato *s.m.* (gr. *kakóphaton*). Som desagradável ou palavra obscena, resultante da união das sílabas finais de uma palavra com as iniciais de outra; cacofonia.

cacofonia *s.f.* (gr. *kakophonía,* som desagradável). **1.** Cacófato. **2.** Efeito desagradável produzido por instrumentos musicais, pelo canto desentoado e sem harmonia.

cacografia *s.f.* Erro ortográfico, grafia incorreta.

cactáceas *s.f.pl.* Família de plantas dicotiledôneas, de caule grosso, geralmente provido de espinhos, típicas de regiões áridas, com diversas espécies brasileiras, como o mandacaru.

cacto ou **cáctus** *s.m.* (gr. *káktos,* pelo lat. *cactus*). Designação comum a diversas plantas de caule grosso e espinhoso, que dão flores de cores vivas.

caçula *adj.2g.* e *s.2g.* Diz-se de ou o mais moço dos filhos ou dos irmãos.

cacunda *s.f.* **1.** Costas, dorso. **2.** Corcunda.

cada *pron. indef.* (gr. *kata,* pelo lat. *cata*). **1.** Todo (totalidade tomada separadamente dentro de uma série ou grupo). **2.** *Cada qual, cada um,* toda pessoa ou coisa.

cadafalso *s.m.* Estrado ou tablado erguido em lugar público para execução de condenados; patíbulo, forca.

cadarço *s.m.* **1.** Fita estreita de linho, algodão, seda ou lã. **2.** Cordão, barbilho.

cadastrar *v.t.* (conj. 4). Organizar em cadastro. ★ *v.pr.* Inscrever-se em cadastro.

cadastro *s.m.* (fr. *cadastre*). **1.** Registro público dos bens imóveis de certo território. **2.** Registro mantido por estabelecimentos comerciais ou outras organizações, com dados de seus clientes ou usuários. **3.** Registro policial de delinqüentes e contraventores. **4.** Recenseamento, censo.

cadáver *s.m.* (lat. *cadaver*). **1.** Corpo morto (especialmente o humano). **2.** Defunto.

cadavérico *adj.* Relativo ao cadáver.

cadeado *s.m.* (lat. *catenatus,* preso por corrente). Espécie de fechadura portátil, com um aro móvel que se fixa dentro do bojo e se solta por meio de uma chave ou combinações do segredo.

cadeia *s.f.* (lat. *catena,* cadeia, laço; encadeamento). **1.** Corrente de anéis de metal. **2.** Lugar de prisão; casa de detenção. **3.** Sucessão, série contínua de elementos relacionados. **4.** *Fig.* Sujeição, cativeiro, servidão. **5.** Cadeia de produção, o conjunto do produtor ou fabricante, do distribuidor e do revendedor ou lojista. ● **Fís.** *Reação em cadeia,* reação nuclear, utilizada em reatores e armas nucleares, na qual são emitidas partículas capazes de provocar reações similares em núcleos atômicos vizinhos. **Quím.** *Cadeia molecular,* representação plana ou espacial de certas fórmulas, que permite visualizar sua estrutura molecular. ▸ *Cadeia carbônica,* em uma fórmula, seqüência de átomos de carbono ligados, cuja disposição pode ser *aberta* (linear ou ramificada) ou *fechada* (cíclica). **Telecom.** Rede de emissoras de radiodifusão ou de televisão que difundem simultaneamente o mesmo programa.

cadeira *s.f.* (gr. *kathédra,* assento, banco). **1.** Assento ou banco para uma só pessoa, com costas e algumas vezes com braços. **2.** Lugar que ocupa cada um dos membros de uma corporação política, literária ou científica. **3.** *Fig.* Qualquer ramo do conhecimento humano considerado como objeto do ensino de um professor. (Sin. CÁTEDRA.) **4.** *Cadeira de rodas,* cadeira especialmente desenvolvida para os deficientes motores que não podem caminhar. ★ *s.f.pl.* Os quadris do corpo humano; ilhargas.

cadela *s.f.* (lat. *catella,* fem. de *catellus,* cãozinho). **1.** Fêmea do cão. **2.** *Deprec.* Mulher promíscua.

cadência *s.f.* (lat. *cadentia,* pl. neutro de *cadens, cadentis,* que cai). **1.** Repetição de sons ou de movimentos que se sucedem de maneira regular; ritmo. **2.** Concordância dos movimentos de dança com o ritmo da música; compasso. **3.** Vocação, tendência. ● **Ling.** Seqüência das quedas e elevações de voz na enunciação de versos ou frases, marcada por pausas e cesuras, duração e acento das sílabas e pontuação. **Mil.** Número de passos dados por minuto em marcha.

cadenciado *adj.* Que obedece a uma cadência; rítmico, compassado.

cadenciar *v.t.* (conj. 16). Dar cadência ou ritmo a.

cadente *adj.2g.* (lat. *cadens, cadentis,* que cai). **1.** Que vai caindo. **2.** Que tem cadência. ● **Astron.** *Estrela cadente,* fenômeno luminoso provocado pelo deslocamento rápido de um corpúsculo sólido, geralmente de diminutas dimensões, incandescido em conseqüência do atrito nas camadas atmosféricas superiores.

caderneta (ê) *s.f.* **1.** Caderninho de anotações. **2.** Folhas de papel não impressas, encadernadas ou brochadas em pequeno volume, usadas para registro. ● **Econ.** *Caderneta de poupança,* aplicação financeira em caixas econômicas, sociedades de crédito imobiliário ou instituição autorizada, com rendimento mensal fixo e correção monetária.

caderno *s.m.* (lat. *quaternus,* sing. de *quaterni,* quatro de cada vez). **1.** Reunião de folhas de papel cosidas, coladas, grampeadas ou unidas por espiral de maneira a servir como livro de apontamentos, exercícios escolares etc. **2.** Grupo de folhas dobradas para fim de alceamento na encadernação. **3.** Cada uma das partes em que se divide um grande jornal.

cadete (ê) *s.m.* (fr. *cadet*). **1.** Aluno da escola militar superior do Exército ou da Aeronáutica. **2.** Aspirante a oficial. **3.** Oficial do Exército no Brasil colonial, filho de família nobre.

cadinho *s.m.* (lat. *catinus,* prato, bacia). **1.** Pequeno recipiente de metal ou de material refratário, utilizado na fundição ou calcinação de determinadas substâncias; crisol. **2.** A parte do forno onde se opera a fusão.

cádmio *s.m.* [de *casdmeia* (Tebas), cid. da antiga Grécia]. Elemento químico (símb. Cd) de número atômico 48, que constitui um metal branco brilhante, bastante dúctil e maleável.

caducar *v.i.* (conj. 12). **1.** Tornar-se caduco, envelhecer. **2.** Tornar-se mentalmente perturbado por efeito do envelhecimento. ● **Dir.** Invalidar-se, prescrever (lei, direito, contrato), pelo término do prazo de validade ou pelo não cumprimento das condições.

caduceu *s.m.* (lat. *caduceum,* bastão de arauto). Emblema que consta de um bastão com uma ou duas serpentes enroladas, símbolo dos médicos.

caducidade *s.f.* **1.** Qualidade do que é caduco; caduquez. **2.** Velhice, decadência.

caducifólio *adj.* Diz-se das plantas que perdem as folhas na estação seca ou no inverno.

caduco *adj.* (lat. *caducus,* de *cadere,* cair). **1.** Diz-se do que cai ou que vai cair; decíduo. **2.** Que perdeu forças, viço, vitalidade. **3.** Desusado, obsoleto. **4.** Que perdeu o valor ou se tornou nulo. **5.** Que perdeu em parte a razão, em conseqüência de idade avançada.

caduquice *s.f.* Estado ou ação de caduco; idiotice.

cafajeste *s.m.* Indivíduo desqualificado e de péssimo comportamento.

cafarnaum (a-um) *s.m.* (de *Cafarnaum,* n.pr.). Lugar em que se guardam muitos objetos, sem ordem.

café *s.m.* (ár. *qaHua,* vinho; café). **1.** Fruto do cafeeiro, baga ovóide de cor vermelha ou amarelada, com duas sementes que, depois de torradas e moídas, são consumidas como bebida. **2.** Bebida feita com esse fruto. **3.** Sin. de CAFEEIRO. **4.** Estabelecimento onde se servem café e outras bebidas; botequim.

café-concerto *s.m.* Casa de diversões em que o público bebe e fuma, ouvindo canções, assistindo a pequenas revistas e danças.

cafeeiro *s.m.* Arbusto originário da Etiópia, de flores brancas, cultivado pelos frutos. (Sin. CAFÉ.)

cafeicultor (e-i...ô) *s.m.* Cultivador de cafeeiros.

cafeicultura (e-i) *s.f.* **1.** Cultura do cafeeiro. **2.** Plantação de café.

cafeína *s.f.* Alcalóide estimulante do sistema nervoso central, encontrado no café, no chá e em outros vegetais.

cafetã *s.f.* (persa *khaftan,* camisola, túnica). **1.** Vestuário usado pelos turcos e pelos árabes, ricamente bordado e às vezes forrado de peles. **2.** Túnica longa sem cinto, às vezes bordada no decote e na barra das mangas e da saia.

cafetão *s.m.* Cáften.

cafeteira *s.f.* Aparelho doméstico em que se prepara e serve café.

cafetina *s.f.* Caftina.

cafezal *s.m.* Terreno plantado com cafeeiros.

cafezinho *s.m.* Café servido em xícara pequena; café pequeno.

cáfila *s.f.* (ár. *kafila,* caravana). **1.** Caravana de camelos. **2.** *P. ext.* Grande quantidade de camelos. **3.** *Fig.* Bando, corja.

cafona *adj.2g.* e *s.2g.* (it. *cafone,* simplório; tolo). *Gír.* Que ou o que chama atenção por mau gosto, deseducação ou novo-riquismo.

cafonice *s.f.* Qualidade de cafona.

cáften *s.m.* (gír. de Buenos Aires, *cáften*). **1.** O que vive à custa de prostitutas; rufião, cafetão. **2.** Dono de bordel.

caftina *s.f.* Dona de bordel; cafetina.

cafua *s.f.* **1.** Caverna, antro, furna. **2.** Esconderijo. **3.** Aposento em que, nos colégios antigos, se prendiam os alunos, como castigo; cafundó.

cafundó *s.m.* (de orig. afr.). **1.** Lugar ermo e distante, ordinariamente entre montanhas. **2.** Cafua.

cafuné *s.m.* (do quimb.). Fricção vagarosa no couro cabeludo de alguém, com o fim de acariciar, acalmar etc.

cafuzo *adj.* e *s.m.* **1.** Diz-se de ou filho de negro e índio. **2.** Mestiço de pele muito escura, quase negra, com cabelos lisos.

cágado *s.m.* **1.** Réptil da ordem dos quelônios, com cabeça e pescoço não recolhíveis, que habita a água doce. **2.** *Fig.* Pessoa lerda.

caga-fogo *s.m.* **1.** Qualquer vaga-lume. **2.** Abelha social, com cabeça e abdome cor de ferrugem e o resto do corpo preto. **3.** *Pop.* Arma de fogo.

cagar *v.i.* (lat. *cacare*) [conj. 14]. *Chul.* Defecar. ★ *v.pr.* **1.** Sujar-se com as próprias fezes. **2.** Ter muito medo; apavorar-se.

caga-sebo *s.m.* Ave passeriforme, parda no dorso e esbranquiçada no ventre, que atinge 13 cm de comprimento.

cagüeta *adj.2g.* e *s.2g.* Alcagüeta.

caiana *s.f.* e *adj.* (de *Caiena,* top.). **1.** Variedade de cana-de-açúcar. **2.** *Pop.* Cachaça.

CAFÉ ► Acredita-se que o cafeeiro seja originário da Etiópia, na África, de onde foi levado para a Arábia entre os séculos XIII e XIV. Em 1690, os holandeses o levaram para o Ceilão e, em seguida, para Java, no sul da Ásia. Por volta de 1706, eles trouxeram mudas para a Guiana Holandesa (atual Suriname), de onde passou a regiões vizinhas. Em 1727, o cafeeiro foi trazido de Caiena, na Guiana Francesa, para o Brasil.

caiapó *s.2g.* Indivíduo dos caiapós, povo indígena jê que vive no Pará.

caiaque *s.m.* (esquimó *qaiaq*). **1.** Pequena embarcação feita de pele e osso, amarrada à cintura do remador. **2.** Embarcação de canoagem com compartimento fechado, para uma ou mais pessoas, e remo com uma pá de cada lado.

caiar *v.t.* (conj. 16). Cobrir com cal, pintar com cal.

cãibra *s.f.* (do germ.). Contração involuntária e dolorosa de um ou mais músculos, súbita, mas de duração passageira. (Var. CÂIMBRA.)

caibro *s.m.* Peça de madeira de seção retangular, utilizada em armação de telhados, soalhos, forro etc.

cãibro *s.m.* Par de objetos unidos. (Sin. CÂIMBRO.)

caiçara[1] *s.f.* (do tupi *kaai'sa,* cerca). **1.** Arvoredo morto, de que restam troncos. **2.** Cerca de paus em torno de uma plantação. **3.** Ramagem que se deita na água para atrair peixe. **4.** Curral. **5.** Palhoça em que se recolhem jangadas.

caiçara[2] *s.2g.* **1.** Nome dado aos pescadores que habitam as praias paulistas e fluminenses. **2.** Malandro, vadio. ★ *adj.2g.* Relativo aos caiçaras.

caída *s.f.* **1.** Queda. **2.** Declínio, decadência moral.

caído *adj.* **1.** Decaído, abatido, triste. **2.** Vencido, devido (tratando-se de juros, dívidas etc.). **3.** Apaixonado.

caieira *s.f.* **1.** Forno em que se calcina a cal. **2.** Fábrica de cal. **3.** Forno de olaria armado com os próprios tijolos a serem cozidos.

câimbra *s.f.* Var. de CÃIBRA.

câimbro *s.m.* Sin. de CÃIBRO.

caimento (a-i) *s.m.* **1.** Inclinação, declive. **2.** Queda, ruína. **3.** *Fig.* Abatimento, prostração. ● **Nav.** Inclinação para a ré, no eixo do navio.

cainana (a-i) *s.f.* Sin. de CANINANA.

cainçada (a-in) *s.f.* **1.** Latidos, ladridos. **2.** Canzoada.

cainçalha (a-in) *s.f.* Canzoada.

caingangue *s.2g.* Indivíduo dos caingangues, povo indígena jê que vive nas regiões Sul e Sudeste.

cainhar (a-i) *v.i.* (conj. 4). Latir dolorosamente.

cainho (a-í) *adj.* (lat. *caninus*). **1.** Próprio de cão. **2.** *Fig.* Sovina, avaro.

caiová *s.2g.* Indivíduo dos caiovás, povo indígena tupi-guarani que vive no Mato Grosso do Sul.

caipira *s.2g.* **1.** Homem da roça ou do mato; matuto, jeca, capiau. **2.** Pessoa tímida e acanhada. **3.** Jogo popular de parada com um só dado ou com roleta.

caipirinha *s.f.* Batida de limão.

caipirismo *s.m.* **1.** Ação ou dito próprio de caipira. **2.** Caipirada.

caipora *s.m.* (tupi *kaa'pora,* habitante do mato). **1.** Espírito da floresta que protege a caça e reina sobre os animais. (Var. CAAPORA.) **2.** *Fig.* Pessoa que, na crença popular, prejudica o bom andamento dos negócios de outrem. ★ *adj.2g.* Que tem azar, que é infeliz em tudo o que intenta; azarento, azarado.

caiporismo *s.m.* Azar, malogro constante em todos os empreendimentos; má sorte.

cair *v.i.* (lat. *cadere*) [conj. 68]. **1.** Ir ao chão, levar uma queda. **2.** Ir, vir de cima ou do alto para baixo; descer. **3.** Enfraquecer, declinar. **4.** Sucumbir. ★ *v.t.* **1.** Caber, recair. **2.** Incorrer, incidir. **3.** Atacar subitamente. **4.** Destacar-se, soltar-se. **5.** Vir, chegar descendo. **6.** Combinar, condizer.

cairota *adj.2g.* Relativo ou pertencente à cidade do Cairo, capital do Egito. ★ *s.2g.* O natural ou habitante do Cairo.

cais *s.m.* (fr. *quai*). **1.** Parte de um porto onde se efetua o embarque e o desembarque de passageiros e o carregamento e descarregamento de mercadorias. **2.** *P. ext.* Plataforma ao lado de uma via férrea onde descem os passageiros e se descarrega a bagagem.

caititu *s.m.* (tupi *taite'tu*). Mamífero artiodáctilo, de pelagem branca e preta, com uma faixa branca em torno do pescoço, que vive em bandos nas matas de todo o Brasil. (Sin. CATETO.)

caixa *s.f.* (lat. *capsa*). **1.** Recipiente de madeira, de cartão, de metal ou de matéria plástica; estojo, receptáculo. **2.** Espaço fechado que abriga um mecanismo. **3.** Seção dos bancos e outros estabelecimentos comerciais, industriais ou de repartições públicas onde se fazem recebimentos ou pagamentos em dinheiro. **4.** *Caixa postal,* compartimento reservado de um assinante, identificado por número na posta-restante do correio tradicional ou por letras e números em servidor de correio eletrônico. ● **Anat.** *Caixa craniana,* cavidade óssea que contém o cérebro. ► *Caixa torácica,* conjunto do esqueleto do tórax, constituído posteriormente pelas vértebras dorsais, anteriormente pelo esterno e lateralmente pelas costelas. **Mec.** *Caixa de câmbio* ou *caixa de mudanças,* caixa que contém o mecanismo de mudança de velocidade de um veículo; conjunto dos dispositivos que constituem esse mecanismo. ► *Caixa de direção,* dispositivo principal do sistema de direção constituído de um sem-fim a que se conjuga um setor dentado ou um rolete. ★ *s.2g.* Funcionário responsável pelos pagamentos e recebimentos em dinheiro. ★ *s.m.* **1.** Livro auxiliar de escrituração contábil para registro das operações financeiras em dinheiro. **2.** Local em um estabelecimento onde são feitos os pagamentos. **3.** Caixa eletrônico, equipamento em que se pode sacar dinheiro, fazer pagamentos e outras transações bancárias.

caixão *s.m.* **1.** Caixa grande. **2.** Féretro. **3.** Esquadria de portas e janelas.

caixeiro *s.m.* Empregado que, numa casa comercial, atende ao balcão.

caixilho *s.m.* **1.** Moldura onde se fixa a tela de um quadro; chassi. **2.** Esquadria.

caixinha *s.f.* Gorjeta.

caixote *s.m.* Caixa para transporte de mercadorias; caixão.

cajá *s.m.* (tupi *aka'ya*). **1.** Fruto da cajazeira, de polpa resinosa, ácida e aromática, utilizada na confecção de doces, geléias e sucos. **2.** Sin. de CAJAZEIRA.

cajado *s.m.* **1.** Bordão com a parte superior arqueada, para uso dos pastores. **2.** *Fig.* Esteio, arrimo.

cajazeira *s.f.* Árvore de madeira branca e macia, utilizada em carpintaria e marcenaria, de flores aromáticas e frutos de polpa ácida. (Sin. CAJÁ.)

caju *s.m.* (tupi *aka'yu*). Pseudofruto do cajueiro, formado por um pedúnculo de cor amarela, vermelha ou rosada, aromático e comestível, rico em vitamina C.

cajual *s.m.* Lugar onde há muitos cajueiros.

cajueiro *s.m.* Árvore originária do Brasil, de caule tortuoso e fruto formado por um pedúnculo e uma castanha, da qual se obtêm óleo e amêndoa comestível.

cajuína *s.f.* Bebida não alcoólica feita de caju.

cajurana *s.f.* Árvore pequena, de flores amarelas e frutos comestíveis, que fornece madeira utilizada em marcenaria e para fazer polpa celulótica.

cal *s.f.* (lat. *calx, calcis,* pedrinha; cal). **1.** Óxido de cálcio que constitui a base das pedras calcárias; cal virgem, cal viva. **2.** *Cal apagada, cal extinta* ou *cal hidratada,* hidróxido de cálcio obtido através da reação da cal com a água.

CAL ▸ A cal viva, ou óxido de cálcio (CaO), é um sólido branco, amorfo, obtido pela calcinação de materiais calcários. É uma substância muito cáustica, que tem grande afinidade com a água, a qual a transforma em hidróxido com grande liberação de calor. A cal viva e a cal apagada têm numerosas aplicações na indústria e na agricultura. As cais para a construção (cais magras e cais hidráulicas) se obtêm a partir de calcários argilosos ou pedras calcárias. A cal obtida por calcinação do carbonato cálcico se emprega na metalurgia.

---

cala *s.2g.* **1.** Pequena abertura em fruto para se ver se está maduro. **2.** Pequena enseada entre rochedos.

calabouço *s.m.* (esp. *calabozo*). **1.** Cela subterrânea; masmorra. **2.** Lugar ou aposento sombrio e triste.

calabrês *adj.* Relativo ou pertencente à Calábria, Itália. ★ *s.m.* O natural ou habitante da Calábria.

calaceiro *s.m.* Preguiçoso, vadio.

calada *s.f.* Silêncio profundo.

calado[1] *adj.* **1.** Que se calou. **2.** Que fala pouco.

calado[2] *s.m.* **1.** Distância vertical entre a linha de flutuação e a quilha do navio. **2.** Profundidade mínima de água para o barco flutuar.

calafetação *s.f.* Calafetagem.

calafetador (ô) *s.m.* Instrumento utilizado para calafetação.

calafetagem *s.f.* **1.** Ato ou efeito de calafetar; calafetação, calafetamento. **2.** Estopa ou outra substância para vedar qualquer coisa.

calafetamento *s.m.* Calafetagem.

calafetar *v.t.* (conj. 4). Vedar ou tapar fendas, juntas ou buracos de pisos, paredes etc. com massa, pano, barro ou material afim.

calafrio *s.m.* **1.** Estremecimento passageiro devido ao frio ou acompanhado de uma sensação de frio. **2.** Contração da pele e das fibras musculares causada pelo frio ou por uma excitação nervosa, como o medo; arrepio.

calagem *s.f.* Aplicação de cal ao solo, para corrigir sua acidez.

calamar *s.m.* Sin. de LULA.

calamidade *s.f.* (lat. *calamitas*). **1.** Desgraça pública, catástrofe, desastre. **2.** Infortúnio.

calamitoso (ô) *adj.* (lat. *calamitosus*). Cheio de calamidades; funesto, desgraçado.

cálamo *s.m.* (gr. *kálamos,* caniço; cano). Estrutura oca, contínua à ráquis, localizada na parte inferior da pena da ave.

calandra *s.f.* (fr. *calandra*). **1.** Máquina para acetinar papéis e tecidos. **2.** Máquina para alisar ou curvar chapas de metal.

calandragem *s.f.* **1.** Ação de calandrar. **2.** Operação para obtenção de tubos ou anéis de grande diâmetro, fazendo-se passar uma chapa por um conjunto de três rolos de eixos paralelos.

calandrar *v.t.* (conj. 4). **1.** Lustrar, acetinar, passando pela calandra. **2.** Encurvar ou desempenar chapas de metal fazendo-as passar na calandra.

calango *s.m.* (quimb. *ka'langa*). Nome comum a répteis lacertílios que vivem no solo em pedreiras e se alimentam de pequenos artrópodes e vermes.

calão[1] *s.m.* (esp. cigano *caló,* preto; moreno). **1.** Linguajar caracterizado por gírias e termos obscenos. **2.** *Baixo calão,* expressão ou palavra grosseira, obscena.

calão[2] *s.m.* **1.** Embarcação comprida empregada especialmente na pesca do atum. **2.** Pau roliço em cuja extremidade se suspendem objetos para transportar aos ombros. **3.** Rede de arrasto de 200 a 500 m de comprimento, empregada na pesca.

calar[1] *v.i.* (conj. 4). **1.** Não falar. **2.** Silenciar. **3.** Não ter voz ativa. **4.** Deixar de fazer ruído ou som. ★ *v.t.* **1.** Não dizer, ocultar. **2.** Impor silêncio a. ★ *v.pr.* Cessar de falar.

calar[2] *v.t.* (conj. 4). Abaixar, abater.

calar[3] *v.t.* (conj. 4). Abrir cala (em frutos).

calça *s.f.* **1.** Peça de roupa, masculina ou feminina, que vai da cintura até os tornozelos. (Diz-se também *calças.*) **2.** Calcinha.

calçada *s.f.* **1.** Rua ou caminho revestido de pedras. **2.** Parte lateral das ruas, em nível superior, destinada ao trânsito de pedestres; passadiço, passeio.

calçadeira *s.f.* Utensílio com que se facilita calçar os sapatos.

calçado *adj.* **1.** Que tem calço. **2.** Que tem os pés metidos em botas, sapatos ou meias. **3.** Empedrado, lajeado. **4.** Que tem a extremidade inferior guarnecida de uma peça acessória. **5.** Diz-se de animal que tem as patas de cor diferente da do resto do corpo. ★ *s.m.* Peça em geral de couro para cobrir e proteger os pés.

calçamento *s.m.* **1.** Ato ou efeito de calçar (uma rua, uma estrada). **2.** Pavimentação de via pública com pedras, asfalto, concreto.

calcâneo *s.m.* (lat. *calcaneum,* calcanhar). Osso do tarso situado na porção póstero-inferior do pé.

calcanhar *s.m.* (do lat. *calcaneum,* calcanhar). **1.** Parte posterior do pé. **2.** Parte da meia ou do calçado que corresponde ao calcanhar. **3.** Salto de calçado; tacão.

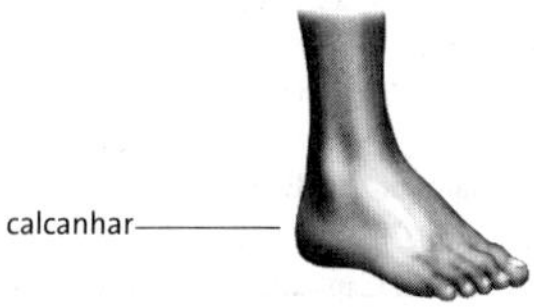

calção *s.m.* (fr. *caleçon*). Calça curta e larga, que vai da cintura ao meio da coxa.

calcar *v.t.* (lat. *calcare,* pisar) [conj. 12]. **1.** Pisar, esmagar com os pés. **2.** Pressionar, apertar. **3.** Comprimir um desenho ou estampa sobre papel para que os traços ou as cores se reproduzam; decalcar. **4.** Triturar, moer. **5.** *Fig.* Abater, humilhar.

calçar *v.t.* (lat. *calceare*) [conj. 13]. **1.** Introduzir (os pés) em botas, sapatos etc., ou (as mãos) em luvas. **2.** Fornecer calçado a. **3.** Empedrar, pavimentar. **4.** Aprumar, fixar com calços. ★ *v.pr.* Revestir os pés de calçado, as pernas de meias e as mãos de luvas.

calcário *adj.* (lat. *calcarius,* relativo à cal). **1.** Que contém carbonato de cálcio. **2.** Diz-se do solo que apresenta uma concentração de carbonato de cálcio superior a 13%. ★ *s.m.* Rocha sedimentar constituída principalmente de carbonato de cálcio.

calcedônia *s.f.* (do gr. *Chalkedon,* top.). Variedade fibrosa de sílica, com quartzo e opala.

calceiro *s.m.* Aquele que faz calças.

calcemia *s.f.* Taxa de cálcio no sangue.

calcetar *v.t.* (conj. 4). Calçar com brita; empedrar.

calceteiro *s.m.* Operário que faz empedramento de estradas, ruas, praças.

cálcico *adj.* **1.** Que contém cálcio. **2.** Relativo ao cálcio, à cal.

calcificação *s.f.* Ato ou efeito de calcificar(-se). ● **Fisiol.** Deposição de sais de cálcio nos tecidos, que constitui o processo de formação dos ossos e dos dentes e o de restauração de fraturas. **Med.** Deposição anormal de sais de cálcio em outros tecidos que não os ossos e os dentes, em geral depois de uma inflamação crônica ou de uma degeneração tissular.

calcificar *v.t.* (conj. 12). **1.** Dar consistência de cal. **2.** Converter em sais de cálcio insolúveis. ★ *v.pr.* **Med.** Incrustar-se de sais de cálcio, por efeito patológico.

calcinação *s.f.* (lat. tard. *calcinatio*). **1.** Ação de calcinar. **2.** Transformação, por aquecimento, do carbonato de cálcio em cal.

calcinar *v.t.* (lat. tard. *calcinare,* reduzir a cal) [conj. 4]. **1.** Submeter a temperatura muito elevada. **2.** Queimar.

calcinha *s.f.* Peça íntima do vestuário feminino; calça.

calcinose *s.f.* Deposição, generalizada ou localizada, de sais de cálcio, que leva à formação de massas calcárias.

cálcio *s.m.* (do lat. *calx, calcis,* cal). Elemento químico alcalino-terroso (símb. Ca), de número atômico 20, que constitui um metal branco e mole, abundante na natureza, principalmente em rochas calcárias, gipso e ossos.

calcita *s.f.* Carbonato natural de cálcio, principal componente dos calcários e dos mármores.

calcitonina *s.f.* Hormônio tireoidiano que diminui a taxa sanguínea de cálcio e fósforo.

calço *s.m.* **1.** Objeto, geralmente de pequena dimensão, colocado debaixo de outro para mantê-lo aprumado ou firme em determinada posição; cunha. **2.** Golpe ardiloso com o pé para interceptar a passagem de uma pessoa e provocar-lhe a queda.

calçudo *adj.* **1.** Que tem as calças compridas em excesso. **2.** Diz-se das aves que têm as pernas cobertas de penas.

calculador (ô) *adj.* Que faz cálculo, calculista. ★ *s.m.* **1.** Aquele que calcula. **2.** *Fig.* Pessoa previdente e cautelosa, cujas ações visam a seus interesses pessoais.

calculadora (ô) *s.f.* Máquina que efetua operações de aritmética.

calcular *v.t.* (lat. *calculare*) [conj. 4]. **1.** Realizar um cálculo; determinar por meio de cálculo numérico. **2.** Prever, presumir. **3.** Ter em conta. ★ *v.i.* Fazer cálculos.

calculista *adj.2g.* e *s.2g.* Calculador.

cálculo *s.m.* (lat. *calculus,* pedrinha, cálculo, conta). **1.** Conjunto de operações matemáticas que se realiza com números; propriedades, teoremas e leis relacionadas a essas operações. **2.** Concreção que se forma em certos órgãos, principalmente nas vias biliares e no sistema urinário, a partir de substâncias contidas nos líquidos do organismo.

calculose *s.f.* Sin. de LITÍASE.

calda *s.f.* **1.** Líquido engrossado, durante a fervura, numa solução de açúcar, que acompanha doces em geral. **2.** Resíduo da destilação do álcool ou da aguardente. ★ *s.f.pl.* Águas termais.

caldaico *adj.* e *s.m.* Caldeu.

caldeamento *s.m.* Ato ou efeito de caldear.

caldear *v.t.* (conj. 15). **1.** Tornar incandescente. **2.** Soldar metais para reforçá-los. **3.** Misturar com líquido para formar calda ou massa. **4.** *Fig.* Mestiçar.

caldeira *s.f.* (lat. tard. *caldaria*). **1.** Grande recipiente metálico em que se pode aquecer, fundir ou cozinhar alguma coisa. **2.** Depressão no fundo de um vale; cisterna. **3.** Cratera circular, de grande diâmetro, criada pelo colapso de um edifício vulcânico.

caldeirada *s.f.* **1.** O conteúdo de um caldeirão. **2.** Porção de líquido que se coloca em uma caldeira. **3.** Prato feito com diversas espécies de peixes e frutos do mar cozidos.

caldeirão *s.m.* **1.** Recipiente cilíndrico mais alto que largo, com uma só ou duas alças, utilizado para cozinhar. **2.** Cavidade aberta nas estradas pelas enxurradas. **3.** Depressão natural onde se acumula a água da chuva.

caldeiraria *s.f.* Oficina ou usina de caldeireiro.

caldeireiro *s.m.* **1.** O que faz ou vende caldeiras ou instrumentos de metal. **2.** Aquele que trabalha em caldeiras.

caldeu *adj.* Relativo ou pertencente à Caldéia, antiga região da Ásia; caldaico. ★ *s.m.* **1.** O natural ou habitante da Caldéia. **2.** Língua semítica falada pelos caldeus.

caldo *s.m.* (lat. *caldus,* de *calidus,* quente). **1.** Alimento líquido preparado pelo cozimento de carne, legumes etc. em água. **2.** Suco extraído dos frutos ou de outras partes das plantas.

calefação *s.f.* (b.-lat. *calefactio*). **1.** Ação de aquecer; aquecimento. **2.** Sistema de aquecimento em recintos fechados, de largo emprego nos países de clima frio. ● **Fís.** Fenômeno que se verifica quando um líquido é bruscamente colocado em contato com uma superfície metálica muito quente.

caleidoscópio *s.m.* (do gr. *kalós,* belo, *eidés,* imagem, *skopein,* ver). Aparelho formado de um tubo que contém diversos espelhos dispostos de um modo tal que pequenos objetos coloridos, colocados em seu interior, produzem desenhos variados; calidoscópio.

calejado *adj.* **1.** Que apresenta calos; caloso. **2.** *Fig.* Experiente. **3.** Endurecido pelo sofrimento.

calejar *v.t., v.i.* e *v.pr.* (conj. 4). **1.** Tornar(-se) caloso. **2.** Endurecer(-se). **3.** *Fig.* Tornar(-se) insensível, acostumar(-se) ao sofrimento.

calendário *s.m.* (lat. *calendarium,* registro, livro de contas). **1.** Sistema elaborado para recensear de modo racional os dias, as semanas, os meses e os anos, de acordo com os principais fenômenos astronômicos, principalmente os relacionados com a posição do Sol e, eventualmente, a da Lua. **2.** Tabela de dias do ano, com indicação de semanas e meses e, por vezes, feriados e alguns fenômenos astronômicos; folhinha. **3.** Tabela ou folheto com as datas de início e encerramento de determinadas atividades; programação.

CALENDÁRIO ► A pedra da ilustração é o calendário asteca. Os 365 dias do ano estão divididos em 18 meses de 20 dias cada um. Os 5 dias restantes eram dias desafortunados, chamados de "dias funestos".

calêndula *s.f.* **1.** Erva originária da Europa, de folhas utilizadas como tempero e flores de propriedades terapêuticas. (Sin. MARAVILHA-DOS-JARDINS.) **2.** A flor dessa planta.

calha *s.f.* (do lat. *canalis,* canal). **1.** Canal de metal ou de material plástico, fixado na base do beiral de um telhado para recolher e canalizar as águas pluviais. **2.** Qualquer canalização para escoamento de líquidos ou grãos. **3.** Termo descritivo utilizado como sinônimo de vale.

calhamaço *s.m.* *Pop.* Livro ou maço de papéis grande e enfadonho.

calhambeque *s.m.* **1.** Pequena embarcação costeira. **2.** *Pop.* Carro velho, imprestável, antiquado. **3.** Traste velho, objeto de pouco valor.

calhar *v.i.* (conj. 4). **1.** Entrar, caber ou penetrar em calha ou cavidade. **2.** Encaixar-se. **3.** Coincidir, convir, vir a tempo.

calhau *s.m.* **1.** Pedra de grandes dimensões. **2.** Fragmento de rocha dura; seixo.

calheta (ê) *s.f.* (esp. *caleta*). Enseada estreita.

calhorda *adj.2g.* e *s.2g.* Diz-se de ou pessoa desprezível; patife, pulha.

calibração *s.f.* Ato ou efeito de calibrar.

calibrador (ô) *s.m.* **1.** Que ou o que calibra. **2.** Nome dado a diversos tipos de manômetros para pressões extremamente baixas; aferidor. **3.** Instrumento que serve de comparação (padrão) para o controle da fabricação de peças mecânicas.

calibragem *s.f.* Ação de calibrar.

calibrar *v.t.* (conj. 4). **1.** Dar o calibre a. **2.** Medir o calibre. **3.** Classificar segundo o calibre. **4.** Dar a pressão adequada (a pneumático, câmara-de-ar). **5.** Ajustar determinado equipamento, instrumento ou peça, mediante confrontação com um padrão preciso e exato. **6.** *Pop.* Embriagar.

calibre *s.m.* (ár. *qalib,* molde, pelo fr. *calibre*). **1.** Diâmetro interno de um cilindro oco. **2.** Capacidade de um recipiente. **3.** Calibrador. **4.** *Fam.* Qualidade, caráter das pessoas. ● **Arm.** Diâmetro interior do cano de uma arma. ► Diâmetro exterior de um projétil.

caliça *s.f.* Entulho.

cálice[1] *s.m.* (gr. *kályx,* invólucro). **1.** Cavidade excretora do rim que drena a urina secretada pelas papilas renais. **2.** Invólucro externo da flor, normalmente constituído por sépalas que protegem outros verticilos do botão floral. **3.** Estrutura esquelética, em forma de taça, que ocorre em alguns corais e lírios-do-mar.

cálice[2] *s.m.* (lat. *calix, calicis,* taça, copo). **1.** Copo provido de pé, para vinho ou destilados. **2.** Recipiente no qual é consagrado o vinho eucarístico durante a missa.

calidez (ê) *s.f.* Qualidade ou estado de cálido.

cálido *adj.* (lat. *calidus,* quente). **1.** Quente. **2.** *Fig.* Ardente, fogoso.

calidoscópio *s.m.* Caleidoscópio.

califa *s.m.* (ár. *khalifa*). **1.** Título do mais alto chefe espiritual e temporal de uma comunidade islâmica. **2.** Título de alguns sultões turcos.

califado *s.m.* **1.** Governo ou território de um califa. **2.** Dignidade de califa.

californiano *adj.* Relativo ou pertencente à Califórnia, Estado dos EUA. ★ *s.m.* Indivíduo natural ou habitante da Califórnia.

califórnio *s.m.* (de *Califórnia,* top.). Elemento químico radioativo (símb. Cf), de número atômico 98, obtido pela primeira vez por meio do bombardeamento do cúrio.

caligrafia *s.f.* (gr. *kalligraphía,* escrita bela). **1.** Arte de desenhar letras à mão. **2.** Maneira como cada pessoa escreve; letra.

calígrafo *s.m.* Aquele que se dedica à caligrafia.

calipígio *adj.* Que tem belas nádegas.

calista *s.2g.* Profissional que extirpa calos, desencrava unhas etc.; pedicuro.

calma *s.f.* (gr. *kauma,* calor ardente, pelo it. *calma*). **1.** Ausência de agitação; tranqüilidade. **2.** Calor atmosférico; hora do dia em que faz mais calor. **3.** Bonança, calmaria.

calmante *adj.2g.* Que acalma. ★ *s.m.* Substância ou medicamento de ação sedativa ou ansiolítica.

calmar *v.t.* (conj. 4). Acalmar.

calmaria *s.f.* **1.** Cessação completa de ventos ou dos movimentos do mar. **2.** Grande calor sem vento. **3.** *Fig.* Tranqüilidade.

calmo *adj.* **1.** Sem agitação, sossegado, tranqüilo. **2.** Pacato, sereno.

calmoso (ô) *adj.* **1.** Em que há calma ou calmaria. **2.** Quente, abafado.

calo *s.m.* (lat. *callum*). **1.** Sin. de CALOSIDADE. **2.** *Fig.* Dureza, insensibilidade.

calombo *s.m.* **1.** Inchaço ou tumor duro. **2.** Qualquer ondulação (de terreno etc.).

calor (ô) *s.m.* (lat. *calor*). **1.** Qualidade daquilo que é quente. **2.** Forma de energia que se transfere de um sistema para outro, sem transporte de massa, e que tem como efeito elevar a temperatura, fundir, volatilizar ou decompor um corpo. **3.** Temperatura elevada, tempo quente. **4.** *Fig.* Ardor, vivacidade. ● **Fís.** *Calor específico* ou *de massa,* quantidade de calor, em joules, necessária para elevar a temperatura de um quilograma de massa em 1 grau Celsius.

? VOCÊ SABIA...? O **calor** que se sente ao segurar uma panela pelo cabo se transmite por *condução.* A energia calorífica se propaga por *convecção* dentro de uma chaleira elétrica. Um radiador com um refletor brilhante envia ondas quentes por meio da *radiação.* As substâncias que transmitem bem o calor são chamadas de bons condutores. Os metais são os melhores condutores, por isso se fabricam panelas com esse material.

calorão *s.m.* Forte calor.

calorento *adj.* **1.** Em que há calor. **2.** Diz-se da pessoa muito sensível ao calor.

caloria *s.f.* **1.** Quantidade de energia de uma substância. **2.** Unidade de medida de calor que equivale a 4,18 joules.

calórico *adj.* Relativo ao calor ou à caloria.

calorífero *adj.* Que possui ou produz calor. (Sin. CALORÍFICO.)

calorífico *adj.* (lat. *calorificus*). Sin. de CALORÍFERO.

calorimetria *s.f.* Parte da física que trata da medida das quantidades de calor absorvidas ou emitidas por sistemas em transformação.

caloroso (ô) *adj.* Que demonstra animação, entusiasmo, calor.

calosidade *s.f.* Espessamento da camada córnea da epiderme, devido a atrito. (Sin. CALO.)

caloso (ô) *adj.* (lat. *callosus*). **1.** Que tem calos, calejado. **2.** *Corpo caloso,* comissura situada entre os dois hemisférios cerebrais, cujas fibras nervosas unem áreas corticais idênticas.

calota *s.f.* (fr. *calotte,* solidéu). **1.** Região de uma esfera limitada por um plano secante a ela. **2.** Peça semelhante a uma cuia que protege ou simplesmente adorna a extremidade dos eixos dos automóveis. ● **Astron.** Região em torno de um pólo, na esfera celeste ou na superfície de um astro. **Constr.** Abóbada de forma hemisférica; parte superior de uma cúpula.

calote *s.m. Fam.* Dívida não paga ou contraída por quem não tem a intenção de pagá-la.

calotear *v.t.* e *v.i.* (conj. 15). **1.** Contrair dívidas sem intenção ou possibilidade de pagá-las. **2.** Pregar calotes.

caloteiro *adj.* e *s.m.* Que ou quem caloteia.

calouro *s.m.* (gr. mod. *kalógeros,* monge). **1.** Estudante do primeiro ano de uma faculdade. **2.** Indivíduo novato em qualquer coisa.

calundu *s.m.* (quimb. *kalu'nd,* nostalgia). Mau humor, irritação, arrufo.

calunga *s.f.* (quimb. *ka'lung,* mar). **1.** Imagem ou boneco levado à frente dos antigos blocos de maracatu. **2.** Qualquer objeto pequeno. ★ *s.m.* Desenho que representa forma humana ou animal.

calúnia *s.f.* (lat. *calumnia,* engano; embuste). **1.** Ato de imputar falsamente a alguém a prática de fato definido como crime. **2.** Falsidade, invencionice.

caluniar *v.t.* (lat. *calumniari*) [conj. 16]. **1.** Atingir alguém em sua reputação, em sua honra, com acusações falsas; difamar. **2.** Imputar a alguém fato definido como crime. ★ *v.i.* Dizer calúnias.

calunioso (ô) *adj.* (lat. *calumniosus*). **1.** Que calunia. **2.** Que serve para caluniar.

calva *s.f.* A parte da cabeça donde caiu o cabelo; careca.

calvário *s.m.* (do lat. *Calvariae locus*). **1.** Colina onde Cristo foi crucificado. **2.** *Fig.* Longo sofrimento, martírio.

calvície *s.f.* (lat. *calvities*). Ausência parcial ou total de cabelos, uma das formas de alopecia.

calvinismo *s.m.* **1.** Doutrina e sistema teórico religioso protestante proposto por J. Calvino (1509-1564). **2.** As Igrejas que professam o calvinismo.

calvinista *adj.2g.* Relativo ou pertencente ao calvinismo. ★ *s.2g.* Adepto do calvinismo.

calvo *adj.* e *s.m.* (lat. *calvus*). Diz-se de ou indivíduo que apresenta calvície; careca.

cama *s.f.* (lat. tard. *cama,* leito no solo). **1.** Móvel no qual a pessoa se deita para dormir ou repousar; leito. **2.** Local ou forração sobre o qual uma pessoa ou um animal se deita para dormir. **3.** Parte do fruto de planta rasteira que assenta na terra. ● **Agric.** Área de solo em que se assentam as sementes.

camacã *s.2g.* Indivíduo dos camacãs, povo indígena jê da Bahia.

camada *s.f.* **1.** Porção de qualquer matéria que se estende uniformemente sobre uma superfície. **2.** Qualquer das várias porções de matéria sobrepostas. **3.** Categoria, classe. ● **Geol.** Massa de terreno sedimentar que apresenta características homogêneas. **Quím.** Em um átomo, cada um dos diversos níveis de energia em torno do núcleo onde se distribuem os elétrons.

camafeu *s.m.* (fr. ant. *camaheu*). **1.** Pedra fina cinzelada de modo a formar uma figura em relevo. **2.** *Pop.* Mulher de traços delicados.

camaleão *s.m.* (gr. *chamailéon,* leão anão). **1.** Réptil lacertílio, arborícola, com capacidade de mudar de cor, que ocorre na África, Ásia e Europa. **2.** Sin. de IGUANA. **3.** *Fig.* Indivíduo que muda de opinião e de atitude segundo as circunstâncias e seus interesses; hipócrita, volúvel.

camalhão *s.m.* **1.** Declive no solo destinado a proteger a cultura dos ventos e a ajudar a exposição da planta ao sol. **2.** Porção de terra acumulada ao redor de cada planta em certas culturas tropicais. **3.** Ligeira elevação linear da terra obtida por certas práticas de aração que dão ao solo um aspecto ondulado.

câmara *s.f.* (lat. tard. *camara,* do gr. *kamára,* abóbada; quarto abobadado). **1.** Compartimento de uma casa; quarto de dormir. **2.** Corpo legislativo, judicial ou deliberativo. **3.** Local em que se reúnem esses corpos. **4.** Associação em que se reúnem comerciantes e industriais que compartilham os mesmos interesses. **5.** Câmera. **6.** Parte posterior do cano de uma arma de fogo onde se coloca o cartucho ou a carga antes da saída do tiro. **7.** *Câmara de gás,* local onde se executam por asfixia os condenados à morte. **8.** *Música de câmara,* composição musical escrita para um pequeno grupo de instrumentos ou vozes. **Mec.** *Câmara de combustão,* compartimento onde é colocado o carvão, o óleo, ou qualquer outro combustível, nos navios, nas locomotivas, nos motores em geral, para entrar em ignição.

camarada *s.2g.* (esp. *camarada*). **1.** Pessoa com quem se convive por familiaridade nascida de atividades comuns; companheiro, colega. **2.** Pessoa ligada a outra por laços de amizade. **3.** Uma pessoa qualquer; sujeito, indivíduo. **4.** Trabalhador avulso nas fazendas; tropeiro, peão. **5.** Garimpeiro assalariado. ★ *adj.2g.* **1.** Qualidade de quem é amigo. **2.** Bom, compreensivo, agradável. **3.** Camaradesco.

camaradagem *s.f.* **1.** Familiaridade, entendimento entre camaradas. **2.** Solidariedade, companheirismo, amizade.

câmara-de-ar *s.f.* Tubo de borracha circular que se coloca dentro do pneu de automóveis, bicicletas etc., e que se enche de ar comprimido.

camarão *s.m.* (gr. *kámmaros*). **1.** Crustáceo marinho ou de água doce que apresenta corpo comprimido lateralmente e cinco pares de patas; algumas espécies de interesse comercial são criadas em fazendas marinhas. **2.** Vaso de louça antigo. **3.** Gancho que se fixa no teto para suspender lustres, armações etc.

camarão-de-água-doce *s.m.* Sin. de PITU.

camareira *s.f.* **1.** Arrumadeira de quartos em hotéis, pousadas etc. **2.** Mulher que executava serviços na câmara da rainha ou de outros nobres.

camareiro *s.m.* **1.** Empregado que arruma quartos em hotéis, pousadas etc. **2.** Camarista.

camarilha *s.f.* (esp. *camarilla*). *Pej.* Conjunto das pessoas que cercam o chefe do Estado e com ele convivem intimamente, influindo indiretamente em suas decisões.

camarim *s.m.* (esp. *camarín*). Recinto dos teatros onde os atores se vestem e se maquiam.

camarinha *s.f.* **1.** Quarto de dormir; aposentos. **2.** Pequena prateleira do canto de uma sala ou quarto. ● **Nav.** Casa da ré. ★ *s.f.pl.* Pingos, gotas de suor.

camarista *s.2g.* (esp. *camarista*). **1.** Membro da câmara municipal; vereador. **2.** Nobre encarregado do serviço íntimo dos aposentos de um soberano; camareiro.

camaroeiro *s.m.* Rede de pescar camarões.

camaronês *adj.* Relativo ou pertencente à República dos Camarões, país da África. ★ *s.m.* Indivíduo natural ou habitante desse país.

camarote *s.m.* (esp. *camarote*). **1.** Compartimento fechado, em uma sala de espetáculos. **2.** Repartimento de um navio em que se alojam passageiros; cabina.

camaroteiro *s.m.* **1.** Vendedor de bilhetes de camarotes e de outros locais do teatro. **2.** Criado que cuida e atende um certo número de camarotes de navios.

cambada *s.f.* **1.** Enfiada, porção de coisas penduradas juntas; fieira, fiada. **2.** *Fig.* Bando de pilantras, de pessoas desprezíveis; súcia, corja.

cambado *adj.* **1.** Cambaio. **2.** Torto, inclinado para um dos lados.

cambaio *adj.* e *s.m.* **1.** Que ou aquele que tem pernas tortas; cambado, cambeta, cambão. **2.** Que ou aquele que puxa uma das pernas; capenga, cambeta.

cambalacho *s.m.* **1.** Permutação, barganha, troca. **2.** Negociata, tramóia, conchavo.

cambalear *v.i.* (conj. 15). **1.** Vacilar sobre os pés, não ter apoio; cambar. **2.** *Fig.* Mostrar-se irresoluto, inseguro.

cambaleio *s.m.* Ato ou efeito de cambalear.

cambalhota *s.f.* Movimento que se executa girando o corpo sobre a cabeça e voltando à posição inicial; cambota.

cambão *s.m.* **1.** Peça de madeira com que se unem duas juntas de bois ao mesmo carro ou ao mesmo arado. **2.** Pedaço de pau que se pendura ao pescoço da rês bravia para amansá-la ou para impedi-la de atravessar a cerca. **3.** Junta de bois. **4.** Cambaio.

cambapé *s.m.* **1.** *Pop.* Rasteira. **2.** *Fig.* Armadilha, tramóia.

cambar *v.i.* (do rad. celta *camb-*, arqueado; trocado) [conj. 4]. **1.** Entortar as pernas ao andar. **2.** Entortar para um lado. **3.** Mudar, virar de um lado para o outro. **4.** Cambalear. ★ *v.t.* Inclinar-se, pender.

cambará *s.m.* (tupi *kamba'ra*). Arbusto de casca avermelhada e flores reunidas em capítulos, cuja madeira, resistente à água, é usada para rodas, obras externas e cabos de ferramentas.

cambau *s.m.* Triângulo de madeira que se põe no pescoço das cabras para impedi-las de passar cercas.

cambeta (ê) *adj.2g.* e *s.2g.* Cambaio.

cambial *adj.2g.* Relativo a câmbio. ★ *s.f.* **1.** Letra de câmbio. **2.** Letra sacada numa praça sobre outra.

cambiante *adj.2g.* **1.** Que cambia. **2.** De cor indecisa, vaga; furta-cor, irisado, iriante. ★ *s.m.* Cor mal definida; nuança.

cambiar *v.t.* e *v.i.* (do rad. celta *camb-*, pelo lat. *cambiare*, trocar) [conj. 4]. **1.** Fazer operações de câmbio. **2.** Trocar, permutar. **3.** Mudar gradualmente de cor.

cambiário *adj.* Relativo aos títulos cambiais e seu disciplinamento jurídico.

câmbio *s.m.* **1.** Troca, permutação. **2.** Troca de mercadorias ou moedas, especialmente de moedas emitidas por países diferentes. **3.** Taxa em que é efetuada essa operação. • **Automóv.** Peça de metal utilizada pelo motorista para alternar as marchas do veículo; alavanca de câmbio ou de mudança. **Bot.** Meristema lateral que dá origem a tecidos vasculares secundários (xilema e floema).

cambista *adj.2g.* e *s.2g.* **1.** Que ou aquele que trabalha em câmbio, papéis de crédito e troca de moedas. **2.** Pessoa que vende ingressos para espetáculos acima do preço, fora das bilheterias.

cambito *s.m.* **1.** Perna fina, magra. **2.** Pernil de porco. **3.** Cabide rústico feito de galhos secos.

cambojano ou **cambodjiano** *adj.* Relativo ou pertencente ao Camboja, país da Ásia. ★ *s.m.* **1.** Indivíduo natural do Camboja. **2.** Língua falada naquele país.

cambota *s.f.* **1.** Parte circular das rodas dos carros, onde se prendem os raios e sobre a qual é fixado o aro. **2.** Cambalhota. **3.** Molde de madeira, semicircular, para armação de arcos ou abóbadas; cimbre.

cambraia *s.f.* (de *Cambrai*, top.). Tecido de linho ou algodão, muito fino e transparente.

cambriano *s.m.* Período geológico mais antigo da era paleozóica, com duração aproximada de 70 milhões de anos. ★ *adj.* Relativo ou pertencente a esse período.

cambucá *s.m.* (tupi *kambu'ká*). **1.** Árvore de folhas rijas, flores pequenas, brancas, e frutos que são bagas esféricas, de casca resistente e polpa macia, própria para doces; cambucazeiro. **2.** O fruto dessa árvore.

cambuci *s.m.* (do tupi). **1.** Árvore de pequeno porte, de flores brancas e frutos que são bagas carnosas de aroma agradável, utilizados para refrescos e para aromatizar aguardente. **2.** O fruto dessa árvore.

cambuí *s.m.* (tupi *kambu'i*). **1.** Árvore de folhas grossas, pequenas flores brancas e frutos que são bagas redondas, de cor roxa, comestíveis; cambuizeiro. **2.** O fruto dessa árvore.

cambulhada *s.f.* Cambada, molho, enfiada.

cambulho *s.m.* Rodela de barro, furada no centro, usada para fundear redes de pesca.

cambuquira *s.f.* (tupi *kambu'kira*, grelo de erva). **1.** Grelo de aboboreira. **2.** Guisado feito com esses grelos.

camélia *s.f.* (de *G. J. Kamel*, n.pr.). **1.** Arbusto ou árvore originários do Japão, de flores de tamanhos e cores variados, cultivados como ornamentais; cameleira. **2.** A flor desse arbusto.

camelo (ê) *s.m.* (gr. *kámelos*). **1.** Mamífero ruminante, desprovido de chifres e casco, que apresenta duas corcovas sobre o dorso e vive em regiões desérticas, quentes ou frias, da África e Ásia. **2.** Aparelho para levantar peso a bordo dos navios; calabre grosso. **3.** *Fig.* Sujeito estúpido, sem inteligência.

? VOCÊ SABIA...? Desde a Antiguidade os **camelos** têm sido usados como animais de carga, para montaria e para o trabalho de tração; também fornecem leite, carne, lã e couro. Há duas espécies: a mais comum é o camelo árabe ou dromedário (*Camellus dromedarius*). Chamado popularmente de *barco do deserto*, esse animal tem somente uma corcova, ao contrário do camelo bactriano (*C. bactrianus*), originário das estepes da Ásia Central, que tem dupla corcova.

---

camelô *s.m.* (fr. *camelot*). Mercador que apregoa e vende na rua objetos de pouco valor.

câmera *s.f.* (lat. *camera*, quarto, compartimento). **1.** Aparelho com formato de caixa dotado de uma abertura frontal e equipado com lentes, que permite a produção de imagens fotográficas. **2.** Aparelho que permite registrar fotograficamente o movimento; filmadora. **3.** Em televisão, dispositivo em que se formam as imagens a ser transmitidas eletronicamente. ★ *s.2g.* Pessoa que opera a câmera de tevê ou cinema.

DESENHO ESQUEMÁTICO DE CÂMERA FOTOGRÁFICA

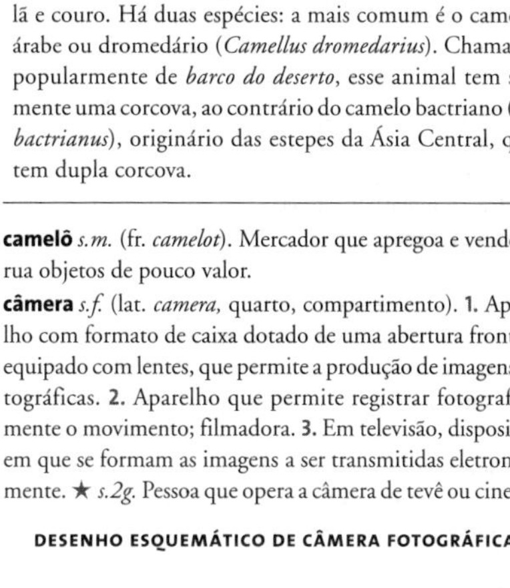

---

camerlengo *s.m.* (do germ.). Cardeal que governa a Igreja entre a morte de um papa e a eleição de outro.

caminhada *s.f.* **1.** Ato de caminhar. **2.** Passeio longo a pé; jornada. **3.** Extensão já percorrida ou a percorrer.

caminhante *adj.2g.* e *s.2g.* Que ou aquele que caminha; andarilho, viandante.

caminhão *s.m.* (fr. *camion*). Veículo automotivo destinado ao transporte de cargas pesadas.

caminhar *v.i.* (conj. 4). **1.** Percorrer caminho a pé; marchar, andar. **2.** Navegar, velejar. **3.** *Fig.* Progredir, avançar. ★ *v.t.* Percorrer a pé (alguma distância).

caminheiro *adj.* e *s.m.* Que ou aquele que caminha, que anda bem depressa.

caminho *s.m.* (do celta). **1.** Qualquer faixa de terreno destinada ao trânsito de pedestres ou de veículos. **2.** Estrada que leva de um lugar a outro, via de comunicação; vereda, atalho, picada. **3.** Direção, destino. **4.** Passagem. **5.** Itinerário normal. **6.** Distância que separa dois pontos. **7.** A extensão que se percorre ao caminhar. **8.** *Fig.* Norma de procedimento. **9.** *Fig.* Carreira, profissão.

caminhoneiro *s.m.* Motorista de caminhão ou de carreta; carreteiro.

caminhoneta (ê) *s.f.* Caminhonete.

caminhonete ou camionete *s.f.* (fr. *camionnette*). Automóvel utilitário que dispõe, na parte traseira, de um compartimento bem maior do que os carros comuns, destinado a bagagem e a cargas leves.

camisa *s.f.* (lat. *camisia*). **1.** Peça de vestuário geralmente dotada de mangas, colarinho e abertura frontal, usada para cobrir o tronco. **2.** Membrana embrionária do trigo. **3.** Invólucro da luz em certas lâmpadas.

camisa-de-força *s.f.* Espécie de camisa de tecido forte que envolve os braços e impede movimentos agressivos dos doentes mentais.

camisa-de-meia *s.f.* Camiseta.

camisa-de-vênus *s.f.* Preservativo masculino. (Sin. CAMISINHA.)

camisaria *s.f.* Fábrica ou loja de camisas.

camiseira *s.f.* **1.** Móvel para guardar camisas; camiseiro. **2.** Mulher que costura camisas profissionalmente.

camiseiro *s.m.* **1.** Pessoa que faz ou vende camisas. **2.** Camiseira.

camiseta (ê) *s.f.* Camisa com ou sem mangas, geralmente de malha, usada diretamente sobre a pele; camisa-de-meia.

camisinha *s.f.* Sin. de CAMISA-DE-VÊNUS.

CAMISINHA ► As camisinhas ou preservativos masculinos são receptáculos de borracha elástica (látex) que cobrem o pênis em ereção antes da relação sexual. Seu exterior pode estar recoberto de creme espermicida. São projetados para ser utilizados somente uma vez. Para reduzir o risco de fertilização, é importante evitar o contato do pênis com a genitália feminina antes da colocação do preservativo. Também é importante retirar da vagina o pênis coberto pela camisinha antes que se torne flácido, para evitar vazamento do esperma e prevenir doenças sexualmente transmissíveis, especialmente a aids.

---

camisola *s.f.* (fr. *camisole*). **1.** Camisa comprida de dormir. **2.** Espécie de camisa comprida e rodada, com pala, usada pelas crianças de colo.

camomila *s.f.* (gr. *chamaímelon,* maçã anã). Erva originária da Europa, cujas flores, aromáticas, fornecem um chá calmante e digestivo. (Sin. MATRICÁRIA.)

camoniano *adj.* **1.** Relativo a Camões. **2.** Que segue o estilo de Camões.

camorra (ô) *s.f.* (it. *camorra*). **1.** Associação secreta de malfeitores, equivalente napolitana da Máfia. **2.** *P. ext.* Grupo de facínoras. **3.** Rixa, contenda.

campa *s.f.* **1.** Cobertura rasa de sepultura. **2.** Sepulcro.

campainha (a-í) *s.f.* (do lat. *campana,* sino). **1.** Pequena sineta de mão, para uso doméstico ou para pôr ordem numa assembléia. **2.** Pequeno sino que se pendura no pescoço dos animais de criação. **3.** Dispositivo elétrico que faz vibrar uma caixa de ressonância, produzindo sons de advertência. ● **Anat.** Designação popular da úvula. **Bot.** A flor das campanuláceas. ► Corola de algumas pequenas flores.

campal *adj.2g.* **1.** Pertencente ou relativo a campo. **2.** Que se realiza ao ar livre.

campana *s.f.* (lat. *campana,* sino). **1.** Campainha, sino. **2.** Guarnição larga de que pendem ornatos em forma de campânulas. ● **Arquit.** Corpo do capitel coríntio e de certos capitéis egípcios.

campanado *adj.* Em forma de campana ou sino.

campanário *s.m.* **1.** Torre de sinos. **2.** Parte de uma torre de Igreja, onde se localizam os sinos.

campanha *s.f.* (lat. *campania,* os campos). **1.** Campo extenso; planície. **2.** Conjunto das operações militares levadas a efeito em determinado local. **3.** União de esforços com vistas a um objetivo político, econômico etc. **4.** Conjunto de anúncios em diferentes veículos de comunicação.

campanudo *adj.* **1.** Que tem forma de sino. **2.** *Fig.* Enfático, bombástico, empolado.

campânula[1] *s.f.* (lat. tard. *campanula,* sininho). Pequeno vaso, geralmente de vidro, em forma de sino, ou parabólico. ● **Mec.** Recipiente cheio de ar comprimido, destinado a regularizar a saída de uma bomba de pistão.

campânula[2] *s.f.* Nome comum a diversas espécies de plantas ornamentais, originárias da Europa, de flores vistosas em forma de campainha.

campanuláceas *s.f.pl.* Família de plantas dicotiledôneas, de flores vistosas, com espécies cultivadas como ornamentais ou para uso medicinal.

campeão *s.m.* (do germ.). O que combate em campo fechado para defender a sua própria causa ou a de outrem. ★ *adj.* e *s.m.* **1.** Que ou aquele que, numa competição esportiva, venceu todos os oponentes e conquistou o primeiro lugar. **2.** Defensor.

campear *v.t.* e *v.i.* (conj. 15). **1.** Acampar, estar em acampamento. **2.** Servir em campanha. **3.** Batalhar. **4.** Correr campos. **5.** Andar no campo a cavalo em procura ou tratamento de gado. **6.** Procurar (animais) no campo ou no mato. **7.** Sobressair, dominar, estar em lugar elevado. **8.** Blasonar, ostentar.

campeiro *adj.* Pertencente ou relativo ao campo. ★ *s.m.* **1.** Trabalhador do campo. **2.** Trabalhador de gado no campo.

campeonato *s.m.* Competição esportiva em que o vencedor é declarado campeão.

campesinato *s.m.* **1.** A classe dos camponeses. **2.** Grupos sociais de base familiar que se dedicam a atividades agrícolas.

campesino *adj.* Campestre.

campestre *adj.2g.* (lat. *campester, campestris*). Aquilo que diz respeito ao campo; campesino.

campina *s.f.* **1.** Campo amplo, pouco acidentado, sem árvores e coberto de vegetação herbácea; prado. **2.** Planície.

camping *s.m.* (ingl.). Campismo.

campismo *s.m.* Prática esportiva ou turística que consiste em acampar ao ar livre em barracas ou tendas; *camping.*

campista *s.2g.* Pessoa que pratica o campismo.

campo *s.m.* (lat. *campus,* planície; espaço largo e aberto). **1.** Extensão de terra sem mato, com ou sem árvores esparsas; prado, relvado, várzea. **2.** Extensão de terra própria para cultura ou pastagem. **3.** Domínio sobre o qual se exerce uma atividade, um estudo etc. **4.** O ambiente campestre (p. opos. a CIDADE); a zona rural em geral. **5.** Espaço reservado a uma atividade. **6.** Extensão, espaço plano. **7.** Fundo sobre o qual um objeto se destaca em relevo ou em cor. **8.** Cada uma das divisões de dados de um registro em banco de dados. **9.** *Campo de aterrissagem* ou campo de aviação, terreno amplo, reservado à aterrissagem e à decolagem de aeronaves. ● **Fís.** Região de distribuição de uma grandeza física dentro da qual esta assume valores variáveis, que dependem de suas coordenadas espaciais e/ou do tempo.

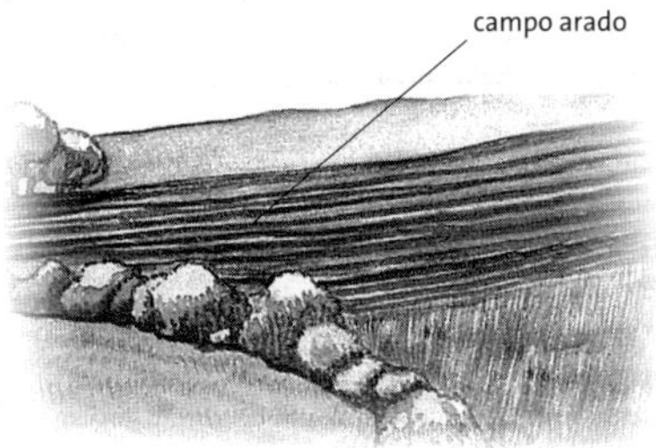

campolina *s.2g.* Raça brasileira de cavalo para sela e montaria.

camponês *s.m.* Pessoa que vive e trabalha no campo. ★ *adj.* **1.** Relativo a camponeses. **2.** Que revela interesses econômicos da população agrícola. **3.** Grosseiro, rústico.

campônio *s.m.* Homem rústico, do campo; camponês. ★ *adj.* Camponês.

campo-santo *s.m.* (it. *campo santo,* terreno consagrado). Cemitério.

campus (câm) *s.m.* (lat.) [*pl. campi*]. Conjunto de prédios e de terrenos de uma universidade ou colégio.

camuflagem *s.f.* **1.** Ato ou efeito de camuflar. **2.** Disfarce, dissimulação; emprego de falsas aparências.

camuflar *v.t.* (fr. *camoufler*) [conj. 4]. Dissimular, disfarçar qualquer coisa, de maneira a torná-la despercebida ou irreconhecível.

camundongo *s.m.* Mamífero roedor, comum em habitações humanas, que produz de quatro a cinco ninhadas por ano. (Sin. MONDONGO.)

camurça *s.f.* **1.** Mamífero ruminante da ordem dos artiodáctilos, com pequenos chifres enrolados, que vive em pastos e florestas das montanhas da Europa, Ásia Menor e Cáucaso. **2.** O couro desse animal, que após um curtimento especial torna-se aveludado. **3.** Qualquer pele preparada dessa maneira. ★ *adj.2g.* **1.** Diz-se do muar que tem o pêlo pardo-vermelho. **2.** Que tem colorido amarelo-claro, semelhante ao da pele curtida da camurça.

cana *s.f.* (gr. *kánna,* pelo lat. *canna,* cana, caniço). **1.** Cana-de-açúcar. **2.** Cachaça. **3.** *(NE)* Bebedeira. ● **Anat.** Osso mais ou menos alongado de certas partes do corpo humano (da perna, do nariz). **Metrol.** Antiga medida de comprimento, cuja grandeza variava de 1,75 m a 2 m.

cana-da-índia *s.f.* Planta originária da América, de rizoma tuberoso, haste ereta, folhas verdes e flores vermelhas ou amarelas, muito apreciada como ornamental.

cana-de-açúcar *s.f.* Gramínea originária da Ásia, que pode atingir vários metros de altura, de colmos cilíndricos e suco adocicado, cultivada para a produção de açúcar, álcool e aguardente.

cana-de-imbé *s.f.* Sin. de COMIGO-NINGUÉM-PODE.

canadense *adj.2g.* Relativo ou pertencente ao Canadá. ★ *s.2g.* Indivíduo natural ou habitante do Canadá.

canal *s.m.* (lat. *canalis,* cano, conduto de água). **1.** Passagem estreita, natural ou artificial, entre terras e baixios, utilizada para navegação, irrigação, drenagem e fornecimento de energia. **2.** Via de navegação artificial que comunica rios, mares ou oceanos. **3.** Braço de mar ou rio. **4.** Condutor que permite a passagem de um líquido ou de um gás. **5.** *Fig.* Intermediário, intermédio, meio. ● **Anat.** Órgão cilíndrico e oco que serve para conduzir um líquido do organismo. ► *Canal deferente,* via de excreção do esperma que liga o epidídimo à uretra posterior. ► *Canal excretor,* canal por onde são escoadas as secreções das glândulas exócrinas. **Odont.** Estrutura interna do dente que constitui um prolongamento da polpa através das raízes. **Telecom.** Faixa de freqüência destinada às emissões de rádio ou de televisão.

VOCÊ SABIA...? O continente europeu e a Grã-Bretanha, que há 13 mil anos ligavam-se por um istmo, foram separados pelo **canal** da Mancha, até 1994, quando foi inaugurado um sistema de três túneis sob o mar, chamado Eurotúnel. Os trens que operam essa linha estão entre os mais velozes do mundo.

túneis sob o canal da Mancha

canalha *s.f.* (it. *canaglia*). Conjunto de pessoas desprezíveis; gentalha, ralé, canalhada. ★ *adj.2g.* **1.** Desonesto, trapaceiro. **2.** Vil, infame. ★ *s.2g.* **1.** Pessoa torpe, sem moralidade. **2.** Pessoa vil, infame; velhaco.

canalhada *s.f.* Grupo de canalhas.

canalhice *s.f.* **1.** Ação ou palavra própria de canalha; canalhismo. **2.** Falta de moral e de honestidade.

canalização *s.f.* **1.** Ato de canalizar. **2.** Tubulação utilizada para conduzir água, ar, gás, produtos petrolíferos etc.

canalizar *v.t.* (conj. 4). **1.** Abrir canais em. **2.** Dirigir e encaminhar por meio de canais ou de canos. **3.** Regularizar o curso de um rio. **4.** Construir uma canalização a fim de conduzir fluidos, fios etc.

cananeu *adj.* Relativo ou pertencente a Canaã (Palestina). ★ *s.m.* Indivíduo natural ou habitante de Canaã.

cananga *s.f.* (malaio *kananga*). Árvore de grande porte, de flores pequenas, reunidas em cacho, e fruto que é uma cápsula arredondada que contém grande semente gordurosa.

cananga-do-japão *s.f.* Planta ornamental originária do Oriente, de rizoma aromático, folhas grandes e flores brancas, reunidas em grupos.

canapé *s.m.* (fr. *canapé*). Assento para duas ou mais pessoas, com encosto e braços; otomana, condessa, sofá.

canapê *s.m.* Pequena fatia de pão coberta com diferentes ingredientes alimentícios, servida como aperitivo.

canarino *adj.* Relativo ou pertencente às ilhas Canárias, na África. ★ *s.m.* O natural ou habitante das ilhas Canárias.

canário *s.m.* [de *Canárias* (ilhas), top.]. **1.** Denominação comum a várias espécies de aves passeriformes, canoras, que apresentam plumagem amarela ou verde e bico curto e grosso. **2.** *Fig.* Pessoa que canta bem.

canastra *s.f.* (gr. *kánastron,* recipiente, vasilha). **1.** Cesta larga e baixa, feita de fasquias de madeira ou verga, às vezes com tampa. **2.** Espádua, costas, corcunda. **3.** Jogo de cartas. **4.** Raça brasileira de porco para produção de banha. ● **Têxt.** Defeito de tecido, produzido pela reunião acidental de vários fios.

canastrão *s.m.* **1.** Canastra grande. **2.** Péssimo ator.

canavial *s.m.* Plantação de cana-de-açúcar.

cancã *s.m.* (fr. *cancan,* de *canard,* pato). Dança exuberante, inicialmente típica de coristas, caracterizada pela manipulação maliciosa dos trajes e pelos largos movimentos de pernas.

canção *s.f.* (lat. *cantio, cantionis*). **1.** Designação comum a vários tipos de composição musical de caráter popular ou erudito, destinada a ser cantada. **2.** Modinha. **3.** Poema para ser cantado, composto de estâncias iguais denominadas estrofes, habitualmente separadas por um tema que se repete, o refrão.

cancela *s.f.* **1.** Porta gradeada de madeira ou de ferro; cancelo. **2.** Pequeno portão existente ao lado da barreira de uma passagem de nível.

cancelamento *s.m.* **1.** Ato ou efeito de cancelar. **2.** Anulação de um registro. **3.** Supressão.

cancelar *v.t.* (lat. *cancellare,* inutilizar riscando) [conj. 4]. **1.** Riscar o que estava escrito. **2.** Tornar sem efeito, anular. **3.** Desistir de, suspender, suprimir.

câncer *s.m.* (lat. *cancer,* caranguejo; calor violento). **1.** Proliferação anormal e descontrolada de células, que podem se difundir para além de sua localização inicial; tumor maligno. **2.** *Fig.* Cancro.

canceriano *adj.* e *s.m.* Diz-se de ou indivíduo nascido sob o signo de Câncer (de 21 de junho a 21 de julho).

REPRESENTAÇÕES GRÁFICAS DO SIGNO ASTROLÓGICO DE CÂNCER

cancerígeno *adj.* Diz-se dos agentes físicos, químicos ou biológicos que podem provocar ou favorecer o aparecimento de um câncer.

cancerogênese *s.f.* Conjunto de processos responsáveis pelo aparecimento e desenvolvimento de um câncer. (Sin. CARCINOGÊNESE.)

cancerogênico *adj.* e *s.m.* Que ou o que pode provocar câncer. (Sin. CARCINOGÊNICO.)

cancerologia *s.f.* Disciplina científica e médica que estuda e trata o câncer. (Sin. CARCINOLOGIA.)

cancerologista *s.2g.* Médico especialista em câncer; oncologista.

canceroso (ô) *adj.* (lat. *cancerosus*). **1.** Da natureza do câncer; que é devido ao câncer. **2.** Que tem câncer. ★ *s.m.* Indivíduo doente de câncer.

cancha *s.f.* (quíchua *cancha,* recinto). **1.** Terreno próprio para as corridas de cavalos; pista, raia. **2.** Campo de futebol. **3.** *Fig.* Prática, experiência.

canchim *s.m.* Raça brasileira de bovinos, obtida pelo cruzamento de charolês e zebu, criada para produção de carne.

cancioneiro *s.m.* **1.** Coletânea de canções ou cantigas de autores de uma época determinada. **2.** Coleção ou livro de canções e poesias em geral.

cançoneta (ê) *s.f.* (fr. *chansonnette*). **1.** Peça musical ligeira sobre tema leve, espirituoso, satírico. **2.** Canção, modinha.

cancro *s.m.* (lat. tard. *cancrus*). **1.** Ulceração de uma mucosa, freqüentemente venérea, que tende a se expandir. **2.** *Fig.* Mal que mina progressivamente um organismo. ● **Agric.** Doença dos vegetais provocada por fungo. ► *Cancro cítrico,* doença bacteriana das plantas cítricas. **Med.** *Cancro duro* ou *sifilítico,* lesão inicial da sífilis, cuja erosão é superficial e indolor. ► *Cancro mole* ou *cancróide,* afecção venérea rara, cuja ulceração é profunda, purulenta e dolorosa. ► *Cancro misto,* cancro resultante da contaminação pelos agentes do cancro mole e da sífilis.

CANCRO ► O cancro sifilítico, primeira manifestação da sífilis, costuma aparecer três semanas após a infecção. Geralmente se forma nos órgãos genitais. Trata-se de uma erosão superficial, não dolorosa, que tem uma base endurecida, como se fosse de cartolina. É acompanhada sempre de uma adenopatia (formação de gânglios) característica.

cancróide *adj.2g.* **1.** Lesão semelhante ao cancro. **2.** Cancro mole. **3.** Variedade de câncer cutâneo que apresenta uma evolução muito lenta e limitada, localizada sobretudo na face.

candango *s.m.* (do quimb.). **1.** Nome com que os africanos designavam o português. **2.** Nome dado aos trabalhadores das obras de construção de Brasília, ordinariamente vindos do Nordeste.

cande *adj.* (ár. *qandi*). Diz-se de uma espécie de açúcar cristalizado.

candeeiro *s.m.* **1.** Utensílio destinado a produzir luz, alimentado por óleo ou gás inflamável. **2.** Espécie de baile campestre.

candeia *s.f.* (lat. *candela,* tocha, vela). **1.** Candeeiro de óleo ou de cera. **2.** Nome comum a diversas espécies de arbustos e árvores, floríferos, cuja madeira é aproveitada para marcenaria e o lenho é usado para iniciar fogo.

candela *s.f.* (lat. *candela,* vela, tocha). Unidade de medida SI de intensidade luminosa (símb. cd).

candelabro *s.m.* (lat. *candelabrum*). Grande castiçal com vários braços; lustre, lampadário.

candente *adj.2g.* (lat. *candens,* branco brilhante; ardente). **1.** Que está em brasa; rubro-claro. **2.** *Fig.* Ferino, agudo.

candidatar-se *v.pr.* (conj. 7). Apresentar-se como candidato.

candidato *s.m.* (lat. *candidatus,* vestido de branco; candidato). Pessoa que postula um emprego, uma função, um diploma, um cargo eletivo; aspirante.

candidatura *s.f.* **1.** Qualidade de candidato. **2.** Proposta de candidato. **3.** Apresentação do candidato à eleição.

candidez (ê) *s.f.* Candura.

candidíase *s.f.* Afecção micótica que se manifesta por feridas viscerais relativamente disseminadas e, principalmente, por feridas cutâneo-mucosas, responsáveis pelas vaginites. (Sin. MONILÍASE.)

cândido *adj.* (lat. *candidus,* branco brilhante, puro). **1.** Que tem candura. **2.** Caracterizado pela candura. **3.** *Fig.* Ingênuo, inocente, puro.

candiru *s.m.* (do tupi). Denominação comum a várias espécies de peixes teleósteos, de água doce, comuns na Amazônia.

candobe *s.m.* Rede para pescar camarões. (Var. CANDOMBE.)

candombe *s.m.* (de or. africana). **1.** Var. de CANDOBE. **2.** Grande festa dos negros do rio da Prata, semelhante, por seu caráter de dança dramática, às manifestações dos grupos brasileiros de congos e maracatus e a outras formas de representação.

candomblé *s.m.* **1.** Religião e culto afro-brasileiros em que são celebrados os orixás, por meio de cantos e danças acompanhados por percussão e oferendas. **2.** Local onde tais cultos se celebram.

CANDOMBLÉ ► Inicialmente, *candomblé* designava um tipo de dança, mas depois passou a significar também a própria cerimônia religiosa afro-brasileira, assim como o local em que ela se realiza. Por ter sido trazido pelos escravos, é considerado um espaço de resistência cultural. Seus praticantes julgam-se mantenedores e perpetuadores de uma tradição, herdada de várias nações africanas, que procuram reproduzir com fidelidade. O candomblé envolve uma complexa organização de crenças e rituais, que vão de danças públicas dos fiéis, "possuídos" por divindades, a cerimônias de homenagem a orixás, realizadas noite adentro.

---

candonga *s.f.* **1.** Lisonja, falso carinho. **2.** Contrabando de gêneros alimentícios. **3.** Amor, pessoa querida.

candor (ô) *s.m.* (lat. *candor,* brancura brilhante, pureza). Candura.

candura *s.f.* **1.** Qualidade do que é cândido; alvura, candor, candidez. **2.** *Fig.* Inocência, pureza, ingenuidade.

caneca *s.f.* Vasilha de forma cilíndrica para líquidos, provida de asa e feita geralmente de metal ou cerâmica.

caneco *s.m.* Caneca estreita e alta.

canela[1] *s.f.* **1.** Árvore originária do Sri Lanka, de casca aromática, utilizada como especiaria; caneleira-da-índia. **2.** A casca dessa árvore. **3.** Condimento obtido com a casca dessa árvore.

canela[2] *s.f.* **1.** Parte anterior da perna, entre o joelho e o pé. **2.** Nos eqüídeos e nos ruminantes, osso que separa o joelho ou o tarso (jarrete) dos dedos (boleto).

canela[3] *s.2g.* Indivíduo dos canelas, povo indígena jê que vive no Maranhão.

canelada *s.f.* Pancada na canela da perna.

canelado *adj.* Que tem caneluras. ● **Arquit.** Lavrado em caneluras. **Têxt.** Diz-se de tecido obtido por flutuantes bem fechados de fios de urdume, constituindo efeitos paralelos à trama; acanelado. ★ *s.m.* Conjunto de caneluras.

caneleira *s.f.* **1.** Árvore que fornece madeira parda e aromática, própria para obras internas, marcenaria e carpintaria. (Sin. LOURO-BRAVO.) **2.** Peça acolchoada que protege a canela dos praticantes de certos esportes.

canelura *s.f.* (fr. *cannelure*). **1.** Sulco ao longo do fuste da coluna ou pilastra, em forma de meia-cana; acanaladura. **2.** Estria longitudinal na haste de certas plantas.

caneta (ê) *s.f.* **1.** Pequeno tubo em que se encaixa a pena para escrever. **2.** Qualquer instrumento semelhante com que se escreve à tinta. **3.** Cabo com que se segura o cautério. ● **Inform.** *Caneta luminosa* ou *caneta óptica,* dispositivo em forma de caneta que comporta um elemento fotossensível que permite a utilização interativa de um computador por meio do seu deslocamento sobre a tela de um monitor de vídeo.

caneta-tinteiro *s.f.* Caneta provida de depósito de tinta.

cânfora *s.f.* (ár. *kafur,* pelo lat. tard. *camphora*). Substância aromática cristalizada, extraída da canforeira ou produzida sinteticamente, amplamente empregada na indústria e em terapêutica.

canforado *adj.* Que contém cânfora.

canforeira *s.f.* Árvore ornamental, originária da China, de madeira resistente, da qual se extrai um óleo que, destilado, produz a cânfora.

canga *s.f.* **1.** Peça de madeira encurvada, simples ou dupla, que prende os bois pelo cachaço ao carro ou arado; jugo. **2.** Instrumento de suplício ao qual se prendiam a cabeça e os braços do condenado; esse suplício. **3.** *Fig.* Opressão, domínio.

cangaceiro *s.m.* Bandido que andava em grupos fortemente armados pelo sertão do Nordeste, na primeira metade do século XX, em freqüentes embates com a polícia.

cangaço *s.m.* **1.** Banditismo social que ocorreu no sertão nordestino de 1870 até 1940. **2.** O conjunto de armas e utensílios usado pelos cangaceiros. **3.** O gênero de vida do cangaceiro.

cangalha *s.f.* Triângulo de madeira que se enfia no pescoço dos porcos para que não entrem em hortas. ★ *s.m.pl.* **1.** Armação que se coloca no dorso das bestas para sustentar a carga dos dois lados. **2.** *Fam.* Óculos de encaixar sobre o nariz.

cangambá *s.m.* (tupi *a'kãg am'bá,* cabeça oca). Mamífero carnívoro da América, de pelagem densa e longa, que apresenta glândulas anais cuja secreção de odor desagradável afasta os predadores. (Sin. ZORRILHO.)

cangote *s.m.* (prov. *cogot*). *Pop.* A parte posterior do pescoço; nuca.

canguçu *s.m.* Sin. de ONÇA-PINTADA.

cangulo *s.m.* Peixe teleósteo, marinho, de coloração cinza-esverdeada e corpo com manchas coloridas.

canguru *s.m.* (ingl. *kangaroo*). Mamífero marsupial australiano que apresenta membros posteriores muito desenvolvidos, o que permite a locomoção do animal por meio de grandes saltos.

canha *s.f. Pop.* A mão esquerda.

cânhamo *s.m.* (lat. *cannabis*). **1.** Erva originária da Ásia, cujo caule fornece fibras utilizadas na indústria têxtil. **2.** Fio ou fibra extraída dessa planta. **3.** Sin. de MACONHA.

cânhamo-brasileiro *s.m.* Arbusto de flores grandes e folhas comestíveis, cujo caule fornece fibras que podem substituir as do cânhamo; umburu.

canhão[1] *s.m.* (esp. *cañon*). **1.** Equipamento bélico usado para o lançamento de mísseis, projéteis e bombas. **2.** Parte de um instrumento óptico que sustenta as lentes ocular e objetiva e regula a distância focal. **3.** Peça cilíndrica que forma o orifício de entrada de certas fechaduras. **4.** Mulher feia. ● **Eletrotéc.** *Canhão de elétrons* ou *canhão eletrônico,* conjunto de eletrodos utilizados principalmente em osciloscópios e nos tubos de televisão para a produção de um feixe de elétrons muito rápidos.

canhão[2] *s.m.* (ingl. *canyon*). Vale estreito e profundo cavado por um curso de água; *canyon.*

canhenho *s.m.* Caderno de lembranças ou de anotações.

canhestro (ê) *adj.* **1.** *Pop.* Feito às canhas, às avessas. **2.** Desajeitado. **3.** *Fig.* Acanhado.

canhonaço *s.m.* (esp. *cañonazo*). Tiro de canhão.

canhonear *v.t.* (conj. 15). Atacar com tiros de canhão; bombardear.

canhoneio *s.m.* Troca ou série de tiros de canhão.

canhota *s.f. Pop.* A mão esquerda.

canhoto (ô) *adj.* **1.** Esquerdo; que habitualmente usa mais a mão esquerda do que a direita. **2.** Desastrado, inábil. ★ *s.m.* **1.** Indivíduo canhoto. **2.** O talão que não se destaca num livro de recibos. **3.** *Pop.* O demônio.

canibal *adj.2g.* e *s.2g.* **1.** Que ou aquele que devora seres de sua própria espécie. **2.** Selvagem, bárbaro.

canibalesco (ê) *adj.* Relativo a ou próprio de canibal.

canibalismo *s.m.* **1.** Antropofagismo. **2.** Ato de um animal devorar outro da mesma espécie ou espécie próxima.

canície *s.f.* (lat. *canities,* cãs). Estado de brancura, mais ou menos completo, dos cabelos.

caniço *s.m.* **1.** Cana comprida de que pende um fio com anzol para pescar. **2.** *Fig.* Pessoa magricela.

canícula *s.f.* (lat. *Canicula,* cadelinha, nome dado à estrela Sírius). **1.** No hemisfério Norte, período mais quente do ano, correspondente ao início do verão. **2.** Período de grande calor.

canicular *adj.2g.* Relativo à canícula ou à sua época.

canicultor (ô) *s.m.* Criador de cães.

canicultura *s.f.* Criação de cães.

canídeos *s.m.pl.* Família de mamíferos carnívoros, terrestres, com molares anteriores cortantes e posteriores moedores, de garras expostas, representada pelos cães, lobos e raposas.

canil *s.m.* **1.** Alojamento para cães. **2.** Lugar onde se adestram, criam e vendem cães.

caninana *s.f.* **1.** Réptil ofídio de coloração amarelada com desenhos escuros; muito agressiva, apesar de não ser venenosa, é uma cobra que atinge mais de 2 m de comprimento; araboia, cainana, iacaninã. **2.** *Fig.* Pessoa de mau gênio.

caninha *s.f.* **1.** Dim. de CANA. **2.** *Pop.* Cachaça, aguardente.

canino *adj.* (lat. *caninus*). **1.** Relativo a cão. **2.** Relativo ao dente assim denominado. ★ *s.m.* Dente situado em cada maxila dos mamíferos, entre os incisivos e os pré-molares.

canivete *s.m.* (fr. ant. *canivet*). Faca pequena de uma ou várias lâminas movediças que se dobram ou embutem no cabo.

canja *s.f.* **1.** Caldo de galinha com arroz. **2.** *Pop.* Coisa fácil de fazer; sopa.

canjarana *s.f.* (do tupi). Nome comum a diversas árvores de folhas grandes, que fornecem madeira vermelha, aromática, útil em obras expostas, marcenaria e esculturas. (Sin. PAU-SANTO.)

canjerê *s.m.* **1.** Reunião de pessoas para a prática de feitiçarias. **2.** Feitiço, mandinga.

canjica *s.f.* **1.** *(N, NE)* Creme consistente de milho verde, leite de coco e açúcar. [Sin. *(SE)* CURAU.] **2.** *(S)* Milho branco quebrado cozido com leite e açúcar. [Sin. *(NE)* MUNGUNZÁ.] **3.** Sin. de CISTICERCO.

canjiquinha *s.f.* Sin. de CISTICERCO.

canjirão *s.m.* Jarro de boca larga para vinho.

cano *s.m.* **1.** Qualquer tubo que permite o escoamento de substâncias líquidas ou gasosas. **2.** Tubo de arma de fogo por onde sai o projétil.

canoa (ô) *s.f.* (do aruaque, pelo esp. *canoa*). **1.** Pequena embarcação primitiva, feita de uma só peça de madeira, movida a remo. **2.** Qualquer embarcação pequena. **3.** Embarcação para canoagem, de compartimento aberto e remo com uma pá.

canoagem *s.f.* **1.** Arte de conduzir uma canoa. **2.** Corrida de canoas, geralmente em rio encachoeirado.

canoê *s.2g.* Indivíduo dos canoês, povo indígena que vive em Rondônia.

canoeiro[1] *s.m.* Aquele que dirige uma canoa.

canoeiro² *s.m.* Indivíduo dos canoeiros, povo indígena jê que vive em Mato Grosso.

cânon ou **cânone** *s.m.* (gr. *kanon,* regra). **1.** Regra, norma. **2.** Catálogo, lista. **3.** Conjunto de normas que fixam a constituição da Igreja Católica e regulam a disciplina eclesiástica. **4.** Padrão, modelo. **5.** Parte central da missa. **6.** Lista de santos canonizados pela Igreja.

canonical *adj.2g.* Relativo a cônego.

canonicato *s.m.* Dignidade de cônego.

canonicidade *s.f.* Qualidade do que é canônico.

canônico *adj.* (gr. *kanonikós*). **1.** Relativo a cânon. **2.** Conforme os cânones da Igreja; eclesiástico. **3.** Que estabelece regras; normativo. **4.** *Direito canônico,* direito que estabelece a ordem jurídica da Igreja Católica.

canonização *s.f.* **1.** Ato ou efeito de canonizar. **2.** Decisão papal que inscreve um membro da Igreja que realizou milagres reconhecidos no cânone dos santos.

canonizar *v.t.* (lat. *canonizare*) [conj. 4]. **1.** Inscrever no cânone dos santos; conceder a santidade a alguém. **2.** *Fig.* Consagrar, glorificar.

canonizável *adj.2g.* Digno de canonização.

canoro *adj.* (lat. *canorus,* sonoro). **1.** Que canta harmoniosamente. **2.** Suave, harmonioso.

cansaço *s.m.* **1.** Fadiga, canseira. **2.** Fraqueza causada por exercício ou doença.

cansado *adj.* **1.** Fatigado, afadigado. **2.** Aborrecido, enfastiado. **3.** Diz-se do terreno que perdeu a fertilidade por abuso de cultura.

cansar *v.t.* (lat. *campsare,* dobrar) [conj. 4]. **1.** Causar cansaço, fadiga a. **2.** Enfastiar, aborrecer. ★ *v.i.* e *v.pr.* Sentir cansaço; fatigar-se, enfastiar-se.

cansativo *adj.* Que cansa, que aborrece.

canseira *s.f.* **1.** Cansaço. **2.** Trabalho, lida.

cantada *s.f. Pop.* Sedução por palavras ou maneiras aliciantes.

cantador (ô) *s.m.* Cantor popular que narra histórias de cordel ou improvisa versos ao som de viola ou rabeca.

cantão *s.m.* (fr. *canton*). Divisão territorial e administrativa adotada em alguns países europeus, principalmente na Suíça.

cantar *v.t.* (lat. *cantare*) [conj. 4]. **1.** Emitir, com a voz, sons musicais. **2.** Produzir ruídos melodiosos. **3.** Celebrar por meio de versos. **4.** *Pop.* Seduzir com palavras ou maneiras hábeis. ★ *v.i.* Emitir com a voz sons musicais.

cantaria *s.f.* Pedra lavrada e esquadrada para construções.

cântaro *s.m.* (gr. *kántharos*). Vaso com uma ou duas asas, grande, bojudo e com gargalo, para líquidos.

cantarola *s.f.* **1.** Canto desafinado. **2.** Cantoria.

cantarolar *v.t.* e *v.i.* (conj. 4). Cantar uma canção a meia voz, em surdina, sem articular as palavras.

cantata *s.f.* (it. *cantata*). **1.** Composição musical para uma ou diversas vozes, com acompanhamento instrumental. **2.** Composição lírica própria para ser musicada, formada por coplas e recitativos.

cantável *adj.2g.* (lat. *cantabilis*). **1.** Suscetível de ser cantado. **2.** Que se canta e se retém facilmente na memória.

canteiro *s.m.* **1.** Porção de terra delimitada para cultivo de flores ou hortaliças, ou viveiro de plantas. **2.** Parte de uma horta ou jardim onde se cultiva uma única espécie de planta. **3.** Artífice que lavra pedra de cantaria.

cântico *s.m.* (lat. *canticum,* canto). **1.** Canto religioso em louvor a Deus. **2.** Poema ou hino amoroso que expressa adoração, culto.

CÂNTICO ► Tradicionalmente, curandeiros e xamãs têm utilizado os cânticos como fórmulas para invocar seus deuses ou espíritos protetores e pedir-lhes ajuda para curar seus pacientes. Consistem em cantos, rezas e ladainhas de ritmo repetitivo que, ao produzir um tipo de efeito hipnótico, complementam a prática de outros métodos curativos.

---

cantiga *s.f.* (lat. *cantica*). **1.** Poema medieval cantado com acompanhamento musical, dividido em estrofes iguais. **2.** *Fig.* História pouco verossímil, contada com intuito de enganar. ● **Liter.** *Cantiga de amigo,* cantiga em que o poeta fala por sua amada, como se esta lhe declarasse seu amor. ► *Cantiga de amor,* cantiga em que o poeta expressa seus próprios sentimentos em relação à amada. ► *Cantiga de escárnio e de maldizer,* cantiga satírica em que o satirizado é sugerido ou nomeado.

cantil *s.m.* **1.** Frasco para transporte de líquidos em viagem. **2.** Instrumento de carpinteiro para rebaixar a madeira a meio-fio, de modo que as peças possam ser ajustadas. **3.** Instrumento de canteiro para lavrar pedras.

cantilena *s.f.* (lat. *cantilena*). **1.** Cantiga suave. **2.** Cantiga monótona. **3.** *Fig.* Arenga.

cantimplora *s.f.* Var. de CATIMPLORA.

cantina *s.f.* (it. *cantina,* adega). **1.** Espécie de café ou taberna instalada em escolas, estações rodoviárias etc. **2.** Pequeno bar. **3.** Restaurante especializado em comida italiana.

canto¹ *s.m.* (lat. *cantus*). **1.** Seqüência de sons modulados emitidos pela voz. **2.** Arte de cantar ou cultivar a voz. **3.** Composição musical para ser cantada. **4.** Cada uma das partes de que se compõe um poema épico ou didático. ★ *s.m.pl.* Composição poética.

canto² *s.m.* **1.** Ângulo reentrante ou saliente formado pelo encontro de duas superfícies. **2.** Sítio retirado, pouco freqüentado; recanto. **3.** Junta, aresta.

cantochão *s.m.* Canto litúrgico católico, homofônico e de ritmo livre, baseado apenas na acentuação e no fraseado. (Sin. CANTO GREGORIANO*.)

cantoneira *s.f.* (it. *cantoniera*). **1.** Armário ou prateleira triangular que se ajusta ao canto de um aposento. **2.** Peça de ferro em forma de L, destinada a servir de suporte ou reforço. **3.** Peça de couro, pano, plástico ou metal, usada como reforço de capas de livros e álbuns. **4.** Triângulo de papel destinado a prender, pelos cantos, fotografias e selos em álbuns.

cantor (ô) *s.m.* (lat. *cantor*). **1.** Pessoa que canta com freqüência ou tem o canto como profissão. **2.** *Fig.* Poeta.

cantoria *s.f.* **1.** Ação de cantar; canto. **2.** Conjunto de vozes que cantam. **3.** Cantarola. **4.** Atividade do cantador nordestino.

canudo *s.m.* **1.** Tubo, em geral estreito e comprido. **2.** Tubo fino, de palha, plástico ou papel, que se usa para sorver bebidas. **3.** Prega cilíndrica que se faz nas roupas brancas engomadas. **4.** *Pop.* Diploma, em geral universitário.

cânula *s.f.* (lat. *cannula,* cana pequena). Tubo oco utilizado para manter aberto um orifício do corpo e permitir a passagem de gases ou líquidos, efetuar lavagens etc.

canutilho *s.m.* (esp. *cañutillo*). Fio de ouro, prata, cobre, retorcido, que se emprega em bordados.

canyon *s.m.* (ingl.). Canhão[2].

canzil *s.m.* **1.** Cada um dos dois paus presos à canga entre os quais se mete o pescoço do boi. **2.** Marca nas orelhas do gado.

canzoada *s.f.* **1.** Aglomeração de cães; cainçada, cainçalha. **2.** *Fig.* Grupo de pessoas devassas, fraudulentas.

cão *s.m.* (lat. *canis*). **1.** Mamífero carnívoro, domesticado, cuja fêmea apresenta dez mamas, gestação de nove semanas e geralmente dá à luz entre seis e dez filhotes, que atingem a maturidade sexual com um ano. **2.** Designação dada a uma pessoa por desprezo. **3.** *Fig.* Indivíduo mau, vil. **4.** *Pop.* Demônio. ● **Arm.** Peça do mecanismo da culatra de uma arma de fogo que percute a cápsula.

cão da raça são-bernardo

caolho (ô) *adj.* e *s.m.* **1.** Cego de um olho; zarolho. **2.** Com um olho torto; zarolho.

caos *s.m.2n.* (gr. *cháos*, abismo tenebroso, pelo lat. *chaos*). **1.** Espaço ilimitado e amorfo que precedeu a criação do cosmo, nas mitologias. **2.** *Fig.* Confusão, desordem.

caótico *adj.* **1.** Que lembra o caos, que se assemelha ao caos. **2.** Confuso, desordenado.

cão-tinhoso *s.m. Pop.* Demônio.

capa *s.f.* (lat. tard. *cappa*). **1.** Agasalho usado sobre as outras roupas, largo e sem mangas, com ou sem capuz, pendente dos ombros. **2.** Espécie de casaco de tecido leve mas impermeável que se usa sobre outras roupas, como proteção contra a chuva. **3.** Cobertura ou revestimento flexível que protege um objeto.

capa impermeável

capacete (ê) *s.m.* Peça de copa oval, de metal ou material plástico, para proteção da cabeça.

capacho *s.m.* **1.** Tapete de fibra dura destinado à limpeza das solas dos sapatos. **2.** *Fig.* Homem sem brio, servil.

capacidade *s.f.* (lat. *capacitas*). **1.** Volume interior de um recipiente. **2.** Quantidade de pessoas ou objetos que podem ser acomodados em um local. **3.** *Fig.* Qualidade de capaz. ● **Dir.** Estado de alguém que a lei considera qualificado para desempenhar determinado papel ou executar um ato. **Eletrotéc.** Quantidade de carga elétrica que um acumulador pode restituir no momento de sua descarga. **Fís.** Sin. de CAPACITÂNCIA. ► *Capacidade calorífica,* quantidade de energia (calor) necessária para aumentar a temperatura de um corpo em um grau Kelvin. **Fisiol.** *Capacidade vital,* volume de ar (c. 3 litros no homem adulto) que os pulmões podem normalmente conter entre uma inspiração forçada e uma expiração forçada. **Inform.** Quantidade de informação que pode ser guardada em uma memória de computador.

capacitância *s.f.* Medida da taxa de mudança da carga de um capacitor em relação à mudança no seu potencial elétrico. (Sin. CAPACIDADE.)

capacitar *v.t.* (conj. 4). **1.** Tornar capaz, habilitar. **2.** Convencer, persuadir. **3.** Compreender. ★ *v.pr.* Persuadir-se.

capacitor (ô) *s.m.* Equipamento que tem a propriedade de acumular carga elétrica.

capado *adj.* Que se capou; castrado.

capadócio *adj.* Relativo ou pertencente à Capadócia, na Ásia Menor. ★ *s.m.* **1.** O natural ou habitante da Capadócia. **2.** Trapaceiro, charlatão.

capanga *s.m.* Valentão assalariado; guarda-costas, jagunço. ★ *s.f.* **1.** Bolsa pequena que se leva a tiracolo para carregar pequenos objetos. **2.** Bolsa pequena de mão, atualmente usada por homens.

capão[1] *s.m.* **1.** Animal (frango, cavalo, cordeiro ou porco) castrado. **2.** Animal castrado que se engorda para o consumo.

capão[2] *s.m.* (tupi *kaá-paun*). Porção de mata isolada em meio ao campo.

capar *v.t.* (conj. 4). **1.** Castrar. **2.** Cortar os rebentos de uma planta.

capataz *s.m.* **1.** Feitor. **2.** Administrador de uma fazenda.

capaz *adj.2g.* (lat. *capax, capacis*). **1.** Que tem capacidade de conter algo em si. **2.** Que tem aptidão, competência. **3.** Apropriado, bom. **4.** Sério, honrado. ★ *interj. Pop.* Indica descrença com referência à declaração de outrem.

capcioso (ô) *adj.* (lat. *captiosus*). **1.** Que procura enganar; astucioso, manhoso. **2.** Argucioso para iludir.

capear *v.t.* (conj. 15). **1.** Pôr capa, encapar. **2.** *Fig.* Encobrir, disfarçar. **3.** *Fig.* Iludir, enganar.

capela *s.f.* (lat. *cappella*). **1.** Edifício religioso com um só altar, sem as qualificações de uma igreja. **2.** Compartimento reservado ao culto, em local privado. **3.** Recinto situado nas naves laterais ou absides de uma igreja, e que comporta um altar.

capelania *s.f.* Dignidade de capelão.

capelão *s.m.* Sacerdote encarregado do serviço religioso de uma capela.

capelo (ê) *s.m.* **1.** Antigo capuz de freiras e viúvas. **2.** Murça que os doutores põem sobre os ombros em certos atos solenes. ● **Constr.** Proteção superior de uma chaminé para evitar a entrada do vento e da chuva. **Relig.** Chapéu cardinalício.

capenga *adj.2g.* (do tupi). Que capenga; coxo, manco. ★ *s.2g.* Indivíduo manco; perneta.

capengar *v.i.* (conj. 14). Coxear, manquejar, mancar.

capeta (ê) *s.2g.* **1.** Diabo. **2.** Traquinas.

capiau *s.m.* Caipira.

capilar *adj.2g.* (lat. *capillaris*). **1.** Relativo aos cabelos. **2.** Fino como um cabelo. ★ *s.m.* **1.** Vaso sanguíneo muito delgado que une as ramificações terminais das artérias às das veias. **2.** Tubo ou cilindro alongado de pequeno diâmetro, normalmente feito de vidro. **3.** *Capilares aéreos,* últimas ramificações dos brônquios, nos quais se faz a hematose.

VOCÊ SABIA...? No corpo humano os **capilares** viscerais transportam oxigênio e metabólitos aos órgãos, e removem gás carbônico e subprodutos do metabolismo. Os capilares pulmonares realizam combinações químicas no processo de respiração. Os transtornos da *permeabilidade capilar* ocasionam rupturas hemorrágicas.

---

capilária *s.f.* (lat. *capillaria*). Nome comum a diversas espécies de avencas de pecíolos longos e frondes que atingem até 50 cm de comprimento.

capilaridade *s.f.* Conjunto dos fenômenos relativos ao comportamento dos líquidos em tubos muito finos e, de modo mais geral, a todas as situações em que uma superfície de separação encontra uma parede sólida.

capilé *s.m.* (fr. *capillaire*). **1.** Xarope feito com folhas da avenca. **2.** Refresco feito com esse xarope.

capim *s.m.* (tupi *kaá py'i,* folha delgada). Nome comum a várias espécies de gramíneas, quase todas utilizadas como forragem.

capim-limão *s.m.* Erva aromática, originária da Índia, de folhas compridas e estreitas, utilizadas em infusões consideradas febrífugas, digestivas e calmantes. (Sin. ERVA-CIDREIRA.)

capina *s.f.* **1.** Ato de capinar; capinação. **2.** *Pop.* Repreensão, censura.

capinadeira *s.f.* Carpideira.

capinador (ô) *adj.* e *s.m.* Que ou aquele que capina; carpidor.

capinar *v.t.* (conj. 4). Limpar o terreno de capim ou de qualquer erva daninha; carpir. ★ *v.i.* *Gír.* Ir embora, fugir.

capincho *s.m.* Sin. de CAPIVARA.

capinzal *s.m.* Terreno coberto de capim.

capiongo *adj.* **1.** Macambúzio, triste. **2.** Diz-se de quem tem um olho defeituoso.

capital[1] *adj.2g.* (lat. *capitalis,* relativo à cabeça). **1.** Essencial, fundamental, que tem muita importância. **2.** Que se refere à pena de morte.

capital[2] *s.f.* Cidade principal, onde se encontra a sede do governo. ★ *s.m.* **1.** Conjunto de bens econômicos aplicados à produção. **2.** Riqueza acumulada. **3.** Patrimônio de um indivíduo ou empresa. **4.** Dinheiro. **5.** Importância que se põe para render juros; principal.

capitalismo *s.m.* Sistema econômico e social baseado na propriedade privada dos meios de produção, que são organizados tendo em vista o lucro e não pertencem aos trabalhadores, que recebem um salário em troca da sua força de trabalho.

capitalista *adj.2g.* Relativo a capital ou ao capitalismo. ★ *s.2g.* **1.** Pessoa que vive do rendimento de um capital. **2.** Pessoa que tem capitais empregados em uma empresa.

capitalização *s.f.* **1.** Ato ou efeito de capitalizar. **2.** Acúmulo de capitais. ● **Econ.** Sistema de empréstimo ou de cálculo financeiro em que os juros são periodicamente incorporados ao principal.

capitalizar *v.t.* (conj. 4). **1.** Incorporar os juros ao capital. **2.** Converter em capital. **3.** Tirar proveito de. ★ *v.i.* Acumular dinheiro para formar um capital.

capitanear *v.t.* (conj. 15). **1.** Comandar como capitão. **2.** Dirigir, governar. ★ *v.i.* Fazer de capitão.

capitania *s.f.* **1.** Qualidade, posto ou dignidade de capitão; comando. **2.** Sede da administração de um porto. **3.** Designação das primeiras circunscrições administrativas e territoriais do Brasil.

capitânia *adj.* e *s.f.* *Ant.* Dizia-se da ou nau principal em que se achava o comandante ou capitão de uma esquadra.

capitão *s.m.* (lat. *capitanus*). **1.** *Ant.* Chefe ou comandante de uma expedição, companhia militar etc. **2.** Posto do Exército brasileiro imediatamente inferior a major e superior a primeiro-tenente. **3.** Pessoa que ocupa esse posto. **4.** Chefe militar, caudilho. **5.** Oficial que comanda um navio mercante. ● **Esp.** Jogador que comanda uma equipe em campo e a representa perante o árbitro.

capitão-aviador *s.m.* **1.** Posto da Aeronáutica brasileira, imediatamente inferior a major-aviador e superior a primeiro-tenente. **2.** Pessoa que ocupa esse posto.

capitão-de-corveta *s.m.* **1.** Posto da Marinha de Guerra brasileira, imediatamente inferior a capitão-de-fragata e superior a capitão-tenente. **2.** Pessoa que ocupa esse posto.

capitão-de-fragata *s.m.* **1.** Posto da Marinha de Guerra brasileira, imediatamente inferior a capitão-de-mar-e-guerra e superior a capitão-de-corveta. **2.** Pessoa que ocupa esse posto.

capitão-de-mar-e-guerra *s.m.* Posto da Marinha de Guerra brasileira, imediatamente inferior a contra-almirante e superior a capitão-de-fragata. **2.** Pessoa que ocupa esse posto.

capitão-do-mato *s.m.* Indivíduo responsável pela captura de escravos fugidos.

capitão-general *s.m.* **1.** Posto de oficial do Exército no Brasil colonial e imperial. **2.** Pessoa que ocupava esse posto.

capitão-mor *s.m.* **1.** Antiga autoridade que comandava, numa cidade ou vila, a milícia chamada ordenanças. **2.** Título dos donatários das capitanias.

capitão-tenente *s.m.* **1.** Posto da Marinha de Guerra brasileira, imediatamente inferior a capitão-de-corveta e superior a primeiro-tenente. **2.** Pessoa que ocupa esse posto.

capitato *s.m.* O maior dos ossos do carpo.

capitel *s.m.* (lat. *capitellum*). Arremate de uma coluna ou pilastra, onde se assenta a arquitrave ou o início de um arco.

capitólio *s.m.* (lat. *Capitolium,* top.). **1.** Templo dedicado a Júpiter e cidadela da antiga Roma. **2.** *Fig.* Triunfo, glória.

capitoso (ô) *adj.* (it. *capitoso,* teimoso). Que sobe à cabeça; embriagante.

capitulação *s.f.* **1.** Ato ou efeito de capitular. **2.** Convenção para rendição de uma praça de guerra, de um exército ou de força militar de um país; rendição. **3.** Acordo entre litigantes.

capitular[1] *adj.2g.* (lat. tard. *capitularis*). **1.** Relativo a capítulo. **2.** Maiúsculo. ★ *s.f.* Primeira letra de um capítulo, maior que as demais.

capitular[2] *v.i.* (lat. tard. *capitulare*) [conj. 4]. **1.** Assinar uma capitulação, render-se. **2.** Transigir, ceder. ★ *v.t.* **1.** Classificar, qualificar. **2.** Descrever por capítulo.

capítulo *s.m.* (lat. *capitulum,* pequena cabeça). **1.** Grande divisão ou parte de um livro, lei, orçamento, tratado, contrato. **2.** Assembléia de dignidades eclesiásticas. **3.** Local onde se reúnem essas assembléias. ● **Bot.** Inflorescência constituída por pequenas flores sésseis, sem pedúnculos, e inseridas em um receptáculo comum. **Zool.** Região cefálica dos ácaros onde se localizam as peças bucais.

capivara *s.2g.* (tupi *kapy'wara,* comedor de capim). Maior mamífero roedor existente, que atinge 1 m de comprimento, apresenta patas providas de membranas interdigitais, e ocorre na América do Sul. (Sin. CAPINCHO.)

capixaba *s.2g.* Pessoa natural do Estado do Espírito Santo. ★ *s.f.* Pequeno estabelecimento agrícola. ★ *adj.2g.* Espírito-santense.

capô *s.m.* (fr. *capot*). **1.** Parte móvel da carroçaria de um veículo automotor que permite o acesso ao compartimento do motor. **2.** Tampa móvel que protege as partes perigosas ou frágeis de uma máquina.

capoeira[1] *s.f.* (tupi *kaá'puera,* mata extinta). **1.** Local da mata que foi roçado ou queimado para cultivo ou outra finalidade. **2.** Parcela abandonada de uma cultura agrícola que se converte naturalmente em vegetação florestal; mata secundária. **3.** Jogo atlético de ataque e defesa, introduzido no Brasil pelos negros. ★ *s.2g.* Indivíduo que pratica esse jogo.

capoeira[2] *s.f.* **1.** Espécie de cesto fechado ou gaiola onde se alojam capões e outras aves domésticas. **2.** Viveiro onde se criam capões.

caporal *s.m.* (it. *caporale,* de *capo,* cabeça, pelo fr. *caporal*). *Ant.* Praça de graduação superior a cabo e inferior a sargento. ★ *adj.2g.* Diz-se de certas qualidades de fumo picado.

capota *s.f.* (fr. *capote*). **1.** Cobertura de automóvel, que pode ser móvel, no caso dos veículos conversíveis. **2.** *Ant.* Toucado de crianças e de senhoras.

capotagem *s.f.* Ação de capotar.

capotar *v.i.* (conj. 4). Virar, desastradamente, de rodas para o ar (automóvel ou avião).

capote *s.m.* (fr. *capot*). **1.** Casaco com mangas compridas e capuz, de tecido grosso, longo e amplo. **2.** Indumentária militar que se coloca sobre a túnica.

caprichar *v.i.* e *v.t.* (conj. 4). **1.** Ter capricho. **2.** Esmerar-se.

capricho *s.m.* (it. *capriccio*). **1.** Vontade súbita que sobrevém sem razão alguma; obstinação em alguma coisa desarrazoada. **2.** Inconstância, irregularidade, variabilidade. **3.** Aplicação, zelo, esmero. ● **Mús.** Peça vocal ou instrumental de forma livre.

caprichoso (ô) *adj.* (it. *capriccioso*). Que tem capricho.

capricorniano *adj.* e *s.m.* Diz-se de ou indivíduo nascido sob o signo de Capricórnio (de 22 de dezembro a 21 de janeiro).

REPRESENTAÇÕES GRÁFICAS DO SIGNO ASTROLÓGICO DE CAPRICÓRNIO

caprídeo *adj.* Caprino.

caprimulgiformes *s.m.pl.* (do lat. *caprimulgus*). Pequena ordem de aves de penas muito curtas, que capturam as presas em pleno vôo. Pertencem a essa ordem os bacuraus e os curiangos.

caprino *adj.* (lat. *caprinus*). Relativo à cabra; caprídeo. ★ *s.m.* Espécime dos caprinos.

caprinocultor (ô) *s.m.* Criador de cabras.

caprinocultura *s.f.* Criação de cabras.

caprinos *s.m.pl.* Designação comum aos mamíferos herbívoros, da ordem dos artiodáctilos, cujos exemplos mais comuns são cabras e ovelhas.

cápsula *s.f.* (lat. *capsula,* caixinha). **1.** Invólucro gelatinoso que contém medicamento em pó, pasta ou líquido. **2.** Tubo que contém a substância explosiva de um projétil de arma de fogo. ● **Anat.** Formação fibrosa do organismo, que pode ser a membrana protetora de um órgão ou de uma articulação. ► *Cápsula de Bowman,* membrana que, no néfron, envolve o glomérulo de Malpighi. **Astronáut.** Pequeno veículo ou compartimento recuperável de um engenho espacial. **Biol.** Invólucro de certas bactérias e vírus. **Bot.** Fruto seco, deiscente, formado por dois ou mais carpelos. ► Parte do esporogônio que produz e encerra os esporos, nas briófitas.

captação *s.f.* (lat. *captatio*). Ato ou efeito de captar.

captar *v.t.* (lat. *captare*) [conj. 4]. **1.** Atrair para si; granjear, conquistar. **2.** Apanhar, aproveitar (água de uma fonte, represa). **3.** Receber (mensagens radiotelegráficas).

captor (ô) *s.m.* (lat. *captor*). Aquele que captura, apreende ou arresta.

captura *s.f.* (lat. *captura*). Ato ou efeito de capturar.

capturar *v.t.* (conj. 4). Prender, deter, aprisionar, apreender.

capuchinha *s.f.* Nome comum a diversas trepadeiras ornamentais, algumas originárias dos Andes e outras do Brasil, de flores vistosas, dispostas em ramos compridos.

capuchinho *s.m.* (it. *cappuccino*). **1.** Religioso de um ramo da ordem de São Francisco, que defende o retorno ao ideal franciscano. **2.** Pequeno capuz. **3.** Pombo que possui na cabeça penas longas que formam um anteparo, impedindo a visão lateral.

capulho *s.m.* **1.** Invólucro da flor. **2.** Cápsula onde se desenvolve o algodão.

capuz *s.m.* (lat. tard. *cappucium* ou *capputium*). Peça de tecido variável, de forma e tamanho diversos, que serve para proteger a cabeça.

caquético *adj.* (gr. *kachektikós*). **1.** Relativo à caquexia. **2.** Que sofre de caquexia.

caquexia (cs) *s.f.* (gr. *kachexía*). Estado de fraqueza e emagrecimento extremo observado em casos de desnutrição ou em certas afecções crônicas.

caqui *s.m.* (jap. *kaki*). Fruto do caquizeiro, baga grande, carnuda e adocicada, rica em vitamina C.

cáqui *s.m.* (urdu *khaki,* barrento). **1.** Espécie de brim castanho-amarelado. **2.** Essa cor. ★ *adj.2g.* Que é dessa cor.

caquizeiro *s.m.* Árvore frutífera originária da China e do Japão, cujo fruto é uma baga vermelha e doce.

cara *s.f.* (gr. *kára,* rosto). **1.** Parte anterior da cabeça; rosto, face. **2.** Semblante, fisionomia, expressão. **3.** *Fig.* Ousadia, coragem. **4.** Lado de uma medalha, ou de uma moeda, que tem uma efígie (p. opos. a *coroa).* ★ *s.m. Pop.* Indivíduo, sujeito.

cará *s.m.* **1.** Nome comum a diversas plantas, quase todas trepadeiras, de tubérculos comestíveis, nativas de regiões tropicais. (Sin. CARANAMBU.) **2.** Var. de ACARÁ.

carabina *s.f.* (fr. *carabine*). Fuzil leve e curto, com alma raiada.

carabineiro *s.m.* (esp. *carabinero*). Soldado armado de carabina.

caraca *s.f.* Var. de CRACA.

caraça *s.f.* Máscara de carnaval. ★ *s.m.* Boi ou cavalo com uma malha branca no focinho.

caracará *s.m.* (tupi *karaka'ra*). Ave falconiforme, com penacho na nuca, que habita regiões abertas e ocorre da Flórida à Terra do Fogo. (Sin. CARANCHO, CARCARÁ.)

caracaxá *s.m.* Sin. de MARTIM-PESCADOR-GRANDE.

caracol *s.m.* **1.** Designação comum aos moluscos pulmonados, terrestres, que apresentam concha em espiral e dois pares de tentáculos, com olhos na extremidade do primeiro par; caramujo. **2.** Sin. de CÓCLEA. **3.** Cacho de cabelos. **4.** Caminho em espiral ou em ziguezague.

caracolar *v.t.* (conj. 4). Encaracolar. ★ *v.i.* Mover-se em espiral.

caractere *s.m.* Sinal escrito, impresso ou gravado, que pertence a um sistema de escrita; caráter. ● **Inform.** e **Telecom.** Símbolo (cifra, letra do alfabeto, número, sinal de pontuação etc.) empregado para representar dados com a finalidade de processá-los ou de transmiti-los.

caracterial *adj.2g.* Diz-se do indivíduo que apresenta distúrbios de caráter.

característica *s.f.* O que constitui o caráter distintivo, a particularidade de uma pessoa ou de uma coisa.

característico *adj.* (gr. *charakteristikós*). Distintivo, típico, particular, próprio.

caracterização *s.f.* **1.** Ato ou efeito de caracterizar. **2.** O que constitui uma particularidade. **3.** Disfarce, pintura para representar a personagem que se quer figurar (no teatro, no cinema).

caracterizar *v.t.* (conj. 4). **1.** Indicar, pôr em relevo o caráter de, distinguir. **2.** Descrever, notando as características. ★ *v.pr.* Compor e formar a sua própria caracterização; distinguir-se.

caracterologia *s.f.* Estudo dos caracteres individuais que visa à classificação em tipos e temperamentos, fundamentada na hipótese da existência de traços de caráter inatos.

caracu *adj.2g.* Diz-se de gado bovino de pêlo arruivado e curto. ★ *s.m.* **1.** Espécime dessa raça. **2.** Tutano da medula dos ossos.

caradriiformes *s.m.pl.* Ordem de aves marinhas e ribeirinhas que apresentam artelhos geralmente unidos por palmouras e engloba, entre outras, as gaivotas e os trinta-réis.

cara-dura *adj.2g.* e *s.2g.* **1.** Diz-se de ou pessoa desavergonhada, cínica. **2.** Diz-se de ou pessoa excessivamente desembaraçada.

caraguatá *s.m.* (tupi *karawa'ta*). Designação comum a diversas plantas monocotiledôneas ornamentais, epífitas ou terrestres. (Sin. BROMÉLIA, GRAVATÁ.)

caraíba *adj.2g.* e *s.2g.* Sin. de CARIBE.

carajá *s.2g.* Indivíduo dos carajás, povo indígena jê que vive no Tocantins, no Pará e no Mato Grosso.

caramanchão *s.m.* (esp. ant. *caramanchón*). Construção ligeira de ripas, canas ou estacas, coberta de trepadeiras, nos jardins. (Var. CAMARANCHÃO.)

caramba (esp. *caramba*) *interj.* Exprime admiração, espanto ou desagrado.

carambola *s.f.* (sâns. *karmaranga*). **1.** Fruto da caramboleira, baga amarelada, grande, que fornece suco agridoce, comestível e de uso medicinal. **2.** A bola vermelha do bilhar. **3.** Ação de carambolar. **4.** *Fam.* Tramóia, embuste.

carambolar *v.i.* (conj. 4). No jogo de bilhar, tocar com uma bola as outras duas.

caramboleira *s.f.* Árvore ornamental originária da Índia, de caule tortuoso, flores brancas e purpúreas, cujo fruto é uma baga comestível. (Var. CARAMBOLEIRO.)

caramboleiro *s.m.* Var. de CARAMBOLEIRA.

caramelo *s.m.* (esp. *caramelo*). **1.** Açúcar derretido e em parte decomposto pela ação do fogo; açúcar queimado. **2.** Bala feita com açúcar assim preparado, ao qual se junta uma essência.

cara-metade *s.f. Fam.* O cônjuge em relação ao outro.

caraminguás *s.m.pl.* (do tupi). **1.** Objetos de pouco valor que se levam em viagem. **2.** Trecos. **3.** Dinheiro miúdo.

caraminhola *s.f.* **1.** Antigo penteado em poupa alta. **2.** Intriga, mentira. **3.** Pensamentos complicados e tortuosos.

caramujo *s.m.* (esp. *caramujo*). **1.** Denominação comum aos moluscos gastrópodes marinhos ou de água doce, que engloba algumas espécies transmissoras de doenças ou prejudiciais à agricultura; caracol. **2.** Obra de talha que remata o beque de alguns navios. **3.** *Fig.* Indivíduo ensimesmado, esquisitão.

carancho *s.m.* (tupi *ká rãi*). Sin. de CARACARÁ.

caranguejeira *s.f.* Sin. de ARANHA-CARANGUEJEIRA.

caranguejo (ê) *s.m.* (esp. *cangrejo*). **1.** Denominação comum aos crustáceos com cinco pares de patas, corpo comprimido dorsoventralmente e carapaça calcária que forma o exoesqueleto. (Sin. AUÇÁ, GUAIÁ, UACÁ.) **2.** *Fig.* Indivíduo lerdo.

caranguejola *s.f.* **1.** Armação de madeira de pouca solidez. **2.** Calhambeque.

carão *s.m.* **1.** Cara grande e disforme. **2.** *Ant.* A tez do rosto. **3.** Repreensão.

carapaça *s.f.* (fr. *carapace*). Revestimento calcário ou quitinoso que protege o dorso de alguns animais, como os crustáceos e quelônios.

carapanã *s.m.* (do tupi). Sin. de MOSQUITO.

carapau *s.m.* Sin. de CAVALINHA.

carapina *s.m.* Carpinteiro.

carapinha *s.f.* O cabelo crespo e lanoso dos negros; pixaim.

carapuça *s.f.* (esp. *caperuza*). Barrete terminado em bico.

caraté *s.f.* Doença da pele provocada por um treponema, caracterizada pelo aparecimento de manchas pigmentadas e de zonas despigmentadas no corpo.

caratê *s.m.* (jap. *karate,* de *kara,* vazia, e *te,* mão). Arte marcial de origem japonesa em que se usam os pés e as mãos desarmados no ataque e na defesa.

caráter *s.m.* (gr. *charakter,* sinal distintivo) [*pl. caracteres*]. **1.** Caractere. **2.** Marca distintiva, propriedade de algo, de alguém; condição. **3.** Conjunto de disposições afetivas segundo as quais um sujeito reage ao meio e que compõem sua personalidade; gênio, índole, temperamento.

caravana *s.f.* (persa *karvan*). **1.** Grupo de viajantes reunidos para atravessar um deserto ou uma região pouco segura. **2.** *P. ext.* Qualquer grupo de pessoas em excursão.

caravançará *s.m.* (persa *karvansarai,* estalagem). Abrigo ou hospedaria oriental para caravanas.

caravaneiro *s.m.* Guia de caravanas.

caravela[1] *s.f.* (lat. tard. *carabus*). **1.** Embarcação de tonelagem média, rápida, de um a quatro mastros, utilizada entre o séc. XIII e o séc. XVI. **2.** Antiga moeda de prata. **3.** Vara de mandioca.

caravela[2] *s.f.* **1.** Nome comum a animais cnidários, hidrozoários, que vivem em colônias, são urticantes e apresentam um órgão flutuador. (Sin. FISÁLIA, MEDUSA, PULMÃO-DE-MARINHEIRO.) **2.** Sin. de ÁGUA-VIVA.

caraveleiro *s.m.* Tripulante de caravela.

carbeno *s.m.* Composto derivado do carbono bivalente, que intervém em numerosas reações químicas.

carbeto (ê) *s.m.* Sal que resulta da combinação binária do carbono com outro elemento. (Sin. CARBONETO, CARBURETO.)

carboidrato (o-i) *s.m.* Sin. de GLICÍDIO.

carbonado *adj.* Que contém carbono.

carbonatação *s.f.* Ação de transformar uma substância qualquer em carbonato.

carbonato *s.m.* Sal ou éster do ácido carbônico.

carboneto (ê) *s.m.* Sin. de CARBETO.

carbônico *adj.* **1.** Diz-se de uma estrutura química constituída de átomos de carbono. **2.** *Ácido carbônico,* ácido fraco que resulta da combinação do gás carbônico com a água. ► *Gás carbônico,* produto da oxidação completa do carbono, constituído por dois átomos de oxigênio e um de carbono. (Sin. ANIDRIDO CARBÔNICO, DIÓXIDO DE CARBONO.)

carbonífero *adj.* e *s.m.* Que ou o que tem ou produz carvão. ★ *s.m.* Período geológico da era paleozóica, compreendido entre o devoniano e o permiano, com duração aproximada de 65 milhões de anos. ★ *adj.* Relativo ou pertencente a esse período.

carbonização *s.f.* Ato ou efeito de carbonizar.

carbonizar *v.t.* (conj. 4). Reduzir a carvão, queimar completamente, calcinar.

carbono *s.m.* (lat. *carbo, carbonis,* carvão). **1.** Elemento químico (símb. C) de número atômico 6, do grupo dos não-metais, que constitui um componente essencial dos compostos orgânicos e do carvão. **2.** *Carbono 14,* isótopo radioativo do carbono, originado na atmosfera e utilizado na datação histórica de objetos, fósseis etc. ► *Dióxido de carbono,* sin. de GÁS CARBÔNICO*. ► *Monóxido de carbono,* gás incolor e inodoro, tóxico ao homem e aos animais, constituído de um átomo de carbono e um de oxigênio.

carburação *s.f.* **1.** Ato ou efeito de carburar. **2.** Ação de formar uma mistura combustível no carburador.

CICLO DO CARBONO

1 - fotossíntese
2 - oxidação
3 - metano
4 - fermentação
5 - queima de combustíveis fósseis
6 - respiração animal
7 - respiração vegetal
8 - fotossíntese
9 - morte e decomposição
10 - combustíveis fósseis
11 - morte e decomposição
12 - desmatamento
13 - respiração
14 - queima de combustíveis fósseis
15 - íons CO_2^{+}, carbonato e bicarbonato dissolvidos

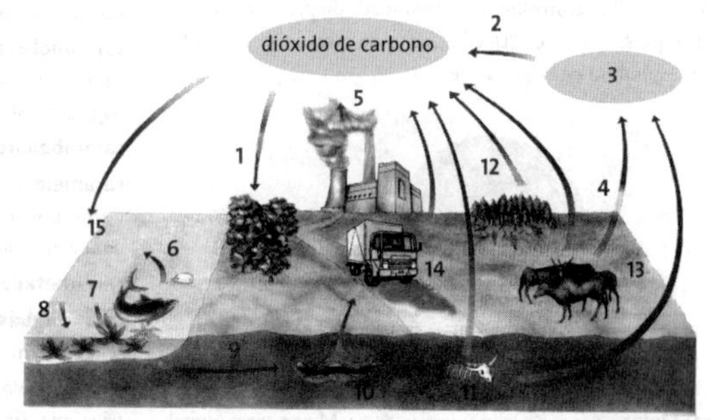

carburador (ô) *s.m.* (fr. *carburateur*). Dispositivo que prepara a mistura de ar e combustível que alimenta os motores de combustão interna de ignição por faísca.

carburante *adj.2g.* Que produz carburação. ★ *s.m.* Combustível usado nos motores a explosão (ou de combustão interna).

carburar *v.t.* (fr. *carburer*) [conj. 4]. Misturar o combustível com o ar, em proporções adequadas à combustão.

carbureto (ê) *s.m.* Sin. de CARBETO.

carcaça *s.f.* (fr. *carcasse*). **1.** Esqueleto de animal; ossada, ossatura. **2.** *Fam.* O corpo humano. **3.** Arcabouço, armação de qualquer obra destinada a sustentar o conjunto. **4.** *Fig.* Mulher velha, magra e feia. ● **Pec.** Animal abatido para consumo, do qual foram retiradas as partes não comestíveis.

carcará *s.m.* Sin. de CARACARÁ.

carceragem *s.f.* **1.** Ação de encarcerar. **2.** Gasto com a manutenção dos presos.

carcerário *adj.* (lat. *carcerarius*). Relativo a cárcere, a prisão.

cárcere *s.m.* (lat. *carcer, carceris*). Prisão, cadeia.

carcereiro *s.m.* (lat. *carcerarius*, guarda de prisão). Guarda do cárcere.

carcinicultura *s.f.* Criação de crustáceos.

carcinogênese *s.f.* Sin. de CANCEROGÊNESE.

carcinogênico ou **carcinógeno** *adj.* e *s.m.* Sin. de CANCEROGÊNICO.

carcinologia *s.f.* Sin. de CANCEROLOGIA.

carcinoma *s.m.* (gr. *karkínoma*). Tumor maligno de origem epitelial ou glandular. (Sin. EPITELIOMA.)

carcinose *s.f.* **1.** Câncer generalizado ou disseminado. **2.** Doença de caráter canceroso.

carcoma *s.f.* **1.** Sin. de CARUNCHO. **2.** Pó de madeira carcomida. **3.** Podridão. **4.** Aquilo que devora ou arruína.

carcomer *v.t.* (conj. 5). **1.** Desfazer como a carcoma desfaz a madeira. **2.** *Fig.* Arruinar, destruir.

carcomido *adj.* **1.** Roído pela carcoma. **2.** Corroído, gasto. **3.** Estragado, apodrecido. **4.** *Fig.* Abatido, consumido, atormentado.

carda *s.f.* **1.** Cardagem. **2.** Antigo instrumento de tortura para dilacerar as carnes. **3.** Sujidade na pele das pessoas. ● **Têxt.** Máquina que efetua a cardagem dos materiais têxteis.

cardagem *s.f.* Ação de desembaraçar, destringir e limpar fibras têxteis; carda.

cardamomo *s.m.* (gr. *kardámomon*). Planta aromática, originária da Índia, cultivada para o uso das sementes, como condimento, e do óleo extraído delas, para aromatizar bebidas.

cardápio *s.m.* (neol. bras. a partir do lat. *charta*, carta, e *daps*, iguaria). Nos restaurantes, lista dos pratos servidos.

cardar *v.t.* (conj. 4). **1.** Destrinçar, desenredar ou pentear (lã, algodão, linho ou qualquer filaça). **2.** Proceder à cardagem.

cardeal[1] *adj.2g.* (lat. *cardinalis*, principal). **1.** Principal, fundamental. **2.** *Pontos cardeais*, os quatro pontos de referência (norte, sul, leste e oeste) que permitem a orientação. ★ *s.m.* Membro do Sacro Colégio, eleitor do papa e seu mais próximo colaborador.

cardeal[2] *s.m.* Ave passeriforme que apresenta longo topete vermelho, face e pescoço de mesma coloração, parte dorsal e cobertura da cauda acinzentada, com ocorrência no Brasil, Argentina e Paraguai.

cárdia *s.f.* (gr. *kardía*, coração; estômago). Orifício superior do estômago, que se comunica com o esôfago.

cardíaco *adj.* (gr. *kardiakós*). **1.** Pertencente ou relativo ao coração. **2.** *Insuficiência cardíaca*, incapacidade do coração de bombear uma quantidade de sangue suficiente para a irrigação de todos os tecidos do organismo. ★ *s.m.* Pessoa que sofre uma afecção do coração.

? VOCÊ SABIA...? Na reanimação cardiopulmonar, a compressão pode restabelecer tanto a respiração quanto os batimentos **cardíacos**.

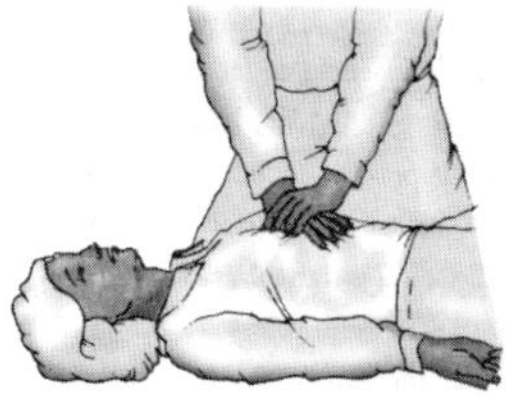

reanimação cardiopulmonar

cardial *adj.2g.* Cárdico.

cárdico *adj.* Relativo à cárdia; cardial.

cardinal *adj.2g.* (lat. *cardinalis*, principal). Principal, fundamental. ★ *adj.* e *s.m.* **Gram.** Diz-se de ou numeral que indica o número de elementos de um conjunto. **Mat.** Diz-se do número real, inteiro, positivo, que indica uma quantidade. (Cf. ORDINAL.)

cardinalato *s.m.* Dignidade de cardeal.

cardinalício *adj.* Relativo aos cardeais ou ao cardinalato.

cardiocirculatório *adj.* Relativo tanto ao coração como à circulação.

cardiografia *s.f.* Conjunto de técnicas que permitem o registro gráfico dos movimentos cardíacos; eletrocardiografia.

cardiograma *s.m.* Traçado de registro gráfico dos movimentos cardíacos; eletrocardiograma.

cardiologia *s.f.* Especialidade médica que trata do estudo do coração, dos vasos e de suas respectivas afecções.

cardiologista *s.2g.* Médico especializado em cardiologia.

cardiopatia *s.f.* Termo genérico que designa qualquer afecção do coração.

cardiopulmonar *adj.* Relativo tanto ao coração quanto aos pulmões.

cardiorrenal *adj.2g.* **1.** Relativo tanto ao coração como ao rim. **2.** Diz-se de uma doença que se caracteriza tanto por insuficiência renal como por insuficiência cardíaca.

cardiorrespiratório *adj.* Relativo tanto ao coração como ao aparelho respiratório.

cardiovascular *adj.2g.* Relativo tanto ao coração como aos vasos.

cardo[1] *s.m.* (lat. *cardo*). Vista norte-sul que serve para estabelecer o traçado de um acampamento romano.

cardo[2] *s.m.* (lat. *carduus*, cardo; alcachofra). Planta de folhas espinhosas, flores amarelas e caule ereto, piloso.

cardume *s.m.* **1.** Bando de peixes. **2.** Bando compacto ou multidão. **3.** *Fig.* Aglomeração, ajuntamento de coisas; montão.

careca *adj.2g.* e *s.2g.* **1.** Calvo. **2.** Sem pêlos, liso.

A B C D E F G H I J K L M N O P Q R S T U V W X Y Z

A B C D E F G H I J K L M N O P Q R S T U V W X Y Z

carecer *v.t.* (lat. *carescere*) [conj. 25]. **1.** Necessitar, sentir falta. **2.** Não ter, não possuir.

careiro *adj.* e *s.m.* Que ou aquele que vende ou cobra caro.

carena *s.f.* (lat. *carina*). **1.** Parte submersa do casco de um navio. **2.** Qualquer estrutura, saliência ou processo em forma de quilha. **3.** Crista mediana entre os ossos parietais que se observa no crânio de certos indivíduos. **4.** Conjunto de duas pétalas diferenciadas que ocorrem na corola das leguminosas.

carência *s.f.* (lat. tard. *carentia*). Falta, necessidade, privação. ● **Econ.** Período durante o qual um empréstimo não é amortizado. **Psicol.** *Carência afetiva,* no recém-nascido ou na criança pequena, ausência ou insuficiência de cuidados maternos; em geral, ausência de laços afetivos.

carencial *adj.2g.* **1.** Relativo à carência. **2.** *Doença carencial,* moléstia causada pela ausência, na alimentação, de certos fatores indispensáveis à nutrição dos tecidos.

carente *adj.2g.* e *s.2g.* (lat. *carens, carentis*). Que ou aquele que tem carência.

carestia *s.f.* (lat. tard. *caristia*). **1.** Elevação dos preços acima do valor real. **2.** Encarecimento do custo de vida. **3.** Carência, escassez.

careta (ê) *s.f.* **1.** Contração do rosto; visagem, momice, esgar. **2.** Máscara. ★ *adj.2g.* e *s.2g.* **1.** *Gír.* Tradicional, conservador. **2.** *Gír.* Que ou aquele que não usa drogas.

caretice *s.f.* *Gír.* Ação ou caráter de careta.

careza (ê) *s.f.* Qualidade de caro.

carga *s.f.* **1.** Conjunto das mercadorias transportadas por um navio, avião ou qualquer outro veículo. **2.** Aquilo que se carrega; fardo. **3.** Munição posta em arma de fogo. **4.** Ataque, investida. **5.** Invólucro com material que abastece alguns aparelhos. ● **Constr.** Peso suportado pela estrutura de uma edificação. **Eletr.** Grandeza física sempre associada a um campo elétrico e a uma partícula dotada de carga elementar. ► *Carga elétrica,* soma algébrica das cargas elementares de um sistema material. (A unidade SI é o *coulomb,* símbolo C.) **Fís.** Quantidade de energia positiva ou negativa armazenada por um corpo, partícula ou equipamento.

carga-d'água *s.f.* Chuva forte, pancada d'água. ★ *s.f.pl.* Razão ignorada, motivo oculto.

cargo *s.m.* **1.** Função pública ou particular; emprego. **2.** Obrigação, responsabilidade.

cargueiro *adj.* e *s.m.* **1.** Que ou o que transporta cargas. **2.** Diz-se de ou navio destinado ao transporte de cargas. ★ *s.m.* Aquele que guia bestas de carga.

cariado *adj.* **1.** Diz-se do dente afetado pela cárie. **2.** *Fig.* Corrompido.

cariar *v.i.* (conj. 16). Destruir pela cárie dentária, criar cárie. ★ *v.pr.* *Fig.* Corromper-se, arruinar-se.

cariátide *s.f.* (gr. *karyatides*). Figura ou estátua de mulher, usada como coluna.

caribe *s.2g.* Indivíduo dos caribes, conjunto de povos indígenas da América Central e Amazônia. (Sin. CARAÍBA.) ★ *s.m.* Grupo de línguas faladas por esses povos. ★ *adj.2g.* Pertencente ou relativo aos caribes ou ao caribe.

caricato *adj.* (it. *caricato*). **1.** Que tem a natureza da caricatura. **2.** Ridículo, grotesco, caricaturesco.

caricatura *s.f.* (it. *caricatura*). **1.** Desenho, pintura satírica ou grotesca de pessoas ou fatos. **2.** Indivíduo ridículo pelo aspecto ou pelos modos.

caricatural *adj.2g.* **1.** Relativo a caricatura. **2.** Que se presta à caricatura.

caricaturar *v.t.* (conj. 4). Representar em caricatura ou de modo grotesco.

caricaturista *s.2g.* Aquele que faz caricaturas.

carícia *s.f.* (lat. tard. *caritia,* de *carus,* caro). **1.** Expressão física de afeto. **2.** Afago, carinho, meiguice.

caridade *s.f.* (lat. *caritas*). **1.** Prática do bem ao próximo como expressão do amor a Deus, segundo as grandes religiões. **2.** Amor ao próximo. **3.** Esmola, favor, benefício. **4.** Bondade, compaixão.

caridoso (ô) *adj.* **1.** Que se inspira na ou faz caridade. **2.** Indulgente, bondoso.

cárie *s.f.* (lat. *caries,* podridão; cárie). **1.** Lesão dos tecidos duros, sobretudo dos dentes, que leva ao seu amolecimento e destruição. **2.** *Fig.* Destruição progressiva.

carijó *adj.2g.* (tupi *kari'yo,* que procede do branco). Diz-se do galo ou galinha pedrês.

caril *s.m.* (concani *kadhi*). Condimento indiano em pó, feito de diversas especiarias, principalmente açafrão.

carimã *s.f.* (tupi *kari'ma*). Massa azeda de mandioca, macia, reduzida a bolos secos ao sol.

carimbar *v.t.* (conj. 4). **1.** Marcar com carimbo. **2.** Selar.

CÁRIE ► A ingestão freqüente de alimentos doces, como tortas, bolos e chocolate, favorece o crescimento bacteriano e a formação das cáries. Sua prevenção pode ser feita por uma boa higiene oral, pelo uso de flúor e por visitas regulares ao dentista.

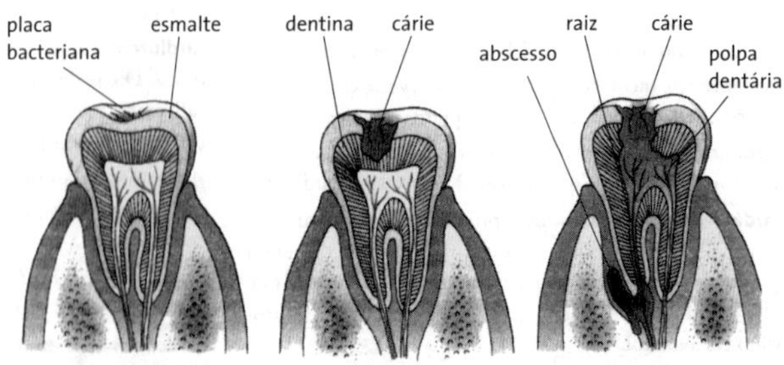

A higiene escassa favorece a formação da placa bacteriana. Os ácidos produzidos por essa placa corroem o esmalte e promovem a formação da cárie. A cárie se estende através da dentina e chega à polpa dentária, podendo formar abscessos na raiz.

carimbo *s.m.* (quimb. *ka'rimbu,* marca). **1.** Instrumento de metal, madeira ou borracha com letras, números ou outros símbolos, que serve para marcar ou datar documentos. **2.** Marca produzida por esse instrumento.

carinho *s.m.* (esp. *cariño*). **1.** Carícia, afago, mimo. **2.** Amor, ternura.

carinhoso (ô) *adj.* Que trata com carinho, com meiguice; meigo, afetuoso.

carioca *adj.2g.* (tupi *kari'oka,* casa do branco). **1.** Relativo ou pertencente à cidade do Rio de Janeiro. **2.** Variedade de feijão. ★ *s.2g.* Indivíduo natural ou habitante da cidade do Rio de Janeiro.

cariocinese *s.f.* Divisão do núcleo celular.

cariotina *s.f.* Sin. de CROMATINA.

cariri *s.2g.* Indivíduo dos cariris, povo indígena jê da Bahia, extinto.

carisma *s.m.* (gr. *chárisma,* dom, graça.) **1.** Dons espirituais extraordinários concedidos pela divindade a indivíduos, para o bem da comunidade religiosa. **2.** Notoriedade, magnetismo de alguns líderes.

carismático *adj.* **1.** Que tem carisma. **2.** Que diz respeito a carisma.

caritativo *adj.* (do lat. *caritas, caritatis,* caridade). **1.** Caridoso. **2.** Que diz respeito à virtude cristã da caridade.

caritó *s.m.* **1.** Moça velha, solteirona. **2.** Gaiola para caranguejos. **3.** Quarto em que se guardam velharias.

carlinga *s.f.* (ant. escandinavo *kerling*). **1.** Posto de pilotagem de uma aeronave. **2.** Parte do avião em que vão os tripulantes e os passageiros; cabina.

carma *s.m.* (sâns. *karman*). Segundo as filosofias da Índia, o conjunto das ações praticadas pelos homens e as suas conseqüências.

carme *s.m.* (lat. *carmen,* canto; poesia lírica). **1.** Versos líricos. **2.** Canto, poema.

carmelita *s.2g.* Religioso de uma ordem mendicante fundada em Monte Carmelo, na Síria. ★ *adj.2g.* Relativo ou pertencente a essa ordem.

carmesim *adj.2g.* e *s.m.* (ár. *qirmizi,* escarlate). Diz-se de ou cor vermelha muito viva.

carmim *s.m.* **1.** Matéria corante, vermelho-brilhante, extraída originalmente de uma espécie de cochonilha. **2.** Essa cor. **3.** Cosmético de cor vermelha para avivar os lábios e as faces. ★ *adj.2g.* Que é de cor vermelha intensa.

carminar *v.t.* (conj. 4). Pintar ou tingir de carmim.

carmona *s.f.* Ferrolho que se fixa em toda a altura de uma porta ou janela e que se encaixa em cima e embaixo ao mesmo tempo.

carnação *s.f.* **1.** A cor da carne. **2.** Representação do corpo humano (ou de parte dele) nu e na cor natural.

carnadura *s.f.* **1.** Aparência da carne; a sua qualidade. **2.** Musculatura. **3.** Compleição.

carnagem *s.f.* **1.** Carnificina, matança, mortandade. **2.** Matança de animais para alimentação do homem.

carnaíba *s.f.* Sin. de CARNAUBEIRA.

carnal *adj.2g.* (lat. *carnalis*). **1.** Relativo a carne. **2.** Lascivo, sensual. **3.** Consangüíneo.

carnaúba *s.f.* (tupi *karana'iwa*). Sin. de CARNAUBEIRA.

carnaubeira (a-u) *s.f.* Palmeira originária do Nordeste brasileiro, de caule reto, de cujas folhas se extrai a cera de carnaúba, de larga aplicação industrial. (Sin. CARNAÚBA, CARNAÍBA.)

carnaval *s.m.* (it. *carnevale*). **1.** Festa popular, coletiva, realizada anualmente nos três dias que precedem a quarta-feira de cinzas; entrudo. **2.** Folia, diversão. **3.** *Fig.* Desordem, confusão, orgia.

carnavalesco (ê) *adj.* (it. *carnevalesco*). **1.** Relativo ao carnaval. **2.** Grotesco, extravagante. ★ *s.m.* Folião de carnaval.

carne *s.f.* (lat. *caro, carnis,* carne; polpa). **1.** Tecido muscular e conjuntivo do corpo humano e animal. **2.** Tecido muscular de animais comestíveis, cujo valor alimentar provém de seu alto teor de proteínas. **3.** *Carne viva,* o derma ou o tecido muscular posto a descoberto depois de arrancada ou cortada a epiderme.

carnê *s.m.* (fr. *carnet,* pequeno caderno). Pequeno bloco cujas folhas contêm dados relativos às prestações de compras feitas a prazo ou ao pagamento de contribuições.

carnear *v.i.* (conj. 15). Abater o gado e preparar as carnes para secar; charquear.

carne-de-sol *s.f.* (*N* e *NE*) Carne pouco salgada e seca ao sol.

carnegão *s.m.* *Pop.* Zona central dos furúnculos, constituída de tecidos necrosados e pus, que se elimina antes do início da cicatrização. (Var. pop. CARNICÃO.)

carneira *s.f.* **1.** Pele de carneiro preparada para forros de livros ou outros usos; pele delgada como a do carneiro, preparada do mesmo modo. **2.** Fita ou tira de couro que forra internamente os chapéus masculinos. **3.** Ovelha.

carneirada *s.f.* **1.** Rebanho de carneiros. **2.** *Fig.* Grupo de indivíduos submissos ou imbeles. **3.** Febres endêmicas das regiões tropicais.

carneiro[1] *s.m.* **1.** Mamífero artiodáctilo ruminante, do grupo dos caprinos, criado para produção de lã, aproveitamento de carne, leite e derivados. **2.** Pequena onda espumosa seguida de outras. **3.** *Fig.* Pessoa de índole mansa, submissa.

carneiro[2] *s.m.* Espécie de nicho onde se guardam os ossos humanos; ossário, ossuário.

carne-seca *s.f.* Sin. de CHARQUE.

carniça *s.f.* Cadáver de animal em decomposição.

carnicão *s.m.* *Pop.* Var. de CARNEGÃO.

carniceiro *adj.* e *s.m.* **1.** Que ou aquele que se alimenta de carne. **2.** Que ou aquele que vende carne no atacado para os açougueiros. **3.** *Fig.* Sanguinário.

carnificina *s.f.* (lat. *carnificina,* suplício). Mortandade, extermínio.

carnívoro *adj.* (lat. *carnivorus*). **1.** Que se alimenta de carne. **2.** Relativo aos carnívoros. **3.** Diz-se do vegetal que se alimenta de insetos e possui mecanismos especiais para capturá-los. ★ *s.m.* Espécime dos carnívoros.

carnívoros *s.m.pl.* Ordem de mamíferos que apresentam mandíbulas fortes, dentes incisivos pequenos, caninos bem desenvolvidos e, em sua maioria, se alimentam de carne.

carnosidade *s.f.* Qualidade do que é carnoso. ● **Med.** Formação anormal de tecido carnoso.

carnoso (ô) *adj.* (lat. *carnosus*). **1.** Que se assemelha à carne. **2.** Cheio de carne, carnudo. **3.** Diz-se do fruto que tem o mesocarpo suculento, a polpa espessa; carnudo.

carnudo *adj.* Carnoso.

caro *adj.* (lat. *carus*). **1.** De preço elevado. **2.** Que cobra preço alto. **3.** Que é muito dispendioso. **4.** Que se obtém com grandes sacrifícios. **5.** Amado carinhosamente; estimado. **6.** Termo habitual de tratamento. ★ *adv.* **1.** Por preço elevado. **2.** Com alto custo ou sacrifício.

caroá *s.m.* (tupi *kara'wa,* talo com espinho). Planta perene, terrestre, de flores purpúreas ou violáceas e folhas escassas, que fornece fibras usadas para fazer barbante, tecidos e linha de pesca.

caroável *adj.2g.* Amável, carinhoso.

caroba *s.f.* (tupi *kaa'rowa,* folha amarga). Nome comum a várias árvores ou arbustos ornamentais, de propriedades medicinais, que fornecem madeira de boa qualidade. (Sin. JACARANDÁ-PRETO.)

caroço (ô) *s.m.* **1.** Parte dura do pericarpo de alguns frutos que envolve a amêndoa ou a semente. **2.** A semente do algodão e de vários outros frutos. **3.** Íngua, glândula endurecida. **4.** *Pop.* Inibição, falta de fluência em um discurso.

carola *adj.2g.* e *s.2g.* (lat. *corolla,* dim. de *corona,* coroa). Diz-se de ou pessoa muito beata; misseiro.

carolice *s.f.* Qualidade ou ação próprias de carola.

carolíngio *adj.* (lat. tard. *Karolingi,* de *Carolus,* Carlos Magno). Relativo à dinastia dos Carolíngios. ★ *s.m.* Indivíduo dessa dinastia.

carolo (ô) *s.m.* **1.** Pancada na cabeça com o nó dos dedos ou com uma vara; cascudo. **2.** Galo, pequena inchação na cabeça causada por pancada. **3.** Espiga de milho debulhada.

carona *s.f.* (esp. *carona*). Viagem gratuita em qualquer veículo. ★ *s.m.* Indivíduo que viaja sem pagar a passagem.

caroteno *s.m.* (do gr. *karotón,* cenoura). Pigmento de coloração amarelo-avermelhada que ocorre nos plastos dos vegetais e que é convertido em vitamina A pelos vertebrados.

carótida ou **carótide** *adj.2g.* e *s.f.* (gr. *karotídes*). Cada uma das artérias que conduzem o sangue da aorta à cabeça e ao cérebro; artéria carótida.

carpa[1] *s.f.* (lat. *carpa*). Peixe ornamental de água doce, originário do Japão, que se caracteriza pela presença de escamas grandes, barbilhões e nadadeira dorsal longa.

carpa[2] *s.f.* Ato de carpir.

carpado *adj.* No atletismo e em outros esportes, diz-se do salto em que as pernas ficam estendidas, formando ângulo com o tronco.

carpal *adj.2g.* Cárpico.

carpelo *s.m.* (do gr. *karpós,* fruto). Folha modificada que forma o pistilo.

cárpeo *adj.* Cárpico.

carpetar *v.t.* (conj. 4). Forrar com carpete.

carpete *s.m.* (fr. *carpette*). Tipo de tapete utilizado para cobrir todo o piso de um cômodo.

cárpico *adj.* Relativo ao carpo; carpal, cárpeo.

carpideira *s.f.* **1.** Mulher a quem se pagava para chorar nos funerais. **2.** Máquina agrícola para capinar; capinadeira.

carpintaria *s.f.* **1.** Arte ou ofício de carpinteiro. **2.** Oficina de carpinteiro.

carpinteiro *s.m.* (lat. *carpentarius,* construtor de carros). **1.** Empreiteiro em trabalhos de carpintaria. **2.** Construtor de estruturas de madeira.

carpir *v.t.* (lat. *carpere,* arrancar; lacerar) [conj. 79]. **1.** Arrancar os cabelos, as barbas, em sinal de dor. **2.** Prantear, lastimar, chorar. **3.** Arrancar, colher. **4.** Capinar, sachar, desmoitar. ★ *v.i.* Chorar, lamuriar-se. ★ *v.pr.* Prantear-se.

carpo *s.m.* (gr. *karpós,* punho; fruto). **1.** Esqueleto da parte superior da mão e do punho, formado por oito ossos curtos dispostos em duas fileiras. **2.** Fruto.

carpóforo *s.m.* **1.** Prolongamento do eixo floral que sustenta determinados frutos. **2.** Pedúnculo que sustenta o corpo de frutificação de alguns fungos.

carqueja (ê) *s.f.* Denominação comum a vários arbustos ou subarbustos, alguns com propriedades medicinais e gosto muito amargo.

carquilha *s.f.* Ruga, prega.

carrada *s.f.* Carga que um carro pode transportar. ★ *s.f.pl.* *Fig.* Grande quantidade.

carranca *s.f.* **1.** Cara sombria ou que indica mau humor. **2.** Cara feia. **3.** Figura real ou mitológica com a qual se orna a proa de um navio ou de uma barcaça. (Sin. CABEÇA-DE-PROA.) **4.** Cara de pedra ou metal na bica de um chafariz.

carrança *adj.2g.* e *s.2g.* Diz-se de ou pessoa muito apegada ao passado.

carrancudo *adj.* **1.** Que faz carranca. **2.** Mal-humorado, aborrecido. **3.** Sombrio.

carrapateira *s.f.* Sin. de MAMONA.

carrapaticida *adj.2g.* e *s.m.* Diz-se de ou substância usada para matar carrapatos.

carrapato *s.m.* **1.** Animal artrópode, aracnídeo, que possui o abdome unido ao cefalotórax, de dois a quatro pares de patas articuladas, e vive como ectoparasita de vertebrados. **2.** Sin. de MAMONA.

CARRAPATO ▸ Por se alimentar de sangue, os carrapatos transmitem uma grande quantidade de doenças. Quando atacam o homem, às vezes produzem uma paralisia que pode até mesmo causar a morte, em crianças ou idosos.

---

carrapicho *s.m.* **1.** Nome comum de numerosos subarbustos, cujos frutos se dividem em articulações com espinhos que se prendem às roupas e pêlos de animais. (Sin. SENSITIVA.) **2.** *Fig.* Cabelo de negro.

carrascal *s.m.* Carrasco[2].

carrasco[1] *s.m.* (de *Carrasco,* n.pr.). **1.** Pessoa encarregada de infligir as penas corporais pronunciadas por uma corte criminal, notadamente a pena de morte. **2.** *Fig.* Pessoa cruel, verdugo, tirano.

carrasco[2] *s.m.* **1.** Caminho pedregoso. **2.** Mata anã, de arbustos duros e esguios, de altura raramente superior a 1 metro. **3.** Tipo de vegetação do Nordeste, mais ressequida e áspera do que a caatinga; carrascal, estepe. (Sin. de CARRASCAL.)

carraspana *s.f.* **1.** *Pop.* Bebedeira. **2.** Repreensão.

carreador (ô) *s.m.* Caminho de carro, em sítios ou fazendas; trilha.

carrear *v.t.* (conj. 15). **1.** Conduzir em carro; acarretar, acarrear. **2.** Arrastar. **3.** Causar.

carregação *s.f.* **1.** Ação de carregar. **2.** Carga. **3.** Grande quantidade.

carregadeira *s.f.* Sin. de SAÚVA. ● **Nav.** Cabo delgado com que se carregam ou colhem as velas.

carregado *adj.* **1.** Que recebeu carga. **2.** Diz-se da atmosfera quando apresenta nuvens prenunciadoras de temporal. **3.** Pesado, cansativo. **4.** Sombrio, carrancudo. **5.** Escuro, intenso.

carregador (ô) *s.m.* **1.** Aquele que carrega fardos, que faz fretes. **2.** Aquele que coloca as mercadorias dentro de vagões, caminhões, navios etc. **3.** Pente de balas em armas de repetição. **4.** Aparelho que serve para carregar baterias ou acumuladores.

carregamento *s.m.* **1.** Ação de carregar. **2.** Mercadoria carregada em veículo de transporte; carga.

carregar *v.t.* **1.** Efetuar carregamento, colocar carga em. **2.** Conduzir em veículo; levar, transportar. **3.** Encher, saturar. **4.** Munir aparelho dos elementos necessários para seu funcionamento; municiar arma de fogo. **5.** Atribuir, imputar; dar trabalho ou carga a. **6.** Oprimir, gravar. **7.** Exagerar, amplificar. ● **Eletrotéc.** Fornecer energia a um dispositivo que a armazene. ★ *v.i.* Tornar-se mais intenso, acometer. ★ *v.pr.* Tornar-se sombrio, encher-se de nuvens escuras. **Inform.** Transferir (arquivos de programa) para a memória de trabalho de um computador; iniciar, abrir. ▸ Transferir (arquivos) para outro computador; baixar, fazer *download.*

carreira *s.f.* **1.** Corrida veloz; correria. **2.** Trilha, rastro, caminho. **3.** Fileira. **4.** Risca de cabelo. **5.** No turfe, páreo. **6.** Conjunto das experiências de trabalho; percurso profissional.

carreirismo *s.m.* Atitude, estado de espírito dos carreiristas.

carreirista *s.2g.* (ingl. *careerist,* de *career,* carreira). **1.** Pessoa sem escrúpulos, que só pensa em fazer carreira; arrivista. **2.** Pessoa que aprecia corridas de cavalos.

carreiro *s.m.* **1.** Aquele que conduz um carro de bois. **2.** Caminho feito no terreno ou na mata pela continuada passagem de carroças ou de animais. **3.** Caminho seguido pelas formigas em bando.

carreta (ê) *s.f.* **1.** Carro pequeno. **2.** Carroça. **3.** Caminhão de transporte de cargas pesadas.

carretão *s.m.* **1.** Veículo que transporta vagões de uma linha para outra. **2.** Carro usado no transporte de toras de madeira.

carreteiro *s.m.* Condutor de carro ou carreta. ★ *adj.* Diz-se dos barcos e barcaças empregados na carga e descarga dos navios.

carretel *s.m.* (esp. *carretel*). **1.** Cilindro com rebordos nos extremos, no qual se enrolam fios, filmes etc. **2.** Rolos de madeira postos sob corpos pesados para facilitar seu movimento. **3.** Molinete.

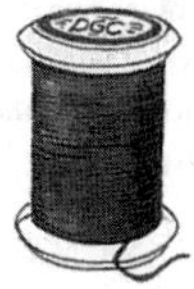

carretilha *s.f.* (esp. *carretilla*). **1.** Roldana de dimensões reduzidas. **2.** Pequeno instrumento circular com que se corta ou pontilha a massa de pastéis e tortas.

carreto (ê) *s.m.* **1.** Transporte a frete. **2.** Valor relativo ao frete.

carril *s.m.* **1.** Barra de metal que serve de guia no deslocamento de um veículo etc; trilho. **2.** Sulco produzido pela passagem de uma roda.

carrilhão *s.m.* (fr. *carillon*). **1.** Conjunto de sinos ou de campainhas de relógios, afinados em tons diversos. **2.** Relógio que dá horas em tons musicais.

carrinho *s.m.* **1.** Pequeno carro. **2.** Aparelho de rodas para o transporte de crianças. **3.** *Carrinho de mão,* pequeno veículo de uma ou duas rodas e dois varais, utilizado para o transporte de cargas leves em obras de construção.

carriola *s.f.* (it. *carriola*). **1.** Carruagem pequena. **2.** Caleça. **3.** Carruagem ordinária.

carro *s.m.* (do celta, pelo lat. *carrus*). **1.** Veículo de rodas para transporte de coisas ou pessoas. **2.** Automóvel. **3.** Veículo ferroviário destinado ao transporte de passageiros (p. opos. a *vagão*).

carroça *s.f.* (it. *carrozza*). **1.** Carro para transportar cargas, puxado por um cavalo ou boi. **2.** *Pop.* Veículo de marcha vagarosa. **3.** Pessoa que retarda o pagamento dos seus débitos.

carroças de migrantes do Velho Oeste dos EUA

carroçada *s.f.* Carga transportada por uma carroça.

carroção *s.m.* **1.** Carro grande de bois para o transporte de pessoas. **2.** O seis duplo, no jogo do dominó. **3.** *Pop.* Problema ou expressão matemática com muitos termos.

carroçaria *s.f.* Parte do veículo destinada a acomodar o motorista, os passageiros e, eventualmente, a carga. (Var. CARROCERIA.)

carroçável *adj.2g.* Diz-se de uma via adequada à circulação de veículos.

carroceiro *s.m.* **1.** Condutor de carroça. **2.** *Pop.* Pessoa grosseira, rude.

carroceria *s.f.* Var. de CARROÇARIA.

A B C D E F G H I J K L M N O P Q R S T U V W X Y Z

carro-chefe *s.m.* O que é considerado principal num conjunto qualquer.

carrocinha *s.f.* **1.** Pequena carroça. **2.** Carroça de duas rodas, articulada, usada nos serviços de terraplenagem; caçamba.

carro-pipa *s.m.* Veículo equipado para o transporte de água.

carrossel *s.m.* (fr. *carrousel*). Construção giratória, com assentos pendentes, geralmente cavalinhos, que serve de brinquedo para as crianças nos parques de diversões, feiras e quermesses.

carruagem *s.f.* Veículo fechado, luxuoso, puxado por cavalos, com quatro rodas e suspensão.

carta *s.f.* (gr. *chártes*, folha de papiro, de papel). **1.** Escrito que se envia a outrem; epístola, missiva. **2.** Mapa. **3.** Cada um dos cartões que compõem o baralho. **4.** Denominação dada a diversos títulos ou documentos oficiais. **5.** *Carta magna*, a Constituição de um país. ● **Astron.** *Carta celeste, carta astronômica* ou *carta do céu*, representação sobre um plano de uma região do céu, com as posições relativas dos astros, ou a representação de um único astro de dimensões aparentes apreciáveis (Sol, Lua, planetas etc.).

cartada *s.f.* **1.** Lance em jogo de cartas. **2.** Golpe, ação súbita e ousada.

cartaginês *adj.* Relativo ou pertencente à antiga cidade de Cartago, África. ★ *s.m.* Indivíduo natural ou habitante de Cartago.

cartão *s.m.* (fr. *carton*, papelão). **1.** Papel espesso e grosso, próprio para determinados trabalhos gráficos ou para embalagens. **2.** Pequeno pedaço de papel ou plástico de forma retangular, de usos diversos. **3.** Desenho que serve de modelo para uma pintura, uma tapeçaria, um mosaico etc. **4.** *Cartão de visita*, pequeno cartão impresso, com dados pessoais, para apresentação.

cartão-postal *s.m.* Cartão de forma e condições determinadas, sem envoltório, que possui numa das faces uma ilustração, destinando-se a outra para a correspondência; postal.

cartapácio *s.m.* **1.** Carta grande. **2.** Livro grande e antigo; calhamaço. **3.** Coleção de papéis manuscritos, em forma de livro.

cartaz *s.m.* (gr. *chártes*, pelo ár. *qirtas*). **1.** Papel que se afixa nos lugares públicos, anunciando espetáculos, produtos comerciais etc. **2.** *Pop.* Fama, prestígio.

cartazista *s.2g.* Indivíduo especializado na concepção e confecção de cartazes.

carteado *adj.* e *s.m.* Diz-se de ou qualquer jogo com baralho.

cartear *v.i.* (conj. 15). **1.** Calcular e marcar na carta a posição do navio. **2.** Dar cartas de baralho. **3.** Blefar. ★ *v.pr.* Corresponder-se por cartas.

carteira *s.f.* **1.** Pequena bolsa de couro, plástico ou outro material, para a guarda de papéis, cédulas etc. **2.** Invólucro em que se acondicionam cigarros; maço. **3.** Livrinho de anotações ou lembranças. **4.** Documento em forma de caderneta, que contém dados pessoais, identificação, qualificações ou autorizações do seu portador. **5.** Seção especializada de um estabelecimento bancário. **6.** Conjunto dos títulos ou valores mobiliários negociados por um banqueiro, comerciante ou operador de bolsa de valores. **7.** Seção dos bancos especializados num único tipo de operação. **8.** *Carteira escolar*, móvel em que se acomodam os alunos de uma escola com o material de estudo.

carteiro *s.m.* **1.** Empregado do correio que faz a entrega da correspondência; estafeta. **2.** Mensageiro, postilhão.

cartel *s.m.* (fr. *cartel*). **1.** Acordo entre empresas produtoras de um mesmo setor industrial para limitar a concorrência; sindicato. **2.** Acordo efetuado entre os chefes militares beligerantes, principalmente com relação à troca de prisioneiros. **3.** *Navio de cartel*, navio parlamentar, encarregado de comunicar-se com o inimigo e de realizar a troca de prisioneiros.

cartela *s.f.* (it. *cartello*, cartaz). **1.** Mostruário portátil onde se acondicionam diversos tipos de mercadoria. **2.** Cartão usado no jogo de loto. ● **Têxt.** Conjunto de retângulos de papelão ou de material plástico, perfurados, que comandam a seleção dos fios de urdume, para realizar uma ligação ou um desenho *jacquard*.

cárter *s.m.* (ingl. *carter*). Invólucro metálico que protege os mecanismos de propulsão, transmissão etc. de um automóvel.

cartesianismo *s.m.* **1.** Designação dada à doutrina do filósofo francês René Descartes (1596-1650) e de seus seguidores. **2.** Influência de Descartes na filosofia.

cartesiano *adj.* (do lat. *Cartesius*, i.e., Descartes, n.pr.). **1.** Relativo à doutrina de Descartes. **2.** *Coordenadas cartesianas*, coordenadas relativas a um sistema de dois ou três eixos que situam um ponto no espaço, chamadas abscissa, ordenada e cota. ★ *s.m.* Partidário da doutrina de Descartes.

cartilagem *s.f.* (lat. *cartilago, cartilaginis*). Tecido conjuntivo resistente, elástico e flexível, que constitui a totalidade do esqueleto de certos animais e uma parte do esqueleto dos vertebrados superiores.

cartilaginoso (ô) *adj.* (lat. *cartilaginosus*). **1.** Relativo ou semelhante às cartilagens. **2.** Diz-se dos peixes que apresentam esqueleto formado por cartilagens, como os elasmobrânquios.

cartilha *s.f.* (esp. *cartilla*). Livro para ensinar a ler.

cartografia *s.f.* Arte ou técnicas que visam à elaboração, à redação e à edição de cartas geográficas ou mapas.

cartográfico *adj.* Relativo à cartografia.

cartógrafo *s.m.* Especialista que traça cartas geográficas, geológicas etc.

cartola *s.f.* Chapéu alto, de forma cilíndrica, usado por homens em traje a rigor. ★ *s.m. Pop.* **1.** Indivíduo de posição eminente, influente, que despreza a opinião e as tendências populares. **2.** Dirigente de clubes ou associações de futebol.

cartolina *s.f.* (it. *cartolina*). Papel grosso menos encorpado do que o cartão.

cartomancia *s.f.* Técnica divinatória que utiliza cartas do baralho.

cartomante *s.2g.* Pessoa que pratica a cartomancia.

cartonado *adj.* Diz-se do livro encadernado em cartão.

cartonagem *s.f.* **1.** Fabricação de objetos de cartão. **2.** Estabelecimento que se destina a essa fabricação. **3.** Encadernação de livros com cartão.

cartorário *s.m.* **1.** Escrevente de cartório. **2.** Livro de registro de cartas de doações, vendas etc. ★ *adj.* Relativo a cartório; cartorial.

cartorial *adj.2g.* Cartorário.

cartório *s.m.* **1.** Lugar onde se arquivam documentos. **2.** Lugar onde funcionam os tabelionatos, os ofícios de notas, os registros públicos, e se mantêm os respectivos arquivos.

cartucheira *s.f.* Saco, ou estojo de couro, onde se guardam os cartuchos das armas de fogo, em geral apenso ao cinto.

cartucho *s.m.* (fr. *cartouche*). **1.** Carga de explosivo ou pólvora acondicionada em tubo de papel e metal ou só de metal, cartolina, tecido ou metal. **2.** Qualquer invólucro de forma cilíndrica e alongada. **3.** Pequeno recipiente de plástico, vidro ou metal contendo uma carga de tinta, gás etc. **4.** *Pop.* Diploma. **5.** Pistolão. ● **Eletrotéc.** Elemento de substituição de um dispositivo fusível.

cartum *s.m.* (ingl. *cartoon,* cartão). Desenho ou narrativa gráfica, caricatural, com ou sem legendas, que apresenta uma situação humorística.

cartunista *s.2g.* Quem cria ou faz cartuns.

carunchar *v.i.* (conj. 4). **1.** Encher-se de caruncho. **2.** Desfazer-se por ação do caruncho.

caruncho *s.m.* **1.** Denominação comum a insetos lepidópteros que, na fase adulta ou larval, se nutrem de madeiras ou cereais. (Sin. BRUCO, CARCOMA, GORGULHO, CARNEIRINHO.) **2.** Raça brasileira de suínos, criada para produção de banha. **3.** *Fig.* Velhice.

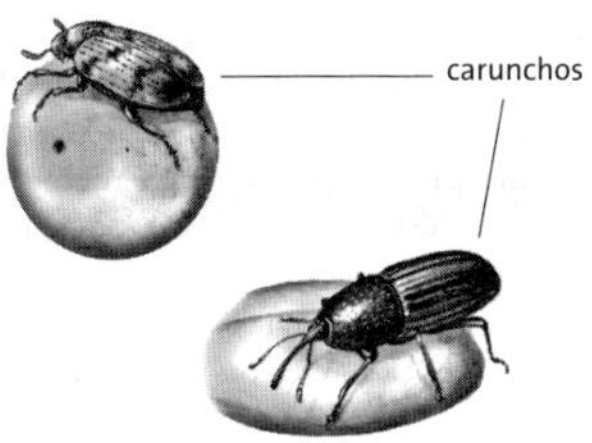

carúncula *s.f.* (lat. *caruncula,* pedacinho de carne). Pequena saliência ou excrescência carnosa.

caruru *s.m.* Nome comum a várias plantas, invasoras de campos cultivados, das quais se consomem as folhas, saborosas e nutritivas.

carvalhal *s.m.* Plantação de carvalhos.

carvalho *s.m.* (raiz pré-romana). **1.** Árvore de grande porte, típica da Europa, que fornece madeira muito resistente, e cujo fruto, a bolota, é utilizado como alimento para porcos. **2.** A madeira dessa árvore.

carvão *s.m.* (lat. *carbo, carbonis*). **1.** Combustível sólido de cor negra, resultante da combustão incompleta de matérias orgânicas, vegetais ou animais, e que encerra uma proporção elevada de carbono. **2.** *Carvão vegetal,* resíduo sólido da carbonização da madeira. ▸ *Carvão mineral,* nome usual de combustíveis minerais fósseis sólidos, como antracito, hulha, linhito; carvão-de-pedra. ● **Agric.** Doença dos vegetais provocada por fungo que ataca principalmente as gramíneas. **Quím.** *Carvão ativo,* carvão obtido por calcinação de matérias carbonadas vegetais ou minerais, utilizado nas indústrias química e farmacêutica por suas qualidades adsorventes.

carvão-de-pedra *s.m.* Carvão mineral.

carvoaria *s.f.* Lugar onde se fabrica ou armazena carvão.

carvoeiro *adj.* Relativo à indústria ou ao comércio de carvão. ★ *s.m.* Pessoa que faz ou vende carvão.

cãs *s.f.pl.* (lat. *canas*). Cabelos brancos.

casa *s.f.* (lat. *casa,* cabana, choça). **1.** Edifício destinado à habitação; vivenda, morada, domicílio, habitação, residência. **2.** Conjunto das coisas que se relacionam com a vida doméstica. **3.** Estabelecimento comercial. **4.** Descendência, família nobre. **5.** Cada uma das divisões dos tabuleiros de xadrez ou de damas. **6.** Fenda por onde entram os botões, no vestuário. **7.** *Santa casa,* instituição pia, para socorro de doentes pobres. ● **Eng.** *Casa de máquinas* ou *casa de força,* local onde estão instaladas as unidades geradoras de energia de uma usina hidrelétrica.

casaca *s.f.* (fr. *casaque*). **1.** Traje de cerimônia masculino, curto na frente e com abas longas na parte posterior. **2.** Indivíduo encasacado, empertigado. **3.** Traje usado pelos antigos militares.

casaco *s.m.* **1.** Peça de vestuário abotoada na frente, com mangas. **2.** Sobretudo, paletó.

casado *adj.* **1.** Diz-se de pessoa unida a outra pelo casamento. **2.** Ligado, harmonizado.

casadouro *adj.* Que está em idade ou em condições de casar; núbil.

casa-grande *s.f.* **1.** Residência do senhor nas fazendas ou engenhos do Brasil colonial. **2.** A residência do fazendeiro.

casal *s.m.* (lat. tard. *casale*). **1.** A fêmea e o macho. **2.** O marido e a mulher. **3.** Par, dupla.

casamata *s.f.* (it. *casamatta*). **1.** Câmara abobadada e blindada de uma fortificação. **2.** Compartimento blindado com aberturas para canhões. **3.** Abrigo subterrâneo, localizado em um forte, destinado a alojar tropas ou estocar munições (séc. XIX).

casamenteiro *adj.* e *s.m.* Que ou o que intervém para arranjar casamentos.

casamento *s.m.* **1.** União legal de um homem e de uma mulher. **2.** Cerimônia de núpcias. **3.** *Fig.* Combinação, união, aliança.

casar *v.t.* (conj. 4). **1.** Unir por casamento ou matrimônio. **2.** Promover o casamento. **3.** Unir, ligar. ★ *v.i.* Unir-se a uma pessoa por casamento. ★ *v.pr.* **1.** Unir-se em casamento. **2.** Unir-se, aliar-se. **3.** Combinar-se, harmonizar-se.

casarão *s.m.* **1.** Casa grande. **2.** Casa rica, faustosa.

casario *s.m.* Série ou aglomeração de casas; casaria.

casca *s.f.* **1.** Revestimento externo de vários órgãos vegetais, como sementes, frutos, raízes, caules e troncos. **2.** Tegumento rígido dos crustáceos, moluscos e répteis.

casca-grossa *adj.2g.* e *s.2g.* **1.** Diz-se de ou indivíduo grosseiro, mal-educado. **2.** Caipira.

cascalheira *s.f.* **1.** Depósito terciário muito duro, que fornece pedras cinza-claras, sem cavidades. **2.** Acúmulo de cascalho no sopé de um relevo e sobre o qual a caminhada é incômoda.

cascalho *s.m.* **1.** Lascas de pedra que saltam quando se lavra a cantaria; pedra britada. **2.** Escórias de ferro.

cascão *s.m.* **1.** Casca grossa ou endurecida; crosta. **2.** Crosta de sujidade na pele do corpo.

cascata *s.f.* (it. *cascata*). **1.** Queda de água provocada por desnível brusco do leito de um rio. **2.** *Fig.* Série de acontecimentos sucessivos. **3.** *Gír.* Mentira.

cascateiro *adj.* e *s.m.* Que ou aquele que diz ou escreve cascata; mentiroso.

cascavel *s.f.* (prov. *cascavel*). **1.** Réptil ofídio, peçonhento, de coloração pardo-escura, com losangos claros no dorso, que apresenta um guizo na extremidade da cauda. (Sin. BOIÇUNUNGA, BOIQUIRA, MARACABÓIA.) **2.** Porteira fechada por varas paralelas. **3.** *Fig.* Pessoa traiçoeira, maligna, faladeira.

casco *s.m.* **1.** Unha que envolve os artelhos dos ungulados, como o boi e o cavalo. **2.** Crânio. **3.** Vasilha de aduela (tonel, pipa etc.). **4.** Garrafa vazia. **5.** Canoa feita de peça inteiriça de madeira. **6.** *Fig.* O juízo, a inteligência. ● **Nav.** Carcaça de navio, constituída da quilha e dos costados.

cascoso (ô) *adj.* **1.** Que tem casca grossa; cascudo. **2.** Diz-se de um cavalo com ranilha muito grande.

cascudo[1] *adj.* Que tem casca grossa. ★ *s.m.* **1.** Peixe teleósteo, de cabeça grande, corpo revestido de placas ósseas, que vive no fundo dos rios e alimenta-se de vegetais, lodo e detritos orgânicos. (Sin. ACARI, CARI.) **2.** Sin. de BESOURO.

cascudo[2] *s.m.* *Pop.* Pancada no alto da cabeça, dada com o nó dos dedos.

casear *v.t.* (conj. 15). Fazer casas ou botoeiras em peças de vestuário.

casebre *s.m.* **1.** Casa pequena, pardieiro. **2.** Casa velha e arruinada.

caseína *s.f.* (do lat. *caseus*, queijo). Principal proteína do leite, que contém alto teor de fósforo.

caseiro *adj.* **1.** Relativo a casa. **2.** Utilizado em casa. **3.** Feito em casa. **4.** Diz-se de pessoa que prefere ficar em casa a sair para se distrair. ★ *s.m.* Aquele que toma conta da casa de alguém.

caserna *s.f.* (fr. *caserne*). Edifício destinado ao alojamento dos militares; quartel.

casimira *s.f.* (de *Kashmir*, top.). Tecido de lã fina, encorpado, para vestuário.

casinhola *s.f.* Casa pequena e miserável.

casmurro *adj.* e *s.m.* **1.** Que ou aquele que é teimoso, obstinado. **2.** Ensimesmado, sorumbático.

caso[1] *s.m.* (lat. *casus*, queda; circunstância). **1.** Eventualidade, circunstância, hipótese. **2.** Acontecimento, fato. **3.** Manifestação de uma doença específica diagnosticada em um indivíduo determinado. **4.** Conto, história. **5.** Pessoa ou organização descrita em detalhe e por algum tempo. **6.** *Pop.* Relação amorosa sem vínculo conjugal.

caso[2] *s.m.* (lat. *casus*, trad. do gr. *ptósis*, queda). Cada uma das formas variáveis tomadas por substantivos, adjetivos e pronomes segundo sua função na frase, nas línguas que possuem declinação.

casório *s.m.* *Pop.* Casamento.

caspa *s.f.* Escama que se forma no couro cabeludo, ou em outra parte do corpo, pela ação de fungos ou pelo ressecamento da pele.

caspento *adj.* Que tem caspa.

cáspite (it. *caspita*) *interj.* Exprime admiração, impaciência, contrariedade.

casquento *adj.* Que tem muita casca.

casquete *s.m.* (fr. *casquette*). Pequeno gorro de pano, de formato alongado, próprio de uniformes militares ou estudantis; boné.

casquilho *adj.* e *s.m.* **1.** Que ou aquele que se veste com muito apuro; peralta, janota. **2.** Parte da lâmpada elétrica que serve para fixá-la a um soquete e comunicá-la com o circuito de alimentação.

casquinada *s.f.* **1.** Gargalhada. **2.** Risada de escárnio.

casquinar *v.i.* (conj. 4). **1.** Gargalhar. **2.** Rir com escárnio.

cassa *s.f.* (malaio *kasa*). Tecido muito fino, de algodão ou de linho.

cassação *s.f.* Ato ou efeito de cassar.

cassar *v.t.* (lat. *cassare*, anular; privar de) [conj. 4]. **1.** Anular, tornar sem efeito autorizações, licenças, mandados etc. **2.** Privar dos direitos políticos ou de cidadania.

cassete *s.m.* (fr. *cassette*). **1.** Dispositivo constituído por dois carretéis e uma fita magnética acondicionados em um estojo, utilizado principalmente para reprodução de som ou imagem em gravadores, videocassetes etc. **2.** Gravador que utiliza esse dispositivo.

cassetete *s.m.* (fr. *casse-tête*). Pequeno cacete de madeira ou de borracha, com alça numa das extremidades, usado por policiais.

cassino *s.m.* (it. *casino*). **1.** Estabelecimento de diversões, com salões para jogos de azar. **2.** Qualquer estabelecimento de jogo.

cassiterita *s.f.* (gr. *kassíteros*, estanho). Óxido natural de estanho, que forma cristais castanho-avermelhados ou castanho-escuros, um dos únicos minérios de estanho explorados.

casta *s.f.* **1.** Grupo social endógamo e hereditário que ocupa um lugar rigidamente determinado na hierarquia social. **2.** Qualidade, gênero, natureza. **3.** *Fig.* Raça, classe.

castanha *s.f.* (lat. *castanea*). **1.** Fruto da castanheira, formado por uma baga espinhosa que contém até três sementes comestíveis. **2.** *Castanha de caju*, a amêndoa que constitui o fruto do cajueiro.

castanha-do-pará *s.f.* Nome dado às sementes da castanheira-do-pará, que apresentam uma amêndoa comestível, nutritiva, que também fornece óleo.

castanhal *s.m.* Mata de castanheiras.

castanheira *s.f.* Árvore de grande porte, originária da Europa, de madeira amarelada e flexível e sementes que fornecem a castanha, açucarada e nutritiva. (Var. CASTANHEIRO.)

castanheira-do-brasil *s.f.* Sin. de CASTANHEIRA-DO-PARÁ.

castanheira-do-pará *s.f.* Árvore de grande porte, típica da região amazônica, de caule reto e casca lisa e frutos que contêm de 5 a 25 sementes, as castanhas-do-pará. (Sin. CASTANHEIRA-DO-BRASIL.)

castanheiro *s.m.* Var. de CASTANHEIRA.

castanho *adj.* Da cor da castanha; pardo-acinzentado. ★ *s.m.* Essa cor.

castanholas *s.f.pl.* (esp. *castañuelas*). Instrumento de percussão composto de duas peças arredondadas e côncavas, de madeira ou marfim, ligadas por um cordel que serve para segurá-las e fazê-las bater uma na outra.

castão *s.m.* (do germ.). Remate de metal, ou outro material, que se aplica como ornamento no punho das bengalas.

castelão *s.m.* (lat. *castellanus,* de castelo). Senhor proprietário de um castelo.

castelhano *adj.* Relativo ou pertencente a Castela (Espanha). ★ *s.m.* **1.** Indivíduo natural ou habitante de Castela. **2.** Língua falada em Castela, que se tornou a língua oficial da Espanha com a denominação espanhol.

castelo *s.m.* (lat. *castellum,* dim. de *castrum,* fortaleza). **1.** Residência feudal fortificada, defendida por um fosso, muralhas e torres. **2.** Palácio.

castiçal *s.m.* Utensílio onde se coloca vela de iluminação.

castiço *adj.* (esp. *castizo*). **1.** De boa casta, de boa raça. **2.** Próprio para propagar a raça. **3.** *Fig.* Vernáculo. **4.** Purista.

castidade *s.f.* (lat. *castitas*). **1.** Virtude daquele que é casto. **2.** Abstinência dos prazeres sensuais.

castigar *v.t.* (lat. *castigare*) [conj. 14]. Infligir castigo a; punir severamente. ★ *v.pr.* Aplicar castigo a si mesmo; penitenciar-se.

castigo *s.m.* Pena que se inflige a uma pessoa; correção, punição.

casto *adj.* (lat. *castus*). **1.** Que tem pureza de alma, de corpo. **2.** Que se abstém de relações sexuais. **3.** Puro, inocente.

castor (ô) *s.m.* (lat. *castor*). **1.** Mamífero roedor com patas posteriores palmadas, cauda achatada desprovida de pêlos, que ocorre em rios e lagos da América do Norte e Europa. **2.** O pêlo desse animal.

castração *s.f.* (lat. *castratio*). **1.** Operação ou ato de castrar. **2.** Ablação ou destruição de um órgão necessário à procriação; capação. ● **Psican.** *Complexo de castração,* resposta fantasmática de caráter angustiante às questões que a diferença anatômica dos sexos suscita na criança.

castrar *v.t.* (lat. *castrare*) [conj. 4]. **1.** Tirar, total ou parcialmente, os órgãos da reprodução; capar. **2.** Anular a personalidade de.

castrense *adj.2g.* (lat. *castrensis*). Relativo a acampamento militar ou aos militares.

castro *s.m.* (lat. *castrum*). Fortaleza dos tempos pré-romanos ou romanos.

casual[1] *adj.2g.* (lat. *casualis*). Que depende do acaso; eventual, acidental.

casual[2] *adj.2g.* Relativo aos casos de declinação.

casualidade *s.f.* Qualidade de casual; eventualidade.

casuarina *s.f.* Denominação de várias árvores ornamentais originárias da Austrália.

casuísmo *s.m.* **1.** Aceitação passiva de princípios, doutrinas. **2.** Exposição de preceitos por intermédio de casos concretos. **3.** Transigência com princípios morais ou preceitos legais em nome de interesses particulares.

casuísta *s.2g.* **1.** Teólogo que se dedica à casuística. **2.** Aquele que transige com sua consciência, invocando razões pessoais.

casuística *s.f.* **1.** Parte da teologia que trata dos casos de consciência. **2.** Discussão e análise de casos por meio de sutilezas e artifícios.

casula *s.f.* (lat. *casula*). Paramento religioso usado para a celebração da missa.

casulo *s.m.* (lat. *casula,* dim. de *casa*). **1.** Invólucro das sementes de algumas plantas. **2.** Invólucro que envolve o animal durante uma fase inativa do seu ciclo reprodutivo.

casulo do bicho-da-seda

cata *s.f.* **1.** Ato ou efeito de catar; busca, procura. **2.** Separação dos grãos enegrecidos e mirrados do café. **3.** Escavação para a mineração.

catabólico *adj.* Relativo ao catabolismo.

catabolismo *s.m.* (gr. *katabole,* fundamento). Conjunto das reações químicas que permitem a degradação dos compostos naturais da célula e a produção de energia. (Antôn. ANABOLISMO.)

cataclísmico *adj.* **1.** Relativo a cataclismo. **2.** Que se assemelha a um cataclismo; calamitoso.

cataclismo *s.m.* (gr. *kataklysmós*). **1.** Grande inundação; dilúvio. **2.** Alteração geológica violenta da superfície da Terra. **3.** *Fig.* Desastre, calamidade. **4.** *Fig.* Convulsão social.

catacrese *s.f.* (gr. *katáchresis,* uso). Emprego de uma palavra com um sentido que não lhe é próprio.

catacumba *s.f.* (b.-lat. *catacumba*). **1.** Cripta, gruta com ossuário. **2.** *Pop.* Lugar misterioso, amedrontador. ★ *s.f.pl.* Galerias subterrâneas destinadas a sepulturas e onde os primitivos cristãos se reuniam secretamente.

catadupa *s.f.* (lat. *catadupa*). Queda de grande volume de água corrente; cachoeira.

catafalco *s.m.* (it. *catafalco*). Estrado alto sobre o qual se coloca o féretro.

catalão *adj.* Relativo ou pertencente à Catalunha (Espanha). ★ *s.m.* **1.** Indivíduo natural ou habitante da Catalunha. **2.** Língua românica falada principalmente na Catalunha.

catalepsia *s.f.* (gr. *katálepsis*). Estado de paralisia momentânea, observado na histeria e na esquizofrenia, no qual ocorre perda da contratilidade voluntária, com manutenção da posição dos membros.

catalisador (ô) *adj.* e *s.m.* **1.** Diz-se de ou substância que provoca catálise. **2.** *Fig.* Que ou o que é estimulante, dinamizador.

catalisar *v.t.* (conj. 4). **1.** Provocar catálise em. **2.** *Fig.* Estimular, dinamizar.

catálise *s.f.* (gr. *katálysis,* dissolução). Modificação da velocidade de uma reação química produzida por certas substâncias que, no final do processo, encontram-se inalteradas.

catalítico *adj.* (gr. *katalytikós*). Relativo à catálise ou ao catalisador.

catalogação *s.f.* Ato ou efeito de catalogar.

catalogar *v.t.* (conj. 14). **1.** Inscrever em catálogo; inventariar. **2.** *Pop.* Classificar.

catálogo *s.m.* (gr. *katálogos*). Lista sumária e descritiva de documentos, classificados de acordo com uma ordem determinada, geralmente alfabética.

catana *s.f.* (jap. *katana,* espada). Espada japonesa.

catanduva ou **catanduba** *s.f.* (do tupi). **1.** Terreno argiloso e de baixa fertilidade. **2.** Mato rasteiro e espinhento.

catão *adj.* e *s.m.* (de *Catão,* n.pr.). Homem austero. ★ *adj.* Que aparenta excessiva austeridade.

cataplasma *s.2g.* (gr. *katáplasma*). **1.** Pasta medicamentosa que, aplicada sobre uma região dolorida ou inflamada, tem efeito antálgico ou sedativo. **2.** *Fig.* Pessoa mole, doente.

catapora *s.f.* (do tupi). Nome vulgar da varicela.

catapulta *s.f.* (lat. *catapulta*). Antiga máquina de guerra para arremesso de pedras e outros projéteis.

catar *v.t.* (lat. *captare*) [conj. 4]. **1.** Apanhar, pegar, segurar. **2.** Buscar, procurar. **3.** Recolher, pegar, selecionando ou separando. ★ *v.pr.* Acautelar-se, prevenir-se.

catarata *s.f.* (do gr. *kataráktes,* que se atira para baixo). **1.** Queda-d'água no curso de um rio provocada por desnível no terreno, geralmente maior que uma cascata. **2.** Opacificação do cristalino do olho que provoca uma perda parcial ou total da visão.

catariano *adj.* Relativo ou pertencente a Catar, país da Ásia. ★ *s.m.* Indivíduo natural ou habitante de Catar.

catarinense *adj.2g.* Relativo ou pertencente ao Estado de Santa Catarina. ★ *s.2g.* Indivíduo natural ou habitante de Santa Catarina; barriga-verde.

catarral *adj.2g.* Relativo ao catarro.

catarreira *s.f.* *Fam.* Grande quantidade de catarro.

catarro *s.m.* (gr. *katarrhein,* escorrer). **1.** Inflamação aguda ou crônica das mucosas, principalmente das vias respiratórias. **2.** Muco secretado em decorrência dessa inflamação.

catarse *s.f.* (gr. *kátharsis,* purificação). **1.** Purgação, purificação. **2.** Efeito de purificação produzido sobre os espectadores por uma representação dramática, em especial de uma tragédia clássica. ● **Psicol.** Método de tratamento que visa a obter uma descarga emocional associada à lembrança de acontecimentos traumáticos aos quais estariam associados sintomas diversos.

catártico *adj.* (gr. *kathartikós*). Referente à catarse.

catástrofe *s.f.* (gr. *katastrophe,* ruína). **1.** Grande desgraça, calamidade. **2.** Acontecimento decisivo que conduz ao desenlace da tragédia grega.

catastrófico *adj.* Relativo a ou o que tem proporções de catástrofe.

catatau *s.m.* **1.** Falatório, discussão. **2.** Discurso prolongado; discurseira. **3.** Castigo, pancada. **4.** Calhamaço. **5.** Pessoa pequena, baixa.

catatonia *s.f.* (gr. *katátinos,* desabado). Conjunto de distúrbios psicomotores caracterizado pela inércia e pela perda da iniciativa motora, às quais se associam catalepsia e estereotipia gestual.

catatônico *adj.* Relativo à catatonia. ★ *s.m.* Acometido de catatonia.

cata-vento *s.m.* **1.** Aparelho formado por uma placa de material leve, de forma variável, montada sobre uma haste e colocada em lugar alto para indicar a direção dos ventos. **2.** Aparelho que utiliza a energia eólica para bombeamento de água; moinho de vento.

catecismo *s.m.* (gr. *katechismós,* instrução). **1.** Livro com os primeiros ensinamentos da fé e da moral cristãs. **2.** Resumo dogmático dos princípios fundamentais de uma doutrina, de uma seita.

catecolamina *s.f.* Substância química do grupo das aminas, com ação análoga à do sistema nervoso simpático, que desempenha o papel de neurotransmissor.

catecúmeno *s.m.* (gr. *katechoúmenos*). Aquele que se instrui e se prepara para receber o batismo.

cátedra *s.f.* (gr. *kathédra,* assento). **1.** Assento litúrgico do bispo em sua catedral; cadeira episcopal. **2.** Tribuna ou púlpito de onde fala o professor. **3.** Antigo cargo do professor titular no ensino superior, o mais alto posto da hierarquia do magistério. **4.** Sin. de CADEIRA.

catedral *s.f.* **1.** Igreja principal de uma diocese, onde está a cátedra do bispo; sé, matriz. **2.** *Fig.* Instituição importante, respeitável. ★ *adj.2g.* Relativo à igreja principal.

catedrático *adj.* Referente à cátedra. ★ *s.m.* **1.** Aquele que tem uma cátedra. **2.** Professor titular de escolas superiores. **3.** *Pop.* Indivíduo que conhece a fundo determinado assunto.

categoria *s.f.* (gr. *kategoría,* atributo, pelo lat. *categoria*). **1.** Conjunto de pessoas ou coisas da mesma natureza; classe. **2.** Cada uma das classes em que se dividem as idéias ou os termos; hierarquia, graduação. **3.** Posição social ou cultural; camada. ● **Filos.** Na filosofia kantiana, cada um dos doze conceitos fundamentais do entendimento, que servem de forma *a priori* do conhecimento.

categórico *adj.* (gr. *kategorikós,* pelo lat. *categoricus*). **1.** Referente a categoria. **2.** Claro, definido, explícito, peremptório. ● **Filos.** Diz-se de um julgamento ou de uma proposição que afirma algo a propósito de um sujeito dado em termos absolutos. **Lóg.** *Proposição categórica,* a que exprime a simples união do sujeito e do atributo.

categorizado *adj.* **1.** Disposto em categorias; classificado. **2.** Importante.

categute *s.m.* (ingl. *catgut,* tripa de gato). Fio para ligadura cirúrgica, de origem animal, cuja principal característica é ser reabsorvido pelo organismo.

catequese *s.f.* (gr. *katechesis,* instrução oral, pelo lat. *catechesis*). **1.** Instrução metódica da doutrina cristã. **2.** Instrução religiosa em geral.

catequético *adj.* Relativo à catequese.

catequista *adj.2g.* e *s.2g.* (gr. *katechistes,* pelo lat. *catechista*). **1.** Que ou aquele que catequiza ou ensina o catecismo; catequizador. **2.** *Fig.* Aquele que alicia ou tenta convencer alguém de uma doutrina.

catequizar *v.t.* (lat. *catechizare*) [conj. 4]. **1.** Iniciar alguém, ou um grupo, na religião cristã. **2.** Instruir em alguma crença. **3.** Aliciar, tentar convencer, doutrinar.

cateretê *s.m.* Dança folclórica executada em fileiras opostas, com sapateados, palmas etc.; catira.

caterva *s.f.* (lat. *caterva,* batalhão). **1.** Multidão de pessoas, de animais. **2.** Súcia, bando, corja.

cateter (tér) *s.m.* (gr. *katheter,* sonda). Tubo que se introduz em um canal natural ou em uma região afetada por uma doença.

cateterismo *s.m.* (gr. *katheterismós*). Introdução de uma sonda em um canal, órgão ou fístula, para dilatá-lo, explorá-lo, evacuar seu conteúdo ou introduzir líquidos.

cateto (ê) *s.m.* (gr. *káthetos,* linha de prumo). **1.** Cada um dos lados menores de um triângulo retângulo. **2.** *Cateto oposto,* o lado de um triângulo que se situa à frente do ângulo em questão. ► *Cateto adjacente,* o lado de um triângulo que se dispõe lateralmente ao ângulo em questão. ● **Zool.** Sin. de CAITITU.

catilinária *s.f.* (lat. *catilinaria,* de *Catilina,* n.pr.). Discurso de acusação enérgico e eloqüente.

catimbó *s.m.* Feitiçaria ou baixo espiritismo.

catimplora *s.f.* **1.** Vasilha de metal para resfriar água. **2.** Funil terminado em tubo para transvazar vinho ou outro líquido. **3.** Tubo comunicante. **4.** Regador de jardim. **5.** Cartola. **6.** Sorveteira manual. (Var. CANTIMPLORA.)

catinga[1] *s.f.* (tupi) Exalação malcheirosa do corpo humano; bodum, morrinha, fartum.

catinga[2] *s.f.* Mesquinharia, avareza, sovinice.

catinga[3] *s.f.* Var. de CAATINGA.

catingar[1] *v.i.* (conj. 14). Exalar catinga, cheirar mal.

catingar[2] *v.i.* (conj. 14). Mostrar-se mesquinho; regatear.

catingoso (ô) *adj.* Que tem catinga; catinguento.

catingueira *s.f.* Arbusto de flores amarelas e fruto que é uma vagem, utilizado como forragem para o gado.

catingueiro *s.m.* **1.** Habitante da catinga. **2.** Pescador que leva o saco para reunir os peixes capturados.

catinguento *adj.* Catingoso.

cátion *s.m.* (ingl. *cation*). Átomo ou grupo de átomos que, por ter perdido elétrons, apresenta carga elétrica positiva; íon de carga positiva.

catiônico *adj.* Relativo a um cátodo ou a um fenômeno que se produz no cátodo.

catita *adj.2g.* Airoso, enfeitado, elegante.

cativante *adj.2g.* Que cativa; atraente, sedutor.

cativar *v.t.* (lat. *captivare*) [conj. 4]. **1.** Tornar cativo; prender, acorrentar. **2.** Ganhar a simpatia de; atrair, seduzir. ★ *v.pr.* **1.** Tornar-se cativo, perder a liberdade. **2.** Enamorar-se.

cativeiro *s.m.* **1.** Ausência de liberdade; sujeição, jugo. **2.** Estado de cativo, escravidão. **3.** Lugar onde se está cativo.

cativo *adj.* (lat. *captivus,* prisioneiro). **1.** Preso firmemente a algo. **2.** Seduzido, atraído. **3.** Encarcerado, preso. **4.** Prisioneiro de guerra. **5.** Dominado, sujeito. ★ *s.m.* **1.** Indivíduo cativo. **2.** Escravo.

catódico *adj.* Relativo ao cátodo. ● **Eletrotéc.** *Raios catódicos,* feixe de elétrons que emana do cátodo de um tubo a vácuo. ► *Tubo de raios catódicos* ou *tubo catódico,* dispositivo que utiliza o feixe de elétrons produzido por um cátodo emissor para fornecer a imagem correspondente a um sinal elétrico num anteparo luminescente.

cátodo (ô) ou **catodo** (ô) *s.m.* (gr. *káthodos,* descida). Eletrodo de carga negativa para onde migram os cátions em uma eletrólise.

catolicismo *s.m.* **1.** Religião dos cristãos que reconhecem o papa como chefe espiritual. **2.** Maneira de compreender e de seguir os preceitos da religião católica.

católico *adj.* (gr. *katholikós,* universal). **1.** Universal. **2.** Que pertence à Igreja Católica Apostólica Romana. ★ *adj.* e *s.m.* Que ou aquele que professa o catolicismo.

catorze (ô) num. Quatorze.

catraca *s.f.* **1.** Dispositivo circular que gira em torno de seu próprio eixo em ambos os sentidos e transmite movimento a outro dispositivo apenas em um sentido. **2.** Borboleta.

catrafilar *v.t.* (conj. 4). Agarrar, prender.

catraia *s.f.* **1.** Bote pequeno, tripulado por um só homem. **2.** Meretriz de baixa condição.

catraieiro *s.m.* Tripulante de uma catraia.

catrapus *s.m.* O galope do cavalo. ★ *interj.* **1.** Voz imitativa do galope do cavalo. **2.** Voz imitativa de queda repentina e ruidosa.

catre *s.m.* (malaiala *kattil*). **1.** Pequeno leito de lona, dobrável e portátil, geralmente utilizado em viagens. **2.** Cama pobre, tosca. **3.** *(S)* Espécie de jangada.

catuaba *s.f.* Planta arbustiva, com propriedades medicinais e afrodisíacas, de flores amarelas, campanuladas, e fruto que é uma cápsula amarela com sementes. ★ *s.m.* Homem forte, resistente, potente.

caturra *s.2g.* **1.** Pessoa teimosa, de opiniões extravagantes, que gosta de contradizer e de discutir. **2.** Pessoa apegada a usos e coisas antigas. ★ *s.f.* Sin. de MAMONA.

caturrice *s.f.* **1.** Ato próprio de caturra. **2.** Teimosia sem fundamento.

caubói *s.m.* (aport. do ingl. *cowboy*). Vaqueiro. (V. COWBOY.)

caução *s.f.* (lat. *cautio,* precaução). Garantia que se oferece a alguém em virtude do cumprimento de alguma obrigação.

caucasiano *adj.* Relativo ou pertencente ao Cáucaso, região da Ásia; caucásico, caucásio. ★ *s.m.* **1.** Indivíduo natural ou habitante do Cáucaso. **2.** Conjunto de línguas faladas nessa região.

caucho *s.m.* (de or. indígena, pelo esp. *caucho*). Árvore de grande porte, de folhas pecioladas e frutos comestíveis, que fornece látex e borracha de boa qualidade.

CAUCHO ▸ Em meados do século XVIII, durante uma expedição à América do Sul, o sábio francês Charles de La Condamine observou os índios do Amazonas fazerem incisões no córtice, côdea ou casca do caucho e da seringueira, para recolher sua seiva. Esta, de cor branca – o látex –, era recolhida num recipiente e nele deixada para solidificar. O produto, uma matéria elástica, era usado para impermeabilizar suas vestes.

caucionar *v.t.* (conj. 4). **1.** Dar caução a, afiançar. **2.** Dar em caução ou garantia.

cauda *s.f.* (lat. *cauda*). **1.** Prolongamento da parte posterior do corpo de alguns animais. **2.** Conjunto de penas grandes que se inserem no uropígio das aves. **3.** Extremidade do corpo oposta à cabeça. **4.** Parte da veste que se arrasta ou que pende para trás. **5.** Parte alongada de um piano de concerto. ● **Aeron.** Parte posterior da fuselagem de um avião. **Astron.** Rastro luminoso constituído de gás ou poeira, formado a partir da cabeleira de um cometa, sob efeito do vento solar e da pressão de radiação, e que é sempre orientado na direção oposta à do Sol. **Mús.** Linha perpendicular de todas as figuras, menos da semibreve.

ALGUNS EXEMPLOS DE CAUDAS E SUA FUNÇÃO

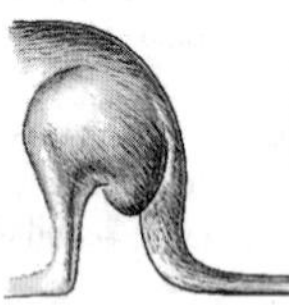
canguru (equilíbrio)

baleia (natação)

lagarto (defesa)

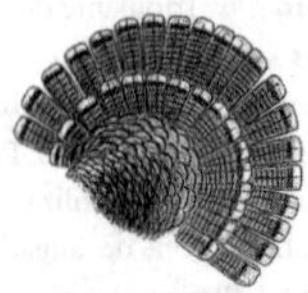
pavão (corte de acasalamento)

caudados *s.m.pl.* Sin. de URODELOS.

caudal[1] *s.2g.* (lat. *capitalis,* pelo esp. *caudal*). **1.** A torrente das águas. **2.** Qualquer fato repetido, ou intenso, como o caudal. ★ *adj.2g. Fig.* Caudaloso, impetuoso.

caudal[2] *adj.2g.* Relativo à cauda dos animais.

caudaloso (ô) *adj.* (esp. *caudaloso*). **1.** Que é abundante em águas (rio). **2.** Abundante.

caudatário *s.m.* (lat. tard. *caudatarius*). **1.** Serviçal que leva a cauda dos mantos de dignidades reais ou eclesiásticas. **2.** Falando-se de rios, o afluente. ★ *adj.* e *s.m. Fig.* Servil, subserviente.

caudilhismo *s.m.* Procedimentos, modos de caudilho.

caudilho *s.m.* (esp. *caudillo*). **1.** Capitão, cabo-de-guerra. **2.** Chefe de facção política que tenta conquistar o poder por meios violentos. **3.** *Fig.* Ditador.

cauim *s.m.* (tupi *ka'wi*). Bebida indígena feita com milho, mandioca ou frutas mastigados e fermentados.

caule *s.m.* (lat. *caulis,* haste). Eixo principal dos vegetais, que sustenta as folhas e pedúnculos florais.

caulim *s.m.* (de *Kao Ling,* top.). Argila branca, refratária e friável, matéria-prima das porcelanas finas.

causa *s.f.* (lat. *causa,* razão; processo). **1.** Aquilo que determina uma ação ou estado; razão ou origem de algo. **2.** Fato, acontecimento. **3.** Conjunto de interesses que se sustentam em favor de alguém, de um grupo de pessoas, de uma ordem de coisas etc. ● **Dir.** Processo judicial; ação, demanda.

causador (ô) *adj.* e *s.m.* Que ou o que é causa de.

causal *adj.2g.* (lat. *causalis*). **1.** Relativo à causa ou a uma relação de causa e efeito. **2.** Que exprime a causa.

causalidade *s.f.* (lat. tard. *causalitas, causalitatis*). Condição segundo a qual uma causa produz um efeito.

causar *v.t.* (lat. *causari,* alegar) [conj. 4]. Ser causa de, ser motivo de; produzir, ocasionar, provocar.

causativo *adj.* (lat. *causativus*). Relativo a causa, causal.

causídico *s.m.* (lat. *causidicus*). Defensor de causas; advogado.

causticante *adj.2g.* **1.** Que caustica, arde, queima. **2.** *Fig.* Áspero, pungente. **3.** *Fig.* Importuno, impertinente.

causticar *v.t.* e *v.i.* (conj. 12). **1.** Aplicar cáusticos a. **2.** Queimar. ★ *v.t. Fig.* Importunar, maçar.

cáustico *adj.* (gr. *kaustikós,* combustível). **1.** Que queima; corrosivo. **2.** Que causa irritação. **3.** *Fig.* Mordaz. ★ *s.m.* **1.** Substância química que queima e corrói os tecidos do corpo. **2.** Qualquer agente corrosivo empregado para atacar superficialmente os metais.

cautchu *s.m.* (de or. indígena, pelo fr. *caoutchouc*). Substância rica em borracha, proveniente da coagulação do látex de diversas plantas.

cautela *s.f.* (lat. *cautela*). **1.** Prudência, precaução, cuidado. **2.** Documento comprobatório de depósito de valores.

cauteloso (ô) *adj.* Prudente, acautelado, cauto.

cautério *s.m.* (gr. *kautérion*). **1.** Instrumento metálico utilizado para cauterização. **2.** Substância capaz de realizar a cauterização. **3.** *Fig.* Castigo, correção enérgica.

cauterização *s.f.* **1.** Ação de cauterizar. **2.** Destruição ou revulsão de tecidos pelo calor, por substâncias cáusticas ou pelo frio.

cauterizar *v.t.* (lat. *cauterizare*) [conj. 4]. **1.** Aplicar um cautério ou um cáustico. **2.** Destruir, extirpar, sanear. **3.** *Fig.* Corrigir empregando meios enérgicos. **4.** *Fig.* Afligir.

cauto *adj.* (lat. *cautus*). Cauteloso.

cava[1] *s.f.* (lat. *cava,* pl. de *cavum,* buraco, cavidade). **1.** Ação de cavar. **2.** Cova, vala. **3.** Cada uma das duas aberturas no corpo de uma peça de vestuário onde se pode pregar mangas. **4.** Adega. **5.** Pavimento inferior de uma casa, abaixo do nível do arruamento.

cava[2] *s.f.* (lat. *cavus,* oco; profundo). **1.** Cada uma das duas grossas veias que despejam no átrio direito do coração todo o sangue venoso da circulação de retorno. **2.** *Sistema cava,* conjunto de veias que desembocam nas duas veias cavas.

cavação *s.f.* **1.** Ação de cavar. **2.** *Pop.* Arranjo, negociata.

cavaco *s.m.* **1.** Lasca de madeira; graveto, apara, estilha. **2.** Conversação rápida e sem assunto fixo. **3.** Contrariedade, arrufo.

cavadeira *s.f.* Peça de ferro com gume adaptado a cilindro de madeira, usada para abrir buracos no solo, para semeação; cavador.

cavador (ô) *s.m.* **1.** O que cava. **2.** O que usa de processos pouco lícitos para arranjar qualquer coisa. **3.** Cavadeira. ★ *adj.* Ativo, esforçado, trabalhador.

cavala *s.f.* Peixe teleósteo de mares temperados, que forma grandes cardumes, de grande importância comercial.

cavalar *adj.2g.* **1.** Relativo a cavalo. **2.** Que se assemelha a cavalo. **3.** Exagerado, excessivo.

cavalaria *s.f.* **1.** Multidão de cavalos; gado cavalar. **2.** Conjunto de cavaleiros. **3.** Arma do Exército destinada a operações de reconhecimento e vigilância, antigamente montada, hoje blindada. **4.** Equitação. **5.** Ordem ou instituição da nobreza feudal, cujos membros estavam sujeitos a um código de honra.

cavalariano *s.m.* **1.** Soldado da cavalaria. **2.** Mercador de cavalos.

cavalariça *s.f.* Local em que se alojam cavalos; cocheira, estrebaria.

cavalariço *s.m.* Moço de cavalariça; empregado de coudelaria.

cavaleiro *s.m.* (lat. tard. *caballarius,* escudeiro). **1.** Homem montado a cavalo; o que sabe e costuma andar a cavalo. **2.** Membro da cavalaria ou de ordem de cavalaria.

cavalete (ê) *s.m.* (it. *cavalletto*). **1.** Suporte fixo ou móvel que consiste em pranchas ou travessas sustentadas por pés, sobre as quais os artistas ou artesãos apóiam as obras em que trabalham. **2.** Qualquer suporte que sirva para a apresentação de um objeto. ● **Arquit.** *Cavalete de telhado,* cumeeira. **Mús.** Peça de madeira de um instrumento, que serve para sustentar as cordas.

cavalgada *s.f.* Grupo, marcha ou torneio de pessoas a cavalo; cavalgata, cavalhada.

cavalgadura *s.f.* **1.** Animal de sela, cavalar, muar ou asinino. **2.** *Fig.* Pessoa estúpida, malcriada.

cavalgar *v.i.* (lat. tard. *caballicare*) [conj. 14]. Montar a cavalo. ★ *v.t.* **1.** Sentar-se escarranchadamente sobre qualquer animal ou objeto. **2.** Passar, saltar por cima de.

cavalgata *s.f.* Cavalgada.

cavalhada *s.f.* (esp. *caballada*). **1.** Cavalgada. **2.** Manada de cavalos; gado cavalar.

cavalheiresco (ê) *adj.* Próprio de cavalheiro; gentil, distinto, cavalheiroso.

cavalheirismo *s.m.* **1.** Ação própria de cavalheiro. **2.** Procedimento nobre, delicado.

cavalheiro *s.m.* (lat. tard. *caballarius,* pelo esp. *caballero*). **1.** Homem de sentimentos e ações nobres. **2.** Homem de boa sociedade e educação. **3.** Nome que se aplica ao homem, nos bailes. ★ *adj.* Cavalheiresco; nobre, brioso.

cavalinha *s.f.* Peixe teleósteo, abundante no litoral brasileiro, que apresenta o dorso cinza-prateado. (Sin. CARAPAU, LANCETA.)

cavalo *s.m.* (lat. *caballus*). **1.** Mamífero perissodáctilo, ungulado, de pernas longas providas de um dedo funcional recoberto por um casco, representado por mais de cinqüenta raças criadas para diferentes fins. **2.** *Fig.* Pessoa rude e brutal. **3.** Peça do jogo de xadrez. **4.** Cavalo-vapor. **5.** Gancho. ● **Esp.** Aparelho de ginástica, composto de uma peça de madeira recoberta de couro, com ou sem alças, que serve para evoluções ou saltos.

cavalo-marinho *s.m.* Peixe teleósteo dos mares tropicais, que possui a cabeça semelhante à de um cavalo, e que permanece em posição vertical; cavalinho-do-mar.

cavalo-vapor *s.m.* Antiga unidade de potência (símb. c.v.), equivalente a 735,5 watts.

cavanhaque *s.m.* (de *L. E. Cavaignac,* n.pr.). Barba que se deixa crescer em ponta na parte inferior do queixo.

cavaquear *v.i.* (conj. 15). **1.** Conversar despretensiosamente, em intimidade. **2.** Irritar-se com alguma brincadeira ou indelicadeza.

cavaquinho *s.m.* Pequena viola com quatro cordas de tripa ou metal.

cavar *v.t.* (lat. *cavare*) [conj. 4]. **1.** Revolver a terra com enxada ou outro instrumento agrícola. **2.** Escavar. **3.** Perfurar, fazer buracos em. **4.** Extrair, cavando. **5.** Obter alguma coisa com muito trabalho. **6.** *Fig.* Buscar com empenho; investigar. **7.** Usar de processos pouco lícitos para conseguir vantagem ou lucro. ★ *v.i.* Trabalhar, cavando.

caveira *s.f.* (lat. *calvaria,* crânio). **1.** Cabeça descarnada do homem e dos animais. **2.** *Fig.* Rosto magro, macilento.

caverna *s.f.* (lat. *caverna*). Cavidade profunda e extensa aberta em rocha; antro, gruta. ● **Med.** Escavação produzida em um parênquima por necrose de um tecido. **Nav.** Cada uma das peças da estrutura de um navio que se encaixam sobre a quilha.

cavername *s.m.* **1.** O conjunto das cavernas de um navio. **2.** *Fam.* Ossada, esqueleto.

cavernoso (ô) *adj.* (lat. *cavernosus,* que tem cavidades; oco). **1.** Semelhante a caverna; cheio de cavidades. **2.** Que ressoa como numa caverna; cavo, rouco, profundo. ● **Anat.** *Corpo cavernoso,* tecido formado por largas veias anastomosadas em rede, que conferem a certos órgãos, como o pênis, uma rigidez particular quando preenchidas por sangue. **Med.** Relativo às cavidades ou cavernas.

caviar *s.m.* (fr. *caviar*). Iguaria feita com ovas salgadas do esturjão.

cavidade *s.f.* (b.-lat. *cavitas, cavitatis*). Parte cavada ou vazia de um corpo sólido; concavidade, depressão, cova, buraco. ● **Anat.** Parte oca do corpo de um organismo ou de seus órgãos. ► Interior dos espaços ocos do corpo, que contém vísceras ou órgãos.

cavilação *s.f.* (lat. *cavillatio*). **1.** Razão falsa e enganosa; sofisma. **2.** Maquinação fraudulenta.

cavilar *v.i.* (lat. *cavilare*) [conj. 4]. Usar de cavilação, maquinar astuciosamente.

cavilha *s.f.* (prov. *cavilha*). **1.** Espécie de pino de madeira ou metal que serve para tapar orifícios, prender ou unir chapas ou peças de madeira. **2.** Barra de ferro redonda em que, nos matadouros, se penduram as carcaças de animais abatidos.

caviloso (ô) *adj.* (lat. *cavillosus*). **1.** Em que há cavilação. **2.** Que usa de cavilações; sofístico. **3.** Manhoso, fingido, ardiloso, trapaceiro.

cavo *adj.* (lat. *cavus*). **1.** Côncavo, oco. **2.** Profundo, cavernoso.

cavoucar *v.t.* (conj. 12). Abrir cavoucos em.

cavouco *s.m.* **1.** Cova, fosso. **2.** Escavação para o assentamento dos alicerces de uma construção. **3.** O vão em que gira a roda do moinho.

caxambu *s.m.* (de orig. afr.). Dança semelhante ao samba, acompanhada por tambor de mesmo nome.

caxias *adj.2g.* e *s.2g.2n.* (de *Caxias,* n. pr). *Pop.* Diz-se de ou pessoa que cumpre com extremo escrúpulo as obrigações do seu cargo, ou que exige o cumprimento rigoroso das leis e regulamentos.

caxinguelê *s.m.* Pequeno mamífero roedor, de hábitos arborícolas e solitários, que vive em florestas tropicais úmidas ou em regiões secas. (Sin. ESQUILO, QUATIPURU, SERELEPE.)

caxumba *s.f.* Doença infectocontagiosa provocada por um vírus, que causa inflamação da parótida e, às vezes, das glândulas submaxilares e sublinguais.

Cd[1] símbolo químico do cádmio.

Cd[2] símbolo da candela.

CD (abrev. do ingl. *compact disc,* disco compacto). Disco no qual os sons são gravados sob forma de sinais numéricos e lidos por um sistema a *laser.*

CD-R *s.m.* (abrev. do ingl. *compact disc recordable*). Disco de leitura a *laser* que permite gravação.

CD-ROM *s.m.* (abrev. do ingl. *compact disc read only memory,* disco compacto com memória apenas de leitura). Disco de leitura *laser* que permite armazenar textos, imagens, sons e todo tipo de dados digitais.

CD-RW *s.m.* (abrev. do ingl. *compact disc rewritable*). Disco de leitura a *laser* que permite gravação e regravação.

Ce símbolo químico do cério.

cear *v.t.* (lat. *cenare*) [conj. 15]. Comer durante a ceia. ★ *v.i.* Fazer a ceia.

cearense *adj.2g.* Relativo ou pertencente ao Estado do Ceará. ★ *s.2g.* Indivíduo natural ou habitante do Ceará.

ceata *s.f.* Ceia lauta.

cebola (ô) *s.f.* (lat. *caepulla,* cebolinha). **1.** Planta hortícola, cultivada pelos bulbos comestíveis, solitários, de sabor picante e odor forte, muito utilizados na culinária. **2.** O bulbo dessa planta. **3.** Qualquer bulbo.

cebolada *s.f.* Molho de cebolas.

cebolão *s.m.* *Fam.* Relógio de bolso grande.

cebolinha *s.f.* Planta originária da Sibéria, de folhas cilíndricas e compridas, utilizadas como condimento; cebola-de-cheiro.

cecear *v.i.* (conj. 15). Pronunciar o *s* e o *z* com som de *ss,* apoiando a língua na ponta dos dentes.

ceco *s.m.* (lat. *caecum intestinum,* intestino cego). **1.** Primeira porção do intestino grosso do homem, na qual se abre o intestino delgado. (Var. CÉCUM, CEGO.) **2.** Divertículo que desemboca no estômago ou intestino de alguns animais, com função de absorção, digestão ou endócrina.

cécum *s.m.* Var. de CECO.

cedente *adj.2g.* e *s.2g.* Que ou aquele que faz cessão.

ceder *v.t.* (lat. *cedere*) [conj. 5]. **1.** Transferir a propriedade ou direito de uma coisa a outrem; renunciar. **2.** Empreitar. ★ *v.i.* **1.** Dobrar-se sob o peso ou pressão. **2.** Diminuir, abrandar.

cediço *adj.* **1.** Estagnado, corrupto. **2.** *Fig.* Antigo, velho. **3.** Conhecido de todos, corriqueiro.

cedilha *s.f.* (esp. *cedilla*). Sinal gráfico colocado sob a letra *c,* antes de *a, o, u,* para dar-lhe o som de *ss.*

cedo (ê) *adv.* (lat. *cito,* depressa). **1.** Antes do tempo previsto; prematuramente. **2.** Nas primeiras horas do dia. **3.** Em breve. **4.** Prontamente, logo.

cedro *s.m.* (gr. *kédros*). **1.** Árvore originária da Europa, de caule reto e copa cônica, que fornece madeira resistente, própria para marcenaria e construção naval. **2.** A madeira dessa árvore. **3.** Designação genérica de árvores que fornecem madeira para marcenaria de luxo.

cédula *s.f.* (lat. tard. *schedula*). **1.** Documento escrito com valor legal. **2.** Papel representativo de dinheiro de curso legal; nota. **3.** Confissão de dívida, escrita mas não legalizada. **4.** Papel com nome de candidato a cargo eletivo.

cefaléia *s.f.* (gr. *kephalaía*). Dor de cabeça crônica, localizada ou difusa.

cefálico *adj.* (gr. *kephalikós*). **1.** Pertencente ou relativo à cabeça ou ao encéfalo. **2.** *Veia cefálica,* veia superficial do membro superior que sobe pela borda externa do braço, da prega do cotovelo até a veia axilar.

cefalocordados *s.m.pl.* Grupo dos cordados marinhos em que a notocorda, o cordão nervoso dorsal e as fendas branquiais persistem ao longo da vida.

cefalópodes *s.m.pl.* Classe de moluscos marinhos que possuem cabeça grande, com oito ou dez tentáculos ao redor da boca e órgãos sensoriais bem desenvolvidos.

cefalorraquidiano *adj.* **1.** Relativo ao encéfalo e à medula espinhal. **2.** *Líquido cefalorraquidiano,* líquido que circula no espaço subaracnóideo e preenche os ventrículos cerebrais. (Sin. LÍQUOR.)

cefalotórax *s.m.2n.* Região do corpo dos crustáceos e aracnídeos, formada pela fusão do tórax com a cabeça.

cegar *v.t.* e *v.i.* (lat. *caecare*) [conj. 14]. **1.** Privar da vista, perder a visão. **2.** Ofuscar. **3.** *Fig.* Tirar o uso da razão. **4.** Embotar. **5.** Tirar o gume ou fio de facas. ★ *v.pr.* **1.** Iludir-se. **2.** Alucinar-se.

cego *adj.* (lat. *caecus*). **1.** Privado da visão. **2.** *Fig.* A quem a paixão tira o juízo. **3.** Desatinado, transtornado. **4.** Que não admite objeção nem julgamento; irrestrito. **5.** Que perdeu o fio ou corta mal. **6.** *Vôo cego,* vôo em que o piloto realiza operações sem ver o ambiente externo, utilizando-se apenas de instrumentos. ★ *s.m.* **1.** Indivíduo privado da visão. **2.** *Fig.* Aquele que se recusa a enfrentar a realidade. **3.** Var. de CECO.

cegonha *s.f.* (lat. *ciconia*). Ave ciconiforme que nidifica durante a primavera no norte da África e Europa Central e, durante o inverno, migra para o sul da África e Índia.

cegueira *s.f.* **1.** Ausência completa da visão de um ou dos dois olhos. **2.** Perturbação do espírito, da razão. **3.** *Fig.* Falta de discernimento provocada por paixão, dedicação. **4.** *Fig.* Desvairamento, fanatismo.

ceia *s.f.* (lat. *cena*). **1.** Refeição da noite. **2.** A refeição que Jesus Cristo fez com seus apóstolos na véspera de sua Paixão. (Neste caso, usa-se com maiúscula.)

ceifa *s.f.* (ár. *çaifa*). **1.** Ato ou efeito de ceifar. **2.** Época em que se opera a ceifa. **3.** *Fig.* Mortandade. ● **Agric.** Corte das ervas daninhas entre as linhas da cultura.

ceifadeira *s.f.* Máquina de ceifar. (Sin. CEIFEIRA.)

ceifar *v.t.* (conj. 4). **1.** Segar, cortar. **2.** *Fig.* Abater, destruir.

ceifeira *s.f.* **1.** Mulher que ceifa. **2.** Sin. de CEIFADEIRA.

ceifeiro *s.m.* Aquele que faz a ceifa, segador. ★ *adj.* Relativo à ceifa.

ceilonense *adj.2g.* e *s.2g.* Cingalês.

ceitil *s.m.* (ár. *cebti*). **1.** Antiga moeda portuguesa. **2.** Quantia insignificante.

cela *s.f.* (lat. *cella*). **1.** Quarto pequeno. **2.** Aposento de um religioso no convento. **3.** Quarto para uma pessoa só, nas penitenciárias.

celebração *s.f.* (lat. *celebratio*). **1.** Ato de celebrar. **2.** Festividade comemorativa.

celebrado *adj.* (lat. *celebratus*). **1.** Gabado, louvado. **2.** Célebre.

celebrante *adj.2g.* Que celebra. ★ *s.2g.* **1.** Aquele que celebra. **2.** Padre que diz a missa.

celebrar *v.t.* (lat. *celebrare*) [conj. 4]. **1.** Promover com solenidade. **2.** Exaltar, louvar ruidosamente. **3.** Festejar. **4.** Cumprir solenemente um ritual religioso. ★ *v.i.* Dizer missa.

célebre *adj.2g.* (lat. *celeber, celebris*). **1.** Conhecido, que tem fama. **2.** Que é comentado, falado. **3.** Extravagante, singular.

celebridade *s.f.* (lat. *celebritas*). **1.** Grande fama, glória. **2.** Pessoa célebre.

celebrizar *v.t.* (conj. 4). Tornar célebre. ★ *v.pr.* Tornar-se célebre.

celeiro *s.m.* (lat. *cellarium*). **1.** Local onde se armazenam cereais e outras provisões. **2.** *Fig.* Região fértil.

celenterados *s.m.pl.* Sin. de CNIDÁRIOS.

celerado *adj.* e *s.m.* (lat. *sceleratus*). Que ou aquele que cometeu ou é capaz de cometer crimes; facínora, malfeitor.

célere *adj.2g.* (lat. *celer, celeris*). Ligeiro, rápido.

celeridade *s.f.* (lat. *celeritas*). Qualidade de célere; rapidez, velocidade.

celeste *adj.2g.* (lat. *caelestis*). **1.** Relativo ao céu; celestial. **2.** Que existe no céu. **3.** Relativo a ou próprio do céu; divino, sobrenatural. **4.** *Fig.* Superior, perfeito.

celestial *adj.2g.* Celeste.

celeuma *s.f.* (gr. *kéleuma,* canto, grito). **1.** Vozearia de pessoas trabalhando juntas. **2.** Canto de barqueiros. **3.** Algazarra, alarma.

celhas (ê) *s.f.pl.* (lat. *cilia, pl.* de *cilium,* pálpebra). **1.** Pêlos que guarnecem a borda das pálpebras; pestanas. **2.** Pêlos que se criam no fio marginal das folhas de algumas plantas. (Usado também no singular.)

celibatário *adj.* e *s.m.* Diz-se de ou indivíduo que vive em estado de solteiro.

celibato *s.m.* (lat. *caelibatus*). Estado de celibatário, condição de solteiro.

celofane *s.m.* Película transparente de celulose pura, obtida da viscose, e usada como papel de embrulho e para adorno.

celoma *s.m.* (gr. *koíloma,* cavidade). Principal cavidade do corpo da maioria dos animais triploblásticos, revestida pelo mesoderma embrionário, ocupada por fluido e que contém as vísceras.

celomados *s.m.pl.* Animais metazoários, de simetria bilateral em alguma fase da vida, que possuem celoma.

Célsius (grau). Unidade de medida de temperatura, o mesmo que grau centígrado. (Símb. ° C.)

celso *adj.* (lat. *celsus*). Alto, sublime.

celta *s.2g.* Indivíduo dos celtas, povo da Antiguidade que ocupou as ilhas britânicas e foi vencido pelos romanos no séc. III. ★ *s.m.* Grupo de línguas faladas por esses povos. ★ *adj.2g.* Relativo aos celtas, às suas línguas ou cultura; céltico.

celtibérico *adj.* Celtibero.

celtibero *adj.* Diz-se do antigo povo da Celtibéria, península Ibérica, resultante da miscigenação dos celtas com os iberos; celtibérico. ★ *s.m.* O natural ou habitante da Celtibéria.

céltico *adj.* Celta.

célula *s.f.* (lat. *cellula,* compartimento pequeno). **1.** Unidade funcional e estrutural básica que forma todos os seres vivos, com exceção do vírus. **2.** Grupo de pessoas que apresenta certa unidade, considerado elemento constitutivo da sociedade ou de um organismo. **3.** Em uma tabela ou planilha, cada um dos quadrados delimitados no cruzamento das linhas e colunas. ● **Aeron.** Conjunto das estruturas das asas, empenagens e fuselagem de uma aeronave. **Biol.** *Célula flama,* cada uma das células especiais que constituem o protonefrídeo dos turbelários. (Sin. SOLENÓCITO.) **Eletrôn.** *Célula fotoelétrica,* dispositivo que converte a luz em corrente elétrica.

celular[1] *adj.2g.* **1.** Relativo à célula. **2.** Formado por células. **3.** *Parede celular,* estrutura que envolve as células da maioria dos vegetais e organismos procariontes.

celular[2] *adj.* e *s.m.* (ingl. *cell,* célula, unidade). Diz-se de ou aparelho de telefone móvel.

celulite *s.f.* Inflamação do tecido celular subcutâneo, caracterizada por indurações limitadas e dolorosas.

? VOCÊ SABIA...? A **celulite** se localiza normalmente nas coxas, nos quadris e nas nádegas. Identifica-se por endurecimentos debaixo da pele às vezes dolorosos. É mais freqüente nas mulheres.

celulítico *adj.* e *s.m.* **1.** Relativo à celulite. **2.** Aquele que sofre de celulite.

celulóide *s.2g.* (ingl. *celluloid*). Matéria plástica, altamente inflamável, resultante da combinação de nitrocelulose, cânfora e álcool.

celulose *s.f.* (fr. *cellulose*). **1.** Carboidrato formado por uma longa cadeia de resíduos de moléculas de glicose que consiste no principal componente da parede celular dos vegetais. **2.** Pasta ou polpa utilizada na fabricação de papel. ● **Quím.** *Acetato de celulose,* éster da celulose obtido pela ação do ácido acético e de seu anidrido sobre a celulose purificada, muito utilizado na fabricação de matérias plásticas e tecidos sintéticos. ► *Nitrato de celulose,* éster da celulose produzido por ação de uma mistura dos ácidos sulfúrico e nítrico sobre a celulose purificada.

VOCÊ SABIA...? A fórmula da **celulose** assemelha-se à do amido. É decomposta pelo aparelho digestivo de alguns animais; porém, no organismo humano a celulose não é fracionada. Tem como principal função avolumar o bolo fecal e estimular os movimentos intestinais.

celulósico *adj.* Relativo à celulose.

cem *num. card.* **1.** Dez vezes dez. **2.** Centésimo. **3.** *Cem por cento,* completamente. ★ *s.m.* **1.** O algarismo (100) que representa esse número. **2.** Centena, cento.

cementação *s.f.* Operação que consiste em provocar a formação de uma liga de metais pela ação de calor, sem atingir suas temperaturas de fusão.

cementar *v.t.* (conj. 4). Submeter à cementação.

cemento *s.m.* (lat. *caementum,* argamassa). **1.** Substância que serve para a cementação, ou seja, colocada sobre a superfície de um metal e aquecida a alta temperatura, decompõe-se e permite a difusão de outra substância sobre aquele metal. **2.** Precipitado granuloso de metal (por exemplo, de cobre) obtido por meio de uma reação de deslocamento. **3.** Substância óssea que recobre e protege o marfim das raízes dos dentes.

cemitério *s.m.* (gr. *koimetérion*). **1.** Lugar onde se enterram os mortos. **2.** *Fig.* Lugar deserto e silencioso. **3.** *Fig.* Local onde são depositados objetos imprestáveis.

cena *s.f.* (gr. *skené*). **1.** Parte do teatro onde os atores representam; palco. **2.** A própria ação ou representação teatral. **3.** Cada uma das situações de uma peça teatral, de um filme, romance. **4.** Lugar onde se passa uma ação, cenário. **5.** Paisagem, horizonte de visão. **6.** Ato mais ou menos censurável e inconveniente que se dá em público; escândalo.

cenáculo *s.m.* (lat. *cenaculum,* sala de jantar). **1.** Sala onde Jesus Cristo reuniu os discípulos para a última Ceia. **2.** *Fig.* Reunião de pessoas que professam as mesmas idéias.

cenário *s.m.* (it. *scenario*). **1.** Conjunto dos diversos materiais e efeitos cênicos que representa o lugar onde a ação dramática se desenrola. **2.** Local onde se passa algum fato. **3.** Panorama, vista. **4.** Situação e condições hipotéticas, imaginadas para auxiliar em um planejamento.

cenarista *s.2g.* Cenógrafo.

cenestesia *s.f.* Percepção difusa que cada indivíduo tem de seu corpo, independentemente dos sentidos.

cenestético *adj.* Cenestésico.

cenho *s.m.* (esp. *ceño*). **1.** Aspecto carrancudo, semblante severo. **2.** Doença entre o pêlo e o casco dos eqüídeos.

cênico *adj.* (gr. *skenikós*). Relativo à cena ou ao teatro.

cenóbio *s.m.* (gr. *koinóbion,* vida comum). Comunidade de religiosos; mosteiro. ● **Bot.** Grupo de células de origem comum, que ocorre nas algas inferiores.

cenobiótico *adj.* Que pertence ou é relativo a cenóbio.

cenobita *s.2g.* (lat. tard. *coenobita*). Monge que vive em comunidade, em cenóbio.

cenografia *s.f.* (gr. *skenographía*). Arte e técnica de criar, projetar e dirigir a execução de cenários para espetáculos de teatro, de cinema, de televisão etc.

cenográfico *adj.* Relativo ou pertencente à cenografia.

cenógrafo *s.m.* Especialista em cenografia; cenarista.

cenotáfio *s.m.* (gr. *kenotáphion,* sepulcro vazio). Monumento funerário erigido à memória de um morto, mas que não lhe contém o corpo.

cenotécnica *s.f.* Técnica de executar e fazer funcionar cenários e demais dispositivos cênicos.

cenoura *s.f.* **1.** Planta hortícola, originária da Europa e Ásia, de raiz alongada, vermelho-alaranjada, comestível e rica em açúcar. **2.** A raiz dessa planta.

cenozóico *s.m.* A era geológica mais moderna, com duração de aprox. 65 milhões de anos, que prossegue até o período atual. ★ *adj.* Relativo ou pertencente a essa era.

censitário *adj.* Relativo ao censo. ★ *s.m.* Aquele que pagava censo a um senhor.

censo *s.m.* (lat. *census*). **1.** Levantamento periódico do número de pessoas de um país, de um grupo social; recenseamento. **2.** *Ant.* Rendimento, taxa que servia de base ao exercício de certos direitos.

CENOZÓICO ► No cenozóico, ocorreu o levantamento das cadeias alpinas, em sentido amplo (os Alpes e os Pireneus). O Atlântico Norte foi-se expandindo progressivamente, enquanto o Atlântico Sul continuava se ampliando. Surgiram os espécimes primitivos dos animais e plantas do mundo atual. Foi a época da diversificação das monocotiledôneas, e também dos mamíferos – um dos ramos dessa classe de vertebrados conduziria ao aparecimento do homem.

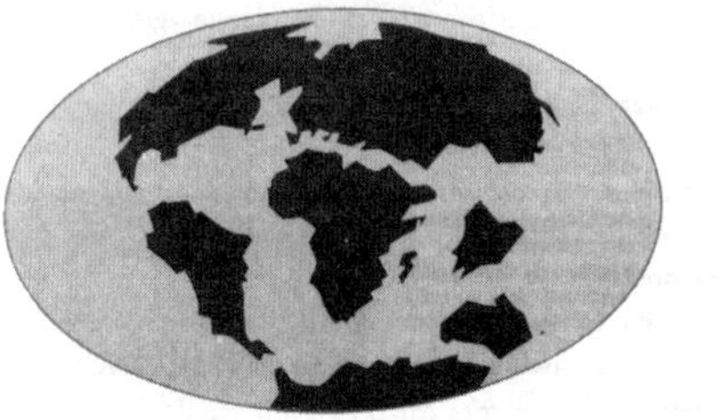

formas e disposição dos continentes no início do cenozóico

censor (ô) *s.m.* (lat. *censor*). **1.** Aquele que examina obra para fazer censura. **2.** Magistrado romano encarregado do censo e da vigilância dos costumes.

censura *s.f.* (lat. *censura,* juízo, crítica). **1.** Ato ou efeito de censurar. **2.** Exame de uma obra artística ou de informação, com poder de veto sobre sua divulgação ou realização, exercido por autoridade sem vínculo com os autores. **3.** Tentativa de reprimir a expressão de outra pessoa; condenação, reprovação. ● **Psican.** Instância psíquica que impede a emergência de desejos inconscientes na consciência, a não ser sob forma disfarçada.

CENSURA ▸ A censura pode buscar impor os valores morais de um grupo religioso ou a ideologia política de um grupo que detém o poder. No mundo contemporâneo, tem sido prática freqüente em regimes totalitários e constitui, do ponto de vista democrático, abuso de poder.

censurar *v.t.* (conj. 4). **1.** Exercer censura sobre. **2.** Condenar, reprovar. **3.** Admoestar, repreender. **4.** Interditar no todo ou em parte (uma obra artística ou de informação).

centauro *s.m.* (gr. *Kéntauros,* n.pr.). Entidade fabulosa, metade homem e metade cavalo, da mitologia grega.

centavo *s.m.* **1.** Centésima parte; centésimo. **2.** Em alguns países, a centésima parte da unidade monetária principal.

centeio *s.m.* Gramínea originária do sudoeste da Ásia, de colmo ereto e flores dispostas em espigas, cujos grãos são utilizados na alimentação humana e na produção de álcool.

centelha (ê) *s.f.* (lat. *scintilla,* fagulha). **1.** Partícula que, incandescida, é projetada para longe; faísca luminosa. **2.** *Fig.* Inspiração. **3.** *Fig.* Brilho momentâneo.

centena *s.f.* (lat. *centena*). **1.** Conjunto, série de cem unidades. **2.** O número cem.

centenário *adj.* (lat. *centenarius*). **1.** Que atingiu 100 anos ou mais, secular. **2.** Que encerra o número 100; centuplicado, cêntuplo. **3.** Relativo ao 100. ★ *s.m.* **1.** Aniversário que se comemora a cada 100 anos. **2.** Homem que atingiu 100 anos ou mais.

centesimal *adj.2g.* **1.** Relativo a centésimo. **2.** Dividido em 100 partes iguais.

centésimo *num. ord.* (lat. *centesimus*). Corresponde ao número cem numa seqüência. ★ *s.m.* Cada uma das cem partes iguais contidas num todo.

centiare *s.m.* A centésima parte do are; 1 metro quadrado.

centigrado *s.m.* A centésima parte do grado.

centígrado *adj.* Dividido em 100 graus. ★ *s.m.* Um grau, na escala centesimal de temperatura. (A forma preferível, em ciências, é *grau Célsius.*)

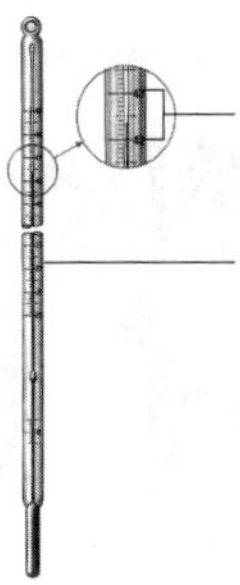

centigrama *s.m.* Centésima parte do grama (símb. cg).

centilitro *s.m.* Centésima parte do litro (símb. cl).

centímetro *s.m.* Centésima parte do metro (símb. cm).

cento *s.m.* (lat. *centum,* cem). **1.** Centena. **2.** Cem. **3.** *Por cento,* em cada cem.

centopéia *s.f.* Animal artrópode da classe dos quilópodes, que apresenta um par de antenas na cabeça, corpo alongado, achatado, com um par de patas por segmento. (Sin. LACRAIA.)

central *adj.2g.* (lat. *centralis*). **1.** Que está no centro, que tem relação com o centro. **2.** *Fig.* Principal, essencial, fundamental. ● **Anat.** Que está ao nível do cérebro e da medula espinhal, p. opos. a *periférico.* ★ *s.f.* **1.** Nome genérico de edifícios ou localidades em que estão instalados dispositivos, máquinas etc., destinados à realização de processos e tratamentos, cujos resultados são distribuídos a diversos locais de utilização. **2.** Conjunto de instalações que constituem uma usina geradora de energia elétrica através da conversão de outras formas de energia; usina.

centralização *s.f.* **1.** Ato ou efeito de centralizar(-se). **2.** Reunião em um centro único das iniciativas e da autoridade governamentais.

centralizar *v.t.* (conj. 4). **1.** Tornar central. **2.** Reunir em um mesmo centro. **3.** Fazer convergir para o centro. ★ *v.pr.* Reunir-se num centro; concentrar-se.

centrar *v.t.* (conj. 4). **1.** Localizar no centro. **2.** Fazer coincidir uma série de centros para formar um eixo. **3.** *Fig.* Orientar em determinado sentido.

centrífuga *s.f.* Sin de CENTRIFUGADORA.

centrifugação *s.f.* Ação de centrifugar. ● **Quím.** Operação de separação mecânica dos constituintes de uma mistura, pela ação da força centrífuga de um rápido movimento de rotação.

centrifugadora (ô) *s.f.* Aparelho que possui um rotor capaz de girar em alta velocidade, utilizado para centrifugações. (Sin. CENTRÍFUGA.)

centrifugar *v.t.* (conj. 14). **1.** Submeter à ação da força centrífuga. **2.** Desviar do centro.

centrífugo *adj.* **1.** Que tende a afastar-se do centro; orientado no sentido oposto ao do centro (p. opos. a *centrípeto*). **2.** Que utiliza o método da centrifugação. ● **Fís.** Em um movimento curvilíneo, diz-se da força ou aceleração que se direciona em sentido contrário ao centro da trajetória.

centríolo *s.m.* Organela celular de forma cilíndrica, localizada próximo ao núcleo, de grande importância na divisão celular.

centrípeto *adj.* Que tende a aproximar-se do centro; orientado para o centro (p. opos. a *centrífugo*). ● **Fís.** Em um movimento curvilíneo, diz-se da força ou aceleração que se direciona para o centro da trajetória.

centro *s.m.* (gr. *kéntron,* aguilhão, pelo lat. *centrum*). **1.** Ponto de uma circunferência eqüidistante de todos os pontos de seu perímetro. **2.** Parte interna situada no meio de uma região, cidade etc. **3.** O tema principal; alma, núcleo, coração, cerne. **4.** *Fig.* Ponto principal para onde convergem ações diversas e onde há grande movimento. **5.** Lugar onde pessoas se reúnem; associação, clube, grêmio. **6.** Local de reunião de praticantes da umbanda e de outras seitas espíritas. **7.** Posição política que se coloca igualmente distante das opiniões extremas.

centro-africano *adj.* Relativo ou pertencente à República Centro-Africana, país da África. ★ *s.m.* Indivíduo natural ou habitante da República Centro-Africana.

centroavante *s.m.* No futebol, jogador que se coloca, principalmente, no centro da linha de ataque; ponta-de-lança.

centrômero *s.m.* Região do cromossomo na qual as fibras do fuso se ligam, durante a mitose.

centuplicar *v.t.* (lat. tard. *centuplicare*) [conj. 4]. **1.** Multiplicar por cem; tornar cem vezes maior. **2.** *Fig.* Aumentar muito; avolumar.

cêntuplo *adj.* (lat. tard. *centuplus*). Que vale cem vezes outro tanto. ★ *s.m.* O produto da multiplicação por cem.

centúria *s.f.* (lat. *centuria*). **1.** Centena. **2.** Companhia de cem soldados comandada por um centurião, na antiga organização militar romana. **3.** Uma das divisões políticas do povo romano, composta de cem cidadãos. **4.** O espaço de cem anos; século. **5.** Narração histórica em que se agrupam os fatos por períodos de cem anos.

centurião *s.m.* (lat. *centurio, centurionis*). Comandante de uma centúria.

CEP (sigla de *Código de Endereçamento Postal*). Código numérico de oito algarismos usado pelo correio brasileiro para entrega de correspondência.

cepa (ê) *s.f.* **1.** Tronco de videira. **2.** A parte inferior dos troncos das árvores abatidas para o aproveitamento da madeira, que é extraída com as raízes grossas, para carvão. (Cf. TOUCEIRA.) **3.** *Fig.* Tronco, linhagem. **4.** *Cepa microbiana,* conjunto de microorganismos pertencentes a uma mesma espécie.

cepilho *s.m.* (esp. *cepillo*). **1.** Pequena plaina para desbastar ou alisar madeira. **2.** Lima fina para polir metais. **3.** Aparas de madeira feitas com o cepilho.

cepo (ê) *s.m.* (lat. *cippus,* limite; marco). **1.** Pedaço de tronco de árvore; cepa, tronco. **2.** *Fig.* Pessoa pesada e indolente. **3.** Armadilha para caçar aves, coelhos etc. **4.** Coluna oca em que se depositam esmolas, nas igrejas. **5.** Peça de madeira em que se fixa o ferro da plaina ou de outros instrumentos semelhantes.

cepticismo *s.m.* **1.** Doutrina filosófica que sustenta a inexistência da verdade. **2.** Descrença, dúvida. (Var. CETICISMO.)

céptico *adj.* e *s.m.* (gr. *skeptikós,* que observa). **1.** Diz-se de ou partidário do cepticismo. **2.** Que ou aquele que não crê, que duvida de tudo. **3.** Descrente, desconfiado. (Var. CÉTICO.)

cera (ê) *s.f.* (gr. *kerós,* pelo lat. *cera*). **1.** Substância graxa, de cor amarela, secretada pelas glândulas ceríferas de certos himenópteros e especialmente das abelhas operárias jovens, que a utilizam para construir os favos. **2.** Substância natural, insolúvel em água, formada pela esterificação de álcoois com ácidos graxos. **3.** Designação genérica de substâncias semelhantes à cera das abelhas, produzidas por certas plantas; cera vegetal. **4.** *Cera do ouvido,* nome vulgar do cerume.

ceráceo *adj.* Semelhante à cera na aparência ou na consistência.

cerâmica *s.f.* (gr. *keramikós,* de argila, de *kéramos*). **1.** Arte de fabricar objetos de argila. **2.** Esses objetos.

CERÂMICA ► A palavra cerâmica provém do grego *kéramos,* que significa "argila queimada". Tradicionalmente, designava a olaria, tijolos, azulejos, telhas e instrumentos similares que se produzem cozendo a argila.

---

cerâmico *adj.* Relativo à cerâmica.

ceramista *adj.2g.* e *s.2g.* Que ou aquele que trabalha em cerâmica.

cerático *adj.* Relativo à córnea.

ceratina *s.f.* Proteína rica em enxofre que constitui o principal elemento da camada córnea da pele. (Var. QUERATINA.)

ceratoplastia *s.f.* Substituição de um fragmento defeituoso da córnea por outro sadio e transparente. (Sin. TRANSPLANTE DE CÓRNEA; var. QUERATOPLASTIA.)

cerca[1] (ê) *s.f.* **1.** Obra feita de lascas de bambu, ripas e arame esticado que contorna um espaço defeso e obsta o acesso a ele; cercado. **2.** Sebe de arbustos ou valado em torno de um terreno, para demarcá-lo.

cerca[2] (ê) *adv.* (lat. *circa,* ao redor). **1.** Perto, junto, próximo. **2.** *Cerca de,* perto de, próximo a; aproximadamente.

cercado *s.m.* **1.** Terreno ou praça rodeada de sebes ou de muro. **2.** Lavoura com cercas para impedir a invasão de animais. **3.** Lugar de pastagem abundante, cercado por tapumes naturais. **4.** Quadrado para crianças, chiqueirinho. ★ *adj.* Rodeado com cerca.

cercadura *s.f.* Tudo o que rodeia para ornar; orla, guarnição.

cercanias *s.f.pl.* (esp. *cercanía*). Lugares que estão em redor de, nas vizinhanças de.

cercar *v.t.* (lat. tard. *circare,* percorrer) [conj. 12]. **1.** Pôr cerca, fazer cerca a. **2.** Rodear, circundar. **3.** Fazer cerco a, sitiar. **4.** Perseguir, seguir, apertar. **5.** Encerrar, abranger.

cercária *s.f.* Último estágio larval dos trematódeos endoparasitas que, ao entrar em contato com o hospedeiro, sofre encistamento.

cerce *adv.* Pela raiz, pela base, rente.

cercear *v.t.* (lat. *circinare,* arredondar, formar um círculo) [conj. 15]. **1.** Cortar cerce, rente, pela raiz. **2.** Aparar, cortar em roda. **3.** Diminuir, escassear. **4.** Restringir, limitar.

cerco (ê) *s.m.* **1.** Ação de cercar, de circundar por meio de cerca. **2.** Sítio, bloqueio. **3.** Assédio. **4.** Operação policial para controlar uma zona para perseguição a criminosos. **5.** Formação de caçadores em círculo para matar ou capturar a caça. **6.** Círculo formado por várias redes para pescar peixes.

cerco *s.m.* Apêndice sensorial localizado na região posterior do abdome de certos insetos e artrópodes.

cerda *s.f.* **1.** Pêlo mais espesso e resistente dos mamíferos situado geralmente próximo a cavidades. **2.** *P. ext.* Cada pêlo de uma escova, em especial de dentes. ● **Zool.** Filamento quitinoso. ► Pena modificada, em forma de pêlo, que ocorre nas proximidades da boca e das narinas das aves.

cereal *s.m.* (lat. *cerealis,* relativo à deusa Ceres). Nome dado às gramíneas e a certas plantas de outras famílias, cultivadas por causa dos grãos, que servem de alimento para o homem e para os animais.

MILHO, UMA DAS ESPÉCIES DE CEREAL

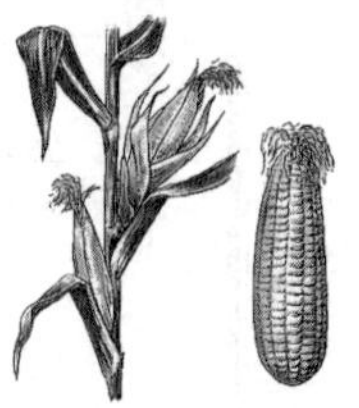

---

cerealicultor (ô) *s.m.* Cultivador de cereais.

cerealífero *adj.* **1.** Relativo a cereais. **2.** Que fornece cereais.

cerebelar *adj.2g.* Relativo ao cerebelo; cerebeloso.

cerebelo (ê) *s.m.* (lat. *cerebellum,* pequeno cérebro). Parte do encéfalo situada na fossa cerebral posterior, sob o cérebro e acima do tronco cerebral, cuja principal função é a regulação do tônus muscular.

cerebeloso (ô) *adj.* **1.** Cerebelar. **2.** *Síndrome cerebelosa,* conjunto de sintomas que traduz uma lesão do cerebelo ou uma interrupção das vias cerebelares.

cerebral *adj.2g.* (fr. *cérébral*). **1.** Relativo ou pertencente ao cérebro. **2.** Que afeta o cérebro. **3.** Que diz respeito ao espírito, ao pensamento. **4.** *Lavagem cerebral,* doutrinamento intensivo, acompanhado, por vezes, de tortura mental. ★ *s.2g.* O que vive principalmente pelo cérebro ou pelo pensamento; intelectual.

cerebrino *adj.* **1.** Cerebral. **2.** Procedente puramente da fantasia. **3.** Extravagante.

cérebro *s.m.* (lat. *cerebrum,* miolos, cérebro). **1.** Principal órgão do sistema nervoso, constituído pela parte anterior do encéfalo e localizado acima do tronco cerebral e do cerebelo. **2.** Sede da inteligência, do juízo, da imaginação. **3.** *Fig.* Inteligência, razão, talento, cabeça. **4.** *Fig.* Pessoa dotada de qualidades intelectuais excepcionais. **5.** *Fig.* Órgão central de direção; centro intelectual.

VISTA LATERAL DO CÉREBRO

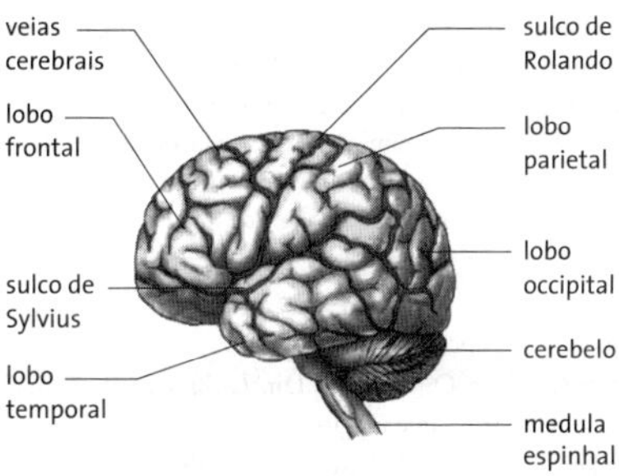

cérebro-espinhal *adj.2g.* Var. de CEREBROSPINAL.

cerebrospinal *adj.2g.* Relativo simultaneamente ao cérebro e à medula espinhal. (Var. CÉREBRO-ESPINHAL.)

cérebro-vascular *adj.2g.* Relativo ao cérebro e à circulação sanguínea.

cereja (ê) *s.f.* (gr. *kerásion*). Fruto da cerejeira, de polpa carnuda e adocicada, vermelho, comestível ao natural e utilizado na produção de geléias e licores.

cerejeira *s.f.* **1.** Árvore originária da Europa, de pequenas flores brancas e frutos de polpa adocicada, cuja madeira é utilizada para móveis de luxo e instrumentos musicais. **2.** Árvore pequena, de frutos amarelos e madeira avermelhada. **3.** Madeira dessa árvore.

cerífero *adj.* Que produz cera.

cerimônia *s.f.* (lat. *caerimonia*). **1.** Forma exterior e regular de um culto; rito, liturgia. **2.** Formalidades por ocasião de qualquer acontecimento da vida social; etiqueta. **3.** Pompa e formalidade que se empregam para dar mais brilho às solenidades públicas; protocolo. **4.** Embaraço que resulta da necessidade do cerimonial, da polidez.

cerimonial *adj.2g.* (lat. *caerimonialis*). Relativo a cerimônias. ★ *s.m.* **1.** Conjunto de regras que presidem às cerimônias civis ou militares. **2.** Livro que contém as regras litúrgicas das cerimônias religiosas.

cerimonioso (ô) *adj.* (lat. *caerimoniosus*). Que mostra ou faz muita cerimônia; mesureiro, cumprimenteiro.

cério *s.m.* (de *Ceres,* n.pr.). Elemento químico (símb. Ce) de número atômico 58, que constitui um metal duro, oxidável, de aspecto semelhante ao do ferro.

cernambi *s.m.* **1.** Molusco bivalve que vive enterrado na areia da praia e que contribuiu em grande escala para a formação dos sambaquis. (Sin. MOÇAMBIQUE.) **2.** Sin. de AMÊIJOA.

cerne *s.m.* **1.** Parte interna do xilema, formada por células mortas, desprovida de reservas nutritivas. **2.** *Fig.* A parte mais essencial; âmago, coração.

cerneira *s.f.* **1.** A parte lenhosa dos ramos ou dos troncos que, ao apodrecerem nas matas, perdem a casca e o alburno. **2.** Tábua de cerne; tábua sem alburno.

cernelha (ê) *s.f.* **1.** Parte do corpo dos grandes quadrúpedes que se situa acima das espáduas, delimitada pelo pescoço, dorso e flanco, em forma de cruz; fio de lombo. **2.** Parte da coalheira que encosta no pescoço do animal. **3.** *Altura de cernelha,* distância da cernelha ao solo, medida para avaliar o tamanho dos grandes quadrúpedes.

ceroplastia *s.f.* Arte de modelar figuras de cera; ceroplástica.

ceroplástica *s.f.* (gr. *keroplastike*). Ceroplastia.

ceroso (ô) *adj.* **1.** De cera. **2.** Diz-se do óxido e dos sais de cério.

ceroula *s.f.* Roupa de baixo masculina em forma de calças, que se estende até o tornozelo. (Mais usado no plural.)

cerração *s.f.* **1.** Escuridão causada por nevoeiro ou neblina. **2.** Escuridão, trevas.

cerrado *adj.* **1.** Encerrado, vedado, fechado. **2.** Coberto completamente de nuvens, escuro. **3.** Carregado (falando-se de cores). **4.** Compacto, denso, espesso. **5.** Unido, apertado. **6.** Que tem pronúncia difícil de se entender. **7.** Rigoroso, preciso. **8.** Diz-se do cavalo que já mudou os dentes. ★ *s.m.* Formação vegetal típica do planalto Central brasileiro, constituída por gramíneas e árvores de troncos e galhos retorcidos, folhas coriáceas, revestidas de pêlos, com raízes que chegam a atingir 20 m de profundidade.

cerra-fila *adj.2g.* e *s.2g.* Diz-se de ou último componente de uma fila.

cerrar *v.t.* (conj. 4). **1.** Fechar. **2.** Ajuntar, unir. **3.** Encobrir, tapar. **4.** Terminar, encerrar. **5.** Fazer calar. ★ *v.i.* Apinhar-se, ajuntar-se. ★ *v.pr.* **1.** Cobrir-se de nuvens, escurecer. **2.** Adensar-se, acumular-se. **3.** Unir-se, apertar-se. **4.** Encerrar-se.

cerro (ê) *s.m.* (lat. *cirrus,* anel de cabelos; tufo de crinas; penacho). Pequena colina; elevação, morro, monte.

certa *s.f.* *Pop.* Certeza, o que é certo.

certame *s.m.* (lat. *certamen*). **1.** Combate, pugna, contenda, peleja. **2.** Disputa sobre assunto literário, científico, industrial ou desportivo. **3.** Debate, discussão, disputa.

certeiro *adj.* **1.** Que acerta bem. **2.** Acertado, atilado. **3.** Preciso, correto. **4.** Sensato, judicioso.

certeza (ê) *s.f.* **1.** Caráter daquilo que é certo, evidente, indubitável. **2.** Convicção, segurança plena e total. **3.** Conhecimento certo; precisão, justeza, exatidão. **4.** Estabilidade. **5.** Afirmação, intimativa. ● **Filos.** Convicção que o espírito tem de que os objetos são tal qual ele os concebe.

certidão *s.f.* (lat. tard. *certitudinem*). **1.** Documento legal em que são transcritos fielmente registros feitos em cartório. **2.** Atestado.

certificação *s.f.* Asserção da realidade ou verificação de um fato.

certificado *s.m.* (lat. med. *certificatum,* talvez pelo fr. *certificat*). Documento oficial, assinado por autoridade competente, que atesta um fato. ★ *adj.* Dado por certo, asseverado.

certificar *v.t.* (lat. tard. *certificare*) [conj. 12]. **1.** Dar como certo, assegurar como verdadeiro. **2.** Convencer da certeza. **3.** Fazer (alguém) ciente de. **4.** Passar certidão de; declarar, asseverar, afirmar, atestar. ★ *v.pr.* Convencer-se da certeza de; averiguar.

certo *adj.* (lat. *certus*). **1.** Que não tem erro, que é verdadeiro. **2.** Infalível, garantido. **3.** Fixado com antecedência, determinado, aprazado. **4.** Certificado, que tem a certeza. **5.** Certeiro; que não erra. **6.** Exato. ★ *s.m.* Coisa certa. ★ *adv.* **1.** Certamente. **2.** *Ao certo,* seguramente. ► *Por certo,* com certeza, certamente. ★ *pron. indef.* Um, algum, determinado.

cerúleo *adj.* (lat. *caeruleus*). Da cor do céu; azulado.

cerume ou **cerúmen** *s.m.* (lat. tard. *cerumen,* de cera). Matéria gordurosa secretada por glândulas do conduto auditivo externo; cera do ouvido.

cerveja (ê) *s.f.* (lat. *cervesia, cerevisia,* de or. gaulesa). **1.** Bebida levemente alcoólica, obtida pela fermentação do açúcar de cevada e aromatizada com lúpulo. **2.** O conteúdo de uma garrafa ou lata de cerveja.

cervejaria *s.f.* **1.** Fábrica de cerveja. **2.** Estabelecimento comercial onde se vende cerveja.

cervejeiro *s.m.* O que fabrica ou vende cerveja.

cervical *adj.2g.* (lat. *cervicalis*). Relativo à cerviz ou ao colo de algum órgão. ● **Anat.** Relativo ao pescoço ou ao colo do útero. ► *Coluna cervical,* conjunto das vértebras do pescoço. ► *Nervos cervicais,* os oito primeiros nervos raquidianos. ► *Plexo cervical,* plexo nervoso constituído pelos ramos anteriores dos quatro primeiros pares de nervos cervicais. ► *Vértebras cervicais,* as sete vértebras do pescoço.

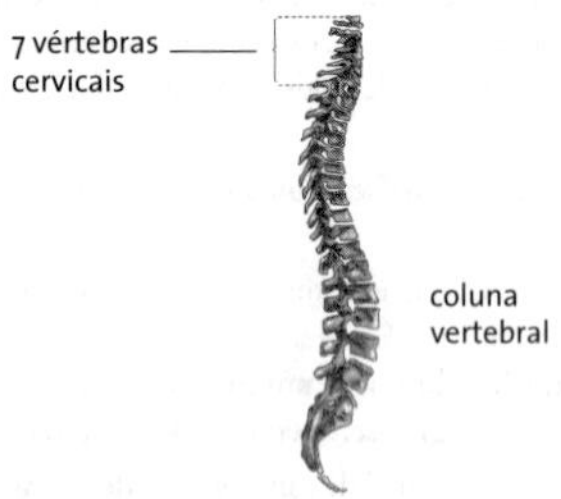

cervídeos *s.m.pl.* Família de mamíferos ruminantes, de chifres caducos, tais como o cervo, o gamo e o alce.

cérvix (cs) *s.f.2n.* (lat. *cervix*). Colo de um órgão, em especial do útero; cerviz.

cerviz *s.f.* (lat. *cervix, cervicis*). **1.** A parte posterior do pescoço; nuca, cachaço. **2.** Cérvix. **3.** *P. ext.* Cabeça, pescoço.

cervo *s.m.* (lat. *cervus*). Mamífero ruminante, com chifres ramificados de forma dicotômica, caducos, que vive em rebanhos e prefere regiões de banhados e pântanos.

cerzideira *s.f.* Mulher que se ocupa em cerzir. ● **Nav.** Cabo das testas da gávea.

cerzidor (ô) *adj.* e *s.m.* Que ou aquele que cirze.

cerzidura *s.f.* **1.** Ato ou efeito de cerzir; cerzimento. **2.** Ato de coser de modo que não se veja a costura.

cerzimento *s.m.* Cerzidura.

cerzir *v.t.* (lat. *sarcire,* remendar) [conj. 58]. **1.** Costurar um tecido puído de modo que não se perceba a costura. **2.** Compor, formar. **3.** Unir, juntar. **4.** Consertar, remendar. **5.** Ajustar, acomodar, adaptar.

cesárea *s.f.* Sin. de CESARIANA.

cesariana *s.f.* (lat. *caesar,* criança vinda ao mundo por meio de incisão). Extração do recém-nascido por via abdominal após abertura cirúrgica da cavidade uterina. (Sin. CESÁREA.)

cesina *s.f.* Hidróxido de césio.

césio *s.m.* (lat. *caesium,* cinza azulado). **1.** Elemento químico não radioativo (símb. Cs), de número atômico 55, que constitui um metal alcalino, análogo ao potássio. ► *Césio 137,* isótopo radioativo utilizado na fabricação de células fotoelétricas e de equipamentos de radiografia e de radioterapia.

? VOCÊ SABIA...? Em 1987, em Goiânia (GO), ocorreu o maior acidente com radiação registrado no Brasil. Algumas pessoas encontraram equipamentos abandonados que continham **césio** 137 e os desmontaram, expondo o material radioativo. Algumas dessas pessoas, que receberam doses maciças de radiação, morreram alguns dias depois. O material contaminado, que totalizou mais de 4.000 toneladas, teve de ser armazenado em um depósito especialmente construído para contê-lo.

---

cessação *s.f.* (lat. *cessatio,* repouso). **1.** Ação de cessar; suspensão, interrupção. **2.** Trégua, termo.

cessante *adj.2g.* Que cessa. ● **Dir.** *Lucro cessante,* lucro que se deixou de fruir, que não foi recebido.

cessão *s.f.* (lat. *cessio*). **1.** Ato de ceder. **2.** Abdicação, renúncia, desistência. **3.** Empréstimo, transferência.

cessar *v.i.* (lat. *cessare*) [conj. 4]. Acabar, não continuar. ★ *v.t.* Fazer parar, pôr termo a, interromper.

cessar-fogo *s.m.2n.* Fim das hostilidades; armistício.

cessionário *s.m.* Beneficiário de uma cessão, aquele a quem se faz uma cessão.

cesta (ê) *s.f.* (gr. *kiste,* pelo lat. *cista*). **1.** Utensílio feito de fibra trançada (vime, taquara etc.), com ou sem alças, que serve para guardar roupa suja, transportar mercadorias etc. **2.** Quantidade de objetos contidos numa cesta; cestada. ● **Esp.** No basquete, aro guarnecido de rede para onde se lança a bola. ► Ponto marcado pela passagem da bola pelo interior desse aro.

cesteiro *s.m.* O que faz ou vende cestos.

cesto (ê) *s.m.* **1.** Cesta pequena. **2.** Cabaz fundo, às vezes com tampa; samburá, balaio, alcofa.

cesura *s.f.* (lat. *caesura,* corte). **1.** Corte ou incisão com bisturi ou instrumento semelhante. **2.** Cicatriz proveniente de uma incisão ou mordedura. **3.** Pausa de localização fixa que divide um verso em dois ou mais segmentos melódicos.

cetáceo *s.m.* (lat. tard. *cetaceus,* do gr. *ketos,* baleia). Espécime dos cetáceos. ★ *adj.* Relativo aos cetáceos.

cetáceos *s.m.pl.* Ordem de mamíferos aquáticos que possuem corpo fusiforme, desprovido de pêlos, membros anteriores transformados em nadadeiras, nadadeira caudal horizontal e narina no alto da cabeça.

ceticismo *s.m.* Var. de CEPTICISMO.

cético *adj.* e *s.m.* Var. de CÉPTICO.

cetim *s.m.* (ár. *zaituni,* do top. *Zaitun*). **1.** Tecido liso e brilhante, que pode ser fabricado com algodão, poliamida, seda etc. **2.** *P. ext.* Qualquer coisa macia como cetim.

cetinoso (ô) *adj.* Macio como cetim.

cetogênico ou **cetógeno** *adj.* Que dá origem a compostos cetônicos.

cetona *s.f.* Designação genérica dos compostos orgânicos derivados dos hidrocarbonetos, que apresentam grande poder reagente e dissolvente, presentes em diversos produtos complexos, como glicídios e hormônios sexuais.

cetônico *adj.* **1.** Que se relaciona com as cetonas. **2.** Que contém a função cetona.

cetonúria *s.f.* Presença de corpos cetônicos na urina; sua taxa.

cetose *s.f.* **1.** Nome genérico dos açúcares que possuem uma função cetona, tal como a frutose. **2.** Período precedente à cetoacidose, em que o organismo tenta impedir a acumulação de corpos cetônicos, observado principalmente na descompensação diabética.

cetro *s.m.* (gr. *skeptron,* vara, bastão). **1.** Bastão curto, encimado por um ornato, que os soberanos trazem na mão direita em certas cerimônias. **2.** *Fig.* O poder ou a dignidade real; seu exercício; o próprio soberano. **3.** *Fig.* Todo tipo de autoridade; superioridade, preeminência.

céu *s.m.* (lat. *caelum*). **1.** Espaço infinito no qual se movem os astros. **2.** Parte do espaço que parece formar uma abóbada acima de nós, sobre a Terra; firmamento. **3.** Região superior, tida como morada de algumas divindades. **4.** No judaísmo, no cristianismo e no islamismo, região superior onde estão a divindade, os anjos e os bem-aventurados. **5.** *Fig.* Grande felicidade, bem-aventurança. **6.** O ar, a atmosfera.

ceva *s.f.* **1.** Ação de cevar(-se). **2.** Alimento que se dá aos animais para engordá-los; cevadura. **3.** Processo de caça ou pesca que consiste em lançar periodicamente, no mesmo lugar, os alimentos preferidos das presas, para surpreendê-las depois nesse local.

cevada *s.f.* **1.** Gramínea cultivada pelos grãos, que constituem o principal cereal para a fabricação de cerveja e também são utilizados para a confecção de pães e ração. **2.** O grão dessa planta.

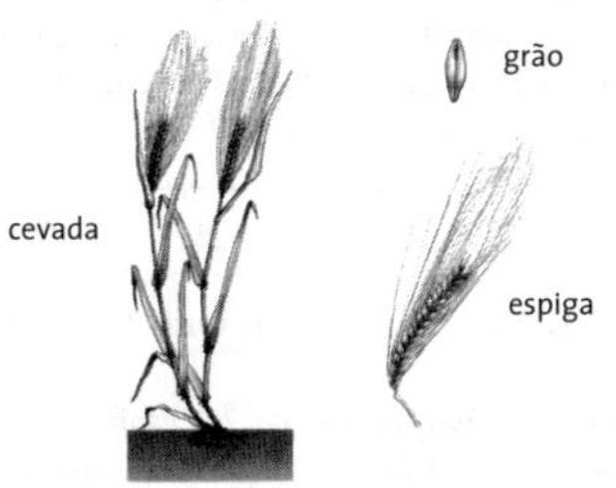

cevado *adj.* **1.** Diz-se de animal gordo que esteve na ceva. **2.** Farto, saciado (pessoas e animais). ★ *s.m.* **1.** *Fig.* Homem obeso. **2.** Porco que se cevou.

cevadura *s.f.* **1.** Ceva. **2.** Resto da caça em que se cevou o falcão ou outra ave de rapina. **3.** (*S*) Quantidade de erva-mate necessária para encher a cuia.

cevar *v.t.* (lat. *cibare,* alimentar) [conj. 4]. **1.** Engordar à força de alimentos. **2.** *Fig.* Saciar, satisfazer, fartar. **3.** Alimentar, fazer medrar. ★ *v.pr.* Saciar-se.

ceveiro *s.m.* Lugar onde se põe a ceva para a caça.

Cf símbolo químico do califórnio.

chá *s.m.* (do mandarim *ch'a*). **1.** Arbusto originário da Ásia, cultivado pelas folhas, utilizadas para infusões. **2.** As folhas secas dessa planta. **3.** A infusão dessas folhas. **4.** Nome genérico de infusões de várias plantas. **5.** Reunião, à tarde ou à noite, em que se serve o chá.

chã *s.f.* (lat. *plana*). **1.** Carne do lado interior da coxa do boi; chã-de-dentro. **2.** Planície, terreno plano.

chacal *s.m.* (turco *chaqal*). Mamífero carnívoro, semelhante ao cachorro, noturno, que vive em pradarias naturais e florestas da África.

chácara *s.f.* **1.** Propriedade de pequena dimensão com casa de habitação, em geral perto da cidade. **2.** Casa de campo. (Cf. XÁCARA.)

chacareiro *s.m.* **1.** Dono ou administrador de chácara. **2.** (*RS*) Pequeno agricultor ou criador de gado.

chacina *s.f.* **1.** Ação de chacinar. **2.** Matança de gado para alimentação, limpeza e preparo da carne. **3.** Carne de porco ou de outro animal, preparada e curada para provisão. **4.** Matança.

chacinar *v.t.* (conj. 4). **1.** Fazer em postas, preparar e salgar. **2.** Assassinar, matar. ★ *v.i.* Fazer chacina; matar gado e preparar sua carne.

chacoalhar *v.t.* (conj. 4). **1.** Chocalhar, vascolejar. **2.** Molestar, importunar. ★ *v.i.* **1.** Fazer soar o chocalho. **2.** Amolar, chatear.

chacota *s.f.* (esp. *chacota*). **1.** Zombaria, mofa. **2.** Trovas satíricas ou burlescas.

chacotear *v.i.* (conj. 15). Fazer chacotas. ★ *v.t.* Zombar, escarnecer.

chã-de-dentro *s.f.* Chã.

chã-de-fora *s.f.* Carne da parte exterior da coxa do boi.

chadiano *adj.* Relativo à República do Chade, na África. ★ *s.m.* O natural ou habitante do Chade.

chafariz *s.m.* (ár. *çiHrij,* cisterna). Construção de alvenaria provida de uma ou mais bicas, por onde corre água potável.

chafurda *s.f.* **1.** Chiqueiro ou lamaçal onde os porcos se espojam. **2.** Casa imunda.

chafurdar *v.i.* (conj. 4). **1.** Revolver-se em chafurda ou lamaçal. **2.** *Fig.* Atolar-se em vícios, perverter-se.

chafurdice *s.f.* Ato ou efeito de chafurdar.

chaga *s.f.* (lat. *plaga*). **1.** Lesão na carne causada por ferimento, queimadura ou tumor. **2.** *Fig.* Tudo que traz sofrimento ou aflição; mágoa, dor.

chagado *adj.* **1.** Coberto de chagas. **2.** *Fig.* Aflito, sofrido.

chagar *v.t.* (lat. *plagare,* ferir; maltratar) [conj. 14]. **1.** Ferir, abrir chagas em. **2.** *Fig.* Afligir, molestar. ★ *v.pr.* Converter-se em chaga, ulcerar-se.

chalaça *s.f.* **1.** Pilhéria. **2.** Caçoada grosseira.

chalacear *v.t.* e *v.i.* (conj. 15). **1.** Fazer chalaças. **2.** Zombar, caçoar.

chalaceiro *s.m.* Aquele que faz chalaças.

chalé *s.m.* (fr. *chalet*). **1.** Habitação alpina baixa e larga, principalmente em madeira, com varandas e teto de duas águas. **2.** Habitação campestre cuja forma faz lembrar a dos chalés suíços. **3.** Cabana rústica.

chaleira *s.f.* **1.** Recipiente bojudo de metal, com bico e tampa, para ferver água, especialmente a destinada ao chá. **2.** (de *charles*, Charles Miller, n.pr.) No futebol, chute que se dá com um dos pés por trás do outro, usado como apoio. (Sin. CHUTE DE LETRA.) ★ *adj.2g.* e *s.2g.* Bajulador.

chaleirar *v.t.* (conj. 4). Agradar, visando ao proveito próprio; adular, bajular.

chalrar *v.i.* (conj. 4). **1.** Parlar, falar à toa e alegremente. **2.** Emitir vozes inarticuladas (crianças). **3.** Emitir sons repetidos a pequenos intervalos (pássaros).

chalupa *s.f.* (fr. *chaloupe*). **1.** Pequena embarcação a vela, de um só mastro, para cabotagem. **2.** Barco de vela e remos.

chama[1] *s.f.* (lat. *flamma*). **1.** Gás incandescente produzido por um material em combustão; labareda. **2.** *Fig.* O que inflama a alma; paixão, ardor. ★ *s.f.pl.* **1.** Labaredas. **2.** Suplício na fogueira. **3.** *As chamas eternas,* as penas do inferno.

chama[2] *s.f.* **1.** Chamada. **2.** Chamariz.

chamada *s.f.* **1.** Ato de chamar; chama, chamamento. **2.** Ato de nomear sucessivamente as pessoas de um grupo, para verificar se estão presentes; a relação dos nomes dessas pessoas. **3.** *Pop.* Admoestação, reprimenda, xingamento. ● **Ind. Gráf.** Sinal que o revisor coloca ao lado das provas para indicar as emendas a serem feitas.

chamado *adj.* **1.** Convidado, escolhido, designado. **2.** Denominado, apelidado. ★ *s.m.* Chamamento.

chamalote *s.m.* (fr. *chamelot*). Tecido de seda cujo brilho forma ondulações.

chamamento *s.m.* Ato de chamar; chamado, convocação.

chamar *v.t.* (lat. *clamare*) [conj. 4]. **1.** Mandar vir; convocar. **2.** Dar o nome de; apelidar, alcunhar. **3.** Proclamar o nome de alguém para verificar sua presença. ★ *v.pr.* Ter o nome de; denominar-se, apelidar-se.

chamariz *s.m.* **1.** Ave que o caçador utiliza para atrair outras à armadilha; chama. **2.** *Fig.* O que atrai ou chama; isca.

chamativo *adj.* Que chama a atenção; vistoso.

chambre *s.m.* (fr. *robe de chambre*). Roupão.

chamego (ê) *s.m.* **1.** Namoro. **2.** Afago, carinho. **3.** Apego, amizade íntima. **4.** Agitação, excitação.

chamejar *v.i.* (conj. 4). **1.** Lançar chamas. **2.** Flamejar, brilhar. **3.** Resplandecer, cintilar, faiscar. **4.** *Fig.* Estar arrebatado, encolerizado. ★ *v.t.* Derramar (algo) como se fossem chamas.

chaminé *s.f.* (fr. *chaminée*). **1.** Tubo por onde a fumaça de fogão, lareira etc. é canalizada para o exterior. **2.** Lareira; fogão ou estufa para aquecer as salas.

champanha *s.2g.* ou **champanhe** *s.m.* Vinho espumante, branco ou rosado, originário da região de Champagne, França.

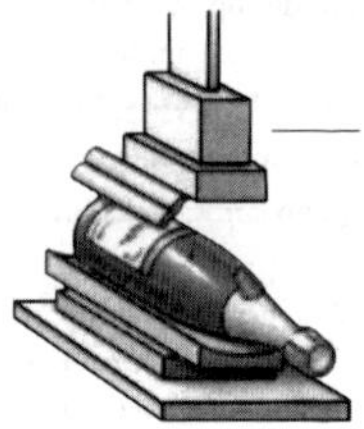

etiquetador de garrafas de champanhe

champignon *s.m.* (fr.). Nome que se dá ao cogumelo comestível.

chamuscado *adj.* **1.** Queimado levemente; crestado, tostado. **2.** Fusco, enegrecido.

chamuscar *v.t.* (conj. 12). Passar alguma coisa pelo fogo; queimar de leve. ★ *v.pr.* **1.** Queimar-se levemente. **2.** Esgueirar-se, retirar-se sorrateiramente.

chamusco *s.m.* **1.** Queima leve ou superficial de coisa que se passa pela chama do fogo. **2.** Cheiro de coisa queimada. **3.** *(S)* Tiroteio, conflito, briga.

chanca *s.f.* (lat. *planca,* prancha). **1.** Pé grande e malfeito. **2.** Calçado largo e grosseiro, com sola de tamanco. **3.** Perna alta e delgada de homem. **4.** Chuteira.

chance *s.f.* *(fr. chance)* **1.** Sorte, acaso. **2.** Oportunidade.

chancela *s.f.* **1.** Ato de chancelar. **2.** Selo, sinal gravado representativo de uma assinatura oficial. **3.** Assinatura necessária para firmar documentos. **4.** *Fig.* Consentimento, permissão, aval.

chancelar *v.t.* (fr. *chanceler,* do lat. *cancellare*) [conj. 4]. **1.** Pôr chancela em; selar. **2.** Assinar com chancela. **3.** Aprovar, considerar bom.

chancelaria *s.f.* (fr. *chancellerie*). **1.** Repartição pública onde se punham os selos ou a chancela nos documentos oficiais. **2.** Ministério da Justiça, em alguns países, e das Relações Exteriores, em outros. **3.** Coleção de diplomas e documentos oficiais. **4.** O cargo de chanceler.

chanceler *s.m.* (fr. *chancelier*). **1.** Antigo magistrado encarregado da administração da Justiça e da guarda dos selos. **2.** Funcionário encarregado de pôr a chancela em documentos ou diplomas. **3.** Ministro das Relações Exteriores, em alguns países, e chefe de governo, em outros.

chanchada *s.f.* **1.** Peça teatral destinada apenas a provocar o riso na platéia. **2.** *P. ext.* Espetáculo teatral de baixa qualidade. **3.** Gênero do cinema brasileiro em voga nos anos 40 e 50.

chanfalho *s.m.* **1.** Espada velha e sem corte. **2.** Instrumento desafinado.

chanfradura *s.f.* **1.** Ação de chanfrar. **2.** Chanfro.

chanfrar *v.t.* (conj. 4). **1.** Cortar obliquamente, em ângulo ou de esguelha. **2.** Falar mal de alguém, pelas costas.

chanfro *s.m.* **1.** Pequeno corte em bisel efetuado sobre o canto vivo de uma peça de madeira. **2.** A superfície oblíqua assim obtida; chanfradura. **3.** Parte da cabeça do cavalo e de certos animais, que se estende da linha dos olhos à região nasal.

chantagear *v.t.* e *v.i.* (conj. 15). Fazer chantagem.

chantagem *s.f.* (fr. *chantage*). Delito que consiste em extorquir ou tentar extorquir vantagens ou valores mediante ameaça, escrita ou verbal, de revelações difamatórias.

chantagista *adj.2g.* e *s.2g.* Que ou aquele que pratica chantagens.

chantili *s.m.* (fr. *chantilly*). Creme branco, doce, de consistência leve e espumosa, originalmente feito de creme de leite batido.

chanura *s.f.* Planície, planura.

chão *adj.* (lat. *planus*). **1.** Plano, liso. **2.** Tranqüilo, sereno. **3.** Sem enfeites. **4.** Vulgar, rasteiro. ★ *s.m.* **1.** Solo. **2.** Terra plana. **3.** Pequena propriedade de terra.

chapa *s.f.* **1.** Placa, lâmina de metal, madeira etc. **2.** Placa de vidro ou plástico, recoberta com uma camada sensível, usada em fotografia. **3.** Radiografia. **4.** Placa usada em fogão para cozer ou grelhar certos alimentos. **5.** *(NE)* Dentadura postiça. **6.** Lista oficial de candidatos a cargos eletivos. **7.** Molde para douração na prensa. ● **Ind. Gráf.** Composição tipográfica já corrigida, devidamente preparada para entrar na máquina impressora; peça metálica em que são reproduzidos os originais para impressão em *off-set.* ► Lâmina metálica que, após preparação especial, recebe a gravação. ★ *s.2g. Pop.* Companheiro, amigo.

CHAPA ► Placa metálica delgada, obtida pela laminação a frio ou a quente, e de superfície comumente lisa, mas que às vezes apresenta relevos, estrias etc. Se sua espessura é inferior a 2 mm, são chamadas de *chapas finas*; se estão compreendidas entre 2 mm e 5 mm, *chapas médias*; se são iguais ou superiores a 5 mm, *chapas grossas*.

chapada *s.f.* **1.** Superfície plana. **2.** Clareira. **3.** Pancada de chapa. **4.** Porção de líquido que se atira de uma vez. **5.** Relevo com amplas superfícies aplainadas e limitadas por nítidas rupturas de declive, formando às vezes escarpas abruptas.

chapadão *s.m.* **1.** (*GO* e *MT*) Chapada muito extensa. **2.** Série de chapadas sucessivas. **3.** Cumeada de uma elevação; lomba.

chapar *v.t.* (conj. 4). **1.** Pôr chapa em. **2.** Segurar com chapa. **3.** Marcar, cunhar. **4.** Ornar, guarnecer. ★ *v.pr.* Estatelar-se.

chaparral *s.m.* Vegetação típica do sudoeste dos EUA e norte do México.

chaparreiro *s.m.* Sobreiro novo.

chapear *v.t.* (conj. 15). **1.** Cobrir com chapas, revestir. **2.** Fazer o chapeamento.

chapeirão *s.m.* (fr. *chaperon*). **1.** Chapéu de grandes abas. **2.** Recife coralino à superfície da água, com forma de cogumelo.

chapelão *s.m.* Chapéu grande.

chapelaria *s.f.* **1.** Indústria ou comércio de chapéus. **2.** Estabelecimento onde se vendem chapéus. **3.** Ofício de chapeleiro.

chapeleira *s.f.* **1.** Caixa, geralmente de forma especial, para guarda e transporte de chapéus. **2.** Mulher que fabrica ou vende chapéus. **3.** Porta-chapéus.

chapeleiro *s.m.* Aquele que fabrica ou vende chapéus.

chapeleta (ê) *s.f.* (fr. *chapelet*). **1.** Chapéu pequeno. **2.** Válvula de bola usada em bombas de mão.

chapéu *s.m.* (fr. ant. *chapel*). **1.** Cobertura para a cabeça confeccionada em feltro, palha etc., com abas e copa, de forma e aspecto variáveis. **2.** Dignidade cardinalícia. ● **Esp.** No futebol, jogada que consiste em chutar a bola por cima do adversário e recuperá-la logo adiante. **Biol.** O píleo dos fungos.

chapéu-de-couro *s.m.* Nome comum a duas plantas, cujas folhas, adstringentes, são utilizadas na medicina popular.

chapéu-de-sol *s.m.* **1.** Árvore de casca rugosa e folhas arredondadas, cujo fruto é uma baga arredondada e branca, que fornece madeira branca, pouco resistente. **2.** Sin. de AMENDOEIRA-DA-PRAIA.

chapinhar *v.i.* (conj. 4). **1.** Agitar a água com as mãos ou os pés. **2.** Escorregar na lama. ★ *v.t.* **1.** Banhar com a mão ou com pano ensopado em um líquido. **2.** Chafurdar, atolar.

charada *s.f.* (fr. *charade*). **1.** Enigma que consiste em descobrir uma palavra partindo-se de sílabas e de um conceito que expressa a palavra desejada. **2.** *Fig.* Discurso ininteligível. **3.** Problema, dificuldade.

charadista *s.2g.* Pessoa que compõe ou decifra charadas.

charanga *s.f.* (esp. *charanga*). **1.** Pequena banda de música composta de instrumentos de sopro e, às vezes, também de tambores ou timbales. **2.** *Pop.* Orquestra meio desafinada. **3.** Carro velho.

charão[1] *s.m.* (chin. *chi liáu*). Árvore originária do Oriente, de flores amarelas e fruto drupáceo, do qual se aproveita a cera, utilizada na fabricação de velas, e cuja casca fornece o verniz-da-china e o verniz-do-japão.

charão[2] *s.m.* Ave psitaciforme, de máscara e coberteiras escarlate, ameaçada de extinção, que ocorre no Rio Grande do Sul. (Sin. PAPAGAIO-DA-SERRA.)

charco *s.m.* **1.** Água estagnada e imunda. **2.** Pântano, brejo.

charge *s.f.* (fr. *charge*). Desenho ou caricatura que satiriza um fato específico, em geral político, que é do conhecimento público.

chargista *s.2g.* Desenhista que faz charges e caricaturas.

charla *s.f.* Conversa à-toa.

charlar *v.i.* (esp. *charlar*) [conj. 4]. Tagarelar.

charlatanesco (ê) *adj.* **1.** Próprio de charlatão. **2.** Em que há charlatanice.

charlatanear *v.i.* (conj. 15). **1.** Agir como charlatão. **2.** Mostrar modos de charlatão.

charlatanice *s.f.* Charlatanismo.

charlatanismo *s.m.* **1.** Atitude própria de charlatão; charlatanice. **2.** Exploração da credulidade pública.

charlatão *s.m.* (it. *ciarlatano*). **1.** Vendedor ambulante de supostos medicamentos que, nas praças públicas e nas feiras, apregoa ao povo a virtude de seus elixires. **2.** Aquele que pretende possuir certos segredos maravilhosos. **3.** Aquele que explora a credulidade pública. ★ *adj.* Intrujão, impostor.

charme *s.m.* (fr. *charme*). **1.** Encanto, sedução. **2.** Qualidade daquele ou daquilo que agrada. ● **Fís.** Tipo de carga, específica de um quark, que pode ser nula ou assumir valores inteiros.

charmoso (ô) *adj.* Que tem charme; atraente.

charneca *s.f.* Terreno árido e inculto, onde só medram plantas rasteiras e silvestres.

A B C D E F G H I J K L M N O P Q R S T U V W X Y Z

charola *s.f.* **1.** Andor de procissão. **2.** Nicho. **3.** Corredor semicircular entre o corpo da igreja e o altar-mor.

charolês *adj.* e *s.m.* (fr. *Charolais,* top.). Diz-se da ou raça francesa de bovinos, conhecida pela qualidade de sua carne.

charque *s.m.* (esp. plat. *charque*). Carne bovina salgada e cortada em mantas. (Sin. CARNE-SECA, JABÁ.)

charqueada *s.f.* Lugar onde se charqueia a carne.

charqueador (ô) *s.m.* **1.** Proprietário de charqueada. **2.** Fabricante de charque.

charquear *v.t.* e *v.i.* (conj. 15). Preparar o charque.

charrete *s.f.* (fr. *charrette*). Veículo leve, com duas rodas, de tração animal, utilizado principalmente no campo ou em cidades pequenas para transporte de pessoas.

charrua *s.f.* (lat. tard. *carruca,* pelo fr. *charrue*). **1.** Instrumento próprio para lavrar a terra. **2.** Dispositivo utilizado para destruir a parte superficial de um pavimento em mau estado. **3.** *Fig.* A agricultura, o campo.

charutaria *s.f.* Tabacaria.

charuteira *s.f.* Caixa para charutos.

charuteiro *s.m.* **1.** Proprietário de charutaria. **2.** Aquele que fabrica charutos.

charuto *s.m.* (tâmul *churuttu,* enrolar, pelo ingl. *cheroot*). **1.** Pequeno rolo de folhas secas de tabaco, preparado para se fumar. **2.** Alimento, doce ou salgado, preparado em forma de charuto.

chasco *s.m.* Dito de desprezo; motejo.

chasquear *v.t.* (conj. 15). Dizer chascos a; zombar de, escarnecer. ★ *v.i.* Dizer chascos.

chassi *s.m.* (fr. *châssis*). **1.** Parte do veículo constituída pelo motor, caixa de mudanças, eixos dianteiro e traseiro, que suporta a carroçaria. **2.** Recipiente vedado onde se coloca o filme de uma máquina fotográfica ou de uma câmera de cinema. **3.** Armação de madeira onde é esticada a tela; caixilho.

chata *s.f.* Barcaça larga de fundo chato.

chatear *v.t.* (conj. 15). Aborrecer, importunar, amolar.

chatice *s.f.* **1.** Qualidade do que é chato. **2.** *Fig.* Coisa chata, molesta, enfadonha; amolação.

chato *adj.* (gr. *platys,* largo, amplo, pelo lat. pop.). **1.** Liso, plano, sem relevo. **2.** Importuno, maçante, aborrecido, monótono. ★ *s.m.* Inseto anopluro, que vive principalmente na região pubiana, cujos ovos, denominados lêndeas, são postos na base dos pêlos. (Sin. PIOLHO-DAS-VIRILHAS, LADRO.)

chauvinismo (chô) *s.m.* (fr. *chauvinisme*). **1.** Patriotismo exagerado e exclusivista, ufanismo nacionalista. **2.** Atitude própria de chauvinista.

chauvinista (chô) *adj.2g.* (fr. *chauviniste*). **1.** Relativo ao ou próprio do chauvinismo. **2.** Que tem ou manifesta um patriotismo excessivo. **3.** Que assume posição extremada. ★ *s.2g.* **1.** Indivíduo que tem patriotismo exagerado. **2.** Homem que manifesta respeito e admiração exclusivamente pelo próprio sexo; machista.

chavão *s.m.* **1.** Molde de metal para imprimir adornos em bolos. **2.** Modelo, padrão. **3.** Lugar-comum, coisa que se diz ou se escreve por costume; clichê.

chave *s.f.* (lat. *clavis*). **1.** Peça metálica que faz mover a lingüeta das fechaduras. **2.** Aquilo que desempenha um papel principal. **3.** Posição, ponto estratégico que controla o acesso a determinado lugar. **4.** O que permite decifrar um código secreto, um mistério, um problema etc. **5.** Sinal gráfico ({) que reúne diversos assuntos dentro de um só grupo. **6.** Dispositivo que se destina a ligar e desligar aparelhos de alarme; interruptor. **7.** Designação genérica de diversas ferramentas utilizadas para apertar ou afrouxar porcas, parafusos etc. ● **Arquit.** Aduela central que fecha e sustenta um arco ou uma abóbada. **Mús.** Nos instrumentos de sopro, mecanismo que permite abrir ou fechar os orifícios. **Esp.** *Chave de braço, chave de perna,* golpes de jiu-jitsu e luta livre que visam neutralizar os movimentos agressivos do adversário.

EXEMPLOS DE CHAVES

chaveiro *s.m.* **1.** Aquele que guarda chaves. **2.** Objeto em que se prendem chaves. **3.** Aquele que faz chaves.

chavelha (ê) *s.f.* Espiga do cabeçalho do carro.

chávena *s.f.* (chin. *cha-kvan,* pelo malaio *chavan*). Utensílio de louça ou de metal para chá, café ou outra bebida quente ou fria.

chaveta (ê) *s.f.* **1.** Peça que segura as rodas na extremidade de um eixo. **2.** Peça que segura a cavilha. **3.** Haste em que jogam as dobradiças.

checar *v.t.* (do ingl. *to check,* confrontar) [conj. 12]. Testar, conferir, para verificar a validade ou a exatidão de algo.

check-up *s.m.* (ingl.). **1.** Exame médico que compreende uma série de investigações clínicas e laboratoriais para avaliar o estado geral de um indivíduo. **2.** *Fig.* Exame, análise, diagnóstico das condições gerais de algo.

checo *adj.* e *s.m.* Tcheco.

checoslovaco *adj.* e *s.m.* Tchecoslovaco.

chefatura *s.f.* Chefia.

chefe *s.2g.* (fr. *chef,* do lat. tard. *caput,* chefe). **1.** Aquele que exerce autoridade; o que chefia. **2.** Capitão. **3.** Superior hierárquico. **4.** Empregado que dirige serviço de certa importância. **5.** Líder.

chefia *s.f.* **1.** Cargo de chefe. **2.** Repartição onde o chefe exerce suas funções; chefatura. **3.** Governo, direção, comando.

chefiar *v.t.* e *v.i.* (conj. 16). **1.** Exercer funções de chefe. **2.** Dirigir, governar.

cheflera *s.f.* (lat. cient. *schefflera*). Nome comum a diversas plantas originárias da Indonésia, cultivadas como ornamentais, que crescem bem em interiores.

chega (ê) *interj.* Sin. de BASTA.

chegada *s.f.* **1.** Ato ou efeito de chegar. **2.** Aproximação. **3.** Fim, termo, conclusão.

chegado *adj.* **1.** Propenso, inclinado. **2.** Em grau bem próximo. **3.** Íntimo.

chegança *s.f.* **1.** Ação de chegar. **2.** Folguedo popular das festas de Natal com danças e representações de cenas marítimas entre cristãos e mouros.

chegar *v.i.* (lat. *plicare,* dobrar, enrolar) [conj. 14]. **1.** Atingir o termo de um movimento. **2.** Começar, ter início. **3.** Bastar, ser suficiente. **4.** Surgir o momento ou a oportunidade de. **5.** *Fig.* Elevar-se, ascender. ★ *v.t.* **1.** Atingir, alcançar. **2.** Conseguir. ★ *v.pr.* Aproximar-se, achegar-se.

cheia *s.f.* **1.** Enchente de rio; inundação resultante do degelo ou de chuvas abundantes. **2.** Multidão, grande quantidade.

cheio *adj.* (lat. *plenus*). **1.** Que contém tudo de que é capaz; pleno. **2.** Que está completamente ocupado, atarefado. **3.** Maciço, compacto. **4.** Abastado, rico. **5.** Nutrido, grosso. **6.** Diz-se de égua ou vaca prenhe. **7.** *Lua cheia,* plenilúnio.

cheirar *v.t.* (conj. 4). **1.** Aplicar o olfato a; sentir o odor de. **2.** Introduzir no nariz. **3.** Pressentir, suspeitar. ★ *v.t.* e *v.i.* Exalar cheiro.

cheiro *s.m.* **1.** Impressão que atinge o olfato; odor. **2.** Aroma, perfume, fragrância. **3.** Olfato, faro. **4.** *Fig.* Indício, aparência, vestígio.

cheiroso (ô) *adj.* **1.** Que exala cheiro. **2.** Perfumado, aromatizado.

cheiro-verde *s.m.* Temperos verdes, como salsa, cebolinha etc.

cheque *s.m.* (ingl. *check,* de *to check,* conferir). Documento que contém uma ordem de pagamento à vista contra o titular de uma conta corrente de um banco.

chiado *s.m.* **1.** Conjunto de vozes agudas e desagradáveis; chiadeira. **2.** Som agudo produzido pelo atrito de corpos sólidos; chio, guincho. **3.** Ruído produzido na reprodução de discos, fitas etc.

chiar *v.i.* (onomat.) [conj. 16]. **1.** Emitir chio ou chiado. **2.** *Fig.* Manifestar descontentamento, irritação; reclamar, queixar-se.

chibante *adj.2g.* e *s.2g.* **1.** Valentão, brigão. **2.** Casquilho. ★ *s.m.* Ave passeriforme, ameaçada de extinção, de coloração verde nas partes superiores e amarelo-enxofre nas inferiores, que vive nas copas altas das árvores.

chibata *s.f.* Vara curta e flexível que serve aos cavaleiros para estimular ou corrigir um cavalo; chicote.

chibatada *s.f.* Pancada com a chibata.

chicana *s.f.* (fr. *chicane*). **1.** Abuso de recursos e formalidades em questões judiciais; processo artificioso. **2.** Querela de má-fé; cavilação, enredo. **3.** Ardil, sofisma. **4.** Escaramuça.

chicanear *v.i.* (conj. 15). **1.** Fazer ou usar de chicana. **2.** Criar dificuldades, usando de má-fé.

chicaneiro *adj.* e *s.m.* Chicanista.

chicanista *adj.2g.* e *s.2g.* Que ou quem é dado a chicanas; chicaneiro.

chicle *s.m.* (náuatle *tzictli*). **1.** Látex utilizado na preparação do chiclete, extraído, no Brasil, de diversas plantas da família das apocináceas. **2.** Chiclete.

chiclete *s.m.* Goma perfumada, extraída do chicle e usada como pasta masticatória; chicle, goma de mascar.

chicória *s.f.* (gr. *kichóreia*). Planta hortícola, originária da Índia, de flores azuis e folhas que podem ser lisas ou crespas, segundo a variedade cultivável. (V.tb. ESCAROLA.)

chicória-amarga *s.f.* Sin. de ALMEIRÃO.

chicória-catalonha *s.f.* Sin. de ALMEIRÃO.

chicotada *s.f.* Pancada com chicote.

chicote *s.m.* **1.** Instrumento formado de uma corda ou de uma correia de couro presa a um cabo, utilizado para incitar ou conduzir certos animais; azorrague, látego. **2.** Chibata. **3.** Movimento coleante, rápido e sacudido, da locomotiva. ● Nav. Extremidade de um cabo.

chicotear *v.t.* (conj. 15). Bater com chicote; fustigar.

chicote-queimado *s.m.* Jogo infantil em que se brinca de esconder um lenço.

chifrada *s.f.* Golpe de chifre; cornada, marrada.

chifrar *v.t.* (conj. 4). **1.** Atacar com os chifres; marrar. **2.** *Pop.* Cometer adultério; trair, cornear.

chifre *s.m.* **1.** Formação óssea, compacta e ramificada, que ocorre na cabeça dos antílopes, girafas e cervídeos. **2.** Sin. impr. de CORNO.

chifrudo *adj.* Que tem chifres. ★ *s.m.* *Pop.* Marido de adúltera; corno.

chilenas *s.f.pl.* Grandes esporas de enormes rosetas.

chileno *adj.* Relativo ou pertencente ao Chile. ★ *s.m.* Indivíduo natural ou habitante do Chile.

chilique *s.m.* *Pop.* Perda dos sentidos; desmaio, síncope.

chilrar *v.i.* e *v.t.* (conj. 4). **1.** Pipilar, gorjear, emitir sons repetidos a pequenos intervalos (falando-se de pássaros); chilrear. **2.** Tagarelar, vozear (falando-se especialmente de criança).

chilro ou **chilreio** *s.m.* Ação de chilrear.

chimango *s.m.* Var. de XIMANGO.

chimarrão *adj.* e *s.m.* **1.** Diz-se de ou gado bovino que foge para os matos e se torna selvagem. **2.** Diz-se de ou mate amargo, servido quente numa cuia e sorvido por uma bomba, a bebida predileta dos gaúchos.

chimpanzé *s.m.* (fr. *chimpanzé*). **1.** Mamífero primata, de crânio achatado, orelhas grandes, pernas curtas, braços longos com polegar oponível, que ocorre nas florestas da África equatorial, o parente mais próximo da espécie humana na fauna atual. (Sin. PANGO, var. CHIPANZÉ.) **2.** *Fig.* Homem feio e desajeitado.

chincha *s.f.* **1.** Pequeno barco de pesca. **2.** Pequena rede de pesca de arrasto.

chinchila *s.f.* **1.** Mamífero roedor das regiões andinas, cuja pele, valiosa, é de coloração cinza, constituída por pêlos finos e sedosos. **2.** A pele desse animal. **3.** Nome dado a duas raças de coelhos criadas para produção de carne.

chinela *s.f.* Chinelo.

chinelada *s.f.* Pancada com chinelo.

chinelo *s.m.* Calçado sem salto para uso doméstico; chinela.

chinês *adj.* Relativo ou pertencente à China. ★ *s.m.* **1.** Indivíduo natural da China. **2.** Língua oficial da China, tonal, escrita com ideogramas.

chinfrim *adj.2g.* Reles, insignificante.

chinó *s.m.* (fr. *chignon*). Peruca.

chio *s.m.* **1.** Som agudo produzido por alguns animais; guincho, chiada. **2.** Som agudo produzido pelo atrito do eixo das rodas do carro.

chipanzé *s.m.* Var. de CHIMPANZÉ.

chique *adj.2g.* (fr. *chic*). **1.** Bonito, elegante. **2.** De bom gosto, de aspecto apurado. **3.** Elegante no vestir.

chiquê *s.m.* (fr. *chiqué*). *Pop.* Recusa dissimulada a aceitar ou fazer algo; afetação.

chiqueiro *s.m.* **1.** Lugar onde se recolhem os porcos; pocilga. **2.** Pequeno curral onde se encerram bezerros, ovelhas ou cabras. **3.** *Fig.* Casa ou lugar imundo. **4.** Sebe de estacas armadas no leito do rio para deter o peixe que vem arrastado pela correnteza.

chispa *s.f.* **1.** Raio de luz ou brilho momentâneo. **2.** *Fig.* Talento, gênio. **3.** Faísca, fagulha.

chispada *s.f.* **1.** Ação de chispar. **2.** Corrida, disparada.

chispar *v.i.* (conj. 4). **1.** Lançar chispas ou faíscas. **2.** *Fig.* Encolerizar-se. **3.** Correr em disparada.

chiste *s.m.* (esp. *chiste*). Dito espirituoso; gracejo.

chistoso (ô) *adj.* Que tem chiste; espirituoso.

chita *s.f.* Tecido em tela de algodão, estampado e colorido.

chitão *s.m.* Chita estampada de desenhos grandes.

choça *s.f.* **1.** Habitação construída em ramos de árvores, particularmente nas florestas tropicais. **2.** Choupana.

chocadeira *s.f.* Aparelho para chocar ovos.

chocagem *s.f.* Ação de chocar ovos; incubação.

chocalhar *v.t.* (conj. 4). **1.** Agitar, produzindo som semelhante ao do chocalho. **2.** Vascolejar (líquido contido em vaso). ★ *v.i.* **1.** Tocar chocalho. **2.** Rir às gargalhadas. **3.** Mexericar, divulgar segredo.

chocalho *s.m.* **1.** Instrumento de metal, dotado de badalo, que se prende ao pescoço dos animais. **2.** Objeto de metal ou plástico, destinado aos bebês, para distraí-los com seu ruído. **3.** Instrumento de percussão, de origem brasileira, que marca o ritmo de algumas danças.

chocante *adj.2g.* **1.** Que choca, melindra, fere. **2.** Desagradável, ofensivo.

chocar[1] *v.t.* Dar choque. ★ *v.pr.* Ir de encontro a; colidir. ★ *v.t.* e *pr.* Melindrar, ofender, ferir.

chocar[2] *v.t.* (conj. 12). **1.** Cobrir e aquecer os ovos (a ave) para que o embrião se desenvolva e nasça; incubar. **2.** *Fig.* Premeditar, maquinar. ★ *v.i.* **1.** Apodrecer. **2.** Ficar à espera, por muito tempo.

chocarreiro *adj.* e *s.m.* Que ou aquele que diz chocarrices.

chocarrice *s.f.* Gracejo petulante, atrevido; chalaça.

chocho (ô) *adj.* (lat. *fluxus*, lasso, frouxo). **1.** Que não tem suco, miolo ou grão; seco. **2.** Goro (ovo). **3.** Chato, insípido. **4.** Enfraquecido, débil.

choco[1] (ô) *s.m.* Ato de chocar os ovos; incubação.

choco[2] (ô) *adj.* **1.** Diz-se do ovo em que se está desenvolvendo o embrião. **2.** Diz-se de um ovo cuja incubação foi interrompida; gorado. **3.** Diz-se da ave que está no choco. **4.** Podre, estragado. **5.** Estagnado, parado (água).

chocolate *s.m.* (náuatle *xocolatl*). **1.** Produto alimentar feito de cacau, açúcar e substâncias aromáticas. **2.** Bebida preparada com esse produto. ★ *adj.2g.2n.* Que tem a cor do chocolate; amarronzado.

chocolateira *s.f.* Recipiente para se preparar ou servir o chocolate líquido.

chocolateiro *adj.* Referente ao chocolate. ★ *s.m.* **1.** Fabricante ou vendedor de chocolate. **2.** Indivíduo que cultiva ou negocia cacau.

chofer *s.m.* (fr. *chauffeur*, aquecedor). Condutor de automóvel, motorista.

chofre (ô) *s.m.* (onomat.). **1.** Pancada, choque repentino. **2.** Tiro contra a ave que se levanta. **3.** *De chofre*, de súbito, de repente.

choldra (ô) *s.f.* (germ. *gelda*). **1.** *Pop.* Coisa desprezível, imprestável. **2.** Ralé. **3.** Confusão, balbúrdia.

chope (ô) *s.m.* (al. dial. *Schoppen*). Cerveja fresca em barril.

chopim *s.m.* (onomat.). Ave passeriforme, comum em campos de cultura e pastos da maior parte da América do Sul, que põe os ovos nos ninhos alheios e depende de outras aves para a criação dos filhotes. (Sin. AZULÃO, GAUDÉRIO, VIRA-BOSTA.)

choque *s.m.* (fr. *choc*). **1.** Encontro violento de um corpo com outro. **2.** Conflito, oposição, luta. **3.** Abalo ou perturbação emocional repentina. ● **Fís.** *Choque mecânico*, colisão entre dois corpos rígidos em movimento. ▸ *Choque elétrico*, efeito causado por uma descarga elétrica sobre um ser vivo. **Med.** *Estado de choque*, estado de comprometimento geral que se instala em um indivíduo submetido a uma perturbação grave como traumatismo ou cirurgia, e que ameaça seu equilíbrio fisiológico. ▸ *Tratamento de choque*, método terapêutico que consiste em provocar uma brusca perturbação em um indivíduo para restabelecer seu equilíbrio fisiológico ou mental.

choradeira *s.f.* **1.** Ato de chorar muito. **2.** Pedido lamuriento. **3.** Lamentação.

choramingar *v.i.* (conj. 14). **1.** Chorar constantemente por qualquer motivo. ★ *v.t.* Cantar em lamentos.

choramingas *s.2g.2n.* Pessoa que choraminga.

chorão[1] *adj.* e *s.m.* **1.** Diz-se de ou indivíduo que chora muito. **2.** Diz-se de ou compositor ou intérprete do choro.

chorão[2] *s.m.* **1.** Planta de caules recobertos por pêlos longos, flores vermelhas, cultivada como ornamental. **2.** Árvore ornamental, de grande porte e casca escura, que fornece madeira vermelha e dura.

chorão[3] *s.m.* Nome comum a diversas espécies de bagres que emitem sons semelhantes ao choro.

chorar *v.i.* (lat. *plorare*) [conj. 4]. **1.** Derramar lágrimas. **2.** Lamuriar-se, queixar-se. **3.** Pechinchar. ★ *v.t.* **1.** Afligir-se, lamentar a perda de, prantear. **2.** No carteado, descobrir as cartas vagarosamente a fim de verificar seu valor.

choro (ô) *s.m.* **1.** Ato ou efeito de chorar. **2.** Lágrimas, pranto. **3.** Conjunto instrumental de música popular formado por violão, flauta, cavaquinho, pandeiro e reco-reco. **4.** Gênero de música tocada por esse conjunto.

choroso (ô) *adj.* **1.** Que chora muito. **2.** Lamuriento, queixoso.

chorrilho *s.m.* (esp. *chorrillo*). Longa série; conjunto de coisas assemelhadas.

chorume *s.m.* (lat. *florumen*). **1.** Mistura de excrementos e urina dos animais de criação, recolhida para uso como adubo, para devolver minerais ao solo. **2.** Líquido originado da decomposição do lixo.

choupal *s.m.* Lugar onde crescem choupos.

choupana *s.f.* Habitação rústica e pobre; cabana, choça.

choupo *s.m.* Nome comum a diversas árvores originárias da Europa, de sementes envolvidas por uma espécie de penugem, e que fornecem madeira leve e macia ao talho. (Sin. ÁLAMO.)

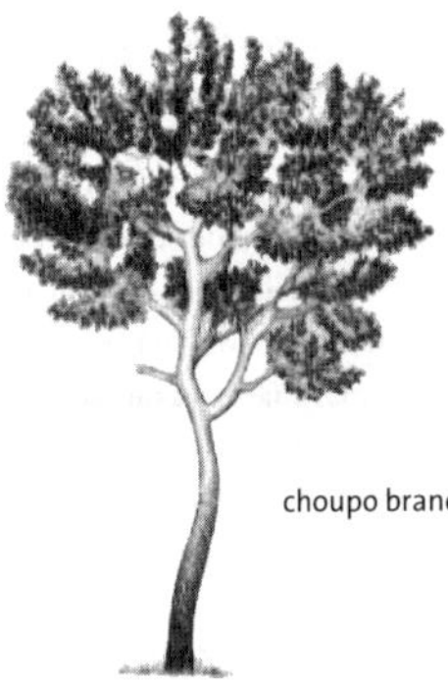
choupo branco

chouriço *s.m.* **1.** Tripa de porco cheia de pedaços de carne, sangue e temperos, curada no fumeiro. **2.** Saco longo e cilíndrico, cheio de areia ou serragem, para tapar as frestas embaixo das portas.

chove-não-molha *s.m.2n.* Coisa que não vai para a frente nem para trás.

chover *v.i.* (lat. *plovere*) [conj. 47]. **1.** Cair água, em gotas, das nuvens. **2.** *Fig.* Cair ou sobrevir em abundância.

chuchar *v.t.* (conj. 4). **1.** Chupar, sugar. **2.** *Fig.* Apanhar, levar (pancada).

chuchu *s.m.* **1.** Trepadeira de caule ramificado, de fruto verde, comestível e de pele saliente. (Sin. MAXIXE, MAXUXO.) **2.** O fruto dessa planta. **3.** Pessoa bonita.

chuço *s.m.* Haste de pau armada com aguilhão ou choupa.

chucrute *s.2g.* (al. dial. *surkrut*). Conserva de repolho picado, salgado e fermentado.

chué *adj.2g.* (ár. *xuia*). **1.** Apoucado, magro. **2.** Mal trajado, mal arranjado, reles. **3.** Simples, ordinário (o vestido).

chulé *s.m.* **1.** *Pop.* Sujidade formada pelo suor dos pés. **2.** O mau cheiro que dela se desprende.

chuleado *adj.* Que se chuleou. ★ *s.m.* **1.** Ato ou efeito de chulear; chuleio. **2.** Costura que envolve a orla de um pano.

chulear *v.t.* (lat. *subligare*, atar) [conj. 15]. Coser a orla de um pano, para que não se desfie.

chuleio *s.m.* **1.** Chuleado. **2.** O ponto de chulear.

chulismo *s.m.* **1.** Chulice. **2.** Expressão chula.

chulo *adj.* (it. *ciulo*, menino). **1.** Grosseiro, baixo, obsceno, pornográfico. **2.** Usado pela ralé.

chumaço *s.m.* (lat. *plumacium*, leito de penas). **1.** Porção de penas, de algodão ou de outro material depressível, macio, que se usa como enchimento de forros de vestidos, de almofadas etc. **2.** Porção de algodão ou gaze, empregada em curativos ou na toalete.

chumbada *s.f.* **1.** Tiro de chumbo. **2.** Chumbo que se põe nas linhas e redes de pescar.

chumbar *v.t.* (conj. 4). **1.** Ligar, tapar, prender ou soldar com chumbo ou outro metal. **2.** Ferir com tiro de chumbo. **3.** *Fig.* Prender, fixar com força. **4.** *Pop.* Embriagar. ● **Constr.** Fixar uma peça, em geral de metal, em cavidade de alvenaria ou concreto, por meio de substância que, após certo tempo, endurece.

chumbo *s.m.* (lat. *plumbum*). **1.** Elemento químico (símb. Pb) de número atômico 82, que constitui um metal cinza-azulado muito maleável, pouco tenaz, que apresenta o maior peso específico entre os metais comuns. **2.** Projétil de arma de fogo. **3.** Grãos de chumbo usados na caça. **4.** *Fig.* Aquilo que pesa muito. **5.** *Pop.* Juízo, tino. **6.** *Chumbo queimado*, sin. de MASSICOTE.

chupada ou **chupadela** *s.f.* **1.** Ato de chupar uma vez. **2.** *Fig.* Repreensão.

chupado *adj.* *Fam.* Muito magro, seco.

chupador (ô) *adj.* e *s.m.* **1.** Que ou aquele que chupa. **2.** Beberrão.

chupão *s.m.* **1.** Ato de chupar comprimindo muito os lábios e produzindo um estalido no ato de despregá-los. **2.** Beijo ruidoso. **3.** *Pop.* Marca deixada na pele por um beijo forte. ★ *adj.* Que chupa.

chupar *v.t.* (conj. 4). **1.** Sugar, sorver com a boca. **2.** Absorver. **3.** Segurar entre os lábios, fazendo os movimentos de aspiração. **4.** *Fam.* Tirar pouco a pouco, consumir, tomar. ★ *v.i.* *Pop.* Tomar bebidas alcoólicas.

chupeta (ê) *s.f.* **1.** Tubo para absorver líquidos. **2.** Mamilo de borracha ou plástico para as crianças; chucha, bico.

chupitar *v.t.* (conj. 4). **1.** Chupar devagarinho, repetidas vezes. **2.** Bebericar.

churrascaria *s.f.* Restaurante cuja especialidade são os churrascos.

churrasco *s.m.* **1.** Carne assada na brasa. **2.** Refeição à base de churrasco.

churrasquear *v.i.* (conj. 15). (*RS*) **1.** Preparar churrasco. **2.** Comer churrasco. **3.** Comer.

churrasqueira *s.f.* Grelha ou aparelho elétrico para fazer churrasco.

chusma *s.f.* **1.** Tripulação. **2.** Multidão (de pessoas). **3.** Grande número de coisas; quantidade.

chutar *v.t.* e *v.i.* (conj. 4). **1.** Dar chutes. **2.** *Gír.* Soltar balelas, mentir. **3.** Desprezar, pôr de lado. **4.** Tentar acertar uma resposta.

chute *s.m.* (ingl. *to shoot,* atirar). **1.** Pontapé dado na bola. **2.** *P. ext.* Pontapé. **3.** *Gír.* Exagero, mentira, balela. **4.** Tentativa de acerto, por sorte. **5.** Chute de letra. (Sin. de CHALEIRA.)

chuteira *s.f.* Botina própria para jogar futebol.

chuva *s.f.* (lat. *pluvia*). **1.** Precipitação da água atmosférica sob a forma de gotas. **2.** *Fig.* O que cai em grande quantidade. **3.** Embriaguez.

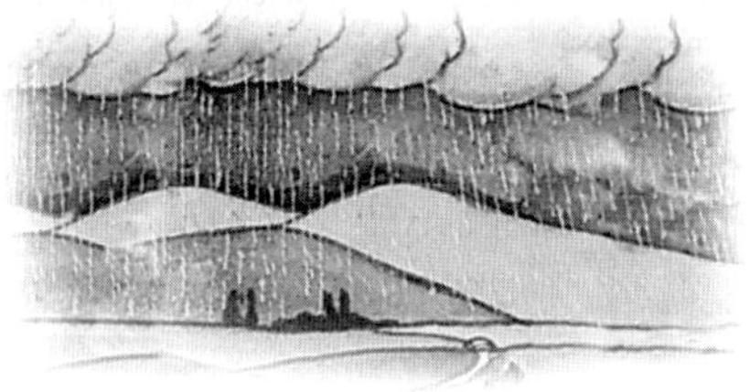

chuvada *s.f.* Chuvarada.

chuva-de-ouro *s.f.* Planta epífita, de flores amarelas, dispostas em pedúnculos que atingem 1 m de comprimento.

chuvarada *s.f.* Chuva abundante.

chuveiro *s.m.* **1.** Crivo por onde passa a água para os banhos de ducha. **2.** Compartimento onde está esse crivo. **3.** Crivo dos regadores, pelo qual se rega. **4.** Chuva súbita, abundante e passageira. **5.** *Fig.* Grande quantidade de coisas que caem ou acontecem rapidamente umas após outras.

chuviscar *v.i.* (conj. 12). Chover ligeiramente.

chuvisco *s.m.* **1.** Chuva pequena, miúda. **2.** (*S*) Certo doce feito de açúcar e gema de ovo.

chuvisqueiro *s.m.* Chuvisco.

chuvoso (ô) *adj.* De chuva, em que há chuva; pluvioso.

Ci símbolo do curie.

cianato *s.m.* Sal ou éster do ácido ciânico.

cianeto (ê) *s.m.* Sal do ácido cianídrico. (Sin. CIANURETO.)

ciânico *adj.* Diz-se do ácido isômero do ácido fulmínico, muito reativo, obtido por aquecimento do ácido cianúrico.

cianídrico *adj.* Diz-se de ácido incolor, solúvel em água e de baixo ponto de ebulição, que constitui um veneno extremamente violento.

cianocobalamina *s.f.* Vitamina B_{12}.

cianofíceas *s.f.pl.* Grupo de algas azuis, unicelulares, procariontes, isoladas, coloniais ou filamentosas, cujos pigmentos ficam dissolvidos no citoplasma devido à ausência de plastos.

cianose *s.f.* Coloração azul-violácea da pele e das mucosas, restrita ou generalizada, provocada por elevação no teor de hemoglobina desoxigenada no sangue.

cianótico *adj.* Relativo à cianose.

cianureto (ê) *s.m.* Sin. de CIANETO.

ciática *s.f.* Irritação do nervo ciático ou de uma de suas raízes, em geral por compressão do disco intervertebral. (Sin. NEVRALGIA CIÁTICA.)

ciático *adj.* (gr. *ischiadikes*). **1.** Relativo aos quadris ou ao ísquio. **2.** Relativo ao nervo ciático; isquiático. **3.** *Nevralgia ciática,* sin. de CIÁTICA. ► *Nervo ciático* ou *isquiático,* cada um dos dois grandes nervos dos membros inferiores.

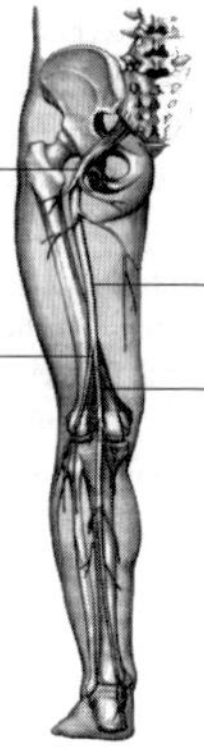

cibernética *s.f.* (gr. *kybernetike*). Ciência que estuda os processos de controle e comunicação de sistemas complexos, geralmente de máquinas.

cibernético *adj.* Relativo à cibernética.

cibório *s.m.* (gr. *kiborion*). Vaso onde se conservam as hóstias consagradas.

cicatriz *s.f.* (lat. *cicatrix, cicatricis*). **1.** Marca, depois da cura, de um ferimento ou de uma dermatose, constituída por tecido fibroso que destoa da pele vizinha por sua coloração e pela espessura do tegumento. **2.** *Fig.* Impressão duradoura deixada por uma ofensa, ingratidão, desgraça.

cicatrização *s.f.* Processo de união das bordas de um tecido vivo após sua incisão ou destruição parcial.

cicatrizante *adj.2g.* Que favorece ou acelera a cicatrização. ★ *s.m.* Medicamento que favorece ou acelera a cicatrização.

cicatrizar *v.t.* (conj. 4). **1.** Promover a cicatrização de. **2.** Cobrir de cicatrizes. **3.** *Fig.* Apaziguar, curar, sanar. ★ *v.i.* Fechar-se (falando de uma ferida).

cicerone *s.2g.* (it. *cicerone*). Pessoa que conduz outras, visitantes ou turistas, num local que não conhecem.

ciceroniano *adj.* (lat. *ciceronianus*). **1.** Relativo a, ou próprio de Cícero (106-43 a.C.), grande orador romano. **2.** Muito eloqüente.

ciciar *v.i.* (onomat) [conj. 16]. **1.** Sibilar brandamente, como a aragem nas copas das árvores. **2.** Pronunciar palavras em cicio. ★ *v.t.* Falar em voz baixa; segredar.

cicio *s.m.* **1.** Rumor brando, como o da aragem nas folhas das árvores. **2.** Sussurro, murmúrio.

ciclamato *s.m.* Designa a ação de um grupo de substâncias sintéticas, entre as quais o ciclamato de sódio e o de potássio, utilizadas como adoçantes dietéticos.

cíclame ou **ciclâmen** *s.m.* (gr. *kyklaminon*). **1.** Planta ornamental originária da Europa, de folhas em formato de coração e flores cor-de-rosa. **2.** A cor peculiar a essas plantas.

cíclico *adj.* (gr. *kyklikos*). **1.** Que obedece a uma certa regularidade, que se renova por ciclos relativamente regulares. **2.** Que volta a intervalos regulares. ● **Quím.** *Composto cíclico,* composto orgânico cuja molécula apresenta cadeia fechada.

ciclismo *s.m.* **1.** Prática de andar de bicicleta. ● **Esp.** Competição esportiva com bicicletas, em velódromo ou circuito determinado.

CICLISMO ► O ciclismo olímpico é dividido em três tipos de competições: a de pista, disputada no velódromo; a de estrada e a de *mountain bike*, esta última disputada em trilhas acidentadas.

---

ciclista *s.2g.* Aquele que se dedica ao ciclismo.

ciclo *s.m.* (gr. *kyklos,* círculo). **1.** Grupo de acontecimentos ou fenômenos interligados que ocorrem em ordem e período determinados. **2.** Período após o qual os mesmos fenômenos se reproduzem na mesma ordem. **3.** Cada uma das divisões de um certo programa de ensino. **4.** Espaço de tempo marcado por características gerais; período. ● **Agric.** Período de vida de uma planta cultivada que vai desde o plantio até a colheita do produto desejado (folha, raiz, flor ou fruto). **Fís.** Em um movimento repetitivo, cada fração de tempo entre a reocupação de uma mesma posição. ► Estado energético de um fenômeno que se repete sucessivamente, com conservação de energia interna e entropia. **Quím.** Cadeia de átomos fechada, freqüente sobretudo entre os compostos do carbono.

ciclone *s.m.* (ingl. *cyclone,* do gr. *kyklos*). Massa atmosférica animada por um movimento de rotação, acompanhada de ventos fortes, de queda da pressão atmosférica e de precipitações.

ciclope *s.m.* (gr. *Kyklops,* n.pr.). Gigante da mitologia grega de um só olho.

CICLOPE ► A mitologia grega concebe vários tipos de ciclopes. A uns é atribuída a construção dos muros dos palácios micênicos, formados por enormes pedras superpostas. Outros, os chamados ciclopes uranianos, filhos de Urano e de Gaia, personificam os fenômenos atmosféricos. Há ainda os ciclopes sicilianos, operários de Hefestos nas profundezas dos vulcões.

---

ciclostomados *s.m.pl.* Classe de vertebrados inferiores, de corpo delgado e cilíndrico, esqueleto cartilaginoso, desprovido de escamas, mandíbulas e nadadeiras pares, que engloba as lampreias e os peixes-bruxa. (Sin. CICLÓSTOMOS.)

ciclóstomos *s.m.pl.* Sin. de CICLOSTOMADOS.

ciclotimia *s.f.* Disposição psicológica caracterizada por uma alternância de fases de excitação eufórica e de depressão, às vezes separadas por um intervalo livre; cicloidia. (Para alguns, psicose maníaco-depressiva.)

cíclotron *s.m.* Acelerador circular de partículas, no qual o campo magnético e a freqüência do campo elétrico são fixos.

ciconiformes *s.m.pl.* Ordem de aves grandes, de pescoço e pernas compridas, plumas decorativas, que vivem próximas da água; engloba garças, cegonhas, íbis e flamingos.

cicuta *s.f.* (lat. *cicuta*). **1.** Nome comum a diversas plantas herbáceas, venenosas, com flores reunidas em umbela, distribuídas principalmente em regiões temperadas. **2.** Veneno extraído da cicuta-da-europa.

cicuta-da-europa *s.f.* Planta de flores brancas, folhas pecioladas e frutos arredondados; o suco da planta é considerado venenoso se ingerido em grande quantidade.

cidadania *s.f.* **1.** Qualidade de cidadão. **2.** Conjunto dos direitos e deveres civis e políticos da pessoa que é membro de um Estado democrático.

cidadão *s.m.* **1.** Pessoa que é membro de um Estado democrático e nele tem reconhecidos seus direitos civis e políticos. **2.** *Fam.* Indivíduo, pessoa.

VOCÊ SABIA...? Na Grécia antiga, **cidadãos** eram aqueles que podiam votar nas decisões políticas, o que excluía todas as mulheres, os escravos e os estrangeiros. Hoje, os Estados de regime democrático reconhecem a igualdade de direitos para todas as pessoas. Na prática, porém, o exercício de vários direitos é limitado por fatores econômicos e sociais.

---

cidade *s.f.* (lat. *civitas*). **1.** Complexo demográfico, social e econômico formado por uma concentração populacional não agrícola; centro urbano, urbe. **2.** Centro industrial e comercial. **3.** Conjunto dos habitantes da cidade. **4.** A parte central ou o centro comercial-financeiro de uma grande cidade. **5.** Aglomeração que forma um conjunto homogêneo, uma unidade histórica, arquitetônica etc.

cidadela *s.f.* (it. *cittadella*). **1.** Reduto fortificado que domina uma cidade. **2.** *Fig.* Centro principal.

cidra *s.f.* (lat. *citrea,* cidreira). **1.** Fruto da cidreira, que é uma baga de forma irregular, de polpa ácida, casca espessa e aromática, utilizada para a produção de doces e em perfumaria. **2.** Doce que se faz com esse fruto.

cidreira *s.f.* Árvore ou arbusto originário da Índia, de flores brancas, folhas pequenas e frutos de suco escasso, ácido e de casca espessa.

ciência *s.f.* (lat. *scientia,* conhecimento; arte; habilidade). **1.** Conjunto organizado de conhecimentos relativo a determinada área do saber, caracterizado por metodologia específica. **2.** Saber, conhecimento. **3.** Conhecimento que se obtém por de leituras, estudos; instrução, erudição. ► *Ciências naturais,* ciências que estudam os animais, os vegetais e os minerais, como a zoologia, a botânica e a mineralogia. ► *Ciências sociais,* disciplinas que estudam as sociedades humanas, sua cultura e evolução.

ciente *adj.2g.* (lat. *sciens, scientis*). **1.** Que tem ciência; sábio, erudito. **2.** Que tem conhecimento de alguma coisa. ★ *s.m.* Assinatura aposta a documentos, como prova de que se tomou conhecimento de seu conteúdo.

cientificar *v.t.* (conj. 12). Tornar ciente, informar. ★ *v.pr.* Tomar conhecimento de.

cientificismo ou **cientismo** *s.m.* Opinião filosófica daquele que afirma ser o conhecimento científico o único verdadeiro, e suficiente para satisfazer todas as aspirações humanas.

científico *adj.* (lat. *scientificus*). **1.** Relativo à ciência. **2.** Que se faz segundo os procedimentos previstos por determinada ciência.

cientista *s.2g.* (ingl. *scientist*). O que se dedica à ciência; especialista numa ciência.

cifomedusas *s.f.pl.* Sin. de CIFOZOÁRIOS.

cifose *s.f.* (gr. *kyphosis,* corcunda). Desvio da coluna vertebral para trás.

cifótico *adj.* e *s.m.* **1.** Relativo à cifose. **2.** Aquele que sofre de cifose.

cifozoários *s.m.pl.* Classe de animais cnidários nos quais prevalece a fase de medusa, enquanto a de pólipo normalmente se restringe à fase larval, e que apresentam o corpo em forma de campânula, rodeada por tentáculos marginais. (Sin. CIFOMEDUSAS.)

cifra *s.f.* (ár. *çifr,* zero, pelo lat. tard. *cifra*). **1.** Montante, valor total, de uma coisa. **2.** Combinação secreta de algarismos ou letras para abrir uma fechadura; segredo. **3.** Caracteres ou convenções de linguagem, compreensíveis unicamente pelos iniciados. **4.** Chave ou explicação dessa convenção. **5.** Entrelaçamento das iniciais de um nome; monograma. **6.** Zero. **7.** Conjunto de caracteres (telegráficos, telefônicos, radiotelegráficos etc.) usado na codificação e decodificação de mensagens.

cifrão *s.m.* Sinal ($) usado para indicar a unidade monetária de vários países.

cifrar *v.t.* (conj. 4). **1.** Escrever em cifras. **2.** Substituir as letras de um texto por caracteres convencionados, a fim de torná-lo secreto. **3.** Resumir, sintetizar, reduzir.

cigano *s.m.* **1.** Indivíduo dos ciganos, povo nômade de origem incerta, que pratica quiromancia, cartomancia etc. e comércio; zíngaro. **2.** Indivíduo de vida errante. **3.** Indivíduo velhaco, astuto. ★ *adj.* **1.** Velhaco, sabido, trapaceiro. **2.** Boêmio, errante.

cigarra *s.f.* **1.** Denominação comum a insetos homópteros, saltadores, que apresentam aparelho bucal sugador, cujos machos emitem um canto produzido por órgãos especiais localizados no abdome. **2.** Dispositivo de alarme que produz som semelhante ao da cigarra; vibrador.

cigarreira *s.f.* Estojo para guardar cigarros.

cigarrilha *s.f.* **1.** Cigarro cujo invólucro é um fragmento de folhas de tabaco. **2.** Charuto pequeno e de fumo ruim.

cigarrinhas *s.f.pl.* Denominação comum a vários insetos da ordem dos homópteros, que se alimentam da seiva das plantas e constituem, principalmente, pragas de pasto.

cigarro *s.m.* (esp. *cigarro*). Tabaco picado e enrolado em papel muito fino, para se fumar.

? VOCÊ SABIA...? Dá-se o nome de tabagismo ao consumo de **cigarros** e à intoxicação decorrente desse hábito. O tabaco pode causar enfisema pulmonar e bronquite crônica, além de danos ao aparelho circulatório e alguns tipos de câncer, sobretudo do pulmão. No Brasil, são obrigatórias advertências sobre esses malefícios nos maços de cigarros, nos pontos de venda e nos anúncios publicitários.

---

cilada *s.f.* (it. *celata*). **1.** Lugar oculto onde se espera a caça ou o inimigo. **2.** Estratagema, armadilha, emboscada.

cilha *s.f.* (lat. *cingula*). Tira de couro ou de pano com que se prende a sela ou a carga sobre o lombo de uma cavalgadura.

cilhão *s.m.* Cilha grande, cilha mestra. ★ *adj.* e *s.m.* Diz-se de ou o cavalo que tem o espinhaço muito encurvado no meio.

cilhar *v.t.* (conj. 4). **1.** Apertar com cilha. **2.** Apertar, cingir.

ciliado *adj.* **1.** Provido de cílios. **2.** Relativo aos ciliados. ★ *s.m.* Espécime dos ciliados.

ciliados *s.m.pl.* Filo de protozoários providos de cílios, com função de locomoção ou alimentação em algum estágio do seu ciclo de vida, que engloba espécies parasitas.

ciliar *adj.2g.* Relativo aos cílios.

cilício *s.m.* (lat. *cilicium*). **1.** Pequena túnica ou cordão ou cinto largo de crina ou eriçado de pontas de arame, usado sobre a pele como penitência. **2.** *Fig.* Tormento, suplício.

cilindrada *s.f.* Volume máximo gerado pelo percurso do pistão no cilindro de um motor de combustão interna ou de uma bomba.

cilindrar *v.t.* (conj. 4). **1.** Dar forma de cilindro. **2.** Submeter à pressão de cilindro.

cilíndrico *adj.* **1.** Que tem forma de cilindro. **2.** Relativo ao cilindro. ● **Mat.** *Coordenada cilíndrica,* cada uma das coordenadas que situam um ponto na superfície de um cilindro, em relação a um sistema de três eixos ortogonais.

cilindro *s.m.* (gr. *kylindros,* corpo roliço). Corpo comprido e roliço de igual diâmetro em todo o comprimento. ● **Mat.** Figura geométrica tridimensional, que apresenta um corpo tubular cuja base e o topo são circunferências de mesmo diâmetro. **Mec.** Peça em forma de tubo, onde se desloca o pistão de um motor, de um compressor, de uma bomba etc. **Med.** *Cilindro urinário,* elemento microscópico, de natureza mucoprotéica e de aspecto cilíndrico, que se encontra no sedimento urinário; cilindro renal.

cílio *s.m.* (lat. *cilium*). Pêlo das pálpebras, cuja função é proteger o olho de agressões externas como a poeira. ● **Biol.** Estrutura celular semelhante ao pêlo, que por meio de movimentos rítmicos provoca o deslocamento da célula ou organismo em meio líquido ou cria uma correnteza ao seu redor.

A REGIÃO OCULAR

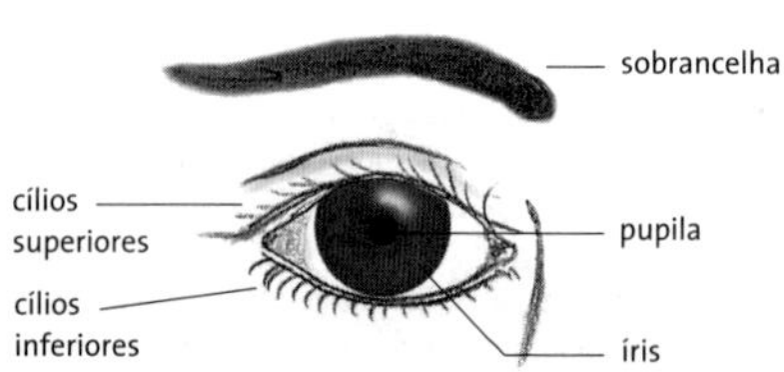

---

cima *s.f.* (gr. *kyma,* vaga, onda). **1.** A parte mais elevada. **2.** Cume, cimo, topo.

cimalha *s.f.* **1.** A parte mais alta da cornija. **2.** Saliência no alto das paredes onde se assenta o beiral do telhado.

címbalo *s.m.* (gr. *kymbalon*). Instrumento musical de percussão formado por dois pratos metálicos, que se faz bater um contra o outro; prato.

cimentar *v.t.* (conj. 4). **1.** Ligar ou cobrir com cimento. **2.** *Fig.* Fortalecer, consolidar.

cimento *s.m.* (lat. *caementum,* argamassa). **1.** Matéria pulverulenta que, adicionada à água ou a uma solução salina, forma uma pasta plástica ligante capaz de aglomerar substâncias variadas depois de endurecida. **2.** Toda substância interposta entre dois corpos duros para ligá-los. ● **Geol.** Nome dado a certos ligantes não hidráulicos, como o que une os grãos de rochas sedimentares.

cimitarra *s.f.* (persa *shimshir*). Sabre oriental de lâmina curva que se vai alargando no sentido de sua extremidade, e que tem um só gume (no lado convexo).

cimo *s.m.* **1.** Cume, pico, topo. **2.** *Fig.* O grau mais elevado.

cimógrafo *s.m.* (gr. *kyma*, onda). Aparelho que registra graficamente os fenômenos fisiológicos por meio de um estilete que atua sobre um cilindro de movimentos circulares e uniformes.

cinamomo *s.m.* (gr. *kinnámomon*). Árvore originária da Ásia, de flores pequenas e aromáticas, de cor violeta-pálida, muito utilizada na arborização de ruas e quintais.

cincar *v.i.* (conj. 12). Errar, falhar, enganar-se.

cincerro (ê) *s.m.* (*S*) Sino ou campainha que se pendura no pescoço do animal que guia os outros.

cincha *s.f.* Faixa ou tira geralmente de couro que, passando por baixo da barriga das bestas, lhes prende a sela ao lombo.

cinco *num. card.* (lat. vulg. *cinque*). **1.** Quatro mais um. **2.** Quinto. ★ *s.m.* O algarismo (5) que representa esse número.

cindir *v.t.* (lat. *scindere*) [conj. 6]. **1.** Cortar, fender. **2.** Separar, afastar.

cine *s.m.* Forma reduzida de cinema.

cineasta *s.2g.* (fr. *cinéaste*). Pessoa que exerce atividade criadora e técnica relacionada com o cinema.

cineclube *s.m.* Entidade que promove a cultura cinematográfica.

cinegrafista *adj.2g.* e *s.2g.* **1.** Técnico de cinema. **2.** Operador de câmera cinematográfica para reportagens jornalísticas.

cinema *s.m.* **1.** Arte ou ciência de compor e realizar filmes cinematográficos. **2.** Sala de espetáculos onde se assiste a projeções cinematográficas; cine. **3.** Conjunto de obras cinematográficas.

CINEMA ► Em 1895 os irmãos Lumière construíram os primeiros aparelhos de filmagem e projeção. Começou, assim, a época do cinema mudo. Logo depois, Georges Meliès, mago e ilusionista, realizou os primeiros filmes com truques cinematográficos. As primeiras fitas do cinema falado apareceram em 1927, e os primeiros longas-metragens em cores, em 1935. O cinema foi reconhecido como meio de expressão artística e é chamado atualmente de *sétima arte*.

---

cinemascope *s.m.* (marca registrada). Processo cinematográfico de projeção em tela alongada.

cinemateca *s.f.* Local em que se conservam e são exibidos filmes, especialmente aqueles fora do circuito comercial.

cinemática *s.f.* Ramo da física que se ocupa da descrição do movimento, sem considerar sua causa nem as forças que nele atuam.

cinemático *adj.* **1.** Relativo a cinemática. **2.** *Viscosidade cinemática*, razão entre a viscosidade de um fluido e sua massa específica.

cinematografia *s.f.* Conjunto de métodos e processos empregados para reprodução fotográfica do movimento.

cinematográfico *adj.* Relativo ao cinematógrafo, ao cinema.

cinematógrafo *s.m.* Antigo aparelho destinado a registrar e depois projetar imagens em movimento.

cinerama *s.m.* (gr. *kinema*, movimento) [marca registrada]. Processo cinematográfico com projeção em tela côncava, que utiliza a justaposição de três imagens provenientes de três projetores.

cinerária *s.f.* Nome comum a diversas plantas ornamentais, originárias da Europa e África, de pequeno porte e flores azuis, brancas, amarelas, carmesim ou lilás.

cinerário *adj.* (lat. *cinerarius*). **1.** Relativo a cinzas. **2.** Que contém as cinzas de um defunto. **3.** Mortuário, fúnebre. ★ *s.m.* **1.** Carneiro mortuário onde se colocavam as urnas que continham as cinzas dos mortos. **2.** A própria urna.

cinéreo *adj.* (lat. *cinereus*). *Poét.* Cinzento.

cinese *s.f.* Resposta locomotora de uma célula ou organismo a um estímulo, cujo grau varia em função da intensidade do estímulo, mas não está relacionado com a direção da fonte.

cinesia *s.f.* (gr. *kinesis*, movimento). Atividade muscular; movimento.

cinestesia *s.f.* Percepção consciente da posição e dos movimentos das diferentes partes do corpo.

cinética *s.f.* (gr. *kinetike*). Ramo da física que estuda os movimentos.

cinético *adj.* (gr. *kinetikós*). Diz-se da propriedade ou fenômeno que se relaciona ao movimento. ● **Fís.** *Energia cinética*, energia associada ao deslocamento de um corpo e dependente de sua massa e velocidade.

cingalês *adj.* Relativo ao Sri Lanka (antigo Ceilão). ★ *s.m.* **1.** Indivíduo natural ou habitante desse país. **2.** Língua falada em Sri Lanka.

cingapurense *adj.2g.* e *s.2g.* Cingapuriano.

cingapuriano *adj.* Relativo a Cingapura, país da Ásia. ★ *s.m.* Indivíduo natural ou habitante de Cingapura.

cingel *s.m.* Junta de bois.

cingir *v.t.* (lat. *cingere*) [conj. 52]. **1.** Apertar com uma correia. **2.** Cercar, rodear, circunscrever. **3.** Coroar, ornar. **4.** Pôr à cinta. **5.** Limitar, reprimir. ★ *v.pr.* Limitar-se, restringir-se.

cíngulo *s.m.* (lat. *cingulus*). **1.** Cordão com que o sacerdote aperta a alva na cintura. **2.** Crista na coroa de um dente incisivo ou canino superior, na base da superfície lingual. **3.** Feixe de fibra junto ao corpo caloso do cérebro.

cínico *adj.* (gr. *kynikós*, semelhante ao cão; cínico). **1.** Relativo ao cinismo. **2.** Que ostenta princípios e pratica atos imorais. **3.** Impudente, inconveniente. ★ *s.m.* **1.** Indivíduo cínico. **2.** Partidário da escola filosófica grega que preconizava o desprezo pelas convenções sociais e atinha-se à independência de espírito.

cinismo *s.m.* (gr. *kynismós*, filosofia dos cínicos). **1.** Doutrina dos filósofos cínicos. **2.** Desprezo pelas conveniências sociais e pela moral, que se traduz por uma impudência descarada.

cinomose *s.f.* Doença infecciosa e contagiosa, causada por um vírus que ataca principalmente cães, e, muito raramente, o homem.

cinqüenta *num. card.* (lat. *quinquaginta*). **1.** Cinco vezes dez. **2.** Qüinquagésimo. ★ *s.m.* O algarismo (50) que representa esse número.

cinqüentão *adj.* e *s.m.* Que ou aquele que tem entre cinqüenta e sessenta anos.

cinqüentenário *adj.* e *s.m.* Que ou aquele que atingiu cinqüenta anos; cinqüentão. ★ *s.m.* Qüinquagésimo aniversário.

cinta *s.f.* (lat. *cinctus*). **1.** Faixa, tira, para apertar na cintura. **2.** Linha ou série de objetos que cinge ou rodeia algo. **3.** Tira de aço, couro ou tecido para cingir; cintura.

cintado *adj.* Que tem cinta. ● **Pec.** *Vaca cintada,* raça de vaca holandesa, de malha preta com cinta branca, criada para produção de leite.

cintilação *s.f.* (lat. *scintillatio*). **1.** Ato ou efeito de cintilar; movimento ou agitação rápida de uma luz que parece brilhar e ofuscar-se continuamente. **2.** *Fig.* Brilho que produz deslumbramento no espírito. ● **Fís.** Fenômeno caracterizado por variações rápidas da intensidade de radiação luminosa de um astro. ▸ Radiação luminosa intermitente produzida quando uma partícula atravessa certos meios.

cintilador (ô) *s.m.* Composto ou mistura que emite luz quando é atravessada por uma partícula carregada ou ionizante, utilizada nos detectores de partículas.

cintilante *adj.2g.* (lat. *scintillans*). **1.** Que cintila, brilhante. **2.** Que emite intensos raios luminosos. **3.** *Fig.* Vivo, fulgurante.

cintilar *v.i.* (lat. *scintillare*) [conj. 4]. Brilhar com reflexos que parecem tremer; tremeluzir.

cintilografia *s.f.* **Med.** Método de diagnóstico que permite obter uma imagem de um órgão em uma superfície fotossensível, graças à injeção de um isótopo radioativo. (Sin. GAMAGRAFIA.)

cinto *s.m.* (lat. *cinctus*). **1.** Faixa ou fita que cinge o meio do corpo com uma só volta, usada como simples adorno ou para sustentar ou apertar uma peça do vestuário. **2.** Cós. **3.** Cercado, muro circular. **4.** *Cinto de segurança*, faixa presa no assento e na coluna de um veículo a que o passageiro se afivela para evitar, em caso de parada brusca ou de acidente, que seja arremessado para a frente.

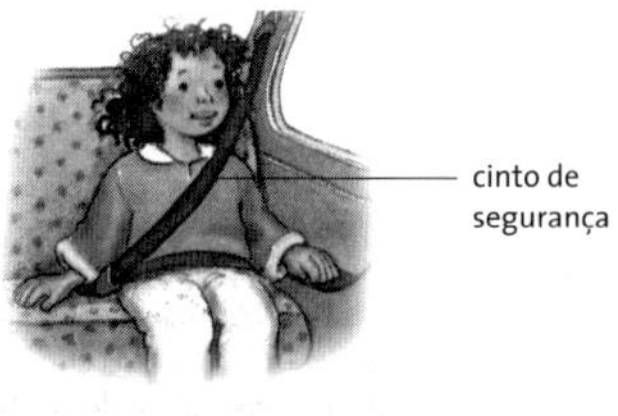

cintura *s.f.* (lat. *cinctura*). **1.** Parte média do corpo humano onde há junção óssea dos membros ao tronco. **2.** A parte das vestimentas que rodeia e aperta essa parte. **3.** Cinta. ● **Anat.** *Cintura escapular,* conjunto ósseo formado pelas clavículas e omoplatas. ▸ *Cintura pélvica,* conjunto ósseo formado pelos ossos ilíaco, sacro e cóccix.

cinturado *adj.* Que tem cintura.

cinturão *s.m.* **1.** Cinto grande. **2.** Faixa larga de couro que se traz à cintura para guarda de armas e cartucheiras, ou dinheiro. ● **Esp.** Cinto de 12 cm de largura usado por atletas de levantamento de peso para manter a coluna ereta.

cinza *s.f.* (lat. *cinis,* cinza). **1.** Pó ou resíduos sólidos pulverulentos, incombustíveis, que resultam da combustão de certos materiais. **2.** *Fig.* Sinal de luto, mortificação. ★ *s.m.* A cor cinzenta. ★ *adj.2g.2n.* Que tem cor de cinza, cinzento. ★ *s.f.pl.* **1.** Restos, destroços do que foi destruído pelo fogo. **2.** Resíduos ou recordações do que foi extinto. **3.** Restos mortais, expressão que provém do hábito que tinham os antigos de queimar os mortos. **4.** *Fig.* A memória dos mortos. **5.** *Quarta-feira de cinzas,* o primeiro dia da quaresma, imediatamente posterior à terça-feira de carnaval.

cinzeiro *s.m.* **1.** Monte de cinzas. **2.** Parte do fogão ou da caldeira, por baixo da grelha, onde cai a cinza. **3.** Operário que retira a cinza das caldeiras das usinas de açúcar. **4.** Pequeno recipiente onde os fumantes deitam a cinza de cigarro, charuto etc.

cinzel *s.m.* **1.** Instrumento de aço temperado que tem uma das extremidades talhada em bisel, utilizado em escultura e gravação. **2.** *Fig.* O escultor ou o gravador.

cinzelar *v.t.* (conj. 4). **1.** Lavrar com cinzel. **2.** *Fig.* Trabalhar com extrema precisão; aprimorar.

cinzento *adj.* **1.** Que tem cor da cinza. **2.** Diz-se dessa cor. **3.** *Fig.* Triste, melancólico. **4.** Apagado, sombrio. ★ *s.m.* A cor cinzenta.

cio *s.m.* Nos mamíferos, período de atividade sexual correspondente à fase de ovulação, marcado por modificações glandulares e comportamentais, em que a fêmea aceita o macho para o acasalamento.

? VOCÊ SABIA...? Os períodos de **cio** nas regiões temperadas podem estar relacionados às estações do ano, mas isso não ocorre em regiões sem grande variação de temperatura ao longo do ano, como é o caso do Brasil. Assim, nas regiões temperadas, o cio na égua tem sua maior intensidade na primavera e no verão e desaparece no inverno. No Brasil, a égua tem cio a cada 15 ou 20 dias. Já a vaca e a porca têm cios regulares a cada 21 dias, em qualquer região do globo.

---

cioso (ô) *adj.* **1.** Que sente ciúme. **2.** Zeloso. **3.** Interessado.

cipó *s.m.* (tupi *isipó*). **1.** Denominação comum às plantas trepadeiras, comuns em matas virgens, que vivem entrelaçadas em árvores. **2.** Vara, chicote.

cipó-chumbo *s.m.* Nome comum a diversas trepadeiras herbáceas, parasitas, desprovidas de clorofila, de flores amarelas, brancas ou róseas. (Sin. CUSCUTA.)

cipó-de-cobra *s.m.* Sin. de PARREIRA-BRAVA.

cipó-escada *s.m.* Nome comum a diferentes espécies de plantas de caule sinuoso, com frutos que são vagens, comuns em todo o Brasil.

cipó-timbó *s.m.* Sin. de TIMBÓ.

cipreste *s.m.* Nome comum a várias árvores de folhas reduzidas a pequenas escamas reunidas sobre os ramos, de frutos pequenos, cultivadas como ornamentais.

ciprinocultor (ô) ou **ciprinicultor** (ô) *s.m.* Criador de carpas.

ciprinicultura *s.f.* Criação de carpas.

cipriota *adj.2g.* Relativo a Chipre, ilha do Mediterrâneo oriental. ★ *s.2g.* Indivíduo natural ou habitante de Chipre.

ciranda *s.f.* (ár. *saranda*). **1.** Peneira grossa para joeirar grãos, areia etc. **2.** Dança ou cantiga de roda infantil; cirandinha. **3.** Ritmo e dança folclórica de adultos, também de roda.

cirandar *v.t.* (conj. 14). Passar pela ciranda; peneirar. ★ *v.i.* **1.** Andar de um lado para outro. **2.** Dançar a ciranda.

cirandinha *s.f.* Ciranda.

circadiano *adj.* (gr. *kírkos,* círculo). *Ritmo circadiano,* conjunto de variações periódicas endógenas, presente em todos os organismos vivos, que consiste na sincronização das atividades biológicas com o período de claro/escuro no ciclo de 24 horas.

circense *adj.2g.* (lat. *circensis*). Relativo ou pertencente a circo.

circinado *adj.* Diz-se de lesões da pele agrupadas em forma circular, cujo centro está muitas vezes intacto. (Sin. CIRCINAL.)

circo *s.m.* (gr. *kirkós,* pelo lat. *circus*). **1.** Recinto destinado aos jogos públicos, entre os antigos romanos. **2.** Área formada por uma armação desmontável, coberta de lona, de forma circular, para espetáculos acrobáticos, cômicos, eqüestres etc. **3.** Círculo. ● **Geogr.** Vale cercado de montanhas em forma de anfiteatro. ► *Circo glaciário,* depressão de forma semicircular, com bordas escarpadas, entalhadas pelas geleiras.

tenda de circo

circuito *s.m.* (lat. *circuitus,* marcha em círculos). **1.** Limite exterior; circunferência. **2.** Caminho percorrido para atingir um lugar fixo. **3.** Itinerário fechado de uma prova esportiva. **4.** Sucessão de fenômenos periódicos; ciclo. **5.** O que rodeia ou circunda. ● **Anat.** Conjunto de vias aferentes e eferentes relacionado a uma função determinada do cérebro. **Eletr.** Série de condutores elétricos que podem ser percorridos por uma corrente.

circulação *s.f.* (lat. *circulatio*). **1.** Ato ou efeito de circular. **2.** Movimento contínuo e sucessivamente renovado de um fluido, de um líquido. **3.** Movimento de veículos, de pedestres etc., que se deslocam pelas vias de comunicação. **4.** Difusão, divulgação. ● **Biol.** Deslocamento permanente de um líquido no interior de um organismo animal ou vegetal pluricelular que assegura as trocas respiratória, alimentar e excretora de uma célula a outra ou entre o organismo e seu meio. **Med.** *Circulação sanguínea,* deslocamento do sangue nas artérias, nas veias e nos capilares, sob ação motora do coração e das artérias.

circular[1] *adj.2g.* (lat. *circularis*). **1.** Que tem forma de círculo. **2.** Que descreve um círculo. **3.** Que retorna ao ponto de partida. ● **Mat.** *Função circular,* nome que se dá às funções trigonométricas. ★ *adj.* e *s.f.* Diz-se de ou carta, comunicado etc. enviada a várias pessoas.

circular[2] *v.i.* (lat. *circulare,* arredondar) [conj. 4]. **1.** Mover-se de modo contínuo, voltando sempre ao ponto de partida. **2.** Passar de mão em mão. **3.** Renovar-se (o ar) pela circulação. **4.** Ir e vir; transitar pelas vias de comunicação. **5.** Propagar-se. ★ *v.t.* **1.** Fazer círculo, próximo ou em volta de alguém ou de alguma coisa. **2.** Cercar, rodear.

circulatório *adj.* **1.** Relativo ao movimento em círculo. **2.** Relativo à circulação do sangue. ● **Fisiol.** *Aparelho circulatório,* conjunto das artérias, veias, capilares e coração.

círculo *s.m.* (lat. *circulus*). **1.** Figura geométrica plana limitada por uma circunferência. **2.** Impropriamente, circunferência. **3.** *Fig.* Associação de pessoas reunidas para um fim particular. **4.** O local que essas pessoas freqüentam. **5.** Objeto, linha ou movimento circular.

circunavegar *v.t.* (lat. tard. *circumnavigare*) [conj. 14]. Rodear navegando. ★ *v.i.* Navegar em torno do globo terrestre, de uma ilha ou de um continente.

circuncidado *adj.* e *s.m.* Circunciso.

circuncidar *v.t.* (lat. *circumcidere,* cortar em roda) [conj. 4]. Praticar a circuncisão em.

circuncisão *s.f.* (lat. *circumcisio*). **1.** Operação cirúrgica que consiste na excisão do prepúcio, praticada no tratamento da fimose ou como ritual das religiões judaica e islâmica. **2.** *Fig.* Corte, supressão.

circunciso *adj.* e *s.m.* Que ou aquele em que se realizou uma circuncisão; circuncidado.

circundante *adj.2g.* Que circunda.

circundar *v.t.* (lat. *circumdare*) [conj. 4]. **1.** Andar em torno. **2.** Rodear, cercar.

circunferência *s.f.* (lat. *circumferentia*). **1.** Linha esférica fechada traçada com uma distância constante a partir de um ponto denominado centro. **2.** Linha que delimita qualquer área; periferia, circuito.

circunflexo (cs) *adj.* (lat. *circumflexu*). De forma curva. ★ *adj.* e *s.m.* Diz-se de ou acento que, em português, indica timbre fechado das vogais *a, e* e *o.*

circunlóquio *s.m.* (lat. *circumloquium*). Maneira de falar em que se exprime um pensamento de modo indireto e impreciso; rodeio.

circunlunar *adj.2g.* Que circunda a Lua ou que gira em torno dela.

circunscrever *v.t.* (conj. 6). **1.** Escrever, traçar em redor. **2.** Traçar um limite em torno de; limitar, conter, abranger. ● **Geom.** Traçar uma linha que abranja toda uma figura geométrica. ★ *v.pr.* Limitar-se, moderar-se.

circunscrição *s.f.* (lat. *circumscriptio*). **1.** Ato ou efeito de circunscrever(-se). **2.** Linha que limita a extensão de uma superfície. **3.** Divisão territorial.

circunscrito *adj.* (lat. *circumscriptus*). **1.** Limitado por uma linha. **2.** Restringido, limitado, localizado. ● **Geom.** *Ângulo circunscrito,* ângulo cujos lados tangenciam uma mesma esfera. ► *Polígono circunscrito,* polígono em que uma circunferência tangencia todos os seus lados.

circunspeção ou **circunspecção** *s.f.* (lat. *circumspectio*). **1.** Qualidade de circunspeto. **2.** Prudência, ponderação. **3.** Exame demorado de um objeto considerado por todos os lados.

circunspeto ou **circunspecto** *adj.* (lat. *circumspectus*). **1.** Que procede com reserva e prudência; ponderado. **2.** Sério, sisudo.

circunstância *s.f.* (lat. *circumstantia*). **1.** Particularidade que acompanha um fato, uma situação. **2.** O que constitui, caracteriza o estado atual das coisas; conjuntura. **3.** Condição, requisito. **4.** Motivo, causa.

circunstancial *adj.2g.* Relativo a circunstância.

circunstanciar *v.t.* (conj. 16). **1.** Revelar as circunstâncias de um fato. **2.** Pormenorizar, particularizar.

circunstante *adj.2g.* Que está em redor; circunjacente. ★ *s.2g.* Indivíduo que está presente.

circunstelar *adj.2g.* Que circunda uma estrela.

circunterrestre *adj.2g.* Que circunda a Terra ou que gira em torno dela.

circunvagar *v.t.* (conj. 14). Andar em torno de; dar voltas. ★ *v.i.* Andar à toa, divagar.

circunvizinhança *s.f.* **1.** Vizinhança, adjacência. **2.** Subúrbio, arredores.

circunvizinho *adj.* Situado em torno; adjacente; limítrofe.

circunvolução *s.f.* **1.** Círculo, volta feita em torno de um centro comum. **2.** Saliência sinuosa delimitada por sulcos existentes na superfície do cérebro e do cerebelo. (Sin. GIRO.) **3.** *Circunvoluções cerebrais,* flexões sinuosas do córtex cerebral.

cirigüela *s.f.* Fruto do umbuzeiro, de cor amarelo-alaranjada, comestível, utilizado também na produção de compotas e doces.

círio *s.m.* (lat. *cereus*). **1.** Vela grande de cera. **2.** Romaria na qual se leva um círio de um local para outro.

círio-de-nossa-senhora *s.m.* **1.** Planta originária do México, de folhas numerosas, flores brancas e grandes, cultivada como ornamental. **2.** Sin. de FLOR-DE-MAIO.

cirro *s.m.* (lat. *cirrus,* cacho de cabelo, filamento). **Zool.** Cerda resistente que ocorre em alguns invertebrados. ► Cada um dos barbilhões labiais presentes em alguns peixes. **Bot.** Sin. de GAVINHA.

cirrose *s.f.* (gr. *kirrhós,* amarelado). Doença crônica e difusa do fígado que compreende alterações dos hepatócitos, esclerose e aglomerados hipertróficos de células, cuja causa mais freqüente é o alcoolismo.

CIRROSE ► Doença do fígado em que o tecido normal é substituído pelo tecido nodular e pelo tecido fibroso e cicatricial, que não funciona. É causada por consumo excessivo de álcool, hepatite viral e doença auto-imune, entre outros fatores. Os sinais clínicos são variáveis e podem não ser aparentes até que a cirrose esteja em estado avançado. Não existe tratamento, e a lesão é irreversível quando não é detectada a tempo, ainda que a progressão da cirrose produzida pelo álcool possa cessar mediante a abstinência.

---

cirrótico *adj.* Relativo à cirrose; que sofre de cirrose.

cirurgia *s.f.* (gr. *cheirourgía*). **1.** Especialidade médica que consiste em praticar, manualmente ou com a ajuda de instrumentos, atos operatórios em um corpo vivo. **2.** *Cirurgia plástica,* a que se dá em uma parte externa do corpo, para embelezamento ou restauração.

sala de cirurgia

---

cirurgião *s.m.* Médico que exerce a cirurgia.

cirurgião-dentista *s.m.* Odontologista especialista em cirurgia dentária.

cirúrgico *adj.* Relativo à cirurgia.

cisalpino *adj.* (lat. *cisalpinus*). Que está aquém dos Alpes, cordilheira da Europa (no mundo antigo, em relação a Roma).

cisandino *adj.* Que está aquém dos Andes, cordilheira da América do Sul.

cisão *s.f.* (lat. *scissio,* corte, divisão). **1.** Ato ou efeito de cindir. **2.** Desacordo, divergência. **3.** Divisão, dissidência entre os membros de uma instituição.

cisatlântico *adj.* Que está aquém do Atlântico.

cisbordo *s.m.* Abertura dotada de porta, no costado de certos navios, destinada a embarque e desembarque de objetos grandes ou pesados.

ciscalho *s.m.* **1.** Porção de cisco. **2.** Lixo que se junta varrendo.

ciscar *v.i.* (conj. 12). **1.** Esgaravatar (a galinha) o solo à procura de alimento. **2.** Revolver o cisco, o lixo. ★ *v.pr.* Escapulir-se, safar-se.

cisco *s.m.* **1.** Pó de carvão. **2.** Lixo. **3.** Matérias diversas (ramos etc.), trazidas pelas enxurradas. **4.** Partícula de qualquer corpo, em especial quando caída no olho.

cisma[1] *s.m.* (lat. *schísma,* separação). **1.** Separação do corpo e da comunhão de uma religião. **2.** *P. ext.* Dissidência de crenças ou opiniões.

cisma[2] *s.f.* **1.** Ato ou efeito de cismar; devaneio, sonho. **2.** Preocupação meio obsessiva; mania, idéia fixa. **3.** Desconfiança, suspeita. **4.** Antipatia, implicância.

cismado *adj.* Desconfiado, prevenido.

cismar *v.t.* (conj. 4). **1.** Pensar com insistência, imaginar com fixidez. **2.** Desconfiar. **3.** Presumir, persuadir-se de. **4.** Ter implicância, antipatizar. ★ *s.m.* Preocupação de espírito, pensamento fixo em alguma idéia.

cismático[1] *adj.* e *s.m.* (lat. *schimaticus*). **1.** Que ou aquele que provoca um cisma. **2.** Diz-se de ou grupo que se separou de uma Igreja ou de um grupo religioso.

cismático[2] *adj.* e *s.m.* Apreensivo, pensativo.

cisne *s.m.* (gr. *kyknos,* pelo lat. *cycnus*). Denominação comum às aves anseriformes, que apresentam pescoço longo e flexível, patas curtas dispostas bem para trás, cuja coloração da plumagem varia do branco ao preto.

cisne-de-pescoço-preto *s.m.* Ave anseriforme, de corpo branco e pescoço preto, que ocorre do Chile e Argentina até o sudeste do Brasil, atualmente ameaçada de extinção. (Sin. PATO-ARMINHO.)

cisplatino *adj.* Que está aquém do rio da Prata, na América do Sul.

cissiparidade *s.f.* (do lat. *cissus,* dividido). Tipo de reprodução de organismos unicelulares, na qual ocorre divisão direta da célula-mãe em duas células idênticas. (Sin. ESQUIZOGÊNESE.)

cissura *s.f.* (lat. *scissura,* corte, divisão). **1.** Fissura. **2.** *Fig.* Rompimento de relações, quebra de amizade.

cisteína *s.f.* Um dos aminoácidos comuns nas proteínas.

cisterciense *adj.2g.* (de *Cistercium,* Cister). Relativo ou pertencente à ordem de Cister, ramo beneditino reformado de origem francesa. ★ *s.2g.* Monge dessa ordem.

cisterna *s.f.* (lat. *cisterna*). **1.** Reservatório de águas pluviais. **2.** Poço, cacimba. **3.** Reservatório subterrâneo de água potável.

cisticerco *s.m.* Larva de platelmintos cestóides, como as tênias, que o homem pode adquirir pela ingestão de carne mal cozida, ou crua, de porco ou boi. (Sin. CANJICA, CANJIQUINHA.)

cisticercose *s.f.* Infestação parasitária dos tecidos e órgãos por cisticercos, provocada pela ingestão de larvas de tênia contidas em carnes.

cístico[1] *adj.* (gr. *kystis,* bexiga) **1.** Da natureza do cisto (ou quisto). **2.** Relativo a cisto; quístico.

cístico[2] *adj.* **1.** Relativo à vesícula biliar. **2.** *Canal cístico,* canal que faz a comunicação entre a vesícula biliar e o canal colédoco.

cistina *s.f.* Aminoácido sulfurado, formado a partir da cisteína, componente da queratina, que dá origem a cálculos quando se acumula no sistema urinário.

cistite *s.f.* Inflamação aguda ou crônica da bexiga que se manifesta por micções freqüentes, dolorosas e às vezes por eliminação de pus e/ou sangue junto com a urina.

cisto *s.m.* (gr. *kystis,* bexiga, vesícula). **1.** Cavidade patológica que contém líquido. **2.** *Cisto sebáceo,* aquele cujo conteúdo é sebáceo. ● **Bot.** Termo utilizado para designar uma célula em repouso.

citação *s.f.* (lat. *citatio*). **1.** Ato ou efeito de citar. **2.** Referência feita a uma obra ou a um autor. **3.** Palavras ou frases de pessoa geralmente célebre. ● **Dir.** Ato processual pelo qual se chama para vir a juízo pessoa contra quem se propôs uma ação, ou um terceiro interessado.

citadino *adj.* (it. *cittadino*). Referente à cidade. ★ *s.m.* Pessoa que habita uma cidade.

citado *adj.* e *s.m.* **1.** Que ou aquele que recebeu uma citação. **2.** Diz-se do ou o autor cujo trecho foi referido.

citar *v.t.* (lat. *citare,* chamar; convocar) [conj. 4]. **1.** Reportar-se a um texto ou às palavras de alguém, como apoio ao que se diz. **2.** Invocar, mencionar como prova. **3.** Fazer referência a; designar. ● **Dir.** Proceder à citação.

cítara *s.f.* (gr. *kithára*). **1.** Entre os gregos, forma aperfeiçoada da lira. **2.** Instrumento musical de cordas tensas, com caixa de ressonância de madeira.

citarista *s.2g.* (gr. *kitharistes*). Que toca cítara.

citerior (ô) *adj.2g.* (lat. *citerior*). **1.** Que está do lado de cá; do nosso lado. **2.** Dizia-se de uma região situada aquém de uma outra, em relação à pessoa que fala.

citobiologia *s.f.* Estudo biológico das células; biologia celular.

citólise *s.f.* Destruição ou desagregação da célula.

citologia *s.f.* Ramo da biologia que estuda a estrutura e a função das células.

citológico *adj.* Relativo à citologia.

citologista *s.2g.* Pesquisador científico especializado em citologia.

citoplasma *s.m.* Parte da célula limitada externamente por uma membrana, formada pelo hialoplasma e organelas, excluindo o núcleo e os vacúolos.

citoplasmático *adj.* Pertencente ou relativo ao citoplasma.

citrato *s.m.* Sal ou éster do ácido cítrico.

cítrico *adj.* **1.** Relativo a citro, que contém ácido cítrico. **2.** *Ácido cítrico,* ácido presente em diversos organismos vivos, em especial nos citros, utilizado no preparo de bebidas refrigerantes.

laranja, uma fruta cítrica

citricultor (ô) *s.m.* Pessoa que cultiva citros.

citricultura *s.f.* Cultura de citros.

citrino *adj.* Da cor da cidra ou do limão. ★ *s.m.* Nome dado aos frutos cítricos. ● **Geol.** Quartzo amarelado e transparente usado como pedra preciosa; falso topázio, topázio de quartzo.

citro *s.m.* **1.** Denominação comum a diversas plantas originárias da Ásia, como a laranjeira e o limoeiro. **2.** Fruta com elevado teor de ácido cítrico.

ciúme *s.m.* **1.** Inquietação provocada pelo desejo de posse exclusiva do ser amado ou de um objeto. **2.** Emulação, rivalidade.

ciumeira (i-u) *s.f.* Ciúme exagerado.

ciumento (i-u) *adj.* **1.** Que tem ciúme. **2.** Atormentado pelo medo da infidelidade. ★ *s.m.* Pessoa ciumenta.

ciúmes *s.m.* Sin. de BEIJO[2].

cível *adj.2g.* (lat. *civilis*). Referente ao direito civil. ★ *s.m.* Tribunal ou jurisdição em que se julgam os processos de natureza civil.

cívico *adj.* (lat. *civicus*). **1.** Relativo ao cidadão, a seus direitos e deveres, e ao papel que desempenha na vida política. **2.** Patriótico, inspirado no amor à pátria.

civil *adj.2g.* (lat. *civilis*). **1.** Que concerne ao cidadão como membro de uma coletividade nacional. **2.** Diz-se por oposição a *militar* ou *religioso.* **3.** Cortês, polido. **4.** *Guerra civil,* luta armada entre dois ou mais grupos organizados de um mesmo país, dos quais um detém o poder. ● **Dir.** *Código civil,* obra que reúne o conjunto dos dispositivos legislativos e regulamentares relativos ao direito civil. ► *Direito civil,* conjunto de regras que dizem respeito aos interesses privados das pessoas, incluindo as relações familiares, o patrimônio e sua transmissão, e os contratos e obrigações. ► *Direitos civis,* direitos conferidos a todos os membros de uma sociedade, sem distinção de idade, sexo ou nacionalidade. ★ *s.m.* Aquele que não é militar.

civilidade *s.f.* (lat. *civilitas*). Observação das conveniências, das boas maneiras em sociedade; cortesia, urbanidade, polidez.

civilismo *s.m.* Doutrina que propugna o exercício do governo pelos civis.

civilista *s.2g.* (lat. tard. *civilista*). Especialista em direito civil. ★ *adj.2g.* e *s.2g.* Diz-se do ou partidário do civilismo.

civilização *s.f.* (fr. *civilisation*). **1.** Ação de civilizar. **2.** Estado de desenvolvimento econômico, social e político a que chegam certas sociedades, e que é considerado como ideal. **3.** Conjunto de características próprias à vida intelectual, artística, moral, social e material de um país ou de uma sociedade.

civilizado *adj.* **1.** Dotado de civilização. **2.** Bem-educado, cortês. ★ *s.m.* Indivíduo que tem civilização.

civilizar *v.t.* (fr. *civiliser*) [conj. 4]. **1.** Fazer sair do estado primitivo, aperfeiçoar as condições materiais de um povo ou país. **2.** Instruir, polir. **3.** Tornar civil, cortês. ★ *v.pr.* **1.** Passar ao estado de civilização; progredir. **2.** Tornar-se polido (falando-se de pessoas).

civismo *s.m.* (fr. *civisme*). **1.** Dedicação ao interesse público. **2.** Patriotismo.

cizânia[1] *s.f.* (gr. *zizánion,* joio). Gramínea identificada com o joio, que cresce em meio ao trigo.

cizânia[2] *s.f.* (lat. *zizania*). **1.** Discórdia. **2.** Traição.

Cl símbolo químico do cloro.

clã *s.m.* (escocês *clann*). **1.** Conjunto de indivíduos consangüíneos cujo parentesco se define por um ancestral comum. **2.** *Fig.* Grupo, facção.

clamar *v.t.* (lat. *clamare*) [conj. 4]. **1.** Proferir em alta voz; gritar, bradar. **2.** Implorar, suplicar, exorar. **3.** Reclamar, exigir. ★ *v.i.* Soltar altas vozes; gritar, bradar, vociferar.

clamor (ô) *s.m.* (lat. *clamor*). **1.** Gritos tumultuosos de reprovação, de descontentamento. **2.** Reclamação, queixa.

clamoroso (ô) *adj.* (lat. *clamorosus*). Em que há clamor; ruidoso.

clandestino *adj.* (lat. *clandestinus*). **1.** Feito às escondidas. **2.** Que fere as leis ou a moral. ★ *s.m.* Indivíduo que entra às escondidas num navio, avião etc., para viajar sem passagem.

clangor (ô) *s.m.* (lat. *clangor*). Som estridente (como o da trombeta).

claque *s.f.* (fr. *claque*). Grupo de espectadores ou de ouvintes, contratados ou não, encarregados de aplaudir ou vaiar ruidosamente um espetáculo ou um artista, com o objetivo de contribuir para o seu sucesso ou fracasso.

clara *s.f.* **1.** Albumina que envolve a gema do ovo. **2.** Clareira.

clarabóia *s.f.* (fr. *claire-voie*). Abertura envidraçada no teto ou na parede externa de prédios ou casas, para passagem da luz; olho-de-boi.

clarão *s.m.* **1.** Claridade intensa. **2.** Luz muito viva e passageira; lampejo. **3.** *Fig.* Inspiração.

clarear *v.t.* e *v.i.* (conj. 15). **1.** Tornar claro; aclarar. **2.** Limpar-se das nuvens.

clareira *s.f.* **1.** Local desguarnecido de árvores em uma floresta. **2.** Terreno desmoitado, mas cercado de brenhas ou matas. **3.** Lacuna, vão, vazio.

clareza (ê) *s.f.* **1.** Qualidade de claro; limpidez, transparência. **2.** Nitidez. **3.** Qualidade do que é claro, inteligível. **4.** Lucidez.

claridade *s.f.* (lat. *claritas*). **1.** Qualidade do que é claro. **2.** Luz viva; luminosidade. **3.** Brancura, alvura.

clarificar *v.t.* (lat. tard. *clarificare*) [conj. 12]. **1.** Tornar claro, limpando ou purificando. **2.** Filtrar um líquido. ★ *v.pr.* Tornar-se claro, límpido.

clarim *s.m.* Instrumento de sopro, de som agudo, sem chaves nem pistons.

clarinada *s.f.* Toque de clarim.

clarineta (ê) *s.f.* Instrumento musical de sopro, composto de um tubo com bocal de palheta e chaves como as da flauta; clarinete.

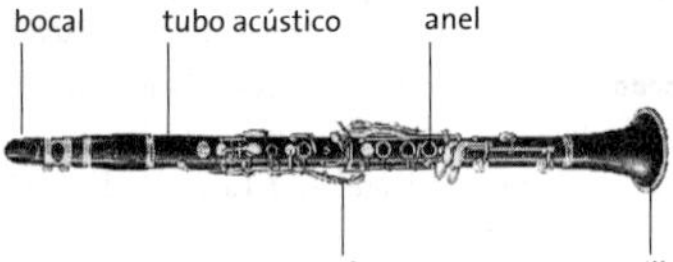

clarinete (ê) *s.m.* (fr. *clarinette*). Clarineta.

clarinetista *adj.2g.* e *s.2g.* Músico que toca clarineta.

clarividência *s.f.* **1.** Visão clara e penetrante das coisas. **2.** Percepção extra-sensorial de objetos ou acontecimentos; vidência.

clarividente *adj.2g.* **1.** Que vê claro. **2.** Que tem espírito penetrante; perspicaz. **3.** Prudente, atilado. ★ *adj.* e *s.2g.* Que ou aquele que é dotado de clarividência; vidente.

claro *adj.* (lat. *clarus*). **1.** Que ilumina; brilhante, resplandecente. **2.** Que recebe muita luz; iluminado. **3.** De cor pouco escura, não carregada. **4.** Transparente, translúcido, cristalino. **5.** Sem ambigüidade; inequívoco. ★ *s.m.* **1.** A parte mais clara de um objeto (especialmente um quadro). **2.** Lugar em que faltam ou são raros os objetos que em torno se acham juntos e em grande quantidade. **3.** Claridade. ★ *adv.* Com clareza. ★ *interj.* Exprime certeza, convicção, entendimento.

claro-escuro *s.m.* **1.** Luz suave, filtrada; penumbra. **2.** Em um quadro, gravura ou desenho, modulação de um efeito de luz difusa sobre um fundo de sombra.

classe *s.f.* (lat. *classis,* divisão, classe). **1.** Conjunto de pessoas que têm a mesma função, os mesmos interesses ou a mesma condição numa sociedade. **2.** Categoria de indivíduos fundada no mérito, capacidade ou importância pessoal. **3.** Categoria de passageiros, ou de veículos, segundo as tarifas estabelecidas, ou as respectivas acomodações. **4.** *Pop.* Distinção, valor. ● **Biol.** Categoria taxonômica utilizada na classificação dos organismos vivos, que reúne ordens similares ou relacionadas. **Educ.** Divisão constituída por um certo número de alunos e seus professores; o conjunto desses alunos. ► Sala de aula. **Gram.** Cada uma das dez classes morfológicas (adjetivo, substantivo, pronome, artigo, numeral, verbo, advérbio, conjunção, preposição, interjeição) em que são agrupadas as palavras. (Sin. CATEGORIA GRAMATICAL.)

classicismo *s.m.* Doutrina literária e artística que se caracteriza pela busca ao equilíbrio, à claridade, ao natural, fundada no respeito à tradição clássica.

clássico *adj.* (lat. *classicus,* de primeira classe). **1.** Relativo ou pertencente à Antiguidade greco-latina. **2.** Que é considerado como um modelo no seu gênero. **3.** Que segue os padrões e modelos; tradicional. **4.** *Fam.* Habitual, corrente. **5.** *Música clássica* ou *erudita,* música dos grandes autores, p. opos. a *música folclórica,* jazz etc. ★ *s.m.* **1.** Autor da Antiguidade grega ou romana. **2.** Autor, obra etc. que a tradição consagrou como artisticamente válido ou representativo de determinado período. **3.** Jogo de futebol entre equipes famosas e tradicionalmente rivais.

estátua clássica

classificação *s.f.* **1.** Ato ou efeito de classificar. **2.** Distribuição sistemática em diversas categorias segundo as analogias e caracteres comuns. **3.** Ordem estabelecida entre os objetos. ● **Biol.** Método de organização dos seres vivos, em grupos sistemáticos.

classificar *v.t.* (fr. *classifier*) [conj. 12]. **1.** Reunir em classes e nos grupos respectivos, segundo um sistema ou método. **2.** Arrumar, pôr em ordem (papéis, documentos etc.). **3.** Determinar a ordem dos candidatos aprovados em um concurso. **4.** Rotular, tachar. ● **Dir.** Inscrever os credores na ordem dentro da qual eles devem ser pagos. ★ *v.pr.* Em relação a um esportista, ter adquirido um certo nível na hierarquia do esporte ou do torneio em questão, que lhe permite participar de certas competições.

classista *adj.2g.* Que diz respeito a uma classe. ★ *s.2g.* Representante de uma classe.

claudicar *v.i.* (lat. *claudicare*) [conj. 12]. **1.** Coxear, mancar. **2.** *Fig.* Cometer faltas, ter imperfeição.

claustral *adj.2g.* Que pertence ao claustro; conventual, monástico.

claustro *s.m.* (lat. *claustrum*, cerca; barreira). **1.** Antigamente, recinto de religiosos ou religiosas. **2.** Pátio interno de convento ou mosteiro. **3.** A vida, a regra monástica.

claustrofobia *s.f.* Fobia de espaços fechados.

claustrofóbico *adj.* Relativo ou pertencente à claustrofobia.

claustrófobo *s.m.* Pessoa que sofre de claustrofobia.

cláusula *s.f.* (lat. *clausula*, fim, termo). Disposição particular de um tratado, de um ato, contrato ou de qualquer outro documento público ou particular, artigo, condição.

clausura *s.f.* (b.-lat. *clausura*, do lat. class. *claudere*, fechar). **1.** Recinto fechado. **2.** O estado ou condição de quem não pode sair do claustro. **3.** Recolhimento, convento.

clava *s.f.* (lat. *clava*, maça). **1.** Pau mais grosso numa das extremidades, usado como arma. **2.** Espécie de pilão cilíndrico usado pelos calceteiros; maça.

clave *s.f.* (latim *clavis*, chave). Sinal colocado no princípio da pauta musical, que associa uma nota a uma posição na pauta e, por extensão, determina o valor e a altura das demais notas.

claves de sol, que indicam a posição da nota sol na pauta

clavícula *s.f.* (lat. *clavicula*, chavinha). Cada um dos dois ossos que formam a cintura escapular e que se estendem do esterno à omoplata.

clemência *s.f.* (lat. *clementia*). **1.** Virtude que consiste em perdoar ou atenuar os castigos; bondade, indulgência. **2.** *Fig.* Brandura.

clemente *adj.2g.* (lat. *clemens*). **1.** Dado à clemência. **2.** *Fig.* Pouco rigoroso, ameno.

clepsidra *s.f.* Aparelho que serve para medir o tempo pelo escoamento regular da água; relógio de água.

cleptomania *s.f.* Tendência irresistível e mórbida para o roubo.

cleptomaníaco ou **cleptômano** *adj.* e *s.m.* Diz-se de ou indivíduo que sofre de cleptomania.

clerical *adj.2g.* (lat. *clericalis*). Relativo ou pertencente ao clero.

clericalismo *s.m.* **1.** Predomínio do clero. **2.** Atitude dos que apoiam incondicionalmente o clero. **3.** Doutrina que defende a influência da Igreja nos negócios públicos.

clericato *s.m.* (lat. *clericatus*). O estado, a condição de clérigo; sacerdócio.

clérigo *s.m.* (lat. *clericus*). Aquele que pertence à condição eclesiástica; sacerdote.

clero *s.m.* (gr. *kleros*, pelo lat. *clerus*). Corpo de clérigos ou de eclesiásticos de um culto, de um país etc.; a classe sacerdotal.

clicar *v.t.* **Inform.** Acionar um botão do *mouse*.

CLICAR ► Ao clicar em certos elementos da tela de um programa, emite-se o comando correspondente ao elemento. Alguns comandos são emitidos com um clique e outros, com dois cliques seguidos. Há *mouses* com um, dois ou três botões.

clichê s.m (fr. *cliché*). **1.** Chapa metálica que traz gravada em relevo a reprodução de uma composição tipográfica ou de uma imagem destinada à impressão. **2.** *Fig.* Imagem verbal ou visual muito usada; lugar-comum.

clicheria *s.f.* (fr. *clicherie*). **1.** Oficina onde se fazem clichês. **2.** A técnica de fabricar clichês.

cliente *s.2g.* (lat. *cliens, clientis*). **1.** Pessoa que recorre aos serviços profissionais de outrem. **2.** Freguês.

clientela *s.f.* (lat. *clientela*). Conjunto dos clientes; freguesia.

clima *s.m.* (gr. *klíma*, inclinação). **1.** Conjunto dos fenômenos meteorológicos (temperatura, pressão atmosférica, ventos, precipitações) que caracterizam, durante um longo período, o estado médio da atmosfera e sua evolução num determinado lugar. **2.** Região, país. **3.** *Fig.* Atmosfera moral; ambiente.

VOCÊ SABIA...? O **clima** de um lugar é o conjunto de suas condições meteorológicas durante um longo período; pode variar rapidamente de um dia para outro. A Terra tem cinco zonas climáticas principais: polar (fria), microtérmica úmida (invernos rigorosos), temperada (invernos suaves), desértica (seca) e tropical chuvosa (quente e úmida).

climatério *s.m.* Período correspondente, na mulher, à menopausa e, no homem, ao declínio da atividade sexual, que se caracteriza por um conjunto de modificações endócrinas, somáticas e psíquicas.

climático *adj.* Relativo ao clima.

climatizar *v.t.* (conj. 4). **1.** Criar ou manter, em determinado local, um conjunto de condições controladas de temperatura, umidade etc. **2.** Preparar um produto, um aparelho etc. para enfrentar determinadas condições climáticas; aclimatar.

climatologia *s.f.* Ciência que descreve, explica e classifica os climas.

clímax (cs) *s.m.* (gr. *klimax*, escada). **1.** O ponto culminante, o auge. **2.** O orgasmo. ● **Ecol.** Estado final de equilíbrio, atingido por uma comunidade biológica.

clínica *s.f.* (gr. *klinike techne*). **1.** A prática da medicina. **2.** O conjunto de pessoas que são tratadas por um médico. **3.** Estabelecimento privado destinado à cirurgia ou ao tratamento de doenças.

clinicar *v.i.* (conj. 12). Exercer a clínica, a medicina.

clínico *adj.* (gr. *klinikós*, pelo lat. *clinicus*). **1.** Relativo à clínica médica. **2.** Que se efetua junto do doente. **3.** *Psicologia clínica*, ramo da psicologia voltado para o diagnóstico e tratamento de distúrbios psicológicos. ★ *s.m.* **1.** Médico que exerce a medicina geral e fundamenta o diagnóstico na anamnese, no exame direto do paciente e em exames complementares. **2.** *Clínico geral,* médico cujo campo de atividade se estende a todo o organismo. (Sin. GENERALISTA.)

clipe *s.m.* (ingl. *clip,* broche). **1.** Jóia constituída de uma placa de metal ou de pedraria. **2.** Pequena peça de metal ou plástico utilizada para prender papéis.

clique *s.m.* (ingl. onomat. *click*). Ruído seco e débil, em geral produzido pelo funcionamento de dispositivos mecânicos. ● **Inform.** Ação de clicar com um dos botões do *mouse.*

clister *s.m.* (gr. *klyster,* seringa). Injeção de água ou de algum medicamento líquido nos intestinos, através do ânus; lavagem, enema.

clitóris *s.m.2n.* (gr. *kleitorís*). Pequeno órgão erógeno e erétil da mulher, situado na parte superior da vulva, entre os pequenos e os grandes lábios.

clivagem *s.f.* **1.** Propriedade apresentada por certos minerais, cristais e rochas de se fracionarem segundo determinados planos de orientação. **2.** Separação, diferenciação, fracionamento de grupos sociais, de partidos políticos, de idéias etc. ● **Biol.** Divisão mitótica do zigoto, que ocorre logo após a fertilização. **Psican.** Coexistência, no núcleo do ego, de dois julgamentos contraditórios relativos à realidade exterior.

clivar *v.t.* (fr. *cliver,* do hol. *klieven*). [conj. 4]. Separar em camadas, em lâminas paralelas, particularmente em se tratando de um cristal.

cloaca *s.f.* (lat. *cloaca,* esgoto). **1.** Cano ou cova destinada a receber as dejeções. **2.** *P. ext.* Tudo que é imundo, que tem mau cheiro. **3.** Latrina, sentina. ● **Zool.** Câmara na qual desemboca o canal alimentar, o aparelho urinário e reprodutor, que ocorre em aves, répteis, aves e mamíferos monotremados.

cloasma *s.f.* (gr. *chloásma*). Conjunto de manchas amarronzadas que aparecem freqüentemente no rosto das mulheres grávidas.

clonagem *s.f.* Ação de clonar ou copiar. ● **Biol.** Tecnologia que, retirando o material genético de uma célula qualquer, gera outro indivíduo com o mesmo conjunto de genes do original.

CLONAGEM ▸ A clonagem implanta o material genético de uma célula em um óvulo do qual se retirou o material genético. O ser formado dessa maneira, chamado *clone,* possui o mesmo código genético do indivíduo original. Feito científico obtido no final do século XX, como resultado do desenvolvimento da engenharia genética, é ainda um tema controverso, que envolve muitas questões éticas, p. ex. o monopólio de patentes de códigos genéticos por organizações particulares, consumo de produtos transgênicos e até mesmo a clonagem de seres humanos.

---

clonar *v.t.* **1.** Fazer um clone de. **2.** Fazer uma cópia exata.

clone *s.m.* (gr. *klón,* rebento, broto). **Biol.** Grupo de organismos com patrimônio genético idêntico, formado por meio da reprodução assexuada ou de cruzamento de linhagens puras. ▸ Grupo de células descendentes de uma única célula-mãe. ▸ Indivíduo gerado por clonagem.

cloração *s.f.* **1.** Ação de clorar. **2.** Substituição, em uma molécula, de um átomo de hidrogênio por um átomo de cloro. **3.** Adição de cloro em uma ligação múltipla.

clorar *v.t.* (conj. 4). Proceder à cloração.

clorato *s.m.* Sal do ácido clórico.

cloremia *s.f.* Teor de cloro no sangue.

cloretação *s.f.* **1.** Ação de cloretar. **2.** Operação que consiste em introduzir um cloreto ou um derivado em um composto.

cloretileno *s.m.* Sin. de CLORETO DE VINILA*.

cloreto (ê) *s.m.* **1.** Combinação do cloro com uma substância, simples ou composta, que não o oxigênio. ● **Quím.** *Cloreto de hidrogênio,* gás incolor, de odor forte, constituído de hidrogênio e cloro, que em solução forma o ácido clorídrico. (Sin. GÁS CLORÍDRICO.)

cloridrato *s.m.* Produto da adição do ácido clorídrico a uma base nitrogenada ou fosforada.

cloridria *s.f.* Soma de ácido clorídrico livre e de cloro combinado com substâncias orgânicas que se encontram no suco gástrico.

clorídrico *adj.* **Quím.** *Ácido clorídrico,* solução aquosa do cloreto de hidrogênio, que constitui um ácido forte, de vasta aplicação industrial; ácido muriático. ▸ *Gás clorídrico,* sin. de CLORETO* DE HIDROGÊNIO.

cloro *s.m.* (gr. *chlorós,* verde-amarelado). Elemento químico (símb. Cl), da família dos halogênios, de número atômico 17, que constitui um gás de coloração amarelada e odor sufocante, fácil de se liquefazer.

clorofíceas *s.f.pl.* Grupo de algas verdes, em sua maioria aquáticas, uni ou pluricelulares, com células eucariontes, cujo pigmento predominante é a clorofila que se dispõe em cloroplastos.

clorofila *s.f.* Pigmento responsável pela cor verde nas plantas e que possui papel fundamental na fotossíntese.

clorofórmio *s.m.* Líquido incolor, denso, de odor semelhante ao do éter, que constitui um poderoso anestésico.

cloroformizar *v.t.* (conj. 4). **1.** Submeter à ação do clorofórmio. **2.** Aplicar em alguém uma anestesia geral com clorofórmio.

cloroplastídeo *s.m.* Sin. de CLOROPLASTO.

cloroplasto *s.m.* Corpúsculo presente nas células vegetais, onde ocorre a fotossíntese, cujo pigmento predominante é a clorofila. (Sin. CLOROPLASTÍDEO.)

clorose *s.f.* **Bot.** Doença dos vegetais que produz o amarelecimento das folhas, causada em geral por deficiência de nitrogênio e ferro. **Med.** Anemia provocada por um teor insuficiente de hemoglobina nos glóbulos vermelhos.

close-up ou **close** *s.m.* (ingl.). Fotografia ou tomada de câmara na qual a imagem está muito próxima.

clube *s.m.* (ingl. *club*). **1.** Sociedade de pessoas que, mediante pagamento mensal ou taxa, se reúnem habitualmente em certo local, para recreação, atividades culturais, prática de esportes etc.; associação, grêmio. **2.** Associação, sociedade onde se discutem problemas econômicos, políticos, literários, científicos etc.

cnidários *s.m.pl.* Filo de animais invertebrados, solitários ou coloniais, geralmente marinhos, que se apresenta sob a forma de pólipo fixo ou medusa livre natante. (Sin. CELENTERADOS.)

CNPJ (sigla de *Cadastro Nacional de Pessoa Jurídica*). **1.** Registro obrigatório de pessoa jurídica no Ministério da Fazenda. **2.** O número desse registro.

Co símbolo químico do cobalto.

coabitar *v.t.* (conj. 4). **1.** Habitar em comum. **2.** Ter relações sexuais habitualmente. ★ *v.i.* Viver em comum.

coação[1] *s.f.* Ato ou efeito de coar.

coação[2] *s.f.* (lat. *coactio*). **1.** Ato ou efeito de coagir; constrangimento. **2.** Estado de pessoa coagida.

coacervação *s.f.* (do lat. *coacervare*). Estado de equilíbrio dos sistemas coloidais em que uma fase é muito fluida e a outra contém elevado teor de macromoléculas.

coada *s.f.* **1.** Suco de legumes que, após cozidos, são passados no coador. **2.** Água filtrada que se usa para barrela ou lixívia.

coadjutor (ô) *adj.* e *s.m.* (lat. tard. *coadjutore*). Que ou aquele que ajuda outro em algum trabalho ou missão.

coadjuvação *s.f.* Ato ou efeito de coadjuvar; auxílio, cooperação.

coadjuvante *adj.2g.* e *s.2g.* **1.** Que ou quem coadjuva, auxilia ou coopera com outrem. **2.** Diz-se de ou ator profissional que desempenha papéis de segundo plano.

coadjuvar *v.t.* (lat. tard. *coadjuvare*) [conj. 4]. Prestar auxílio a; cooperar, secundar.

coador (ô) *adj.* e *s.m.* Que ou aquilo que serve para coar. ★ *s.m.* Filtro constituído por um saco de tela, pano ou crivo de metal para coar líquidos.

coadunação *s.f.* Ato ou efeito de coadunar(-se).

coadunar *v.t.* (conj. 4). **1.** Reunir, formando um todo; incorporar. **2.** Combinar, harmonizar. ★ *v.pr.* Combinar-se, conformar-se.

coagir *v.t.* (conj. 52). Obrigar, forçar, constranger.

coagulação *s.f.* (b.-lat. *coagulatio*). Fenômeno pelo qual um líquido orgânico, como leite ou sangue, passa para o estado sólido.

coagulador (ô) *adj.* Que faz coagular. ★ *s.m.* Sin. de ABOMASO.

coagulante *adj.2g.* Que tem a propriedade de fazer coalhar ou coagular. (Sin. FLOCULANTE.)

coagular *v.t.* e *v.i.* (lat. *coagulare*, condensar). [conj. 4]. Solidificar-se; coalhar.

coágulo *s.m.* (lat. *coagulum*, coalho). Massa de substância coagulada.

coala *s.m.* Mamífero marsupial australiano, semelhante ao urso, de garras afiadas, orelhas grandes, desprovido de cauda, arborícola, que se alimenta de folhas e brotos de eucaliptos.

coalhada *s.f.* **1.** Leite coalhado. **2.** Coalho.

coalhado *adj.* **1.** Coagulado, solidificado. **2.** *Fig.* Apinhado, muito cheio.

coalhar *v.t.* (lat. *coagulare*, condensar) [conj. 4]. **1.** Provocar a coagulação de. **2.** *Fig.* Encher, cobrir, aglomerar. ★ *v.i.* e *v.pr.* Solidificar(-se), coagular(-se).

coalheira[1] *s.f.* Pedaço de víscera de ruminante que se usa para coalhar o leite na fabricação de queijos; coalho. ● **Zool.** Sin. de ABOMASO.

coalheira[2] *s.f.* Parte principal do arreio de atrelamento do cavalo, que circunda a base do pescoço.

coalho *s.m.* (lat. *coagulum*). Parte do leite obtida por coagulação e com a qual se fabrica o queijo; coalhada.

coalizão *s.f.* (ingl. *coalition*). Aliança tática entre partidos, potências, classes sociais etc., visando a um objetivo comum.

coalizar-se *v.pr.* (conj. 7). Formar coalizão; aliar-se, coligar-se.

coar *v.t.* (lat. *colare*) [conj. 20]. **1.** Filtrar, fazer passar por coador ou filtro. **2.** *Fig.* Fazer passar através de ★ *v.i.* Penetrar pouco a pouco, infiltrar-se. ★ *v.pr.* Introduzir-se, insinuar-se.

coartação ou **coarctação** *s.f.* (lat. *coarctatio*). Ato ou efeito de coartar.

coartar ou **coarctar** *v.t.* (lat. *coarctare*) [conj. 4]. Reduzir a limites mais estritos; restringir.

coativo *adj.* **1.** Que coage; coercivo. **2.** Que tem o direito de impor obediência.

co-autor *s.m.* O que faz ou produz uma obra ou trabalho juntamente com outro(s). ● **Dir.** O que é autor de um crime juntamente com outros.

co-autoria *s.f.* Estado, qualidade ou caráter de co-autor.

coaxar *v.i.* (lat. *coaxare*) [conj. 4]. Gritar, cantar (falando das rãs e dos sapos). ★ *s.m.* O canto, a voz da rã.

coaxo *s.m.* **1.** A voz das rãs. **2.** Ato de coaxar.

cobaia *s.f.* **1.** Pequeno mamífero roedor da América do Sul, de hábitos noturnos, outrora utilizado em experiências de laboratório. (Sin. PORQUINHO-DA-ÍNDIA.) **2.** *Fig.* Assunto, objeto de experiências.

cobaltamina ou **cobaltiamia** *s.f.* Complexo amoniacal do cobalto trivalente.

cobáltico *adj.* Relativo ao cobalto.

cobalto *s.m.* (al. *Kobalt*, var. de *Kobold*, duende). Elemento químico (símb. Co), de número atômico 27, que constitui um metal branco prateado, de vasta aplicação industrial.

cobarde *adj.2g.* e *s.2g.* Var. de COVARDE.

cobardia *s.f.* Var. de COVARDIA.

coberta *s.f.* **1.** O que serve para cobrir; cobertura. **2.** Colcha, cobertor. **3.** Teto, telhado. **4.** Tampa. **5.** *Fig.* Proteção, abrigo.

coberto *adj.* (lat. *coopertus*, de *cooperire*, cobrir). **1.** Tapado, revestido. **2.** Protegido, resguardado. **3.** Pago, liquidado. **4.** Excedido, ultrapassado. **5.** Cheio, carregado. **6.** Oculto, disfarçado. **7.** Diz-se da fêmea animal que está prenhe. ★ *s.m.* Lugar coberto; alpendre.

cobertor (ô) *s.m.* Peça de roupa de cama, de lã ou de algodão, que se usa sobre os lençóis.

cobertura *s.f.* (lat. *coopertura*). **1.** Ato ou efeito de cobrir; revestimento, invólucro. **2.** O que serve para cobrir; telhado, tampa. **3.** Garantia financeira, depósito que garante um pagamento. **4.** Apartamento que constitui o último andar de um edifício. **5.** *Fig.* Meio de proteção, pretexto. **6.** Cremes e confeitos que cobrem os bolos e sorvetes. ● **Agric.** Depósito de palha, folhas mortas ou esterco para conservar, melhorar ou proteger a terra. **Jorn.** Presença da reportagem para registrar um fato; o registro do fato no jornal. **Pec.** Sin. de MONTA.

cobiça *s.f.* (lat. *cupiditas,* desejo, inveja). **1.** Ato ou efeito de cobiçar. **2.** Desejo imoderado de possuir; avidez.

cobiçar *v.t.* (conj. 13). **1.** Ter cobiça de. **2.** Ambicionar.

cobiçoso (ô) *adj.* e *s.m.* Que ou aquele que cobiça.

cobra *s.f.* (lat. *colubra*). **1.** Nome comum a todos os répteis ofídios, escamosos, venenosos ou não, que não possuem pernas, pés nem pálpebras. (Sin. SERPENTE.) **2.** *Fig.* Pessoa astuciosa e de má índole. ★ *s.2g. Gír.* Pessoa muito capaz, que revela grande competência em determinada especialidade.

COBRA NAJA

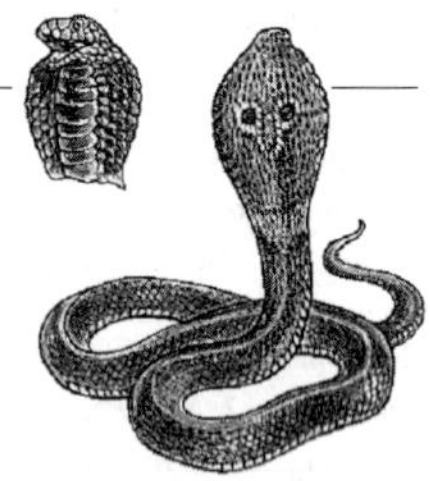

cobra-cega *s.f.* Anfíbio de corpo vermiforme, desprovido de olhos, que vive em galerias subterrâneas. (Sin. COBRA-PILÃO, UBIJARA.)

cobra-coral *s.f.* Réptil ofídio, venenoso, que possui cabeça e olhos pequenos, de coloração geral vermelha, com faixas pretas e amarelas; as falsas corais não são venenosas, possuem a cabeça maior, desprovida de presas dianteiras. (Sin. CORAL.)

cobra-d'água *s.f.* Denominação comum às cobras aquáticas, que se alimentam de girinos, rãs e larvas de artrópodes. (Sin. SURUCUCURANA, SURUCURANA.)

cobra-de-duas-cabeças *s.f.* Réptil lacertílio, de corpo cilíndrico, com as duas extremidades semelhantes, desprovido de pés, que vive em cavidades no solo. (Sin. ANFISBENA, UBIJARA.)

cobra-de-vidro *s.f.* Réptil lacertílio sem patas anteriores, cuja cauda quebradiça forma dois terços do corpo. (Sin. QUEBRA-QUEBRA.)

cobrador (ô) *adj.* e *s.m.* Que ou aquele que cobra ou faz cobrança; recebedor.

cobrança *s.f.* **1.** Ato ou efeito de cobrar. **2.** Arrecadação, recebimento.

cobra-pilão *s.f.* Sin. de COBRA-CEGA.

cobrar *v.t.* (conj. 4). **1.** Receber, ou tentar receber (dívida ou aquilo a que se tem direito). **2.** Readquirir, recuperar. **3.** Exigir de outrem (obrigação, cumprimento de palavra etc.)

cobre *s.m.* (lat. *cuprum,* do lat. cláss. *aes cyprium,* bronze de Chipre). **1.** Elemento químico (símb. Cu), de número atômico 29, que constitui um metal de cor vermelho-castanha, utilizado em instalações elétricas por ser um bom condutor de calor e eletricidade. **2.** *Fig.* Dinheiro. ★ *s.m.pl.* **1.** Dinheiro de cobre que serve para trocos. **2.** Dinheiro em geral. **3.** Objetos de cobre.

cobreiro *s.m.* Doença infecciosa que corresponde à recidiva da infecção por um herpes-vírus, caracterizada por erupções cutâneas de vesículas. (Sin. ZONA, HERPES-ZÓSTER, ZÓSTER.)

cobrelo (ê) *s.m.* Pequena cobra.

cobrição *s.f.* Ação ou efeito de cobrir(-se).

cobrir *v.t.* (lat. *cooperire*) [conj. 59]. **1.** Ocultar ou resguardar, pondo-se em cima, diante ou em redor. **2.** Estender-se por cima de; encher. **3.** Proteger. **4.** Envolver, vestir. **5.** No jornalismo, registrar um acontecimento. **6.** Sin. de MONTAR. ★ *v.pr.* **1.** Pôr o chapéu, o barrete ou o capuz na cabeça. **2.** Resguardar-se.

coca *s.f.* (aimará *coca*). **1.** Arbusto originário da cordilheira dos Andes, de caule forte, e de cujas folhas se extraem vários alcalóides, entre eles a cocaína. **2.** Cocaína.

coça *s.f.* **1.** *Fam.* Ato de coçar; esfregadela. **2.** *Fig.* Surra, tunda.

cocada *s.f.* **1.** Doce de coco ralado. **2.** *Pop.* Pancada com a cabeça.

cocaína *s.f.* (fr. *cocaïne*). Alcalóide extraído das folhas da coca, anestésico local e excitante do sistema nervoso central, cujo uso prolongado conduz a uma toxicomania grave; coca.

cocainomania (a-i) *s.f.* O vício de aspirar ou tomar cocaína; toxicomania da cocaína.

cocainômano (a-i) *s.m.* Toxicômano da cocaína.

cocar *s.m.* (fr. *cocarde,* de *coq,* galo). Ornamento de penas usado pelos índios, em torno da cabeça.

coçar *v.t.* (conj. 13). Esfregar ou roçar com as unhas ou com um objeto áspero uma parte do corpo. ★ *v.pr.* **1.** Esfregar ou coçar a própria pele para fazer cessar comichão. **2.** Lutar com dificuldade.

cocção *s.f.* (lat. *coctio*). **1.** Ato ou efeito de cozer. **2.** Digestão dos alimentos no estômago.

cóccix (csis) *s.m.2n.* (gr. *kókkyx, kokkygos*). Osso formado pela soldadura das últimas vértebras atrofiadas que constitui a parte terminal da coluna vertebral.

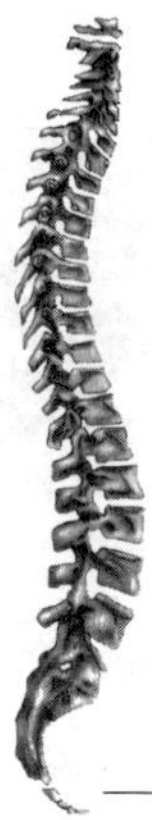

cócegas *s.f.pl.* **1.** Sensação indefinível provocada por toques ou leve fricção da pele em certas partes do corpo, geralmente acompanhada de riso convulsivo. **2.** *Fig.* Tentação, vivo desejo, impaciência.

coceira *s.f.* Comichão intensa; prurido.

coche (ô) *s.m.* **1.** Carruagem antiga e luxuosa. **2.** Carruagem fechada; sege.

cocheira *s.f.* Abrigo de carruagens, de cavalos; estrebaria.

cocheiro *s.m.* Aquele que conduz um veículo puxado por cavalos, mulas etc.

cochichar *v.i.* (de formação onomatopaica) [conj. 4]. **1.** Falar em voz baixa. **2.** Mexericar, intrigar. ★ *v.t.* Dizer em voz baixa; segredar.

cochicho *s.m.* (onomat.) **1.** Ato ou efeito de cochichar; murmúrio. **2.** Brinquedo infantil que produz som semelhante ao canto de um pássaro. **3.** Chapéu velho.

cochilar *v.i.* (de orig. afr.) [conj. 4]. **1.** Adormecer levemente, quase sem perceber, e dormir pouco tempo. **2.** Distrair-se ou omitir por descuido.

cochilo *s.m.* **1.** Ato de cochilar. **2.** *Fig.* Engano causado por desatenção.

cocho (ô) *s.m.* Recipiente feito geralmente de um tronco de árvore cavado, em que se costuma dar de comer ou beber aos animais.

cochonilha *s.f.* (esp. *cochinilla*). Inseto da ordem dos homópteros que se alimenta da seiva dos vegetais e é nocivo às plantas cultivadas, principalmente às árvores frutíferas, cafeeiro e erva-mate.

cociente *s.m.* Var. de QUOCIENTE.

cóclea *s.f.* (lat. *cochlea*, caracol). Porção anterior do labirinto enrolada em espiral que contém os receptores auditivos do órgão de Corti. (Sin. CARACOL.)

coclear *adj.2g.* **1.** Relativo à cóclea. **2.** *Nervo coclear,* nervo sensorial que, com o nervo vestibular, forma o nervo auditivo.

coco[1] (ó) *s.m.* (gr. *kókkos*, grão, pelo lat. *coccus*). Bactéria de forma arredondada. (Var. CÓCUS.)

coco[2] (ô) *s.m.* **1.** Fruto de várias espécies de palmeiras, principalmente do coqueiro-da-baía, muito utilizado na culinária brasileira. **2.** Vasilha feita de casca desse fruto; cabaça. **3.** Vasilha de folha-de-flandres com a mesma forma e serventia da anterior. **4.** *Pop.* Cabeça. **5.** Dança popular nordestina. **6.** *Água de coco,* albume líquido e transparente contido no interior desse fruto, quando verde. ► *Leite de coco,* caldo que se extrai da polpa esmagada desse fruto.

cocô *s.m. Fam.* Excremento.

coco-da-baía *s.m.* Sin. de COQUEIRO-DA-BAÍA.

coco-de-palmeira *s.m.* Sin. de BABAÇU.

cócoras *s.f.pl. De cócoras,* agachado, sentado sobre os calcanhares.

cocoricar *v.i.* (onomat.) [conj. 12]. Cantar (o galo).

cocorocó *s.m.* (onomat.). O canto do galo.

cocorote *s.m.* Golpe aplicado na cabeça de alguém com os nós dos dedos.

cocuruto *s.m.* **1.** Ponto mais alto. **2.** Alto de uma colina. **3.** O alto da cabeça.

cócus *s.m.2n.* Var. de COCO[1].

côdea *s.f.* **1.** Parte exterior do pão, endurecida pela cocção. **2.** Parte exterior dura, crosta.

codeína *s.f.* (do gr. *kodeia*, cabeça de papoula). Alcalóide derivado do ópio que, por seu efeito sedativo, entra na composição de certos medicamentos.

códex (cs) *s.m.* (lat. *codex*) [pl. *códices*]. Códice.

códice *s.m.* (lat. *codex, codicis,* registro escrito, livro). **1.** Folhas de pergaminho costuradas em forma de livro. **2.** Documento manuscrito que contém a obra de algum autor clássico; códex. **3.** Compilação de manuscritos antigos.

codicilo *s.m.* (lat. *codicillus*). Ato posterior a um testamento, com o objetivo de modificá-lo ou de completá-lo.

codificação *s.f.* Ato ou efeito de codificar.

codificador (ô) *s.m.* **1.** Aquele que codifica. **2.** Equipamento que codifica uma informação sob forma numérica para posterior tratamento. **3.** Aparelho emissor (pessoa ou máquina) que efetua as operações de codificação. ★ *adj.* Que codifica, que reduz a código.

codificar *v.t.* (fr. *codifier*) [conj. 12]. **1.** Reduzir a código. **2.** Reunir leis em código. **3.** Transformar em códice; compilar.

código *s.m.* (lat. *codex, codicis,* conjunto de leis). **1.** Compilação de leis ou regulamentos. **2.** Coleção de regras e preceitos. **3.** Sistema convencional de signos, verbais ou não, usado para comunicação. **4.** Sistema de símbolos que permite a representação de uma informação. **5.** Seqüência de números, letras ou outro símbolo que identifica um dos elementos de sistema. ● **Telecom.** *Código Morse,* conjunto de pontos e traços que representam as letras do alfabeto, utilizado na comunicação telegráfica.

codilheira *s.f.* Afecção no codilho do cavalo.

codilho *s.m.* (esp. *codillo*). **1.** Parte saliente na articulação do membro dianteiro do cavalo com o corpo. **2.** *Fig.* Logro, engano.

co-dominância *s.f.* Fenômeno genético pelo qual o indivíduo heterozigoto exprime as características dos dois genes alelos.

códon *s.m.* Unidade básica do ARN mensageiro, formada por três nucleotídeos, que determina a incorporação de um aminoácido específico numa cadeia polipeptídica.

codorna *s.f.* Denominação comum às aves tinamiformes, de hábitos solitários, que possuem ovos brilhantes, cor de chocolate escuro, de ocorrência na Argentina, Uruguai, Paraguai e Brasil. (Sin. CODORNIZ, INHAMBU.)

codorna-caseira *s.f.* Sin. de CODORNIZ.

codorna-doméstica *s.f.* Sin. de CODORNIZ.

codorniz *s.f.* (lat. *coturnix*). **1.** Ave galiforme muito aproveitada pela produção de ovos, com início da postura aos 38 dias. (Sin. CODORNA-CASEIRA, CODORNA-DOMÉSTICA.) **2.** Sin. de CODORNA.

co-edição *s.f.* Edição de uma obra realizada por vários editores.

co-educação *s.f.* Educação em comum de pessoas de ambos os sexos.

co-educar *v.t.* (conj. 12). Educar em comum pessoas de ambos os sexos.

coeficiente *s.m.* **1.** Fator numérico ou parâmetro aplicado a uma grandeza qualquer; grau, nível, índice. **2.** Grandeza que caracteriza certas propriedades de uma substância e que é, geralmente, o quociente de duas grandezas de espécies diferentes.

coelheira *s.f.* **1.** Lugar em que se criam coelhos. **2.** Conjunto de pequenas gaiolas onde se criam os coelhos domésticos; coelhário.

coelheiro *adj.* e *s.m.* Que ou aquele que caça coelhos.

coelho *s.m.* (lat. *cuniculum*). **1.** Mamífero lagomorfo, originário da Europa, muito prolífico; algumas raças são criadas para o aproveitamento da carne e pele. **2.** Iguaria feita com a carne desse animal.

coelho-do-mato *s.m.* Mamífero lagomorfo, de coloração parda, que ocorre em campos e beira de matas de todo o Brasil. (Sin. TAPITI.)

coentro *s.m.* (gr. *koríandron*). Planta originária do Oriente, cujas flores e folhas são utilizadas como condimento em culinária e os frutos, para a produção de licores.

coenzima *s.f.* Parte não protéica de uma enzima, que se liga a uma parte protéica, e é indispensável à atividade enzimática.

coerção *s.f.* **1.** Ação de coagir; coação. **2.** Repressão.

coercitivo *adj.* Que age pela intimidação, por coação; coercivo.

coercível *adj.2g.* **1.** Que pode ser coagido. **2.** Que pode ser comprimido, reduzido, encerrado em menor espaço.

coercivo *adj.* Que pode exercer coerção; coercitivo.

coerência *s.f.* (lat. *cohaerentia*). **1.** Estado do que é coerente. **2.** União das diversas partes de um corpo. **3.** Ligação, conexão, de um conjunto de idéias ou de fatos, formando um todo lógico; nexo, lógica.

coerente *adj.2g.* **1.** Em que há coerência, coesão, ligação recíproca; lógico, procedente, concordante. **2.** Diz-se das partes de um todo que se harmonizam entre si.

coesão *s.f.* (lat. *cohaesum*, de *cohaerere*, estar ligado junto). **1.** União, aderência. **2.** Harmonia, concordância, associação íntima. **3.** Caráter de um pensamento, de um enunciado etc., em que todas as partes são ligadas entre si logicamente; coerência, lógica. ● **Quím.** Força de interação entre as moléculas de uma substância, que tende a aproximá-las, e cuja intensidade determina sua forma (sólida ou fluida).

coesivo *adj.* **1.** Em que existe coesão ou ligação recíproca. **2.** Que une, liga, junta.

coeso *adj.* (lat. *cohaesus*). **1.** Unido, ligado por coesão. **2.** Harmônico. **3.** Coerente, lógico.

coestaduano *adj.* e *s.m.* Que ou aquele que é do mesmo Estado que outro; conterrâneo.

coetâneo *adj.* e *s.m.* (lat. *coaetaneus*). **1.** Que ou o que é ou tem a mesma idade de outro. **2.** Que ou aquele que viveu na mesma época; contemporâneo, coevo.

coevo *adj.* e *s.m.* (lat. *coaevus*). Coetâneo.

coevolução *s.f.* Tipo de evolução que ocorre em um grupo de organismos, devido a mudanças genéticas ocorridas em outro, com o qual mantém estreita relação.

coexistência (z) *s.f.* **1.** Ato de coexistir; o resultado deste ato. **2.** Existência simultânea. **3.** *Coexistência pacífica*, princípio pelo qual Estados com ideologias opostas aceitam não entrar em conflito armado.

coexistente (z) *adj.2g.* Que coexiste.

coexistir (z) *v.i.* (conj. 6). **1.** Existir ao mesmo tempo. **2.** Conviver.

co-fator (ô) *s.m.* Substância não protéica, constituída por um íon metal ou molécula orgânica, denominada coenzima, essencial na atividade de certas enzimas.

cofiar *v.t.* (conj. 16). Afagar, alisar (o cabelo, a barba, o bigode).

cofre *s.m.* (fr. *coffre*). Móvel de metal ou madeira em que se guardam dinheiro ou outros objetos de valor.

cogitação *s.f.* **1.** Ato ou efeito de cogitar. **2.** Pensamento profundo.

cogitar *v.t.* (lat. *cogitare*) [conj. 4]. **1.** Pensar demoradamente, com insistência. **2.** Planejar, ter o propósito de. ★ *v.i.* Refletir, pensar, cuidar.

cognação *s.f.* **1.** No direito romano, parentesco consangüíneo pelo lado das mulheres. **2.** Descendência comum do mesmo tronco, masculino ou feminino.

cognato *adj.* e *s.m.* (lat. *cognatus*, parente). Cognado. ● **Gram.** Diz-se de ou palavras que têm a mesma raiz.

cognição *s.f.* (lat. *cognitio*). Faculdade, ato ou ação de conhecer; aquisição de um conhecimento. ● **Psicol.** Conjunto de estruturas e atividades psicológicas cuja função é a do conhecimento, por oposição aos domínios da afetividade e da sexualidade.

cognitivismo *s.m.* Teoria psicológica que privilegia as atividades humanas superiores, fundamentada na idéia de que é possível o conhecimento científico das mesmas pelo estudo do comportamento.

cognitivo *adj.* **1.** Relativo à cognição. **2.** *Ciências cognitivas*, conjunto de ciências relativas à cognição (psicologia cognitiva, lingüística, lógica, pesquisas em inteligência artificial etc.). ▸ *Psicologia cognitiva*, ramo da psicologia que se limita ao estudo das atividades psicológicas superiores (percepção, atenção, memória, linguagem, processos intelectuais).

cógnito *adj.* (lat. *cognitus*). *Ant.* Conhecido, sabido.

cognome *s.m.* (lat. *cognomen*, sobrenome). **1.** Nome que os antigos romanos acrescentavam ao nome de um indivíduo, em virtude de um feito ou particularidade física, e que se tornou, mais tarde, hereditário. **2.** Nome que se dá a uma pessoa em alusão a alguma característica marcante; apelido, alcunha. **3.** Sobrenome.

cognominar *v.t.* (conj. 4). Designar por cognome; apelidar, alcunhar. ★ *v.pr.* Ter ou adotar cognome.

cognoscitivo *adj.* Que tem a faculdade ou a capacidade de conhecer.

cognoscível *adj.2g.* (lat. *cognoscibilis*). Que se pode conhecer.

cogote *s.m.* (prov. *cogot*). Cangote.

cogulo *s.m.* (lat. *cucullus*). **1.** O que excede as bordas da medida (falando-se de cereais). **2.** Excesso, demasia.

cogumelo *s.m.* (do lat. *cucuma,* caldeirão). Termo que designa o corpo de frutificação dos basidiomicetos e, por extensão, os fungos que produzem tais estruturas.

co-herdeiro *s.m.* Aquele que herda com outra pessoa.

coibir (o-i) *v.t.* (lat. *cohibere*) [conj. 77]. **1.** Fazer cessar, impedir a continuação de; reprimir. **2.** Limitar, circunscrever. **3.** Proibir. ★ *v.pr.* **1.** Conter-se, reprimir-se. **2.** Privar-se, abster-se.

coice *s.m.* (lat. *calx, calcis,* calcanhar). **1.** Pancada que certos quadrúpedes desferem com as patas traseiras. **2.** Pancada com o pé ou o calcanhar, dada para trás. **3.** Calcanhar. **4.** Recuo da arma de fogo no momento do tiro. **5.** *Fig.* Brutalidade, grosseria.

coifa *s.f.* (b.-lat. *cofia,* pelo fr. *coiffe*). **1.** Pequena rede com que as mulheres envolvem e suspendem os cabelos. **2.** Chaminé em forma de campânula, sobre as capelas dos laboratórios de química, ou sobre os fogões domésticos. **3.** Invólucro, envoltório. ● **Anat.** Parte das membranas que envolvem o feto, ao nascer. **Bot.** Capa protetora, formada por um conjunto de células, que recobre a parte terminal das raízes. ► Sin. de CALIPTRA.

coimbrão (o-im) *adj.* Relativo ou pertencente a Coimbra, cidade portuguesa. ★ *s.m.* Indivíduo natural ou habitante de Coimbra; coimbrês.

coincidência (o-in) *s.f.* **1.** Ato ou efeito de coincidir. **2.** Simultaneidade de dois ou mais acontecimentos. **3.** *Fig.* Concurso de circunstâncias.

coincidente (o-in) *adj.2g.* Que coincide; simultâneo.

coincidir (o-in) *v.i.* (lat.tard. *coincidere*) [conj. 6]. **1.** Ser idêntico em formas, em dimensões. **2.** Concordar, corresponder. **3.** Incidir no mesmo ponto. **4.** Incidir ao mesmo tempo. ★ *v.t.* **1.** Ser idêntico, equiparar-se. **2.** Acontecer ao mesmo tempo.

coió *s.m.* **1.** *(NE)* Namorado ridículo. **2.** Assobio galanteador, dirigido a uma mulher. ★ *adj.2g.* Tolo, bobo, bocó.

coiote *s.m.* (náuatle *coyotl*). Mamífero carnívoro da América do Norte, parente do cão, do chacal e do lobo.

coirmão (o-ir) *adj.* **1.** Diz-se dos primos cujos pais são irmãos. **2.** Diz-se daquele que é filiado; sócio, membro.

coisa *s.f.* (lat. *causa*). **1.** Tudo o que existe, real ou aparente. **2.** Todo ser inanimado. **3.** Causa, motivo. **4.** Ocorrência, acontecimento, caso. **5.** Enigma, mistério. **6.** Qualquer objeto. **7.** Matéria, assunto.

coisa-ruim *s.m.* O Diabo.

coitado *adj.* e *s.m.* Desgraçado, infeliz, necessitado.

coiteiro *s.m.* Indivíduo que dá asilo, favorece ou protege malfeitores; couteiro.

coito^{1} *s.m.* Var. de COUTO.

coito^{2} *s.m.* (lat. *coitus,* junção). **1.** Relação sexual; cópula, copulação. **2.** *Coito interrompido,* método anticoncepcional que consiste em interromper o coito antes da ejaculação.

coivara *s.f.* (tupi). Pilha de gravetos ou galhos parcialmente queimados que, após incineração, são usados como adubo.

cola^{1} *s.f.* (fr. *colle*). **1.** Substância ou preparado para unir papel, madeira etc. **2.** *Pop.* Cópia feita ocultamente em exames escritos.

cola^{2} *s.f.* (lat. *cauda*). **1.** Cauda. **2.** Rastro, encalço.

colaboração *s.f.* **1.** Ato ou efeito de colaborar. **2.** Trabalho em comum com uma ou várias pessoas. **3.** O trabalho feito pelos colaboradores. **4.** Contribuição, ajuda.

colaborador (ô) *adj.* e *s.m.* **1.** Que ou aquele que colabora na execução de uma obra. **2.** Que ou aquele que ajuda outro em suas funções. **3.** Que ou aquele que ocasionalmente publica trabalhos em periódicos.

colaborar *v.t.* e *v.i.* (lat. *collaborare*) [conj. 4]. **1.** Trabalhar com uma ou mais pessoas numa obra comum. **2.** Ajudar, auxiliar. ★ *v.i.* Cooperar; concorrer para um mesmo fim.

colação *s.f.* (lat. *collatio,* reunião). **1.** Concessão de direito, título ou grau. **2.** *Ant.* Comparação, conferência. **3.** Nomeação para benefício eclesiástico. **4.** Lanche.

colaço *s.m.* (lat.tard. *collacteus*). Irmão-de-leite.

colagem *s.f.* **1.** Ato ou efeito de colar. **2.** Técnica de composição artística que consiste em reunir e colar fragmentos de materiais heterogêneos sobre um suporte. **3.** Obra composta segundo esse procedimento.

colágeno *s.m.* Proteína fibrosa, de natureza mucopolissacarídica, constituinte essencial do tecido conjuntivo.

colagogo (ô) *adj.* e *s.m.* (gr. *cholagogós*). Diz-se de ou medicamento que provoca a secreção biliar, como o sulfato de magnésio, o óleo de oliva etc.

colapso *s.m.* (lat. *collapsus*). **1.** Diminuição súbita e geral da energia do sistema nervoso e de todas as funções a ele associadas. **2.** Qualquer diminuição súbita de poder, de forças. ● **Med.** *Colapso cardíaco,* debilidade repentina das contrações cardíacas. ► *Colapso cardiovascular,* queda rápida e persistente da pressão arterial, que pode levar a um estado de choque.

colar^{1} *s.m.* (lat. *collare*). Ornamento ou insígnia que se usa em redor do pescoço. ● **Mec.** Aro ou anel empregado para limitar o curso de uma peça ou para mantê-la sobre um eixo.

colar^{2} *v.t.* (conj. 4) **1.** Receber um título, grau universitário etc. **2.** Nomear para benefício eclesiástico vitalício.

colar^{3} *v.t.* (conj. 4). **1.** Unir com cola; grudar. **2.** *Fig.* Aplicar, juntar, unir. **3.** *Pop.* Copiar ocultamente numa prova escrita. ● **Inform.** Em alguns programas de computador, comando

A B C D E F G H I J K L M N O P Q R S T U V W X Y Z

que insere no arquivo um conteúdo previamente selecionado ou copiado. ★ *v.i.* **1.** Ajustar-se, moldar-se. **2.** *Pop.* Recorrer à cola nos exames escritos. **3.** Plagiar. **4.** Convencer, ser aceito. ★ *v.pr.* Encostar-se, unir-se.

colarinho *s.m.* **1.** Parte da camisa que cinge o pescoço; gola. **2.** Espuma em um copo de chope ou cerveja.

colateral *adj.2g.* (lat. *collateralis*). **1.** Que está ao lado e numa direção aproximadamente paralela. **2.** Diz-se do parentesco que não é em linha reta, isto é, que provém do mesmo tronco mas não na ordem ascendente ou descendente. **3.** Diz-se de todo ramo proveniente de um vaso ou nervo. **4.** *Efeito colateral,* efeito indesejado que pode acompanhar aqueles para os quais um medicamento é recomendado. ► *Pontos colaterais,* os pontos intermédios aos pontos cardeais (nordeste, sudeste, noroeste e sudoeste).

colcha *s.f.* (lat. *culcita,* colchão). Coberta de cama, usada em geral sobre os lençóis.

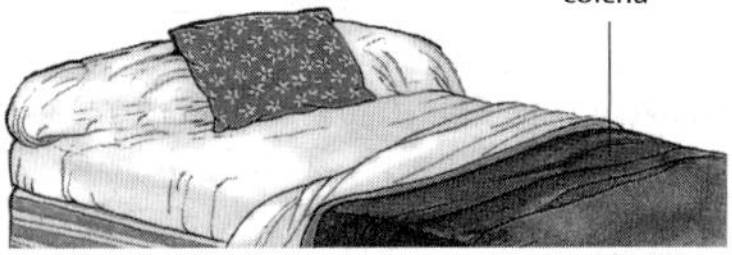

colchão *s.m.* Coxim grande, estofado com substância flexível, que se coloca sobre o estrado da cama.

colcheia *s.f.* (esp. *corchea*). Figura de notação musical cujo valor corresponde à metade da semínima.

colchete (ê) *s.m.* (fr. *crochet,* gancho). **1.** Dispositivo para unir as extremidades das correias. **2.** Peça de metal composta de duas partes, macho e fêmea, para prender uma parte da roupa na outra. **3.** Gancho duplo onde se pendura a carne nos açougues. ★ *s.m.pl.* Sinal gráfico [ ] empregado para conter números ou expressões quando outros números ou expressões figuram entre parênteses.

colchicina *s.f.* Substância alcalóide obtida das sementes e raízes do açafrão, cuja aplicação em células mitóticas induz à poliploidia.

colchoaria *s.f.* Lugar onde se fabricam ou vendem colchões, travesseiros etc.

colchoeiro *s.m.* Aquele que faz, reforma ou vende colchões.

colchonete *s.m.* Colchão pequeno e portátil.

coldre *s.m.* Estojo de couro para arma de fogo, geralmente preso ao cinto.

colear *v.i.* (conj. 15). **1.** Mover o colo (serpentes). **2.** Andar, deslizar sinuosamente como a serpente; serpear.

coleção *s.f.* (lat. *collectio*). **1.** Reunião de objetos da mesma natureza. **2.** Reunião de objetos escolhidos por sua beleza, raridade, valor documentário ou preço. **3.** Série de obras que tratam da mesma matéria. ● **Med.** Acumulação de pus, sangue ou outro líquido num local circunscrito do organismo.

colecionar *v.t.* (fr. *collectionner*) [conj. 4]. **1.** Reunir em coleção, coligir. **2.** *Fig.* Ajuntar, acumular.

colédoco *adj.* e *s.m.* (gr. *kholedokos*). **Anat.** *Canal colédoco,* porção terminal da via biliar principal, que é a continuação do canal hepático depois da fusão deste com o canal cístico.

colega *s.2g.* (lat. *collega*). **1.** Pessoa que pertence à mesma instituição que outra. **2.** Aquele que preenche as mesmas funções, que exerce a mesma profissão ou atividade que outras pessoas. **3.** Companheiro de estudos, de folguedos; camarada.

colegiado *adj.* Reunido ou organizado em colégio. ★ *s.m.* Órgão dirigente cujos membros têm poderes idênticos.

colegial *adj.2g.* Pertencente ou relativo a colégio ou a estudante desse curso. ★ *s.2g. Ant.* Aluno ou aluna de colégio. ★ *s.m. Ant.* Nível do ensino brasileiro correspondente ao atual ensino médio.

colégio *s.m.* (lat. *collegium*). **1.** Grupo de pessoas que têm todas a mesma dignidade e uma função comum. **2.** Denominação de alguns estabelecimentos de ensino. **3.** *Ant.* Curso mais ou menos equivalente ao do atual ensino médio.

coleguismo *s.m.* Sentimento de camaradagem e solidariedade que une colegas.

coleio *s.m.* Ação de colear; movimento sinuoso.

coleira[1] *s.f.* Correia de couro ou de metal que se coloca no pescoço dos animais para prendê-los, fazê-los trabalhar, reconhecê-los etc.

coleira[2] *s.f.* Ave passeriforme, cujo nome popular deriva do fato de apresentar a garganta branca, com uma mancha preta no centro. (Var. COLEIRO.)

coleíte *s.f.* (do gr. *koleós,* vagina). Inflamação da vagina.

colendo *adj.* (lat. *colendus*). Venerável, respeitável.

coleópteros *s.m.pl.* Ordem de insetos holometabólicos que apresentam asas anteriores espessas, coriáceas, sem nervuras, e asas posteriores membranosas, como os besouros.

larva de coleóptero

cólera *s.f.* (gr. *choléra,* cólera, doença). **1.** Paixão forte contra quem nos ofende; ódio, raiva. **2.** Doença infecciosa epidêmica, estritamente humana, que pode levar à morte por desidratação devido a vômitos e diarréia intensa. **3.** *Cólera aviária,* doença infecciosa bacteriana dos galináceos, que se pode prevenir pela vacinação. (Sin. PASTEURELOSE AVIÁRIA.)

colérico *adj.* (gr. *cholericós*). **1.** Que tem índole propensa à cólera. **2.** Cheio de cólera, indignado. ● **Med.** Relativo à cólera. ★ *adj.* e *s.m.* Diz-se de ou pessoa doente de cólera.

colesterol *s.m.* Substância essencial à célula animal e fluido corporal, sintetizado principalmente pelo fígado e córtex da supra-renal, cujo excesso contribui para o desenvolvimento de doenças cardiovasculares.

coleta *s.f.* (esp. *coleta*). **1.** Ato de coletar. **2.** Recolhimento de contribuições. **3.** O montante levantado. **4.** Cota de imposto respectiva a cada um dos indivíduos ou classes contribuintes.

coletânea *s.f.* (lat. *collectanea*). Conjunto de atos diversos, escritos variados etc.

coletar *v.t.* (conj. 4). **1.** Obrigar ao pagamento de coleta; tributar. **2.** Fazer coleta, recolher contribuições ou cotas. **3.** Reunir (dados, fatos para pesquisa).

colete (ê) *s.m.* (fr. *collet*). **1.** Peça sem mangas, cavada e sem gola, usada sobre a camisa; gilê. **2.** Espartilho de senhoras.

coletividade *s.f.* **1.** Natureza do que é coletivo. **2.** Conjunto de seres que constituem um corpo coletivo; comunidade.

coletivismo *s.m.* Doutrina econômica e social que defende a propriedade coletiva dos meios de produção.

coletivista *adj.2g.* Relativo ou pertencente ao coletivismo. ★ *s.2g.* Partidário do coletivismo.

coletivo *adj.* (lat. *collectivus,* recolhido). **1.** Que compreende, abrange muitas pessoas ou muitas coisas, ou lhes diz respeito. **2.** Que pertence a um conjunto de pessoas ou de coisas. ★ *adj.* e *s.m.* Diz-se de ou substantivo que designa um conjunto de seres ou coisas.

coletor (ô) *adj.* (lat. *collector*). Que colige ou coleta. ★ *s.m.* **1.** Recebedor de coletas. **2.** O que colige alguma coisa. **3.** Todo recipiente em que se juntam coisas. ● **Eletrôn.** Elétrodo de saída de um transistor de junção.

coletoria *s.f.* **1.** Repartição pública onde se pagam impostos. **2.** Cargo de coletor.

colhedeira *s.f.* Sin. de COLHEITADEIRA.

colheita *s.f.* **1.** Ação de colher os produtos do solo. **2.** A totalidade dos produtos do solo recolhidos numa estação. **3.** Época em que se colhem determinados produtos. **4.** O que se recebe, o que se ajunta.

colheitadeira *s.f.* Máquina de colher grãos e outras culturas, como a cana-de-açúcar. (Sin. COLHEDEIRA.)

colher *s.f.* (lat. *cochlear*). **1.** Utensílio de mesa ou cozinha formado de um cabo e uma parte côncava. **2.** A porção contida numa colher. ● **Constr.** *Colher de pedreiro,* instrumento utilizado para trabalhar a argamassa.

colher (ê) *v.t.* (lat. *colligere*) [conj. 5]. **1.** Tirar do pé. **2.** Coletar, recolher, arrecadar. **3.** Apanhar, pegar, prender. **4.** Alcançar, obter. **5.** Concluir, inferir. **6.** Aprender, compreender. ● **Nav.** Deixar os cabos, amarras etc., devidamente preparados para a pronta utilização.

colherada *s.f.* Porção que se contém numa colher.

colibacilo *s.m.* (do gr. *kólon,* intestino). Bacilo móvel, em forma de bastonete com extremidades arredondadas, que se adapta às condições de cultura, aeróbia ou anaeróbia.

colibri *s.m.* Sin. de BEIJA-FLOR.

cólica *s.f.* (gr. *kolike nósos,* doença intestinal). **1.** Dor no cólon provocada em geral por um espasmo. **2.** *P. ext.* Qualquer dor abdominal paroxística, muitas vezes devida à contração de um órgão oco. **3.** *Cólica hepática,* crise dolorosa paroxística devida a um súbito bloqueio das vias biliares, em razão da migração de um cálculo ou de uma violenta contração da vesícula biliar. ► *Cólica nefrética* ou *cólica renal,* crise dolorosa paroxística devida ao súbito bloqueio das vias urinárias. ► *Cólicas paroxísticas* ou *violentas,* cólicas violentas devidas a contrações da musculatura intestinal. ► *Cólicas paroxísticas uterinas,* contrações dolorosas que ocorrem depois do parto e que visam a expulsar a placenta. ★ *s.f.pl. Fam.* Apreensões, dificuldades.

colículo *s.m.* Colo pequeno. ● **Anat.** *Colículo seminal,* saliência em que se abrem os canais ejaculadores, localizada na parede posterior da uretra prostática.

colidir *v.t.* (lat. *collidere*) [conj. 6]. Ir ou fazer ir de encontro. ★ *v.i.* Ser contraditório ou conflitante; contradizer-se.

coliforme *s.m.* Bacilo saprófita ou parasita da flora intestinal.

coligação *s.f.* (lat. *colligatio*). **1.** Ato ou efeito de coligar; união, ligação. **2.** União de pessoas, partidos, nações, para um objetivo comum; liga, aliança. **3.** Confederação. **4.** Trama, conluio.

coligado *adj.* e *s.m.* Que ou aquele que é membro de uma coligação.

coligar *v.t.* (lat. *colligare*) [conj. 14]. Unir por coligação. ★ *v.pr.* Unir-se por coligação, aliar-se.

coligir *v.t.* (lat. *colligere*) [conj. 52]. **1.** Coletar. **2.** Concluir, inferir.

colimar *v.t.* (conj. 4). **1.** Observar por meio de um instrumento apropriado. **2.** Ter em vista; visar. ● **Fís.** Tornar paralelos os raios de um feixe óptico ou a trajetória de um feixe de partículas.

colina[1] *s.f.* (lat.tard. *collina*). Elevação de terreno de menor altitude que a montanha; outeiro, morro, encosta.

colina[2] *s.f.* (do gr. *chole,* bile). Base orgânica presente na bílis e em numerosos tecidos.

colírio *s.m.* (gr. *kollyrion,* ungüento). Medicamento líquido que contém soluções calmantes, anti-sépticas, antibióticas etc., e que se aplica em gotas sobre o olho.

colisão *s.f.* (lat. *collisio*). **1.** Choque de dois corpos; batida, trombada. **2.** *Fig.* Luta, oposição entre grupos, partidos ou facções.

colite *s.f.* Inflamação do cólon.

colméia ou **colmeia** *s.f.* **1.** Cortiço ou outra instalação de abelhas preparado naturalmente por elas, ou artificialmente para criá-las. **2.** *P. ext.* Enxame de abelhas. **3.** População de uma colméia. **4.** *Fig.* Grande quantidade de coisas ou de gente apinhada.

colmo (ô) *s.m.* (lat. *culmus*). **1.** Caule de nós bem definidos e entrenós distintos, maciços ou ocos, típico das gramíneas. **2.** Palha longa da qual se tira o grão e que serve para cobrir as casas, no campo. **3.** *P. ext.* Choupana, cabana.

colo[1] *s.m.* (lat. *collum,* pescoço). **1.** A parte superior do peito, logo abaixo do pescoço; regaço. (Sin. ant. PESCOÇO.) **2.** O peito de uma mulher. ● **Anat.** Porção mais estreita de certos ossos ou de certos órgãos ocos. ► *Colo do útero,* parte inferior, mais estreita e cilíndrica do útero, que se abre na vagina. **Geogr.** Parte deprimida de uma crista montanhosa, que serve freqüentemente como passagem de uma vertente a outra em regiões acidentadas; passo.

colo[2] *s.m.* Var de CÓLON.

colocação *s.f.* (lat. *collocatio*). **1.** Ato ou efeito de colocar. **2.** Arrumação. **3.** Emprego, lugar para trabalhar. **4.** Distribuição ou mercado para mercadoria. **5.** Exposição, argumento. ● **Gram.** Disposição dos vocábulos na frase.

colocar *v.t.* (lat. *collocare*) [conj. 12]. **1.** Estabelecer, pôr num lugar. **2.** Instalar, localizar, situar, acomodar. **3.** Vender. ★ *v.t.* e *pr. Fig.* Arranjar emprego. ★ *v.pr.* Instalar-se, tomar posição.

colódio *s.m.* (gr. *kollodes*). Solução de nitrato ou de acetato de celulose em uma mistura de éter e álcool, utilizada em farmácia, fotografia etc.

co-logaritmo *s.m.* O logaritmo do inverso de um número.

coloidal *adj.2g.* **1.** Relativo ou semelhante a colóide. **2.** Que se comporta como colóide. **3.** *Estado coloidal*, diz-se de um sistema muito dividido ou disperso em grãos ou gotas.

colóide *adj.2g.* e *s.m.* (ingl. *colloid*, da natureza da cola). Sistema no qual as partículas se encontram suspensas em um fluido.

colombiano *adj.* **1.** Relativo ou pertencente à Colômbia, país da América do Sul. **2.** Relativo ou pertencente a Cristóvão Colombo. ★ *s.m.* O natural ou habitante da Colômbia.

COLOMBIANO ► A população colombiana se encontra nas regiões montanhosas dos Andes, sobretudo nas cordilheiras Central e Oriental. A costa caribenha, ao redor das cidades de Cartagena e Barranquilla, também é densamente povoada. A população é miscigenada, constituída por grupos de origem européia, ameríndios e etnias diversas, em especial africanas. Além do espanhol, que é falado em toda a Colômbia, também são faladas algumas línguas ameríndias. A maioria da população é católica.

---

cólon *s.m.* (gr. *kólon*, intestino grosso). Segmento do tubo digestivo compreendido entre o intestino delgado e o reto. (Var. COLO².)

colônia *s.f.* (lat. *colonia*, propriedade rural). **1.** Conjunto dos indivíduos da mesma nacionalidade que se estabelecem em país estrangeiro. **2.** Território ocupado e administrado por um Estado fora de suas fronteiras. **3.** Conjunto das moradias dos colonos nas antigas fazendas de café. **4.** Grupo de indivíduos que vivem em comum. ● **Biol.** Grupo de indivíduos da mesma espécie, animal ou vegetal, que vivem juntos, dependem uns dos outros e apresentam vários graus de organização. ► *Colônia microbiana*, grupo de germes obtido em cultura, a partir de uma única bactéria.

colonial *adj.2g.* **1.** Referente a colônia. **2.** Proveniente das colônias. **3.** Estilo de construção de prédios ou de confecção de móveis, objetos etc., que segue os padrões característicos da época das grandes colonizações.

colonialismo *s.m.* **1.** Sistema que preconiza o estabelecimento e o desenvolvimento de países dependentes, considerados como fontes de riquezas para a nação que os domina, até mesmo economicamente. **2.** Prática histórica de criação de colônias, sua exploração e aculturamento.

colonização *s.f.* **1.** Ação ou efeito de colonizar. **2.** Processo pelo qual um Estado ou nação estabelecia domínio político, social e/ou cultural em uma região que não pertencia a seu território.

colonizar *v.t.* (conj. 4). **1.** Estabelecer colônia em, promover a colonização de. **2.** Habitar como colono.

colono *s.m.* (lat. *colonus*, camponês). **1.** Aquele que faz parte de uma colônia. **2.** Trabalhador rural que mora no próprio estabelecimento agrícola e cujos meios de vida provêm de atividades de subsistência e do salário.

coloquial *adj.2g.* Referente a colóquio, usado em colóquio. ● **Liter.** Diz-se de um estilo literário que tenta reproduzir a linguagem de uso cotidiano.

colóquio *s.m.* (lat. *colloquium*). **1.** Conversa entre duas ou mais pessoas. **2.** Conferência, simpósio, seminário.

coloração *s.f.* **1.** Ação de dar ou adquirir uma cor. **2.** Ação de aplicar corantes sobre algo; pigmentação. **3.** Cor.

colorar *v.t.* (lat. *colorare*) [conj. 4]. Colorir, corar.

colorau *s.m.* (esp. *colorado*, corado). Pó vermelho feito de urucum, pimentão etc., usado como condimento.

colorido *adj.* **1.** Provido, cheio ou ornado de cores. **2.** Que tem certa cor. **3.** *Fig.* Brilhante, cheio de imagens, rico. ★ *s.m.* **1.** Arte de combinar, de empregar as cores em pintura; efeito que daí resulta. **2.** Brilho e cor de um rosto, das flores, das frutas. **3.** Nuança agradável ou delicada da cor. **4.** *Fig.* Brilhantismo, vivacidade.

colorimetria *s.f.* Conjunto das técnicas que permitem definir e comparar as cores. ● **Fís.** Método de análise de absorção da luz. **Quím.** Comparação entre a coloração de uma solução obtida para exame com a de uma solução padrão.

colorir *v.t.* (conj. 79). **1.** Cobrir ou matizar de cores. **2.** Adornar, enfeitar. **3.** *Fig.* Tornar brilhante, ornar de imagens. **4.** *Fig.* Disfarçar, encobrir, tornar menos desagradável. ★ *v.pr.* **1.** Tingir-se, tomar cor. **2.** Corar; ruborizar-se.

colossal *adj.2g.* **1.** Que tem dimensões extraordinárias; imensurável. **2.** *Fig.* Imenso, vastíssimo.

colosso (ô) *s.m.* (gr. *kolossós*). **1.** Estátua de tamanho extraordinário. **2.** *Fig.* Coisa de dimensões enormes. **3.** *Fig.* Homem ou animal de grande força e estatura. **4.** Coisa excelente, gostosa, vantajosa. **5.** Grande quantidade; multidão.

colostro (ô) *s.m.* (lat. *colostrum*). Secreção mamária amarelada que aparece pouco antes e logo depois do parto e que precede a produção do leite propriamente dito.

colpite *s.f.* Estado inflamatório do revestimento da vagina e do colo uterino.

colposcopia *s.f.* Exame do colo do útero.

colubrina *s.f.* (it. *colubrina*). **1.** Antiga peça de artilharia. **2.** Espada antiga de lâmina fina e curva.

columbário *s.m.* (lat. *columbarium*). **1.** Pombal. **2.** Construção provida de nichos onde são conservadas as urnas contendo as cinzas de pessoas cremadas.

columbiformes *s.m.pl.* Ordem de aves cosmopolitas, de bico geralmente curto e delgado, papo bem desenvolvido e tarso mais desenvolvido que os artelhos, que engloba os pombos.

columbino *adj.* (lat. *columbinus*). **1.** Pertencente ou relativo ao pombo ou à pomba. **2.** *Fig.* Inocente, cândido, puro.

columbofilia *s.f.* **1.** Amor aos pombos. **2.** Ciência da criação de pombos-correios.

columela *s.f.* (lat. *columella*). **Anat.** Eixo cônico da cóclea do ouvido interno. ► Eixo sólido mediano de um órgão. **Bot.** Coluna de tecido estéril que se encontra no interior do esporogônio das briófitas. **Zool.** Eixo interno das conchas dos moluscos univalves.

coluna *s.f.* (lat. *columna*). **1.** Elemento arquitetônico de sustentação, composto geralmente de base, fuste e capitel. **2.** Pilar, pilastra. **3.** *Fig.* Apoio, sustentáculo. **4.** Série de objetos dispostos verticalmente; pilha. **5.** Cada uma das divisões, no sentido vertical, das páginas de jornal ou revista. **6.** Seção especializada de jornal ou revista. ● **Anat.** *Coluna vertebral*, esqueleto axial do tronco, que sustenta a cabeça e se liga aos membros pela cintura escapular e pélvica. (Sin. ESPINHA

DORSAL.) **Mil.** Formação compacta de deslocamento rápido. **Quím.** Equipamento de laboratório usado para destilar ou dessecar.

COLUNA GREGA CLÁSSICA

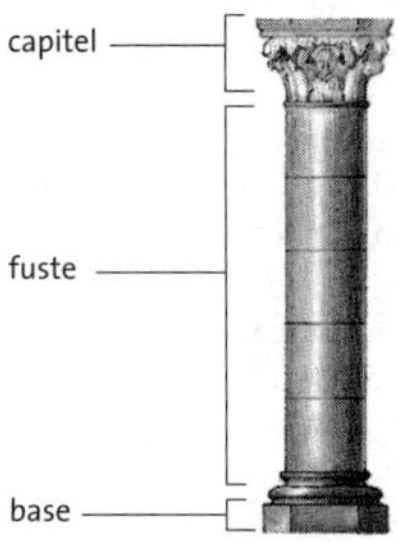

colunata *s.f.* (it. *colonnata*). Série de colunas alinhadas simetricamente.

colunista *s.2g.* Profissional que assina uma seção diária, ou coluna, em jornal.

com *prep.* (lat. *cum*). Estabelece relações de ligação, acompanhamento, combinação, instrumento, meio, modo, comparação etc.

coma[1] *s.f.* (gr. *kóme*). Cabeleira, juba, penacho.

coma[2] *s.m.* (gr. *koma*). Estado patológico caracterizado pela perda das funções de relação, como consciência e movimentos voluntários, com relativa preservação da vida vegetativa.

comadre *s.f.* (lat. tard. *commatrem*). **1.** Madrinha do indivíduo batizado ou crismado, em relação aos pais deste. **2.** Mãe de um indivíduo em relação aos padrinhos deste. **3.** *Fam.* Parteira. **4.** Espécie de bacia usada em hospitais para os pacientes acamados urinarem e fazerem dejeções. **5.** *Fig.* Mulher mexeriqueira, bisbilhoteira ou astuta.

comandante *adj.2g.* Que comanda. ★ *s.m.* **1.** Aquele que comanda, que dá ordens a um grupo de indivíduos. **2.** Pessoa que exerce um mandato junto com outros. ● **Mil.** O oficial em exercício de comando, qualquer que seja o seu posto.

comandar *v.t.* (fr. *commander*) [conj. 4]. **1.** Exercer o comando. **2.** Liderar, chefiar. **3.** Ordenar, mandar. **4.** Dominar pela posição sobranceira.

comandita *s.f.* (it. *accomandita*). Sociedade comercial em que parte dos sócios entra apenas com capital, sem participar da administração.

comanditário *adj.* e *s.m.* Diz-se de ou membro de uma sociedade em comandita.

comando *s.m.* **1.** Ação de comandar. **2.** Poder de quem comanda. **3.** Direção, ordem, liderança. ● **Cibern.** Ação humana ou automática que visa a modificar o estado de um sistema que atua sobre uma ou várias grandezas, denominadas *de ação*, por meio de dispositivos apropriados, denominados *atuadores*. **Mil.** Órgão superior das unidades. ▸ Unidade para operações especiais. ▸ *Alto comando,* órgão máximo de direção e comando das Forças Armadas. ★ *s.m.pl.* Conjunto dos elementos acionados pelo condutor de um automóvel, aeronave etc.

comarca *s.f.* Circunscrição judiciária sob a alçada de um ou mais juízes de direito.

comatoso (ô) *adj.* (gr. *koma, komatos,* sonolência). Relativo ao coma. ★ *s.m.* Aquele que está em coma.

combalido *adj.* Carente de forças físicas ou morais; abatido, abalado.

combalir *v.t.* (conj. 79). **1.** Tornar combalido; abater, abalar. **2.** Arruinar, aluir. ★ *v.pr.* Enfraquecer-se, debilitar-se.

combate *s.m.* **1.** Ação de combater. **2.** Luta, contenda, conflito, litígio. **3.** Ação militar de menor duração e amplitude do que a batalha.

combatente *adj.2g.* e *s.2g.* Que ou aquele que combate ou pode combater.

combater *v.t.* (b-lat. *combattuere*) [conj. 5]. **1.** Bater-se contra; dar combate a. **2.** Esforçar-se por dominar, vencer ou extinguir. **3.** *Fig.* Opor-se a; contestar. ★ *v.i.* Lutar, pelejar, batalhar.

combatível *adj.2g.* Que pode ser combatido; discutível.

combativo *adj.* Predisposto ao combate; agressivo.

combinação *s.f.* **1.** Ação de combinar(-se). **2.** Disposição ordenada de objetos ou elementos. **3.** Organização, sistema, plano. **4.** Arranjo, acordo, ajuste. **5.** Componente da indumentária feminina, usado sob o vestido. **6.** Arranjo mecânico interno de um cofre, que permite sua abertura. **7.** Ação de unir quimicamente diversas substâncias para formar com elas uma nova; resultado desta ação. ● **Mat.** As diversas maneiras de organizar n números em subconjuntos de m elementos, que difere do arranjo e da permuta, por não considerar a ordem de organização dos elementos.

combinado *adj.* **1.** Ajustado, acordado. **2.** Agrupado em ordem metódica; calculado, comparado.

combinar *v.t.* (lat. *combinare*) [conj. 4]. **1.** Juntar, misturar. **2.** Assentar, ajustar, pactuar. **3.** Produzir a combinação química de diversas substâncias. ★ *v.i.* Condizer, harmonizar-se, estar de acordo.

combinatório *adj.* Relativo a combinações ou em que há combinações. ● **Mat.** *Análise combinatória,* ramo da matemática que estuda as possíveis disposições entre os números de um conjunto. ▸ *Número combinatório,* quantidade de disposições possíveis em uma combinação ou arranjo.

comboio *s.m.* (fr. *convoi*). **1.** Grupo de veículos, geralmente terrestres ou marítimos, que se dirigem juntos para o mesmo destino. **2.** Trem. **3.** Leva de feridos ou de prisioneiros de guerra. **4.** Grupo de animais cavalares que transportam carga. ● **Nav.** Formação constituída por um conjunto de barcaças movimentadas por um rebocador.

O trem é uma forma de comboio.

comburente *adj.2g.* e *s.m.* Diz-se de ou substância que, combinando-se com outra, faz ocorrer a combustão desta última.

combustão *s.f.* (lat. *combustio*). **1.** Ação de queimar ou estado de um corpo que arde, produzindo luz e calor. **2.** *Fig.* Guerra, conflagração. ● **Fís.** Reação entre uma substância combustível e o gás oxigênio, com liberação de energia utilizável. Mec. Terceiro tempo de operação de um motor de quatro tempos, também chamada, impropriamente, de *explosão*.

combustível *adj.2g.* **1.** Que tem a propriedade de se consumir pela combustão. **2.** Que se inflama com facilidade. ★ *s.m.* Matéria capaz de queimar ao contato com o oxigênio ou com o gás que contenha oxigênio, produzindo uma quantidade de calor utilizável. ● **Fís.** *Combustível nuclear,* matéria capaz de fornecer energia por fissão ou fusão nuclear; matéria físsil que, colocada dentro de um reator, permite que nele se desenvolva uma reação nuclear em cadeia.

começar *v.t.* (conj. 13). Dar início ou começo a; iniciar, principiar. ★ *v.i.* Ter início ou princípio.

começo (ê) *s.m.* **1.** Ação de começar; início. **2.** Origem, primórdio. **3.** Primeira parte de uma ação, de um período.

comédia *s.f.* (gr. *komoidía*). **1.** Gênero dramático que tem no humor um dos principais elementos. **2.** Peça, filme etc. desse gênero. **3.** Dissimulação, hipocrisia. **4.** *Fig.* Fato cômico, ridículo.

COMÉDIA ► O teatro de comédia nasceu na Itália no século XVI. Os atores eram cantores, músicos, bailarinos e acrobatas. As companhias representavam suas peças nos palácios, para os príncipes, ou nas ruas, para o povo. Costumavam repetir personagens em peças diferentes. Os comediantes com freqüência faziam improvisações.

---

comediante *s.2g.* **1.** Ator ou atriz de comédias. **2.** *Fig.* Que ou pessoa que demonstra sentimentos que não tem; hipócrita, simulador.

comedido *adj.* Moderado, sóbrio, prudente.

comedimento *s.m.* Moderação, modéstia.

comediógrafo *s.m.* (gr. *komoidiográphos*). Autor de comédias.

comedir *v.t.* (conj. 70). **1.** Regular, medir. **2.** Moderar, conter.

comemoração *s.f.* (lat. *commemoratio*). **1.** Lembrança, memória. **2.** Cerimônia realizada em memória de um acontecimento importante.

comemorar *v.t.* (lat. *commemorare*) [conj. 4]. **1.** Trazer à memória; lembrar. **2.** Festejar um acontecimento.

comemorativo *adj.* Que faz lembrar, que traz à memória um acontecimento digno de ser festejado.

comenda *s.f.* (lat.tard. *commenda*). **1.** Benefício concedido antigamente a eclesiásticos e a cavaleiros de ordens militares. **2.** Condecoração honorífica. **3.** Insígnia de comendador.

comendador (ô) *s.m.* Aquele que recebeu uma comenda.

comenos *s.m.2n.* Instante, ocasião, momento.

comensal *adj.2g.* e *s.2g.* **1.** Diz-se de ou cada um dos que comem habitualmente à mesma mesa. **2.** Que ou quem freqüenta assiduamente uma casa e aí toma suas refeições. **3.** Convidado para banquete ou jantar. ● **Biol.** Organismo que vive sob o regime de comensalismo.

comensalismo *s.m.* Tipo de associação entre dois organismos de espécies diferentes, na qual um deles se beneficia e o outro não tem benefícios ou prejuízos.

comensurável *adj.2g.* (lat. *commensurabilis*). Diz-se de grandezas que têm uma medida comum, ou daquilo que pode ser medido.

comentar *v.t.* (lat. *commentare*) [conj. 4]. **1.** Fazer observações sobre. **2.** Analisar, discutir, interpretar (textos, fatos, notícias). **3.** Fazer observações maldosas sobre.

comentário *s.m.* (lat. *commentarium,* livro de anotações). **1.** Observações e esclarecimentos sobre um fato ou uma obra artística ou científica. **2.** Interpretação malévola dos atos ou palavras de alguém.

comentarista *s.2g.* **1.** Pessoa que comenta textos, fatos ou notícias. **2.** Pessoa incumbida dos comentários, em emissora de rádio ou televisão, ou em periódicos.

comer *v.t.* (lat. *comedere*) [conj. 5]. **1.** Levar à boca e engolir. **2.** *Fig.* Carcomer, roer, consumir. **3.** *Fig.* Omitir, suprimir. **4.** *Fig.* Eliminar, ganhar (pedras, em jogo de tabuleiro). **5.** *Chul.* Possuir sexualmente. ★ *v.i.* Tomar refeição, alimentar-se. ★ *s.m.* Comida, alimento.

comercial *adj.2g.* Relativo ao comércio. ● **Dir.** *Direito comercial,* ramo do direito privado que rege a atividade comercial. ★ *s.m.* Mensagem de propaganda veiculada em rádio e televisão.

comercializar *v.t.* (conj. 4). Tornar algo objeto de comércio.

comerciante *adj.2g.* Que exerce o comércio. ★ *s.2g.* Pessoa que tem o comércio por profissão; negociante.

comerciar *v.t.* e *v.i.* (conj. 18). Exercer comércio, negociar.

comerciário *s.m.* Empregado no comércio.

comércio *s.m.* (lat. *commercium,* tráfico). **1.** Compra, venda e troca de qualquer produto. **2.** Intercâmbio, relações de negócio. **3.** A classe dos comerciantes. **4.** Relações sexuais ilícitas.

comeriano *adj.* e *s.m.* Comorense.

comestibilidade *s.f.* Qualidade do que é comestível.

comestível *adj.2g.* (lat.tard. *comestibilis*). Que se pode comer. ★ *s.m.* O que ordinariamente se come.

cometa (ê) *s.m.* (gr. *kometes,* cabeludo). Astro do sistema solar formado de um núcleo, um envoltório gasoso e uma cauda luminosa, que adquire aspecto difuso e maior brilho à medida que se aproxima do Sol.

ESTRUTURA DE UM COMETA

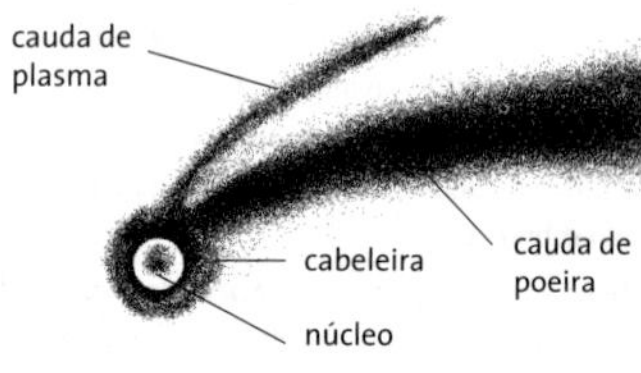

---

cometer *v.t.* (lat. *committere,* executar) [conj. 5]. **1.** Fazer, praticar um ato; perpetrar. **2.** Tentar, empreender. **3.** Confiar, encarregar. **4.** Acometer, atacar, investir contra.

cometida *s.f.* Ataque, investida; acometida.

cometimento *s.m.* **1.** Ato ou efeito de cometer. **2.** O ato cometido. **3.** Intento arrojado.

comezaina *s.f.* **1.** Grande quantidade de comida. **2.** Patuscada de comes e bebes.

comezinho *adj.* **1.** Bom de se comer. **2.** *Fig.* Simples, caseiro, trivial.

comichão *s.f.* (lat.tard. *comestio,* ação de comer). **1.** Sensação de ligeiras picadas. **2.** Coceira, prurido. **3.** *Fig.* Desejo impaciente, vontade irresistível de fazer algo.

comichar *v.t.* (conj. 4). Causar comichão a. ★ *v.i.* Sentir comichão, produzir coceira.

comicidade *s.f.* Qualidade do que é cômico.

comício *s.m.* (lat. *comitium*). Reunião em praça pública para tratar de assuntos políticos ou profissionais.

cômico *adj.* (lat. *comicus,* do gr. *komikós*). **1.** Relativo ou pertencente à comédia. **2.** Que provoca risos; divertido, engraçado, ridículo. ★ *s.m.* **1.** O que faz rir. **2.** Ator de comédia.

comida *s.f.* Alimento, refeição.

comigo *pron. pess.* **1.** Com a minha pessoa. **2.** Em minha companhia. **3.** A meu respeito. **4.** De mim para mim. **5.** Em mim. **6.** Para mim.

comigo-ninguém-pode *s.m.2n.* Nome comum a duas plantas ornamentais originárias do Amazonas, de folhas grandes, verdes, pintalgadas de branco e muito perigosas pelo veneno. (Sin. ANINGA-PARÁ, CANA-DE-IMBÉ.)

comilança *s.f.* **1.** Ato de comer muito. **2.** *Fam.* Grande quantidade de comida.

comilão *adj.* e *s.m.* Que ou aquele que come muito; comedor voraz, glutão.

cominação *s.f.* Ato ou efeito de cominar.

cominar *v.t.* (lat. *comminari*) [conj. 4]. **1.** Ameaçar de punição em caso de infração da lei. **2.** Prescrever, decretar, impor (castigo, pena).

cominatório *adj.* Destinado a intimidar; ameaçador.

cominho *s.m.* (gr. *kyminon*). Planta originária do Oriente, de flores brancas, rosadas ou vermelhas, cujo fruto contém sementes de propriedades medicinais, também utilizadas como condimento.

comiseração *s.f.* (lat. *commiseratio*). Sentimento de compaixão; pena, piedade.

comiserar *v.t.* (lat. *commiserari*) [conj. 4]. Inspirar comiseração a. ★ *v.pr.* Compadecer-se, apiedar-se.

comiserativo *adj.* Que provoca comiseração.

comissão *s.f.* (lat. *commissio,* junta). **1.** Encargo, incumbência. **2.** Cargo ou emprego temporário. **3.** Grupo de pessoas designado por uma assembléia para executar uma tarefa; comitê. **4.** Porcentagem paga em uma transação comercial, a título de honorário.

comissariado *s.m.* **1.** Cargo ou emprego de comissário. **2.** Lugar onde o comissário exerce suas funções.

comissário *s.m.* (lat. tard. *commissarius*). **1.** Aquele que exerce comissão. **2.** Pessoa encarregada de funções temporárias e específicas. **3.** Aquele que compra ou vende por comissão. **4.** Funcionário das empresas de aviação comercial que presta, a bordo, assistência aos viajantes. **5.** Oficial da marinha mercante.

COMISSÁRIO ► Funcionário de empresas de aviação comercial que presta, a bordo, assistência aos viajantes. Nos aviões de passageiros, há cabines especiais destinadas ao descanso de comissários e outros membros da tripulação.

---

comissionado *adj.* e *s.m.* **1.** Que ou aquele que recebeu uma comissão. **2.** Que ou aquele que recebeu um mandato, uma missão, ou está ocupando um cargo temporariamente.

comissionar *v.t.* (conj. 4). **1.** Delegar poder. **2.** Atribuir uma função a alguém; confiar, encarregar. **3.** Dar comissão para a compra e venda de mercadorias.

comissura *s.f.* (lat. *commissura*). Juntura, junção. ● **Anat.** Região de um tecido onde se reúnem duas porções de um órgão. ► Ângulo de reunião formado pelas duas válvulas do orifício mitral do coração. ► Feixe de fibras que reúnem as estruturas nervosas direita e esquerda do cérebro. **Zool.** Fibra nervosa que conecta gânglios, em alguns invertebrados.

comitê *s.m.* (fr. *comité*). **1.** Grupo de pessoas encarregadas de determinada missão; comissão. **2.** Os dirigentes de um partido político.

comitente *adj.2g.* e *s.2g.* Que ou aquele que dá ou se encarrega de comissão.

comitiva *s.f.* (lat. *comitiva*). Grupo de pessoas que acompanham; séquito.

comível *adj.2g.* Que se pode comer; comestível.

como *adv.* (lat. *quomodo*). **1.** De que maneira. **2.** Quão, quanto. ★ *prep.* **1.** À maneira de. **2.** Na qualidade de. ★ *conj.* **1.** Do mesmo modo que. **2.** Segundo, conforme. **3.** Porque. **4.** Assim que. **5.** Uma vez que. ★ *s.m.* Modo de fazer.

comoção *s.f.* (lat. *commotio*). **1.** Agitação violenta; abalo. **2.** *Fig.* Viva emoção. **3.** Motim, revolta, agitação popular. ● **Med.** Abalo de um órgão consecutivo a um choque, que perturba seu funcionamento sem alterar sua estrutura. ► *Comoção cerebral,* interrupção, por traumatismo, das funções cerebrais, com inconsciência, ausência de reação a estímulos e problemas cardíacos e circulatórios. ► *Comoção espinal,* seqüela de traumatismo na coluna vertebral em que os membros ficam paralisados, com redução ou ausência dos reflexos tendinosos e ausência de reação a estímulos.

cômoda *s.f.* Móvel guarnecido de gavetas desde a base até a parte superior.

---

comodato *s.m.* (b.-lat. *commodatum*). Empréstimo gratuito de determinada coisa que deve ser restituída no tempo convencionado.

comodidade *s.f.* (lat. *commoditas*). **1.** Qualidade do que é cômodo, vantajoso, agradável. **2.** Conforto, bem-estar.

comodismo *s.m.* Modo de ser de comodista.

comodista *adj.2g* e *s.2g.* Que ou aquele que só pensa em sua comodidade; egoísta.

cômodo *adj.* (lat. *commodus*). **1.** Conveniente. **2.** Confortável, prático. ★ *s.m.* Acomodação, aposento.

comorano *adj.* e *s.m.* Comorense.

comorense *adj.2g.* Relativo ou pertencente às Ilhas Comores, país da África; comorano, comoriano. ★ *s.2g.* Indivíduo natural ou habitante das Ilhas Comores.

comovente *adj.2g.* (lat. *commovens*). Que comove; emocionante, comovedor.

comover *v.t.* (lat. *commovere,* mover) [conj. 5]. **1.** Tocar; agitar, abalar. **2.** Provocar emoção; impressionar. ★ *v.pr.* Perturbar-se, sensibilizar-se.

compactar *v.t.* (conj. 4). Tornar compacto; comprimir.

compacto *adj.* (lat. *compactus*). **1.** Que é condensado, cujas moléculas estão fortemente unidas. **2.** Denso, cerrado. ★ *s.m.* Disco fonográfico de pequena dimensão, gravado em 33 rpm tendo uma ou duas faixas gravadas em cada lado.

compadecer *v.t.* (conj. 25). **1.** Ter compaixão de, deplorar. **2.** Suportar. ★ *v.pr.* **1.** Participar de dor dos outros. **2.** Ser compatível, harmonizar-se.

compadre *s.m.* (lat. tard. *compater, compatris*). **1.** Padrinho de uma pessoa, em relação aos pais desta, e vice-versa. **2.** *Fam.* Amigo, companheiro. **3.** Tratamento afetuoso dado a conhecidos, especialmente no interior do Brasil. **4.** Vaso de metal, louça ou plástico, usado em hospital para recolher urina de doentes acamados do sexo masculino; papagaio.

compadrio *s.m.* **1.** Relação criada essencialmente pelo sacramento do batismo entre os pais, o padrinho e a madrinha de uma criança; compadrice, compadresco. **2.** Cordialidade, intimidade.

compaixão *s.f.* (lat. *compassio,* sofrimento comum). Sentimento de pesar que nos causam os males alheios; comiseração, piedade, dó.

companheirismo *s.m.* Convívio ou procedimento cordial, próprio de companheiro; coleguismo.

companheiro *s.m.* **1.** Aquele que participa da vida ou das ocupações de outrem; colega, camarada. **2.** Aquele que acompanha alguém. **3.** *Fam.* Esposo. ★ *adj.* Que acompanha.

companhia *s.f.* **1.** Ação de acompanhar alguém. **2.** Aquele que acompanha. **3.** Convivência, intimidade. **4.** Sociedade comercial ou industrial, formada por sócios ou acionistas. ● **Mil.** Subdivisão de um batalhão.

comparação *s.f.* (lat. *comparatio*). **1.** Ato ou efeito de comparar. **2.** Cotejo, confronto de dois ou mais elementos para ressaltar suas semelhanças e diferenças.

comparado *adj.* **1.** Confrontado, cotejado. **2.** Diz-se de um estudo ou disciplina que faz comparações.

comparar *v.t.* (lat. *comparare*) [conj. 4]. **1.** Examinar em conjunto, confrontando. **2.** Estabelecer paralelo entre pessoas, coisas, animais. **3.** Colocar no mesmo nível; igualar. ★ *v.pr.* Rivalizar, igualar-se.

comparativo *adj.* (lat. *comparativus*). Que estabelece uma comparação. ● **Gram.** Grau de flexão do adjetivo ou do advérbio que exprime igualdade, superioridade ou inferioridade de uma qualidade em relação a outra.

comparecer *v.i.* (lat. *comparere,* parecer) [conj. 25]. Apresentar-se pessoalmente em local determinado.

comparsa *s.2g.* Aquele que tem participação secundária; cúmplice, parceiro.

compartilhar *v.t.* (conj. 4). Ter ou tomar parte em; compartir.

compartimento *s.m.* **1.** Cada uma das divisões de uma casa, de um vagão, de uma gaveta etc. **2.** Célula interna de um navio, completamente estanque.

compartir *v.t.* (conj. 6). **1.** Dividir em compartimentos. **2.** Compartilhar.

compassado *adj.* **1.** Ritmado, cadenciado. **2.** Pausado. **3.** Vagaroso.

compassar *v.t.* (do lat. *passus,* passo) [conj. 4]. **1.** Medir, calcular determinando intervalos de tempo ou espaço em que um fenômeno se repete; ritmar, cadenciar. **2.** Alongar a pausa entre a repetição de um fenômeno; espaçar. **3.** *P. ext.* Tornar lento o movimento, o ritmo.

compassivo *adj.* (lat. tard. *compassivus*). Que tem ou revela compaixão.

compasso^{1} *s.m.* Ritmo, cadência. ● **Mús.** Medida musical rítmica e métrica, marcada por barras ou travessões. ▸ Espaço que contém um grupo de notas entre duas barras.

compasso^{2} *s.m.* Instrumento composto de duas hastes articuladas numa extremidade, para o traçado de circunferências e o transporte de medidas.

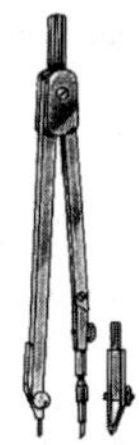

compatibilidade *s.f.* (fr. *compatibilité*). Qualidade, estado das coisas que podem concordar, que são compatíveis. ● **Med.** *Compatibilidade sanguínea,* ausência de aglutinação quando são misturados os glóbulos vermelhos de um doador com o soro de um receptor. ▸ *Compatibilidade tissular,* sin. de HISTOCOMPATIBILIDADE.

compatível *adj.2g.* **1.** Que pode coexistir ou concordar com outro. **2.** Que apresenta compatibilidade. **3.** Diz-se de máquinas ou aparelhos que podem ser conectados. ● **Inform.** Diz-se de software e de periféricos que podem operar em um computador.

compatriota *adj.2g.* e *s.2g.* Patrício.

compelir *v.t.* (lat. *compellere*) [conj. 57]. **1.** Obrigar, constranger. **2.** Empurrar, impelir.

compendiar *v.t.* (conj. 16). **1.** Reduzir a compêndio; resumir. **2.** Publicar em compêndio.

compêndio *s.m.* (lat. *compendium*). **1.** Resumo de doutrinas; sumário. **2.** Livro de texto escolar.

compenetrar *v.t.* (conj. 4). **1.** Fazer penetrar. **2.** Convencer intimamente. ★ *v.pr.* **1.** Persuadir-se. **2.** Assenhorear-se de.

compensação *s.f.* **1.** Ação de compensar. **2.** Indenização. **3.** Operação contábil que consiste na cobrança e pagamento de cheques de outros bancos num banco oficial.

compensado *adj.* **1.** Que se compensou. **2.** Em que houve compensação. ★ *s.m.* Placa de madeira constituída de chapas mais finas, coladas e prensadas, cujos veios são dispostos perpendicularmente.

compensar *v.t.* (lat. *compensare,* pôr na balança) [conj. 4]. **1.** Equilibrar um efeito com outro. **2.** Indenizar, remunerar. **3.** Reparar o dano. ★ *v.pr.* Pagar-se.

competência *s.f.* (lat. *competentia,* proporção). **1.** Atribuição, jurídica ou legal, de desempenhar certos encargos ou de apreciar ou julgar determinados assuntos. **2.** Capacidade decorrente de profundo conhecimento sobre um assunto; aptidão.

competente *adj.2g.* (lat. *competens,* apropriado). **1.** Que tem competência; apto, legal. **2.** Adequado, próprio.

competição *s.f.* **1.** Ação de competir; disputa. **2.** Concorrência simultânea de diversas pessoas à mesma coisa. **3.** Prova esportiva. ● **Ecol.** Tipo de interação entre organismos, espécies ou populações, na qual ocorrem disputa por recursos e inibição do desenvolvimento dos organismos envolvidos.

competidor (ô) *adj.* e *s.m* (lat. *competitor*). **1.** Que ou aquele que compete. **2.** Que ou aquele que disputa ou pleiteia com outrem simultaneamente a mesma coisa; concorrente.

competir *v.t.* (lat. *competere*) [conj. 57]. **1.** Disputar a posse de algo que não pode pertencer a todos. **2.** Pertencer por direito. **3.** Ser da competência ou atribuição de; caber.

competitivo *adj.* **1.** Diz-se de mercado em que há forte concorrência; disputado, concorrido. **2.** Diz-se de produto, empresa ou atributo com boa possibilidade de colocação no mercado

compilação *s.f.* **1.** Ação de compilar; copilação. **2.** Conjunto de textos sobre determinado assunto, compilados em uma obra.

compilador (ô) *adj.* e *s.m.* Que ou aquele que faz compilação.

compilar *v.t.* (lat. *compilare,* empilhar) [conj. 4]. **1.** Coligir, reunir (obras, leis, documentos, escritos de vários autores e/ ou de procedência vária); copilar. **2.** Compor (obra) com textos tomados de empréstimo a outras obras.

complacência *s.f.* (lat. *complacentia*). **1.** Disposição de atender aos desejos de outrem para agradar; agrado. **2.** Tolerância, condescendência.

complacente *adj.2g.* **1.** Que tem complacência, que procura agradar a alguém. **2.** Em que há complacência.

compleição *s.f.* (lat. *complexio,* reunião). **1.** Constituição do corpo de alguém. **2.** Temperamento, disposição de espírito.

complementar[1] *adj.2g.* Que serve como complemento; que completa. ● **Mat.** *Ângulos complementares,* ângulos que, quando somados, equivalem a 90°. **Ópt.** Diz-se da cor que, sendo composta por duas cores primárias, complementa uma terceira cor primária, que não entra na sua composição.

complementar[2] *v.t.* (conj. 4). Completar.

complementaridade *s.f.* Qualidade, caráter de complementar.

complemento *s.m.* (lat. *complementum*). **1.** O que completa uma coisa; acabamento. **2.** Conjunto de acessórios que completam o vestuário, como cinto, bolsa etc. ● **Gram.** Termo da oração que completa o sentido de um nome ou verbo. **Med.** Substância complexa do soro e dos líquidos extracelulares, necessária à ação da maior parte dos anticorpos.

completar *v.t.* (conj. 4). **1.** Tornar completo. **2.** Levar o trabalho a bom termo; concluir. **3.** Perfazer, atingir. ★ *v.pr.* Fazer-se completo.

completivo *adj.* e *s.m.* **1.** Que ou aquele que preenche ou completa. **2.** Que serve de complemento.

completo *adj.* (lat. *completus*). **1.** Que contém todos os elementos necessários ou possíveis; acabado. **2.** Que tem todas as qualidades desejáveis; perfeito.

complexão (cs) *s.f.* (lat. *complexio,* junção). Conjunto, união.

complexidade (cs) *s.f.* Estado do que é complexo.

complexo (cs) *adj.* (lat. *complexus,* abraço, aperto). **1.** Que contém ou é formado por diversos elementos. **2.** Complicado, intrincado. **3.** Que apresenta vários aspectos; multifacetado. ● **Mat.** *Número complexo* ou *complexo* (*s.m.*), número constituído por uma parte *real* e uma parte *imaginária,* composta pela unidade imaginária *i,* equivalente à raiz quadrada de -1. ★ *s.m.* Conjunto de várias coisas, atos ou circunstâncias que têm algum nexo ou ligação entre si. ● **Biol.** *Complexo de Golgi,* organela citoplasmática membranosa, com algumas vesículas, que possui função de armazenamento e transporte de substâncias. **Econ.** Conjunto de indústrias que objetivam a uma determinada produção. **Psican.** Conjunto estruturado de elementos mnésicos inconscientes (sentimentos, tendências etc.), que organizam a personalidade de cada indivíduo e determinam seus afetos, pensamentos e ações. **Quím.** Composto formado de um ou de vários átomos ou de um íon central, geralmente metálico, ligados a um certo número de íons ou de moléculas.

complicação *s.f.* (lat. *complicatio,* multiplicação). **1.** Ato ou efeito de complicar. **2.** Embaraço, dificuldade. ● **Med.** Manifestação mórbida que se acresce à evolução normal de uma doença e que agrava o prognóstico.

complicado *adj.* **1.** Que tem complicação. **2.** Composto de grande número de peças. **3.** *Fig.* Difícil de compreender; complexo.

complicador (ô) *adj.* e *s.m.* Que ou aquele que complica.

complicar *v.t.* (lat. *complicare,* enrolar) [conj. 12]. **1.** Tornar difícil à compreensão; confundir. **2.** Envolver, implicar. **3.** Juntar coisas heterogêneas.

complô *s.m.* (fr. *complot*). **1.** Resolução tomada, em comum e secretamente, contra alguém e, particularmente, contra a segurança interna do Estado. **2.** Maquinação, conspiração.

componente *adj.2g.* Que entra na composição de algo. ★ *s.2g.* **1.** Elemento que entra na composição de um corpo, de um sistema etc. **2.** Elemento padronizado utilizado na construção de produtos industriais em série.

compor *v.t.* (lat. *componere,* reunir) [conj. 45]. **1.** Formar um todo, juntando diferentes partes. **2.** Criar, produzir. **3.** Entrar na composição de, participar de. **4.** Dispor com certa ordem e arte. **5.** Revigorar, melhorar. ● **Art. Gráf.** Dispor os caracteres para impressão.

comporta *s.f.* Dispositivo móvel utilizado em barragens, centrais hidrelétricas, eclusas etc., para interceptar ou deixar livre a passagem da água.

comportado *adj.* Que se comporta ou procede bem; bem-comportado.

comportamental *adj.2g.* **1.** Relativo ao comportamento. **2.** *Terapia comportamental,* conjunto de técnicas que têm por objetivo, fundamentando-se nas leis da aprendizagem e do condicionamento, modificar as condutas de um indivíduo, levando-o a diminuir seus comportamentos inadaptados e a aumentar seus comportamentos adaptados. (Sin. TERAPIA COMPORTAMENTALISTA*.)

comportamentalista *adj.2g.* **1.** Relativo ao comportamentalismo. **2.** *Terapia comportamentalista,* sin. de TERAPIA COMPORTAMENTAL*. ★ *s.2g.* Aquele que segue o comportamentalismo.

A B C D E F G H I J K L M N O P Q R S T U V W X Y Z

comportamentalismo *s.m.* Corrente psicológica baseada no estudo e na modificação do comportamento, entendido como uma reação motora condicionada a um determinado estímulo.

comportamento *s.m.* Maneira de ser, de agir ou de reagir; conduta. ● **Psicol.** Conjunto das reações, observáveis objetivamente, de um indivíduo que age em resposta a um estímulo. ► *Distúrbio do comportamento,* distúrbio psíquico, de ordem patológica, que se manifesta em condutas observáveis. ► *Psicologia do comportamento,* ramo da psicologia, distinto do comportamentalismo, fundamentada na observação de qualquer comportamento e de suas condições.

COMPORTAMENTO ► O comportamento social é a maneira como as pessoas interagem. Em particular, é a conduta em grupos como família, amigos ou escola. Chama-se *pressão social* àquela que um grupo de pessoas exerce sobre um indivíduo para que se comporte de determinada maneira. Por exemplo, dentro de um grupo de amigos, alguém pode sentir-se pressionado a desfrutar o mesmo tipo de música e vestir-se como os outros, ou, ainda, ir aos mesmos lugares. Às vezes, é divertido pertencer a um grupo, mas também é bom ter idéias e valores próprios.

---

comportar *v.t.* (lat. *comportare*) [conj. 4]. **1.** Admitir, permitir. **2.** Conter em si, encerrar. **3.** Suportar, agüentar, sofrer. ★ *v.pr.* Conduzir-se, portar-se.

comportável *adj.2g.* Que pode ser comportado; admissível, compatível, tolerável.

composição *s.f.* (lat. *compositio*). **1.** Ato ou efeito de compor. **2.** Constituir um todo juntando suas partes. **3.** Natureza das partes, proporção em que formam o todo. **4.** Ação de produzir uma obra intelectual ou artística; autoria. **5.** A obra literária, musical ou científica. **6.** Exercício de redação. **7.** Arranjo, disposição, associação, combinação, constituição, organização, estrutura. **8.** Acorde, conciliação. ● **Gram.** Processo de formação de palavras por prefixação, justaposição, aglutinação ou pela adição, ao radical, de um prefixo e um sufixo (*composição parassintética*). **Ind. Gráf.** Seqüência de operações por meio da qual um original é preparado para impressão.

compósito *adj.* (lat. *compositus*). **1.** Composto, mesclado. **2.** Que apresenta várias finalidades. ★ *s.m.* Material conjugado, formado ao menos por duas fases ou duas substâncias.

compositor (ô) *s.m.* **1.** Pessoa que compõe música. **2.** Pessoa que compõe textos tipográficos; componedor.

compostagem *s.f.* Mistura em fermentação de certos dejetos agrícolas ou urbanos, utilizada como adubo.

compostas *s.f.pl.* Família de plantas dicotiledôneas, geralmente ervas, trepadeiras e subarbustos, floríferos, como o girassol, a camomila e a alface.

composto (ô) *adj.* (lat. *compositus*). **1.** Formado de diversas partes. **2.** Ordenado, bem disposto. **3.** *Fig.* Grave, circunspecto. ● **Gram.** Diz-se de palavra formada por composição, especialmente por justaposição com hífen. ► Diz-se dos tempos verbais formados pela combinação de verbos auxiliares com as formas nominais dos verbos a serem conjugados. ► Diz-se de um período constituído de duas ou mais orações. ★ *s.m.* Substância ou corpo composto. ● **Agric.** Produto resultante da compostagem. **Quím.** Substância homogênea formada de moléculas (*composto covalente*) ou íons de carga oposta (*composto iônico*).

COMPOSTO ► Um composto é uma substância formada por dois ou mais elementos que não podem separar-se por meios físicos. Por exemplo, a água é um composto de hidrogênio e oxigênio. Cada molécula de água tem dois átomos de hidrogênio e um de oxigênio, unidos por forças invisíveis chamadas *ligações*.

---

compostura *s.f.* **1.** Composição, contextura. **2.** Concerto, arranjo. **3.** Comedimento, atitude conveniente, respeitável.

compota *s.f.* (lat. *composita,* pelo fr. *compote*). Conserva de frutas em calda de açúcar.

compra *s.f.* **1.** Ato de comprar. **2.** A coisa comprada. **3.** Ato de apanhar cartas no baralho durante o jogo.

comprador (ô) *s.m.* **1.** Pessoa que compra. **2.** Pessoa encarregada das compras de uma empresa.

comprar *v.t.* (lat. *comparare,* comparar) [conj. 4]. **1.** Adquirir mediante pagamento. **2.** *Fig.* Obter com sacrifício. **3.** Corromper com dinheiro ou com favores; subornar. **4.** Em alguns jogos, tirar uma ou mais cartas do baralho.

comprazer *v.t.* e *v.i.* (lat. *complacere*) [conj. 32]. **1.** Fazer a vontade, ser agradável. **2.** Transigir, condescender. ★ *v.pr.* Achar prazer em, deleitar-se, regozijar-se.

compreender *v.t.* (lat. *comprehendere*) [conj. 5]. **1.** Encerrar em si, abranger, incluir. **2.** Conceber, perceber, entender. **3.** Aceitar com indulgência as razões de uma pessoa; aprovar.

compreensão *s.f.* (lat. *comprehensio*). **1.** Ação, possibilidade de compreender. **2.** Faculdade de compreender, percepção. **3.** Benevolência, indulgência.

compreensível *adj.2g.* (lat. *comprehensibilis*). Que se pode compreender; inteligível.

compreensivo *adj.* **1.** Que compreende, abrange, contém. **2.** Que desculpa falhas alheias; benevolente, indulgente.

compressa *s.f.* Peça de tecido, em geral de gaze, utilizada para aplicação de medicamentos tópicos ou proteção de feridas.

compressão *s.f.* (lat. *compressio*). **1.** Ação de comprimir. **2.** O estado que resulta dessa ação. **3.** Redução, diminuição. ● **Automóv.** Primeiro tempo de um ciclo de dois tempos e segundo tempo de um ciclo de quatro tempos; curso do pistão em que a mistura combustível ou ar é comprimida. **Med.** Ação de comprimir uma artéria, uma veia, normalmente para tentar deter uma hemorragia. ► *Problemas de compressão,* sinais resultantes do aumento de volume de um órgão devido a uma inflamação, um tumor, um derrame ou uma constrição externa. **Fís.** Ação de aumentar a pressão sobre um meio ou corpo. ► *Força de compressão,* força que tende a aproximar as moléculas de um corpo ou substância.

compressor (ô) *adj.* e *s.m.* Que ou o que comprime. ★ *s.m.* **1.** Máquina que serve para comprimir um fluido (o ar, por exemplo) a uma pressão desejada. **2.** Máquina destinada a nivelar um terreno; rolo compressor.

comprido *adj.* **1.** Longo, extenso. **2.** Alto.

comprimento *s.m.* Dimensão longitudinal de um objeto; extensão. ● **Fís.** *Comprimento de onda,* distância entre dois pontos de mesma fase de uma onda. **Mat.** Medida de distância.

▸ *Comprimento de um vetor,* medida do módulo do vetor. ▸ *Comprimento de um segmento de reta,* distância entre os pontos extremos deste segmento.

comprimido *adj.* **1.** Que sofreu compressão; apertado. **2.** Contido, reprimido, refreado. ● **Fís.** *Ar comprimido,* ar cujo volume foi reduzido por compressão para aumentar a pressão utilizável na descarga. ★ *s.m.* **1.** O que sofreu compressão. **2.** Preparação medicamentosa de consistência sólida, que contém uma ou mais substâncias terapeuticamente ativas.

comprimir *v.t.* (lat. *comprimere*) [conj. 6]. **1.** Exercer sobre qualquer coisa uma pressão de tal modo que seu volume se reduza. **2.** Reprimir, refrear, conter. **3.** Oprimir, afligir. ★ *v.pr.* Encolher-se, apertar-se, reprimir-se.

comprobatório *adj.* Que comprova; comprovativo.

comprometedor (ô) *adj.* Que compromete.

comprometer *v.t.* (lat. *compromittere,* garantir) [conj. 5]. **1.** Expor, colocar em perigo ou embaraço. **2.** Obrigar a compromisso. **3.** Dar em garantia, empenhar. ★ *v.pr.* **1.** Empenhar a reputação. **2.** Assumir compromissos. **3.** Expor-se a situação embaraçosa; arriscar-se.

compromisso *s.m.* (lat. *compromissum*). **1.** Obrigação, promessa mais ou menos solene. **2.** Acordo, pacto, ajuste. **3.** Entrevista, encontro, obrigação social.

comprovante *adj.2g.* Que comprova. ★ *s.m.* Recibo que comprova uma despesa ou um pagamento efetuado.

comprovar *v.t.* (lat. *comprobare,* aprovar inteiramente) [conj. 4]. **1.** Concorrer para provar; corroborar, confirmar. **2.** Demonstrar, evidenciar. **3.** Verificar, conferir.

comprovativo *adj.* Que serve para comprovar; comprobatório.

compulsão *s.f.* Ato ou efeito de compelir. ● **Psiq.** Tendência interna irresistível que insistentemente leva o indivíduo a executar determinada ação ou ter uma certa idéia, mesmo que as desaprove. (Cf. REPETIÇÃO.)

compulsar *v.t.* (lat. *compulsar,* chocar com) [conj. 4]. Examinar, ler, consultar, pesquisar (documentos, livros, arquivos).

compulsivo *adj.* **1.** Que compele. **2.** Que é caracterizado pela compulsão.

compulsória *s.f.* **1.** Mandato de juiz superior para juiz ou autoridade hierarquicamente inferior. **2.** Aposentadoria obrigatória de civis e militares, por limite de idade.

compulsório *adj.* Que compele; obrigatório.

compunção *s.f.* (lat. *compunctio,* picada). **1.** Dor ou pesar por haver cometido uma má ação. **2.** Contrição, sentimento de culpa.

compungir *v.t.* (lat. *compungere,* picar; espicaçar) [conj. 52]. **1.** Pungir moralmente, magoar. **2.** Despertar compunção, sensibilizar. ★ *v.pr.* **1.** Ter ou sentir compunção; arrepender-se. **2.** Enternecer-se, comover-se.

computação *s.f.* (lat. *computatio,* cálculo). Ação ou efeito de computar.

computador (ô) *adj.* e *s.m.* (lat. *computator*). Que ou aquele que computa. ★ *s.m.* Equipamento eletrônico capaz de ordenar, calcular, testar, pesquisar e editar informações de acordo com instruções estabelecidas e segundo uma representação binária, obedecendo a um conjunto de operações aritméticas e lógicas.

computar *v.t.* (lat. *computare,* calcular) [conj. 4]. **1.** Fazer o cômputo de. **2.** Calcular, orçar.

cômputo *s.m.* (lat. *computus*). Cálculo, contagem, conta.

comum *adj.2g.* (lat. *communis*). **1.** Que pertence a todos ou do qual todos podem participar. **2.** Que se faz em conjunto, em comunidade. **3.** Vulgar, trivial, banal. **4.** Usual, habitual, geral. ● **Gram.** Diz-se de um substantivo que designa qualquer ser ou coisa pertencente a categoria, classe ou espécie (p. opos. a *próprio*). ★ *s.m.* **1.** O que é comum, habitual. **2.** A maior parte, a maioria. **3.** Substantivo comum.

comuna *s.f.* (fr. *commune*). **1.** Circunscrição administrativa de base em inúmeros países. **2.** Conjunto de cidadãos que aí vivem.

comunal *adj.2g.* (lat. *communalis*). Referente a comuna.

comungar *v.i.* (lat. *communicare,* comunicar) [conj. 14]. Receber o sacramento da eucaristia. ★ *v.t.* **1.** Partilhar as mesmas idéias ou sentimentos. **2.** Administrar o sacramento da eucaristia a.

comunhão *s.f.* (lat. ecles. *communio*). **1.** Ação de comungar. **2.** União na mesma fé, na mesma opinião ou estado de espírito. **3.** Parte da missa em que os participantes recebem a eucaristia.

comunicabilidade *s.f.* Qualidade ou estado de comunicável; disposição para comunicar-se.

comunicação *s.f.* (lat. *communicatio*). **1.** Ato ou efeito de comunicar(-se). **2.** Aviso, mensagem, informação, comunicado. **3.** Meio de ligação, via de acesso, passagem. ● **Med.** Malformação, geralmente congênita, caracterizada pela ligação entre dois vasos sanguíneos ou duas cavidades cardíacas normalmente separadas.

comunicado *s.m.* **1.** Aviso ou informação de caráter oficial. **2.** Notícia, informação publicada na imprensa ou divulgada por outros meios, com o propósito de esclarecer a opinião pública sobre determinados fatos. ★ *adj.* Participado, transmitido, partilhado em comum.

comunicador (ô) *adj.* e *s.m.* Que ou aquele que comunica.

comunicante *adj.2g.* Que comunica alguma coisa ou algum lugar a outro.

comunicar *v.t.* (lat. *communicare*) [conj. 12]. **1.** Transmitir informação. **2.** Dar conhecimento de; fazer saber, participar. **3.** Estabelecer contato; ligar. **4.** Conferir, dar. ★ *v.pr.* **1.** Estar em relação, estar ligado por uma passagem comum. **2.** Corresponder-se, estar em contato com alguém.

comunicativo *adj.* **1.** Que se comunica facilmente. **2.** Franco, expansivo, afável.

A B C D E F G H I J K L M N O P Q R S T U V W X Y Z

comunidade *s.f.* (lat. *communitas*). **1.** Estado do que é comum; paridade; comunhão, identidade. **2.** Conjunto de pessoas unidas por interesses, hábitos ou opiniões comuns. **3.** Conjunto de nações unidas por acordo específico. ● **Ecol.** Conjunto de populações, animais ou vegetais, que ocorre naturalmente em uma área definida.

comunismo *s.m.* (fr. *communisme*). **1.** Doutrina que preconiza a coletivização dos meios de produção, a repartição equânime dos bens de consumo e a supressão das classes sociais. **2.** Sistema social e econômico que adota essa doutrina.

? VOCÊ SABIA...? O **comunismo** prega a abolição da propriedade privada e a comunidade de bens. A idéia de que o mundo em que vivemos originalmente pertence a toda a humanidade, e de que a existência das classes sociais é a conseqüência negativa do domínio da propriedade privada, foi um dos conceitos mais difundidos entre os teóricos sociais do século XIX. No século XX, o comunismo se identificou com uma corrente política surgida da Revolução Russa de 1917 que levou à formação da União Soviética, a qual perdurou até 1991.

---

comunista *adj.2g.* (fr. *communiste*). Relativo ao comunismo. ★ *s.2g.* **1.** Partidário do comunismo. **2.** Membro de um partido comunista.

comunitário *adj.* Relativo ou pertencente à comunidade.

comutação *s.f.* (lat. *commutatio*). **1.** Substituição de uma coisa por outra; permutação, troca. **2.** Atenuação de uma pena. ● **Eletrôn.** Transparência de corrente elétrica de um circuito a outro. **Telecom.** *Comutação telefônica,* estabelecimento de uma ligação entre dois ou mais assinantes, por uma central telefônica.

comutador (ô) *s.m.* **1.** Aparelho que comuta. **2.** Aparelho destinado a modificar as ligações de um ou vários circuitos elétricos. **3.** Conjunto de elementos de conexão que permite interligar linhas telefônicas. ★ *adj.* Que comuta.

comutar *v.t.* (lat. *commutare*) [conj. 4]. **1.** Trocar, permutar, substituir. **2.** Efetuar uma comutação. **3.** Substituir uma pena por outra mais branda.

comutativo *adj.* **1.** Que comuta. **2.** Relativo à troca. ● **Mat.** Diz-se das operações matemáticas cuja ordem dos termos pode ser alterada sem que o resultado se modifique.

comutável *adj.2g.* Que pode ser comutado.

concari *s.m.* Dialeto falado no antigo Concão, região da Índia onde está localizada Goa, ex-província ultramarina portuguesa.

concatenação *s.f.* (lat. *concatenatio*). Ato ou efeito de concatenar; encadeamento.

concatenar *v.t.* (lat. *concatenare*) [conj. 4]. Ligar, encadear, relacionar idéias ou fatos.

concavidade *s.f.* **1.** Estado do que é côncavo. **2.** Lado côncavo de um corpo; cavidade. **3.** Depressão num terreno.

côncavo *adj.* (lat. *concavus*). Que tem depressão e as bordas salientes em relação ao centro, como a face interna de uma calota. ● **Fís.** *Espelho côncavo,* aquele cuja face refletora é côncava, e que apresenta foco real. ▸ *Lente côncava,* aquela que apresenta uma ou duas faces côncavas e cujas bordas são mais espessas que o centro. **Mat.** Diz-se da face de um plano curvo que se situa do mesmo lado que seu centro de curvatura. ▸ Diz-se da função cujo lado côncavo dispõe-se em sentido decrescente em relação ao eixo das ordenadas. ★ *s.m.* Cavidade, cova.

côncavo-convexo *adj.* Que é côncavo de um lado e convexo de outro.

conceber *v.t.* (lat. *concipere,* conter, encerrar) [conj. 5]. **1.** Gerar. **2.** Criar, inventar. **3.** Entender, compreender. **4.** Imaginar, figurar. ★ *v.i.* Ser fecundada.

concebível *adj.2g.* Que se pode conceber; imaginável.

conceder *v.t.* (lat. *concedere*) [conj. 5]. **1.** Outorgar, facultar, dar. **2.** Admitir por hipótese. **3.** Concordar, anuir.

conceição *s.f.* (lat. *conceptio,* ação de conter). **1.** A concepção da Virgem Maria, segundo o dogma da Igreja Católica. **2.** Celebração desse dogma.

conceito *s.m.* (lat. *conceptus*). **1.** Representação de um objeto pelo pensamento, nas suas características gerais. **2.** Ação de formular uma idéia por meio de palavras; definição. **3.** Noção, idéia, concepção. **4.** Apreciação, julgamento, avaliação. **5.** *P. ext.* Avaliação do aproveitamento escolar.

conceituado *adj.* **1.** Que foi objeto de conceito; avaliado. **2.** Que goza de bom conceito.

conceitual *adj.2g.* **1.** Relativo ao conceito. **2.** *Arte conceitual,* tendência artística pós-moderna, em que o artista não necessita de nenhum suporte material, como tela ou tintas, e apenas propõe idéias de obras que o espectador deve imaginar.

conceituar *v.t.* (conj. 4). **1.** Formular conceitos; definir. **2.** Julgar, avaliar.

conceituoso (ô) *adj.* **1.** Em que há conceito. **2.** Espirituoso, gracioso.

concelebrar *v.t.* e *v.i.* (conj. 4). Celebrar em conjunto com outrem.

concentração *s.f.* **1.** Ação de concentrar(-se). **2.** *P. ext.* Estado de quem se concentra num estudo, trabalho etc. **3.** Agrupamento, reunião ou confinamento de pessoas. **4.** Local onde ocorre essa reunião. ● **Quím.** Medida que expressa a relação entre a massa de soluto e o volume total de uma solução. ▸ *Concentração molar* ou *molaridade,* número de moles de soluto por unidade de volume (litro) da solução.

concentrado *adj.* **1.** Reunido em um centro; centralizado. **2.** Que sofreu concentração. **3.** Que está em concentração. ● **Quím.** Diz-se das soluções que apresentam uma elevada relação soluto/solvente. ★ *s.m.* Alimento para animais que se caracteriza pelos teores elevados de um ou de vários compostos nutritivos.

concentrar *v.t.* (conj. 4). **1.** Encaminhar para o centro; centralizar. **2.** Tornar mais denso, mais forte. **3.** Reunir num mesmo ponto. **4.** Direcionar a atenção, os pensamentos, para um tema. ★ *v.pr.* **1.** Dirigir-se a um centro. **2.** Reunir-se num mesmo local. **3.** Refletir, meditar profundamente.

concêntrico *adj.* Diz-se de curvas ou superfícies que têm o mesmo centro.

concepção *s.f.* (lat. *conceptio,* ação de conter). **1.** Ação pela qual um ser é concebido, gerado; geração. **2.** O ato de conceber ou criar mentalmente. **3.** Noção, idéia, conceito. ● **Biol.** Na reprodução dos seres sexuados, encontro e fusão do gameta feminino (o óvulo) com o gameta masculino (o espermatozóide), para formar o ovo ou zigoto, etapa inicial do embrião.

conceptismo *s.m.* Corrente literária barroca, mais associada à prosa, que valorizava a apreensão do conceito. (Sin. CULTISMO.)

concernir *v.t.* (lat. *concernere*) [conj. 54]. Ter relação com, dizer respeito a.

concertado *adj.* **1.** Ajustado, combinado. **2.** Sereno, brando. **3.** Estudado, apurado. **4.** Composto, modesto. **5.** Harmonioso, acorde. ● **Dir.** Conferido, cotejado.

concertar *v.t.* (lat. *concertare,* combater; discutir) [conj. 4]. **1.** Pôr em boa ordem; compor, ajustar. **2.** Conciliar, harmonizar. **3.** Combinar, ajustar, pactuar, harmonizar. ★ *v.pr.* Entrar em acordo.

concertina *s.f.* (it. *concertina*). Acordeão de caixa hexagonal, com teclado de pequenos botões.

concertista *s.2g.* **1.** Instrumentista que toca em concertos. **2.** Solista de concerto.

concerto (ê) *s.m.* **1.** Ato ou efeito de concertar. **2.** Acordo entre pessoas, ou instituições, com vistas a um objetivo comum. **3.** Harmonia de sons ou vozes. ● **Mús.** Execução pública ou particular de uma obra musical. ► Composição musical geralmente escrita para um instrumento solista e uma orquestra de tamanho variado.

concessão *s.f.* (lat. *concessio*). **1.** Ato de conceder; permissão. **2.** Ação de ceder em favor de outrem; condescendência. **3.** Privilégio, direito que se obtém do Estado para exploração de riquezas minerais do subsolo, de serviços públicos etc.

concessionária *s.f.* Empresa a que foi outorgada uma concessão.

concessionário *adj.* e *s.m.* Que ou o que obteve uma concessão.

concessor (ô) *adj.* e *s.m.* Que ou aquele que concede.

concha *s.f.* (lat. tard. *conchula,* dim. do lat. *concha*). **1.** Invólucro calcário ou córneo de certos animais, principalmente dos moluscos. **2.** Grande colher côncava, para servir sopas e caldos. **3.** Parte côncava das chaves dos instrumentos de sopro. ● **Anat.** Cavidade profunda do pavilhão da orelha, na qual se abre o conduto auditivo. ► *Concha nasal,* cada um dos pequenos ossos em forma de lâmina, nas paredes das fossas nasais; corneto.

DIFERENTES TIPOS DE CONCHA

conchavo *s.m.* **1.** Ato ou efeito de conchavar. **2.** Conluio, mancomunação.

conchegar *v.t.* (lat. *complicare,* enrolar) [conj. 14]. Aconchegar.

conchicultura *s.f.* Conjunto dos procedimentos e técnicas utilizados para favorecer a produção de moluscos conchíferos (ostras, mariscos, mexilhões etc.); conchilicultura.

conchilicultura *s.f.* Conchicultura.

concho *adj. Pop.* Vaidoso, presunçoso.

concidadão *s.m.* Indivíduo que, em relação a outro, nasceu ou vive no mesmo país ou na mesma cidade.

conciliábulo *s.m.* (lat. *conciliabulum,* local de reunião). **1.** Reunião secreta com fins malévolos; conluio. **2.** Concílio de prelados católicos sem autorização papal.

conciliação *s.f.* **1.** Ato ou efeito de conciliar(-se). **2.** Acordo entre duas pessoas em litígio.

conciliador (ô) *adj.* e *s.m.* (lat. *conciliator*). Que ou aquele que tem a habilidade de conciliar; pacificador.

conciliar[1] *adj.* Relativo aos concílios.

conciliar[2] *v.t.* (lat. *conciliare,* reunir) [conj. 16]. **1.** Pôr de acordo; reconciliar. **2.** Aliar, unir, combinar. **3.** Captar, granjear. ★ *v.pr.* Pôr-se de acordo; congraçar-se.

conciliatório *adj.* **1.** Apropriado à conciliação. **2.** Conciliador.

concílio *s.m.* (lat. *concilium*). Assembléia de bispos e teólogos que, de acordo com o papa, decide sobre questões de doutrina e disciplina eclesiásticas.

VOCÊ SABIA...? Os primeiros sete **concílios** ecumênicos, por terem deles participado tanto a Igreja ocidental quanto a oriental, consideram-se os concílios da Igreja indivisa: Nicéia I (325); Constantinopla I (381); Efeso (431); Calcedônia (451); Constantinopla II (553); Constantinopla III (680-81); Nicéia II (787).

---

concisão *s.f.* (lat. *concisio,* ação de cortar). **1.** Qualidade do que é conciso; brevidade. **2.** Precisão.

conciso *adj.* (lat. *concisus,* curto, breve). **1.** Que exprime muitas coisas com poucas palavras; sucinto, resumido. **2.** Denso, preciso.

concitar *v.t.* (lat. *concitare*) [conj. 4]. **1.** Incitar à desordem, ao tumulto. **2.** Incitar, excitar.

conclamar *v.t.* (lat. *conclamare*) [conj. 4]. **1.** Bradar ou clamar simultaneamente. **2.** Gritar em tumulto. ★ *v.i.* Bradar, vozear.

conclave *s.m.* (lat. *conclave,* recinto fechado à chave). **1.** Assembléia de cardeais para eleger um papa. **2.** Recinto onde é feita esta assembléia. **3.** Reunião privativa de pessoas para discutir determinado assunto.

concludente *adj.2g.* Que conclui, que é digno de fé; procedente.

concluir *v.t.* (lat. *concludere*) [conj. 74]. **1.** Acabar, terminar. **2.** Pôr fim a. ★ *v.i.* **1.** Terminar. **2.** Ser concludente, merecer fé.

conclusão *s.f.* (lat. *conclusio*). **1.** Ato ou efeito de concluir; fim. **2.** Dedução, inferência. **3.** Ajuste definitivo. **4.** Proposição, argumento.

conclusivo *adj.* **1.** Que tem uma conclusão. **2.** Próprio para se concluir.

concluso *adj.* (lat. *conclusus,* concluído). Diz-se do processo judicial que foi levado à presença do magistrado para despacho.

concomitância *s.f.* (lat. tard. *concomitantia*). Qualidade de concomitante; simultaneidade.

concomitante *adj.2g.* Que se produz ao mesmo tempo que outro; simultâneo.

concordância *s.f.* **1.** Conformidade, acordo. **2.** Identidade, coerência. ● **Gram.** Princípio sintático segundo o qual uma palavra deve ser empregada com as mesmas flexões de gênero, número e pessoa de outras de que depende.

concordar *v.t.* e *v.i.* (lat. *concordare*) [conj. 4]. **1.** Pôr(-se) de acordo; concertar. **2.** Estar de acordo; harmonizar(-se), combinar. **3.** Assentir, consentir. ★ *v.t.* **1.** Por em concordância. **2.** Estar em concordância.

concordata *s.f.* (lat. tard. *concordata*). **1.** Acordo, ajuste. **2.** Acordo entre o Estado e a Igreja católica sobre as questões religiosas da nação. ● **Dir.** Recurso jurídico que permite a continuação das atividades de uma empresa incapaz de saldar seus débitos nos prazos estabelecidos.

concordatário *adj.* **1.** Relativo a concordata. **2.** Que pleiteou concordata. ★ *s.m.* Aquele que pleiteia ou a quem é concedida concordata.

concorde *adj.2g.* (lat. *concors, concordis*). **1.** Concordante. **2.** Da mesma opinião.

concórdia *s.f.* (lat. *concordia*). **1.** Paz. **2.** Acordo de sentimentos e de vontades; conciliação.

concorrência *s.f.* **1.** Ato ou efeito de concorrer. **2.** Rivalidade entre pessoas que visam a um mesmo fim; competição. **3.** Grande quantidade de pessoas no mesmo momento e no mesmo lugar. **4.** Pesquisa para comparação de preços de materiais ou de serviços em grande escala.

concorrente *adj.2g.* Que concorre. ★ *s.2g.* **1.** Aquele que concorre; competidor. **2.** Candidato que, com outros, pleiteia o mesmo lugar, cargo, posto. **3.** Que faz concorrência.

concorrer *v.t.* (lat. *concurrere*) [conj. 5]. **1.** Juntar-se para um fim comum; cooperar, contribuir. **2.** Afluir (ao mesmo ponto); convergir. **3.** Fazer concurso; competir. **4.** Apresentar-se como candidato.

concorrido *adj.* Que atrai concorrência; muito freqüentado.

concreção *s.f.* (lat. *concretio*, agregação). Ação de tornar concreto. ● **Med.** Produção anormal de formações sólidas no interior dos tecidos, nas articulações, nos condutos e reservatórios do corpo. **Quím.** Precipitação química e agregação de partículas sólidas.

concretismo *s.m.* **1.** Prevalência do que é concreto. **2.** Corrente artística não-figurativa do início do séc. XX, caracterizada pela linguagem geométrica adotada em seus trabalhos. ● **Liter.** Movimento literário de meados do séc. XX que explorou os aspectos visuais e materiais do poema.

concretizar *v.t.* (conj. 4). Tornar concreto o que é abstrato; realizar. ★ *v.pr.* **1.** Realizar-se, efetivar-se. **2.** Aparecer subitamente.

concreto[1] *adj.* (lat. *concretus*, espesso). **1.** Que existe de forma material, real. **2.** Que tem sentido das realidades precisas. ● **Mús.** *Música concreta,* música elaborada a partir de elementos sonoros diversos, presentes no cotidiano ou criados por aparelhos. **Gram.** Diz-se de um substantivo que designa ser ou objeto perceptível pelos sentidos. **Liter.** Relativo ou pertencente ao concretismo.

concreto[2] *s.m.* (ingl. *concrete*). Material de construção composto de brita ou outros agregados e um aglutinante com água que forma uma massa compacta de consistência plástica que endurece depois de seca. (Sin. BETÃO.) ● **Constr.** *Concreto armado*, concreto que dispõe de armadura de aço que lhe confere maior resistência.

concubina *s.f.* (lat. *concubina*). Mulher que vive em concubinato; amásia.

concubinato *s.m.* (lat. *concubinatus*). Estado de um homem e de uma mulher que vivem juntos sem serem casados.

concunhado *s.m.* Indivíduo em relação ao cunhado ou à cunhada do seu cônjuge.

concupiscência *s.f.* (lat. *concupiscentia*). **1.** Inclinação a gozar os bens materiais. **2.** Apetite sexual; sensualidade.

concupiscente *adj.2g.* Que tem ou exprime concupiscência.

concursado *adj.* e *s.m.* Que ou aquele que se concursou.

concurso *s.m.* (lat. *concursus*, encontro; choque). **1.** Ato ou efeito de concorrer. **2.** Encontro, coincidência. **3.** Cooperação, ajuda. **4.** Exame ao qual só é admitido um número limitado de candidatos e que assegura uma vaga aos aprovados. **5.** Exibição de trabalhos onde há distribuição de prêmios aos vencedores.

concussão *s.f.* (lat. *concussio*). **1.** Choque violento; abalo. **2.** Extorsão cometida por um funcionário público. ● **Med.** *Concussão cerebral,* estado caracterizado por náuseas, vertigem, perda de consciência, pulso fraco e respiração lenta, causado por traumatismo craniano.

concussionário *adj.* e *s.m.* Que ou aquele que pratica concussão.

condado *s.m.* **1.** Dignidade de conde. **2.** Antigo território ou jurisdição de conde. **3.** Divisão administrativa dos países anglo-saxões.

condão *s.m.* **1.** Poder sobrenatural, prodigioso. **2.** Dom, prerrogativa.

conde *s.m.* (lat. *comes, comitis,* companheiro). Título de nobreza, entre o de marquês e o de visconde.

condecoração *s.f.* **1.** Ação de condecorar. **2.** Insígnia de distinção honorífica.

condecorado *adj.* e *s.m.* Que ou aquele que recebeu condecoração.

condecorar *v.t.* (lat. *condecorare,* ornar) [conj. 4]. **1.** Premiar, distinguir com condecoração. **2.** Conceder um título de honra. ★ *v.pr.* Dar a si próprio (uma honra.)

condenação *s.f.* (lat. *condemnatio*). **1.** Ato ou efeito de condenar. **2.** Sentença condenatória. **3.** Pena imposta contra o autor de um crime, delito ou contravenção. **4.** Censura, reprovação.

condenado *adj.* **1.** Diz-se do que foi sentenciado como criminoso. **2.** Diz-se do enfermo declarado incurável. **3.** Reprovado, rejeitado. ★ *s.m.* Indivíduo condenado.

condenar *v.t.* (lat. *condemnare*) [conj. 4]. **1.** Declarar incurso em pena; considerar culpado. **2.** Revelar a culpabilidade de. **3.** Considerar como perdido, por falta de condições de cura. **4.** Reprovar, censurar. ★ *v.pr.* Culpar-se, obrigar-se, sujeitar-se.

condenável *adj.2g.* Passível de condenação; censurável.

condensação *s.f.* Ato ou efeito de condensar. ● **Fís.** Mudança de estado físico de uma substância, caracterizada pela transformação de vapor ou gás em líquido. **Psican.** Mecanismo que constitui um dos processos primários do inconsciente, cuja função é concentrar os elementos de uma série de representações inconscientes em uma única representação. **Quím.** Reação em que duas moléculas se unem para formar uma molécula maior, geralmente com eliminação de água.

condensado *adj.* Que sofreu condensação. ★ *s.m.* Produto liquefeito por condensação, a partir de seu vapor.

condensador (ô) *adj.* e *s.m.* Que ou o que condensa. ★ *s.m.* **1.** Aparelho que serve para condensar um vapor. **2.** Dispositivo destinado a armazenar ou conservar energia elétrica.

condensar *v.t.* (lat. *condensare*) [conj. 4]. **1.** Tornar mais denso, reduzir a menor volume. **2.** Passar ou fazer passar do estado de vapor ou gás ao estado líquido ou sólido. **3.** *Fig.* Exprimir de maneira concisa, com poucas palavras. ★ *v.pr.* Tornar-se denso.

condescendência *s.f.* **1.** Disposição do espírito que faz ceder aos sentimentos, aos desejos de alguém. **2.** Complacência, transigência.

condescendente *adj.2g.* **1.** Que demonstra condescendência. **2.** Transigente, complacente.

condescender *v.t.* e *v.i.* (lat. *condescendere*) [conj. 5]. Ceder por complacência ou bondade; transigir.

condessa (ê) *s.f.* (lat. tard. *comitissa*). **1.** *Ant.* Mulher que possuía um condado. **2.** Mulher ou viúva de um conde.

condição *s.f.* (lat. *conditio,* fundação; obra). **1.** Situação, maneira de ser, natureza e estado de uma pessoa ou de uma coisa. **2.** Circunstâncias de que dependem as pessoas ou as coisas. **3.** Posição social. **4.** Convenção entre indivíduos, base para um acordo. **5.** Obrigação, encargo. **6.** Caráter, temperamento.

condicionado *adj.* **1.** Submetido a certas condições. **2.** *Ar condicionado,* ar ambiente ao qual se deu uma temperatura e um grau higrométrico determinados. ● **Psicol.** *Reflexo condicionado,* reflexo ou reação que ocorre sempre que um determinado estímulo é dado.

condicionador (ô) *adj.* e *s.m.* **1.** Que ou o que condiciona. **2.** Aparelho para condicionar ou regular a temperatura e o grau higrométrico do ar.

condicional *adj.2g.* **1.** Que depende de condição. **2.** Que envolve condição. ● **Gram.** Que exprime condição. ► *Ant.* Modo verbal que exprime ação eventual, dependente de uma condição. (Diz-se em português, atualmente, *futuro do pretérito.*)

condicionar *v.t.* (conj. 4). **1.** Impor condições a. **2.** Submeter a determinadas condições. **3.** Estabelecer num ser vivo um novo comportamento. ★ *v.pr.* Acostumar-se a condições novas.

condigno *adj.* (lat. *condignus*). Proporcional ao merecimento; merecido, devido.

côndilo *s.m.* (gr. *kóndylos,* nó do dedo). Saliência óssea que faz parte das articulações e que, por sua forma mais ou menos cilíndrica, favorece os movimentos dos ossos em determinado plano.

condimentar *v.t.* (conj. 4). Preparar um alimento com ingredientes que lhe acrescentam sabor; temperar.

condimentício *adj.* Condimentoso.

condimento *s.m.* (lat. *condimentum*). Substância que realça o sabor dos alimentos; tempero.

condimentoso (ô) *adj.* Que condimenta; condimentício.

condiscípulo *s.m.* (lat. *condiscipulus*). **1.** Companheiro de estudos. **2.** Aquele que estuda na mesma classe.

condizente *adj.2g.* Que condiz; em acordo, harmônico.

condizer *v.t.* e *v.i.* (lat. *condicere*) [conj. 29]. Estar em proporção ou harmonia.

condoer *v.t.* (lat. *condolere,* sofrer junto) [conj. 28]. Mover à dor, despertar compaixão em. ★ *v.pr.* Compadecer-se, ter dó.

condoído *adj.* Que se compadece ou condói de outrem.

condolência *s.f.* **1.** Sentimento de pesar pela dor de outrem; compaixão. **2.** Pesar, dor. ★ *s.f.pl.* Pêsames.

condom *s.m.* Sin. de CAMISINHA.

condomínio *s.m.* **1.** Direito de propriedade exercido em comum. **2.** Essa propriedade. **3.** A despesa de manutenção dessa propriedade.

condômino *s.m.* **1.** Dono de um bem, juntamente com outrem; co-proprietário. **2.** O que participa de um condomínio.

condor (ô) *s.m.* (quíchua *kuntur*). Ave falconiforme dos Andes, que apresenta o pescoço nu ornado de carúnculos, ameaçada de extinção.

condoreiro *adj.* Diz-se de estilo empolado, hiperbólico. ● **Liter.** *Escola condoreira,* escola literária brasileira representada por Castro Alves, Tobias Barreto e outros. ★ *adj.* e *s.m.* Diz-se de ou poeta dessa escola.

condrioma *s.m.* Conjunto de mitocôndrias; condroma.

condriossomo *s.m.* Sin. de MITOCÔNDRIA.

condroblasto *s.m.* **1.** Célula cartilaginosa. **2.** Célula que dá origem aos condrócitos.

condrócito *s.m.* Célula ovóide, derivada do condroblasto, elemento básico da cartilagem adulta.

condução *s.f.* **1.** Ato ou efeito de conduzir. **2.** *Pop.* Meio de transporte; veículo. ● **Fís.** Passagem do calor ou da eletricidade de um ponto a outro de um corpo, sob a ação de uma diferença de temperatura ou de potencial elétrico. **Fisiol.** Transmissão, ao longo dos nervos, dos impulsos nervosos motores e sensoriais.

? VOCÊ SABIA...? Nos metais e suas ligas, a **condução** da eletricidade é muito similar à do calor. Nos metais, a condução térmica se deve ao fato de que os elétrons livres transferem energia de um ponto para outro. Portanto, os materiais que são bons condutores de eletricidade são também bons condutores de calor.

conducente *adj.2g.* Que conduz a um fim; tendente.

conduta *s.f.* **1.** Maneira de alguém se conduzir, se comportar; comportamento. **2.** Condução, transporte. **3.** Leva, magote.

condutância *s.f.* Sin. de CONDUTIVIDADE.

condutibilidade *s.f.* Propriedade que têm os corpos ou os meios de transmitir com maior ou menor facilidade o calor ou a eletricidade de um ponto a outro de sua massa.

condutividade *s.f.* Capacidade que um meio apresenta de transferir energia. (Sin. CONDUTÂNCIA.)

condutivo *adj.* Que conduz; condutor.

conduto *s.m.* (lat. *conductus*). **1.** Canal, tubo que serve para transportar um líquido, um gás ou um sólido pulverulento. **2.** Nome dado a diversos canais ou vias do organismo (condutos auditivo, etmoidal, lacrimal etc.).

condutor[1] (ô) *adj.* (lat. *conductor*). Que conduz; condutivo. ★ *adj.* e *s.m.* **1.** Que ou aquele que conduz; dirigente. **2.** Diz-se de ou um meio ou corpo que não oferece resistência à passagem de energia, capaz de transmitir calor, eletricidade etc. (P. opos. a *isolante*.)

condutor[2] (ô) *s.m.* Cobrador ou arrecadador do dinheiro ou dos bilhetes de passagem nos bondes e nos trens.

conduzir *v.t.* (lat. *conducere*, levar junto) [conj. 72]. **1.** Guiar, dirigir. **2.** Levar de um lugar para outro; transportar, carregar. **3.** Acompanhar. **4.** Transmitir. ★ *v.pr.* Comportar-se, proceder.

cone *s.m.* (gr. *kónos*, pelo lat. *conus*). **1.** Figura geométrica tridimensional que apresenta uma base circular e o corpo afunilado. **2.** Qualquer objeto cônico. ● **Anat.** Célula da retina que determina a percepção mais nítida das formas e cores.

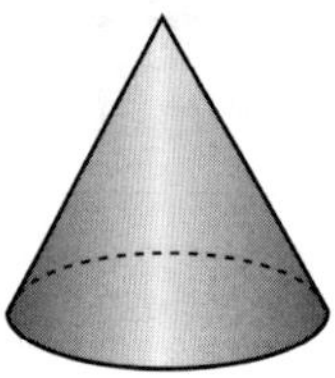

conectar *v.t.* (lat. *connectere*, unir) [conj. 4]. **1.** Estabelecer ligações entre diferentes dispositivos condutores. **2.** Unir, ligar. ★ *v.t.* e *v.pr.* **Inform.** Estabelecer comunicação com uma rede, serviço ou sistema.

conectivo *adj.* e *s.m.* **1.** Que ou o que une, que liga. **2.** Diz-se de ou palavra cuja função é ligar outras palavras, orações ou termos das orações. **3.** *Tecido conectivo*, sin. de TECIDO CONJUNTIVO*.

conector (ô) *s.m.* Componente que estabelece ligações elétricas entre circuitos elétricos ou eletrônicos. ★ *adj.* Diz-se de dispositivo que tem essa finalidade.

cônego *s.m.* (lat. *canonicus*). **1.** Eclesiástico investido do canonicato. **2.** Padre secular que faz parte de um cabido.

conexão (cs) *s.f.* (lat. *connexio*). **1.** Ligação de uma coisa com outra; união. **2.** Nexo, relação de coerência. **3.** Peça empregada para unir dois canos, dois tubos, dois fios. ● **Inform.** Troca de dados ou comunicação entre os elementos de um sistema ou rede.

conexo (cs) *adj.* (lat. *connexus*). Que tem relações de coerência ou de similitude com alguma coisa.

confabular *v.t.* e *v.i.* (lat. *confabulari*) [conj. 4]. **1.** Trocar idéias; conversar. **2.** Conspirar, tramar.

confecção *s.f.* (lat. *confectio*, acabamento). **1.** Ação de confeccionar. **2.** Roupa fabricada em série. **3.** Indústria que produz roupas.

confeccionar *v.t.* (conj. 4). Fazer, fabricar, preparar.

confederação *s.f.* (b.-lat. *confoederatio*, pacto). **1.** União de Estados que, conservando governo próprio, se submetem a um poder central. **2.** Aliança de várias nações para realização de um objetivo comum. **3.** Agrupamento de associações ou federações.

confederado *adj.* e *s.m.* (lat. *confoederatus*). Unido por confederação; coligado.

confederar *v.t.* (lat. *confoederare*) [conj. 4]. Reunir em confederação, unir-se para um objetivo comum, geralmente político. ★ *v.pr.* Associar-se para um fim comum.

confeitar *v.t.* (conj. 4). **1.** Enfeitar bolos e doces, cobrir de açúcar. **2.** *Fig.* Dissimular, iludir.

confeitaria *s.f.* **1.** Arte de fazer doces. **2.** Estabelecimento que vende doces e congêneres; doceira.

VOCÊ SABIA...? Há milhares de anos a humanidade tem desfrutado de saborosos produtos de **confeitaria**, embora os ingredientes utilizados tenham variado nas diferentes épocas. Em todas elas, os ingredientes básicos são os de um pão doce (farinha, leite, manteiga e açúcar), mas o produto final depende da maneira como são combinados e do que se acrescenta a eles (muito batidos, pouco batidos; com licores, com nozes, frutas, cremes etc.). Por sua delicadeza e o sabor delicioso de seus produtos, a confeitaria vienense, da capital da Áustria (Viena), tem fama mundial há séculos.

confeiteiro *s.m.* Pessoa que faz ou vende doces.

confeito *s.m.* (lat. *confectus*). **1.** Semente coberta de uma camada de massa de açúcar. **2.** Pastilhas de cores variadas para confeitar bolos e doces. **3.** *P. ext.* Bala, rebuçado, doce.

conferência *s.f.* **1.** Ato ou efeito de conferir. **2.** Reunião em que se discute um assunto comum. **3.** Reunião de diplomatas, de chefes de governo ou de ministros de Estado com o propósito de tratar um problema político de ordem internacional. **4.** Palestra feita diante de um público sobre diferentes questões (literárias, religiosas, científicas, políticas etc.).

conferenciar *v.t.* e *v.i.* (conj. 16). **1.** Entrar em conferência. **2.** Fazer conferência. **3.** Discutir com outrem determinado assunto (técnico, político etc.).

conferencista *s.2g.* Aquele que faz conferências.

conferente *adj.2g.* Que confere. ★ *s.2g.* **1.** Pessoa que faz ou toma parte numa conferência. **2.** Auxiliar de revisor.

conferir *v.t.* (lat. *conferre*, reunir; comparar) [conj. 57]. **1.** Verificar, ver se está certo. **2.** Comparar, confrontar. **3.** Debater, discutir, deliberar. **4.** Dar, conceder, outorgar (prêmios, honrarias). ★ *v.i.* Estar exato, conforme.

confessar *v.t.* (do lat. tard. *confessus*) [conj. 4]. **1.** Declarar, revelar. **2.** Reconhecer que se disse ou se fez algo errado, repreensível. **3.** Deixar transparecer. ★ *v.pr.* Fazer a confissão dos próprios pecados.

confessionário *s.m.* **1.** Local onde o sacerdote ouve a confissão dos penitentes. **2.** A confissão.

confesso *adj.* **1.** Que confessou suas culpas. **2.** Declarado, reconhecido. **3.** Convertido à religião cristã. ★ *s.m.* Monge que vivia em mosteiro.

confessor (ô) *s.m.* (lat. tard. *confessor*). Aquele que ministra o sacramento da penitência a quem se confessa.

confete *s.m.* (it. *confetti*, pl. de *confetto*, confeito). **1.** Rodela fina de papel colorido, que se joga aos punhados por ocasião de certas festividades, principalmente no Carnaval. **2.** *Fig.* Elogio, galanteio.

confiado *adj.* **1.** Que tem confiança. **2.** *Pop.* Atrevido, malcriado. ★ *s.m.* Indivíduo confiado.

confiança *s.f.* (fr. *confiance*). **1.** Esperança firme em alguém, em alguma coisa. **2.** Sentimento de segurança quanto à probidade da conduta de alguém. **3.** Segurança íntima. **4.** Crédito. **5.** *Pop.* Atrevimento. ● **Mat.** *Intervalo de confiança*, diferença ou acréscimo que se associa ao resultado de uma previsão estatística, em função da credibilidade na estimativa feita.

confiante *adj.2g.* **1.** Que confia. **2.** Que tem confiança em si.

confiar *v.t.* (lat. *confidere*) [conj. 16]. **1.** Ter fé, confiança. **2.** Entregar aos cuidados, à fidelidade de alguém. **3.** Dizer em confidência alguma coisa a alguém. ★ *v.i.* Ter confiança, ter fé, acreditar. ★ *v.pr.* Fiar-se, acreditar.

confiável *adj.2g.* Em que se pode confiar.

confidência *s.f.* (lat. *confidentia*, confiança). **1.** Comunicação de um segredo. **2.** Confiança na discrição de alguém.

confidenciar *v.t.* (conj. 16). **1.** Dizer em segredo, em confiança. **2.** Conversar confidencialmente.

confidente *adj.2g.* e *s.2g.* (lat. *confidens*). Diz-se da ou pessoa a quem se faz confidência.

configuração *s.f.* (lat. tard. *configuratio*). **1.** Forma exterior; aspecto, figura, aparência. **2.** Descrição dos elementos de um sistema computacional com as diferentes unidades que o compõem.

configurar *v.t.* (lat. tard. *configurare*) [conj. 4]. Dar forma a. ★ *v.pr.* Tomar forma.

confim *adj.2g.* (lat. *confinis*, limítrofe). Confinante.

confinamento *s.m.* **1.** Ato ou efeito de confinar. **2.** Sistema de criação de animais em que eles ficam presos em instalações fechadas, em contraposição à criação ao ar livre.

confinar *v.t.* (conj. 4). **1.** Circunscrever, cercar, isolar. **2.** Limitar-se com. **3.** *Fig.* Ser vizinho de. ★ *v.pr.* Isolar-se, retirar-se.

confirmação *s.f.* (lat. *confirmatio*). Ato ou efeito de confirmar. ● **Relig.** Crisma.

confirmar *v.t.* (lat. *confirmare*) [conj. 4]. **1.** Afirmar de modo mais seguro; corroborar. **2.** Sancionar, ratificar. ● **Relig.** Conferir o sacramento da confirmação, da crisma.

confiscar *v.t.* (lat. *confiscare*) [conj. 12]. Apreender em proveito do fisco.

confisco *s.m.* Ato ou efeito de confiscar.

confissão *s.f.* (lat. *confessio*). **1.** Declaração verbal ou escrita pela qual se reconhece ter feito ou dito alguma coisa. **2.** Confidência. ● **Relig.** Ato de confessar os pecados a um sacerdote, para dele obter a absolvição.

conflagração *s.f.* (lat. *conflagratio*). **1.** Incêndio que se alastra. **2.** *Fig.* Revolução política, guerra, conflito internacional.

conflagrar *v.t.* (lat. *conflagrare*) [conj. 4]. **1.** Incendiar totalmente. **2.** Abrasar, excitar. **3.** Pôr em completa agitação.

conflitar *v.t.* e *v.i.* (conj. 4). Estar em oposição; colidir.

conflito *s.m.* (lat. *conflictus*, choque; investida). **1.** Oposição de interesses, idéias. **2.** Luta, desentendimento. **3.** *Conflito armado*, guerra. ● **Psican.** Situação em que, no indivíduo, se opõem os impulsos primários e as solicitações ou interdições sociais e morais.

CONFLITO ▸ A Segunda Guerra Mundial começou em 1º de setembro de 1939, quando a Alemanha invadiu a Polônia. Em 3 de setembro, a Grã-Bretanha e a França declararam guerra à Alemanha. A Austrália, a Nova Zelândia, a Índia, o Canadá e a África do Sul apoiaram a Grã-Bretanha. Em 1940, a Alemanha tinha invadido grande parte da Europa; o Japão e a Itália se uniram a ela, formando o bloco do Eixo. A Itália invadiu a Iugoslávia, a Grécia e parte do norte da África. A Alemanha atacou também a URSS em 1941, ano em que os EUA entraram na guerra. Em 1944, os Aliados (bloco liderado pelos EUA) invadiram a Europa Ocidental, enquanto a URSS atacava pelo Leste. Depois da queda da Itália, em 1943, a Alemanha foi derrotada em maio de 1945. O Japão se rendeu em agosto desse mesmo ano.

---

conflituoso (ô) *adj.* **1.** Relativo a conflito. **2.** Irascível.

confluência *s.f.* (lat. *confluentia*). Ação de confluir, de fluir para um mesmo ponto.

confluente *adj.2g.* (lat. *confluens*). Que conflui, flui ou aflui para um mesmo ponto.

confluir *v.i.* (lat. *confluere*) [conj. 74]. Fluir, dirigir-se para um mesmo ponto; unir-se, juntar-se.

conformação *s.f.* (lat. *conformatio*). **1.** Maneira pela qual se juntam as partes de um corpo organizado; disposição, configuração. **2.** Qualidade de quem se conforma; resignação. ● **Pec.** Aparência exterior de um animal de criação, cuja apreciação é feita em relação aos objetivos de produção do animal (leite, carne). **Quím.** Disposição tridimensional dos átomos ou radicais fixados nos átomos ligados entre si por uma ou várias ligações químicas.

conformado *adj.* e *s.m.* Que ou aquele que se conforma, resigna, acomoda.

conformar *v.t.* (lat. *conformare*) [conj. 4]. **1.** Dar forma; dispor. **2.** Pôr de acordo com. ★ *v.pr.* Acomodar-se, resignar-se.

conforme *adj.2g.* (lat. *conformis*). **1.** Que tem forma igual a outra considerada modelo. **2.** Que corresponde a, convém a, concorda com. **3.** De mesma opinião; concorde. **4.** Resignado, conformado. ★ *adv.* Em conformidade. ★ *prep.* De acordo com; segundo. ★ *conj.* **1.** De acordo com o que, segundo, como. **2.** À medida que. **3.** Logo que.

conformidade *s.f.* **1.** Qualidade do que é conforme. **2.** Qualidade de quem se conforma.

conformismo *s.m.* (fr. *conformisme*). Qualidade de conformista.

conformista *adj.2g.* e *s.2g.* (ingl. *conformist*). **1.** Que se conforma com os usos estabelecidos, com as tradições; que aceita resignadamente. **2.** *Pej.* Indivíduo que, por oportunismo ou hábito, se conforma às situações e aos costumes vigentes.

confortar *v.t.* (lat. *confortare*) [conj. 4]. **1.** Dar forças; fortificar. **2.** Animar, consolar. **3.** Dar conforto, bem-estar. ★ *v.pr.* Buscar ânimo, consolo.

A B C D E F G H I J K L M N O P Q R S T U V W X Y Z

confortável *adj.2g.* **1.** Que conforta. **2.** Que contribui para o bem-estar, para os prazeres da vida.

conforto (ô) *s.m.* **1.** Ato ou efeito de confortar(-se). **2.** Consolo, solidariedade. **3.** Tudo o que constitui o bem-estar material. **4.** Comodidade.

confrade *s.m.* **1.** Membro de uma confraria. **2.** Companheiro, colega, camarada.

confranger *v.t.* (lat. *confringire*) [conj. 26]. **1.** Oprimir, angustiar, atormentar. **2.** Triturar, esmigalhar. ★ *v.pr.* Afligir-se.

confraria *s.f.* **1.** Associação religiosa ou de caridade; irmandade. **2.** *P. ext.* Conjunto de pessoas que se associam, tendo em vista interesses e objetivos comuns.

confraternizar *v.t.* (conj. 4). **1.** Unir como irmãos. **2.** Tratar como a irmão; fraternizar. ★ *v.i.* Demonstrar confraternidade; fraternizar.

confrei *s.m.* Erva de origem européia, de caule áspero, flores brancas ou amareladas, e folhas que possuem propriedades medicinais, também cultivada como forrageira. (Sin. CONSÓLIDA-MAIOR.)

confrontar *v.t.* (conj. 4). **1.** Pôr frente a frente. **2.** Comparar, cotejar. **3.** Acarear. ★ *v.pr.* Estar diante de, defrontar-se.

confronto *s.m.* **1.** Ação de confrontar. **2.** Cotejo, comparação. **3.** Briga, luta.

confucionismo *s.m.* Doutrina ética e política de Confúcio, filósofo chinês da Antiguidade.

confundir *v.t.* (lat. *confundere*) [conj. 6]. **1.** Misturar, emaranhar várias coisas. **2.** *Fig.* Perturbar, enlear. ★ *v.pr.* **1.** Misturar-se, ser ou tornar-se indistinto. **2.** Equivocar-se.

confusão *s.f.* (lat. *confusio*). **1.** Estado do que é confuso, misturado. **2.** Tumulto, desordem. **3.** Ação de tomar uma pessoa ou uma coisa por outra. ● **Psicol.** *Confusão mental,* perturbação global das funções psíquicas, aguda e habitualmente transitória.

confuso *adj.* (lat. *confusus,* misturado). **1.** Misturado. **2.** Tumultuado, desordenado. **3.** Obscuro, incerto. **4.** Desconcertado, perturbado.

confutação *s.f.* Ato de confutar; refutação; impugnação.

confutar *v.t.* (lat. *confutare,* derrubar) [conj. 4]. Demonstrar a falsidade de; refutar, contrariar.

congada *s.f.* (de *Congo,* top.). Dança folclórica de influência africana em que se representa a coroação de um rei.

congelação *s.f.* Ação de congelar; solidificação, congelamento.

congelado *adj.* (lat. *congelatus*). **1.** Convertido em gelo. **2.** Que sofreu congelamento. ● **Econ.** Que conserva o mesmo valor monetário, sem aumento. ★ *s.m.* Alimento congelado.

congelador (ô) *adj.* Que congela. ★ *s.m.* Aparelho doméstico que permite congelar os alimentos; *freezer.*

congelamento *s.m.* **1.** Ato ou efeito de congelar. **2.** Ação de submeter ao frio um produto alimentício. ● **Fís.** Mudança de estado de uma substância, caracterizada pela passagem do estado líquido ao estado sólido.

congelar *v.t.* (lat. *congelare*) [conj. 4]. **1.** Transformar um líquido em sólido pela ação do frio; tornar em gelo. **2.** Efetuar o congelamento. ● **Econ.** Impedir o aumento de (salários, preços). ★ *v.pr.* Converter-se em gelo.

congeminar *v.t.* e *v.pr.* (lat. *congeminare*) [conj. 4]. Multiplicar(-se), redobrar(-se).

congênere *adj.2g.* e *s.2g.* (lat. tard. *congener*). Que ou o que é do mesmo gênero, da mesma espécie.

congênito *adj.* (lat. *congenitus*). Gerado ao mesmo tempo. ● **Biol.** Diz-se de uma característica, de uma anomalia ou patologia que o indivíduo já porta ao nascer.

congérie *s.f.* (lat. *congeries,* acúmulo). **1.** Reunião, informe de várias coisas; montão. **2.** *Fig.* Acumulação, acervo.

congestão *s.f.* (lat. *congestio*). Acúmulo anormal de sangue nos vasos dilatados de um tecido ou órgão, que pode provocar aumento de volume ou alterar a função desse órgão.

congestionamento *s.m.* **1.** Ato ou efeito de congestionar(-se). **2.** Paralisação do trânsito, ocasionada por excesso de veículos; engarrafamento.

congestionar *v.t.* (conj. 4). **1.** Produzir congestão em. **2.** Obstruir uma via de circulação ou paralisar o trânsito; engarrafar. ★ *v.pr.* Tornar-se congestionado.

conglobar *v.t.* (lat. *conglobare*) [conj. 4]. **1.** Juntar, dando forma de globo. **2.** Acumular, amontoar. **3.** Reunir, concentrar, sintetizar. ★ *v.pr.* **1.** Tomar forma de globo. **2.** Concentrar-se, sintetizar-se.

conglomeração *s.f.* **1.** Ação de conglomerar(-se); resultado dessa ação. **2.** Conglomerado.

conglomerado *s.m.* (lat. *conglomeratus*). **1.** Estrutura cujos elementos, somados, valem por uma unidade; união de partes num todo. **2.** Amontoado, aglomeração.

conglomerar *v.t.* (lat. *conglomerare*) [conj. 4]. Amontoar, reunir em uma só massa. ★ *v.pr.* Amontoar-se, juntar-se.

congolense *adj.2g.* e *s.2g.* Congolês.

congolês *adj.* Relativo ou pertencente ao Congo, país da África; congolense, conguês. ★ *s.m.* Indivíduo natural ou habitante do Congo; congo, congolense, conguês.

congonha *s.f.* Nome comum a diversas árvores ou arbustos cujas folhas são utilizadas para chás ou para adulterar a erva-mate.

congraçamento *s.m.* Ato ou efeito de congraçar(-se).

congraçar *v.t.* (conj. 13). Harmonizar (pessoas desavindas); reconciliar, confraternizar. ★ *v.i.* Fazer congraçamentos. ★ *v.pr.* **1.** Buscar atrair as boas graças, amizade ou simpatia de. **2.** Fazer as pazes; reconciliar-se.

congratulação *s.f.* (lat. *congratulatio*). Ação de congratular(-se).

congratulatório *adj.* Que serve para congratular ou encerra congratulação.

congratular *v.t.* (lat. *congratulari*) [conj. 4]. Felicitar, cumprimentar, saudar; dar parabéns. ★ *v.pr.* Regozijar-se com o bem ou a satisfação de outrem.

congregação *s.f.* (lat. *congregatio*). **1.** Ato ou efeito de congregar(-se). **2.** Assembléia; reunião. **3.** Associação de fiéis ou de sacerdotes submetidos a regras comuns. **4.** Confraria, irmandade.

congregado *adj.* (lat. *congregatus*). Diz-se de quem participa de uma reunião, de uma assembléia. ★ *s.m.* Membro de uma congregação religiosa.

congregar *v.t.* (lat. *congregare*) [conj. 14]. **1.** Juntar, reunir. **2.** Ligar, unir. ★ *v.pr.* **1.** Reunir-se em congresso. **2.** Existir simultaneamente.

congressional *adj.2g.* Referente a congresso.

congressista *s.2g.* Membro de um congresso. ★ *adj.2g.* Relativo a congresso.

congresso *s.m.* (lat. *congressus*). **1.** Reunião, encontro, ajuntamento. **2.** Poder legislativo que reúne a Câmara Federal e o Senado. **3.** Reunião de soberanos, delegados ou embaixadores para tratar de assuntos de ordem internacional. **4.** Reunião de especialistas para debater questões de interesse comum.

congro *s.m.* (gr. *góngros*). Peixe teleósteo carnívoro e voraz, de hábitos noturnos, que possui o corpo semelhante ao da enguia.

congruência *s.f.* (lat. *congruentia*). Acordo, conveniência, coerência.

congruente *adj.2g.* (lat. *congruens*). Em que há congruência; coerente, côngruo. ● **Mat.** Diz-se de cada um dos números que apresentam o mesmo resto quando divididos por um terceiro. ► Diz-se de cada uma das figuras geométricas que se sobrepõem com exatidão. ► Diz-se de cada uma das matrizes que se igualam quando uma delas é multiplicada por uma terceira e a transposta desta.

conguês *adj.* e *s.m.* Congolês.

conhaque *s.m.* (fr. *cognac*, de *Cognac*, top.). Bebida produzida pela destilação do vinho.

conhecedor (ô) *adj.* e *s.m.* Que ou aquele que conhece alguma coisa; especialista.

conhecer *v.t.* (lat. *cognoscere*) [conj. 25]. **1.** Ser capaz de formar uma idéia, um conceito sobre; saber. **2.** Ter informação sobre a existência ou valor de. **3.** Poder identificar algo ou alguém; reconhecer. **4.** Experimentar, provar, sofrer. **5.** Entrar em contato com alguém, travar conhecimento com. **6.** Ter relações sociais com. **7.** Em sentido bíblico, ter relações sexuais. ★ *v.pr.* **1.** Ter uma justa idéia de si próprio. **2.** Manter relação com alguém.

conhecido *adj.* **1.** Que se conhece; sabido. **2.** Ilustre, célebre. ★ *s.m.* Indivíduo com quem se mantém relações superficiais.

conhecimento *s.m.* **1.** Ato ou efeito de conhecer. **2.** Operações pelas quais a mente procede à análise de um objeto, de uma realidade, de modo a definir sua natureza; apreciação, discernimento. **3.** Conjunto dos domínios onde se exerce a aprendizagem; exercício filosófico ou científico de obtenção de saber. **4.** Capacidade de conhecer a si próprio; consciência. **5.** Experiência, tino, prática. **6.** Documento correspondente ao embarque de certa mercadoria.

CONHECIMENTO ► O conhecimento *a priori* (do latim, "pelo que precede") é o que não remete à experiência. O conhecimento *a posteriori* ("pelo que vem depois") se baseia na experiência e pode ser refutado por ela. Por exemplo, um sujeito consciente pode saber que é certo que "todos os papagaios são ou não são azuis", sem necessidade de ter visto nenhum; trata-se portanto de um conhecimento *a priori*. Mas não pode saber que "o papagaio de Manuel é azul" se não o viu antes, já que se trata de um conhecimento *a posteriori*; como quase tudo o que sabemos, é um conhecimento que remete à experiência.

---

cônica *s.f.* Função curva, que, segundo sua excentricidade, pode ser uma elipse, hipérbole ou parábola.

cônico *adj.* (do gr. *konos*, cone). Que tem a forma de um cone.

conidiósporo *s.m.* Sin. de CONÍDIO.

coníferas *s.f.pl.* Grupo de plantas gimnospermas, em sua maioria resiníferas, que apresentam folhas pequenas ou aculiformes, fruto em forma de cone, adaptadas a diversos climas, principalmente o temperado.

conivência *s.f.* (lat. *coniventia*, indulgência). **1.** Qualidade de conivente. **2.** Cumplicidade, conluio.

conivente *adj.2g.* **1.** Diz-se daquele que finge não notar ação maldosa praticada por outra pessoa. **2.** Cúmplice, conluiado.

conjetura ou **conjectura** *s.f.* (lat. *conjectura*). Idéia fundamentada em possibilidades; hipótese, suposição.

conjetural *adj.2g.* (lat. *conjecturalis*). Que se apóia em conjeturas.

conjeturar *v.t.* (lat. *conjecturare*) [conj. 4]. **1.** Julgar por conjeturas; presumir, supor. **2.** Prever, entrever. ★ *v.i.* Fazer conjeturas.

conjugação *s.f.* (lat. *conjugatio*, união). Ação de conjugar, de juntar. ● **Biol.** Tipo de reprodução sexuada, na qual ocorre a união de dois gametas ou de dois indivíduos. **Gram.** Conjunto das flexões e formas de um verbo. ► Conjunto de verbos caracterizado pela mesma terminação no infinitivo pessoal.

conjugado *adj.* Junto, ligado, emparelhado. ● **Mat.** *Ângulos conjugados*, aqueles cuja soma equivale a 360°. ► *Complexo conjugado*, número complexo que apresenta partes reais iguais e partes imaginárias simétricas. ► *Números conjugados*, aqueles que são raízes de uma mesma equação quadrática. ★ *s.m.* Conjunto de duas peças ou mecanismos que concorrem para uma ação comum.

conjugal *adj.2g.* (lat. *conjugalis*). Relativo a cônjuges ou ao casamento.

conjugar *v.t.* (lat. *conjugare*) [conj. 14]. **1.** Unir, juntar. **2.** Enumerar as formas de um verbo segundo as vozes, os modos, os tempos e as pessoas.

cônjuge *s.m.* (lat. *conjux, conjugis*). Cada um dos esposos em relação ao outro.

conjunção *s.f.* (lat. *conjunctio*). **1.** Encontro, união. **2.** Conjunto de circunstâncias; conjuntura. **3.** Oportunidade. ● **Astron.** Situação de dois ou mais astros cujos centros têm a mesma longitude geocêntrica ou a mesma ascensão reta. **Gram.** Classe de palavras invariáveis que ligam dois termos com a mesma função ou duas orações.

conjuntiva *s.f.* Membrana que recobre a face interna das pálpebras e a parte anterior da superfície externa do globo ocular até o contorno da córnea.

conjuntival *adj.2g.* Relativo à conjuntiva.

conjuntivite *s.f.* Inflamação da conjuntiva.

conjuntivo *adj.* (lat. *conjunctivus*). Que serve para unir, juntar. ● **Anat.** *Tecido conjuntivo*, tecido cuja função é a sustentação e ligação de órgãos ou estruturas. (Sin. TECIDO CONECTIVO*.) **Gram.** Relativo à conjunção. ► Que exerce as funções da conjunção.

conjunto¹ *adj.* (lat. *conjunctus*, unido). **1.** Estreitamente unido por caracteres ou interesses comuns; associado. **2.** Feito junto e simultaneamente.

conjunto² *s.m.* (lat. *conjunctum*). **1.** Resultado da união das partes de um todo. **2.** Reunião de pessoas, de coisas que formam um todo. **3.** Coleção de objetos que têm um caráter comum. **4.** Traje feminino composto de peças combinadas.

● **Mat.** Agrupamento de unidades denominadas elementos. **Mús.** Grupo de músicos que tocam simultaneamente e de forma harmônica a mesma composição.

conjuntura *s.f.* (ant. fr. *conjoincture*). **1.** Concurso de circunstâncias; ocasião. **2.** Conjunto de elementos que constituem uma situação presente. **3.** Dificuldade, situação embaraçosa.

conjuntural *adj.2g.* Relativo a ou próprio de conjuntura.

conjuração *s.f.* (lat. *conjuratio,* juramento em conjunto). **1.** Ato de conjurar. **2.** Conspiração contra autoridade estabelecida. **3.** Reunião de indivíduos conjurados. **4.** Conluio.

conjurado *adj.* e *s.m.* Que ou aquele que toma parte numa conjuração; conspirador.

conjurar *v.t.* (lat. *conjurare,* jurar em conjunto) [conj. 4]. **1.** Intentar por meio de conspiração; conspirar, tramar. **2.** Insurgir-se, rebelar-se. **3.** Afastar, desviar mal iminente por meio de práticas religiosas, mágicas; exorcizar, esconjurar. **4.** Invocar, chamar. **5.** Ligar-se por meio de juramento. ★ *v.pr.* Filiar-se a uma conspiração.

conjuro *s.m.* **1.** Invocação de magia. **2.** Palavras imperativas dirigidas ao demônio ou às almas do outro mundo. **3.** Exorcismo.

conluiar *v.t.* (conj. 16). **1.** Unir em conluio. **2.** Tramar secretamente, de combinação com outrem. ★ *v.pr.* Formar, fazer conluio.

conluio *s.m.* (lat. *colludium,* folia). Combinação entre pessoas para enganar ou prejudicar alguém; conspiração, trama.

conosco (ô) *pron. pess.* (do lat. *noscum*). **1.** Com a(s) nossa(s) pessoa(s). **2.** Em nossa companhia. **3.** A nosso respeito. **4.** De nós para nós. **5.** Entre nós. **6.** Para nós.

conotação *s.f.* (do lat. tard. *connotare*). Ligação que se nota entre duas ou mais coisas. ● **Gram.** Sentido, algumas vezes subjetivo e circunstancial, que se acrescenta à acepção usual de uma palavra ou expressão.

conotar *v.t.* (lat. tard. *connotare*) [conj. 4]. Expressar uma conotação.

conotativo *adj.* Que expressa conotação.

conquanto *conj.* Embora, ainda que, por mais que.

conquista *s.f.* **1.** Ato ou efeito de conquistar. **2.** Pessoa ou coisa conquistada.

conquistador (ô) *adj.* e *s.m.* **1.** Que ou aquele que conquista; vencedor. **2.** *Fig.* Que ou aquele que faz conquistas amorosas.

conquistar *v.t.* (conj. 4). **1.** Submeter pelas armas. **2.** Ganhar, cativar, granjear amizade, amor etc.

consagração *s.f.* (lat. *consecratio*). **1.** Ato ou efeito de consagrar. **2.** Sagração. **3.** Honra ou aplauso expresso pela opinião pública. **4.** Glorificação, louvor. ● **Relig.** Rito da missa católica em que o pão e o vinho são convertidos na substância do corpo e do sangue de Jesus Cristo.

consagrar *v.t.* (lat. *consecrare*) [conj. 4]. **1.** Tornar sagrado; sagrar. **2.** Dedicar a Deus. **3.** Empregar, destinar exclusivamente a. **4.** Fazer a consagração de. **5.** Sancionar, confirmar, ratificar. ● **Relig.** Celebrar a consagração. ★ *v.pr.* Dedicar-se, dar-se.

consangüíneo *adj.* (lat. *consanguineus*). Diz-se de indivíduos ligados entre si por relações de consangüinidade. ★ *s.m.* Parente por consangüinidade.

consangüinidade *s.f.* (lat. *consanguinitas*). **1.** Parentesco entre indivíduos de ascendência comum. **2.** Parentesco do lado paterno.

consciência *s.f.* (lat. *conscientia,* conhecimento em comum). **1.** Noção da própria existência ou do mundo exterior. **2.** Capacidade de julgar moralmente os próprios atos. **3.** Discernimento, juízo. ● **Psican.** Instância do aparelho psíquico que constitui uma qualidade dos atos e pensamentos psíquicos, responsável pela interação do homem com seu meio e seu mundo interno.

consciencioso (ô) *adj.* Que tem a consciência delicada; escrupuloso, cuidadoso.

consciente *adj.2g.* **1.** Que tem consciência, noção de uma coisa. **2.** Que sabe o que faz. **3.** Que é feito com consciência. ● **Psican.** Diz-se de um conteúdo psíquico que pertence, em determinado instante, à consciência.

cônscio *adj.* (lat. *conscius*). Que sabe bem o que faz ou deve fazer; ciente.

conscrição *s.f.* Alistamento para o serviço militar.

conscrito *adj.* (lat. *conscriptus,* inscrito). Alistado, recrutado. ★ *s.m.* Recruta convocado para prestar serviço militar.

consecução *s.f.* (lat. *consecutio*). Ato ou efeito de conseguir; realização, execução.

consecutivo *adj.* (do lat. *consecutus,* seguido). **1.** Que se segue imediatamente na ordem temporal ou numérica. **2.** Que resulta de.

conseguinte *adj.2g.* **1.** Que se segue; conseqüente, consecutivo. **2.** *Por conseguinte,* em conseqüência, portanto.

conseguir *v.t.* (conj. 55). **1.** Alcançar, obter. **2.** Ter como resultado ou conseqüência.

conselheiro *adj.* e *s.m.* **1.** Que ou quem dá conselhos. **2.** Diz-se de ou membro de conselho.

conselho (ê) *s.m.* (lat. *consilium,* deliberação). **1.** Opinião, parecer, juízo. **2.** Aviso, advertência. **3.** Assembléia de pessoas que deliberam sobre certos assuntos. **4.** Grupo de pessoas encarregadas de administrar, de dirigir.

consenso *s.m.* (lat. *consensus*). Acordo de várias pessoas; consentimento.

consensual *adj.2g.* **1.** Relativo a consenso. **2.** Que depende de consenso.

consentâneo *adj.* (lat. *consentaneus*). **1.** Apropriado, adequado. **2.** Conforme, coerente.

consentimento *s.m.* **1.** Ato ou efeito de consentir. **2.** Permissão, licença. **3.** Anuência, aprovação.

consentir *v.t.* (lat. *consentire*) [conj. 56]. **1.** Pôr consenso a; admitir. **2.** Aprovar, concordar. **3.** Dar lugar a; deixar. ★ *v.i.* Dar consentimento; concordar.

conseqüência *s.f.* (lat. *consequentia,* sucessão). **1.** Resultado, reação. **2.** Dedução, conclusão. **3.** Importância, alcance.

CONSEQÜÊNCIA ▸ A partir do momento em que as viagens de exploração e a atividade industrial aumentaram, a ação predatória do homem começou a afetar o nosso planeta em grande escala. Entre as conseqüências mais dramáticas de ações destrutivas dos seres humanos estão a extinção em massa de espécies animais e mudanças notáveis no clima, devido à destruição dos ecossistemas e à intensa poluição ambiental.

---

conseqüente *adj.2g.* (lat. *consequens*). **1.** Que segue naturalmente. **2.** Que se infere logicamente. **3.** Que age, que raciocina com lógica, com coerência.

consertar *v.t.* (conj. 4). **1.** Corrigir falhas ou defeitos; reparar. **2.** Remediar, emendar, corrigir. **3.** Coser ou costurar, reparando. **4.** *Fig.* Acomodar uma situação.

conserto (ê) *s.m.* **1.** Ato ou efeito de consertar. **2.** Reparo, remendo.

conserva *s.f.* **1.** Líquido ou calda em que são conservados produtos alimentícios. **2.** Produto conservado nesse líquido. **3.** Preparação farmacêutica feita com plantas e açúcares.

conservação *s.f.* (lat. *conservatio*). **1.** Ato de conservar; manutenção. **2.** Estado de uma pessoa ou coisa preservada de desgaste; subsistência, preservação. ● **Fís.** Manutenção de um estado físico ou de uma propriedade, em função da estabilidade de condições ambientais, característico de sistemas em equilíbrio. ▸ *Conservação de energia,* ausência de variação na entropia de um sistema.

conservador (ô) *adj.* e *s.m.* **1.** Que ou aquele que conserva. **2.** Que ou aquele que é partidário da manutenção da ordem social e política estabelecida. ★ *s.m.* O encarregado da conservação de arquivo, museu, biblioteca etc.

conservadorismo *s.m.* Qualidade daquele que quer conservar inalterada a ordem estabelecida.

conservante *s.m.* Aditivo que impede a degradação física, química ou biológica dos alimentos.

conservar *v.t.* (lat. *conservare*) [conj. 4]. **1.** Manter em bom estado, preservar. **2.** Reter; manter. **3.** Não se desfazer. **4.** Não perder. ★ *v.pr.* **1.** Ficar, permanecer. **2.** Resistir à idade.

conservatório *s.m.* Estabelecimento especializado no ensino das belas-artes.

consideração *s.f.* (lat. *consideratio*). **1.** Ato ou efeito de considerar. **2.** Exame atento, reflexão. **3.** Respeito, estima. ★ *s.f.pl.* Razões, exposição fundamentada.

considerando *s.m.* Razão, argumento.

considerar *v.t.* (lat. *considerare*) [conj. 4]. **1.** Dar atenção a, meditar em. **2.** Apreciar, examinar. **3.** Reputar, ter em boa conta. **4.** Imaginar, conceber. ★ *v.pr.* Julgar-se, imaginar-se.

considerável *adj.2g.* **1.** Que se deve considerar; importante, notável. **2.** Muito grande.

consignação *s.f.* **1.** Ato ou efeito de consignar. **2.** Contrato comercial pelo qual o proprietário entrega suas mercadorias ao comerciante, consignatário, obrigando-o a prestar contas apenas daquilo que efetivamente for vendido.

consignar *v.t.* (lat. *consignare,* sefar) [conj. 4]. **1.** Enviar mercadorias a alguém para que as negocie. **2.** Determinar quantia de dinheiro ou renda para pagamento de dívida. **3.** Afirmar, declarar. **4.** Dedicar.

consignatário *s.m.* **1.** Aquele s quem se consignam mercadorias. **2.** Aquele que recebe em consignação a importância que lhe é devida.

consigo *pron. pess.* (do lat. *secum*). **1.** Com a(s) sua(s) pessoa(s). **2.** Em sua companhia. **3.** A seu respeito. **4.** De si para si. **5.** Em si. **6.** Entre si. **7.** Para ele(s).

consistência *s.f.* **1.** Qualidade do que é consistente. **2.** *Fig.* Estabilidade, firmeza, perseverança.

consistente *adj.2g.* (lat. *consistens*). **1.** Que é formado, constituído; que consiste. **2.** Sólido, espesso. **3.** Constante, estável, persistente.

consistir *v.t.* (lat. *consistere,* instalar-se) [conj. 6]. **1.** Compor-se, constar, ser constituído. **2.** Fundar-se, basear-se. **3.** Resumir-se, reduzir-se.

consistômetro *s.m.* Aparelho que mede a consistência de certas substâncias, como óleos, tintas e vernizes.

consistório *s.m.* (lat. *consistorium,* lugar ou reunião). **1.** Assembléia de cardeais, presidida pelo papa. **2.** Qualquer assembléia em que se tratam assuntos de grande importância.

consoada *s.f.* **1.** Refeição ligeira que se faz à noite nos dias de jejum. **2.** Ceia de Natal.

consoante *adj.2g.* (lat. *consonans*). Que tem consonância. ★ *adj.* e *s.f.* Diz-se de ou fonema em cuja emissão o fluxo de ar é bloqueado, total ou parcialmente, em algum ponto do conduto vocal (p. opos. a *vogal*). ★ *s.f.* Letra que representa esse som. ★ *prep.* De acordo com. ★ *conj.* Conforme, segundo.

consociar *v.t.* (lat. *consociare*) [conj. 16]. **1.** Unir em sociedade; associar. **2.** Unir, harmonizar. ★ *v.pr.* Associar-se.

consócio *s.m.* **1.** Sócio, em relação a outro. **2.** Colega.

consolação *s.f.* (lat. *consolatio*). **1.** Ato ou efeito de consolar(-se). **2.** Pessoa ou coisa que consola. **3.** Alívio, conforto.

consolar *v.t.* (lat. *consolari*) [conj. 4]. **1.** Aliviar, amenizar a aflição, as contrariedades de. **2.** Dar ânimo ou conforto. **3.** Suavizar, mitigar. ★ *v.pr.* Receber consolação.

console *s.m.* (fr. *console*). **1.** Espécie de mesa de sala, que se apóia na parede e onde se colocam pequenos objetos de adorno; consolo. **2.** Elemento saliente em parede, destinado a suportar estátuas, vasos etc. ● **Eletrôn.** Painel com interruptores e visores, e algumas vezes uma tela de controle, que permite assegurar o comando e a monitoração de um conjunto computacional.

consolidação *s.f.* **1.** Ação de tornar sólido, de fortalecer. **2.** Fusão de várias empresas numa só. **3.** Transformação de dívida flutuante em permanente, mediante emissão de títulos de renda perpétua, substitutivos dos daquela. ● **Dir.** Reunião de leis afins. **Eng.** Operação que consiste em aumentar a resistência de um terreno por meio de compressão. **Med.** Ação pela qual os fragmentos de um osso fraturado se soldam.

consolidado *adj.* **1.** Que se consolidou; sólido, firme. **2.** Diz-se de dívida pública transformada em renda perpétua para os credores, que podem apenas exigir os juros. ★ *s.m.* Título de dívida pública consolidada.

consolidar *v.t.* (lat. *consolidare*) [conj. 4]. **1.** Tornar sólido, firme. **2.** Reunir leis afins. **3.** Tornar permanente a dívida pública. **4.** *Fig.* Tornar durável, forte. ★ *v.i.* Tomar consistência. ★ *v.pr.* Tornar-se sólido, firme; materializar-se.

A B C D E F G H I J K L M N O P Q R S T U V W X Y Z

consolo[1] (ô) *s.m.* Consolação.

consolo[2] *s.m.* Console.

consonância *s.f.* (lat. *consonantia,* concordância). **1.** Afinidade entre dois ou mais sons musicais emitidos sucessiva ou simultaneamente. **2.** Uniformidade de som na terminação de palavras ou frases; rima. **3.** *Fig.* Acordo, concordância.

consonantal *adj.2g.* Relativo às consoantes; consonântico.

consonântico *adj.* Consonantal.

consorciação *s.f.* Consorciamento.

consorciar *v.t.* (conj. 16). **1.** Unir por casamento; casar. **2.** *Fig.* Unir, associar. ● **Agric.** Plantar em um terreno, intercaladas no espaço, duas ou mais espécies diferentes que não competem entre si. ★ *v.pr.* Casar-se; unir-se, associar-se.

consórcio *s.m.* (lat. *consortium*). **1.** União, casamento, associação. **2.** Grupo de pessoas físicas ou jurídicas que formam um capital comum para a aquisição de determinado bem. ★ *adj.* e *s.m.* **1.** Que ou aquele que é sócio juntamente com outro. **2.** Confrade.

consorte *s.2g.* (lat. *consors, consortis*). **1.** Companheiro na mesma sorte ou destino. **2.** Cônjuge.

conspícuo *adj.* (lat. *conspicuus,* visível). **1.** Ilustre, notável. **2.** Sério, austero.

conspiração *s.f.* (lat. *conspiratio*). **1.** Ato ou efeito de conspirar; trama. **2.** Ação tramada contra o Estado; conspirata. **3.** Conluio secreto.

conspirar *v.t.* (lat. *conspirare,* respirar junto) [conj. 4]. **1.** Maquinar, tramar. **2.** Entrar em conspiração, em conluio. **3.** Tender, concorrer. ★ *v.i.* Tramar contra o Estado.

conspirata *s.f.* Conspiração.

conspurcar *v.t.* (lat. *conspurcare*) [conj. 12]. **1.** Sujar, manchar, enodoar. **2.** Corromper, perverter. ★ *v.pr.* Corromper-se.

constância *s.f.* (lat. *constantia,* permanência). **1.** Qualidade de constante; freqüência. **2.** Firmeza de ânimo; perseverança.

constante *adj.2g.* (lat. *constans*). **1.** Que tem constância, firmeza. **2.** Que não varia. **3.** Contínuo, freqüente. **4.** Que consta de, que consiste em. ★ *s.f.* Parâmetro utilizado em cálculos ou formulação de leis, cujo valor não varia.

constar *v.i.* (lat. *constare,* subsistir) [conj. 4]. **1.** Passar por certo, evidente. **2.** Ser composto de, consistir em. **3.** Estar escrito, mencionado, incluído. **4.** Chegar ao conhecimento.

constatação *s.f.* **1.** Ação de constatar. **2.** Prova, verificação.

constatar *v.t.* (fr. *constater*) [conj. 4]. **1.** Estabelecer a verdade de um fato. **2.** Consignar em um escrito. **3.** Tomar conhecimento de. **4.** Comprovar, testificar, verificar.

constelação *s.f.* (lat. *constellatio*). **1.** Grupo de estrelas vizinhas na esfera celeste, que representam uma figura convencional determinada, ao qual se dá um nome particular; asterismo. **2.** Região da esfera celeste na qual se encontra esse grupo de estrelas.

CONSTELAÇÃO ▸ As estrelas que formam as constelações podem estar muito longe umas das outras. Agrupar as estrelas em constelações não corresponde a uma realidade astronômica, mas sim a um modo prático para orientar-se pelo céu. Existem 88 constelações, contudo não se podem ver todas de uma vez de um mesmo ponto da Terra.

---

constelar *v.t.* (conj. 4). **1.** Cobrir de estrelas; reunir em constelação. **2.** *Fig.* Cobrir, ornar de objetos brilhantes como estrelas.

consternação *s.f.* (lat. *consternatio,* agitação). Estupefação, abatimento causado por acontecimento infeliz; aflição.

consternar *v.t.* (lat. *consternare,* perturbar) [conj. 4]. **1.** Causar consternação, aflição, abatimento moral. **2.** Deixar prostrado (de dor, de desespero). ★ *v.pr.* Ficar dominado pela dor.

constipação *s.f.* (lat. tard. *constipatio*). **1.** Estado mórbido causado por um resfriamento; resfriado, defluxo nasal. **2.** Diminuição acentuada do número de evacuações, devida a uma retenção anormalmente prolongada das fezes no intestino.

CONSTIPAÇÃO ▸ A constipação (prisão de ventre) tem às vezes causas orgânicas, mas sua origem geralmente é funcional (provocada por exercício físico insuficiente, alimentação desequilibrada, vida agitada). O tratamento consiste em levar uma vida mais higiênica e disciplinada e em nutrir-se de uma quantidade suficiente de verduras e de fibras.

---

constipado *adj.* Que sofre de constipação; endefluxado. ★ *s.m.* **1.** Pessoa que está resfriada. **2.** Pessoa que tem dificuldade para evacuar regularmente.

constipar *v.t.* (lat. *constipare,* apertar) [conj. 4]. Causar constipação. ★ *v.pr.* Ficar constipado.

constitucional *adj.2g.* (fr. *constitutionnel*). **1.** Referente à Constituição de um Estado. **2.** Submetido a uma Constituição. **3.** Relativo à constituição física de uma pessoa. ● **Dir.** *Direito constitucional,* principal ramo do direito público que define a estrutura e as relações dos poderes públicos assim como a participação dos cidadãos na coletividade que compõem.

constitucionalidade *s.f.* Qualidade do que é constitucional.

constitucionalismo *s.m.* **1.** Doutrina que defende o regime constitucional. **2.** Sistema político cujo regime é constitucional.

constitucionalista *adj.2g.* Relativo ao constitucionalismo. ★ *s.2g.* **1.** Partidário do constitucionalismo. **2.** Jurista especializado em direito constitucional.

constitucionalizar *v.t.* e *v.pr.* (conj. 4). Tornar(-se) constitucional.

constituição (u-i) *s.f.* **1.** Ato ou efeito de constituir; composição, formação. **2.** Colocação, estabelecimento. **3.** Conjunto de regras e leis fundamentais de um país, que define a sua organização política e afirma os direitos e deveres dos seus cidadãos. **4.** Conjunto de características morfológicas, fisiológicas e psicológicas de um indivíduo, que determinam sua predisposição às afecções.

constituinte (u-ín) *adj.2g.* **1.** Que constitui. **2.** Que faz parte de um organismo ou sistema. **3.** Relativo ou pertencente a uma assembléia legislativa com encargo de fazer ou reformar a Constituição. ★ *s.2g.* **1.** Indivíduo que faz de outro seu procurador ou representante. **2.** Membro de uma assembléia constituinte. **3.** Qualquer substância pura ou composta presente num sistema físico-químico; componente. ★ *s.f.* Assembléia constituinte.

constituir *v.t.* (lat. *constituere*) [conj. 74]. **1.** Compor um todo com elementos diversos. **2.** Organizar, formar. **3.** Formar a essência, a base de uma coisa. **4.** Nomear, dar poderes a alguém. ★ *v.pr.* Colocar-se em determinada situação, arrogar-se uma qualidade.

constitutivo *adj.* **1.** Que constitui essencialmente uma coisa, que entra na composição de. **2.** Essencial, indispensável. **3.** Característico, distinto.

constrangedor (ô) *adj.* Que constrange.

constranger *v.t.* (lat. *constringere,* amarrar) [conj. 26]. **1.** Apertar, impedindo os movimentos de. **2.** Coagir, física ou moralmente; compelir. **3.** Embaraçar, acanhar. ★ *v.pr.* Ficar constrangido; acanhar-se.

constrangimento *s.m.* **1.** Estado de quem está constrangido. **2.** Violência física ou moral exercida contra alguém.

constrição *s.f.* (lat. *constrictio,* aperto). **1.** Estreitamento circular; constrangimento, tensão violenta. **2.** Estreitamento patológico de um órgão; constrangimento.

constringência *s.f.* Variação da velocidade de propagação de uma onda eletromagnética em determinado meio, em função de sua freqüência.

constringir *v.t.* (conj. 52). Apertar circularmente, cingir. ★ *v.pr.* Contrair-se.

constritivo *adj.* **1.** Que produz constrição. **2.** Que dá sensação de constrição. ★ *adj.* e *s.f.* **Fon.** Diz-se de ou consoante emitida com bloqueio parcial do fluxo de ar; fricativa.

constrito *adj.* (lat. *constrictus,* apertado). Que sofreu constrição.

constritor (ô) *adj.* e *s.m.* Diz-se de ou músculo cuja função é a de reduzir o diâmetro ou o volume de uma cavidade do corpo.

construção *s.f.* (lat. *constructio*). **1.** Ato ou efeito de construir; edificação, fabricação. **2.** O que está construído, edificado. **3.** Disposição das partes de um edifício, automóvel, avião, navio. **4.** Composição, elaboração. **5.** Conjunto das técnicas que permitem construir; setor de atividades cujo objetivo é construir. ● **Gram.** Disposição das palavras na oração e das orações no período.

constructo ou **construto** *s.m.* Categoria ou conceito elaborado a partir de informações reais, mas ao qual não corresponde nenhum indivíduo; abstração, modelo, paradigma.

construir *v.t.* (lat. *construere*) [conj. 73]. **1.** Edificar, reunir as diferentes partes de um edifício, de uma máquina, de um aparelho. **2.** Desenhar, traçar. **3.** Compor, imaginar. ★ *v.i.* Fazer construções.

construtivismo *s.m.* Corrente artística do séc. XX que privilegia uma construção de formas mais ou menos geométricas.

construtivo *adj.* **1.** Apto, próprio para construir, para criar. **2.** Que visa a aperfeiçoar, melhorar.

construtor (ô) *adj.* Que constrói. ★ *s.m.* Aquele que tem como profissão construir.

consubstanciação *s.f.* **1.** Doutrina luterana da presença de Cristo na Eucaristia. **2.** União de corpos na mesma substância.

consubstancial *adj.2g.* (lat. *consubstantialis*). **1.** Que tem a mesma e única substância (falando-se de Deus). **2.** Que tem a mesma essência que outro.

consubstanciar *v.t.* (conj. 16). Consolidar, concretizar, ligar, unificar. ★ *v.pr.* Unir-se intimamente; identificar-se.

consuetudinário *adj.* (lat. *consuetudinarius*). **1.** Habitual, acostumado. **2.** Tudo o que se funda no hábito, no costume ou no uso.

cônsul *s.m.* (lat. *consul*). **1.** Agente diplomático de uma nação em um país estrangeiro, encarregado de proteger seus compatriotas e de fornecer a seu governo informações políticas e comerciais. **2.** Magistrado da Roma antiga, eleito por um ano, com poder máximo.

consulado *s.m.* (lat. *consulatus*). **1.** Cargo de cônsul. **2.** Período de mando de um cônsul. **3.** Residência ou escritório de cônsul.

CONSULADO ▸ Os cônsules eram inicialmente delegados do poder real em embarcações ou em frotas. Ao tornarem-se freqüentes as expedições a determinados lugares, incorporaram-se a elas para atuar como juízes dos comerciantes de sua própria nacionalidade, com a função de defender seus interesses diante das autoridades locais.

---

consular *adj.2g.* (lat. *consularis*). Relativo ou pertencente ao cônsul ou ao consulado.

consulente *adj.* e *s.2g.* Que ou aquele que consulta.

consulta *s.f.* **1.** Ação de consultar. **2.** Pedido de parecer, de opinião, dirigido a um especialista em determinado assunto. **3.** Exame realizado pelo médico em seu consultório, destinado a diagnosticar a doença e prescrever o tratamento.

consultar *v.t.* (lat. *consultare*) [conj. 4]. **1.** Pedir opinião, conselho. **2.** Solicitar parecer de um especialista, de um profissional. **3.** Deixar-se examinar por um médico. **4.** Olhar algo, buscar informações em. **5.** Conferir, examinar, sondar. ★ *v.i.* Dar um parecer. ★ *v.pr.* Refletir, meditar.

consultivo *adj.* **1.** Relativo a consulta. **2.** Instituído para dar conselhos, pareceres.

consultor (ô) *adj.* e *s.m.* Que ou aquele que responde acerca de assuntos referentes a sua especialidade. ★ *s.m.* Pessoa que presta serviços de análise, descrição ou planejamento em áreas especializadas.

consultoria *s.f.* **1.** Parecer, avaliação, análise ou solução dados por especialista. **2.** Atividade ou empresa de consultor.

consultório *s.m.* Local de trabalho onde certos profissionais (médico, dentista etc.) dão consulta a seus clientes.

consumação[1] *s.f.* (lat. *consummatio*). Ação de consumar; conclusão, fim.

consumação[2] *s.f.* Obrigação (ou direito) de consumir o correspondente a uma quantia mínima determinada que certos clubes e casas de diversões estipulam aos seus freqüentadores.

consumado *adj.* **1.** Que se consumou. **2.** Que não se pode alterar; irremediável.

consumar *v.t.* (lat. *consummare,* adicionar) [conj. 4]. **1.** Completar, acabar, concluir. **2.** Praticar, realizar. ★ *v.pr.* **1.** Aperfeiçoar-se, tornar-se exímio. **2.** Chegar ao fim; completar-se.

consumição *s.f.* Ato ou efeito de consumir(-se).

consumidor[1] (ô) *adj.* Que ou aquele que consome. ★ *s.m.* **1.** Pessoa que compra, para uso próprio, gêneros ou mercadorias. **2.** Organismo heterótrofo em um ecossistema, que se alimenta de outros animais, plantas ou de matéria orgânica.

consumir *v.t.* (lat. *consumere*) [conj. 6]. **1.** Gastar, despender, extinguir. **2.** Aniquilar, destruir. **3.** Desgostar, angustiar. **4.** Fazer uso de alguma coisa para a subsistência própria. **5.** Empregar, usar para funcionar. ★ *v.pr.* Mortificar-se, afligir-se.

consumismo *s.m.* Consumo exagerado.

consumível *adj.2g.* Diz-se do que pode ser consumido. ● **Quím.** Diz-se de uma substância, de um produto ou de um constituinte que desaparece por ocasião de um processo químico.

consumo *s.m.* **1.** Ação de consumir. **2.** Gasto, dispêndio. **3.** Uso que se faz de bens e serviços produzidos.

A B C D E F G H I J K L M N O P Q R S T U V W X Y Z

consumpção *s.f.* (lat. *consumptio,* esgotamento). **1.** Ato ou efeito de consumir(-se). **2.** Emagrecimento e enfraquecimento progressivos, característicos de certas doenças, em particular a tuberculose. (Var. CONSUNÇÃO.)

consumptivo *adj.* **1.** Que consome. **2.** Que provoca emagrecimento ou que se acompanha de desnutrição. ● **Med.** *Diabete consumptiva, tuberculose consumptiva,* formas graves de diabetes e de tuberculose que se acompanham de emagrecimento acentuado. (Var. CONSUNTIVO.)

conta *s.f.* **1.** Ação ou efeito de contar. **2.** Operação aritmética; cálculo, cômputo. **3.** Nota do que se deve. **4.** Rol de despesas. **5.** Relação de débito e crédito. **6.** Conjunto dos débitos e créditos de um cliente, em um estabelecimento bancário. **7.** Reputação, estima. **8.** Bolinha de vidro, metal etc., perfurada, com que se fazem colares, rosários, bordados etc.; miçanga.

contábil *adj.2g.* Relativo à contabilidade.

contabilidade *s.f.* (fr. *comptabilité*) **1.** Ciência das contas comerciais, com escrituração da receita e da despesa. **2.** Serviço encarregado dessas contas. **3.** Conjunto das contas de um estabelecimento, de uma associação etc.

contabilista *s.2g.* Contador.

contabilizar *v.t.* (conj. 4). Registrar, em livros apropriados, uma operação de comércio ou de produção; escriturar.

contactar *v.t.* (conj. 4). Var. de CONTATAR.

contacto *s.m.* Var. de CONTATO.

contado *adj.* **1.** Calculado, computado, conferido. **2.** Narrado, referido. **3.** Imputado, atribuído.

contador (ô) *s.m.* **1.** Aquele que conta ou refere. **2.** Instrumento utilizado para contagem; medidor. **3.** Técnico em contabilidade; contabilista. ● **Fís.** *Contador de partículas,* instrumento que detecta e conta partículas subatômicas, pela sua cintilação. ★ *adj.* Que conta ou refere.

contadoria *s.f.* Repartição onde se faz a contabilidade.

conta-fios *s.m.2n.* Instrumento constituído de uma lente montada sobre suporte graduado que permite exame dos fios de uma trama reticulada.

contagem *s.f.* **1.** Ação de contar. **2.** Cômputo, apuração. **3.** Escore.

contagiante *adj.2g.* Contagioso.

contagiar *v.t.* (conj. 16). **1.** Transmitir por contágio. **2.** Contaminar. **3.** Corromper, viciar. **4.** *P. ext.* Transmitir ou comunicar a. ★ *v.pr.* Contaminar-se.

contágio *s.m.* (lat. *contagium,* contato). **1.** Transmissão de uma doença de um indivíduo a outro, de modo direto, indireto, ou por intermédio de um vetor. **2.** *P. ext.* Transmissão de maus hábitos e vícios.

? VOCÊ SABIA...? Muitas doenças causadas por microorganismos patogênicos são transmitidas de uma pessoa para outra; trata-se das doenças **contagiosas**. A transmissão da doença pode se dar por vias diferentes, como: contato com pessoa infectada ou com seus objetos de uso pessoal (escovas de dentes, agulhas ou lâminas de barbear); contato sexual; inalação de partículas contaminadas, emitidas por pessoas doentes ao tossir ou espirrar; contaminação direta por ingestão de água ou alimentos que contêm agentes patogênicos; e transmissão vertical, caso do feto infectado pela mãe, antes do parto, através da placenta ou durante o parto.

---

contagioso (ô) *adj.* (lat. *contagiosus*). **1.** Diz-se das doenças transmitidas por contágio, dos doentes latentes ou afetados clinicamente, e dos portadores de germes. **2.** Contagiante.

conta-gotas *s.m.2n.* Pipeta ou tubo delgado de vidro ou plástico montado numa tampa de borracha e destinado a contar as gotas de uma solução, especialmente medicamentosa.

container *s.m.* (ingl.). Volumosa caixa de embalagem para transporte, a longa distância, de variadas mercadorias; cofre de carga. (Aport. CONTÊINER.)

contaminação *s.f.* **1.** Ato ou efeito de contaminar(-se). **2.** Transmissão de uma doença por diferentes agentes patogênicos, por objetos ou por seres vivos. ● **Med.** *Contaminação radioativa,* presença, em um meio ambiente ou organismo, de uma substância radioativa em níveis acima dos aceitáveis.

? VOCÊ SABIA...? A principal causa da **contaminação** do ar se deve à combustão do petróleo e do carvão, que produz resíduos de cinzas e gases nocivos. Alguns desses gases, como os óxidos de enxofre, causam as chamadas *chuvas ácidas*. Considera-se que, a cada ano, são lançados na atmosfera mais de 100 milhões de toneladas desses tóxicos. Também se produzem 23 bilhões de toneladas de dióxido de carbono, que podem acarretar modificações graves no clima. Por outro lado, as cinzas procedentes de combustões incompletas dos hidrocarbonetos causam doenças respiratórias muito freqüentes nas zonas urbanas.

---

contaminar *v.t.* (lat. *contaminare*) [conj. 4]. **1.** Infectar por doença contagiosa. **2.** Sujar, enlamear, conspurcar. **3.** *Fig.* Corromper, viciar. ★ *v.pr.* Contagiar-se, adquirir doença por contágio, por contaminação.

contanto *conj. Contanto que,* com a condição de que, desde que.

contar *v.t.* (lat. *computare*) [conj. 4]. **1.** Avaliar uma quantidade; calcular, computar. **2.** Estimar, avaliar. **3.** Conter, possuir. **4.** Compreender num total, numa enumeração; incluir. **5.** Numerar, recensear. **6.** Ter o propósito, a intenção de. **7.** Narrar, relatar. **8.** Ter de existência ou idade. **9.** Marcar, registrar. **10.** Ter confiança em; esperar. **11.** Dispor de. ★ *v.i.* **1.** Calcular, fazer contas. **2.** Ter peso, importância; importar. ★ *v.pr.* Ter-se na conta de.

contas-correntes *s.m.2n.* Livro no qual se escrituram as contas correntes de um estabelecimento comercial.

contatar *v.t.* (conj. 4). Pôr em contato com. (Var. CONTACTAR.)

contato *s.m.* (lat. *contactus,* toque; contágio). **1.** Estado de objetos que se tocam; ligação. **2.** Proximidade, relação, comunicação (entre pessoas). (Var. CONTACTO.) **3.** Profissional encarregado de estabelecer e zelar pela ligação entre os clientes e a agência de publicidade. ● **Eletrôn.** Elemento condutor de um componente que se acopla a (ou toca) um elemento correspondente para assegurar a passagem de corrente. **Fot.** Cópia feita por contato direto com o negativo, sem ampliação.

contável *adj.2g.* Que se pode contar.

contêiner *s.m.* Aport. de CONTAINER.

contemplação *s.f.* (lat. *contemplatio*). **1.** Ação de contemplar. **2.** Concentração do espírito sobre assuntos intelectuais ou religiosos; meditação. **3.** Consideração.

contemplar *v.t.* (lat. *contemplare*) [conj. 4]. **1.** Olhar atenta, embevecida e demoradamente; admirar, apreciar. **2.** Meditar em, refletir. **3.** Levar em consideração. **4.** Admirar, apreciar. **5.** Dar, como prêmio ou em consideração. ★ *v.i.* Refletir, meditar. ★ *v.pr.* Olhar-se com desvanecimento.

contemplativo *adj.* (lat. *contemplativus*). Relativo à contemplação. ★ *adj.* e *s.m.* Que ou aquele que se dedica à contemplação.

contemporâneo *adj.* e *s.m.* (lat. *contemporaneus*). **1.** Que ou aquele que é do mesmo tempo, da mesma época. **2.** Que ou aquele que é da época atual, do tempo atual.

contemporizar *v.i.* (conj. 4). **1.** Acomodar-se às circunstâncias. **2.** Transigir. ★ *v.t.* **1.** Dar tempo a. **2.** Entreter para ganhar tempo.

contenção[1] *s.f.* **1.** Ato ou efeito de contender. **2.** Contenda. (Cf. CONTENSÃO.)

contenção[2] *s.f.* Ato ou efeito de conter(-se) ou impedir(-se); imobilização, impedimento. ● **Med.** Procedimento utilizado para imobilizar um osso fraturado. (Cf. CONTENSÃO.)

contencioso (ô) *adj.* (lat. *contentiosus*, referente à luta). **1.** Em que há contenção, luta. **2.** Duvidoso, incerto. **3.** Litigioso.

contenda *s.f.* **1.** Debate, altercação, controvérsia. **2.** Luta, combate, contenção.

contendedor (ô) *adj.* e *s.m.* **1.** Que ou aquele que contende; contendor. **2.** Adversário, rival, êmulo.

contender *v.t.* (lat. *contendere*, esticar; lutar) [conj. 5]. **1.** Lutar, brigar. **2.** Discutir, altercar. **3.** Competir, rivalizar, disputar. ★ *v.i.* Ter contenda com; brigar, lutar.

contendor (ô) *adj.* e *s.m.* Contendedor.

contensão *s.f.* **1.** Forte tensão dos músculos, dos nervos ou do espírito. **2.** Esforço, tensão para resolver uma dificuldade. (Cf. CONTENÇÃO.)

contentamento *s.m.* **1.** Ação de contentar, de satisfazer. **2.** Estado de quem está satisfeito. **3.** Alegria, satisfação.

contentar *v.t.* (conj. 4). Fazer contente, satisfazer. ★ *v.pr.* Satisfazer-se.

contente *adj.2g.* (lat. *contentus*). Satisfeito, alegre, feliz.

contento *s.m.* (lat. *contentus*). **1.** Satisfação, contentamento. **2.** *A contento,* satisfatoriamente.

conter *v.t.* (lat. *continere*, conservar; encerrar) [conj. 1]. **1.** Encerrar em si, compreender, abranger. **2.** Manter em certos limites, impedir de avançar. **3.** Refrear. ★ *v.pr.* Controlar-se, dominar-se.

conterrâneo *adj.* e *s.m.* (lat. *conterraneus*). Que ou aquele que pertence à mesma terra; compatriota, compatrício.

contestação *s.f.* (lat. *contestatio*). **1.** Debate, objeção. **2.** Resposta a ataque, a libelo; desmentido. **3.** Recusa global e sistemática das estruturas sociais em que se vive. ● **Dir.** Resposta do réu às pretensões do autor de uma ação judicial.

contestar *v.t.* (lat. *contestari*, tomar como testemunha) [conj. 4]. Pôr em discussão a exatidão ou a veracidade de; negar, objetar, contradizer, impugnar. ★ *v.i.* Questionar.

conteste *adj.2g.* Que depõe ou afirma a mesma coisa que outro.

conteúdo *s.m.* **1.** O que está contido. **2.** Aspecto conceitual, informacional de uma obra literária, artística etc. ● **Psican.** *Conteúdo latente,* conjunto dos pensamentos, lembranças, idéias e desejos que surgem nas associações livres do analisando, ou que são descobertos pela interpretação analítica dos sonhos. ► *Conteúdo manifesto,* relato do sonho antes que ele seja submetido à interpretação psicanalítica.

contexto (ês) *s.m.* (lat. *contextus*, reunião). **1.** Conjunto das condições naturais, sociais, culturais, nas quais está situado um enunciado, um discurso. **2.** Conjunto das circunstâncias nas quais se produz um acontecimento, uma ação.

contextura *s.f.* **1.** Ligação das partes que formam um todo. **2.** Maneira de interligar os fios de urdume e de trama num tecido. **3.** *Fig.* Estrutura, arranjo.

contigo *pron. pess.* (lat. *tecum*). **1.** Com a tua pessoa. **2.** Em tua companhia. **3.** A teu respeito. **4.** De ti para ti. **5.** Em ti. **6.** Para ti.

contigüidade *s.f.* Estado de duas coisas que são contíguas; proximidade.

contíguo *adj.* (lat. *contiguus*). **1.** Que está em contato. **2.** Próximo, vizinho, adjacente.

continência *s.f.* (lat. *continentia*, moderação). **1.** Estado de uma pessoa que se abstém de todo prazer carnal. **2.** Moderação nas palavras e nos gestos. **3.** Volume de um recipiente; capacidade. **4.** Gesto de saudação militar feito com a mão espalmada. **5.** Estado de um esfíncter que funciona normalmente.

continental *adj.2g.* Relativo ou pertencente ao continente.

continente[1] *adj.2g.* e *s.2g.* (lat. *continens*, moderado). **1.** Que ou aquele que pratica a continência; casto. **2.** Que ou aquele que é moderado nas palavras e nos gestos. ★ *adj.2g.* **1.** Diz-se de uma pessoa que é capaz de controlar a emissão de urina e de fezes. **2.** Diz-se de um esfíncter em estado de continência.

continente[2] *adj.2g.* e *s.m.* (lat. *continens*, que encerra). Que ou o que contém alguma coisa.

continente[3] *s.m.* (lat. *continens terra*, terra contínua). **1.** Vasta extensão de terras emersas que se pode percorrer sem atravessar o mar. **2.** Cada uma das cinco grandes divisões da Terra.

contingência *s.f.* (lat. *contingentia*). Caráter do que é contingente; eventualidade, possibilidade de que algo aconteça ou não.

contingente *adj.2g.* (lat. *contingens*). Que pode ou não ocorrer; fortuito, acidental. ★ *s.m.* Parte que cada um deve fornecer ou receber; cota. ● **Mil.** O conjunto de jovens chamados à prestação do serviço militar. ► Grupamento de tropa com uma tarefa a executar.

continuação *s.f.* (lat. *continuatio*). **1.** Ato ou efeito de continuar. **2.** Prolongamento, prosseguimento.

continuado *adj.* Que continua; seguido, contínuo.

continuar *v.t.* (lat. *continuare*) [conj. 4]. **1.** Prosseguir o que se começou; dar seguimento. **2.** Prolongar. **3.** Persistir, perseverar, permanecer. **4.** Suceder, dar seguimento. ★ *v.i.* Durar, não se interromper, prolongar-se. ★ *v.pr.* Perpetuar-se, estender-se, suceder-se.

continuidade (u-i) *s.f.* **1.** Caráter do que é contínuo. **2.** *Solução de continuidade,* interrupção que se apresenta no desenvolvimento de um corpo, obra, fenômeno.

contínuo *adj.* (lat. *continuus*). Que não sofre interrupção; seguido, sucessivo. ● **Fís.** Diz-se de uma grandeza (corrente, tensão etc.) independente do tempo ou cujo componente independente do tempo é primordial. ★ *s.m.* **1.** O que não tem intervalo. **2.** Funcionário ou servidor subalterno em repartição pública ou empresa privada.

contista *s.2g.* Autor de contos.

conto *s.m.* **1.** Narração oral ou escrita de fatos, lendas etc. **2.** Mentira, invenção. **3.** Embuste, engodo. ● **Liter.** Narrativa curta de estrutura centralizada em um só núcleo dramático.

CONTO ▸ A evolução histórica do conto, considerado como narração literária ficcional de curta extensão, remonta às mais antigas formas de relatos orais fantasiosos. Por sua extensão reduzida, sua definição opõe-se à idéia de romance, embora ambos tenham como base o fato de tratar-se de narrativas de ficção, geralmente em prosa. O conto como relato fantástico é uma das mais antigas formas de literatura popular que continua viva. Seus principais temas foram transmitidos por via oral ou escrita e têm sido narrados por autores diversos. *As mil e uma noites* são um bom exemplo disso, e, nos séculos XVIII e XIX, os contos de Perrault, Grimm e Andersen constituíram refundições de temas tradicionais antiqüíssimos.

contorção *s.f.* **1.** Ação de contorcer(-se). **2.** Posição forçada, desagradável. ● **Anat.** Torção violenta e anormal dos músculos ou dos membros.

contorcer *v.t.* e *v.pr.* (conj. 25). Torcer(-se) muito, contrair(-se).

contorcionista *s.2g.* Acrobata especializado em contorções e deslocamentos do corpo.

contornar *v.t.* (fr. *contourner*) [conj. 4]. **1.** Caminhar em roda de; rodear. **2.** Traçar o contorno de alguma coisa. **3.** *Fig.* Evitar uma situação, um obstáculo.

contorno (ô) *s.m.* **1.** Linha que limita exteriormente um corpo; circuito, periferia, perímetro. **2.** Circuito, periferia. **3.** Linha que determina um relevo. **4.** O arredondado de algumas formas.

contra *prep.* (lat. *contra*). **1.** Em oposição a. **2.** Na direção de. **3.** De frente para. **4.** Em sentido oposto a. **5.** Em troca de. ★ *s.m.* **1.** Obstáculo, adversidade, inconveniência. **2.** Negativa, desaprovação.

contra-almirante *s.m.* **1.** Posto da Marinha de Guerra brasileira, imediatamente inferior a vice-almirante e superior a capitão-de-mar-e-guerra. **2.** Pessoa que ocupa esse posto.

contra-ataque *s.m.* Resposta desfechada contra um ataque; contra-ofensiva.

contrabaixista *s.2g.* Músico que toca contrabaixo; contrabaixo.

contrabaixo *s.m.* (it. *contrabbasso*). **1.** Instrumento musical da família dos violinos, o mais grave do quinteto de cordas. **2.** Voz mais grave que a do baixo; baixo profundo. **3.** Cantor que tem essa voz. **4.** Contrabaixista.

contrabalançar *v.t.* (conj. 13). **1.** Equilibrar, igualar em peso. **2.** Compensar, contrapesar.

contrabandear *v.t.* (conj. 15). Introduzir clandestinamente, por contrabando. ★ *v.i.* Fazer contrabando; ser contrabandista.

contrabandista *s.2g.* Pessoa que faz ou vende contrabando; muambeiro.

contrabando *s.m.* (it. *contrabbando*). **1.** Comércio proibido. **2.** Introdução clandestina de mercadorias estrangeiras sem pagamento dos direitos de alfândega. **3.** As próprias mercadorias contrabandeadas; muamba.

contração *s.f.* (lat. *contractio*). Ato ou efeito de contrair(-se). ● **Fís.** Diminuição das dimensões de um sólido elástico em função da aproximação de suas moléculas. ▸ Deformação de um corpo ou meio elástico causada por compressão. **Gram.** Reunião de duas vogais em uma só, em especial a crase. ▸ Reunião de duas palavras em uma; combinação. **Med.** *Contração muscular,* encolhimento ou tensionamento de um músculo, o que lhe permite realizar sua função mecânica ou estática. ▸ *Contração uterina,* contração do músculo miométrico durante a gravidez e o trabalho de parto.

CONTRAÇÃO ▸ Nos músculos do braço humano, a contração do bíceps flexiona o cotovelo enquanto o tríceps está relaxado. A contração do tríceps e o relaxamento do bíceps estendem a articulação.

contracapa *s.f.* Face interna da capa.

contracenar *v.i.* (conj. 4). Representar em cena junto com outros atores. ★ *v.t.* Tomar parte numa cena, representar no palco.

contracepção *s.f.* Conjunto de métodos que se destinam a evitar, de modo reversível e temporário, a concepção.

contraceptivo *adj.* Relativo à contracepção. ★ *s.m.* Anticoncepcional.

contracheque *s.m.* Documento em que se declara o salário de um empregado, com suas respectivas deduções e acréscimos, e que o habilita a recebê-lo; holerite.

contrachoque *s.m.* Choque em sentido contrário a outro.

contracosta *s.f.* Costa marítima oposta a outra, no mesmo continente ou na mesma ilha.

contráctil *adj.2g.* Var. de CONTRÁTIL.

contracultura *s.f.* Movimento de contestação à cultura dominante.

contradança *s.f.* (ingl. *country dance,* dança rural). **1.** Dança rústica, de origem inglesa; espécie de quadrilha. **2.** Música que acompanha essa dança. **3.** *Fam.* Mudança freqüente de lugar; vaivém.

contradição *s.f.* (lat. *contradictio*). **1.** Ato ou efeito de contradizer(-se). **2.** Incompatibilidade entre alegações atuais e anteriores, entre palavras e ações. **3.** Oposição, objeção, contestação.

contradita *s.f.* Impugnação, contestação. ● **Dir.** Alegação por escrito de um pleiteante contra o outro.

contraditar *v.t.* (conj. 4). **1.** Apresentar contradita a. **2.** Impugnar, contestar.

contraditor (ô) *adj.* e *s.m.* (lat. *contradictor*). Que ou aquele que contradiz, contesta, contradita.

contraditório *adj.* (lat. *contradictorius*). Que implica contradição.

contradizer *v.t.* (conj. 29). Dizer o contrário de; refutar, impugnar. ★ *v.pr.* **1.** Dizer o contrário do que anteriormente se afirmara; cair em contradição. **2.** Estar em contradição ou desacordo, ser contraditório.

contradomínio *s.m.* Conjunto com o qual se estabelece uma relação.

contraente *adj.2g.* e *s.2g.* Que ou aquele que contrai uma obrigação por contrato.

contra-escritura *s.f.* Revogação ou modificação clandestina de uma escritura pública.

contrafação *s.f.* **1.** Ato ou efeito de contrafazer. **2.** Falsificação de moedas, papéis, assinaturas, selos etc. **3.** Fingimento, simulação.

contrafazer *v.t.* (conj. 31). **1.** Imitar inescrupulosamente; falsificar. **2.** Encobrir, disfarçar, adulterar. **3.** Contrariar a vontade de; constranger. ★ *v.pr.* **1.** Disfarçar-se. **2.** Reprimir a própria vontade.

contrafé *s.f.* Cópia autêntica de citação ou intimação judicial feita a uma pessoa pelo oficial de justiça.

contrafeito *adj.* **1.** Imitado por contrafação; falsificado. **2.** *Fig.* Forçado, constrangido. ★ *s.m.* **Constr.** Viga pregada na extremidade inferior dos caibros para compensar ou diminuir a inclinação do telhado.

contraforte *s.m.* (it. *contrafforte*). **1.** Peça que serve para reforçar outra. **2.** Pilar destinado a escorar um elemento de construção. **3.** Forro posterior do calçado que se ajusta ao calcanhar. **4.** Ramificação de um conjunto montanhoso formada por uma crista secundária.

contragolpe *s.m.* Golpe que revida ou anula outro.

contragosto (ô) *s.m.* **1.** Má vontade, constrangimento. **2.** *A contragosto,* contra a vontade, de má vontade.

contraído *adj.* **1.** Que sofreu contração. **2.** Que resultou de contrato ou compromisso. **3.** Tímido, retraído, encabulado. **4.** Adquirido.

contra-indicação *s.f.* **1.** Ato ou efeito de contra-indicar. **2.** Circunstância que impede o emprego de certo medicamento, método terapêutico ou cirúrgico.

contra-indicar *v.t.* (conj. 12). Opôr-se a uma indicação; desaconselhar.

contrair *v.t.* (lat. *contrahere*) [conj. 68]. **1.** Apertar, encolher. **2.** Contratar, encurtar, ajustar. **3.** Assumir, chamar a si. **4.** Adquirir (doenças, hábitos etc.). ★ *v.pr.* Encolher-se, apertar-se.

contralateral *adj.2g.* Relativo ao lado do corpo contrário àquele onde ocorreu inicialmente um problema. ● **Med.** *Paralisia contralateral,* paralisia que ocorre no lado do corpo contrário ao hemisfério cerebral no qual houve lesão do córtex motor.

contralto *s.m.* (it. *contralto*). **1.** A voz feminina mais grave. **2.** Cantora que possui essa voz. **3.** Instrumento cujo registro corresponde a essa voz.

contraluz *s.f.* **1.** Lugar oposto ao de maior claridade. **2.** Iluminação por trás do motivo a ser fotografado, de modo a fazer com que este sobressaia contra o fundo. **3.** Luz que incide em um quadro no sentido oposto àquele em que foi pintado.

contramão *s.f.* Em vias urbanas, sentido contrário ao estabelecido para o tráfego.

contramarcha *s.f.* Marcha em sentido contrário à que se fazia; reviravolta.

contramestre *s.m.* O imediato do mestre, em navio, fábrica etc.

contramolde *s.m.* Molde que reforça outro e impede a perda da substância nele contida.

contra-ofensiva *s.f.* Operação ofensiva em resposta a um ataque.

contra-ordem *s.f.* Ordem que contraria outra precedente.

contraparte *s.f.* **1.** Parte musical que se opõe a outra, principalmente em duetos. **2.** Parte contrária numa ação judicial.

contrapasso *s.m.* Meio passo rápido por meio do qual se volta ao passo normal.

contrapesar *v.t.* (conj. 4). **1.** Equilibrar com contrapeso; contrabalançar. **2.** Compensar, ressarcir. **3.** Avaliar, apreciar.

contrapeso (ê) *s.m.* (it. *contrappeso*). **1.** Peso que serve para equilibrar uma força. **2.** Porção que se acrescenta a uma mercadoria para completar o peso desejado pelo comprador. **3.** *Fig.* Qualquer coisa que serve para contrabalançar outra.

contrapontear *v.t.* (conj. 15). Contradizer, contrariar, contraditar. ● **Mús.** Pôr em contraponto. ★ *v.pr.* Altercar, desentender-se.

contrapontístico *adj.* Relativo ao contraponto.

contraponto *s.m.* (it. *contrappunto*). **1.** Sistema de escrita musical que tem por objeto a superposição de duas ou mais linhas melódicas. **2.** Composição feita de acordo com as regras dessa disciplina.

contrapor *v.t.* (conj. 45). **1.** Pôr diante de; opor. **2.** Comparar, cotejar. ★ *v.pr.* Opor-se.

contraposição *s.f.* Ato ou efeito de contrapor(-se).

contraposto (ô) *adj.* Oposto.

contraproducente *adj.2g.* **1.** Que apresenta resultados contrários aos que se esperava. **2.** Que prova o contrário do que se pretendia.

contrapropaganda *s.f.* Propaganda que visa à anulação dos efeitos de outra.

contrapropor (ô) *v.t.* (conj. 45). Apresentar contraproposta.

contraproposta *s.f.* Proposta apresentada como alternativa a outra, que não se aprovou.

contraprova *s.f.* **1.** Prova contrária a outra. **2.** Segunda experiência, que se destina a verificar a exatidão da primeira.

contra-reforma *s.f.* Movimento de reação à Reforma, na Igreja Católica. (Usa-se com maiúsculas.)

contra-regra *s.2g.* Em teatro ou televisão, pessoa encarregada de cuidar dos cenários e adereços de cena, indicar entradas e saídas dos atores etc.

contra-revolução *s.f.* Movimento político que se propõe anular os resultados de uma revolução precedente ou impedir uma revolução iminente.

contrariar *v.t.* (conj. 16). **1.** Opor-se a; estorvar. **2.** Dizer, querer ou fazer o contrário de; contestar. **3.** Causar descontentamento a. ★ *v.pr.* **1.** Estar ou agir em contradição consigo próprio. **2.** Aborrecer-se, descontentar-se.

contrariedade *s.f.* (lat. *contrarietas*). **1.** Caráter do que é contrário a; oposição, antagonismo. **2.** Dificuldade, embaraço, obstáculo. **3.** Descontentamento, aborrecimento, desgosto.

A B C D E F G H I J K L M N O P Q R S T U V W X Y Z

contrário *adj.* (lat. *contrarius*). **1.** Que contraria; oposto, contraditório. **2.** Que está em direção oposta. **3.** Desfavorável, nocivo. ★ *s.m.* O oposto.

contra-senso *s.m.* Ato ou dito contrário à boa lógica, à razão; disparate.

contrastante *adj.2g.* Que contrasta.

contrastar *v.t.* (it. *contrastare*) [conj. 4]. **1.** Opor-se a; contrariar. **2.** Estar em contraste, em oposição.

contraste *s.m.* (fr. *contraste*). **1.** Oposição entre coisas ou pessoas das quais uma faz sobressair a outra. **2.** Luta, embate. **3.** Verificação, prova. **4.** Diferença acentuada entre as formas e entre as cores de uma pintura. ● **Med.** *Substância de contraste,* produto opaco aos raios X que permite obter uma imagem de um órgão que seria invisível em radiografia simples.

VOCÊ SABIA...? Os **contrastes** são um recurso muito utilizado por artistas gráficos e plásticos. Para conseguir o efeito procurado com o contraste, que é o de atrair poderosamente a atenção do espectador, deve-se ter um bom conhecimento do uso da cor. Exemplos clássicos de contrastes visuais são branco e preto, além de azul e laranja. Também há contrastes relacionados ao conteúdo de uma obra literária. Por exemplo, num melodrama há tanto partes divertidas quanto partes dramáticas.

contratador (ô) *s.m.* Aquele que contrata.

contratar *v.t.* (conj. 4). **1.** Fazer contrato. **2.** Convencionar, tratar.

contratável *adj.2g.* Que se pode contratar.

contratempo *s.m.* (it. *contrattempo*). Acontecimento desagradável e imprevisto; contrariedade. ● **Mús.** Procedimento rítmico que consiste em emitir um som no tempo fraco de um compasso ou na parte fraca de um tempo.

contrátil *adj.2g.* Que se contrai, suscetível de contração. (Var. CONTRÁCTIL.)

contrato *s.m.* (lat. *contractus,* contraído). **1.** Acordo, trato em que duas ou mais pessoas assumem certos compromissos ou obrigações, ou asseguram entre si algum direito. **2.** Documento que atesta esse acordo. **3.** Convenção, trato. ★ *adj.* Contraído.

contratorpedeiro *s.m.* Sin. de DESTRÓIER.

contratransferência *s.f.* Conjunto dos efeitos inconscientes suscitados no psicanalista pelo analisando.

contratual *adj.2g.* (fr. *contractuel*). **1.** Relativo a contrato. **2.** Estipulado em contrato.

contratura *s.f.* **1.** Ato ou efeito de contrair(-se). **2.** Contração involuntária, de maior ou menor duração e às vezes permanente, de um músculo ou de um grupo muscular. **3.** Espasmo durável que se acompanha de rigidez.

contravapor (ô) *s.m.* Vapor orientado para fazer uma máquina a vapor mover-se em direção contrária àquela em que se movia.

contravenção *s.f.* (fr. *contravention*). Transgressão de disposições estabelecidas em regulamentos, contratos etc. ● **Dir.** *Contravenção penal,* ato ilegal menos grave do que o crime e que acarreta multa ou prisão simples para o autor.

contraveneno *s.m.* Medicamento empregado para combater a ação de um veneno; antídoto.

contraventor (ô) *adj.* e *s.m.* Que ou aquele que pratica contravenção; infrator.

contravir *v.t.* (conj. 67). **1.** Transgredir, infringir. **2.** Responder, retorquir. **3.** Discordar, divergir.

contribuição (u-i) *s.f.* **1.** Ato ou efeito de contribuir. **2.** Parte que toca a cada pessoa numa despesa comum. **3.** Tributo, imposto. **4.** Subsídio de caráter moral ou social.

contribuinte (u-in) *adj.2g.* e *s.2g.* **1.** Que ou aquele que contribui. **2.** Que ou aquele que paga contribuições, impostos, taxas etc.

contribuir *v.t.* (lat. *contribuere,* incorporar) [conj. 74]. **1.** Concorrer com outrem para determinado fim; cooperar. **2.** Pagar sua parte numa despesa comum. **3.** Pagar contribuição. ★ *v.i.* Tomar parte num esforço comum.

contributivo *adj.* Relativo a contribuição.

contrição *s.f.* (b.-lat. *contritio*). Ato de vontade pelo qual o cristão se arrepende do pecado, motivado pelo amor de Deus.

contristar *v.t.* (lat. *contristare*) [conj. 4]. Causar tristeza a; afligir. ★ *v.pr.* Entristecer-se, afligir-se.

contrito *adj.* (b.-lat. *contritus*). Que tem contrição.

controlado *adj.* **1.** Que tem controle; comedido. **2.** Submetido a controle.

controlar *v.t.* (conj. 4). **1.** Exercer o controle de; fiscalizar. **2.** Ter sob domínio. ★ *v.pr.* Conter-se, dominar-se.

controle (ô) *s.m.* (fr. *contrôle*). **1.** Ato ou efeito de controlar; governo, domínio. **2.** Verificação administrativa; fiscalização. **3.** Dispositivo capaz de comandar qualquer máquina. **4.** Domínio de si mesmo. ● **Agric.** *Controle biológico,* técnica agrícola que controla a população de insetos e ervas invasoras por meio de outros seres vivos, evitando-se o uso de produtos químicos.

controvérsia *s.f.* (lat. *controversia*). **1.** Debate acerca de assuntos literários, científicos etc. **2.** Divergência de opiniões; polêmica.

controverso *adj.* (lat. *controversus,* contrário). Posto em dúvida; controvertido.

controverter *v.t.* (conj. 5). Opor objeções a; pôr em dúvida. ★ *v.pr.* Opor-se, contradizer-se.

controvertido *adj.* Contraverso.

contudo *conj.* Entretanto, todavia, porém.

contumácia *s.f.* (lat. *contumacia*). Obstinação extrema; teimosia. ● **Dir.** Recusa obstinada de uma pessoa de comparecer em juízo, quando é réu ou tem interesse em fazê-lo. (Cf. REVELIA.)

contumaz *adj.* (lat. *contumax, contumacis*). Teimoso, obstinado, cabeçudo. ★ *adj.2g.* e *s.2g.* Diz-se de ou aquele que está em estado de contumácia.

contumélia *s.f.* (lat. *contumelia*). **1.** Injúria, afronta. **2.** *Fam.* Mesura afetada, exagerada.

contundente *adj.2g.* (lat. *contundens*). **1.** Que contunde. **2.** *Fig.* Incisivo, agressivo.

contundido *adj.* e *s.m.* Que ou aquele que recebeu contusão.

contundir *v.t.* (lat. *contundere*) [conj. 5]. Produzir contusões em; moer, ferir. ★ *v.pr.* Ferir-se.

conturbação *s.f.* (lat. *conturbatio*). **1.** Ato ou efeito de conturbar(-se). **2.** Perturbação de ânimo. **3.** Agitação, motim.

conturbar *v.t.* e *v.pr.* (lat. *conturbare*) [conj. 4]. **1.** Perturbar(-se), confundir(-se). **2.** Agitar(-se), amotinar(-se).

contusão *s.f.* (lat. *contusio,* esmagamento). **1.** Lesão provocada por golpe, choque ou compressão, sem que haja rompimento da pele ou fratura dos ossos. **2.** *Fig.* Impressão moral; mossa.

conubial *adj.2g.* (lat. *connubialis*). Relativo a conúbio; nupcial.

conúbio *s.m.* (lat. *connubium*). **1.** Casamento, núpcias. **2.** *Fig.* Aliança, união.

convalescença *s.f.* **1.** Ato ou efeito de convalescer. **2.** Período de repouso e readaptação progressiva do paciente à atividade, depois de doença de longa duração, traumatismo grave ou tratamento fatigante.

convalescente *adj.2g.* e *s.2g.* Que ou aquele que está em convalescença.

convalescer *v.i.* (lat. *convalescere,* ganhar força) [conj. 25]. Passar gradualmente do estado de doente para o de são; recuperar-se.

convecção *s.f.* (do lat. *convectus,* de *convehere,* transportar). **1.** Movimento vertical de um fluido causado por um gradiente de temperatura. **2.** Fluxo de massa ao qual se associa um fluxo de calor. **3.** *Convecção elétrica,* deslocamento de partículas eletricamente carregadas que gera uma corrente dita de convecção.

convenção *s.f.* (lat. *conventio*). **1.** Acordo, pacto, ajuste. **2.** O que é admitido e praticado nas relações sociais. **3.** Assembléia ou reunião em que se discute ou delibera. **4.** O que só tem valor, sentido ou realidade por acordo ou explicação prévia.

convencer *v.t.* (lat. *convincere,* vencer completamente) [conj. 25]. **1.** Levar (alguém) a reconhecer um fato, com provas ou argumentos. **2.** Persuadir de determinada coisa. ★ *v.pr.* Aceitar a verdade ou a conveniência de alguma coisa; persuadir-se.

convencido *adj.* **1.** Que se convenceu; persuadido. **2.** *Fam.* Presumido, enfatuado. ★ *s.m. Fam.* Indivíduo presunçoso.

convencional *adj.2g.* **1.** Relativo a ou que resulta de uma convenção. **2.** Tradicional, clássico. ● **Mil.** Diz-se de armamentos que não são nucleares, biológicos ou químicos. ► Diz-se da guerra em que apenas armas desse tipo são empregadas. ★ *s.2g.* Participante de uma convenção; convencionalista.

convencionalismo *s.m.* Apego extremado às convenções sociais.

convencionalista *adj.2g.* **1.** Que se apóia em convenções. **2.** Que tem caráter de convenção. ★ *s.2g.* **1.** Convencional. **2.** Aquele que é afeito às convenções.

convencionar *v.t.* (conj. 4). Estabelecer por convenção; ajustar.

conveniência *s.f.* (lat. *convenientia*). **1.** Qualidade do que é conveniente. **2.** Interesse, proveito. **3.** Instalação ou artigo que proporciona conforto ou comodidade. **4.** Decoro, decência. ★ *s.f.pl.* Convenções sociais.

conveniente *adj.2g.* (lat. *conveniens*). **1.** Que convém; adequado. **2.** Interessante, proveitoso. **3.** Decoroso, decente.

convênio *s.m.* (lat. tard. *convenium*). **1.** Acordo, ajuste, convenção. **2.** Contrato entre órgãos públicos ou entre um órgão público e uma empresa privada.

conventículo *s.m.* (lat. *conventiculum*). Reunião clandestina de conspiradores; conciliábulo.

convento *s.m.* (lat. *conventus,* assembléia). **1.** Habitação de uma comunidade religiosa. **2.** A própria comunidade.

conventual *adj.2g.* Relativo a ou próprio de convento.

convergência *s.f.* Ato ou efeito de convergir. ● **Ecol.** Processo evolutivo no qual ocorre a formação de caracteres semelhantes, entre organismos ou associações antes distintas. **Med.** *Convergência binocular,* convergência dos dois globos oculares sobre um objeto fixado, de modo a propiciar a formação de suas imagens retinianas sobre as duas fóveas.

convergente *adj.2g.* Que converge. ● **Fís.** Diz-se da lente que aproxima os raios luminosos que a atravessam. **Mat.** *Série convergente,* aquela que tende a um valor numérico fixo. ► *Retas convergentes,* aquelas que tendem a aproximar-se.

convergir *v.t.* (lat. *convergere*) [conj. 64]. **1.** Tender ou dirigir-se (para um ponto comum); afluir. **2.** Tender (para um mesmo fim). **3.** Para raios luminosos ou radiações, propagar-se em direção a um mesmo ponto.

conversa *s.f.* **1.** Conversação, diálogo. **2.** Ajuste de contas, entendimento. **3.** *Pop.* Mentira, palavreado.

conversação *s.f.* (lat. *conversatio*). **1.** Ato ou efeito de conversar; colóquio, conversa. **2.** Convivência, intimidade. ★ *s.f.pl.* Tentativas de entendimento.

conversão *s.f.* (lat. *conversio*). **1.** Ato ou efeito de converter(-se). **2.** Ato de passar de uma religião a outra, ou de passar da incredulidade à fé religiosa. **3.** Adesão a uma idéia ou doutrina que até então se rejeitava. **4.** Mudança de direção de um veículo. **5.** Mudança, transformação ou adaptação de um aparelho de um sistema para outro. ● **Eng. Nucl.** Num reator nuclear, produção, a partir de uma substância fértil, de uma substância físsil diferente daquela contida no combustível inicial do reator. **Fís.** Transformação de energia de um estado não utilizável para um estado disponível. ► Mudança de uma escala de medida para outra. **Inform.** Adaptação de um programa ou arquivo para que funcione em um sistema operacional ou programa diferente daquele para o qual foi escrito. **Psican.** Processo de formação de sintomas caracteristicamente somáticos, em que uma quantidade de energia psíquica é derivada para o corpo. **Quím.** Oxidação controlada de um hidrocarboneto gasoso.

conversar *v.i.* (lat. *conversari,* viver em companhia de) [conj. 4]. Falar com alguém; palestrar. ★ *v.t.* **1.** Falar, palestrar. **2.** Tratar, discutir. **3.** *Pop.* Convencer ou persuadir (alguém) a fazer alguma coisa.

conversível *adj.2g.* **1.** Que se pode converter; convertível. **2.** Que se pode trocar. ★ *s.m.* Automóvel cuja capota é removível.

converso *adj.* e *s.m.* (lat. *conversus*). Convertido.

conversor (ô) *s.m.* **1.** Máquina ou aparelho que faz conversões. **2.** Máquina utilizada para transformar corrente contínua em alternada.

converter *v.t.* (lat. *convertere,* mudar completamente) [conj. 5]. **1.** Mudar, transformar. **2.** Comutar, permutar. **3.** Fazer mudar de religião, de opinião ou de partido. **4.** Exprimir uma grandeza em outra unidade diferente daquela com que se está trabalhando. **5.** Adaptar uma máquina, aparelho ou programa para outro sistema ou linguagem. ★ *v.pr.* **1.** Mudar-se, transformar-se. **2.** Mudar de religião, partido ou opinião.

convertibilidade *s.f.* Qualidade do que pode ser convertido.

convertido *adj.* e *s.m.* Que ou aquele que se converteu.

convés *s.m.* (cat. *combés*). Denominação geralmente dada aos pavimentos de bordo de um navio, sobretudo aos descobertos.

convescote *s.m.* Piquenique.

convexo (cs) *adj.* (lat. *convexus*). Que forma uma elevação em relação ao centro, como a face externa de uma calota (p. opos. a *côncavo*). ● **Fís.** *Espelho convexo,* aquele cuja face refletora é convexa e que apresenta foco virtual. ► *Lente convexa,* aquela que tem uma ou duas faces convexas, e cujas bordas são menos espessas que o centro. **Mat.** Diz-se da face de um plano curvo que se situa do lado oposto a seu centro de curvatura. ► Diz-se da função cujo lado convexo dispõe-se em sentido crescente ao do eixo das ordenadas.

convicção *s.f.* (lat. *convictio*). **1.** Estado de espírito daquele que acredita inabalavelmente naquilo que diz ou pensa. **2.** Certeza adquirida por fatos ou razões; persuasão íntima, convencimento. ● **Dir.** Reconhecimento de um crime mediante prova incontestável.

convício *s.m.* (lat. *convicium*). Ofensa, afronta.

convicto *adj.* (lat. *convictus*). **1.** Que tem convicção; convencido. **2.** Diz-se de réu cujo crime foi provado.

convidar *v.t.* (conj. 4). **1.** Pedir o comparecimento de; convocar. **2.** Instar, solicitar. **3.** *Fig.* Atrair, seduzir. ★ *v.pr.* Dar-se por convidado, não o tendo sido.

convidativo *adj.* Que convida; atraente.

convincente *adj.2g.* (lat. *convincens*). Que convence.

convir *v.t.* (lat. *convenire*) [conj. 67]. **1.** Concordar, admitir. **2.** Ser conveniente, proveitoso. **3.** Ser próprio, ficar bem. ★ *v.i.* Ser conveniente.

convite *s.m.* **1.** Ato ou efeito de convidar; convocação. **2.** Mensagem escrita que formaliza esse ato.

conviva *s.2g.* (lat. *conviva*). Pessoa que toma parte num banquete como convidada; comensal.

convivência *s.f.* **1.** Ato ou efeito de conviver; convívio. **2.** Trato diário; familiaridade, intimidade.

conviver *v.t.* (lat. *convivere*) [conj. 5]. **1.** Viver em comum com outrem em intimidade. **2.** Ter convivência.

convívio *s.m.* (lat. *convivium*). **1.** Reunião de convivas; banquete, festim. **2.** Convivência.

convizinho *adj.* **1.** Que é vizinho com outrem; próximo. **2.** *Fig.* Semelhante, análogo. ★ *s.m.* Indivíduo que habita próximo de outrem.

convocação *s.f.* (lat. *convocatio*). **1.** Ato ou efeito de convocar; chamado. **2.** Convite.

convocar *v.t.* (lat. *convocare*) [conj. 12]. **1.** Chamar ou convidar para reunião. **2.** Fazer reunir; constituir. **3.** Chamar (alguém) para prestar serviço militar.

convosco (ô) *pron. pess.* (lat. *vobiscum*). **1.** Com a(s) vossa(s) pessoa(s). **2.** Em vossa companhia. **3.** A vosso respeito. **4.** De vós para vós. **5.** Entre vós. **6.** Para vós.

convulsão *s.f.* (lat. *convulsio*). **1.** Ato ou efeito de convulsionar(-se). **2.** Fenômeno de excitação motora patológica que sobrevém em crises em que há contração brusca e involuntária dos músculos esqueléticos e, às vezes, dos músculos lisos. **3.** *Fig.* Desordem, revolução.

CONVULSÃO ► As convulsões são uma reação a diversas excitações, especialmente doenças infecciosas e hipertermia. A epilepsia constitui a causa mais freqüente das convulsões no adulto e também em crianças.

---

convulsionar *v.t.* (conj. 4). **1.** Pôr em convulsão; convulsar. **2.** Excitar à revolução; amotinar. ★ *v.pr.* Cair em convulsão.

convulsivo *adj.* **1.** Que se caracteriza por convulsões, que se acompanha de convulsões. **2.** Que tem o caráter brusco, violento e involuntário das convulsões.

convulso *adj.* (lat. *convulsus*). Em que há convulsão; agitado.

coonestar *v.t.* (lat. *cohonestare*) [conj. 4]. Dar aparência honesta, honrada a.

cooperar *v.t.* (lat. tard. *cooperare*) [conj. 4]. Operar juntamente com alguém; colaborar.

cooperativa *s.f.* **1.** Organização constituída por produtores, comerciantes ou agricultores que visa a desempenhar, em benefício comum, determinada atividade econômica. **2.** Lugar onde funciona essa organização.

cooperativismo *s.m.* Doutrina econômica que tem por objetivo a solução dos problemas sociais por meio da criação de comunidades cooperativas.

cooperativista *adj.2g.* Relativo ao cooperativismo. ★ *adj.* e *s.2g.* Que ou aquele que é adepto do cooperativismo.

cooperativo *adj.* Que coopera.

cooptação *s.f.* (lat. *cooptatio*). Ato ou efeito de cooptar.

cooptar *v.t.* (lat. *cooptare,* escolher) [conj. 4]. **1.** Associar, agregar. **2.** Admitir numa organização com dispensa das exigências formais.

coordenação *s.f.* (b.-lat. *coordinatio*). **1.** Ato ou efeito de coordenar. **2.** Disposição ordenada, coerente e metódica de elementos num contexto (idéias num texto, etapas de produção etc.). ● **Gram.** Procedimento sintático que une duas orações ou dois termos de mesmo valor. **Med.** Função que permite combinar, de maneira harmoniosa, as contrações musculares necessárias à realização de um movimento voluntário. **Quím.** *Composto de coordenação,* composto molecular que, em solução, produz íons complexos.

coordenada *s.f.* Diretriz, orientação. ● **Mat.** Qualquer um dos elementos que servem para determinar a posição de um ponto sobre uma superfície ou no espaço, em relação a um sistema de referência. **Geom.** *Coordenadas cartesianas,* coordenadas que situam um ponto no espaço tridimensional (abscissa, ordenada e cota).

coordenado *adj.* Disposto segundo certos métodos ou preceitos. ● **Gram.** Diz-se de cada uma das orações ligadas por coordenação. **Quím.** Átomo ou grupo de átomos que, em um composto complexo, está ligado a um átomo que ocupa uma posição central.

coordenador *s.m.* Pessoa que organiza o trabalho de um grupo cujos elementos têm autonomia para organizar seu próprio trabalho.

coordenar *v.t.* (conj. 4). **1.** Dispor segundo certa ordem e sistema; organizar. **2.** Ligar por coordenação.

coordenativo *adj.* Relativo a coordenação. ● **Gram.** Que estabelece coordenação.

copa *s.f.* (lat. *cuppa,* taça). **1.** Taça, vaso. **2.** Ramagem da parte superior das árvores. **3.** Parte superior do chapéu. **4.** Dependência da casa anexa à cozinha. **5.** Torneio esportivo em que se disputa uma taça ou troféu. ★ *s.m.pl.* Um dos quatro naipes do baralho, representado por uma taça ou coração vermelho.

copaíba *s.f.* (tupi *kopa'iwa*). Árvore de copa grande e flores brancas que fornece madeira avermelhada, muito usada em marcenaria, e um óleo viscoso, de propriedades medicinais. (Sin. PAU-DE-ÓLEO.)

copar *v.t.* (conj. 4). **1.** Desbastar para formar copa. **2.** Aparar (o cabelo) por igual em torno da cabeça. ★ *v.i.* e *v.pr.* Formar copa (a árvore).

co-participação *s.f.* Participação em conjunto com várias pessoas.

co-participar *v.t.* (conj. 4). Participar juntamente com outrem.

copázio *s.m.* Copo grande.

copeira *s.f.* **1.** Lugar onde se guardam as louças de mesa. **2.** Mulher que trabalha na copa ou serve à mesa.

copeiro *s.m.* **1.** Homem que trabalha na copa ou que serve à mesa. **2.** Indivíduo que prepara doces e licores. **3.** Móvel onde se guardam copos e garrafas.

cópia *s.f.* (lat. *copia,* abundância). **1.** Reprodução textual daquilo que está escrito em algum lugar. **2.** Reprodução de uma obra de arte, de uma jóia, de uma fotografia, de um filme. **3.** Plágio. **4.** Grande quantidade; abundância. **5.** Cada exemplar de uma tiragem de estampas obtidas da mesma matriz. **6.** Fotocópia. **7.** *Cópia de segurança,* cópia tirada para armazenamento. ● **Inform.** Sin. de BACKUP.

copiador (ô) *s.m.* **1.** Aquele ou aquilo que copia. **2.** Prensa para copiar cartas, faturas etc., escritas com tinta especial. **3.** *Fig.* Imitador, plagiário. ★ *adj.* Que copia.

copiadora *s.f.* Máquina que permite obter, rapidamente, cópias de documentos; duplicador.

copiar *v.t.* (lat. tard. *copiare,* transcrever) [conj. 16]. **1.** Fazer cópia de; transcrever. **2.** Reproduzir, imitando. **3.** Imitar, seguir. **4.** Passar, trasladar. ★ *v.pr.* Imitar-se reciprocamente.

copidescar *v.t.* (conj. 12). Fazer o copidesque.

copidesque *s.m.* (ingl. *copy desk*). **1.** Redação final, melhorada e adequada ao estilo e espaço disponível, de uma matéria jornalística ou de qualquer texto. **2.** Redator que faz esse trabalho.

copilação *s.f.* Var. de COMPILAÇÃO.

copilar *v.t.* (conj. 4). Var. de COMPILAR.

co-piloto (ô) *s.m.* Aquele que dirige avião junto com outro.

copioso (ô) *adj.* (lat. *copiosus*). **1.** De que há cópia; abundante. **2.** Volumoso, grande, extenso.

copirraite *s.m.* (ingl. *copyright*). Direito exclusivo de imprimir, publicar e vender uma obra literária, científica ou artística.

copista *s.2g.* **1.** Pessoa que copia. **2.** Indivíduo que copiava manuscritos, antes da invenção da imprensa; escriba. **3.** Copiador, imitador.

copo *s.m.* **1.** Recipiente em geral cilíndrico, sem asa, usado para beber líquidos. **2.** O conteúdo de um copo. **3.** *Fig.* Bebedor.

copo-de-leite *s.m.* **1.** Nome comum a duas espécies de plantas aquáticas, de flores brancas, cultivadas como ornamentais. **2.** Planta de flores brancas, aromáticas, originária do Japão.

coprologia *s.f.* **1.** Estudo das fezes. **2.** Escatologia[1].

co-proprietário *s.m.* Aquele que possui uma propriedade em conjunto com outro.

copta *adj.2g.* Relativo ou pertencente aos coptas, primitivos habitantes do Egito. ★ *s.2g.* Indivíduo desse povo. ★ *s.m.* Língua dos coptas; egípcio antigo.

cópula *s.f.* (lat. *copula*). **1.** Ligação, união. **2.** Penetração do pênis na vagina, o que permite a união dos gametas e a fecundação; ato sexual, coito, copulação.

CÓPULA ► A cópula ocorre entre animais com fecundação interna, possibilitando a união dos espermatozóides com os óvulos no interior do corpo da fêmea (nos humanos, o espermatozóide fecunda o óvulo no último terço das tubas uterinas). A cópula é necessária aos animais terrestres; já nos aquáticos, a fecundação pode ser externa, uma vez que os espermatozóides sobrevivem na água.

copulação *s.f.* Ato ou efeito de copular; cópula.

copular *v.t.* (lat. *copulare*) [conj. 4]. **1.** Ajuntar, unir, acasalar. **2.** Ter relações sexuais. ★ *v.i.* Ter cópula.

copulativo *adj.* (lat. *copulativus*). Que estabelece cópula; que serve para ligar. ● **Gram.** *Ant.* Diz-se do verbo e da conjunção de ligação.

coque[1] *s.m.* (ingl. *coke*). Combustível proveniente da destilação da hulha, com fração de matérias voláteis muito pequena.

coque[2] *s.m.* (onomat.). Pancada na cabeça, com o nó dos dedos; cascudo.

coque[3] *s.m.* (latim *coccum,* excrescência). Penteado feminino em que o cabelo é enrodilhado no alto da cabeça.

coqueiral *s.m.* Lugar onde crescem coqueiros; cocal.

coqueiro *s.m.* Nome vulgar dado às palmeiras que produzem fruto comestível ou de largo emprego industrial.

coqueiro-da-baía *s.m.* Palmeira que fornece o coco do qual se aproveitam a água, o leite e a polpa, ao natural, ou em pratos doces e salgados. (Sin. COCO-DA-BAÍA, COQUEIRO-DA-ÍNDIA.)

coqueiro-de-dendê *s.m.* Sin. de DENDEZEIRO.

coqueluche *s.f.* (fr. *coqueluche*). **1.** Doença infecciosa e contagiosa, caracterizada por crises paroxísticas de tosse, seguidas pela expulsão de filamentos de muco e às vezes acompanhadas por vômitos. (Sin. TOSSE COMPRIDA.) **2.** *Fig.* Moda.

coquete *adj.2g.* e *s.f.* (fr. *coquette*). **1.** Diz-se de ou mulher faceira que cuida em demasia da aparência, por prazer ou para agradar aos outros. **2.** Que ou aquele que procura despertar a admiração de outrem.

coquetel *s.m.* (ingl. *cocktail,* cauda de galo). **1.** Bebida preparada pela mistura de bebidas alcoólicas ou suco de frutas, gelo, às vezes açúcar etc. **2.** Reunião social em que se servem coquetéis, canapés etc.

coqueteleira *s.f.* Recipiente em que se preparam coquetéis.

coquetismo *s.m.* procedimento ou qualidade de coquete.

cor (ô) *s.f.* (lat. *color*). **1.** Cada uma das faixas de um espectro de luz resultante da decomposição de um feixe óptico. **2.** Sensação visual causada em um indivíduo pela reflexão diferenciada de faixas de comprimento de onda específicas, das ondas eletromagnéticas (luz). **3.** Qualquer matéria corante existente na natureza ou obtida quimicamente que se usa em pintura. **4.** Marca distintiva da nacionalidade, que consiste no colorido das bandeiras, insígnias etc. **5.** A própria bandeira de um país. **6.** *Cor básica,* nome dado ao vermelho, ao azul e ao amarelo pigmentares, pelo fato de, quando combinados, proporcionarem todas as outras cores. ► *Cor elementar* ou *cor primitiva,* qualquer uma das sete cores do espectro solar (vermelho, alaranjado, amarelo, verde, azul, anil e violeta).

cor *s.m.* (lat. *cor,* coração). **1.** *Ant.* Coração. **2.** *De cor,* de memória.

coração *s.m.* (lat. *cor*). **1.** Órgão muscular oco, situado no tórax, que constitui o elemento motor central da circulação do sangue. **2.** *Fig.* Peito, tórax, a parte anterior do corpo humano em que se fazem sentir as pulsações cardíacas. **3.** Qualquer objeto com a forma estilizada desse órgão. **4.** *Fig.* Conjunto das faculdades emocionais; sede da afetividade, da consciência. **5.** A parte emocional de uma pessoa, por oposição à intelectual. **6.** Caráter, índole. **7.** *Fig.* Parte central, mais importante ou mais interna de alguma coisa ou de algum lugar. ● **Med.** *Coração artificial,* aparelho destinado a assegurar a circulação do sangue quando é necessário isolar do circuito sanguíneo o coração natural para submetê-lo a uma intervenção cirúrgica. ► *Coração de atleta,* hipertrofia do coração por excesso de exercício.

coraciformes *s.m.pl.* Ordem de aves de bico forte, que ocorre principalmente nos trópicos, perto da água doce, como as arirambas e os martins-pescadores.

coracóide *adj.2g.* (gr. *korakoeides,* semelhante ao corco). Diz-se de uma pequena apófise situada no bordo superior da omoplata ou escápula. ★ *s.m.* Osso par da cintura do membro anterior dos vertebrados, muito importante nas aves.

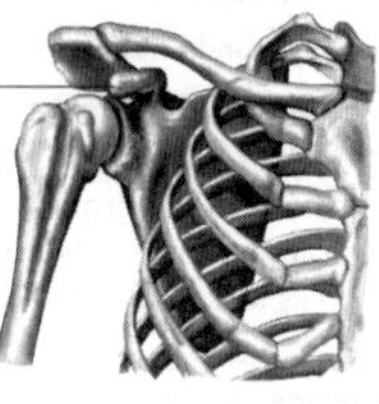

corado *adj.* **1.** Que tem cor; tinto, colorido. **2.** Vermelho, enrubescido pela afluência do sangue à pele. **3.** Tostado pelo sol ou pelo fogo.

coradouro *s.m.* Lugar onde se estendem roupas para corar; quaradouro, estendedouro.

coragem *s.f.* (fr. *courage*). **1.** Força ou energia moral diante de situações aflitivas ou difíceis. **2.** Intrepidez, ousadia, bravura.

corajoso (ô) *adj.* **1.** Dotado de coragem. **2.** Que denota coragem. **3.** Intrépido, ousado.

coral[1] *s.m.* (b.-lat. *corallum*). **1.** Animal cnidário, antozoário, marinho, que vive em águas quentes, de pouca profundidade, cujo esqueleto calcário é responsável pela formação de recifes e atóis. **2.** Estrutura calcária produzida por esses animais. ★ *adj.2g.2n.* Coralino. ★ *s.f.* Sin. de COBRA-CORAL.

cobra-coral

coral[2] *adj.2g.* **1.** Que pertence ao coro. **2.** Que forma um coro, que canta em coro. ★ *s.m.* **1.** Grupo de cantores que executam obras musicais em uníssono ou a diversas vozes. **2.** Peça instrumental composta sobre uma melodia de coral.

coralino *adj.* **1.** Da cor do coral; coral. **2.** Relativo a coral. **3.** Diz-se do recife formado pela acumulação de seres vivos dotados de carapaça calcária.

coranchim *s.m.* A extremidade da espinha dorsal.

corante *adj.2g.* Que dá cor. ★ *s.m.* **1.** Substância natural ou sintética utilizada para corar ou tingir; colorante, pigmento. **2.** *Corante alimentar,* corante acrescentado a certos gêneros alimentícios a fim de melhorar suas qualidades organolépticas.

corão *s.m.* Alcorão.

corar *v.t.* (lat. *colorare*) [conj. 4]. **1.** Dar cor a; colorir, tingir. **2.** Branquear, pela exposição ao sol (panos etc.); quarar. ★ *v.i.* Estar exposto ao sol para branquear; quarar. ★ *v.i.* e *v.pr.* **1.** Tornar-se corado; enrubescer. **2.** Envergonhar-se.

corbelha (ê ou é) *s.f.* (b.-lat. *corbicula,* dim. de *corbis,* cesto de vime, pelo fr. *corbeille*). **1.** Cesto de vime ou de madeira, arranjado com flores ou frutas. **2.** Lugar onde se expõem os presentes de casamento.

corça (ô) *s.f.* **1.** A fêmea do corço. **2.** A fêmea do veado.

corcel *s.m.* (fr. *coursier*). **1.** Ginete. **2.** Cavalo de batalha.

corço (ô) *s.m.* **1.** Animal artiodáctilo da Eurásia, de chifres curtos, que apresenta pelagem parda no verão e acinzentada no inverno. **2.** Veado pequeno.

corcova[1] *s.f.* **1.** Protuberância existente no dorso do zebu, do camelo etc. **2.** Curva saliente.

corcova[2] *s.f.* Corcovo.

corcovado *adj.* Que tem corcova.

corcovar *v.t.* (conj. 4). Dar forma arqueada a; curvar, dobrar. ★ *v.i.* e *v.pr.* **1.** Corcovear. **2.** Curvar-se.

corcovo (ô) *s.m.* Salto do cavalo, curvando o dorso; pinote, corcova.

corcunda *adj.*2g e *s.2g.* Que ou aquele que possui uma protuberância anormal no dorso ou, mais raramente, no peito, devida a uma deformação da coluna vertebral ou do esterno; cacundo, gebo. ★ *s.f.* A própria deformação das costas ou do peito; bossa, giba.

corda *s.f.* (gr. *chorde,* tripa, pelo lat. *chorda*). **1.** Conjunto de fios torcidos e reunidos que formam uma peça resistente de aplicação variada. **2.** Fio de tripa, seda, náilon ou aço, que vibra, produzindo som em certos instrumentos. **3.** Lâmina de aço que faz mover o maquinismo dos relógios, brinquedos etc. ● **Anat.** *Corda do tímpano,* ramo do nervo facial que atravessa a caixa timpânica e se liga à região anterior e lateral da língua, da qual recebe sensações gustativas. ► *Cordas vocais,* nome dado a um par de lábios simétricos formados de um músculo e de um ligamento elástico situados de um e outro lado da laringe. ★ *s.f.pl.* **Mús.** Na orquestra, os instrumentos de corda e arco, por oposição às madeiras e aos metais. ► *Quarteto de cordas,* grupo formado por dois violinos, uma viola e um violoncelo.

cordados *s.m.pl.* Filo de animais, que se caracteriza pela presença de notocorda, tubo nervoso dorsal e fendas branquiais na região da faringe, em alguma fase do seu ciclo de vida; compreende os peixes, os anfíbios, os répteis, as aves e os mamíferos.

cordame *s.m.* **1.** Conjunto de cordas. **2.** Conjunto de cabos que aparelham um navio; cordagem.

cordão *s.m.* (fr. *cordon,* dim. de *corde,* corda). **1.** Corda fina. **2.** Corrente que se usa pendurada no pescoço. **3.** Série, fileira. **4.** Grupo de foliões durante o Carnaval ou festas folclóricas. ● **Anat.** Nome dado a diversos órgãos por sua forma e disposição. ▸ *Cordão umbilical,* fita conjuntivo-vascular embainhada pelo âmnio, que liga o feto à placenta. **Eletr.** Conjunto de condutores flexíveis isolados. **Pec.** Mancha de pêlos brancos, geralmente alongada, no chanfro e na fronte, que marca a cabeça de certos cavalos.

cordato *adj.* (lat. *cordatus*). **1.** Que entra em acordo. **2.** Que tem bom senso; prudente.

cordeiro *s.m.* **1.** Filhote da ovelha. **2.** Prato preparado com sua carne. **3.** *Fig.* Pessoa dócil.

cordel *s.m.* (prov. *cordel*). Corda muito delgada; barbante. ● **Folc.** *Literatura de cordel,* o romanceiro popular nordestino, impresso em folhetos e vendido nas feiras e mercados.

cor-de-rosa *adj.2g.2n.* **1.** Da cor vermelho-clara de algumas rosas; rosa. **2.** *Fig.* Próspero, alegre, feliz. ★ *s.m.2n.* A cor vermelho-clara de algumas rosas; rosa, rosado.

cordial *adj.2g.* (lat. *cor, cordis,* coração). **1.** Afetuoso, amoroso. **2.** Relativo ao coração. **3.** Sincero, franco.

cordilheira *s.f.* (esp. *cordillera*). Grande cadeia de montanhas.

cordoalha *s.f.* Nome genérico das cordas, cabos, tirantes etc. empregados normalmente em embarcações.

cordoaria *s.f.* Estabelecimento que fabrica ou vende cordas.

cordoeiro *s.m.* Fabricante de cordas.

cordovão *s.m.* (de *Córdoba,* top.). Couro de cabra especialmente preparado para calçados.

cordoveias *s.f.pl.* Denominação vulgar das veias jugulares e tendões do pescoço, quando salientes.

coreano *adj.* Relativo ou pertencente à Coréia, país da Ásia. ★ *s.m.* **1.** Indivíduo natural ou habitante da Coréia. **2.** Língua oficial da Coréia.

coreografia *s.f.* **1.** Arte de compôr bailados e de transcrevê-los. **2.** O próprio bailado. **3.** Antiga rotação de passos de dança.

COREOGRAFIA ▸ A coreografia exige, além do conhecimento das técnicas de dança, uma boa formação musical e um sentido preciso do espaço, das cores e do cenário. O coreógrafo deve adaptar os passos e seu encadeamento ao tema musical e ao roteiro do balé, mas trabalha conforme a sua interpretação pessoal da partitura.

coreográfico *adj.* Relativo à coreografia.

coreógrafo *s.m.* Especialista em coreografia.

co-responsável *adj.2g.* e *s.2g.* Que ou aquele que divide sua responsabilidade com outrem.

coreto (ê) *s.m.* (it. *coretto*). **1.** Espécie de quiosque, geralmente erigido em praça pública, para apresentação de bandas e concertos musicais. **2.** Reunião de amigos em que se bebe fazendo saudações cantadas.

co-réu *s.m.* Pessoa acusada de um mesmo crime de que foi agente junto com outra. (Cf. CÚMPLICE.)

coriáceo *adj.* (lat. *coriaceus*). Que apresenta textura semelhante à do couro.

corifeu *s.m.* (gr. *koryphaios,* chefe). **1.** Chefe do coro, no teatro grego. **2.** *Fig.* Aquele que mais se destaca em uma arte, profissão etc.

corindo *s.m.* (fr. *corindon*). Óxido natural de alumínio, empregado na indústria como abrasivo por sua grande dureza.

coringa *s.m.* Rapaz que trabalha em barcaça. ★ *s.f.* Vela triangular que se iça na proa das canoas, ou quadrangular, na proa das barcaças. ★ *s.2g.* Pessoa muito magra e feia. (Cf. CURINGA.)

córion *s.m.* (gr. *chórion,* placenta). Tecido conjuntivo freqüentemente denso, que serve de sustentação a um revestimento mucoso ou cutâneo.

coriscante *adj.2g.* Que corisca.

coriscar *v.i.* (conj. 12). **1.** Brilhar como corisco. **2.** Relampejar, faiscar. ★ *v.t.* Lançar, dardejar.

corisco *s.m.* **1.** Faísca elétrica. **2.** Centelha que corta as nuvens sem que se ouçam trovões.

corista *s.2g.* **1.** Pessoa que canta em coros. **2.** Pessoa que participa de coros e bailados no teatro.

coriza *s.f.* (gr. *kóryza,* catarro). Inflamação catarral da mucosa das fossas nasais. ● **Veter.** *Coriza aviária,* afecção respiratória das aves, de etiologia variada, caracterizada pelo corrimento nasal abundante e por dificuldade respiratória. ▸ *Coriza gangrenosa dos bovinos,* doença aguda causada por um vírus do tipo herpes.

corja *s.f.* Grupo de pessoas desprezíveis, de má nota; súcia, malta.

córnea *s.f.* **Anat.** Membrana fibrosa do olho, prolongamento anterior da esclerótica, da qual difere por sua transparência. **Med.** *Transplante de córnea,* sin. de CERATOPLASTIA.

corneal *adj.2g.* Relativo à córnea.

cornear *v.t.* (conj. 15). **1.** Ferir com os cornos ou chifres; escornar, chifrar, marrar. **2.** *Gír.* Ser infiel (ao cônjuge).

corneíba *s.f.* Sin. de AROEIRA.

córneo[1] *adj.* (lat. *corneus*). **1.** Relativo a corno. **2.** Que tem a aparência ou a consistência do corno.

córneo[2] *adj.* Relativo à córnea; corneal.

córner *s.m.* (ingl. *corner*). Escanteio.

corneta (ê) *s.f.* (it. *cornetta*). Instrumento de sopro, da família dos metais, sem pistões nem chaves, de bocal pequeno e pavilhão largo. ★ *s.m.* Corneteiro.

cornetim *s.m.* (esp. *cornetín*). **1.** Instrumento de sopro, com chaves, êmbolos e bocal em forma de taça. **2.** Indivíduo que toca esse instrumento.

cornija *s.f.* (it. *cornice*). Conjunto de molduras salientes que servem de arremate superior de uma fachada ou pedestal, de um trabalho em madeira, de um móvel.

corno (ô) *s.m.* (lat. *cornu,* corno, chifre). **1.** Estrutura cornificada, oca, não ramificada, que ocorre aos pares na cabeça de alguns mamíferos, como nos bovídeos. (Cf. CHIFRE.) **2.** Bico, ponta, objeto de forma semelhante à de um corno. **3.** Trompa usada para reunir o gado. **4.** *Chul.* Cornudo. ● **Anat.** Nome dado a algumas formações anatômicas em forma de corno. ▸ *Cornos da medula espinhal,* nome dado às aglomerações de substância cinzenta encontradas na medula espinhal.

cornucópia *s.f.* (lat. *cornu copia*). Vaso em forma de corno, cheio de flores e frutos, símbolo da abundância.

cornudo *adj.* (lat. *cornutus*). Que tem cornos. ★ *s.m. Chul.* Marido traído pela mulher; corno, chifrudo.

coro (ô) *s.m.* (gr. *chorós,* pelo lat. *chorus*). **1.** Reunião de cantores para a execução de uma obra musical. **2.** Canto executado por muitas vozes. **3.** Nas igrejas, balcão onde ficam os músicos que cantam ou tocam durante as cerimônias litúrgicas. **4.** Fragmento lírico ou poético cantado, salmodiado ou declamado que se intercala nas tragédias. **5.** Grupo de pessoas que executam, juntas, danças e cânticos. **6.** *Fig.* Conjunto de pessoas com a mesma opinião.

coroa (ô) *s.f.* (gr. *korone,* objeto curvo, pelo lat. *corona*). **1.** Círculo de flores ou folhagem que rodeia a cabeça, como enfeite ou como sinal de distinção, de recompensa. **2.** Círculo de metal precioso, ricamente ornamentado, que circunda a cabeça como uma insígnia de dignidade, autoridade ou poder. **3.** O poder real, a monarquia. **4.** O monarca. **5.** Unidade monetária da Dinamarca, Islândia, Noruega, Suécia e República Tcheca. ● **Anat.** Parte do dente, recoberta pelo esmalte, situada fora do alvéolo dentário. **Astron.** Parte externa da atmosfera de uma estrela, em particular do Sol. **Mec.** Peça anular provida, na parte interna, de dentes nos quais engrenam um ou mais pinhões. **Zool.** Parte inferior da quartela dos eqüinos, que fica acima do bordo superior do casco. ★ *s.2g. Pop.* Pessoa de meia-idade.

coroação *s.f.* **1.** Ato ou efeito de coroar. **2.** Cerimônia de coroamento. ● **Zool.** Conjunto de esgalhos que guarnecem a cabeça do veado.

coroa-de-cristo *s.f.* Arbusto retorcido, armado de espinhos, de flores vermelhas, cultivado como ornamental, utilizado para compor cerca-viva. (Sin. DOIS-IRMÃOS, ESPINHO-DE-CRISTO.)

coroado¹ *adj.* **1.** Que tem coroa. **2.** Que tem dignidade soberana. **3.** *Fig.* Premiado.

coroado² *s.2g.* Indivíduo dos coroados, povos indígenas das regiões Sul, Sudeste e Centro-Oeste do Brasil.

coroamento *s.m.* **1.** Ato ou efeito de coroar; coroação. **2.** Remate, ornato que termina o alto de um edifício.

coroar *v.t.* (lat. *coronare*) [conj. 20]. **1.** Pôr coroa em, cingir com coroa. **2.** *Fig.* Encimar. **3.** *Fig.* Rematar, terminar, levar a termo, a cabo. **4.** *Fig.* Premiar, recompensar. ★ *v.pr.* Cingir a si próprio com uma coroa.

coroca *adj.2g.* e *s.2g.* (tupi *ku'ruka,* rabugento). *Fam.* Diz-se de ou pessoa velha, caduca, decrépita.

coroinha *s.m.* Aquele que ajuda o sacerdote nos ofícios divinos.

corola *s.f.* (lat. *corolla,* pequena coroa, grinalda). Invólucro floral que consiste no conjunto de pétalas de uma flor.

corolário *s.m.* (lat. *corollarium*). **1.** Proposição que se deduz imediatamente de outra já conhecida. **2.** Conseqüência natural e evidente; dedução.

coronal *adj.2g.* (lat. *coronalis*). **1.** Relativo a coroa. **2.** Que tem forma de coroa; coronário. ● **Astron.** Relativo à coroa de uma estrela.

coronária *s.f.* (lat. *coronaria arteria*). Cada uma das duas artérias que irrigam o coração.

coronariano *adj.* Relativo às artérias coronárias. ★ *s.m.* Sin. de CORONARIOPATA.

coronário *adj.* (lat. *coronarius*). **1.** Que tem forma de coroa; coronal. **2.** Sinuoso, flexuoso. ● **Anat.** Diz-se de artérias e veias de certos órgãos, como o coração e o estômago. ▸ Diz-se de certos órgãos dispostos em coroa.

coronariopata *s.2g.* Doente que sofre afecção das coronárias. (Sin. CORONARIANO.)

coronariopatia *s.f.* Qualquer doença das coronárias.

coronel *s.m.* (it. *colonnello,* pelo fr. *colonel*). **1.** Posto do Exército brasileiro, imediatamente inferior a general-de-brigada e superior a tenente-coronel. **2.** Pessoa que ocupa esse posto. **3.** Chefe político ou latifundiário do interior do país. **4.** *Pop.* Homem, geralmente dotado de posses, que sustenta sua amante.

coronel-aviador *s.m.* **1.** Posto da Aeronáutica brasileira inferior a brigadeiro-do-ar e superior a tenente-coronel-aviador. **2.** Pessoa que ocupa esse posto.

coronelismo *s.m.* Domínio político exercido no interior pelos coronéis.

coronha *s.f.* **1.** Parte inferior e mais grossa das espingardas e outras armas de fogo, na qual se encaixa o cano. **2.** Parte do reparo de um canhão que repousa sobre o solo.

coronhada *s.f.* Pancada com a coronha.

corpanzil *s.m.* **1.** Corpo grande. **2.** Pessoa corpulenta.

corpete (ê) *s.m.* (it. *corpetto*). Antiga roupa de baixo feminina, fechada por laços, que cobria o busto e servia para esconder o espartilho; corpinho.

corpinho *s.m.* Corpete.

corpo (ô) *s.m.* (lat. *corpus*). **1.** Qualquer substância material, orgânica ou inorgânica. **2.** Parte material do animal e do homem. **3.** Cadáver. **4.** Parte principal e central de certos objetos. **5.** Conjunto de pessoas que exercem a mesma atividade. **6.** Parte de uma roupa que cobre apenas o tronco. **7.** Conjunto de militares que compõem um quadro, uma arma, um exército. ● **Anat.** Nome dado a diversos órgãos e estruturas do organismo, como os *corpos cavernosos**. **Dir.** *Corpo de delito,* registro de todas as circunstâncias que comprovam um crime. **Fisiol.** *Corpo amarelo,* massa cicatricial que se forma no ovário após a liberação do óvulo. (Sin. CORPO LÚTEO*.) **Ind. Gráf.** Unidade de medida de caracteres tipográficos, dada em pontos.

corpo-a-corpo *s.m.* **1.** Confronto físico entre duas ou mais pessoas. **2.** *P. ext.* Confronto ideológico ou de opiniões entre duas ou mais pessoas. **3.** *Fig.* Contato entre um candidato a cargo público e seu eleitorado.

corporação *s.f.* (ingl. *corporation*). **1.** Associação de pessoas sujeitas às mesmas regras, obrigações, direitos, deveres, privilégios, estatuto etc. **2.** Organismo social que congrega todos os membros de uma mesma profissão.

corporal *adj.2g.* (lat. *corporalis*). **1.** Que tem corpo; corpóreo. **2.** Relativo ou pertencente a um corpo ou a um órgão. **3.** *Arte corporal,* tendência artística pós-moderna caracterizada pelo uso que o artista faz de seu próprio corpo como base para a criação plástica. ★ *s.m.* **Relig.** Pano de linho branco, bento, que o padre estende sobre o altar, para depositar sobre ele o cálice e a hóstia durante a missa.

corporativismo *s.m.* Doutrina econômico-social que preconiza a organização das classes produtoras em corporações, com poderes de decisão, mas sob fiscalização do Estado.

corporativista *adj.2g.* Relativo ao corporativismo. ★ *s.2g.* Partidário do corporativismo.

corporativo *adj.* Relativo a corporação.

corpóreo *adj.* (lat. *corporeus*). **1.** Relativo a corpo; material. **2.** Que tem corpo; corporal. **3.** Relativo a corpo; material.

corporificar *v.t.* (conj. 12). **1.** Atribuir corpo a. **2.** Reunir vários corpos em um só. ★ *v.pr.* Tomar corpo.

corpulência *s.f.* (lat. *corpulentia,* obesidade). Qualidade do que é corpulento.

corpulento *adj.* (lat. *corpulentus*). **1.** Que tem corpo grande; encorpado. **2.** *Fig.* De grandes dimensões.

corpuscular *adj.2g.* Relativo aos corpúsculos. ● **Fís.** *Teoria corpuscular,* teoria que descreve a luz em termos de partículas energéticas (os fótons) que mantêm suas características durante a interação com a matéria.

corpúsculo *s.m.* (lat. *corpusculum,* dim. de *corpus*). **1.** Corpo muito pequeno. **2.** Órgão anatômico, globuloso, de tamanho reduzido. ● **Fís.** Sin. em desuso de PARTÍCULA.

correame *s.m.* Conjunto de correias, particularmente as do uniforme militar.

correão *s.m.* Correia grande.

correaria *s.f.* Casa onde se vendem correias.

correção *s.f.* (lat. *correctio*). **1.** Ato ou efeito de corrigir(-se). **2.** Qualidade do que é correto. **3.** Castigo, punição, corretivo. ● **Econ.** *Correção monetária,* reajuste do valor de uma dívida, para compensar a desvalorização da moeda causada pela inflação.

correcional *adj.* **1.** Relativo a correção. **2.** Diz-se de um tribunal que julga, sem júri, causas criminais de menor vulto.

corre-corre *s.m.* **1.** Corrida desordenada, correria, debandada. **2.** Pressa, azáfama.

corredeira *s.f.* Parte de um rio onde, devido a um desnível, as águas correm mais rápido.

corrediço *adj.* **1.** Que corre ou desliza com facilidade; corredio. **2.** Diz-se da superfície que não apresenta aspereza.

corredio *adj.* Corrediço.

corredor (ô) *adj.* e *s.m.* Que ou aquele que corre. ★ *s.m.* **1.** Atleta que participa de uma corrida esportiva. **2.** Passagem estreita e alongada.

correeiro *s.m.* Aquele que fabrica correias e outros objetos de couro.

corregedor (ô) *s.m.* (do lat. *corrigere,* corrigir). Magistrado que promove o funcionamento do poder judiciário, corrigindo os erros e abusos das autoridades serventuárias da justiça.

corregedoria *s.f.* Cargo ou jurisdição de corregedor.

córrego *s.m.* **1.** Riacho, ribeirão, regato. **2.** Atalho fundo e estreito entre montes.

correia *s.f.* (lat. *corrigia*). **1.** Faixa larga de couro ou de pano que serve para cingir, para apertar; cinto. **2.** Tira flexível com extremidades unidas que serve para transmitir, por intermédio de polias, um movimento de rotação de um eixo a outro. **3.** *Correia de cincha,* correia de arreio, com furos, para apertar a sela ou a carga. ► *Correia de dorso,* peça de arreio que serve para sustentar o timão ou os varais.

correição *s.f.* **1.** Ato ou efeito de corrigir; correção. **2.** Função administrativa do juiz corregedor. **3.** Devassa.

correio *s.m.* (ant. prov. *corrieu*). **1.** Indivíduo encarregado de levar mensagens rapidamente aos respectivos destinatários; mensageiro, estafeta, carteiro. **2.** Organização que coleta e entrega correspondência, encarregando-se de seleção, transporte e distribuição. **3.** Local onde funciona esse serviço. ● **Inform.** *Correio eletrônico,* serviço de entrega de mensagens em arquivos de linguagem específica, pela rede internet; *e-mail.*

CORREIO ELETRÔNICO ► O correio eletrônico é um meio de comunicação entre usuários de computadores, que podem enviar arquivos para qualquer computador que esteja ligado em rede, bastando especificar o "endereço" do receptor, como uma carta comum. Diferentemente do correio convencional, o correio eletrônico pode demorar apenas alguns segundos para ser recebido, conforme o equipamento utilizado, o tipo de conexão com a rede e o tamanho dos arquivos enviados.

---

correlação *s.f.* (lat. *correlatio*). Relação mútua entre dois termos; correspondência. ● **Mat.** Interação entre duas grandezas físicas. ► *Coeficiente de correlação,* coeficiente que expressa, em porcentagem, o grau de dependência entre duas grandezas relacionadas.

correlacionar *v.t.* (conj. 4). Estabelecer relação ou correlação entre. ★ *v.pr.* Ter correlação.

correlativo *adj.* Em que há correlação; correlato.

correlato *adj.* Correlativo.

correligionário *adj.* e *s.m.* Que ou aquele que pertence à mesma religião ou partido político que outrem.

corrente *adj.2g.* **1.** Que corre sem encontrar obstáculo; fluente. **2.** Que tem curso autorizado. **3.** Que está em curso, que vai decorrendo. **4.** Aceito por todos ou pela maioria; consensual, estabelecido. **5.** Diz-se da água em movimento, não estagnada. ★ *s.f.* **1.** Seqüência de anéis engatados uns aos outros ou articulados entre si e que servem como ornamento, para fixar e transmitir movimento. **2.** O curso da água ou de qualquer líquido em certa direção; correnteza. **3.** Movimento contínuo de pessoas ou coisas num mesmo sentido. ● **Fís.** Fluxo de massa ou energia. ► *Corrente elétrica,* fluxo contínuo ou alternado de energia elétrica através de um condutor. ► *Corrente de indução,* fluxo eletromagnético induzido por ação de um campo magnético. **Mec.** *Corrente de transmissão,* cadeia de conexão entre duas rodas dentadas (como a do pedal e a catraca de uma bicicleta).

correnteza (ê) *s.f.* Corrente de águas.

correntio *adj.* Que corre com facilidade; usual. ★ *s.m.* O que é corrente.

correntista *s.2g.* **1.** Empregado que escritura o livro contas-correntes. **2.** Aquele que tem conta corrente em banco.

correr *v.i.* (lat. *currere*) [conj. 5]. **1.** Deslocar-se ou mover-se rapidamente. **2.** Ir às pressas, acorrer. **3.** Passar, decorrer. **4.** Propalar-se, dizer-se. **5.** Ter curso, circular. **6.** Ter seguimento, prosseguir. **7.** Escoar, escorrer. **8.** Deslizar, mover-se. **9.** Ficar sob a responsabilidade de. ★ *v.t.* **1.** Andar apressadamente por; percorrer. **2.** Visitar consecutivamente (em geral para indagar sobre algo). **3.** Mover puxando ou empurrando. **4.** Estar exposto a. **5.** Expulsar, perseguir até fazer sair.

correria *s.f.* **1.** Corrida desordenada. **2.** Azáfama.

correspondência *s.f.* **1.** Ato ou efeito de corresponder(-se). **2.** Relação de conformidade ou concordância. **3.** Conjunto de cartas escritas por alguém ou trocadas entre pessoas.

correspondente *adj.2g.* **1.** Que corresponde; proporcionado. **2.** Relacionado, concernente. ★ *s.2g.* **1.** Pessoa que mantém correspondência com alguém. **2.** Pessoa que cuida dos interesses de empresas estabelecidas alhures. **3.** Jornalista que envia notícias e artigos do local onde está para a sede do jornal em que trabalha.

corresponder *v.t.* (conj. 5). **1.** Estar em correspondência ou relação. **2.** Ser próprio, simétrico. **3.** Retribuir equivalentemente. **4.** Fazer jus a. ★ *v.pr.* Trocar correspondência.

corretagem *s.f.* **1.** Atividade, ação de corretor. **2.** Remuneração do corretor.

corretivo *adj.* (lat. *correctivus*). Que corrige um defeito. ★ *s.m.* **1.** O que se usa para corrigir um defeito. **2.** Castigo, represália.

correto *adj.* (lat. *correctus*). **1.** Isento de erros; certo. **2.** Corrigido. **3.** Apurado, perfeito. **4.** Digno, honesto.

corretor[1] (ô) *adj.* e *s.m.* (lat. *corrector*). Que ou o que corrige. ★ *s.m.* Revisor.

corretor[2] (ô) *s.m.* (prov. *corratier,* que corre). Agente intermediário de negócios cuja função consiste em aproximar as partes interessadas em determinada transação comercial ou financeira.

corrida *s.f.* **1.** Ato ou efeito de correr; carreira, correria. **2.** Competição esportiva de velocidade ou resistência. **3.** Qualquer disputa de primazia; rivalidade. **4.** Preço a pagar pelo transporte em carros de aluguel, principalmente quando arbitrada sem taxímetro.

corrigenda *s.f.* (lat. tard. *corrigenda*). Erros que se devem corrigir em um livro; errata.

corrigir *v.t.* (lat. *corrigere*) [conj. 52]. **1.** Dar a forma correta; retificar. **2.** Eliminar, suprimir os erros. **3.** Assinalar os erros de (prova ou exame), atribuindo nota. **4.** Castigar, punir. ● **Agric.** *Corrigir o solo,* incorporar corretivos ao solo. ★ *v.pr.* Mudar de vida, emendar-se.

corrilho *s.m.* (esp. *corrillo*). Reunião sediciosa; conciliábulo.

corrimão *s.m.* Balaustrada de madeira, pedra ou metal que corre ao longo de escadas, e serve de apoio a quem por elas transita.

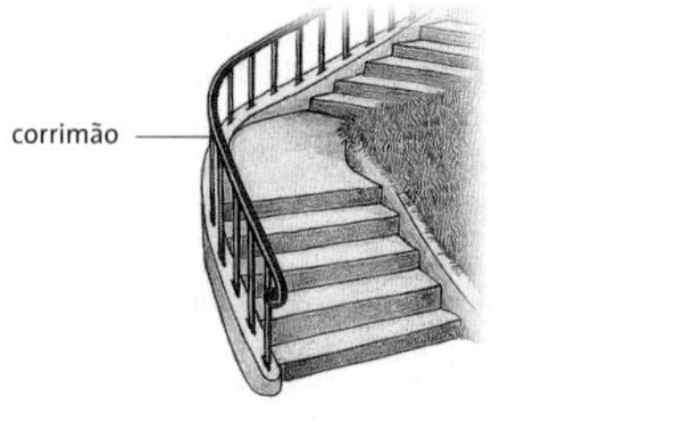

corrimento *s.m.* **1.** Ato ou efeito de correr. **2.** Humor que escoa de um órgão. **3.** Qualquer fluxo anormal de muco, pus, soro ou sangue, como a coriza, a leucorréia, as blenorragias, as metrorragias etc.

corriola *s.f.* **1.** Arruaça, vaia. **2.** *Fam.* Engano, logro. **3.** *Fig.* Quadrilha, corrilho.

corriqueiro *adj.* Que circula habitualmente; corrente.

corroborar *v.t.* (lat. *corroborare*) [conj. 4]. **1.** Dar força a; enrijar. **2.** Confirmar, validar. ★ *v.pr.* Adquirir força.

corroer *v.t.* (lat. *corrodere*) [conj. 28]. **1.** Consumir pouco a pouco, roer lentamente. **2.** Corromper, depravar. ★ *v.pr.* **1.** Consumir-se; desgastar-se. **2.** Corromper-se, depravar-se.

corroído *adj.* **1.** Gasto. **2.** Depravado.

corromper *v.t.* (lat. *corrumpere*) [conj. 5]. **1.** Perverter física ou moralmente. **2.** Alterar, adulterar. **3.** Subornar, peitar. ★ *v.pr.* **1.** Apodrecer, deteriorar-se. **2.** Perverter-se, depravar-se.

corrosão *s.f.* **1.** Ato ou efeito de corroer(-se). **2.** Degradação de um material sob a ação do meio ambiente e por processos não mecânicos; estrago, desgaste. ● **Geol.** Destruição provocada pela ação das águas ou ventos sobre as rochas, ou por agentes mecânicos.

corrosivo *adj.* e *s.m.* **1.** Que ou o que corrói. **2.** Diz-se de ou substância que destrói lentamente outras substâncias.

corrugar *v.t.* e *v.pr.* (lat. *corrugare*) [conj. 14]. Enrugar(-se).

corruíra *s.f.* Ave passeriforme que apresenta o dorso pardo, ornado de estrias.

corrupção *s.f.* (lat. *corruptio,* alteração). **1.** Ato ou efeito de corromper(-se); decomposição. **2.** Depravação. **3.** Ação de seduzir por dinheiro, presentes etc., levando alguém a afastar-se da retidão; suborno.

corrupião *s.m.* Ave passeriforme que habita os campos secos do Nordeste e ocorre na Amazônia. (Sin. JOÃO-PINTO, ROUXINOL.)

corrupiar *v.i.* (conj. 16). Andar às voltas, rodopiar.

corrupio *s.m.* **1.** Nome de várias brincadeiras de crianças. **2.** Roda-viva, afã, redemoinho.

corruptela *s.f.* (lat. *corruptela*). **1.** Corrupção. **2.** Abuso. **3.** Palavra escrita ou pronunciada erradamente.

corruptível *adj.2g.* (lat. *corruptibilis*). Que pode ser corrompido.

corrupto *adj.* (lat. *corruptus*). **1.** Que sofreu corrupção; alterado. **2.** Corrompido, depravado. **3.** Que se deixou corromper ou subornar.

corsário *s.m.* **1.** *Ant.* Navio armado por particulares, com autorização de um soberano, para dar caça a embarcações mercantes de uma nação inimiga. **2.** O comandante desse navio. **3.** O próprio pirata. ★ *adj.* Pertencente ou relativo a corsário.

córsico *adj.* e *s.m.* Corso.

corso[1] (ô) *s.m.* (it. *corso*). **1.** Ação do corsário; pirataria. **2.** Cortejo de automóveis e carros, comum nos carnavais antigos.

corso[2] (ô) *adj.* Relativo ou pertencente à Córsega, ilha do Mediterrâneo que constitui um departamento francês ultramarino; córsico. ★ *s.m.* O natural ou habitante da Córsega.

cortadeira *s.f.* Sin. de SAÚVA.

cortado[1] *adj.* **1.** Que se cortou ou separou de um todo. **2.** Talhado. **3.** Interrompido, interceptado.

cortado[2] *s.m.* **1.** Roda-viva, apuros. **2.** Perseguição doméstica, contínua e miúda.

cortador (ô) *adj.* Que corta; cortante. ★ *s.m.* **1.** Indivíduo que corta a carne nos açougues. **2.** Nome de vários utensílios destinados a cortar.

corta-jaca *s.f.* Espécie de dança com sapateado, em voga no final do séc. XIX.

cortante *adj.2g.* **1.** Cortador. **2.** Agudo, estrídulo. **3.** Frio, gélido.

cortar *v.t.* (lat. *curtare,* diminuir) [conj. 4]. **1.** Dividir, separar com instrumento de gume. **2.** Fazer incisão em, ferir. **3.** Destacar partes de uma superfície com a ajuda de instrumento próprio; recortar. **4.** Talhar em tecido segundo molde ou padrão. **5.** Passar pelo meio de, atravessar. **6.** Interromper, interceptar. **7.** Suprimir, eliminar. **8.** Diminuir. **9.** Abater (árvore), serrar. ● **Inform.** Em alguns programas de computador, levar um elemento já selecionado para a área de transferência, de onde poderá ser inserido em outro local. ★ *v.i.* **1.** Ter bom fio ou gume. **2.** Dar cortadas (em certos esportes). **3.** Encurtar caminho. ★ *v.pr.* Ferir-se com instrumento de corte.

corte *s.m.* **1.** Ato ou efeito de cortar(-se); talhe. **2.** O gume de instrumento afiado. **3.** Ferimento feito com objeto cortante; talho. **4.** Interrupção, seção. **5.** Seção de um corpo sólido para demonstração da sua estrutura interna. **6.** Seção de um projeto ou de uma planta. **7.** Interrupção de uma corrente. **8.** Maneira de talhar uma roupa. **9.** Porção de fazenda necessária para a confecção de uma roupa. **10.** Supressão, diminuição. ● **Pec.** *Animal de corte,* aquele cuja criação destina-se ao abate para o consumo de carne.

corte (ô) *s.f.* (lat. *cohors, cohortis,* pátio). **1.** Residência de um soberano. **2.** Conjunto de pessoas que cercam o soberano. **3.** A cidade onde este reside. **4.** Galanteio. **5.** Tribunal.

cortejar *v.t.* (conj. 4). **1.** Fazer cortesia a; cumprimentar. **2.** Fazer a corte a, adular com o intento de obter algo. **3.** Requëstar, galantear.

cortejo (ê) *s.m.* (it. *corteggio*). **1.** Ato ou efeito de cortejar. **2.** Comitiva suntuosa; séquito. **3.** Cumprimentos solenes.

cortês *adj.2g.* Que tem cortesia; gentil, delicado.

cortesã *s.f.* **1.** Favorita de um soberano. **2.** Mulher dissoluta que vive luxuosamente; meretriz elegante.

cortesão *adj.* (it. *cortigiano*). **1.** Relativo ou pertencente à corte; palaciano. **2.** Gracioso nas maneiras e palavras, delicado, elegante. ★ *s.m.* **1.** Aquele que faz parte da corte de um soberano. **2.** Bajulador.

cortesia *s.f.* **1.** Maneiras delicadas; urbanidade, civilidade. **2.** Saudação, cumprimento respeitoso, mesura.

córtex (cs) *s.m.2n.* (lat. *cortex,* casca). Parte externa de todos os órgãos animais e vegetais, de estrutura mais ou menos concêntrica. (Var. CÓRTICE.) ● **Anat.** *Córtex cerebral,* camada de substância cinzenta situada na superfície dos hemisférios cerebrais e formada pelos corpos celulares dos neurônios. **Bot.** Conjunto de tecidos dispostos entre a epiderme e o sistema vascular.

cortiça *s.f.* (lat. *corticea*). Tecido vegetal formado de células mortas impregnadas de suberina, que constitui o elemento principal das cascas de raízes e troncos envelhecidos de certas árvores.

cortical *adj.2g.* Relativo ao córtex de um órgão animal ou vegetal, em particular ao córtex cerebral.

córtice *s.m.* Var. de CÓRTEX.

corticeira *s.f.* Árvore ornamental, de tronco grosso, flores vermelhas, que fornece madeira amarelada, leve e macia, própria para a construção de canoas e jangadas.

cortiço *s.m.* **1.** Caixa de cortiça na qual as abelhas fabricam a cera e o mel. **2.** Habitação coletiva da classe pobre; casa de cômodos.

corticóide *adj.2g.* e *s.m.* Diz-se de ou hormônio secretado pelo córtex da supra-renal, bem como de seus derivados e substitutos sintéticos. (Sin. CORTICOSTERÓIDE.)

corticosteróide *adj.2g.* e *s.m.* Sin. de CORTICÓIDE.

cortina *s.f.* (lat. tard. *cortina*). **1.** Peça suspensa, geralmente de tecido, que resguarda ou decora um ambiente. **2.** Muro baixo para proteção de uma via à beira de um precipício. **3.** *Fig.* O que oculta ou encobre algo; véu. ● **Teat.** Cortina ou tela entre o proscênio e a cena. (Sin. PANO.)

cortinado *s.m.* Armação de cortinas.

cortisol *s.m.* Principal hormônio secretado pelo córtex da supra-renal, que participa da regulação de diversas funções metabólicas, utilizado em terapêutica principalmente como antiinflamatório.

cortisona *s.f.* Hormônio secretado pelo córtex da supra-renal, de marcada atividade antiinflamatória.

coruja *s.f.* **1.** Denominação comum a aves estrigiformes, de hábitos noturnos, que se alimentam principalmente de mamíferos, em especial de roedores. (Sin. ESTRIGE.) **2.** *Fig.* Mulher velha e rabugenta. ★ *adj.2g.* **1.** Diz-se do pai ou da mãe excessivamente orgulhosos dos filhos. **2.** Diz-se de quem dá excessivo valor às suas coisas.

coruscar *v.i.* (lat. *coruscare*) [conj. 12]. Reluzir, fulgurar. ★ *v.t.* Dardejar.

corvéia *s.f.* (fr. *corvée*). Trabalho coletivo gratuito, devido ao senhor feudal ou ao rei pelo camponês, durante certo número de dias.

corvejar *v.i.* (conj. 4). **1.** Crocitar. **2.** *Fig.* Fazer mau agouro. ★ *v.t. Fig.* Ruminar, repisar uma idéia.

corveta (ê) *s.f.* (fr. *corvette*). **1.** Antigo navio de guerra de três mastros, menor do que a fragata. **2.** Navio leve, menor do que a fragata, armado para escoltar comboios.

corvina *s.f.* (esp. *corvina*). Denominação comum a peixes teleósteos marinhos, que atingem 70 cm de comprimento.

corvo (ô) *s.m.* (lat. *corvus*). Ave passeriforme, de coloração preta, que ocorre nas regiões neárticas, paleárticas e oriental.

cós *s.m.2n.* (prov. *cors*, do lat. *corpus*, corpo). Tira de pano que remata peças do vestuário no lugar em que cingem a cintura.

coscorão *s.m.* **1.** Bolo de farinha e ovos, frito em azeite e passado por calda de açúcar. **2.** Sonho (doce). **3.** Casca de ferida.

co-secante *adj.* e *s.f.* Diz-se de ou função inversa da função seno.

cosedura *s.f.* Ação ou efeito de coser(-se).

co-seno *s.m.* Função trigonométrica determinada pela projeção de um arco no eixo horizontal de um sistema de coordenadas polares. (Var. COSSENO.)

coser *v.t.* (lat. *consuere*) [conj. 5]. Unir com pontos de linha; costurar. ★ *v.i.* Costurar. ★ *v.pr.* Encostar-se, colar-se. (cf. COZER.)

cosmético *adj.* e *s.m.* (gr. *kosmetikós*, próprio para ornar). Diz-se de ou produto para conservação e limpeza da pele.

cósmico *adj.* (gr. *kosmikós*). **1.** Relativo ao cosmo. **2.** *Raios cósmicos* ou *radiação cósmica*, fluxo de partículas de alta energia de origem solar, galáctica e extragaláctica.

cosmo *s.m.* (gr. *kósmos*, mundo; ordem). **1.** O Universo e suas leis ou, de modo mais geral, todo o universo, real ou nascido de uma concepção científica ou fantástica. **2.** Espaço intersideral. (Var. COSMOS.)

cosmogonia *s.f.* **1.** A origem ou formação do mundo. **2.** Teoria das origens do Universo.

cosmogônico *adj.* Relativo à cosmogonia.

cosmografia *s.f.* (gr. *kosmographía*). Astronomia puramente descritiva.

cosmologia *s.f.* Ciência que estuda a origem, a evolução e a estrutura do Universo em seu conjunto.

cosmonauta *s.2g.* (russo *kosmonaut*). Aportuguesamento do termo utilizado na antiga URSS para designar o piloto ou o passageiro de um engenho espacial. (Cf. ASTRONAUTA.)

cosmopolita *s.2g.* (gr. *kosmopolítes*). **1.** Indivíduo que se considera cidadão do mundo todo. **2.** Pessoa que vive ora num país ora noutro. ★ *adj.2g.* **1.** Que vive viajando de um país a outro. **2.** Que apresenta aspectos comuns a diversos países.

cosmopolitismo *s.m.* Qualidade ou maneira de viver do cosmopolita.

cosmos *s.m.2n.* Var. de COSMO.

cossaco *s.m.* (russo *kosak*). Soldado recrutado entre as populações nômades do sudeste da Rússia.

cosseno *s.m.* Var. de CO-SENO.

costa *s.f.* (lat. *costa*, costela; flanco). **1.** Zona de contato entre a terra firme e o mar, entre o limite de influência do mar para o interior e a linha das marés mais baixas; região à beira-mar. **2.** O litoral, a borda do mar. **3.** Área adjacente ao mar que sofre influência dos processos marinhos, bem como dos continentais. **4.** Margem de cursos de água, lagoas etc. ★ *s.f.pl.* **1.** O dorso, parte posterior do tronco do homem. **2.** Parte posterior de vários objetos; costado, reverso. ● Esp. Nado de costas, nado ou estilo de natação com as costas viradas para dentro da água e braçadas alternadas.

costado *s.m.* **1.** Conjunto de chapas ou pranchas que revestem externamente o cavername de uma embarcação. **2.** Costas. ★ *s.m.pl.* Os quatro avós de cada pessoa.

costa-marfinense *adj.2g.* Relativo ou pertencente à Costa do Marfim, país da África; costa-marfiniano. ★ *s.2g.* Indivíduo natural ou habitante da Costa do Marfim.

costa-marfiniano *adj.* e *s.m.* Costa-marfinense.

costa-riquenho *adj.* e *s.m.* Costarriquenho.

costa-riquense *adj.2g.* e *s.2g.* Costarriquenho.

costarriquenho *adj.* Relativo ou pertencente à Costa Rica, país da América Central; costa-riquenho; costa-riquense. ★ *s.m.* Indivíduo natural ou habitante da Costa Rica, costa-riquenho; costa-riquense.

costear *v.t.* (conj. 15). **1.** Rodear, contornar. **2.** Navegar ao longo da costa. ★ *v.pr.* Chegar-se, aproximar-se.

costeira *s.f.* **1.** Costa marítima. **2.** Serra íngreme, à beira-mar.

costeiro *adj.* **1.** Relativo à costa. **2.** Que navega junto à costa. ★ *s.m.* Encosta, declive.

costela *s.f.* Cada um dos ossos alongados, em forma de arco de curvatura interna, que, em número de 12 de cada lado do tórax humano, constituem, com as vértebras dorsais e o esterno, a caixa torácica.

costeleta (ê) *s.f.* **1.** Costela de certos animais (carneiro, porco, vitela), guarnecida de carne. **2.** Iguaria preparada com essa costela. **3.** Parte da barba que se deixa crescer em cada face do rosto, em continuação aos cabelos; suíças.

costumar *v.t.* (conj. 4). **1.** Ter por costume, ter o hábito de. **2.** Acostumar. ★ *v.pr.* Acostumar-se, habituar-se, afazer-se.

costume[1] *s.m.* (lat. *consuetudo, consuetudinis*). **1.** Maneira de agir, prática, uso etc., próprios de um povo, de uma época, de uma condição social. **2.** Jurisprudência baseada no uso e não na lei escrita. **3.** Moda. **4.** Hábito, praxe, prática. ★ *s.m.pl.* Comportamento, hábitos.

costume[2] *s.m.* (fr. *costume*). Conjunto de duas peças do vestuário masculino composto de paletó e calça, ou feminino, composto de saia e casaco.

costumeiro *adj.* e *s.m.* **1.** Habitual, usual. **2.** Consuetudinário.

costura *s.f.* **1.** Ato ou efeito de coser ou costurar. **2.** Linha de junção de duas peças de pano cosidas. **3.** Emenda ou junção de dois cabos, duas chapas metálicas etc.

costurar *v.t.* (conj. 4). **1.** Coser. **2.** Unir os cadernos de um livro para formar brochura. ★ *v.i. Gír.* Conduzir um automóvel mudando repetidas vezes de uma pista para outra, em ultrapassagens perigosas.

costureira *s.f.* Mulher que executa trabalhos de costura.

costureiro *s.m.* Profissional que confecciona trajes femininos a partir de modelos, ou que os cria; estilista.

cota[1] ou **quota** *s.f.* (lat. *quota pars,* quinhão). **1.** Porção, parte, quinhão. **2.** Quantia com que cada pessoa contribui para o pagamento de uma despesa comum. **3.** Parcela que cada associado põe num negócio, de modo a formar o capital. **4.** Sinal alfabético ou numeral usado para classificar as peças de um processo. **5.** Apontamento ou citação à margem de um texto. **6.** Medida que se apõe a um desenho para indicar as dimensões do objeto representado. ● **Mat.** Terceita coordenada de um ponto do espaço em um sistema de eixos cartesianos.

cota[2] *s.f.* (fr. *cotte*). Vestimenta de couros retorcidos ou malhas de ferro que os antigos guerreiros usavam sob a armadura.

cotação *s.f.* **1.** Ação ou efeito de cotar. **2.** Preço pelo qual mercadorias, títulos mobiliários ou moedas são negociados em bolsa ou mercado. **3.** *Fig.* Conceito, consideração. **4.** Chance de sucesso de um competidor, em relação às suas possibilidades de fracasso.

co-tangente *s.f.* Função inversa da função tangente.

cota-parte ou **quota-parte** *s.f.* (lat. *quota pars*). **1.** Fração que cabe a uma pessoa na partilha de dívida ou patrimônio comuns a outras pessoas. **2.** Parte com que cada uma das pessoas de um grupo contribui para constituir um todo.

cotar *v.t.* (conj. 4). **1.** Marcar por meio de cota. **2.** Indicar as cotas dos elementos representados em um desenho ou projeto. **3.** Fixar o preço. **4.** Taxar, avaliar. **5.** Classificar, tachar.

cotejar *v.t.* (conj. 4). **1.** Confrontar, comparar. **2.** Comparar, pôr em paralelo.

cotejo (ê) *s.m.* Ato de cotejar; confrontação.

cotidiano ou **quotidiano** *adj.* (lat. *quotidianus*). De cada dia; diário. ★ *s.m.* Aquilo que se faz todos os dias, o que acontece habitualmente.

cotilédone *s.2g.* (gr. *kotyledón,* cavidade). Folha embrionária que surge durante a germinação da semente e cuja função é a nutrição da planta no início de seu desenvolvimento.

cotiledôneo *adj.* Diz-se de planta que tem cotilédone.

cotista ou **quotista** *adj.2g.* e *s.2g.* Que ou aquele que possui cotas integrativas do capital em sociedades mercantis de responsabilidade limitada.

cotização ou **quotização** *s.f.* Ato ou efeito de dividir determinada despesa comum em cotas a serem pagas por seus co-responsáveis ou beneficiários; contribuição, tributo.

cotizar ou **quotizar** *v.t.* (conj. 4). Distribuir por cotas. ★ *v.pr.* Contribuir com cotas.

cotizável ou **quotizável** *adj.2g.* Que se pode cotizar.

coto (ô) *s.m.* (lat. *cubitus,* cotovelo). **1.** Pequeno pedaço que resta de alguma coisa depois de usada. **2.** O que resta de um membro amputado; toco, cotoco. **3.** Tipo de lima com que os serralheiros afiam as serras. ★ *s.m.pl.* Nós dos dedos das mãos.

cotó *adj.2g.* e *s.2g.* **1.** Que ou aquele que tem um braço ou perna mutilada. **2.** Diz-se de ou animal a que se cortou a cauda.

cotoco (ô) *s.m.* Coto.

cotonete *s.m.* (fr. *cotonnette,* tecido de algodão) [marca registrada]. Algodão firmemente enrolado em torno de um bastonete plástico ou de madeira que serve para limpar os ouvidos e o nariz.

cotonicultor (ô) *s.m.* Agricultor que cultiva o algodão.

cotonicultura *s.f.* Cultura do algodão.

cotonifício *s.m.* Manufatura de tecidos de algodão. (Sin. ALGODOARIA.)

cotovelada *s.f.* Pancada com o cotovelo.

cotovelo (ê) *s.m.* (lat. *cubitalis,* com infl. ár.). **1.** Região do membro superior do homem que corresponde à articulação do braço com o antebraço. **2.** A parte da manga de uma vestimenta que recobre o cotovelo. **3.** Ângulo mais ou menos fechado de uma estrada, de um rio etc. **4.** Ângulo saliente. **5.** Qualquer peça cujo movimento lembra o de um cotovelo; peça curvada à semelhança de um cotovelo.

ARTICULAÇÃO DO COTOVELO

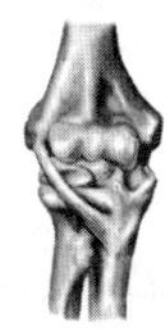

vista de frente

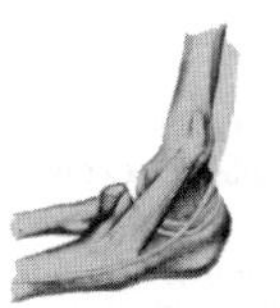

vista de perfil

cotovia *s.f.* Ave passeriforme migratória, que ocorre na região paleártica, no centro e sul da Europa.

cotoxó *s.2g.* Indivíduo dos cotoxós, povo indígena da Bahia, extinto.

coturno *s.m.* (gr. *kóthornos*). **1.** Borzeguim de solas altas que cobria metade da perna e se amarrava pela frente, usado na Grécia antiga pelos atores trágicos. **2.** Calçado militar atado na frente e que sobe até a metade da canela. **3.** Meia curta; peúga. **4.** *Fig.* Posição social.

coudelaria *s.f.* Haras.

coulomb *s.m.* (de *Coulomb,* n.pr.). Unidade de medida SI de carga elétrica e de quantidade de eletricidade (símb. C).

couraça *s.f.* (b.-lat. *coriacea,* fem. de *coriaceus,* de couro). **1.** Peça da armadura para proteger o dorso e o peito. **2.** Revestimento metálico de um carro de combate, de um navio de guerra. **3.** *Fig.* Proteção, contra injúrias ou má sorte.

couraçado *adj.* **1.** Que tem couraça. **2.** Protegido por blindagem. **3.** *Fig.* Insensível, endurecido. ★ *s.m.* Navio de alto-mar, dotado de poderosa artilharia e de grande tonelagem, protegido por espessa blindagem.

couro *s.m.* (lat. *corium*). **1.** Pele espessa de certos animais. **2.** Pele de animal destinada ao curtimento e a outros usos industriais. **3.** *Pop.* Bola de futebol.

cousa *s.f.* Coisa.

couto *s.m.* (do lat. *cautus,* protegido). **1.** Terra defendida, privilegiada. **2.** Lugar onde poderiam asilar-se os criminosos (no período colonial); asilo, refúgio. (Var. COITO.)

couve *s.f.* (lat. *caulis,* caule, couve). Planta de caule ereto, folhas verdes, meio crespas, e flores brancas ou amarelas; possui diversas variedades hortícolas, todas elas dotadas de folhas comestíveis.

couve-flor *s.f.* Planta de folhas verdes e flores brancas, cujos pedúnculos se reúnem em grande número, formando a cabeça, que é comestível.

cova *s.f.* **1.** Abertura no terreno, escavação profunda, caverna. **2.** Abertura feita para plantar árvore, lançar semente etc. **3.** Abertura no solo dos cemitérios para enterrar os mortos.

côvado *s.m.* (lat. *cubitus,* cotovelo; côvado). Antiga medida de comprimento definida como a distância do cotovelo até a extremidade do dedo médio, estando o braço e o antebraço dobrados em ângulo reto e a mão aberta. (Na Antiguidade, o côvado valia um pé e meio, ou seja, pouco mais de 0,443 m; no Brasil, 68 cm.)

covalência *s.f.* Ligação química de dois átomos em uma molécula, pelo compartilhamento de elétrons.

covalente *adj.2g.* Relativo à covalência.

covarde *adj.* e *s.2g.* (fr. *couard*). Medroso, poltrão, pusilânime; cobarde.

covardia *s.f.* Falta de coragem, poltronice, pusilanimidade; cobardia.

coveiro *s.m.* **1.** Aquele que abre covas para enterrar os mortos. **2.** *Fig.* O que contribui para a ruína de uma instituição ou um evento.

covil *s.m.* (lat. *cubile,* leito). **1.** Cova de feras. **2.** Toca onde se oculta o coelho, a lebre. **3.** *Fig.* Refúgio de ladrões, de salteadores. **4.** Choça, lugar sujo e miserável.

covo[1] *s.m.* **1.** Espécie de redil de pesca formado por esteiras munidas de sapatas de chumbo. **2.** Espécie de cesto comprido e estreito, provido de uma abertura numa das extremidades. **3.** Armadilha de pesca fluvial ou de lagostas, composta de uma isca que atrai a presa para uma armação da qual não pode sair.

covo[2] (ô) *adj.* Côncavo, fundo.

cowboy *s.m.* (ingl.). **1.** Guardador dos rebanhos bovinos, nos ranchos da América do Norte, personagem que teve um papel de primeira ordem na história do Oeste americano e que foi popularizado pelos filmes de faroeste. **2.** *P. ext.* Guardião de gado; vaqueiro. (Aport. CAUBÓI.)

coxa (ô) *s.f.* (lat. *coxa*). Parte do membro inferior que vai desde o quadril até o joelho, e cujo esqueleto é formado pelo fêmur.

coxear *v.i.* (conj. 15). Claudicar levemente; mancar, manquejar, capengar.

coxia *s.f.* (it. *corsia*). **1.** Passagem estreita entre fileiras de bancos ou outros objetos; corredor. **2.** Prancha de alguns barcos para comunicar a proa com a popa; ponte entre o castelo de proa e os galhardos. **3.** Espaço situado nos palcos de teatro, atrás dos bastidores.

coxilha *s.f.* Pequena elevação ou colina suave recoberta por vegetação herbácea, que constitui a paisagem típica dos pampas.

coxim *s.m.* (prov. *coissi*). **1.** Almofada grande que serve de assento. **2.** Assento de ferro, colocado sobre o dormente, no qual repousa o trilho. **3.** Peça de alvenaria sobre a qual se apóia a ponta de uma viga. **4.** Almofadinha dura, de forma arredondada, que os alfaiates usam para bater as costuras a ferro.

coxinilho *s.m.* Tecido de lã, grosso e macio, que os cavaleiros põem sobre o arreio para sua comodidade.

coxo (ô) *adj.* e *s.m.* (lat. tard. *coxus*). **1.** Que ou quem coxeia, manca ou claudica; manco. **2.** *Pop.* Diabo. ★ *adj.* **1.** Diz-se de objeto que não tem equilíbrio por lhe faltar um pé ou perna ou por tê-los em tamanhos diversos. **2.** *Fig.* Incompleto ou imperfeito.

coxofemoral (cs ou ch) *adj.2g.* Diz-se da articulação do quadril.

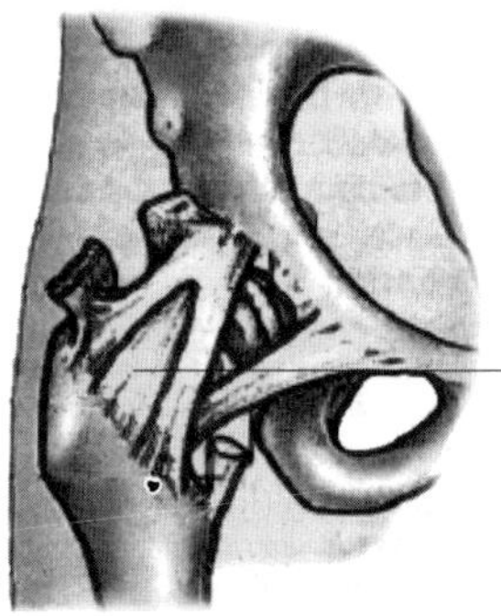

cozedura *s.f.* **1.** Ação de cozer ou de fazer cozer; cozimento, cocção. **2.** O que foi cozido.

cozer *v.t.* (lat. tard. *cocere*) [conj. 5]. **1.** Preparar os alimentos por meio do fogo. **2.** Submeter à ação do fogo. **3.** *Fig.* Digerir. (Cf. COSER.)

cozido *adj.* Preparado pela cozedura. ★ *s.m.* Prato feito com carnes diversas, cozidas com legumes, verduras e charcutaria.

cozimento *s.m.* **1.** Cozedura. **2.** Líquido medicamentoso preparado com a cocção de ervas; infusão.

cozinha *s.f.* (lat. tard. *cocina*). **1.** Lugar onde se preparam os alimentos. **2.** Arte de preparar os alimentos. **3.** O trabalho de uma casa para a preparação da comida.

cozinhar *v.t.* e *v.i.* (lat. tard. *cocinare*) [conj. 4]. **1.** Cozer ao fogo; guisar. **2.** *Fig.* Transformar, preparar qualquer coisa; urdir, tramar. **3.** *Pop.* Ganhar tempo.

cozinheiro *s.m.* Pessoa que cozinha.

CPF (sigla de *Cadastro de Pessoa Física*). **1.** Registro de pessoa física no Ministério da Fazenda do governo brasileiro. **2.** Número desse registro.

CPU (sigla de *central processing unit*). **Inform.** Unidade de processamento central de um computador.

Cr símbolo químico do cromo.

craca *s.f.* Crustáceo que vive fixado em rochas, casco de navios e carapaça de outros animais marinhos. (Sin. BÁLANO, GLANDE-DO-MAR; var. CARACA.)

crachá *s.m.* (fr. *crachat*). **1.** Insígnia honorífica que se usa ao peito; condecoração. **2.** Plaqueta ou cartão de identificação que usam os funcionários ou visitantes de uma empresa.

crack *s.m.* (gír. do ingl. amer.). Droga potente resultante de uma mistura de cocaína com bicarbonato de sódio e água que, após aquecida, é inalada, e cujos efeitos incluem intensa excitação seguida de profunda depressão.

cracker *s.2.g.* (ingl). **Inform.** Pessoa que tenta invadir redes e sistemas de computadores para roubar informações e valores.

craniano *adj.* Relativo a crânio. ● **Anat.** *Nervos cranianos,* os primeiros pares de nervos que emergem do sistema nervoso central no interior do crânio.

crânio *s.m.* (gr. *kraníon,* pelo lat.tard. *cranium*). **1.** Cavidade óssea que contém o encéfalo. **2.** *Fig.* Gênio.

PRINCIPAIS OSSOS DO CRÂNIO

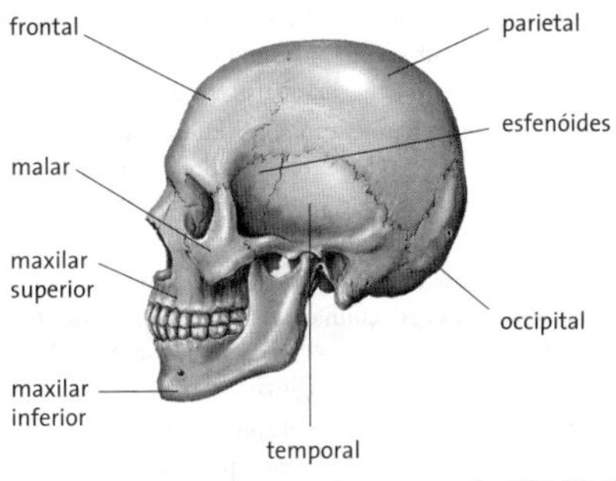

crápula *s.f.* (lat. *crapula,* embriaguez, do gr. *kraipále*). Contínuo desregramento, devassidão, modo de vida extravagante. ★ *s.2g.* Indivíduo canalha, patife, libertino.

craque[1] *interj.* (onomat.). Exprime o ruído de algo que se quebra em pedaços. ★ *s.m.* Esse ruído; estalido, estrépito.

craque[2] *s.m.* (ingl. *crash,* queda; ruína). Derrocada do sistema financeiro devida à queda violenta nas cotações das bolsas de valores.

craque[3] *adj.* e *s.2g.* (ingl. *crack,* superior). **1.** Jogador de futebol conhecido por sua habilidade. **2.** Cavalo excepcionalmente bom. **3.** Pessoa exímia em sua atividade.

crase *s.f.* (gr. *krasis,* mistura). **1.** Fusão ou contração de duas vogais idênticas, principalmente da preposição *a* com o artigo *a(s)*, ou com os pronomes demonstrativos *a(s)*, *aquele(s)*, *aquela(s)*, *aquilo.* **2.** O acento grave com que se indica essa contração. ● **Med.** *Crase sanguínea,* conjunto das propriedades do sangue relativas à coagulação.

crasear *v.t.* (conj. 15). Pôr em uma vogal o acento grave indicativo de crase.

crasso *adj.* (lat. *crassus*). **1.** Espesso, denso, grosso. **2.** *Fig.* Grosseiro.

cratera *s.f.* (gr. *kratér,* vaso de boca larga). **1.** Cavidade de forma circular e afunilada, resultante de atividades vulcânicas (erupções, afundamentos), sobre os flancos ou no topo de um edifício vulcânico. **2.** Depressões do terreno (principalmente na superfície lunar). **3.** *Fig.* e *Pop.* Grande buraco. **4.** Vaso grego grande e de boca larga que servia para misturar água e vinho. ● **Astron.** *Cratera meteorítica,* depressão quase circular formada por impacto de um meteorito na superfície de um astro.

cravação *s.f.* **1.** Ato ou efeito de cravar. **2.** Conjunto de pregos e outras peças que se cravam para segurar; pregaria. **3.** Trabalho de engastar pedras preciosas. **4.** Conjunto de ornamentos cravados. ● **Art. Gráf.** Relevo formado pelo tipo no lado do papel oposto àquele em que se imprime.

cravar *v.t.* (lat. *clavare*) [conj. 4]. **1.** Fazer penetrar à força e profundamente. **2.** Engastar pedras preciosas. **3.** Segurar, prender. **4.** Fixar, fitar.

craveira *s.f.* **1.** Régua vertical graduada. **2.** Compasso de sapateiro para medir o pé. **3.** Buraco da ferradura por onde entra o cravo. **4.** Instrumento de serralheiro, empregado para confeccionar cabeças de pregos e de cravos. **5.** Medida, bitola. **6.** *Fig.* Categoria, classe. **7.** *Palmo de craveira,* palmo de 12 polegadas.

craveiro *s.m.* **1.** Planta de folhas lineares e flores vermelhas, raramente brancas, solitárias, de pétalas simples, cultivada para o comércio de flores. **2.** Vaso em que se cultiva essa planta. **3.** Peça de pirotecnia que imita essa planta. **4.** Fabricante de cravos para ferraduras.

cravejar *v.t.* (conj. 4). **1.** Fixar por meio de cravos. **2.** Engastar, pregar.

cravelha (ê) *s.f.* Peça de madeira ou de metal em que se enrolam as cordas de certos instrumentos musicais para retesá-las.

cravelho (ê) *s.m.* Peça grosseira de madeira com que são fechadas cancelas, portas.

cravo[1] *s.m.* (lat. *clavus*). **1.** Prego que se utiliza nas ferraduras. **2.** Prego com que se fixavam na cruz os pés e as mãos dos condenados. **3.** Elevação cutânea arredondada e circunscrita, resultante da oclusão do conduto excretor de uma glândula sebácea. ● **Veter.** Todo ferimento que perfura a superfície da planta da pata do cavalo.

cravo[2] *s.m.* Flor do craveiro.

cravo[3] *s.m.* (fr. *clavier,* do lat. *clavis,* chave). Instrumento musical com teclado e cordas, que são acionadas por pequenos martelos terminados em pontas de penas ou plástico.

cravo-da-índia *s.m.* Árvore originária das ilhas Molucas, de pequenas flores vermelhas, cujos botões, de aroma forte e sabor picante, são colhidos antes de florescer.

crawl *s.m.* (ingl.) **Esp.** Sin. de NADO LIVRE.

creatina *s.f.* (do gr. *kréas, kréatos,* carne). Aminoácido presente no sangue, no cérebro e nos músculos, que desempenha um papel fundamental na contração muscular.

creche *s.f.* (fr. *crèche*). **1.** Estabelecimento ou instituição pública ou privada que abriga, durante o dia, crianças de pouca idade. **2.** Berçário.

credencial *adj.2g.* (it. *credenziale*). Que dá crédito ou poderes. ★ *s.f.* **1.** Carta que um ministro ou um embaixador entrega ao chefe de um Estado, ao qual é enviado, para se fazer acreditar junto a ele. **2.** Título ou ação que abona uma pessoa.

credenciar *v.t.* (conj. 16). Dar credenciais a alguém.

crediário *s.m.* Sistema de vendas a crédito, com pagamento em prestações. ★ *adj.* Pertencente ou relativo a crédito.

crediarista *s.2g.* Pessoa que compra pelo crediário.

credibilidade *s.f.* (lat.tard. *credibilitas*). Qualidade do que é crível.

creditar *v.t.* (conj. 4). **1.** Lançar em crédito. **2.** Inscrever como credor. **3.** Dar segurança na veracidade de algo; garantir. ★ *v.pr.* Constituir-se credor.

crédito *s.m.* (lat. *creditum,* dívida, pelo it. *credito*). **1.** Confiança ou segurança na verdade de alguma coisa; crença. **2.** Reputação de solvência, boa fama. **3.** *Fig.* Influência, valimento, consideração. **4.** *Fig.* Autoridade, valia, importância. **5.** Em contabilidade, o que representa saldo, p.opos. a *débito.* **6.** *Cartão de crédito,* mecanismo financeiro que permite a compra imediata de um determinado bem, com o pagamento futuro assegurado pela instituição financeira cedente desse cartão.

credo *s.m.* (lat. *credo,* eu creio). **1.** Profissão de fé cristã, também chamada Símbolo dos Apóstolos, que consiste numa oração que começa em latim pela palavra *credo.* **2.** Fé religiosa. **3.** Conjunto de princípios, regras e ditames de uma pessoa, seita ou partido; programa, doutrina. ★ *interj.* Exprime espanto, aversão, superstição.

credor (ô) *adj.* e *s.m.* (lat. *creditor*). **1.** Que ou aquele a quem se deve dinheiro ou outra coisa. **2.** Que ou aquele que faz jus a alguma coisa boa; merecedor, digno.

credulidade *s.f.* (lat. *credulitas*). Atributo de quem é crédulo.

crédulo *adj.* e *s.m.* (lat. *credulus*). Que ou aquele que crê facilmente em tudo o que lhe é dito ou mostrado; ingênuo, simplório.

creiom *s.m.* (fr. *crayon,* lápis). **1.** Tipo de lápis, geralmente colorido, usado para desenhar. **2.** Trabalho executado com esse lápis.

cremação *s.f.* (lat. *crematio*). Ação de queimar (os mortos).

cremalheira *s.f.* (fr. *crémaillère*). **1.** Peça dentada utilizada em engrenagens de relógio, metalurgia, ferrovias etc. **2.** Elemento retilíneo dentado, engrenado a uma roda ou a um pinhão dentado, a fim de transformar um movimento de rotação num movimento retilíneo ou vice-versa. **3.** Cada uma das peças de madeira ou de metal, guarnecidas com dentes ou mossas, que servem para sustentar as prateleiras.

cremar *v.t.* (lat. *cremare*) [conj. 4]. Incinerar ou queimar (cadáveres).

crematório *adj.* Relativo a cremação. ★ *s.m.* Lugar em que se fazem cremações.

creme *s.m.* (fr. *crème*). **1.** Nata do leite. **2.** Doce feito com leite, ovos, açúcar etc. **3.** Substância pastosa. **4.** Cor branco-amarelada como a areia. **5.** Designação de cosméticos de consistência pastosa. **6.** *Fig.* O escol, a nata, a melhor parte. ★ *adj.2g.* Que tem essa cor; bege.

cremona *s.f.* (fr. *crémone,* de *Cremona,* cid. it.). Ferragem para fechar portas e janelas, constituída por duas hastes engranzadas em uma cremalheira movida por maçaneta.

cremoso (ô) *adj.* **1.** Que contém muito creme. **2.** Que tem a consistência de creme; pastoso.

crenaque *s.2g.* Indivíduo dos crenaques, povo indígena jê que vive em Minas Gerais.

crença *s.f.* (lat.tard. *credentia*). **1.** Ação de crer na verdade ou na possibilidade de uma coisa. **2.** Convicção íntima. **3.** Opinião que se adota com fé e convicção. **4.** Fé religiosa.

crendice *s.f.* Crença popular sem fundamento; superstição.

crente *adj.* (lat. tard. *credens, credentis*). **1.** Que crê, que tem fé religiosa. **2.** Que acredita; persuadido. ★ *s.2g.* **1.** Aquele que tem fé religiosa. **2.** Membro de certas seitas derivadas do protestantismo.

creolina *s.f.* (fr. *créoline*) [marca registrada]. Composto de creosoto, óleos pesados e sabão emulsificante, usado como desinfetante e desodorante de latrinas, canis, galinheiros etc.

crepe *s.m.* (fr. *crêpe,* do lat. *crispus,* crespo). **1.** Tecido que apresenta aspecto ondulado obtido pelo emprego de fios de alta torção. **2.** Fita ou tecido negro usada em sinal de luto. **3.** Rolo de borracha de maniçoba.

crepitar *v.i.* (lat. *crepitare*) [conj. 4]. Estourar produzindo pequenos ruídos que se sucedem rapidamente.

crepom *s.m.* (fr. *crépon*). Crepe grosso que apresenta ondulações irregulares e nervuras produzidas à máquina durante sua fabricação. ★ *adj. Papel crepom,* papel de seda de superfície enrugada.

crepuscular *adj.2g.* **1.** Relativo ao crepúsculo. **2.** Cuja luminosidade é semelhante à do crepúsculo. **3.** *Fig.* Que está em declínio, decadente. ● **Med.** *Estado crepuscular,* distúrbio da vigília que se manifesta por atos automáticos, amnésia lacunar e interferência do imaginário na percepção da realidade.

crepúsculo *s.m.* (lat. *crepusculum*). **1.** Luminosidade parcial que recebe a abóbada celeste antes de o Sol nascer (*crepúsculo matutino*) e depois que ele se põe (*crepúsculo vespertino*). **2.** *Fig.* Decadência, declínio, ocaso.

crer *v.t.* (lat. *credere*) [conj. 37]. **1.** Considerar como verdadeiro; acreditar. **2.** Ter confiança em; considerar sincero. **3.** Considerar possível, desejar. **4.** Imaginar, supor. ★ *v.i.* Ter fé, ter crenças, especialmente religiosas.

crescendo *adv.* (it.). Aumentando progressivamente a intensidade dos sons. ★ *s.m.* **1.** Aumento progressivo da intensidade dos sons. **2.** *Fig.* Aumento progressivo, gradação.

crescente *adj.2g.* **1.** Que cresce. **2.** Próspero, progressivo. ★ *adj.* e *s.m. Quarto crescente* ou *crescente,* fase da Lua visível como um semicírculo com a parte iluminada voltada para o oeste, posterior ao novilúnio. ★ *s.m.* **1.** O que cresce. **2.** O que tem forma de meia-lua. ★ *s.f.* Enchente.

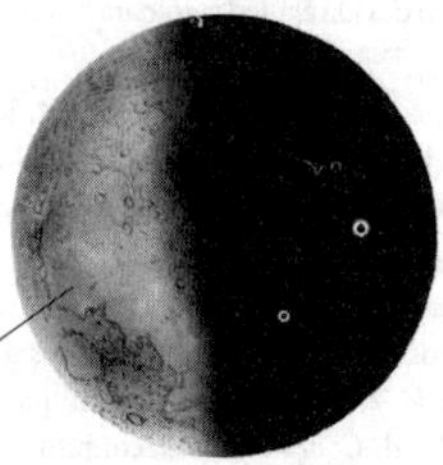

quarto crescente

crescer *v.i.* (lat. *crescere*) [conj. 4]. **1.** Aumentar. **2.** Aumentar em tamanho, estatura. **3.** Aumentar em intensidade, duração. **4.** Aumentar em volume, grandeza ou extensão. **5.** Aumentar em número, em quantidade. **6.** Medrar.

crescimento *s.m.* **1.** Ato de crescer; aumento. **2.** Aumento da dimensão principal (comprimento) de um ser, animal ou vegetal, sob o efeito da nutrição, até chegar a um estado adulto, quando cessa esse aumento. **3.** Aumento de um rebanho pelo nascimento de filhotes. **4.** Ganho de peso vivo dos animais. **5.** Desenvolvimento, progressão.

VOCÊ SABIA...? O **crescimento** é o processo, após o nascimento, pelo qual os seres humanos se desenvolvem e se transformam até a idade adulta. Desde o nascimento até 1 ano de idade, o bebê cresce aproximadamente 20 cm (de 50 cm a 70 cm) e passa de 3.250 kg a 9.200 kg. O crescimento, nos animais, pode ser direto: a cria assemelha-se a seus pais ao nascer, desenvolvendo-se rapidamente até a idade adulta. Também pode ser indireto: o animal jovem passa por um estado de larva e sofre metamorfose antes de passar ao estado adulto (rã, libélula, borboleta). O aumento do tamanho de alguns animais (serpentes, ou crustáceos como o caranguejo) os obriga a mudar regularmente de pele ou de carapaça. Este fenômeno chama-se *muda*.

---

crespo (ê) *adj.* (lat. *crispus*). **1.** De superfície áspera, não lisa, nem plana; rugoso. **2.** Riçado, encaracolado, frisado. **3.** *Fig.* Diz-se do mar agitado, encapelado, encarneirado. **4.** *Fig.* Arrogante, ameaçador.

cresta *s.f.* Ato ou efeito de crestar, de tostar; crestamento.

crestar[1] *v.t.* (lat. *crustare,* revestir) [conj. 4]. **1.** Queimar levemente; tostar. **2.** Dar cor de coisa queimada a; tornar trigueiro. **3.** Roubar, saquear. ★ *v.pr.* **1.** Queimar-se pelo efeito do calor ou do frio. **2.** Secar-se, definhar-se.

crestar[2] *v.t.* (lat. *castrare,* castrar) [conj. 4]. **1.** Extrair o mel da colméia, tirando parte dos favos. **2.** Desfalcar, saquear.

cretáceo *adj.* (lat. *cretaceus,* feito de argila). Formado de greda, que contém greda. ★ *s.m.* **Geol.** Último período geológico da era Mesozóica, com duração aproximada de 80 milhões de anos. ★ *adj.* Relativo ou pertencente a esse período.

cretinice *s.f.* **1.** Qualidade de quem ou do que é cretino; idiotice, imbecilidade. **2.** Ato ou atitude típica de cretino; estupidez.

cretinismo *s.m.* Tipo de idiotia caracterizado pela ausência quase completa das faculdades intelectuais, associado a nanismo e infantilismo, devido à insuficiência da glândula tireóide.

cretino *adj.* e *s.m.* (fr. *crétin*). **1.** Que ou aquele que, por deficiência mental ou orgânica, padece de incapacidade mental ou moral. **2.** *Fig.* Estúpido, imbecil, idiota.

cretone *s.m.* (fr. *cretonne,* de *Creton,* aldeia normanda). Tecido de algodão composto de urdume e trama equilibrados, destinado sobretudo à fabricação de estofamentos.

cria *s.f.* **1.** Animal recém-nascido. **2.** Pessoa pobre criada por quem não é da família. **3.** Criatura.

criação *s.f.* (lat. *creatio*). **1.** Ato ou efeito de criar. **2.** A totalidade dos seres criados, o universo visível. **3.** Estabelecimento, formação, fundação. **4.** Ação de criar uma obra original; produção original. **5.** Obra criada por uma ou mais pessoas; produção, realização, invento. **6.** A amamentação e educação de uma criança. **7.** Propagação da espécie. **8.** Conjunto de animais domésticos que se criam para alimento do homem. **9.** Conjunto de animais de uma espécie mantidos para a obtenção de uma produção.

criadagem *s.f.* **1.** Conjunto dos criados de uma casa. **2.** A categoria dos criados e criadas.

criado *adj.* (lat. *creatus*). **1.** Que se criou. **2.** Produzido, gerado. **3.** Fundado, instituído. **4.** Educado. ★ *s.m.* Empregado doméstico; servo.

criado-mudo *s.m.* Mesa-de-cabeceira.

criador (ô) *adj.* e *s.m.* (lat. *creator*). **1.** Que ou aquele que cria ou criou. **2.** Primeiro inventor, autor. **3.** Que ou aquele que faz criação de gado, aves etc. **4.** *Fig.* Deus. (Nesta acepção, grafa-se com maiúscula.) ★ *adj.* Criativo, inventivo, fecundo.

criança *s.f.* **1.** Ser humano de pouca idade, que está na infância; infante. **2.** Pessoa infantil, ingênua.

criançada *s.f.* **1.** Grupo de crianças. **2.** Criancice.

criancice *s.f.* Palavras, ações de criança; criançada.

criançola *s.2g.* Pessoa já crescida, mas que age e se comporta como criança.

criar *v.t.* (lat. *creare*) [conj. 16]. **1.** Dar existência a. **2.** Dar origem a; formar. **3.** Imaginar, inventar. **4.** Fundar. **5.** Sustentar, alimentar. **6.** Educar, instruir. **7.** Cultivar. **8.** Promover a criação de. **9.** Causar, fazer aparecer. **10.** Adquirir, granjear. ★ *v.i.* Realizar obras originais. ★ *v.pr.* **1.** Alimentar-se, sustentar-se. **2.** Formar-se, educar-se.

criatividade *s.f.* **1.** Qualidade de criativo. **2.** Capacidade criadora; inventividade.

CRIATIVIDADE ► A criatividade do homem possibilita os avanços culturais, científicos, tecnológicos, assim como a expressão artística. Ao longo da história, existiram personagens com grande criatividade, como Arquimedes, Leonardo da Vinci, W. A. Mozart e T. A. Edison, cujas obras são parte fundamental de nossa civilização.

---

criativo *adj.* **1.** Que é capaz de criar, inventar. **2.** Que favorece a criação. **3.** Diz-se de pessoa que tem uma grande capacidade de criação, de imaginação.

criatura *s.f.* (lat. *creatura*). **1.** Todo ser criado. **2.** O ser humano; indivíduo, pessoa.

cricri[1] *s.m.* (onomat.). Ruído imitativo do canto dos grilos.

cricri[2] *adj.2g.* e *s.2g.* *Gír.* Que ou aquele que só conversa sobre assuntos superficiais, de pouca importância.

crime *s.m.* (lat. *crimen,* acusação). **1.** Qualquer violação da lei moral, civil ou religiosa. **2.** Ato condenável, de conseqüências desagradáveis. ● **Dir.** Violação culposa ou dolosa da lei a que se impõe sanção de natureza penal.

criminal *adj.2g.* (lat. *criminalis*). Relativo a crime. ● **Dir.** *Direito criminal,* direito penal.

criminalidade *s.f.* **1.** Qualidade ou estado de criminoso. **2.** Conjunto de crimes. **3.** O grau de crime.

criminalista *adj.2g.* e *s.2g.* **1.** Diz-se de ou jurista especializado em matéria criminal. **2.** Advogado que milita no foro penal.

criminologia *s.f.* **1.** Estudo científico do direito criminal. **2.** Filosofia do direito criminal.

criminologista *s.2g.* Especialista em criminologia.

criminoso (ô) *adj.* e *s.m.* (lat. *criminosus*). Que ou aquele que comete ou cometeu crimes. ★ *adj.* **1.** Relativo a crime, em que há crime. **2.** *Fig.* Contrário às leis sociais ou naturais.

crina *s.f.* (lat. *crinis,* cabeleira). Pêlo mais longo e mais firme do que o conjunto de pelagem de certos animais, como o cavalo, e que está particularmente situado na região do pescoço e da cauda.

crina

crineira *s.f.* **1.** Conjunto de pêlos longos ou crinas que forma crista no pescoço dos cavalos. **2.** Porção de terra deixada sem cultura além do ponto onde terminam os sulcos do arado.

criobiologia *s.f.* Estudo do efeito das temperaturas muito baixas sobre os organismos vivos.

criocauterização *s.f.* Esfriamento localizado da pele ou das mucosas a temperaturas muito baixas, que se efetua para destruir tumores, cicatrizes antiestéticas ou tratar lesões inflamatórias crônicas.

criocirurgia *s.f.* Parte da cirurgia que se utiliza de técnicas de congelamento local de tecidos, e é usada principalmente em oftalmologia.

criofísica *s.f.* Sin. de CRIOGENIA.

criogenia *s.f.* Parte da física que se dedica à produção e manutenção de baixas temperaturas e ao estudo das propriedades da matéria e dos sistemas a elas submetidos. (Sin. CRIOFÍSICA.)

criotemperatura *s.f.* Temperatura baixa, inferior, por convenção, a 120 K.

crioterapia *s.f.* Tratamento que utiliza o frio intenso para a destruição de tumores da pele, cicatrizes etc.

crioulo *adj.* e *s.m.* (esp. *criollo*). **1.** Dizia-se do negro nascido na Colônia. **2.** Diz-se de ou pessoa de ascendência européia nascida nas antigas colônias européias. ★ *s.m.* **1.** *Pop.* Negro. **2.** Cigarro feito de palha e fumo de rolo. ★ *adj.* **1.** Diz-se de uma galinha comum. **2.** Diz-se de uma variedade de cana-de-açúcar. ● **Pec.** Diz-se das raças de bovino e outras espécies das Américas, provenientes de animais importados pelos portugueses e espanhóis a partir do século XVI. ▸ *Carneiro crioulo,* raça brasileira de carneiros. ▸ *Cavalo crioulo,* raça brasileira de cavalos para sela e montaria.

cripta *s.f.* (gr. *krypte,* lugar oculto). **1.** Caverna, gruta. **2.** Galeria subterrânea de uma igreja, santuário ou altar, usada como capela ou jazigo. ● **Anat.** Pequena glândula localizada na membrana mucosa do intestino delgado. **Bot.** Pequena cavidade presente em certos órgãos ou partes de uma planta.

críptico *adj.* **1.** Pertencente ou relativo à cripta. **2.** *Coloração críptica,* padrão de coloração que camufla o animal no ambiente.

criptógamo *s.m.* Qualquer vegetal que não possui órgãos sexuais aparentes.

criptografia *s.f.* Arte de escrita cifrada por meio de abreviaturas ou sinais convencionados. ● **Inform.** Técnica para codificação de arquivos eletrônicos.

criptográfico *adj.* Relativo à criptografia.

criptograma *s.m.* Mensagem escrita em criptografia.

criptologia *s.f.* Ciência das escritas secretas, dos documentos cifrados.

criptológico *adj.* Relativo à criptologia.

criptônio *s.m.* (do gr. *kryptós,* oculto). Elemento químico (símb. Kr) de número atômico 36, que constitui um gás raro, incolor e inodoro, presente na atmosfera.

crisálida *s.f.* (gr. *khrysallís, khrysallídos*). **1.** Ninfa dos lepidópteros, etapa intermediária entre a lagarta e a borboleta. **2.** Invólucro ou casulo dentro do qual se opera a transformação da ninfa em borboleta. **3.** *Fig.* Coisa latente.

crisântemo *s.m.* (gr. *chrysánthemon*). Nome comum a várias plantas nativas do Extremo Oriente, que originaram numerosas variedades ornamentais.

crise *s.f.* (gr. *krísis,* escolha; decisão). **1.** Manifestação patológica repentina que sobrevém em plena saúde aparente. **2.** Modificação brusca e intensa que ocorre durante um estado mórbido, causada pela luta entre o agente infeccioso e as defesas do organismo, que indica freqüentemente a cura. **3.** Manifestação violenta de um sentimento. **4.** Momento perigoso ou decisivo. **5.** Conflito, tensão. **6.** Ausência, carência, falta. **7.** Decadência, queda, enfraquecimento.

crisma *s.f.* (gr. *chrísma,* perfume, pelo lat. tard. *chrisma,* unção). **1.** Sacramento da confirmação do batismo. **2.** A cerimônia desse sacramento. ★ *s.m.* Óleo perfumado que se usa na crisma.

crismar *v.t.* (lat. tard. *chrismare,* ungir) [conj. 4]. **1.** Conferir a crisma a. **2.** Apelidar, alcunhar. ★ *v.pr.* Receber o sacramento da confirmação.

crisoberilo *s.m.* Aluminato natural de berílio, de coloração amarelo-ouro a verde, que é pedra semipreciosa.

crisol *s.m.* **1.** Cadinho. **2.** *Fig.* Aquilo que serve para revelar as boas qualidades de uma pessoa.

crisolita *s.f.* Sin. de OLIVINA.

crispação *s.f.* **1.** Ato ou efeito de crispar(-se); crispamento. **2.** Contração que faz diminuir a superfície de um objeto, enrugando-a, e que resulta, em geral, da ação do fogo ou do frio. **3.** *Fig.* Acesso de impaciência ou irritação. ● **Med.** Contração breve e involuntária de um músculo. ▸ Acesso de irritação e nervosismo excessivos.

crispar *v.t.* (lat. *crispare*) [conj. 4]. **1.** Encrespar, franzir. **2.** Contrair. ★ *v.pr.* Contrair-se espasmodicamente.

crista *s.f.* (lat. *crista*). **1.** Excrescência carnosa da cabeça do galo e de outras aves. **2.** Saliência que ocorre na cabeça de alguns peixes e répteis. **3.** Penacho. **4.** Ponto mais elevado; cume. **5.** A orla superior espumante da onda que arrebenta. ● **Anat.** Saliência óssea estreita e alongada, como a *crista da tíbia* ou a *crista ilíaca.* **Fís.** *Crista de uma onda,* ponto de máxima amplitude de deslocamento de uma onda mecânica transversal.

cristal *s.m.* (gr. *krystallos*, gelo; cristal). **1.** Sólido, em geral com uma forma geométrica bem definida, cuja estrutura atômica é ordenada e periódica nas três dimensões do espaço. **2.** Vidro que contém elevada proporção de óxido de chumbo e sílica, que se distingue dos demais vidros por apresentar maior densidade, índice de refração superior, brilho específico, limpidez e sonoridade características. **3.** Objeto feito com esse tipo de vidro. **4.** Forma geométrica com que se apresentam os corpos cristalizados. **5.** *Fig.* O que tem sonoridade muito pura e límpida. **6.** *Bola de cristal*, vidro de forma esférica, usado para adivinhação. ● **Geol.** *Cristal de rocha*, variedade transparente de quartzo, incolor e muito dura. ► *Cristal líquido*, material no estado mesomórfico.

CRISTAL ► A palavra *cristal* se aplica a uma peça de um sólido transparente ou translúcido, de forma geométrica regular. Apresenta lados planos que convergem em ângulos constantes, como em diamantes lapidados ou em cristais de sal. A característica básica de um cristal não é seu aspecto externo, mas sim sua estrutura interna. No estado sólido, os átomos, íons e moléculas que constituem um cristal estão organizados em arranjos relativamente fixos, isto é, não podem mover-se livremente como fariam num líquido ou num gás.

cristaleira *s.f.* Móvel onde se guardam cristais, louças etc.

cristalino *adj.* (b.-lat. *crystallinus*). **1.** Relativo ou pertencente ao cristal. **2.** Que tem a forma de cristal. **3.** Transparente, límpido, claro. **4.** Cujo som é puro como o do cristal quando o ferem. ● **Geol.** *Rocha cristalina*, rocha formada por cristais visíveis a olho nu. ★ *s.m.* **Anat.** Lente biconvexa transparente do olho, situada atrás da íris e na frente do humor vítreo.

cristalização *s.f.* **1.** Ato ou efeito de cristalizar(-se). **2.** Aglomeração de cristais. **3.** Extração do açúcar (dissolvido no xarope) sob forma cristalizada e livre de suas impurezas. ● **Quím.** Aparecimento de cristais em uma solução. ► *Cristalização fracionada*, separação de uma mistura de substâncias dissolvidas, graças às suas diferenças de solubilidade.

cristalizar *v.t.* (conj. 4). **1.** Transformar em cristal. **2.** Permanecer em um mesmo estado, não mudar. ★ *v.i.* e *v.pr.* **1.** Tomar a forma de cristal. **2.** Permanecer sem alteração, estacionar. **3.** Tornar-se concreto; materializar-se.

cristalografia *s.f.* Ciência que estuda os cristais e as leis que regem sua formação.

cristalóide *adj.2g.* (gr. *krystalloeidés*). Semelhante ao cristal. ★ *s.m.* **1.** Substância que pode atravessar a membrana porosa do osmômetro e dos dialisadores. (Por opos. a COLÓIDE.) **2.** Solução que contém unicamente água e eletrólitos, usada às vezes para aumentar o volume circulatório de um paciente. **3.** Cápsula do cristalino do olho.

cristaloquímica *s.f.* Estudo das propriedades químicas dos sólidos cristalinos.

cristaloquímico *adj.* Relativo à cristaloquímica.

cristandade *s.f.* (lat. tard. *christianitas*). **1.** Conjunto dos países ou povos cristãos. **2.** Qualidade do que é cristão.

cristão *adj.* **1.** Relativo ou pertencente ao cristianismo. **2.** Conforme a doutrina e a moral do cristianismo. ★ *s.m.* **1.** Pessoa que segue o cristianismo. **2.** Criatura humana; pessoa.

VOCÊ SABIA...? Os primeiros discípulos de Jesus foram chamados, por judeus e pagãos, de *nazarenos* e *galileus*; chamavam-se a si mesmos de *irmãos*, *fiéis*, *santos*, e *eleitos*. Por volta do ano 50, os habitantes de Antioquia deram-lhes o nome de **cristãos**, que prevaleceu. Na atualidade, serve para designar todos aqueles que acreditam em Jesus Cristo e receberam o batismo.

cristão-novo *s.m.* Judeu convertido à fé cristã ou o que descende de pais ou avós convertidos à fé cristã.

cristianismo *s.m.* (lat. tard. *christianismus*). Conjunto das religiões organizadas com base na pessoa de Jesus Cristo e nos seus ensinamentos.

cristianização *s.f.* Ato ou efeito de cristianizar(-se).

cristianizar *v.t.* (lat. tard. *christianizare*) [conj. 4]. **1.** Converter à religião cristã. **2.** Atribuir, dar (a alguém ou a alguma coisa) o caráter cristão. ★ *v.pr.* Tornar-se cristão.

cristo *s.m.* (gr. *christus*, ungido). **1.** Representação de Jesus Cristo. **2.** Redentor, Messias, o fundador do cristianismo. (Nesta acepção, escreve-se com maiúscula.) **3.** *Fig.* Vítima de alguma coisa ou por ela responsabilizado em nome de outros.

critério *s.m.* (gr. *kritérion*, faculdade de julgar). **1.** Aquilo que serve como medida de comparação. **2.** Princípio que permite distinguir o verdadeiro do falso, negar, avaliar. **3.** Ponderação, discernimento.

crítica *s.f.* **1.** Exame detalhado que visa a estabelecer a verdade, a autenticidade de alguma coisa. **2.** Arte de julgar uma obra artística, literária etc. **3.** Conjunto de críticos. **4.** Julgamento hostil; censura.

criticar *v.t.* (conj. 12). **1.** Examinar uma obra para salientar-lhe as qualidades e/ou defeitos. **2.** Falar mal de; censurar.

crítico *adj.* (gr. *kritikós*, capaz de julgar; decisivo). **1.** Relativo à crítica. **2.** Relativo à crise. **3.** Que deve conduzir a mudanças. **4.** Que expõe a um grande perigo; grave, perigoso. **5.** Decisivo, nevrálgico. ● **Med.** Relativo à crise de uma doença. ★ *s.m.* **1.** Pessoa que pratica a crítica. **2.** Pessoa que condena.

crivar *v.t.* (conj. 4). **1.** Fazer passar por crivo; peneirar. **2.** Furar em muitos pontos. **3.** *Fig.* Encher, constelar. ★ *v.pr.* Ficar traspassado.

crível *adj.2g.* (lat. *credibilis*). Que se pode crer; verossímil.

crivo *s.m.* (lat. *cribrum*). **1.** Peneira de fio metálico; joeira. **2.** Objeto muito esburacado. **3.** Grelha das fornalhas e dos engenhos. **4.** Espécie de bordado para o qual se prepara o pano, tirando-lhe alguns fios interpolados, na largura e no comprimento. **5.** *Fig.* Julgamento, opinião.

crochê ou **croché** *s.m.* (fr. *crochet*). Espécie de renda que se faz com agulha terminada em ponta em forma de gancho.

crocitar *v.i.* (lat. *crocitare*) [conj. 4]. **1.** Grasnar, corvejar. **2.** Imitar a voz do corvo.

crocito *s.m.* Voz do corvo, do condor e de outras aves.

crocodilianos *s.m.pl.* Ordem de répteis que se caracteriza pela presença de corpo longo, cabeça e cauda grandes e alongadas, pernas curtas, dedos com membrana natatória, pele grossa e coriácea.

crocodilo *s.m.* (gr. *krokódeilos*). **1.** Réptil crocodiliano que apresenta focinho triangular, dentadura inferior visível, mesmo com a boca fechada, e cauda possante, comprimida, cheia de saliências. **2.** Couro obtido por curtimento de pele de crocodilo.

cromado *adj.* Que contém cromo. ★ *adj.* e *s.m.* Diz-se de ou peça recoberta de cromo.

cromagem *s.f.* Revestimento de uma superfície metálica por deposição eletrolítica de cromo; resultado dessa operação.

cromar *v.t.* (conj. 4). Recobrir (uma peça de metal) com depósito eletrolítico de cromo.

cromaticidade *s.f.* Conjunto das características colorimétricas de um estímulo de cor.

cromático *adj.* (gr. *chromatikós*). Relativo às cores. ● **Fís.** *Aberração cromática,* distorção de um sistema óptico, causada pela dispersão da luz, caracterizada pela existência de um foco diferente para cada cor do espectro. **Mús.** *Escala cromática,* escala em que as notas se sucedem por semitons.

cromátide *s.f.* Cada uma das duas partes resultantes da divisão longitudinal do cromossomo durante a mitose e a meiose.

cromatina *s.f.* Material que constitui o cromossomo, formado por ADN e proteínas. (Sin. CARIOTINA.)

cromatismo *s.m.* (gr. *khromatismós,* ação de colorir). **1.** Irisação, coloração. **2.** Propriedade que possuem os corpos diáfanos de dispersar e decompor a luz que os atravessa. ● **Mús.** Técnica de composição musical que tem como base a utilização de todos os semitons da escala cromática.

cromato *s.m.* Sal do ácido crômico.

crômico *adj.* **1.** Diz-se dos sais do cromo trivalente. **2.** *Ácido crômico,* oxiácido derivado do cromo, muito tóxico, com alto poder oxidante, corrosivo para a pele, existente apenas em solução.

cromita *s.f.* **1.** Cromato de ferro natural, principal mineral do cromo. **2.** Sal duplo de anidrido cromoso.

cromo[1] *s.m.* (gr. *khroma,* cor). Elemento químico (símb. Cr) de número atômico 24, que constitui um metal branco ligeiramente azulado, análogo ao ferro e ao manganês, muito duro e resistente à corrosão.

cromo[2] *s.m.* Fotografia positiva colorida e transparente.

cromossômico *adj.* Pertencente ou relativo ao cromossomo.

cromossomo *s.m.* Estrutura formada de ácidos nucléicos e proteínas que ocorre no núcleo celular e que constitui a base física da hereditariedade.

crônica *s.f.* (lat. *chronica,* do gr. *chronicá biblía,* os anais). **1.** Relato de fatos registrados em ordem cronológica. **2.** Gênero literário onde os fatos são apenas narrados, conservando-se sua ordem cronológica. **3.** Texto publicado em jornal ou outro tipo de periódico sobre fatos reais ou imaginários da atualidade.

crônico *adj.* (gr. *chronikós,* relativo ao tempo, pelo b.-lat. *chronicus*). **1.** Que dura por muito tempo. **2.** *Fig.* Que é perseverante, inveterado. ● **Med.** Diz-se das doenças que evoluem lentamente e se prolongam (p. opos. a *agudo.*)

cronista *s.2g.* Autor de crônicas.

cronobiologia *s.f.* Estudo científico dos ritmos biológicos dos seres vivos, em particular dos ritmos circadianos.

cronograma *s.m.* **1.** Espécie de inscrição que consiste em letras que, reunidas, formam uma data expressa em algarismos romanos. **2.** Distribuição planejada das fases de execução de um projeto em determinado período de tempo.

cronologia *s.f.* **1.** Ciência dos tempos e das datas dos acontecimentos históricos. **2.** Ordem e data dos acontecimentos históricos.

cronológico *adj.* Relativo à cronologia, conforme a cronologia.

cronometrar *v.t.* (conj. 4). Registrar, com cronômetro, a duração precisa de uma ação, prova esportiva ou operação industrial.

cronômetro *s.m.* **1.** Instrumento mecânico ou eletrônico para medir com precisão os intervalos de tempo. **2.** Relógio de grande precisão.

croquete *s.m.* (fr. *croquette*). Bolinho frito de forma cilíndrica, feito de carne moída, peixe, legumes etc.

croqui *s.m.* (fr. *croquis*). Esboço.

cross-country *s.m.* (ingl., percorrer terreno sem estrada). **Esp.** Corrida de velocidade em terreno acidentado, com obstáculos naturais, realizada em atletismo, ciclismo ou esqui. (Cf. ENDURO.)

crossing-over *s.m.* (ingl., de *to cross over,* atravessar). Troca de material genético entre partes homólogas de um cromossomo, durante a meiose.

crosta (ô) *s.f.* (lat. *crusta*). Camada exterior, espessa e dura de um corpo; crusta, casca. ● **Geol.** Nome dado à parte sólida da Terra; litosfera. **Med.** Placa constituída de leucócitos, de uma exsudação e de células epiteliais ressecadas, à superfície de uma ferida.

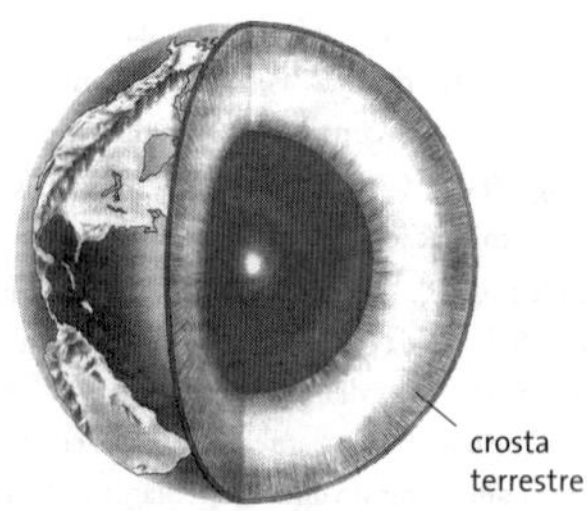

? VOCÊ SABIA...? A fina **crosta** exterior da Terra tem uma espessura de até 35 km abaixo dos continentes, e tão-somente de 7 km abaixo dos oceanos. A Terra tem, até o centro, um raio que pode chegar a 6.370 km.

cru *adj.* (lat. *crudus*). **1.** Que não está cozido. **2.** Que ainda não passou por nenhuma preparação. **3.** Sem disfarce. **4.** Que nada atenua; brutal. **5.** Diz-se de uma maneira direta de se exprimir, sem rodeios; ofensivo, chocante. **6.** Cruel, feroz. **7.** Esboçado, incipiente.

crucial *adj.2g.* (do lat. *crucialis,* de *crux, crucis,* cruz). **1.** Em forma de cruz. **2.** *Fig.* Que permite concluir de maneira decisiva, terminante. **3.** Fundamental, difícil.

cruciante *adj.2g.* Que crucia; aflitivo, mortificante.

cruciar *v.t.* (lat. *cruciare,* pôr na cruz) [conj. 16]. Afligir muito; atormentar.

crucíferas *s.f.pl.* Família de plantas dicotiledôneas, herbáceas, de folhas inteiras e flores geralmente reunidas em cachos, como a couve, a couve-flor e o brócolis.

crucífero *adj.* (lat. tard. *crucifer*). **1.** Que traz, que carrega uma cruz. **2.** Relativo às crucíferas.

crucificação *s.f.* Crucifixão.

crucificar *v.t.* (lat. tard. *crucifigere*) [conj. 12]. **1.** Fazer morrer numa cruz. **2.** Atormentar moralmente; sacrificar.

crucifixão (cs) *s.f.* (lat. tard. *cruxifixio*). **1.** Ato ou efeito de crucificar; crucificação. **2.** O suplício da cruz, aplicado antigamente a certos criminosos. **3.** Suplício do Cristo na Cruz. **4.** Representação dessa cena em pintura, desenho, gravura etc.

crucifixo (cs) *s.m.* (lat. *crucifixus*). Cruz de madeira, metal etc., na qual o Cristo é representado crucificado. ★ *adj.* Crucificado.

cruciforme *adj.2g.* Em forma de cruz.

cruel *adj.2g.* (lat. *crudelis*). **1.** Que se compraz em fazer sofrer, em matar; perverso. **2.** Feroz, violento. **3.** Que atinge de maneira dolorosa; atroz, insuportável. **4.** Severo, rigoroso.

crueldade *s.f.* (lat. *crudelitas*). **1.** Qualidade de cruel. **2.** Ação cruel. **3.** Dureza, rigor.

cruento *adj.* (lat. *cruentus*). **1.** Em que há sangue derramado. **2.** Impregnado de sangue. **3.** Que fere, cruel.

crueza (ê) *s.f.* **1.** Estado ou qualidade do que é cru. **2.** Crueldade, ferocidade.

cruor (ô) *s.m.* (lat. *cruor*). **1.** A parte sólida, coagulável, do sangue, por oposição ao *soro.* **2.** Matéria corante do sangue. **3.** Sangue derramado fora dos vasos.

crupe *s.m.* (ingl. *croup,* pelo fr. *croup*). Localização da difteria na laringe, de que resulta a obstrução da glote e dispnéia laríngea grave, às vezes causa de asfixia e morte. (Sin. GARROTILHO.)

crural *adj.2g.* (lat. *cruralis*). **1.** Relativo aos membros inferiores. **2.** Pertencente ou relativo à coxa. ● **Anat.** *Arco crural profundo,* cordão fibroso que se estende da espinha ilíaca ântero-superior à espinha do púbis. (Sin. LIGAMENTO* DE FALÓPIO.) ▸ *Nervo crural,* ramificação volumosa do plexo lombar que se divide em quatro ramificações principais. (Sin. NERVO FEMORAL*.)

crusta *s.f.* (lat. *crusta*). **1.** Crosta. **2.** Crosta da superfície das conchas.

crustáceo *s.m.* (do lat. *crusta,* crosta). Espécime dos crustáceos. ★ *adj.* Relativo aos crustáceos.

crustáceos *s.m.pl.* Classe de animais artrópodes, em sua maioria marinhos, com a carapaça sobre a cabeça e o tórax, que engloba cracas, camarões e caranguejos, entre outros.

cruz *s.f.* (lat. *crux*). **1.** Instrumento de suplício formado de dois pedaços de madeira atravessados, no qual, antigamente, se pregavam os condenados à morte. **2.** *P. ext.* Aflições, privações, tormentos. **3.** A Paixão e os sofrimentos de Jesus Cristo, símbolo do cristianismo. **4.** Insígnia, emblema, condecoração em forma de cruz. **5.** Sinal em forma de dois traços, que se cortam perpendicularmente, colocado em documentos por quem não sabe escrever. ● **Têxt.** Divisão alternada dos fios de urdume estabelecida pelo tecelão.

cruzada *s.f.* **1.** Expedição militar que os cristãos do Ocidente empreendiam, na Idade Média, contra os hereges ou contra os muçulmanos na Terra Santa. **2.** *Fig.* Campanha em defesa de certas idéias. **3.** Passagem, travessia.

cruzado[1] *adj.* **1.** Disposto em cruz; interceptado; atravessado. **2.** Que provém de um cruzamento. **3.** Animal que não é de raça pura. ● **Med.** *Reação cruzada,* reação de um anticorpo com um antígeno diferente daquele que lhe deu origem, mas que apresenta os mesmos determinantes antigênicos. ★ *s.m.* **Econ.** Unidade monetária brasileira que circulou de março de 1986 a janeiro de 1989, quando foi substituída pelo cruzado novo. ▸ *Cruzado novo,* unidade monetária brasileira que circulou de janeiro de 1989 a março de 1990.

cruzado[2] *s.m.* **1.** Participante das cruzadas. **2.** Religioso que tinha a cruz como insígnia, e que geralmente pertencia a uma ordem hospitaleira ou militar.

cruzador (ô) *adj.* Que cruza. ★ *s.m.* **1.** Aquele que cruza. **2.** Grande embarcação de guerra, rápida e empregada para comando, escolta, luta antiaérea ou anti-submarina.

cruzamento *s.m.* **1.** Ato de dispor em forma de cruz, de cruzar. **2.** Intersecção de duas vias de circulação. **3.** Encontro de duas coisas. ● **Biol.** Acasalamento de animais de conteúdo genético diferente com vistas à obtenção de crias com determinadas características. ▸ Animal resultante desse acasalamento. **Zootec.** *Cruzamento industrial,* técnica que se destina a gerar produtos exclusivamente para abate.

cruzamento de ruas

cruzar *v.t.* (conj. 4). **1.** Dispor em cruz. **2.** Atravessar, cortar. **3.** Percorrer. **4.** Transpor. **5.** Acasalar animais. ★ *v.pr.* Encontrar-se, vindo de direções opostas.

cruzeiro[1] *s.m.* **1.** Grande cruz que se ergue nos adros das igrejas, nas praças, nos cemitérios etc. **2.** Parte da igreja em que o transepto se cruza com a nave, diante da capela-mor. **3.** Extensão do ar ou do mar cruzada por aviões ou navios. **4.** Viagem turística em navio de passageiros. ● **Econ.** Unidade monetária brasileira que circulou de 1942 a 1986 e de 1990 a 1994, quando foi substituída pelo *real.*

cruzeiro[2] *s.m.* Sin. de URUTU.

cruzeta (ê) *s.f.* **1.** Cruz pequena. **2.** Peça em forma de T, usada pelos operários para nivelar.

Cs símbolo químico do césio.

cu *s.m.* (lat. *culus*). *Chul.* Ânus.

Cu símbolo químico do cobre.

cuba *s.f.* (lat. *cupa*). Vasilha grande que serve para vários usos industriais, hospitalares ou domésticos.

cubagem *s.f.* **1.** Ação de cubar, de avaliar o volume de um corpo, de um recipiente. **2.** Número de unidades cúbicas contidas no volume de um corpo.

cubano *adj.* Relativo ou pertencente a Cuba, país da América Central. ★ *s.m.* O natural ou habitante de Cuba.

cubar *v.t.* (conj. 4). **1.** Avaliar qualquer coisa em unidades de volume. **2.** Elevar ao cubo.

cúbico *adj.* **1.** Relativo ao cubo. **2.** Que tem a forma de cubo. ● **Mat.** *Raiz cúbica,* operação inversa a uma potenciação de terceiro grau.

cubículo *s.m.* (lat. *cubiculum,* quarto de dormir). **1.** Quarto ou compartimento muito pequeno. **2.** Cela de religioso. **3.** Câmara sepulcral, nas catacumbas.

cubismo *s.m.* Movimento artístico do início do séc. XX que se caracterizou pela representação fragmentada dos objetos e pela destruição da harmonia clássica (ilusão de perspectiva).

VOCÊ SABIA...? O **cubismo** foi um movimento artístico que se desenvolveu a partir da experimentação visual de Picasso e Braque. Sua intenção era dar uma visão essencial dos objetos e de sua relação com o espaço. As pinturas cubistas realçam a natureza bidimensional da superfície do quadro e combinam em uma imagem várias formas diferentes de se ver um objeto. A primeira etapa desse movimento é conhecida como cubismo analítico (1909-1911). A fase a partir de mais ou menos 1912, freqüentemente denominada *cubismo sintético,* abarca as obras com vários elementos visuais procedentes não da observação natural, mas sim do artifício.

---

cubista *adj.2g.* Relativo ou pertencente ao cubismo. ★ *s.2g.* Adepto do cubismo.

cubital *adj.2g.* (lat. *cubitalis*). Pertencente ou relativo ao cúbito. ● **Anat.** Relativo ao cotovelo; ulnar. ► Diz-se do bordo interno do antebraço.

cúbito *s.m.* (lat. *cubitus,* cotovelo). Osso longo que forma a parte interna do esqueleto do antebraço; ulna.

cubo *s.m.* (lat. *cubus*). **1.** Figura geométrica tridimensional composta por seis faces quadradas iguais. **2.** Cada um dos vãos de uma roda hidráulica, onde cai a água que a faz mover. ● **Automóv.** *Cubo de roda,* na roda de um veículo, peça central atravessada pelo eixo, e que suporta a roda e o tambor de freio. **Mat.** *Cubo de um número,* número resultante da potenciação desse número três vezes. **Mec.** Em mecânica industrial, peça central sobre a qual são montadas as peças que devem girar ao redor de um eixo.

cubóide *adj.2g.* Que tem a forma de cubo; cúbico. ★ *s.m.* **Anat.** Um dos ossos do tarso.

cuca[1] *s.f.* Ser fantástico assustador.

cuca[2] *s.m.* (ingl. *to cook,* cozinhar). *Fam.* Cozinheiro, mestre-cuca.

cuca[3] *s.f. Fam.* Cabeça, bestunto, coco.

cuco *s.m.* **1.** Ave cuculiforme, insetívora e migradora, que põe ovos no ninho de outros pássaros. **2.** Relógio de parede que imita o canto do cuco.

cuculiformes *s.m.pl.* Ordem de aves cosmopolitas, de cauda longa, com algumas espécies parasitas que põem seus ovos nos ninhos de outras aves, que engloba os cucos e os anus.

cucurbitáceas *s.f.pl.* (do lat. *cucurbita,* abóbora). Família de plantas dicotiledôneas, herbáceas, trepadeiras ou rastejantes, de folhas grandes, como a abóbora e a melancia.

cueca *s.f.* ou **cuecas** *s.f.pl.* Peça íntima do vestuário masculino, usada sob a calça.

cueiro *s.m.* Pano utilizado para envolver as nádegas e as pernas das crianças recém-nascidas.

cuia *s.f.* **1.** A casca do fruto da cuieira que, depois de vazia e seca, é usada como vasilha; cabaça. **2.** Qualquer vasilhame semelhante à cuia.

cuiabano *adj.* Relativo ou pertencente a Cuiabá. ★ *s.m.* O natural ou habitante de Cuiabá.

cuíca[1] *s.f.* (onomat.). Espécie de tambor em forma de barril, com uma das bocas recoberta por uma pele esticada, à qual se prende por dentro uma varinha ou tira de couro que, friccionada com a palma da mão, produz um som rouco e profundo.

cuíca[2] *s.f.* (do tupi). Denominação comum a mamíferos marsupiais em extinção, que possuem focinho longo, bolsa marsupial ausente em algumas espécies. (Sin. JUPATI.)

cuidado *s.m.* **1.** Atenção aplicada a alguma coisa. **2.** Precaução, cautela. **3.** Preocupação, desvelo. ★ *adj.* **1.** Pensado, meditado. **2.** Previsto, calculado. ★ *interj.* Exprime recomendação de cautela, atenção.

cuidadoso (ô) *adj.* Que tem ou foi feito com cuidado; minucioso.

cuidar *v.t.* (lat. *cogitare,* pensar) [conj. 4]. **1.** Tratar de, assistir, ter cuidado. **2.** Cogitar, imaginar. **3.** Julgar, supor. ★ *v.pr.* **1.** Ter cuidado consigo mesmo; tratar-se. **2.** Prevenir-se, acautelar-se.

cuieira *s.f.* Árvore cujo fruto é uma baga comprida, de polpa branca e ácida, utilizada, depois de seca, para fazer vasilhas, cuias e instrumentos musicais. (Sin. CABACEIRA.)

cujo *pron. rel.* (lat. *cujus*). Do qual, da qual, dos quais, das quais, de quem, de que. ★ *s.m.* Sujeito, fulano.

culatra *s.f.* (it. *culatta*). Bloco de aço destinado a vedar a abertura posterior do cano das armas de fogo. ● **Elétr.** Peça ferromagnética sem enrolamentos, destinada a comunicar os núcleos de um eletroímã ou transformador.

culinária *s.f.* Arte de cozinhar.

culinário *adj.* (lat. *culinarius,* de *culina,* cozinha). Relativo à cozinha.

culminância *s.f.* O ponto mais elevado; zênite, auge, culminação.

culminante *adj.2g.* **1.** Que é o mais elevado. **2.** *Fig.* No mais alto grau possível.

culminar *v.i.* (b.-lat. *culminare*) [conj. 4]. Atingir o ponto mais alto, o auge.

culote *s.m.* (fr. *culotte*). Calça comprida, bem larga nos quadris e justa abaixo do joelho, usada para montar a cavalo.

culpa *s.f.* (lat. *culpa,* falta). **1.** Atitude imprudente ou negligente, desprovida da intenção de lesar, mas que produz dano ou ofensa a outrem. **2.** Transgressão da lei religiosa; pecado. ▸ *Ter culpa no cartório,* diz-se de alguém que está incriminado, envolvido em situação suspeita ou criminosa. • **Psican.** *Sentimento de culpa,* sentimento consciente ou inconsciente de indignidade, marcado pela impossibilidade, que seria a forma pela qual o ego percebe a crítica do superego, característico da melancolia e da neurose obsessiva.

culpado *adj.* e *s.m.* (lat. *culpatus,* censurável). **1.** Que ou aquele que tem culpa. **2.** Criminoso, acusado.

culpar *v.t.* e *v.i.* (lat. *culpare*) [conj. 4]. Acusar de uma culpa, declarar culpado, incriminar. ★ *v.pr.* Confessar-se culpado.

culpável *adj.2g.* Que se pode culpar; condenável.

culposo (ô) *adj.* **1.** Que cometeu culpa. **2.** Em que há culpa.

culteranismo *s.m.* Sin. de GONGORISMO.

cultismo *s.m.* Sin. de CONCEPTISMO.

cultivador (ô) *adj.* e *s.m.* **1.** Que ou quem cultiva; cultor. **2.** Diz-se de ou aquele que se ocupa com o cultivo das terras; agricultor, lavrador. ★ *s.m.* Máquina agrícola utilizada no plantio de grãos.

cultivar[1] *v.t.* (b.-lat. *cultivare*) [conj. 4]. **1.** Trabalhar a terra para torná-la fértil. **2.** Dar condições para o estabelecimento de uma planta. **3.** *Fig.* Dedicar-se a. **4.** Formar pela instrução, desenvolver. ★ *v.pr.* Formar-se pela educação, desenvolver-se, instruir-se.

cultivar[2] *s.m.* Cada uma das variedades desenvolvidas por agrônomos ou geneticistas a partir de uma planta, para cultivo em condições ambientais específicas, com vistas a uma maior rentabilidade e resistência a pragas e doenças.

cultivo *s.m.* **1.** Ação ou modo de cultivar. **2.** Cultura.

culto[1] *s.m.* (lat. *cultus,* cultivo da terra; educação; reverência). **1.** Homenagem que se presta a uma divindade ou a um santo. **2.** Forma de prática religiosa. **3.** Entre os protestantes, ofício religioso. **4.** Veneração, amor fervoroso.

culto[2] *adj.* (lat. *cultus,* cultivado; preparado). **1.** Cultivado, instruído, erudito. **2.** Civilizado, adiantado.

cultor (ô) *s.m.* (lat. *cultor,* o que cultiva a terra). **1.** Cultivador. **2.** *Fig.* O que se aplica ao estudo de uma arte ou ciência.

cultuar *v.t.* (conj. 4). **1.** Prestar culto a. **2.** Tornar objeto de culto.

cultura[1] *s.f.* (lat. *cultura*). **1.** Ação ou maneira de cultivar a terra ou certos vegetais, ou de explorar certas produções minerais. **2.** Terreno cultivado. **3.** Conjunto de uma ou mais espécies cultivadas. **4.** Criação de certos animais, como abelhas, ou de leveduras, bactérias e outros microorganismos. **5.** Conjunto de valores, símbolos e rituais praticados em uma organização. • **Agric.** *Cultura associada* ou *consorciada,* associação de duas ou mais espécies vegetais na mesma área de cultivo. ▸ *Cultura itinerante,* sistema de cultura temporária, baseado em um desmatamento breve e periódico das florestas; agricultura de coivara. **Biol.** *Cultura de tecidos,* criação ou cultivo de células, tecidos ou órgãos em recipiente de laboratório. (Um recurso importante da biotecnologia.)

cultura[2] *s.f.* **1.** Acervo intelectual e espiritual. **2.** Conjunto de conhecimentos adquiridos; instrução, saber. **3.** Conhecimentos em um domínio particular. **4.** Conjunto de estruturas sociais, religiosas etc., de manifestações intelectuais, artísticas etc., que caracterizam uma sociedade.

VOCÊ SABIA...? O conceito de **cultura** não se limita ao fato de se possuir determinados conhecimentos; pelo contrário, abrange tudo e está em todos os aspectos da vida. Assim, pode-se falar em cultura do vestuário como expressão de uma sociedade, que será muito diferente conforme as regiões e, numa mesma região, diferente na cidade e no campo. Assim, os arqueólogos contemporâneos não procuram somente monumentos, mas estudam também detalhes da vida cotidiana que são importantes para um conhecimento mais profundo de civilizações extintas. Saber o que comiam, como dormiam, quais eram seus entretenimentos, as plantas que cultivavam e os animais que criavam e caçavam, as possíveis rotinas que seguiam, são aspectos que enriquecem de forma extraordinária a visão com que contemplamos essas civilizações do passado.

---

cultural *adj.2g.* Relativo ou pertencente à cultura intelectual, à cultura de uma coletividade.

cumbé *s.m.* Sin. de LESMA.

cumbuca *s.f.* Vaso de cabaça com uma abertura, usado para colocar água etc.

cume *s.m.* (lat. *culmen*). **1.** O topo de uma montanha. **2.** *Fig.* O mais alto grau, o auge.

cumeada *s.f.* Linha formada pelos cumes das montanhas; linha de crista.

cumeeira *s.f.* Parte mais alta de um telhado, onde se encontram as superfícies inclinadas (águas) e o madeiramento sobre o qual se apóiam os caibros.

cúmplice *adj.2g.* e *s.2g.* (lat. *complex, complicis,* unido). **1.** Que ou aquele que auxilia ou participa de um crime ou delito. (Cf. CO-RÉU.) **2.** *Fig.* Que ou aquele que ajuda, favorece; parceiro, sócio.

cumprimentar *v.t.* (conj. 4). **1.** Dirigir cumprimentos ou felicitações a alguém. **2.** Saudar, felicitar.

cumprimento *s.m.* **1.** Ato ou efeito de cumprir; observância, completa execução. **2.** Gesto ou expressão falada ou escrita de cortesia; saudação cortês. **3.** Palavras elogiosas ou afetuosas dirigidas a alguém para felicitá-lo.

cumprir *v.t.* (lat. *complere,* encher, completar) [conj. 6]. **1.** Preencher as exigências, tornar efetivas as prescrições. **2.** Satisfazer. **3.** Executar. ★ *v.i.* Ser necessário, conveniente, proveitoso, útil. ★ *v.pr.* Realizar-se, findar.

cumular *v.t.* (lat. *cumulare*) [conj. 4]. **1.** Acumular. **2.** *Fig.* Dar profusamente. ★ *v.pr.* Encher-se, abarrotar-se.

cumulativo *adj.* Que se acumula.

cúmulo *s.m.* (lat. *cumulus,* montão). **1.** Reunião de muitas coisas sobrepostas; amontoado. **2.** *Fig.* Grande quantidade. **3.** *Fig.* O mais elevado grau. **4.** *Fig.* Aumento, acréscimo. • **Meteor.** Nuvem de contornos bem nítidos, com base horizontal e parte superior arredondada, de coloração branca intensa; *cumulus.*

cúmulo-nimbo *s.m.* (lat. *cumulus nimbus*). Massa compacta de nuvens de base escura, de grande desenvolvimento vertical, que desencadeia as tempestades e as chuvas de granizo; *cumulus-nimbus.*

cumulus *s.m.* (lat.). Cúmulo.

cumulus-nimbus (lat.). Cúmulo-nimbo.

cuneiforme *adj.2g.* (do lat. *cuneus,* cunha). **1.** Que tem forma de cunha. **2.** Diz-se da escrita dos assírios, persas e medos, cujos caracteres tinham forma de cunha. ★ *s.m.* **Anat.** Cada um dos três ossos do tarso.

tábua de argila com caracteres cuneiformes

cunha *s.f.* (lat. *cunea*). **1.** Peça em forma de ângulo vivo, afiada em uma das extremidades, que se introduz em uma brecha para rachar lenha, abrir pedras etc. **2.** Pedaço de madeira de forma semelhante, para vedar fendas. **3.** *Fig.* Pessoa influente que se empenha em favor de outra; o próprio empenho.

cunhado *s.m.* (lat. *cognatus,* unido pelo sangue). O irmão de um dos cônjuges em relação ao outro cônjuge, e reciprocamente.

cunhagem *s.f.* Ato ou efeito de cunhar.

cunhal *s.m.* Ângulo externo, saliente, formado por duas paredes concorrentes; quina.

cunhar *v.t.* (conj. 4). **1.** Imprimir o cunho em. **2.** Amoedar. **3.** Inventar, criar. **4.** Tornar saliente, notável.

cunho *s.m.* **1.** Matriz para cunhar moedas e medalhas. **2.** Sinal que fica impresso nas moedas e nas medalhas. **3.** Marca, caráter distintivo.

cunicultor (ô) *s.m.* Criador de coelhos.

cunicultura *s.f.* (do lat. *cuniculus*). Criação de coelhos.

cunilíngua *s.f.* (lat. *cunnilingus*). Prática sexual que consiste na estimulação bucal dos órgãos genitais femininos.

cupão *s.m.* Var. de CUPOM.

cupê *s.m.* (fr. *coupé*). **1.** Antiga carruagem fechada, de quatro rodas, em geral para dois lugares. **2.** Carro de passeio ou esporte de duas portas. (Sin. SEDÃ.)

cupidez (ê) *s.f.* Desejo imoderado de riquezas; ambição, cobiça.

cupido *s.m.* (de *Cupido,* n.pr.). **1.** Deus do amor entre os romanos, semelhante ao Eros grego. **2.** Representação desse deus, geralmente com asas e arco e flecha.

cúpido *adj.* (lat. *cupidus,* que deseja). Ávido de bens; ambicioso, cobiçoso.

cupim *s.m.* (tupi *kupi'i*). **1.** Nome comum a insetos sociais, da ordem dos isópteros, que se alimentam da celulose da madeira e que podem constituir verdadeiras pragas. (Sin. TÉRMITA.) **2.** O ninho desses insetos. (Sin. CUPINZEIRO.) **3.** Corcova de gado zebu.

cupincha *s.2g.* Camarada, comparsa.

cupinzeiro *s.m.* Sin. de CUPIM.

cupom *s.m.* (fr. *coupon*). **1.** Título que acompanha ações ou obrigações, destacável quando do pagamento de seus dividendos ou bonificações. **2.** Cédula publicada por jornais e revistas, que se deve recortar e enviar para fins de votação ou brindes. (Var. CUPÃO.)

cúprico *adj.* **1.** Relativo ao cobre; cuprino. **2.** Acobreado. ● **Quím.** Que contém cobre ou um sal de cobre. ▸ Que possui certas propriedades do cobre. ▸ Diz-se dos compostos de cobre bivalente.

cuprífero *adj.* **1.** Que contém cobre. **2.** Relativo às minas de cobre.

cuprino *adj.* (lat. *cuprinus,* de cobre). Cúprico.

cupu ou **cupuaçu** *s.m.* (do tupi). Árvore originária da Amazônia, de flores vermelhas, cujos frutos, de polpa aromática, são utilizados para fazer doces e refrescos, e as sementes como sucedâneas do cacau.

cúpula *s.f.* (lat. *cupula,* cuba pequena). **1.** Abóbada esférica. **2.** Zimbório. **3.** *Fig.* A alta direção de uma empresa ou de um partido político.

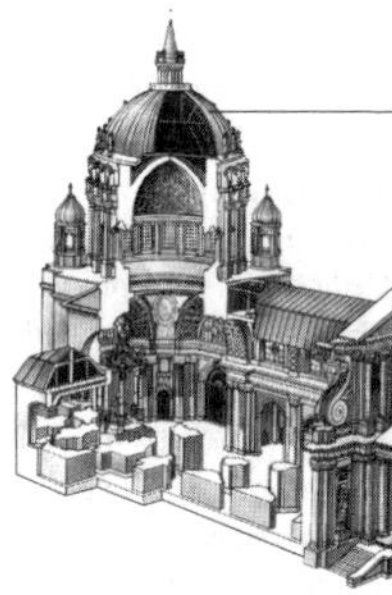

cura[1] *s.f.* (lat. *cura*). **1.** Ato ou efeito de curar. **2.** Recobramento da saúde. **3.** Processo de secagem ou purificação de certos alimentos.

cura[2] *s.m.* Pároco, vigário, prior.

curaçau *s.m.* (de *Curaçau,* top.). Licor feito com cascas de laranja, açúcar e aguardente.

curado *adj.* Que se curou.

curador (ô) *s.m.* (lat. *curator*). **1.** Pessoa encarregada, por lei, da administração dos bens ou interesses de outrem. **2.** Pessoa que zela por uma coleção ou que concebe, organiza e supervisiona a montagem de uma exposição.

curadoria *s.f.* Curatela.

curandeiro *s.m.* Pessoa que, por procedimentos mágicos ou sem verificação científica demonstrável, exerce ilegalmente a medicina.

curar *v.t.* (lat. *curare,* ter cuidados com) [conj. 4]. **1.** Livrar de doença; medicar. **2.** Secar ao fumeiro ou ao sol. **3.** Branquear ao sol. ★ *v.i.* **1.** Recuperar a saúde. **2.** Tratar, cuidar. ★ *v.pr.* **1.** Aplicar remédios para tratar-se. **2.** Emendar-se de hábito prejudicial ou defeito moral.

curare *s.m.* Nome comum a certas substâncias de origem vegetal, de potente ação paralisante, utilizadas por alguns grupos indígenas sul-americanos para envenenar a ponta das flechas.

curatela *s.f.* (lat. tard. *curatela*). Função, ação de curador; curadoria.

curativo *adj.* Relativo à cura de uma enfermidade. ★ *s.m.* Aplicação, sobre um ferimento, de substâncias medicamentosas destinadas a protegê-lo de traumatismos e infecções, absorver as secreções e, eventualmente, tratá-lo; o material empregado para isso.

curau *s.m.* Sin. de CANJICA.

curável *adj.2g.* (lat. *curabilis*). Que pode ser curado.

curdo *adj.* Relativo ou pertencente ao Curdistão. ★ *s.m.* **1.** Indivíduo dos curdos, povo muçulmano. **2.** A língua desse povo.

cureta (ê) *s.f.* Instrumento cirúrgico em forma de colher, utilizado para raspagem de uma cavidade orgânica.

curetagem *s.f.* Operação que consiste em retirar com uma cureta corpos estranhos ou partes mórbidas do interior de uma cavidade natural (útero) ou patológica (abscesso ósseo).

curetar *v.t.* (conj. 4). **1.** Operar com a cureta. **2.** Fazer uma curetagem.

cúria *s.f.* (lat. *curia*). **1.** Organismo governamental, administrativo e judiciário da Santa Sé romana ou dos bispos católicos. (Usa-se com maiúscula.) **2.** Antiga divisão das tribos romanas.

curial *adj.2g.* (lat. *curialis*). **1.** Relativo ou pertencente à Cúria ou ao cura. **2.** *Fig.* Conveniente, adequado.

curiango *s.m.* (do tupi). Ave caprimulgiforme, de garganta branca e corpo de coloração pardo-amarelada, que ocorre nas Américas.

curie *s.m.* (de *P.* e *M. Curie,* n.pr.). Antiga unidade de medida de radioatividade (símb. Ci).

curimatã *s.f.* Var de CURIMBA.

curimba ou **curimbatá** *s.m.* Nome comum a peixes de água doce que se alimentam de lodo, muito utilizados em piscicultura. (Var. CURIMATÃ.)

curinga *s.m.* Carta de baralho que pode substituir e assumir o valor de qualquer outra. (Cf. CORINGA.)

curió *s.m.* Ave passeriforme, canora, muito apreciada para criação, que ocorre do México à Bolívia, Paraguai, Argentina e Brasil.

cúrio *s.m.* (de *Curie,* n.pr.). Elemento químico radioativo (símb. Cm), de número atômico 96, obtido a partir do bombardeamento do plutônio.

curiosidade *s.f.* (lat. *curiositas*). **1.** Qualidade de curioso. **2.** Vontade de ver, de conhecer. **3.** Desejo de conhecer os segredos alheios; indiscrição. **4.** Gosto, paixão por coisas raras, originais. **5.** Trabalho ligeiro, feito por diletantismo. ★ *s.f.pl.* Coisas raras.

curioso (ô) *adj.* (lat. *curiosus,* cuidadoso). **1.** Diz-se do indivíduo que tem grande vontade de saber ou de ver. **2.** Ávido de conhecer os segredos alheios; indiscreto. **3.** Raro, original, que desperta interesse. ★ *s.m.* **1.** Indivíduo curioso. **2.** Pessoa que cultiva uma arte sem dela fazer profissão; amador. **3.** Indivíduo que, sem ter conhecimentos teóricos, entende um pouco de quase tudo.

curitibano *adj.* Relativo ou pertencente à cidade de Curitiba. ★ *s.m.* O natural ou habitante da cidade de Curitiba.

curra *s.f.* *Chul.* Violência sexual praticada contra alguém por mais de uma pessoa.

curral *s.m.* Local de alojamento e manejo de animais de criação, de grande porte.

currar *v.t.* (conj. 4). *Chul.* Praticar a curra.

curricular *adj.2g.* Relativo a currículo.

currículo *s.m.* (lat. *curriculum vitae,* carreira da vida). **1.** Histórico da formação e experiência profissional de uma pessoa; currículum vitae. **2.** Curso, carreira. **3.** As matérias que constam de um curso.

curro *s.m.* **1.** Compartimento da praça de touros onde estes ficam antes e depois da corrida. **2.** A totalidade dos touros destinados a uma corrida.

currupira *s.m.* Var. de CURUPIRA.

cursar *v.t.* (lat. *cursare,* correr sem cessar) [conj. 4]. **1.** Percorrer, andar. **2.** Seguir um curso numa escola. ★ *v.i.* Viajar.

cursivo *adj.* (it. *corsivo*). **1.** Diz-se da letra usada correntemente em manuscritos. **2.** *Fig.* Sem rebuscamento; leve.

curso *s.m.* (lat. *cursus,* ação de correr). **1.** Andamento, direção, sentido. **2.** Marcha, progressão. **3.** Caminho, percurso. **4.** Extensão percorrida por uma massa líquida. **5.** Leito de um rio. **6.** Conjunto de lições sobre um determinado assunto. **7.** Divisão que corresponde a um determinado grau de ensino.

cursor (ô) *s.m.* (lat. *cursor,* corredor). **1.** Emissário, estafeta. **2.** Peça móvel com um indicador que pode ser deslocado ao longo de uma corrediça, geralmente graduada. ● **Inform.** Marca móvel que indica, sobre a tela de um monitor, a posição da próxima escrita.

CURSOR ▸ Em informática, o cursor serve como um ponto de contato entre o usuário do computador e os dados. Geralmente aparece como uma seta que pisca no monitor, indicando a posição em que se encontra o usuário no documento ou arquivo com o qual está trabalhando.

---

curta *s.m.* Forma reduzida de curta-metragem.

curta-metragem *s.m.* Filme cinematográfico cujo tempo de projeção não ultrapassa 25 minutos; curta.

curtição *s.f.* **1.** Ato de curtir; curtimento. **2.** *Gír.* Êxtase provocado por drogas. **3.** *Gír.* Prazer intenso em alguma coisa.

curtir *v.t.* (conj. 6). **1.** Transformar (pele bruta de animais) em couro, mediante o emprego de tanino e outros produtos. **2.** Preparar, deixando de molho em líquido adequado. **3.** Tornar rijo ou resistente, expondo às intempéries. **4.** *Fig.* Sofrer, padecer, suportar. **5.** *Gír.* Aproveitar ao máximo.

curto[1] *adj.* (lat. *curtus,* truncado; incompleto). **1.** Que tem pouca duração; rápido, breve. **2.** Em pequeno número; raro, esparso. **3.** *Fig.* Limitado em suas faculdades intelectuais; tacanho.

curto[2] *s.m.* Forma reduzida de curto-circuito.

curto-circuito *s.m.* Interrupção da corrente de um circuito elétrico causada pela destruição de uma conexão, em função da sua baixa resistência em relação ao potencial elétrico a que está sujeita; curto.

curtume *s.m.* **1.** Lugar, estabelecimento onde são curtidos peles e couros. **2.** Curtimento.

curumim *s.m.* (tupi *kunu'mi*). Menino, garoto.

curupira *s.m.* (tupi *kuru'pira,* o coberto de pústulas). Ente fantástico que, segundo a crença popular, habita as florestas e é o protetor das árvores e da caça. (Var. CURRUPIRA.)

curuquerê *s.m.* (tupi *kurke're*). Inseto lepidóptero cuja larva, de mesmo nome, é praga dos algodoeiros.

cururu *s.m.* (tupi *kuru'ru*). **1.** Denominação popular de sapos grandes, de pele enrugada. **2.** *(N e NE)* Nome comum dado aos sapos de pele enrugada, cheia de verrugas providas de glândulas venenosas. (Sin. SAPO-CURURU.)

curva *s.f.* **1.** Trajetória de um ponto móvel. **2.** Representação gráfica de uma função matemática. **3.** Trecho sinuoso de estrada ou de rua. **4.** Peça recurvada, de metal, de madeira etc, para construções, móveis e outros fins. **5.** Arqueamento, curvatura. ● **Topogr.** *Curva de nível,* linha imaginária que une os pontos da mesma altitude. (Sin. ISOLINHA.)

curvar *v.t.* (lat. *curvare*) [conj. 4]. **1.** Tornar curvo; encurvar. **2.** Dobrar em arco; arquear. **3.** *Fig.* Submeter, humilhar. ★ *v.i.* Tornar-se curvo; vergar. ★ *v.pr.* **1.** Dobrar-se; inclinar-se. **2.** *Fig.* Sujeitar-se, submeter-se, humilhar-se.

curvatura *s.f.* (lat. *curvatura*). **1.** Estado de uma coisa recurvada; curva, arqueamento. **2.** Parte recurvada de um objeto. ● **Geom.** Grau de deformação de uma superfície ou segmento de reta curvos.

curveta (ê) *s.f.* (fr. *courbette*). **1.** Pequena curva de caminho. **2.** Curva tortuosa, ziguezague. **3.** Movimento típico dos cavalos, pinote.

curvetear *v.t.* e *v.i.* (conj. 15). Fazer curvetas; corcovear.

curvilíneo *adj.* **1.** Característica daquilo que é curvo. **2.** Que se processa em direção curva. ● **Geom.** *Função curvilínea,* função cuja representação gráfica é uma curva.

curvo *adj.* (lat. *curvus*). Diz-se do que tem forma de arco; curvado, arqueado; sinuoso.

cuscuz *s.m.2n.* (ár. *kuskus*). Prato feito com farinha de milho, camarões refogados, ovos cozidos, palmito, sardinhas, ervilhas etc., bem temperados e cozidos ao vapor.

cuscuzeiro *s.m.* Forma para fazer cuscuz.

cusparada *s.f.* Emissão de grande quantidade de cuspe.

cuspe *s.m.* Saliva.

cúspide *s.f.* (lat. *cuspis, cuspidis*). Extremidade aguda; cume, vértice, ápice. ● **Astrol.** Grau do Zodíaco em que se inicia uma casa. **Geom.** Característica que apresenta uma curva em um ponto singular onde ela admite a mesma semitangente à esquerda e à direita.

cuspinhar *v.i.* (conj. 4). Cuspir amiúde, a pequenos intervalos e um pouco de cada vez.

cuspir *v.i.* (lat. *conspuere*) [conj. 61]. Expelir cuspe pela boca; escarrar. ★ *v.t.* **1.** Lançar da boca. **2.** *Fig.* Dirigir ultrajes, proferir injúrias. **3.** *Fig.* Atirar longe, arremessar.

custa *s.f.* *Ant.* Despesa que se faz com alguma coisa; dispêndio, custo. ● *s.f.pl.* Despesas em um processo judicial.

custar *v.t.* (lat. *constare,* estar seguro) [conj. 4]. **1.** Ser adquirido por determinado preço. **2.** Ser conseguido à custa de. **3.** Levar tempo, demorar. ★ *v.i.* Ser difícil, trabalhoso.

custear *v.t.* (conj. 15). **1.** Pagar as despesas de alguém. **2.** Pagar o custo de alguma coisa.

custeio *s.m.* Ação de custear; custeamento.

custo *s.m.* **1.** Despesas ou desembolsos feitos por uma pessoa ou firma para realizar determinada tarefa. **2.** Valor de um objeto, o que por ele se paga. **3.** *Fig.* Dificuldade, esforço.

custódia *s.f.* (lat. *custodia*). **1.** Guarda, proteção. **2.** Lugar onde se guarda alguém ou alguma coisa. **3.** Receptáculo de ouro ou de prata, em que se guarda a hóstia consagrada.

custodiar *v.t.* (conj. 16). Pôr em custódia; proteger, guardar.

custoso (ô) *adj.* **1.** Que exige despesas, que custa muito dinheiro. **2.** Difícil, trabalhoso, árduo.

cutâneo *adj.* (do lat. *cutis,* pele). Que pertence à pele, que tem relação com a pele. ● **Anat.** Diz-se dos músculos que têm pelo menos uma de suas inserções na pele e que a dobram quando se contraem.

cutelaria *s.f.* **1.** Oficina ou estabelecimento de cuteleiro. **2.** Arte, obra de cuteleiro.

cuteleiro *s.m.* O que fabrica ou vende instrumentos cortantes de ferro ou aço, como tesouras, alicates, navalhas, facas etc.

cutelo *s.m.* (lat. *cultellus,* dim. de *culter,* faca). **1.** Instrumento cortante de lâmina semicircular, com cabo de madeira, utilizado em matadouros, açougues etc. **2.** *Fig.* Violência, opressão. ● **Nav.** Vela estreita utilizada para aumentar a superfície das velas redondas habituais em certas embarcações, quando o vento é fraco.

cutia *s.f.* (tupi *aku'ti*). Nome comum a mamíferos roedores de pêlo áspero e cauda rudimentar que ocorrem na América do Sul; acuti.

CURVATURA ► A curvatura do espaço é uma manifestação do campo gravitacional. Está, portanto, associada à presença de massa em um ponto ou região do espaço. É maior nas vizinhanças dessa massa e é tanto maior quanto maior for a massa. Desse modo, um raio de luz não é absolutamente retilíneo, mas acompanha a curvatura do espaço que atravessa, o que equivale a dizer que a luz sofre os efeitos do campo gravitacional. No espaço curvo (espaço-tempo contínuo), a menor distância entre dois pontos não é uma reta, ou seja, não é válida a geometria euclidiana, que segue os postulados do matemático grego Euclides (séc. III a.C.). Suas propriedades geométricas são descritas por um tensor métrico fundamental, que, na teoria da relatividade geral formulada pelo físico alemão-americano Albert Einstein (1879-1955), define as propriedades geométricas do espaço-tempo contínuo.

cutícula *s.f.* (lat. *cuticula,* dim. de *cutis,* pele). Espessamento da camada córnea da pele que recobre as unhas. ● **Bot.** Camada formada por cutina, que reveste a parede externa das células epidérmicas. **Zool.** Película secretada pela epiderme dos invertebrados, com função de proteção contra danos físicos e químicos.

cuticular *adj.2g.* Relativo à cútis ou à cutícula.

cutilada *s.f.* Golpe de cutelo, faca etc.

cutirreação *s.f.* Reação inflamatória cutânea que ocorre em pessoas alérgicas quando são depositadas, sobre a pele escarificada, algumas gotas de um antígeno responsável por uma reação de hipersensibilidade.

cútis *s.f.2n.* (lat. *cutis*). Pele das pessoas; tez.

cutucão *s.m.* **1.** Cutucada grande. **2.** Cutilada, facada.

cutucar *v.t.* (conj. 12). Tocar alguém com o dedo, o cotovelo, o pé ou algum objeto, para fazer uma advertência muda; catucar.

czar *s.m.* (eslavo *tsar,* do lat. *caesar*). Título que se dava ao imperador da Rússia. (Var. TZAR.)

czarda *s.f.* Dança nacional popular húngara.

czarina *s.f.* Título que se dava à imperatriz da Rússia.

czarismo *s.m.* Regime político da Rússia, antes da Revolução de 1917.

czarista *adj.2g.* Relativo ao czarismo. ★ *s.2g.* Partidário do czarismo.

Dd **Dd** *Dd*

d (dê) *s.m.* Quarta letra do alfabeto português.

da comb. da prep. *de* com o art. def. fem. *a.*

dáctilo *adj.* e *s.m.* (gr. *dáktylos,* dedo). Diz-se de ou pé de verso composto por uma sílaba longa seguida de duas breves.

dadaísmo *s.m.* (do fr. *dada,* onomat. infantil). Movimento artístico e literário surgido em 1916 que pregou o apelo ao subconsciente, satirizou e criticou os valores tradicionais e propiciou o surgimento do Surrealismo e de outras tendências de vanguarda.

dádiva *s.f.* O que é dado ou presenteado; dom.

dadivoso (ô) *adj.* Que gosta de dar; generoso.

dado[1] *s.m.* (do lat. *datus,* part. pass. de *dare,* dar). Pequeno cubo de faces marcadas com pontos, de 1 a 6, ou figuras, usado em diferentes jogos.

dado[2] *s.m.* **1.** Elemento ou quantidade conhecida que serve de base à solução de um problema. **2.** Base, ponto de partida para uma discussão ou um juízo. **3.** *Dado que,* suposto que, posto que. • **Arquit.** Parte principal do pedestal de uma coluna. **Inform.** Representação de uma informação em vias de ser tratada por programa de computador. ★ *adj.* **1.** Habituado, afeito. **2.** Gratuito. **3.** Concedido, permitido. **4.** Afável. **5.** Determinado.

daí comb. da prep. *de* com o adv. *aí.*

dalai-lama *s.m.* (do tibetano) [*pl. dalai-lamas*]. Chefe supremo do budismo tibetano.

dali comb. da prep. *de* com o adv. *ali.*

dália *s.f.* (de *A. Dahl,* n.pr.). Nome dado a várias plantas herbáceas, cultivadas como ornamentais, com mais de 3.000 variedades de diversas cores e tamanhos.

dálmata *adj.2g.* Relativo ou pertencente à Dalmácia, região da Iugoslávia; dalmatense, dálmata. ★ *s.2g.* **1.** O natural ou habitante da Dalmácia; dalmatense. **2.** Raça de cão, de pêlo curto e pelagem branca com manchas pretas ou pardas, que mede cerca de 50 cm de altura.

dalmatense *adj.2g.* e *s.2g.* Dálmata.

daltônico *adj.* Relativo ao daltonismo. ★ *adj.* e *s.m.* Que ou aquele que sofre de daltonismo.

daltonismo *s.m.* (de *J. Dalton,* n.pr.). Distúrbio visual que impede a percepção de todas as cores (acromatopsia) ou a distinção entre uma cor e outra, principalmente entre o verde e o vermelho (daltonismo verdadeiro).

dama *s.f.* (fr. *dame,* do lat. *domina,* senhora). **1.** Mulher nobre. **2.** Designação genérica e atenciosa de senhora. **3.** Atriz. **4.** A mulher que dança com um homem. **5.** Carta do baralho com a figura feminina.

damas *s.f.pl.* Jogo para dois adversários praticado sobre um tabuleiro cujo o objetivo é capturar as peças do adversário; jogo de damas.

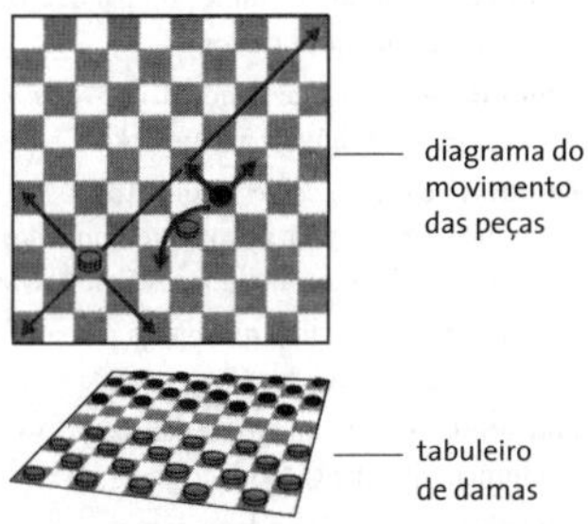

damasceno *adj.* Relativo ou pertencente a Damasco, capital da Síria; damasquino. ★ *s.m.* O natural ou habitante de Damasco.

damasco *s.m.* (de *Damasco,* n.pr.). **1.** Fruto do damasqueiro, amarelo ou avermelhado, aromático, de polpa suculenta, comestível e muito utilizado na confecção de doces e compotas. **2.** Tecido adamascado.

damasqueiro *s.m.* Árvore originária da Ásia, de flores grandes, rosadas ou brancas, e frutos comestíveis, que fornece madeira avermelhada, própria para marcenaria de luxo.

damasquino *adj.* Damasceno.

danação *s.f.* (lat. *damnatio*). **1.** Ato ou efeito de danar(-se). **2.** Raiva, fúria. **3.** Perturbação, excitação. **4.** Condenação, infortúnio.

danado *adj.* (lat. *damnatus*). **1.** Condenado ao inferno; maldito. **2.** Furioso, zangado. **3.** Estragado, corrompido. **4.** Malvado, perverso. **5.** Fora do comum; extraordinário, incrível. **6.** Traquinas, travesso. **7.** Hábil, talentoso. **8.** Hidrófobo. ★ *s.m.* **1.** O que foi condenado ao inferno. **2.** Aquele que faz coisas incomuns, extraordinárias. **3.** Aquele que foi atacado de hidrofobia.

danar *v.t.* (lat. *damnare,* condenar em justiça) [conj. 4]. **1.** Causar dano a; deteriorar, adulterar. **2.** Perverter, corromper. **3.** Enfurecer, irritar. **4.** Transmitir a hidrofobia a. **5.** Falando-se de Deus, condenar alguém ao castigo eterno. ★ *v.i.* Contrair a hidrofobia. ★ *v.pr.* **1.** Enfurecer-se. **2.** Ter fim violento. **3.** Sair impetuosamente.

dança *s.f.* **1.** Seqüência ritmada de gestos e passos, executada geralmente ao som de uma música. **2.** Arte de se expressar dançando e interpretando composições coreográficas. **3.** Composição musical escrita para a dança. **4.** Baile.

dança-de-são-vito *s.f.* Nome popular da coréia, doença que provoca movimentos bruscos.

dançante *adj.2g.* **1.** Que dança. **2.** Diz-se das reuniões em que se dança. **3.** Que convida à dança. ★ *s.2g.* Pessoa que dança.

dançar *v.i.* e *v.t.* (fr. *danser*) [conj. 13]. **1.** Praticar a dança. **2.** Fazer uma série de movimentos relacionados com dança. **3.** Executar movimentos rápidos, oscilar. **4.** *Gír.* Sair-se mal.

dançarina *s.f.* **1.** Mulher que dança por profissão; bailarina. **2.** Mulher que dança bem.

dançarino *s.m.* **1.** Homem que dança por profissão; bailarino. **2.** Homem que dança bem.

danceteria *s.f.* Lugar onde se dança.

dândi *s.m.* (ingl. *dandy*). Homem elegante, que se traja com apuro; janota.

danês *s.m.* Sin. de DINAMARQUÊS.

danificar *v.t.* (lat. *damnificare,* lesar) [conj. 12]. Causar dano a; estragar. ★ *v.pr.* Sofrer dano; prejudicar-se.

daninho *adj.* **1.** Que traz dano; nocivo. **2.** Irascível, malvado. **3.** Travesso, traquinas. **4.** *Erva daninha,* erva que cresce naturalmente num terreno onde é cultivada outra planta e que concorre com esta; erva invasora.

dano *s.m.* (lat. *damnum*). Prejuízo ou estrago causado a alguém ou a algo.

danoso (ô) *adj.* (lat. *damnosus*). Que causa dano; nocivo.

dantes *adv.* **1.** Antes, anteriormente. **2.** Outrora, antigamente.

dantesco (ê) *adj.* Relativo a Dante Alighieri, poeta italiano.

daquele (ê) comb. da prep. *de* com o pron. *aquele.*

daquém comb. da prep. *de* com o adv. *aquém.*

daqui comb. da prep. *de* com o adv. *aqui.*

daquilo comb. da prep. *de* com o pron. *aquilo.*

dar *v.t.* (lat. *dare*) [conj. 11]. **1.** Transferir ou ceder gratuitamente o que se possui; doar. **2.** Pagar. **3.** Ministrar, aplicar. **4.** Produzir. **5.** Permutar. **6.** Soar, bater. **7.** *Dar à luz,* colocar uma criança no mundo; parir. ★ *v.pr.* Ocorrer, acontecer.

dardejar *v.t.* (conj. 4). **1.** Atirar um dardo contra; ferir com dardo. **2.** Lançar, expelir de si. ★ *v.i.* **1.** Arremessar dardos. **2.** Cintilar, fulgurar.

dardo *s.m.* (fr. *dard*). **1.** Arma ofensiva de arremesso, espécie de lança curta e delgada, com uma ponta de ferro fixada numa haste de madeira. **2.** Instrumento em forma de lança, empregado em atletismo. **3.** *Fig.* Dito mordaz; censura acre. **4.** O que fere, magoa.

darma *s.m.* (sâns. *dharma,* dever). Conjunto de preceitos morais e religiosos das filosofias e religiões indianas.

darwiniano (darv-i) *adj.* Relativo ou pertencente à doutrina de Charles Darwin. ★ *s.m.* Darwinista.

darwinismo (darv-i) *s.m.* Teoria proposta por Charles Darwin em 1859 que explica a evolução dos seres vivos a partir da presença de variações individuais em uma população, que sob pressão imposta por modificações do meio possibilitaria o aparecimento de novas espécies, devido à seleção de organismos mais aptos à sobrevivência em novas condições.

DARWINISMO ► O meio ambiente é importante para a antropologia quanto a dois aspectos fundamentais: o desenvolvimento e a evolução. A evolução biológica se produz por mudanças sistemáticas na freqüência dos genes e dos cromossomos da população. A principal causa dessas mudanças evolutivas é a seleção natural, tal como foi definida por Charles Darwin em meados do século XIX. A seleção natural ocorre como resultado da sobrevivência e reprodução dos indivíduos mais aptos da população. Essa sobrevivência diferencial freqüentemente recebe profunda influência do meio ambiente, pois os genes favorecidos pela adaptação a um meio podem ser desfavorecidos em outro.

---

darwinista (darv-i) *adj.2g.* e *s.2g.* **1.** Darwiniano. **2.** Partidário do darwinismo.

data *s.f.* (lat. tard. *data littera,* letra dada). **1.** Tempo, período, época. **2.** Indicação exata do ano, mês e dia em que um fato ocorreu ou deverá ocorrer.

datação *s.f.* **1.** Ato ou efeito de datar. **2.** Processo de determinação de idade, muito utilizado em paleontologia, baseado em comparações de estratos geológicos e análises químicas.

datar *v.t.* (conj. 4). **1.** Pôr a data em. **2.** Começar a contar. **3.** Existir desde certa época.

datilografar *v.t.* e *v.i.* (conj. 4). Escrever um texto à máquina.

datilografia *s.f.* Técnica de datilografar, de escrever à máquina.

datilográfico *adj.* Relativo à datilografia.

datilógrafo *s.m.* **1.** Máquina de escrever. **2.** Aquele que escreve à máquina.

datiloscopia ou **dactiloscopia** *s.f.* Processo de identificação das pessoas por meio das impressões digitais.

datiloscópico *adj.* Relativo à datiloscopia.

datiloscopista *adj.2g.* e *s.2g.* **1.** Que ou aquele que é especialista em datiloscopia. **2.** Funcionário encarregado de colher as impressões digitais.

dativo *s.m.* (lat. *dativus casus*). Caso gramatical latino e grego que exprime a relação de objeto indireto.

DDD (abrev. de *discagem direta a distância*). Telefonema para outra cidade ou estado brasileiro, que requer um código de área antes do número do telefone. ▸ O código de uma área.

DDI (abrev. de *discagem direta internacional*). Telefonema para fora do Brasil, que requer o uso do prefixo internacional do outro país. ▸ O prefixo de um país.

DDT (abrev. de diclorodifeniltricloroetano). Possante inseticida organoclorado, altamente tóxico, de uso proibido em vários países.

de *prep.* (lat. *de*). Estabelece relações de origem, proveniência, posse, material, instrumento, meio, conteúdo, especificação, referência, comparação, causa, fim, tempo, quantia, quantidade, qualidade etc.

deambular *v.i.* (lat. *deambulare*) [conj. 4]. Caminhar sem rumo certo, vaguear, passear.

deão *s.m.* (lat. *decanus*, decano, pelo fr. ant. *deien*). **1.** Dignitário eclesiástico que preside ao cabido. **2.** Decano.

debaixo *adv.* **1.** Em lugar, posição ou condição inferior; por baixo. **2.** *Debaixo de,* embaixo de.

debalde *adv.* (do ár. *batil*). Em vão.

debandada *s.f.* (fr. *débandade*). **1.** Ato ou efeito de debandar; fuga desordenada. **2.** Confusão.

debandar *v.i.* e *v.pr.* (fr. *débander*) [conj. 4]. Dispersar-se, fugir desordenadamente.

debate *s.m.* (fr. *débat*). **1.** Ato ou efeito de discutir uma questão alegando razões pró ou contra. **2.** Discussão.

? VOCÊ SABIA...? Os **debates** entre líderes políticos nos meios de comunicação converteram-se numa arma eleitoral de primeira grandeza. Em questão de horas, podem destruir ou projetar os seus protagonistas.

---

debater *v.t.* (conj. 5). **1.** Examinar em debate. **2.** Tratar de; discutir. ★ *v.i.* Discutir, porfiar. ★ *v.pr.* Lutar para livrar-se.

debelar *v.t.* (lat. *debellare,* vencer na guerra) [conj. 4]. **1.** Vencer, sujeitar, dominar. **2.** Reprimir, refrear. **3.** Curar uma doença; extinguir.

debênture *s.f.* (ingl. *debenture*). Título mobiliário ao portador, que assegura a seu comprador uma renda fixa e o torna credor da empresa que o emite.

debicar *v.t.* (conj. 12). **1.** Tirar, tocar com o bico (o passarinho). **2.** Comer pequena quantidade; provar. **3.** *Fig.* Escarnecer, zombar. ★ *v.i.* **1.** Comer pequena porção. **2.** Zombar, escarnecer.

débil *adj.2g.* (lat. *debilis*). **1.** Que não tem força, frágil. **2.** Pouco forte, pouco perceptível. **3.** Diminuto, pequeno, insignificante. ★ *adj.2g.* e *s.2g.* *Débil mental* ou *débil,* pessoa atrasada mentalmente, retardada.

debilidade *s.f.* (lat. *debilitas*). **1.** Qualidade do que é débil; fraqueza. **2.** Fraqueza física extrema. **3.** *Fig.* Inconsistência, frouxidão. **4.** *Debilidade mental* ou *intelectual,* forma de retardamento em que a idade mental fica muito inferior à idade real do doente.

debilitação *s.f.* (lat. *debilitatio*). Enfraquecimento progressivo, perda de forças.

debilitar *v.t.* (lat. *debilitare*) [conj. 4]. **1.** Tornar débil; enfraquecer. **2.** Causar perdas a. ★ *v.pr.* Tornar-se débil; enfraquecer-se.

debique *s.m.* Ato de debicar ou escarnecer; zombaria.

debitar *v.t.* (conj. 4). **1.** Levar um artigo ou uma soma ao débito de uma conta. **2.** Inscrever como devedor. ● **Econ.** Fazer um lançamento em contas do débito. ★ *v.pr.* Tornar-se devedor.

débito *s.m.* (lat. *debitum*). **1.** O que se deve; dívida. **2.** Quantidade de líquido ou de gás fornecida por um aparelho, por unidade de tempo. ● **Econ.** Qualquer quantia devida por uma empresa, p. opos. a *crédito.*

deblaterar *v.i.* (lat. *deblaterare*) [conj. 4]. Falar com violência contra alguém ou alguma coisa; gritar, vociferar. ★ *v.t.* Bradar, clamar.

debochado *adj.* e *s.m.* **1.** Que ou aquele que se entrega ao deboche; libertino, devasso. **2.** Zombeteiro, gaiato, trocista.

debochar *v.t.* (conj. 4). **1.** Lançar no deboche; tornar devasso; viciar. **2.** Zombar, escarnecer. **3.** Não levar em conta; menosprezar. ★ *v.pr.* Tornar-se vicioso, corromper-se.

deboche *s.m.* (fr. *débauche*). **1.** Desregramento dos costumes, devassidão. **2.** Zombaria.

debrear *v.t.* e *v.i.* (fr. *débrayer*) [conj. 15]. Colocar o motor do automóvel em ponto morto; desengatar; embrear.

debruar *v.t.* (conj. 4). **1.** Guarnecer com debrum. **2.** Ornar com fita estreita uma peça de vestuário. **3.** *Fig.* Orlar, margear.

debruçar *v.t.* (conj. 13). **1.** Pôr de bruços. **2.** Inclinar, curvar, pender. ★ *v.pr.* **1.** Inclinar o corpo para a frente. **2.** Inclinar-se, curvar-se.

debrum *s.m.* Fita que se cose na orla de um tecido de modo a guarnecê-lo ou prender-lhe a trama.

debulha *s.f.* **1.** Ato ou efeito de debulhar. **2.** Queda espontânea dos grãos sob a ação do vento ou do sol. ● **Agric.** Separação do grão maduro da planta, especialmente nos casos do milho e dos grãos que produzem forragem.

debulhadeira *s.f.* Máquina de debulhar; debulhadora.

debulhadora (ô) *s.f.* Debulhadeira.

debulhar *v.t.* (lat. *despoliare,* despojar) [conj. 4]. **1.** Extrair os grãos ou sementes; esbagoar. **2.** Tirar a casca de; descascar. ★ *v.pr.* **1.** Esbagoar-se. **2.** *Fig.* Desfazer-se, desatar-se.

debutante *adj.*2g (fr. *débutant*). Que estréia; iniciante. ★ *s.f.* Moça que faz sua estréia na vida social.

debutar *v.i.* (conj. 4). **1.** Estrear-se, principalmente na vida social. **2.** Iniciar-se.

debuxar *v.t.* (do lat. *buxus,* tabuinha de escrever) [conj. 4]. **1.** Fazer o debuxo de; traçar, delinear. **2.** Representar idealmente; imaginar. **3.** Exprimir, manifestar.

debuxo *s.m.* **1.** Desenho de um objeto em suas linhas gerais; esboço, bosquejo. **2.** Chapa de madeira com lavores em relevo.

década *s.f.* (lat. *decada,* do gr. *dekás*). **1.** Dezena; grupo ou série de dez. **2.** Espaço de dez anos; decênio. **3.** Espaço de dez dias.

decadência *s.f.* (lat. tard. *decadentia*). **1.** Estado do que decai; declínio. **2.** Empobrecimento, abatimento, humilhação. **3.** Perversão, estrago, corrupção.

decadente *adj.2g.* Que decai, que está em decadência.

decaedro *adj.* Que tem dez faces. *s.m.* **Geom.** Poliedro composto por dez faces.

decágono *s.m.* (gr. *dekagonon*). **1.** Polígono composto por dez lados. **2.** Obra fortificada composta por dez bastiões.

decaída *s.f.* **1.** Efeito de decair. **2.** Meretriz.

decaído *adj.* **1.** Que decaiu. **2.** Empobrecido, abatido. **3.** Estragado; arruinado.

decair *v.i.* (conj. 68). **1.** Passar a estado inferior. **2.** Declinar. **3.** Entrar em decadência. **4.** Pender. ★ *v.t.* Sofrer diminuição, perder a posse ou posição.

decalcar *v.t.* (conj. 12). **1.** Reproduzir um desenho calcando. **2.** *Fig.* Imitar servilmente, plagiar.

decalcomania *s.f.* (fr. *décalcomanie*). **1.** Processo de produzir imagens calcando contra um papel figuras impressas em outro papel. **2.** Imagem assim obtida; decalque.

decalitro *s.m.* Medida de capacidade correspondente a dez litros (símb. *dal*).

decálogo *s.m.* (gr. *dekálogos,* a Tábua dos dez preceitos). **1.** Os dez mandamentos da lei de Deus, segundo a Bíblia. **2.** Conjunto de dez leis ou princípios morais, políticos etc.

decalque *s.m.* (fr. *décalque*). **1.** Processo que permite decalcar. **2.** Desenho decalcado; decalcomania. **3.** *Fig.* Imitação, plágio.

decâmetro *s.m.* Medida de comprimento equivalente a dez metros (símb. *dam*).

decano[1] *s.m.* (lat. *decanus,* o comandante de dez soldados). O membro mais antigo ou mais velho de uma classe, corporação, congregação; deão.

decano[2] *s.m.* (do gr. *dekás,* dezena). Hidrocarboneto saturado formado por dez átomos de carbono, que constitui um líquido incolor, inflamável e insolúvel em água.

decantação *s.f.* (lat. tard. *decanthatio*). Separação, por ação da gravidade, de produtos não miscíveis, sendo pelo menos um deles líquido.

decantar[1] *v.t.* (lat. *decantare*) [conj. 4]. **1.** Celebrar em cantos ou em versos. **2.** Exaltar, engrandecer.

decantar[2] *v.t.* (lat. tard. *decanthare*) [conj. 4]. Proceder à decantação de produtos não miscíveis.

decapitar *v.t.* (lat. tard. *decapitare*) [conj. 4]. Cortar fora a cabeça; degolar.

decápode *adj.2g.* e *s.m.* Diz-se de ou animal que tem dez pés. ★ *s.m.* Espécime dos decápodes.

decápodes *s.m.pl.* Ordem de crustáceos caracterizados pela presença de cinco pares de apêndices locomotores e três pares de apêndices torácicos, que engloba os siris, lagostas, caranguejos e camarões.

decassílabo *adj.* e *s.m.* Diz-se de ou verso de dez sílabas.

decatlo *s.m.* Modalidade olímpica em que os atletas disputam dez diferentes provas de atletismo e vence quem tiver a maior pontuação geral.

decenal *adj.2g.* (lat. *decennalis*). **1.** Que dura dez anos. **2.** Que se realiza de dez em dez anos.

decência *s.f.* (lat. *decentia*). **1.** Respeito aos bons costumes; conveniência. **2.** Dignidade nas maneiras, no falar e no vestir; decoro. **3.** Asseio, limpeza.

decêndio *s.m.* Período de dez dias.

decênio *s.m.* (lat. *decennium*). Período de dez anos.

decente *adj.2g.* (lat. *decens*). **1.** Diz-se daquilo que fica bem; conveniente. **2.** Decoroso, honesto, digno. **3.** Asseado, limpo.

decepar *v.t.* (conj. 4). **1.** Cortar, separar do corpo de que faz parte. **2.** Amputar, mutilar. **3.** *Fig.* Destruir, eliminar.

decepção *s.f.* (lat. *deceptio*). Desengano, desilusão, desapontamento.

decepcionar *v.t.* (conj. 4). Causar decepção a; enganar, desiludir. ★ *v.pr.* Sofrer decepção.

decerto *adv.* Com certeza, certamente.

decibel *s.m.* Unidade de medida de intensidade sonora (símb. dB).

VOCÊ SABIA...? As ondas sonoras podem ter maior ou menor intensidade. A unidade de medida é o **decibel** (dB). Um som torna-se doloroso a partir de 120 dB. Veja alguns exemplos:

0 dB	–	limite do audível
20 dB	–	deserto, sussurro
40 dB	–	conversação em voz baixa
60 dB	–	rádio em volume normal
60 a 70 dB	–	rua movimentada
105 dB	–	gravador no último volume
100 a 110 dB	–	*show* de *rock*, trem que passa por uma estação
120 dB	–	trovão
190 dB	–	foguete ao decolar

---

decidido *adj.* **1.** Que foi objeto de decisão; resolvido, firmado. **2.** Resoluto, firme, enérgico. **3.** Valente, corajoso, arrojado.

decidir *v.t.* (lat. *decidere*) [conj. 6]. **1.** Determinar a realização de um evento; resolver, deliberar. **2.** Optar por uma conclusão definitiva que resolva um debate, uma dificuldade. **3.** Fazer um julgamento definido sobre algo ou alguém. **4.** Concluir, terminar. **5.** Solucionar, esclarecer. **6.** Ser a causa decisiva. **7.** Levar a tomar uma decisão; convencer, persuadir. ★ *v.i.* Tomar decisões; resolver. ★ *v.pr.* **1.** Tomar uma decisão. **2.** Resolver-se, optar por.

decídua *s.f.* Parte da mucosa uterina que se hipertrofia durante a gestação e que é eliminada após o parto; membrana decidual.

decidual *adj.2g.* *Membrana decidual,* decídua.

decíduo *adj.* (lat. *deciduus*). Que cai; caduco. ● **Bot.** Diz-se da planta cujas folhas caem em certas épocas do ano.

decifrar *v.t.* (conj. 4). **1.** Descobrir o sentido de uma escrita desconhecida ou cifrada; decodificar. **2.** Traduzir uma escrita de difícil leitura. **3.** Compreender, revelar o que está oculto, misterioso, obscuro.

decigrama *s.m.* Medida de massa igual à décima parte de um grama (símb. *dg*).

decilitro *s.m.* Medida de capacidade igual à décima parte do litro (símb. *dl*).

décima[1] *s.f.* Estrofe de dez versos.

décima[2] *s.f.* (lat. *decima pars,* a décima parte). Cada uma das dez partes iguais da unidade.

decimal *adj.2g.* (lat. tard. *decimalis*). Que se conta por unidades de dezenas. ● **Mat.** *Numeral decimal,* aquele medido em uma escala de potências de base dez. ▸ *Logaritmo decimal,* logaritmo que tem como base o número dez. ★ *adj.2g.* e *s.m.* Diz-se de ou algarismo escrito à direita da vírgula em um número fracionário.

decímetro *s.m.* Medida de comprimento equivalente à décima parte do metro (símb. *dm*).

décimo *num. ord.* (lat. *decimus*). **1.** Que ocupa a posição indicada pelo número 10, numa classificação ou arranjo por ordem numérica. **2.** Fração pequena; pouco ou quase nada. ★ *num. frac.* e *s.m.* **1.** A parte que está contida dez vezes num todo; a décima parte. **2.** A última de uma série repetida de vezes.

decisão *s.f.* (lat. *decisio,* diminuição). **1.** Ação de decidir(-se); resolução. **2.** Julgamento com que se decide uma questão. **3.** Qualidade de quem não hesita em decidir; determinação.

decisivo *adj.* (lat. tard. *decisivus*). **1.** Que decide; deliberativo. **2.** Que resolve; definitivo, categórico. **3.** Que impõe decisão; terminante.

decisório *adj.* Que tem o poder de decidir.

declamação *s.f.* (lat. *declamatio*). **1.** Ato, maneira ou arte de declamar. **2.** Modo pomposo de falar.

declamar *v.t.* e *v.i.* (lat. *declamare,* usar da palavra; gritar) [conj. 4]. **1.** Recitar em voz alta, dando ênfase à melodia, ao ritmo e à interpretação. **2.** Falar ou discursar em voz alta, em tom solene e com muita afetação.

declaração *s.f.* (lat. *declaratio*). **1.** Ação de declarar(-se). **2.** Aquilo que se declara. **3.** Afirmação, confissão. **4.** Documento, prova escrita. **5.** Rol, inventário.

declarar *v.t.* (lat. *declarare*) [conj. 4]. **1.** Manifestar, dar a conhecer, patentear, expor, dizer, pronunciar. **2.** Proclamar, anunciar, publicar. **3.** Explicar, esclarecer. **4.** Anunciar solenemente. **5.** Confessar, revelar. **6.** Referir, mencionar. **7.** Resolver, decretar. ★ *v.pr.* Manifestar-se, confessar-se.

declarativo *adj.* (lat. *declarativus*). Que contém declaração.

declinação *s.f.* (lat. *declinatio*). **1.** Ato de declinar. **2.** Inclinação, declive. **3.** Diminuição de intensidade. **4.** Enfraquecimento, afrouxamento. ● **Astron.** Distância angular de um ponto qualquer do céu ao equador celeste. **Fís.** *Declinação magnética,* diferença entre um ângulo medido em relação ao norte magnético do planeta e o mesmo ângulo medido em relação ao norte geográfico. **Gram.** Flexão de substantivos, adjetivos ou pronomes, quanto ao gênero, ao número e ao caso. ▸ Cada um dos grupos de palavras que se flexionam da mesma forma, em uma língua que apresenta sistema de casos.

declinar *v.t.* e *v.i.* (lat. *declinare,* afastar; inclinar) [conj. 4]. **1.** Desviar-se, afastar-se de um ponto fixo ou de uma linha determinada. **2.** Aproximar-se do fim. **3.** Diminuir em força, atividade, vigor ou intensidade; decair. ★ *v.t.* **1.** Rejeitar, desistir de, eximir-se. **2.** Desviar-se, afastar-se. **3.** Enunciar, nomear. ● **Gram.** Flexionar uma palavra em todos os casos gramaticais.

declínio *s.m.* **1.** Estado do que chega ao final de sua evolução. **2.** Diminuição de grandeza, de brilho; declinação, decadência.

declive *s.m.* (do lat. *declivis,* que desce por plano inclinado). Inclinação descendente de um terreno, p. opos. a *aclive.* ★ *adj.2g.* Inclinado em descida.

decoada *s.f.* Ato de coar a água, seja a que se faz passar fervente por cinza de carvão, seja a que se ferve junto com cinza, para ser usada na lavagem de roupas; lixívia, barrela.

decocção *s.f.* (lat. *decoctio,* ação de fazer ferver). **1.** Operação que consiste em extrair os princípios ativos de uma planta ou substância pela ação de um líquido em ebulição. **2.** O produto assim obtido.

decolar *v.i.* (fr. *décoller,* descolar) [conj. 4]. Levantar vôo (aeronave).

decompor (ô) *v.t.* (conj. 45). **1.** Separar os elementos ou partes componentes. **2.** Analisar, examinar por partes. **3.** Alterar, modificar, deformar. **4.** Apodrecer, estragar. ★ *v.pr.* **1.** Dividir-se em partes. **2.** Entrar em putrefação; estragar-se. **3.** Alterar-se, transtornar-se.

decomposição *s.f.* **1.** Separação dos elementos constitutivos de um corpo. **2.** Análise das partes de um todo. **3.** Desorganização. **4.** Modificação, alteração profunda. **5.** Putrefação, estrago.

decompositor (ô) *s.m.* Organismo heterótrofo, importante na cadeia alimentar, que decompõe a matéria orgânica morta.

decoração[1] *s.f.* (b.-lat. *decoratio*). **1.** Ornamentação de um ambiente com mobiliário, objetos, tapeçaria etc., ou de uma peça de cerâmica, com cores, aplicações etc. **2.** Arte do decorador. **3.** Adorno, ornamento.

decoração[2] *s.f.* Ato de decorar, de aprender de cor; memorização.

decorador[1] (ô) *s.m.* Aquele que faz decoração.

? VOCÊ SABIA...? No século XIX, ao se separarem as chamadas artes maiores e as artes decorativas ou menores, apareceu a figura do artista **decorador**, especializado em uma ou várias artes do mobiliário. Na atualidade os decoradores, freqüentemente em colaboração com os arquitetos, costumam realizar ou dirigir a decoração dos interiores em sua totalidade.

---

decorador[2] (ô) *adj.* e *s.m.* Que ou o que decora, memoriza.

decorar[1] *v.t.* (lat. *decorare*) [conj. 4]. **1.** Ornar ou guarnecer com decoração; embelezar, adornar. **2.** Realçar, ornar.

decorar[2] *v.t.* (conj. 4). Aprender de cor, fixar na memória; memorizar.

decorativo *adj.* **1.** Relativo à decoração. **2.** Que serve para decorar, enfeitar.

decoreba *s.f.* *Gír. bras.* Ação de decorar informações sem entendê-las, relacioná-las ou raciociná-las, ger. para realizar provas escolares ou vestibulares.

decoro (ô) *s.m.* (lat. *decorum*). **1.** Decência, compostura, conveniência. **2.** Dignidade, honradez, nobreza; brio.

decoroso (ô) *adj.* **1.** Conforme ao decoro, decente, apropriado. **2.** Digno, nobre, honesto.

decorrência *s.f.* Decurso, conseqüência.

decorrente *adj.2g.* Que decorre; conseqüente.

decorrer *v.i.* (lat. *decurrere,* correr descendo) [conj. 5]. **1.** Passar, transcorrer (o tempo). **2.** Suceder, ocorrer, acontecer. ★ *v.t.* Proceder, derivar, resultar, originar-se.

decotar *v.t.* (conj. 4). **1.** Cortar uma peça do vestuário de maneira a deixar a descoberto o colo da pessoa que o usa. **2.** Cortar, aparar, podar. ★ *v.pr.* Descobrir o pescoço, os ombros e as espáduas.

decote *s.m.* **1.** Abertura na parte superior da roupa que deixa o colo a descoberto. **2.** Ação de aparar; poda.

decrepitar *v.i.* (conj. 4). Tornar-se decrépito. ● **Quím.** Para certos sais que contêm água de cristalização, produzir, sob a ação do calor, estalidos devidos à desidratação descontínua.

decrépito *adj.* (lat. *decrepitus*). **1.** Diz-se de uma pessoa ou coisa muito velha e muito usada. **2.** Caduco.

decrepitude *s.f.* **1.** Estado de decrépito. **2.** Enfraquecimento devido à extrema velhice; decrepidez, caducidade, caduquice.

decrescente *adj.2g.* Que decresce, diminui.

decrescer *v.i.* (lat. *decrescere*) [conj. 25]. Diminuir, tornar-se menor; enfraquecer.

decrescimento *s.m.* Ato de decrescer; diminuição, decréscimo.

decréscimo *s.m.* Decrescimento.

decretar *v.t.* (conj. 4). **1.** Ordenar ou regulamentar por decreto. **2.** Determinar, estabelecer, decidir. ★ *v.i.* Dar ordens.

decreto *s.m.* (lat. *decretum*). **1.** Decisão ou resolução emanada de uma autoridade. **2.** Vontade, desígnio. **3.** Decisão, ordem.

decreto-lei *s.m.* Decisão do poder executivo com força de lei.

decúbito *s.m.* (lat. tard. *decubitus*). **1.** Posição do corpo quando está deitado. **2.** *Decúbito dorsal, ventral, lateral,* respectivamente, a posição de quem está deitado de costas, sobre o ventre ou de lado.

decuplicar ou **decuplar** *v.t.* e *v.i.* (conj. 12). Tornar(-se) dez vezes maior, multiplicar(-se) por dez.

décuplo *adj.* (lat. *decuplus*). Que vale dez vezes mais, que é dez vezes maior. ★ *s.m.* Quantidade décupla.

decúria *s.f.* (lat. *decuria*). **1.** Grupo de dez coisas ou dez indivíduos. **2.** Grupo de dez soldados, no antigo exército romano.

decurso[1] *adj.* (lat. *decursus,* percorrido). Que decorreu; decorrido, passado, transcorrido.

decurso[2] *s.m.* (lat. *decursus,* queda; percurso). **1.** Ato de decorrer; tempo de duração, passagem do tempo. **2.** A extensão (pelo tempo que leva a percorrer); percurso.

dedada *s.f.* Quantidade de qualquer substância aderente que se pega com o dedo.

dedal *s.m.* (b.-lat. *digitale,* da grossura de um dedo). **1.** Utensílio que se encaixa no dedo para empurrar a agulha durante a costura. **2.** *Fig.* Porção muito pequena.

dedaleira *s.f.* Planta ornamental, originária da Europa, de flores vermelhas, que fornece a digitalina, substância com poderosa ação cardiotônica.

dédalo *s.m.* (de *Dédalo,* n.pr.). **1.** Labirinto, encruzilhada; entrecruzamento confuso. **2.** *Fig.* Confusão, complicação.

dedão *s.m.* Nome vulgar do dedo polegar.

dedar *v.t.* e *v.i.* (conj. 4). Dedo-durar.

dedeira *s.f.* Pedaço de couro, pano ou borracha com que se protege um dedo. ● **Mús.** Pequeno instrumento que o violonista usa no polegar para fazer vibrar as cordas graves.

dedicação *s.f.* (lat. *dedicatio*). **1.** Ato ou efeito de dedicar(-se). **2.** Qualidade de quem se dedica; abnegação, devotamento. **3.** Afeto extremo, devoção.

dedicado *adj.* **1.** Que se consagra ou se dedica. **2.** Que se sacrifica por alguém ou alguma coisa; devotado.

dedicar *v.t.* (lat. *dedicare*) [conj. 12]. **1.** Consagrar, tributar, devotar. **2.** Oferecer com afeição. **3.** Aplicar, destinar. ★ *v.pr.* Sacrificar-se por, devotar-se a, aplicar-se em.

dedicatória *s.f.* Inscrição com que se dedica a alguém um livro, um retrato etc.

dedilhar *v.t.* (conj. 4). **1.** Fazer vibrar com os dedos. **2.** Executar com os dedos um trecho de música em instrumento de cordas.

dedo (ê) *s.m.* (lat. *digitus*). **1.** Cada um dos prolongamentos distintos e articulados que constituem a porção terminal da mão e do pé do homem e dos membros de certos animais. **2.** Cada uma das partes da luva correspondente a um dedo. **3.** Medida equivalente à espessura de um dedo; pequena porção. ● **Anat.** *Dedo auricular,* ou *mínimo,* o menor dos dedos da mão (*pop.* mindinho, ou minguinho). ► *Dedo anular,* aquele em que habitualmente se usa anel, sobretudo a aliança. ► *Dedo médio,* o que está no meio. ► *Dedo indicador* (*índex* ou *índice*), o que está entre o polegar e o médio (assim chamado porque é com ele que habitualmente se aponta ou se indica alguma coisa). ► *Dedo polegar* (*pólex* ou *pólice*), o primeiro, o mais grosso dos dedos da mão (*pop.* mata-piolho).

? VOCÊ SABIA...? Os **dedos** do musaranho arborícola, que se parecem com os dos antigos primatas, possuem garras afiadas para segurar nos galhos, e seus polegares não são opostos. Os polegares opostos permitem aos macacos se agarrar firmemente; as unhas substituíram as garras.

---

dedo-durar *v.t.* e *v.i.* (conj. 4). *Gír.* Delatar, alcagüetar, dedurar, dedar.

dedo-duro *adj.2g.* e *s.m.* *Fam.* Que ou aquele que espiona para delatar; delator, alcagüete.

dedução *s.f.* (lat. *deductio,* ação de conduzir). **1.** Ação de deduzir; subtração, diminuição. **2.** Conclusão que resulta de proposições fundadas em regras definidas.

dedurar *v.t.* e *v.i.* (conj. 4). *Gír.* Dedo-durar.

dedutível *adj.2g.* Que se pode deduzir.

dedutivo *adj.* Relativo à dedução; que procede por dedução.

deduzir *v.t.* (lat. *deducere,* conduzir; suprimir) [conj. 72]. **1.** Subtrair, tirar, diminuir. **2.** Tirar uma conseqüência de; inferir, concluir (a partir de certos princípios, premissas, fatos). ★ *v.i.* Tirar deduções.

defasagem *s.f.* **1.** Diferença de fase entre dois fenômenos. **2.** *Fig.* Diferença, discrepância.

defasar *v.t.* (conj. 4). Produzir defasagem, pôr fora de fase.

defatigante *s.m.* Qualquer substância tomada, injetada ou massageada na pele com a finalidade de aliviar a fadiga física ou psíquica.

defecação *s.f.* (b.-lat. *defecatio*). **1.** Expulsão das matérias fecais; evacuação, dejeção. **2.** Purificação, limpeza. ● **Quím.** Operação que tem por objetivo eliminar as impurezas de uma solução. ► Precipitação das proteínas de um líquido orgânico.

defecar *v.t.* (lat. *defecare*) [conj. 12]. **1.** Purificar um líquido; depurar. **2.** Expulsar pelo ânus. **3.** Limpar, purgar. ★ *v.i.* Expulsar os excrementos pelo ânus.

defecção *s.f.* (lat. *defectio*). **1.** Ação de abandonar uma causa, um partido; deserção. **2.** Falta, desaparecimento.

defectível *adj.2g.* (lat. *defectibilis*). **1.** Que possui defeito; incompleto, defeituoso. **2.** Que pode falhar; falível.

defectivo *adj.* (b.-lat. *defectivus*, de *deficere*, faltar). A que falta alguma coisa; defeituoso. ● **Gram.** Diz-se de um verbo que não se flexiona em todas as formas da sua conjugação.

defeito *s.m.* (lat. *defectus*, falta). **1.** Imperfeição. **2.** Mau funcionamento de um mecanismo; falha. **3.** Deficiência, deformidade. **4.** Imperfeição física ou moral. **5.** Mania.

defeituoso (ô) *adj.* **1.** Que tem defeito, imperfeição ou vício; falho, deficiente. **2.** Enguiçado. ★ *adj.* e *s.m.* Diz-se de ou pessoa que apresenta uma malformação congênita ou da que perdeu partes do corpo ou parte dos movimentos ou funções.

defender *v.t.* (lat. *defendere*, afastar o inimigo) [conj. 5]. **1.** Prestar socorro ou auxílio a; amparar. **2.** Oferecer resistência a ataque ou agressão; proteger. **3.** Patrocinar ou advogar a causa de. **4.** Abrigar, resguardar. **5.** Combater os efeitos nocivos de. ★ *v.pr.* **1.** Repelir uma agressão. **2.** Proteger-se. **3.** Desculpar-se.

defensável *adj.2g.* (lat. *defensabilis*). Que pode ser defendido.

defensiva *s.f.* **1.** O conjunto de todos os meios de defesa ou proteção. **2.** Atitude ou disposição para se defender.

defensivo *adj.* (lat. tard. *defensivus*). Relativo a ou próprio para a defesa. ★ *s.m.* **1.** Aquilo que defende ou preserva. **2.** *Defensivo agrícola*, sin. de AGROTÓXICO.

defensor (ô) *adj.* e *s.m.* (lat. *defensor*). Que ou aquele que defende.

DEFENSOR ► O defensor do povo (*Ombudsman*, do norueguês antigo *umbodhsmadhr*, que significa "comissário") é o cargo criado por um governo ou uma instituição para estudar as queixas apresentadas pelos cidadãos ou clientes. Sua origem é escandinava (Suécia, 1809; Dinamarca, 1954; Noruega, 1962). Além dessa região, o primeiro defensor do povo foi nomeado na Nova Zelândia em 1962, e a ele se seguiu o designado pelo Reino Unido em 1967 (nesse país denomina-se *comissário parlamentar*). Vários países têm nomeado defensores do povo para investigar irregularidades nas administrações de instituições como os governos locais ou a polícia. Alguns jornais, bancos, companhias de seguros etc. incorporaram a figura do defensor do povo para que sejam estudadas as reclamações de seus clientes.

---

deferência *s.f.* (lat. *deferentia*). **1.** Atenção, respeito, consideração. **2.** Reverência. **3.** Complacência, condescendência.

deferente[1] *adj.2g.* **1.** Que defere, concede. **2.** Atencioso, cortês, respeitoso. **3.** Condescendente, complacente.

deferente[2] *adj.2g.* (lat. *deferens*, que transporta). *Canal deferente*, via de excreção do esperma, que liga o epidídimo à porção posterior da uretra.

deferido *adj.* Outorgado, concedido.

deferir *v.t.* (lat. *deferre*, levar; conferir) [conj. 57]. **1.** Outorgar, conceder. **2.** Despachar favoravelmente sobre o que se pede em requerimento. **3.** Concordar, aceitar.

defesa (ê) *s.f.* (lat. *defensa*). **1.** Ato ou efeito de defender(-se). **2.** O que serve para defender. **3.** Resistência a um ataque. **4.** Medidas contra os ataques das armas inimigas. ● **Dir.** Exposição dos fatos e produção de provas em favor de um réu. **Psican.** Designação de todas as operações e mecanismos utilizados pelo ego para reduzir ou extinguir pulsões ou representações que ameaçam sua integridade.

defeso (ê) *adj.* Defendido por uma proibição; vedado, interditado.

deficiência *s.f.* (lat. *deficientia*). **1.** Falta, carência. **2.** Insuficiência orgânica ou mental. ● **Med.** Diminuição ou desaparecimento passageiro do funcionamento de um tecido, de um órgão, de um aparelho ou do organismo em seu conjunto. (Cf. INSUFICIÊNCIA.) ► *Deficiência imunitária*, diminuição ou desaparecimento dos meios naturais de defesa do organismo contra as infecções. **Psicol.** e **Psiq.** *Deficiência intelectual*, insuficiência da eficácia intelectual que não permite a um indivíduo responder de maneira adaptada às exigências de seu meio ambiente e que constitui um dos aspectos clínicos da deficiência mental. ► *Deficiência mental*, condição caracterizada por insuficiência da eficácia intelectual, com aspecto clínico que não se resume apenas em deficiência intelectual. (Sin. RETARDAMENTO* MENTAL.)

deficiente *adj.2g.* (lat. *deficiens*). Insuficiente, insatisfatório; medíocre. ★ *adj.2g.* e *s.2g.* **1.** Diz-se de ou pessoa que tem diminuídas as faculdades físicas ou intelectuais. ● **Med.** *Deficiente físico*, indivíduo que apresenta alteração morfológica ou funcional no seu aparelho locomotor (membros superiores e inferiores e coluna vertebral). ► *Deficiente mental*, indivíduo que apresenta deficiência mental.

déficit *s.m.* (lat. *deficit*, falta). O que falta para as receitas financeiras igualarem o montante das despesas.

DÉFICIT ► Os déficits vitamínicos ocorrem quando a pessoa afetada não ingere vitaminas suficientes em sua dieta; às vezes a carência é decorrente da armazenagem indevida dos alimentos ou de seu cozimento, já que muitas vitaminas se destroem pela ação da luz e do calor.

O déficit vitamínico é raro em populações bem alimentadas; é comum em países subdesenvolvidos e entre os pobres que vivem em cidades de países industrializados.

---

deficitário *adj.* Que provoca ou apresenta déficit.

definhar *v.t.* (conj. 4). Tornar magro; enfraquecer. ★ *v.i.* Consumir-se pouco a pouco; secar, decair.

definição *s.f.* (lat. *definitio*, delimitação). **1.** Ato ou efeito de definir(-se). **2.** Enunciado com que se define. ● **Telecom.** Grandeza que caracteriza a quantidade de detalhes de uma imagem de televisão, vídeo ou computador, indicada pelo número de linhas horizontais (*definição horizontal*) ou verticais (*definição vertical*), ou em *pixels* (número de pontos ou elementos de imagem).

definido *adj.* (lat. *definitus*). **1.** Determinado, fixo, marcado. **2.** Exato, claro, preciso. ● **Gram.** Diz-se dos artigos *a, as, o, os,* que especificam o nome ao qual estão ligados.

definir *v.t.* (lat. *definire,* limitar) [conj. 6]. **1.** Enunciar os atributos, as características específicas de uma coisa (objeto, idéia, ser) de tal modo que ela não se confunda com outra. **2.** Dar a conhecer exatamente, explicar a significação de. **3.** Demarcar, fixar. ★ *v.pr.* **1.** Explicar-se, exprimir-se. **2.** Tomar resolução, decidir-se por.

definitivo *adj.* (lat. *definitivus,* limitado). **1.** Decisivo, terminante, final. **2.** Que define.

deflação *s.f.* Queda contínua do nível geral dos preços caracterizada, geralmente, pela pequena oferta de moeda em relação à oferta de bens e serviços.

deflagração *s.f.* (lat. *deflagratio,* combustão, incêndio). *Fig.* Ocorrência súbita; irrupção. ● **Quím.** Combustão muito intensa que se propaga em uma substância explosiva, principalmente por condutibilidade térmica.

deflagrar *v.i.* (lat. *deflagrare,* queimar; extinguir-se) [conj. 4]. **1.** Realizar uma deflagração. **2.** *Fig.* Irromper subitamente; desencadear.

deflegmação *s.f.* Destilação de uma substância, para lhe extrair a parte aquosa.

deflexão (cs) *s.f.* (b.-lat. *deflexio,* declinação). **1.** Desvio do trajeto normal. **2.** Estado de um membro ou de uma parte do corpo que não está fletido. ● **Fís.** Mudança na posição da agulha magnética de uma bússola por interferência de um campo magnético. **Opt.** Mudança na direção de propagação de um raio luminoso ou de um feixe de partículas.

defloração *s.f.* Defloramento.

defloramento *s.m.* Ato ou efeito de deflorar; defloração.

deflorar *v.t.* (lat. *deflorare*) [conj. 4]. **1.** Tirar a flor ou flores a; desflorar. **2.** Tirar a virgindade de. **3.** Fazer perder o viço, a beleza de.

defluxo (cs ou ss) *s.m.* (lat. *defluxus*). Corrimento decorrente de inflamação da mucosa nasal; catarro nasal, coriza.

deformação *s.f.* (lat. *deformatio*). **1.** Ato ou efeito de deformar(-se). **2.** Modificação da forma normal; deformidade. **3.** Alteração, deturpação. ● **Fís.** Propriedade dos corpos sólidos elásticos responsável pelas alterações de forma e tamanho.

deformar *v.t.* (lat. *deformare,* desfigurar) [conj. 4]. **1.** Alterar a forma de; modificar. **2.** Deturpar. ★ *v.pr.* Perder a forma primitiva.

deformidade *s.f.* (lat. *deformitas*). **1.** Estado do que se deformou. **2.** Defeito congênito de conformação. **3.** Defeito, aleijão.

defraudação *s.f.* **1.** Ato ou efeito de defraudar. **2.** Usurpação por meio de fraude.

defraudar *v.t.* (lat. *defraudare*) [conj. 4]. **1.** Espoliar fraudulentamente; fraudar. **2.** Privar dolosamente de. **3.** Prejudicar, esbulhar, lesar. **4.** Iludir, desenganar.

defrontar *v.t.* (conj. 4). **1.** Estar fronteiro ou defronte. **2.** Colocar-se defronte. **3.** Encarar, arrostar. ★ *v.pr.* Confrontar-se.

defronte *adv.* **1.** Em frente. **2.** Frente a frente.

defumação *s.f.* **1.** Ato ou efeito de defumar. **2.** Ação de submeter as carnes e peixes, previamente salgados, à ação da fumaça de lenha, para assegurar sua conservação e aromatização. **3.** Queima de ervas e raízes aromáticas a fim de afastar supostos malefícios de pessoas e ambientes, e atrair boas vibrações ou fluidos.

defumador (ô) *adj.* e *s.m.* **1.** Que ou o que defuma. **2.** Vaso em que se queimam perfumes para defumar. **3.** Substância para defumar. **4.** Palhoça ou lugar onde os seringueiros da Amazônia defumam a borracha.

defumar *v.t.* (conj. 4). **1.** Expor ao fumo; fumar. **2.** Praticar a defumação; fumar. ★ *v.pr.* Perfumar-se, expor-se ao fumo.

defunto *adj.* e *s.m.* (lat. *defunctus,* que cumpriu; quitado). Morto, falecido; cadáver.

degelar *v.t.* (conj. 4). **1.** Derreter o que estava congelado; descongelar. **2.** *Fig.* Abrandar, amolecer. ★ *v.i.* e *v.pr.* Derreter-se.

degelo (ê) *s.m.* **1.** Ato ou efeito de degelar. **2.** Fusão ou derretimento do gelo ou da neve em conseqüência da elevação da temperatura; descongelamento.

degeneração *s.f.* (lat. *degeneratio*). **1.** Ato ou efeito de degenerar. **2.** Estado do que degenera ou degenerou; degenerescência. **3.** *Fig.* Depravação, perversão de costumes. ● **Med.** Alteração de um tecido, de uma célula ou de um aparelho, que ocasiona a perda de suas características funcionais.

degenerado *adj.* e *s.m.* **1.** Que ou aquele que degenerou. **2.** Estragado, depravado, corrompido.

degenerar *v.i.* e *v.pr.* (lat. *degenerare*) [conj. 4]. **1.** Perder as características primitivas. **2.** Perder as qualidades naturais de sua raça. **3.** *Fig.* Corromper-se, depravar-se, estragar-se.

degenerescência *s.f.* Degeneração.

deglutição *s.f.* **1.** Ação de deglutir. **2.** Operação que assegura a passagem do bolo alimentar da boca ao estômago, através da faringe e do esôfago.

deglutir *v.t.* (lat. *degluttire*) [conj. 6]. Engolir, ingerir.

degola *s.f.* **1.** Ato ou efeito de degolar; decapitação, degolação. **2.** *Fig.* Reprovação ou exoneração em massa.

degolar *v.t.* (lat. *decollare*) [conj. 4]. **1.** Cortar o pescoço ou a cabeça de; decapitar. **2.** *P. ext.* Matar, trucidar. **3.** *Fig.* Eliminar. ★ *v.pr.* Cortar a própria garganta.

degradação *s.f.* **1.** Ato ou efeito de degradar(-se). **2.** Decomposição de uma molécula orgânica com diminuição do número de carbonos.

degradante *adj.2g.* Que degrada, avilta, rebaixa; aviltante, infamante.

degradar *v.t.* (conj. 4). **1.** Destituir de grau, dignidade ou cargo de maneira infamante. **2.** Deteriorar, estragar. **3.** *Fig.* Envilecer, aviltar, depravar. **4.** Enfraquecer. ★ *v.pr.* Aviltar-se.

degradável *adj.2g.* Diz-se do solo sensível ao efeito de compactação, e cujas propriedades físicas e químicas não são estáveis.

degrau *s.m.* **1.** Qualquer peça horizontal em que se pode firmar o pé para subir ou descer (numa escada etc.). **2.** Cada uma das peças ou barras transversais de uma escada. **3.** Grau. **4.** Escalão. **5.** *Fig.* Meio de que se serve uma pessoa para atingir um objetivo.

EXEMPLOS DE DEGRAUS

degredado *adj.* e *s.m.* Que ou aquele que sofreu pena de degredo.

degredar *v.t.* (conj. 4). **1.** Condenar a degredo. **2.** Exilar, desterrar.

degredo (ê) *s.m.* (lat. *decretum,* decreto). **1.** Pena que impõe o afastamento compulsório da terra natal por certo tempo ou por toda a vida; desterro, exílio. **2.** Lugar onde se cumpre esta pena.

degringolada *s.f.* **1.** Ato de degringolar. **2.** *Fig.* Queda, decadência, ruína.

degringolar *v.i.* (fr. *dégringoler*) [conj. 4]. **1.** Ruir, rolar, cair precipitadamente. **2.** Desmantelar-se, arruinar-se.

degustação *s.f.* **1.** Ação de degustar. **2.** Operação que consiste em julgar a qualidade de um vinho ou outro alimento a partir das impressões provocadas por seu odor e paladar.

degustador (ô) *s.m.* Pessoa encarregada de degustar um vinho, uma iguaria etc.

degustar *v.t.* (lat. *degustare,* pelo fr. *déguster*) [conj. 4]. **1.** Avaliar o sabor de; provar. **2.** Deliciar o paladar com.

deidade *s.f.* (lat. *deitas, deitatis*). **1.** Divindade. **2.** Nume.

deiscência (e-i) *s.f.* (do lat. *dehiscere,* abrir-se). Abertura natural de qualquer órgão vegetal, ao atingir a maturidade.

deiscente (e-i) *adj.2g.* *Fruto deiscente,* tipo de fruto que, ao atingir a maturidade, abre-se e libera as sementes.

deitar *v.t.* (lat. *dejectare*) [conj. 4]. **1.** Dispor horizontalmente. **2.** Exalar, expirar. **3.** Escorrer, segregar. **4.** Meter na cama. **5.** Pôr, colocar. **6.** Atirar, arremessar. ★ *v.pr.* Meter-se na cama.

deixa *s.f.* **1.** Ato ou efeito de deixar. **2.** Herança, legado. ● **Teatr.** Última palavra da fala de um ator que indica início da fala de outro. *P. ext.* Dito ou gesto, propositado ou não, de que outrem se vale para fazer ou dizer alguma coisa.

deixar *v.t.* (conj. 4). **1.** Largar, soltar, pôr de lado. **2.** Permitir, autorizar. **3.** Abandonar, esquecer. **4.** Afastar-se de atividade; demitir-se. **5.** Transferir, adiar. **6.** Transmitir, legar. **7.** Tornar. ★ *v.pr.* Não resistir.

déjà-vu *s.m.* (fr., já visto). Impressão intensa e instantânea de ter vivido a situação atual no passado com a mesma tonalidade afetiva.

dejeção *s.f.* (lat. *dejectio*). **1.** Evacuação de excrementos. **2.** Matéria evacuada. **3.** O conjunto das matérias lançadas pelos vulcões.

dejejum *s.m.* Desjejum.

dejeto *s.m.* (lat. *dejectus,* queda). Ato de evacuar matérias fecais. ★ *s.m.pl.* Matérias fecais expelidas de uma só vez; dejeções.

delação *s.f.* (lat. *delatio,* denúncia, acusação). Ato ou efeito de delatar.

delambido *adj.* **1.** Que foi lambido ou se lambeu. **2.** Diz-se de pessoa afetada, presunçosa. **3.** Sem vivacidade ou cor; deslavado. ★ *s.m.* Pessoa afetada, presunçosa.

delatar *v.t.* (conj. 4). **1.** Denunciar alguém como culpado de um crime ou delito. **2.** Revelar, denunciar.

delatável *adj.2g.* Que se pode delatar.

delator (ô) *s.m.* (lat. *delator,* acusador). Aquele que delata.

dele (ê) comb. da prep. *de* com o pron. pess. *ele.*

deleção *s.f.* Tipo de mutação cromossômica na qual ocorre perda de fragmentos, durante a mitose ou a meiose.

delegação *s.f.* (lat. *delegatio*). **1.** Ação de delegar. **2.** Comissão que permite a uma ou mais pessoas representar quem a concedeu. **3.** Conjunto de pessoas que representa um país, cidade etc. ● **Dir.** Cessão, cedência.

delegacia *s.f.* **1.** Cargo ou jurisdição de delegado. **2.** Repartição onde trabalha o delegado.

delegado *s.m.* **1.** Aquele que é autorizado por outrem para representá-lo; comissário. **2.** Funcionário titular de uma delegacia policial.

delegar *v.t.* (lat. *delegare,* confiar; atribuir) [conj. 14]. **1.** Investir na faculdade de proceder em nome de outrem; incumbir. **2.** Transmitir poderes por delegação.

deleitar *v.t.* (lat. *delectare,* atrair; encantar) [conj. 4]. Causar prazer a; agradar, deliciar. ★ *v.pr.* Sentir grande prazer em; deliciar-se.

deleite *s.m.* Prazer íntimo; gosto, delícia.

deleitoso (ô) *adj.* Deleitável.

deletar *v.t.* (ingl. *delete*) [conj. 4]. **Inform.** Eliminar, apagar ou excluir definitivamente uma informação ou um arquivo eletrônico.

deletério *adj.* (gr. *deletérios,* nocivo). **1.** Que ataca a saúde; venenoso, nocivo. **2.** *Fig.* Que corrompe.

delével *adj.2g.* (lat. *delebilis*). Que se pode apagar ou destruir.

delfim[1] *s.m.* (gr. *delphís, delphinos*). Sin. de GOLFINHO.

delfim[2] *s.m.* (lat. *Delphinus,* n.pr.). Herdeiro presumível da Coroa francesa.

delgado *adj.* (lat. *delicatus,* agradável). **1.** Que tem pouca espessura; fino. **2.** Que tem o talhe fino e delicado; esbelto, magro.

deliberação *s.f.* (lat. *deliberatio*). **1.** Ato ou efeito de deliberar. **2.** Exame e discussão oral de um assunto. **3.** Resolução tomada depois de reflexão; decisão.

deliberar *v.t.* e *v.i.* (lat. *deliberare*) [conj. 4]. **1.** Resolver ou decidir mediante discussão e exame. **2.** Refletir sobre decisão a tomar. **3.** Tomar decisão. **4.** Premeditar.

deliberativo *adj.* (lat. *deliberativus*). Relativo a deliberação; que delibera.

deliberatório *adj.* Em que há deliberação.

delicadeza (ê) *s.f.* **1.** Qualidade de delicado. **2.** Fineza, gentileza. **3.** Debilidade, fragilidade. **4.** Leveza, suavidade, brandura. **5.** Apuro, esmero.

delicado *adj.* (lat. *delicatus,* agradável). **1.** Frágil, tenro. **2.** Cortês, atencioso. **3.** Suave, mimoso. **4.** Sutil, fino. **5.** Difícil, complicado.

delícia *s.f.* (lat. *delicia,* gozo). **1.** Prazer intenso. **2.** A sensação que este prazer produz. **3.** Encanto, gozo, deleite.

deliciar *v.t.* (conj. 16). Trazer delícia ou deleite a; deleitar. ★ *v.pr.* Gozar delícia ou deleite.

delicioso (ô) *adj.* (lat. *deliciosus*). Que provoca delícia; extremamente agradável.

delimitação *s.f.* Ação de delimitar.

delimitar *v.t.* (lat. tard. *delimitare*) [conj. 4]. **1.** Fixar os limites de; demarcar. **2.** Circunscrever, restringir.

delinear *v.t.* (lat. *delineare*) [conj. 15]. **1.** Traçar o contorno de; esboçar, planear. **2.** Demarcar, delimitar.

delinqüência *s.f.* (lat. *delinquentia*, delito). **1.** Ação de delinqüir. **2.** Caráter, estado ou qualidade de delinqüente.

DELINQÜÊNCIA ► A delinqüência está presente em toda sociedade, pois o delito é um ato humano. Mas, ainda que ela seja inevitável, a sociedade procura preveni-la ou reprimi-la com uma série de medidas para torná-la menos nociva (*política criminal*). A fim de desenvolver de forma adequada essa política, torna-se necessário conhecer tudo o que se relaciona com o delito e o delinqüente (*ciência criminal*), as penas e as medidas de segurança aplicáveis (*direito criminal*), e estabelecer estatísticas que permitam conhecer as cifras dos tipos de delito e delinqüentes, os fatores que influem para o aumento ou a diminuição da delinqüência e o resultado das penas aplicadas etc. (*estatística criminal*).

---

delinqüente *adj.2g.* e *s.2g.* Que ou quem delinqüiu.

delinqüir *v.i.* (lat. *delinquere, errar*) [conj. 79]. Praticar um delito.

deliqüescência *s.f.* (do lat. *deliquescere*, fundir-se). **1.** Propriedade de certas substâncias que absorvem a umidade do ar, desagregando-se e formando soluções aquosas. **2.** Degeneração, desagregação.

delíquio *s.m.* (lat. *deliquium*, ausência). Desmaio, desfalecimento, síncope.

delir *v.t.* (lat. *delere*, apagar dissolvendo) [conj. 79]. **1.** Dissolver num líquido. **2.** Fazer desaparecer; desvanecer.

delirante *adj.2g.* **1.** Que delira. **2.** Próprio de quem delira. **3.** *Fig.* Insensato, extravagante. ● **Psiq.** e **Psican.** Diz-se do que é acompanhado de delírio ou característico dele. ► *Idéia delirante*, idéia falsa, em oposição manifesta com a realidade, que domina a convicção daquele que a emite e que representa uma solução patológica a uma angústia e a uma insatisfação muito fortes.

delirar *v.i.* (lat. *delirare*, sair do sulco; perder a razão) [conj. 4]. **1.** Cair em delírio. **2.** Estar fora de si; desvairar. **3.** Dizer repetida e irrefletidamente palavras sem nexo. **4.** *Fig.* Exaltar-se.

delírio *s.m.* (lat. *delirium*). **1.** Exaltação de espírito; desvario. **2.** *Fig.* Entusiasmo. ● **Psiq.** Organização patológica da personalidade e das relações com o mundo, sustentada pela produção de idéias delirantes.

DELÍRIO ► Geralmente, o delírio é um transtorno no qual as idéias não se ajustam à realidade em que são concebidas. O delírio faz parte das doenças mentais crônicas, como os diferentes tipos de loucura ou a depressão profunda. Entre os delírios, existem o de perseguição (em que o paciente se sente acuado) e o hipocondríaco (em que se inventam doenças).

---

delirium tremens (lí-trê) *s.m.* (expr. lat., "delírio trêmulo"). Estado de confusão mental marcado por alucinações visuais e por distúrbios neurovegetativos, que pode instalar-se em um alcoólatra acometido de infecção grave ou após brusca privação do álcool.

delito *s.m.* (lat. *delictum*, erro). Fato voluntário que causa dano a outrem, punível pela lei penal.

delituoso (ô) *adj.* Em que há delito.

delonga *s.f.* Demora, retardamento, adiamento.

delongar *v.t.* (conj. 14). Demorar, retardar, adiar. ★ *v.pr.* Demorar-se, prolongar-se.

delta *s.m.* (gr. *délta*). Nome da quarta letra do alfabeto grego, cuja maiúscula tem a forma de triângulo. ● **Geogr.** Zona de acumulação aluvial, de forma grosseiramente triangular, criada por um rio ao atingir um lago ou o mar.

VOCÊ SABIA...? O **delta** se forma quando o rio chega ao mar. O rio começa a fluir com maior lentidão e deposita barro, areia e até rochas grandes que, ao acumularem-se, formam um novo solo. O delta tem forma de triângulo e seu nome vem da letra Δ (delta) do alfabeto grego. O maior delta do mundo é formado pelos rios Ganges e Bramaputra. Mede 480 km de extensão e 160 km de largura.

---

deltóide *adj.2g.* Que tem forma de delta. ● **Anat.** *s.m.* Músculo espesso, de forma triangular, que recobre a espádua e que constitui o principal músculo abdutor do braço.

demagogia *s.f.* (gr. *demagogía*). Política ou atitude que explora a opinião pública para conquistar simpatia.

demagógico *adj.* Relativo à demagogia.

demagogo (ô) *s.m.* (gr. *demagogós*, que conduz o povo). **1.** Partidário da demagogia. **2.** Pessoa que faz uso da demagogia.

demais *adv.* **1.** Excessivamente, em demasia. **2.** Além disso. ★ *pron. indef.* Os outros.

demanda *s.f.* (fr. *demande*). **1.** Ação de demandar; procura. **2.** Ação judicial; processo, litígio. ● **Econ.** Procura. **Psican.** Pedido ou exigência mais ou menos consciente expresso pelo paciente, situado entre o desejo e a necessidade.

demandar *v.t.* e *v.i.* (lat. *demandare*, confiar) [conj. 4]. **1.** Procurar, buscar. **2.** *Fig.* Precisar. **3.** Caminhar para. **4.** Pedir, reclamar, requerer, exigir. ● **Dir.** Intentar ação judicial, pedir judicialmente.

demão *s.f.* Camada de tinta ou cal que se estende numa superfície; mão.

demarcação *s.f.* **1.** Ato ou efeito de demarcar. **2.** Fixação dos limites (de um terreno, de uma área) por meio de marcos, balizas, estacas. **3.** Separação.

demarcar *v.t.* (conj. 12). **1.** Assinalar os limites de; delimitar. **2.** Definir, determinar. **3.** Separar.

demasia *s.f.* (esp. *demasía*). **1.** O que é excessivo. **2.** *Fig.* Desregramento, imoderação.

demasiado *adj.* **1.** Que é demais; excessivo, exagerado. **2.** Supérfluo. **3.** *Fig.* Desregrado, descomedido. ★ *adv.* Demasiadamente.

demasiar *v.pr.* (conj. 16). Exceder-se.

demência *s.f.* (lat. *dementia*). Enfraquecimento psíquico profundo, lento e progressivo, de caráter irreversível, que se manifesta por uma redução das faculdades intelectuais como memória, razão, senso crítico etc. ► *Demência precoce,* designação antiga da esquizofrenia. *Pop.* Extravagância, insensatez.

demencial *adj.2g.* Relativo à demência.

demente *adj.2g.* e *s.2g.* (lat. *demens*). **1.** Diz-se de ou indivíduo que sofre de demência. **2.** *Pop.* Extravagante, insensato, louco.

demérito *s.m.* **1.** Falta ou perda de mérito; desmerecimento. **2.** Aquilo que é passível de reprovação. ★ *adj.* Desmerecedor.

demissão *s.f.* (lat. *demissio,* abaixamento). Ato ou efeito de demitir(-se).

demissionário *adj.* Diz-se do funcionário que se demitiu ou pediu demissão; demitente.

demitir *v.t.* (lat. *demittere,* abaixar) [conj. 6]. Destituir de um emprego, cargo ou dignidade; exonerar, despedir. ★ *v.pr.* Pedir desligamento; renunciar.

demiurgo (i-úr) *s.m.* (gr. *demiourgos,* artífice). Nome do deus criador, na filosofia platônica.

demo *s.m.* (gr. *daímon,* pelo lat. *daemon,* deus; gênio). **1.** Demônio, diabo. **2.** Indivíduo turbulento. **3.** Indivíduo de gênio agressivo.

democracia *s.f.* (gr. *demokratía,* governo do povo). **1.** Regime político que se funda na soberania popular, na liberdade eleitoral, na divisão de poderes e no controle da autoridade. **2.** Estado que adota este sistema.

DEMOCRACIA ► Nas cidades-estados gregas, o termo referia-se a uma organização política em que o povo (*demos*) exercia o poder, refreando os interesses da aristocracia. Na época contemporânea, *democracia* designa uma ampla variedade de sistemas políticos que têm em comum instituições liberais formadas por representantes eleitos.

---

democrata *s.2g.* **1.** Partidário da democracia. **2.** Pessoa que convive igualmente com todas as classes sociais e seus interesses diversos. ★ *adj.2g.* Democrático.

democrático *adj.* (gr. *demokratikós*). Relativo ou pertencente à democracia; democrata.

democratização *s.f.* **1.** Ação de democratizar. **2.** Processo pelo qual um regime político ou uma instituição procura pôr em prática os princípios democráticos.

democratizar *v.t.* (conj. 4). **1.** Organizar segundo os princípios da democracia; tornar democrático. **2.** Tornar acessível a todas as classes; popularizar. ★ *v.pr.* Tornar-se democrata ou democrático.

demografia *s.f.* Ciência que tem por objeto o estudo quantitativo das populações humanas, de suas variações e de seu estado.

demográfico *adj.* Relativo à demografia.

demógrafo *s.m.* Especialista em demografia.

demolidor (ô) *adj.* e *s.m.* Que ou aquele que faz uma demolição; destruidor.

demolir *v.t.* (lat. *demolire*) [conj. 79]. **1.** Destruir, derrubar pedra por pedra. **2.** *Fig.* Arruinar.

demoníaco *adj.* (gr. *daimoniakós,* pelo lat. *daemoniacus*). Relativo ao demônio; diabólico, satânico.

demônio *s.m.* (gr. *daimónion,* pelo lat. *daemonium,* deus; gênio). **1.** Divindade, de gênio bom ou mau, que, para os antigos, presidia os destinos de cada homem e dos grupos sociais. **2.** Personificação das tentações, dos vícios. **3.** *Fig.* Pessoa má, perversa. **4.** *Fig.* Pessoa (especialmente criança) irrequieta, travessa. ● **Rel.** Anjo rebelde a Deus, na tradição judaico-cristã, que habita o inferno; Lúcifer, Satã, Satanás, Diabo.

demonismo *s.m.* Crença nos demônios.

demonografia *s.f.* Sin. de DEMONOLOGIA.

demonologia *s.f.* Estudo da natureza e da influência dos demônios. (Sin. DEMONOGRAFIA.)

demonstrabilidade *s.f.* Qualidade do que é demonstrável.

demonstração *s.f.* (lat. *demonstratio*). **1.** Ação de demonstrar, de tornar evidente a verdade de uma lei científica, um raciocínio, uma proposição etc.; prova. **2.** Manifestação de sentimentos, de intenções. **3.** Lição prática e experimental. **4.** Exibição, apresentação.

demonstrar *v.t.* (lat. *demonstrare,* mostrar) [conj. 4]. **1.** Fazer demonstração de; provar de maneira incontestável. **2.** Manifestar, indicar por meio de sinais exteriores. **3.** Explicar ou ensinar praticamente. **4.** Apresentar, exibir.

demonstrativo *adj.* (lat. *demonstrativus,* que serve para indicar). **1.** Que demonstra. **2.** Que serve para demonstrar. ★ *adj.* e *s.m.* Diz-se de ou pronome que indica os seres ou objetos implicados no discurso.

demora *s.f.* Ação de demorar(-se); tardança, atraso.

demorar *v.t.* (lat. *demorare,* deter-se, ficar) [conj. 4]. **1.** Retardar, atrasar-se; reter. **2.** Fazer que espere. **3.** Ficar, permanecer; morar. ★ *v.i.* Tardar, custar. ★ *v.pr.* **1.** Permanecer por algum tempo em. **2.** Atrasar-se, tardar.

demover *v.t.* (lat. *demovere,* deslocar) [conj. 5]. **1.** Mudar de lugar; deslocar. **2.** Fazer renunciar a uma pretensão; dissuadir. ★ *v.pr.* Mover-se de um lugar para outro.

demudado *adj.* **1.** Mudado, desfigurado. **2.** Transtornado, perturbado.

demudar *v.t.* (lat. *demutare*) [conj. 4]. **1.** Tornar diferente do que era; mudar. **2.** Perturbar, transtornar. ★ *v.pr.* Mudar de aspecto, de cor, de opinião, de caráter.

dendê *s.m.* (quimb. *ndénde,* palmeira). **1.** Fruto do dendezeiro. **2.** Óleo extraído da polpa desse fruto. **3.** Sin. de DENDEZEIRO.

dendezeiro *s.m.* Palmeira originária da África, de folhas compridas e frutos amarelos, que fornecem um óleo de sabor adocicado e cheiro típico, usado na alimentação. (Sin. DENDÊ, COQUEIRO-DE-DENDÊ.)

dendrítico *adj.* Relativo ao dendrito.

dendrito *s.m.* (gr. *dendrítes,* protetor de árvores). **Geol.** Na superfície de uma rocha porosa, figura formada por pequenos cristais, que lembram ramos ou folhagem. **Med.** Prolongamento do citoplasma do neurônio que recebe o impulso nervoso do neurônio anterior.

dendróbata *adj.2g.* Animal que vive nas árvores.

dendrologia *s.f.* Parte da botânica que trata do estudo das árvores.

denegação *s.f.* (lat. *denegatio*). **1.** Ato ou efeito de denegar. **2.** Negação, recusa; indeferimento. ● **Psican.** Modo de enunciar um pensamento ou desejo que nega seu conteúdo, ou não o reconhece como seu, que constitui uma forma de tomar conhecimento de uma representação recalcada, mantendo o afeto a ela associado no inconsciente.

denegar *v.t.* (lat. *denegare*) [conj. 14]. **1.** Afirmar que não é verdade; negar. **2.** Não conceder, indeferir. **3.** Renegar. **4.** Desmentir. ★ *v.pr.* Recusar-se.

denegrir *v.t.* (conj. 58). **1.** Fazer negro; escurecer. **2.** *Fig.* Atacar a reputação, o talento de alguém; desacreditar, manchar.

dengo *s.m.* Dengue.

dengoso (ô) *adj.* Cheio de dengues.

dengue[1] *s.m.* **1.** Faceirice, melindre, requebro; dengo. **2.** Maneira afetada da falar, de se comportar; presunção, afetação, denguice, dengo.

dengue[2] *s.f.* Doença infecciosa epidêmica das regiões tropicais, de caráter exantemático, devida a um arbovírus, caracterizada por febre, dores articulares, fadiga e, na forma hemorrágica, hipertrofia do fígado e hemorragia generalizada.

? VOCÊ SABIA...? A **dengue** é uma doença infecciosa produzida por um vírus e transmitida pelo mosquito *Aedes aegypti*. É muito comum na África, Índia, ilhas do Caribe, em algumas zonas do Extremo Oriente e na América do Sul.

denodado *adj.* **1.** Ousado, intrépido. **2.** Arrebatado, impetuoso.

denodar *v.t.* (lat. *nodare,* atar com nó) [conj. 4]. Desfazer o nó; desatar, desembaraçar.

denodo (ô) *s.m.* **1.** Intrepidez, ousadia, coragem. **2.** Arrebatamento, ímpeto.

denominação *s.f.* (lat. *denominatio*). **1.** Ação de denominar(-se); nomeação. **2.** Nome; designação.

denominador (ô) *adj.* e *s.m.* **1.** Que ou o que denomina, que dá o nome ou designa pelo nome. **2.** O número que divide outro em uma divisão.

denominar *v.t.* (lat. *denominare*) [conj. 4]. Dar um nome a; nomear, designar. ★ *v.pr.* Ter nome de; designar-se.

denominativo *adj.* e *s.m.* Que ou o que é próprio para denominar.

denotação *s.f.* (lat. *denotatio,* indicação). **1.** Ato ou efeito de denotar. **2.** Significado próprio de uma palavra ou expressão.

denotar *v.t.* (lat. *denotare*) [conj. 4]. **1.** Anunciar ou mostrar por certos sinais; indicar. **2.** Significar (por denotação); exprimir. **3.** Observar, notar.

denotativo *adj.* **1.** Relativo à denotação. **2.** Diz-se do sentido das palavras que se refere diretamente à coisa, e não às sugestões por elas provocadas.

densidade *s.f.* (lat. *densitas,* espessura). Qualidade do que é denso. ● **Fís.** Medida da quantidade de massa de um corpo sólido ou meio fluido contida em cada unidade de volume desse corpo. ▸ *Densidade de corrente,* intensidade de uma corrente elétrica medida em relação à área de uma seção de um condutor.

denso *adj.* (lat. *densus*). **1.** Compacto, espesso. **2.** Pesado em relação a seu volume. **3.** *Fig.* Escuro, carregado.

dentada *s.f.* Ferida ou corte feito com os dentes; mordedura, mordida.

dentado *adj.* **1.** Recortado em dentes; denteado. **2.** Guarnecido de dentes.

dentadura *s.f.* **1.** Conjunto dos dentes. (Sin. DENTIÇÃO.) **2.** Prótese dentária removível, parcial ou total.

dental *adj.2g.* **1.** Pertencente ou concernente aos dentes. **2.** Que serve para a higiene dos dentes. **3.** *Creme* ou *pasta dental,* dentifrício.

dentar *v.t.* (conj. 4). **1.** Dar dentada em; morder. **2.** Recortar dentes em; dentear, chanfrar.

dentário *adj.* (lat. *dentarius*). **1.** Relativo ao dente. **2.** *Osso dentário,* osso do maxilar inferior de todos os vertebrados, onde geralmente estão implantados os dentes.

dente *s.m.* (lat. *dens, dentis*). Cada uma das saliências existentes em engrenagens, cremalheiras, serras e outras ferramentas ou máquinas. ● **Odont.** Estrutura dura, orgânica e mineral, implantada nos maxilares, cujo conjunto desempenha importante papel na mastigação e na produção de sons. ▸ *Dentes de leite,* a primeira dentição dos mamíferos. ▸ *Dente do siso,* os quatro terceiros molares, cuja erupção é tardia em relação aos outros dentes.

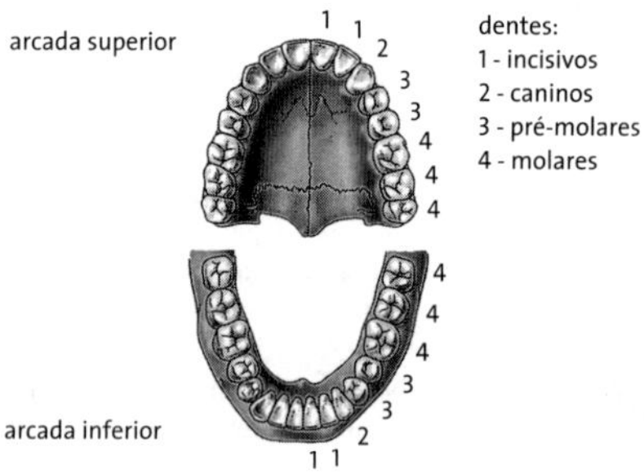

denteado *adj.* Dentado.

dentear *v.t.* (conj. 15). Dentar.

dente-de-leão *s.m.* Planta de folhas e raízes com propriedades medicinais, cujo fruto é um aquênio constituído de pêlos brancos e sedosos que o vento dissemina.

dentição *s.f.* (lat. *dentitio*). **1.** Evolução fisiológica do sistema dentário que inclui a formação, a erupção e o crescimento dos dentes. **2.** Conjunto dos dentes de morfologia e situação normais, apresentado por um animal. (Sin. DENTADURA.)

denticulado *adj.* **1.** Guarnecido de entalhes em forma de dentes. **2.** Guarnecido de dentículos. **3.** Dentado.

dentículo *s.m.* (lat. *denticulus*). Dente muito pequeno. ● **Arquit.** Ornamento constituído por uma série de saliências retangulares espaçadas.

dentiforme *adj.2g.* Que tem forma de dente.

dentifrício *adj.* e *s.m.* (b.-lat. *dentifricum,* com que se esfrega os dentes). Substância destinada à limpeza dos dentes, à conservação das gengivas e à assepsia da boca; creme ou pasta dental.

dentina *s.f.* Tecido conjuntivo bastante mineralizado, cujas células geradoras permanecem externas ao tecido. (Sin. MARFIM.)

dentinário *adj.* Relativo à dentina.

dentista *s.2g.* Profissional que se dedica ao tratamento dos dentes; odontólogo, odontologista.

dentre comb. da prep. *de* com a prep. *entre.*

dentro *adv.* (lat. *de, intro*). **1.** Na parte interior, interiormente. **2.** Entre paredes. **3.** No íntimo. **4.** *Dentro de,* do lado interno de; em. ► *Por dentro,* na parte interna.

dentuça *s.f.* Os dentes da frente, quando grandes e ressaídos.

dentuço *adj.* e *s.m.* Que ou aquele que tem dentuça.

denudação *s.f.* (lat. *denudatio*). Ato ou efeito de denudar.

denudar *v.t.* e *v.pr.* (lat. *denudare*) [conj. 4]. Despir(-se), pôr(-se) a descoberto, privar(-se) dos vestidos ou revestimento; desnudar(-se).

denúncia *s.f.* Ato ou efeito de denunciar. ● **Dir.** Peça inaugurátória de ação penal, de iniciativa do Ministério Público.

denunciador (ô) *adj.* e *s.m.* Que ou aquele que denuncia.

denunciar *v.t.* (lat. *denuntiare,* anunciar) [conj. 16]. **1.** Fazer denúncia de; acusar, delatar. **2.** Noticiar, tornar público o que era secreto; delatar. **3.** Anular, romper, participar o termo de tratados. ★ *v.pr.* Dar-se a conhecer, trair-se, delatar-se.

deontologia *s.f.* (do gr. *déon, deontos,* necessidade, e *logos*). Conjunto de regras e deveres que regem uma profissão, a conduta dos que a exercem, as relações entre eles e seus clientes e o grande público; ética.

deparar *v.t.* (conj. 4). **1.** Fazer surgir repentinamente; fazer encontrar. **2.** Topar, encontrar repentinamente ou por acaso. ★ *v.pr.* Apresentar-se aos olhos de alguém.

departamental *adj.2g.* Relativo a departamento.

departamento *s.m.* (fr. *département*). **1.** Divisão administrativa da França e de outras nações. **2.** Seção, divisão, setor de uma empresa pública ou privada.

depauperar *v.t.* (lat. tard. *depauperare*) [conj. 4]. **1.** Tornar pobre. **2.** Exaurir as forças ou os recursos de; extenuar. ★ *v.pr.* Enfraquecer-se.

depenar *v.t.* (conj. 4). **1.** Arrancar as penas; deplumar, depenicar. **2.** *Fig.* Tirar dinheiro a alguém de forma astuciosa. ★ *v.pr.* Perder as penas.

dependência *s.f.* **1.** Estado de dependente. **2.** Sujeição, subordinação. **3.** Acessório, anexo. **4.** Cada um dos cômodos de uma construção. ● **Med.** Necessidade constante de ingerir uma droga ou substância, cuja suspensão da ingestão ocasiona uma série de distúrbios físicos ou psíquicos.

dependente *adj.2g.* **1.** Que depende ou está subordinado. **2.** Que está sujeito. ★ *s.2g.* **1.** Pessoa que não tem recursos próprios e vive a expensas de outra. **2.** Pessoa que padece de dependência psíquica ou física de uma droga; viciado, toxicômano.

depender *v.t.* (lat. *dependere,* pender de) [conj. 5]. **1.** Estar sujeito ou subordinado a; estar sob domínio, autoridade ou influência de. **2.** Derivar, resultar. **3.** Viver a expensas de outra pessoa. **4.** Ter dependência de (droga).

dependura *s.f.* **1.** Ato ou efeito de dependurar; pendura. **2.** Porção de objetos dependurados.

dependurar *v.t.* e *v.pr.* (conj. 4). Pendurar(-se).

depenicar *v.t.* (conj. 12). **1.** Arrancar, tirar aos poucos as penas ou os pêlos de; depenar. **2.** Tirar ou puxar com a boca ou com os dedos pequenas porções de (alimento ou outra coisa). ★ *v.i.* Comer ou tirar pequenas quantidades de; debicar.

deperecer *v.i.* (conj. 25). Perecer pouco a pouco; ir-se finando.

depilar *v.t.* e *v.pr.* (lat. *depilare*) [conj. 4]. Arrancar os pêlos de uma parte do corpo.

depilatório *adj.* e *s.m.* Diz-se de ou preparado para retirar o pêlo.

depleção *s.f.* (lat. *depletio,* de *deplere,* esvaziar). **1.** Diminuição da quantidade de líquido, em particular de sangue, contido normalmente num organismo ou órgão. **2.** Diminuição ou perda de um eletrólito contido normalmente num líquido do organismo.

deplorar *v.t.* (lat. *deplorare*) [conj. 4]. Chorar, lastimar, lamentar. ★ *v.pr.* Lamentar-se.

deplorável *adj.2g.* e *s.2g.* (lat. *deplorabilis*). **1.** Digno de pena, de compaixão; lamentável. **2.** Detestável.

depoente *adj.* e *s.2g.* (b.-lat. *deponens, deponentis,* que depõe). **1.** Diz-se de uma forma verbal latina que é passiva mas com sentido ativo. **2.** Pessoa que, em juízo, depõe como testemunha.

depoimento (o-i) *s.m.* **1.** Ato de depor. **2.** Aquilo que as testemunhas afirmam em juízo; testemunho.

depois *adv.* **1.** Posteriormente, em seguida, após. **2.** Além disso, também. **3.** *Depois de,* em seguida, após.

depor (ô) *v.t.* (lat. *deponere,* pôr no chão) [conj. 45]. **1.** Pôr de parte, pôr no chão, deixar alguma coisa que se trazia. **2.** Destituir, demitir. **3.** Declarar em juízo. ★ *v.i.* Prestar depoimento em juízo.

deportação *s.f.* (lat. *deportatio,* transporte). Ação de levar para fora de um país; desterro, exílio.

deportado *adj.* e *s.m.* Diz-se de ou daquele que foi condenado à deportação.

deportar *v.t.* (lat. *deportare,* transportar) [conj. 4]. Condenar à pena de deportação.

deposição *s.f.* (lat. *depositio*). **1.** Ato ou efeito de depor. **2.** Destituição.

depositar *v.t.* (conj. 4). **1.** Pôr em depósito; guardar. **2.** Pôr, colocar, depor. **3.** Guardar em banco. **4.** Confiar. ★ *v.pr.* Assentar, ficar no fundo.

depositário *s.m.* (b.-lat. *depositarius*). **1.** Pessoa que recebe em depósito. **2.** *Fig.* Confidente.

depósito *s.m.* (lat. *depositum,* depósito, consignação). **1.** Ação de depositar. **2.** O objeto ou soma depositados. **3.** Local em que se deposita. **4.** As impurezas ou outros materiais que se depõem no fundo de um vaso, que contém um líquido; sedimento.

DEPÓSITO ► A acumulação, mais ou menos consolidada, de sedimentos na natureza forma os chamados *depósitos sedimentares,* que são resultado de um longo processo geológico. Entre os minerais recuperáveis nesses depósitos, sob a forma de grãos discretos, estão o ouro, a monazita e pedras preciosas como o diamante.

---

depravação *s.f.* (lat. *depravatio*). Ato ou efeito de depravar(-se); perversão, corrupção, degeneração (de costumes).

depravado *adj.* Pervertido, degenerado, corrompido. ★ *s.m.* Indivíduo libidinoso, dado a depravações; imoral, perverso.

depravar *v.t.* (lat. *depravare,* torcer; desfigurar) [conj. 4]. Perverter, corromper, degenerar, estragar. ★ *v.pr.* Perverter-se.

deprecação *s.f.* (lat. *deprecatio,* súplica). Ato ou efeito de deprecar.

deprecar *v.t.* (conj. 12). Pedir com instância; suplicar, rogar. ★ *v.i.* Fazer súplicas.

deprecativo *adj.* Em que há deprecação.

deprecatório *adj.* Relativo à deprecação.

depreciação *s.f.* **1.** Ato ou efeito de depreciar. **2.** Perda de valor. **3.** *Fig.* Menosprezo, rebaixamento.

depreciar *v.t.* (lat. *depretiare*) [conj. 16]. **1.** Abaixar o valor de; desvalorizar. **2.** Atribuir valor menor que o real; subestimar. **3.** Tratar com desdém; menosprezar. ★ *v.pr.* **1.** Perder valor. **2.** Perder a estima.

depreciativo *adj.* **1.** Que deprecia, desvaloriza; em que há depreciação. **2.** Que condena ou atribui valor negativo.

depredação *s.f.* (b.-lat. *depraedatio,* pilhagem). **1.** Dano causado à propriedade alheia. **2.** Roubo, saque. **3.** Malversação, espoliação.

depredar *v.t.* (conj. 4). **1.** Espoliar, saquear, roubar. **2.** Devastar, destruir, assolar.

depreender *v.t.* (lat. *deprehendere,* surpreender) [conj. 5]. **1.** Chegar à compreensão ou ao conhecimento de; compreender. **2.** Deduzir, inferir.

depressa *adv.* **1.** Com pressa, rapidamente. **2.** Em pouco tempo. **3.** Em breve.

depressão *s.f.* (b.-lat. *depressio,* abaixamento). **1.** Aluimento, abaixamento de nível, causado por peso ou pressão. **2.** Enfraquecimento físico ou moral; desânimo, abatimento. **3.** Período crítico de enfraquecimento econômico. ● **Anat.** Achatamento ou cavidade pouco profunda. **Geogr.** Porção de relevo terrestre situado abaixo do nível do mar ou do nível das regiões circunvizinhas. **Psicol.** e **Psiq.** *Depressão* (*nervosa*), aumento de intensidade ou de duração da tristeza.

depressivo *adj.* **1.** Que deprime; deprimente. **2.** Que revela depressão.

depressor (ô) *adj.* e *s.m.* Que ou o que deprime. ● **Med.** Diz-se de ou agente físico ou químico que diminui a atividade de um neurônio ou de todo o cérebro.

deprimente *adj.2g.* **1.** Que deprime; depressivo, depressor. **2.** Aviltante, humilhante.

deprimido *adj.* Que ou aquele que sofre de depressão.

deprimir *v.t.* (lat. *deprimere,* abaixar) [conj. 6]. **1.** Causar depressão em; abaixar. **2.** Debilitar, enfraquecer. **3.** Aviltar, humilhar, rebaixar. ★ *v.pr.* Abater-se, angustiar-se.

depuração *s.f.* Ato ou efeito de depurar(-se).

depurador (ô) *adj.* e *s.m.* **1.** Que ou o que depura; depurativo. **2.** Diz-se de ou aparelho que elimina as impurezas.

depurar *v.t.* (b.-lat. *depurare*) [conj. 4]. **1.** Tornar puro ou mais puro; purificar, limpar. **2.** *Fig.* Expulsar membros considerados indignos de uma instituição. ★ *v.pr.* Purificar-se, limpar-se.

depurativo *adj.* e *s.m.* **1.** Que ou o que tem a propriedade de depurar o sangue ou os humores. **2.** Dizia-se de chás e de medicações às quais se atribuía a propriedade de livrar o organismo de suas toxinas e de seus resíduos. **3.** Depurador, depurante.

deputação *s.f.* (b.-lat. *deputatio*). **1.** Ação de deputar. **2.** Grupo de pessoas incumbidas de missão especial.

deputado *s.m.* (b.-lat. *deputatus,* delegado, pelo fr. *député*). **1.** Membro eleito de uma assembléia deliberante; delegado. **2.** Membro eleito para assembléia legislativa.

deputar *v.t.* (b.-lat. *deputare,* atribuir) [conj. 4]. **1.** Encarregar de uma missão; delegar. **2.** Incumbir de uma missão. **3.** Mandar em comissão.

deriva *s.f.* (fr. *dérive*). **1.** Desvio de um navio ou avião da sua rota, por efeito do vento ou de uma corrente. **2.** Variação indesejável, lenta e contínua, de uma grandeza física ou de uma característica de um instrumento de medida.

derivação *s.f.* (lat. *derivatio*). **1.** Ação de derivar ou de desviar as águas (ou outro fluido) do curso que seguiam. **2.** Ligação feita entre dois pontos de um circuito elétrico. **3.** Bifurcação de um circuito hidráulico. ● **Eletr.** Linha elétrica que serve para comunicar uma instalação elétrica com a rede de alimentação. **Fís.** Desvio crescente, em relação a um padrão, na medição feita pelo sensor de um equipamento. **Gram.** Processo de formação de palavras que consiste na ligação de afixos a um radical. **Med.** Intervenção que consiste em desviar de seu trajeto natural a urina, o conteúdo intestinal, a bílis etc.

derivada *s.f.* Operação matemática que expressa a taxa de acréscimo de uma variável, que é função de outra, de acordo com o acréscimo desta última.

derivado *adj.* Que (se) deriva ou (se) derivou; proveniente, derivante. ★ *s.m.* **1.** Palavra formada por derivação. **2.** Composto químico obtido pela transformação de um outro.

derivar *v.t.* (lat. *derivare,* desviar o curso de um rio) [conj. 4]. **1.** Desviar de seu curso. **2.** Provir. **3.** Calcular a derivada de uma função. ● **Gram.** Formar uma palavra por derivação. ★ *v.i.* **1.** Correr, fluir. **2.** Transcorrer, decorrer. ★ *v.pr.* **1.** Originar-se, provir. **2.** Descender.

derivativo *adj.* (b.-lat. *derivativus*). **1.** Que faz derivar ou desviar. **2.** Relativo a ou próprio para derivação. ★ *s.m.* Ocupação ou divertimento para distrair ou para fugir à realidade, para fazer esquecer contrariedades ou frustrações.

derma *s.m.* Var. de DERME.

dermatite *s.f.* Qualquer afecção cutânea que atinge a derme e a epiderme. (Sin. DERMITE.)

dermatologia *s.f.* Especialidade médica que se dedica ao estudo e tratamento das moléstias da pele.

DERMATOLOGIA ► A dermatologia estuda e trata das manifestações, na pele, de doenças que podem afetar diversos aspectos do organismo humano, utilizando as técnicas mais sofisticadas da bioquímica, bacteriologia, citologia (estudo das células) e imunologia (estudo de resistência às doenças).

---

dermatológico *adj.* Relativo à dermatologia.

dermatologista *s.2g.* Médico especialista em dermatologia.

dermatoma *s.m.* Var. de DERMÁTOMO.

dermátomo *s.m.* **1.** Aparelho para cortar fatias muito finas de pele, destinadas a enxertos. **2.** Faixa cutânea inervada pelas fibras sensitivas de um nervo raquidiano. (Sin. DERMATOMA.)

dermatose *s.f.* Designação genérica das afecções da pele.

derme *s.f.* (gr. *dérma,* pele). Camada de tecido conjuntivo da pele, situada entre a epiderme e a hipoderme, responsável pela nutrição e solidez da região. (Sin. DERMA.)

dérmico *adj.* Relativo à derme.

dermite *s.f.* Sin. de DERMATITE.

derrabar *v.t.* (conj. 4). **1.** Cortar o rabo ou cauda a. **2.** Cortar a cauda ou as abas de um vestuário.

derradeiro *adj.* (lat. *deretrarius,* de *de retro,* para trás). **1.** Que vem atrás; último. **2.** Final.

derrama[1] *s.f.* Derramamento.

derrama[2] *s.f.* **1.** Tributo local, dividido proporcionalmente com os rendimentos de cada contribuinte. **2.** Na região das minas, cobrança dos quintos atrasados ou de um imposto extraordinário.

derramar *v.t.* (conj. 4). **1.** Cortar ou fazer os ramos a; desramar. **2.** Fazer correr um líquido para fora; entornar. **3.** Esparzir, espalhar. **4.** Distribuir, repartir. **5.** Difundir, emitir. ★ *v.pr.* **1.** Espalhar-se, propagar-se. **2.** Entornar-se.

derrame *s.m.* **1.** Derramamento. **2.** Acumulação anormal de líquido em uma cavidade do organismo. **3.** *Derrame cerebral,* designação comum para acidente vascular cerebral, distúrbio circulatório agudo do cérebro provocado por infarto ou trombose dos vasos que fazem a irrigação sanguínea do órgão.

derrapar *v.i.* (fr. *déraper*) [conj. 4]. Deslizar, escorregar de lado (veículo de rodas), desgovernando-se.

derrear *v.t.* (conj. 15). **1.** Fazer curvar as costas com pancadas ou sob um peso; alquebrar. **2.** Prostrar, extenuar. **3.** *Fig.* Desacreditar, menoscabar. ★ *v.pr.* **1.** Curvar-se, vergar-se, inclinar-se. **2.** Prostrar-se, extenuar-se, cansar-se.

derredor *adv.* **1.** Ao redor, em volta. **2.** *Ao derredor,* em torno, em volta.

derreter *v.t.* (conj. 5). **1.** Fazer passar ao estado líquido; liquefazer, fundir. **2.** *Fig.* Comover, enternecer. **3.** Amofinar, apoquentar. **4.** Consumir, gastar. ★ *v.pr.* **1.** Tornar-se líquido; fundir-se. **2.** *Fig.* Exceder-se em amabilidades; enternecer-se.

derribar *v.t.* (conj. 4). **1.** Lançar por terra; abater, derrubar. **2.** Forçar a demissão de; destituir. **3.** *Fig.* Vencer, subjugar. ★ *v.pr.* Lançar-se por terra; arrojar-se.

derriçar *v.t.* (conj. 13). **1.** Parar com a mão ou com os dentes para despedaçar. **2.** Destramar. **3.** Tirar os frutos do café dos galhos passando a mão de cima para baixo e fazendo-os cair no chão. ★ *v.i.* **1.** Troçar, caçoar. **2.** Namorar.

derrisão *s.f.* (b.-lat. *derisio*). **1.** Riso de escárnio. **2.** Zombaria, irrisão.

derrocada *s.f.* Desmoronamento, desabamento, ruína.

derrocar *v.t.* (conj. 12). **1.** Derribar, destruir, desmoronar. **2.** Remover rochas, especialmente de leito de rios ou canais, com o objetivo de desobstruí-los. **3.** Abater, humilhar. ★ *v.pr.* Desmoronar-se, cair em ruína.

derrogação *s.f.* (lat. *derogatio*). Ato ou efeito de derrogar.

derrogar *v.t.* (lat. *derogare*) [conj. 14]. **1.** Anular, abolir. **2.** Revogar parcialmente uma lei.

derrota[1] *s.f.* **1.** Ação ou efeito de derrotar[1]. **2.** Revés sofrido por uma tropa. **3.** Revés, insucesso sofrido num empreendimento.

derrota[2] *s.f.* (lat. *dirupta,* rota aberta). Rumo dos navios durante uma viagem; rota, roteiro.

derrotar[1] *v.t.* (conj. 4). **1.** Vencer, destroçar, desbaratar. **2.** Fatigar, cansar, prostrar. **3.** Inutilizar, destruir.

derrotar[2] *v.t.* (conj. 4). Desviar da rota. ★ *v.i.* Seguir a rota. ★ *v.pr.* Perder o rumo; desencaminhar-se.

derrotismo *s.m.* **1.** Falta de confiança na vitória. **2.** Falta de confiança em si e nos outros. **3.** Pessimismo.

derrubada *s.f.* **1.** Ação de abater as árvores de um terreno para instalar uma cultura. **2.** Conjunto de árvores abatidas. **3.** Demissão em massa de funcionários ou empregados.

derrubar *v.t.* (lat. tard. *dirupare*) [conj. 4]. **1.** Pôr abaixo; abater, derribar. **2.** Atirar ao chão com violência. **3.** Agir em prejuízo de uma pessoa.

derruir *v.t.* (lat. *deruere,* fazer cair) [conj. 74]. **1.** Desmoronar, derribar. **2.** Anular, destruir. ★ *v.pr.* Desmoronar-se, ruir.

dervixe ou **dervis** *s.m.* (turco *dervis*). Membro de uma ordem sufista, confraria religiosa muçulmana; daroês, sufi.

VOCÊ SABIA...? O **dervixe** é um membro de uma confraria religiosa muçulmana, o sufismo, cuja ordem mais importante tem como práticas a recitação de poemas místicos e uma dança em que são executados rodopios em ritmo crescente, com que o dançarino, procurando entrar em harmonia com o movimento dos astros, atinge um estado de profunda compaixão e se sente unificado com Deus.

desabado *adj.* **1.** Que desabou. **2.** Que tem as abas largas ou caídas (o chapéu).

desabafar *v.t.* (conj. 4). **1.** Desagasalhar, descobrir. **2.** Tornar livre a respiração. **3.** Desimpedir, desobstruir. **4.** Desafrontar, desagravar. ★ *v.i.* **1.** Dizer com franqueza o que sente ou pensa; desafogar-se. **2.** Respirar livremente. ★ *v.pr.* Desagasalhar-se, descobrir-se.

desabafo *s.m.* Ato ou efeito de desabafar(-se); desafogo.

desabalado *adj.* **1.** Precipitado, arrebatado, apressado. **2.** Enorme, desmedido, excessivo.

desabar *v.t.* (conj. 4). Abaixar a aba do chapéu. ★ *v.i.* **1.** Ruir, desmoronar. **2.** Cair com força (chuva ou tempestade).

desabitado *adj.* Que não tem habitantes; deserto.

desabitar *v.t.* (conj. 4). Fazer sair os habitantes; despovoar.

desabituar *v.t.* (conj. 4). Fazer perder o hábito a; desacostumar. ★ *v.pr.* Perder o hábito; desacostumar-se.

desabonar *v.t.* (fr. *desabonner*) [conj. 4]. **1.** Desacreditar, fazer perder o crédito ou a reputação a. **2.** Desaprovar. ★ *v.pr.* Perder o crédito.

desabono *s.m.* **1.** Ato ou efeito de desabonar. **2.** Descrédito, depreciação.

desabotoar *v.t.* (conj. 20). **1.** Tirar os botões das casas. **2.** Abrir, descerrar. ★ *v.i.* Desabrochar. ★ *v.pr.* **1.** Abrir o vestuário desabotoando-o. **2.** Dizer livremente o que pensa; desabafar.

desabrido *adj.* **1.** Áspero, rude. **2.** Insolente.

desabrigado *adj.* **1.** Que não tem abrigo. **2.** Exposto às intempéries. ★ *s.m.* Pessoa que não tem onde se alojar.

desabrigar *v.t.* (conj. 14). **1.** Privar do abrigo, deixar exposto às intempéries. **2.** Abandonar, desamparar. ★ *v.pr.* Sair do abrigo, expor-se ao tempo.

desabrigo *s.m.* **1.** Falta de abrigo. **2.** *Fig.* Desamparo, abandono.

desabrimento *s.m.* **1.** Procedimento áspero ou grosseiro; rudeza. **2.** Rigor do tempo.

desabrochar *v.t.* (conj. 4). **1.** Abrir o que estava preso com broche. **2.** Fazer abrir; desabrolhar. **3.** Revelar, desvendar. ★ *v.i.* **1.** Principiar a abrir (a flor). **2.** Cruzar, desenvolver-se. ★ *v.pr.* Desapertar-se.

desabrolhar *v.i.* (conj. 4). Desabrochar (a flor); brotar. ★ *v.t.* Fazer abrir (flor).

desabusado *adj.* **1.** Livre de abusões ou preconceitos. **2.** Atrevido, confiado, insolente.

desabusar *v.t.* (fr. *désabuser*) [conj. 4]. Livrar de abusões, tirar do erro; desenganar, desiludir. ★ *v.pr.* Livrar-se de erro; desenganar-se, desiludir-se.

desabuso *s.m.* Ato ou efeito de desabusar(-se).

desacatamento *s.m.* Desacato.

desacatar *v.t.* (conj. 4). **1.** Faltar com o devido respeito a; afrontar. **2.** Menoscabar, desprezar. **3.** Provocar estupefação por alguma qualidade extraordinária.

desacato *s.m.* **1.** Ato ou efeito de desacatar; desacatamento. **2.** Desprezo. **3.** Estupefação provocada por qualidade extraordinária.

desacautelar *v.t.* (conj. 4). Não ter cautela com; desleixar. ★ *v.pr.* Proceder sem cautela, sem cuidado; desprevenir-se.

desaceleração *s.f.* Diminuição da aceleração de um corpo em movimento acelerado.

desacelerar *v.t.* (conj. 4). **1.** Diminuir a aceleração de. **2.** Retardar.

desacertar *v.t.* (conj. 4). **1.** Fazer, empregar ou dizer com desacerto. **2.** Tornar desacertado, desarranjado; desmanchar. **3.** Falhar, errar. ★ *v.i.* Proceder de forma errada ou inoportuna. ★ *v.pr.* **1.** Sair da ordem. **2.** Frustrar-se, baldar-se.

desacerto (ê) *s.m.* **1.** Falta de acerto; erro. **2.** Tolice, asneira.

desacomodar *v.t.* (conj. 4). **1.** Tirar do cômodo, do lugar; desalojar. **2.** Tirar a acomodação de; desordenar. **3.** Incomodar. ★ *v.pr.* Incomodar-se.

desacompanhado *adj.* Sem companhia; solitário.

desacompanhar *v.t.* (conj. 4). **1.** Deixar de acompanhar ou de prestar auxílio ou apoio a. **2.** Separar. **3.** Deixar de concordar com.

desaconchegar *v.t.* (conj. 14). **1.** Tirar o conchego a; separar, desunir. **2.** Desconcertar, desarranjar.

desaconselhar *v.t.* (conj. 4). Aconselhar a não fazer alguma coisa; despersuadir.

desacorçoar *v.t.* (conj. 20). Var. DESACOROÇOAR.

desacordado *adj.* **1.** Que perdeu os sentidos; desmaiado. **2.** Estonteado, esquecido.

desacordar *v.t.* (conj. 4). **1.** Pôr em desacordo, não concordar. **2.** Estar em desacordo; discordar. **3.** Esquecer-se. ★ *v.i.* **1.** Não concordar. **2.** Perder os sentidos. ★ *v.pr.* **1.** Perder os sentidos. **2.** Deixar de estar de acordo.

desacordo (ô) *s.m.* **1.** Falta de acordo, divergência, desarmonia. **2.** Desmaio.

DESACORDO ▸ Nos casos em que ainda não tinham sido desenvolvidas técnicas para comprovar certos fatos, as teorias científicas provocavam desacordos entre os seguidores das diversas escolas. Por exemplo, houve teorias nas quais a Terra, e não o Sol, era o centro do Sistema Solar, ou em que se acreditava que nosso planeta fosse imóvel em relação ao Sol, em desacordo com as teorias atuais.

---

desacoroçoado *adj.* e *s.m.* Sem coragem, sem ânimo; desalentado.

desacoroçoar *v.t.* (conj. 20). Tirar a coragem ou ânimo a; desacorçoar. ★ *v.i.* Perder a coragem; desanimar, desacorçoar.

desacostumado *adj.* Que não está acostumado; desusado, inabitual.

desacostumar *v.t.* (conj. 4). Fazer perder um costume, um hábito. ★ *v.pr.* Desabituar-se.

desacreditado *adj.* Que perdeu o crédito ou a reputação; mal-conceituado.

desacreditar *v.t.* (conj. 4). **1.** Fazer perder o crédito ou a reputação. **2.** Fazer desmerecer; depreciar. **3.** Não acreditar. ★ *v.pr.* Perder o crédito, a reputação.

desafeição *s.f.* **1.** Perda ou falta de afeição; desafeto, desamor. **2.** Hostilidade.

desafeiçoado *adj.* Que não nutre afeição por alguém ou alguma coisa; desafeto, inimigo.

desafeiçoar *v.t.* (conj. 20). **1.** Perder ou fazer perder a afeição a; desestimar. **2.** Tirar a feição de; desfigurar. ★ *v.pr.* Perder a afeição a quem se tinha.

desafeito *adj.* Desacostumado, desabituado.

desaferrar *v.t.* (conj. 4). **1.** Soltar aquilo que estava preso com ferro ou o que estava seguro. **2.** Fazer desistir; dissuadir. ★ *v.pr.* **1.** Soltar-se, desprender-se. **2.** Dissuadir-se.

desaferrolhar *v.t.* (conj. 4). **1.** Tirar o ferrolho de. **2.** *Fig.* Soltar, pôr em liberdade. ★ *v.pr.* Soltar-se.

desafeto *adj.* Que perdeu o afeto; sem afeto. ★ *s.m.* **1.** Ausência de afeto. **2.** Inimigo, adversário.

desafiado *adj.* e *s.m.* Que ou aquele que recebeu desafio.

desafiador (ô) *adj.* e *s.m.* Que ou aquele que desafia; desafiante.

desafiante *adj.2g.* e *s.2g.* Desafiador.

desafiar *v.t.* (it. *disfidare,* do lat. *fides,* fé) [conj. 16]. **1.** Chamar a desafio. **2.** Propor duelo. **3.** Provocar, incitar. **4.** Enfrentar com insolência; afrontar.

desafinado *adj.* Que perdeu a afinação; dissonante.

desafinar *v.t.* (conj. 4). **1.** Fazer perder a afinação. **2.** Confundir, perturbar. ★ *v.i.* **1.** Perder a afinação; desentoar. **2.** Desentender-se. ★ *v.pr.* Perder a afinação.

desafio *s.m.* **1.** Ato ou efeito de desafiar. **2.** Duelo. **3.** Provocação. **4.** Duelo com versos improvisados, em geral acompanhado de violão.

desafivelar *v.t.* (conj. 4). Desapertar a fivela de.

desafogar *v.t.* (conj. 14). **1.** Tirar ou libertar do que afoga, sufoca ou oprime; desoprimir. **2.** Aliviar, desapertar. **3.** Desabafar. ★ *v.i.* e *v.pr.* Desabafar-se.

desafogo (ô) *s.m.* **1.** Ação de desafogar. **2.** Alívio, desabafo. **3.** Abastança.

desafoguear *v.t.* (conj. 15). Tirar o calor de; refrigerar.

desaforado *adj.* **1.** Atrevido, insolente, inconveniente. **2.** Que foi isento do pagamento de um foro.

desaforar *v.t.* (conj. 4). **1.** Desobrigar do pagamento de um foro. **2.** Privar de direitos ou privilégios. **3.** Tornar insolente, atrevido. ★ *v.pr.* **1.** Rejeitar os privilégios do foro. **2.** Tornar-se atrevido, insolente.

desaforo (ô) *s.m.* **1.** Ato contrário aos princípios da boa educação. **2.** Impudência, pouca-vergonha. **3.** Atrevimento, insolência; desaforamento.

desafortunado *adj.* Não afortunado; infeliz, desgraçado.

desafronta *s.f.* Ato ou efeito de desafrontar(-se).

desafrontado *adj.* **1.** Desagravado de afronta; vingado. **2.** Desoprimido, aliviado.

desafrontar *v.t.* (conj. 4). **1.** Tirar satisfação de afronta ou injúria; desagravar, vingar. **2.** Livrar de ataque ou perseguição; defender. **3.** Aliviar de dor ou incômodo. ★ *v.pr.* **1.** Vingar-se da afronta recebida; desagravar-se. **2.** Aliviar-se.

desagasalhado *adj.* Privado de agasalho; desabrigado.

desagasalhar *v.t.* e *v.pr.* (conj. 4). Privar(-se) do agasalho; descobrir(-se), desabrigar(-se).

deságio *s.m.* Perda de ágio. ● **Econ.** Desvalorização, depreciação de uma moeda ou título mobiliário.

DESÁGIO ▸ No mercado financeiro, é a diferença para menos entre o valor nominal de uma moeda ou título e sua cotação, ou ainda entre o papel-moeda e o ouro. No comércio, é a diferença para menos entre o preço praticado e o preço de tabela de uma determinada mercadoria, equivalendo nesse caso a uma depreciação ou desconto.

---

desagradar *v.t.* (conj. 4). Não agradar; desgostar, descontentar. ★ *v.pr.* Desgostar-se, descontentar-se.

desagradável *adj.2g.* Que desagrada.

desagravar *v.t.* (conj. 4). **1.** Reparar uma ofensa ou injúria. **2.** Vingar de agravo; desafrontar. **3.** Tornar menos grave; atenuar, suavizar. **4.** Desinflamar. ★ *v.pr.* Vingar-se.

desagravo *s.m.* **1.** Ato ou efeito de desagravar. **2.** Reparação de agravo ou afronta.

desagregar *v.t.* (conj. 14). Desunir, separar o que estava agregado. ★ *v.pr.* Dissociar-se, separar-se, fragmentar-se.

desaguadouro *s.m.* **1.** Canal, vala para escoamento de águas. **2.** Curso de água que escoa as águas de um lago ou de um pântano.

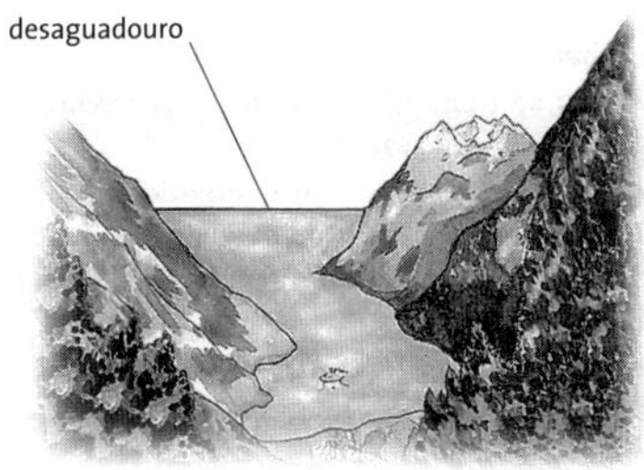

---

desaguar *v.t.* (conj. 22). **1.** Esgotar a água de. **2.** Enxugar. **3.** Dar de comer a animal, para não aguar. ★ *v.i.* **1.** Lançar-se (as águas de um rio) no mar, lago etc. **2.** *Pop.* Urinar. ★ *v.pr.* Despejar-se.

desaire *s.m.* (esp. *desaire,* falta de ar). **1.** Falta de elegância ou distinção. **2.** Ato indecoroso; desdouro. **3.** Infortúnio, desgraça.

desairoso (ô) *adj.* **1.** Que tem ou em que há desaire; indecoroso, inconveniente. **2.** Deselegante.

desajeitar *v.t.* (conj. 4). Tirar o jeito de; deformar.

desajuizado (u-i) *adj.* e *s.m.* **1.** Que ou aquele que perdeu o juízo; insensato. **2.** Estouvado, imprudente.

desajustar *v.t.* (fr. *désajuster*) [conj. 4]. **1.** Separar, desunir. **2.** Desordenar, desarranjar; transtornar. ★ *v.pr.* Desfazer um ajuste com alguém; separar-se.

desalentar *v.t.* (conj. 4). Fazer perder o alento, o ânimo; esmorecer, desanimar. ★ *v.i.* e *v.pr.* Perder o alento; esmorecer.

desalento *s.m.* Falta de alento; abatimento, desânimo.

desalinhar *v.t.* (conj. 4). **1.** Tirar do alinhamento, do prumo. **2.** Desordenar, desarranjar. ★ *v.pr.* Perder o alinho; desarranjar-se.

desalinhavar *v.t.* (conj. 4). Tirar os alinhavos de.

desalinho *s.m.* **1.** Falta de alinho. **2.** *Fig.* Desleixo, desmazelo, desarranjo. **3.** Alteração do ânimo; desânimo.

desalmado *adj.* Sem piedade, sem sensibilidade; cruel, desumano.

desalojar *v.t.* e *v.i.* (conj. 4). Fazer sair do alojamento; expulsar, repelir. ★ *v.pr.* Abandonar o posto, sair do alojamento.

desalterar *v.t.* (fr. *désaltérer*) [conj. 4]. **1.** Acalmar, abrandar, aplacar. **2.** Matar a sede. ★ *v.pr.* Acalmar-se, sossegar.

desamarrar *v.t.* e *v.i.* (conj. 4). Soltar o que estava amarrado, desprender da amarra. ★ *v.pr.* Desatar-se.

desamarrotar *v.t.* (conj. 4). Alisar, desenrugar o que estava amarrotado.

desamassar *v.t.* e *v.i.* (conj. 4). **1.** Desfazer a amassadura. **2.** Desamolgar, desamarrotar.

desambição *s.f.* **1.** Falta de ambição; desinteresse. **2.** Desprendimento, abnegação.

desambientado *adj.* **1.** Que não se ambientou. **2.** Que está fora do ambiente que lhe é próprio.

desambientar *v.t.* (conj. 4). **1.** Tirar do ambiente habitual. **2.** Criar ambiente desfavorável a. ★ *v.pr.* Sair do ambiente usual.

desaminação *s.f.* Reação química em que ocorre substituição, em uma molécula, de uma amina por outro radical.

desaminase *s.f.* Enzima que catalisa uma reação de desaminação.

desamolgar *v.t.* (conj. 14). Endireitar, aplanar, desamassar.

desamontoar *v.t.* (conj. 20). Separar o que estava amontoado.

desamor (ô) *s.m.* Carência de amor; desafeição, desprezo.

desamparado *adj.* Que não tem amparo; abandonado, desprotegido.

desamparar *v.t.* (conj. 4). **1.** Abandonar, deixar sem amparo, sem socorro. **2.** Deixar de sustentar, de proteger. ★ *v.pr.* Deixar de se firmar.

desamparo *s.m.* **1.** Ato ou efeito de desamparar; abandono. **2.** Falta de auxílio ou de proteção.

desamuar *v.t.* (conj. 4). Tirar o amuo de; distrair, alegrar. ★ *v.pr.* Alegrar-se.

desancar *v.t.* (conj. 12). **1.** Bater muito em; espancar, maltratar. **2.** *Fig.* Criticar com virulência.

desancorar *v.i.* (conj. 4). **1.** Levantar a âncora de um navio. **2.** Deixar o porto.

desanda *s.f.* Descompostura, repreensão.

A B C D E F G H I J K L M N O P Q R S T U V W X Y Z

desandar *v.t.* (conj. 4). **1.** Fazer andar para trás ou em sentido contrário ao que seguia ou deveria seguir. **2.** Desatarraxar. **3.** Bater com força. **4.** Emitir, soltar. **5.** Resultar, redundar. ★ *v.i.* **1.** Andar para trás, retroceder, mudar para pior. **2.** *Pop.* Apresentar diarréia.

desanexar (cs) *v.t.* (conj. 4). Separar o que estava anexado; desligar.

desanimar *v.t.* (conj. 4). Fazer perder o ânimo, a coragem; desalentar. ★ *v.i.* **1.** Perder o ânimo, o alento. **2.** Desistir. ★ *v.pr.* Perder o ânimo, o alento.

desânimo *s.m.* Falta de ânimo, de animação; abatimento, desalento.

desanuviar *v.t.* (conj. 16). **1.** Dissipar, dispersar as nuvens de. **2.** *Fig.* Serenar, tranqüilizar. ★ *v.pr.* **1.** Limpar-se de nuvens. **2.** *Fig.* Serenar-se, tranqüilizar-se.

desapaixonado *adj.* **1.** Em que não há paixão. **2.** Que age sem paixão; imparcial.

desaparafusar *v.t.* (conj. 4). Retirar os parafusos que prendem alguma coisa; desparafusar.

desaparecer *v.i.* (conj. 25). **1.** Deixar de ser visto; sumir, ocultar-se, esconder-se. **2.** *P. ext.* Cessar de existir; morrer. **3.** *Fig.* Apagar-se, ofuscar-se.

desaparecimento *s.m.* Ato ou efeito de desaparecer; desaparição.

desaparelhar *v.t.* (conj. 4). Tirar os aparelhos de; desguarnecer. ★ *v.i.* Desarvorar.

desaparição *s.f.* Desaparecimento.

desapegado *adj.* Desafeiçoado, indiferente, independente.

desapegar *v.t.* (conj. 14). **1.** Desunir, separar. **2.** Tornar menos apegado; desafeiçoar. ★ *v.pr.* **1.** Desprender-se, desunir-se. **2.** Desafeiçoar-se.

desapego (ê) *s.m.* **1.** Falta de apego; desafeição, desamor. **2.** Desinteresse, indiferença.

desaperceber *v.t.* (conj. 5). Privar das provisões ou munições. ★ *v.pr.* **1.** Desprover-se, desprevenir-se. **2.** Descuidar-se.

desapercebido *adj.* **1.** Desprovido, desguarnecido. **2.** Desprevenido, descuidado.

desapertar *v.t.* (conj. 4). **1.** Alargar, soltar o que está apertado. **2.** Desabotoar, afrouxar. **3.** *Fig.* Desoprimir, aliviar. **4.** Esquivar-se a uma dificuldade. ★ *v.pr.* Alargar-se, aliviar-se, livrar-se.

desaperto (ê) *s.m.* Ato ou efeito de desapertar.

desapiedado *adj.* Que não tem piedade ou compaixão; desumano, cruel.

desapontado *adj.* **1.** Decepcionado, logrado em seu intento ou em suas esperanças. **2.** Envergonhado, vexado.

desapontamento *s.m.* Surpresa desagradável; decepção.

desapontar *v.t.* (conj. 4). Causar desapontamento a; decepcionar. ★ *v.pr.* Sofrer desapontamento.

desapossar *v.t.* (conj. 4). Tirar ou privar da posse; despojar. ★ *v.pr.* Renunciar à posse.

desapreço (ê) *s.m.* Falta de apreço, de consideração; menosprezo.

desaprender *v.t.* (conj. 5). Esquecer o que se aprendeu.

desapropriação *s.f.* Ato ou efeito de desapropriar-se.

desapropriar *v.t.* (conj. 16). Tirar ou fazer perder (a alguém) a propriedade de uma coisa; expropriar. ★ *v.pr.* Privar-se do que é seu.

desaprovação *s.f.* Ação de desaprovar; reprovação, censura.

desaprovar *v.t.* (conj. 4). **1.** Não aprovar. **2.** Reprovar, criticar, censurar.

desaproveitar *v.t.* (conj. 4). Não aproveitar; desperdiçar.

desaprumar *v.t.* (conj. 4). **1.** Desviar do prumo; fazer perder o equilíbrio. **2.** *Fig.* Abater, humilhar, desconcertar. ★ *v.i.* e *v.pr.* Desviar-se do prumo; pender, inclinar-se.

desaprumo *s.m.* **1.** Desvio do prumo. **2.** Efeito de desaprumar; desequilíbrio.

desarmamento *s.m.* **1.** Ato ou efeito de desarmar(-se). **2.** Redução das forças militares.

desarmar *v.t.* (conj. 4). **1.** Tirar as armas a. **2.** Privar dos meios de ataque ou defesa. **3.** Tirar a armação; desmontar. **4.** Desengatilhar (arma). **5.** *Fig.* Serenar, aplacar, apaziguar. ★ *v.pr.* **1.** Depor as armas. **2.** Apaziguar-se.

desarmonia *s.f.* **1.** Falta de harmonia; dissonância. **2.** *Fig.* Discordância, divergência.

desarmônico *adj.* Que apresenta desarmonia.

desarmonizar *v.t.* (conj. 4). **1.** Provocar a desarmonia de, ou entre. **2.** *Fig.* Tornar incompatível, pôr em desacordo. ★ *v.i.* Discordar. ★ *v.pr.* Não concordar, discordar.

desarraigar *v.t.* (conj. 14). **1.** Arrancar pela raiz, tirar completamente; extirpar, desenraizar. **2.** Extinguir, destruir.

desarranjar *v.t.* (conj. 4). **1.** Desarrumar. **2.** Desconcertar, alterar, transtornar. ★ *v.pr.* **1.** Desentender-se, indispor-se. **2.** Transtornar-se, desacomodar-se.

desarranjo *s.m.* Desarrumação.

desarrazoado *adj.* Que não é razoável; despropositado, injusto.

desarrazoar *v.i.* (conj. 20). Falar ou proceder de modo contrário à razão ou ao bom senso; disparatar.

desarrear *v.t.* (conj. 15). Tirar os arreios de.

desarrochar *v.t.* (conj. 4). Desapertar o que estava arrochado.

desarrolhar *v.t.* (conj. 4). Tirar a rolha de.

desarrumar *v.t.* (conj. 4). Tirar do lugar, da ordem ou disposição conveniente; desarranjar.

desarticulação *s.f.* **1.** Ato ou efeito de desarticular. **2.** Falta de articulação. ● **Med.** Afastamento das superfícies articulares dos ossos. ► Amputação praticada ao nível de uma juntura articular.

desarticular *v.t.* (conj. 4). **1.** Fazer sair da articulação; desconjuntar. **2.** Desfazer, desmantelar. ● **Med.** Amputar ao nível de uma articulação.

desarvorado *adj.* **1.** Que fugiu atabalhoadamente. **2.** Desorientado, desnorteado. **3.** Diz-se da embarcação que não tem mastros.

desarvorar *v.t.* (conj. 4). Tirar os mastros a (uma embarcação); desaparelhar. ★ *v.i.* Fugir atropeladamente; safar-se. ★ *v.pr.* **1.** Ficar desorientado; desnortear-se. **2.** Inquietar-se; exaltar-se; espavorir-se.

desasnar *v.t.* (conj. 4). **1.** Tirar da ignorância. **2.** Desiludir.

desasselvajar *v.t.* (conj. 4). Tirar do estado selvagem.

desassimilar *v.t.* (fr. *désassimiler*) [conj. 4]. **1.** Tirar a assimilação de; alterar. **2.** Passar por uma desassimilação.

desassisado *adj.* e *s.m.* Que ou aquele que não tem siso; desajuizado, desatinado.

desassociar *v.t.* e *v.pr.* (conj. 16). Separar(-se), desligar(-se).

desassombrado *adj.* **1.** Que não é sombrio ou que é exposto ao sol. **2.** Diz-se do terreno descampado. **3.** Franco, sincero. **4.** Isento de temores; corajoso.

desassombrar *v.t.* (conj. 4). **1.** Livrar do que faz sombra; tirar da sombra. **2.** Dissipar as trevas de; desanuviar, esclarecer. **3.** Livrar do medo, do susto, da tristeza; tranqüilizar. ★ *v.pr.* Serenar, alegrar-se.

desassombro *s.m.* **1.** Intrepidez, destemor, ousadia. **2.** Franqueza, sinceridade, confiança.

desassoreamento *s.m.* Ato ou efeito de desassorear.

desassorear *v.t.* (conj. 15). Remover o assoreamento de; desobstruir.

desassossegar *v.t.* (conj. 14). Tirar o sossego; perturbar, inquietar. ★ *v.pr.* Inquietar-se, intranqüilizar-se.

desassossego (ê) *s.m.* Falta de sossego; inquietação, perturbação, agitação.

desastrado *adj.* **1.** Que terminou em desastre. **2.** Proveniente de desastre; desgraçado. **3.** Desajeitado, canhestro.

desastre *s.m.* **1.** Acidente grave ou funesto; sinistro. **2.** Desgraça, fatalidade. **3.** *Fig.* Insucesso, fracasso.

DESASTRE ▸ A indústria fornece produtos indispensáveis à nossa sobrevivência, garantindo o contínuo desenvolvimento da humanidade. Se desordenado, contudo, esse crescimento exaure os recursos naturais e pode comprometer o equilíbrio do planeta. Quando há erro ou negligência, chegam a ocorrer desastres ecológicos.

---

desastroso (ô) *adj.* Que causa ruína ou perda; funesto, ruinoso.

desatar *v.t.* e *v.i.* (conj. 4). **1.** Desfazer o nó de; soltar, desprender. **2.** *Fig.* Resolver, decidir. **3.** Prorromper, começar de repente. ★ *v.pr.* Desligar-se, soltar-se.

desatarraxar *v.t.* (conj. 4). Tirar a tarraxa de; despregar, desunir, desaparafusar.

desataviado *adj.* Sem atavios; singelo.

desataviar *v.t.* (conj. 16). Desenfeitar.

desatenção *s.f.* **1.** Falta de atenção. **2.** Falta de consideração por alguém; descortesia.

desatencioso (ô) *adj.* Descortês, indelicado.

desatender *v.t.* (conj. 5). Não atender a; desconsiderar.

desatento *adj.* Que não presta atenção; distraído.

desatinado *adj.* e *s.m.* Louco, desvairado.

desatinar *v.t.* (conj. 4). Fazer perder a razão; perturbar, enlouquecer. ★ *v.i.* **1.** Dizer ou praticar desatinos. **2.** Não atinar, não acertar com o que se procura.

desatino *s.m.* Falta de tino; contra-senso, disparate, devaneio.

desatolar *v.t.* (conj. 4). Tirar do atoleiro. ★ *v.pr.* Sair do atoleiro.

desatordoar *v.t.* (conj. 20). Fazer sair do atordoamento. ★ *v.i.* Recobrar os sentidos; voltar a si.

desatracar *v.t.* (conj. 12). **1.** Desamarrar, soltar (uma embarcação). **2.** Desprender, desembaraçar. ★ *v.i.* Sair do porto (embarcação), levantar âncora.

desatravancar *v.t.* (conj. 12). Desobstruir, desimpedir.

desatrelar *v.t.* (conj. 4). **1.** Soltar da trela. **2.** Desligar, desengatar.

desautorizar *v.t.* (conj. 4). **1.** Tirar a autoridade de. **2.** Não autorizar. **3.** Desacreditar, desprestigiar. **4.** Contestar a autoridade de; faltar com o respeito. ★ *v.pr.* Perder a autoridade; rebaixar-se, desautorar-se.

desavença *s.f.* Discórdia, dissensão, rixa.

desavergonhado *adj.* e *s.m.* Que ou o que é sem-vergonha; cínico, descarado.

desavindo *adj.* Que está em desavença, em desacordo.

desavir *v.t.* (conj. 67). Provocar desavença ou discórdia; indispor. ★ *v.pr.* **1.** Não concordar; discordar. **2.** Entrar em desavença; indispor-se.

desavisado *adj.* e *s.m.* Que ou aquele que é imprudente, indiscreto, leviano.

desavisar *v.t.* (conj. 4). **1.** Dar aviso em contrário. **2.** Tornar imprudente, leviano. ★ *v.pr.* Não perceber, não atentar.

desazado *adj.* **1.** Inapto, desajeitado. **2.** Impróprio, descabido. **3.** Descuidado, desmazelado.

desazo *s.m.* **1.** Falta de aptidão, de jeito. **2.** Negligência, descuido, desmazelo.

desbancar *v.t.* (conj. 12). **1.** Ganhar da banca no jogo. **2.** Vencer, suplantar, exceder.

desbaratamento *s.m.* **1.** Ato ou efeito de desbaratar; desbarato. **2.** Dissipação, malbaratamento. **3.** Derrota.

desbaratar *v.t.* (conj. 4). **1.** Malbaratar, dissipar, desperdiçar. **2.** Desfazer, estragar, destruir. **3.** Vencer, derrotar, destroçar. **4.** Tratar sem cuidado. ★ *v.pr.* **1.** Destroçar-se, desfazer-se em pedaços. **2.** Arruinar-se, estragar-se.

desbarrancar *v.t.* (conj. 12). **1.** Escavar profundamente um terreno; esbarrancar. **2.** Desfazer barrancos de um terreno; aplainar.

desbarrigado *adj.* **1.** Que tem a barriga pouco desenvolvida. **2.** Diz-se de quem usa as calças ou colete desapertados na barriga. **3.** Diz-se do animal mal-alimentado.

desbastar *v.t.* (conj. 4). **1.** Tornar menos basto, mais ralo. **2.** Tornar menos espesso, aparar mediante corte.

---

desbeiçar *v.t.* (conj. 13). **1.** Tirar o beiço de. **2.** Quebrar as bordas de; esbeiçar.

desbloquear *v.t.* (conj. 15). **1.** Desfazer o bloqueio; desobstruir. **2.** Levantar a interdição de venda, de crédito ou de contas em banco.

desbloqueio *s.m.* Ato de desbloquear.

desbocado *adj.* **1.** Diz-se do cavalo que não obedece ao freio; desenfreado. **2.** *Fig.* Que usa linguagem grosseira, obscena.

desbotar *v.t.* (conj. 4). Apagar a cor ou o brilho. ★ *v.i.* Perder a cor, a vivacidade.

desbragado *adj.* Descomedido, impudente.

desbravamento *s.m.* Ato ou efeito de desbravar.

desbravar *v.t.* (conj. 4). **1.** Preparar terreno para cultura; arrotear. **2.** Explorar regiões até então desconhecidas. **3.** Tornar manso; domar. ★ *v.pr.* Perder a braveza; desenfurecer-se.

desbrio *s.m.* Falta de vergonha, de brio.

desbrota *s.f.* Aparecimento de brotos em árvores. ● **Bot.** Supressão da extremidade foliar de um ramo a fim de reduzir seu crescimento ou de provocar o desenvolvimento de novos ramos em outras partes da planta.

desburocratizar *v.t.* (conj. 4). Tirar ou simplificar o caráter burocrático de.

descabeçado *adj.* e *s.m.* Sem juízo, desmiolado.

descabelado *adj.* **1.** Sem cabelo, escabelado. **2.** Despenteado, desgrenhado, escabelado. **3.** *Fig.* Disparatado, extravagante.

descabelar *v.t.* (conj. 4). **1.** Arrancar os cabelos de; escabelar. **2.** Despentear, desgrenhar, escabelar. ★ *v.pr.* Arrancar os próprios cabelos em desespero; desgrenhar-se.

descabido *adj.* Sem cabimento; inconveniente, inoportuno, impróprio.

descadeirar *v.t.* (conj. 4). **1.** Bater nas ancas ou cadeiras de; escadeirar. **2.** Derrear com pancadas; escadeirar, moer. ★ *v.pr.* Sacudir as cadeiras ou as ancas.

descaída *s.f.* **1.** Ato de descair. **2.** Lapso, erro, descuido. **3.** Indiscrição. **4.** Os miúdos ou cabidela da galinha.

descaído *adj.* **1.** Caído, tombado. **2.** Abatido.

descair *v.t.* (conj. 68). Deixar cair ou pender. ★ *v.i.* **1.** Cair lentamente; declinar. **2.** Vergar, curvar-se. **3.** Perder as forças; desfalecer. **4.** Descambar, desandar. **5.** Mudar de rumo, passar para um estádio diferente. **6.** Amainar, abrandar. **7.** Sofrer diminuição; afrouxar.

descalabro *s.m.* Fato que ocasiona grande dano; derrocada, ruína, desgraça.

descalçar *v.t.* (conj. 13). **1.** Tirar os sapatos, as meias ou as luvas. **2.** Tirar o calço de. **3.** Tirar o calçamento de uma rua. **4.** *Fig.* Tirar o apoio ou auxílio a alguém.

descalcificação *s.f.* **1.** Perda do cálcio contido no organismo e necessário a seu funcionamento. **2.** Dissolução da fração calcária de uma rocha ou de um solo sob a ação das águas de escoamento e/ou de infiltração.

DESCALCIFICAÇÃO ▸ Distúrbio das paratireóides, carência de vitamina D e tratamentos à base de corticóides são os principais fatores que podem fazer o organismo absorver dos alimentos menos cálcio do que elimina e, em conseqüência, retirá-lo de tecidos, dentes e ossos. A osteoporose é conseqüência da descalcificação.

---

descalço *adj.* e *s.m.* **1.** Que ou o que não traz calçado. **2.** Que tem os pés nus ou apenas com meias.

descalibrado *adj.* Que não apresenta o calibre ideal ou conveniente.

descalvado *adj.* **1.** Sem cabelos; calvo. **2.** Sem vegetação; árido.

descamação *s.f.* Ato de descamar. ● **Geol.** Fragmentação de uma rocha em camadas com a forma de escamas. **Med.** Queda da parte superficial da pele, sob a forma de escamas. (Var. ESCAMAÇÃO.)

descamar *v.t.* (conj. 4). Tirar as escamas a; escamar.

descambar *v.i.* (conj. 4). **1.** Desabar, cair. **2.** Descer, declinar. **3.** Perder a direção, derivar. **4.** Dizer inconveniências. ★ *v.t.* Mudar para pior; degenerar.

descaminhar *v.t.* (conj. 4). Desencaminhar.

descaminho *s.m.* **1.** O efeito de seguir um caminho errado. **2.** Extravio, desvio. **3.** *Fig.* Perversão, corrupção, depravação, perdição.

descamisado *adj.* e *s.m.* **1.** Que ou aquele que não tem camisa. **2.** *P. ext.* Pobre, desafortunado.

descamisar *v.t.* (conj. 4). **1.** Tirar a camisa. **2.** Tirar a palha ou as folhas que envolvem a espiga de milho.

descampado *adj.* Desabitado, desabrigado. ★ *s.m.* Grande espaço de terra inculto, aberto e despovoado.

descansado *adj.* **1.** Repousado. **2.** Sossegado, tranqüilo. **3.** Lento, vagaroso.

descansar *v.t.* (conj. 4). **1.** Livrar de fadiga, de trabalho. **2.** Apoiar, assentar sobre alguma coisa. **3.** *Fig.* Tranqüilizar, acalmar. ★ **1.** Repousar. **2.** Acalmar-se, sossegar. **3.** Estar pousado, jazer. **4.** *Fig.* Morrer. **5.** (*NE*) Dar à luz; parir.

descanso *s.m.* **1.** Cessação do movimento, do trabalho, da fadiga; folga. **2.** Repouso. **3.** Tranqüilidade, sossego. **4.** Objeto usado na mesa sobre o qual se assentam os pratos, talheres ou travessas.

descaracterização *s.f.* Ato ou efeito de descaracterizar(-se).

descaracterizar *v.t.* (conj. 4). **1.** Anular o caráter de. **2.** Fazer perder as características. **3.** Desfazer a caracterização a. ★ *v.pr.* **1.** Perder as características. **2.** Desfazer a própria caracterização.

descarado *adj.* e *s.m.* Que ou aquele que não tem vergonha, pudor; atrevido, desavergonhado.

descaramento *s.m.* Falta de vergonha; atrevimento, descaro, impudência.

descarbonatação *s.f.* Ato ou efeito de tirar de uma substância o dióxido de carbono que ela contém.

descarboxilação (cs) *s.f.* Reação durante a qual uma molécula de anidrido carbônico é tirada de uma molécula que contém um grupo carboxila.

descarboxilase (cs) *s.f.* Enzima que catalisa uma reação de descarboxilação.

descarga *s.f.* **1.** Ato ou efeito de descarregar. **2.** Disparo simultâneo, ou consecutivo, de diversas armas de fogo. **3.** Projétil disparado. **4.** Dispositivo que assegura, por meio de um rápido escoamento de água, a limpeza dos vasos sanitários. ● **Eletr.** Medida da energia elétrica descarregada por um acumulador de energia. ▸ *Descarga elétrica,* passagem de uma corrente elétrica através de um gás ionizado. **Geogr.** Vazão de água medida em um canal de secção conhecida. **Meteor.** *Descarga atmosférica,* descarga elétrica que se produz entre duas regiões da atmosfera com potenciais elétricos diferentes; raio, relâmpago.

descarnado *adj.* **1.** Separado ou privado das carnes. **2.** Muito magro.

descarnar *v.t.* (conj. 4). **1.** Separar ou despegar a carne dos ossos. **2.** *P. ext.* Separar a casca do fruto, da árvore etc.; descascar. **3.** Emagrecer. **4.** Separar de si; desapegar.

descaro *s.m.* Sin. de DESCARAMENTO.

descaroçador (ô) *adj.* Que descaroça. ★ *s.m.* Máquina ou instrumento de descaroçar.

descaroçar *v.t.* (conj. 13). Tirar o caroço.

descarregar *v.t.* (conj. 14). **1.** Retirar a carga de. **2.** *Fig.* Aliviar, desoprimir, libertar, desabafar. **3.** Lançar, despejar. ★ *v.i.* Ficar sem carga. ● **Arm.** Extrair a carga de (arma de fogo). ▸ Disparar (arma de fogo). **Eletr.** Anular uma carga elétrica. ▸ Extrair, de forma total ou parcial, a energia elétrica armazenada num dispositivo.

descarrilar *v.t.* (conj. 4). Fazer sair dos trilhos. ★ *v.i.* **1.** Sair fora dos trilhos. **2.** *Fig.* Sair do bom caminho, desregrar-se.

descartar *v.t.* (conj. 4). **1.** Rejeitar uma ou muitas cartas em um jogo de baralho. **2.** Não levar em conta, afastar. **3.** Jogar fora depois do uso. ★ *v.pr.* Livrar-se de alguém ou de alguma coisa importuna.

descartável *adj.2g.* **1.** Que se pode descartar. **2.** Que se joga fora depois de usado.

descasalar *v.t.* (conj. 4). Desacasalar.

descasar *v.t.* (conj. 4). **1.** Anular ou desfazer o casamento de. **2.** Separar animais acasalados. **3.** *P. ext.* Desemparelhar. ★ *v.pr.* **1.** Desligar-se, desunir-se. **2.** Divorciar-se; separar-se.

descascar *v.t.* (conj. 12). **1.** Tirar a casca de. **2.** *Fig.* Falar mal de; censurar, repreender severamente.

descaso *s.m.* Pouco-caso, desatenção, descortesia, desprezo.

descavalgar *v.t.* e *v.i.* (conj. 14). Desmontar.

descendência *s.f.* **1.** Série dos indivíduos que procedem de um progenitor comum; prole. **2.** Subdivisão de uma linhagem.

descendente *adj.2g.* **1.** Que desce, decrescente. **2.** Que descende, que deriva. ★ *s.2g.* Pessoa que descende de outra ou de certa raça.

escada rolante descendente

descender *v.i.* (lat. *descendere,* descer) [conj. 5]. **1.** Proceder ou provir por geração. **2.** Originar-se, derivar.

descenso *s.m.* (lat. *descensus*). Descida, abaixamento.

descente *adj.2g.* **1.** Que desce. **2.** Vazante.

descentralizar *v.t.* (conj. 4). **1.** Afastar, separar do centro. **2.** Conceder autonomia a órgãos administrativos regionais.

descer *v.i.* (conj. 25). **1.** Mover-se de cima para baixo. **2.** Baixar de nível, de valor; cair. **3.** Inclinar-se, declinar. ★ *v.t.* **1.** Ir ou vir de cima para baixo ao longo de. **2.** Fazer baixar, pôr embaixo (o que estava em cima); arriar. **3.** Saltar, apear. **4.** Desfechar, desferir.

descerebrar *v.t.* (conj. 4). **1.** Tirar o juízo de, tornar idiota ou cretino. **2.** Proceder à descerebração. ★ *v.pr.* Perder o juízo.

descerrar *v.t.* (conj. 4). **1.** Abrir (o que estava cerrado). **2.** Descobrir (o que estava encoberto). ★ *v.pr.* Abrir-se, descobrir-se, revelar-se.

descida *s.f.* **1.** Ato de descer. **2.** Terreno inclinado; declive, ladeira. **3.** Abaixamento, queda, diminuição. **4.** *Fig.* Decadência.

desclassificação *s.f.* **1.** Ato de desclassificar. **2.** Estado, condição, caráter de desclassificado.

desclassificado *adj.* e *s.m.* **1.** Que ou o que não teve classificação. **2.** Que ou o que foi eliminado de uma competição; desqualificado. **3.** Desacreditado, indigno da consideração social; marginal.

desclassificar *v.t.* (conj. 12). **1.** Tirar de uma classe. **2.** Degradar, desmoralizar, desacreditar. **3.** Eliminar de competição; desqualificar.

descloretado *adj.* **1.** Que não tem sal ou cloreto. **2.** *Regime descloretado,* regime alimentar pobre em sal de cozinha.

descoberta *s.f.* **1.** Descobrimento. **2.** Coisa que se descobriu; invenção, invento.

descoberto *adj.* **1.** Que não está coberto; nu, destapado. **2.** Divulgado, revelado. **3.** Sabido, conhecido. **4.** Achado, inventado.

descobrimento *s.m.* Ato ou efeito de descobrir; descoberta.

? VOCÊ SABIA...? A época dos grandes **descobrimentos** se iniciou no século XV com a exploração do continente africano por marinheiros espanhóis e portugueses: Bartolomeu Dias chegou ao cabo da Boa Esperança em 1487, e Vasco da Gama, às costas da Índia em 1489. Em 1492, Cristóvão Colombo chegou ao Novo Mundo. Esse descobrimento abriu novas rotas e, em 1520, Magalhães conseguiu penetrar no Pacífico pelo estreito que leva hoje o seu nome, ao realizar a primeira viagem de circunavegação, que seria completada por Juan Sebastián Elcano. Esses grandes descobrimentos foram completados pelas expedições portuguesas à Índia, Indochina e Insulíndia, e por outras de navegantes holandeses em direção ao Canadá, Groenlândia e Austrália. A partir do século XVIII, as expedições passaram a ter um caráter acentuadamente científico, e desde o século XIX têm sido centradas no reconhecimento dos mares polares e no mapeamento do relevo do fundo do mar.

descobrir *v.t.* (lat. *discooperire*) [conj. 59]. **1.** Tirar o que cobre, que protege. **2.** Encontrar o que era desconhecido, que estava escondido; achar. **3.** Inventar. **4.** Divulgar, revelar. **5.** Resolver, decifrar. **6.** Divisar, avistar. ★ *v.pr.* **1.** Tirar o chapéu; desnudar-se. **2.** Expor-se. **3.** Identificar-se.

descolamento *s.m.* Ato ou efeito de descolar; descolagem. ● **Med.** *Descolamento da retina,* separação entre a retina e o epitélio pigmentar que se encontra por baixo dela, geralmente provocado por traumatismos na cabeça ou em pessoas excessivamente míopes.

descolar *v.t.* (conj. 4). Despegar, desunir o que estava colado. ★ *v.i.* *P. us.* Decolar. ★ *v.pr.* Despegar-se.

descoloração *s.f.* Perda, destruição ou desbotamento da cor natural.

descolorir *v.t.* (conj. 79). Alterar, fazer perder a cor; descolorar, descorar.

descomedir *v.pr.* (conj. 79). Não respeitar conveniências, cometer excessos.

descompasso *s.m.* **1.** Falta de compasso, de regularidade. **2.** Falta de ordem, desacordo.

descompensação *s.f.* **1.** Ato ou efeito de descompensar. **2.** Estado patológico durante o qual as deficiências de um órgão não são compensadas por trabalho suplementar das partes sãs desse mesmo órgão ou por outro órgão de função análoga. **3.**

Rompimento do equilíbrio dos mecanismos reguladores que impedem uma afecção de provocar problemas funcionais, metabólicos ou psíquicos.

descompor *v.t.* (conj. 45). **1.** Tirar de seu lugar, desordenar. **2.** Alterar, transtornar. **3.** Descobrir, desnudar. **4.** Cobrir de reproches, censurar asperamente. ★ *v.pr.* **1.** Desordenar-se. **2.** Perturbar-se, transtornar-se. **3.** Desnudar-se. **4.** Perder a compostura.

descompostura *s.f.* **1.** Ação de descompor. **2.** Censura áspera e acrimoniosa; admoestação rude.

descompressão *s.f.* **1.** Ato ou efeito de descomprimir. **2.** Modificação produzida num organismo que passa de uma forte pressão para uma mais baixa.

VOCÊ SABIA...? Se a **descompressão** de um mergulhador, isto é, a subida à superfície, acontece de forma muito rápida, podem-se produzir diversos acidentes devido à formação de bolhas de nitrogênio nos vasos do sistema circulatório. Certos sintomas, por exemplo inchaços dolorosos, constituem sinais de alerta; em casos mais graves a descompressão rápida pode até provocar a morte.

descomprimir *v.t.* (conj. 6). Fazer cessar ou diminuir a compressão.

descomunal *adj.2g.* Que é fora do comum; extraordinário, colossal.

desconceituar *v.t.* (conj. 4). Desacreditar, difamar, desconsiderar.

desconcentrar *v.t.* (conj. 4). **1.** Tirar do centro; descentralizar. **2.** Tirar a concentração; dispersar. ★ *v.pr.* **1.** Espalhar-se. **2.** Perder a concentração.

desconcertar *v.t.* (conj. 4). **1.** Perturbar, atrapalhar, desorientar. **2.** Descompor, desarranjar. **3.** Discordar, desavir. ★ *v.pr.* **1.** Desordenar-se, desarranjar-se. **2.** Perturbar-se, desorientar-se. (Cf. DESCONSERTAR.)

desconcerto (ê) *s.m.* **1.** Ato ou efeito de desconcertar(-se). **2.** Desarranjo, desordem. **3.** Desarmonia, desacordo.

desconchavo *s.m.* **1.** Ação de desconchavar. **2.** Tolice, disparate.

desconexão (cs) *s.f.* Ausência de conexão; desunião, incoerência.

desconexo (cs) *adj.* Sem conexão; desunido, incoerente.

desconfiança *s.f.* **1.** Qualidade de desconfiado. **2.** Falta de confiança, receio de ser enganado; suspeita.

desconfiar *v.t.* (conj. 16). **1.** Não confiar, duvidar. **2.** Supor, julgar, conjeturar.

desconforme *adj.2g.* **1.** Que não está conforme; discordante. **2.** Desproporcionado, desmedido. **3.** Desigual, diferente.

desconforto (ô) *s.m.* **1.** Falta de conforto. **2.** Desconsolo.

descongelar *v.t.* (conj. 4). **1.** Fundir, derreter o que estava congelado. **2.** Fazer voltar à temperatura normal o que estava em frigorífico. ★ *v.pr.* Deixar de estar congelado; derreter-se.

descongestionar *v.t.* (conj. 4). **1.** Desobstruir as vias respiratórias. **2.** Desobstruir (o trânsito).

desconhecer *v.t.* (conj. 25). **1.** Não conhecer; ignorar. **2.** Não reconhecer, achar estranho. **3.** Ser ingrato, desagradecido. **4.** Não admitir, não aceitar. ★ *v.pr.* **1.** Não se conhecer, não avaliar as próprias qualidades. **2.** Não se reconhecer, sentir-se diferente.

desconhecido *adj.* **1.** Que não é conhecido; incógnito, ignorado. **2.** Que ainda não se experimentou ou sentiu. **3.** Que não tem celebridade. ★ *s.m.* **1.** Pessoa a quem não se conhece. **2.** Coisa que se ignora.

desconjuntar *v.t.* (conj. 4). **1.** Tirar das articulações; desarticular, deslocar. **2.** Separar, desligar. **3.** Desmanchar, desfazer. ★ *v.pr.* Desunir-se, desfazer-se, desmantelar-se.

desconjurar *v.t.* (conj. 4). **1.** Esconjurar. **2.** Desacatar, ofender.

desconsertar *v.t.* (conj. 4). Estragar, desconjuntar. (Cf. DESCONCERTAR.)

desconsideração *s.f.* **1.** Falta de consideração, de respeito. **2.** Ofensa, ultraje.

desconsiderar *v.t.* (conj. 4). **1.** Não levar em consideração. **2.** Faltar com a consideração, com o respeito a. **3.** Desconceituar.

desconsolação *s.f.* Desconsolo, falta de consolação.

desconsolar *v.t.* e *v.i.* (conj. 4). Entristecer, afligir, desanimar. ★ *v.i.* Causar desconsolação. ★ *v.pr.* Entristecer-se, afligir-se.

desconsolo (ô) *s.m.* Desconsolação.

descontaminação *s.f.* **1.** Ato ou efeito de descontaminar. **2.** *Descontaminação radioativa,* redução ou eliminação das substâncias radioativas que contaminaram um meio, superfície ou ser vivo.

descontaminar *v.t.* (conj. 4). Eliminar a contaminação biológica ou radioativa de um meio, de um organismo ou de uma aparelhagem.

descontar *v.t.* (conj. 4). **1.** Fazer desconto de; abater, deduzir. **2.** *Fig.* Não levar em conta, não fazer caso de. **3.** Desforrar, revidar. **4.** Fazer operação ou comércio de desconto.

descontável *adj.2g.* Que pode ser descontado.

descontentar *v.t.* (conj. 4). **1.** Tornar descontente; provocar a insatisfação ou o descontentamento. **2.** Contrariar, aborrecer. ★ *v.pr.* Contrariar-se, absorver-se.

descontente *adj.2g.* e *s.2g.* Que ou aquele que não está contente; contrariado, insatisfeito.

descontinuidade (u-i) *s.f.* Falta de continuidade.

descontínuo *adj.* Não continuado, interrompido.

desconto *s.m.* (it. *disconto*). Abatimento; dedução, diminuição.

descontratar *v.t.* (conj. 4). Desfazer um contrato.

descontrolar *v.t.* (conj. 4). Fazer perder o controle; tirar o controle a. ★ *v.pr.* Perder o controle.

descontrole (ô) *s.m.* Falta de controle.

desconversar *v.t.* e *v.i.* (conj. 4). **1.** Deixar de conversar. **2.** Mudar de assunto. **3.** *Fig.* Dissimular.

desconvidar *v.t.* (conj. 4). Revogar um convite.

descorante *adj.2g.* e *s.m.* Que ou o que tira a cor.

descorar *v.t.* e *v.i.* (conj. 4). Descolorir. ★ *v.i.* e *v.pr.* Empalidecer.

descorçoar *v.t.*, *v.i.* e *v.pr.* (conj. 20). Var. de DESCOROÇOAR.

descornar *v.t.* (conj. 4). Arrancar, cortar ou partir os cornos a um animal; escornar.

descoroçoar *v.t.* e *v.i.* (conj. 20). Fazer perder ou perder o ânimo ou a coragem; descorçoar, desacoroçoar, desacorçoar.

descortês *adj.2g.* Que não é cortês; desatencioso; indelicado; grosseiro.

descortesia *s.f.* **1.** Ação descortês. **2.** Desfeita, indelicadeza; grosseria.

descortinar *v.t.* (conj. 4). **1.** Correr a cortina, para mostrar ou patentear. **2.** Distinguir, notar, descobrir, enxergar. **3.** Revelar, mostrar. **4.** Avistar ou descobrir ao longe. **5.** Abrir clareiras em (mata ou floresta).

descortino *s.m.* **1.** Ato de descortinar, avistar, descobrir. **2.** *Fig.* Percepção clara; perspicácia.

descoser *v.t.* (conj. 5). Desfazer a costura de; descosturar.

descosturar *v.t.* (Conj. 4). Descoser.

descrédito *s.m.* Diminuição ou perda de crédito; má fama, desonra.

descrença *s.f.* Falta de crença ou fé; dúvida, incredulidade.

descrente *adj.2g.* e *s.2g.* Que ou aquele que não crê, não tem fé; cético, descrido.

descrer *v.t.* (conj. 37). Não crer, ter fé; negar. ★ *v.i.* Não acreditar, não dar crédito ou fé.

descrever *v.t.* (lat. *describere,* transcrever, copiar) [conj. 5]. **1.** Fazer a descrição de; expor ou contar minuciosamente. **2.** Traçar, seguir percorrendo.

descrição *s.f.* (lat. *descriptio*). **1.** Ato ou efeito de descrever. **2.** Representação pormenorizada. ● **Ling.** Gênero de composição escrita ou falada que consiste na enumeração dos caracteres dos seres, das coisas e dos ambientes.

DESCRIÇÃO ▸ Recurso expressivo da prosa de ficção em que são enumeradas as principais características de personagens, ambientes e costumes. A descrição pode ser *idealista*, quando embeleza o objeto descrito, ou *realista*, quando procura representá-lo com fidelidade. Fala-se ainda em descrição *onisciente* ou *psicológica*, em que se busca representar o conteúdo e os processos psíquicos de uma personagem.

---

descriminação *s.f.* Ato de descriminar.

descriminar *v.t.* (conj. 4). **1.** Absolver de crime; inocentar. **2.** Tirar a culpa de, isentar de culpa.

descristianização *s.f.* Ato ou efeito de descristianizar.

descristianizar *v.t.* (conj. 4). Fazer abandonar a fé cristã.

descritível *adj.2g.* Que pode ser descrito.

descritivo *adj.* (lat. *descriptivus*). Que descreve, que se destina a descrever.

descruzar *v.t.* (conj. 4). Separar o que estava cruzado.

descuidado *adj.* **1.** Sem cuidado; desleixado. **2.** Indolente, preguiçoso. **3.** Irrefletido. ★ *s.m.* Pessoa sem cuidado.

descuidar *v.t.* (conj. 4). **1.** Tratar com pouco cuidado; descurar. **2.** Fazer esquecer, distrair. ★ *v.pr.* **1.** Não ser rigoroso, cuidadoso ou pontual em alguma coisa; relaxar-se. **2.** Estar ou ficar desatento; desprevenir-se. ★ *v.i.* Não cuidar, deixar em descuido.

descuidista *s.2g. Gír.* Ladrão que se aproveita da distração da vítima ou da falta de vigilância.

descuido *s.m.* **1.** Falta de cuidado, de atenção. **2.** Negligência, inadvertência. **3.** Erro, lapso. **4.** Desalinho, desarranjo.

desculpa *s.f.* **1.** Ação de desculpar(-se). **2.** Razão ou motivo para atenuar ou eximir da culpa, justificativa. **3.** Escusa, pretexto. **4.** Indulgência, perdão.

desculpar *v.t.* (conj. 4). **1.** Justificar. **2.** Absolver, perdoar. **3.** Dispensar, escusar. ★ *v.pr.* Justificar-se.

descumprir *v.t.* (conj. 6). Não cumprir; inadimplir.

descurar *v.t.* (conj. 4). **1.** Não tratar de, não cuidar; descuidar. **2.** Abandonar, desprezar.

desde (ê) *prep.* **1.** A partir de. **2.** *Desde que,* uma vez que, visto que.

desdém *s.m.* Desprezo orgulhoso; sobranceria, pouco-caso.

desdenhar *v.t.* (conj. 4). Mostrar desdém, fazer pouco caso de; desprezar.

desdenhoso (ô) *adj.* Que desdenha; soberbo; altivo.

desdentado *adj.* **1.** Que perdeu os dentes. **2.** Que não tem dentes.

desdentar *v.t.* (conj. 4). Quebrar ou arrancar os dentes de.

desdita *s.f.* Desventura, infortúnio, infelicidade.

desditoso (ô) *adj.* Desventurado, infeliz.

desdizer *v.t.* (conj. 29). Desmentir, negar, contradizer, discordar. ★ *v.pr.* Retratar-se, negar o que havia dito.

desdobramento *s.m.* Ato ou efeito de desdobrar(-se).

desdobrar *v.t.* (conj. 4). **1.** Abrir o que estava dobrado. **2.** Dividir em duas ou mais partes. **3.** Desenvolver. ★ *v.pr.* **1.** Abrir-se (o que estava fechado). **2.** Desenvolver-se. **3.** Prolongar-se. **4.** Empenhar-se com dedicação.

desdourar *v.t.* (conj. 4). **1.** Tirar a douradura. **2.** *Fig.* Manchar, obscurecer, fazer perder o brilho. ★ *v.pr.* Perder a douradura, perder o brilho.

deseducar *v.t.* (conj. 12). **1.** Não educar ou educar mal. **2.** Estragar a educação de.

desejar *v.t.* (conj. 4). **1.** Ter desejo ou vontade de; querer, apetecer, ambicionar, cobiçar. **2.** Ter gosto com empenho em. **3.** Ter apetite sexual por. ★ *v.i.* Aspirar a algo que não se tem ou goza.

desejável *adj.2g.* Que provoca desejo, que merece ser desejado.

desejo (ê) *s.m.* **1.** Ação de desejar. **2.** Vontade de possuir ou fazer algo. **3.** Apetite sexual. **4.** Anseio, ambição. **5.** *Pop.* Vontade que mulher grávida sente de comer alguma coisa, geralmente difícil de ser obtida.

desejoso (ô) *adj.* Que deseja.

deselegância *s.f.* **1.** Falta de elegância. **2.** Procedimento deselegante.

deselegante *adj.2g.* **1.** Falto de elegância; desairoso. **2.** Indecoroso.

desemaranhar *v.t.* (conj. 4). **1.** Desembaraçar, desenredar, desencrespar. **2.** Desfazer, esclarecer (enredo ou mistério); explicar, decifrar.

desembaçar *v.t.* (conj. 13). Limpar, desempanar.

desembaciar *v.t.* (conj. 16). Desembaçar.

desembainhar (a-i) *v.t.* (conj. 4). **1.** Tirar da bainha. **2.** Desmanchar a bainha; descosturar.

desembalar *v.t.* (conj. 4). Tirar a embalagem de; desembrulhar, desenfardar.

desembaraçar *v.t.* (conj. 13). **1.** Desemaranhar, desenredar, livrar, desimpedir. **2.** Pôr a salvo; safar.

desembaraço *s.m.* **1.** Ato ou efeito de desembaraçar. **2.** Facilidade que se mostra nas ações, nas maneiras, na linguagem. **3.** Presteza, agilidade.

desembarcadouro *s.m.* Lugar onde se desembarca.

desembarcar *v.t.* (conj. 12). Tirar de uma embarcação, pôr em terra; *p. ext.*, tirar de qualquer viatura. ★ *v.i.* Deixar uma embarcação.

desembargador (ô) *s.m.* Juiz do Tribunal de Justiça.

desembargar *v.t.* (conj. 14). **1.** Pôr desembargo a, tirar o embargo de. **2.** Desimpedir, desembaraçar, despachar.

desembargo *s.m.* **1.** Ato ou efeito de desembargar. **2.** Ato que suspende os efeitos de um arresto, de uma prisão, de uma hipoteca etc. **3.** *Ant.* Despacho, sentença definitiva. **4.** Levantamento de embargo. **5.** Desimpedimento.

desembarque *s.m.* Ação de desembarcar.

desembarque de tropas em ação militar

desembestada *s.f.* Corrida irrefreável do cavalo quando toma os freios nos dentes; galopada, disparada.

desembestado *adj.* Desenfreado, arrebatado.

desembestar *v.t.* (conj. 4). **1.** Arremessar da besta (seta etc.). **2.** Proferir violentamente; arremessar, despedir. ★ *v.i.* Correr desabaladamente, partir apressadamente.

desembocadura *s.f.* **1.** Ação de desembocar. **2.** Passagem de um lugar estreito para um mais largo. **3.** Foz, desaguadouro.

desembocar *v.i.* (conj. 12). **1.** Sair, terminar, ir dar em. **2.** Ter a sua foz; desaguar.

desembolsar *v.t.* (conj. 4). **1.** Tirar de sua bolsa, ou bolso. **2.** Gastar, tirar da bolsa (ou bolso) para fazer pagamento.

desembolso (ô) *s.m.* **1.** Ato ou efeito de desembolsar. **2.** O que se pagou adiantadamente. **3.** O que se gastou.

desembrear *v.t.* (conj. 15). Fazer soltar a embreagem de um veículo; desengatar, desengrenar.

desembrulhar *v.t.* (conj. 4). **1.** Tirar do embrulho, abrir o que está embrulhado. **2.** *Fam.* Esclarecer, desenredar.

desembuchar *v.t.* (conj. 4). **1.** Desimpedir, desentalar (o que estava embuchado). **2.** Falar, confessar (o que estava oculto). ★ *v.i.* Desabafar.

desemburrar *v.t.* (conj. 4). Dar cultura, instrução a; polir, civilizar. ★ *v.i.* Polir-se. ★ *v.pr.* **1.** Aperfeiçoar-se, polir-se. **2.** Desamuar-se.

desemoldurar *v.t.* (conj. 4). Tirar da moldura, desenquadrar.

desempacar *v.t.* e *v.i.* (conj. 12). Desemperrar.

desempachar *v.t.* (conj. 4). Livrar de empacho; desobstruir. ★ *v.pr.* Livrar-se, desembaraçar-se.

desempalhar *v.t.* (conj. 4). **1.** Tirar de dentro da palha. **2.** Tirar a palha de.

desempanar *v.t.* (conj. 4). **1.** Tirar os panos de. **2.** *Fig.* Aclarar, esclarecer. **3.** Restituir o brilho a; desembaciar.

desemparelhar *v.t.* (conj. 4). Separar, desunir (o que estava emparelhado).

desempatar *v.t.* (conj. 4). Tirar o empate a; resolver, decidir.

desempenado *adj.* **1.** Que não está empenado; direito. **2.** *Fig.* Ágil, desembaraçado.

desempenar *v.t.* (conj. 4). **1.** Tirar o empeno a, pôr direito (o que estava torto); endireitar. **2.** Eliminar (por raspamento, por polimento, reboco etc.) todas as irregularidades de superfície de um cimentado, de uma obra de marcenaria etc. ★ *v.pr.* Endireitar-se, aprumar-se.

desempenhar *v.t.* (conj. 4). **1.** Resgatar o que havia sido dado como penhor. **2.** Cumprir promessa, obrigação, incumbência. **3.** Representar, atuar. **4.** Exercer, executar. ★ *v.pr.* Cumprir as obrigações ou compromissos.

desempenho *s.m.* **1.** Ato ou efeito de desempenhar(-se); cumprimento, exercício, execução. **2.** Representação, atuação em cena. **3.** Funcionamento de um equipamento, de uma máquina, de um projeto, de um processo etc., com relação a características prefixadas (velocidade, consumo de combustível, estabilidade, produção etc.).

desempeno *s.m.* **1.** Ação de desempenar. **2.** Desembaraço, agilidade. **3.** Elegância, galhardia, gentileza. ● **Técn.** Instrumento formado por duas réguas, usado por carpinteiro para verificar se uma superfície está plana ou desempenada.

desemperrar *v.t.* (conj. 4). **1.** Mover, soltar o que estava emperrado; desembaraçar. **2.** Tornar lasso (o que estava perro). **3.** Tirar a teima; desempacar. ★ *v.i.* e *v.pr.* Tornar-se lasso, deixar de estar perro.

desempilhar *v.t.* (conj. 4). Tirar da pilha; desarrumar.

desempoçar *v.t.* (conj. 13). **1.** Tirar do poço ou poça. **2.** Tirar água de um poço. **3.** Desfazer as poças de.

desempoleirar *v.t.* (conj. 4). **1.** Tirar do poleiro. **2.** *Fig.* Fazer descer de posição elevada.

desempossar *v.t.*, *v.i.* e *v.pr.* (conj. 4). Sin. de DESAPOSSAR.

desempregado *adj.* e *s.m.* Que ou aquele que se encontra sem emprego.

desempregar *v.t.* (conj. 14). Demitir do emprego, tirar o emprego a; destituir, exonerar.

desemprego (ê) *s.m.* Falta de emprego.

desencabar *v.t.* (conj. 4). Tirar o cabo a (um instrumento ou utensílio). ★ *v.pr.* Soltar-se do cabo.

desencabeçar *v.t.* e *v.i.* (conj. 13). **1.** Tirar da cabeça ou da idéia; dissuadir. **2.** Desviar do bom caminho.

desencabrestar *v.t.* (conj. 4). **1.** Tirar o cabresto a. **2.** Tornar desenfreado, descomedido ou impetuoso. ★ *v.pr.* **1.** Soltar-se do cabresto. **2.** Desordenar-se, descomedir-se.

desencadear *v.t.* e *v.i.* (conj. 15). **1.** Soltar as cadeias ou grilhões; desprender. **2.** Romper com ímpeto (tempestade). **3.** Excitar, provocar, causar (uma série de conseqüências em cadeia). ★ *v.pr.* **1.** Soltar-se subitamente. **2.** Manifestar-se impetuosamente; irromper.

desencadernar *v.t.* (conj. 4). **1.** Tirar a encadernação a. **2.** Desconjuntar.

desencaixar *v.t.* (conj. 4). **1.** Tirar de seu lugar um objeto encaixado em outro. **2.** Desconjuntar, fazer sair de sua articulação. ★ *v.pr.* Sair de encaixe; desconjuntar-se.

desencaixotar *v.t.* (conj. 4). Tirar de uma caixa, de um caixote.

desencalacrar *v.t.* (conj. 4). Livrar-se de apuros, de dívidas. ★ *v.pr.* Livrar-se de dificuldades.

desencalhar *v.i.* (conj. 4). **1.** Pôr a flutuar novamente o que estava encalhado. **2.** Desobstruir. **3.** *Fig.* Tirar de situação difícil.

desencalho *s.m.* Ato ou efeito de desencalhar.

desencaminhar *v.t.* (conj. 4). **1.** Desviar do verdadeiro caminho; descaminhar. **2.** Desviar alguém do cumprimento de seus deveres; corromper, perverter. **3.** Perder, sumir. **4.** Roubar. **5.** Subtrair ao pagamento de direitos. ★ *v.pr.* **1.** Desviar-se do caminho. **2.** *Fig.* Perverter-se.

desencantar *v.t.* (conj. 4). **1.** Fazer sair do encantamento, tirar o encanto de. **2.** Desiludir, decepcionar.

desencanto *s.m.* **1.** Ato ou efeito de desencantar, desencantamento. **2.** Decepção, desilusão.

desencapar *v.t.* (conj. 4). Tirar a capa, a cobertura, o revestimento a.

desencarcerar *v.t.* (conj. 4). Tirar do cárcere; excarcerar, libertar.

desencardir *v.t.* (conj. 6). **1.** Limpar, lavar, clarear, embranquecer. **2.** Purificar.

desencargo *s.m.* Cumprimento ou satisfação de um encargo.

desencarnar *v.i.* (conj. 4). **1.** Abandonar a carne, passar para o mundo espiritual. **2.** Morrer.

desencarquilhar *v.t.* (conj. 4). Tirar as carquilhas a; desenrugar.

desencarregar *v.t.* e *v.i.* (conj. 14). Livrar (de encargo, obrigação etc.).

desencasquetar *v.t.* e *v.i.* (conj. 4). Tirar da cabeça (idéia, mania); dissuadir.

desencastoar *v.t.* (conj. 20). Tirar o castão a; desajustar.

desencavar *v.t.* (conj. 4). Descobrir o que estava escondido; desencovar.

desencobrir *v.t.* (conj. 59). Descobrir, tirando a cobertura que o ocultava.

desencomendar *v.t.* (conj. 4). Desistir de (o que estava encomendado).

desencilhar *v.t.* (conj. 4). Tirar a cilha a.

desencontrado *adj.* **1.** Que se desencontrou, que segue em direção oposta à de outro. **2.** Oposto, contrário.

desencontrar *v.t.* (conj. 4). Fazer com que duas coisas ou dois indivíduos não se encontrem ou que sigam direções diferentes. ★ *v.i.* Discordar. ★ *v.pr.* Não se encontrar.

desencontro *s.m.* **1.** Ato ou efeito de desencontrar. **2.** Divergência, discordância.

desencorajar *v.t.* (conj. 4). Tirar a coragem a; desanimar, desalentar.

desencorpar *v.t.* (conj. 4). Fazer diminuir o corpo a.

desencostar *v.t.* (conj. 4). Desviar ou afastar de encosto. ★ *s.m.* Afastar-se daquilo em que se está apoiado.

desencovar *v.t.* (conj. 4). **1.** Tirar, fazer sair da cova. **2.** Desencavar.

desencravar *v.t.* (conj. 4). Tirar (o que estava encravado); arrancar um prego ou cravo a; despregar.

desencrespar *v.t.* (conj. 4). **1.** Alisar, tornar liso o que estava crespo ou frisado; desencaracolar, desencarapinhar. **2.** Desembaraçar. ★ *v.pr.* *Fig.* Desencapelar-se (o mar).

desencurvar *v.t.* (conj. 4). Desfazer a curva de; endireitar.

desendividar *v.t.* (conj. 4). Solver as dívidas de; desobrigar. ★ *v.pr.* Pagar as próprias dívidas.

desenfadar *v.t.* (conj. 4). Tirar o enfado de; recrear, distrair, divertir. ★ *v.pr.* Divertir-se, distrair-se.

desenfado *s.m.* **1.** Ato ou efeito de desenfadar. **2.** Divertimento, distração.

desenfaixar *v.t.* (conj. 4). Tirar as faixas a.

desenfardar *v.t.* (conj. 4). Tirar do fardo; desembalar.

desenfastiar *v.t.* (conj. 16). Tirar o fastio a; distrair, alegrar. ★ *v.pr.* Distrair-se.

desenfeitar *v.t.* (conj. 14). Tirar os enfeites a. ★ *v.pr.* Tirar de si os enfeites, desadornar-se, desataviar-se.

desenfeitiçar *v.t.* (conj. 13). Livrar de feitiços, tirar um feitiço; desencantar.

desenfeixar *v.t.* (conj. 4). Tirar do feixe; desmanchar.

desenferrujar *v.t.* (conj. 4). **1.** Limpar a ferrugem de. **2.** Praticar, exercitar. ★ *v.pr.* Perder a ferrugem.

desenfiar *v.t.* (conj. 16). **1.** Tirar o fio a; desfiar. **2.** Tirar daquilo em que estava enfiado. ★ *v.pr.* Soltar-se.

desenformar *v.t.* (conj. 4). Tirar da fôrma.

desenfornar *v.t.* (conj. 4). Tirar do forno.

desenfreado *adj.* **1.** Desbocado. **2.** Sem freio, sem moderação.

desenfrear *v.t.* (conj. 15). Tirar o freio a; soltar. ★ *v.pr.* **1.** Libertar-se do freio, tomá-lo nos dentes. **2.** *Fig.* Arremessar-se com ímpeto; soltar-se. **3.** Enfurecer-se, encolerizar-se. **4.** Exceder-se.

desenfronhar *v.t.* (conj. 4). Tirar de fronha; despir. ★ *v.pr.* Sair de fronha.

desenfurnar *v.t.* (conj. 4). **1.** Tirar de furna. **2.** *Fam.* Fazer voltar ao convívio social. ★ *v.pr.* Voltar ao convívio social.

desengaiolar *v.t.* (conj. 4). Tirar da gaiola; libertar.

desengajar *v.t.* (conj. 4). Quebrar o ajuste com pessoa ou organização com quem se estava engajado. ★ *v.pr.* Desligar-se.

desenganado *adj.* **1.** Sem ilusões; desiludido. **2.** Diz-se do doente que não tem mais esperanças de recuperação.

desenganar *v.t.* (conj. 4). **1.** Tirar do engano, do erro. **2.** Tirar as esperanças vãs ou ilusórias; desiludir. **3.** Tirar a esperança de sobrevivência (falando-se de um doente que está à morte). ★ *v.pr.* Desiludir-se.

desenganchar *v.t.* (conj. 4). Soltar o que estava enganchado; separar, desprender.

desengano *s.m.* **1.** Ato ou efeito de desenganar. **2.** Desilusão.

desengarrafar *v.t.* (conj. 4). **1.** Tirar da garrafa. **2.** Tirar o engarrafamento a.

desengasgar *v.t.* (conj. 14). Tirar o engasgamento a.

desengastar *v.t.* (conj. 4). Tirar do engaste.

desengatar *v.t.* (conj. 4). **1.** Desenganchar, desprender do engate, separar peças engatadas. **2.** Tirar ou desatrelar os cavalos de uma carruagem.

desengatilhar *v.t.* (conj. 4). **1.** Disparar (arma de fogo). **2.** Alterar.

desengonçado *adj.* Desconjuntado, desajeitado.

desengonçar *v.t.* (conj. 13). **1.** Fazer sair dos engonços. **2.** Soltar as juntas de; desconjuntar. ★ *v.pr.* **1.** Mover-se de maneira descomposta. **2.** Desconjuntar-se, desunir-se.

desengonço *s.m.* Ato ou efeito de desengonçar(-se).

desengordurar *v.t.* (conj. 4). Tirar a gordura ou as manchas de.

desengraçado *adj.* e *s.m.* Que ou aquele que não tem graça.

desengraxar *v.t.* (conj. 4). Proceder ao desengraxamento.

desengrossar *v.t.* (conj. 4). Tornar menos grosso; desbastar. ★ *v.i.* Desinchar.

desenguiçar *v.t.* (conj. 13). Tirar o enguiço a. ★ *v.pr.* Livrar-se de enguiço.

A B C D E F G H I J K L M N O P Q R S T U V W X Y Z

A B C E F G H I J K L M N O P Q R S T U V W X Y Z

desenhar *v.t.* (lat. *designare,* marcar; representar) [conj. 4]. **1.** Executar um desenho. **2.** Dar relevo a. **3.** Conceder, delinear (o plano, a coordenação musical). **4.** Projetar, traçar, delinear. ★ *v.i.* Traçar desenhos. ★ *v.pr.* **1.** Representar-se na imaginação. **2.** Ressair, ressaltar, destacar-se.

desenhista *s.2g.* Pessoa que pratica a arte do desenho.

desenho *s.m.* **1.** Arte de representar sobre uma superfície, com lápis, caneta, pincel etc., a forma e, eventualmente, os valores de luz e sombra de um objeto ou figura. **2.** Técnica dessa representação. **3.** Contorno, perfil, linha. **4.** *Desenho animado,* técnica que cria imagens em movimento a partir da filmagem de seqüências de desenhos. ▸ *Desenho industrial,* sin. de DESIGN.

? VOCÊ SABIA...? O **desenho** é uma das formas de arte mais antigas: já se encontrava nas cavernas de homens primitivos. A diferença entre o desenho e a pintura às vezes é difícil de determinar; pode-se dizer que uma certa simplicidade dos elementos caracteriza o desenho.

desenlaçar *v.t.* (conj. 13). **1.** Desfazer, desmanchar o laço de. **2.** Soltar, desembaraçar. **3.** Desenredar, deslindar. ★ *v.pr.* **1.** Soltar-se do laço. **2.** Livrar-se.

desenlace *s.m.* **1.** Desenlaçamento. **2.** Solução; epílogo, desfecho, final. **3.** *Fig.* Morte.

desenlear *v.t.* (conj. 15). **1.** Soltar (o que estava enleado), desfazer o enleio de; desenredar. **2.** Livrar de embaraços ou dificuldades.

desenodoar *v.t.* (conj. 20). Tirar as nódoas a.

desenovelar *v.t.* (conj. 4). **1.** Desenrolar (o que estava enovelado). **2.** *Fig.* Encontrar ou seguir o fio de (história ou intriga). ★ *v.pr.* Desenrolar-se, estender-se.

desenquadrar *v.t.* (conj. 4). Tirar do quadro ou moldura.

desenraizar (a-i) *v.t.* e *v.i.* (conj. 4). Desarraigar.

desenrascar *v.t.* (conj. 12). **1.** Livrar de embaraço. **2.** Desembaraçar, desenredar. ★ *v.pr.* Livrar-se de apuro ou dificuldade.

desenredar *v.t.* (conj. 4). **1.** Separar e pôr em ordem o que está enredado; desenlear, desembaraçar. **2.** Resolver negócio ou questão complicada. ★ *v.pr.* Desembaraçar-se, sair de apuros.

desenredo (ê) *s.m.* Ato ou efeito de desenredar; solução, desenlace.

desenrijar *v.t.* (conj. 4). Tirar a rijeza a. ★ *v.pr.* Perder a rijeza.

desenrolar *v.t.* (conj. 4). **1.** Estender o que estava enrolado. **2.** Explicar, expor, narrar minuciosamente. ★ *s.m.* Sucessão (de fatos). ★ *v.pr.* Desenroscar-se.

desenroscar *v.t.* (conj. 12). **1.** Desenrolar o que estava enroscado; estender, estirar. **2.** Desaparafusar. ★ *v.pr.* Desenrolar-se, desenrascar-se.

desenrugar *v.t.* (conj. 14). Tirar as rugas de; desamarrotar, desamassar, alisar, desrugar. ★ *v.pr.* Deixar de ter rugas.

desensaboar *v.t.* (conj. 20). Tirar o sabão a.

desensacar *v.t.* (conj. 12). Tirar do saco.

desensebar *v.t.* (conj. 4). Limpar de sebo ou manchas de gordura.

desentalar *v.t.* (conj. 4). **1.** Tirar das talas; soltar. **2.** Livrar, salvar de dificuldades. ★ *v.pr.* Livrar-se.

desentender *v.t.* (conj. 5). **1.** Não entender. **2.** Afetar ou fingir que não entende. ★ *v.pr.* **1.** Não se entender (com alguém). **2.** Desavir-se.

desentendido *adj.* e *s.m.* Que ou aquele que não entende. ★ *s.m.* Desentendimento.

desentendimento *s.m.* **1.** Falta de entendimento; desentendido. **2.** Altercação, querela.

desenterrar *v.t.* (conj. 4). **1.** Tirar de debaixo da terra. **2.** Tirar da sepultura; exumar. **3.** Descobrir, desencavar. **4.** Fazer sair do esquecimento.

desentoar *v.i.* (conj. 20). **1.** Sair do tom; desafinar. **2.** *Fig.* Ser inconveniente. ★ *v.pr.* Disparatar.

desentocar *v.t.* (conj. 12). Tirar da toca. ★ *v.pr.* Sair da toca.

desentorpecer *v.t.* (conj. 25). **1.** Fazer sair do entorpecimento. **2.** Dar movimento, calor ao que estava entorpecido.

desentortar *v.t.* (conj. 4). Endireitar.

desentranhar *v.t.* (conj. 4). **1.** Tirar das entranhas. **2.** Tirar as entranhas de; estripar. **3.** Arrancar do íntimo, da parte mais guardada; revelar, descobrir (o que estava oculto). ★ *v.pr.* Tirar de seu âmago, de dentro de si; desabafar-se.

desentulhar *v.t.* (conj. 4). Tirar o entulho a; desobstruir, desimpedir (um local que estava entulhado).

desentupir *v.t.* (conj. 61). **1.** Desobstruir, abrir, desembaraçar-se do que obstrui. **2.** Desentulhar, desatravancar. ★ *v.i.* *Fig.* Falar livremente, desembuchar.

desenvenenar *v.t.* (conj. 4). **1.** Fazer expelir o veneno tomado. **2.** Administrar antídoto a. **3.** Destruir a ação venenosa de.

desenvolto (ô) *adj.* (it. *disinvolto*). **1.** Desembaraçado, desacanhado, ágil. **2.** Inquieto, turbulento, travesso. **3.** Impudico, libertino.

desenvoltura *s.f.* (it. *disinvoltura*). Qualidade de desenvolto.

desenvolver *v.t.* (conj. 5). **1.** Fazer crescer ou medrar. **2.** Fazer aumentar; progredir. **3.** Expor minuciosamente; explanar. **4.** Fazer progredir um país, uma região etc., em todos os setores e atividades. ★ *v.pr.* Crescer, progredir.

desenvolvido *adj.* **1.** Aumentado, crescido. **2.** Crescido, grande. **3.** Instruído, culto. **4.** Diz-se de região ou país em estado de desenvolvimento.

desenvolvimento *s.m.* **1.** Ato ou efeito de desenvolver; crescimento. **2.** Crescimento global de um país, de uma região etc. **3.** Parte argumentativa de um discurso.

desenxabido *adj.* **1.** Insípido, sem sabor. **2.** Sem graça, apagado.

desenxovalhar *v.t.* (conj. 4). **1.** Tornar limpo, lavar; desamarrotar. **2.** *Fig.* Desagravar.

desequilibrado *adj.* Que não está em equilíbrio. ★ *s.m.* O que perdeu o equilíbrio mental; doido, maníaco.

desequilibrar *v.t.* (conj. 4). **1.** Fazer perder o equilíbrio. **2.** Provocar a perda do equilíbrio mental; enlouquecer. ★ *v.pr.* Sair do equilíbrio, perder o equilíbrio.

desequilíbrio *s.m.* **1.** Perda ou falta de equilíbrio. **2.** Instabilidade mental.

deserção *s.f.* (lat. tard. *desertio,* abandono). Ato ou efeito de desertar.

deserdado *adj.* **1.** Privado de herança. **2.** Diz-se do indivíduo desprovido de certos bens ou qualidades. ★ *s.m.* Aquele que foi deserdado.

deserdar *v.t.* (conj. 4). Excluir do direito de herança ou sucessão.

desertar *v.t.* e *v.i.* (b.-lat. *desertare*) [conj. 4]. **1.** Abandonar, ausentar-se, despovoar. **2.** Abandonar o serviço militar, abandonar a tropa sem autorização. **3.** Bandear-se, renegar, trair.

desertificação *s.f.* Processo de transformação de uma região em deserto, em conseqüência de fatores naturais, da ação do homem ou de uma combinação desses dois tipos de fatores.

deserto[1] *adj.* (lat. *desertus*). **1.** Desabitado. **2.** Vazio, pouco freqüentado. **3.** Ermo, solitário, abandonado.

deserto[2] *s.m.* (lat. *desertum*). Região árida, coberta por um manto de areia em que é quase absoluta a ausência de vida.

desertor (ô) *s.m.* (lat. *desertor*, o que abandona). Aquele que deserta.

desesperação *s.f.* Ato ou efeito de desesperar; desespero.

desesperança *s.f.* Estado de quem perdeu a esperança; desespero.

desesperançar *v.t.* (conj. 13). Tirar a esperança de. ★ *v.pr.* Perder a esperança; desanimar-se.

desesperar *v.t.* (conj. 4). **1.** Fazer perder a esperança a; desanimar, desalentar. **2.** Causar desespero a; irritar, afligir. ★ *v.pr.* Perder a esperança; enraivecer-se, encolerizar-se.

desespero (ê) *s.m.* **1.** Desesperança. **2.** Aflição extrema.

desestimar *v.t.* (conj. 4). **1.** Apreciar uma pessoa ou uma coisa abaixo do seu valor. **2.** Depreciar.

desfaçatez (ê) *s.f.* Falta de vergonha; impudência, descaramento.

desfalcar *v.t.* (lat. tard. *defalcare*, cortar com foice) [conj. 12]. **1.** Tirar parte de uma quantia. **2.** Reduzir, diminuir. **3.** Subtrair, defraudar.

desfalecer *v.i.* (conj. 25). Desmaiar, enfraquecer, perder as forças, os sentidos.

desfalecido *adj.* **1.** Sem forças; abatido. **2.** Pouco intenso, amortecido.

desfalecimento *s.m.* Perda momentânea da consciência, sem parada cardíaca; desmaio.

desfalque *s.m.* **1.** Ação de desfalcar. **2.** Redução, desconto, ou falta de parte de uma quantidade. **3.** Alcance. **4.** Fraude.

desfastio *s.m.* **1.** Falta de fastio, apetite. **2.** Bom humor, jovialidade.

desfavelar *v.t.* (conj. 4). Eliminar as favelas de.

desfavor (ô) *s.m.* **1.** Perda de favor, de estima. **2.** Descrédito, desdém, malquerença.

desfavorável *adj.2g.* Que causa embaraço, que vem fora de propósito; embaraçoso.

desfavorecer *v.t.* (conj. 25). Deixar de favorecer; desajudar, contrariar.

desfazer *v.t.* (conj. 31). **1.** Desmanchar o que está feito. **2.** Anular. **3.** Desorganizar. **4.** Amesquinhar, diminuir, fazer pouco-caso de. ★ *v.pr.* Livrar-se, desembaraçar-se, dar ou vender; desmanchar-se, reduzir-se a fragmentos.

desfechar *v.t.* (conj. 4). **1.** Tirar o fecho ou selo a. **2.** Disparar, descarregar (arma de fogo). **3.** *Fig.* Arremessar, lançar. **4.** Vibrar, desferir. **5.** Proferir. ★ *v.i.* Desencadear-se, soltar-se.

desfecho (ê) *s.m.* Resultado, termo ● **Lit.** Remate, desenlace, conclusão de uma obra literária.

desfeita *s.f.* Grosseria, ofensa, indelicadeza.

desfeitear *v.t.* (conj. 15). Fazer desfeita a.

desfeito *adj.* **1.** Destruído, desmanchado. **2.** Que mudou de forma; transfigurado.

desferir *v.t.* (conj. 57). **1.** Fazer vibrar. **2.** Despedir, emitir, lançar.

desferrar *v.t.* (conj. 4). Fazer cair ou arrancar a ferradura de.

desfiar *v.t.* (conj. 16). **1.** Desfazer em fios um tecido. **2.** Referir, narrar ou explicar minuciosamente. ★ *v.pr.* Desfazer-se um tecido em fios.

desfibrar *v.t.* (conj. 4). **1.** Tirar ou separar as fibras de. **2.** Esmiuçar. **3.** *Fig.* Enfraquecer.

desfibrilação *s.f.* Tratamento da fibrilação ventricular ou atrial pelo emprego de um desfibrilador.

desfibrilador (ô) *adj.* e *s.m.* Diz-se de ou aparelho utilizado para interromper a fibrilação através de choque elétrico aplicado ao peito do paciente.

desfigurar *v.t.* (conj. 4). **1.** Mudar a figura ou o aspecto de; deformar. **2.** *Fig.* Alterar, deturpar. ★ *v.pr.* Sofrer alteração no aspecto; alterar-se.

desfiladeiro *s.m.* Passagem estreita entre montanhas; passo. *Fig.* Situação embaraçosa, de difícil resolução.

desfilar *v.i.* (conj. 4). **1.** Marchar em filas, passar um após outro. **2.** Seguir-se imediatamente um ao outro; suceder-se.

desfile *s.m.* Ato ou efeito de desfilar.

defloração *s.f.* **1.** Queda das flores. **2.** Violação da virgindade; defloração.

desflorador (ô) *adj.* e *s.m.* Que ou aquele que desflora.

desfloramento *s.m.* Desfloração.

desflorar *v.t.* (conj. 4). **1.** Tirar as flores a uma planta. **2.** Tirar a virgindade a; deflorar.

DESERTO ► Os desertos ocupam aproximadamente um terço da superfície do globo terrestre. Os maiores encontram-se na África (Saara), na Ásia Ocidental (desertos da Arábia, da Síria, Grande Deserto da Índia) e na Ásia Central (Deserto de Gobi). As condições de vida no deserto são muito difíceis por causa do clima: chuvas escassas e temperaturas extremas entre o dia e a noite. Os poucos animais e plantas que vivem nesse hábitat estão adaptados para resistir à seca. Alguns grupos humanos que habitam os desertos vivem perto de oásis, são sedentários e se dedicam ao cultivo de tâmaras. Outros são nômades e vivem do pastoreio, da caça e da coleta.

EXEMPLOS DE FLORA DO DESERTO

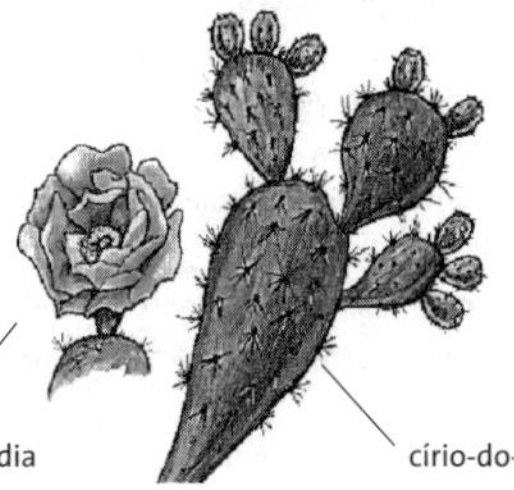

desflorestar *v.t.* (conj. 4). Derrubar árvores em grande quantidade, destruindo florestas; desmatar.

desfolhação *s.f.* **1.** Ato ou efeito de desfolhar; desfolhamento. **2.** Queda natural das folhas das plantas.

desfolhante *adj.2g.* Que desfolha. ★ *s.m.* Produto químico de elevada toxidez que, aplicado em plantações ou áreas naturais, provoca a queda das folhas verdes e a morte das plantas.

desfolhar *v.t.* (conj. 4). **1.** Tirar as folhas ou as pétalas a. **2.** Descamisar milho. ★ *v.pr.* Perder as folhas ou as pétalas.

desforra *s.f.* Ato ou efeito de desforrar; forra, vingança, desafronta.

desforrar[1] *v.t.* (conj. 4). Tirar o forro a.

desforrar[2] *v.t.* (conj. 4). **1.** Desafrontar, vingar, desagravar. **2.** Recuperar, reaver o que se perdeu no jogo. ★ *v.pr.* Tirar desforra; forrar-se, vingar-se.

desfragmentar *v.t.* **Inform.** Reunir as partes de arquivos eletrônicos em um mesmo local do disco.

desfraldar *v.t.* (conj. 4). Soltar ao vento; despregar. ★ *v.pr.* Tremular (a bandeira); agitar-se.

desfranzir *v.t.* (conj. 6). Desfazer o franzido de.

desfrutar *v.t.* (conj. 4). **1.** Colher os frutos de. **2.** Usufruir, apreciar, gozar. **3.** Viver à custa de.

desfrute *s.m.* **1.** Ato ou efeito de desfrutar. **2.** Proporção de animais que podem ser abatidos num rebanho destinado à produção de carne; quantidade de carne assim produzida. **3.** Chacota, zombaria. **4.** Ato ridículo ou escandaloso.

desgalhar *v.t.* (conj. 4). Cortar os galhos de uma árvore; desramar, podar.

desgarrar *v.t.* (conj. 4). **1.** Desviar do rumo (embarcação). **2.** Extraviar, perder. **3.** Tornar excêntrico. ★ *v.i.* e *v.pr.* **1.** Desviar-se do rumo (embarcação). **2.** Afastar-se dos bons princípios morais.

desgastante *adj.2g.* **1.** Que desgasta. **2.** *Fig.* Tedioso, incômodo.

desgastar *v.t.* (conj. 4). **1.** Gastar, destruir aos poucos. **2.** Consumir pelo atrito. **3.** *Pop.* Digerir. ★ *v.pr.* Gastar-se ou destruir-se pouco a pouco.

desgelar *v.t.* (conj. 4). Degelar.

desgostar *v.t.* (conj. 4). **1.** Causar desgosto a; descontentar, contrariar. **2.** Fazer perder o gosto. **3.** Não gostar. ★ *v.pr.* Magoar-se.

desgosto (ô) *s.m.* **1.** Falta de gosto ou prazer. **2.** Pesar, contrariedade, descontentamento. **3.** Repulsa, aversão.

desgostoso (ô) *adj.* **1.** Que tem desgosto; descontente, triste. **2.** Que apresenta gosto desagradável.

desgovernar *v.t.* (conj. 4). **1.** Governar mal, imprimir má direção a. **2.** Desviar do caminho certo. **3.** Desperdiçar, gastar. ★ *v.i.* Navegar sem governo (embarcação). ★ *v.pr.* **1.** Perder o governo ou o domínio de si mesmo. **2.** Desregrar-se. **3.** Desorientar-se.

desgoverno (ê) *s.m.* **1.** Mau governo ou administração. **2.** Desregramento, esbanjamento. **3.** Falta de governo; desnorteamento.

desgraça *s.f.* **1.** Acontecimento funesto; infortúnio, desventura. **2.** Pobreza, miséria. **3.** Desfavor.

desgraçado *adj.* **1.** Infeliz, desventurado. **2.** Desprezível, abjeto. **3.** Miserável, pobre. **4.** Funesto. ★ *s.m.* **1.** Indivíduo miserável, muito pobre. **2.** *Pop.* Admirável pela habilidade, astúcia e até pela boa sorte.

desgraçar *v.t.* (conj. 13). **1.** Causar desgraça a; estragar, prejudicar. **2.** *Pop.* Deflorar. ★ *v.pr.* Tornar-se desgraçado, infeliz.

desgraceira *s.f.* Sucessão de desgraças.

desgracioso (ô) *adj.* Que não tem graça; desajeitado.

desgrenhado *adj.* **1.** Diz-se do cabelo despenteado, emaranhado. **2.** *Fig.* Desordenado.

desgrenhar *v.t.* (conj. 4). Tornar revolto como grenha, emaranhar os cabelos; despentear, desguedelhar. ★ *v.pr.* Despentear-se.

desgrudar *v.t.* (conj. 4). **1.** Despegar o que estava grudado; descolar. **2.** Desviar, afastar.

desguarnecer *v.t.* (conj. 25). **1.** Tirar a guarnição a. **2.** Tirar os enfeites, os ornatos a. **3.** Privar de forças militares ou de armas de guerra.

desguedelhar *v.t.* (conj. 4). Pôr os cabelos em desordem; despentear, desgrenhar.

desguiar *v.i.* (conj. 16). *Gír.* Ir embora, dar o fora.

desiderativo *adj.* (lat. *desiderativus*). Que exprime desejo.

desiderato *s.m.* (do lat. *desideratum,* desejado). Aquilo que se deseja; aspiração.

desídia *s.f.* (lat. *desidia,* ócio). **1.** Ociosidade, indolência, preguiça. **2.** Desleixo.

desidioso (ô) *adj.* (lat. *desidiosus*). Que tem ou em que há desídia.

desidrase *s.f.* Qualquer enzima que transporta o hidrogênio de uma molécula para outra.

desidratação *s.f.* **1.** Ação de desidratar. **2.** Método de conservação dos gêneros alimentícios que consiste em eliminar parte ou toda a água neles contida. ● **Med.** Perda de água dos tecidos. ► Afecção grave, caracterizada por vômitos e diarréia, que atinge principalmente crianças em países tropicais, provocada pelo calor excessivo e más condições de vida. **Quím.** Reação química durante a qual se retira uma ou mais moléculas de água de um composto.

desidratar *v.t.* (conj. 4). **1.** Extrair a água de, pelo calor, pelo vácuo ou por substância higroscópica. **2.** Causar desidratação em. ★ *v.pr.* Perder água, sofrer desidratação.

design *s.m.* (ingl., projeto). **1.** Concepção ou conceito formal e funcional de uma obra ou de um produto. **2.** Projeto formal de um produto industrial em três dimensões. (Sin. DESENHO INDUSTRIAL.) ● **Tip.** *Design gráfico,* projeto de publicações que inclui criação e/ou seleção das letras e outros elementos usados na impressão. (Sin. PROGRAMAÇÃO VISUAL.)

DESIGN GRÁFICO ► A tipografia, ou desenho de tipos utilizados para impressão, está ligada ao nascimento da imprensa. Não obstante, no século XX se diversificou como nunca. As letras se constroem a partir de linhas retas e arcos. No caso do texto, a legibilidade é primordial, enquanto para os tipos ornamentais o *designer* dispõe de uma ampla gama para compor as variações. Os processos fotográficos e os de *design* e impressão feitos no computador revolucionaram a tipografia, e permitem trabalhar com múltiplos estilos.

---

designação *s.f.* (lat. *designatio*). Ato ou efeito de designar; denominação, indicação.

designar *v.t.* (lat. *designare,* indicar) [conj. 4]. **1.** Indicar, mostrar. **2.** Dar a conhecer; nomear. **3.** Fixar, determinar. **4.** Classificar, qualificar, denominar.

designer *s.m.* (ingl.). Desenhista industrial.

desígnio *s.m.* (lat. tard. *designium*). Plano, projeto, intenção.

desigual *adj.2g.* **1.** Que não é igual a outra coisa. **2.** Irregular, não uniforme. **3.** Injusto. **4.** Volúvel, instável. **5.** Desproporcional.

desigualar *v.t.* (conj. 4). Estabelecer diferença entre, tornar desigual. ★ *v.i.* Não ser igual ou conforme. ★ *v.pr.* Tornar-se desigual.

desigualdade *s.f.* Caráter ou condição do que é desigual.

desiludir *v.t.* (conj. 6). Desfazer as ilusões de, tirar ilusões a; desenganar. ★ *v.pr.* Perder as ilusões; desenganar-se.

desilusão *s.f.* Ato ou efeito de desiludir-se; decepção, desengano.

desimpedido *adj.* Desembaraçado, livre.

desimpedir *v.t.* (conj. 70). **1.** Tirar o impedimento, o obstáculo a; desobstruir, desembaraçar. **2.** Facilitar.

desinchar *v.t.* (conj. 4). **1.** Desfazer ou diminuir a inchação de. **2.** Diminuir o orgulho, a vaidade de. ★ *v.i.* Deixar de estar inchado. ★ *v.pr.* Perder a vaidade.

desincompatibilizar *v.t.* (conj. 4). Tirar a incompatibilidade a. ★ *v.pr.* Deixar de estar incompatibilizado.

desincorporar *v.t.* (conj. 4). **1.** Separar o que estava incorporado. **2.** Desunir, desmembrar. ★ *v.pr.* Separar-se, desmembrar-se.

desincumbir-se *v.pr.* (conj. 6). Cumprir uma incumbência.

desindexar (cs) *v.t.* (conj. 4). **1.** Extinguir a indexação de. **2.** Extinguir a relação entre certos valores.

desinência *s.f.* (lat. tard. *desinentia,* de *desinere,* cessar). Extremidade, termo. ● **Gram.** Terminação que flexiona os nomes na declinação e os verbos na conjugação.

desinfecção ou **desinfeção** *s.f.* Ação de desinfetar.

desinfetador (ô) *adj.* e *s.m.* Diz-se de ou aparelho utilizado para fazer desinfecções.

desinfetante *adj.2g.* e *s.m.* Diz-se de ou substância, agente ou produto próprio para desinfetar.

desinfetar *v.t.* (conj. 4). **1.** Destruir os germes patogênicos de um local; sanear. **2.** Limpar uma ferida, uma lesão cutânea, de modo a favorecer a cicatrização.

desinflamar *v.t.* (conj. 4). Fazer cessar ou diminuir a inflamação de. ★ *v.i.* e *v.pr.* Deixar de estar inflamado.

desinflar *v.t.* (conj. 4). **1.** Fazer que deixe de estar inflado. **2.** *Fig.* Tirar o orgulho, a soberba a.

desinformado *adj.* Não informado, ou mal-informado.

desinibido *adj.* **1.** Livre de inibições. **2.** Livre de timidez; desembaraçado.

desinibir *v.t.* (conj. 6). Eliminar a inibição. ★ *v.pr.* Tornar-se desinibido.

desinquietar *v.t.* (conj. 4). **1.** Perturbar a tranqüilidade de; inquietar. **2.** Tirar o sossego; importunar.

desinquieto *adj.* **1.** Desassossegado, inquieto. **2.** Travesso.

desinsofrido *adj.* Impaciente, inquieto, sôfrego.

desintegração *s.f.* Ato ou efeito de desintegrar(-se). ● **Fís.** *Desintegração nuclear,* destruição do núcleo de um átomo, com emissão de partículas e energia atômica.

desintegrar *v.t.* (conj. 4). Produzir a desintegração de. ● **Fís.** Destruir a coesão entre átomos e/ou moléculas. ★ *v.pr.* Perder a unidade, a integridade.

desinteligência *s.f.* Falta de acordo, de compreensão; divergência.

desinteressante *adj.2g.* **1.** Que não é interessante. **2.** Desprovido de interesse.

desinteressar *v.t.* (conj. 4). **1.** Fazer perder o interesse em. **2.** Privar dos lucros. ★ *v.pr.* Não se importar, ser indiferente.

desinteresse (ê ou é) *s.m.* **1.** Falta de interesse. **2.** Imparcialidade. **3.** Abnegação, desprendimento.

desintoxicação (cs) *s.f.* **1.** Neutralização ou eliminação pelo organismo de substâncias tóxicas endógenas ou exógenas. **2.** Ação de eliminar a dependência em relação a um tóxico, como álcool ou psicotrópicos.

desintoxicar (cs) *v.t.* (conj. 12). Efetuar a desintoxicação; desenvenenar.

desintumescer *v.t.* (conj. 25). Tirar ou diminuir a intumescência de; desinchar. ★ *v.i.* Perder a intumescência.

desionização *s.f.* **1.** Ação de restituir a um íon a qualidade de átomo. **2.** Eliminar os íons de uma solução aquosa ionizada.

desirmanar *v.t.* (conj. 4). **1.** Separar coisas emparelhadas; tornar desirmanado. **2.** Quebrar os laços de amizade.

desistência *s.f.* (lat. *desistentia*). Ato ou efeito de desistir; renúncia.

desistir *v.t.* (lat. *desistere*) [conj. 6]. Não continuar, abster-se, renunciar. ★ *v.i.* Renunciar, não prosseguir.

desjejuar *v.i.* (conj. 4). Quebrar o jejum natural; comer pela primeira vez no dia. (Var. DEJEJUAR.)

desjejum *s.m.* A primeira refeição do dia; café-da-manhã, dejejum.

desjungir *v.t.* (conj. 79). Soltar, desprender do jugo, tirar da canga; desatrelar.

deslaçar *v.t.* (conj. 13). **1.** Desfazer os laços ou as laçadas. **2.** Separar o que estava enlaçado. ★ *v.pr.* Soltar-se, desprender-se.

deslacrar *v.t.* (conj. 4). Partir ou tirar o lacre que fecha ou sela.

deslanado *adj.* Diz-se do ovino que não desenvolve lã. **Zootec.** *Carneiro deslanado do Nordeste,* raça de ovinos desprovida de lã, conhecida também como *morada nova,* criada para aproveitamento da carne e da pele.

deslanchar *v.i.* (conj. 4). **1.** Dar a partida, ir para a frente. **2.** Ir-se embora.

deslavado *adj.* **1.** Que perdeu o brilho ou a cor; desbotado. **2.** Descarado, atrevido.

desleal *adj.2g.* Que não tem lealdade; traidor, infiel.

deslealdade *s.f.* Falta de lealdade; falsidade, infidelidade.

desleitar *v.t.* (conj. 4). Tirar o leite a; desmamar.

desleixar *v.t.* (conj. 4). Deixar em desleixo; descuidar. ★ *v.pr.* Descuidar-se, tornar-se negligente.

desleixo *s.m.* **1.** Ato ou efeito de desleixar(-se). **2.** Negligência, falta de cuidado.

deslembrado *adj.* Esquecido, desmemoriado.

deslembrança *s.f.* Falta de lembrança; esquecimento.

deslembrar *v.t.* (conj. 4). Não lembrar; esquecer. ★ *v.i.* Não vir à mente, ficar esquecido. ★ *v.pr.* Esquecer-se.

desligamento *s.m.* **1.** Ato ou efeito de desligar; desligadura. **2.** Falta de ligação ou de nexo; desconexão. **3.** Afastamento.

desligar *v.t.* (conj. 14). **1.** Separar o que estava ligado; desatar, soltar. **2.** Interromper o circuito elétrico. ★ *v.i. Fam.* Abstrair-se, despreocupar-se. ★ *v.pr.* **1.** Desatar-se, soltar-se. **2.** Separar-se, afastar-se.

deslindar *v.t.* (conj. 4). **1.** Averiguar as demarcações de; remarcar. **2.** Descobrir coisa difícil ou embaraçosa; apurar. **3.** Desenredar, desvencilhar.

deslinde *s.m.* Ato ou efeito de deslindar.

deslizamento *s.m.* **1.** Ato ou efeito de deslizar; deslize. **2.** Escorregamento, desvio.

deslizar *v.i.* (conj. 4). **1.** Escorregar suavemente; resvalar. **2.** Passar em silêncio. **3.** Cometer deslize. **4.** Afastar-se pouco a pouco. ★ *v.pr.* **1.** Passar de leve. **2.** Desviar-se.

deslize *s.m.* **1.** Ato ou efeito de deslizar. **2.** Desvio do bom caminho. **3.** Quebra de bom procedimento. **4.** Engano involuntário.

deslocação *s.f.* Deslocamento.

deslocamento *s.m.* **1.** Ato ou efeito de deslocar(-se); deslocação. **2.** Afastamento, desvio. **3.** Movimento. ● **Etol.** *Atividade de deslocamento,* conjunto de atos motores com finalidade determinada, efetuados por um indivíduo nas situações de conflito, sem relação direta com a situação e o comportamento em curso. **Fís.** Mudança de posição em relação a um referencial. **Med.** Saída de um osso para fora de sua localização articular habitual; desarticulação, luxação. **Psican.** Processo primário responsável pelas formações do inconsciente, pelo qual uma quantidade de energia ou afeto se destaca da representação inconsciente a que está ligada e prende-se a uma outra que mantém com a precedente uma associação indireta.

deslocar *v.t.* (conj. 12). **1.** Mudar de lugar; desviar, afastar, movimentar. **2.** Transferir. **3.** Desconjuntar, desarticular.

deslumbramento *s.m.* **1.** Ato ou efeito de deslumbrar(-se). **2.** Ofuscação momentânea da vista causada por muita luz. **3.** *Fig.* Fascinação, encanto.

deslumbrante *adj.2g.* **1.** Que deslumbra; ofuscante. **2.** Faustuoso, luxuoso.

deslumbrar *v.t.* (esp. *deslumbrar*) [conj. 4]. **1.** Ofuscar ou turvar a vista pela ação de muita luz. **2.** Causar assombro a; maravilhar, fascinar. **3.** Perturbar o entendimento de. ★ *v.i.* Causar deslumbramento. ★ *v.pr.* Deixar-se seduzir ou fascinar.

deslustrar *v.t.* (conj. 4). **1.** Tirar ou diminuir lustre de; despolir. **2.** *Fig.* Infamar, desonrar. ★ *v.pr.* **1.** Perder o lustre. **2.** Macular-se.

deslustre ou **deslustro** *s.m.* **1.** Ato ou efeito de deslustrar. **2.** *Fig.* Desdouro, desonra.

desmagnetizar *v.t.* (conj. 4). Reconduzir ao estado neutro um material que se apresente imantado.

desmaiado *adj.* **1.** Que desmaiou ou perdeu os sentidos; desfalecido. **2.** *Fig.* Que tem pouca viveza ou brilho; desbotado, esmaecido.

desmaiar *v.t.* (conj. 4). Fazer descorar; deslustrar. ★ *v.i.* **1.** Perder a cor; desbotar. **2.** Perder os sentidos; desfalecer, esmorecer. **3.** Perder o brilho; esmaecer, obscurecer-se.

desmaio *s.m.* **1.** Ato ou efeito de desmaiar. **2.** Perda dos sentidos; desfalecimento, síncope.

VOCÊ SABIA...? A inconsciência pode ser breve e transitória, como nas comoções e **desmaios**, ou profunda e prolongada, como no estado de coma. Se uma pessoa fica inconsciente, como primeiros socorros básicos deve-se assegurar que ela continue a respirar e afrouxar todas as roupas apertadas, assim como procurar assistência médica o mais rápido possível.

---

desmama *s.f.* Var. de DESMAME.

desmamar *v.t.* (conj. 4). **1.** Deixar de amamentar, fazer perder o hábito de mamar. **2.** *Fig.* Separar, dar autonomia.

desmame *s.m.* Interrupção do aleitamento de uma criança ou de um filhote de animal para lhe dar uma alimentação mais sólida. (Var. DESMAMA.)

desmancha-prazeres *s.2g.2n.* Pessoa importuna, indiscreta, que perturba o divertimento dos outros.

desmanchar *v.t.* (fr. ant. *desmancher*) [conj. 4]. **1.** Desfazer. **2.** Tornar nulo; anular. **3.** Frustrar. ★ *v.pr.* **1.** Dissolver-se, diluir-se. **2.** *Fig.* Exceder-se, descomedir-se.

desmanche *s.m. Pop.* Local em que se vendem peças de veículos usados.

desmancho *s.m.* **1.** Ato ou efeito de desmanchar; desmancha. **2.** Desarranjo, transtorno. **3.** *Fig.* Negócio malogrado.

desmandar *v.t.* (conj. 4). **1.** Privar do mando. **2.** Contramandar. ★ *v.pr.* **1.** Transgredir ordens. **2.** Não cumprir o que se ordenou. **3.** Exceder-se, exorbitar, descomedir-se.

desmando *s.m.* **1.** Ato ou efeito de desmandar (-se); infração, transgressão de ordem ou preceito. **2.** Ato de indisciplina, desobediência. **3.** Abuso de poder, excesso.

desmantelado *adj.* **1.** Arruinado, destruído. **2.** Desleixado, desmazelado.

desmantelamento *s.m.* Ato ou efeito de desmantelar; desmantelo.

desmantelar *v.t.* (conj. 4). **1.** Demolir, derrubar muralha, parede etc. **2.** Desmanchar. **3.** Desorganizar, desarranjar.

desmantelo (ê) *s.m.* Desmantelamento.

desmarcar *v.t.* (conj. 12). **1.** Tirar as marcas ou marcos a. **2.** Rescindir compromisso. **3.** Tornar enorme.

desmascarar *v.t.* (conj. 4). **1.** Tirar a máscara do rosto a. **2.** Desmoralizar, revelando as intenções ocultas. **3.** Descobrir, dar a conhecer. ★ *v.pr.* **1.** Tirar a máscara a si mesmo. **2.** Revelar as próprias intenções.

desmatamento *s.m.* Ato ou efeito de desmatar, de tirar a mata; desflorestamento.

desmatar *v.t.* (conj. 4). **1.** Tirar o mato; desflorestar, desarborizar. **2.** Desguarnecer um terreno, uma região, de seus bosques, de suas florestas.

desmaterialização *s.f.* **1.** Ação de tornar imaterial ou suprimir a materialidade de. **2.** Ato ou efeito de desmaterializar(-se). ● **Fís.** Transformação de partículas materiais em fótons, ou de partículas de matéria ordinária em antimatéria.

desmaterializar *v.t.* (conj. 4). Tornar imaterial. ★ *v.pr.* Perder a forma material.

desmazelado *adj.* e *s.m.* **1.** Que ou aquele que é desleixado, negligente. **2.** Descuidado na aparência. **3.** Adoentado, raquítico.

desmazelar-se *v.pr.* (conj. 7). Tornar-se desmazelado; desleixar-se, descuidar-se.

desmazelo (ê) *s.m.* **1.** Descuido, negligência, desleixo. **2.** Desarranjo, desalinho no vestir.

desmedido *adj.* **1.** Que excede as medidas. **2.** Excessivo, enorme.

desmedir-se *v.pr.* (conj. 70). **1.** Proceder sem moderação. **2.** Descomedir-se, exceder-se.

desmembrar *v.t.* (conj. 4). **1.** Arrancar, separar os membros de um corpo. **2.** Dividir em partes; dividir. ★ *v.pr.* Separar-se, desligar-se.

desmemoriado *adj.* e *s.m.* **1.** Que ou aquele que é sujeito a esquecimentos. **2.** Que ou aquele que está com uma afecção mental que o mantém em estado de amnésia.

desmemoriar *v.t.* (conj. 16). Fazer perder a memória; esquecer-se.

desmentido *adj.* Que foi contradito. ★ *s.m.* Declaração ou palavras com que se desmente.

desmentir *v.t.* (conj. 56). **1.** Declarar que alguém não diz a verdade. **2.** Negar o que outra pessoa afirma. ★ *v.pr.* Contradizer-se.

desmerecer *v.t.* (conj. 25). **1.** Não merecer, ser indigno de. **2.** Menoscabar. ★ *v.i.* **1.** Perder o merecimento. **2.** Perder o brilho ou a cor; desbotar.

desmerecido *adj.* **1.** Que desmereceu. **2.** Desbotado, esmaecido.

desmérito *s.m.* Demérito.

desmesurado *adj.* Que ultrapassa a medida normal; desmedido, excessivo.

desmielinização *s.f.* Lesão dos nervos que consiste na destruição de sua camada de mielina.

desmilitarização *s.f.* Medida de segurança, prevista por tratado, que proíbe presença ou atividade militar em uma zona determinada.

desmilitarizar *v.t.* (conj. 4). Proceder à desmilitarização.

desmineralização *s.f.* Eliminação das matérias minerais dissolvidas numa água. ● **Med.** Diminuição da taxa de elementos minerais do esqueleto (cálcio e fósforo).

desmiolado *adj.* **1.** Que não tem miolos. **2.** Que perdeu os miolos. **3.** *Fig.* Sem juízo, estouvado.

desmiolar *v.t.* (conj. 4). **1.** Tirar o miolo ou os miolos a. **2.** *Fig.* Enlouquecer, fazer perder o juízo.

desmistificação *s.f.* Ato ou efeito de desmistificar.

desmistificar *v.t.* (conj. 12). Desfazer uma mistificação.

desmitificação *s.f.* Ato ou efeito de desmitificar.

desmitificar *v.t.* (conj. 12). Desfazer a mitificação existente acerca de pessoa ou coisa.

desmobiliar *v.t.* (conj. 16). Tirar a mobília de uma casa ou um aposento.

desmobilizar *v.t.* (conj. 4). Desfazer a mobilização de um exército.

desmontado *adj.* **1.** Apeado da montaria. **2.** Que perdeu o cavalo em que montava. **3.** Desorganizado, desarranjado.

desmontar *v.t.* e *v.i.* (conj. 4). **1.** Fazer descer do, ou apear do cavalo; descavalgar. **2.** Desarmar um mecanismo.

desmonte *s.m.* **1.** Ato ou efeito de desmontar. **2.** Trabalho de nivelamento de um terreno; arrasamento ● **Miner.** Extração de minérios das jazidas.

desmoralização *s.f.* **1.** Ato ou efeito de desmoralizar. **2.** Falta ou perda de moralidade.

desmoralizado *adj.* e *s.m.* **1.** Que ou aquele que perdeu a força moral; desacreditado. **2.** Pervertido, corrupto.

desmoralizar *v.t.* (conj. 4). **1.** Corromper, perverter, tornar imoral. **2.** Tirar o bom nome de. **3.** Fazer perder a força moral, abater o ânimo. ★ *v.pr.* Perder a moralidade, a moral; perverter-se.

desmoronamento *s.m.* **1.** Ação de desmoronar(-se). **2.** *Fig.* Destruição, aniquilamento.

desmoronar *v.t.* (esp. *desmoronar*) [conj. 4]. **1.** Deitar abaixo; demolir. **2.** *Fig.* Arruinar, fazer desaparecer. ★ *v.i.* e *v.pr.* **1.** Vir abaixo. **2.** *Fig.* Perecer, aniquilar-se.

desmossomo *s.m.* (do gr. *desmós*, ligamento). Tipo de junção intercelular no qual as membranas plasmáticas das duas células encontram-se separadas por um pequeno espaço.

desmunhecado *adj.* e *s.m.* **1.** Que não tem munheca. **2.** Efeminado.

desmunhecar *v.t.* (conj. 12). **1.** Cortar ou quebrar a munheca. **2.** Mutilar, tirar parte de um todo. ★ *v.i.* *Gír.* Fazer trejeitos efeminados.

desnacionalizar *v.t.* (conj. 4). **1.** Fazer perder as características nacionais. **2.** Impor perda da nacionalidade.

desnatadeira *s.f.* Equipamento para separar do leite a nata, para a fabricação da manteiga.

desnatado *adj.* De que se tirou a nata.

desnatar *v.t.* (conj. 4). Separar a nata do leite.

desnaturação *s.f.* Alteração irreversível da estrutura das proteínas, que se precipitam.

desnaturado *adj.* **1.** Que se desnaturou. **2.** Que não tem os sentimentos naturais; desumano, cruel. ★ *s.m.* Indivíduo desnaturado.

desnaturalizar *v.t.* (conj. 4). **1.** Privar dos direitos adquiridos por naturalização. **2.** Perverter a natureza. ★ *v.pr.* Renunciar aos direitos de natural de um país.

desnecessário *adj.* Que não é necessário; dispensável, inútil.

desnitração *s.f.* **1.** Substituição, em uma molécula, de um radical nitrila por um átomo de hidrogênio. **2.** Eliminação dos derivados oxigenados do nitrogênio contidos em uma mistura.

desnitrificação *s.f.* Processo de transformação do nitrato em nitrogênio livre, realizado por bactérias do solo.

desnível *s.m.* Diferença de nível.

desnivelar *v.t.* (conj. 4). **1.** Tirar do nivelamento. **2.** *Fig.* Desigualar.

desnodoar *v.t.* (conj. 4). Tirar as nódoas a; limpar.

desnorteado *adj.* **1.** Que perdeu o norte ou rumo; desorientado, perdido. **2.** *Fig.* Desalentado, desesperado. **3.** *Fig.* Confuso, embaraçado.

desnortear *v.t.* (conj. 15). **1.** Desviar do norte, do rumo; desorientar. **2.** Confundir. ★ *v.pr.* Perder o rumo; desorientar-se.

desnudar *v.t.* (conj. 4). **1.** Pôr nu; despir. **2.** Mostrar, revelar. ★ *v.pr.* Ficar nu; despir-se.

desnudo *adj.* Nu, despido.

desnutrição *s.f.* **1.** Falta ou insuficiência de nutrição; subnutrição. **2.** Estado de uma célula, de um tecido ou de um organismo em que o aporte quantitativo ou qualitativo de nutrientes é insuficiente.

VOCÊ SABIA...? Uma das causas da **desnutrição** é o fato de um quarto da população mundial não ter alimentos suficientes para comer. A desnutrição provoca debilidade e fadiga, além de reduzir a capacidade para trabalhar. A eficiência do sistema imunológico também fica reduzida, o que aumenta o risco de contrair diversas doenças. As mães desnutridas podem dar à luz filhos com problemas de desenvolvimento físico e mental.

---

desnutrido *adj.* e *s.m.* Que ou aquele que sofre de desnutrição.
desnutrir *v.t.* (conj. 6). Nutrir mal, ou não nutrir.
desobedecer *v.t.* (conj. 25). **1.** Não obedecer. **2.** Não se submeter; transgredir, infringir.
desobediência *s.f.* Ato ou efeito de desobedecer.
desobediente *adj.2g.* Que desobedece. ★ *s.2g.* Pessoa desobediente.
desobliteração *s.f.* Sin. de DESOBSTRUÇÃO.
desobrigar *v.t.* (conj. 14). Eximir, isentar, livrar. ★ *v.pr.* Cumprir a sua obrigação; desencarregar-se.
desobstrução *s.f.* Ato ou efeito de desobstruir; desimpedimento. ● **Med.** Liberação de um vaso, de um canal ou de uma cavidade do organismo, obstruídos muitas vezes por coágulos sanguíneos. (Sin. DESOBLITERAÇÃO.)
desobstruir *v.t.* (conj. 74). Tirar ou remover o que obstrui; desatravancar, desimpedir.
desocupado *adj.* e *s.m.* **1.** Que ou aquele que não tem ocupação; vadio. **2.** Que não está ocupado; vazio.
desocupar *v.t.* (conj. 4). **1.** Deixar de ocupar; esvaziar. **2.** Tirar a ocupação de; desimpedir. **3.** Livrar, desembaraçar. ★ *v.pr.* Livrar-se, desembaraçar-se.
desodorante *adj.2g.* Que desodora; desodorizante. ★ *s.m.* **1.** Substância que desodora ou desodoriza. **2.** Produto químico industrializado que contém esta substância.
desodorar *v.t.* (conj. 4). Desodorizar.
desodorizante *adj.2g.* Que desodoriza; desodorante. ★ *s.m.* Desodorante.
desodorizar *v.t.* (conj. 4). Tirar odor ou o mau odor a; desodorar.
desolação *s.f.* **1.** Ação de desolar. **2.** Devastação, ruína. **3.** Grande tristeza, aflição; consternação.
desolado *adj.* **1.** Que apresenta aspecto de desolação. **2.** Triste, solitário. **3.** Aflito, consternado.
desolar *v.t.* (lat. *desolare,* pelo fr. *désoler*) [conj. 4]. **1.** Despovoar. **2.** Devastar, arruinar. **3.** Afligir, consternar.
desonerar *v.t.* e *v.pr.* (conj. 4). Exonerar(-se).
desonestidade *s.f.* **1.** Falta de honestidade. **2.** Indignidade.
desonesto *adj.* **1.** Que não tem honestidade. **2.** Indigno, desprezível. ★ *s.m.* Indivíduo desonesto.
desonra *s.f.* **1.** Falta de honra. **2.** Perda da honra; descrédito.
desonrar *v.t.* (conj. 4). **1.** Ofender a honra; infamar. **2.** Deflorar. ★ *v.pr.* Perder a honra; aviltar-se.
desonroso (ô) *adj.* Que desonra, que avilta.
desopilar *v.t.* (conj. 4). Desobstruir, aliviar.
desopressão *s.f.* Ato ou efeito de desoprimir (-se); alívio.
desoprimir *v.t.* (conj. 6). Livrar da opressão; aliviar. ★ *v.pr.* Libertar-se, aliviar-se.
desordeiro *adj.* e *s.m.* Que ou aquele que promove desordens; arruaceiro.
desordem *s.f.* **1.** Falta de ordem; desarranjo, desalinho. **2.** Tumulto, motim.
desordenado *adj.* **1.** Que está em desordem. **2.** Que não tem ordem; desarranjado. **3.** Desregrado.
desordenar *v.t.* (conj. 4). **1.** Tirar da ordem; desarranjar. **2.** Amotinar. ★ *v.pr.* Sair da ordem; desarranjar-se.
desorganização *s.f.* **1.** Ação de desorganizar. **2.** Falta de organização; desordem, confusão.
desorganizar *v.t.* (conj. 4). Destruir a organização de; desarranjar, perturbar.
desorientação *s.f.* **1.** Ato ou efeito de desorientar. **2.** Falta de orientação ou critério.
desorientar *v.t.* (conj. 4). **1.** Fazer perder o rumo. **2.** Perturbar, confundir. **3.** Desvairar. ★ *v.pr.* Perder o rumo; desnortear-se.
desossado *adj.* Que não tem ossos; a que se tiraram os ossos.
desossar *v.t.* (conj. 4). Tirar os ossos a.
desova *s.f.* **1.** Ação de desovar; desovamento. **2.** Época de reprodução dos peixes e anfíbios. **3.** Ovas postas pelos peixes.
desovar *v.t.* (conj. 4). **1.** Pôr ovos. (Diz-se principalmente dos peixes.) **2.** *Fig.* Revelar, desembuchar.

DESOVAR ▸ A forma como desovam diferentes animais varia muito. Nas rãs e em alguns peixes, a fêmea põe uma grande quantidade de ovos, que mais tarde serão fecundados externamente pelo macho. As fêmeas dos insetos desovam sobre folhas, dentro de flores ou mesmo na água. Uma desova muito especial é a de algumas vespas, que "injetam" seus ovinhos no interior de lagartas; ao nascer, as larvas da vespa comem a lagarta. As diferentes formas de desova também se relacionam com o tipo de ovo, pois as cascas moles precisam de muita umidade e as secas, não.

---

desoxidação (cs) *s.f.* **Metal.** Tratamento feito sobre um metal em estado sólido, numa atmosfera gasosa redutora. **Quím.** Operação que visa reduzir os óxidos existentes num banho líquido. ▸ Sin. de REDUÇÃO.
desoxirribonucléico (cs) *adj. Ácido desoxirribonucléico,* ADN.
despachado *adj.* **1.** Que obteve despacho; deferido. **2.** *Fig.* Desembaraçado, vivo, sem inibições. ★ *s.m. Fig.* Pessoa muito expedida e diligente.
despachante *adj.2g.* e *s.2g.* Que ou aquele que despacha. ★ *s.2g.* Profissional que se encarrega de obter, junto às repartições públicas, registros, licenças etc.
despachar *v.t.* (prov. *despachar*) [conj. 4]. **1.** Resolver, decidir (deferindo ou indeferindo). **2.** Enviar, expedir. **3.** Mandar embora, despedir. **4.** *Fig.* Matar. ★ *v.pr.* Fazer às pressas.
despacho *s.m.* **1.** Ato ou efeito de despachar. **2.** Resolução de autoridade pública lançada em petição ou requerimento. **3.** Desembaraço, desenvoltura. **4.** Ebó.
desparafusar *v.t.* (conj. 4). Var. de DESAPARAFUSAR.
despautério *s.m.* (fr. ant. *Despautère,* n.pr.). Grande disparate; despropósito, tolice crassa.

despedaçar *v.t.* (conj. 13). **1.** Partir em pedaços; quebrar, fragmentar. **2.** Rasgar. ★ *v.pr.* Quebrar-se, partir-se.

despedida *s.f.* **1.** Ação de despedir(-se). **2.** Ação de dispensar um empregado. ★ *s.m.pl.* Expressões corteses empregadas por pessoas que se despedem.

despedir *v.t.* (conj. 70). **1.** Fazer sair. **2.** Dispensar os serviços de. **3.** Lançar, arremessar. ★ *v.pr.* Afastar-se, ir-se embora.

despegar *v.t.* (conj. 14). **1.** Desunir, separar. **2.** Tornar menos afeiçoado. **3.** Afastar, apartar.

despeitado *adj.* e *s.m.* **1.** *Fig.* Que ou aquele que sente despeito; ressentido, invejoso. **2.** Que ou aquele que tem o peito magro.

despeitar *v.t.* (conj. 4). **1.** Causar despeito a; irritar. **2.** Tratar com despeito.

despeito *s.m.* (lat. *despectus,* desprezo). Pesar, ressentimento produzido por ofensa ou desconsideração.

despeitorar *v.t.* e *v.pr.* (conj. 4). Destapar(-se), apresentar(-se) com o peito descoberto. *Fig.* Desabafar.

despejado *adj.* **1.** Esvaziado. **2.** Descarado. **3.** Diz-se daquele contra quem se moveu uma ação de despejo. ★ *s.m.* Aquele que sofreu a ação de despejo.

despejar *v.t.* (conj. 4). **1.** Desobstruir; desocupar. **2.** Expulsar. **3.** Entornar, verter. **4.** Promover o despejo de. ★ *v.pr.* Ficar livre; desembaraçar-se.

despejo (ê) *s.m.* **1.** Ato ou efeito de despejar(-se). **2.** Lixo, dejeto, esgoto. ● **Dir.** Desocupação, por ordem judicial, de imóvel alugado ou desapropriado pelos poderes públicos.

despencar *v.t.* (conj. 12). Tirar da penca ou do cacho; despetalar. ★ *v.i.* e *v.pr.* *Fig.* Cair desastradamente de grande altura.

despender *v.t.* (lat. *dispendere,* repartir) [conj. 5]. Fazer despesas de; gastar, consumir.

despenhadeiro *s.m.* Lugar elevado, escarpado, de difícil acesso; precipício.

despenhar *v.t.* (esp. *despeñar,* rochedo) [conj. 4]. **1.** Lançar ou precipitar de grande altura. **2.** *Fig.* Fazer cair de posição privilegiada para a desgraça; arruinar. ★ *v.pr.* **1.** Precipitar-se. **2.** *Fig.* Arruinar-se.

despensa *s.f.* Compartimento da casa onde se guardam os mantimentos.

despenseiro *s.m.* Encarregado, numa comunidade, do fornecimento e administração dos gêneros alimentícios.

despentear *v.t.* (conj. 15). Desfazer o penteado de. ★ *v.pr.* Desordenar-se, soltar-se (o cabelo).

despercebido *adj.* **1.** Que não se viu ou não atraiu a atenção. **2.** Desatento, desapercebido.

desperdiçar *v.t.* (conj. 13). Gastar inutilmente; esbanjar, esperdiçar.

desperdício *s.m.* (esp. *desperdicio*). Ato ou efeito de desperdiçar; gasto ou despesa inútil, esbanjamento.

despersonalização *s.f.* Estado no qual o indivíduo tem a sensação de ter perdido sua identidade, não se reconhecendo nem do ponto de vista físico nem do ponto de vista psíquico.

despersonalizar *v.t.* (conj. 4). **1.** Fazer perder a personalidade. **2.** Tornar impessoal.

despertador (ô) *s.m.* Relógio munido de dispositivo que dispara automaticamente em horário previamente programado. ★ *adj.* e *s.m.* Que ou aquele que desperta.

relógio despertador, acoplado a rádio

despertar *v.t.* (conj. 4). **1.** Acordar, tirar do sono. **2.** Provocar, excitar. **3.** Fazer sair do estado de desânimo ou inércia. **4.** *Fig.* Amanhecer. ★ *v.i.* **1.** Sair do sono; acordar. **2.** Mostrar-se. ★ *s.m.* Ato de despertar.

desperto *adj.* Que despertou; acordado.

despesa (ê) *s.f.* (lat. *dispensa,* de *dispendere,* repartir). **1.** Ato ou efeito de despender; gastos. **2.** Tudo o que se despende; dispêndio.

despetalar *v.t.* (conj. 4). Tirar as pétalas de. ★ *v.i.* e *v.pr.* Perder as pétalas.

despicar *v.t.* e *v.pr.* (conj. 12). Vingar(-se), desforrar(-se).

despido *adj.* **1.** Sem vestimentas; nu, desnudo. **2.** *Fig.* Desprovido, despojado, livre.

despigmentação *s.f.* Ausência de pigmentação. ● **Biol.** Ausência patológica, num animal ou numa planta, do pigmento que colore habitualmente seus tegumentos. **Med.** Descoloração da pele provocada por uma dermatose ou relacionada a uma doença geral.

despir *v.t.* (conj. 57). **1.** Tirar do corpo (a roupa, as armas, as jóias etc.). **2.** Pôr de lado; abandonar. **3.** Despojar. ★ *v.pr.* **1.** Tirar as roupas; desnudar-se. **2.** Despojar-se, desfazer-se.

despistar *v.t.* (conj. 4). **1.** Fazer perder a pista. **2.** Iludir a vigilância de.

desplante *s.m.* *Fig.* Atrevimento, desfaçatez. ● **Esp.** Posição de esgrima que dá base ao corpo.

desplumar *v.t.* (conj. 4). Desguarnecer de plumas; depenar.

despojar *v.t.* (conj. 4). **1.** Privar da posse; espoliar, roubar. **2.** Privar do que revestia, adornava; desnudar. ★ *v.pr.* **1.** Despir-se. **2.** Privar-se.

despojo (ô) *s.m.* O que caiu ou se retirou, após ter servido de revestimento ou enfeite. ★ *s.m.pl.* **1.** Restos. **2.** Espólio.

despolarização *s.f.* Supressão ou diminuição da polarização. ● **Biol.** Modificação do potencial elétrico de uma membrana celular que, nas fibras nervosas, relaciona-se ao mecanismo de condução do impulso nervoso. **Eletr.** Ação de eliminar a distribuição de cargas em torno de pólos de concentração dentro de um campo magnético.

despolarizar *v.t.* (conj. 4). Eliminar ou diminuir a polarização (elétrica ou de um feixe luminoso).

despoluir *v.t.* (conj. 74). Livrar da poluição.

despontar *v.t.* (conj. 4). **1.** Gastar, cortar ou arrancar a ponta de; embotar. **2.** Lembrar, ocorrer. ★ *v.i.* Começar a aparecer; nascer. ★ *v.pr.* Ficar sem ponta.

desporte *s.m.* Esporte. (Var. DESPORTO.)

desportismo *s.m.* Esportismo.

desportista *adj.2g.* e *s.2g.* Esportista.

desportivo *adj.* Relativo a esporte; esportivo.

desporto (ô) *s.m.* (fr. ant. *desport,* diversão). Esporte. (Var. DESPORTE.)

desposado *adj.* e *s.m.* **1.** Que contraiu esponsais; esposado. **2.** Abraçado, unido. ★ *s.m.* Pessoa recém-casada; noivo.

desposar *v.t.* (conj. 4). Contrair matrimônio; casar, esposar. ★ *v.pr.* Casar-se; esposar-se.

déspota *s.2g.* (gr. *despótes,* dono). **1.** Soberano que governa arbitrariamente; tirano. **2.** Pessoa que impõe arbitrariamente a sua vontade. ★ *adj.* Despótico.

despótico *adj.* (gr. *despotikós*). **1.** Próprio de déspota. **2.** Arbitrário, tirânico; déspota.

despotismo *s.m.* **1.** Poder arbitrário e absoluto; autoridade tirânica. **2.** Sistema de governo baseado no poder arbitrário.

despovoado *adj.* e *s.m.* **1.** Diz-se de ou lugar que não tem habitantes nem casas; ermo, desabitado, deserto. **2.** *Fig.* Diz-se de ou lugar que não tem os objetos que supostamente o habitariam (p. ex., um bosque despovoado de árvores).

despovoar *v.t.* (conj. 20). Extinguir ou diminuir a povoação de. ★ *v.pr.* Ficar sem população.

desprazer[1] *s.m.* Sentimento de desagrado, de desgosto.

desprazer[2] *v.t.* (conj. 32). Desagradar, desaprazer.

desprecaver *v.t.* e *v.pr.* (conj. 50). Desacautelar(-se).

despregar *v.t.* (conj. 14). **1.** Soltar o que estava pregado; separar. **2.** Desviar, afastar. **3.** Soltar ao vento. ★ *v.pr.* Desprender-se.

desprender *v.t.* (conj. 5). **1.** Separar (o que estava preso); soltar, desatar. **2.** Proferir, emitir. ★ *v.pr. Fig.* Desligar-se, libertar-se.

desprendido *adj.* **1.** Que tem desprendimento; desapegado de bens materiais ou de vaidade. **2.** Abnegado, altruísta.

desprendimento *s.m.* **1.** Ato ou efeito de desprender(-se); desapego a coisas materiais e preocupações egoístas. **2.** Abnegação, altruísmo. **3.** *Fig.* Independência com relação a coisas, situações ou pessoas.

despreocupação *s.f.* Estado da pessoa que não tem preocupações; indiferença.

despreocupar *v.t.* (conj. 4). Livrar ou isentar de preocupação. ★ *v.pr.* Deixar de se preocupar.

despreparo *s.m.* Falta de preparo.

desprestigiar *v.t.* (conj. 16). Tirar o prestígio a; desacreditar. ★ *v.pr.* Perder o prestígio.

desprestígio *s.m.* Falta ou perda de prestígio; descrédito.

despretensão *s.f.* Falta de pretensão; modéstia, simplicidade.

despretensioso (ô) *adj.* Que não tem pretensão; modesto, simples.

desprevenido *adj.* **1.** Desacautelado, desapercebido. **2.** Que não tem prevenções ou preconceitos. **3.** *Pop.* Sem dinheiro no bolso.

desprevenir *v.t.* (conj. 58). Não prevenir; desacautelar. ★ *v.pr.* Descuidar-se, desprecatar-se.

desprezar *v.t.* (conj. 4). **1.** Sentir ou manifestar desprezo por alguém; menosprezar. **2.** Não temer. **3.** Recusar, rejeitar. ★ *v.pr.* **1.** Envergonhar-se de si mesmo. **2.** Aviltar-se, rebaixar-se.

desprezível *adj.2g.* Digno ou merecedor de desprezo; vil, vergonhoso.

desprezo (ê) *s.m.* **1.** Falta de apreço; desconsideração. **2.** Sentimento pelo qual nos colocamos acima do temor e da cobiça. **3.** Repulsa.

desprimor (ô) *s.m.* **1.** Falta de primor, de perfeição. **2.** Descortesia, indelicadeza.

desproporção *s.f.* **1.** Falta de proporção; desigualdade. **2.** Desconformidade com as dimensões ordinárias; monstruosidade.

desproporcionado *adj.* **1.** Que não é proporcionado; desproporcional. **2.** Descomunal.

desproporcional *adj.2g.* Desproporcionado.

despropositado *adj.* **1.** Fora de propósito; incabível. **2.** Desatinado, imprudente.

despropositar *v.i.* (conj. 4). Dizer ou fazer despropósito; desatinar.

despropósito *s.m.* **1.** Coisa dita ou feita fora de propósito; disparate, absurdo. **2.** Ação ou dito descomedido. **3.** *Fig.* Coisa descomunal em quantidade ou qualidade; excesso.

desproteger *v.t.* (conj. 26). Faltar com a proteção a; desamparar.

desprover *v.t.* (conj. 41). Privar de provisões ou de coisas necessárias; tirar as provisões a.

despudor (ô) *s.m.* Falta de pudor; impudor, sem-vergonhice.

despudorado *adj.* e *s.m.* Que ou aquele que não tem pudor; impudico, desavergonhado.

desqualificar *v.t.* (conj. 12). **1.** Fazer perder as boas qualidades. **2.** Desclassificar. ★ *v.pr.* Tornar-se indigno; inabilitar-se.

desquitado *adj.* e *s.m.* Que ou aquele que se desquitou.

desquitar *v.t.* (conj. 4). Separar (os cônjuges) por desquite. ★ *v.pr.* **1.** Separar-se (os cônjuges) por desquite. **2.** *Fig.* Renunciar, deixar.

desquite *s.m.* Separação legal dos cônjuges e seus bens, sem dissolução do vínculo matrimonial.

desraigar *v.t.* (conj. 14). Desarraigar.

desramar *v.t.* (conj. 4). Cortar os ramos a; podar.

desratização *s.f.* Ação de desratizar.

desratizar *v.t.* (conj. 4). Destruir os ratos (e outros roedores) que se acham em determinado local.

desregrado *adj.* **1.** Que não é conforme à regra; desmedido. **2.** *Fig.* Dissoluto, devasso. ★ *s.m.* Indivíduo desregrado.

desregramento *s.m.* **1.** Falta de regra; descomedimento. **2.** Desordem, anarquia. **3.** Intemperança, devassidão.

desregrar *v.t.* (conj. 4). Tirar da ordem ou da regra estabelecida; desordenar, desarranjar. ★ *v.pr.* Exceder-se, descomedir-se.

desregulamentação *s.f.* Eliminação de regulamentos, regras ou normas, em especial do governo, para uma atividade ou organização. ● **Econ.** Tendência contrária à participação do Estado como regulador das forças de mercado.

desrespeitar *v.t.* (conj. 4). **1.** Faltar ao respeito a; desacatar. **2.** Perturbar.

desrespeito *s.m.* Falta de respeito; desacato.

dessaborido *adj.* **1.** Que carece de sabor; insulso, insípido. **2.** De mau sabor.

dessangrar *v.t.* (conj. 4). **1.** Tirar o sangue a. **2.** *Fig.* Debilitar, enfraquecer privando dos meios. ★ *v.pr.* **1.** Esvair-se, esgotar-se em sangue. **2.** *Fig.* Perder o que é necessário para seu sustento.

desse (ê) contr. da prep. *de* com o pron. *esse.*

dessecação *s.f.* **1.** Ato ou efeito de dessecar(-se); dessecagem, dessecamento. **2.** Retirada da água contida em uma substância, com a ajuda do calor, do vácuo ou de um material higroscópico. **3.** *Fig.* Grande emagrecimento de uma parte do corpo.

dessecar *v.t.* (lat. *desiccare,* secar) [conj. 12]. **1.** Secar completamente; enxugar. **2.** Tornar árido. **3.** *P. ext.* Emagrecer, definhar. **4.** *Fig.* Tornar insensível. ★ *v.pr.* **1.** Definhar-se. **2.** Tornar-se insensível.

dessedentar *v.t.* (conj. 4). Matar a sede a; saciar. ★ *v.pr.* Matar a própria sede.

dessemelhança *s.f.* Falta de semelhança; diferença, desigualdade.

dessemelhante *adj.2g.* Que não é semelhante; diferente, desigual.

dessemelhar *v.t.* (conj. 4). Fazer ou ser distinto; desigualar. ★ *v.pr.* Ser dessemelhante; diferençar-se.

dessensibilização *s.f.* Ação de dessensibilizar. ● **Med.** Tratamento que suprime os fenômenos de hipersensibilidade de uma resposta imunitária.

dessensibilizar *v.t.* (conj. 4). Fazer perder ou diminuir a sensibilização.

desserviço *s.m.* Mau serviço.

desservido *adj.* **1.** Mal servido. **2.** Desprovido, privado.

desservir *v.t.* (conj. 54). Fazer um desserviço; prejudicar. ★ *v.i.* Não servir.

dessimetria *s.f.* Assimetria.

dessoldar *v.t.* (conj. 4). **1.** Tirar a solda a. **2.** Desunir. ★ *v.pr.* Despregar-se.

dessorado *adj.* **1.** Convertido em soro. **2.** *Fig.* Enfraquecido.

dessorar *v.t.* (conj. 4). **1.** Converter em soro. **2.** Enfraquecer, debilitar. ★ *v.pr.* Derreter-se, converter-se em soro.

destacamento *s.m.* **1.** Ação de destacar(-se). **2.** Unidade de uma tropa militar encarregada de uma missão particular.

destacar *v.t.* (esp. *destacar*) [conj. 12]. **1.** Enviar destacamento a. **2.** Separar, apartar. **3.** Fazer sobressair; salientar. ★ *v.pr.* **1.** Sobressair, distinguir-se. **2.** Separar-se.

destampar *v.t.* (conj. 4). **1.** Tirar a tampa a. **2.** Começar com despropósito. **3.** Redundar. ★ *v.i.* Prorromper em impropérios.

destampatório *s.m.* **1.** Despropósito, destempero. **2.** Descompostura. **3.** Discussão violenta.

destapar *v.t.* (conj. 4). Descobrir ou abrir o que estava tapado.

destaque *s.m.* **1.** Qualidade do que se destaca. **2.** Figura ou assunto relevante.

destarte *adv.* Desta maneira, assim, conseqüentemente.

deste comb. da prep. *de* com o pron. dem. *este.*

destelhar *v.t.* (conj. 4). Tirar as telhas de.

destemido *adj.* **1.** Que não teme. **2.** Valente, audacioso. ★ *s.m.* Aquele que não tem temor.

destemor (ô) *s.m.* Ausência de temor; coragem, audácia.

destemperança *s.f.* Intemperança.

destemperar *v.t.* (conj. 4). **1.** Fazer perder a têmpera ao aço. **2.** Alterar o sabor de, adicionando água ou outro líquido. **3.** Desorganizar, desconcertar. ★ *v.i.* Exceder-se em palavras ou ações; desatinar. ★ *v.pr.* Descomedir-se, exceder-se.

destempero (ê) *s.m.* **1.** Ato ou efeito de destemperar. **2.** Desconcerto, disparate. **3.** *Pop.* Diarréia.

desterrar *v.t.* (conj. 4). **1.** Fazer sair ou expulsar da pátria; exilar, banir. **2.** Condenar ao desterro; degredar. **3.** *Fig.* Afugentar. ★ *v.pr.* Expatriar-se, emigrar.

desterro (ê) *s.m.* **1.** Ato ou efeito de desterrar; exílio, banimento. **2.** O lugar onde vive o desterrado. **3.** Pena de desterro. **4.** Solidão.

destilação *s.f.* **1.** Ação de destilar. **2.** Processo de separação dos constituintes de uma mistura por vaporização e condensação. **3.** Tratamento, por aquecimento, de certos produtos agrícolas, a fim de separar a parte volátil, como álcool etílico, óleo essencial de plantas aromáticas etc.

destilado *adj.* Que se destilou. ★ *adj.* e *s.m.* **1.** Diz-se de ou líquido obtido por condensação do vapor recolhido no final do processo de destilação. **2.** Diz-se de ou produto obtido por destilação do petróleo, como a gasolina, o querosene e o gasóleo. **3.** Diz-se de ou bebida alcoólica produzida por destilação.

VOCÊ SABIA...? As bebidas **destiladas** são obtidas pela retirada de água de um líquido fermentado, de menor teor alcoólico. Embora apreciadas por todos os povos, quando consumidas em excesso são causadoras de inúmeras doenças que podem causar a morte, como a cirrose. Cachaça e vodca são exemplos de destilados; vinho e cerveja, de fermentados.

---

destilador (ô) *adj.* Que destila. ★ *s.m.* **1.** Aparelho para destilação; alambique. **2.** Pessoa que destila os produtos agrícolas a fim de se obter o álcool etílico.

destilar *v.t.* (lat. *destillare,* gotejar) [conj. 4]. **1.** Extrair os produtos voláteis de uma mistura mediante transformação em vapor seguida de condensação por resfriamento. **2.** Deixar cair gota a gota. **3.** *Fig.* Insinuar, instilar. ★ *v.i.* Cair gota a gota.

destilaria *s.f.* **1.** Estabelecimento em que se processa a destilação. **2.** Usina que produz álcool. **3.** Conjunto de atividades ligadas à destilação industrial.

destinação *s.f.* (lat. *destinatio*). **1.** Ato ou efeito de destinar(-se). **2.** Fim, destino. **3.** Aplicação.

destinador (ô) *adj.* e *s.m.* Que ou aquele que destina algo.

destinar *v.t.* (lat. *destinare,* fixar) [conj. 4]. **1.** Determinar previamente. **2.** Reservar, designar para certo fim ou emprego. ★ *v.pr.* **1.** Dirigir-se a certo local. **2.** Dedicar-se.

destinatário *s.m.* Pessoa a quem se envia ou destina algo.

destingir *v.t.* (conj. 52). Fazer perder a tinta ou a cor, descorar. ★ *v.i.* e *v.pr.* Perder a cor; descorar(-se).

destino *s.m.* **1.** Conjunto, ou seqüência de eventos que formam a trama da vida humana ou das sociedades e parecem comandados por uma potência superior; sorte, fado, fortuna. **2.** *P.ext.* Aquilo que acontecerá a alguém; futuro. **3.** Emprego, aplicação. **4.** Direção, rumo.

destituição (u-i) *s.f.* (lat. *destitutio*). **1.** Ato ou efeito de destituir; demissão. **2.** Privação, falta.

destituído *adj.* **1.** Demitido (de um cargo). **2.** Privado, falto.

destituir *v.t.* (lat. *destituere,* abandonar) [conj. 74]. **1.** Privar de autoridade, de dignidade, de colocação. **2.** Demitir, exonerar. ★ *v.pr.* Privar-se.

destoante *adj.2g.* **1.** Que destoa, que desafina. **2.** Discordante, divergente.

destoar *v.i.* (conj. 20). **1.** Desafinar, sair do tom; desentoar. **2.** Discordar, divergir.

destocar *v.t.* (conj. 12). Arrancar os tocos deixados no corte de árvores.

destorcer *v.t.* (conj. 25). **1.** Endireitar o que estava torcido. **2.** Virar ou torcer para o lado oposto. **3.** Desviar. ★ *v.i.* Dar voltas em sentido contrário às outras. (Cf. DISTORCER.)

destoxicação (cs) *s.f.* **1.** Eliminação das propriedades tóxicas de um veneno, de uma substância. **2.** Transformação metabólica de um princípio farmacologicamente ativo em outro princípio menos ativo.

destra (ê) *s.f.* (lat. *dextra*). A mão direita, p.opos. a *sinistra.*

destramar *v.t.* (conj. 4). **1.** Desfazer a trama de. **2.** Desenredar.

destrambelhado *adj.* e *s.m.* Diz-se de ou indivíduo desnorteado, disparatado. ★ *adj.* Sem o trambelho que torce a corda.

destrambelhar *v.t.* (conj. 4). Tirar o trambelho que torce a corda; destorcer. ★ *v.i.* **1.** Escangalhar-se. **2.** *Fig.* Passar a fazer desatinos; desnortear-se.

destrancar *v.t.* (conj. 12). Tirar tranca a.

destrançar *v.t.* (conj. 13). Desentrançar.

destratar *v.t.* (conj. 4). **1.** Tratar mal com palavras; insultar. **2.** Descombinar, desfazer o trato.

destrato *s.m.* Ato ou efeito de destratar.

destravancar *v.t.* (conj. 12). Desatravancar.

destravar *v.t.* (conj. 4). **1.** Desprender ou soltar as travas; desligar. **2.** Desembaraçar. ★ *v.pr.* Soltar-se, desembaraçar-se.

destreza (ê) *s.f.* **1.** Qualidade daquele que é destro. **2.** Agilidade de movimentos. **3.** Aptidão, habilidade. **4.** Sagacidade.

destrinçar *v.t.* (conj. 13). Var. de DESTRINCHAR.

destrinchar *v.t.* (conj. 4). **1.** Resolver, deslindar, esclarecer (um problema, uma dificuldade). **2.** Separar os fios de; desenredar. **3.** *Pop.* Despedaçar (uma ave já preparada para comer).

destripar *v.t.* (conj. 4). Estripar.

destro (ê) *adj.* (lat. *dexter,* que está do lado direito). **1.** Pertencente ou relativo ao lado direito. **2.** Dotado de destreza; hábil. **3.** Ágil. ★ *adj.* e *s.m.* Que ou aquele que se serve preferencialmente da mão direita para a execução da maioria das tarefas, p. opos. a *sinistro.*

destrocar *v.t.* (conj. 12). Desfazer a troca de.

destroçar *v.t.* (conj. 13). **1.** Colocar em debandada; dispersar. **2.** Destruir, devastar. **3.** Despedaçar, dilacerar. **4.** Dissipar, esbanjar.

destroço (ô) *s.m.* **1.** Ato ou efeito de destroçar. **2.** Aquilo que está destroçado. ★ *s.m.pl.* **1.** Objetos abandonados no mar ou lançados à praia. **2.** Coisas perdidas cujo proprietário não se conhece. **3.** Ruínas.

destróier *s.m.* (ingl. *destroyer,* destruidor). Navio pequeno e rápido, armado contra torpedeiros e submarinos, usado em missões de escolta. (Sin. CONTRATORPEDEIRO).

destronar *v.t.* (conj. 4). **1.** Expulsar do trono; depor. **2.** *Fig.* Rebaixar, humilhar.

destroncar *v.t.* (conj. 12). **1.** Separar do tronco; desmembrar, decepar. **2.** Fazer sair da junta ou articulação; deslocar, torcer.

destruidor (u-i...ô) *adj.* e *s.m.* Que ou aquele que destrói, arruína.

destruir *v.t.* (lat. *destruere*) [conj. 74]. **1.** Arruinar, demolir (qualquer construção). **2.** Fazer desaparecer; exterminar. **3.** Derrotar, desbaratar. **4.** Assolar, devastar. **5.** Desorganizar, transtornar.

destrutibilidade *s.f.* Caráter do que é destrutível.

destrutível *adj.2g.* Que pode ser destruído.

destrutivo *adj.* Que destrói; destruidor.

desumanidade *s.f.* Falta de humanidade; crueldade.

desumano *adj.* Que não é humano; cruel, impiedoso.

desunião *s.f.* **1.** Ausência de união; divisão. **2.** Desavença, discórdia.

desunir *v.t.* (conj. 6). **1.** Separar o que estava unido; dividir. **2.** Desarmonizar, pôr em desacordo.

desusado *adj.* **1.** Que não se usa mais; obsoleto, arcaico. **2.** Anormal, insólito.

desuso *s.m.* O que não está mais em uso.

desvairar *v.t.* (esp. *desvariar*) [conj. 4]. **1.** Alucinar, fazer enlouquecer. **2.** Iludir, enganar. ★ *v.i.* Alucinar, praticar desatinos. ★ *v.pr.* **1.** Vagar. **2.** Desorientar-se.

desvairo *s.m.* Var. de DESVARIO.

desvalia *s.f.* Falta de valia; desvalimento.

desvaliar *v.t.* (conj. 16). Avaliar mal; tirar o merecimento a. ★ *v.pr.* Perder a valia ou merecimento.

desvalido *adj.* **1.** Sem valimento ou valia. **2.** Desprotegido, desgraçado. ★ *s.m.* Aquele que não tem valimento ou valia.

desvalorizar *v.t.* (conj. 4). Tirar o valor a; depreciar. ★ *v.pr.* Perder o valor; depreciar-se.

desvanecer *v.t.* (esp. *desvanecer,* de *vano,* vão) [conj. 25]. **1.** Fazer sumir; extinguir. **2.** Diminuir, atenuar. **3.** Encher de orgulho, vaidade ou presunção. ★ *v.pr.* **1.** Desbotar, esmorecer. **2.** Apagar-se, dissipar-se.

desvantagem *s.f.* **1.** Inferioridade de qualquer gênero. **2.** Prejuízo.

desvão *s.m.* **1.** Espaço entre o telhado e o forro de uma casa. **2.** Água-furtada. **3.** Espaço por baixo das escadas onde se guardam trastes. (Var. ESVÃO.)

desvario *s.m.* (esp. *desvarío*). Desregramento do proceder; loucura, delírio, desvairo.

desvelado[1] *adj.* Zeloso, cuidadoso.

desvelado[2] *adj.* **1.** Não velado; despido. **2.** Revelado, descoberto.

desvelar[1] *v.t.* (esp. *desvelar,* de *velar,* ficar em vigília) [conj. 4]. Provocar vigília em; ficar sem dormir. ★ *v.pr.* Mostrar grande cuidado, encher-se de zelo.

desvelar[2] *v.t.* (conj. 4). **1.** Descobrir o que estava velado; tirar o véu a. **2.** Esclarecer, elucidar. ★ *v.pr.* Mostrar-se, revelar-se.

desvelo (ê) *s.m.* Ação de desvelar(-se); zelo, dedicação.

desvencilhar *v.t.* (conj. 4). **1.** Desatar, desprender (o que estava preso com vencilho); desenvencilhar. **2.** *Fig.* Desembaraçar, desenredar. ★ *v.pr.* Soltar-se, livrar-se, desembaraçar-se.

desvendar *v.t.* (conj. 4). **1.** Destapar, tirando a venda. **2.** Tornar patente ou manifesto. **3.** *Fig.* Descobrir, revelar.

desventura *s.f.* Infortúnio, infelicidade, desgraça.

desventurado *adj.* e *s.m.* Que ou aquele que é infeliz, desgraçado.

desvestir *v.t.* (conj. 54). **1.** Despir, tirar a roupa. **2.** Despojar. ★ *v.pr.* Despir-se.

desviar *v.t.* (lat. *deviare*) [conj. 16]. **1.** Mudar a direção de; afastar. **2.** Separar, arredar. **3.** Alterar o destino ou a aplicação de. **4.** Livrar, afastar. **5.** Dissuadir. ★ *v.pr.* **1.** Afastar-se, separar-se. **2.** Furtar-se, fugir a.

desvincular *v.t.* (conj. 4). **1.** Desligar aquilo que estava vinculado. **2.** Liberar. ★ *v.pr.* Desligar-se, libertar-se.

desvio *s.m.* **1.** Ato ou efeito de desviar(-se). **2.** Volta, sinuosidade curva. **3.** Mudança de direção; itinerário modificado. **4.** Desvão, recanto. **5.** Subtração fraudulenta. **6.** Afastamento dos padrões, transgressão da norma. ● **Cibern.** Diferença entre o valor de uma grandeza regulada e seu valor de referência. **Fís.** Alteração da trajetória de uma partícula em movimento.

► Alteração na calibração de um equipamento. **Mat.** Em uma previsão estatística, o afastamento em torno de um valor médio. ► *Desvio padrão,* coeficiente expresso pela raiz quadrada da média dos quadrados das diferenças entre valores de uma função e o valor médio da mesma. **Med.** Modificação da posição normal de uma parte do corpo, em particular da coluna vertebral. **Técn.** Aparelho que permite a divisão de uma via férrea em duas. ► Via que duplica uma via férrea principal em uma extensão suficiente para permitir o estacionamento momentâneo de um trem, tendo em vista a sua ultrapassagem por um outro trem.

operação de desvio de trânsito

desvirar *v.t.* (conj. 4). **1.** Fazer voltar à posição normal aquilo que estava virado. **2.** Virar do avesso, virar em sentido contrário.

desvirginar *v.t.* (conj. 4). Tirar a virgindade a; deflorar, desflorar, desvirginizar.

desvirilizar *v.t.* (conj. 4). Tirar a virilidade a.

desvirtuar *v.t.* (conj. 4). **1.** Distorcer ou deformar a verdade com o fim de depreciar a virtude de; deturpar. **2.** Tirar intencionalmente o merecimento a.

desvitalizar *v.t.* (conj. 4). Tirar a vitalidade a; desvigorar, enfraquecer.

detalhar *v.t.* (conj. 4). Particularizar, esmiuçar.

detalhe *s.m.* (fr. *détail*). **1.** Pormenor, particularidade, minúcia. **2.** Parte de uma obra de arte estudada ou reproduzida isoladamente.

detalhista *adj.2g.* e *s.2g.* Diz-se de ou daquele que cuida dos detalhes.

detecção *s.f.* (ingl. *detection*). Ação de detectar.

? VOCÊ SABIA...? Para a **detecção** de equipamentos do inimigo, inicialmente utilizavam-se dispositivos acústicos (potentes amplificadores orientáveis). O advento do radar, que permitia um alcance de 250 km a 300 km, representou um progresso considerável. Os avanços nos sistemas de defesa voltaram-se para radares terrestres de detecção de baixa altitude e dispositivos aerotransportados. Da associação da óptica com a eletrônica, espera-se uma nova revolução em matéria de detecção.

detectar *v.t.* (ingl. *to detect,* do lat. *detectus,* desvendado) [conj. 4]. Revelar ou perceber a existência do que está escondido.

detector (ô) *adj.* e *s.m.* (ingl. *detector,* do lat. *detector*). Diz-se de ou aparelho que serve para detectar.

detença *s.f.* (lat. *detimentia*). Demora, delonga.

detenção *s.f.* (lat. *detentio*). **1.** Ação de deter. **2.** Prisão provisória, preventiva ou correcional da pessoa, que é recolhida à casa de detenção.

detento *s.m.* **1.** Aquele que cumpre pena de detenção. **2.** Aquele que está detido.

detentor (ô) *s.m.* (lat. *detentor*). Aquele que detém a posse de uma coisa.

deter *v.t.* (lat. *detinere,* reter) [conj. 1]. **1.** Fazer parar; interromper. **2.** Adiar, espaçar. **3.** Conservar em seu poder; reter. **4.** Prender temporariamente. ★ *v.pr.* **1.** Parar. **2.** Ficar; demorar-se. **3.** Conter-se, reprimir-se.

detergente *adj.2g.* Que deterge, que purifica. *s.m.* ● **Quím.** Substância que tem a propriedade de limpar, de higienizar.

detergir *v.t.* (lat. *detergere*) [conj. 64]. Limpar, purificar por meio de substâncias ou agentes químicos.

deterioração *s.f.* Ação de deteriorar-se; degeneração, ruína.

deteriorar *v.t.* (lat. *deteriorare*) [conj. 4]. Pôr em mau estado; danificar, estragar, arruinar. ★ *v.pr.* **1.** Estragar-se, adulterar-se. **2.** Complicar-se.

determinação *s.f.* (lat. *determinatio*). **1.** Ato ou efeito de determinar-se. **2.** Indicação exata. **3.** Demarcação (no tempo e no espaço). **4.** Resolução, decisão. **5.** Prescrição, ordem. **6.** Coragem, denodo.

determinado *adj.* **1.** Que se determinou; preciso, decidido. **2.** Firme, resoluto. **3.** Dado, certo.

determinante *adj.2g.* Que determina; determinador. ★ *s.2g.* Aquilo que determina um fato; causa. ● **Mat.** Valor calculado pela diferença entre o somatório dos produtos entre os *n* elementos das diagonais principal e secundária, e o somatório em sentido inverso de uma matriz quadrada de ordem *n*.

determinar *v.t.* (lat. *determinare*) [conj. 4]. **1.** Indicar, fixar com precisão; definir. **2.** Demarcar, delimitar. **3.** Resolver, decidir. **4.** Prescrever, ordenar, decretar. **5.** Ser causa de. ★ *v.pr.* Decidir-se.

determinismo *s.m.* Princípio ou teoria que condiciona os fenômenos naturais ou as decisões da vontade humana a certas condições anteriores.

determinista *adj.2g.* Relativo ao determinismo. ★ *s.2g.* Partidário do determinismo.

detestar *v.t.* (lat. *detestari,* afastar) [conj. 4]. **1.** Ter aversão, antipatia a. **2.** Ter horror a; abominar, odiar. ★ *v.pr.* Ter aversão mútua.

detestável *adj.2g.* **1.** Que inspira ódio, antipatia ou aversão. **2.** Péssimo, insuportável.

detetive *s.m.* (ingl. *detective*). **1.** Agente de polícia, investigador de crimes. **2.** Investigador que age por conta própria ou por contrato.

detido *s.m.* **1.** Aquele que está preso provisoriamente. **2.** *Por ext.* Prisioneiro, preso. ★ *adj.* **1.** Retardado, demorado. **2.** Que está preso provisoriamente.

detonação *s.f.* **1.** Estrondo causado por uma explosão; tiro. **2.** Decomposição rápida de um explosivo, que se caracteriza pela propagação de uma onda de pressão na substância explosiva.

A B C D E F G H I J K L M N O P Q R S T U V W X Y Z

detonador (ô) *adj.* Que detona. ★ *s.m.* Substância ou mecanismo que provoca a detonação de cargas explosivas.

detonar *v.t.* e *v.i.* (pelo fr. *détoner,* do lat. *detonare*) [conj. 4]. Fazer explodir. ★ *v.i.* Explodir com estrondo violento.

detração *s.f.* (lat. *detractio*). **1.** Ato ou efeito de detrair. **2.** Difamação, maledicência.

detrair *v.t.* (lat. *detrahere,* puxar para baixo) [conj. 68]. Depreciar o mérito ou a reputação de; difamar, detratar.

detrás *adv.* **1.** Na parte posterior; atrás. **2.** Depois, em seguida. **3.** *Por detrás de,* por trás de.

detratar *v.t.* (conj. 4). Detrair.

detrator (ô) *adj.* e *s.m.* (lat. *detractor*). Que ou aquele que difama, que detrata; maledicente.

detrimento *s.m.* (lat. *detrimentum,* deterioração pelo uso). Dano, prejuízo, perda.

detritívoro *adj.* e *s.m.* Diz-se do ou organismo vivo que se nutre de restos animais e vegetais.

detrito *s.m.* (do lat. *detritus,* usado, gasto). **1.** Resíduo, resto de uma substância ou de um corpo qualquer, desfeito ou deteriorado. **2.** Escória, lixo.

deturpar *v.t.* (lat. *deturpare*) [conj. 4]. **1.** Tornar torpe; deformar, desfigurar. **2.** Manchar, conspurcar. **3.** Corromper, viciar. ★ *v.pr.* Alterar-se, adulterar-se.

deus *s.m.* (lat. *Deus*). Princípio supremo, superior à natureza. ● **Rel.** Entidade ou ser infinito e perfeito, criador do Universo e dos destinos humanos, geralmente objeto de culto religioso. ▸ Cada uma das divindades de personificação masculina no politeísmo.

deusa *s.f.* **1.** Cada uma das divindades de personificação feminina no politeísmo. **2.** *Fig.* Mulher que é objeto de adoração. **3.** Mulher de grande beleza.

deutério *s.m.* (do gr. *deúteros,* segundo). Isótopo do hidrogênio (símb. D), de número atômico 1, obtido pela decomposição da água pesada, que forma um gás de propriedades químicas semelhantes às do hidrogênio. (Sin. HIDROGÊNIO PESADO.)

dêuteron *s.m.* Núcleo do átomo de deutério, composto por um próton e um nêutron.

deuterostômio *s.m.* (do gr. *deúteros,* posterior, e *stóma,* boca). Divisão do reino animal que compreende os organismos de simetria bilateral, cuja boca não se origina da abertura embrionária que dá origem ao ânus.

deva (ê) *s.m.* (sâns. *deva,* deus). **1.** Nome dado, na Índia, a todos os entes divinos. **2.** Divindade masculina, nas religiões do Oriente, situada entre os seres divinos superiores e os homens.

devagar *adv.* Vagarosamente, lentamente, sem pressa.

devanágari *s.m.* (sâns. *devanagari,* escrita dos deuses). Escrita utilizada para anotar o sânscrito e atualmente o hindi e algumas línguas indo-arianas.

devanear *v.t.* (esp. *devanear,* de *vano,* vão) [conj. 15]. **1.** Sonhar, fantasiar, imaginar, fazer castelos no ar. **2.** Cuidar, pensar. ★ *v.i.* **1.** Absorver-se em meditações vagas. **2.** Delirar, dizer ou imaginar coisas; desvairar.

devaneio *s.m.* **1.** Ato ou efeito de devanear. **2.** Sonho, quimera, fantasia.

devassa *s.f.* **1.** Sindicância para averiguação de um ato criminoso. **2.** *P. ext.* Exploração, procura minuciosa, pesquisa.

devassado *adj.* **1.** Diz-se de lugar aberto à vista e acessível ao público. **2.** Que foi objeto de devassa.

devassar *v.t.* (conj. 4). **1.** Invadir ou pôr a descoberto (o que é proibido ou vedado). **2.** Penetrar na ausência de; descobrir. **3.** Divulgar, vulgarizar. **4.** Tornar relaxado ou devasso. **5.** Submeter a devassa. **6.** Inquirir, indagar, informar-se. ★ *v.pr.* **1.** Vulgarizar-se, generalizar-se. **2.** Tornar-se devasso; prostituir-se.

devassidão *s.f.* **1.** Qualidade de quem ou do que é devasso. **2.** Depravação de costumes; libertinagem.

devasso *adj.* e *s.m.* Que ou aquele que é libertino; dissoluto, licencioso.

devastação *s.m.* Destruição.

Aviões combatem a devastação da floresta, causada por incêndio.

devastar *v.t.* (lat. *devastare*) [conj. 4]. Assolar, arruinar, destruir.

deve *s.m.* Débito ou despesa que se lança nos livros de contabilidade, p. opos. a *haver.*

devedor (ô) *adj.* e *s.m.* (lat. *debitor*). Que ou aquele que deve, que apresenta débito, p. opos. a *credor.*

dever *v.t.* (lat. *debere*) [conj. 5]. **1.** Ter obrigação ou necessidade de. **2.** Ter de. **3.** Ser devedor de. **4.** Estar na obrigação de pagar, devolver ou fornecer. ★ *v.i.* **1.** Ter dívidas. **2.** Ser possível que. ★ *s.m.* **1.** Aquilo a que se está obrigado pela lei, pela moral, pelos costumes etc.; obrigação. **2.** Tarefa, incumbência.

deveras *adv.* **1.** Na verdade, realmente, verdadeiramente. **2.** Muito, em alto grau.

deverbal *adj.2g.* e *s.m.* Diz-se de ou substantivo formado a partir do radical de um verbo.

devesa (ê) *s.f.* (lat. *defensa,* defesa). **1.** Lugar cercado por árvores e com entrada defesa, proibida. **2.** Rua orlada de árvores que limita um terreno. **3.** Pastagem.

devir *s.m.* O que há de vir, o futuro. ● **Filos.** Movimento permanente das coisas que se desfazem, transformando-se em outras coisas.

devoção *s.f.* (lat. tard. *devotio,* de *devovere,* dedicar). **1.** Submissão a Deus. **2.** Consagração à vida e aos ideais religiosos. **3.** *P. ext.* Dedicação exclusiva a valores, idéias. **4.** Apego excessivo; adoração.

devolução *s.f.* **1.** Ato ou efeito de devolver. **2.** Restituição de bens ao primitivo possuidor. **3.** Transferência, transmissão de propriedade ou direito.

devoluto *adj.* (lat. *devolutus,* de *devolvere,* precipitar). **1.** Adquirido por devolução. **2.** Vago, desocupado.

devolver *v.t.* (conj. 5). **1.** Mandar de volta. **2.** Restituir, restaurar. **3.** Responder, replicar. **4.** Recusar. **5.** Transferir, transmitir propriedade ou direito. **6.** *Fam.* Vomitar.

devoniano *s.m.* Período geológico da era paleozóica, compreendido entre o siluriano e o carbonífero, com duração aproximada de 50 milhões de anos. ★ *adj.* Relativo ou pertencente a esse período.

devorar *v.t.* (lat. *devorare*) [conj. 4]. **1.** Comer com sofreguidão. **2.** *Fig.* Consumir, destruir. **3.** Atormentar. **4.** Ler com avidez. ▸ *Devorar com os olhos,* olhar com avidez, paixão ou ódio.

devotar *v.t.* (conj. 4). **1.** Ofertar em voto, em promessa. **2.** Dedicar, empenhar, consagrar. ★ *v.pr.* Dedicar-se a, empenhar-se em.

devoto *adj.* (lat. tard. *devotus*). Que tem devoção. ★ *s.m.* Indivíduo dedicado às práticas religiosas.

dextrina (es ou ecs) *s.f.* Denominação comum a certos compostos químicos provenientes da decomposição do amido, empregados em produtos farmacêuticos.

dextrogiro (es ou ecs) *adj.* Diz-se dos compostos que fazem girar para a direita o plano de polarização da luz, p. opos. a *levogiro.*

dextrose (es ou ecs) *s.f.* Denominação antiga da glicose.

dez *num. card.* (lat. *decem*). **1.** Nove mais um. **2.** Décimo. ★ *s.m.* **1.** O algarismo (10) que representa esse número. **2.** A nota 10 atribuída numa prova.

dezembro *s.m.* (lat. *december, decembris*). O duodécimo mês do ano, que possui 31 dias.

dezena *s.f.* (lat. *decena*). **1.** Conjunto de dez unidades. **2.** Espaço de dez dias. ● **Mat.** Em um sistema decimal de contagem, o segundo número à esquerda da vírgula. ▸ *Casa das dezenas,* o lugar ocupado pelo penúltimo algarismo da parte inteira de um número.

dezenove *num. card.* **1.** Dez e nove. **2.** Décimo nono. ★ *s.m.* O algarismo (19) que representa esse número.

dezesseis *num. card.* **1.** Dez e seis. **2.** Décimo sexto. ★ *s.m.* O algarismo (16) que representa esse número.

dezessete *num. card.* **1.** Dez e sete. **2.** Décimo sétimo. ★ *s.m.* O algarismo (17) que representa esse número.

dezoito (ô) *num. card.* **1.** Dez e oito. **2.** Décimo oitavo. ★ *s.m.* O algarismo (18) que representa esse número.

dia *s.m.* (lat. *dies*). **1.** Intervalo compreendido entre o nascer e o pôr-do-sol em um lugar determinado da Terra, de outro planeta ou de um satélite natural do sistema solar, que corresponde ao período de rotação de cada um desses astros. **2.** Claridade, luz do sol. **3.** Intervalo de 24 horas, considerado como unidade de tempo. **4.** Época, circunstância propícia. **5.** Época atual, atualidade. **6.** As horas em que o trabalhador tem obrigação de trabalhar diariamente. **7.** A remuneração pelo trabalho diário.

dia-a-dia *s.m.* **1.** A sucessão dos dias; o cotidiano. **2.** A labuta diária.

diábase *s.f.* (gr. *diábasis,* travessia). Rocha magmática intrusiva básica, granular, composta de plagioclásios, augita e, eventualmente, quartzo e olivina; diabásio.

diabásio *s.m.* Diábase.

diabetes *s.2g.2n.* ou **diabete** *s.2g.* (gr. *diabétes,* sifão). **1.** Qualquer afecção que associa micção abundante com sede excessiva. **2.** *Diabetes melito* ou *mélito,* doença crônica, geralmente de caráter familiar, provocada por uma insuficiência na produção de insulina pelo pâncreas e conseqüente deficiência na utilização de glicose pelo organismo; diabetes sacarino.

diabético *adj.* Relativo a diabetes. ★ *s.m.* Aquele que sofre de diabetes.

diabétide *s.f.* Infecção cutânea e das mucosas genitais que se observa no diabetes melito.

diabo *s.m.* (gr. *diábolos,* caluniador; o Diabo). **1.** Demônio. **2.** *Fig.* Pessoa má, de mau gênio. **3.** Pessoa ardilosa, astuta. **4.** O que não se pode, não se consegue ou não se quer enumerar. ★ *interj.* Exprime impaciência, contrariedade e, algumas vezes, surpresa.

diabo-da-tasmânia *s.m.* Mamífero marsupial da Tasmânia, que apresenta pernas curtas, cabeça grande, pelagem curta e negra, com exceção de uma mancha branca na garganta e outra na base da cauda. (Sin. LOBO-MARSUPIAL.)

diabólico *adj.* (gr. *diabolikós,* do diabo). **1.** Inspirado pelo diabo, próprio do diabo; demoníaco, satânico. **2.** Pérfido, ardiloso, maléfico.

diabo-marinho *s.m.* Peixe ósseo de boca larga, com o primeiro raio da nadadeira dorsal longo, cuja extremidade termina em saliência e que funciona como isca.

diabrete (ê) *s.m.* **1.** Diabo pequeno **2.** *Fig.* Criança travessa.

diabrura *s.f.* **1.** Arte ou maquinação do diabo. **2.** *Fig.* Travessura de criança.

diacho *s.m.* *Pop.* Diabo. ★ *interj.* Diabo.

diácido *adj.* e *s.m.* Diz-se de ou substância química que apresenta duas funções ácido, como o ácido oxálico encontrado nos seres vivos.

diacinese *s.f.* Estágio da prófase, na meiose, no qual ocorre um aumento da espiralização dos cromossomos.

DIA ▸ A Terra leva aproximadamente 23h56min4s para girar sobre si mesma em relação às estrelas (*dia sideral*). Como também se desloca ao redor do Sol, deve girar um pouco mais sobre si mesma para se alinhar com o astro: esse novo período constitui o *dia solar,* de duração variável conforme a época do ano, em média aproximadamente 4 min a mais que o dia sideral. O *dia civil* é um dia solar médio cuja duração é de exatamente 24 h, com início à meia-noite.

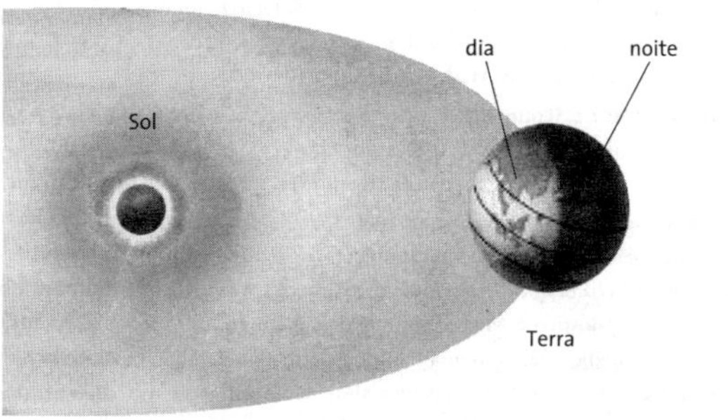

diáclase *s.f.* (gr. *diáklasis*). Fratura óssea provocada intencionalmente para correção de uma deformidade; diaclasia.

diaclasia *s.f.* Var. de DIÁCLASE.

diaconato *s.m.* (lat. tard. *diaconatus*). **1.** Dignidade de diácono; diaconia. **2.** Ofício ou ordem de diácono.

diácono *s.m.* (gr. *diákonos*, servidor). Clérigo imediatamente inferior ao padre.

diacrítico *adj.* e *s.m.* (gr. *diakritikós*, capaz de distinguir). Diz-se de ou sinal acrescido a uma letra para modificar-lhe o valor ou para distinguir palavras homógrafas.

diacústica *s.f.* Ramo da física que estuda a refração das ondas sonoras.

diadema *s.m.* (gr. *diádema*). **1.** Ornato circular, de ouro e pedras preciosas, com que os soberanos cingem a cabeça. **2.** Tiara. **3.** Coroa.

diáfano *adj.* (gr. *diaphanés*). Que deixa passar a luz através de sua massa compacta, sem contudo deixar ver distintamente as formas dos objetos; translúcido.

diafilme *s.m.* Fotografia positiva em filme para projeção.

diaforese *s.f.* (gr. *diaphóresis*, secreção de humores). Função da pele que permite a excreção do suor; transpiração.

diaforético *adj.* e *s.m.* (gr. *diaphoretikós*). **1.** Que provoca a transpiração; sudorífico. **2.** Em que há diaforese.

diafragma *s.m.* (gr. *diáphragma*, barreira). Membrana flexível que se introduz na vagina para evitar a concepção. ● **Anat.** Músculo ímpar, achatado, que separa o tórax do abdome e cuja contração determina o aumento da caixa torácica e possibilita a inspiração. **Fís.** Dispositivo que controla a penetração de luz em um sistema óptico. ▸ Membrana permeável a íons que separa os pólos em uma eletrólise. **Mec.** Membrana da bomba injetora de combustível nos motores a explosão.

VOCÊ SABIA...? O **diafragma** é uma lâmina muscular fibrosa em forma de abóbada que separa o tórax do abdômen, para aumentar a cavidade peitoral e encher os pulmões de ar. Inspirar implica a contração do diafragma; expirar, o seu relaxamento, que faz diminuir o volume do tórax.

---

diafragmático *adj.* Relativo ou pertencente ao diafragma. ● **Anat.** *Plexo diafragmático,* plexo nervoso constituído pela união de parte do nervo frênico com os ramos do plexo solar e dos nervos intercostais.

diagnose *s.f.* (gr. *diágnosis*, discernimento). **Biol.** Primeira descrição, publicada em língua latina e considerada como normativa, de uma nova espécie animal ou vegetal, feita conforme o tipo da espécie. **Med.** Sin. de DIAGNÓSTICO.

diagnosticar *v.t.* (conj. 12). **1.** Fazer o diagnóstico de uma doença, identificá-la a partir de seus sintomas. **2.** Identificar a natureza de um problema; detectar ou prever um mal.

diagnóstico *s.m.* (do gr. *diagnostikós*, capaz de discernir). Identificação da natureza de um problema, de uma situação etc., pela interpretação de seus indícios exteriores. ★ *adj.* Relativo ao diagnóstico ● **Med.** Conjunto de métodos que permitem ao médico determinar a natureza e etiologia de uma doença, com base nos sinais, nos sintomas e nas investigações laboratoriais do paciente.

diagonal *adj.2g.* (do gr. *diagonios*, de ângulo a ângulo). Inclinado, oblíquo. ★ *s.f.* ● **Geom.** Segmento de reta que une vértices não consecutivos de uma figura geométrica.

diagrama *s.m.* (gr. *diágramma*, esquemática). Representação de um objeto ou fenômeno qualquer por meio de linhas; desenho, traçado. ● **Bot.** *Diagrama floral,* representação esquemática de uma flor, que substitui a descrição morfológica.

diagramação *s.f.* Concepção e organização, através de desenhos e cálculos, da configuração de textos, anúncios e ilustrações para páginas de jornal ou revista (paginação), ou cartazes.

diagramador (ô) *s.m.* Profissional encarregado da diagramação.

diagramar *v.t.* e *v.i.* (conj. 4). Fazer a diagramação.

dial[1] *s.m.* Dispositivo de um rádio receptor utilizado para sintonizar uma determinada freqüência.

dial[2] *s.m.* Sin. de DIALDEÍDO.

diálcool *s.m.* Composto químico que possui duas funções álcool. (Sin. DIOL.)

dialdeído *s.m.* Composto químico que possui duas funções aldeído. (Sin. DIAL[2])

dialetal *adj.2g.* Relativo a dialeto.

dialética *s.f.* (gr. *dialektike téchne*, a arte de discutir). **1.** Arte do diálogo para atingir a verdade. **2.** Desenvolvimento do pensamento por tese, antítese e síntese. **3.** Método de análise que procura evidenciar as contradições da realidade social e resolvê-las no curso do desenvolvimento histórico.

dialético *adj.* (gr. *dialektikós*). Relativo à dialética. ★ *s.m.* Aquele que argumenta com habilidade e método.

dialeto *s.m.* (gr. *diálektos*, conversa; linguagem). Variante regional ou social de uma língua.

dialetologia *s.f.* Disciplina da lingüística que estuda os dialetos de uma região ou de um grupo social.

diálise *s.f.* (gr. *diálysis*, dissolução). **Med.** Técnica que permite eliminar certas substâncias dissolvidas num líquido biológico pela passagem através de uma membrana especial que contém inúmeros poros microscópicos (rim artificial). **Quím.** Purificação ou análise química baseada na propriedade que possuem certas substâncias de atravessar mais facilmente que outras as membranas porosas.

dialogar *v.t.* (conj. 14). Dizer ou escrever em forma de diálogo. ★ *v.i.* **1.** Falar alternadamente; conversar. **2.** Confrontar pontos de vista; encaminhar negociações.

diálogo *s.m.* (gr. *diálogos*). **1.** Conversação entre duas ou mais pessoas. **2.** O conteúdo desta conversação; discussão. ● **Lit.** Obra literária ou científica em forma dialogada.

diamagnetismo *s.m.* Propriedade das substâncias cuja imantação induzida é de sentido oposto ao do campo indutor.

diamante *s.m.* (b.-lat. *diamas, diamantis*). **1.** Mineral constituído de carbono puro cristalizado, a mais dura e brilhante pedra preciosa. **2.** Jóia em que está engastado esse mineral. **3.** *Fig.* Coisa muito brilhante. **4.** Ferramenta de várias formas para tornear metal. **5.** Instrumento empregado para cortar vidros.

diamantífero *adj.* Diz-se do terreno que contém diamantes.

diamantino *adj.* **1.** Que possui a dureza e o brilho do diamante; adamantino. **2.** *Fig.* Duro, cruel.

diamba *s.f.* (quimb. *riamba*). Sin. de MACONHA.

diametral *adj.2g.* **1.** Que contém um diâmetro. **2.** Relativo ao diâmetro.

diâmetro *s.m.* (gr. *diámetros*). **1.** Linha reta que divide simetricamente uma figura redonda ou arredondada. **2.** Em um círculo ou em um objeto circular, segmento de reta que passa pelo centro, e é limitado pela circunferência; o comprimento desse segmento.

diamina *s.f.* Composto químico que possui duas funções amina.

diante *adv.* (lat. *in ante*). **1.** Em frente, na frente. **2.** Adiante. **3.** *Diante de,* ante, perante.

dianteira *s.f.* **1.** A frente, a parte anterior. **2.** O ponto mais avançado, a vanguarda. **3.** Parte anterior dos animais, em particular dos cavalos, que compreende o peito, o pescoço, a cernelha, a palheta e os membros anteriores.

dianteiro *adj.* Que está ou vai adiante, na vanguarda ou em primeiro lugar. ★ *s.m.* Parte anterior da meia carcaça, peça comercial que resulta do abate do boi no matadouro ou frigorífico.

diapasão *s.m.* (gr. *dià pasón,* pelo lat. tard. *diapason,* oitava). *Fig.* Nível, estado comparativo ● **Mús.** Extensão da escala de uma voz ou instrumento. ► Pequeno instrumento que dá uma nota constante e serve para a afinação de instrumentos musicais e vozes. ► A nota fixada por este instrumento.

diapausa *s.f.* Suspensão temporária do metabolismo, crescimento e desenvolvimento, que ocorre em alguns insetos.

diapedese *s.f.* (gr. *diapédesis*). **1.** Hemorragia cutânea ou exsudação de sangue. **2.** Passagem de células sanguíneas (leucócitos polimorfonucleares principalmente) para os tecidos, através das paredes dos vasos capilares.

diapositivo *s.m.* Fotografia positiva copiada numa chapa transparente, para visão direta ou projeção. (Sin. SLIDE.)

diária *s.f.* (lat. *diaria*). **1.** Ração, receita, salário ou renda de cada dia. **2.** Preço cobrado por dia de hospedagem em hotéis, hospitais etc.

diário *adj.* (lat. *diarius*). Que se faz ou sucede todos os dias; cotidiano. ★ *s.m.* **1.** Caderno ou livro em que se anotam os fatos de cada dia. **2.** Jornal publicado todos os dias. **3.** Livro em que os comerciantes anotam o movimento do dia, lançando o débito e o crédito das transações efetuadas.

diarista[1] *s.2g.* Redator de um diário; jornalista.

diarista[2] *adj.2g.* e *s.2g.* **1.** Diz-se de ou trabalhador que só recebe nos dias em que trabalha. **2.** Diz-se de ou aquele que tem o salário calculado por dia.

diarréia *s.f.* (gr. *diarrhoia,* escorrimento). Emissão exageradamente freqüente de fezes líquidas ou pastosas, devido a uma deficiência na reabsorção de água pelo intestino, de natureza aguda e infecciosa ou crônica.

diarréico *adj.* Relativo à diarréia; que sofre de diarréia.

diartrose *s.f.* (gr. *diárthrosis*). Articulação por meio da qual os ossos se movem em todos os sentidos ou em duas direções opostas.

diáspora *s.f.* (gr. *diasporá,* dispersão). **1.** Dispersão dos judeus no decorrer dos séculos. **2.** Dispersão de um povo, de uma etnia através do mundo.

diásporo *s.m.* (gr. *diasporá,* dispersão). Unidade de propagação das plantas superiores, que compreende o embrião e estruturas acessórias, como sementes, frutos e outros.

diástase *s.f.* (gr. *diástasis,* separação). **Med.** Deslocamento acidental de dois ossos articulados. ► Separação permanente de dois ossos normalmente em contato. **Quím.** Enzima que hidrolisa o amido ou o glicogênio em dissacarídeos e glicose. ► Sin. ant. de ENZIMA.

diastema *s.m.* (gr. *diástema,* intervalo). Nos mamíferos, parte da borda do maxilar situada entre dois dentes que, nos carnívoros, permite o encaixe dos caninos inferiores com os caninos superiores e os incisivos.

diástole *s.f.* (gr. *diastolé,* dilatação). **1.** Movimento de dilatação do coração e das artérias. **2.** Período durante o qual os ventrículos cardíacos recuperam seu volume de repouso depois da contração.

diastólico *adj.* Relativo à diástole. ● **Med.** *Rufar diastólico,* ruído crescente que pode ser escutado na ponta do coração, correspondente à passagem de sangue através de um orifício mitral estenosado. ► *Sopro diastólico,* sopro provocado pela regurgitação do sangue dos grandes vasos da base do coração para os ventrículos, que traduz uma incontinência das válvulas sigmóides.

diastrofia *s.f.* (gr. *diastrophé,* distorção). **1.** Luxação de ossos. **2.** Deslocamento de músculos ou tendão.

diatermia *s.f.* (do gr. *diáthermos,* com temperatura quente). **1.** Qualidade do que é diatérmico. **2.** Método terapêutico que utiliza as correntes de alta freqüência para o desenvolvimento de efeitos térmicos no interior dos tecidos orgânicos.

diatômica *adj.* Diz-se de uma molécula constituída por apenas dois átomos. (Sin. BIATÔMICA.)

diatérmico *adj.* Diz-se de um material permeável ao calor. ● **Med.** Relativo à diatermia.

diatomácea *s.f.* (gr. *diatomé,* divisão em dois). Alga unicelular, constituída por duas valvas silicosas superpostas, que ocorre em água doce e salgada.

diatônico *adj.* *Escala diatônica,* escala musical em que as notas se sucedem por tons e semitons.

diatribe *s.f.* (gr. *diatribé,* passatempo, pelo lat. *diatriba,* controvérsia). **1.** Crítica, texto ou discurso amargo contra pessoas ou instituições. **2.** Comentário injurioso publicado em jornal ou similar.

dica *s.f.* *Gír. bras.* Indicação ou informação nova ou conhecida de poucas pessoas.

dicásio *s.m.* Tipo de inflorescência em que abaixo da flor terminal do eixo principal surgem dois ramos laterais floríferos.

dicaz *adj.2g.* (lat. *dicax,* zombeteiro). Mordaz, satírico, severo na crítica.

dicção *s.f.* (lat. *dictio,* ação de dizer). **1.** A maneira de dizer considerada quanto à conveniência dos termos e à sua disposição gramatical, bem como à pronúncia. **2.** Escolha de palavras e o seu arranjo no interior de uma obra literária. **3.** Arte de dizer, recitar, com articulação e modulação adequadas.

dicetona *s.f.* Composto químico que possui duas funções cetona.

dichote *s.m.* (do esp. *dicho,* dito). Dito picante; gracejo, motejo.

dicionário *s.m.* (lat. tard. *dictionarium,* de *dictio, dictionis,* discurso). Obra que relaciona, em ordem alfabética, as palavras de uma língua ou de um conjunto de palavras, com informações sobre seu significado ou sua tradução em outra língua.

dicionarista *s.2g.* Autor de dicionário; lexicógrafo.

dicionarizar *v.t.* (conj. 4). Incluir, registrar em dicionário; lexicalizar.

dicotiledônea *s.f.* Espécime das dicotiledôneas.

dicotiledôneas *s.f.pl.* Grupo de plantas angiospermas, cujo embrião possui dois cotilédones.

CARACTERÍSTICAS DAS DICOTILEDÔNEAS

dicotiledôneo *adj.* Que tem dois cotilédones.

dicotomia *s.f.* (gr. *dichotomía*). **1.** Divisão em dois; oposição entre duas coisas. **2.** Divisão de um conceito em duas partes, que abrangem todo o conceito. ● **Bot.** Tipo de crescimento do eixo vegetal, que consiste na divisão sucessiva em duas partes iguais.

dicotômico *adj.* Relativo à dicotomia. ● **Biol.** *Chave dicotômica,* enunciado de dois caracteres que permite distinguir duas espécies ou duas séries de espécies.

dicróico *adj.* (gr. *dichróos,* de duas cores). Que apresenta dicroísmo.

dicroísmo *s.m.* Propriedade que possuem certos cristais de apresentarem colorações diferentes conforme a direção de observação.

dicromático *adj.* **1.** Que pode apresentar duas cores; dicrômico. **2.** Relativo ao dicromatismo.

dicromatismo *s.m.* Anomalia congênita ou adquirida da visão em cores na qual existem apenas dois dos três receptores para cor normalmente presentes na retina.

dicrômico *adj.* Dicromático.

didata *s.2g.* **1.** Especialista em didática. **2.** Pessoa que instrui. **3.** Autor de obra didática.

didática *s.f.* (gr. *didaktiké téchne,* arte de ensinar). **1.** Procedimento pelo qual o mundo da experiência e da cultura é transmitido pelo educador ao educando, nas escolas ou em obras especializadas. **2.** Conjunto de teorias e técnicas relativas à transmissão do conhecimento.

didático *adj.* (gr. *didaktikós*). Que é próprio ou relativo ao ensino, à instrução; que tem por fim instruir.

diedro *s.m.* Figura geométrica com duas faces e uma aresta na forma de um ângulo.

dielétrico *adj.* Diz-se do material que não conduz energia elétrica.

diencéfalo *s.m.* Massa de substância cinzenta situada na base do cérebro, de cada lado do terceiro ventrículo, que forma o tálamo, o epitálamo e os núcleos subtalâmicos.

dieno *s.m.* Hidrocarboneto que contém duas duplas ligações carbono-carbono. (Sin. DIOLEFINA.)

diesel (dízel) *adj.2g.2n.* e *s.m.* (de *R. Diesel,* n.pr.). **1.** Diz-se do ou motor de combustão interna de alta taxa de compressão que provoca a auto-inflamação do combustível. **2.** Diz-se de ou veículo equipado com esse motor. ● **Quím.** Diz-se do ou óleo pesado utilizado em tais motores.

diéster *s.m.* Composto químico que possui duas funções éster.

diet *adj.2g.* (ingl.) Diz-se de produto alimentar que não contém açúcar, seja qual for a quantidade de gorduras e o total de calorias. (Cf. LIGHT.)

dieta[1] *s.f.* (lat. tard. *dieta,* dia marcado). Antiga assembléia política de alguns Estados.

dieta[2] *s.f.* (gr. *díaita,* gênero de vida; regime). **1.** Emprego racional dos alimentos tendo em vista um resultado higiênico ou terapêutico. **2.** Abstenção momentânea, total ou parcial de alimentos.

? VOCÊ SABIA...? Há **dietas** especiais que geralmente se baseiam em dois princípios: restrição dos alimentos e supressão de certos alimentos. Na dieta láctea, por exemplo, estão proibidos todos os alimentos, exceto o leite; na dieta sem cloreto de sódio estão permitidos todos ou quase todos os alimentos, mas sem sal; na dieta dos diabéticos, restringem-se os glicídios. A maioria dos cereais está proibida nos casos de intolerância ao glúten.

dietética *s.f.* Parte da medicina e da higiene que se ocupa em adaptar o regime alimentar às necessidades particulares dos indivíduos.

dietético *adj.* (gr. *diaitetikós*). **1.** Relativo à dieta[2] ou à dietética. **2.** *Alimento dietético,* alimento cujo teor em carboidratos, lipídios e proteínas ou o valor energético foram modificados.

dietista *s.2g.* Sin. de NUTRICIONISTA.

difamação *s.f.* (lat. *diffamatio*). **1.** Ação de difamar. **2.** Calúnia, infâmia.

difamante *adj.2g.* Que difama.

difamar *v.t.* (lat. *diffamare,* divulgar) [conj. 4]. **1.** Imputar a alguém fato ofensivo à sua honra ou à sua reputação. **2.** Desacreditar publicamente. **3.** Caluniar.

difamatório *adj.* Que contém difamação.

diferença *s.f.* (lat. *differentia*). **1.** Caráter que distingue um ser de outro, uma coisa de outra. **2.** Diversidade, variedade. **3.** Divergência, desavença. **4.** Excesso de uma quantidade em relação a outra. **5.** Alteração, mudança. **6.** Distinção.

diferençar *v.t.* (conj. 13). **1.** Estabelecer diferença ou distinção entre; distinguir. **2.** Conhecer distintamente. ★ *v.pr.* Distinguir-se por alguma diferença; fazer diferença.

diferenciação *s.f.* Ato ou efeito de diferenciar; diferença. ● **Biol.** Fase do crescimento na qual células indiferenciadas tornam-se especializadas para determinadas funções. **Mat.** Operação de cálculo do diferencial de uma função.

diferenciado *adj.* Diz-se do que sofreu ou resulta de uma diferenciação.

diferencial *adj.2g.* Que estabelece diferença. ● **Mat.** *Cálculo diferencial,* parte do cálculo matemático que trabalha com equações diferenciais ou operações que envolvam diferenciais. ► *Equação diferencial,* aquela cujos termos são derivados. ★ *s.m.* **1.** Diferença infinitesimal entre valores de uma função matemática ou grandeza física. **2.** Mecanismo de transmissão do conjugado motor para as rodas motrizes que permite a elas girarem com velocidades diferentes nas curvas.

diferenciar *v.t.* (conj. 16). Distinguir, diferençar, discriminar.

diferente *adj.2g.* (lat. *differens*). **1.** Que apresenta uma diferença, que não é igual. **2.** Modificado, alterado. **3.** Divergente.

diferir *v.t.* e *v.i.* (lat. *differre,* dispersar) [conj. 57]. **1.** Demorar, dilatar, adiar. **2.** Ser diferente; distinguir-se. **3.** Divergir, discordar.

difícil *adj.2g.* (lat. *difficilis*). **1.** Que exige esforços importantes; árduo, trabalhoso. **2.** Que constitui uma prova; duro, penoso. **3.** Que se refere a uma situação embaraçosa, delicada. **4.** Insociável, intratável. **5.** Improvável, não seguro. **6.** Complicado, obscuro. ★ *s.m.* Dificuldade, complicação.

dificuldade *s.f.* (lat. *difficultas*). **1.** Caráter do que é difícil; complicação. **2.** Aquilo que é difícil; problema, obstáculo. **3.** Embaraço, impedimento.

dificultar *v.t.* (conj. 4). **1.** Tornar difícil ou custoso de fazer. **2.** Pôr impedimentos ou dificuldades a; estorvar, complicar.

dificultoso (ô) *adj.* Que apresenta dificuldades.

difração *s.f.* (do lat. *diffractum,* de *diffringere,* quebrar). Fenômeno que se produz quando as ondas de qualquer natureza encontram obstáculos ou aberturas com dimensões próximas ao do comprimento de onda e que se traduz por perturbações na propagação destas ondas.

difteria *s.f.* (gr. *diphthéra,* pele curtida). **1.** Doença toxiinfecciosa, epidêmica e contagiosa, provocada por um bacilo, cujo sinal mais característico é a formação de grossas placas esbranquiçadas na garganta. **2.** *Difteria aviária,* doença contagiosa causada por um vírus, que ataca aves com idade de 5 a 12 meses.

diftérico *adj.* Relativo à difteria; que sofre de difteria.

difundir *v.t.* (lat. *diffundere,* derramar) [conj. 6]. **1.** Espalhar, derramar, dispersar. **2.** Expandir. **3.** Propagar, divulgar. ● **Fís.** Produzir a difusão de uma radiação. ★ *v.pr.* **1.** Espalhar-se, dispersar-se. **2.** Expandir-se.

difusão *s.f.* (lat. *diffusio*). **1.** Ação de difundir, propagar. **2.** Estado do que é difuso; dispersão. **3.** Divulgação de uma mensagem. ● **Fís.** Fenômeno pelo qual um meio de propagação produz uma distribuição contínua, em muitas direções, da energia transportada por uma onda. ▸ Transporte de matéria que resulta da migração de átomos devido a diferenças de temperatura ou de concentração. **Fisiol.** Distribuição de uma substância nas diferentes partes do corpo pela circulação sanguínea e linfática. **Ópt.** *Difusão da luz,* dispersão multidirecional dos raios luminosos após atingirem a superfície de um corpo qualquer. **Quím.** Dispersão de uma substância em um meio fluido.

difusível *adj.2g.* Diz-se do fenômeno que apresenta a propriedade de difusão.

difuso *adj.* (lat. *diffusus,* derramado, disperso). **1.** Espalhado, disseminado; generalizado. **2.** A que falta sobriedade e clareza; prolixo, verborrágico. **3.** *Luz difusa,* claridade que não provém de raios de luz diretos.

difusor (ô) *adj.* Que difunde. ★ *s.m.* Aparelho ou material próprio para difundir ondas acústicas, luminosas, eletromagnéticas etc.

digástrico *adj.* e *s.m.* Diz-se de ou músculo da região superior e lateral do pescoço.

digerir *v.t.* (lat. *digerere,* arrumar) [conj. 57]. Fazer a digestão de. ★ *v.i.* Fazer a digestão de alimentos.

digerível *adj.2g.* Que pode ser digerido; digestível.

digestão *s.f.* (lat. *digestio*). **1.** Transformação, no interior do aparelho digestivo, dos alimentos em substâncias químicas de baixo peso molecular, capazes de passar para a circulação. **2.** *Fig.* Compreender, entender. ● **Biol.** Função celular pela qual grandes moléculas são quebradas em moléculas menores, solúveis em água.

digestível *adj.2g.* (lat. *digestibilis*). Digerível.

digestivo *adj.* (lat. *digestivus*). **1.** Relativo à digestão. **2.** Que facilita a digestão. ● **Anat.** *Aparelho digestivo,* conjunto de órgãos com função relacionada à digestão; sistema digestório. ▸ *Tubo digestivo,* conjunto formado por boca, esôfago, estômago e intestino. ★ *s.m.* Medicamento ou qualquer substância que facilita a digestão.

APARELHO DIGESTIVO HUMANO

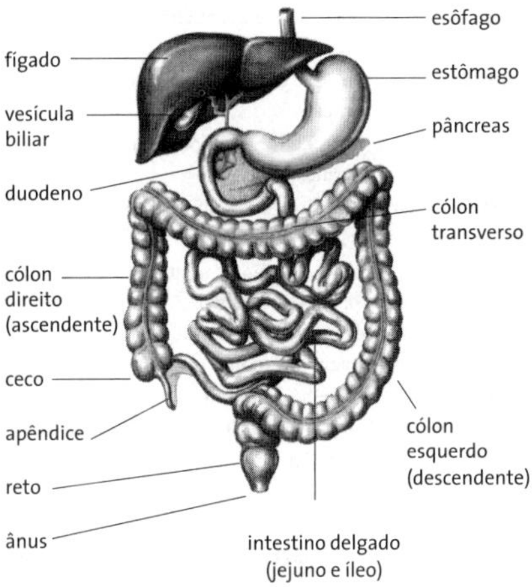

digesto *s.m.* (lat. *Digesta*). Coletânea metódica do direito romano.

digestório *adj.* **1.** Digestivo. **2.** *Sistema digestório,* aparelho digestivo.

digitação *s.f.* Ato ou efeito de digitar.

digitador (ô) *s.m.* Pessoa que executa a digitação.

digital *adj.2g.* (lat. *digitalis*). **1.** Relativo a dedo. **2.** Relativo a dígito (número). **3.** Diz-se de um mostrador que emprega números (p.opos. a *analógico*). **4.** Diz-se de um sinal constituído de dados numéricos e não de grandezas contínuas, sendo assim passível de processamento eletrônico. **5.** Diz-se de elementos que funcionam com esse sinal, sejam câmera, gravador e outros meios equipamentos; discos ou outros meios de armazenamento; ou recursos como banco de dados e bibliotecas .**6.** *Impressões digitais,* marcas deixadas pelos dedos.

digitalina *s.f.* Substância extraída da dedaleira, empregada no tratamento de certas doenças cardíacas.

digitalizar *v.t.* (conj. 4). Transformar uma imagem, um som etc. em sinal digital.

digitar *v.t.* (do lat. *digitus,* dedo) [conj. 4]. Introduzir dados num computador através de teclado.

digitígrado *adj.* e *s.m.* Diz-se de ou mamífero que anda apoiado sobre a ponta dos dedos.

dígito *s.m.* (lat. *digitus,* dedo). **1.** *Poét.* Dedo. **2.** Algarismo arábico de 0 a 9. ● **Inform.** Símbolo utilizado para representar um dos inteiros não negativos menores que a base, num sistema de numeração. **Zool.** Dedo, unha ou garra dos vertebrados pentadáctilos.

digladiador (ô) *adj.* e *s.m.* Que ou aquele que digladia.

digladiar *v.i.* e *v.pr.* (lat. *digladiari*) [conj. 16]. **1.** Combater com o gládio, corpo a corpo. **2.** *Fig.* Discutir calorosamente.

dignar-se *v.pr.* (lat. *dignare,* julgar digno) [conj. 7]. Haver por bem, ter a bondade de, condescender em.

dignidade *s.f.* (lat. *dignitas*). **1.** Qualidade de quem é digno; nobreza, respeitabilidade. **2.** Cargo ou título de alta graduação. **3.** Respeito que merece alguém ou alguma coisa. **4.** Honra, decência, brio.

dignificante *adj.2g.* Que dignifica.

dignificar *v.t.* (lat. *dignificare*) [conj. 12]. **1.** Elevar a uma dignidade. **2.** Tornar digno. **3.** Honrar, nobilitar. ★ *v.pr.* **1.** Tornar-se digno. **2.** Atingir o maior grau de dignidade; nobilitar-se.

dignitário *s.m.* Pessoa que exerce um alto cargo ou goza de um título proeminente.

digno *adj.* (lat. *dignus*). **1.** Nobre, respeitável. **2.** Merecedor. **3.** Apropriado, conforme.

dígrafo *s.m.* Grupo de duas letras empregado para transcrever um único fonema.

digressão *s.f.* (lat. *digressio,* ação de se afastar). **1.** Desvio ou distração do assunto, para outro diferente daquele de que se trata. **2.** Subterfúgio, evasiva. ● **Astron.** Distância angular de um astro em relação a um outro ou a um plano de referência.

digressivo *adj.* Em que há digressão.

dilação *s.f.* (lat. *dilatio,* delonga). **1.** Demora, delonga, vagar. **2.** Adiamento, prorrogação. **3.** Prazo, tempo de espera.

dilaceração *s.f.* (lat. *dilaceratio*). Ação de dilacerar; despedaçamento, dilaceramento.

dilaceramento *s.m.* **1.** Dilaceração. **2.** *Fig.* Forte dor moral, aflição.

dilacerante *adj.2g.* **1.** Que dilacera. **2.** *Fig.* Aflitivo, torturante.

dilacerar *v.t.* (lat. *dilacerare,* rasgar) [conj. 4]. **1.** Reduzir a pedaços, a bocados; rasgar, lacerar. **2.** Romper tecidos orgânicos provocando neles um ferimento. **3.** *Fig.* Afligir, causar grande mágoa, mortificar. ★ *v.pr.* Ferir-se, despedaçar-se.

dilapidar *v.t.* (lat. *dilapidare,* cobrir de pedras, dispersar) [conj. 4]. **1.** Estragar, arruinar, demolir. **2.** *Fig.* Esbanjar.

dilatação *s.f.* **1.** Ação de dilatar(-se). **2.** Aumento do volume de um corpo sob a influência de uma variação de temperatura; expansão. **3.** Aumento de um canal ou de um orifício pela introdução de um instrumento que força seu diâmetro. **4.** *Fig.* Prorrogação, dilação. ● **Fisiol.** Aumento fisiológico ou patológico do volume de um órgão ou do calibre de um orifício, de um vaso ou de um canal.

DILATAÇÃO ▸ Na medicina existem dois tipos de dilatações. Entre as dilatações fisiológicas podem-se citar: a da pupila, na escuridão ou sob a ação de certas substâncias, e a do colo do útero (abertura progressiva do orifício cervical uterino como efeito das contrações uterinas) durante o parto. São dilatações patológicas (isto é, causadas por doenças): a dos brônquios, a da pupila em certas infecções neurológicas, a da aorta e a do estômago.

---

dilatador (ô) *adj.* Que serve ou é próprio para dilatar. ● **Anat.** Diz-se do músculo que tem por função dilatar uma cavidade ou um órgão.

dilatar *v.t.* (lat. *dilatare*) [conj. 4]. **1.** Aumentar o volume ou o comprimento de. **2.** Estender, alargar, ampliar, propagar. **3.** Prorrogar. ★ *v.pr.* **1.** Inchar. **2.** Estender-se; alargar-se.

dilatável *adj.2g.* Que pode dilatar-se.

dileção *s.f.* (lat. *dilectio,* amor). Afeição especial; preferência, estima.

dilema *s.m.* (gr. *dílemma*). *Fig.* Situação embaraçosa que apresenta somente duas soluções, ambas difíceis ou inconvenientes. ● **Filos.** Raciocínio que compreende duas premissas contraditórias, ambas conduzindo a uma mesma alternativa, que se impõe como conclusão.

dilemático *adj.* Relativo a dilema.

diletante *adj.2g.* e *s.2g.* (it. *dilettante*). **1.** Amador ou apreciador de belas-artes, especialmente de música. **2.** *P. ext.* Que ou o que se ocupa de qualquer assunto por gosto, e não por obrigação.

diletantismo *s.m.* Caráter ou qualidade de diletante.

dileto *adj.* (lat. *dilectus*). Que é preferido na estima, no afeto; muito amado, querido.

diligência[1] *s.f.* (lat. *diligentia,* zelo; afeição). **1.** Presteza em fazer alguma coisa; zelo. **2.** Busca, pesquisa, averiguação, com o fim de esclarecer algum assunto. ● **Dir.** Ato promovido por ordem judicial para que se cumpra uma exigência processual ou se averigúe a respeito da questão ajuizada.

diligência[2] *s.f.* *Ant.* Grande carruagem pública para o transporte de passageiros.

diligenciar *v.t.* (conj. 16). Fazer diligências; esforçar-se por, empregar os meios para.

diligente *adj.2g.* (lat. *diligens*). **1.** Zeloso, aplicado. **2.** Pronto, rápido.

dilúculo *s.m.* (lat. *diluculum*). O primeiro alvor ou despontar do dia; crepúsculo matutino, alvorada.

diluente *s.m.* Líquido adicionado ao solvente, apropriado para melhorar suas características de aplicação. ★ *adj.2g.* Que dilui.

diluição (u-i) *s.f.* **1.** Ação de diluir(-se); diluimento. **2.** Adição de um líquido a uma solução para diminuir a concentração; solução assim obtida. **3.** Substância diluída.

diluir *v.t.* (lat. *diluere*) [conj. 74]. **1.** Misturar com água ou outro líquido (uma substância sólida ou líquida) para desfazer, dissolver, diminuir a concentração. **2.** Abrandar ou diminuir a força de alguma coisa por dispersão, fragmentação; atenuar. ★ *v.pr.* **1.** Desfazer-se num líquido. **2.** Atenuar-se.

diluviano *adj.* **1.** Relativo ao dilúvio universal ou outro dilúvio. **2.** *Fig.* Muito abundante, torrencial.

dilúvio *s.m.* (lat. *diluvium*). **1.** Inundação universal, segundo a Bíblia e diversas tradições do antigo Oriente Próximo. **2.** Grande inundação. **3.** *Fig.* Grande quantidade.

dimanar *v.t.* e *v.i.* (lat. *dimanare,* espalhar-se) [conj. 4]. Fluir, correr serenamente, emanar. ★ *v.t.* *Fig.* Originar-se, provir, nascer.

dimensão *s.f.* (lat. *dimensio,* medida). **1.** Extensão mensurável de um corpo, em qualquer sentido (comprimento, largura, altura, profundidade.) **2.** Tamanho, volume. **3.** Expressão, importância.

dimensional *adj.2g.* Relativo a dimensão. • **Fís.** *Análise dimensional,* estudo das dimensões das grandezas físicas em uma expressão que serve para verificar a homogeneidade das fórmulas.

dimensionar *v.t.* (conj. 4). Determinar as dimensões ou as características funcionais de um elemento para que ele desempenhe convenientemente sua função.

dímero *adj.* Diz-se de qualquer estrutura biológica formada por dois elementos. ★ *adj.* e *s.m.* **1.** Diz-se de ou molécula que resulta da combinação de duas moléculas idênticas. **2.** Diz-se de ou molécula que tem a mesma composição química que uma outra e um peso molecular igual ao dobro.

diminuendo *s.m.* Quantidade da qual se subtrai outra; minuendo.

diminuição (u-i) *s.f.* **1.** Ato ou efeito de diminuir. **2.** Subtração.

diminuir *v.t.* (lat. *diminuere,* quebrar em pedaços) [conj. 74]. **1.** Subtrair, deduzir. **2.** Tornar menor, reduzir. **3.** Atenuar, abater, rebaixar, deprimir. ★ *v.i.* Tornar-se menor, reduzir-se. ★ *v.pr.* Aviltar-se, humilhar-se.

diminutivo *adj.* (lat. *diminutivus*). Que diminui. • **Gram.** Diz-se de um sufixo que expressa idéia de pequenez ou forma expressões afetivas. ★ *s.m.* Palavra formada graças a um sufixo diminutivo.

diminuto *adj.* (lat. *diminutus*). **1.** Diminuído, escasso, insuficiente. **2.** Pequeno, mínimo.

dimorfia *s.f.* Sin. de DIMORFISMO.

dimórfico *adj.* Diz-se do animal que apresenta dimorfismo sexual.

dimorfismo *s.m.* **1.** Ocorrência de formas diferentes, de um mesmo caráter, em uma mesma espécie. (Sin. DIMORFIA.) **2.** *Dimorfismo sexual,* conjunto de diferenças morfológicas entre machos e fêmeas de uma mesma espécie.

dimorfo *adj.* Que apresenta dimorfismo. • **Fís.** Qualidade das substâncias que se cristalizam em duas formas diferentes.

dinamarquês *adj.* Relativo ou pertencente à Dinamarca, país da Europa. • **Zootec.** *Vaca dinamarquesa,* raça bovina, de pelagem vermelha, criada para produção de leite. ★ *s.m.* **1.** Indivíduo ou habitante da Dinamarca. **2.** Língua germânica falada principalmente na Dinamarca. (Sin. DANÊS.) • **Zool.** Cão de pêlo curto, de porte excepcionalmente grande, que faz dele o mais alto dos cachorros; alcança até 80 cm de altura na cernelha.

dinâmica *s.f.* Ramo da física que estuda o movimento e as relações deste com as forças relacionadas.

dinâmico *adj.* (gr. *dynamikós,* poderoso, forte). **1.** Relativo à força, ao movimento, à dinâmica. **2.** *Fig.* Que é cheio de energia, de iniciativa, de atividade. **3.** Que considera os fenômenos em sua evolução com o tempo.

dinamismo *s.m.* **1.** Ação das forças. **2.** *Fam.* Energia, vitalidade, atividade intensa.

dinamitar *v.t.* (conj. 4). Destruir ou danificar por meio de dinamite.

dinamite *s.f.* (do gr. *dynamis,* força). Explosivo à base de nitroglicerina.

dinamização *s.f.* Ato ou efeito de dinamizar. • **Med.** Técnica homeopática que transforma uma substância potencialmente ativa em remédio através de diluições e sucessões sucessivas, quando em forma líquida, e por meio de triturações, quando em forma sólida.

dinamizar *v.t.* (conj. 4). Dar caráter dinâmico a.

dínamo *adj.* (abrev. do ingl. *dynamo electric-machine*). Referente a aparelho ou dispositivo que transforma energia mecânica em energia elétrica, ou vice-versa. ★ *s.m.* **1.** Máquina que transforma a energia mecânica em elétrica. **2.** Gerador de corrente contínua que carrega a bateria e alimenta o equipamento elétrico num motor de automóvel.

dinamoelétrico *adj.* Referente a aparelho ou dispositivo que transforma energia mecânica em energia elétrica, ou vice-versa.

dinamômetro *s.m.* Instrumento utilizado para a medição de pressão.

dinar *s.m.* Unidade monetária da Argélia, Barein, Iraque, Iugoslávia, Jordânia, Kuweit, Líbia e Tunísia.

dinastia *s.f.* (gr. *dynasteía,* domínio). Série ou sucessão de soberanos pertencentes à mesma família.

dinástico *adj.* Relativo a dinastia.

dinheiro *s.m.* (lat. *denarius,* moeda de cobre). **1.** Nome comum a todas as moedas; moeda corrente. **2.** Toda moeda de qualquer metal, ou papel-moeda aceito como numerário. **3.** Quantia, numerário, recursos financeiros. **4.** Conjunto de numerário sob qualquer forma existente (ações, obrigações, títulos bancários etc.). **5.** Quantidade de partes com que a prata entrava na composição da prata de lei.

dinossauro *s.m.* (gr. *deinós,* terrível, e *sauros*). Denominação comum aos répteis terrestres da era mesozóica, geralmente de enormes dimensões.

dintel *s.m.* **1.** Verga superior de porta ou janela. **2.** Cada um dos degraus ou suportes laterais sobre os quais assentam as prateleiras de uma estante.

diocesano *adj.* Relativo ou pertencente à diocese. ★ *s.m.* Aquele que é fiel a uma diocese, em relação a seu bispo.

diocese *s.f.* (gr. *dioíkesis,* governo da casa, pelo lat. *diocesis*). Circunscrição eclesiástica sob a jurisdição de um bispo, juntamente com a Igreja de Roma.

diodo *s.m.* (gr. *díodos*). Sistema eletrônico composto de dois eletrodos.

dióico *adj.* Diz-se da planta que possui órgãos sexuais masculinos e femininos em indivíduos distintos.

diol *s.m.* Sin. de DIÁLCOOL.

diolefina *s.f.* Sin. de DIENO.

dionisíaco *adj.* (gr. *Dionysiakós*). **1.** Que diz respeito a Dioniso ou Baco, deus do vinho. **2.** Relativo ao culto e às festas de Dioniso. **3.** Cuja natureza é exuberante, agitada, desmedida (p. opos. a *apolíneo*).

dioptria *s.f.* Unidade de medida óptica de vergência.

dióptrica *s.f.* (gr. *diptriká*). Ramo da física que estuda os efeitos de um meio sobre a propagação da luz que o atravessa.

dióptrico *adj.* Relativo à dióptrica.

dioptro *s.m.* (gr. *dióptron,* espelho). Plano que divide dois meios com poder de refringência diferentes.

dioscoreáceas *s.f.pl.* Família de plantas monocotiledôneas, herbáceas, trepadeiras, geralmente de rizoma tuberoso, como o cará e o inhame.

dióxido (cs) *s.m.* Óxido que possui dois átomos de oxigênio por molécula. (Sin. BIÓXIDO.)

diplegia *s.f.* **1.** Paralisia bilateral que afeta simultaneamente regiões mais ou menos extensas e simétricas do corpo. **2.** Nome dado à hemiplegia dupla quando a paralisia dos dois hemicorpos não se instalou simultaneamente.

diplobionte *adj.* e *s.m.* Diz-se de ou organismo que apresenta alternância de gerações no seu ciclo de vida, com uma fase haplóide e outra diplóide.

diploblástico *adj.* e *s.m.* Diz-se de ou animal que possui a parede do corpo formada por duas camadas de células, a ectoderme e a endoderme.

diplococo *s.m.* Bactéria do grupo dos cocos, cujos elementos se associam dois a dois.

diplóide *adj.2g.* Diz-se do núcleo, célula ou organismo que possui o dobro do número haplóide de cromossomos.

diploidia *s.f.* **1.** Número cromossômico normal ($2n$ cromossomos) presentes num certo indivíduo (46 cromossomos na espécie humana). **2.** Estado de um ovo fecundado ou de uma célula somática que contém $2n$ cromossomos.

diploma *s.m.* (gr. *diploma,* pelo lat. *diploma,* licença). **1.** Documento pelo qual se reconhece ou se confere oficialmente um privilégio, um título, uma dignidade, um poder. **2.** Qualquer lei ou decreto.

diplomacia *s.f.* (fr. *diplomatie*). **1.** Ciência, prática das relações internacionais. **2.** Carreira, função diplomática. **3.** Conjunto dos diplomatas. **4.** *Fig.* Habilidade, astúcia. **5.** Finura.

diplomar *v.t.* (conj. 4). Conferir diploma a. ★ *v.pr.* Receber o diploma da ciência ou arte que se estudou; formar-se.

diplomata *s.2g.* (fr. *diplomate*). **1.** Pessoa que representa seu país junto a uma nação estrangeira e nas relações internacionais. **2.** Pessoa hábil em tratar com outras pessoas. **3.** *Fig.* Pessoa fina.

diplomática *s.f.* **1.** Arte de avaliar e conhecer os diplomas antigos; paleografia. **2.** Ciência das atas e documentos oficiais (diplomas, tratados, cartas), de sua elaboração, transmissão etc.

diplomático *adj.* (fr. *diplomatique*). **1.** Relativo à diplomacia. **2.** *Fig.* Hábil, cortês, fino, discreto. ★ *s.m.* Especialista em diplomática.

diplonte *s.m.* Organismo com ciclo de vida diplóide, no qual somente os gametas são haplóides.

dipsético *adj.* (gr. *dipsetikós*). Diz-se da substância que causa sede.

dipsógeno *adj.* Relacionado ao comportamento da sede.

dipsomania *s.f.* **Psicol.** Propensão mórbida ao uso de bebidas alcoólicas. **Med.** Alcoolismo periódico, com episódios de alcoolização intensa alternados com episódios de abstinência.

dipsomaníaco *adj.* Relativo à dipsomania. ★ *adj.* e *s.m.* Que ou aquele que sofre de dipsomania.

díptero *s.m.* (gr. *dípteros,* de duas asas). Espécime dos dípteros. ★ *adj.* Relativo aos dípteros.

dípteros *s.m.pl.* Ordem de insetos sugadores, com asas anteriores transparentes e posteriores ausentes, que engloba as moscas e mosquitos.

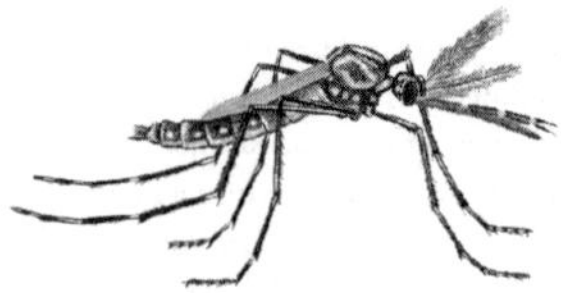

Aedes aegypti, díptero transmissor do vírus da dengue

dique *s.m.* (hol. *dk*). **1.** Obra que se destina a conter as águas ou a proteger contra seus efeitos, ou ainda a orientar seu escoamento. **2.** *Fig.* Obstáculo, barreira. **3.** *Dique seco,* obra portuária para a manutenção e reparo de navios e que funciona como uma eclusa.

direção *s.f.* (lat. *directio,* alinhamento). **1.** Ação de dirigir. **2.** Administração, comando, governo. **3.** Função de diretor. **4.** Sede de serviços; superintendência. **5.** Lado para o qual alguém se dirige; rumo. ● **Automóv.** Conjunto dos componentes que, comandados pelo volante, orientam as rodas dianteiras.

direcionar *v.t.* (conj. 4). Dar direção a; encaminhar, orientar, dirigir.

direita *s.f.* **1.** A mão direita; a destra. **2.** O lado direito. **3.** Nas assembléias políticas, o grupo dos conservadores. ● **Esp.** No boxe, golpe desferido com a mão direita. **Pol.** Regime político de caráter totalitário e conservador

direitista *adj.* e *s.2g.* Diz-se de ou partidário da direita política.

direito¹ *adj.* (lat. *directus,* alinhado, reto). **1.** Que corresponde ao lado oposto ao das batidas do coração. **2.** Que corresponde a esse lado para um observador que está de frente para um objeto. **3.** Probo, íntegro, justo. ★ *adv.* **1.** Em linha reta. **2.** Corretamente, justamente.

direito² *s.m.* **1.** Conjunto de princípios que regem as relações dos homens entre si, e servem para estabelecer as normas jurídicas. **2.** Faculdade de praticar um ato, de possuir, usar, exigir ou dispor de alguma coisa. ● **Dir.** Conjunto de normas jurídicas em vigor em uma sociedade. ▸ Ciência ou disciplina que estuda essas normas. ▸ *Direito autoral,* propriedade sobre a distribuição de um texto, música, filme, programa ou outra obra imaterial.

DIREITO ▸ Em sua acepção mais generalizada, o direito consiste num sistema de normas para regular alguns comportamentos humanos. O direito tem um caráter histórico na medida em que contribui para a implantação e determinação de um modelo concreto de sociedade. Portanto, cumpre uma função de *legitimação* de uma realidade, isto é, legaliza e legitima um determinado sistema de interesses e uma concepção do mundo. Um dos primeiros exemplos na história da aplicação do direito por meio de uma série de normas ou leis é o *Código de Hamurábi*, que data do primeiro Império Babilônio (aprox. século XVIII a.C.).

direitura *s.f.* **1.** Qualidade do que é direito ou reto. **2.** Direção reta.

diretiva *s.f.* Conjunto de indicações gerais, normas e instruções consoante as quais deve alguém proceder; diretriz.

diretivo *adj.* Que dirige.

direto *adj.* (lat. *directus,* de *dirigere,* pôr em linha reta). **1.** Reto, direito. **2.** Que está ou segue em linha reta. **3.** Sem intermediário. **4.** Diz-se de um trem ou ônibus que só pára nas estações principais. **5.** *Fig.* Claro, franco, sem rodeios. ● **Gram.** Diz-se de um complemento que não é precedido por uma preposição. ★ *s.m.* ● **Esp.** Golpe de boxe violento, em geral no rosto.

diretor (ô) *s.m.* (lat. tard. *director*). **1.** Pessoa que dirige, que administra. **2.** Mentor, guia. ★ *adj.* Que dirige, administra ou regula.

diretoria *s.f.* **1.** Cargo, ofício de diretor. **2.** Os membros encarregados de uma direção.

diretório *adj.* (fr. *directoire*). Que dirige. ★ *s.m.* **1.** Conselho encarregado da administração de negócios públicos. **2.** Grupo de estudantes universitários eleitos pelos alunos para representá-los e defender seus interesses. ● **Pol.** Seção distrital de um partido político. **Inform.** Índice que um programa utiliza para localizar dados armazenados.

diretriz *adj.f.* Que dirige. ★ *s.f.* **1.** Linha segundo a qual se traça um plano de qualquer estrada ou caminho. **2.** *Fig.* Norma de procedimento. ● **Mat.** Reta utilizada para a definição métrica das cônicas.

DIRETRIZ ▸ A Lei de Diretrizes e Bases da Educação (LDB) orienta a estrutura do ensino brasileiro, a hierarquia entre escolas e universidades, o processo de avaliação do ensino e a regulamentação do magistério. A LDB em vigor foi instituída em 20 de dezembro de 1996.

dirigente *adj.2g.* e *s.2g.* Que ou aquele que dirige; diretor.

dirigir *v.t.* (lat. *dirigere,* pôr em linha reta) [conj. 52]. **1.** Gerir, administrar, governar. **2.** Comandar, conduzir. **3.** Guiar (um veículo). **4.** Encaminhar, enviar, endereçar. ★ *v.i.* Guiar um veículo. ★ *v.pr.* Ir em alguma direção; encaminhar-se.

dirigível *adj.2g.* Que pode ser dirigido. ★ *s.m.* Balão munido de órgãos de propulsão (motores e hélices), de direção e de estabilização.

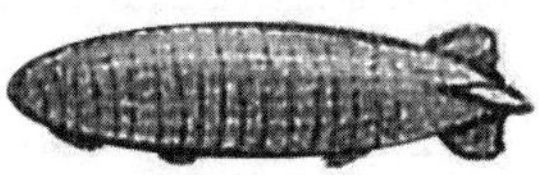

dirimir *v.t.* (lat. *dirimere,* separar) [conj. 6]. **1.** Anular, dissolver, extinguir. **2.** Decidir, fazer cessar.

disacusia *s.f.* Qualquer problema de audição.

disartria *s.f.* Distúrbio na articulação de palavras, de origem neurológica.

discado *adj.* **Inform.** Diz-se de conexão entre dois computadores estabelecida por ligação telefônica.

discagem *s.f.* Ação de discar. ● **Telecom.** *Discagem direta,* ligação telefônica para outra área completada com a digitação de um código (sem intermédio de telefonista).

discal *adj.2g.* Relativo aos discos intervertebrais; discóide.

discar *v.t.* e *v.i.* (conj. 12). Ligar para um número de telefone, fazendo girar um disco ou apertando teclas.

discartrose *s.f.* Degeneração artrósica dos discos intervertebrais, que se ressecam e se fragmentam.

discente *adj.2g.* (lat. *discens,* de *discere,* aprender). **1.** Que aprende. **2.** Relativo a alunos. **3.** *Corpo discente,* o conjunto dos alunos.

discernimento *s.m.* **1.** Ação ou faculdade de discernir. **2.** Juízo, entendimento.

discernir *v.t.* (lat. *discernere*) [conj. 54]. **1.** Ver ou conhecer distintamente; apreciar. **2.** Estabelecer diferença; distinguir. ★ *v.i.* Julgar, decidir.

discinesia *s.f.* (gr. *dyskinesía*). Dificuldade em executar movimentos, independentemente da causa.

discinésico ou **discinético** *adj.* **1.** Relativo a discinesia. **2.** Que sofre de discinesia.

disciplina *s.f.* (lat. *disciplina,* ensino). **1.** O conjunto dos regulamentos destinados a manter a boa ordem em qualquer organização. **2.** A boa ordem resultante da observância desses regulamentos. **3.** Submissão ou respeito a um regulamento. **4.** Regime de ordem a que se obedece por imposição ou voluntariamente. **5.** Cada uma das matérias ensinadas nas escolas. **6.** Qualquer ramo do conhecimento.

disciplinar[1] *adj.2g.* Concernente a disciplina.

disciplinar[2] *v.t.* (conj. 4). **1.** Submeter à disciplina. **2.** Ensinar metodicamente. **3.** *Fig.* Fazer obedecer ou ceder; sujeitar. ★ *v.pr.* Tornar-se disciplinado.

discípulo *s.m.* (lat. *discipulus*). **1.** O que recebe instrução de outro; aluno. **2.** Partidário declarado da doutrina, de opiniões ou idéias de alguém.

disco *s.m.* (gr. *dískos,* pelo lat. *discus*). **1.** Qualquer objeto chato e circular. **2.** Placa circular em vinil ou outro plástico com registro de áudio para reprodução fonográfica. ● **Anat.** *Disco intervertebral,* estrutura fibrocartilaginosa que une duas vértebras. **Astron.** Superfície visível de um astro, que aparece mais ou menos circular. ▸ Componente achatado de uma galáxia espiral, que contém gases, poeira e estrelas. **Esp.** Sin. de ANILHA. **Inform.** Dispositivo, rígido ou flexível, que possui um suporte magnético onde se podem gravar informações e dados. ▸ *Disco ótico,* disco magnético que é lido por feixe de luz (laser). **Med.** *Hérnia de disco,* saliência anormal para dentro do canal raquidiano de um fragmento de disco intervertebral.

discóbolo *s.m.* (gr. *diskobólos*). Atleta que disputava a prova de disco; lançador de disco.

discóide *adj.2g.* Discal.

díscolo *adj.* e *s.m.* (gr. *dyskolos*). Irritável, intratável.

discondroplasia *s.f.* Anomalia congênita do tecido cartilaginoso, responsável pelo encurtamento dos membros afetados.

discordância *s.f.* **1.** Desacordo, desinteligência, divergência. **2.** Disparidade, desigualdade. ● **Psiq.** Sin. de DISSOCIAÇÃO.

discordar *v.t.* e *v.i.* (lat. *discordare*) [conj. 4]. **1.** Não concordar, divergir. **2.** Não se combinar, não estar em proporção.

discorde *adj.2g.* (lat. *discors, discordis*). **1.** Discordante, divergente. **2.** Incompatível.

discórdia *s.f.* (lat. *discordia,* desacordo). Discordância, dissensão, desentendimento.

discorrer *v.t.* e *v.i.* (lat. *discurrere*) [conj. 5]. **1.** Correr para diversos lados ou por diferentes partes; espalhar-se, derramar-se. **2.** Vaguear, viajar. **3.** Discursar, falar, expor.

discoteca *s.f.* **1.** Coleção de discos; fonoteca. **2.** Estabelecimento onde se dança ao som de música gravada.

discrasia *s.f.* (gr. *dyskrasía,* destempero). **1.** Perturbação da crase sanguínea. **2.** Alteração da composição e reações dos humores (sangue, linfa) e dos tecidos, causa de afecções diversas (reumatismo, asma, urticária).

discrepância *s.f.* (lat. *discrepantia*). Discordância, diversidade, disparidade, diferença.

discrepante *adj.2g.* **1.** Diverso, diferente. **2.** Discordante, divergente.

discrepar *v.i.* (lat. *discrepare,* soltar som discordante) [conj. 4]. **1.** Diversificar, diferir. **2.** Discordar, dissentir, divergir.

discreto *adj.* (lat. *discretus,* distinto). **1.** Reservado nas palavras e ações. **2.** Que sabe guardar um segredo; que denota discrição. **3.** Que não sobressai, não chama a atenção. **4.** Pouco intenso, atenuado.

discrição *s.f.* (lat. *discretio,* separação; distinção). **1.** Qualidade do que é discreto. **2.** Circunspecção, reserva. **3.** Discernimento, sensatez. **4.** Recato, modéstia.

discricionário *adj.* Livre de restrições; ilimitado, arbitrário.

discriminação *s.f.* (lat. *discriminatio*). **1.** Ação de discriminar; distinção. **2.** Discernimento.

discriminar *v.t.* (lat. *discriminare,* pôr à parte) [conj. 4]. **1.** Diferençar, distinguir, discernir. **2.** Separar, especificar.

discromatopsia *s.f.* Distúrbio da visão de cores.

discromia *s.f.* Coloração anormal da epiderme.

discursar *v.t.* e *v.i.* (conj. 4). **1.** Fazer discurso, falar em público. **2.** Discorrer, discutir, tratar.

discurseira *s.f. Pop.* **1.** Discurso longo e monótono. **2.** Seqüência de discursos; discursório.

discursivo *adj.* **1.** Relativo ao discurso. **2.** Que repousa sobre o raciocínio, procede por raciocínio (p. opos. a *intuitivo*). **3.** Que gosta de discursar; muito falante.

discurso *s.m.* (lat. *discursus,* ação de correr por várias partes). **1.** Exposição de idéias, proferida em público, de improviso ou escrita antecipadamente com esse propósito. **2.** Oração, fala. **3.** *Fam.* Falatório.

discursório *s.m. Pop.* Discurseira.

discussão *s.f.* (lat. *discussio,* abalo). **1.** Ato de discutir. **2.** Investigação da verdade pelo exame das razões e provas que se oferecem pró e contra. **3.** Questão, polêmica, controvérsia, debate.

discutidor (ô) *adj.* e *s.m.* Que ou o que discute ou gosta de discutir; questionador.

discutir *v.t.* (lat. *discutere,* desprender sacudindo) [conj. 6]. **1.** Examinar, investigar, atendendo às provas e razões pró e contra. **2.** Questionar, contestar. ★ *v.i.* Tomar parte em uma discussão.

discutível *adj.2g.* Que pode ser discutido; que é suscetível de discussão.

disenteria *s.f.* (gr. *dysentería*). Qualquer moléstia caracterizada por diarréia freqüente, sanguinolenta, acompanhada por dores abdominais, tenesmo e ulcerações das paredes intestinais.

disentérico *adj.* Relativo à disenteria. ★ *s.m.* Indivíduo acometido de disenteria.

diseritropoiese *s.f.* Qualquer problema no amadurecimento das células que dão origem aos glóbulos vermelhos.

diserto *adj.* (lat. *disertus*). Eloqüente.

disfagia *s.f.* Dificuldade de deglutição, acompanhada ou não de dores.

disfarçar *v.t.* (conj. 13). **1.** Modificar a aparência para tornar irreconhecível. **2.** Mascarar, encobrir, ocultar. **3.** Esconder, dissimular. ★ *v.pr.* Vestir-se de modo diferente para não ser reconhecido.

disfarce *s.m.* **1.** O ato de disfarçar(-se). **2.** Aquilo que serve para disfarçar. **3.** Fingimento, dissimulação.

disfasia *s.f.* Sin. de AFASIA.

disfonia *s.f.* Anomalia da fonação, geralmente consecutiva a uma disfunção do próprio aparelho fonador.

disforia *s.f.* (gr. *dysphoríē*). Indisposição geral, mal-estar permanente.

disforme *adj.2g.* Desproporcionado, descomunal, monstruoso.

disfunção *s.f.* **1.** Distúrbio do funcionamento de um órgão, glândula etc. **2.** *Disfunção cerebral mínima,* distúrbio orgânico cuja existência é postulada a partir de manifestações diversas como dislexia e inépcia.

disgenesia *s.f.* **1.** Estado no qual os produtos de um cruzamento são estéreis entre si. **2.** Distúrbio na capacidade procriadora. **3.** Qualquer anomalia do desenvolvimento. **4.** Sin. de DISPLASIA.

disgenésico *adj.* **1.** Relativo à disgenesia. **2.** Sin. de DISPLÁSICO.

disglobulinemia *s.f.* Perturbação dos níveis de globulinas do plasma sanguíneo no decorrer de diversas afecções.

disgrafia *s.f.* Dificuldade de escrever devido a uma deficiência da organização espacial ou a uma perturbação da personalidade.

disgráfico *adj.* Relativo à disgrafia; acometido de disgrafia.

disidrose *s.f.* Erupção de vesículas ou de bolhas nas palmas das mãos, nas solas dos pés e nas faces laterais dos dedos, acompanhada ou não de micose, que corresponde a uma anomalia da secreção do suor.

disjunção *s.f.* Ação de disjungir, de disjuntar; separação. • **Genét.** *Disjunção cromossômica,* conjunto de processos que leva à divisão dos cromossomos da célula-mãe em dois cromossomos-filhos e à sua distribuição nas células-filhas. **Med.** Separação de elementos anatômicos que normalmente devem ser contíguos.

disjungir *v.t.* (lat. *disjungere*) [conj. 52]. **1.** Livrar do jugo; desprender. **2.** Separar, desunir.

disjunto *adj.* (lat. *disjunctus*). Que está em disjunção; desunido.

dislalia *s.f.* Distúrbio na emissão de palavras.

dislate *s.m.* Disparate, desconchavo, tolice, despautério.

dislexia (cs) *s.f.* Dificuldade na aprendizagem da leitura caracterizada pela confusão e inversão de certas letras.

disléxico (cs) *adj.* Relativo à dislexia. ★ *adj.* e *s.m.* Diz-se de ou indivíduo acometido de dislexia.

dislipidose *s.f.* Doença hereditária que, provavelmente por um déficit enzimático, leva a um acúmulo no organismo de um tipo de lipídio diferente para cada doente.

dismenorréia *s.f.* Menstruação dolorosa, causada por disfunção hormonal, distúrbios emocionais etc.

dismetria *s.f.* Distúrbio da execução de movimentos, que se caracteriza pela incapacidade de controlar a duração e a intensidade de uma ativação muscular.

dismorfia *s.f.* Anomalia da forma de uma parte do corpo.

disodia *s.f.* (gr. *dysodía,* mau cheiro). Odor desagradável desprendido pelas cavidades naturais (boca, fossas nasais) ou por certas partes do corpo (axilas, pés).

disortografia *s.f.* Distúrbio da aprendizagem da escrita, freqüentemente associado a uma dislexia.

disovulação *s.f.* Atraso, precocidade ou ausência (anovulação) de ovulação no decorrer do ciclo menstrual, que constitui a origem dos problemas menstruais e de esterilidade feminina.

díspar *adj.2g.* (lat. *dispar*). Que não tem par; diferente, desigual.

disparada *s.f.* **1.** Fuga desabalada. **2.** Estouro da boiada.

disparar *v.t.* (lat. *disparare,* diferenciar) [conj. 4]. **1.** Lançar, atirar, arremessar. **2.** Dar, desfechar (tiros). ★ *v.i.* **1.** Correr ou fugir desabaladamente. **2.** Dispersar-se, tresmalhar-se (o rebanho).

disparatado *adj.* **1.** Que diz ou faz disparates. **2.** Contrário ao bom senso; absurdo, desarrazoado.

disparatar *v.i.* (conj. 4). Dizer ou fazer disparates; despropositar.

disparate *s.m.* **1.** Expressão destituída de razão e de senso. **2.** Ato impensado; dislate, despautério, despropósito, absurdo. ● **Lit.** Procedimento literário que se utiliza da lógica para passar subitamente de um tema para outro.

dispareunia *s.f.* (do gr. *pareunásthai,* deitar-se ao lado). Na mulher, dor ou dificuldade em realizar o ato sexual por razões orgânicas, infecciosas, hormonais, anatômicas ou psicológicas.

disparidade *s.f.* Diferença entre dois seres, duas coisas; desigualdade, dessemelhança.

disparo *s.m.* **1.** Ato ou efeito de disparar. **2.** Corrida desabalada. **2.** Tiro, detonação.

dispêndio *s.m.* (lat. *dispendium*). **1.** Gasto, consumo, despesa. **2.** Desgaste, perda.

dispendioso (ô) *adj.* Que exige grande despesa; caro.

dispensa *s.f.* **1.** Isenção de serviço, dever ou encargo; escusa, licença. **2.** Documento em que se solicita ou se concede a licença.

dispensar *v.t.* (lat. *dispensare,* pagar; distribuir) [conj. 4]. **1.** Isentar, desobrigar de. **2.** Prescindir, não precisar de. **3.** Dar, conferir, distribuir. ★ *v.pr.* Eximir-se, não se considerar obrigado.

dispensário *s.m.* Estabelecimento de saúde pública mantido por instituições beneficentes como auxílio às comunidades carentes.

dispepsia *s.f.* (gr. *dyspepsía,* indigestão). Distúrbio da digestão, que sobrevém habitualmente após as refeições e se manifesta por azia, palpitações, náuseas.

dispersão *s.f.* **1.** Ato ou efeito de dispersar(-se); estado do que está disperso. **2.** Debandada, desbarato. ● **Fís.** Variação da velocidade da luz que se propaga em um meio material, de acordo com os diversos comprimentos de onda. **Psiq.** Distúrbio do pensamento, comum na esquizofrenia, caracterizado por associações de idéias indevidas ou distantes, e do qual decorre uma produção verbal freqüentemente incompreensível. **Quím.** Mistura homogênea de duas ou mais espécies químicas.

dispersar *v.t.* (conj. 4). **1.** Espalhar, disseminar, derramar. **2.** Fazer debandar, destroçar, pôr em desordem. ★ *v.i.* e *pr.* Espalhar-se, disseminar-se.

dispersivo *adj.* **1.** Relativo à dispersão; que produz dispersão. **2.** Diz-se das pessoas que não se concentram no que fazem.

disperso *adj.* (lat. *dispersus*). **1.** Que sofreu dispersão; espalhado. **2.** Desordenado.

displasia *s.f.* Distúrbio do desenvolvimento de um tecido ou órgão, durante seu crescimento, que leva a uma malformação ou a uma disfunção. (Sin. DISGENESIA.)

displásico *adj.* Relativo à displasia. (Sin. DISGENÉSICO.)

display *s.f.* (ingl.) Qualquer objeto destinado a exposição de produto que se quer vender ou tornar público.

displicência *s.f.* (lat. *displicentia,* desprazer). Descaso, negligência, indiferença.

displicente *adj.2g.* e *s.2g.* Que ou o que tem ou revela displicência; desleixado.

dispnéia *s.f.* (gr. *dyspnoia*). Dificuldade para respirar, acompanhada por uma sensação de opressão no peito.

dispnéico *adj.* Relativo à dispnéia; que sofre de dispnéia.

disponibilidade *s.f.* **1.** Qualidade do que é disponível. **2.** Situação de um funcionário civil ou militar que fica à disposição do Estado, sem no entanto exercer suas funções.

disponível *adj.2g.* **1.** De que se pode dispor. **2.** Livre, desembaraçado.

dispor (ô) *v.t.* (lat. *disponere*) [conj. 45]. **1.** Colocar em certa ordem; organizar. **2.** Ter a posse de; possuir. **3.** Determinar, prescrever. **4.** Usar livremente; usufruir. **5.** Induzir, predispor. ★ *v.i.* Resolver em definitivo; determinar. ★ *v.pr.* **1.** Preparar-se. **2.** Predispor-se, propor-se. **3.** Resolver-se, decidir-se.

disposição *s.f.* (lat. *dispositio*). **1.** Ato ou efeito de dispor; arranjo, distribuição. **2.** Tendência, inclinação, vocação. **3.** Estado de saúde ou de espírito. **4.** Prescrição legal; ordem.

dispositivo *adj.* Que contém disposição, ordem, preceito. ★ *s.m.* **1.** Regra, prescrição. **2.** Artigo de lei. **3.** Mecanismo ligado ou adaptado a instrumento ou máquina para executar alguma função adicional ou especial. ● **Med.** *Dispositivo intra-uterino,* DIU.

disposto (ô) *adj.* **1.** Posto, colocado de certa maneira. **2.** Arranjado, preparado. **3.** Apto, capaz, em boa disposição de saúde. **4.** Inclinado, propenso.

disprósio *s.m.* (do gr. *dysprósitos,* de difícil obtenção). Elemento químico (símb. Dy) de número atômico 66, que constitui um metal branco, do grupo das terras-raras.

disputa *s.f.* **1.** Discussão, rixa, contenda. **2.** Competição esportiva.

disputar *v.t.* (lat. *disputare,* ajustar contas) [conj. 4]. **1.** Tornar objeto de pleito ou discussão; contestar. **2.** Participar de competição esportiva. **3.** Sustentar, discutindo ou lutando. **4.** Procurar obter, lutar por.

disquete *s.m.* (ingl. amer. *diskette*). Pequeno disco flexível que constitui suporte magnético de informações, utilizado em microinformática.

disritmia *s.f.* **1.** Distúrbio do ritmo de uma função ou órgão. **2.** *Disritmia cerebral,* padrão eletroencefalográfico divergente daquele considerado normal, característico das epilepsias, que atinge em geral apenas uma área restrita de um dos lobos cerebrais, embora também possa ser difusa.

dissabor (ô) *s.m.* **1.** Sentimento ou sensação causada pela frustração de uma expectativa; contrariedade, desprazer, descontentamento. **2.** Mágoa, pesar, desgosto.

dissacarídeo *s.m.* Açúcar natural, como o de cana, o de leite etc.

dissecação *s.f.* **1.** Ação de dissecar; dissecção. **2.** Dissociação dos elementos anatômicos de uma região do corpo por um ato cirúrgico ou por um processo patológico. **3.** *Fig.* Exame analítico e minucioso de alguma coisa. ● **Med.** *Dissecação da aorta,* clivagem das túnicas da aorta, consecutiva a lesões degenerativas.

? VOCÊ SABIA...? A **dissecação** é uma prática muito importante no estudo das ciências biológicas, tanto para conhecer a morfologia do corpo dos animais como a do homem. Sua técnica constitui a base da investigação anatômica. Proibida pelas autoridades e pela Igreja durante séculos, impôs-se sua prática na Itália renascentista, o que permitiu que se conhecesse a estrutura do corpo humano e alicerçou a medicina moderna.

dissecar *v.t.* (lat. *dissecare*) [conj. 12]. **1.** Cortar, retalhar. **2.** *Fig.* Analisar minuciosamente. **3.** Abrir um corpo organizado para estudar sua anatomia ou estrutura. **4.** Separar e isolar os elementos anatômicos de uma região do corpo, durante uma intervenção cirúrgica.

dissecção *s.f.* Var. de DISSECAÇÃO.

disseminação *s.f.* (lat. *disseminatio*). **1.** Ação de disseminar. **2.** Dispersão, derramamento. **3.** Difusão, propagação, vulgarização. ● **Bot.** Dispersão dos diásporos das plantas.

disseminar *v.t.* (lat. *disseminare*) [conj. 4]. **1.** Semear, espalhar. **2.** *Fig.* Difundir, propagar, vulgarizar. ★ *v.pr.* Propagar-se, difundir-se.

dissensão *s.f.* (lat. *dissensio*). **1.** Divergência de opiniões. **2.** Desavença, dissentimento, dissidência.

dissentimento *s.m.* Ato ou efeito de dissentir; dissensão.

dissentir *v.t.* (lat. *dissentire*) [conj. 56]. **1.** Divergir de opinião, de sentimento; discordar. **2.** Desavir-se.

dissertação *s.f.* (lat. *dissertatio*). Discurso, exposição de idéias, pensamentos ou doutrinas.

dissertar *v.i.* (lat. *dissertare,* discutir) [conj. 4]. Fazer dissertação; discorrer, discursar.

dissidência *s.f.* (lat. *dissidentia,* oposição entre as coisas). **1.** Dissensão. **2.** Grupo de dissidentes.

dissidente *adj.2g.* e *s.2g.* **1.** Que ou aquele que dissente. **2.** Que ou aquele que deixa de se submeter a uma autoridade estabelecida, que se separa de uma sociedade, comunidade religiosa, política etc.

dissídio *s.m.* (lat. *dissidium*). **1.** Dissensão, discórdia. **2.** Oposição. ● **Dir.** Conflito de interesses trabalhistas, individuais ou coletivos, submetidos à competência da Justiça do Trabalho.

dissílabo *adj.* e *s.m.* (gr. *dissyllabos*). **Gram.** Diz-se de ou vocábulo composto de duas sílabas. **Lit.** Diz-se de ou verso de duas sílabas. (Sin. BISSÍLABO.)

dissimetria *s.f.* Falta de simetria; desproporção.

dissimétrico *adj.* Que não é simétrico.

dissimilar *adj.2g.* De natureza diferente; heterogêneo.

dissimulação *s.f.* (lat. *dissimulatio*). **1.** Ato ou efeito de dissimular. **2.** Fingimento, disfarce.

dissimular *v.t.* (lat. *dissimulare*) [conj. 4]. **1.** Não deixar aparecer; encobrir. **2.** Fazer parecer diferente; disfarçar, fingir. ★ *v.i.* Ocultar os próprios sentimentos ou desígnios.

dissipação *s.f.* **1.** Ato ou efeito de dissipar, de desperdiçar. **2.** Esbanjamento, desperdício. **3.** Vida desregrada; devassidão. ● **Fís.** Perda de energia mecânica, elétrica etc., por transformação em energia térmica.

dissipar *v.t.* (lat. *dissipare*) [conj. 4]. **1.** Espalhar, dispersar, fazer desaparecer ou cessar. **2.** Desperdiçar, esbanjar, prodigalizar. ★ *v.pr.* Dispersar-se, desvanecer-se.

disso contr. da prep. *de* com o pron. dem. *isso.*

dissociação *s.f.* Ação de dissociar; desunião, desagregação. ● **Psiq.** Dissolução da personalidade do indivíduo, considerada a principal característica da esquizofrenia. (Sin. DISCORDÂNCIA.) **Quím.** Ruptura de um composto químico em elementos que podem se recombinar de diferentes formas.

dissociar *v.t.* (conj. 16). Separar o que estava associado; desunir, desagregar. ● **Quím.** Proceder a uma dissociação química. ★ *v.pr.* Desunir-se, desagregar-se.

dissociativo *adj.* Relativo a dissociação. ● **Psiq.** *Psicose dissociativa,* sin. de ESQUIZOFRENIA.

dissódico *adj.* Diz-se de um sal que contém dois átomos de sódio por molécula.

dissolução *s.f.* (lat. *dissolutio*). **1.** Ato ou efeito de dissolver. **2.** Solubilização. **3.** Extinção de uma assembléia ou corporação por dispersão de seus membros ou anulação dos poderes que lhe tinham sido conferidos. **4.** Corrupção, depravação, devassidão.

dissolutivo *adj.* e *s.m.* **1.** Que ou o que dissolve. **2.** Que ou o que desliga, desata ou separa.

dissoluto *adj.* (lat. *dissolutus,* indiferente; fraco; corrupto). **1.** Devasso, libertino, contrário aos bons costumes. **2.** Dissolvido, desfeito.

dissolúvel *adj.2g.* Que se pode dissolver.

dissolvente *adj.2g.* e *s.m.* **1.** Diz-se de ou substância que tem a propriedade de dissolver uma outra substância. **2.** *Fig.* Que ou o que é causa de desordem, de corrupção.

dissolver *v.t.* (lat. *dissolvere,* separar; soltar) [conj. 5]. **1.** Proceder à solubilização de uma substância. **2.** Desagregar. **3.** Terminar, desatar. **4.** Desorganizar, estragar, corromper. ★ *v.pr.* Entrar em dissolução.

dissonância *s.f.* (lat. *dissonantia*). **1.** Som ou conjunto de sons desagradáveis ao ouvido. **2.** Variação de sons vocálicos nas palavras finais de dois ou mais versos. ● **Mús.** Falta de correspondência na audição de dois ou mais sons sucessivos ou simultâneos.

dissonante *adj.2g.* Caracterizado pela dissonância.

dissuadir *v.t.* (lat. *dissuadere*) [conj. 6]. Fazer mudar de opinião ou de intenção; despersuadir. ★ *v.pr.* Mudar de parecer.

dissuasão *s.f.* Ação de dissuadir.

distal *adj.2g.* **1.** Longe da parte média ou central do organismo, tecido ou órgão. **2.** Longe do canto; remoto.

distanásia *s.f.* Morte lenta e dolorosa, em conseqüência de agonia prolongada, p.opos. a *eutanásia.*

distância *s.f.* (lat. *distantia*). **1.** Espaço entre dois objetos. **2.** Intervalo, afastamento. **3.** Separação, apartamento. ● **Mat.** Comprimento do segmento de reta que une dois pontos. (Sin. MÉTRICA.)

DISTÂNCIA ► Mercúrio é o planeta mais próximo do Sol, e Plutão, o mais distante. A distância de cada planeta ao Sol é apresentada no quadro abaixo.

Planeta	–	*Distância do Sol (em milhões de km)*
Mercúrio	–	58
Vênus	–	108
Terra	–	152
Marte	–	228
Júpiter	–	778
Saturno	–	1.427
Urano	–	2.870
Netuno	–	4.497
Plutão	–	5.900

---

distanciar *v.t.* (conj. 16). Pôr distante; apartar, afastar. ★ *v.pr.* Afastar-se, apartar-se.

distante *adj.2g.* (lat. *distans, distare,* estar afastado). **1.** Que dista, que está a certa distância. **2.** Longínquo, remoto (no tempo ou no espaço). **3.** Que se vê ou ouve ao longe. **4.** *Fig.* Reservado, alheado.

distar *v.t.* (lat. *distare*) [conj. 4]. **1.** Ser ou estar afastado, distante. **2.** *Fig.* Diferençar-se, diversificar; divergir.

distasia *s.f.* Dificuldade para manter-se de pé.

distender *v.t.* (conj. 5). **1.** Estirar. **2.** Estender, desenvolver. ★ *v.pr.* **1.** Retesar-se, estirar-se. **2.** Relaxar-se.

distendido *adj.* Que sofreu distensão; distenso.

distensão *s.f.* (lat. tard. *distensio*). **1.** Tensão demasiada; estiramento. **2.** Afrouxamento; relaxação. ● **Med.** Estiramento, que pode chegar até a ruptura, de fibras tendinosas ou musculares. ► Torção violenta dos ligamentos de uma articulação. ► Aumento patológico do volume do abdome, por presença de gases; abaulamento.

DISTENSÃO ► Às vezes um movimento brusco faz que um músculo sofra distensão. Essa lesão consiste na quebra das fibras do músculo. Sua gravidade depende da quantidade de músculo lesionada, e a lesão se manifesta com inchaço e dor, que impedem o movimento.

---

distenso *adj.* Distendido.

dístico *s.m.* (gr. *dístichon*). **1.** Frase, sentença ou conceito expresso em dois versos. **2.** Letreiro, rótulo, divisa. ● **Lit.** Estrofe ou poema de dois versos.

distilo *adj.* (gr. *dis,* dois, e *stylos,* coluna). Diz-se de um edifício que apresenta duas colunas na fachada principal.

distimia *s.f.* Perturbação do humor, da tonalidade afetiva.

distinção *s.f.* (lat. *distinctio*). **1.** Ato ou efeito de distinguir; diferença. **2.** Caracteres ou qualidades por que uma pessoa ou coisa difere de outra. **3.** Preferência, prerrogativa, honra. **4.** Elegância de maneiras. **5.** A classificação mais alta em um exame.

distinguir *v.t.* (lat. *distinguere,* dividir) [conj. 53]. **1.** Diferençar, discriminar. **2.** Divisar, avistar. **3.** Perceber, ouvir. **4.** Identificar. **5.** *Fig.* Dar preferência a. **6.** Dar distinção em exame. ★ *v.pr.* Sobressair, destacar-se.

distintivo *adj.* Que distingue, que mostra diferença, que assinala cada indivíduo ou objeto. ★ *s.m.* Sinal característico; insígnia, emblema.

distinto *adj.* (lat. *distinctus*). **1.** Que não se confunde com outro; diferente. **2.** Que não faz parte de outro; separado, destacado. **3.** Claro, inteligível, perceptível. **4.** *Fig.* Elegante, gentil, educado.

distireoidismo *s.m.* Funcionamento anormal da glândula tireóide. (Var. DISTIROIDISMO.)

distiroidismo Var. de DISTIREOIDISMO.

disto contr. da prep. *de* com o pron. dem. *isto.*

distocia *s.f.* (gr. *dystokía*). Dificuldade essencialmente mecânica que pode surgir durante o parto.

distócico *adj.* Relativo à distocia.

distomatose *s.f.* Infestação parasitária devida à fascíola. (Var. DISTOMÍASE.)

distomíase *s.f.* Var. de DISTOMATOSE.

distonia *s.f.* **1.** Contração involuntária regular de um ou de vários músculos ou membros, ou mesmo do eixo corporal, devida a uma afecção do sistema nervoso central. **2.** *Distonia neurovegetativa,* distúrbio do funcionamento dos sistemas simpático e parassimpático, que afeta os órgãos da vida vegetativa.

distorção *s.f.* Ato ou efeito de distorcer. ● **Fís.** Aberração de um sistema óptico em que a imagem apresenta-se deformada. ► Alteração de um sinal elétrico ou eletrônico. ► Deformação de um campo elétrico ou magnético.

distorcer *v.t.* (conj. 25). **1.** Deformar alguma coisa por torsão; torcer. **2.** Mudar o sentido de. **3.** *Fig.* Desvirtuar (o sentido de frases, o pensamento de alguém). (Cf. DESTORCER.)

distração *s.f.* (lat. *distractio,* separação). **1.** Falta de atenção; irreflexão. **2.** Alheamento, abstração. **3.** Entretenimento, passatempo, divertimento.

distraído *adj.* e *s.m.* **1.** Diz-se de ou pessoa sujeita a distrações; descuidado. **2.** Abstraído, entretido.

distrair *v.t.* (lat. *distrahere,* puxar em diferentes sentidos; rasgar) [conj. 68]. **1.** Tornar desatento, fazer esquecer. **2.** Chamar a atenção de alguém para outro ponto ou objeto. **3.** Divertir, recrear, entreter. ★ *v.pr.* Ficar alheio, entreter-se, descuidar-se.

distratar *v.t.* (conj. 4). Desfazer, anular, rescindir um trato, pacto ou contrato.

distrato ou **distrate** *s.m.* Ato ou efeito de distratar.

distribuição (u-i) *s.f.* **1.** Ação de distribuir; repartição. **2.** O modo por que uma coisa se reparte ou divide por diferentes lugares. **3.** Modo como os produtos seguem do produtor ou fabricante ao vendedor ou consumidor. ● **Mec.** Conjunto de mecanismos que regulam a admissão e o escapamento do combustível.

MODELOS DE DISTRIBUIÇÃO

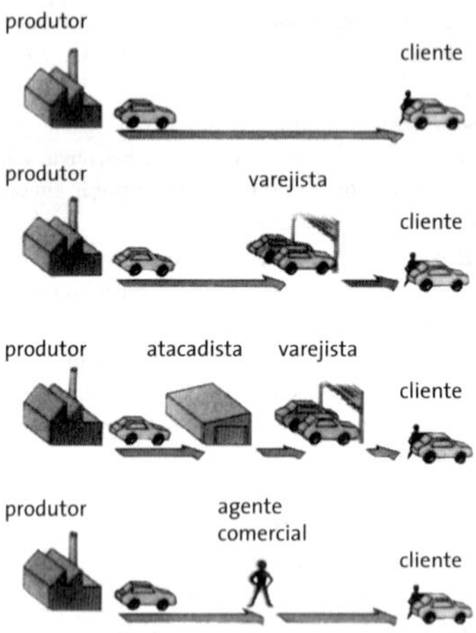

distribuidor (ô) *adj.* Que distribui. ★ *s.m.* **1.** Peça ou mecanismo que faz a distribuição em um motor. **2.** Pessoa ou empresa que faz a distribuição de um produto ou serviço.

distribuir *v.t.* (lat. *distribuere,* repartir entre as tribos) [conj. 74]. **1.** Dar, entregar a diversas pessoas. **2.** Repartir. **3.** Espalhar, pôr em diversos lugares; dispor, arranjar, ordenar. **4.** Atribuir, endereçar. **5.** Levar um produto do produtor ao vendedor ou consumidor.

distributivo *adj.* (lat. *distributivus*). **1.** Que distribui. **2.** Diz-se de uma operação matemática se esta, quando realizada em conjunto com outra, puder ser feita sobre o resultado da última ou independentemente sobre cada termo.

distrital *adj.2g.* Relativo ou pertencente a distrito.

distrito *s.m.* (lat. tard. *districtus,* território dependente da cidade). **1.** Divisão territorial em que se exerce uma autoridade administrativa judicial, fiscal, policial, sanitária ou eleitoral. **2.** No Brasil, subdivisão administrativa de um município.

distrofia *s.f.* Distúrbio da nutrição de um tecido, de uma glândula ou de um órgão que ocasiona uma modificação de sua forma e de sua função.

distúrbio *s.m.* **1.** Agitação tumultuosa; perturbação. **2.** Sublevação popular; rebelião. **3.** Alteração no relacionamento entre as pessoas; estado de inquietação, de confusão. ● **Med.** Perturbação no cumprimento ou realização de uma função física ou psíquica, que pode manifestar-se ao nível de um aparelho, de um órgão, de um tecido, de um comportamento.

dita *s.f.* Fortuna, felicidade, ventura, sucesso favorável.

ditado *s.m.* **1.** Ação de ditar. **2.** Exercício escolar para ensino de ortografia, que consiste em escrever as palavras, frases ou texto lidos pelo professor. **3.** O texto ditado. **4.** Provérbio.

ditador (ô) *s.m.* **1.** Chefe de Estado que governa arbitrariamente e sem controle democrático; autocrata. **2.** Indivíduo autoritário.

ditadura *s.f.* (lat. *dictatura*). **1.** Regime político instaurado por um ditador. **2.** Período no qual se exerce o poder de um ditador.

ditame *s.m.* (lat. *dictamen*). **1.** O que se dita. **2.** Preceito ditado pela razão, lei ou consciência.

ditar *v.t.* (lat. *dictare,* dizer repetindo) [conj. 4]. **1.** Pronunciar em voz alta para outrem escrever. **2.** *Fig.* Sugerir, inspirar. **3.** Impor.

ditatorial *adj.2g.* Relativo a ditadura ou a ditador.

ditirambo *s.m.* (gr. *dithyrambos,* nascido duas vezes). Poema, entre os gregos antigos, que celebrava os prazeres dionisíacos.

dito *adj.* (lat. *dictus,* de *dicere,* dizer). Que se disse; mencionado, referido. ★ *s.m.* **1.** Aquilo que se disse. **2.** Provérbio. **3.** Mexerico.

dito-cujo *s.m. Fam.* Qualquer pessoa indeterminada; sujeito, indivíduo.

ditongar *v.t.* (conj. 14). Transformar em ditongo uma vogal simples.

ditongo *s.m.* (gr. *diphthoggos,* som duplo). **1.** Vogal complexa, composta de uma vogal e uma semivogal, cujo timbre se modifica gradualmente durante o curso de sua emissão. **2.** *Ditongo crescente,* aquele em que a semivogal precede a base, como em *quando.* ▸ *Ditongo decrescente,* aquele em que a semivogal se segue à vogal silábica, como em *pai, meu etc.*

ditoso (ô) *adj.* Que tem boa sorte.

DIU *s.m.* (abrev. de dispositivo intra-uterino). Dispositivo contraceptivo de matéria plástica que, colocado na cavidade uterina, dificulta a implantação do óvulo fecundado.

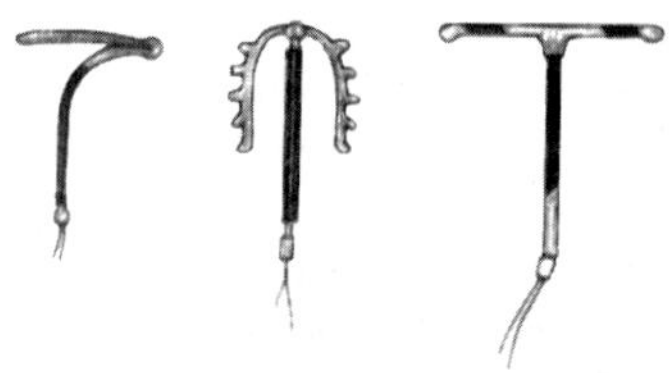

O DIU é produzido em diferentes formatos.

DIU ▸ O dispositivo intra-uterino (DIU) consiste num objeto com propriedades anticoncepcionais que se coloca dentro do útero. Atualmente utilizam-se versões sofisticadas em alguns países, como o Brasil, mas são pouco utilizados em outros, como no caso dos EUA. Existe uma série de contra-indicações para seu uso:

- ausência de gravidez prévia;
- menstruações muito abundantes e prolongadas;
- se a mulher apresenta problemas de infertilidade;
- infecção pélvica ou útero fibroso;
- se a mulher tem muitos parceiros sexuais.

diurese (i-u) *s.f.* **1.** Secreção de urina pelo rim. **2.** Quantidade de urina excretada em 24 horas.

diurético (i-u) *adj.* e *s.m.* (gr. *diouretikós*, pelo lat. tard. *diureticus*). Diz-se de ou substância que provoca um aumento da secreção de urina, por ação direta sobre o rim.

diurno (i-u) *adj.* (lat. *diurnus*). **1.** Que se faz ou sucede num dia; diurnal. **2.** Que se faz durante o dia.

diuturnidade (i-u) *s.f.* (lat. *diuturnitas*). Longo período de tempo; longa duração.

diuturno (i-u) *adj.* (lat. *diuturnus*). Que tem longa duração; duradouro.

diva *s.f.* (lat. *diva*, deusa, pelo it. *diva*). **1.** *Poét.* Beldade, mulher formosa. **2.** Epíteto de cantora notável. **3.** Estrela de cinema.

divã *s.m.* (ár. *diuan*, registro, pelo turco *divan*). Espécie de sofá sem encosto e sem braços. ● **Lit.** Coletânea de poemas de um autor muçulmano.

divagação *s.f.* **1.** Ação de divagar. **2.** *Fig.* Desvio do assunto de que se trata; digressão.

divagar *v.i.* (lat. *divagari*) [conj. 14]. **1.** Andar por uma e outra parte; vaguear. **2.** *Fig.* Fantasiar, discorrer saindo do assunto. **3.** Delirar.

divalência *s.f.* Sin. de BIVALÊNCIA.

divalente *adj.2g.* Sin. de BIVALENTE.

divergência *s.f.* Discordância, desacordo, discrepância.

divergente *adj.2g.* (lat. *divergens, divergentis*). Que diverge, que não se combina; discordante. ● **Fís.** Diz-se da lente que afasta os raios luminosos que a atravessam. **Mat.** *Série divergente*, aquela que se afasta cada vez mais de um valor numérico fixo. ▸ *Retas divergentes*, aquelas que tendem a se distanciar.

divergir *v.i.* (lat. *devergere*, inclinar) [conj. 64]. **1.** Afastar-se cada vez mais do ponto de partida; separar-se. **2.** *Fig.* Discordar, não se combinar. ★ *v.t.* Discordar, entrar em desacordo.

diversão *s.f.* **1.** Distração, recreio, passatempo. **2.** Mudança de direção para um e outro lugar; desvio.

diversidade *s.f.* (lat. *diversitas*). **1.** Diferença, dessemelhança, variedade. **2.** Divergência, oposição, contradição. ● **Ecol.** Atributo de um ecossistema que leva em consideração o número de espécies e o número de indivíduos por espécie, em uma área determinada.

diversificar *v.t.* (conj. 12). **1.** Fazer variar, tornar diverso. **2.** Ser diverso. **3.** Estabelecer diferença. ★ *v.i.* Variar; divergir.

diverso *adj.* (lat. *diversus*). **1.** Diferente, distinto. **2.** Alterado, mudado. **3.** Vário, variado. ★ *pron. ind. pl.* Alguns, muitos, variados.

diverticulite *s.f.* Inflamação de um divertículo.

divertículo *s.m.* (lat. *diverticulum*). Cavidade, congênita ou adquirida, em fundo de saco, que se comunica com um órgão oco.

diverticulose *s.f.* Presença patológica em um órgão de numerosos divertículos.

divertido *adj.* **1.** Engraçado, alegre, recreativo. **2.** Distraído.

divertimento *s.m.* **1.** Ação ou efeito de divertir(-se). **2.** Entretenimento, distração, recreio.

divertir *v.t.* (lat. *divertere*, apartar-se; ser diferente) [conj. 54]. **1.** Distrair, entreter, recrear. **2.** Desviar, fazer mudar de fim, de objeto, de aplicação. **3.** Fazer mudar de pensamento; dissuadir, desviar. ★ *v.pr.* Recrear-se, entreter-se.

dívida *s.f.* (lat. *debita*, pl. de *debitum*, dívida). **1.** Aquilo que se deve. **2.** Dever moral, obrigação. **3.** Falta de cumprimento de um dever; culpa.

dividendo *s.m.* (lat. *dividendus*). **1.** O que se deve ou o que se há de dividir. **2.** Numa divisão, quantidade que se divide por outra. ● **Econ.** Parte que compete a cada ação nos lucros de uma empresa e que é paga aos acionistas. ★ *adj.* Que se deve ou se há de dividir.

dividir *v.t.* (lat. *dividere*) [conj. 6]. **1.** Partir ou separar em diversas partes; desunir; apartar. **2.** Distribuir, repartir. **3.** Efetuar a operação da divisão. **4.** *Fig.* Estabelecer a discórdia, a desinteligência entre. ★ *v.pr.* **1.** Discordar, divergir. **2.** Desunir-se.

divinação *s.f.* (lat. *divinatio*). **1.** Arte de adivinhar; adivinhação. **2.** Pressentimento, palpite.

divinal *adj.2g.* (lat. *divinalis*). Divino.

divinatório *adj.* Relativo a divinação ou adivinhação.

divindade *s.f.* (lat. *divinitas*). **1.** Qualidade de divino. **2.** Qualquer deus ou deusa. **3.** A qualidade do que é divino. **4.** Pessoa ou coisa adorada, considerada um bem supremo.

divinizar *v.t.* (conj. 4). **1.** Considerar divino, adorar como Deus. **2.** Dedicar culto a, glorificar, venerar. **3.** *Fig.* Exaltar, engrandecer, considerar sublime. ★ *v.pr.* Atribuir-se caráter divino.

divino *adj.* (lat. *divinus*). **1.** Pertencente a Deus, proveniente de Deus; divinal. **2.** Sobrenatural. **3.** *Fam.* Sublime, perfeito, lindo. ★ *s.m.* O que vem de Deus ou de um deus.

divisa *s.f.* (fr. *devise*). **1.** Limite, fronteira. **2.** Palavra ou sentença breve em que se resume a idéia principal de um partido, de uma sociedade. **3.** Insígnia, emblema. ★ *s.f.pl.* ● **Econ.** Moedas estrangeiras de que uma nação dispõe, em poder de entidades públicas ou privadas.

divisão *s.f.* (lat. *divisio*). **1.** Ação de dividir. **2.** Separação. **3.** Repartição, distribuição, partilha. **4.** Cada uma das partes distintas em que se divide um todo. **5.** Compartimento. **6.** Divisória. **7.** Discórdia, dissensão. **8.** Parte de um exército formada por duas ou mais brigadas, comandada por um general. ● **Bot.** Categoria taxonômica utilizada na classificação de plantas que reúne classes com características comuns. **Mat.** Operação matemática em que um número *m*, dito dividendo, é segmentado *n* vezes; o número *n* é dito divisor de *m*, e está contido *n* vezes em *m*.

divisar *v.t.* (conj. 4). **1.** Avistar, notar, distinguir. **2.** Delimitar.

divisibilidade *s.f.* Qualidade do que pode ser dividido. ● **Mat.** Propriedade dos números que podem ser divididos por um número *n*, de modo exato.

divisionário *adj.* **1.** Diz-se da moeda utilizada para trocos. **2.** Relativo a uma divisão militar.

divisionismo *s.m.* Técnica dos pintores neo-impressionistas que consiste em justapor pequenos pontos de diferentes cores sobre a tela, em vez de misturá-las sobre a paleta. (Sin. PONTILHISMO.)

divisível *adj.2g.* (lat. *divisibilis*). Que se pode dividir; suscetível de divisão. ● **Mat.** Diz-se de um número *m*, se este contém *n* um número exato de vezes.

divisor (ô) *adj.* Que divide. ★ *s.m.* **1.** Aquilo ou aquele que divide. **2.** Número pelo qual se divide outro.

divisória *s.f.* **1.** Linha que separa; divisão. **2.** Parede vertical, de pequena espessura, destinada a separar compartimentos ou construções; divisão.

divisório *adj.* **1.** Relativo a divisão. **2.** Que divide. **3.** Que delimita.

divorciado *adj.* e *s.m.* Que ou aquele que se separou judicialmente (do cônjuge) pelo divórcio.

divorciar *v.t.* (conj. 16). **1.** Provocar ou decretar o divórcio de. **2.** Separar, desunir. **3.** Afastar. ★ *v.pr.* **1.** Separar-se judicialmente (os cônjuges). **2.** Desviar-se, separar-se.

divórcio *s.m.* (lat. *divortium*). Separação, desunião. ● **Dir.** Ato jurídico pelo qual se dissolvem o casamento e o vínculo matrimonial.

divulgação *s.f.* Ação de divulgar(-se); vulgarização, propagação, difusão.

divulgador *adj.* e *s.m.* Que ou aquele que divulga; propagandista.

divulgar *v.t.* (lat. *divulgare,* espalhar entre o vulgo) [conj. 14]. Tornar público, fazer conhecido de todos ou da maioria; apregoar, propagar, difundir. ★ *v.pr.* Tornar-se público; difundir-se.

divulsão *s.f.* (lat. *divulsio,* ação de arrancar). Em cirurgia, manobra de dilatação forçada ou de separação manual de tecidos.

dizer[1] *v.t.* (lat. *dicere*) [conj. 29]. **1.** Mostrar, exprimir por meio da fala, por sinais ou por escrito. **2.** Afirmar, explicar. **3.** Divulgar, contar. **4.** Julgar, pensar. **5.** Preceituar, ensinar. **6.** Indicar por sinais exteriores; revelar. **7.** Recitar, declamar. **8.** Determinar, mandar. ★ *v.pr.* Afirmar de si; pretextar.

dizer[2] *s.m.* Modo de falar. ★ *s.m.pl.* Inscrição, letreiro.

dizigótico *adj.* Sin. de BIVITELINO.

dízima *s.f.* **1.** A décima parte; dízimo. **2.** Imposto correspondente à décima parte do rendimento; dízimo. ● **Mat.** *Dízima periódica,* representação decimal de um número em que, depois da vírgula e a partir de certa ordem, há algarismos que se repetem infinitamente.

dizimar *v.t.* (lat. *decimare,* matar um em cada dez) [conj. 4]. **1.** Destruir em parte ou quase completamente. **2.** *Fig.* Desbaratar, desfalcar.

dízimo *s.m.* (do lat. *decimus,* décimo). A décima parte; dízima.

diz-que-diz *s.m.2n.* Falatório, boato.

djibutiano *adj.* Relativo ou pertencente a Djibuti, país da África. ★ *s.m.* O natural ou habitante de Djibuti.

djibutiense *adj.2g.* e *s.2g.* Djibutiano.

DNA abrev. do ingl. *deoxyribonucleic acid,* ADN.

do comb. da prep. *de* com o art. def. masc. *o.*

dó[1] *s.m.* (lat. tard. *dolus,* de *dolere,* doer). **1.** Piedade, comiseração, compaixão. **2.** Luto, tristeza.

dó[2] *s.m.* (it. *do*). **1.** Nota musical. **2.** Primeiro grau da escala de dó. **3.** Sinal que o representa. **4.** *Clave de dó,* clave que indica a colocação desta nota.

a nota dó

doação *s.f.* (lat. *donatio,* ação de dar). **1.** Ato ou efeito de doar. **2.** O objeto doado. ● **Dir.** Ato jurídico pelo qual uma pessoa transfere a outra, gratuitamente, um ou vários bens.

doado *adj.* Transferido por doação.

doador (ô) *s.m.* (lat. *donator,* o que dá). A pessoa que faz uma doação. ★ *adj.* Que doa.

doar *v.t.* (lat. *donare,* dar) [conj. 20]. **1.** Ceder gratuitamente a outrem (bens etc.); fazer doação. **2.** Dar. **3.** Consagrar, dedicar. ★ *v.pr.* Dedicar-se, consagrar-se.

dobar *v.t.* (conj. 4). **1.** Enrolar em novelos qualquer fio; enovelar. **2.** *Fig.* Voltear, rodopiar. ★ *v.i.* **1.** Fazer novelos. **2.** Dar voltas; rodopiar.

dobermann *s.m.* (al.). Cão de guarda de origem alemã, de pêlo curto e duro, porte médio e musculatura sólida.

dobra *s.f.* **1.** Parte de um objeto que faz volta, sobrepondo-se a outra parte. **2.** Vinco, prega. ● **Geol.** Deformação das camadas geológicas, em forma de ondulações de dimensões variadas.

dobrada *s.f.* Lugar onde, do alto de um morro ou espigão, se começa a descer; quebrada.

dobradeira *s.f.* **Ind.** Máquina-ferramenta de caldeiraria, utilizada para dobrar chapas metálicas. **Ind. Gráf.** Instrumento de encadernador para dobrar folhas e capas de livro.

dobradiça *s.f.* Conjunto de duas peças unidas por um pino, sobre o qual giram portas e janelas; gonzo.

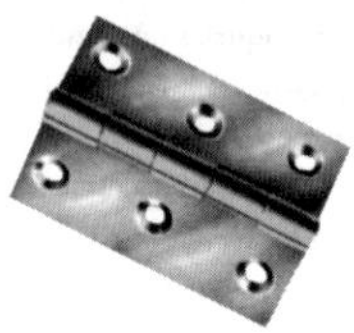

dobradiço *adj.* Que se dobra com facilidade.

dobradinha *s.f.* **1.** Parte comestível das vísceras do boi ou da vaca. **2.** Guisado feito com essas vísceras. **3.** *Pop.* Dupla.

dobrado *adj.* **1.** Que se dobrou, que apresenta dobras. **2.** Que se duplicou. **3.** Voltado sobre si; enrolado. ★ *s.m.* ● **Mús.** Composição musical de ritmo marcial, executada em desfiles e evoluções.

dobradura *s.f.* **1.** Ação ou modo de dobrar; dobramento. **2.** Atividade que consiste em dobrar papel ou cartolina para se obter uma forma determinada. **3.** O produto final dessa atividade.

dobrar *v.t.* (lat. tard. *duplare*) [conj. 4]. **1.** Tornar duas vezes maior; duplicar. **2.** Aumentar. **3.** Virar um objeto de modo que uma ou mais partes dele fiquem sobrepostas a outra ou outras. **4.** Voltar para baixo; inclinar. **5.** *Fig.* Fazer ceder; coagir. **6.** Demover. **7.** Passar além de, circundando. ★ *v.i.* **1.** Duplicar-se, aumentar. **2.** Vergar-se, curvar-se. **3.** *Fig.* Ceder. **4.** Dar volta. **5.** Falando-se de sino, soar por ocasião de um enterro. ★ *v.pr.* **1.** Curvar-se, inclinar-se. **2.** Submeter-se.

dobro (ô) *s.m.* (lat. *duplus*). O duplo.

doca *s.f.* (ingl. *dock*). **1.** Construção em porto marítimo para abrigo, carregamento e descarregamento dos navios. **2.** Dique para a construção e reparo de navios. **3.** Conjunto de armazéns construídos ao longo do cais para a guarda de mercadorias a embarcar ou já desembarcadas.

doce (ô) *adj.* (lat. *dulcis*). **1.** Que tem sabor como o do açúcar ou do mel. **2.** Que é temperado com açúcar, mel ou outro ingrediente adoçante. **3.** Agradável, aprazível. **4.** Terno, afetuoso. ★ *s.m.* **1.** Aquilo que é doce. **2.** Preparado culinário em que entra açúcar, mel ou outro adoçante.

doceiro *s.m.* Homem que faz ou vende doces; confeiteiro.

docência *s.f.* (lat. *docentia*). Qualidade de docente. ● **Educ.** Ensino, magistério, professorado.

docente *adj.2g.* (lat. *docens*). Que ensina. ★ *s.2g.* Professor.

dócil *adj.2g.* (lat. *docilis,* que aprende facilmente). **1.** Que aprende ou é ensinado com facilidade. **2.** Fácil de guiar; submisso, obediente.

docilidade *s.f.* Qualidade de dócil.

documentação *s.f.* **1.** Ato ou efeito de documentar. **2.** Conjunto de documentos relativos a um assunto. **3.** Conjunto de operações, métodos etc. que facilitam a coleta, a estocagem, a pesquisa e a circulação de documentos e de informações.

documental *adj.2g.* **1.** Relativo a documento. **2.** Documentado.

documentar *v.t.* (conj. 4). Provar com documentos, juntar documentos a.

documentário *adj.* Relativo a documentos. ★ *s.m.* ● **Cin.** Filme que registra, interpreta e comenta fatos, ambientes ou situações.

documento *s.m.* (lat. *documentum,* modelo; amostra). **1.** Qualquer escrito ou objeto que serve de prova, confirmação ou testemunho, e constitui uma fonte de informação. **2.** Arquivo de dados, em especial de texto.

doçura *s.f.* **1.** Qualidade do que é doce. **2.** *Fig.* Suavidade, brandura.

dodecaedro *s.m.* (gr. *dodekáedron*). Poliedro composto por 12 faces.

dodecafônico *adj.* Relativo ao dodecafonismo.

dodecafonismo *s.m.* Técnica de composição musical que emprega exclusivamente os doze sons da escala cromática, ou série.

dodecagonal *adj.2g.* Que tem doze ângulos ou que tem por base um dodecágono.

dodecágono *s.m.* (gr. *dodekágonon*). Polígono composto por doze lados.

dodecassílabo *adj.* e *s.m.* Diz-se de ou verso de doze sílabas.

dodói *s.m. Fam.* **1.** Dor. **2.** Doença. **3.** Ferimento. ★ *adj.2g.* Doente.

doença *s.f.* (lat. *dolentia,* dor). **1.** Alteração da saúde que comporta um conjunto de caracteres definidos, como causa, sinais, sintomas e evolução; mal, moléstia, enfermidade. **2.** Mal que ataca as plantas. **3.** *Fig.* Forte paixão, obsessão, mania. ● **Patol.** *Doença de Chagas,* parasitose grave, devida a um protozoário flagelado que se instala em um dos órgãos do corpo (geralmente o coração) e destrói progressivamente suas estruturas nervosas. ▸ *Doença do sono,* doença provocada por um tripanossomo e caracterizada por sono letárgico. ▸ *Doença sexualmente transmissível,* doença transmitida pelo contato sexual; abrev. DST.

doente *adj.2g.* (lat. *dolens, dolentis,* que causa dor). **1.** Que tem a saúde alterada; enfermo. **2.** Que sofre, que padece. **3.** Débil, fraco, de saúde frágil. **4.** *Pop.* Apaixonado, fanático, vicioso. ★ *s.2g.* Pessoa enferma.

doentio *adj.* **1.** Que adoece fácil ou freqüentemente. **2.** Prejudicial à saúde. **3.** *Fig.* Diz-se das manifestações ou manias que lembram perturbações mentais.

doer *v.i.* (lat. *dolere,* sofrer) [conj. 48]. **1.** Causar dor. **2.** Estar dolorido. ★ *v.t.* e *v.i.* Causar dó, pena, compaixão. ★ *v.pr.* **1.** Ofender-se, ressentir. **2.** Apiedar-se, compadecer-se.

doesto *s.m.* **1.** Insulto, injúria. **2.** Descompostura.

dogma *s.m.* (gr. *dógma,* opinião). Opinião dada como certa, inatingível e imposta como verdade indiscutível. ● **Teol.** Ponto fundamental e incontestável de uma doutrina religiosa ou filosófica. ▸ Conjunto desses pontos que constituem uma doutrina.

dogmático *adj.* (gr. *dogmatikós*). **1.** Pertencente ou relativo a dogma. **2.** Que se apresenta com o caráter de certeza absoluta, que exprime uma opinião de forma categórica. ★ *s.m.* Dogmatista.

dogmatismo *s.m.* Atitude filosófica ou religiosa que, fundamentando-se em um dogma, rejeita categoricamente a contestação e a crítica.

dogmatista *adj.2g.* e *s.2g.* **1.** Que ou aquele que dogmatiza, que estabelece dogmas. **2.** Diz-se de partidário do dogmatismo; dogmático.

dogmatizar *v.t.* (conj. 4). Ensinar com autoridade, pretender impor como dogma. ★ *v.i.* Pregar, estabelecer dogmas.

doideira *s.f.* Doidice.

doidice *s.f.* **1.** Ato ou dito próprio de doido; loucura. **2.** Insensatez. **3.** Imprudência, leviandade. **4.** Excentricidade, extravagância.

doidivanas *s.2g.2n. Fam.* Pessoa estouvada, leviana, imprudente.

doido *adj.* **1.** Que perdeu a razão, o juízo; maluco, louco. **2.** Contrário à razão; insensato. **3.** Imprudente, leviano. **4.** Excêntrico, extravagante. **5.** *Fig.* Que está fora de si; arrebatado. **6.** *Fig.* Entusiasta, apaixonado. ★ *s.m.* Indivíduo doido.

doído *adj.* **1.** Que revela ou acusa dor, dorido, dolorido. **2.** Magoado.

dois *num. card.* (lat. *duos,* acus. de *duo,* dois). **1.** Um mais um. **2.** Segundo. ★ *s.m.* O algarismo (2) que representa esse número.

dois-de-paus *s.m.2n.* Indivíduo insignificante.

dois-pontos *s.m.pl.* Sinal de pontuação que corresponde a uma pausa breve e introduz uma explicação ou citação.

dólar *s.m.* Unidade monetária de cada um dos diversos países, como Austrália, Antígua, Bahamas, Barbados, Belize, Brunei, Canadá, Cingapura, Dominica, Estados Unidos da América, Fiji, Formosa, Granada, Guiana, Ilhas Salomão, Jamaica, Kiribati, Libéria, Malaísia, Nauru, Nova Zelândia, Santa Lúcia, São Cristóvão e Nevis, São Vicente e Granadinas, Trinidad e Tobago, Tuvalu e Zimbábue.

dolarização *s.f.* Sistema de avaliação de preços baseado na cotação do dólar norte-americano.

doleiro *adj.* e *s.m.* Que ou aquele que se dedica ilegalmente à compra e venda de dólares.

dolência *s.f.* (lat. *dolentia*). Mágoa, dor, lástima.

dolente *adj.2g.* (lat. *dolens*). Que expressa dor, pesar; lastimoso, magoado.

dólmã *s.m.* (turco *dolama*). Veste ou casaco militar.

dólmen *s.m.* (celta *tolmen,* mesa de pedra). Monumento megalítico formado por uma grande pedra chata disposta sobre outras, verticais.

dolo *s.m.* (lat. *dolus,* astúcia). Artifício empregado para enganar e prejudicar alguém; fraude. ● **Dir.** Ato com que conscientemente uma pessoa induz, mantém ou confirma outra em erro.

dolomita ou **dolomite** *s.f.* (de *Dolomieu,* top.). Carbonato natural duplo de cálcio e magnésio, cuja erosão origina relevos ruiniformes característicos.

dolorido *adj.* **1.** Que tem dor; dorido, doído. **2.** Magoado, lastimado, doloroso.

dolorosa *s.f. Gír.* A conta que se deve pagar.

doloroso (ô) *adj.* (lat. *dolorosus*). **1.** Que causa uma dor física ou moral; dolente, dolorido. **2.** Magoado, lastimoso.

doloso (ô) *adj.* (lat. *dolosus,* astucioso). **1.** Em que há dolo. **2.** Que procede com dolo. **3.** Causado por dolo.

dom *s.m.* (lat. *donum*). **1.** Dádiva, presente. **2.** Dote natural, habilidade, capacidade. **3.** *Fig.* Merecimento, mérito. **4.** Virtude.

domação *s.f.* Doma.

domador (ô) *adj.* e *s.m.* Que ou aquele que doma, que domestica.

domar *v.t.* (lat. *domare*) [conj. 4]. **1.** Amansar, domesticar. **2.** Montar pela primeira vez o cavalo jovem, com sela e arreios. **3.** Vencer, dominar, subjugar. **4.** *Fig.* Refrear, reprimir. ★ *v.pr.* Conter-se, dominar-se, refrear-se.

domesticação *s.f.* **1.** Amansamento ou adestramento de animais para convívio doméstico. **2.** Transformação de uma espécie selvagem em espécie submissa à exploração do homem, para o fornecimento de produtos ou serviços.

domesticado *adj.* Que sofreu domesticação.

domesticar *v.t.* (conj. 12). **1.** Tornar doméstico. **2.** Amansar, domar, amestrar. **3.** Civilizar. ★ *v.pr.* **1.** Tornar-se doméstico; amansar. **2.** Civilizar-se.

doméstico *adj.* (lat. *domesticus,* de casa, do lar). **1.** Relativo à casa ou à família; familiar. **2.** *Animais domésticos,* p. opos. a *selvagens,* os que vivem e se criam em ambiente humano. ★ *s.m.* Indivíduo que trabalha em casa de outro mediante retribuição; criado.

domiciliar[1] *v.t.* (conj. 16). Recolher em domicílio, dar residência a. ★ *v.pr.* Fixar residência.

domiciliar[2] *adj.2g.* Domiciliário.

domiciliário *adj.* **1.** Relativo a domicílio. **2.** Que se faz no domicílio.

domicílio *s.m.* (lat. *domicilium*). A habitação, a casa de residência. ● **Dir.** Lugar onde o cidadão tem a sua residência permanente.

dominação *s.f.* **1.** Ato ou efeito de dominar; autoridade soberana, supremacia. **2.** Subjugação, repressão.

dominância *s.f.* Qualidade de dominante.

dominante *adj.2g.* **1.** Que domina, que governa. **2.** Que prevalece; preponderante, influente, predominante. ● **Genét.** Diz-se de um dos membros do par de genes alelos que manifesta seu fenótipo e suprime a expressão do outro, denominado *recessivo.*

dominar *v.t.* (conj. 4). **1.** Ter o domínio de. **2.** Ter autoridade ou poder sobre. **3.** Reprimir. **4.** Subjugar, vencer. **5.** Preponderar. ★ *v.pr.* Conter-se.

domingo *s.m.* (do lat. ecles. *dominicus,* o dia do Senhor). O primeiro dia da semana.

domingueiro *adj.* **1.** Que pertence ao domingo. **2.** Usado aos domingos.

dominical *adj.2g.* (lat. *dominicalis*). **1.** Relativo ao senhor. **2.** Relativo ao domingo. **3.** Relativo a Deus.

dominicano[1] *adj.* Relativo ou pertencente à ordem de São Domingos. ★ *s.m.* Religioso da ordem de São Domingos.

dominicano[2] *adj.* e *s.m.* Relativo ou pertencente à República Dominicana, país da América Central. ★ *s.m.* O natural ou habitante da República Dominicana.

domínio *s.m.* (lat. *dominium,* propriedade; banquete). **1.** Autoridade, dominação. **2.** Posse. **3.** Esfera de ação. **4.** Capacidade de dominar; preponderância. **5.** Grande extensão de território. **6.** *Domínio público,* situação do texto, música, programa ou outra obra intelectual cujos direitos autorais não estão reservados e que pode ser usada legalmente por todos. ● **Dir.** Propriedade de bens imobiliários. **Mat.** Na relação entre elementos de dois conjuntos, é aquele com o qual se estabelece a relação. **Inform.** Endereço na internet.

dominiquês *adj.* Relativo ou pertencente à Dominica, país da América Central. ★ *s.m.* O natural de Dominica.

dominó *s.m.* **1.** Túnica com capuz e mangas, usado para disfarce no carnaval. **2.** Pessoa trajada com essa veste. **3.** Jogo composto de 28 peças retangulares, com uma das faces marcada com um certo número de pontos, de um a seis.

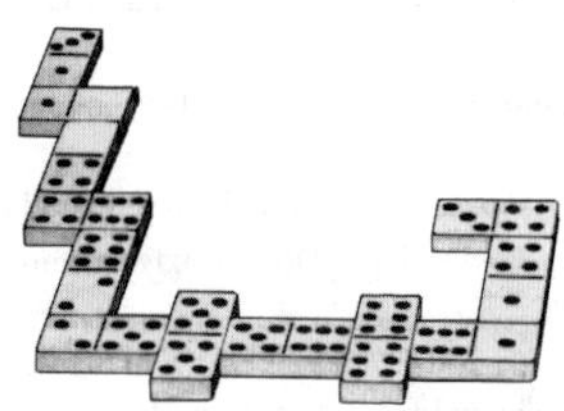

domo *s.m.* (lat. *domus,* casa). Cobertura de um edifício, de forma esférica; zimbório.

dona *s.f.* (lat. *domina,* dona da casa; senhora). **1.** Proprietária de alguma coisa. **2.** Título e tratamento honorífico que precede a honra das senhoras. **3.** Senhora. **4.** Mulher, esposa.

donaire *s.m.* (esp. *donaire*). **1.** Elegância, graça, garbo. **2.** Adorno, enfeite.

donairoso (ô) *adj.* Que tem donaire; elegante, garboso, gentil.

donatário *s.m.* (do lat. *donatum,* de *donare,* dar). **1.** A pessoa a quem se fez uma doação. **2.** Indivíduo que, no Brasil colonial, recebia de Portugal terras para povoar e cultivar.

donativo *s.m.* (lat. *donativum*). **1.** Objeto de uma doação; dádiva, presente. **2.** Esmola, óbolo.

donde comb. da prep. *de* com o adv. *onde.*

doninha *s.f.* **1.** Pequeno mamífero europeu, carnívoro, que apresenta glândulas secretoras de substância malcheirosa, e cuja pelagem torna-se branca durante o inverno. **2.** Sin. de FUINHA.

pela parada momentânea do desenvolvimento, que caracteriza determinadas sementes, gemas foliares de inverno ou brotos florais, larvas de insetos ou mamíferos jovens.

dormente *adj.2g.* **1.** Que dorme; adormecido. **2.** Entorpecido, privado momentaneamente de movimento. **3.** *Fig.* Quieto, sereno, calmo. ★ *s.m.* Cada uma das peças colocadas sobre o solo perpendicularmente à via férrea, e sobre as quais os trilhos são instalados.

dono *s.m.* (lat. *dominus,* dono da casa; senhor). **1.** Aquele que detém a propriedade de alguma coisa; proprietário, senhor. **2.** Chefe de uma casa.

donzel *adj.* Puro, ingênuo.

donzela *adj.* e *s.f.* **1.** Mulher, moça nobre. **2.** Mulher virgem. **3.** *Ant.* Criada de honra; aia.

dopa (abrev. do ingl. *DihydrOxyPhenylAlanine).* Diidroxifenilalanina, aminoácido precursor imediato da dopamina, cujo isômero levogiro é empregado no tratamento do mal de Parkinson.

dopado *adj.* Diz-se do indivíduo que se encontra sob a ação de uma droga. ● **Med.** Diz-se da pessoa ou animal que sofreu *doping.*

dopamina *s.f.* Neurotransmissor do grupo das catecolaminas, que, ao nível dos sistemas nervosos central e periférico, inibe a atividade neuronal.

dopar *v.t.* (ingl. *to dope*) [conj. 4]. **1.** Injetar substância estimulante em. **2.** Administrar estimulante, estupefaciente ou narcótico.

doping *s.m.* (ingl.). Meio destinado a aumentar o rendimento físico ou intelectual de uma pessoa ou animal, mediante injeção ilícita de estimulante, praticado sobretudo em competições.

dor (ô) *s.f.* (lat. *dolor*). **1.** Sensação penosa e desagradável, em uma parte qualquer do corpo. **2.** Sofrimento moral, mágoa, dó. **3.** Angústia, aflição, amargura. **4.** Expressão do sofrimento. **5.** Luto. ● **Psiq.** *Dor moral,* sofrimento psíquico que se encontra nos estados depressivos.

doravante *adv.* De agora em diante, para o futuro.

dor-de-cotovelo (ê) *s.f. Gír.* Ciúme ou despeito por causa de amor.

dorido *adj.* Dolorido.

dormência *s.f.* **1.** Estado de quem dorme, de quem tem sono. **2.** Perda total ou parcial da sensibilidade numa parte do corpo. ● **Biol.** Estado de inatividade biológica, representado

dormida *s.f.* **1.** Ação de dormir. **2.** O estado de sono. **3.** Pousada para pernoitar.

dormideira *s.f.* Planta com ramos armados de espinhos, pequenas flores lilases, e casca utilizada como vermífugo cujos folíolos, quando tocados, se fecham. (Sin. SENSITIVA.)

dorminhoco (ô) *adj.* e *s.m. Fam.* Que ou aquele que dorme muito.

dormir *v.i.* (lat. *dormire*) [conj. 59]. **1.** Estar entregue ao sono. **2.** Repousar, conservar-se imóvel. **3.** Ficar inativo, sem realização. **4.** Distrair a atenção; descuidar-se. ★ *v.t.* **1.** Passar dormindo. **2.** Ter relações sexuais.

dormitar *v.i.* (conj. 4). **1.** Dormir levemente e pouco, estar meio adormecido; cochilar. **2.** *Fig.* Errar ou omitir algo por distração; bobear. **3.** *Fig.* Estar tranqüilo, calmo, por algum tempo; descansar.

dormitório *s.m.* (lat. *dormitorium*). **1.** Sala onde estão dispostas muitas camas. **2.** Quarto de dormir.

dorna *s.f.* Espécie de tina muito grande onde se pisam as uvas, no preparo do vinho.

dorsal *adj.2g.* **1.** Relativo ao dorso de uma pessoa ou de um animal. **2.** Diz-se daquilo que está situado na parte posterior de um órgão ou de um membro. ★ *s.f.* ● **Geogr.** Elevação abrupta dos fundos oceânicos, na forma de grandes cordilheiras submarinas.

dorso (ô) *s.m.* (lat. *dorsum*). **1.** *Fig.* O reverso ou parte posterior de alguma coisa. **2.** Parte superior convexa ● **Anat.** Parte posterior do tronco do homem, compreendida entre as espáduas e a nuca, em cima, e a bacia, embaixo. ► Em outros vertebrados, além do homem, a metade dorsal do tronco situada entre a nuca e a cauda, próxima à coluna vertebral.

dorsolombar *adj.2g.* Que se refere tanto à parte dorsal como à parte lombar do corpo.

dosagem *s.f.* **1.** Ação de dosar. **2.** Elaboração de uma mistura nas proporções convenientes de seus diversos constituintes. **3.** Determinação (por gravimetria, volumetria etc.) da quantidade de um constituinte contido em uma substância.

dosar *v.t.* (conj. 4). **1.** Misturar nas devidas proporções. **2.** Determinar a dose, a concentração de uma solução ou as proporções de uma mistura.

dose *s.f.* (gr. *dósis,* ação de dar). **1.** Quantidade determinada de um medicamento a ser ingerido ou injetado. **2.** Quantidade do que entra em uma composição. **3.** *Fig.* Quantidade de um todo. **4.** Aperitivo.

dossel *s.m.* Armação saliente, fossada e rodeada de franja, que se dispõe sobre altares, tronos e camas.

dossiê *s.m.* (fr. *dossier*). Coleção de documentos relativos a um processo, a um indivíduo ou a qualquer assunto.

dotação *s.f.* **1.** Ato ou efeito de dotar. **2.** Renda vitalícia. **3.** Quantia prevista para determinado fim; verba.

dotado *adj.* **1.** Que recebeu dote, a que se estabeleceu uma dotação. **2.** *Fig.* Que possui um dote natural; prendado.

dotar *v.t.* (lat. *dotare*) [conj. 4]. **1.** Dar dote a. **2.** Consignar para dotação. **3.** Beneficiar, favorecer com algum dom natural. **4.** Prover. ★ *v.pr.* Constituir dote para si.

dote *s.m.* (lat. *dos, dotis*). **1.** Bens que a mulher trazia ao se casar. **2.** Bens que a futura religiosa leva para o convento. **3.** Dom, mérito, qualidade física, intelectual ou moral.

dourado[1] *adj.* **1.** Revestido de uma camada de ouro. **2.** Ornado de ouro. **3.** Que tem a cor ou o brilho do ouro. **4.** *Fig.* Alegre, feliz, brilhante. ★ *s.m.* **1.** Douradura, a camada de ouro que reveste um objeto. **2.** A cor dourada.

dourado[2] *s.m.* **1.** Peixe ósseo que ocorre nas bacias do Prata e São Francisco. **2.** Peixe ósseo que ocorre nos mares tropicais e subtropicais, de coloração metálica.

douradura *s.f.* Ato ou efeito de dourar; douração.

dourar *v.t.* (lat. tard. *deaurare*) [conj. 4]. **1.** Revestir de uma camada de ouro ou de uma substância dourada. **2.** Dar a cor de ouro a. **3.** *Fig.* Encobrir um acontecimento desagradável. ★ *v.pr.* Adquirir brilho, resplandecer.

douto *adj.* (lat. *doctus*). Muito instruído; sábio, erudito.

doutor (ô) *s.m.* (lat. *doctor,* o que ensina, mestre). **1.** Pessoa que obteve o doutoramento conferido por uma universidade, após a defesa de uma tese sobre um tema determinado. **2.** Bacharel, advogado e especialmente médico. **3.** Homem muito douto; sábio.

doutorado *adj.* Que se doutorou. ★ *s.m.* Segundo curso de pós-graduação, que se faz depois do mestrado; grau conferido por esse curso.

doutoral *adj.2g.* **1.** De doutor ou a ele relativo. **2.** Próprio de doutor.

doutorando *s.m.* Pessoa que se prepara para receber o grau de doutor.

doutorar *v.t.* (conj. 4). Conferir o grau de doutor a. ★ *v.pr.* Receber o grau de doutor.

doutrina *s.f.* (lat. *doctrina,* ensino teórico). **1.** Conjunto de princípios que regem uma escola literária ou filosófica, de um sistema político, econômico etc., ou de dogmas de uma religião. **2.** Ensinamento. **3.** Regra, norma.

doutrinador (ô) *adj.* e *s.m.* **1.** Que ou aquele que doutrina. **2.** Pessoa que participa da elaboração e divulgação de uma doutrina; teórico.

doutrinal *adj.2g.* (lat. *doctrinalis,* científico). Relativo a doutrina; doutrinário.

doutrinar *v.t.* (conj. 4). **1.** Instruir em uma doutrina. **2.** Ensinar, pregar. ★ *v.i.* Escrever ou pronunciar doutrinas; pregar.

doutrinário *adj.* e *s.m.* Doutrinal.

download *s.m.* (ingl.) **Inform.** Transferência de arquivos de dados ou de programas remotos para o computador do usuário. ★ *v.i.* Sin. de BAIXAR.

doze *num. card.* (lat. *duodecim*). **1.** Dez mais dois. **2.** Décimo segundo. ★ *s.m.* O algarismo (12) que representa esse número.

dracena *s.f.* (gr. *drákaina,* dragoa). Nome comum a diversos subarbustos originários dos países tropicais e cultivados como ornamentais.

dracma *s.f.* **1.** Antiga unidade monetária da Grécia, substituída pelo euro em 2002. **2.** Unidade de peso de alguns países.

draconiano *adj.* **1.** Relativo a Drácon, legislador de Atenas do séc. VII a.C., famoso pela sua severidade das leis a ele atribuída. **2.** Que aplica a lei de forma excessivamente severa.

dracunculose *s.f.* (do lat. *dracunculus,* pequena serpente). Filariose cutânea que ocorre na África, Oriente Médio, Índia e parte da América do Sul; draconíase, dracontíase, dracunculíase.

draga *s.f.* (ingl. *drag,* de *to drag,* arrastar). **1.** Máquina utilizada na desagregação e retirada de entulho etc., areia, do fundo de um curso de água ou do mar. **2.** Barco que leva uma draga.

dragão *s.m.* (gr. *drákon*). **1.** Monstro fabuloso geralmente representado com garras, grandes asas e cauda de serpente. **2.** *Ant.* Soldado de cavalaria.

dragar *v.t.* (conj. 14). Limpar ou desobstruir com draga.

drágea *s.f.* (fr. *dragée*). Medicamento cujo princípio ativo está envolvido por açúcar ou amido para facilitar sua absorção, dissimular o gosto ou protegê-lo do contato com o ar.

dragona *s.f.* (fr. *dragonne*). Pala, guarnecida ou não de franjas, usada pelos militares em cada ombro.

drama *s.m.* (gr. *drâma,* fato, ação cênica). *Fig.* Acontecimento patético ou comovente; tragédia. ● **Teatr.** Designação genérica de qualquer obra teatral. ▸ Peça de teatro que representa uma ação violenta ou dolorosa, como a tragédia, mas com elementos vivos, realistas. **Liter.** Parte do enredo da prosa de ficção em que há conflito entre as personagens.

dramalhão *s.m.* Drama de pouco conteúdo, abundante em lances de grande perversidade ou de sentimentalismo exagerado.

dramático *adj.* (gr. *dramatikós*). **1.** Que apresenta as características do drama. **2.** Relativo ao teatro ou que se relaciona com a profissão teatral. **3.** Que suscita uma viva emoção; pungente, patético.

dramatizar *v.t.* (conj. 4). **1.** Tornar dramático, dar a forma de drama a. **2.** Exagerar, tornar mais interessante ou comovente, dar mais relevo a uma narrativa. ★ *v.i.* Fazer drama.

dramaturgia *s.f.* (gr. *dramatourgía*). **1.** Arte e técnica de compor peças de teatro. **2.** Arte dramática; teatro. **3.** O conjunto da obra dramática de um autor, um país etc.

dramaturgo *s.m.* (gr. *dramatourgós*). **1.** Autor de dramas. **2.** Autor de peças teatrais.

VOCÊ SABIA...? William Shakespeare (1564-1616) é o maior **dramaturgo** da Inglaterra e um dos maiores do mundo. Nasceu em Stratford-on-Avon, mas mudou-se para Londres para fazer teatro como ator, escritor e diretor. Sua obra abrange muitos temas e inclui comédias, como *Sonho de uma noite de verão*, e tragédias, como *Hamlet*. Suas peças são representadas até hoje em todo o mundo.

---

drapear *v.t.* (conj. 15). Drapejar.

drapejar *v.t.* (it. *drappeggiare*) [conj. 4]. Dispor de certa maneira as dobras de uma vestimenta ou dos panos com que se cobre uma estátua; drapear. ★ *v.i.* Ondear, panejar (falando-se de bandeira); drapear.

drástico *adj.* (gr. *drastikóos,* eficaz). **1.** Diz-se de um purgativo violento. **2.** *Fig.* Enérgico, severo, rigoroso.

drávida *s.2g.* Indivíduo dos drávidas, povo indígena da Índia e do Ceilão, não indo-europeu. ★ *adj.2g.* Pertencente ou relativo aos drávidas; dravídico.

dravídico *adj.* Drávida. ★ *s.m.* Grupo de línguas faladas pelos drávidas.

drenagem *s.f.* Saída, natural ou auxiliada por drenos, da água existente em um solo; conjunto de procedimentos e operações realizados para facilitar a saída dessa água. ● **Med.** Retirada de líquidos formados no organismo após intervenções cirúrgicas ou espontaneamente em abscessos e ferimentos.

drenar *v.t.* (conj. 4). **1.** Retirar o excesso de líquidos; escoar, secar. **2.** Proceder à drenagem.

dreno *s.m.* (ingl. *drain,* de *to drain,* vazar). Conduto subterrâneo para coletar e evacuar a água em excesso, em determinado solo. ● **Agric.** Canal ou tubo que serve para o escoamento da água de chuva, ou de irrigação. **Eletrôn.** Em certos transistores, eletrodo de chegada da corrente de elétrons. **Med.** Tubo oco de metal, vidro, borracha ou plástico, utilizado para a drenagem de coleções orgânicas líquidas. ► Tira de gaze que, após esterilização, é usada para a drenagem de um ferimento.

drepanócito *s.m.* (do gr. *drepane,* foice). Hemácia deformada em forma de foice ou de banana, característica da drepanocitose ou anemia falciforme.

drepanocitose *s.f.* Doença hereditária caracterizada por uma anemia hemolítica grave, devida a uma malformação dos glóbulos vermelhos, que têm a forma de uma foice. (Sin. ANEMIA FALCIFORME.)

driblar *v.t.* e *v.i.* (ingl. *dribble*) [conj. 4]. *Fig.* Enganar, despistar. ● **Esp.** Em alguns esportes, conduzir a bola contornando o adversário; fintar.

drible *s.m.* Ato ou efeito de driblar; finta.

driça *s.f.* Adriça.

drinque *s.m.* (ingl. *drink*). Bebida alcoólica que se toma principalmente fora das refeições.

droga *s.f.* (fr. *drogue*). **1.** Designação genérica de toda substância usada em química, farmácia etc. **2.** Medicamento, remédio. **3.** Substância psicoativa natural ou sintética; entorpecente, narcótico. **4.** *Fam.* Coisa sem valor; ninharia, bagatela. **5.** O que é entediante ou desagradável. ★ *interj.* Exprime irritação, aborrecimento.

drogaria *s.f.* Estabelecimento em que se vendem drogas e artigos de farmácia.

droguista *s.2g.* **1.** Fornecedor de matérias-primas para a indústria farmacêutica. **2.** Proprietário de drogaria. ★ *adj.2g.* Relativo a drogas.

dromedário *s.m.* (lat. *dromedarius*). Mamífero artiodáctilo, ruminante, dotado de pés macios, sem cascos, com uma única corcova sobre o dorso, que ocorre na Ásia e África, onde é domesticado para montaria e transporte.

---

dromornito *s.m.* Denominação comum às aves que não voam, apenas correm.

dromoterapia *s.f.* Tratamento terapêutico que utiliza a marcha ou a corrida, principalmente para a recuperação muscular e a ativação circulatória.

dromotrópico *adj.* Relativo à condutibilidade da fibra muscular, em particular a fibra muscular cardíaca.

drope *s.m.* ou **dropes** *s.m.2n.* (ingl. *drops,* gotas). Pequeno confeito; bala.

drosófila *s.f.* (lat. cient. *drosophylla*). Inseto díptero, muito utilizado em estudos de genética, que apresenta o corpo amarelo, olhos vermelhos, e cujas larvas se alimentam de frutas. (Sin. MOSCA-DO-VINAGRE.)

druida (u-i) *s.m.* (do celta). Sacerdote entre os gauleses e bretões.

drupa *s.f.* (lat. *drupa,* azeitona). Fruto carnoso com uma única semente que, concrescida com o endocarpo, forma uma unidade denominada caroço.

drupáceo *adj.* Que apresenta características de drupa.

drusa *s.f.* (al. *Druse*). Massa globular de cristais que se pode observar em determinadas células vegetais.

DST abrev. de DOENÇA SEXUALMENTE TRANSMISSÍVEL.

dual *adj.2g.* (lat. tard. *dualis*). Relativo a dois.

dualidade *s.f.* (lat. tard. *dualitas*). Qualidade do que é dual.

DUALIDADE ► Um dos símbolos da dualidade mais conhecidos no mundo é o *yin-yang* (círculo dividido por uma linha ondulada em duas partes de cores diferentes, branco e preto), proveniente da antiguidade chinesa. Os pequenos círculos de cores opostas que aparecem em cada parte indicam que as coisas que são opostas se complementam.

---

dualismo *s.m.* Coexistência de dois elementos ou posições diferentes, opostos ou complementares. ● **Filos.** Doutrina que admite a coexistência de dois princípios que se opõem irredutivelmente.

dualista *adj.2g.* Que contém dois princípios opostos. ● **Filos.** Que diz respeito ao dualismo; dualístico. ► *s.2g.* Partidário do dualismo.

dualístico *adj.* Dualista.

duas *num. card.* e *s.f.* Fem. de *dois.*

dubiedade *s.f.* (lat. *dubietas*). Qualidade do que é dúbio; ambigüidade.

dúbio *adj.* (lat. *dubius*). **1.** Que se presta a diferentes interpretações; ambíguo, duvidoso. **2.** Hesitante, incerto, vago, indeciso. **3.** Que não se pode explicar bem ou definir; indefinível.

dubitativo *adj.* Que manifesta ou contém dúvida.

dublagem *s.f.* (fr. *doublage,* do lat. *duplare,* dobrar). Gravação, em estúdio, da parte falada ou cantada de um filme na língua original, pelo próprio ator, ou em língua estrangeira.

dublar *v.t.* (conj. 4). Proceder à dublagem.

ducado *s.m.* (lat. *ducatus*). **1.** Conjunto de terras e senhorias que formam o domínio de um duque. **2.** O título e dignidade de duque.

ducal *adj.2g.* (lat. tard. *ducalis*). Relativo ou pertencente a um duque ou a um ducado.

ducentésimo *num. ord.* (lat. *ducentesimus*). Correspondente ao número 200 numa seqüência. ★ *s.m.* Cada uma das 200 partes iguais em que se divide um todo.

ducha *s.f.* (fr. *douche*). **1.** Jato de água que se arremessa sobre o corpo ou parte do corpo com fins terapêuticos ou higiênicos. **2.** *Fig.* Tudo que acalma uma exaltação, que faz diminuir o entusiasmo.

dúctil *adj.2g.* (lat. *ductilis*). **1.** Que pode ser comprimido, estirado; flexível. **2.** Que pode sofrer grandes deformações sem se romper. **3.** *Fig.* Que cede facilmente; dócil.

ductilidade *s.f.* **1.** Propriedade ou qualidade do que é dúctil; maleabilidade, flexibilidade. **2.** Propriedade de um material, em particular de um metal, de ser estirado e reduzido a fios ou chapas.

duelar *v.i.* e *v.pr.* (conj. 4). Travar duelo.

duelista *s.2g.* O que costuma bater-se em duelo; provocador de duelos.

duelo *s.m.* (lat. *duellum,* f. ant. de *bellum,* luta). **1.** Combate entre dois adversários em que um deles exigiu do outro reparação de uma ofensa. **2.** Lutar com armas iguais. **3.** Combate, batalha, luta. **4.** Enfrentamento de dois cavaleiros com espadas.

? VOCÊ SABIA...? Os escritores romanos que trataram da conquista do império pelos povos bárbaros, no século V, observaram que o **duelo** já existia entre os germânicos. Quando se apresentavam disputas entre duas tribos, a forma de resolvê-las era pelo enfrentamento com espadas. A queda do Império Romano e as invasões dos povos germânicos durante o período inicial da Idade Média difundiram esse costume por toda a Europa.

---

duende *s.m.* (esp. *duende*). Entidade fantástica ou espírito sobrenatural das lendas bretãs, que aparece como um anão brincalhão.

dueto (ê) *s.m.* (it. *duetto*). *Fam.* Conversa entre duas pessoas. ● **Mús.** Composição para duas vozes ou dois instrumentos; duo.

dulcaqüícola *adj.2g.* e *s.m.* Var. de DULCIAQÜÍCOLA.

dulciaqüícola *adj.* e *s.m.* Diz-se do ou organismo que vive exclusivamente em água doce. (Var. DULCÍCOLA e DULCAQÜÍCOLA.)

dulcícola *adj.* Var. de DULCIAQÜÍCOLA.

dulcificar *v.t.* (lat. *dulcificare*) [conj. 12]. **1.** Tornar doce. **2.** Suavizar, abrandar. **3.** Animar, tornar agradável, feliz.

dum comb. da prep. *de* com o art. indef. *um.*

duna *s.f.* (fr. *dune,* de or. hol.). Elevação móvel de areia depositada pelo vento dominante nas praias e nos desertos.

dundum *s.m.* (de *Dum Dum,* top.). Bala com cápsula modificada para produzir ferimentos graves.

dunga *s.m.* **1.** Homem valente, bravo. **2.** Curinga. **3.** (*NE*) Homem importante; maioral.

duo *s.m.* (lat. *duo,* dois). Dueto.

duodecimal *adj.2g.* Diz-se do sistema de numeração de base 12.

duodécimo *num. ord.* (lat. *duodecimus*). Correspondente ao número 12 numa seqüência; décimo segundo. ★ *s.m.* Cada uma das 12 partes iguais em que se divide um todo.

duodenal *adj.2g.* **1.** Que pertence ou se relaciona com o duodeno. **2.** *Bulbo duodenal,* a primeira porção mais alargada do duodeno.

duodenite *s.f.* Inflamação do duodeno.

duodeno *s.m.* (lat. tard. *duodenum digitorum,* que mede 12 dedos). Porção inicial do intestino delgado cujo comprimento médio é de 25 cm.

dupla *s.f.* Grupo de dois; par, duo, casal. ● **Astron.** Denominação comum às estrelas fisicamente duplas ou que visualmente assim se parecem.

dúplex[1] ou **duplex** (cs) *s.m.* Apartamento em dois níveis interligados por escada interna.

dúplex[2] (cs) *adj.2g.* (lat. *duplex*). Duplo, duplicado. ● **Ind. Gráf.** Diz-se de um papel ou de um cartão constituído de duas camadas fibrosas unidas entre si no estado úmido, sem adesivo, no curso da fabricação. **Metal.** Diz-se de um processo de fundição que permite obter lingotes que apresentam duas partes com composição diversa; metal assim obtido.

duplicação *s.f.* (lat. *duplicatio*). **1.** Ato ou efeito de multiplicar por dois. **2.** Dobro, repetição.

duplicar *v.t.*, *v.i.* e *v.pr.* (lat. *duplicare*) [conj. 12]. **1.** Tornar duas vezes maior; dobrar. **2.** Tornar maior, mais forte, mais intenso. **3.** Fazer em duplicata.

duplicata *s.f.* (lat. tard. *duplicata littera,* letra dobrada). Título de crédito pelo qual o comprador se obriga a pagar dentro de prazo estipulado a importância da fatura.

dúplice *adj.2g.* (lat. *duplex, duplicis,* duplo). **1.** Que se constitui de duas partes; duplo. **2.** Duplicado. **3.** *Fig.* Falso, fingido, dissimulado, doble.

duplicidade *s.f.* (lat. *duplicitas*). **1.** Qualidade de duplo. **2.** *Fig.* Falsidade, hipocrisia, doblez.

duplo *adj.* (lat. *duplus*). **1.** Diz-se de uma quantidade duas vezes maior que outra. **2.** Repetido, dobrado. ● **Astron.** *Estrela dupla,* sistema composto de duas estrelas que gravitam em torno de um centro de gravidade comum (estrela dupla física). ▸ Conjunto de duas estrelas que, em função da grande distância em relação à Terra, são observadas muito próximas entre si (par visual). ★ *s.m.* **1.** Quantidade duas vezes maior do que outra; dobro. **2.** Pessoa ou coisa igual a outra; réplica. ★ *num.* Multiplicativo correspondente a dois.

duque[1] *s.m.* (lat. *dux, ducis,* aquele que conduz). **1.** Título de nobreza. **2.** Título atribuído ao soberano de um ducado.

A B C D E F G H I J K L M N O P Q R S T U V W X Y Z

duque² *s.m.* **1.** Carta de jogar que vale dois. **2.** Dois pontos em certos jogos.

durabilidade *s.f.* Qualidade do que é durável.

duração *s.f.* **1.** Espaço de tempo que uma coisa dura. **2.** Qualidade do que dura, do que permanece ou se conserva; durabilidade. ● **Fon.** Tempo de realização de um fonema, que, em certas línguas, tem valor distintivo de significado.

duradouro *adj.* (lat. *duraturus,* que há de durar). Durável.

dural *adj.2g.* Relacionado à dura-máter.

duralumínio *s.m.* Liga de alumínio, cobre, manganês e magnésio, de alta resistência mecânica, utilizada principalmente na indústria aeronáutica.

dura-máter *s.f.* (lat. *dura,* dura, e *mater,* mãe). A mais externa e a mais resistente das meninges que envolvem o encéfalo e a medula espinhal. (Sin. PAQUIMENINGE.)

durante *prep.* (lat. *durans,* de *durare,* durar). Na época de, pelo tempo de, no transcurso de.

duraque *s.m.* (de *Durak,* top.). Tecido forte e consistente que se utiliza especialmente em calçados.

durar *v.i.* (lat. *durare,* endurecer; subsistir) [conj. 4]. **1.** Continuar a existir. **2.** Conservar-se no mesmo estado, com as mesmas qualidades. **3.** Permanecer; prolongar-se. **4.** Viver, existir.

durável *adj.2g.* (lat. *durabilis*). Que pode durar muito; duradouro.

dureza (ê) *s.f.* **1.** Qualidade do que é duro. **2.** Qualidade do que é rude, inóspito. **3.** Qualidade do que é difícil de suportar. **4.** *Fig.* Rigor, crueldade. **5.** Grau de resistência de um material à penetração por um outro material. **6.** *Gír.* Falta de dinheiro. ● **Quím.** Teor de uma água em sais de cálcio ou de magnésio.

duro *adj.* (lat. *durus*). **1.** Rijo, firme, sólido. **2.** Que opõe resistência. **3.** Custoso, difícil, árduo. **4.** Rigoroso. **5.** Severo, implacável, inexorável. **6.** Forte, violento, impetuoso. **7.** Áspero, desagradável. **8.** Penoso, triste. **9.** *Gír.* Sem dinheiro. ● **Quím.** *Água dura,* água que contém em solução uma grande quantidade de sais de cálcio ou de magnésio.

duto *s.m.* (lat. *ductus,* ato de levar). **Anat.** Canal do corpo por onde são conduzidas substâncias orgânicas. **Constr.** Toda e qualquer tubulação utilizada na condução, a longas distâncias, de um fluido.

dúvida *s.f.* **1.** Incerteza sobre a realidade de um fato ou hesitação em tomar uma decisão. **2.** Dificuldade para entender, para admitir como verdadeiro; objeção. **3.** Suspeita mais ou menos fundada; desconfiança. **4.** Ceticismo, descrença.

duvidar *v.t.* e *v.i.* (lat. *dubitare*) [conj. 4]. **1.** Ter dúvida, não saber ao certo. **2.** Não acreditar, não admitir. **3.** Descrer, não confiar. **4.** Ter suspeitas, desconfiar. **5.** Desafiar. **6.** (*SP*) Questionar.

duvidoso (ô) *adj.* **1.** Que oferece dúvidas; incerto. **2.** Hesitante, indeciso. **3.** Que não merece confiança; suspeito. **4.** Mal definido, indeterminado, dúbio.

duzentos *num. card.* **1.** Duas vezes cem. **2.** Ducentésimo. ★ *s.m.* O algarismo (200) que representa esse númeral.

dúzia *s.f.* **1.** Conjunto de doze objetos da mesma natureza. **2.** *Meia dúzia,* conjunto de seis objetos.

DVD (sigla de *digital versatile disk*). **Eletrôn.** Disco digital com leitura por feixe de luz, idêntico ao CD, porém com capacidade de armazenamento bem maior. ▸ Aparelho que reproduz ou lê dados de disco no padrão DVD.

Dy símbolo químico do disprósio.

dzeta *s.m.* (gr. *zêta*). Sexta letra do alfabeto grego, correspondente ao z.

Ee Ee Ee

e[1] *s.m.* Quinta letra do alfabeto português.

e[2] *conj.* (lat. *et*). **1.** Une palavras e orações, com função aditiva. **2.** Às vezes, introduz orações adversativas, com sentido aproximado de *mas.*

E[1] abrev. de ESTE.

E[2] Número real, irracional, com seqüência inicial igual a 2,718..., que constitui a base dos logaritmos neperianos; número de Neper.

ébano *s.m.* (gr. *ébenos*). **1.** Árvore que fornece madeira escura e resistente, originária da Ásia tropical. **2.** Madeira dessa árvore. **3.** *Fig.* Cor preta muito carregada.

ebó *s.m.* Oferenda de alimentos, animais etc. aos orixás, com finalidades mágicas; despacho.

ebonite *s.f.* Material plástico termoendurecível obtido pela vulcanização da borracha, empregado principalmente como isolante elétrico.

ebriedade *s.f.* (lat. *ebrietas*). Estado de uma pessoa ébria; embriaguez.

ébrio *adj.* e *s.m.* (lat. *ebrius*). **1.** Que ou aquele que está embriagado; bêbado. **2.** *Fig.* Alucinado, exaltado por paixões. **3.** Aturdido, tonto.

ebulição *s.f.* (lat. *ebullitio*). **1.** Fenômeno que acompanha a passagem do estado líquido ao estado de vapor, quando o processo de vaporização tem lugar na superfície e no próprio seio do líquido. (Cf. EVAPORAÇÃO.) **2.** Condição de um líquido que apresenta esse fenômeno. **3.** *Fig.* Efervescência, agitação.

ebuliometria *s.f.* Sin. de EBULIOSCOPIA.

ebuliométrico *adj.* Sin. de EBULIOSCÓPICO.

ebulioscopia *s.f.* Estudo da temperatura de ebulição de uma solução. (Sin. EBULIOMETRIA.)

ebulioscópico *adj.* Relativo à ebulioscopia. (Sin. EBULIOMÉTRICO.)

ebúrneo *adj.* (lat. *eburneus*). **1.** De marfim. **2.** Alvo e liso como o marfim.

ecbólico *adj.* (do gr. *ékbole,* aborto, expulsão). **1.** Evacuante. **2.** Que provoca o aborto; abortivo. **3.** Que acelera o parto.

ecdise *s.f.* Troca periódica do tegumento de algumas larvas de insetos e da carapaça dos crustáceos, necessária para o crescimento do animal.

ecdótica *s.f.* Ciência que interpreta um texto manuscrito ou impresso visando a restaurar sua forma original e fidedigna; crítica textual.

ECG abrev. de *eletrocardiograma.*

éclair *s.m.* (fr.). Bomba.

eclâmpsia *s.f.* (gr. *éklampsis,* aparição súbita). Crise convulsiva, muitas vezes seguida de coma, que aparece bruscamente em certas mulheres grávidas.

eclâmptico *adj.* **1.** Relativo à eclâmpsia. **2.** Que sofre de eclâmpsia.

eclesiástico *adj.* (lat. tard. *ecclesiasticus*). Relativo à Igreja, ao clero; canônico. ★ *s.m.* Membro do clero.

eclético *adj.* (gr. *eklektikós,* que escolhe). **1.** Que reúne em si grande variedade de tendências. **2.** Relativo ao ecletismo. ★ *s.m.* **1.** Aquele que segue a filosofia ou método eclético. **2.** Aquele que escolhe o que parece melhor em todas as manifestações do pensamento.

ecletismo *s.m.* **1.** Tendência artística fundada na exploração e conciliação dos estilos do passado, comum no Ocidente no séc. XIX. **2.** Método que consiste em escolher, nos diversos sistemas filosóficos, as teses que parecem mais aceitáveis, para formar um corpo de doutrina. **3.** *P. ext.* Postura intelectual ou moral que implica a não observância rígida de uma linha de pensamento.

eclipsado *adj.* Diz-se de um astro em eclipse.

eclipsar *v.t.* (conj. 4). **1.** Interceptar a luz de. **2.** Encobrir, esconder. **3.** *Fig.* Vencer, exceder, sobrepujar. ★ *v.pr.* **1.** Esconder-se (um astro). **2.** Desaparecer, afastar-se.

eclipse *s.m.* (gr. *ékleipsis,* abandono, desaparição). **1.** Obscurecimento total ou parcial de um astro pela interposição de um corpo celeste entre ele e o observador ou entre o astro e o sol que o ilumina. **2.** *Fig.* Desaparecimento momentâneo. **3.** *Eclipse anular,* eclipse do Sol no qual a parte que resta visível tem a forma de um anel.

ECLIPSE DA LUA

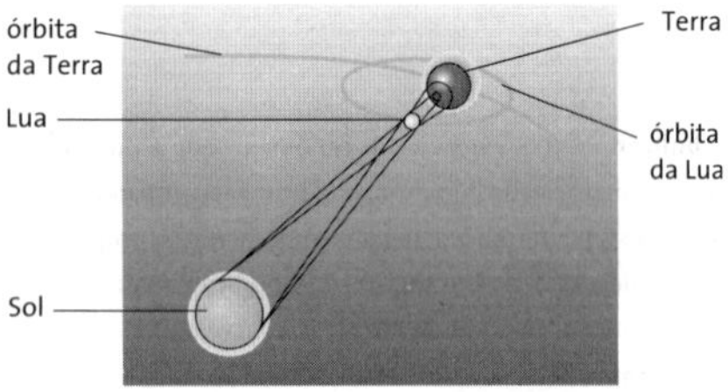

eclíptica *s.f.* **1.** Plano da órbita da Terra em torno do Sol; a órbita descrita nesse plano. **2.** Circunferência imaginária que corresponde à trajetória aparente do Sol na esfera celeste.

eclíptico *adj.* (gr. *ekleiptikós*). Que se refere aos eclipses ou à eclíptica.

eclodir *v.i.* (conj. 6). **1.** Surgir, vir à luz. **2.** Desabrochar.

écloga *s.f.* (lat. *ecloga,* do gr. *eklogé,* seleção). Composição de tema pastoril, inicialmente associado à poesia de Virgílio. (Var. de ÉGLOGA).

eclosão *s.f.* (fr. *éclosion*). **1.** Ação de sair à luz, de surgir. **2.** Brotação, desabrochamento.

eclusa *s.f.* (b.-lat. *exclusa aqua,* água isolada). Obra de engenharia instalada entre dois canais ou dois planos de água de níveis diferentes e que permite a passagem de embarcações de um nível ao outro, graças à manobra de comportas e outros equipamentos.

eco *s.m.* (gr. *ekhó*). **1.** Som refletido por um corpo. **2.** Som repetido. **3.** Som atenuado. **4.** *Fig.* Boato, rumor. **5.** Reflexo, repercussão. **6.** Bom acolhimento. **7.** Recordação. **8.** Aquele que repete o que outra pessoa diz. **9.** Reprodução, imitação. **10.** Fama, notícia. ● **Fís.** Reflexão de uma onda que incide sobre um obstáculo e retorna, em direção à fonte, com intensidade suficiente para ser detectada. **Ling.** Efeito acústico proveniente da repetição sucessiva de terminações vocabulares iguais.

ecoar *v.t.* (conj. 20). Repetir, repercutir. ★ *v.i.* **1.** Fazer eco; ressoar. **2.** Repercutir em tempo e espaço longínquos.

ecocardiografia *s.f.* Técnica de exploração e diagnóstico das estruturas cardíacas pelos ultra-sons.

ecocardiograma *s.m.* Registro gráfico obtido por ecocardiografia.

ecografia *s.f.* Sin. de ULTRA-SONOGRAFIA.

ecolalia *s.f.* Repetição involuntária e imediata de palavras ou frases pronunciadas por outrem.

ecolocação ou **ecolocalização** *s.f.* Sistema de localização de obstáculos e presas através do eco, utilizado por diversos animais, como os morcegos e os golfinhos.

ecologia *s.f.* Parte da biologia que tem por objeto o estudo das relações dos seres vivos com seu meio natural e da sua adaptação ao ambiente físico.

ecológico *adj.* Pertencente ou relativo à ecologia.

ecologista *s.2g.* **1.** Ecólogo. **2.** Defensor da natureza e do meio ambiente.

ecólogo *s.m.* Especialista em ecologia; ecologista.

economia *s.f.* (gr. *oikonomía,* a arte de bem administrar a casa). **1.** Controle para reduzir despesas e regulá-las com rigor. **2.** O que se poupa. **3.** Conjunto de atividades de uma coletividade humana relativas à produção, distribuição e consumo dos bens. **4.** Ciência que estuda os fenômenos relativos à produção, distribuição e consumo dos bens. **5.** Organização das partes de um conjunto, de um sistema. ★ *s.f.pl.* Dinheiro acumulado.

econômico *adj.* (gr. *oikonomikós*). **1.** Relativo à economia. **2.** Que sabe evitar despesas; parcimonioso. **3.** Que acarreta pouca despesa.

economista *s.2g.* Pessoa especializada no estudo dos fenômenos econômicos.

economizar *v.t.* (conj. 4). **1.** Poupar, gastar com moderação. **2.** Não desperdiçar. ★ *v.i.* Fazer economia; poupar.

ecônomo *s.m.* (gr. *oikonómos*). **1.** Aquele que administra os bens de uma instituição, abadia etc.; despenseiro. **2.** Mordomo. **3.** Funcionário financeiro dos reis helenísticos.

ecosfera *s.f.* Sin. de BIOSFERA.

ecossistema *s.m.* Unidade funcional estável, formada pela comunidade de seres vivos, pelo ambiente físico e pela relação entre eles.

ecótipo *s.m.* Grupo de organismos, dentro de uma mesma espécie, que apresentam adaptações morfológicas e fisiológicas às condições locais.

ecótono *s.m.* Zona de transição e contato entre duas comunidades vizinhas.

ectasia *s.f.* (gr. *éktasis,* dilatação). Dilatação permanente de um vaso, de um canal ou de um segmento de víscera oca.

ectoblasto *s.m.* Sin. de ECTODERME.

ectoderme *s.f.* Um dos três folhetos constitutivos do embrião animal, que origina o sistema nervoso, a epiderme e os órgãos sensoriais. (Sin. ECTOBLASTO.)

ectomorfo *s.m.* Indivíduo caracterizado pelo físico alto e delicado.

ectoparasita *adj.2g.* e *s.m.* Diz-se de ou parasita que vive na superfície externa do hospedeiro.

ectopatágio *s.m.* Parte da membrana alar dos morcegos, sustentada pelos ossos metacarpianos e pelas falanges.

ectopia *s.f.* (gr. *ektópos,* fora de lugar). Situação topográfica anormal de um órgão ou de um tecido.

ectópico *adj.* **1.** Relativo à ectopia. **2.** *Gravidez ectópica,* desenvolvimento de um óvulo fecundado fora do útero, geralmente nas trompas. (Sin. GRAVIDEZ EXTRA-UTERINA.)

ectoplasma *s.m.* Região periférica do citoplasma, que normalmente possui consistência gelatinosa.

ecumênico *adj.* (gr. *oikoumenikós*). **1.** Relativo a toda a Terra habitada; universal. **2.** Relativo ao ecumenismo.

ecumenismo *s.m.* Movimento, doutrina que defende a união de todas as Igrejas cristãs em uma só.

ecúmeno *s.m.* (gr. *oikouméne ge,* terra habitada). **1.** Área habitável da superfície terrestre. **2.** O geral, o universal.

eczema *s.m.* (gr. *ékdzema*). Dermatose pruriginosa de aspecto polimorfo, de causas variadas, cuja característica essencial é a presença de vesículas sobre um fundo eritematoso.

eczemátide *s.f.* Lesão cutânea semelhante ao eczema.

eczematoso (ô) *adj.* **1.** Relativo ao eczema. **2.** Atacado de eczema.

edacidade *s.f.* Glutonaria.

edaz *adj.2g.* **1.** Glutão. **2.** Voraz.

edema *s.m.* (gr. *oidema*). Acúmulo anormal dos constituintes líquidos do organismo nos espaços intercelulares do tecido conjuntivo.

edemaciar *v.t.* (conj. 16). Provocar edema.

edematoso (ô) *adj.* Relativo ao edema.

éden *s.m.* (hebreu *'eden,* deleite). **1.** O Paraíso terrestre, segundo a Bíblia. (Usa-se com maiúscula.) **2.** *Fig.* Lugar de delícias.

edênico *adj.* Próprio do Éden; paradisíaco.

edentados *s.m.pl.* Ordem de mamíferos com dentes ausentes ou reduzidos a molares, localizados na parte anterior dos maxilares, representada pelos tatus, tamanduás e preguiças.

edição *s.f.* (lat. *editio,* ação de dar à luz). **1.** Ato ou efeito de editar. **2.** Publicação de uma obra artística, literária ou científica. **3.** Conjunto dos exemplares impressos de uma obra, de uma só tiragem, ou de várias, sem modificações notáveis.

edícula *s.f.* (lat. *aedicula*). **1.** Oratório, capela. **2.** Nicho para imagens. **3.** Pequena casa construída geralmente nos fundos da casa principal.

edificação *s.f.* (lat. *aedificatio*). **1.** Ação de edificar(-se). **2.** Construção de edifício. **3.** Construção, edifício, casa. **4.** Inspiração de bons sentimentos. **5.** Criação.

edificador (ô) *adj.* e *s.m.* (lat. *aedificator*). **1.** Que ou aquele que edifica, que constrói. **2.** *Fig.* Criador, fundador.

edificante *adj.2g.* **1.** Que edifica moralmente. **2.** *Fig.* Que inspira sentimentos nobres; virtuoso, instrutivo.

edificar *v.t.* (lat. *aedificare*) [conj. 12]. **1.** Construir, levantar. **2.** Criar, fundar. **3.** *Fig.* Infundir bons sentimentos. ★ *v.pr.* Receber impressões edificantes.

edifício *s.m.* (lat. *aedificium*). **1.** Construção destinada a servir de abrigo ou moradia. **2.** Edificação, prédio, casa.

edil *s.m.* (lat. *aedilis*). **1.** Magistrado da Roma antiga encarregado da inspeção dos edifícios públicos. **2.** Vereador.

edílico *adj.* Relativo a edil.

edilidade *s.f.* (lat. *aedilitas, aedilitatis*). Cargo de edil.

edital *s.m.* (lat. tard. *edictalis*). Aviso oficial publicado na imprensa ou afixado em lugares públicos.

editar *v.t.* (do lat. *editus,* de *edere,* dar à luz) [conj. 4]. **1.** Publicar uma obra literária, imprimir e difundir toda espécie de obra (livros, discos etc.); editorar. **2.** Supervisionar ou dirigir a preparação de textos para publicação em livros, jornais, revistas etc.; editorar.

edito *s.m.* Ordem ou lei promulgada por autoridade soberana.

édito *s.m.* Ordem judicial publicada por anúncios ou editais.

editor (ô) *adj.* e *s.m.* Que ou aquele que edita.

editora (ô) *s.f.* Estabelecimento que publica obras impressas, gravadas etc.

editoração *s.f.* Ação de editorar.

editorar *v.t.* (conj. 4). Editar.

editoria *s.f.* Cada uma das seções de jornal ou de outra publicação, sob a responsabilidade de um editor.

editorial *adj.2g.* **1.** Relativo a editor ou editora. **2.** Relativo a edição. ★ *s.m.* Artigo que expressa a opinião da direção de um jornal.

editorialista *s.2g.* Pessoa que escreve o editorial de um órgão de imprensa.

edredão ou **edredom** *s.m.* (fr. *édredon*). Acolchoado para cama com enchimento de penugem ou fibras têxteis.

educação *s.f.* (lat. *educatio*). **1.** Ato ou efeito de educar(-se). **2.** Processo de desenvolvimento da capacidade intelectual, moral e física do ser humano. **3.** O ensinamento ou a aptidão assimilados desse método. **4.** Instrução, ensino. **5.** Nível ou tipo de ensino. **6.** Civilidade, polidez.

educacional *adj.2g.* Relativo à educação; educativo.

educador (ô) *adj.* e *s.m.* (lat. *educator,* o que cria). **1.** Que ou aquele que se ocupa de educação. **2.** Pedagogo, professor.

educandário *s.m.* Estabelecimento em que se ministra educação; colégio.

educando *s.m.* Aquele que recebe educação; aluno.

educar *v.t.* (lat. *educare,* criar; instruir) [conj. 12]. **1.** Promover a educação de. **2.** Aperfeiçoar e desenvolver as faculdades intelectuais, morais e físicas do ser humano. **3.** Instruir, ensinar. **4.** Domesticar, amestrar, adestrar. ★ *v.pr.* Cultivar o espírito; instruir-se.

educativo *adj.* Que contribui para a educação; educacional.

edulcorante *adj.2g.* Diz-se da substância que dá sabor doce a um medicamento ou a um produto alimentício.

efe *s.m.* Nome da sexta letra do alfabeto português.

efedrina *s.f.* Alcalóide isolado de certas plantas, de propriedades adrenérgicas.

efeito *s.m.* (lat. *effectum*). **1.** Produto, resultado de uma ação; conseqüência. **2.** Impressão produzida no espírito, na sensibilidade. ● **Eletr.** *Efeito Joule,* aquecimento de um condutor durante a passagem de corrente elétrica. **Fís.** *Efeito Doppler,* alteração da freqüência de uma onda que é refletida por um obstáculo em movimento, que permite detectar a velocidade do obstáculo.

efeméride *s.f.* (gr. *ephemerís,* memorial, diário). **1.** Obra que enumera os eventos sujeitos à previsão durante o ano. **2.** Livro que indica os acontecimentos realizados no mesmo dia do ano, em diferentes épocas. **3.** Tabela que fornece dia a dia, ou em outros intervalos regulares de tempo, os valores calculados de diversas grandezas astronômicas variáveis. **4.** Notícia diária. ★ *s.f.pl.* Seção do jornal que publica fatos ocorridos em outros anos, naquele mesmo dia e mês.

efêmero *adj.* (gr. *ephemeros*). **1.** Que só dura um dia. **2.** De pouca duração; passageiro.

efeminado *adj.* e *s.m.* **1.** Que ou aquele que tem modos próprios de mulher. **2.** Frouxo, mole, maricas.

efeminar *v.t.* (lat. *effeminare,* tornar feminino; enfraquecer) [conj. 4]. **1.** Tornar semelhante a uma mulher; agir (o homem) à maneira das mulheres. **2.** Tornar fraco, mole, sem energia. ★ *v.pr.* Tornar-se efeminado.

eferente *adj.2g.* (lat. *efferens,* de *efferre,* levar). **1.** Que transporta. **2.** Diz-se de um vaso sanguíneo pelo qual o sangue deixa um órgão ou de uma fibra nervosa cuja mensagem provém desse órgão. (Antôn. AFERENTE.) **3.** *Nervos eferentes,* os que vão dos centros nervosos para a periferia.

efervescência *s.f.* **1.** Ebulição turbulenta produzida pelo desprendimento rápido de um gás, o qual atravessa um líquido sob forma de bolhas que vêm arrebentar na superfície. **2.** Ebulição produzida pela mistura de certas substâncias. **3.** Agitação, exaltação.

efervescente *adj.2g.* Que está em efervescência ou que pode efervescer, que ferve.

efervescer *v.i.* (lat. *effervescere,* entrar em ebulição) [conj. 25]. Entrar em efervescência.

efetivação *s.f.* Ato ou efeito de efetivar.

efetivar *v.t.* (conj. 4). **1.** Tornar efetivo. **2.** Levar a efeito; realizar.

efetividade *s.f.* **1.** Caráter do que é efetivo. **2.** Realidade, existência.

efetivo *adj.* (lat. *effectivus,* ativo). **1.** Que existe realmente; real, verdadeiro. **2.** Permanente, estável. ★ *s.m.* **1.** Aquilo que existe realmente. **2.** Número dos militares de todos os graus que compõem uma tropa, uma unidade; o total das Forças Armadas.

efetuar *v.t.* (conj. 4). Levar a efeito; executar, realizar. ★ *v.pr.* Realizar-se, cumprir-se.

eficácia *s.f.* (lat. *efficacia,* poder). Qualidade do que é eficaz.

eficaz *adj.2g.* (lat. *efficax,* que atua). **1.** Que produz o efeito esperado, que dá resultado; eficiente. **2.** Que age com eficiência.

eficiência *s.f.* **1.** Capacidade de produzir um efeito. **2.** Capacidade de obter bons desempenhos.

eficiente *adj.2g.* (lat. *efficiens,* de *efficere,* fazer inteiramente). **1.** Que dá ou obtém bons resultados; competente. **2.** Eficaz.

efígie *s.f.* (lat. *effigies*). **1.** Representação de uma pessoa em pintura, escultura ou gravura. **2.** Anverso de uma moeda ou medalha, representando a cabeça de uma personagem célebre. **3.** Retrato, figura.

eflorescência *s.f.* Formação ou aparecimento da flor. ● **Quím.** Transformação dos sais que perdem sua água de cristalização e se tornam pulverulentos. ▸ Substância pulverulenta assim obtida.

eflúvio *s.m.* (lat. *effluvium,* escoamento). **1.** Espécie de emanação que se exala do corpo do homem e dos animais e, em geral, dos corpos organizados. **2.** Emanação, exalação. **3.** *Poét.* Aroma, perfume.

efó *s.m.* (de or. africana). Guisado de camarões e ervas, temperado com pimenta e azeite-de-dendê.

efundir *v.t.* (lat. *effundere*) [conj. 6]. **1.** Derramar, verter, entornar. **2.** Propagar, exalar. ★ *v.pr.* Espalhar-se, difundir-se.

efusão *s.f.* (lat. *effusio*). **1.** Ação de efundir(-se). **2.** Derramamento, escoamento. **3.** *Fig.* Manifestação, comunicação de sentimentos; fervor, veemência. **4.** Expansão. ● **Fís.** Escoamento molecular dos gases, sob alta temperatura, que permite a separação dos componentes de uma mistura gasosa.

efusivo *adj.* **1.** Que manifesta efusão. **2.** Fervoroso, expansivo, caloroso.

égide *s.f.* (gr. *aigís, aigídos*). **1.** Escudo de Zeus e de Atena. **2.** *Fig.* Amparo, defesa, proteção. **3.** Patrocínio.

egípcio *adj.* Relativo ou pertencente ao Egito. ★ *s.m.* Indivíduo natural ou habitante do Egito.

estátuas egípcias

egiptologia *s.f.* Estudo do antigo Egito, de sua língua, de sua história e civilização.

égloga *s.f.* Var. de ÉCLOGA.

ego *s.m.* (lat. *ego,* eu). O eu. ● **Psican.** Instância do aparelho psíquico, distinta do id e do superego, que permite ao indivíduo defender-se da realidade, das pulsões e dos imperativos do superego. ▸ *Ideal do ego,* instância psíquica formada por certas exigências do superego e que constitui um modelo ao qual o sujeito aspira.

egocêntrico *adj.* Que manifesta egocentrismo.

egocentrismo *s.m.* Tendência de tudo referir às próprias perspectivas, tomadas como centro de todos os interesses.

egóico *adj.* Relativo ao ego.

egoísmo *s.m.* (fr. *égoïsme*). Sentimento ou atitude de excessivo apego aos próprios interesses em detrimento dos interesses dos outros.

egoísta *adj.2g.* e *s.2g.* (fr. *égoïste*). Que ou aquele que só se preocupa em satisfazer os próprios interesses. **2.** Que ou aquele que não abre mão de suas regalias; comodista.

egoístico *adj.* Relativo ao egoísmo.

ególatra *s.2g.* Pessoa que pratica a egolatria.

egolatria *s.f.* Adoração de si próprio.

egotismo *s.m.* (ingl. *egotism*). **1.** Mania de falar de si. **2.** Sentimento exagerado da própria personalidade, do próprio valor.

egotista *adj.2g.* e *s.2g.* Que ou aquele que dá provas de egotismo.

egrégio *adj.* (lat. *egregius*). Nobre, ilustre, insigne, admirável.

egressão *s.f.* (lat. *egressio,* saída). Ação de sair; afastamento. ● **Odont.** Evolução de um ou mais dentes que, na ausência de antagonistas, se deslocam de sua posição alveolar normal.

egresso *adj.* (lat. *egressus,* de *egredior,* sair). **1.** Que saiu, que se afastou. **2.** Que deixou de pertencer a uma comunidade. ★ *s.m.* **1.** Indivíduo que saiu da prisão. **2.** Saída, retirada.

égua *s.f.* (lat. *equa*). Fêmea do cavalo.

eguariço *adj.* **1.** Referente à égua. **2.** Diz-se do muar, filho de burro e égua.

eh *interj.* Empregada para chamar a atenção ou para exprimir alegria.

eia (lat. *eia*). *interj.* Empregada para incitar animais.

einsteiniano *adj.* Relativo ao físico Albert Einstein (1879-1955) ou às teorias por ele enunciadas.

einstêinio *s.m.* (de A. *Einstein,* n.pr.). Elemento químico radioativo e artificial (símb. Es), de número atômico 99, de propriedades semelhantes às do hólmio.

eira *s.f.* (lat. *area,* solo plano). **1.** Terreiro lajotado ou de chão batido onde se faz a debulha, secagem e limpeza dos grãos. **2.** Local anexo ao engenho de açúcar, próprio para depositar as canas trazidas da lavoura.

eirada *s.f.* Quantidade de cereais que se põe de uma vez na eira.

eirado *adj.* Diz-se do porco que chegou à idade de engorda.

eis *adv.* Aqui está.

eito *s.m.* (lat. *ictus,* golpe). **1.** Segmento ou série de coisas que se encontram na mesma direção ou linha; fieira. **2.** Limpeza de uma plantação, feita com o uso de enxada, por turmas.

eiva *s.f.* **1.** Falha, fenda em vidro ou louça. **2.** Nódoa num fruto que principia a apodrecer. **3.** *Fig.* Mácula, nódoa moral.

eivado *adj.* Contaminado, apodrecido, rachado.

eivar *v.t.* (conj. 4). Contaminar, infectar (física ou moralmente). ★ *v.pr.* **1.** Principiar a apodrecer. **2.** Enfraquecer-se, debilitar-se. **3.** Rachar-se (o vidro).

eixo *s.m.* (lat. *axis*). **1.** Linha que passa pelo centro de um objeto e em torno da qual esse objeto roda. **2.** Linha que divide um corpo em duas partes simétricas. **3.** Peça que articula uma ou várias outras peças, em especial rodas, que descrevem ao redor dela um movimento circular. **4.** *Fig.* Linha ideal em torno da qual algo gravita. ● **Anat.** *Eixo óptico,* linha imaginária que passa pelo centro da córnea e pelo centro óptico do olho. **Biol.** *Eixo de simetria,* linha imaginária que passa pelo centro de simetria de um ser vivo ou de uma estrutura biológica. **Mat.** Qualquer das retas orientadas em um sistema de coordenadas definido.

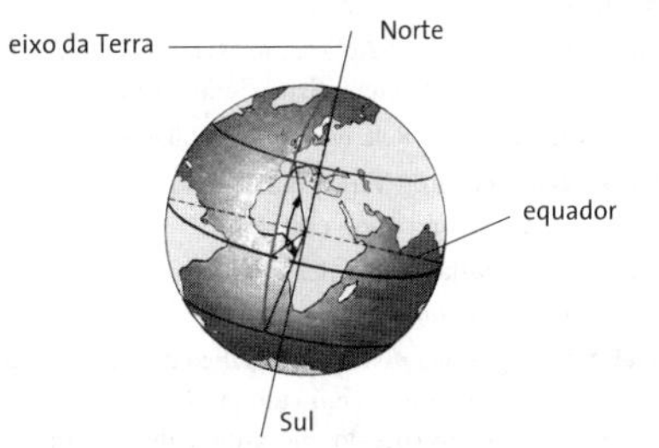

ejaculação *s.f.* **1.** Ação de ejacular. **2.** Emissão, expulsão, jato (de um líquido). **3.** Expulsão brusca e intermitente do esperma pelo pênis em ereção, freqüentemente acompanhada de prazer. **4.** *Ejaculação precoce,* perturbação da função sexual, de origem psíquica, que consiste na emissão prematura do esperma. ► *Ejaculação retardada,* ejaculação que acontece bem depois da penetração vaginal, graças à masturbação após o coito ou à polução noturna.

ejacular *v.t.* (lat. *ejaculari*) [conj. 4]. Lançar com força para fora de si (certas secreções e, em particular, o esperma); jacular. ★ *v.i.* Emitir esperma; jacular.

ejaculatório *adj.* Relativo à ejaculação do esperma. ● **Anat.** *Ducto ejaculatório,* cada um dos dois pequenos condutos que se estendem da confluência dos canais deferentes e das vesículas seminais até a porção prostática da uretra.

ejeção *s.f.* (lat. *ejectio*). Ação de ejetar.

ejetar *v.t.* (lat. *ejectare*) [conj. 4]. Lançar para fora; expulsar, expelir.

ejetável *adj.2g.* Que se pode ejetar.

ejetor (ô) *adj.* e *s.m.* Diz-se de ou dispositivo, aparelho que serve para ejetar algo.

ela *pron. pess.* (lat. *illa*) [*pl. elas*]. Fem. de *ele.*

elaboração *s.f.* (lat. *elaboratio*). **1.** Ação de elaborar. **2.** Composição, construção, preparação.

elaborar *v.t.* (lat. *elaborare,* produzir pelo trabalho) [conj. 4]. Preparar com tempo e cuidado; organizar.

elasmobrânquios *s.m.pl.* Subclasse dos condrictes que engloba os peixes cartilaginosos, com exceção das quimeras.

elasticidade *s.f.* Propriedade de um corpo material ou de uma estrutura biológica de retomar a forma e a dimensão que possuía antes de ser submetido(a) a uma força.

elástico *adj.* (gr. *élastos,* var. de *elatós,* dúctil). **1.** Que tem elasticidade. **2.** Que pode ser esticado ou comprimido. **3.** *Fig.* Flexível, abrangente. ● **Fís.** *Choque elástico,* aquele em que ocorre conservação de energia cinética. ★ *s.m.* Fio, tira, cordel feito ou guarnecido de borracha, que se estica ou estira.

elastina *s.f.* Proteína elástica, resistente aos agentes químicos e às enzimas proteólicas, encontrada nos ligamentos e paredes arteriais.

eldorado *s.m.* (esp. *el dorado*). País fabuloso cheio de riquezas.

ele *pron. pess.* (lat. *ille*) [pl. *eles*]. Forma da 3ª pessoa do sing. (caso reto), empregada como sujeito.

elefante *s.m.* (gr. *eléphas, elephantos*). Mamífero herbívoro da ordem dos proboscídeos, de grande porte, que possui uma longa tromba nasal preênsil, incisivos superiores bem desenvolvidos e pele espessa com pelagem escassa; distinguem-se duas espécies, uma africana e outra asiática.

elefante africano — elefante indiano

elefante-marinho *s.m.* Foca de grande porte que ocorre na Antártica, na costa sul da Argentina e da costa do Alasca à Califórnia.

elefantíaco *adj.* e *s.m.* Que ou aquele que padece de elefantíase.

elefantíase *s.f.* (lat. *elephantiasis*). Aumento do volume da derme e da hipoderme, localizado nas extremidades dos membros, no escroto e nos seios, devido a uma afecção circulatória e que constitui um sintoma da filariose.

elefantino *adj.* (lat. *elephantinus*). **1.** Que se assemelha ao elefante. **2.** Próprio do elefante.

elegância *s.f.* (lat. *elegantia*). **1.** Graça, distinção nas formas, nas maneiras, nos trajes; garbo, bom gosto. **2.** Delicadeza e correção na linguagem. **3.** Proporção adequada de formas; harmonia.

elegante *adj.2g.* e *s.2g.* (lat. *elegans*). Que ou o que tem elegância.

eleger *v.t.* (lat. *eligere*, escolher) [conj. 26]. **1.** Preferir, escolher, optar por. **2.** Escolher para uma função por meio de sufrágios.

elegia *s.f.* (gr. *elegía*). Composição lírica de origem grega, de tema melancólico.

elegíaco *adj.* (b.-lat. *elegiacus*). **1.** Relativo à elegia. **2.** Que encerra tristeza profunda.

elegibilidade *s.f.* Aptidão para ser eleito.

elegível *adj.2g.* Que pode ser eleito.

eleição *s.f.* (lat. *electio*). **1.** Escolha, opção; preferência. **2.** A escolha de uma pessoa, por meio de votos, para ocupar um cargo ou desempenhar uma função pública.

eleito *adj.* e *s.m.* (lat. *electus*). **1.** Que ou aquele que foi escolhido por eleição. **2.** Diz-se de ou pessoa, povo predestinado por Deus à salvação.

eleitor (ô) *s.m.* (lat. *elector*). **1.** Aquele que elege. **2.** Cidadão a quem se atribui a faculdade jurídica de votar ou escolher alguém para exercer um cargo ou uma função pública.

eleitorado *s.m.* Conjunto de eleitores de um país, de um partido.

eleitoral *adj.2g.* Relativo a eleição.

eleitoreiro *adj.* Que visa, apenas, à captação de votos, e não aos interesses comunitários; eleiçoeiro.

elementar *adj.2g.* **1.** Simples, primário, rudimentar. **2.** Básico, fundamental. **3.** Fácil, claro.

elemento *s.m.* (lat. *elementum*, um dos quatro elementos da natureza). **1.** Cada objeto, cada coisa que concorre com outras para a formação de um todo; componente. **2.** Substância, matéria-prima. **3.** Informação, dados. **4.** Ambiente natural, ou escolhido, em que vive um ser. **5.** *Fig.* Meio social, círculo, ambiente. **6.** Indivíduo, sujeito. ● **Eletr.** Conjunto das placas de polaridades opostas de uma pilha ou acumulador. **Mat.** Cada uma das unidades de um conjunto. **Quím.** Entidade química fundamental comum às diversas variedades de uma mesma substância simples, bem como às combinações dessa substância simples com outras substâncias. ▸ *Classificação* ou *tabela periódica dos elementos*, distribuição dos elementos químicos em linhas e em colunas, de tal modo que se mostram as analogias nas propriedades químicas ou físicas, que variam periodicamente em função do número atômico. ★ *s.m.pl.* **1.** O conjunto das forças naturais. **2.** Princípios fundamentais, noções sumárias.

ELEMENTO ▸ Um elemento é uma substância que não pode ser dividida em outras mais simples. Há 109 elementos, dos quais 92 existem na natureza (o elemento de número 92 é o urânio). Os dezessete elementos restantes foram obtidos artificialmente; os dois primeiros, netúnio e plutônio, foram descobertos em 1940. Os elementos sintetizados pelo homem são muito radioativos.

---

elenco *s.m.* (gr. *élenchos*, prova). **1.** Índice, catálogo, lista, rol. **2.** Conjunto de artistas de um espetáculo teatral, de um filme etc.

eletividade *s.f.* Qualidade de eletivo. ● **Fisiol.** Propriedade de certas substâncias químicas de se fixarem sobre células ou tecidos determinados.

eletivo *adj.* (lat. tard. *electivus*). **1.** Relativo a eleição. **2.** Que resulta de uma eleição, escolha. **3.** Que é preenchido por eleição.

eletreto (ê) *s.m.* Dielétrico que continua eletrizado de forma permanente após ter sido submetido a um campo elétrico temporário.

eletricidade *s.f.* **1.** Ramo da física que estuda os fenômenos relativos à energia elétrica. **2.** Energia elétrica de utilidade doméstica e industrial.

eletricista *adj.2g.* e *s.2g.* **1.** Que ou aquele que se ocupa de eletricidade. **2.** Técnico que realiza instalações elétricas ou as repara.

elétrico *adj.* (lat. cient. *electricus*). Relativo a eletricidade. ● **Fís.** *Campo elétrico*, espaço onde se distribuem ordenadamente partículas eletricamente carregadas. ▸ *Carga elétrica*, expressão do estado energético da matéria, convencionalmente unitária, para sua menor porção estável, positiva para o próton, negativa para o elétron e nula para o nêutron. ▸ *Condutividade elétrica*, capacidade da matéria de conduzir energia elétrica. ▸ *Energia elétrica*, denominação dada ao somatório das cargas de partículas elementares eletricamente carregadas, em forma utilizável. ▸ *Potencial elétrico*, quantidade de energia elétrica de um corpo, normalmente medida em relação a outro, e dita diferença de potencial elétrico.

eletrificação *s.f.* Ação de eletrificar.

eletrificar *v.t.* (conj. 4). **1.** Dotar de eletricidade. **2.** Transformar uma máquina, uma instalação etc., para fazê-la funcionar com energia elétrica.

eletrização *s.f.* Ato ou efeito de eletrizar.

eletrizante *adj.2g.* Que eletriza.

eletrizar *v.t.* (conj. 4). **1.** Aplicar cargas elétricas a. **2.** *Fig.* Produzir impressão exaltante; inflamar, entusiasmar.

eletrocapilar *adj.2g.* Relativo à eletrocapilaridade.

eletrocapilaridade *s.f.* Variação da tensão superficial resultante da ação de um campo elétrico.

eletrocardiografia *s.f.* Técnica de registro e interpretação dos eletrocardiogramas.

eletrocardiograma *s.m.* Registro gráfico das correntes produzidas pela contração do músculo cardíaco, que permite o diagnóstico das afecções do miocárdio e dos distúrbios do ritmo cardíaco. (Abrev. ECG.)

eletrocautério *s.m.* Cautério constituído por uma haste curva de platina que pode ser aquecida por uma corrente elétrica de baixa tensão e alta intensidade, usada para cauterizar tecidos.

eletrochoque *s.m.* Método terapêutico psiquiátrico que utiliza as propriedades convulsivantes das correntes elétricas. (Sin. TERAPIA ELETROCONVULSIVA.)

eletrocinética *s.f.* Parte da física que trata dos fenômenos da eletricidade em movimento.

eletrocinético *adj.* Relativo à eletrocinética.

eletrocoagulação *s.f.* Técnica de coagulação dos tecidos vivos por aplicação de uma corrente de alta freqüência, empregada para destruir pequenos tumores da pele e para fazer a hemostase de vasos sanguíneos.

eletroconvulsivo *adj.* **1.** Que provoca convulsão por aplicação de eletricidade. **2.** *Terapia eletroconvulsiva,* sin. de ELETROCHOQUE.

eletrocução *s.f.* Var. de ELETROCUSSÃO.

eletrocussão *s.f.* Ação de eletrocutar. (Var. ELETROCUÇÃO.)

eletrocutar *v.t.* (ingl. *to electrocute*) [conj. 4]. **1.** Produzir modificações fisiológicas drásticas pela passagem no organismo de uma corrente elétrica de alta tensão. **2.** Provocar a morte por uma descarga elétrica.

eletrodiagnóstico *s.m.* Conjunto de técnicas de diagnóstico do sistema nervoso e do tecido muscular que utilizam a corrente elétrica.

eletrodiálise *s.f.* Processo em que o soluto e o solvente de uma solução são separados por meio de uma membrana semipermeável, com o auxílio de um campo elétrico.

eletrodinâmica *s.f.* Parte da física que trata das ações dinâmicas entre correntes elétricas.

eletrodinâmico *adj.* **1.** Relativo à eletrodinâmica. **2.** Que é produzido por corrente elétrica.

eletrodo *s.m.* Peça condutora destinada a ser colocada em contato com um meio de condutividade diferente; eletródio.

eletrodoméstico *adj.* e *s.m.* Diz-se de ou aparelho elétrico de uso doméstico.

EXEMPLOS DE ELETRODOMÉSTICOS

aspirador de pó — máquina de lavar — ferro de passar

eletroencefalografia *s.f.* Técnica de registro da atividade bioelétrica do cérebro que permite diagnosticar certas disfunções cerebrais. (Abrev. EEG.)

eletroencefalograma *s.m.* Registro gráfico obtido por eletroencefalografia.

eletrófilo *adj.* Diz-se de partículas químicas cuja configuração eletrônica as torna suscetíveis de aceitar um par de elétrons.

eletrofisiologia *s.f.* Parte da fisiologia que estuda a atividade bioelétrica dos tecidos vivos, em particular dos tecidos nervoso e muscular.

eletroforese *s.f.* Processo em que ocorre a migração, sobre uma placa neutra, das partículas de uma substância coloidal, por ação de um campo elétrico, de acordo com suas cargas.

eletroforético *adj.* Relativo à eletroforese.

eletróforo *s.m.* Tipo de gerador capaz de gerar pequena quantidade de energia eletrostática.

eletroímã (o-i) *s.m.* Ímã cujo campo magnético é induzido artificialmente por uma corrente elétrica.

eletrola *s.f.* Vitrola, toca-discos.

eletrólise *s.f.* **1.** Decomposição química produzida por uma corrente elétrica. **2.** Decomposição de tecidos orgânicos, principalmente tumores cutâneos e cicatrizes, por ação de corrente elétrica contínua.

eletrolítico *adj.* **1.** Que tem as características de um eletrólito. **2.** Que se faz por eletrólise ou que se relaciona à eletrólise.

eletrólito *s.m.* Substância que, dissolvida ou fundida, pode se decompor sob a ação de uma corrente elétrica.

eletroluminescência *s.f.* Luminescência induzida artificialmente em um corpo por ação de um campo elétrico.

eletromagnético *adj.* **1.** Relativo ao eletromagnetismo. **2.** *Campo eletromagnético,* campo magnético induzido por uma corrente elétrica.

eletromagnetismo *s.m.* Magnetismo induzido por ação de uma corrente elétrica.

eletromiografia *s.f.* Estudo da contração muscular por meio de eletromiograma. (Abrev. EMG.)

eletromiograma *s.m.* Registro gráfico das correntes elétricas produzidas por um músculo contraído, que facilita o diagnóstico de certas afecções.

eletromotriz *adj.* Diz-se da força gerada por uma diferença de potencial elétrico entre terminais de uma fonte elétrica.

eletromuscular *adj.2g.* Diz-se dos fenômenos elétricos registrados em um músculo ou em uma fibra muscular.

elétron *s.m.* (ingl. *electron*). **1.** Partícula fundamental portadora da unidade natural de carga elétrica e que pertence à classe dos léptons. **2.** *Elétrons secundários,* elétrons emitidos por uma superfície metálica sob o impacto de um feixe de elétrons suficientemente rápidos.

eletronegatividade *s.f.* Capacidade que um átomo possui de fixar elétrons em uma ligação com um átomo diferente.

eletronegativo *adj.* **1.** Diz-se dos elementos químicos que possuem tendência a fixar elétrons. **2.** Dentre dois eletrodos, diz-se daquele de potencial mais baixo, por opos. a *eletropositivo.*

eletrônica *s.f.* **1.** Parte da física que estuda e utiliza as variações de grandezas elétricas. **2.** Técnica derivada dessa ciência.

eletrônico *adj.* **1.** Relativo à eletrônica ou que funciona segundo seus princípios. **2.** Que tem relação com o elétron, que utiliza elétrons. **3.** Que possui um circuito impresso. **4.** Diz-se da versão digital dos meios de comunicação como livro e correio. ● **Eletrotéc.** *Aquecimento eletrônico,* processo de aquecimento que utiliza a passagem de correntes induzidas de alta freqüência.

elétron-volt *s.m.* Unidade de medida de energia (símb. eV), utilizada em física atômica e nuclear.

eletroóptico *adj.* **1.** Diz-se de um fenômeno no qual a presença de um campo elétrico modifica as propriedades ópticas do meio. **2.** Diz-se de substâncias que apresentam esse fenômeno.

eletropositivo *adj.* **1.** Diz-se dos elementos químicos que têm a tendência de liberar elétrons. **2.** Dentre dois eletrodos, diz-se daquele de potencial mais alto, por opos. a *eletronegativo.*

eletroquímica *s.f.* Ciência e técnica das transformações recíprocas da energia química e da energia elétrica.

eletroquímico *adj.* Relativo à eletroquímica.

eletroscópio *s.m.* Equipamento destinado ao estudo de pequenas cargas e tensões elétricas.

eletrosmose *s.f.* Deslocamento de um líquido que contém íons através de um diafragma poroso sob o efeito de um campo elétrico.

eletrosmótico *adj.* Relativo à eletrosmose.

eletrostática *s.f.* Ramo da física que estuda as cargas elétricas estacionárias e os campos associados em corpos eletrizados em equilíbrio.

eletrostático *adj.* **1.** Relativo a eletrostática. **2.** *Campo eletrostático,* campo elétrico em equilíbrio ou em repouso.

eletroterapia *s.f.* Tratamento que utiliza os efeitos sedativos, térmicos, destrutivos ou excitomotores das correntes elétricas no organismo.

eletrotermia *s.f.* Aplicação das leis da física às transformações de energia elétrica em calor.

elevação *s.f.* (lat. *elevatio*). **1.** Ação de elevar(-se); ascensão. **2.** Altura. **3.** Ponto elevado. **4.** Alta, aumento de preço. **5.** *Fig.* Distinção, nobreza, superioridade.

elevado *adj.* **1.** Que tem elevação; que se eleva ou elevou. **2.** Alto. **3.** *Fig.* Nobre, superior, distinto. ★ *s.m.* Via para tráfego rodoviário ou ferroviário, em geral sobre outra via de circulação de veículos.

elevador (ô) *s.m.* Compartimento que corre no sentido vertical, para transporte de pessoas e cargas; ascensor. ★ *adj.* Que eleva; que serve para levar algo a um nível superior.

elevar *v.t.* (lat. *elevare*) [conj. 4]. **1.** Fazer subir; erguer, alçar. **2.** Tornar mais alto. **3.** Construir, edificar. **4.** Fazer subir a posição elevada; promover. **5.** Engrandecer, exaltar. **6.** Aumentar em preço, número etc. ★ *v.pr.* **1.** Estar sobranceiro. **2.** Erguer-se, alçar-se. **3.** Exaltar-se, engrandecer-se.

elevatório *adj.* **1.** Relativo a elevação. **2.** Que serve para elevar.

elidir *v.t.* (lat. *elidere,* expulsar) [conj. 6]. **1.** Fazer elisão. **2.** Eliminar, suprimir.

eliminação *s.f.* **1.** Ação de eliminar; exclusão, supressão. **2.** Mecanismo fisiológico que leva à rejeição pelo organismo de substâncias tóxicas ou daquelas resultantes do metabolismo. ● **Quím.** *Reação de eliminação,* reação na qual dois radicais monovalentes deixam simultaneamente uma molécula orgânica.

eliminar *v.t.* (lat. *eliminare*) [conj. 4]. **1.** Excluir, suprimir. **2.** Fazer sair do organismo produtos residuais do metabolismo. **3.** Fazer desaparecer. **4.** Matar. ★ *v.pr.* Matar-se, suicidar-se.

eliminatório *adj.* Que serve para eliminar.

elipse *s.f.* (gr. *élleipsis,* falta). **Geom.** Curva fechada, da família das cônicas, que apresenta dois focos e dois eixos de simetria perpendiculares. **Gram.** Omissão de um ou vários elementos da frase, sem que esta deixe de ser compreensível.

elipsóide *adj.2g.* Que tem forma de elipse.

elíptico *adj.* (gr. *elleiptikós,* que omite). Relativo a ou em forma de elipse.

elisão *s.f.* (lat. *elisio*). Ação de elidir; eliminação. ● **Gram.** Supressão, na escrita ou na pronúncia, da vogal final de uma palavra quando a seguinte se inicia por vogal.

elite *s.f.* (fr. *élite*). **1.** Grupo minoritário de pessoas que ocupam, num grupo, lugar eminente; escol.

élitro *s.m.* (gr. *elytron,* invólucro). Nos coleópteros, asa anterior, coriácea, que, em repouso, protege a asa posterior, membranosa.

elixir *s.m.* (ár. *al-iksir,* medicamento). **1.** Licor perfumado obtido pela dissolução de substâncias aromáticas no álcool ou no vinho. **2.** Produto que contém medicamentos dissolvidos em uma mistura de álcool com xarope de açúcar ou glicerina. **3.** O que tem efeito mágico, milagroso.

elmo *s.m.* (fr. ant. *helme*). Parte da armadura que protege a cabeça.

elo *s.m.* (lat. *anellus,* anelzinho). **1.** Cada um dos anéis de uma cadeia ou corrente. **2.** *Fig.* Ligação, laço, união.

elocução *s.f.* (lat. *elocutio,* ação de falar, elocução). **1.** Escolha de palavras ou frases; estilo. **2.** Modo de articular os sons.

elogiar *v.t.* (conj. 16). Fazer elogios; louvar, enaltecer, exaltar.

elogio *s.m.* (lat. *elogium,* epitáfio; dístico). **1.** Louvor, exaltação, encômio. **2.** Apologia.

eloqüência *s.f.* (lat. *eloquentia*). **1.** Dom de falar com fluência, de exprimir-se com facilidade. **2.** Oratória.

eloqüente *adj.2g.* (lat. *eloquens*). **1.** Que tem eloqüência. **2.** Expressivo; convincente, persuasivo.

elução *s.f.* (lat. tard. *elutio,* lavagem). Separação, por lavagens progressivas, de substâncias adsorvidas.

elucidação *s.f.* Ato ou efeito de elucidar(-se).

elucidar *v.t.* (lat. *elucidare,* revelar, anunciar) [conj. 4]. **1.** Tornar compreensível; esclarecer, explicar. **2.** Demonstrar. ★ *v.pr.* Esclarecer-se, informar-se.

elucidário *s.m.* Livro que elucida ou explica o sentido de coisas obscuras; comentário.

elucubração *s.f.* (b.-lat. *elucubratio*). Ato ou efeito de elucubrar; meditação, divagação, lucubração.

elucubrar *v.i.* (lat. *elucubrare,* trabalhar com atenção) [conj. 4]. **1.** Trabalhar ou estudar à noite. **2.** Meditar, refletir. ★ *v.t.* **1.** Dedicar-se a longos trabalhos intelectuais. **2.** Estudar ou aprender, trabalhando com dedicação.

em *prep.* (lat. *in*). Estabelece relações de lugar, tempo, modo, estado, fim, distribuição, limitação etc.

ema *s.f.* Ave reiforme, a maior e mais pesada das aves brasileiras, boa corredora mas incapaz de voar, que vive em regiões campestres e cerrados, perto da água.

emaciação *s.f.* Estado patológico de emagrecimento extremo.

emaciar *v.t., v.i.* e *v.pr.* (lat. *emaciare*) [conj. 16]. Tornar(-se) magro ou macilento; emagrecer(-se), extenuar(-se).

emagrecer *v.t.* (conj. 25). Tornar magro. ★ *v.i.* e *v.pr.* Tornar-se magro.

emagrecimento *s.m.* Qualquer perda de peso sensível de um indivíduo, que sobrevém em um dado período de tempo.

e-mail *s.m.* (ingl., abrev de *electronic mail*). ● **Inform.** Correio eletrônico. ► Caixa postal eletrônica.

E-MAIL ► Um endereço de *e-mail* é formado pelo nome da conta ou do usuário seguido do sinal arroba (@) e do nome do servidor de arquivos, que armazena as mensagens. Os arquivos de correspondência podem ser acessados no próprio local onde estão armazenados (*webmail*) ou transferidos, pelo programa de *e-mail*, para o computador do usuário.

---

emanação *s.f.* (lat. *emanatio*). **1.** Ação pela qual as substâncias voláteis abandonam, em estado gasoso, os corpos que as continham. **2.** Exalação, odor. **3.** Procedência, origem.

emanar *v.t.* (lat. *emanare,* sair de) [conj. 4]. **1.** Exalar, desprender-se dos corpos. **2.** Proceder, decorrer, originar-se.

emancipação *s.f.* (lat. *emancipatio*). **1.** Ato ou efeito de emancipar(-se). **2.** Alforria, libertação.

emancipar *v.t.* e *v.pr.* (lat. *emancipare*) [conj. 4]. **1.** Tornar(-se) livre o menor de tutela ou do pátrio poder através da atribuição da plenitude de capacidade jurídica. **2.** Tornar(-se) livre; libertar(-se).

emaranhar *v.t.* (conj. 4). Embaraçar, enredar, confundir. ★ *v.pr.* **1.** Confundir-se, complicar-se. **2.** Envolver-se em embaraços.

emasculação *s.f.* Ato de emascular(-se); castração.

emascular *v.t.* (conj. 4). **1.** Privar dos órgãos da virilidade; castrar. **2.** Tirar o vigor a; debilitar. ★ *v.pr.* Perder a virilidade, revelar-se fraco.

embaçar *v.t.* (conj. 13). **1.** Tornar baço; empanar. **2.** Tirar o prestígio; ofuscar, embaciar. **3.** Enganar, ludibriar. ★ *v.i.* Perder a fala de surpresa ou susto. ★ *v.pr.* Enganar-se, iludir-se.

embaciar *v.t.* (conj. 16). **1.** Fazer perder o brilho, a transparência; embaçar. **2.** Ofuscar, apagar. **3.** Desonrar, macular. ★ *v.i.* Tornar-se baço, perder o brilho.

embainhar *v.t.* (conj. 4). **1.** Meter na bainha espada ou punhal. **2.** Fazer bainha em.

embair *v.t.* (lat. *invadere,* invadir) [conj. 79]. Induzir em erro com imposturas; enganar, seduzir.

embaixada *s.f.* (fr. *ambassade*). **1.** Função ou cargo de embaixador. **2.** A casa do embaixador. **3.** Missão de um país junto a um governo estrangeiro. **4.** Conjunto dos agentes diplomáticos de uma embaixada. ● **Esp.** No futebol, conjunto das jogadas curtas e sucessivas do pé para a cabeça e outras partes do corpo, sem deixar a bola tocar o chão.

embaixador (ô) *s.m.* (fr. *ambassadeur*). **1.** Representante de um Estado junto a um outro Estado ou organismo internacional. **2.** *Fig.* Pessoa encarregada de missão pública ou particular; emissário.

embaixadora (ô) *s.f.* Mulher que exerce as funções de embaixador.

embaixatriz *s.f.* Mulher do embaixador.

embaixo *adv.* **1.** Na parte inferior. **2.** *Embaixo de,* sob, debaixo de.

embalado[1] *adj.* Que adquiriu aceleração; acelerado.

embalado[2] *adj.* Acondicionado em embalagem.

embalado[3] *adj.* Carregado de balas.

embalagem *s.f.* (fr. *emballage*). **1.** Ato ou efeito de embalar[2]. **2.** Elemento ou conjunto de elementos para envolver, conter e proteger produtos durante a movimentação, armazenagem e comercialização.

EXEMPLOS DE EMBALAGENS

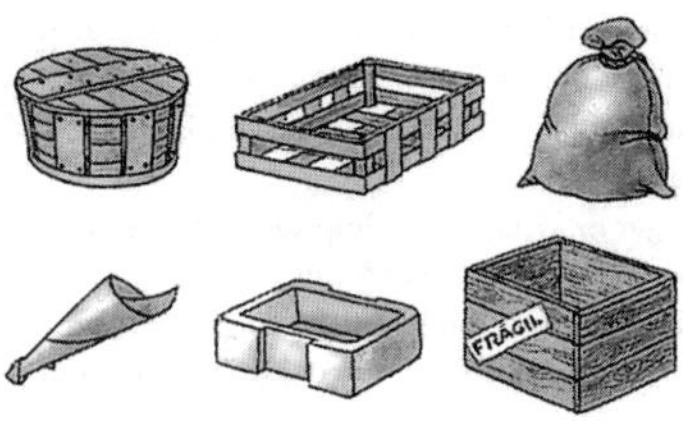

---

embalar[1] *v.t.* (conj. 4). **1.** Balançar a criança, no berço ou nos braços, para acalmá-la ou fazê-la adormecer; acalentar. **2.** Acarinhar, afagar. **3.** Entreter, iludir. **4.** Imprimir movimentos ritmados; balançar. **5.** Pôr em funcionamento acelerado (um motor, um aparelho). ★ *v.i.* Tomar impulso, ganhar maior velocidade; acelerar-se. ★ *v.pr.* **1.** Balançar-se. **2.** Tomar entorpecentes ou estimulantes.

embalar[2] *v.t.* (fr. *emballer*) [conj. 4]. Acondicionar produtos em caixas, pacotes etc., para protegê-los ou facilitar seu transporte.

embalar[3] *v.t.* (conj. 4). Meter bala em; carregar (arma de fogo) com bala.

embalo *s.m.* **1.** Ato ou efeito de embalar; balanço. **2.** Precipitação, impulso. **3.** Prática de tomar entorpecentes. **4.** Estado de euforia conseqüente a essa prática. **5.** *Gír.* Festa muito movimentada e animada.

embalsamar *v.t.* (conj. 4). **1.** Conservar artificialmente um cadáver por injeção, nas artérias e nas cavidades naturais, de um líquido à base de formol, fenol e álcool. **2.** Aromatizar, perfumar.

embandeirar *v.t.* (conj. 4). **1.** Ornar de bandeiras. **2.** Festejar, enaltecer. ★ *v.pr.* Cobrir-se de bandeiras.

embaraçar *v.t.* (conj. 13). **1.** Pôr embaraço a; estorvar, impedir. **2.** Dificultar. **3.** Baralhar, enredar, emaranhar. **4.** Perturbar, confundir. ★ *v.pr.* Sentir embaraços; atrapalhar-se.

embaraço *s.m.* **1.** Obstáculo, empecilho. **2.** Situação difícil. **3.** Perturbação, constrangimento. **4.** *Pop.* Menstruação.

embarafustar *v.i.* (conj. 4). Entrar de tropel ou desordenadamente.

embaralhar *v.t.* (conj. 4). **1.** Misturar as cartas antes de distribuí-las; baralhar. **2.** Misturar, confundir.

embarcação *s.f.* **1.** Pequeno barco. **2.** Qualquer tipo de barco.

embarcadouro *s.m.* Local para embarque ou desembarque; cais.

embarcar *v.t.* (conj. 12). **1.** Pôr a bordo de um navio. **2.** Entrar em embarcação, avião etc., para viajar. ★ *v.i.* **1.** Subir a bordo de um navio, de um veículo, de um avião. **2.** Acreditar na conversa de alguém, ser enganado. **3.** Viajar.

embargado *adj.* **1.** Que teve ou sofreu embargos. **2.** Tolhido, contido.

embargar *v.t.* (conj. 14). **1.** Impedir, tolher, estorvar. **2.** *Fig.* Reprimir, tolher, dificultar. **3.** Pôr embargo a.

embargo *s.m.* **1.** Ato ou efeito de embargar; embargamento. **2.** Estorvo, obstáculo, embaraço. **3.** Medida judicial contra ato ou ação de outrem, com o intuito de impedi-los ou de suspender sua execução. **4.** Suspensão do comércio ou do crédito entre dois países como forma de pressão econômica e política.

embarque *s.m.* **1.** Ação de embarcar(-se). **2.** Lugar onde se embarca.

embarricar *v.t.* (conj. 12). **1.** Meter em barrica. **2.** Defender com barricadas. ★ *v.pr.* Meter-se em barricadas.

embarrilar *v.t.* (conj. 4). **1.** Acomodar, acondicionar em barril. **2.** *Pop.* Atrapalhar.

embasamento *s.m.* **1.** Fundamento que sustenta uma construção; alicerce. **2.** Sobrebase, geralmente simples, larga e sem ornatos, para sustentar pedestais. **3.** *Fig.* Base, fundamentação.

embasar *v.t.* (conj. 4). Proceder ao embasamento de; alicerçar. ★ *v.pr.* Fundamentar-se, basear-se.

embasbacar *v.t.* (conj. 12). Causar espanto, admiração a. ★ *v.i.* Ficar estupefato; pasmar. ★ *v.pr.* Pasmar-se.

embate *s.m.* **1.** Choque impetuoso; encontro, colisão. **2.** *Fig.* Resistência, oposição.

embater *v.t.* e *v.i.* (conj. 5). Produzir embate, choque ou percussão; esbarrar. ★ *v.pr.* Colidir, chocar-se.

embatucar *v.t.* (conj. 12). Fazer calar. ★ *v.i.* **1.** Não poder falar; calar-se, por falta de argumentos, por constrangimento, nervosismo. **2.** Emperrar, estacar.

embaúba *s.f.* (tupi *amba'iwa*). Denominação comum a diversas árvores típicas das florestas do Brasil tropical e equatorial, cujos brotos servem de alimento à preguiça. (Var. **UMBAÚBA.**)

embebedar *v.t.*, *v.i.* e *v.pr.* (conj. 4). Embriagar(-se).

embeber *v.t.* (lat. *imbibere,* beber) [conj. 5]. **1.** Sorver, absorver um líquido. **2.** Ensopar, molhar. **3.** Infiltrar, introduzir, encravar. ★ *v.pr.* **1.** Encharcar-se. **2.** Absorver-se, concentrar-se.

embeiçar *v.t.* (conj. 13). **1.** Trazer preso pelo beiço. **2.** Prender por amor ou sujeição dos sentidos; cativar. ★ *v.pr.* Apaixonar-se.

embelezar *v.t.* (conj. 4). **1.** Tornar belo; enfeitar, ornar. **2.** Elevar, encantar. ★ *v.pr.* **1.** Tornar-se belo; enfeitar-se. **2.** Elevar-se, maravilhar-se.

embevecer *v.t.* (conj. 25). Causar êxtase, enlevo, arrebatamento. ★ *v.pr.* Ficar extasiado, enlevado, absorto.

embezerrar(-se) *v.i.* e *v.pr.* (conj. 4). **1.** *Pop.* Zangar-se, amuar. **2.** Obstinar-se.

embicar *v.t.* (conj. 12). **1.** Dar a forma de bico a; erguer em ponta. **2.** Topar com; esbarrar. **3.** Ter rixa; implicar. ★ *v.i.* **1.** Ficar confuso, encontrar embaraço. **2.** Tropeçar (o cavalo). **3.** Dirigir-se, encaminhar-se. **4.** Baixar o nariz do avião durante o vôo.

embira *s.f.* (do tupi). **1.** Nome comum a diversas plantas arbustivas, cuja casca fornece fibras para cordoaria. **2.** Fibra de certos vegetais usada como cordel.

embirra *s.f.* Embirração.

embirrar *v.t.* (conj. 4). **1.** Teimar com tenacidade. **2.** Insistir muito. **3.** Ter aversão; antipatizar. ★ *v.i.* Ficar birrento.

emblema *s.m.* (gr. *émblema,* mosaico). **1.** Qualquer signo convencional dotado de valor simbólico (armas, brasão, logotipo etc.), às vezes acompanhado de uma divisa. **2.** Pessoa ou coisa que simboliza uma qualidade, uma abstração. **3.** Atributo que representa uma autoridade, uma pessoa, uma coletividade.

emblemático *adj.* Que tem caráter de emblema.

emboaba *s.2g.* (do tupi). **1.** Alcunha dada, nos tempos coloniais, a portugueses e brasileiros que, procedentes de outras regiões, entravam pelo sertão em busca de minas de ouro e pedras preciosas. **2.** Português, galego; forasteiro.

embocadura *s.f.* **1.** Ato ou efeito de embocar. **2.** Foz de um rio. **3.** Parte do freio colocada na boca do cavalo. **4.** Parte dos instrumentos de sopro sobre a qual se apóiam os lábios para soprar. **5.** *Fig.* Propensão, tendência.

embocar *v.t.* (conj. 12). **1.** Levar à boca um instrumento de sopro, a fim de tirar sons. **2.** Esvaziar (um copo etc.) bebendo.

emboçar *v.t.* (conj. 13). **1.** Aplicar emboço a. **2.** Encher com argamassa as juntas de uma alvenaria, as telhas de cumeeira etc.

emboço *s.m.* Primeira camada de argamassa que se aplica à parede e que serve de base ao reboco.

embolada *s.f.* Forma poético-musical do Nordeste com refrão coral, dançada ou dialogada.

embolar *v.t.* (conj. 4). **1.** Armar ou revestir de bolas. **2.** Reduzir a bolo. **3.** Enrolar, emaranhar. ★ *v.i.* e *v.pr.* **1.** Engalfinhar-se com o adversário, rolando por terra. **2.** Cair ou atirar-se no chão, rolando como bola. **3.** Encaroçar. **4.** Entrelaçar-se (corpos); engalfinhar-se.

embolectomia *s.f.* Intervenção que consiste em abrir uma artéria e extrair o coágulo que a obstruiu.

embolia *s.f.* (gr. *embolé,* irrupção). **1.** Obliteração de um conduto natural, geralmente de um vaso sanguíneo, por um corpo estranho em migração. **2.** *Embolia gasosa,* penetração anormal de gás sob a forma de bolhas na circulação sanguínea. ► *Embolia pulmonar,* obstrução de um tronco da artéria pulmonar, que ocorre após intervenção cirúrgica, parto ou imobilização prolongada.

EMBOLIA ► As embolias mais freqüentes, quase sempre devidas à circulação de um coágulo na corrente sanguínea, são as das extremidades e as pulmonares. Estas últimas costumam originar-se de uma flebite (inflamação de uma veia) das extremidades inferiores (conseqüência de uma intervenção cirúrgica ou de uma cardiopatia). As embolias podem ser prevenidas mediante um tratamento anticoagulante.

embólico *adj.* Relativo à embolia.

êmbolo *s.m.* (gr. *émbolos,* cavilha). Disco ou cilindro com movimento de vaivém dentro de um tubo (de seringa, bomba, motor) a cujas paredes se ajusta sem deixar folga; pistão. ● **Med.** Qualquer corpo estranho, como coágulo ou fragmento de tumor, cujo deslocamento e parada em um vaso sanguíneo pode provocar uma embolia.

embolorar *v.i.* (conj. 4). **1.** Criar bolor; embolorecer. **2.** Sin. de MOFAR[1].

embolorecer *v.i.* (conj. 25). Embolorar.

embolsar *v.t.* (conj. 4). **1.** Pôr no bolso. **2.** Receber, ganhar.

embolso *s.m.* **1.** Ato de embolsar. **2.** Pagamento, recebimento.

embonecar *v.t.* (conj. 12). *Fam.* **1.** Enfeitar com o esmero com que se enfeita uma boneca. **2.** Enfeitar vaidosamente. ★ *v.pr.* Enfeitar-se, adornar-se.

embora *conj.* Apesar de que, ainda que, conquanto. ★ *adv.* Em boa hora.

emborcar *v.t.* (conj. 12). **1.** Virar (uma vasilha) de borco, pôr de cabeça para baixo. **2.** Entornar, derramar, vazar totalmente. **3.** Entornar na boca, bebendo com sofreguidão e em largos tragos.

embornal *s.m.* Var. de BORNAL.

emboscada *s.f.* (it. *imboscata*). **1.** Ataque inesperado e traiçoeiro; tocaia, armadilha. **2.** Cilada, traição.

emboscar *v.t.* (conj. 12). Pôr de emboscada; esconder-se para atacar de surpresa. ★ *v.pr.* Pôr-se de emboscada.

embotar(-se) *v.t.* e *v.pr.* (conj. 4). **1.** Tornar(-se) menos cortante, menos agudo; perder o gume. **2.** *Fig.* Tornar(-se) menos sensível; entorpecer(-se).

embranquecer *v.t.* (conj. 25). Tornar branco; branquear. ★ *v.i.* e *v.pr.* Fazer-se branco; encanecer.

embravecer *v.t.* (conj. 25). Tornar bravo, feroz, cruel. ★ *v.i.* e *v.pr.* **1.** Tornar-se tempestuoso; enfurecer-se, encapelar-se. **2.** Irritar-se, enfurecer-se.

embreagem *s.f.* (fr. *embrayage*). Mecanismo que permite ligar duas peças que se encontram no mesmo eixo, para comunicar a uma delas o movimento de rotação da outra e, em seguida, desligá-las quando se quer fazer cessar a transmissão do movimento.

embrear *v.t.* e *v.i.* (conj. 15). Acionar a embreagem.

embrenhar *v.t.* (conj. 4). Esconder, meter (nas brenhas ou no mato). ★ *v.pr.* Meter-se, esconder-se, internar-se (no mato).

embriagante *adj.2g.* **1.** Que embriaga; embriagador. **2.** Inebriante, extasiante.

embriagar *v.t.* (do lat. *ebriacus,* bêbado) [conj. 14]. **1.** Tornar ébrio; embebedar. **2.** *Fig.* Extasiar, envaidecer, inebriar. ★ *v.pr.* **1.** Ingerir bebidas alcoólicas a ponto de ficar tonto ou perturbado; embebedar-se. **2.** *Fig.* Extasiar-se.

embriaguez (ê) *s.f.* **1.** Estado de excitação e descoordenação motora, acompanhado de obscurecimento variável da consciência, que resulta da ingestão de álcool; bebedeira. **2.** *Fig.* Transporte, exaltação, êxtase, inebriamento.

embrião *s.m.* (gr. *émbryon*). **1.** Organismo que se encontra nas primeiras fases de desenvolvimento. **2.** Ser humano com até 8 semanas de vida.

DESENVOLVIMENTO DO EMBRIÃO HUMANO

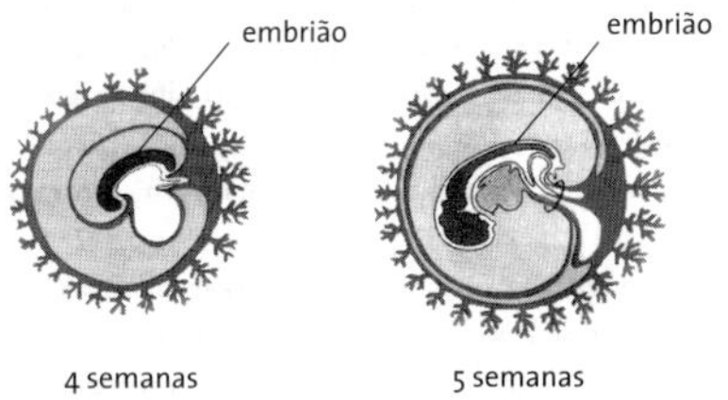

embriocardia *s.f.* Aumento do número de batimentos cardíacos, que resulta em um ritmo semelhante ao do coração fetal.

embriogênese *s.f.* Formação e desenvolvimento do embrião a partir do zigoto.

embriologia *s.f.* Ramo da ciência que estuda o desenvolvimento dos embriões.

embriológico *adj.* Relativo à embriologia.

embriologista *s.2g.* Especialista em embriologia.

embrioma *s.m.* Tumor de origem embrionária.

embrionário *adj.* **1.** Relativo ou pertencente ao embrião. **2.** Que está em vias de formação. **3.** *Fig.* Em germe, em estado rudimentar.

embriopatia *s.f.* Malformação do embrião, que se instala durante os dois primeiros meses da gravidez.

embrioscopia *s.f.* Técnica de visualização direta do embrião por introdução de um endoscópio no colo do útero.

embromar *v.t.* (esp. *embromar*) [conj. 4]. **1.** Enganar, lograr. **2.** Zombar. **3.** Protelar, retardar. ★ *v.i.* **1.** Prometer e não cumprir. **2.** Andar vagarosamente, com displicência. **3.** Brincar, gracejar.

embrulhada *s.f.* Embrulho.

embrulhar *v.t.* (conj. 4). **1.** Envolver em papel ou outro invólucro; enfardelar, entrouxar. **2.** *Fig.* Causar confusão e atrapalho. **3.** Enganar, lograr. **4.** Causar enjôo a; indispor, nausear. ★ *v.pr.* Embaraçar-se, misturar-se confusamente com outras coisas, complicar-se.

embrulho *s.m.* **1.** Pacote, maço, volume. **2.** Confusão, trapalhada; embrulhada. **3.** Engano, logro.

embrutecer *v.t.* (conj. 25). Tornar bruto, estúpido, insensível. ★ *v.pr.* Tornar-se bruto, estúpido.

embuçar *v.t.* (conj. 13). **1.** Cobrir o rosto com embuço até os olhos. **2.** Disfarçar, encobrir. ★ *v.pr.* **1.** Envolver-se em capa ou capote. **2.** Encobrir-se, disfarçar-se.

embuchar *v.t.* (conj. 4). **1.** Meter no bucho. **2.** Embutir (uma peça) no interior de outra, para suprir-lhe um espaço vazio. ★ *v.i.* **1.** Sufocar-se com a comida. **2.** Andar desgostoso, amuado. **3.** *Fig.* Calar-se.

embuço *s.m.* **1.** A parte da capa com que se cobre o rosto. **2.** Disfarce, dissimulação.

emburrar *v.t.* (conj. 4). Tornar estúpido; embrutecer. ★ *v.i.* **1.** Parar, empacar. **2.** Amuar(-se), zangar(-se).

embuste *s.m.* Mentira artificiosa; patranha, ardil, engano, enredo.

embusteiro *s.m.* e *adj.* Aquele que faz embustes; intrujão, mentiroso.

embutido *adj.* **1.** Engastado, encaixado. **2.** Incrustado, marchetado. ★ *s.m.* **1.** Obra de entalhador, de mosaico, de marchetaria. **2.** Produto de salsicharia (salsicha, lingüiça, salame, mortadela) feito de carne embutida numa tripa ou bexiga.

embutir *v.t.* (fr. *emboutir,* chapear) [conj. 6]. **1.** Meter à força; entalhar, introduzir (peças de marfim, madeira, pedra etc.). **2.** Marchetar, tauxiar.

emenagogo (ô) *adj.* e *s.m.* (do gr. *émmena,* mênstruo). Diz-se de ou substância que regulariza a menstruação.

emenda *s.f.* **1.** Ação de emendar(-se). **2.** Alteração de um texto, correção. **3.** Alteração ou proposta de alteração de uma lei. **4.** Recuperação, remendo, conserto ou correção de defeitos; sambladura. **5.** Peça que se junta a outra para lhe dar o comprimento necessário.

emendar *v.t.* (lat. *emendare*) [conj. 4]. **1.** Corrigir, melhorar. **2.** Remendar, consertar. **3.** Modificar. **4.** Acrescentar alguma coisa para satisfazer a medida necessária. ★ *v.pr.* Arrepender-se, corrigir-se.

ementa *s.f.* **1.** Rol. **2.** Apontamento, lembrete. **3.** Sumário. **4.** Cardápio.

ementário *s.m.* **1.** Livro de ementas. **2.** Livro de lembranças. **3.** Rol, agenda.

emergência *s.f.* **1.** Ato ou efeito de emergir. **2.** Aparecimento súbito de uma idéia, de um fato social, econômico, político. **3.** Ocorrência de perigo, situação crítica; incidente, imprevisto.

emergencial *adj.2g.* Relativo a ou que tem caráter de emergência.

emergente *adj.2g.* **1.** Que emerge, que vem à tona. **2.** Que procede, que resulta. **3.** Diz-se de uma partícula, de uma onda, de um raio de luz que sai de um meio após tê-lo atravessado.

emergir *v.i.* (lat. *emergere,* sair de) [conj. 78]. **1.** Elevar-se, surgir acima da água. **2.** Manifestar-se, aparecer, surgir.

emérito *adj.* (lat. *emeritus,* determinado). **1.** Que é de grande competência, que tem grande saber, muito versado numa ciência ou arte; ilustre, insigne, eminente, notável. **2.** Que tem as honras de um cargo mesmo quando não mais o exerce.

emersão *s.f.* (lat. tard. *emersio*). Movimento de um corpo que sai de um fluido no qual estava mergulhado.

emerso *adj.* (lat. *emersus*). Que emergiu.

emético *adj.* e *s.m.* (gr. *emetikós*). Que ou o que faz vomitar. ★ *s.m.* Sal de antimônio utilizado no tratamento de certas doenças parasitárias.

emetina *s.f.* Principal alcalóide da ipeca, utilizado no tratamento da disenteria amebiana.

emétrope *adj.* (do gr. *émmetros,* bem medido). Diz-se do olho cuja visão é normal.

emigração *s.f.* (lat. *emigratio*). **1.** Ato ou efeito de emigrar. **2.** Grupo de pessoas que emigram. **3.** Deslocamento anual de certos animais. (Cf. IMIGRAR.)

emigrante *adj.2g.* e *s.2g.* Que ou aquele que emigra ou emigrou.

emigrar *v.i.* (lat. *emigrare*) [conj. 4]. **1.** Deixar voluntariamente a terra natal ou o país de origem para estabelecer-se em outra região ou país; expatriar-se. **2.** Mudar anualmente de terra (certos animais). (Cf. IMIGRAR.)

eminência *s.f.* (lat. *eminentia*). **1.** Elevação, altura. **2.** Saliência, relevo. **3.** Título dos cardeais. **4.** Superioridade, excelência.

eminente *adj.2g.* (lat. *eminens,* que se eleva). **1.** Alto, elevado. **2.** Emérito, insigne, ilustre. (Cf. IMINENTE.)

emir *s.m.* (ár. *amir,* pelo fr. *émir*). Chefe político em certas regiões muçulmanas.

emiradense *adj.2g.* Relativo ou pertencente aos Emirados Árabes Unidos, país do Oriente Médio. ★ *s.2g.* O natural ou habitante desse país.

emirado *s.m.* **1.** Dignidade de emir; funções de um emir. **2.** Estado governado por um emir.

emissão *s.f.* (lat. *emissio*). **1.** Ato ou efeito de emitir. **2.** Produção de sinais sonoros ou visuais. **3.** Envio de mensagem. **4.** Difusão pelo espaço de ondas radioelétricas geradas para efeito de telecomunicações.

emissário[1] *s.m.* (lat. *emissarius,* agente[1]). Aquele que é enviado para cumprir uma missão; enviado, mensageiro.

emissário[2] *s.m.* (lat. *emissarium*). **1.** Canal utilizado para esvaziar total ou parcialmente um lago, uma bacia etc. **2.** Fossa ou curso de água que serve para evacuar a água que corre por escoamento ou drenagem. ★ *adj.* Que é mandado para fora.

emissivo *adj.* **1.** Relativo à emissão. **2.** Que tem a faculdade de emitir.

emissor (ô) *adj.* e *s.m.* (lat. *emissor,* o que envia). **1.** Que ou aquele que emite; emitente. **2.** Diz-se de ou dispositivo, sistema, aparelho que emite ou que serve para emitir (ondas, partículas etc.). ★ *s.m.* Posto de emissão radiofônica. ● **Eletr.** Aparelho destinado a produzir sinais radioelétricos e a encaminhá-los a uma antena, a fim de permitir radiocomunicação. **Fís.** Instrumento ou sistema que emite energia e/ou partículas.

emissora (ô) *s.f.* Empresa que produz e transmite programas de rádio ou televisão.

emitente *adj.2g.* e *s.2g.* Que ou o que emite; emissor.

emitir *v.t.* (lat. *emittere,* soltar) [conj. 6]. **1.** Expelir de si. **2.** Produzir (sons) enviando para fora. **3.** Pôr em circulação. **4.** Exprimir. **5.** Enviar, remeter. ★ *v.i.* **1.** Proceder à transmissão de um programa de rádio ou televisão. **2.** Fazer uma emissão de rádio.

emoção *s.f.* (fr. *émotion*). **1.** Ato ou efeito de mover (moralmente). **2.** Abalo moral; comoção. **3.** Reação transitória, de grande intensidade, em geral produzida por uma situação ou estímulo do meio ambiente. **4.** Alteração súbita ou agitação passageira, causada por um sentimento de medo, de surpresa etc.

VOCÊ SABIA...? As **emoções** são muito importantes no desenvolvimento do pensamento. É necessária uma experiência emocional para que o conjunto de concepções da criança se converta em conceitos e, por último, em um sistema dedutivo que lhe permita explorar o mundo. As emoções aparecem gradualmente e são elaboradas a partir das impressões dos sentidos.

emocional *adj.2g.* Relativo à emoção.

emocionante *adj.2g.* Que causa emoção.

emocionar *v.t.* (fr. *émotionner*) [conj. 4]. Dar, causar emoção; comover. ★ *v.pr.* Impressionar-se, comover-se.

emoldurar *v.t.* (conj. 4). Colocar em moldura; moldurar.

emoliente *adj.2g.* (lat. *emolliens*, de *emollire*, amolecer). Diz-se de uma substância que relaxa, suaviza, amacia e amolece. ★ *s.m.* **Med.** Medicamento próprio para amolecer, abrandar uma inflamação.

emolumento *s.m.* (lat. *emolumentum*). **1.** Ganho, retribuição. **2.** Gratificação. **3.** Lucro, provento. ★ *s.m.pl.* Lucros eventuais, além dos rendimentos fixos.

emotividade *s.f.* Tendência a se comover, a ser afetado por fatos comumente irrelevantes.

emotivo *adj.* e *s.m.* (fr. *émotif*). **1.** Propenso à emoção. **2.** Relativo à emoção; emocional. **3.** Que ou o que é fácil de comover-se.

empacar *v.i.* (conj. 12). **1.** Emperrar, parar (a cavalgadura) manhosamente. **2.** Gaguejar.

empachar *v.t.* (conj. 4). **1.** Encher muito; obstruir. **2.** Sobrecarregar (o estômago); empanturrar. ★ *v.pr.* Obstruir-se.

empacho *s.m.* Ato ou efeito de empachar.

empaçocar *v.t.* (conj. 12). **1.** Dar aspecto de paçoca a. **2.** Amarfanhar. **3.** Enredar.

empacotadora (ô) *s.f.* Máquina que serve para empacotar.

empacotar *v.t.* (conj. 4). Pôr em pacote, embalar; enfardar. ★ *v.i.* *Gír.* Morrer.

empada *s.f.* **1.** Iguaria de massa com recheio de camarão, carne, palmito, queijo etc., assada em formas no forno. **2.** *Fig.* Indivíduo que causa estorvo; importuno.

empáfia *s.f.* Altivez, soberba, vaidade, orgulho vão.

empalação *s.f.* Suplício antigo, que consistia em espetar o condenado pelo ânus numa estaca, posição em que ficava até morrer.

empalar *v.t.* (fr. *empaler*, do lat. *palus*, pau) [conj. 4]. Submeter à empalação.

empalhação *s.f.* **1.** Ação de empalhar; empalhamento. **2.** Fabricação de objetos trançados com hastes finas e flexíveis, principalmente de vime e de junco. **3.** Objetos assim fabricados. **4.** *Fig.* Pretexto para ganhar tempo.

empalhar *v.t.* (conj. 4). **1.** Acondicionar com palha. **2.** Colocar palhinha trançada no assento ou no encosto de uma cadeira. **3.** Substituir por palha, para conservação, as entranhas de animais mortos. **4.** *Fig.* Atrapalhar, embaraçar quem está trabalhando.

empalidecer *v.i.* (conj. 25). Perder a cor, fazer-se pálido; descorar. ★ *v.t.* **1.** Tornar pálido, fazer perder o viço. **2.** Deslustrar, desmerecer.

empalmar *v.t.* (conj. 4). **1.** Apanhar, esconder na palma da mão. **2.** Escamotear, surripiar, furtar com destreza.

empanada *s.f.* (esp. *empanada*). Tipo de empada grande, de origem espanhola ou hispano-americana.

empanar[1] *v.t.* (conj. 4). **1.** Cobrir com panos. **2.** Embaciar. **3.** Encobrir, esconder. ★ *v.pr.* Perder o brilho, embaciar-se, deslustrar-se.

empanar[2] *v.t.* (conj. 4). Cobrir (carne, peixe, legumes etc). de farinha de trigo e ovo, fritando em seguida.

empanturrar *v.t.* (conj. 4). **1.** Encher de comida; empanzinar, empachar. **2.** Abarrotar. ★ *v.pr.* Comer em excesso; empanzinar-se, empachar-se.

empanzinar *v.t.* e *v.pr.* (conj. 4). Empanturrar(-se). ★ *v.pr.* Comer à tripa forra, empanturrar-se.

empapar *v.t.* (conj. 4). Embeber, tornar mole (como papa), ensopar. ★ *v.pr.* Ensopar-se, embeber-se.

empapelar *v.t.* (conj. 4). **1.** Envolver em papel, embrulhar. **2.** Revestir de papel (as paredes).

empapuçado *adj.* Cheio de papos ou pregas; inchado.

empapuçar *v.t.* (conj. 13). Encher de papos ou pregas. ★ *v.i.* e *v.pr.* Inchar-se.

emparceirar *v.t.* (conj. 4). Unir, juntar, emparelhar, ligar. ★ *v.pr.* Unir-se em parceria.

emparedar *v.t.* (conj. 4). **1.** Pôr entre paredes, enclausurar. **2.** Obstruir com paredes. ★ *v.pr.* Encerrar-se entre paredes.

emparelhar *v.t.* (conj. 4). **1.** Pôr em parelha; jungir, unir, ligar. **2.** Reunir animais de tração, segundo seu tamanho, sua força, para fazê-los trabalhar juntos. **3.** Igualar, nivelar, equiparar. **4.** Ombrear, rivalizar. ★ *v.i.* Ficar lado a lado, correr parelhas. ★ *v.pr.* Tornar-se igual a outro; empatar.

emparreirar *v.t.* (conj. 4). **1.** Cobrir de parreiras ou videiras. **2.** Suspender em estacas, em forma de parreiras.

empastar *v.t.* (conj. 4). **1.** Encher de pasta. **2.** Tornar pastoso. **3.** Inchar. **4.** Aplicar tintas por meio de pinceladas grossas, com bastante pigmento. ★ *v.pr.* Formar pasta.

empastelar *v.t.* (conj. 4). Amontoar confusamente (caracteres tipográficos), inutilizando a composição.

empatar *v.t.* (it. *impattare*) [conj. 4]. **1.** Embaraçar, interromper, sustar. **2.** Igualar (os pontos no jogo ou na votação). **3.** Ocupar, empregar, investir. **4.** *Fig.* Causar incômodo ou embaraço. ★ *v.i.* Igualar-se no resultado.

empate *s.m.* **1.** Ação ou efeito de empatar. **2.** Resultado de um jogo ou votação em que não há vencedor. **3.** Irresolução, indecisão.

empatia *s.f.* (gr. *en*, dentro, e *páthos*, paixão). **1.** Modo de conhecimento intuitivo de outrem, que repousa na capacidade de colocar-se no lugar do outro. **2.** Ligação, identificação.

empavonar *v.t.* (conj. 4). Tornar inchado e vaidoso como um pavão. ★ *v.pr.* Pavonear-se.

empecer *v.t.* (conj. 25). Pôr obstáculo a; impedir, estorvar. ★ *v.i.* Estorvar, embaraçar, impedir.

empecilho *s.m.* Estorvo, impedimento, obstáculo.

empeçonhar *v.t.* (conj. 4). **1.** Envenenar. **2.** Corromper, manchar, desvirtuar.

empedernido *adj.* **1.** Tornado duro como pedra. **2.** Inveterado. **3.** Insensível, desapiedado.

empedernir *v.t.* (conj. 79). **1.** Petrificar, converter em pedra. **2.** *Fig.* Tornar duro, insensível, desumano. ★ *v.i.* e *v.pr.* Tornar-se duro, insensível, desumano.

empedrado *adj.* **1.** Calçado de pedra. **2.** Diz-se de um fruto cuja polpa apresenta nódulos endurecidos.

empedrar *v.t.* (conj. 4). **1.** Calçar de pedras ou de cascalho (uma rua, uma estrada); calcetar. **2.** Endurecer (como a pedra). ★ *v.pr.* Petrificar-se, empedernir-se.

empelicar *v.t.* (conj. 12). Revestir de pelica.

empena *s.f.* **1.** Cada uma das paredes laterais que formam um telhado de duas águas. **2.** Peça de madeira que desce da cumeeira ao frechal.

empenado *adj.* **1.** Guarnecido, cheio de penas. **2.** Envergado, arqueado, torto (especialmente a madeira). **3.** Desviado da linha de prumo.

empenagem *s.f.* Cada uma das duas superfícies colocadas atrás das asas ou da cauda de um avião, para dar-lhe estabilidade.

empenamento *s.m.* Deformação da superfície inicialmente plana de um material ou de uma obra; empeno.

empenar[1] *v.i.* (conj. 4). **1.** Torcer-se, curvar-se, arquear-se (a madeira). **2.** Desviar-se da linha de prumo. ★ *v.t.* Entortar.

empenar[2] *v.t.* (conj. 4). Guarnecer de penas. ★ *v.i.* Criar penas. ★ *v.pr.* Cobrir-se de penas; ataviar-se.

empenhar *v.t.* (conj. 4). **1.** Dar em penhor. **2.** Impelir, obrigar. **3.** Empregar ou aplicar com toda a diligência. **4.** Arriscar. ★ *v.pr.* **1.** Contrair dívidas demasiadas, dando penhor. **2.** Ter empenho ou interesse no êxito de alguma coisa.

empenho *s.m.* **1.** Ação de empenhar. **2.** Interesse, diligência. **3.** Porfia, ardor na peleja. **4.** Intervenção, proteção, recomendação.

empeno *s.m.* Empenamento.

empepinar *v.t.* e *v.pr.* (conj. 4). *Pop.* Encher(-se) de problemas; complicar(-se).

emperiquitar *v.t.* e *v.pr.* (conj. 7). Enfeitar(-se) exageradamente; empetecar(-se).

emperrar *v.t.* (conj. 4). **1.** Tornar perro, difícil de mover; entravar. **2.** Tornar obstinado, teimoso. ★ *v.i.* **1.** Ficar parado, não querer ou não poder mover-se. **2.** Parar, deixando de funcionar. ★ *v.pr.* Enraivecer-se; obstinar-se.

empertigar *v.t.* (conj. 14). Entesar, endireitar. ★ *v.pr.* **1.** Endireitar-se, arrumar-se. **2.** Assoberbar-se, tomar ares altivos.

empestar *v.t.* (conj. 4). Empestear.

empestear *v.t.* (conj. 15). **1.** Contaminar, infectar, empestar, pestear. **2.** Tornar pestilento, infectar com mau cheiro. **3.** Desprender cheiro desagradável. **4.** *Fig.* Corromper, deteriorar. ★ *v.i.* Cheirar mal. ★ *v.pr.* Infectar-se com peste; empestar-se, pestear-se.

empetecar *v.t.* e *v.pr.* (conj. 12). Emperiquitar(-se).

empiema *s.m.* (gr. *empyema*). **1.** Acúmulo de pus numa cavidade natural. **2.** Derrame purulento na pleura.

empilhadeira *s.f.* Máquina automóvel utilizada para empilhar carga em portos, armazéns etc.

empilhar *v.t.* (conj. 4). Pôr em pilha; amontoar, acumular. ★ *v.pr.* Amontoar-se em pilhas.

empinado *adj.* Levantado, direito.

empinar *v.t.* (conj. 4). **1.** Pôr em posição vertical, a pino. **2.** Fazer subir aos ares (o papagaio, brinquedo infantil). **3.** Despejar na boca, para beber com sofreguidão. **4.** Estufar, projetando para a frente. ★ *v.pr.* **1.** *Fig.* Pôr-se a pino. **2.** Ensoberbecer-se. **3.** Erguer-se o cavalo sobre as patas traseiras.

empipocar *v.i.* (conj. 12). **1.** Criar pústulas ou bolhas (no corpo). **2.** Pipocar.

empíreo *s.m.* (gr. *émpyrios*, ardente). **1.** Parte mais elevada do céu, habitada pelos deuses. **2.** *Poét.* Firmamento, céu, morada dos santos. ★ *adj.* **1.** Relativo ou pertencente ao céu. **2.** Superior, supremo.

empírico *adj.* (gr. *empeirikós*). **1.** Relativo ou pertencente ao empirismo. **2.** Que se apóia exclusivamente na experiência e na observação, e não em uma teoria.

empirismo *s.m.* **1.** Doutrina filosófica segundo a qual o conhecimento que temos das coisas deriva da experiência sensível. **2.** Método baseado exclusivamente na experiência, nos fatos, sem levar em conta teorias preexistentes.

EMPIRISMO ▸ Teoria filosófica que, em sua origem, considerava fruto da experiência todo o conhecimento humano obtido pelo contato com o mundo mediante os sentidos. A partir do século XIX esse conceito passa a ser associado ao procedimento sem método, considerado arbitrário e abstrato. No entanto, ainda permanece a idéia básica segundo a qual a experiência é o critério de toda a verdade.

---

empirista *adj.2g.* Relativo ou pertencente ao empirismo. ★ *s.2g.* Partidário do empirismo.

emplacar *v.t.* (conj. 12). **1.** Pôr placa ou chapa em. **2.** Dar certo, progredir. **3.** *Fig.* Viver até certa idade.

emplastar *v.t.* (conj. 4). Emplastrar.

emplasto *s.m.* Var. de EMPLASTRO.

emplastrar *v.t.* (conj. 4). Aplicar ou pôr emplastro em; cobrir com emplastro.

emplastro *s.m.* (gr. *emplastrom*). **1.** Medicamento de ação antiinflamatória que pode ser aplicado por meio de tecido ou diretamente sobre a pele. (Var. EMPLASTO.) **2.** *Fig.* Pessoa apática e incapaz, doente ou inútil. **3.** *Fig.* Indivíduo incômodo, cacete, importuno.

emplumar *v.t.* (conj. 4). **1.** Revestir de plumas. **2.** Enfeitar. ★ *v.pr.* **1.** Cobrir-se de penas. **2.** *Fig.* Pavonear-se, envaidecer-se.

empoar *v.t.* (conj. 20). Cobrir de pó; polvilhar, empoeirar. ★ *v.pr.* Aplicar pó-de-arroz no rosto.

empobrecer *v.t.* (conj. 25). **1.** Tornar pobre; depauperar. **2.** Enfraquecer, reduzir, diminuir. **3.** Fazer perder a fertilidade (falando da terra). ★ *v.i.* **1.** Cair em pobreza. **2.** Perder a fertilidade, a força etc. ★ *v.pr.* Tornar-se pobre.

empobrecimento *s.m.* Ato ou efeito de empobrecer(-se).

empoçar *v.t.* (conj. 13). Meter em poço ou em poça. ★ *v.i.* Formar poça. ★ *v.pr.* Atolar-se.

empoeirar *v.t.* (conj. 4). **1.** Cobrir de poeira; empoar. **2.** Obscurecer, escurecer. ★ *v.pr.* Cobrir-se de poeira.

empola (ô) *s.f.* (lat. *ampulla*, pequeno frasco). **Fís.** Bolha de água em estado de ebulição. **Patol.** Bolha causada pelo derramamento de serosidade entre a derme e a epiderme.

empolado *adj.* **1.** Que tem empola, que se empolou. **2.** *Fig.* Diz-se de um estilo ou de um modo de falar afetado, retórico, pomposo.

empolar *v.t.* (conj. 4). **1.** Fazer, causar empolas. Tornar pomposo, afetado. ★ *v.i.* Criar ou produzir empolas. ★ *v.pr.* **1.** Encapelar-se. **2.** Tornar-se soberbo.

empoleirar *v.t.* (conj. 4). Pôr em poleiro, falando-se de aves. ★ *v.pr.* **1.** Ficar pousada no poleiro (a ave). **2.** *Fig.* Fazer subir a; elevar-se.

empolgante *adj.2g.* Que empolga, que impressiona muito.

empolgar *v.t.* (conj. 14). **1.** Agarrar, lançar mão de. **2.** Tomar com violência ou ardil. **3.** Prender a atenção de; entusiasmar, impressionar. ★ *v.pr.* Entusiasmar-se.

empombar *v.t.* (conj. 4). *Pop.* Zangar-se com alguém; altercar.

emporcalhar *v.t.* (conj. 4). Sujar, enxovalhar. ★ *v.pr.* **1.** Sujar-se, manchar-se. **2.** *Fig.* Degradar-se, aviltar-se.

empório *s.m.* (gr. *empórion*, mercado). **1.** Nome que adotam algumas casas comerciais. **2.** Armazém de secos e molhados.

empós *prep.* Após, atrás de.

empossar *v.t.* (conj. 4). Dar posse a; meter em posse. ★ *v.pr.* Tomar posse; apossar-se, apoderar-se.

emprazar *v.t.* (conj. 4). **1.** Convidar, convocar. **2.** Intimar alguém a comparecer em juízo ou perante qualquer autoridade, em prazo marcado. **3.** Desafiar. ★ *v.pr.* Marcar em (duas ou mais pessoas) prazo e lugar para se encontrar.

empreendedor (ô) *adj.* e *s.m.* **1.** Que ou aquele que empreende; arrojado, realizador, ativo. **2.** Que ou aquele que faz uma empresa ou negócio.

empreender *v.t.* (conj. 5). **1.** Tomar a resolução de fazer uma coisa (de certo vulto). **2.** Pôr em execução.

empreendimento *s.m.* Ação de empreender; empresa, cometimento.

empregado *s.m.* Pessoa que trabalha em estabelecimento público ou particular mediante remuneração salarial. ★ *adj.* **1.** Que se empregou. **2.** Ocupado, aplicado.

empregador (ô) *s.m.* Pessoa física ou jurídica que emprega e remunera o trabalho de outrem. ★ *adj.* Que emprega.

empregar *v.t.* (lat. *implicare*, enlaçar) [conj. 14]. **1.** Dar emprego, aplicação ou uso a. **2.** Admitir alguém como empregado. **3.** Fazer uso de; aproveitar. **4.** Lançar mão de. ★ *v.pr.* **1.** Obter emprego. **2.** Ocupar-se.

emprego (ê) *s.m.* **1.** Ato ou efeito de empregar. **2.** Função, cargo, lugar. **3.** Uso, utilização, aplicação.

empreita *s.f.* Empreitada.

empreitada *s.f.* **1.** Obra por conta de terceiro, a ser feita mediante condições prévias; empreita. **2.** Feito, empreendimento.

empreitar *v.t.* (conj. 4). Fazer ou tomar por empreitada.

empreiteiro *s.m.* **1.** Aquele que executa uma obra por empreitada. **2.** *P. ext.* Pequeno empresário que trabalha principalmente por tarefa.

emprenhar *v.t.* (lat. *impraegnare*, fecundar) [conj. 4]. Tornar prenhe, fazer conceber; engravidar. ★ *v.i.* Conceber.

empresa (ê) *s.f.* (it. *impresa*). **1.** Aquilo que se empreende; empreendimento. **2.** Unidade econômica de produção e comercialização de bens e serviços que objetiva o lucro.

empresar *v.t.* (conj. 4). Represar, apresar, reter.

empresariado *s.m.* A classe dos empresários.

empresarial *adj.2g.* Relativo a empresa.

empresário *s.m.* (it. *impresario*). **1.** Pessoa que possui ou administra uma empresa. **2.** *P. ext.* Encarregado dos interesses de um jogador, de um artista, de um grupo de artistas. ★ *adj.* Relativo a empresa.

emprestar *v.t.* (conj. 4). **1.** Ceder a título de empréstimo. **2.** Dar, conferir, prestar.

empréstimo *s.m.* **1.** Ato ou efeito de emprestar. **2.** Coisa ou soma emprestada. **3.** Operação pela qual uma pessoa obtém de outrem objetos, bens ou recursos financeiros, sob condição de restituí-los após certo prazo mediante pagamento de juros ou não. **Ling.** Incorporação, a uma língua, de uma palavra de outra língua, com ou sem adaptações fonéticas e morfológicas; a palavra assim incorporada.

EMPRÉSTIMO ► Um grande fator de enriquecimento lexical para uma língua é o empréstimo. Veja abaixo alguns exemplos de empréstimos ao léxico português:

- do árabe: açougue, álgebra, arroz, azeitona, refém;
- de outras línguas asiáticas: açúcar, cânfora, gengibre, nirvana (do sânscrito); chá, nanquim (do chinês); bazar, berinjela, tulipa, turbante, xale (do persa);
- do espanhol: castanhola, mochila, botija, lagartixa, pandeiro, trecho;
- do francês: assembléia, bilhete, chaminé, dama, emoção, jóia, maré, vitrine;
- do grego (por meio do latim): bolsa, cara, espada, golfo, governar, órgão;
- do inglês: bife, esporte, júri, repórter, teste, túnel;
- do italiano: alarme, aquarela, camarim, capricho, carnaval, cenário, trombone.

---

emproado *adj.* Orgulhoso, vaidoso, altivo.

empubescer *v.i.* e *v.pr.* (conj. 25). **1.** Tornar(-se) púbere; chegar(-se) à puberdade. **2.** Criar pêlos.

empulhar *v.t.* (conj. 4). **1.** Dizer pulhas a; troçar. **2.** Enganar, iludir.

empunhadura *s.f.* Punho.

empunhar *v.t.* (conj. 4). **1.** Segurar, pegar pelo punho (a espada, uma arma). **2.** Pegar em; tomar.

empurrão *s.m.* Ato ou efeito de empurrar, empurra.

empurrar *v.t.* (conj. 4). **1.** Impelir com violência, com vigor; empuxar. **2.** Forçar ou obrigar a aceitar; impingir. ★ *v.pr.* Dar encontrões.

empuxar *v.t.* (conj. 4). **1.** Empurrar. **2.** Agitar, abalar. **3.** Arrastar, induzir.

empuxo *s.m.* Ato ou efeito de empuxar. ● **Aeron.** Força que desenvolve um motor à reação para propulsionar um avião, um foguete. **Constr.** Pressão da abóbada ou do arco nos encontros. **Fís.** Força exercida pelo fluido sobre um corpo submerso na direção vertical e no sentido inverso à força gravitacional.

emudecer *v.t.* (conj. 25). Tornar mudo, fazer calar. ★ *v.i.* **1.** Tornar-se mudo, tornar-se silencioso; calar-se. **2.** Deixar de se fazer ouvir. ★ *v.pr.* Calar-se.

emulação *s.f.* (lat. *aemulatio*). **1.** Sentimento que leva a igualar ou a superar alguém. **2.** Competição, rivalidade. **3.** Estímulo. ● **Inform.** Simulação por meios materiais e lógicos de um determinado computador feita em um computador de tipo diferente.

emular *v.t.* e *v.i.* (lat. *aemulari*) [conj. 4]. **1.** Rivalizar com, disputar a preferência; competir com. **2.** Imitar por emulação. **3.** Emparelhar. ★ *v.pr.* Competir.

emulgente *adj.2g.* (lat. *emulgens,* de *emulgere,* extrair). **1.** Diz-se das veias e artérias dos rins. **2.** Diz-se do que é empregado, terapeuticamente, como emulsificante.

êmulo *adj.* e *s.m.* (lat. *aemulus,* rival, êmulo). Que ou aquele que tem emulação; competidor, rival.

emulsão *s.f.* (lat. *emulsus,* de *emulgere,* extrair). **1.** Meio heterogêneo constituído pela dispersão, sob forma de glóbulos microscópicos, de um líquido em um outro líquido no qual o primeiro não é miscível. **2.** Produto farmacêutico utilizado como excipiente de diversas preparações para a pele.

VOCÊ SABIA...? **Emulsões** são líquidos dispersos em outro meio também líquido. Uma importante emulsão natural é o leite de vaca, no qual a fase dispersa é a gordura, e a fase contínua, a água. Embora seja uma emulsão bastante estável, quando entra em contato com os sucos gástricos, o leite coagula. As emulsões são encontradas em muitas outras circunstâncias: o molho vinagrete, por exemplo, é uma emulsão de azeite e vinagre.

---

emulsificação *s.f.* Processo pelo qual se coloca uma substância qualquer em emulsão.

emulsificador (ô) *adj.* e *s.m.* Sin. de EMULSIFICANTE.

emulsificante *adj.2g.* e *s.m.* Diz-se de ou composto que favorece a formação de uma emulsão. (Sin. EMULSIFICADOR.)

emulsificar *v.t.* (conj. 12). Dispersar um líquido em um meio onde é insolúvel, a fim de se obter uma emulsão; emulsionar.

emulsionar *v.t.* (conj. 4). Emulsificar.

emuncção *s.f.* Evacuação de resíduos do organismo.

emunctório *s.m.* Órgão ou abertura do corpo que serve à emuncção.

emurchecer *v.t.* (conj. 25). Fazer perder o frescor; tornar murcho. ★ *v.i.* e *v.pr.* **1.** Murchar, perder o viço, o frescor. **2.** Entristecer-se.

enaltecer *v.t.* (esp. *enaltercer*) [conj. 25]. **1.** Louvar, engrandecer. **2.** Tornar alto; elevar.

enamorar *v.t.* (conj. 4). Inspirar amor em; encantar, apaixonar. ★ *v.pr.* Apaixonar-se.

enantema *s.m.* (gr. *en,* dentro, e *ánthema,* inflorescência). Erupção que afeta as mucosas, principalmente a da cavidade bucal, no decorrer de uma doença infecciosa.

enantiômero *s.m.* Cada um dos dois isômeros de um composto químico cuja molécula não é sobreponível em sua imagem especular. (Sin. ANTÍPODA ÓPTICO*.)

enantiomórfico *adj.* Que apresenta enantiomorfismo.

enantiomorfismo *s.m.* Simetria de dois objetos em que um é a imagem do outro em relação a um plano.

enantiomorfo *adj.* Diz-se dos cristais que apresentam enantiomorfismo, e que são formados a partir de compostos enantiômeros.

enantiótropo *adj.* Diz-se de um elemento químico que existe sob duas formas físicas diferentes.

enartrose *s.f.* (gr. *enárthrosis*). Articulação formada por uma eminência óssea arredondada que se encaixa numa cavidade profunda.

encabar *v.t.* (conj. 4). Colocar um cabo em uma ferramenta ou colocá-la em seu suporte.

encabeçar *v.t.* (conj. 4). **1.** Vir à frente de, à testa de. **2.** Chefiar, dirigir, ser o cabeça de. **3.** Pôr título em (um escrito). **4.** Meter na cabeça, persuadir. **5.** Principiar, começar. ★ *v.pr.* Convencer-se, meter na cabeça.

encabelar *v.i.* e *v.pr.* (conj. 4). Cobrir-se de pêlos.

encabrestar *v.t.* (conj. 4). **1.** Pôr cabresto a. **2.** *Fig.* Prender, subjugar, dominar. ★ *v.pr.* Prender-se no cabresto.

encabular *v.t.* (conj. 4). **1.** Encafifar, envergonhar, acanhar. **2.** Encaiporar, dar má sorte a. **3.** Aborrecer, amuar. ★ *v.i.* e *v.pr.* **1.** Irritar-se, agastar-se. **2.** Envergonhar-se.

encachoeirar *v.t.* e *v.pr.* (conj. 4). Transformar(-se) em cachoeira.

encadeamento *s.m.* **1.** Ação de encadear(-se). **2.** Disposição, ligação de coisas da mesma natureza ou que têm entre si certas relações; ordem, série, sucessão.

encadear *v.t.* (conj. 15). **1.** Prender com cadeia. **2.** Coordenar, dispor em ordem lógica. **3.** Submeter, sujeitar. ★ *v.pr.* Ligar-se, seguir-se em ordem natural, formar série.

encadernação *s.f.* **1.** Ato ou efeito de encadernar. **2.** Capa de um livro encadernado.

encadernar *v.t.* (conj. 4). Reunir em cadernos, para formar um volume ao qual se junta uma capa rígida.

encafifar *v.t.* (conj. 4). **1.** Encabular. **2.** Desgostar, desagradar. ★ *v.i.* Encavacar, encalistrar. ★ *v.pr.* Desgostar-se, aborrecer-se.

encafuar *v.t.* (conj. 4). Meter em cafua; esconder, ocultar. ★ *v.pr.* Esconder-se, enfurnar-se.

encaibrar *v.t.* (conj. 4). Colocar caibros em um madeiramento.

encaiporar *v.i.* e *v.pr.* (conj. 4). Tornar-se caipora; ficar com azar. ★ *v.t.* Tornar infeliz.

encaixar *v.t.* (conj. 4). **1.** Colocar em caixa. **2.** Montar, por encaixe, duas peças de madeira, de couro etc., entalhar, ensamblar. **3.** Introduzir, ajustando-se perfeitamente. **4.** Colocar entre outras coisas ou pessoas. ★ *v.i.* Entrar no encaixe. ★ *v.pr.* **1.** Introduzir-se. **2.** Entrar em encaixe.

encaixe *s.m.* União ou juntura de duas peças, talhadas de tal forma que uma penetre numa fenda ou entalhe aberto na outra, ajustando-se ambas perfeitamente; junção. ● **Econ.** Montante de dinheiro em caixa.

encaixilhar *v.t.* (conj. 4). Guarnecer de caixilho ou moldura, emoldurar.

encaixotar *v.t.* (conj. 4). **1.** Colocar em caixote ou caixa. **2.** *Gír.* Sepultar.

encalacrar *v.t.* (conj. 4). Meter em dificuldades. ★ *v.pr.* Endividar-se; embaraçar-se em negócios.

encalçar *v.t.* (conj. 13). Seguir de perto, ir no encalço.

encalço *s.m.* **1.** Ato ou efeito de encalçar. **2.** Pista, rastro, pegadas.

encalhar *v.t.* e *v.i.* (conj. 4). **1.** Tocar o fundo e cessar de flutuar livremente (navio ou barco). **2.** Encontrar-se na costa ou na margem, levado pelo movimento da água. **3.** *Fig.* Parar, encontrar obstáculos. **4.** Não ter saída (qualquer mercadoria); não encontrar comprador.

encalhe *s.m.* **1.** Ato ou efeito de encalhar; encalhação, encalhamento. **2.** Obstáculo, impedimento. **3.** Mercadoria que não teve saída, que não encontrou comprador. **4.** Conjunto dos exemplares não vendidos de um jornal.

encalistrar *v.t.* (conj. 4). Envergonhar, vexar, encabular, encafifar. ★ *v.i.* **1.** Amuar. **2.** Envergonhar-se, vexar-se.

encalombar *v.i.* (conj. 4). Criar calombos.

encalvecer *v.i.* (conj. 25). **1.** Tornar-se calvo. **2.** *Fig.* Envelhecer.

encambitar *v.t.* (conj. 4). Levantar a cauda (o cavalo) durante a marcha.

encaminhar *v.t.* (conj. 4). **1.** Mostrar o caminho; guiar, conduzir. **2.** Fazer chegar a. **3.** Pôr no bom caminho. ★ *v.pr.* Dirigir-se, enveredar.

encamisado *adj.* Que veste camisa.

encampar *v.t.* (conj. 4). **1.** Rescindir ou anular um contrato. **2.** Tomar (o governo) posse de uma empresa, após acordo em que se ajusta a indenização a ser paga.

encanador (ô) *s.m.* Técnico que procede à instalação e à manutenção das tubulações, dos aparelhos sanitários etc.

encanamento *s.m.* **1.** Ação ou efeito de conduzir as águas através de tubulação apropriada. **2.** Canalização, tubulação.

encanar[1] *v.t.* (conj. 4). Dirigir por cano ou canal; canalizar.

encanar[2] *v.t.* (conj. 4). *Pop.* Meter em cana; encarcerar.

encanecer *v.t.* (conj. 25). Tornar brancos os cabelos, pouco a pouco. ★ *v.i.* Envelhecer.

encangalhar *v.t.* (conj. 4). Pôr cangalha em.

encangar *v.t.* (conj. 14). Pôr a canga em; jungir.

encantado *adj.* **1.** Que tem encantamento. **2.** Contentíssimo, feliz, satisfeito. **3.** Maravilhado, deslumbrado.

encantador (ô) *adj.* Que encanta, atrai, seduz; cativante. ★ *s.m.* Pessoa que faz encantamentos; mágico.

encantamento *s.m.* (lat. *incantamentum*). **1.** Ato ou efeito de encantar(-se); encanto. **2.** Fórmula mágica empregada para encantar; feitiço, sortilégio. **3.** *Fig.* Encanto, enlevo, sedução.

encantar *v.t.* (lat. *incantare,* cantar para) [conj. 4]. **1.** Exercer influência mágica em; enfeitiçar. **2.** Seduzir, cativar, fascinar. **3.** Causar satisfação, agradar profundamente. ★ *v.pr.* Maravilhar-se.

encanto *s.m.* **1.** Encantamento. **2.** Coisa maravilhosa, de sedução irresistível.

encantoar *v.t.* (conj. 20). **1.** Pôr alguém ou alguma coisa em um canto. **2.** Tirar de uso. **3.** *Fig.* Afastar do convívio. ★ *v.pr.* Pôr-se a um canto; segregar-se, afastar-se dos outros.

encanzinar *v.t.* (conj. 4). Fazer zangar. ★ *v.pr.* **1.** Teimar, obstinar-se. **2.** *Fig.* Enfurecer-se.

encapar *v.t.* (conj. 4). **1.** Pôr capa em, envolver ou cobrir com capa. **2.** Revestir.

encapelado *adj.* **1.** Que encapelou. **2.** Agitado, encrespado. **3.** Que tem o encargo da capela. **4.** Que se doutorou, que usa capelo.

encapelar *v.t.* (conj. 4). **1.** Conceder o capelo de doutor. **2.** Levantar, encrespar. ★ *v.i.* e *v.pr.* **1.** Formar-se, doutorar-se. **2.** Elevar-se, dobrar-se em ondas, encrespar-se (o mar).

encapetado *adj.* Endiabrado, travesso.

encapetar-se *v.pr.* (conj. 7). Endiabrar-se, fazer travessuras.

encapotar *v.t.* (conj. 4). **1.** Cobrir com capa ou capote. **2.** *Fig.* Sonegar, esconder, encobrir. ★ *v.pr.* Cobrir-se com capa ou capote.

encapuzar *v.t.* e *v.pr.* (conj. 4). **1.** Cobrir(-se) com capuz. **2.** *Fig.* Disfarçar(-se).

encaracolar *v.t.* (conj. 4). Enrolar em forma de caracol. ★ *v.i.* Envolver-se em espiral. ★ *v.pr.* Enrolar a si mesmo; encarquilhar-se.

encaramujar(-se) *v.i.* e *v.pr.* (conj. 7). **1.** Entristecer(-se). **2.** Viver encaramujado, viver escondido. ★ *v.pr.* Isolar-se, retrair-se, como um caramujo.

encarangado *adj.* **1.** Entrevado. **2.** Encolhido, engelhado.

encarangar *v.t.* (conj. 14). Tornar adoentado. ★ *v.i.* Ficar tolhido ou encolhido pela ação do frio ou do reumatismo.

encarapinhar *v.t.* (conj. 4). Fazer carapinha em; frisar. ★ *v.i.* Tornar-se crespo; encarapinhar-se. ★ *v.pr.* Tornar-se crespo.

encarapitar *v.t.* (conj. 4). **1.** Subir, trepar; encarrapitar. **2.** Pôr no alto; encarrapitar-se. ★ *v.pr.* **1.** Pôr-se no alto. **2.** Instalar-se comodamente.

encarapuçar *v.t.* (conj. 13). Pôr a carapuça em. ★ *v.pr.* **1.** Cobrir-se com carapuça. **2.** Ocultar-se.

encarar *v.t.* (conj. 4). **1.** Olhar alguém nos olhos, com insistência. **2.** *Fig.* Considerar, analisar. **3.** Afrontar, arrostar.

encarcerar *v.t.* (conj. 4). **1.** Pôr no cárcere. **2.** Aprisionar, prender. ★ *v.pr.* Encerrar-se.

encardido *adj.* **1.** Que se encardiu. **2.** Sujo, imundo. **3.** Ameaçador, carregado (o rosto, o tempo, o céu). **4.** Diz-se da coisa sobre a qual é difícil opinar.

encardir *v.t.* (conj. 6). **1.** Encher de cardina, sujar. **2.** Tornar enxovalhado. **3.** Não lavar bem. ★ *v.i.* Ficar com parte da sujeira.

encarecer *v.t.* (conj. 25). **1.** Tornar caro; aumentar, elevar o preço. **2.** Exaltar, louvar. **3.** Recomendar com interesse. ★ *v.i.* Tornar-se caro, subir de preço.

encargo *s.m.* **1.** Ato ou efeito de encarregar. **2.** Incumbência, obrigação. **3.** Tributo, pensão. **4.** Cargo, ocupação. **5.** Responsabilidade por dívidas.

encarnação *s.f.* (lat. *incarnatio*). **1.** Ato ou efeito de encarnar. **2.** Ato pelo qual uma divindade toma corpo. **3.** Existência do espírito materializado no corpo humano, segundo o espiritismo. **4.** Pintura feita para dar a ilusão da pele humana.

encarnado *adj.* **1.** Que é da cor da carne. **2.** Vermelho rutilante; escarlate. **3.** Que encarnou; feito carne. ★ *s.m.* A cor encarnada.

encarnar *v.t.* (lat. *incarnare*) [conj. 4]. **1.** Dar forma material a; ser a imagem viva de. **2.** Representar um papel, personificá-lo. ★ *v.i.* e *v.pr.* Tomar um corpo carnal, falando-se de uma divindade ou espírito.

encarneirar *v.i.* e *v.pr.* (conj. 4). **1.** Encrespar-se (o mar), formando ondas pequenas e bastas. **2.** Povoar-se (a atmosfera) de muitas pequenas nuvens.

encarniçado *adj.* **1.** Furioso, cruel, feroz, sanguinário. **2.** Que se agarra violentamente a uma ação, a uma idéia; obstinado. **3.** Inflamado.

encarniçar *v.t.* (conj. 13). Excitar, irritar, tornar cruel. ★ *v.pr.* **1.** Enfurecer-se contra a presa. **2.** Aplicar-se com paixão violenta a alguma coisa. **3.** Perseguir com pertinácia, sem tréguas.

encaroçar *v.i.* (conj. 13). **1.** Formar caroço. **2.** Inchar, intumescer. **3.** Enlear-se, perder a fluência (no discurso). ★ *v.pr. Pop.* Cobrir-se de tumores ou erupções cutâneas.

encarquilhado *adj.* **1.** Cheio de rugas ou pregas; enrugado. **2.** *Fig.* Ressequido.

encarquilhar *v.t.* (conj. 4). **1.** Encher de rugas; enrugar. **2.** Preguear. **3.** Encolher. ★ *v.pr.* Enrugar-se.

encarrancar *v.t.* (conj. 12). **1.** Tornar carrancudo. **2.** Adornar grotescamente (com carrancas ou objetos análogos.) ★ *v.i.* **1.** Tornar-se carrancudo. **2.** Nublar-se, toldar-se.

encarrapitar *v.t.* e *v.pr.* (conj. 4). Encarapitar.

encarregar *v.t.* (conj. 14). **1.** Dar cargo, ocupação, comissão ou emprego. **2.** Incumbir. **3.** Sobrecarregar, onerar. ★ *v.pr.* Tomar obrigação ou encargo.

encarreirar *v.t.* (conj. 4). **1.** Abrir caminho a, encaminhar, dirigir. **2.** Pôr em carreira, alinhar, enfileirar. ★ *v.pr.* Seguir caminho.

encarrilhar ou **encarrilar** *v.t.* (conj. 4). **1.** Colocar em carris, trilhos ou calhas. **2.** Dirigir um carro pelo melhor caminho. **3.** Ativar, acertar. ★ *v.i.* Ir pelo caminho correto.

encartar *v.t.* (conj. 4). **1.** Prover com carta ou diploma de emprego ou ofício. **2.** Fazer o encarte de. ★ *v.pr.* Tirar diploma do emprego, pagando os respectivos direitos.

encarte *s.m.* **1.** Ação de encartar(-se) num ofício ou profissão pagando pelo respectivo diploma o que é devido. **2.** Operação de incluir folhas volantes ou caderno como suplemento em revistas ou jornais. **3.** Folhas ou cadernos incluídos em revistas ou jornais.

encartuchar *v.t.* (conj. 4). **1.** Reunir em um cartucho. **2.** Dar forma de cartucho a.

encarvoar *v.t.* (conj. 20). Sujar de carvão. ★ *v.pr.* **1.** Sujar-se de carvão. **2.** Converter-se em carvão.

encasacar-se *v.pr.* (conj. 12). **1.** Vestir-se com casaco. **2.** Agasalhar-se. **3.** Pôr-se em traje cerimonioso.

encasquetar *v.t.* (conj. 4). **1.** Persuadir, convencer, meter na cabeça. **2.** Cobrir com casquete. ★ *v.pr.* Obstinar-se.

encastelar *v.t.* (conj. 4). **1.** Encerrar em castelo. **2.** Pôr em lugar alto. **3.** Amontoar, acumular. ★ *v.pr.* **1.** Encerrar-se, recolher-se. **2.** *Fig.* Defender-se, apoiar-se, estribar-se.

encastoar *v.t.* (conj. 20). **1.** Pôr castão em. **2.** Embutir, encravar.

encasular *v.t.* (conj. 4). **1.** Meter em casulo. **2.** *Fig.* Enclausurar, encerrar.

encatarrar-se *v.pr.* (conj. 7). Desenvolver catarro.

encauma *s.m.* (gr. *égkauma*). Cicatriz de queimadura. • **Med.** Úlcera profunda da córnea.

encavacar *v.i.* (conj. 12). **1.** Dar o cavaco; amuar-se. **2.** Envergonhar-se, encafifar.

encavalar *v.t.* (conj. 4). Sobrepor. ★ *v.pr.* Sobrepor-se, montar-se.

encavar *v.t.* (conj. 4). **1.** Fazer cava em. **2.** Abrir cava ou cova; escavar.

encavernar *v.t.* (conj. 4). Meter em caverna. ★ *v.pr.* Ocultar-se, esconder-se.

encavilhar *v.t.* (conj. 4). **1.** Colocar uma ou mais cavilhas em. **2.** Segurar com cavilhas. **3.** Apertar, unir.

encefalite *s.f.* **1.** Inflamação do encéfalo. **2.** Qualquer afecção inflamatória não supurada do encéfalo. **3.** *Encefalite letárgica,* doença contagiosa grave que se manifesta por sonolência progressiva e que é causada por um vírus que se instala nos centros nervosos.

encefalítico *adj.* Relativo à encefalite.

encéfalo *s.m.* (gr. *egképhalos,* cérebro). Parte do sistema nervoso central contida na caixa craniana dos vertebrados, que compreende o cérebro, o cerebelo e o tronco cerebral.

ESTRUTURAS DO ENCÉFALO

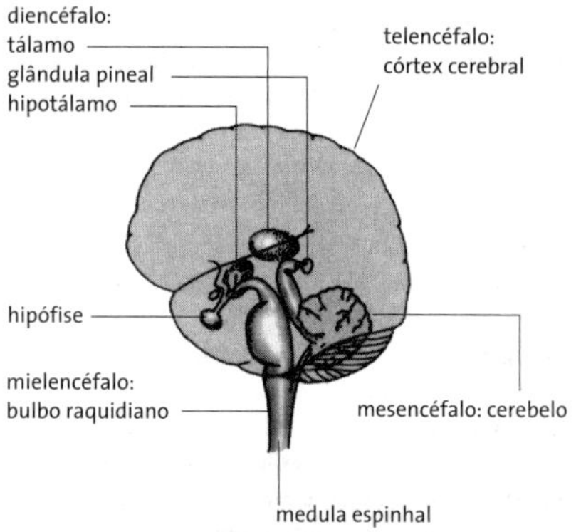

encefalografia *s.f.* Radiografia do encéfalo.

encefalomielite *s.f.* Afecção inflamatória do encéfalo, das meninges e da medula espinhal; meningoencefalite.

encefalopatia *s.f.* Termo genérico que designa qualquer afecção do encéfalo, exceto as doenças inflamatórias (encefalites).

enceleirar *v.t.* (conj. 4). **1.** Guardar em celeiro. **2.** Armazenar, estocar. **3.** *Fig.* Acumular.

encenação *s.f.* **1.** Ato ou efeito de encenar. **2.** Montagem de um espetáculo lírico, teatral ou cinematográfico. **3.** *Fig.* Maneira afetada de agir; fingimento.

encenador (ô) *adj.* e *s.m.* Que ou aquele que encena; diretor.

encenar *v.t.* (conj. 4). **1.** Pôr em cena; coordenar, ensaiar e levar à cena um espetáculo. **2.** Ostentar, exibir. **3.** *Fig.* Preparar um caso, uma ação, com o fim de iludir; simular.

enceradeira *s.f.* Aparelho para encerar soalhos.

encerado *adj.* Coberto de cera. ★ *s.m.* **1.** Toldo impermeável (de tecido, plástico etc.). **2.** Lona.

encerar *v.t.* (conj. 4). Untar, esfregar com cera (qualquer tecido ou madeira). ★ *v.pr.* Tornar-se cor de cera.

encerrar *v.t.* (conj. 4). **1.** Pôr em lugar fechado; enclausurar. **2.** Conter, incluir. **3.** Pôr termo a; concluir, fechar. **4.** Abrigar, guardar. ★ *v.pr.* Fechar-se, enclausurar-se.

encestar *v.t.* (conj. 4). **1.** Pôr em cesto. **2.** No basquete, fazer uma cesta.

encetar *v.t.* (lat. *inceptare*) [conj. 4]. **1.** Começar, principiar, iniciar. **2.** Estrear, experimentar pela primeira vez. **3.** Tirar parte de coisa que estava inteira. ★ *v.pr.* Ser o primeiro a fazer algo, estrear-se.

encharcado *adj.* **1.** Convertido em charco; alagado, inundado. **2.** Empapado, ensopado.

encharcar *v.t.* (conj. 12). **1.** Converter em charco. **2.** Alagar, inundar. **3.** Molhar muito, ensopar, empapar. ★ *v.pr.* **1.** Converter-se em charco. **2.** Molhar-se, atolar-se. **3.** Embriagar-se.

encheção *s.f. Gír. bras.* Ato ou efeito de encher, importunar; aborrecimento.

enchente *s.f.* **1.** Inundação, torrente, cheia do rio que transborda. **2.** Submersão de terrenos em função de elevação do nível das águas de um rio, córrego etc. **3.** *Fig.* Excesso, abundância, quantidade excessiva.

encher *v.t.* (lat. *implere*) [conj. 5]. **1.** Tornar cheio. **2.** Ocupar (o espaço vazio), completar, preencher. **3.** Abarrotar, entulhar. **4.** Espalhar-se por. **5.** *Pop.* Aborrecer, importunar, chatear. ★ *v.pr.* Tornar-se cheio.

enchimento *s.m.* **1.** Ato ou efeito de encher. **2.** Coisa com que se enche. **3.** Entulho.

enchiqueirar *v.t.* (conj. 4). Meter no chiqueiro.

enchova (ô) *s.f.* (esp. ant. *anchova*). Peixe teleósteo, que ocorre em todos os mares quentes e temperados, com exceção do oceano Pacífico. (Var. ANCHOVA.)

enchumaçar *v.t.* (conj. 13). **1.** Pôr chumaço em; chumaçar. **2.** Estofar.

encíclica *s.f.* (lat. tard. *littera encyclica,* carta circular). Carta solene dirigida pelo papa a todos os católicos.

ENCÍCLICA ▸ Sobretudo nos séculos XIX e XX, os papas quiseram ilustrar a opinião cristã mediante encíclicas sobre a civilização. As mais importantes são: *Rerum novarum* (1891), de Leão XIII; *Humani generis* (1950), de Pio XII; *Humanae vitae* (1968), de Paulo VI; *Laborem exercens* (1981) e *Centesimus annus* (1991), de João Paulo II.

encíclico *adj.* (lat. tard. *encyclicus*). **1.** Circular. **2.** Relativo à encíclica.

enciclopédia *s.f.* (gr. *egklios paideía,* círculo das ciências). Obra na qual se expõe metodicamente o conjunto dos conhecimentos universais ou específicos de um campo do saber, agrupados em temas ou dispostos em ordem alfabética.

ENCICLOPÉDIA ▸ A Enciclopédia de D'Alambert e Diderot, elaborada de 1751 a 1772, constitui a primeira obra do gênero. Uma enciclopédia não é um dicionário. Este informa sobre as palavras, sua ortografia, sua origem e seus diferentes significados, ao passo que uma enciclopédia trata das pessoas, dos seres e das coisas que essas palavras designam e documenta cada tema. No século XIX, Pierre Larousse inventou o dicionário enciclopédico, que trata ao mesmo tempo das palavras e das pessoas, seres e coisas que essas palavras designam.

enciclopédico *adj.* Relativo ou pertencente à enciclopédia.

enciclopedista *s.2g.* **1.** Autor de uma enciclopédia. **2.** Nome que designa os colaboradores franceses da *Enciclopédia* do século XVIII, Diderot, Monstesquieu, Voltaire etc.

encilhar *v.t.* (conj. 4). **1.** Apertar com cilha os animais de montaria. **2.** (*RS*) Pôr uma porção de erva-mate na cuia, sobre outra, para tornar a infusão mais forte.

encimar *v.t.* (conj. 4). **1.** Pôr em cima de, colocar sobre. **2.** Rematar, acabar. **3.** Coroar. **4.** Elevar, alçar.

encintar *v.t.* (conj. 4). **1.** Guarnecer de cintas. **2.** Cingir.

enciumar (i-u) *v.t.* e *v.pr.* (conj. 4). Tornar(-se) enciumado ou ciumento.

enclaustrar *v.t.* (conj. 4). Meter em convento, encerrar no claustro; enclausurar. ★ *v.pr.* Enclausurar-se.

enclausuramento *s.m.* Ato ou efeito de enclausurar(-se).

enclausurar *v.t.* (conj. 4). **1.** Pôr em clausura; enclaustrar. **2.** Afastar do convívio. ★ *v.pr.* **1.** Meter-se no claustro; enclaustrar. **2.** Tornar-se casmurro. **3.** Isolar-se.

enclavinhar *v.t.* (conj. 4). **1.** Apertar. **2.** Travar. **3.** Meter (os dedos) uns por entre os outros.

ênclise *s.f.* (gr. *égklisis,* inclinação). Incorporação de um vocábulo átono, em especial pronomes pessoais, ao que o precede, pronunciando-se ambos como se fossem um só.

enclítico *adj.* (gr. *egklitikós*). Diz-se do vocábulo que está em ênclise.

encobrir *v.t.* (conj. 59). **1.** Esconder sob aparências enganosas. **2.** Disfarçar, dissimular. **3.** Ocultar. ★ *v.i.* e *v.pr.* **1.** Esconder-se. **2.** Disfarçar-se. **3.** Eclipsar-se, toldar-se.

encolerizar *v.t.* (conj. 4). Causar cólera a; irritar, enfurecer. ★ *v.pr.* Zangar-se, irritar-se, encher-se de cólera.

encolher *v.t.* (conj. 5). **1.** Retrair, encurtar, diminuir, contrair. **2.** Restringir, apertar, estreitar. ★ *v.i.* Estreitar, contrair. ★ *v.pr.* **1.** Contrair-se, retrair-se. **2.** Mostrar-se tímido; humilhar-se, rebaixar-se.

encomenda *s.f.* **1.** Ato de encomendar; encomendação. **2.** O que se encomenda. **3.** Caixa, pacote de mercadorias diversas.

encomendação *s.f.* **1.** Encomenda. **2.** Prece por um defunto antes do sepultamento do corpo.

encomendar *v.t.* (conj. 4). **1.** Mandar fazer algo. **2.** Encarregar, incumbir. **3.** Confiar. **4.** Orar pela salvação da alma do defunto. ★ *v.pr.* **1.** Confiar-se à proteção de; entregar-se. **2.** Fazer os seus cumprimentos. **3.** Mandar recados.

encomiar *v.t.* (conj. 16). Dirigir encômios; elogiar, louvar, gabar.

encomiástico *adj.* (gr. *egkomiastikós*). Relativo a encômio.

encômio *s.m.* (gr. *egkómion*). Elogio, gabo, louvor. • **Liter.** Apologia.

encompridar *v.t.* (conj. 4). **1.** Aumentar o comprimento; alongar. **2.** *Fig.* Dilatar, prolongar. **3.** (*NE*) Fazer durar.

enconchar *v.t.* (conj. 4). Meter em concha. ★ *v.pr.* Recolher-se, esconder-se.

encondroma *s.m.* Tumor cartilaginoso que se desenvolve no interior de um osso.

encontradiço *adj.* **1.** Que se encontra constantemente; fácil de encontrar. **2.** *Fig.* Vulgar, popular.

encontrão *s.m.* Encontro abrupto e inesperado entre duas pessoas; esbarrão.

encontrar *v.t.* (conj. 4). **1.** Deparar com; achar. **2.** Descobrir o que se procurava. **3.** Topar com. **4.** Ir de encontro a ou ao encontro de. **5.** Dar com, atinar com. ★ *v.pr.* **1.** Ligar-se, juntar-se, unir-se. **2.** Ter encontro com. **3.** Chocar-se, colidir. **4.** Topar por acaso.

encontro *s.m.* **1.** Ato de encontrar(-se); posição casual face a face com uma pessoa ou coisa. **2.** Colisão de dois corpos. **3.** Luta, duelo. **4.** Achado.

encopresia *s.f.* Distúrbio da aquisição do controle dos esfíncteres, sem causa orgânica, que ocorre em crianças de dois ou três anos de idade.

encoprético *adj.* Que sofre de encopresia.

encorajamento *s.m.* **1.** Ação de encorajar. **2.** Aquilo que encoraja.

encorajar *v.t.* (conj. 4). Tornar ousado, animar, incentivar, estimular. ★ *v.pr.* Atrever-se a, tomar coragem.

encordoamento *s.m.* **1.** Conjunto de cordas (de uma raquete de tênis, de um instrumento musical). **2.** Ato de encordoar.

encordoar *v.t.* (conj. 20). Pôr cordas ou cordões em. ★ *v.i.* Amuar, zangar.

encorpar *v.t.* (conj. 4). **1.** Dar mais corpo ou grossura a. **2.** Avolumar, fazer crescer. ★ *v.i.* e *v.pr.* Crescer; criar ou tomar corpo.

encortinar *v.t.* (conj. 4). Pôr cortina em.

encorujar-se *v.pr.* (conj. 7). **1.** Esconder-se como as corujas, evitar o público; esquivar-se. **2.** Encolher-se (a ave) por frio ou doença.

encoscorar *v.t.* (conj. 4). Tornar duro como o coscorão; endurecer. ★ *v.i.* e *v.pr.* Criar rugas; encarquilhar-se, encrespar-se.

encosta *s.f.* **1.** Declive de montanha. **2.** Vertente; ladeira.

encostado *s.m.* Indivíduo que vive a expensas de outrem. ★ *adj.* **1.** Apoiado. **2.** Que não tem procura, uso ou aplicação.

encostar *v.t.* (conj. 4). **1.** Apoiar-se, arrimar. **2.** Pôr junto; aproximar. **3.** Entrar em competição; sobrepujar, vencer. **4.** Reclinar, deitar. **5.** Pôr de lado, não fazer caso de. ★ *v.pr.* **1.** Apoiar-se, recostar-se, reclinar-se, deitar-se. **2.** *Fig.* Buscar a proteção de alguém. **3.** *Fam.* Esforçar-se o menos possível no trabalho.

encosto (ô) *s.m.* **1.** Espaldar, costas das cadeiras ou dos bancos. **2.** Apoio, arrimo. **3.** Influência negativa do espírito de um morto sobre um vivo, segundo algumas crenças afro-brasileiras. **4.** *Fig.* Amparo, proteção. ● **Mec.** Ressalto que limita o movimento de uma peça.

encouraçado *adj.* Que tem couraça; couraçado. ★ *s.m.* Couraçado.

ENCOURAÇADO ▸ *O encouraçado Potemkin* é um filme soviético de S. M. Eisenstein (1925). A utilização de planos gerais, o ritmo da montagem e a fotografia próxima à do documentário fazem desse filme uma das obras-primas do cinema mundial.

---

encovado *adj.* **1.** Metido em cova. **2.** Retirado, escondido. **3.** Diz-se do olho que fica muito dentro da órbita.

encovar *v.t.* (conj. 4). **1.** Colocar em cova; enterrar. **2.** Entocar. **3.** Obrigar a fugir, a recolher-se ao covil. ★ *v.pr.* Entocar-se, esconder-se.

encravado *adj.* **1.** Seguro com cravos. **2.** Engastado, embutido. **3.** Diz-se da unha que cresce de modo defeituoso, penetrando na carne anormalmente.

encravar *v.t.* (conj. 4). **1.** Prender, fixar com cravo (ou prego). **2.** Embutir, engastar. **3.** Introduzir de forma incorreta o cravo no casco do cavalo. **4.** Provocar uma encravadura. **5.** Fazer parar.

encrenca *s.f.* **1.** *Pop.* Situação difícil; estorvo, embaraço. **2.** Desordem, briga, conflito.

encrencar *v.t.* (conj. 12). **1.** *Pop.* Complicar ou tornar embaraçosa uma situação. **2.** Implicar, perseguir. **3.** Procurar encrenca. ★ *v.i.* **1.** Armar encrenca. **2.** Enguiçar. ★ *v.pr.* Atrapalhar-se.

encrenqueiro *adj.* e *s.m.* *Pop.* Que ou aquele que faz encrenca.

encrespação *s.f.* Ato ou efeito de encrespar.

encrespar *v.t.* (conj. 4). **1.** Tornar crespo, frisar, encaracolar. **2.** Enrugar levemente, crispar. ★ *v.pr.* **1.** *Fig.* Agitar-se, excitar-se (o mar). **2.** *Fig.* Irritar-se, alterar-se, indignar-se. **3.** *Fig.* Enfatuar-se.

encrostar *v.i.* (conj. 4). Criar crosta.

encruar *v.t.* (conj. 4). **1.** Endurecer, tornar cru. **2.** Impedir ou retardar a digestão. ★ *v.i.* *Fig.* **1.** Não evolver, não progredir, emperrar. **2.** Tornar-se insensível, cruel. ★ *v.pr.* Irritar-se; exacerbar-se, encarniçar-se.

encrudelecer *v.i.* e *v.pr.* (conj. 25). **1.** Tornar (-se) cruel. **2.** Enfurecer(-se).

encruzilhada *s.f.* Lugar onde se cruzam duas ou mais ruas, estradas ou caminhos.

encubação *s.f.* Ação de encubar. (Cf. INCUBAÇÃO.)

encubar *v.t.* (conj. 4). Meter em cuba. (Cf. INCUBAR.)

encurralar *v.t.* (conj. 4). **1.** Pôr em curral. **2.** Acuar. **3.** *Fig.* Perseguir, cercar de perto, encostar à parede. ★ *v.pr.* Refugiar-se em lugar sem saída.

encurtar *v.t.* (conj. 4). **1.** Tornar curto. **2.** Diminuir o comprimento de.

encurvar *v.t.* (conj. 4). **1.** Dobrar, arquear, curvar. **2.** *Fig.* Abater, humilhar. **3.** Emborcar. ★ *v.i.* Curvar-se, dobrar-se. ★ *v.pr.* Humilhar-se, rebaixar-se.

endemia *s.f.* (do gr. *éndemos*, que se fixa na terra). Doença própria de determinada região, na qual ocorre constantemente.

endêmico *adj.* **1.** Diz-se da doença permanente em uma região determinada. **2.** *Fig.* Que traz prejuízos constantes.

endemismo *s.m.* **1.** Caráter daquilo que é endêmico. **2.** Característica da flora e da fauna de um território, quando comportam grande proporção de espécies próprias desse território.

endemoninhado *adj.* e *s.m.* **1.** Possesso do demônio; diabólico, demoníaco. **2.** *Fig.* Endiabrado.

endemoninhar *v.t.* (conj. 4). **1.** Introduzir o demônio no corpo de. **2.** Enraivecer. ★ *v.pr.* Enfurecer-se.

endentação *s.f.* Interpenetração de um osso fraturado.

endentar *v.t.* (conj. 4). **1.** Guarnecer de dentes. **2.** Juntar duas peças por meio de dentes alternados em cada uma.

endereçamento *s.m.* Ato ou efeito de endereçar; direção, encaminhamento, endereço.

endereçar *v.t.* (conj. 13). **1.** Pôr sobrescrito em. **2.** Remeter, enviar. ★ *v.pr.* Encaminhar-se, dirigir-se para, destinar-se a.

endereço (ê) *s.m.* **1.** Ação de endereçar; direção, destino. **2.** Indicação da residência de uma pessoa. **3.** Sobrescrito de um envelope, que indica a residência do destinatário ou do remetente. ● **Inform.** Seqüência de caracteres com a qual se direciona correspondência para uma caixa postal de correio eletrônico (*endereço de e-mail* ou apenas *e-mail*) ou com a qual o programa de navegação encontra uma página na internet (*endereço de página* ou *url*).

endeusado *adj.* Deificado, divinizado.

endeusar *v.t.* (conj. 4). **1.** Atribuir qualidades divinas a; deificar, divinizar. **2.** Louvar desmedidamente. ★ *v.pr.* **1.** *Fig.* Atribuir qualidades divinas a si mesmo. **2.** Extasiar-se.

endiabrado *adj.* **1.** Que parece ter o diabo no corpo; endemoninhado. **2.** Levado, travesso; endemoninhado.

endiabrar *v.t.* e *v.pr.* (conj. 4). Tornar(-se) endiabrado, furioso; encapetar-se.

endinheirado *adj.* Que tem muito dinheiro; rico, abastado.

endinheirar *v.t.* e *v.pr.* (conj. 4). Encher(-se) de dinheiro; enriquecer.

endireitar *v.t.* (conj. 4). **1.** Colocar direito o que se encontrava torto, dobrado ou desviado da linha reta; desentortar. **2.** *Fig.* Emendar, retificar, corrigir. **3.** Encaminhar ou navegar direito a algum lugar. ★ *v.i.* Corrigir-se, emendar-se. ★ *v.pr.* **1.** Tornar-se direito aquilo que se encontrava torto, dobrado ou desviado. **2.** Retornar o caminho do bem.

endividar *v.t.* (conj. 4). Encher de dívidas. ★ *v.pr.* Contrair dívidas.

endoblástico *adj.* Sin. de ENDODÉRMICO.

endoblasto *s.m.* Sin. de ENDODERMA.

endocárdio *s.m.* Túnica interna do coração.

endocardite *s.f.* Inflamação do endocárdio, freqüentemente provocada por uma infecção bacteriana.

endocarpo *s.m.* Camada mais interna do pericarpo dos frutos.

endocervical *adj.2g.* Relativo à endocérvix ou ao endocolo do útero.

endocérvix (cs) *s.2g.* (do lat. *cervix,* colo). Parte interna do colo do útero que se estende do orifício interno ao orifício externo e constitui o canal cervical. (Sin. ENDOCOLO.)

endocolo *s.m.* Sin. de ENDOCÉRVIX.

endocraniano *adj.* Sin. de INTRACRANIANO.

endocrânio *s.m.* **1.** Face interior da cavidade craniana. **2.** Dura-máter que envolve o encéfalo.

endócrino *adj.* **1.** Diz-se da glândula cujo produto de secreção é lançado diretamente na corrente sanguínea. **2.** Diz-se da secreção dessa glândula. **3.** Endocrínico.

endocrinologia *s.f.* Parte da biologia e da medicina que estuda as glândulas endócrinas, suas secreções (hormônios), assim como sua patologia.

endoderma *s.m.* Camada mais interna de células germinativas do embrião, que dá origem aos sistemas respiratório e digestivo. ● **Bot.** Camada de células diferenciadas que se localiza entre o córtex e o cilindro central. (Sin. ENDOBLASTO, ENDODERME.)

endoderme *s.f.* Sin. de ENDODERMA.

endodérmico *adj.* Relativo ao endoderma. (Sin. ENDOBLÁSTICO.)

endoenças *s.f.pl.* (lat. *indulgentia*). As solenidades religiosas da Quinta-Feira Santa.

endoesqueleto (ê) *s.m.* Tipo de esqueleto que se localiza totalmente no interior do corpo do animal.

endófito *adj.* e *s.m.* Diz-se de ou vegetal que vive e se desenvolve no interior de outro vegetal.

endoflora *s.f.* Denominação dada à flora bentônica do interior do substrato ou que se localiza em suas fendas e interstícios.

endogamia *s.f.* Obrigação, para os membros de um grupo social definido, de se casar dentro desse grupo. (Antôn. EXOGAMIA.)

endógamo *adj.* Relativo à endogamia. ★ *adj.* e *s.m.* Que ou aquele que pratica a endogamia.

endógeno *adj.* **1.** Que se forma no interior de, ou por fatores internos. **2.** Que é produzido ou que se desenvolve no interior do organismo, p. opos. a *exógeno.* **3.** *Fauna endógena,* fauna que ocorre no interior do solo.

endoidar *v.t.* (conj. 4). **1.** Tornar doido; enlouquecer, endoidecer. **2.** Desvairar, alucinar. ★ *v.i.* Tornar-se doido; endoidecer.

endoidecer *v.t.* e *v.i.* (conj. 25). Endoidar.

endolinfa *s.f.* Líquido contido no labirinto membranoso do ouvido interno dos vertebrados.

endométrio *s.m.* Mucosa que recobre o interior da cavidade uterina.

endometriose *s.f.* Afecção ginecológica caracterizada pela presença de endométrio normal fora da cavidade uterina.

endoparasita *adj.2g.* e *s.m.* Diz-se de ou parasita que vive no interior do hospedeiro.

endoplasma *s.m.* Parte interna do citoplasma.

endoplasmático *adj.* *Retículo endoplasmático,* sistema de membranas e vesículas que formam uma rede de canais no citoplasma da célula.

endorfina *s.f.* Polipeptídeo secretado pelo tecido nervoso e pela hipófise, de ação analgésica e análoga à da morfina.

endoscopia *s.f.* Exame que consiste em introduzir um tubo óptico munido de um sistema de iluminação nas cavidades naturais do corpo para examiná-las.

endoscópico *adj.* Relativo à endoscopia.

endoscópio *s.m.* Aparelho formado por um tubo metálico flexível, de 6 a 8 mm de diâmetro, com iluminação e objetiva, utilizado para endoscopia.

endosperma *s.m.* Tecido nutritivo das angiospermas utilizado pelo embrião durante seu desenvolvimento.

endossado *adj.* Em que há endosso. ★ *s.m.* Pessoa a quem se endossou uma letra; endossatário.

endossante *adj.2g.* e *s.2g.* Que ou aquele que endossa.

endossar *v.t.* (fr. *endosser,* de *dos,* costas) [conj. 4]. **1.** Pôr endosso em letra, ordem etc. **2.** Passar a responsabilidade de um encargo a outra pessoa. **3.** Defender, apoiar.

endossatário *s.m.* Endossado.

endosso (ô) *s.m.* **1.** Ato ou efeito de endossar; endossamento. **2.** Ato pelo qual o proprietário de um título de crédito transfere-o para outra pessoa mediante assinatura aposta no verso do documento.

endotelial *adj.2g.* Relativo ou pertencente ao endotélio.

endotélio *s.m.* (do gr. *thele,* mamilo). Camada de células que revestem internamente os vasos sanguíneos e linfáticos, o coração e certas cavidades naturais.

endotérmico *adj.* Diz-se de uma reação química que se efetua com absorção de calor. (Antôn. EXOTÉRMICO.)

endotoxina (cs) *s.f.* Componente da parede das bactérias gram-negativas, de propriedades tóxicas, que é liberado no organismo no decorrer de certas infecções.

endovenoso (ô) *adj.* Que se aplica dentro da veia; intravenoso.

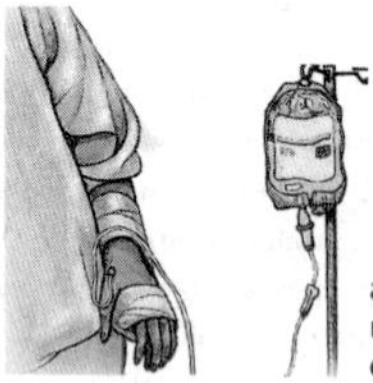

aplicação de medicamento endovenoso

endro *s.m.* Sin. de ANETO.

endurecer *v.t.* (conj. 25). **1.** Tornar duro; enrijecer. **2.** Fortalecer, fortificar. **3.** Insensibilizar; empedernir. ★ *v.i.* Tornar-se duro, insensível; empedernir-se. ★ *v.pr.* **1.** Fazer-se duro. **2.** Tornar-se incorrigível.

endurecimento *s.m.* **1.** Ato ou efeito de endurecer. **2.** Tumor duro, calo. **3.** *Fig.* Tomada de posição menos flexível, mais rigorosa.

enduro *s.m.* (ingl. *endurance*, resistência). **Esp.** Corrida de resistência, ou seja, com longa duração, em terreno acidentado. (Cf. CROSS-COUNTRY.)

ENE abrev. de ÉS-NORDESTE.

eneágono *s.m.* (do gr. *ennéa,* nove). Polígono que tem nove ângulos e, em conseqüência, nove lados.

eneassílabo *adj.* e *s.m.* (do gr. *ennéa,* nove). Diz-se de ou verso de nove sílabas.

enegrecer *v.t.* (conj. 25). **1.** Tornar negro; escurecer. **2.** *Fig.* Denegrir, difamar, desacreditar. ★ *v.i.* e *v.pr.* Tornar-se negro, fazer-se escuro.

enema *s.m.* (gr. *énema,* clister). **1.** Aparelho utilizado para introduzir líquidos no reto. **2.** Fluido introduzido no reto para limpeza do intestino grosso ou utilizado como contraste para radiografia.

êneo *adj.* (lat. *aeneus*). *Poét.* De bronze; semelhante ou relativo ao bronze.

energético *adj.* **1.** Relativo à energia. **2.** *Grau energético,* medida da quantidade de energia de uma substância, de um sistema ou de uma reação. ▸ *Nível energético,* cada uma das camadas em torno do núcleo de um átomo onde se distribuem os elétrons.

energia *s.f.* (gr. *enérgeia,* força em ação). **1.** Atividade, maneira como se exerce uma força. **2.** Vigor, força. **3.** *Fig.* Força moral, firmeza, rigor. ● **Fís.** Capacidade de um corpo para realizar trabalho.

enérgico *adj.* **1.** Que tem energia; vigoroso. **2.** Que exprime energia.

energúmeno *s.m.* (gr. *energoúmenos*). **1.** Endemoninhado, possesso, fanático. **2.** *P. ext.* Pessoa que fala e gesticula com veemência.

enervação *s.f.* (lat. *enervatio*). **1.** Ação de enervar. **2.** Enfraquecimento, abatimento; esgotamento nervoso. ● **Med.** Ablação ou seção traumática ou cirúrgica de um nervo, de um plexo nervoso ou de um gânglio nervoso.

enervante *adj.2g.* **1.** Que enerva. **2.** Que tira as forças, que enfraquece.

enervar *v.t.* (lat. *enervare*) [conj. 4]. **1.** Tirar a força física ou moral de; enfraquecer, debilitar. **2.** Irritar, excitar. **3.** Praticar uma enervação cirúrgica. ★ *v.i.* Perder o vigor, a energia. ★ *v.pr.* **1.** Perder a força, a energia. **2.** Irritar-se.

enevoar *v.t.* (conj. 20). **1.** Cobrir de névoa; nevoar, molhar. **2.** Obscurecer, toldar, nevoar. **3.** Tornar sombrio; entristecer. ★ *v.pr.* **1.** Cobrir-se de nevoeiro; nevoar-se. **2.** Escurecer, turvar-se.

enfadar *v.t.* (conj. 4). **1.** Causar aborrecimento, tédio a alguém; entediar. **2.** Cansar, molestar, incomodar. ★ *v.pr.* Aborrecer-se, desgostar-se, chatear-se.

enfado *s.m.* **1.** Ato ou efeito de enfadar(-se); enfadamento. **2.** Chateação, tédio.

enfadonho *adj.* Que causa enfado, que cansa; maçante, cansativo, importuno.

enfaixar *v.t.* (conj. 4). Envolver ou ligar com faixas; cingir.

enfarar *v.t.* (conj. 4). **1.** Causar enfaro a. **2.** Sentir enjôo; enfadar. ★ *v.pr.* Aborrecer-se, entediar-se.

enfardadeira *s.f.* Máquina que transforma a forragem (feno, capim, alfafa etc.) em fardos.

enfardar *v.t.* (conj. 4). **1.** Fazer fardo de; empacotar. **2.** Guardar.

enfarinhar *v.t.* (conj. 4). **1.** Cobrir ou polvilhar com farinha. **2.** Transformar em farinha. ★ *v.pr.* **1.** Empoar-se. **2.** Adquirir noções gerais.

enfaro *s.m.* **1.** Repugnância, enjôo. **2.** Aborrecimento, tédio.

enfarpelar *v.t.* e *v.pr.* (conj. 4). Vestir(-se) com roupa nova.

enfarruscar *v.t.* (conj. 12). **1.** Sujar com carvão, fuligem; encarvoar, enegrecer. **2.** Sujar com carvão, fuligem etc. ★ *v.i.* e *v.pr.* **1.** Amuar(-se), zangar(-se), aborrecer(-se). **2.** Cobrir-se de nuvens escuras (o céu).

enfartar *v.t.* (conj. 4). **1.** Tornar farto, encher (de comida). **2.** Entupir, obstruir.

enfarte *s.m.* **1.** Ato ou efeito de enfartar; ingurgitamento, enfartamento. **2.** Var. de INFARTO.

ênfase *s.f.* (gr. *émphasis,* explicação). **1.** Valorização de um dos constituintes da frase pela entonação ou pela ordem das palavras. **2.** Relevo, realce.

ENERGIA ▸ Uso de alguns tipos de energia.

mecânica

na propulsão manual

eólica

em veleiros

elétrica

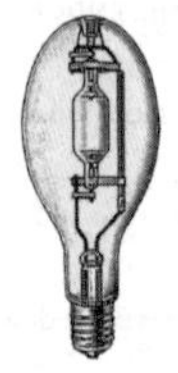

em lâmpadas

térmica

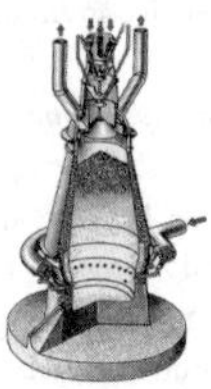

para gerar calor

química

em foguetes

enfastiar *v.t.* (conj. 16). Causar fastio, tédio ou aborrecimento a; enfadar. ★ *v.i.* Causar fastio, tédio. ★ *v.pr.* Enfadar-se, aborrecer-se.

enfático *adj.* Relativo à ênfase, que contém ênfase.

enfatiotar-se *v.pr.* (conj. 7). **1.** Vestir-se em fatiota. **2.** Vestir-se com esmero.

enfatizar *v.t.* (conj. 4). Dar ênfase a; salientar.

enfatuar *v.t.* (conj. 4). Tornar fátuo; encher de vaidade, de presunção. ★ *v.pr.* Tornar-se arrogante, vaidoso, soberbo.

enfear *v.t.* (conj. 15). Afear.

enfeitar *v.t.* (conj. 4). **1.** Pôr enfeites; ataviar, ornamentar. **2.** *Fig.* Dar boa aparência a. **3.** Dissimular os defeitos; disfarçar. ★ *v.i.* e *v.pr.* **1.** Embelezar(-se), ornamentar(-se), pintar(-se). **2.** Esquecer-se de sua posição inferior; tomar confiança.

enfeite *s.m.* Adorno, ornamento, atavio.

enfeitiçar *v.t.* (conj. 13). **1.** Pôr feitiço em. **2.** Fazer mal a alguém, recorrendo a artes diabólicas. **3.** Inspirar apego, afeição; seduzir, fascinar, cativar. ★ *v.pr.* Deixar-se levar pelo feitiço, deixar-se cativar.

enfeixar *v.t.* (conj. 4). **1.** Atar em feixes. **2.** Juntar, reunir.

enfermagem *s.f.* **1.** Serviço médico auxiliar, desempenhado por enfermeiro ou enfermeira. **2.** Disciplina que trata do conjunto de técnicas e procedimentos voltados para o bem-estar do doente, para a promoção da saúde e prevenção das doenças.

enfermar *v.t.* e *v.i.* (conj. 4). Tornar(-se) doente.

enfermaria *s.f.* **1.** Lugar destinado aos doentes, nos hospitais, nas escolas, nas fábricas etc. **2.** Parte de um estabelecimento hospitalar onde são tratados os indivíduos afetados por afecções benignas ou vítimas de acidentes sem gravidade. **3.** Quarto coletivo em um hospital, em contraposição a quarto individual.

enfermeiro *s.m.* Profissional que, a partir das prescrições médicas, trata dos doentes na enfermaria, no hospital ou nos domicílios.

enfermiço *adj.* Que anda sempre doente; doentio.

enfermidade *s.f.* (lat. *infirmitas*). **1.** Processo mórbido caracterizado por determinados sintomas, que pode instalar-se numa parte do organismo ou afetá-lo por inteiro; doença, moléstia. **2.** Fraqueza.

enfermo (ê) *adj.* e *s.m.* (lat. *infirmus,* fraco). **1.** Que ou aquele que está doente; débil. **2.** Pessoa que não goza de boa saúde; portador de alguma doença; doente. **3.** *Fig.* Anormal, imperfeito.

enferrujar *v.i.* (conj. 4). **1.** Criar ferrugem, encher-se de ferrugem. **2.** *Fig.* Cair em desuso. ★ *v.t.* **1.** Fazer criar ferrugem; oxidar. **2.** *Fig.* Alterar por falta de exercício. ★ *v.pr.* Cobrir-se de ferrugem.

enfestar *v.t.* (conj. 4). **1.** Dobrar uma peça de pano ao meio no sentido da largura. **2.** Aumentar. ★ *v.i.* Exagerar, mentir.

enfezado *adj.* **1.** Raquítico, não desenvolvido, pequeno. **2.** *Fig.* Irritado, aborrecido. **3.** Rabugento.

enfezamento *s.m.* **1.** Sintoma de enfermidade ou deficiência nutritiva de um vegetal, que demonstra raquitismo ou falta de crescimento; nanismo. **2.** *Fig.* Aborrecimento, irritação.

enfezar *v.t.* (conj. 4). **1.** Tolher o movimento de. **2.** Impedir o crescimento. **3.** *Fig.* Impacientar, irritar. ★ *v.i.* e *v.pr.* Irritar(-se).

enfiada *s.f.* **1.** Série de coisas enfiadas em linha ou fio; fieira, fiada. **2.** *Fig.* Série de acontecimentos, palavras etc.

enfiar *v.t.* (conj. 16). **1.** Passar o fio num orifício. **2.** Introduzir, meter. **3.** Atravessar de lado a lado. **4.** Vestir ou calçar. ★ *v.i.* Entrar, meter-se; enfiar-se. ★ *v.pr.* **1.** Entrar furtivamente, esgueirar-se. **2.** Seguir-se um após outro. **3.** Meter-se.

enfileirar *v.t.* (conj. 4). Pôr em fileiras; alinhar. ★ *v.pr.* Entrar na fileira.

enfim *adv.* **1.** Afinal, finalmente. **2.** Em suma, em síntese, em conclusão.

enfisema *s.m.* (gr. *emphysema,* inchaço). **1.** Infiltração de ar no tecido subcutâneo, conseqüente a traumatismo das vias respiratórias. **2.** *Enfisema pulmonar,* dilatação acentuada dos alvéolos pulmonares, que pode levar à destruição de suas paredes.

ENFISEMA ▸ O enfisema pulmonar pode ser uma complicação de outra doença (asma, bronquite crônica, tuberculose), uma conseqüência de agressões aos brônquios (contaminação do ar, cigarro) ou uma afecção degenerativa. Os principais sintomas dessa afecção são dispnéia (falta de ar), tosse e expectoração.

---

enfivelar *v.t.* (conj. 4). Pôr fivela em.

enflorar *v.t.* (conj. 4). **1.** Fazer nascer flores em; tornar florido. **2.** Enfeitar de flores. **3.** Embelezar, adornar. ★ *v.i.* e *v.pr.* Criar flores.

enfocar *v.t.* (conj. 12). Focar, focalizar.

enfolhar *v.i.* e *v.pr.* (conj. 4). Criar folhas, cobrir-se de folhas.

enfoque *s.m.* **1.** Ação de enfocar, de pôr em foco. **2.** Modo de considerar ou entender um assunto ou questão; ponto de vista, perspectiva.

enforcado *adj.* e *s.m.* **1.** Que ou aquele que se enforcou, ou morreu na forca. **2.** Que ou aquele que está em dificuldades financeiras; endividado.

enforcamento *s.m.* Ação de enforcar(-se).

enforcar *v.t.* (conj. 12). **1.** Suspender uma pessoa com uma corda cingida ao pescoço, asfixiando-a. **2.** Estrangular. **3.** *Fig.* Deixar de comparecer às aulas, ao trabalho, em dia útil que caia entre dois feriados ou entre um feriado e um domingo. ★ *v.pr.* Suicidar-se por estrangulamento, suspendendo-se pelo pescoço.

enfornar *v.t.* (conj. 4). **1.** Meter no forno. **2.** Comer muito.

enforquilhar *v.t.* (conj. 4). Dar forma de forquilha a.

enfraquecer *v.t.* (conj. 25). Tornar fraco; debilitar. ★ *v.i.* e *v.pr.* Tornar-se fraco, perder a força ou a energia; debilitar-se.

enfrascar *v.t.* (conj. 12). Introduzir no frasco. ★ *v.pr.* **1.** Impregnar-se de substâncias aromáticas. **2.** Embriagar-se.

enfrear *v.t.* (conj. 15). **1.** Pôr freio em. **2.** Apertar o freio de. **3.** *Fig.* Refrear, reprimir, conter. ★ *v.pr.* Refrear-se, reprimir-se.

enfrentar *v.t.* (conj. 4). **1.** Atacar de frente; defrontar. **2.** Encarar; afrontar.

enfronhar *v.t.* (conj. 4). **1.** Meter em fronha. **2.** Encapar, revestir. ★ *v.pr.* Embrenhar-se, envolver-se.

enfumaçar *v.t.* (conj. 13). Encher de fumaça, toldar com fumaça ou vapor de água; fumaçar.

enfunar *v.t.* (conj. 4). **1.** Esticar a vela de uma embarcação com cordas para que o vento a encha; encher. **2.** Tornar envaidecido, orgulhoso. ★ *v.pr.* **1.** Encher-se de vento; retesar-se (as velas da embarcação). **2.** *Fig.* Ensoberbecer-se, encher-se de vaidade.

enfurecer *v.t.* (conj. 25). Tornar furioso; irar, enraivecer. ★ *v.i.* Ficar furioso; tresvairar. ★ *v.pr.* **1.** Irar-se, zangar-se, irritar-se. **2.** *Fig.* Encapelar-se (o mar).

enfurnado *adj.* Metido em furna, guardado em lugar secreto; escondido.

enfurnar *v.t.* (conj. 12). Meter em furna; esconder. ★ *v.pr.* Esconder-se, isolar-se, retrair-se.

engabelação *s.f.* Ato ou efeito de engabelar; engambelação.

engabelar *v.t.* (conj. 4). Enganar com falsas promessas, iludir jeitosamente; engambelar.

engaiolar *v.t.* (conj. 4). **1.** Meter em gaiola. **2.** *Pop.* Meter em cadeia; prender.

engajado *adj.* e *s.m.* **1.** Diz-se de ou indivíduo contratado para certos serviços. **2.** Diz-se de ou aquele que se alistou no serviço militar. **3.** Diz-se de ou aquele que abraçou uma linha política, filosófica etc.

engajamento *s.m.* **1.** Ato ou efeito de engajar(-se). **2.** Contrato para determinado serviço. **3.** Alistamento no serviço militar. **4.** Comprometimento.

engajar *v.t.* (fr. *engager*) [conj. 4]. **1.** Contratar para o serviço. **2.** Fazer participar de. **3.** Alistar, incluir. ★ *v.pr.* **1.** Obrigar-se a serviço por engajamento. **2.** Filiar-se a uma linha política, filosófica etc., e lutar por ela. **3.** Alistar-se no serviço militar.

engalanado *adj.* Enfeitado, ornamentado.

engalanar *v.t.* (conj. 4). Pôr galas em; enfeitar, ornamentar. ★ *v.pr.* Trajar-se com galas; enfeitar-se, adornar-se.

engalfinhar-se *v.pr.* (conj. 4). **1.** Agarrar-se ao adversário; atracar-se. **2.** Brigar corpo a corpo.

engambelar *v.t.* (conj. 4). Engabelar.

enganar *v.t.* (conj. 4). **1.** Induzir ao erro; fazer cair em erro. **2.** Iludir, burlar, lograr. **3.** Disfarçar. **4.** Trair o cônjuge. **5.** Seduzir. ★ *v.i.* Induzir ao erro. ★ *v.pr.* **1.** Cometer um erro, um engano. **2.** Iludir-se.

enganchar *v.t.* (conj. 4). **1.** Prender com gancho; suspender ou sustentar com gancho. **2.** Pegar com gancho. ★ *v.pr.* Enfiar-se, enlaçar-se.

engano *s.m.* **1.** Ato ou efeito de enganar(-se). **2.** Erro, desacerto. **3.** Logro, ilusão. **4.** Confusão, equívoco.

enganoso (ô) *adj.* **1.** Que engana; enganador, ilusório. **2.** Ardiloso, artificioso.

engarrafamento *s.m.* **1.** Ação de engarrafar. **2.** Congestionamento.

engarrafar *v.t.* (conj. 4). **1.** Pôr em garrafa. **2.** Congestionar.

engasgar *v.t.* (conj. 14). Produzir engasgo em; obstruir a passagem da garganta. ★ *v.i.* e *v.pr.* Ficar com a garganta embaraçada, obstruída. ★ *v.pr.* Atrapalhar-se, entalar-se, embaraçar-se.

engasgo *s.m.* **1.** Ato ou efeito de engasgar; engasgamento. **2.** Atrapalhação, empecilho à fala ou à respiração.

engastar *v.t.* (esp. *engastar*) [conj. 4]. **1.** Embutir, encravar pedras etc., em engaste. **2.** Encaixar, encastoar. **3.** Intercalar, introduzir.

engaste *s.m.* **1.** Ação de engastar. **2.** Guarnição de metal destinada a prender a pedraria nas jóias.

engatar *v.t.* (conj. 4). **1.** Prender com engates; ligar. **2.** Iniciar, encetar. **3.** Engrenar (um veículo).

engate *s.m.* **1.** Tipo de ligação articulada de duas peças, uma tracionadora e outra tracionada. **2.** Gancho. **3.** Acoplamento de duas peças pelo encaixe dos dentes ou saliências de uma delas nos alojamentos correspondentes existentes na outra.

engatilhar *v.t.* (conj. 4). **1.** Colocar a arma em ponto de disparo; armar. **2.** *Fig.* Preparar algo; deixar pronto para uma execução final.

engatinhar *v.i.* (conj. 4). **1.** Deslocar-se apoiando as mãos e os joelhos no solo; andar de gatinhas. **2.** *Fig.* e *Pop.* Iniciar-se em alguma coisa; ser principiante.

engavetar *v.t.* (conj. 4). Meter em gavetas; guardar. ★ *v.i.* e *v.pr.* Meter-se (um veículo) por dentro de outro, em colisão.

engazopar *v.t.* (conj. 4). **1.** Enganar, iludir, ludibriar. **2.** Meter em prisão.

engelhar *v.t.* (conj. 4). **1.** Produzir gelhas em; enrugar. **2.** Murchar, secar. ★ *v.i.* e *v.pr.* Criar gelhas; murchar(-se), secar.

engendrar *v.t.* (conj. 4). **1.** Dar origem a; gerar, produzir. **2.** Engenhar, imaginar.

engenhar *v.t.* (conj. 4). **1.** Traçar, idear, inventar. **2.** Maquinar, traçar. **3.** Fabricar, construir artificialmente.

engenharia *s.f.* **1.** Conjunto de conhecimentos e de técnicas referentes à concepção, à operação e às aplicações de procedimentos, de dispositivos, de máquinas apropriadas etc., a determinados domínios. **2.** *Engenharia civil,* a que se ocupa da concepção e construção de obras de porte como barragens, estradas e edificações urbanas. ▸ *Engenharia de produção,* a que se ocupa do controle da produção, racionalização e organização do trabalho, visando a sua maior eficiência. ▸ *Engenharia genética,* conjunto de técnicas que permitem a recombinação, fora do organismo, de cromossomos próprios a espécies diferentes.

engenheiro *s.m.* Profissional formado em engenharia.

engenho *s.m.* (lat. *ingenium,* caráter inato, talento). **1.** Capacidade inventiva; habilidade, talento. **2.** Pessoa engenhosa; gênio. **3.** Sutileza, astúcia. **4.** Moenda de cana-de-açúcar. **5.** Qualquer máquina ou aparelho. **6.** Estabelecimento agrícola que se dedica à cultura da cana e à produção de açúcar.

ENGENHO ▸ O primeiro engenho do Brasil foi instalado em São Vicente, em 1532. No entanto, foi no Nordeste (BA e PE) e na região de Campos (RJ) que se concentrou o maior número de engenhos. Os menores, conhecidos como *engenhocas*, localizavam-se principalmente no interior e produziam aguardente e rapadura. Quase todo o trabalho era feito por escravos. O engenho que deixava de funcionar era chamado de *fogo-morto.* No final do séc. XIX e início do séc. XX, os engenhos começaram a ser substituídos pelas usinas, construídas com base em empréstimos estrangeiros e funcionando principalmente com trabalhadores assalariados.

engenhoca *s.f.* **1.** Aparelho rudimentar, de fácil invenção. **2.** *Fig.* Arapuca, artimanha.

engenhoso (ô) *adj.* **1.** Dotado de engenho, de habilidade; talentoso. **2.** Feito com engenho e destreza.

engessar *v.t.* (conj. 4). **1.** Recobrir de gesso; gessar. **2.** Envolver com gesso, para atar fratura.

englobar *v.t.* (conj. 4). **1.** Dar forma de globo a. **2.** Reunir, compreender em um todo; juntar. **3.** Conglomerar.

engodar *v.t.* (conj. 4). **1.** Atrair com engodo. **2.** Nutrir a esperança de alguém por meio de promessas infundadas; iludir, enganar, lograr.

engodo (ô) *s.m.* **1.** Isca ou ceva para apanhar peixes, aves etc. **2.** Chamariz, atrativo, astúcia sedutora e enganosa. **3.** Adulação, lisonja, bajulação astuciosa.

engolfar *v.t.* (conj. 4). **1.** Introduzir (barco) em golfo. **2.** Meter em sorvedouro, abismo ou voragem. **3.** Entranhar, enterrar. ★ *v.pr.* **1.** Penetrar, mergulhar, entranhar-se. **2.** Deixar-se absorver; enlevar-se.

engolir *v.t.* (conj. 59). **1.** Fazer descer pela garganta; deglutir. **2.** Sorver, submergir. **3.** Tragar, devorar. **4.** *Fig.* Aceitar, suportar alguma coisa desagradável. **5.** *Fam.* Acreditar ingenuamente.

engomadeira *s.f.* Mulher que engoma roupas.

engomar *v.t.* e *v.i.* (conj. 4). **1.** Alisar com o ferro quente roupa anteriormente posta em goma. **2.** Molhar em goma.

engonçar *v.t.* (conj. 13). Pôr engonços em; prender com engonços.

engonço *s.m.* Encaixe entre peças de artefato capaz de permitir sua articulação.

engorda *s.f.* Ceva dos animais no pasto e, por extensão, no estábulo.

engordar *v.t.* (conj. 4). Tornar gordo, cevar. ★ *v.i.* **1.** Criar gordura, tornar-se gordo. **2.** *Fig.* Enriquecer, prosperar (à custa de outrem).

engordurar *v.t.* e *v.pr.* (conj. 4). **1.** Besuntar(-se), sujar(-se) de gordura. **2.** Encher-se de gordura.

engraçado *adj.* **1.** Que tem muita graça, que faz rir; divertido, cômico. **2.** Espirituoso, alegre, jovial.

engraçamento *s.m.* **1.** Ato de engraçar-se. **2.** Galanteio. **3.** *Fam.* Atrevimento.

engraçar *v.t.* (conj. 13). **1.** Dar graça, tornar gracioso. **2.** Realçar, dar mais esplendor a. ★ *v.i.* Simpatizar, agradar. ★ *v.pr.* **1.** Simpatizar, gostar. **2.** *Gír.* Tornar-se indevidamente íntimo; desrespeitar.

engradado *adj.* Provido de grades. ★ *s.m.* Armação de madeira, plástico etc., destinada a proteger objetos ou animais durante o transporte, e cujas paredes têm a forma de grade.

engradar *v.t.* (conj. 4). **1.** Prover de grades. **2.** Cercar com grades. **3.** Acondicionar num engradado.

engrampar *v.t.* (conj. 4). Atrair com embuste; ludibriar, enganar.

engrandecer *v.t.* (conj. 25). **1.** Tornar grande; aumentar. **2.** Elevar em dignidade, fama, riqueza etc. ★ *v.i.* e *v.pr.* **1.** Tornar-se maior. **2.** Crescer; elevar-se em honras ou dignidade. **3.** *Fig.* Tornar-se poderoso, afamado.

engranzar *v.t.* (conj. 4). **1.** Enfiar contas em fio ou cordão. **2.** Concatenar, ligar (os elos de uma cadeia); enganchar. **3.** Travar, engrenar.

engravatar-se *v.pr.* (conj. 7). **1.** Pôr gravata. **2.** Vestir-se bem.

engravidar *v.t.* e *v.i.* (conj. 4). Tornar ou ficar grávida; emprenhar(-se).

engraxar *v.t.* (conj. 4). **1.** Passar ou esfregar graxa para obter lustro; dar lustro, lustrar. **2.** *Fig.* Bajular, adular.

engraxate *s.m.* Aquele que engraxa sapatos; engraxador.

engrenagem *s.f.* (fr. *engrenage*). **1.** Conjunto de duas peças dentadas presas a dois eixos que transmitem, pelo contato dos dentes, um movimento de rotação de um eixo para outro. **2.** *Fig.* Concurso de circunstâncias emaranhadas. **3.** Organização, entrosamento.

engrenar *v.t.* e *v.i.* (fr. *engrener*) [conj. 4]. **1.** Endentar, entrosar. **2.** Tornar solidários os elementos de engrenagens. **3.** Pôr em ação as engrenagens do câmbio de um veículo automóvel; engatar. **4.** *Fig.* Principiar, entabular. ★ *v.i.* Entrosar-se.

engrinaldar *v.t.* e *v.pr.* (conj. 4). **1.** Guarnecer(-se), enfeitar(-se) de grinaldas. **2.** Enfeitar(-se), adornar(-se).

engripar *v.t.* (conj. 4). Gripar.

engrolar *v.t.* (conj. 4). **1.** Cozer ou assar pela metade, deixando meio cru. **2.** *Fig.* e *Fam.* Pronunciar mal as palavras. **3.** Não completar, deixar imperfeito. **4.** Ludibriar, iludir. ★ *v.i.* e *v.pr.* Ficar mal cozido ou mal assado.

engrossar *v.t.* (conj. 4). **1.** Tornar grosso, espesso. **2.** Tornar mais numeroso. **3.** Aumentar em massa ou volume. **4.** *Fig.* Adular, bajular. **5.** Tratar com descortesia, com grosseria. ★ *v.i.* **1.** Tornar-se grosso, forte, numeroso. **2.** Tratar com descortesia.

engrunhido *adj.* **1.** Entorpecido, enfraquecido. **2.** *Fig.* Preguiçoso.

enguia *s.f.* (lat. *anguilla*). **1.** Peixe ápode, serpentiforme, que vive nos rios da América do Norte e que migra para o mar na época da desova. **2.** Sin. de MORÉIA.

enguia-elétrica *s.f.* Sin. de PORAQUÊ.

enguiçar *v.t.* (conj. 13). **1.** Pôr enguiço, mau-olhado. **2.** Tornar enfezado. **3.** Saltar por cima de. ★ *v.i.* Deixar de funcionar (qualquer máquina ou mecanismo) por defeito ou desarranjo; encrencar.

enguiço *s.m.* **1.** Quebranto, mau-olhado. **2.** Empecilho, obstáculo. **3.** Desarranjo em máquinas e mecanismos.

engulhar *v.t.* (conj. 4). Causar engulhos; causar nojo. ★ *v.i.* **1.** Ter náuseas, sentir repugnância. **2.** Desejar ardentemente.

engulho *s.m.* **1.** Ânsia, repugnância, náusea. **2.** *Fig.* Tentação, desejo incontido.

enigma *s.m.* (gr. *aínigma*). **1.** Coisa que é descrita em termos obscuros, ambíguos, e que deve ser decifrada. **2.** Coisa difícil de definir; mistério, incógnita.

enigmático *adj.* **1.** Que encerra um enigma. **2.** Obscuro, misterioso.

enjaular *v.t.* (conj. 19). Meter em jaula; prender.

enjeitado *adj.* **1.** Rejeitado, desprezado, abandonado. **2.** *Fig.* Desprotegido. ★ *s.m.* Filho de pais incógnitos.

enjeitar *v.t.* (lat. *ejectare,* deitar fora) [conj. 4]. **1.** Recusar, rejeitar, não aceitar. **2.** Desprezar, repudiar. **3.** Abandonar (filho).

enjoado *adj.* **1.** Que tem enjôo, que provoca enjôo; nauseado, agoniado. **2.** Antipático, mal-humorado. **3.** *Fig.* Aborrecido, enfastiado.

enjoar *v.t.* (lat. *inodiare*) [conj. 20]. **1.** Causar enjôo a; repugnar. **2.** Aborrecer, entediar. ★ *v.i.* **1.** Sentir ou causar náuseas. **2.** Ter cheiro enjoativo. ★ *v.pr.* Aborrecer-se, entediar-se.

enjoativo *adj.* **1.** Que causa enjôo; repugnante, nauseabundo. **2.** Entediante, aborrecido.

enjôo *s.m.* **1.** Mal-estar causado pelo movimento convulsivo do epigástrio e que constitui o primeiro estágio da náusea. **2.** Náusea, vômito. **3.** *Fig.* Enfado, aborrecimento.

A B C D E F G H I J K L M N O P Q R S T U V W X Y Z

enlaçar *v.t.* (conj. 13). **1.** Prender com laço ou laçada; atar, laçar. **2.** Apertar, prender, estreitar, abraçar. **3.** Ligar, unir. **4.** Atrair, cativar. ★ *v.pr.* Unir-se.

enlace *s.m.* Ação de enlaçar; estado do que está enlaçado; entrelaçamento, união.

enlambuzar *v.t.* (conj. 4). Lambuzar.

enlamear *v.t.* (conj. 15). **1.** Sujar de lama; sujar, enlodar. **2.** *Fig.* Manchar a reputação de; conspurcar. ★ *v.pr.* **1.** Sujar-se de lama; enlodar-se. **2.** Aviltar-se.

enlanguescente *adj.2g.* Lânguido, debilitado.

enlanguescer *v.i.* e *v.pr.* (conj. 25). Tornar(-se) lânguido; perder as forças, empalidecer, enfraquecer.

enlatado *adj.* Posto em lata. ★ *s.m.* **1.** Comestível enlatado. **2.** Denominação pejorativa de filme produzido para a televisão, quase sempre em série.

enlatar *v.t.* (conj. 4). **1.** Pôr em lata. **2.** Prender os ramos de uma planta a fim de formar uma latada.

enlear *v.t.* (conj. 15). **1.** Atar com liames; ligar, prender. **2.** Enredar. **3.** Perturbar, confundir. **4.** Emantar, elevar. ★ *v.pr.* **1.** Envolver-se, prender-se. **2.** Perturbar-se, tornar-se confuso.

enleio *s.m.* **1.** Ato ou efeito de enlear(-se). **2.** Dúvida, confusão, perplexidade. **3.** Embaraço, acanhamento. **4.** *Fig.* Encanto, atrativo.

enlevação *s.f.* Ato ou efeito de enlevar(-se); enlevamento.

enlevar *v.t.* (conj. 4). **1.** Causar enlevo; extasiar, encantar, arrebatar. **2.** Deliciar, deleitar. **3.** Cativar, absorver. ★ *v.pr.* Extasiar-se.

enlevo (ê) *s.m.* **1.** Encantamento, deleite. **2.** Êxtase, arrebatamento.

enliçar *v.t.* (conj. 13). **1.** Pôr os liços no tear. **2.** Tecer, tramar. **3.** *Fig.* Enredar, prender. **4.** *Fig.* Enganar, burlar. ★ *v.pr.* Embaraçar-se, enredar-se.

enlodar *v.t.* e *v.pr.* (conj. 4). Enlamear(-se).

enlouquecer *v.t.* (conj. 25). Perturbar completamente a razão; desvairar. ★ *v.i.* **1.** Ficar louco; perder a razão. **2.** Ficar profundamente perturbado; perder a cabeça.

enluarado *adj.* Banhado de luar.

enlutar *v.t.* e *v.pr.* (conj. 4). **1.** Cobrir(-se) de luto, de tristeza. **2.** Entenebrecer(-se), afligir(-se).

enluvar *v.t.* e *v.pr.* (conj. 4). Calçar(-se) luvas.

enobrecer *v.t.* (conj. 25). **1.** Tornar nobre, ilustre; dignificar. **2.** *Fig.* Engrandecer, sublimar. **3.** Enriquecer, embelezar. ★ *v.pr.* Engrandecer-se, tornar-se famoso.

enodoar *v.t.* (conj. 20). **1.** Encher de nódoas; sujar, manchar. **2.** *Fig.* Desonrar, difamar.

enojar *v.t.* e *v.pr.* (conj. 4). **1.** Causar ou sentir nojo; nausear(-se). **2.** Causar ou sentir tédio ou aborrecimento.

enojo (ô) *s.m.* Nojo.

enol *s.m.* Nome genérico dos hidrocarbonetos que possuem uma dupla ligação entre átomos de carbono e um grupo hidroxila.

enóleo *s.m.* Preparado farmacêutico em que entra o vinho.

enólico *adj.* Relativo aos enóis.

enomel *s.m.* Xarope que tem por base o vinho e em que o mel substitui o açúcar.

enorme *adj.2g.* (lat. *enormis,* irregular). **1.** Que vai além da norma, do normal; excessivo em extensão, em quantidade; muito grande. **2.** Muito grave; monstruoso.

enormidade *s.f.* **1.** Caráter ou qualidade de enorme. **2.** Gravidade. **3.** Ação ou dito absurdo; disparate, barbaridade.

enostose *s.f.* Tumor no canal medular dos ossos.

enoveladeira *s.f.* Máquina que, nas tecelagens, forma os novelos.

enovelar *v.t.* (conj. 4). **1.** Converter em novelo; enrolar. **2.** Tornar confuso; enredar. ★ *v.pr.* *Fig.* Enredar-se, complicar-se.

enquadramento *s.m.* **1.** Ação de enquadrar, de pôr ou incluir num quadro. **2.** O que enquadra ou emoldura. **3.** Delimitação, no visor da câmera, da imagem a ser fotografada ou filmada.

enquadrar *v.t.* (conj. 4). **1.** Pôr em quadro; encaixilhar, emoldurar. **2.** Tornar quadrado. **3.** *Fig.* Colocar dentro de certos limites, normas ou conveniências. **4.** *Gír.* Castigar, punir. ★ *v.pr.* Ajustar-se, combinar-se, quadrar-se.

enquanto *conj.* **1.** No tempo em que, no momento em que, quando. **2.** Ao passo que. **3.** *Por enquanto,* por ora, até o momento.

enquimose *s.f.* (gr. *egkhymosis*). Afluxo repentino do sangue aos vasos cutâneos, em resultado de forte emoção.

enquistado *adj.* **1.** Diz-se de um corpo estranho ou de uma lesão que permanece no organismo sem inflamação aguda e que é envolvido por tecido conjuntivo; encistado. **2.** *Fig.* Circunscrito, inserido.

enquistamento *s.m.* Ato ou efeito de enquistar(-se); encistamento. ● **Biol.** Mecanismo de defesa de alguns organismos pequenos que, em circunstâncias desfavoráveis, desenvolvem um envoltório rígido. **Med.** Produção de uma camada de tecido conjuntivo ao redor de um corpo estranho ou de uma lesão.

enquistar ou **encistar** *v.t.*, *v.i.* e *v.pr.* (conj. 4). **1.** Converter(-se) em quisto ou cisto. **2.** Encaixar(-se), entalhar(-se).

enquizilar *v.t.*, *v.i.* e *v.pr.* (conj. 4). Quizilar.

enrabar *v.t.* (conj. 4). **1.** Segurar pelo rabo. **2.** Perseguir de perto. **3.** Amarrar um veículo à traseira de outro. **4.** *Chul.* Praticar o coito anal.

enrabichar *v.t.* (conj. 4). **1.** Dar a forma de rabicho a (o cabelo). **2.** *Fig.* Fazer apaixonar-se; seduzir. **3.** Pôr em dificuldades. ★ *v.pr.* Apaixonar-se.

enraivecer *v.t.*, *v.i.* e *v.pr.* (conj. 25). Tornar(-se) raivoso; encolerizar(-se).

enraizar (a-i) *v.t.* (conj. 4). Fixar pelas raízes. ★ *v.i.* e *v.pr.* **1.** Criar ou deitar raízes. **2.** Fixar(-se) profundamente; arraigar(-se).

enramar *v.t.* (conj. 4). **1.** Cobrir ou enfeitar de ramos. **2.** Entrelaçar. ★ *v.i.* e *v.pr.* **1.** Cobrir-se (a árvore) de ramos. **2.** Ligar-se, unir-se.

enrançar *v.t.* e *v.pr.* (conj. 13). Tornar-se rançoso.

enrascada *s.f.* **1.** Ato ou efeito de enrascar(-se). **2.** Apuro, complicação, enrascadela.

enrascar *v.t.* e *v.pr.* (conj. 12). **1.** Emaranhar(-se), embaraçar(-se). **2.** Enredar(-se), complicar(-se). ★ *v.t.* *Pop.* Fazer cair em cilada, enganar.

enredadeira *s.f.* Mulher que faz intrigas, mexeriqueira.

enredadeiro *adj.* e *s.m.* Que ou aquele que faz enredos, intrigas; enredador, enredeiro.

enredar *v.t.* (conj. 4). **1.** Pôr, prender em rede. **2.** Embaralhar, emaranhar. **3.** Prender, cativar. **4.** *Fig.* Complicar, tornar obscuro. **5.** Intrigar. ★ *v.i.* Fazer enredo; intrigar, mexericar. ★ *v.pr.* **1.** Emaranhar-se, embaraçar-se. **2.** Complicar-se, deixar-se envolver em, comprometer-se.

enredo (ê) *s.m.* **1.** Ato ou efeito de enredar(-se). **2.** Embaraço, confusão. **3.** Intriga, mexerico. **4.** Episódio complicado, misterioso. ● **Liter.** Conjunto de fatos que se organizam no curso da narrativa da prosa de ficção.

enregelar *v.t.* (conj. 4). **1.** Tornar muito frio; congelar. **2.** *Fig.* Fazer perder o entusiasmo, o ânimo. ★ *v.i.* e *v.pr.* Perder todo o calor; congelar(-se).

enricar *v.t.* e *v.i.* (conj. 12). Enriquecer.

enrijar *v.t.*, *v.i.* e *v.pr.* (conj. 4). Enrijecer(-se).

enrijecer *v.t.* (conj. 25). **1.** Tornar rijo ou rígido; endurecer(-se). **2.** Fortalecer(-se), robustecer(-se), enrijar(-se).

enripar *v.t.* (conj. 4). Colocar ripas em.

enriquecer *v.t.* (conj. 25). **1.** Tornar rico; enricar. **2.** *P. ext.* Aumentar, desenvolver. **3.** *Fig.* Embelezar, abrilhantar. ★ *v.i.* e *v.pr.* **1.** Tornar-se rico; enricar. **2.** Tornar-se fértil.

enriquecimento *s.m.* Ato ou efeito de enriquecer(-se). ● **Eng. Nucl.** Processo pelo qual se eleva o teor de determinado isótopo de um elemento. **Min.** Aumento da concentração de elementos aproveitáveis nos minérios, para tratamento pelos processos metalúrgicos.

enristar *v.t.* e *v.i.* (conj. 4). **1.** Pôr (a lança) em riste. **2.** Investir.

enrodilhar *v.t.* (conj. 4). **1.** Converter em rodilha. **2.** Enrolar, torcer. **3.** Enredar, embaraçar. **4.** Enganar, ludibriar. ★ *v.pr.* Enrolar-se, embaraçar-se.

enrolação *s.f.* *Gír. bras.* Ato ou efeito de enrolar, enganar; tapeação.

enrolador (ô) *adj.* e *s.m.* **1.** Que ou o que enrola. **2.** *Gír. bras.* Que ou quem engana, ludibria; tapeador.

enrolamento *s.m.* Ato ou efeito de enrolar(-se).

enrolar *v.t.* (conj. 4). **1.** Fazer uma coisa girar em volta de outra ou de si mesma (falando-se especialmente de fios, lâminas, papel etc.); dar forma de rolo. **2.** Embrulhar, envolver. **3.** *Gír.* Enganar, iludir. **4.** Tornar confuso, expor de maneira confusa. ★ *v.pr.* **1.** Formar rolo. **2.** Envolver-se, embrulhar-se, confundir-se.

enroscar *v.t.* e *v.pr.* (conj. 12). Mover(-se) em forma de rosca; torcer(-se), enrolar(-se).

enroupar *v.t.* e *v.pr.* (conj. 4). Cobrir(-se) com roupa, vestir(-se), agasalhar(-se).

enrouquecer *v.t.*, *v.i.* e *v.pr.* (conj. 25). Tornar(-se) rouco.

enrubescer *v.t.*, *v.i.* e *v.pr.* (conj. 25). Tornar(-se) vermelho, rubro; enrubescer(-se), ruborizar(-se), corar.

enrubescimento *s.m.* Rubor.

enrugar *v.t.* (conj. 14). Fazer rugas ou pregas em. ★ *v.pr.* Tornar-se rugoso; encarquilhar-se.

enrustido *adj.* *Pop.* Diz-se de pessoa muito introvertida ou dissimulada.

enrustir *v.t.* (conj. 6). *Gír.* **1.** Esconder o produto do roubo para não dividi-lo. **2.** Ocultar, esconder, surrupiar.

ensaboar *v.t.* (conj. 20). **1.** Untar com sabão desfeito em água para depois enxaguar. **2.** *Fig.* Repreender, passar sabão. ★ *v.pr.* Lavar-se com sabão.

ensacador (ô) *s.m.* **1.** Aquele que ensaca. **2.** Negociante que compra na fonte e exporta café ensacado.

ensacar *v.t.* (conj. 12). Colocar em saco através de processo manual ou mecânico.

ensaiar *v.t.* (conj. 4). **1.** Experimentar, testar. **2.** Pôr em prática; tentar. **3.** Praticar um ato ou um movimento várias vezes para exercitar-se e adquirir domínio sobre ele. ★ *v.t.* e *v.i.* Repetir as cenas de um espetáculo antes da apresentação ao público. ★ *v.pr.* Exercitar-se, adestrar-se.

ensaio *s.m.* (lat. *exagium,* pesagem). **1.** Análise de um fenômeno físico, de um produto ou processo químico; teste, prova. **2.** Exame, análise, verificação. **3.** Tentativa, experiência. **4.** Treino, repetição. **5.** Texto em prosa no qual o autor desenvolve um raciocínio sem a preocupação de aproveitá-lo. **6.** *Tubo de ensaio,* pequena proveta que se utiliza nos experimentos químicos.

ENSAIO ► Do latim *exagium,* "ato de pesar", o ensaio é uma obra em prosa, escrita com fins didáticos, na qual o autor ou autora expressa livremente seu pensamento sobre um determinado tema. Embora o ensaio tenha surgido em sua forma moderna com Montaigne, no século XVI, somente no século XVIII começou a destacar-se no mundo das letras e se converteu em gênero literário.

---

ensaísta *s.2g.* Autor de ensaios literários, artísticos, científicos, econômicos ou políticos.

ensalmourar *v.t.* (conj. 4). Conservar em salmoura.

ensamblador (ô) *s.m.* Marceneiro que executa a ensambladura.

ensambladura *s.f.* **1.** Ação ou modo específico de reunir diferentes peças (principalmente de madeira), previamente ajustadas ou entalhadas, para que formem um conjunto rígido; sambladura. **2.** Resultado dessa ação; encaixe.

ensamblar *v.t.* (fr. *assembler*) [conj. 4]. Realizar uma ensambladura; encaixar, samblar.

ensancha *s.f.* **1.** Porção de tecido que se deixa a mais na costura para se poder alargar a roupa quando for preciso. **2.** Oportunidade, ensejo. **3.** Liberdade.

ensanchar *v.t.* (conj. 4). **1.** Alargar, aproveitando as ensanchas. **2.** Ampliar, dilatar.

ensandecer *v.t.* e *v.i.* (conj. 25). Tornar(-se) sandeu, insano; enlouquecer.

ensangüentado *adj.* Coberto de sangue; sanguinolento.

ensangüentar *v.t.* (conj. 4). **1.** Manchar, cobrir de sangue. **2.** Macular, desonrar devido a derramamento de sangue. **3.** *P. ext.* Fazer correr sangue. ★ *v.pr.* Cobrir-se ou manchar-se de sangue.

ensaque *s.m.* Ensacamento.

ensarilhar *v.t.* (conj. 4). **1.** Dobrar em sarilho. **2.** Embaraçar, emaranhar. **3.** Colocar as armas no chão, aos grupos, prendendo umas às outras pela parte superior. ★ *v.i.* Andar sem descanso de um lado para outro.

enseada *s.f.* **1.** Curvatura da costa, reentrância que forma pequeno porto abrigado; recôncavo. **2.** Angra, pequena baía.

ensebado *adj.* **1.** Coberto ou untado de sebo. **2.** Gorduroso, seboso, sujo.

ensebar *v.t.* (conj. 4). **1.** Untar com sebo, engordurar. **2.** *P. ext.* Manchar, sujar com o uso.

ensejar *v.t.* (conj. 4). **1.** Dar ensejo a. **2.** Esperar a oportunidade de.

ensejo (ê) *s.m.* Oportunidade, ocasião oportuna.

ensiforme *adj.2g.* (do lat. *ensis,* espada). Que tem a forma de espada.

ensiladeira *s.f.* **1.** Máquina agrícola utilizada para picar a forragem verde e jogá-la dentro do silo (Sin. ENSILADORA.) **2.** Trator ceifador, cortador e carregador utilizado no reboque de forragens verdes.

ensilado *adj.* Armazenado em silo.

ensiladora (ô) *s.f.* Sin. de ENSILADEIRA.

ensilagem *s.f.* **1.** Ato de ensilar. **2.** Processo de conservação das forragens verdes na ausência de ar. **3.** Alimento que se oferece ao gado como suplemento.

ensilar *v.t.* (conj. 4). **1.** Conservar, armazenar em silos. **2.** Efetuar a ensilagem dos grãos ou das forragens; silar. **3.** Preparar e acumular tecnicamente a forragem verde no silo para obter a ensilagem.

ensimesmado *adj.* Concentrado em si mesmo; abstraído, pensativo.

ensimesmar-se *v.pr.* (conj. 7). Voltar-se para dentro de si mesmo; interiorizar-se, abstrair-se.

ensinamento *s.m.* **1.** O ato de ensinar; ensino, educação. **2.** Doutrina, preceito. **3.** Lição dada pelos fatos ou pela experiência. **4.** Exemplo, lição.

ensinar *v.t.* (conj. 4). **1.** Transmitir conhecimentos; instruir, educar. **2.** Amestrar, adestrar, treinar. **3.** Domesticar, domar (falando-se de animais). **4.** Indicar, mostrar. ★ *v.i.* **1.** Lecionar, ministrar ensino. **2.** Pregar, doutrinar.

ensino *s.m.* **1.** Ação, maneira de ensinar, de transmitir conhecimentos. **2.** Exercício da educação, magistério. **3.** A organização escolar como um todo, ou cada um de seus graus.

ensoberbecer *v.t.* (conj. 25). **1.** Tornar soberbo, orgulhoso. **2.** Engrandecer. ★ *v.pr.* Envaidecer-se.

ensolarado *adj.* Cheio de sol, banhado pelo sol.

ensombrar *v.t.* e *v.pr.* (conj. 4). **1.** Cobrir(-se) de sombras; escurecer. **2.** *Fig.* Tornar(-se) triste, entristecer(-se).

ensopado *adj.* Encharcado, molhado. ★ *s.m.* **1.** Guisado. **2.** Picadinho de carne ensopado com legumes.

ensopar *v.t.* (conj. 4). **1.** Molhar muito; encharcar. **2.** Embeber em algum líquido. ★ *v.pr.* Embeber-se, encharcar-se.

ensurdecer *v.t.* e *v.pr.* (conj. 25). Tornar(-se) surdo. ★ *v.t.* **1.** Tornar menos sonoro; abafar. **2.** Atordoar, aturdir.

entablamento *s.m.* (fr. *entablement*). O conjunto formado por arquitrave, friso e cornija.

entabuar *v.t.* (conj. 4). **1.** Cobrir, forrar ou guarnecer de tábuas. **2.** Assoalhar.

entabular *v.t.* (conj. 4). **1.** Principiar, encetar. **2.** Estabelecer.

entaipar *v.t.* (conj. 4). **1.** Cobrir de taipas. **2.** Fazer parede de taipa; emparedar com taipas.

entalar *v.t.* (conj. 4). Meter em talas; apertar com talas. ★ *v.t.* e *v.pr.* **1.** Meter(-se) em passagem estreita. **2.** *Fig.* Meter(-se) em dificuldades, em embaraços.

entalhador (ô) *s.m.* **1.** Aquele que faz obra de entalhe. **2.** Escultor, gravador. **3.** Instrumento de entalhar. ★ *adj.* Que entalha.

entalhar *v.t.* (conj. 4). **1.** Esculpir ou gravar em madeira. **2.** Talhar, cortar. **3.** Gravar a fundo uma pedra preciosa.

entalhe *s.m.* **1.** Ato ou efeito de entalhar. **2.** Obra de escultura em madeira ou metal. **3.** Corte em peças de madeira para encaixá-las; entalho. **4.** Abertura praticada por corte numa peça, num objeto etc.

entalho *s.m.* Entalhe.

entalpia *s.f.* Grandeza termodinâmica que define a energia interna de um sistema.

entanguido *adj.* **1.** Tolhido de frio; encolhido. **2.** *Fig.* Enfezado.

entanguir *v.t.* e *v.pr.* (conj. 53). Tornar(-se) entanguido.

entanto *adv.* Nessa ocasião, entrementes, nisso. ★ conj. No entanto, entretanto, todavia, contudo.

então *adv.* (lat. *tum,* então, naquele tempo). **1.** Nesse ou naquele tempo. **2.** Em determinado momento. **3.** Nesse caso. ★ conj. Logo, portanto, pois.

entardecer[1] *v.i.* (conj. 25). Fazer-se tarde; ser próximo da noite.

entardecer[2] *s.m.* O cair da tarde.

ente *s.m.* (lat. *ens, entis*). **1.** Tudo o que existe ou pode existir. **2.** Ser. **3.** Coisa, objeto.

enteado *s.m.* (lat. *antenatus,* nascido antes). O filho de casamento anterior em relação ao atual cônjuge do pai ou da mãe.

entediar *v.t.* (conj. 16). **1.** Causar tédio a; aborrecer, enjoar. **2.** Ter tédio de. ★ *v.pr.* Sentir tédio, aborrecer-se.

entender[1] *v.t.* (lat. *intendere,* estender para) [conj. 5]. **1.** Perceber pela inteligência; compreender. **2.** Conhecer, ser hábil em, dominar. **3.** Concluir, depreender. **4.** Ouvir, perceber. **5.** Julgar, interpretar. ★ *v.pr.* **1.** Compreender-se, pôr-se de acordo. **2.** Falar, tratar.

entender[2] *s.m.* Entendimento.

entendido *adj.* **1.** Que entende de algo, que tem prática ou experiência; especialista, capaz. **2.** Combinado, acertado. **3.** *Gír.* Homossexual. ★ *s.m.* Aquele que é especialista.

entendimento *s.m.* **1.** Ato ou efeito de entender(-se); entender, acordo. **2.** Faculdade de entender; razão, compreensão. **3.** Interpretação. **4.** Opinião, juízo.

entenebrecer *v.t.* (conj. 25). **1.** Cobrir de trevas. **2.** *Fig.* Entristecer, afligir. ★ *v.i.* e *v.pr.* Encher(-se) de sombras; tornar(-se) escuro.

entérico *adj.* (gr. *enterikós*). Relativo aos intestinos; intestinal.

enterite *s.f.* Inflamação do intestino delgado, associada às vezes à do estômago (gastroenterite) ou à do cólon (enterocolite).

enternecer *v.t.* (conj. 25). **1.** Tornar terno, amoroso. **2.** Comover, sensibilizar. ★ *v.pr.* **1.** Tornar-se terno, comovido. **2.** Sensibilizar-se.

enteróclise *s.f.* Sin. de ENTEROCLISMA.

enteroclisma *s.m.* Lavagem intestinal; clister. (Sin. ENTERÓCLISE.)

enteropatia *s.f.* Qualquer doença dos intestinos.

enterovírus *s.m.* Qualquer vírus que se instala no intestino.

enterozoários *s.m.pl.* Animais metazoários que apresentam cavidade digestiva.

enterramento *s.m.* **1.** Ação de enterrar. **2.** Enterro, sepultamento; funeral.

enterrar *v.t.* (conj. 4). **1.** Colocar debaixo da terra; soterrar. **2.** Sepultar, encerrar em túmulo. **3.** Meter em lugar secreto; ocultar. **4.** Acompanhar o enterro de. **5.** Cravar, espetar. **6.** Pôr fim a; encerrar. **7.** Fazer cair em descrédito. **8.** No jogo de basquete, fazer passar a bola, com as mãos, pelo aro da cesta, com força. ★ *v.pr.* **1.** *Fig.* Perder o crédito, o prestígio; afundar-se, arruinar-se. **2.** *Fig.* Esconder-se, fugir ao convívio; isolar-se. **3.** Entregar-se apaixonadamente; aplicar-se.

enterro (ê) *s.m.* **1.** Ação de pôr um morto debaixo da terra; inumação, sepultamento. **2.** Cerimônia que acompanha essa ação; funeral.

entesar *v.t.* (conj. 4). Tornar teso; esticar, tesar. ★ *v.i.* Fazer(-se) teso. ★ *v.pr.* Tornar(-se) teso, firme.

entesourar *v.t.* (conj. 4). Juntar, acumular dinheiro, riqueza etc., como tesouro.

entestar *v.t.* (conj. 4). **1.** Defrontar, confrontar. **2.** Confinar, fazer limite com; limitar.

entibiar *v.t.* (conj. 16). **1.** Tornar tíbio, frouxo. **2.** Tornar tépido, morno. ★ *v.i.* e *v.pr.* Enfraquecer(-se).

entidade *s.f.* (lat. tard. *entitas*). **1.** O que constitui a essência de um ser; individualidade. **2.** Tudo o que existe ou que pode existir. **3.** Grupo ou associação que dirige ou coordena as atividades de uma determinada classe.

entisicar *v.t.* e *v.pr.* (conj. 12). Tornar(-se) tísico. ★ *v.i.* **1.** Ficar tísico. **2.** Definhar.

entoação *s.f.* **1.** Ato ou efeito de entoar; entonação. **2.** Tom variado da voz quando se fala ou recita; inflexão.

entoar *v.t.* (conj. 20). **1.** Cantar ou tocar as primeiras notas, dando assim o tom aos outros cantores ou músicos. **2.** Enunciar, proferir.

entocar *v.t.* (conj. 12). Meter em toca. ★ *v.pr.* Meter-se (a fera, a caça) na toca, na cova; esconder-se.

entojado *adj.* **1.** Que sente entojo. **2.** *Pop.* Vaidoso.

entojar *v.t.* (conj. 4). **1.** Causar nojo a; repugnar. **2.** Causar aborrecimento, tédio a. ★ *v.i.* Sentir entojo.

entojo (ô) *s.m.* **1.** Nojo que a mulher sente no período da gravidez. **2.** Desejos extravagantes da gestante.

entomófago *adj.* e *s.m.* Diz-se de ou organismo que se alimenta de insetos.

entomófilo *adj.* Diz-se da planta polinizada por entomofilia.

entomologia *s.f.* Parte da zoologia que estuda os insetos. (Sin. INSETOLOGIA.)

ALGUMAS LARVAS DE INSETOS ESTUDADOS PELA ENTOMOLOGIA

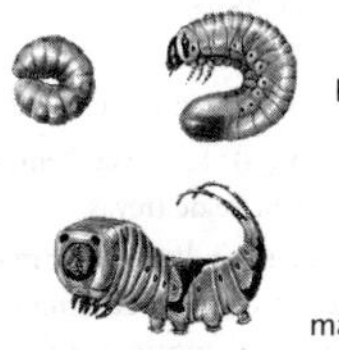

ENTOMOLOGIA ► A entomologia moderna começa no século XVII com as investigações de Malpighi e Swammerdam. O grande observador dessa época foi Réaumur, com suas *Memórias para servir à história dos insetos* (1734-1742). No início do século XIX, Latreille fundou a sistemática entomológica moderna e, no fim do século, Jean Fabre despertou o interesse do grande público pelos hábitos dos insetos. Na atualidade, as aplicações da entomologia na medicina e sobretudo na agricultura ganharam importância considerável.

entomologista *s.2g.* Especialista em entomologia. (Sin. ENTOMÓLOGO.)

entomólogo *s.m.* Sin. de ENTOMOLOGISTA.

entonação *s.f.* **1.** Entoação. **2.** Modulação da fala que caracteriza a linha melódica da frase.

entono *s.m.* **1.** Altivez, majestade. **2.** Orgulho; presunção, vaidade.

entontecer *v.i.* (conj. 25). **1.** Ficar tonto, ter tonturas. **2.** Ficar tonto, tolo. ★ *v.t.* **1.** Tornar tonto, causar tonturas. **2.** Estontear, enlouquecer.

entornar *v.t.* (conj. 4). **1.** Despejar emborcando; verter. **2.** Fazer extravasar; transbordar. ★ *v.pr.* Derramar-se.

entorpecente *adj.2g.* e *s.m.* **1.** Que ou o que entorpece; entorpecedor. **2.** Droga, tóxico, substância estupefaciente.

entorpecer *v.t.* (conj. 25). **1.** Causar torpor ou entorpecimento a. **2.** Privar, quase que completamente, da mobilidade, da sensibilidade; paralisar. **3.** *Fig.* Entibiar, enfraquecer. ★ *v.i.* e *v.pr.* Perder a atividade, a energia; desfalecer.

entorpecimento *s.m.* **1.** Paralisia momentânea da atividade física ou mental; torpor. **2.** Estado caracterizado pela insensibilidade, impotência e formigamento de um membro, em geral devido à má circulação sanguínea. **3.** *Fig.* Modorra, frouxidão.

entorse *s.f.* (fr. *entorse*). Lesão traumática de uma articulação que resulta em sua distorção, com ruptura dos ligamentos, sem deslocamento das superfícies articulares.

entortar *v.t.* (conj. 4). **1.** Tornar torto. **2.** Desviar do eixo, da linha reta; curvar. **3.** Desviar do bom caminho. ★ *v.i.* e *v.pr.* Tornar-se torto.

entozoários *s.m.pl.* Grupo de animais nematóides, parasitas do homem e de outros animais; vermes intestinais.

entrada *s.f.* **1.** Ação de entrar. **2.** Admissão, acesso; porta. **3.** Lugar por onde se entra. **4.** Começo, início; introdução. **5.** Parte da cabeça, acima das têmporas, destituída de cabelo, como sinal de calvície. **6.** Prato servido no início da refeição. **7.** Na compra a prazo, primeira parcela paga no recebimento da mercadoria. **8.** Bilhete de ingresso. **9.** Expedição oficial, no Brasil colonial, para o aprisionamento de e descoberta de minas indígenas. (Cf. BANDEIRA[2].) • **Eletrôn.** *Sinal de entrada*, sinal externo recebido por um circuito elétrico. (Sin. ingl. INPUT.) **Inform.** *Entrada (de dados)*, operação de introdução de dados em um computador; registro de uma informação com vistas ao tratamento ou memorização em um sistema computacional. **Ling.** Palavra que introduz um verbete numa obra lexicográfica.

entrançado *adj.* e *s.m.* **1.** Que ou o que é entrelaçado. **2.** Diz-se de ou ornamento composto de motivos entrelaçados numa seqüência contínua.

entrançar *v.t.* (conj. 13). **1.** Dar a forma de trança a. **2.** Entrelaçar, entretecer. ★ *v.i.* Vadiar. ★ *v.pr.* Entrelaçar(-se).

entrância *s.f.* Lugar de ordem das circunscrições judiciárias, na classificação legal que delas se faz.

entranhado *adj.* **1.** Que se entranhou. **2.** Devotado, dedicado.

entranhar *v.t.* (conj. 4). **1.** Introduzir, cravar profundamente nas entranhas. **2.** Arraigar. ★ *v.pr.* **1.** Embrenhar-se. **2.** Arraigar-se. **3.** Dedicar-se.

entranhas *s.f.pl.* (lat. *interanea*). **1.** Vísceras abdominais; conjunto dos órgãos contidos nas cavidades abdominal e torácica. **2.** *Fig.* Parte interior e profunda. **3.** Sensibilidade, ânimo.

entrante *adj.2g.* **1.** Que entra. **2.** Que está para começar.

A

entrar *v.i.* (lat. *intrare*) [conj. 4]. **1.** Passar de fora para dentro; introduzir-se, penetrar. **2.** Invadir. **3.** Intrometer-se, intervir, interferir. **4.** Encaixar-se, ajustar-se. **5.** Adotar uma profissão; fazer parte de. **6.** Ser um dos elementos constituintes de. **7.** Iniciar. **8.** Contribuir, subscrever.

entravar *v.t.* (conj. 4). Pôr entraves a, dificultar, embaraçar os movimentos de.

entrave *s.m.* **1.** Cadeia para prender cavalo ou outro animal. **2.** *Fig.* Obstáculo, impedimento.

entre *prep.* (lat. *inter*). **1.** No meio de. **2.** No interior de. **3.** No intervalo de. **4.** Por volta de.

entreaberto *adj.* Aberto incompletamente; semi-aberto.

entreabrir *v.t.* (conj. 6). **1.** Abrir um pouco. **2.** Descerrar. ★ *v.i.* e *v.pr.* **1.** Começar a desabrochar. **2.** Desanuviar-se (falando-se do tempo).

entreato *s.m.* **1.** Intervalo entre dois atos de um espetáculo teatral ou lírico. **2.** Intermédio, divertimento ou peça musical que se executa nesse intervalo.

entrebater-se *v.pr.* (conj. 5). **1.** Bater um no outro; entrechocar-se. **2.** Digladiar-se.

entrecerrar *v.t.* (conj. 4). Fechar incompletamente.

entrecho (ê) *s.m.* (it. *intreccio*). Enredo, ação de uma peça teatral ou de um romance.

entrechocar-se *v.pr.* (conj. 12). **1.** Bater um corpo contra outro, embater um no outro. **2.** *Fig.* Estar em oposição, em contradição.

entrechoque *s.m.* **1.** Choque, impacto entre duas ou mais coisas. **2.** Luta, embate entre forças, tropas contrárias.

entrecortado *adj.* Interrompido a intervalos.

entrecortar *v.t.* (conj. 4). **1.** Cortar em diversos locais. **2.** Interromper com intervalos. ★ *v.pr.* Cortar-se mutuamente; cruzar-se.

entrecosto (ô) *s.m.* (fr. *entrecôte*). Pedaço de carne cortado entre duas costelas.

entrecruzar-se *v.pr.* (conj. 7). Cruzar-se em diversas direções, reciprocamente.

entredizer *v.t.* (conj. 29). Dizer para si ou consigo mesmo; monologar.

entrefechar *v.t.* (conj. 4). Fechar incompletamente.

entrefolha (ô) *s.f.* Folha em branco que se coloca entre as páginas impressas de alguns livros para anotações.

entrega *s.f.* **1.** Ato ou efeito de entregar(-se). **2.** Transmissão. **3.** Rendição. **4.** Traição. **5.** Comprometimento.

entregar *v.t.* (lat. *integrare*, repor) [conj. 14]. **1.** Passar às mãos de alguém. **2.** Confiar. **3.** Dar, restituir. **4.** Denunciar, trair. ★ *v.pr.* **1.** Render-se, submeter-se. **2.** Dar-se, dedicar-se inteiramente. **3.** Deixar-se possuir.

entregue *adj.2g.* **1.** Que se entregou. **2.** Absorto. **3.** Cansado.

entrelaçar *v.t.* (conj. 13). Enlaçar um no outro; entretecer. ★ *v.pr.* Entretecer-se, ligar-se.

entrelinha *s.f.* **1.** Espaço entre duas linhas de impressão ou de escrita. **2.** Escrita entre essas duas linhas. ★ *s.f.pl. Fig.* O que se subentende, não estando claramente escrito.

entremanhã *s.f.* Crepúsculo matinal.

entremear *v.t.* (conj. 15). **1.** Pôr no meio de; pôr de permeio. **2.** Intercalar, interpor.

entremeio *adj.* Que está no meio de duas coisas. ★ *s.m.* **1.** Espaço entre dois extremos; intervalo. **2.** Tira de bordado ou renda, com bordas retas, para ser costurada dos dois lados em uma peça.

entrementes *adv.* Durante esse tempo, enquanto isso, entretanto.

entremeter *v.t.* (lat. *intermettere*) [conj. 5]. Intrometer. ★ *v.pr.* **1.** Intervir, influir, tomar parte. **2.** Intrometer-se.

entremostrar *v.t.* e *v.pr.* (conj. 4). Mostrar(-se) incompletamente; deixar(-se) entrever.

entrenó *s.m.* Parte do caule situado entre dois nós.

entreolhar-se *v.pr.* (conj. 7). Olhar-se mutuamente.

entreouvir *v.t.* (conj. 71). Ouvir indistintamente, de modo vago.

entrepausa *s.f.* Pausa intermediária, ligeira interrupção.

entrepor (ô) *v.t.* (conj. 45). **1.** Pôr entre (pessoas ou coisas). **2.** Interpor.

entreposto (ô) *s.m.* **1.** Depósito de mercadorias. **2.** Armazém, privado ou público, onde são compradas ou vendidas mercadorias, em geral, de uma mesma categoria; interposto.

entressachar *v.t.* (conj. 4). Entremeter, meter umas coisas entre outras; misturar. ★ *v.pr.* Entremear-se.

entressafra *s.f.* **1.** Período entre as safras de um produto agrícola, quando este fica escasso ou desaparece do mercado. **2.** Período de poucas chuvas em que as pastagens definham, o gado tende a emagrecer e a disponibilidade de carne e leite para consumo encontra-se diminuída.

entressorrir *v.t.* (conj. 69). Esboçar um sorriso.

entretanto conj. Mas, porém, contudo. ★ *adv.* Entrementes.

entretecer *v.t.* (conj. 25). **1.** Entremear, tecendo; entrelaçar. **2.** Construir por meio de laços ou tecidos. **3.** Tramar. ★ *v.pr.* Entrelaçar-se.

entretela *s.f.* Tecido grosso ou armado que se coloca entre a parte externa e o forro de uma roupa.

entretempo *s.m.* Intervalo de tempo.

entreter *v.t.* (conj. 1). **1.** Deter, demorar. **2.** Iludir. **3.** Conservar, manter. **4.** Distrair, divertir, servir de passatempo. ★ *v.i.* Servir de distração. ★ *v.pr.* **1.** Divertir-se, recrear-se. **2.** Ocupar-se, distrair-se.

entrevado *adj.* e *s.m.* Que ou aquele que não pode deixar o leito ou a cadeira de rodas.

entrevar[1] *v.t.* (conj. 4). Perder (o doente) a capacidade de andar, de mover-se. ★ *v.i.* e *v.pr.* Ficar paralítico.

entrevar[2] *v.t.* (conj. 4). Escurecer, entenebrecer, cobrir de trevas. ★ *v.pr.* Cobrir-se de trevas.

entrever *v.t.* (conj. 40). **1.** Perceber de maneira confusa, indistinta, ou durante curto espaço de tempo. **2.** Pressentir, prever. ★ *v.pr.* **1.** Ver-se reciprocamente. **2.** Avistar-se. **3.** Ter entrevista.

entreverar *v.t.* (conj. 4). Misturar. ★ *v.pr.* **1.** Misturar-se. **2.** Embater-se com uma pessoa num entrevero.

entrevero (ê) *s.m.* **1.** Desordem, confusão. **2.** Briga.

entrevia *s.f.* Espaço compreendido entre os trilhos internos de duas vias paralelas.

entrevisão *s.f.* **1.** Ato ou efeito de entrever. **2.** Visão confusa.

entrevista *s.f.* **1.** Conversação mantida com alguém para obter informações sobre seus atos, idéias, projetos etc. **2.** Conferência marcada entre pessoas em lugar determinado. **3.** Relato desse encontro, em periódicos, TV, rádio etc. **4.** Encontro combinado. ● **Psicol.** Consulta.

entrevistador (ô) *s.m.* Aquele que entrevista.

entrevistar *v.t.* (conj. 4). Fazer uma entrevista com. ★ *v.pr.* Encontrar-se com.

entrincheirar *v.t.* (conj. 4). Fortificar com trincheiras; defender. ★ *v.pr.* Fortificar-se, firmar-se.

entristecer *v.t.* (conj. 25). **1.** Tornar triste, afligir. **2.** Emurchecer, murchar. ★ *v.i.* e *v.pr.* Tornar(-se) triste; sentir pesar, aflição.

entroncado *adj.* **1.** Que se entroncou, engrossou. **2.** Diz-se da pessoa corpulenta, espadaúda, de estatura mediana.

entroncamento *s.m.* **1.** Ponto onde se encontram duas ou mais coisas. **2.** Ramificação de tubos numa distribuição de água, gás etc.

entroncar *v.i.* (conj. 12). **1.** Criar ou adquirir tronco; engrossar. **2.** Reunir-se a um tronco principal (diz-se da árvore genealógica). **3.** Reunir-se um caminho a outro. ★ *v.t.* Fazer reunir.

entronizar *v.t.* (conj. 4). **1.** Elevar ao trono; elevar à suprema dignidade. **2.** *Fig.* Louvar muito, exaltar. **3.** Pôr em altar (imagem de Deus, santo etc.). **4.** Estabelecer, instituir. ★ *v.pr.* Ocupar o trono; dominar.

entropia *s.f.* Propriedade física que expressa o grau energético ou de desordem das moléculas de uma substância, diretamente relacionada à sua temperatura.

entrópio *s.m.* Reviramento das pálpebras na direção do globo ocular.

entrosamento *s.m.* **1.** Ato ou efeito de entrosar(-se). **2.** *Fig.* Coincidência de opiniões; acordo, entendimento. **3.** *Fig.* Adaptação, ajuste.

entrosar *v.t.* (conj. 4). **1.** Introduzir os dentes de uma roda pelos vãos de outra; engrenar. **2.** Organizar. **3.** Adaptar a um meio; ambientar. ★ *v.i.* e *v.pr.* Adaptar-se.

entrouxar *v.t.* (conj. 4). **1.** Fazer trouxa de; embrulhar. **2.** Arrumar. ★ *v.pr.* Vestir-se às pressas.

entrudo *s.m.* (lat. *introitus*, entrada). **1.** Antigo folguedo carnavalesco. **2.** *P. ext.* Carnaval; divertimentos dos dias de Carnaval.

entulhar *v.t.* (conj. 4). **1.** Encher de entulho; entupir. **2.** Acumular, amontoar. ★ *v.pr.* Encher-se, entupir-se.

entulho *s.m.* **1.** Restos de construções demolidas, pedras, tijolos, argamassa etc.; caliça, enchimento. **2.** Lixo.

entupir *v.t.* (conj. 60; 61). Obstruir, tapar. ★ *v.i.* e *v.pr.* Obstruir-se. ★ *v.pr.* Encher-se, empanturrar-se.

entusiasmar *v.t.* (conj. 4). Encher de entusiasmo; animar, arrebatar. ★ *v.pr.* **1.** Encher-se de entusiasmo. **2.** Apaixonar-se por alguém ou por alguma coisa; deixar-se arrebatar.

entusiasmo *s.m.* (gr. *enthousiasmós*, sopro divino). **1.** Ardor ou veemência com que se fala ou escreve. **2.** Exaltação criadora; inspiração. **3.** Arrebatamento, delírio. **4.** Grande alegria. **5.** Dedicação ardente; paixão.

entusiasta *adj.2g.* e *s.2g.* **1.** Que ou aquele que sente ou demonstra entusiasmo. **2.** Que ou aquele que se dedica vivamente a algo.

entusiástico *adj.* (gr. *enthousiastikós*). Que tem ou manifesta entusiasmo.

enumeração *s.f.* (lat. *enumeratio*). **1.** Ação de enumerar; especificação de coisas uma por uma. **2.** Conta, contagem. **3.** Exposição metódica.

enumerar *v.t.* (lat. *enumerare*, contar inteiramente) [conj. 4]. **1.** Enunciar sucessivamente as partes de um todo; contar. **2.** Relacionar metodicamente, especificar.

enumerável *adj.2g.* Que se pode enumerar; contável.

enunciação *s.f.* (lat. *enuntiatio*). Ato ou efeito de enunciar(-se); expressão, declaração. ● **Ling.** Produção individual de um enunciado que engloba o conjunto dos fatores e dos atos que a provocam.

enunciado *adj.* (lat. *enuntiatum*). Expresso, declarado. ★ *s.m.* **1.** Proposição, exposição; declaração. **2.** Conjunto das condições a que devem submeter-se as incógnitas de um problema. ● **Ling.** Dado lingüístico constituído por uma seqüência finita de unidades da cadeia falada, delimitado por dois períodos de silêncio. ► Qualquer produção lingüística considerada como resultado da enunciação.

enunciar *v.t.* (lat. *enuntiare*, dar a conhecer) [conj. 16]. Exprimir por palavras ou por escrito; declarar, expor. ★ *v.pr.* Exprimir-se, manifestar-se.

enunciativo *adj.* Que enuncia. ● **Ling.** Relativo à enunciação.

enurético *adj.* Relativo à enurese; acometido de enurese.

envaidecer *v.t.* (conj. 25). Tornar vaidoso, orgulhoso. ★ *v.pr.* Tornar-se vaidoso, ensoberbecer-se.

envasilhamento *s.m.* Ação de meter em vasilhas.

envasilhar *v.t.* (conj. 4). **1.** Meter em vasilhas. **2.** Colocar em tonéis, pipas, garrafas.

envelhecer *v.t.* (conj. 25). **1.** Tornar velho. ★ *v.i.* **1.** Tornar-se velho. **2.** Tornar-se desusado, inútil. **3.** Perder a frescura, o viço. **4.** Parecer velho.

envelopar *v.t.* (conj. 4). Guardar ou introduzir em envelope.

envelope *s.m.* (fr. *enveloppe*). Invólucro de papel para remessa ou guarda de correspondência, documento etc.; sobrecarta.

envenenamento *s.m.* **1.** Ação de envenenar(-se); intoxicação. **2.** Ação sobre o organismo de uma substância capaz de provocar a morte ou de alterar sensivelmente as funções normais. **3.** Penetração de veneno no organismo após a mordida ou a picada de um animal; conjunto dos fenômenos patológicos que resultam disso.

ENVENENAMENTO ► Tóxicos ou venenos são substâncias que, mesmo em pequenas doses, matam ou causam danos aos organismos vivos. A lista de tóxicos é praticamente interminável e compreende tanto substâncias naturais quanto artificiais. Além disso, muitos produtos inofensivos tornam-se tóxicos quando ingeridos em grandes quantidades. Muitas substâncias domésticas são tóxicas, especialmente quando ingeridas por crianças. Entre elas, encontram-se: limpadores, detergentes, limpa-fornos, tira-manchas, alvejantes e solventes.

---

envenenar *v.t.* (conj. 4). **1.** Dar veneno a. **2.** Intoxicar. **3.** *Fig.* Encher de amargura. **4.** *Fig.* Corromper o espírito, os costumes; perverter. **5.** *Fig.* Dar mau sentido a; deturpar, distorcer. **6.** Modificar o motor de um veículo para aumentar seu desempenho. ★ *v.pr.* **1.** Tomar veneno para suicidar-se. **2.** Intoxicar-se.

enverdecer *v.t.* (conj. 25). **1.** Tornar verde, reverdecer. **2.** Cobrir de verdura ou de folhas verdes. **3.** Tomar vigor, rejuvenescer. ★ *v.i.* **1.** Fazer-se verde. **2.** Rejuvenescer, remoçar.

enveredar *v.i.* (conj. 4). **1.** Seguir por vereda. **2.** Encaminhar-se. **3.** Seguir determinado destino.

envergadura *s.f.* **1.** Distância entre as extremidades dos braços estendidos horizontalmente. **2.** *Fig.* Amplitude de inteligência, da vontade; capacidade, aptidão. ● **Aeron.** Dimensão de uma asa de avião, medida perpendicularmente ao seu plano de simetria vertical. **Nav.** Comprimento do lado pelo qual uma vela é fixada à verga; a parte mais larga da vela.

envergar *v.t.* (conj. 14). **1.** Curvar, entortar. **2.** Vestir, trajar. ● **Nav.** Fixar na verga. ★ *v.i.* e *v.pr.* Vergar-se, curvar-se.

envergonhar *v.t.* (conj. 4). **1.** Causar vergonha, embaraço ou acanhamento a; confundir, corar. **2.** Aviltar, humilhar, comprometer. ★ *v.pr.* Ficar envergonhado; acanhar-se.

envernizar *v.t.* (conj. 4). **1.** Cobrir de verniz. **2.** Polir, lustrar.

enverrugar *v.t.* (conj. 14). **1.** Encher de verrugas ou de rugas. **2.** Amarrotar. ★ *v.i.* **1.** Criar verrugas. **2.** Engelhar-se.

envesgar *v.t.* (conj. 14). **1.** Tornar vesgo. **2.** Torcer os olhos.

enviado *s.m.* **1.** Portador, mensageiro. **2.** Encarregado de negócios.

enviar *v.t.* (lat. *inviare*) [conj. 16]. **1.** Fazer partir com uma finalidade. **2.** Fazer chegar a; expedir, remeter. **3.** Mandar alguém em missão.

envidar *v.t.* (lat. *invitare,* convidar) [conj. 4]. **1.** Pôr muito empenho em, esforçar-se. **2.** No jogo, apostar quantia maior e provocar o parceiro para que aceite a parada.

envide *s.2g.* **1.** Ato ou efeito de envidar. **2.** *Pop.* A parte do cordão umbilical que fica presa à placenta, depois de cortada a comunicação com o feto.

envidraçar *v.t.* (conj. 13). **1.** Guarnecer com vidros ou vidraças. **2.** Tornar vítreo. **3.** Meter em compartimento envidraçado. ★ *v.pr.* Embaciar-se.

enviesado *adj.* **1.** Feito ou posto ao viés. **2.** Cortado obliquamente. **3.** Torto.

enviesar *v.t.* (conj. 4). **1.** Pôr ao viés. **2.** Cortar obliquamente. **3.** Dar má direção a. **4.** Entortar (o corpo). ★ *v.pr.* Ser ou tornar-se torto.

envilecer *v.t.* (conj. 25). Tornar vil, desprezível; aviltar, desonrar. **2.** Vender por importância vil; baratear. ★ *v.i.* e *v.pr.* **1.** Tornar(-se) vil, abjeto. **2.** Perder o valor, a valia.

envilecimento *s.m.* Ato ou efeito de envilecer(-se); aviltamento, degradação.

envinagrar *v.t.* (conj. 4). **1.** Misturar com vinagre. **2.** Pôr vinagre em. **3.** Transformar em vinagre. **4.** *Fig.* Irritar, exasperar. ★ *v.pr.* Irritar-se, exasperar-se.

envio *s.m.* **1.** Ação de enviar. **2.** Coisa enviada; remessa.

enviuvar (i-u) *v.t.* (conj. 4). Tornar viúvo. ★ *v.i.* Ficar viúvo.

envolto (ô) *adj.* Envolvido, embrulhado, enrolado.

envoltório *s.m.* O que serve para envolver; invólucro, capa, embrulho. ● **Anat.** Membrana ou conjunto de membranas que envolvem um órgão. ▸ *Envoltório fibroso,* aponevrose de certas articulações.

envolver *v.t.* (lat. *involvere,* rolar sobre) [conj. 5]. **1.** Abarcar, abranger. **2.** Cobrir, cingir completamente. **3.** Rodear, cercar. **4.** Seduzir, cativar. **5.** Esconder, disfarçar, dissimular. **6.** Implicar, enredar. **7.** Implicar, importar, acarretar. **8.** Cobrir, toldar. **9.** Confundir, amontoar. ★ *v.pr.* **1.** Intrometer-se, interferir. **2.** Cobrir-se. **3.** Misturar-se, confundir-se.

envolvimento *s.m.* **1.** Ação de envolver(-se); resultado dessa ação. **2.** Caso, aventura amorosa.

enxada *s.f.* **1.** Ferramenta agrícola, composta de cabo de madeira e uma lâmina de ferro e aço cortante, utilizada para capinar, revolver ou cavar a terra. **2.** *Fig.* Meio de vida, ofício, ganha-pão.

enxadão *s.m.* Espécie de enxada mais longa e mais estreita do que as comuns, destinada a cavar sulcos na terra.

enxadrezar *v.t.* (conj. 4). Dividir em quadrados, como um tabuleiro de xadrez.

enxadrismo *s.m.* A arte ou gosto do jogo de xadrez.

enxadrista *adj.2g.* Relativo ao xadrez. ★ *s.2g.* Jogador de xadrez.

enxaguar *v.t.* (conj. 22). Lavar em últimas águas.

enxágüe *s.m.* Ação de enxaguar.

enxame *s.m.* (lat. *examen,* multidão; exame). **1.** Grupo de abelhas de uma colméia. **2.** Multidão, ajuntamento.

enxameação *s.f.* **1.** Multiplicação das colônias de abelhas pela migração de uma parte da população de uma colméia. **2.** Época em que as abelhas enxameiam.

enxamear *v.t.* (conj. 15). **1.** Em relação às abelhas jovens, deixar a colméia para formar uma nova colônia. **2.** Dividir a colméia pela migração de parte da colônia. **3.** Reunir (as abelhas) em cortiço. **4.** *Fig.* Aglomerar-se, apinhar-se; pulular, formigar. ★ *v.i.* **1.** Formar enxame. **2.** Aparecer em grande número. ★ *v.pr.* Apinhar-se, aglomerar-se.

enxaqueca *s.f.* (ár. *ax-xaqiqa*). Afecção caracterizada por crises repetidas de cefaléia que só atingem um lado da cabeça, geralmente acompanhadas de mal-estar, distúrbios oculares e náuseas. (Sin. HEMIALGIA, HEMICRANIA.)

enxárcia *s.f.* (gr. tard. *exártia,* cabos). Conjunto de cabos, manobras e polias que servem para içar, sustentar e manobrar as velas de um navio.

enxerga (ê) *s.f.* **1.** Cama pobre; catre. **2.** Colchão rústico, de palha ou folhas secas.

enxergão *s.m.* **1.** Espécie de saco cheio de palha que se coloca por baixo do colchão nas camas. **2.** Estrado rústico que serve de cama ou sobre o qual se põe o colchão.

enxergar *v.t.* (conj. 14). **1.** Avistar, entrever, descortinar. **2.** Observar, notar. **3.** Perceber. **4.** *Fam.* Entender de um assunto. ★ *v.pr.* *Fam.* Conhecer-se, colocar-se no devido lugar.

enxerido *adj.* Intrometido, atrevido, indiscreto.

enxerir *v.t.* (conj. 57). Inserir. ★ *v.pr.* Meter-se naquilo que não lhe diz respeito; intrometer-se.

enxertar *v.t.* (lat. *insertare,* introduzir-se em) [conj. 4]. **1.** Fazer enxerto. **2.** Produzir um único indivíduo vegetal a partir da fusão de duas partes originadas de indivíduos vegetais diferentes. **3.** Submeter uma planta a um enxerto. **4.** Sin. de TRANSPLANTAR. **5.** *Fig.* Incluir, inserir, acrescentar.

enxertia *s.f.* **1.** Multiplicação artificial dos vegetais através de enxertos. **2.** Método agrícola de produção de enxertos.

enxerto (ê) *s.m.* **1.** Operação que consiste em inserir parte de uma planta em parte de outra. **2.** Parte viva de um vegetal inserida em outro vegetal. **3.** A planta enxertada. **4.** *Fig.* Acréscimo, remendo. ● **Med.** Operação cirúrgica que consiste em transferir, para um indivíduo, partes de tecido ou órgão retirados dele mesmo ou de um doador. ▸ Tecido ou órgão destinado a essa operação.

enxó *s.f.* (lat. *asciola*). Instrumento de cabo curto e chapa de aço cortante, para desbastar madeira.

enxofre (ô) *s.m.* (lat. *sulfur, sulfuris*). Elemento químico (símb. S) de número atômico 16, que constitui uma substância simples, sólida, não metálica, de vasta aplicação industrial.

enxotar *v.t.* (conj. 4). **1.** Afugentar, fazer sair de um lugar empurrando, batendo ou gritando. **2.** Expulsar, fazer retirar.

enxoval *s.m.* (ár. *ax-xauar*). Conjunto de roupas e complementos de uma noiva, de um recém-nascido, de criança que se interna em colégio etc.

enxovalhar *v.t.* (conj. 4). **1.** Sujar, manchar, enodoar. **2.** Macular, desconsertar. **3.** *Fig.* Macular a honra de alguém; injuriar. ★ *v.pr.* **1.** Cometer ação vil. **2.** Ser pouco asseado nos trajes.

enxovalho *s.m.* Enxovalhamento.

enxovia *s.f.* (ár. *ax-xauia*). Masmorra.

enxugar *v.t.* (lat. *exsucare*, extrair o suco) [conj. 14]. **1.** Extrair água ou umidade a; secar. **2.** Beber até o fim; esgotar ★ *v.i.* e *v.pr.* Perder a umidade; secar(-se).

enxúndia *s.f.* (lat. *axungia*). Gordura das aves e do porco.

enxurrada *s.f.* **1.** Torrente de água pluvial. **2.** Jorro de sujidades. **3.** *Fig.* Grande quantidade; chorrilho.

enxurro *s.m.* Enxurrada.

enxuto *adj.* (lat. *exsuctus*, seco). **1.** Que não tem umidade ou não está molhado; seco. **2.** Não chuvoso. **3.** Diz-se do estilo literário elegante, não rebuscado. **4.** *Gír.* Diz-se do indivíduo bem conformado de corpo.

enzima *s.f.* (gr. *en*, dentro, e *zymé*, fermento). Proteína solúvel que desempenha o papel de catalisador nos organismos vivos.

enzimático *adj.* Que concerne às enzimas, que se deve à ação de uma enzima.

enzootia *s.f.* Doença constantemente presente em uma comunidade animal.

enzoótico *adj.* Que possui o caráter de enzootia.

eoceno *s.m.* Época geológica do período terciário, compreendida entre o paleoceno e o oligoceno, com duração aproximada de 18 milhões de anos. ★ *adj.* Relativo ou pertencente a essa época.

eólico[1] *adj.* (gr. *aiolikós*). Que funciona sob a ação do vento; relativo ao vento.

EXEMPLOS DE MOTORES EÓLICOS

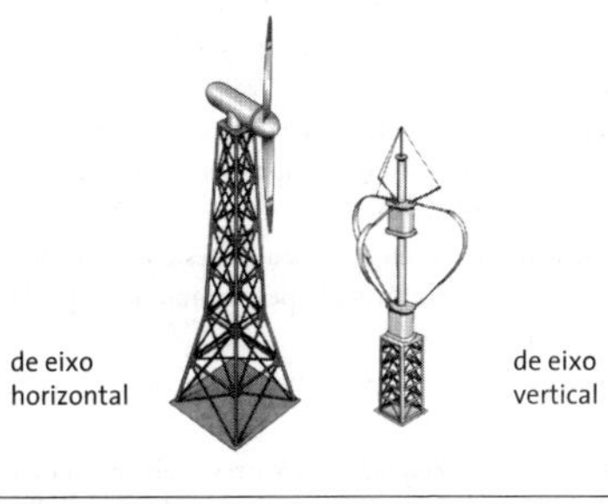

eólico[2] *adj.* Eólio.

eólio *adj.* Pertencente ou relativo à Eólia (Grécia antiga) ou aos eólios, povo que habitou essa região; eólico. ★ *s.m.* Indivíduo dos eólios.

éolo *s.m.* (gr. *Aíolos*, o deus dos ventos). *Poét.* Vento forte.

éon *s.m.* Maior divisão do tempo geológico, subdividido em fanerozóico e proterozóico, com duração a proximada de 3,5 bilhões de anos.

epêndima *s.m.* Fina membrana que reveste a parede dos ventrículos cerebrais e do canal central da medula espinhal.

epiblasto *s.m.* Camada única de células poliédricas que representa o revestimento externo do embrião.

epicanto *s.m.* Prega de pele localizada no ângulo interno do olho, característica das etnias orientais e freqüente nos indivíduos afetados por mongolismo.

epicarpo *s.m.* Camada externa do pericarpo dos frutos.

epiceno *adj.* (gr. *epíkoinos*, comum). Diz-se do substantivo que designa com apenas uma forma, masculina ou feminina, os dois sexos.

epicentral *adj.2g.* Relativo ao epicentro.

epicentro *s.m.* Ponto da superfície da Terra onde um sismo é mais intenso, localizado verticalmente acima do hipocentro deste.

épico *adj.* (gr. *epikós*). **1.** Próprio da epopéia e dos heróis. **2.** Que descreve em versos os feitos heróicos. **3.** Extraordinário, memorável, heróico. ★ *s.m.* Autor de epopéia.

epicôndilo *s.m.* Apófise externa da extremidade inferior do úmero, sobre a qual se inserem diversos músculos.

epicótilo *s.m.* Primeiro entrenó que se situa acima do ponto de inserção dos cotilédones.

epicrânio *s.m.* **1.** O couro cabeludo com as partes moles subjacentes. **2.** Região superior da cabeça dos vertebrados.

epícrise *s.f.* Em medicina, conjunto de fenômenos consecutivos a uma crise, que complementa o diagnóstico e o prognóstico de uma doença; crise secundária.

epicurismo *s.m.* Escola filosófica grega, fundada por Epicuro (341-270 a.C.), que preconizava uma doutrina moral baseada no prazer.

epicurista *adj.2g.* e *s.2g.* Diz-se de ou adepto do epicurismo.

epidemia *s.f.* (gr. *epidemía*, residência numa localidade). **1.** Desenvolvimento de uma moléstia infecciosa que afeta, durante um período determinado e em certo território, um grande número de pessoas. **2.** *Fig.* O que atinge grande número de pessoas.

EPIDEMIA ▸ Uma epidemia sempre desaparece com o passar do tempo, ou seja, trata-se de um fenômeno temporal. As diversas medidas sanitárias (vacinações, desinfecção, isolamento etc.) explicam por que as grandes epidemias tornam-se cada vez menos freqüentes e manifestam-se durante muito menos tempo. Entretanto, continuam freqüentes as epidemias de gripe, doença virótica para a qual não existe tratamento curativo.

epidêmico *adj.* **1.** Que tem caráter de epidemia. **2.** *Fig.* Contagiante.

epidemiologia *s.f.* **1.** Parte da medicina e da higiene que se ocupa das epidemias, de suas causas, de sua transmissão e dos meios de lutar contra elas. **2.** Estudo dos fatores que determinam o surgimento, a freqüência, a distribuição e a evolução das doenças, assim como das medidas de controle, erradicação e prevenção delas.

epiderme *s.f.* (gr. *epidermís*). **1.** Camada celular superficial, que constitui a parte mais externa da pele dos vertebrados e, em alguns invertebrados, secreta cutina. **2.** *Fig.* Superfície, camada superficial e externa. **3.** Pele, cútis, tez. ● **Bot.** Camada de células que reveste os órgãos vegetais.

epidérmico *adj.* **1.** Relativo à epiderme. **2.** *Fig.* Sem profundidade; superficial.

epidídimo *s.m.* (gr. *epididymís*). Órgão alongado, constituído por um fino canal enrolado sobre si mesmo, que contorna parcialmente cada um dos testículos.

epidural *adj.2g.* **1.** Diz-se da parte do canal raquidiano compreendida entre a dura-máter e a parede óssea; peridural. **2.** *Anestesia epidural,* anestesia local obtida pela injeção de um anestésico na região epidural. (Sin. de ANESTESIA PERIDURAL.) ▸ *Injeção epidural* ou *raquidiana,* introdução de medicamento no espaço epidural da região sacral, para o tratamento de certas lombalgias, ciáticas ou dores coccigeanas.

epifania *s.f.* (gr. *epipháneia*). **1.** Aparição ou manifestação divina. **2.** Festividade religiosa em que se celebra essa aparição. **3.** Festa da Igreja Católica no Dia de Reis.

epífise *s.f.* **1.** Cada uma das duas extremidades mais espessas de um osso longo. **2.** Pequena formação nervosa situada na parte superior do diencéfalo, de funções secretora e sensorial. (Sin. GLÂNDULA PINEAL*.)

epífito *adj.* e *s.m.* Diz-se de ou planta que cresce sobre outra, sem parasitá-la.

epífora *s.f.* Escoamento contínuo e involuntário de lágrimas sobre a face.

epigástrio *s.m.* (gr. *epigástrion*). Região do abdome limitada no alto pelas costelas e pelo esterno, embaixo pela região umbilical, e dos lados pelos flancos.

epiglote *s.f.* (gr. *epiglottís,* úvula). Cartilagem da parte superior da laringe que obstrui a glote durante a deglutição.

epiglótico *adj.* Relativo à epiglote.

epigrafar *v.t.* (conj. 4). **1.** Pôr epígrafe em. **2.** Intitular, denominar.

epígrafe *s.f.* (gr. *epigraphé,* inscrição). **1.** Título ou frase que serve de tema a um assunto. **2.** Inscrição. **3.** Pensamento, sentença colocada no início de um livro, de uma obra, de um capítulo, para sintetizar seu espírito.

epigrama *s.m.* (gr. *epígramma,* inscrição). Dito mordaz e picante. ● **Liter.** Poesia breve com intenção satírica que termina com um dito picante; sátira.

epilepsia *s.f.* (gr. *epilepsía,* parada súbita). Afecção caracterizada pelo surgimento de crises convulsivas paroxísticas, acompanhadas ou não de perda da consciência, que correspondem à excitação simultânea de um grupo de neurônios.

epiléptico *adj.* (gr. *epileptikós*). Relativo à epilepsia. ★ *adj.* e *s.m.* Diz-se de ou indivíduo acometido de epilepsia. (Var. EPILÉTICO.)

epileptogênico *adj.* Que provoca uma crise de epilepsia.

epilético *adj.* e *s.m.* Var. de EPILÉPTICO.

epilogar *v.t.* (conj. 14). **1.** Resumir, recapitular, compendiar. **2.** Concluir, encerrar. ★ *v.pr.* Resumir-se.

epílogo *s.m.* (gr. *epílogos,* conclusão). **1.** Recapitulação, resumo. **2.** Conclusão de uma obra literária. **3.** Fim.

epinício *s.m.* (gr. *epiníkion*). **1.** Canto triunfal. **2.** Poema lírico em que se celebra uma vitória.

episcopado *s.m.* (lat. *episcopatus*). **1.** Dignidade, função e jurisdição de um bispo. **2.** Conjunto dos bispos. **3.** Tempo durante o qual um bispo ocupa sua sede.

episcopal *adj.2g.* (lat. *episcopalis*). **1.** Relativo ao bispo. **2.** Diz-se da Igreja Anglicana, que conservou o episcopado.

episódico *adj.* **1.** Que pertence ao episódio de uma ação, de uma obra. **2.** Que ocorre ou se produz de tempos em tempos, sem regularidade; intermitente. **3.** Secundário.

episódio *s.m.* (gr. *epeisódion,* acessório). **1.** Parte de uma obra narrativa ou dramática que, embora ligada à ação principal, tem características próprias. **2.** Fato, acontecimento.

epístola *s.f.* (gr. *epistolé,* mensagem). **1.** Carta, missiva. **2.** Cada uma das cartas escritas pelos apóstolos e inseridas no Novo Testamento. **3.** Manifestação literária em prosa, em forma de carta, nem sempre endereçada a um destinatário real.

epistolar *adj.2g.* Relativo a epístola.

epistolário *s.m.* Coleção de epístolas.

epístrofe *s.f.* (gr. *epistrophé,* circuito). Em retórica, figura que consiste em repetir a mesma palavra no final de cada frase.

epitáfio *s.m.* (gr. *epitáphion*). **1.** Inscrição sobre um túmulo. **2.** *P. ext.* Lápide com epitáfio. **3.** Elogio breve de pessoa morta.

epitalâmio *s.m.* (gr. *epithálamios*). Poema lírico lido, recitado por ocasião de um casamento, ou composto em louvor a ele.

epitálamo *s.m.* Parte do diencéfalo situada acima e atrás do tálamo.

epitelial *adj.2g.* **1.** Relativo ao epitélio. **2.** Que é formado de epitélio.

epitélio *s.m.* (lat. cient. *epithelium*). Tecido composto de células que formam um revestimento externo (epiderme) ou interno (mucosas) ou constituem glândulas.

epitelioma *s.m.* Tumor canceroso de origem epitelial. (Sin. CARCINOMA.)

epíteto *s.m.* (gr. *epítheton*). **1.** Palavra ajuntada a um nome para qualificá-lo. **2.** Palavra que se acrescenta ao nome ou sobrenome de alguém. **3.** Cognome, alcunha.

epítome *s.m.* (gr. *epitomé,* abreviado). **1.** Resumo de uma obra. **2.** Trabalho compendiado.

epizootia *s.f.* Doença contagiosa que atinge grande número de animais.

época *s.f.* (gr. *epoché,* parada). **1.** Momento da história marcado por algum acontecimento importante. **2.** Momento determinado do tempo em geral; período, estação. **3.** O século, o período em que se vive; tempo, era. **4.** Subdivisão de um período geológico.

epopéia *s.f.* (gr. *epopoiía*). **1.** Longa narrativa poética de aventuras heróicas nas quais intervém o maravilhoso. **2.** *Fig.* Seqüência de ações heróicas.

epóxido (cs) *s.m.* Nome genérico dos ésteres de cadeia fechada cujo ciclo é completado pelo átomo de oxigênio característico dos ésteres.

épura *s.f.* Desenho que representa as projeções de uma figura de três dimensões.

equação *s.f.* (lat. *aequatio*). **1.** Expressão algébrica de uma igualdade entre duas ou mais funções ou números. **2.** Representação matemática de um fenômeno ou lei física. **3.** *Fig.* Problema, enigma.

equacionar *v.t.* (conj. 4). **1.** Colocar em equação. **2.** Reduzir um problema ou uma equação a pontos simples e claros.

equador (ô) *s.m.* (lat. tard. *aequator*, o que iguala). **1.** Círculo máximo da esfera terrestre, cujo plano é perpendicular ao eixo de rotação do planeta e que divide a Terra em dois hemisférios (norte e sul). **2.** *Equador celeste,* círculo máximo da esfera celeste resultante da intersecção da esfera celeste com o plano do equador da Terra, que serve de ponto de referência às coordenadas astronômicas.

equânime *adj.2g.* (lat. *aequanimus*). **1.** Que denota equanimidade. **2.** Correto, imparcial.

equanimidade *s.f.* (lat. *aequanimitas*). **1.** Ânimo inalterável, sempre igual, tanto na adversidade como nos bons momentos. **2.** Espírito sereno, equilibrado. **3.** Correção e imparcialidade.

equatorial *adj.2g.* **1.** Relativo ao equador. **2.** Situado sobre o equador. ● **Astron.** *Coordenadas equatoriais,* a ascensão reta e a declinação.

equatoriano *adj.* Relativo ou pertencente ao Equador, país da América do Sul. ★ *s.m.* O natural ou habitante do Equador.

eqüestre *adj.2g.* (lat. *equestris*). Relativo à equitação ou à cavalaria.

eqüidade *s.f.* (lat. *aequitas*). **1.** Princípio de justiça fundamentado na igualdade de direitos. **2.** Caráter do que é feito com justiça e imparcialidade.

eqüídeos *s.m.pl.* Família de mamíferos ungulados, perissodátilos, com apenas um dedo, representada pelo cavalo.

eqüidistância *s.f.* Qualidade do que é eqüidistante.

eqüidistante *adj.2g.* Diz-se de dois ou mais pontos situados a igual distância de um outro ponto qualquer.

eqüidistar *v.t.* (conj. 4). Estar à mesma distância de dois pontos.

eqüilátero *adj.* (lat. tard. *aequilaterus*). Diz-se da figura geométrica que tem todos os lados iguais.

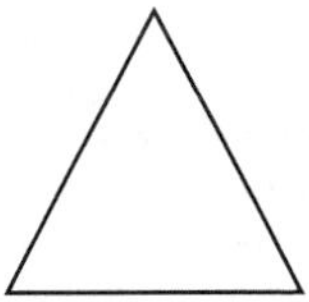

triângulo eqüilátero

equilibrado *adj.* **1.** Que está em equilíbrio. **2.** Diz-se do que está em proporções normais ou justas. **3.** *Fig.* Diz-se do indivíduo cujas faculdades estão em harmonia; ponderado, sensato. **4.** Compensado, contrabalançado.

equilibrar *v.t.* (fr. *équilibrer*) [conj. 4]. **1.** Pôr em equilíbrio. **2.** Manter o equilíbrio. **3.** *Fig.* Harmonizar. ★ *v.t.* e *v.i.* Compensar, contrabalançar. ★ *v.pr.* Sustentar-se, manter-se.

equilíbrio *s.m.* (lat. *aequilibrium,* nível da balança). **1.** Estado de um corpo que se sustém sobre um apoio, sem se desviar da posição normal. **2.** Igualdade entre forças opostas. **3.** Posição estável do corpo humano. **4.** *Fig.* Ponderação, calma, prudência. **5.** *Fig.* Estabilidade mental ou emocional. **6.** *Fig.* Justa combinação de forças, de elementos; harmonia, proporção. ● **Fís.** Situação em que se encontra um corpo ou um sistema quando as forças que atuam sobre ele se anulam mutuamente, de modo a conservar seu estado energético.

equilibrista *s.2g.* **1.** Pessoa cuja profissão é fazer exibições de destreza ou de equilíbrio acrobático; malabarista. **2.** *Fig.* Pessoa que demonstra habilidade em situações difíceis.

equimose *s.f.* (gr. *egchymosis,* efusão de sangue). **1.** Derrame de sangue não circunscrito, localizado no tecido conjuntivo ou adiposo. **2.** A mancha cutânea azulada que disso resulta.

equimótico *adj.* Relativo à equimose; da natureza da equimose.

eqüino *adj.* (lat. *equinus*). Pertencente ou relativo ao cavalo; cavalar. ★ *s.m.* Animal eqüino.

equinocial *adj.2g.* (lat. *aequinoctialis*). **1.** Relativo ao equinócio. **2.** Situado sob o equador.

equinócio *s.m.* (lat. *aequinoctium*). Época do ano em que o Sol, em seu movimento próprio aparente na eclíptica, corta o equador celeste, e que corresponde à igualdade de duração dos dias e das noites.

eqüinocultor (ô) *s.m.* Criador de cavalos.

eqüinocultura *s.f.* Criação de cavalos.

equinodermos *s.m.pl.* Filo de animais invertebrados, marinhos, de hábitos bentônicos, que apresentam a superfície do corpo dividida em cinco áreas radialmente simétricas providas de pés ambulacrários.

ALGUNS EQUINODERMOS

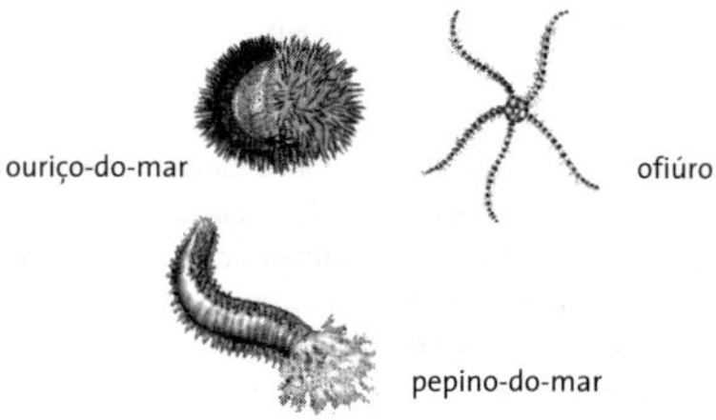

equipagem *s.f.* (fr. *équipage*). **1.** Pessoal encarregado dos serviços exigidos a bordo de uma embarcação mercante. **2.** Tripulação de uma aeronave. **3.** Comitiva, séquito, cortejo. **4.** Equipamento.

equipamento *s.m.* **1.** Ação de equipar(-se). **2.** Tudo o que serve para equipar; conjunto de artigos, dispositivos, máquinas, necessários a uma atividade qualquer, equipagem.

equipar *v.t.* (fr. *équiper*) [conj. 4]. **1.** Munir do necessário com vistas a uma atividade determinada. **2.** Suprir do necessário, abastecer. **3.** Fornecer equipamento militar. ★ *v.pr.* Prover-se, abastecer-se.

equiparação *s.f.* Ato ou efeito de equiparar(-se).

equiparar *v.t.* (lat. *aequiparare,* igualar) [conj. 4]. **1.** Comparar pessoas ou coisas, considerando-as iguais. **2.** Igualar em condições ou em benefícios. ★ *v.pr.* Comparar-se igualando-se.

equipe *s.f.* (fr. *équipe*). **1.** Grupo de pessoas que trabalham na mesma tarefa, ou que unem esforços com um mesmo propósito. **2.** Grupo de pessoas que participam juntas de uma competição esportiva.

eqüipolência *s.f.* (lat. *aequipollentia*). Equivalência.

eqüipolente *adj.2g.* (lat. *aequipollens*). Equivalente.

eqüipotência *s.f.* Característica de dois conjuntos eqüipotentes.

eqüipotencial *adj.2g.* De mesmo potencial. ● **Fís.** Diz-se das superfícies ou curvas cujos pontos apresentam o mesmo potencial.

eqüipotente *adj.2g.* Em física, diz-se de dois ou mais corpos, ou pólos de um corpo, que apresentam o mesmo potencial. ● **Mat.** Diz-se de dois conjuntos entre os quais se pode estabelecer uma bijeção.

equitação *s.f.* (lat. *equitatio*). A arte de montar a cavalo e sua prática.

VOCÊ SABIA...? A **equitação** parece ter-se originado na Ásia no IV milênio a.C. Aperfeiçoamentos sucessivos nos arreios (embocadura, sela, estribos, ferraduras) permitiram utilizar todos os recursos do cavalo para o transporte, a caça, os jogos e os combates. Esta última utilização foi uma das mais importantes até o século XIX, e a equitação militar provocou uma evolução tanto das técnicas de montaria como das dimensões dos cavalos, em especial à medida que o armamento se tornava mais leve.

---

eqüitativo *adj.* Em que há eqüidade; conforme as regras da eqüidade.

equivalência *s.f.* (lat. tard. *aequivalentia*). Qualidade do que é equivalente; eqüipolência. ● **Fís.** *Princípio da equivalência,* princípio que postula a igualdade entre as massas gravitacional e inercial.

equivalente *adj.2g.* (lat. *aequivalens, aequivalentis*). **1.** Que é igual ou semelhante a outro, que tem o mesmo valor; eqüipolente. **2.** A mesma coisa que. ● **Fís.** Substância ou corpo que apresenta o mesmo valor ou a mesma carga que outro da mesma natureza. ► *Equivalente mecânico,* equivalente em joules de uma unidade de medida física.

equivaler *v.t.* (lat. *aequivalere*) [conj. 43]. **1.** Ser igual em quantidade ou qualidade; ter o mesmo valor que. **2.** Ter o mesmo efeito de.

equivocado *adj.* Que se equivocou; enganado, errado.

equivocar *v.t.* (conj. 12). Levar a engano ou equívoco; induzir em erro. ★ *v.pr.* Confundir-se, enganar-se, errar.

equívoco *adj.* (lat. *aequivocus*). **1.** Que tem duplo sentido; ambíguo. **2.** Suspeito, duvidoso. ★ *s.m.* **1.** Engano por má interpretação. **2.** Ambigüidade, obscuridade. **3.** Trocadilho, jogo de palavras.

Er símbolo químico do érbio.

era *s.f.* (lat. *aera,* número). **1.** Ponto de partida de uma cronologia particular. **2.** Período histórico que corresponde a essa cronologia. **3.** Período caracterizado por certos fatos da civilização; idade, época. **4.** Tempo, época, período. **5.** *Era geológica,* cada umas das cinco grandes divisões da história da Terra.

erário *s.m.* (lat. *aerarium*). **1.** Na Antiguidade, edifício onde se guardava o tesouro público. **2.** *P. ext.* O dinheiro público; os bens oficiais.

érbio *s.m.* (de *Ytterby,* top.). Elemento químico (símb. Er) de número atômico 68, que constitui um metal do grupo das terras-raras, utilizado na produção de raios laser.

ereção ou **erecção** *s.f.* (lat. *erectio*). **1.** Ação de erigir(-se), de erguer(-se). **2.** Instituição, estabelecimento. **3.** Endurecimento e aumento de volume de certos órgãos (pênis e clitóris) sob a afluência do acúmulo de sangue.

eremita *s.2g.* (gr. *eremítes*). **1.** Solitário que se entrega, em um lugar deserto, à prece e à mortificação. **2.** Nome dado aos religiosos que vivem em comunidade, mas isolados nas celas. **3.** Aquele que vive só, afastado do mundo; ermitão.

eremitério *s.m.* **1.** Habitação de um ou vários eremitas; ermitério. **2.** Lugar afastado; refúgio, retiro.

éreo *adj.* (lat. *aereus*). Que é feito de bronze, de arame ou de cobre.

erétil ou **eréctil** *adj.2g.* **1.** Suscetível ou apto à ereção. **2.** Diz-se de órgãos ou de tecidos capazes de aumentar de volume e de dureza devido ao acúmulo de sangue.

ereto ou **erecto** *adj.* (lat. *erectus*). **1.** Levantado, erguido. **2.** Teso, túrgido, hirto. **3.** Altivo, aprumado.

eretor (ô) ou **erector** (ô) *adj.* **1.** Que produz ereção. **2.** Diz-se do músculo cuja função é tornar eretas as partes a que está ligado.

ergástulo *s.m.* (lat. *ergastulum*). Cárcere, prisão, masmorra.

ergometria *s.f.* Técnica de estudo e de medida do trabalho muscular.

ergométrico *adj.* Referente à ergometria, ao ergômetro.

ergômetro *s.m.* Aparelho que permite a medida do trabalho muscular.

ergotina *s.f.* Alcalóide extraído de certos fungos, de ação paralisante dos músculos lisos.

ergotismo *s.m.* Intoxicação causada pela ingestão de farinhas que contenham esporão de centeio, caracterizada por distúrbios psíquicos, nervosos e vasculares.

erguer *v.t.* (conj. 27). **1.** Levantar, elevar, alçar. **2.** Criar materialmente; construir, edificar. **3.** Pôr de pé, erigir. **4.** Endireitar, aprumar. **5.** *Fig.* Fundar, instituir, criar. **6.** Aumentar o timbre. ★ *v.pr.* **1.** Pôr-se de pé; levantar-se, elevar-se. **2.** Aparecer, surgir.

eriçar *v.t.* (conj. 13). Encrespar, arrepiar, ouriçar. ★ *v.pr.* Arrepiar-se, tornar-se hirto.

erigir *v.t.* (lat. *erigere*) [conj. 52]. **1.** Erguer, levantar. **2.** Fundar, instituir, criar. **3.** Elevar à categoria de. ★ *v.pr.* Atribuir-se um direito ou dignidade; arvorar-se.

erisipela *s.f.* (gr. *erysípelas*). Doença infecciosa devida a um estreptococo, caracterizada por inflamação aguda da pele.

eritema *s.m.* (gr. *erythema*). Avermelhamento da pele ou das mucosas devido à dilatação dos capilares, que constitui um sintoma de dermatoses ou doenças infecciosas.

eritematoso (ô) *adj.* Relativo ao eritema.

eritroblástico *adj.* **1.** Relativo aos eritroblastos. **2.** Diz-se de um estado, geralmente uma anemia regenerativa, onde a porcentagem de eritroblastos é superior à normal.

eritroblasto *s.m.* Célula jovem da medula óssea, precursora das hemácias.

eritrócito *s.m.* Sin. de HEMÁCIA.

eritropoiese *s.f.* Formação de glóbulos vermelhos.

eritropoiético *adj.* Diz-se das substâncias que possuem ação positiva sobre a eritropoiese.

ermida *s.f.* (gr. *eremítes,* solitário). **1.** Pequena igreja. **2.** Capela, quase sempre edificada em lugar ermo. **3.** Templo rústico.

ermitão *s.m.* **1.** Eremita. **2.** Aquele que cuida de uma ermida.

ermitério *s.m.* Eremitério.

ermo (ê) *adj.* (gr. *éremos*). **1.** Isolado, deserto, despovoado, descampado. **2.** Solitário. ★ *s.m.* Lugar desabitado.

erodente *adj.2g.* Erosivo.

erodir *v.t.* (lat. *erodere*) [conj. 6]. **1.** Provocar erosão em. **2.** Submeter um solo, um relevo etc., aos agentes da erosão.

erógeno *adj.* (do gr. *éros,* amor; grande desejo). Diz-se de toda parte do corpo suscetível de manifestar uma excitação de tipo sexual.

eros *s.m.2n.* (gr. *Éros,* o deus do amor). Entre os gregos antigos, o deus do amor. ● **Psican.** Termo que designa o conjunto das pulsões de vida.

erosão *s.f.* (lat. *erosio*). **Geol.** Ação de uma substância ou elemento que corrói ou desgasta; a conseqüência de tal ação. ▸ Conjunto dos processos de degradação do relevo. **Med.** Ulceração patológica ou ferimento superficial da epiderme ou das mucosas, devido a traumatismos leves.

VOCÊ SABIA...? Todos os solos estão sujeitos a algum grau de **erosão** por efeito do vento e da água. Essa perda em geral é reparada de maneira natural. Não há dúvida de que, quando é muito forte ou súbita, a erosão pode reduzir ou eliminar a produtividade das terras de cultivo.

erosivo *adj.* (lat. *erosivus*). Que produz erosão; corrosivo.

erótico *adj.* (gr. *erotikós*). **1.** Que se refere ao amor. **2.** Que se refere ao amor sexual; lúbrico, lascivo. **3.** Licencioso.

erotismo *s.m.* **1.** Caráter daquilo que é erótico. **2.** Gosto pelas satisfações sexuais; lubricidade.

erotomania *s.f.* Idéia delirante de ser amado por uma pessoa que é, freqüentemente, inacessível.

erotomaníaco *adj.* Que se refere à erotomania. ★ *s.m.* Erotômano.

erotômano *s.m.* Indivíduo que apresenta erotomania; erotomaníaco.

erradicação *s.f.* (lat. *eradicatio*). **1.** Ação de erradicar. **2.** Extirpação completa de um órgão ou de um tumor. **3.** Supressão maciça e, se possível, total dos agentes responsáveis por uma doença contagiosa ou por uma epidemia.

erradicar *v.t.* (lat. *eradicare,* arrancar pela raiz) [conj. 12]. **1.** Extirpar. **2.** Desarraigar. **3.** Excluir uma moléstia vegetal da área onde se estabeleceu pelo arrancamento e queima das plantas contaminadas ou suspeitas.

erradio *adj.* **1.** Errante. **2.** Que não se fixa em lugar nenhum. ★ *s.m.* Indivíduo errante, errático, vagabundo.

errado *adj.* **1.** Que tem erros. **2.** Defeituoso, incorreto. **3.** Inadequado, impróprio. ★ *s.m.* Indivíduo errado.

errante *adj.2g.* (lat. *errans*). **1.** Que vagueia de maneira incerta, sem destino; erradio, vagabundo. **2.** Vacilante, inseguro. **3.** Nômade, sem domicílio certo.

errar *v.t.* (lat. *errare,* andar ao acaso) [conj. 4]. **1.** Cometer erro em; equivocar-se, enganar-se. **2.** Vagabundear por. ★ *v.i.* **1.** Cometer erro. **2.** Andar de um lado para outro sem destino; vagabundear; vagar. **3.** Pairar, flutuar. **4.** Incorrer em culpa.

errata *s.f.* (lat. *errata,* coisas erradas). Retificação dos erros tipográficos ou de conteúdo de uma obra impressa.

errático *adj.* (lat. *erraticus*). Errante, erradio.

erriçar *v.t.* (conj. 13). Eriçar.

erro (ê) *s.m.* (lat. *error,* afastamento). **1.** Ato ou efeito de errar. **2.** Opinião, julgamento contrário à verdade. **3.** Falsa doutrina. **4.** Imprecisão, incorreção. **5.** Engano, equívoco. **6.** Desregramento, desvio, desvario.

errôneo *adj.* (lat. *erroneus,* errante). Que contém erros.

eructação *s.f.* (lat. *eructatio*). Eliminação de gases pela boca; arroto.

eructar *v.i.* (lat. *eructare*). Expelir, pela boca e com ruído, gases contidos no estômago; arrotar. ★ *v.t.* Lançar, proferir.

erudição *s.f.* (lat. *eruditio,* ação de ensinar). Saber aprofundado em um ramo do conhecimento; instrução, cultura vasta e variada.

eruditismo *s.m.* Ostentação, mania de erudição.

erudito *adj.* e *s.m.* (lat. *eruditus*). Que ou o que tem erudição; sábio.

erupção *s.f.* (lat. *eruptio*). O que sai violenta e inesperadamente, com ímpeto. ● **Geol.** Emissão de materiais vulcânicos na superfície da Terra (material sólido, lava, gases). **Med.** Modificação repentina da pele e das mucosas caracterizada pelo surgimento de manchas, bolhas, vesículas ou pápulas que podem apresentar evacuação de pus ou sangue.

ERUPÇÃO ▸ Quando um vulcão entra em erupção, o magma (rocha fundida) sai das profundezas da Terra. Pela cratera do vulcão flui lava ardente (nome do magma quando cai sobre o solo); ele também lança fumaça e cinzas, que escurecem o céu. Se a lava é espessa, sobe muito lentamente e pode formar uma tampa que fecha o vulcão. Quando isso acontece, forma-se uma pressão no interior, até que os gases e as cinzas explodem, e a tampa do vulcão salta em uma grande explosão.

eruptivo *adj.* (lat. *eruptivus*). **1.** Relativo à erupção. **2.** Que se manifesta com violência, subitamente. **3.** *Febre eruptiva,* febre caracterizada por uma erupção (exantema e enantema), como o sarampo, a escarlatina, a varicela e a rubéola. ● **Geol.** *Rocha eruptiva,* sin. de ROCHA MAGMÁTICA*. **Med.** Diz-se de uma doença caracterizada por erupções e sudorese excessiva.

erva *s.f.* (lat. *herba*). **1.** Planta, em geral de pequeno porte, cujo caule e partes verdes morrem anualmente. **2.** *Gír.* Dinheiro. **3.** Sin. de MACONHA. **4.** *(RS)* Sin. de MATE.

erva-cidreira *s.f.* **1.** Erva originária da região mediterrânea, de folhas ovais, flores brancas, melíferas, utilizada na medicina popular como calmante. (Sin. MELISSA.) **2.** Sin. de CAPIM-LIMÃO.

ervado *adj.* **1.** Coberto de erva. **2.** Impregnado do suco de erva venenosa.

erva-doce *s.f.* Planta herbácea, originária da Europa, aromática, de flores amarelo-esverdeadas, talos comestíveis e sementes que são utilizadas para chá. (Sin. FUNCHO.)

erva-mate *s.f.* Planta arbustiva, cujas folhas, depois de secas, são utilizadas em infusões. (Sin. MATE.)

ervanário *s.m.* Sin. de HERBANÁRIO.

ervar *v.t.* (conj. 4). Impregnar, banhar com o suco de ervas venenosas.

ervateiro *adj.* Relativo ou pertencente ao cultivo e ao comércio da erva-mate. ★ *s.m.* Indivíduo que colhe, armazena ou negocia erva-mate.

ervilha *s.f.* (lat. *ervilia*). **1.** Trepadeira leguminosa, de caules ramificados, flores azuis ou roxas, cujo fruto é uma vagem que contém sementes comestíveis. **2.** O fruto dessa planta.

Es símbolo químico do einstêinio.

esbaforido *adj.* **1.** Que apresenta a respiração entrecortada e difícil, por efeito do cansaço; ofegante. **3.** Apressado, afobado.

esbaforir *v.i.* e *v.pr.* (conj. 6). Ter a respiração dificultosa e entrecortada, por efeito de cansaço ou de susto; ofegar, esbofar-se.

esbagaçar *v.t.* e *v.pr.* (conj. 13). Despedaçar(-se), esfacelar(-se).

esbagoar *v.t.* (conj. 20). Tirar o bago a. ★ *v.i.* e *v.pr.* Perder o bago ou o grão.

esbandalhar *v.t.* (conj. 4). **1.** Destruir, fazer em pedaços, reduzir a farrapos. **2.** Escangalhar. ★ *v.pr.* **1.** Dispersar-se. **2.** Perverter-se.

esbanjar *v.t.* (conj. 4). Gastar em excesso; dissipar, desperdiçar.

esbarrada *s.f.* Esbarrão.

esbarrancado *adj.* Desbarrancado.

esbarrão *s.m.* Tranco, choque, esbarrada, esbarro.

esbarrar *v.t.* (conj. 4). **1.** Bater contra; tropeçar, topar. **2.** Defrontar-se com (uma dificuldade).

esbarro *s.m.* **1.** Ação de esbarrar; esbarrão, esbarrada, choque, topada. **2.** Censura, reprimenda.

esbarrocar *v.i.* e *v.pr.* (conj. 12). Cair formando barroca; desmoronar, despencar.

esbater *v.t.* (conj. 5). **1.** Atenuar, tirar as asperezas. **2.** Atenuar os tons de uma cor, do mais intenso para o mais delicado.

esbeiçar *v.t.* e *v.pr.* (conj. 13). Desbeiçar(-se).

esbeltez (ê) *s.f.* Esbelteza.

esbelteza (ê) *s.f.* Qualidade daquilo que é esbelto; elegância, graciosidade, esbeltez.

esbelto *adj.* (it. *svelto*). **1.** Magro, esguio. **2.** Elegante, bem proporcionado. **3.** Airoso, gentil, gracioso.

esbirro *s.m.* (it. *sbirro,* capanga). Oficial inferior de justiça ou polícia.

esboçar *v.t.* (conj. 13). **1.** Fazer o esboço de; delinear, bosquejar, traçar. **2.** Dar os primeiros sinais ou demonstrações de algo. **3.** Planejar.

esboço (ô) *s.m.* **1.** Primeiro traçado de um desenho, onde se indicam somente as linhas gerais da obra definitiva; croqui. **2.** Indicação sumária do conjunto de uma obra e de suas partes. **3.** Apanhado geral de uma matéria. **4.** Começo, sinal.

esbodegar *v.t.* (conj. 14). Escangalhar, destruir, estragar. ★ *v.pr.* Cansar-se, esbaforir-se.

esbofar *v.t.* (conj. 4). **1.** Causar fadiga a; esfalfar. **2.** Cansar os pulmões à custa de falar, de gritar. ★ *v.i.* e *v.pr.* Esbaforir-se, esfalfar-se.

esbofetear *v.t.* (conj. 15). Dar bofetadas em alguém.

esborcinar *v.t.* (conj. 4). **1.** Quebrar as bordas ou beiras de alguma coisa. **2.** Golpear pela borda.

esbordoar *v.t.* (conj. 20). Bater com um bordão em, dar bordoada em; espancar.

esbórnia *s.f.* (it. *sbornia*). **1.** Bebedeira. **2.** Orgia, farra, desregramento.

esboroar *v.t.* (conj. 20). Reduzir a pó; derrubar. ★ *v.i.* e *v.pr.* **1.** Desfazer-se em pó; desmoronar. **2.** *Fig.* Desagregar-se.

esborrachar *v.t.* (conj. 4). **1.** Fazer rebentar apertando ou achatando; esmagar. **2.** Pisar, espezinhar. **3.** Esmurrar, esbofetear. ★ *v.pr.* Estatelar-se no chão.

esborrifar *v.i.* (conj. 4). Borrifar.

esbracejar *v.i.* (conj. 4). Bracejar.

esbranquiçado *adj.* **1.** Alvacento, quase branco. **2.** Descorado.

esbrasear *v.t.* e *v.pr.* (conj. 15). **1.** Aquecer(-se) até pôr(-se) em brasa; abrasar(-se). **2.** Corar, ruborizar. **3.** Excitar(-se), acalorar(-se).

esbravejar *v.i.* (conj. 4). Exprimir-se aos berros, com fúria; bradar, vociferar.

esbregue *s.m.* Descompostura ou repreensão em termos violentos.

esbugalhado *adj.* Diz-se do olho saliente, arregalado.

esbugalhar *v.t.* (conj. 4). **1.** Tirar os bugalhos a. **2.** *Fig.* Arregalar (os olhos).

esbulhado *adj.* e *s.m.* Espoliado, despojado, privado de posse mediante violência.

esbulhar *v.t.* (lat. *spoliare*) [conj. 4]. **1.** Espoliar. **2.** Usurpar. **3.** Descascar, debulhar.

esbulho *s.m.* **1.** Ato ou efeito de esbulhar. **2.** Apropriação ilegal e violenta. **3.** Espoliação.

esburacar *v.t.* (conj. 12). Abrir buracos em; furar. ★ *v.pr.* Encher-se de buracos.

esburgar *v.t.* (conj. 14). **1.** Tirar a casca de; descascar. **2.** Separar (a carne) dos ossos; descarnar.

escabeche *s.m.* (ár. *sicbédj*). Tempero preparado com vinagre e condimentos vários para peixe e carnes.

escabelado *adj.* Descabelado.

escabelo (ê) *s.m.* (lat. *scabellum*). Pequeno banco para descanso dos pés.

escabichar *v.t.* (conj. 4). **1.** Examinar cuidadosamente; escarafunchar. **2.** Investigar, sondar. **3.** Limpar (unhas ou dentes, com palito).

escabiose *s.f.* Sin. de **SARNA**.

escabioso (ô) *adj.* (lat. *scabiosus,* sarnento). Que parece sarnento; que tem erupções semelhantes às da sarna.

escabreado *adj.* **1.** Alarmado por alguma coisa; assustado. **2.** Desconfiado, inseguro, ressabiado. **3.** Encabulado. **4.** Zangado.

escabrear *v.t.* (conj. 15). **1.** Assustar (como se assustam as cabras). **2.** Irritar, enfurecer. ★ *v.i.* e *v.pr.* **1.** Zangar-se, enfurecer-se. **2.** Desconfiar, mostrar-se receoso.

escabrosidade *s.f.* Qualidade do que é escabroso.

escabroso (ô) *adj.* (lat. *scabrosus*). **1.** Árduo, difícil. **2.** Irregular, acidentado. **3.** Indecoroso, indecente.

escabujar *v.i.* (conj. 4). Agitar-se, debater-se em desespero; estrebuchar.

escachar *v.t.* (conj. 4). **1.** Abrir violentamente; fender. **2.** Confundir, envergonhar. **3.** Debochar.

escachoar *v.i.* (conj. 20). Borbotar, borbulhar.

escada *s.f.* **1.** Estrutura formada por degraus que permite a passagem das pessoas de um nível a outro. **2.** *Fig.* Meio de que alguém se serve para vencer. **3.** *Escada rolante*, escada cujos degraus se movimentam mecanicamente, subindo ou descendo.

escada rolante

escadaria *s.f.* **1.** Sucessão de degraus, separados ou não por patamares. **2.** Série de escadas amplas e monumentais.

escadeirar *v.t.* (conj. 4). Descadeirar.

escafandrista *s.2g.* Mergulhador que utiliza escafandro.

escafandro *s.m.* Equipamento de mergulho hermeticamente fechado que consiste em uma vestimenta impermeável com um tubo de ar ligado à superfície.

escafeder-se *v.pr.* (conj. 5). *Pop.* Fugir apressadamente; sumir, safar-se.

escafóide *adj.2g.* Que tem a forma de quilha. ★ *s.m.* Denominação de dois pequenos ossos da mão e do pé.

escala *s.f.* (lat. *scala*, escada). **1.** Ponto de parada de um navio ou de um avião. **2.** Tempo que dura essa parada. **3.** Graduação segundo a qual se mede a variação de uma grandeza, em comparação a um padrão, usado como unidade base para medida. **4.** Hierarquia, graduação. **5.** Tabela em que se fixam o serviço e as folgas de empregados, funcionários etc. ● **Mús.** Série de notas sucessivas separadas por tons ou semitons, que recebe o nome da nota pela qual começa.

escala de dó maior

escalação *s.f.* Determinação do tempo, da ordem e dos executantes de uma tarefa. ● **Esp.** Escolha do time; determinação da formação de uma equipe esportiva.

escalada *s.f.* **1.** Ato ou efeito de escalar. **2.** Progressão, aumento.

escalador (ô) *adj.* e *s.m.* Que ou aquele que escala.

escalafobético *adj.* (Termo de formação expressiva). **1.** *Pop.* Fora do comum, esquisito, extravagante. **2.** Desengonçado, desajeitado.

escalão *s.m.* **1.** Plano próprio para se subir ou descer por ele. **2.** Nos grandes veleiros, cada um dos degraus de corda dispostos horizontalmente sobre os estais, para se subir aos mastros. **3.** *Fig.* Cada um dos graus sucessivos de uma série; nível.

escalar[1] *adj.2g.* Diz-se do campo que compreende o espaço de distribuição de uma grandeza escalar. ● **Mat.** Diz-se de uma grandeza que pode ser expressa apenas por seu valor numérico, dimensional ou não. ▸ *Produto escalar*, produto entre dois escalares ou entre os módulos de dois vetores e o co-seno do ângulo entre os mesmos.

escalar[2] *v.t.* (conj. 4). **1.** Transpor, passando por cima. **2.** Subir a algum lugar; trepar. **3.** Subir (uma montanha). **4.** Galgar, ascender. **5.** Designar (pessoas) para atividades em lugares e horas diferentes. **6.** Determinar a formação de uma equipe esportiva.

escalavrar *v.t.* (conj. 4). **1.** Arranhar, tirar o polimento; esfolar. **2.** Arruinar, danificar.

escaldado *adj.* **1.** Que foi colocado sob a ação de água fervente. **2.** Que sofreu a influência de calor excessivo. **3.** *Fig.* Experimentado, calejado. ★ *s.m.* Prato que se prepara com sobras de comida (peixe, carne, peru etc.), feito em caldo com pirão de farinha.

escaldadura *s.f.* **1.** Ato ou efeito de escaldar. **2.** *Fig.* Castigo, correção. ● **Agric.** Doença comum às maçãs e pêras, que ocorre durante o processo de conservação, caracterizada pelo escurecimento da epiderme e da polpa.

escalda-pés *s.m.2n.* Imersão dos pés em água bem quente, com finalidade terapêutica ou preventiva.

escaldar *v.t.* (conj. 4). **1.** Colocar algo em água fervente. **2.** Lavar com água muito quente. **3.** Queimar com líquido quente ou vapor. **4.** Causar sensação de excessivo calor. **5.** Secar pela ação do calor; ressecar. ★ *v.i.* Tornar-se muito quente; produzir muito calor.

escaleno *adj.* e *s.m.* (gr. *skalenós*, oblíquo). **Anat.** Diz-se de ou músculos pares, em número de três, com formato de triângulo, que se estendem da nuca às costelas. **Geom.** Diz-se de ou triângulo cujos lados têm comprimentos diferentes.

escaler *s.m.* Pequena embarcação, geralmente a remo, para transbordo de mercadorias nos navios ou para pequenos serviços no mar.

escalonamento *s.m.* Ato ou efeito de escalonar.

escalonar *v.t.* (conj. 4). **1.** Dispor em escalão. **2.** *Fig.* Repartir por determinado espaço de tempo; espaçar. **3.** Subir por degraus ou etapas.

escalpar *v.t.* (conj. 4). Escalpelar.

escalpelar *v.t.* (conj. 4). **1.** Extrair a pele do crânio com um instrumento cortante, com um escalpelo; escalpar. **2.** Rasgar, cortar com escalpelo. **3.** *Fig.* Analisar, criticar profundamente.

escalpelo (ê) *s.m.* (lat. *scalpellum*). Instrumento em forma de faca pequena, em geral de ponta arredondada, que serve para incisar e dissecar.

escalpo *s.m.* (ingl. *scalp*). Punhado de cabelos, com a pele, que os ameríndios usavam como troféu de guerra.

escalvado *adj.* Descalvado.

escama *s.f.* (lat. *squama*). **1.** Pequena estrutura laminar que reveste o corpo de alguns peixes e répteis, e pode estar presente em alguns insetos, aves e mamíferos. **2.** Qualquer objeto em forma de escama. ● **Anat.** *Escama do occipital,* parte do occipital localizada atrás do forame magno. ► *Escama do temporal,* porção escamosa desse osso. **Bot.** Estrutura em forma de escudo que se dispõe sobre a epiderme de vários órgãos vegetais.

ESCAMA ► As escamas dos animais normalmente se prendem à sua base por uma só extremidade (peixes, asas de mariposa), embora também possam estar totalmente pregadas (tartarugas terrestres) ou constituir-se apenas de uma dobra endurecida da pele (lagartos e serpentes). Alguns mamíferos possuem escamas (tatu), e as aves podem tê-las nas patas. Nos peixes, a forma e a estrutura das escamas têm importância na sua classificação, enquanto seu tamanho nos informa sobre a idade do animal.

---

escamação *s.f.* **1.** Ação de escamar. **2.** *Fig.* Ressentimento, zanga, irritação. **3.** Var. de DESCAMAÇÃO.

escamadora (ô) *s.f.* Equipamento que retira as escamas dos peixes.

escamar *v.t.* (conj. 4). Tirar as escamas de. ★ *v.pr.* Zangar-se, irritar-se.

escamoso (ô) *adj.* Coberto de escamas.

escamotear *v.t.* (esp. *escamotear*) [conj. 15]. **1.** Fazer desaparecer um objeto sem que os espectadores o percebam. **2.** Furtar sutilmente; surrupiar. **3.** Esconder, ocultar. **4.** Evitar, usando de subterfúgios.

escâncara *s.f.* Condição do que está a descoberto, visível, patente.

escancaração *s.f.* Ação de escancarar.

escancarado *adj.* Totalmente aberto; aberto de par em par.

escancarar *v.t.* e *v.pr.* (conj. 4). **1.** Abrir(-se) de par em par. **2.** Abrir(-se) inteiramente. **3.** Mostrar(-se), expor(-se).

escanchar *v.t.* (conj. 4). **1.** Abrir ou separar ao meio. **2.** Alargar, abrir. ★ *v.pr.* Sentar-se, abrindo as pernas; escarranchar-se.

escanear *v.t.* **Inform.** Submeter a *scanner,* obtendo uma imagem digital.

escâner *s.m.* (ingl. *scanner*). Aport. de SCANNER.

escandalizar *v.t.* (lat. *scandalizare*) [conj. 4]. **1.** Causar escândalo a; chocar. **2.** Ofender, melindrar. ★ *v.i.* Fazer escândalo. ★ *v.pr.* Ofender-se, chocar-se.

escândalo *s.m.* (lat. *scandalum,* tropeço, do gr. *skándalos*). **1.** Coisa indecorosa, contrária aos bons costumes. **2.** Estado de perplexa indignação suscitado por palavra ou ato reprovável. **3.** Procedimento desabrido que causa vexame ou constrangimento; altercação, tumulto. **4.** *Fig.* Pessoa ou coisa que escandaliza. **5.** Assunto desonesto, imoral, que abala a opinião pública. **6.** Fato revoltante, imoral.

escandaloso (ô) *adj.* (lat. *scandalosus*). **1.** Que causa escândalo; acintoso, reprovável. **2.** Excessivamente barulhento e expansivo; eufórico além das medidas.

escandinavo *adj.* Relativo ou pertencente à Escandinávia, região da Europa. ★ *s.m.* **1.** O natural ou habitante da Escandinávia. **2.** Sin. de NÓRDICO.

escândio *s.m.* (lat. *Scandia,* Escandinávia). Elemento químico (símb. Sc) de número atômico 21, que constitui um metal leve com alto ponto de fusão e que pode ser encontrado nos minérios de ítrio.

escandir *v.t.* (lat. *scandere,* escalar) [conj. 6]. **1.** Medir, calcular, enumerar. **2.** Pronunciar, destacando as sílabas. **3.** Contar as sílabas de um verso, segundo as regras de metrificação.

escangalhar *v.t.* (conj. 4). Desmanchar, quebrar, estragar, destruir, arruinar. ★ *v.pr.* **1.** Desmantelar-se, desconjuntar-se. **2.** Rir muito, descompostamente.

escanhoar *v.t.* (conj. 20). Fazer a barba com apuro, cortando os pêlos em sentido contrário ao do crescimento. ★ *v.pr.* Barbear-se com apuro, cuidadosamente.

escanifrado *adj.* Muito magro e fraco.

escaninho *s.m.* **1.** Pequena divisão em armário ou gaveta. **2.** Lugar, às vezes oculto, para guardar coisas; esconderijo.

escansão *s.f.* (lat. *scansio*). Ato ou efeito de escandir.

escanteio *s.m.* **1.** Desvio da bola pela linha de fundo, por ação de um jogador que defende, e que constitui infração; córner. **2.** Cobrança dessa infração.

escapada *s.f.* **1.** Ação de retirar-se rápida e furtivamente de um lugar. **2.** Ação de faltar à sua obrigação para ir divertir-se; escapadela, gazeta. **3.** Escapatória.

escapadela *s.f.* **1.** Ausência temporária. **2.** Escapada.

escapamento *s.m.* **1.** Ato ou efeito de escapar; escape. **2.** Expulsão, para a atmosfera, dos gases de combustão de um motor térmico. **3.** Dispositivo que permite essa expulsão.

escapar *v.t.* e *v.i.* (conj. 4). **1.** Salvar-se, livrar-se. **2.** Fugir, escapulir, safar-se. **3.** Passar despercebido. **4.** Soltar-se, cair. **5.** Ser proferido por descuido, ingenuidade ou cólera. **6.** Escoar (líquido); soltar-se (gás). **7.** Subtrair-se, esquivar-se a, evitar.

escapatória *s.f.* **1.** Ação de escapar. **2.** Subterfúgio, meio de sair de embaraços, de evitar respostas; escapada. **3.** Desculpa, escusa.

escape *s.m.* **1.** Ação de escapar; escapamento. **2.** Fuga, evasão. **3.** Orifício por onde saem os gases queimados dos motores de explosão.

escapelar *v.t.* (conj. 4). Abrir as espigas do milho.

escápula *s.f.* (lat. *scapula,* espádua). **1.** Prego pontiagudo, de cabeça dobrada em curva ou em ângulo reto, que, preso à parede, serve para suspender objetos. **2.** *Fig.* Arrimo, esteio. ● **Anat.** Sin. de OMOPLATA. **Constr.** Saliência entre o embasamento e o plano de um cunhal.

escapular *adj.2g.* (lat. *scapularis*). **1.** Relativo ao ombro. **2.** Pertencente à espádua ou à omoplata. **3.** *Cintura escapular,* conjunto ósseo constituído pela clavícula, pelo acrônio e pela espinha da omoplata, que serve de inserção ao membro superior.

escapulário *s.m.* (lat. tard. *scapularium*). **1.** Tira de pano bento usada pelos religiosos sobre os hábitos. **2.** Atadura para comprimir emplastros.

escapulida *s.f.* Ato ou efeito de escapulir; escapada, fuga.

escapulir *v.i.* e *v.pr.* (conj. 61). Fugir, livrar-se, escapar. ★ *v.t.* Deixar escapar, dar liberdade.

escara *s.f.* (gr. *eschára,* crosta). Em um revestimento cutâneo ou mucoso, zona tissular necrosada que toma o aspecto de uma crosta enegrecida e dura.

escarafunchar *v.t.* (lat. *scariphunculare*) [conj. 4]. **1.** Esgaravatar, remexer, escabichar. **2.** Investigar com cuidado.

escaramuça *s.f.* (it. *scaramuccia*). **1.** Rápido combate entre os corpos de dois exércitos inimigos. **2.** Combate de pouca importância. **3.** Briga, conflito, desordem.

escaramuçador (ô) *adj.* e *s.m.* Que ou aquele que é dado a escaramuças.

escaramuçar *v.t.* (conj. 13). Combater em escaramuças. ★ *v.i.* Travar escaramuças.

escaravelho (ê) *s.m.* (do gr. *skarábeios*). Inseto coleóptero que apresenta coloração metálica, antenas terminadas em leque, e possui o hábito de viver em excrementos. (Sin. BOSTEIRO, ROLA-BOSTA.)

escaravelho-peloteiro

escaravelho-hércules (macho)

escarnecer *v.t.* (conj. 25). Fazer escárnio de; zombar, mofar.

escarninho *adj.* **1.** Em que há escárnio. **2.** Escarnecedor.

escárnio *s.m.* Zombaria, mofa, menosprezo; escarnecimento.

escarola *s.f.* (it. *scariola*). Variedade de chicória, de folhas verdes, amargas, consumidas cruas, em saladas, ou cozidas.

escarpa *s.f.* (it. *scarpa*). **1.** Face íngreme, despenhadeiro alcantilado de uma montanha ou da borda de um planalto. **2.** Declive interior do fosso de uma fortificação.

escarcela *s.f.* (it. *scarsella*). **1.** Parte da armadura que protegia o ventre e as coxas do cavaleiro. **2.** Bolsa de couro que se usava à cintura.

escarcéu *s.m.* **1.** Encapelamento das vagas, quando o mar está agitado. **2.** *Fam.* Alarido, exaltação, gritaria.

escargot *s.m.* (fr.). Nome comum às grandes espécies de moluscos gastrópodes pulmonados comestíveis.

escarificação *s.f.* (lat. *scarificatio*). Ato ou efeito de escarificar. ● **Agric.** Trabalho do solo com instrumentos de dentes. ▸ Operação de desintegração dos torrões deixados pela aração. ▸ Incisão anular praticada numa árvore ou numa vara de videira. **Med.** Ato de escarificar, de sarjar, de esfoliar a pele ou um tecido. ▸ Pequena incisão superficial da pele. ▸ Produção de uma escara.

escarificar *v.t.* (lat. *scarificare*) [conj. 12]. **1.** Formar escara em. **2.** Desagregar e revolver o solo. **3.** Praticar a escarificação.

escarioso (ô) *adj.* **1.** Que tem escaras ou escamas. **2.** Diz-se do órgão vegetal que é delgado e translúcido como uma escama.

escarlate *s.m.* **1.** Cor vermelha, viva e rutilante. **2.** Tecido de lã ou seda dessa cor. ★ *adj.2g.* Vermelho muito forte, rubro.

escarlatina *s.f.* Doença infecciosa, contagiosa e epidêmica, caracterizada por um exantema escarlate generalizado, um enantema bucal e faringiano e uma descamação em placas.

escarlatinoso (ô) *adj.* **1.** Relativo à escarlatina. **2.** Que sofre de escarlatina.

escarmentado *adj.* **1.** Que, por experiência própria, conheceu os danos de alguma coisa. **2.** Sofrido, castigado, arrependido.

escarmentar *v.t.* (conj. 4). Tornar experiente por efeito de castigo; punir. ★ *v.pr.* **1.** Aceitar uma lição para não repetir um erro que acarretou conseqüências danosas. **2.** Arrepender-se, emendar-se.

escarmento *s.m.* (esp. *escarmiento*). **1.** Experiência de sofrimento; provação, castigo. **2.** Repreensão, castigo. **3.** Exemplo.

escarna *s.f.* Escarnação.

escarnação *s.f.* Ato ou efeito de escarnar; escarna.

escarnar *v.t.* (conj. 4). Descobrir (um osso), tirando-lhe a carne que o cobre; descarnar.

escarpado *adj.* Íngreme, abrupto.

escarradeira *s.f.* Recipiente, em geral cheio de serradura ou de areia, onde se pode cuspir; escarrador.

escarrado *adj.* **1.** Que se escarrou. **2.** *Fig.* e *Pop.* Perfeitamente semelhante, idêntico, parecidíssimo.

escarradura *s.f.* **1.** Ato ou efeito de escarrar. **2.** Escarro.

escarranchar *v.t.* (conj. 4). **1.** Montar ou sentar sobre alguma coisa, abrindo muito as pernas. **2.** Separar muito as pernas, como faz quem monta a cavalo.

escarrapachar *v.t.* (conj. 4). Abrir muito as pernas; escarranchar. ★ *v.pr.* **1.** Sentar-se em posição relaxada, meio reclinado e de pernas abertas. **2.** Cair de bruços; estatelar-se.

escarrar *v.i.* (conj. 4). Expelir o escarro, cuspir. ★ *v.t.* **1.** Expelir pela boca. **2.** *Fig.* Despejar, soltar abruptamente.

escarro *s.m.* **1.** Substância constituída de saliva e de muco, quando é fisiológica, e de muco, pus e/ou sangue, quando é patológica, que se expele pela boca e é proveniente das vias respiratórias; expectoração. **2.** *Fig.* Pessoa ou coisa desprezível.

escarvar *v.t.* (conj. 4). **1.** Bater (o cavalo) as patas no solo. **2.** Cavar superficialmente. **3.** Fazer aberturas em madeira. **4.** Corroer.

escassear *v.t.* (conj. 15). **1.** Dar com parcimônia. **2.** Ir diminuindo gradualmente. ★ *v.i.* Decrescer, minguar, rarear.

escassez (ê) *s.f.* **1.** Qualidade do que é escasso. **2.** Falta, carência.

escasso *adj.* **1.** Parco, não abundante; pouco, raro. **2.** Carente, desprovido.

escatol *s.m.* Composto orgânico heterocíclico, originado do metabolismo das proteínas e que é o principal responsável pelo odor das fezes.

escatologia[1] *s.f.* (do gr. *skatos,* excremento). **1.** Conjunto de expressões, ditos, anedotas etc. acerca de excrementos; coprologia. **2.** Literatura obscena.

escatologia[2] *s.f.* (do gr. *éschatos,* postremo). Conjunto de doutrinas e crenças sobre o destino último do homem após sua morte, e sobre o destino do Universo após sua desaparição.

escatológico[1] *adj.* Relativo à escatologia[1].

escatalógico[2] *adj.* Relativo à escatologia[2].

escavação *s.f.* **1.** Ato ou efeito de escavar. **2.** Local escavado. **3.** *Fig.* Investigação.

escavacar[1] *v.t.* (conj. 12). **1.** Reduzir a cavacos. **2.** Destruir. **3.** Tornar abatido, magro.

escavacar[2] *v.i.* (conj. 12). Cavar, escavar.

escavadeira *s.f.* Denominação genérica das máquinas de escavar, de revolver terra ou retirar aterro; escavadora.

escavar *v.t.* (conj. 4). **1.** Tirar terra de. **2.** Cavar para procurar. **3.** Tornar côncavo, oco. ★ *v.pr.* Tornar-se oco.

escaveirado *adj.* Diz-se daquele cujo rosto, magro e descarnado, lembra uma caveira.

escaveirar *v.t.* (conj. 4). **1.** Dar o aspecto de caveira. **2.** Descarnar.

esclarecer *v.t.* (conj. 25). **1.** Tornar claro; alumiar. **2.** Explicar, elucidar. **3.** Ilustrar, iluminar. **4.** Prestar explicação a, dar esclarecimento. ★ *v.pr.* Informar-se, ilustrar-se.

esclarecido *adj.* **1.** Claro. **2.** Elucidado, explicado. **3.** Ilustrado, ilustre.

esclarecimento *s.m.* **1.** Ato ou efeito de esclarecer. **2.** Explicação, elucidação. **3.** Informação.

escleral *adj.2g.* Endurecido, rijo.

esclerema *s.m.* Edema brando que surge às vezes nos recém-nascidos e lactentes.

esclerênquima *s.m.* Tecido constituído por células de paredes espessas, cuja função é a sustentação do vegetal.

esclerite *s.f.* Inflamação da esclerótica.

esclerito *s.m.* Célula morta, de parede espessa, impregnada de lignina, que se encontra isolada ou em pequenos grupos na estrutura do vegetal. ● **Zool.** Cada uma das placas esclerotizadas que revestem a parede do corpo dos animais, com formas e funções definidas, separadas entre si por linhas denominadas suturas.

escleroma *s.m.* Tumor de tecido esclerosado.

escleroproteína *s.f.* Proteína insolúvel na água, tal como a queratina, o colágeno e a elastina.

esclerosado *adj.* **1.** Que sofreu esclerose. **2.** Escleroso.

esclerosar *v.t.* (conj. 4). Tornar escleroso; endurecer. ★ *v.pr.* Contrair esclerose.

esclerose *s.f.* (gr. *sklérosis*). Endurecimento patológico de um órgão ou de um tecido, devido ao aumento do tecido conjuntivo que ele contém.

escleroso (ô) *adj.* Diz-se do tecido espessado que se tornou duro em conseqüência de desenvolvimento patológico de elementos conjuntivos fibrosos; esclerosado.

esclerótica *s.f.* (gr. *sklerótes*, dureza). Membrana fibrosa externa do globo ocular que constitui o envoltório resistente do olho (o branco do olho).

escoadouro *s.m.* Orifício, canal ou vala por onde escorre a água.

escoamento *s.m.* **1.** Ação de escoar; escoação. **2.** Propriedade da matéria deformável que flui por uma superfície inclinada ou uma tubulação. **3.** Plano inclinado por onde escoam as águas.

escoar *v.t.* (lat. *excolare*, coar) [conj. 20]. Fazer ou deixar correr ou escorrer lentamente um líquido; fluir, escorrer. ★ *v.pr.* **1.** Passar, desaparecer. **2.** Esvair-se.

escocês *adj.* Relativo ou pertencente à Escócia (Grã-Bretanha). ★ *s.m.* **1.** O natural ou habitante da Escócia. **2.** Língua céltica falada na Escócia.

escoicear *v.i.* (conj. 15). **1.** Dar coices; escoicinhar, coicear. **2.** Lançar (uma cavalgadura) bruscamente e com força os dois membros posteriores ao mesmo tempo. ★ *v.t.* **1.** Dar coices em; escoicinhar. **2.** *Fig.* Agredir, tratar com grosseria.

escoicinhar *v.t.* e *v.i.* (conj. 4). Escoicear.

escoimar *v.t.* (conj. 4). **1.** Isentar alguém de coima, acusação ou culpa. **2.** *Fig.* Livrar de defeitos, de impurezas. ★ *v.pr.* Livrar-se, escapar, furtar-se a.

escol *s.m.* Elite.

escola *s.f.* (gr. *schole*, pelo lat. *schola*). **1.** Estabelecimento ou casa onde se ensina. **2.** Instituição encarregada de ensino coletivo e geral às crianças em idade escolar e pré-escolar. **3.** Alunos e professores de um estabelecimento escolar. **4.** Qualquer concepção estética, intelectual etc. seguida por várias pessoas. **5.** O que proporciona instrução, experiência, vivência.

escolado *adj.* *Pop.* Esperto, sabido, ladino.

escolar *adj.2g.* (lat. *scholaris*). Relativo ou pertencente a escola. ★ *s.2g.* Criança que vai à escola; estudante.

escolaridade *s.f.* **1.** Tempo de freqüência ou de permanência dos alunos na escola. **2.** Rendimento escolar.

escolarizar *v.t.* (conj. 4). Submeter ao ensino escolar.

escolástica *s.f.* **1.** Ensino filosófico e teológico, próprio da Idade Média, fundado na tradição aristotélica interpretada pelos teólogos. **2.** *Pej.* Qualquer doutrina dogmática e intransigente.

escolástico *adj.* Relativo à escolástica.

escólex (cs) *s.m.2n.* Região anterior dos vermes cestóides, provida de ventosas que são utilizadas para a fixação no hospedeiro.

escolha (ô) *s.f.* **1.** Ato ou efeito de escolher; seleção, preferência, opção. **2.** Eleição. **3.** Discernimento.

escolher *v.t.* (conj. 5). **1.** Selecionar, adotar, optar, preferir, eleger. **2.** Separar as impurezas. **3.** Nomear. **4.** Marcar, assinalar.

escolho (ô) *s.m.* (lat. *scopulus*, rochedo). **1.** Rochedo à superfície da água; abrolho. **2.** *Fig.* Obstáculo.

escoliose *s.f.* (gr. *skolíosis*, torção). Desvio lateral da coluna vertebral.

escoliótico *adj.* Relativo à escoliose; acometido de escoliose.

escolta *s.f.* (it. *scorta*). **1.** Tropa armada ou formação naval que acompanha algo ou alguém, para protegê-lo ou guardá-lo. **2.** Grupo de pessoas que acompanham algo ou alguém.

escoltar *v.t.* (conj. 4). Acompanhar para proteger, vigiar ou prestar homenagem.

escombros *s.m.pl.* (de or. gaulesa). Ruínas, destroços, entulho.

esconde-esconde *s.m.2n.* Jogo infantil em que os participantes se escondem, com exceção de um, que procura descobri-los.

esconder *v.t.* (lat. *abscondere*) [conj. 5]. **1.** Pôr em lugar secreto; ocultar. **2.** Encobrir, velar. **3.** *Fig.* Dissimular, disfarçar. ★ *v.pr.* **1.** Retirar-se para lugar secreto, evitar a presença de outros. **2.** Resguardar-se, proteger-se.

esconderijo *s.m.* Lugar secreto em que se esconde alguém ou alguma coisa.

escondidas *s.f.pl.* *Às escondidas,* ocultamente, secretamente.

esconjuração *s.f.* **1.** Ato ou efeito de esconjurar; conjuro, esconjuro. **2.** Exorcismo. **3.** Maldição. ● **Folc.** Imprecação para afastar o mal.

esconjurar *v.t.* (conj. 4). **1.** Tomar juramento a alguém; fazer prometer ou jurar. **2.** Exorcizar; fazer esconjuros contra; desconjurar. **3.** Apostrofar, amaldiçoar. ★ *v.pr.* Lamentar-se, queixar-se.

esconjuro *s.m.* Esconjuração.

esconso[1] *adj.* Inclinado, escorregadio. ★ *s.m.* Ângulo, conta.

esconso[2] *adj.* (lat. *absconsus*). Escondido, oculto, escuso. ★ *s.m.* Lugar oculto; esconderijo.

escopa (ô) *s.f.* (it. *scopa*). Jogo de cartas.

escopeta (ê) *s.f.* (it. *schioppetto*). **1.** Arma de fogo portátil, de boca larga. **2.** Espingarda de cano curto.

escopo (ô) *s.m.* (gr. *skopós,* o que se vê). **1.** Finalidade, propósito. **2.** Alvo, mira.

escora *s.f.* (fr. ant. *escore*). **1.** Peça colocada em posição oblíqua para amparar qualquer objeto ou parte de uma construção; espeque. **2.** Travessa oblíqua que sustenta uma peça horizontal. **3.** *Fig.* Tocaia, cilada, espreita. **4.** *Fig.* Arrimo, amparo, esteio.

escoramento *s.m.* **1.** Ação de escorar(-se). **2.** Combinação de escoras para sustentar uma construção ou para opor-se a desabamento de trincheira, galeria etc.

escorar *v.t.* (conj. 4). **1.** Pôr escoras, apoiar de um lado. **2.** Sustentar com escoras, pontaletes etc. **3.** Resistir com valentia; enfrentar. **4.** *Fig.* Amparar. **5.** *Fam.* Agüentar. **6.** Espreitar para vingar-se; armar ciladas. ★ *v.pr.* **1.** Sustentar-se em escoras. **2.** *Fig.* Amparar-se, fundamentar-se, estribar-se (em testemunho autorizado).

escorbuto *s.m.* (lat. tard. *scorbutus*). Afecção geral caracterizada por hemorragias múltiplas, por caquexia progressiva e determinada por carência de vitamina C.

escorchar *v.t.* (conj. 4). **1.** Tirar a pele ou o revestimento (de animal ou planta). **2.** Cometer erros em. **3.** Roubar. **4.** Cobrar preços altos; explorar.

escorço (ô) *s.m.* (it. *scorcio*). **1.** Redução de uma figura segundo as regras de perspectiva. **2.** Figura reduzida em relação ao tamanho natural. **3.** Resumo, síntese.

escore *s.m.* (ingl. *score*). Número de pontos conquistados por cada equipe em uma disputa esportiva; placar.

escória *s.f.* (gr. *skoría*). **1.** Subproduto de elaboração metalúrgica, que possui um forte teor em silicatos e óxidos metálicos. **2.** Resíduo sólido proveniente da combustão de certas matérias como a hulha. **3.** Lava vulcânica de aspecto esponjoso, de baixa densidade, ejetada por erupções explosivas. **4.** *Fig.* Coisa vil, desprezível. **5.** Ralé.

escoriação *s.f.* Ferimento leve da pele, produzido por atrito violento que levanta ou rasga as camadas cutâneas superficiais; abrasão, esfoladura.

escoriar[1] *v.t.* e *v.pr.* (lat. *excoriare,* tirar a pele) [conj. 16]. Arranhar(-se), ferir(-se) levemente; escorificar.

escoriar[2] *v.t.* (conj. 16). **1.** Retirar as escórias de; escorificar. **2.** Purificar, limpar.

escorificação *s.f.* Ato ou efeito de escorificar.

escorificar *v.t.* (conj. 12). Escoriar.

escornar *v.t.* (conj. 4). **1.** Ferir com os cornos; chifrar. **2.** Tirar os cornos a; descornar. **3.** Repudiar, escorraçar. ★ *v.i.* *Pop.* Ficar inerte devido à exaustão. ★ *v.pr.* Ferir-se com os chifres.

escornear *v.t.* (conj. 15). Ter o hábito de escornar; marrar com freqüência.

escorpiano *adj.* e *s.m.* Diz-se de ou indivíduo nascido sob o signo de Escorpião (23 de outubro a 21 de novembro).

REPRESENTAÇÕES GRÁFICAS DO SIGNO ASTROLÓGICO DE ESCORPIÃO

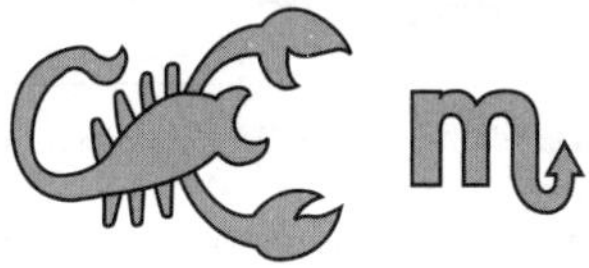

escorpião *s.m.* (gr. *skorpíos*). Denominação comum aos artrópodes aracnídeos, terrestres, que apresentam um par de pinças, abdome afilado, com um aguilhão venenoso na parte terminal. (Sin. LACRAU.)

escorpiônico *adj.* **1.** Relativo ao escorpião. **2.** Diz-se do soro específico contra o veneno de escorpião.

escorraçar *v.t.* (conj. 13). **1.** Expulsar. **2.** Não fazer caso de, afastar com maus-tratos. **3.** Rejeitar.

escorredor (ô) *s.m.* Espécie de cesto aberto em grade metálica ou matéria plástica, onde se colocam utensílios ou alimentos para escorrer.

escorregadela *s.f.* Escorregão.

escorregadiço *adj.* Escorregadio.

escorregadio *adj.* **1.** Em que se escorrega com facilidade; escorregadiço; resvaladiço. **2.** Diz-se de pessoa dada a evasivas. **3.** *Fig.* Que conduz ao mal, a erro.

escorregador (ô) *adj.* Que escorrega. ★ *s.m.* Peça inclinada, de madeira ou de metal, para o divertimento de crianças em parques.

escorregão *s.m.* **1.** Ato ou efeito de escorregar; escorregadela. **2.** *Fig.* Erro, descuido, deslize.

escorregar *v.i.* (conj. 14). **1.** Mover-se pela ação do próprio peso ou pela velocidade assim adquirida. **2.** Resvalar, deslizar. **3.** Passar rapidamente, decorrer. ★ *v.t.* **1.** Cair, deslizar. **2.** Errar.

escorreito *adj.* **1.** Que não tem defeito. **2.** De boa aparência; bem-apessoado. **3.** Apurado, correto.

escorrer *v.t.* (conj. 5). **1.** Fazer correr um líquido. **2.** Esvaziar um recipiente ou um lugar, deixando correr, de uma só vez ou gota a gota, o líquido nele contido. **3.** Vazar; deixar sair. ★ *v.i.* **1.** Correr em fio; gotejar. **2.** Suar muito.

escoteiro *s.m.* Jovem filiado ao escotismo. ★ *adj.* Relativo ao escotismo.

escotilha *s.f.* (fr. ant. *escoutille*). Abertura nos navios que põe em comunicação as cobertas, o convés e o porão.

escotismo ou **escoterismo** *s.m.* **1.** Organização mundial, criada pelo militar inglês Robert Baden-Powell em 1909, que tem por fim o aperfeiçoamento físico e moral dos jovens. **2.** Atividade dos escoteiros.

escova (ô) *s.f.* (lat. tard. *scopa,* vassoura). Utensílio constituído de cerdas fixadas em uma placa e usado para limpeza (de roupa, móveis, dentes). **2.** Peça condutora, em geral fixa, que permite, através de contato deslizante, a ligação elétrica entre uma parte móvel e um contato fixo.

escova de dentes

escova de cabelo

escovadela *s.f.* **1.** Ato ou efeito de limpar com escova. **2.** *Fig.* e *Pop.* Repreensão, castigo.

escovado *adj.* **1.** Que foi limpo com escova. **2.** *P. ext.* Diz-se do indivíduo limpo, bem-vestido. **3.** *Pop.* Ardiloso, astuto, sabido.

escovão *s.m.* Escova grande fixada na extremidade de um longo cabo, para encerar assoalho.

escovar *v.t.* (conj. 4). **1.** Limpar com escova. **2.** *Fig.* e *Pop.* Censurar, repreender. **3.** Surrar.

escravatura *s.f.* **1.** Escravidão. **2.** Comércio de compra e venda de escravos.

escravidão *s.f.* **1.** Estado ou condição de escravo; servidão, escravatura. **2.** Regime social onde há sujeição do homem, e sua força de trabalho é entendida como propriedade privada de outrem. **3.** *Fig.* Falta de liberdade pessoal; sujeição.

escravista *s.2g.* Escravocrata. ★ *adj.2g.* Relativo à escravidão; escravocrata.

escravização *s.f.* Ato ou efeito de escravizar(-se).

escravizar *v.t.* (conj. 4). **1.** Reduzir à condição de escravo. **2.** Tiranizar, subjugar. **3.** *Fig.* Cativar, prender. ★ *v.pr.* Tornar-se escravo.

escravo *adj.* e *s.m.* (lat. tard. *sclavus*). **1.** Que ou aquele que está sob o poder absoluto de um senhor que o cativou ou comprou. **2.** Que ou aquele que se submete servilmente a outrem.

escravocrata *s.2g.* **1.** Aquele que possui escravos; senhor. **2.** Partidário da escravatura; escravista. ★ *adj.2g.* Em que há escravos; em que domina a escravidão; escravista.

escrete *s.m.* (ingl. *scratch*). Seleção.

escrevente *s.2g.* **1.** Pessoa que copia escrita; copista, escriturário. **2.** Cargo em certos cartórios e repartições jurídicas.

escrever *v.t.* (lat. *scribere*) [conj. 5]. **1.** Representar por meio de sinais gráficos os sons da linguagem verbal. **2.** Formular um enunciado por escrito com determinado número de linhas ou de páginas; redigir. **3.** Exprimir o pensamento por meio da linguagem escrita, compor um obra literária, científica. **4.** Dirigir uma carta, uma mensagem escrita ou bilhete. **5.** Narrar, expor. **6.** Arrolar, inventariar. ★ *v.i.* **1.** Utilizar os sinais gráficos, a escrita. **2.** Fazer rabiscos, riscos, garatujas. **3.** Compor, criar, redigir. ★ *v.pr.* **1.** Inscrever-se, alistar-se. **2.** Corresponder-se.

escrevinhador (ô) *adj.* Que escrevinha. ★ *s.m.* Escritor de má qualidade, de obras sem valor; escriba.

escrevinhar *v.i.* (conj. 4). Escrever sem arte, sem gosto, sem grande importância; rabiscar.

escriba *s.2g.* (lat. *scriba*). **1.** Na Antiguidade, pessoa encarregada de escrever ou copiar textos. **2.** Doutor da lei, entre os judeus; intérprete oficial das Sagradas Escrituras.

escrínio *s.m.* (lat. *scrinium*). **1.** Pequeno cofre para guardar jóias ou outros objetos preciosos. **2.** O conteúdo desse cofre. **3.** Escrivaninha.

escrita *s.f.* (it. *scritta*). **1.** Ato ou efeito de escrever. **2.** Sistema de signos gráficos que servem para notar uma mensagem oral. **3.** Letra, caracteres escritos. **4.** Aquilo que se escreve.

escrito *adj.* (lat. *scriptus,* de *scribere,* escrever). **1.** Representado por meio de sinais alfabéticos. **2.** Redigido, impresso. ★ *s.m.* **1.** Qualquer coisa escrita. **2.** Ato, convenção escrita. **3.** Bilhete, missiva. **4.** Documento, título. **5.** Composição literária ou científica. ★ *s.m.pl.* Obra literária.

escritor (ô) *s.m.* (lat. *scriptor,* secretário). Autor de obras literárias ou científicas.

escritório *s.m.* (lat. tard. *scriptorium*). **1.** Em uma casa, local reservado para a leitura e para a escrita; gabinete. **2.** Sala ou salas em que homens de negócios, empregados de uma empresa ou de um departamento administrativo exercem atividades profissionais.

escritura *s.f.* (lat. *scriptura,* escrita). **1.** Documento autêntico de um contrato feito por um oficial público. **2.** *Sagrada Escritura,* a Bíblia.

escrituração *s.f.* **1.** Ato ou efeito de escriturar. **2.** Conjunto de livros e atos com os quais se faz a escrita metódica e sistemática das contas de um estabelecimento comercial. **3.** Contabilidade.

escriturar *v.t.* (conj. 4). Registrar as transações comerciais, os documentos de uma empresa ou de uma repartição pública. ★ *v.pr.* Contrair obrigações por meio de escritura.

escriturário *s.m.* **1.** Aquele que faz escrituração; escrevente. **2.** Pessoa que trabalha no escritório.

escrivaninha *s.f.* **1.** Mesa que contém apetrechos para escrever. **2.** Mesa própria para escritório; secretária.

escrivão *s.m.* (lat. *scriba*). Oficial público encarregado de escrever autos, atas, termos de processo e outros documentos legais.

escrófula *s.f.* (lat. tard. *scrofula*). **1.** Adenite cervical tuberculosa, caracterizada por alterações da pele, das mucosas e tumefações ganglionares. **2.** Sin. de **ESTRUMA.**

escrofulose *s.f.* Afecção caracterizada pela presença de ingurgitamento dos gânglios linfáticos.

escroque *s.m.* (fr. *escroc*). Indivíduo que age desonestamente, fraudulentamente, para apossar-se dos bens alheios.

escrotal *adj.2g.* Relativo ou pertencente ao escroto.

escroto (ô) *s.m.* (lat. *scrotum,* bolsa). **1.** A pele das bolsas testiculares. **2.** As próprias bolsas testiculares. ★ *adj. Chul.* **1.** Sem moral, sem caráter. **2.** Feio, grosseiro.

escrúpulo *s.m.* (lat. *scrupulus,* embaraço). **1.** Estado de dúvida ou hesitação de consciência; vacilação. **2.** Delicadeza de caráter; melindre, suscetibilidade. **3.** Cuidado minucioso.

escrupuloso (ô) *adj.* **1.** Que tem escrúpulo; hesitante, vacilante, recalcitrante. **2.** Cheio de melindres; suscetível, melindroso. **3.** Que afeta excessivos cuidados; cuidadoso, zeloso, caprichoso.

escrutar *v.t.* (lat. *scrutari*) [conj. 4]. Investigar, inquirir, sondar com extremo cuidado e minúcia.

escrutinar *v.i.* (conj. 4). **1.** Fazer escrutínio. **2.** Apurar os votos, confrontando-os com o número de votantes verificados nas listas de votação. **3.** Apurar os resultados de uma votação.

escrutínio *s.m.* (lat. *scrutinium,* busca). **1.** Votação em urna. **2.** Urna em que se recolhem os votos. **3.** Exame minucioso, apuração dos votos.

escudar *v.t.* (conj. 4). **1.** Proteger com escudo. **2.** Defender, proteger. ★ *v.pr.* **1.** Cobrir-se com escudo ou com alguma coisa que proteja. **2.** Defender-se, proteger-se. **3.** Estribar-se, apoiar-se.

escudeiro *s.m.* **1.** Indivíduo armado de lança e escudo que fazia a guarda aos imperadores. **2.** Fidalgo que levava o escudo de um cavaleiro. **3.** Título inferior da nobreza.

escudela *s.f.* **1.** Tigela de madeira para comida. **2.** *P. ext.* Seu conteúdo.

escuderia *s.f.* Organização proprietária de carros de corrida ou de bicicletas que possui equipe de pilotos ou de ciclistas para participar de competições esportivas.

escudo *s.m.* (lat. *scutum*). **1.** Arma defensiva constituída por uma chapa de metal, madeira ou couro que os antigos guerreiros prendiam ao braço. **2.** Figura, com a forma dessa arma, que serve de brasão heráldico ou como emblema de agremiações esportivas. **3.** Chapa de metal para proteger um operário ou um militar de fagulhas, balas etc. **4.** *Fig.* Amparo, defesa, proteção. **5.** Antiga unidade monetária de Portugal, substituída pelo euro em 2002. **6.** Unidade monetária de Cabo Verde. ● **Bot.** Denominação de certas células dos anterídios de algumas algas. **Zool.** Denominação comum às estruturas, geralmente rígidas, que ocorrem em diversos animais, com função de proteção.

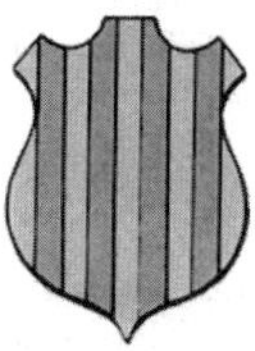

? VOCÊ SABIA...? O **escudo** é a mais antiga arma de defesa. Era feito de madeira, com juncos trançados, de couro ou de metal. Durante as marchas, era levado pendurado no ombro, e, no combate, preso ao braço esquerdo. Ainda hoje o escudo de metal ou de plástico é utilizado, em especial pelos policiais, para se proteger de pedras e outros projéteis.

esculachar *v.t.* (it. *sculacciare*) [conj. 4]. **1.** *Gír.* Dar esculacho em; surrar, espancar. **2.** Descompor, desmoralizar, esculhambar.

esculacho *s.m.* **1.** *Gír.* Pancada, surra. **2.** Repreensão em termos desmoralizantes.

esculhambar *v.t.* (conj. 4). **1.** *Gír.* Maltratar verbalmente; descompor. **2.** Desmoralizar, esculachar. **3.** Desmanchar, estragar.

esculpir *v.t.* (lat. *sculpere*) [conj. 6]. **1.** Cortar a pedra, a madeira etc., com diversas ferramentas, a fim de obter formas, volumes de efeito artístico. **2.** Imprimir, gravar. **3.** Criar uma obra de arte em três dimensões, através de qualquer meio, inclusive modelagem. **4.** Ornar qualquer coisa com esculturas. ★ *v.i.* Praticar a escultura.

escultor (ô) *s.m.* (lat. *sculptor*). Artista que esculpe, que faz esculturas.

escultura *s.f.* (lat. *sculptura*). **1.** Arte de esculpir. **2.** Conjunto de obras esculpidas. **3.** Obra feita por escultor.

escultural *adj.2g.* **1.** Relativo à escultura. **2.** Que tem formas perfeitas, podendo servir de modelo a um escultor.

escuma *s.f.* (fr. ant. *escume*). Espuma.

escumadeira *s.f.* Grande colher de ralo, rasa, para escumar; espumadeira.

escumar *v.t.* (conj. 4). Espumar.

escumilha *s.f.* **1.** Tecido fino e transparente. **2.** Chumbo miúdo para caça.

escuna *s.f.* (ingl. ant. *scooner*). Embarcação pequena, com um ou dois mastros.

escurecer *v.t.* (conj. 25). **1.** Tornar escuro; privar de luz. **2.** Tirar o brilho; anuviar. **3.** Fazer diminuir a luz e a claridade. ★ *v.i.* **1.** Tornar-se escuro, privado de luz. **2.** Perder a claridade e o brilho. **3.** Anoitecer. **4.** *Fig.* Empanar, diminuir a importância.

escuridão *s.f.* **1.** Qualidade do que é escuro. **2.** Falta de luz. **3.** Negrume, trevas. **4.** *Fig.* Cegueira completa.

escuro *adj.* (lat. *obscurus*). **1.** Obscuro, sem luz. **2.** Tirante a negro. **3.** *Fig.* Pouco inteligível; oculto, misterioso. **4.** Monótono, triste. **5.** Sem lustre, sem brilho. **6.** Pouco distinto. **7.** Pouco lícito. ★ *s.m.* **1.** Negrume, escuridão. **2.** Pessoa preta ou mulata.

escusa *s.f.* **1.** Ato ou efeito de escusar(-se). **2.** Razão ou pretexto invocado para se eximir de uma obrigação ou ajuda. **3.** Desculpa, justificativa.

escusado *adj.* **1.** Dispensável, desnecessário, inútil. **2.** Dispensado de algum serviço; demitido. **3.** Recusado, indeferido.

escusar *v.t.* (lat. *excusare*) [conj. 4]. **1.** Desculpar de, perdoar. **2.** Servir de justificativa; justificar. **3.** Prescindir, não carecer, ser desnecessário. **4.** Evitar, recusar. ★ *v.pr.* **1.** Justificar-se, desculpar-se. **2.** Deixar por desnecessário; dispensar-se. **3.** Negar-se, recusar-se.

escusável *adj.2g.* Desculpável, que se pode dispensar, que é digno de escusa.

escuso *adj.* **1.** Escondido, esconso. **2.** *Fig.* Clandestino, suspeito.

escuta *s.f.* **1.** Ato de escutar, de ficar à espreita para ouvir. **2.** Lugar de onde se pode escutar. ★ *s.2g.* **1.** Pessoa encarregada de escutar; escutador. **2.** Espião.

escutar *v.t.* e *v.i.* (lat. *auscultare*) [conj. 4]. **1.** Aplicar o ouvido para perceber ou ouvir. **2.** Ouvir com atenção. **3.** Levar em conta. **4.** Ceder, obedecer. **5.** Espiar, espionar. **6.** Exercer ou aplicar o sentido da audição.

escutiforme *adj.2g.* Que tem forma de escudo. ● **Anat.** *Cartilagem escutiforme,* a cartilagem tireóide. ► *Osso escutiforme,* a rótula.

esdrúxulo *adj.* (it. *sdrucciolo,* escorregadio). **1.** Esquisito, excêntrico, fora do comum. **2.** Diz-se dos versos que rimam palavras proparoxítonas.

esfacelar *v.t.* (conj. 4). **1.** Causar ou provocar esfacelo, isto é, gangrena. **2.** Estraçalhar, destruir, estragar.

esfaimado *adj.* e *s.m.* Que ou aquele que tem muita fome; faminto, esfomeado.

esfaimar *v.t.* (conj. 4). **1.** Causar fome a. **2.** Esfomear.

esfalfar *v.t.* (conj. 4). Fatigar, cansar por excesso de trabalho, de esforço. ★ *v.pr.* Cansar-se em demasia; extenuar-se.

esfaquear *v.t.* (conj. 15). Ferir a golpes de faca. ★ *v.pr.* Ferir-se reciprocamente a facadas.

esfarelar *v.t.* (conj. 4). **1.** Reduzir a farelo. **2.** *P. ext.* Reduzir a pó.

esfarpar *v.t.* (conj. 4). Desfiar, rasgar em farpões.

esfarrapado *adj.* **1.** Reduzido a farrapos. **2.** Que tem a roupa em farrapos.

esfarrapar *v.t.* (conj. 4). **1.** Reduzir um tecido a farrapos ou trapos. **2.** Rasgar, dilacerar. ★ *v.pr.* Desfiar-se em conseqüência do uso.

esfenoidal *adj.2g.* **1.** Relativo ao esfenóide. **2.** *Seio esfenoidal,* cada uma das duas cavidades internas do corpo do esfenóide que se abrem para as fossas nasais.

esfenóide *s.m.* (do gr. *sphén, sphenós,* cunha). Osso da base do crânio situado atrás do etmóide e do frontal e na frente do occipital e dos temporais.

esfera *s.f.* (gr. *sphaira,* objeto redondo). **1.** Figura geométrica tridimensional formada por uma superfície de curva fechada, cujos pontos situam-se a uma distância constante de um centro. **2.** *Fig.* Extensão de autoridade, de poder, de talento, de atribuições etc. **3.** Meio, ambiente.

esférico *adj.* (gr. *sphairikós*). **1.** Relativo a ou em forma de esfera. **2.** *Coordenada esférica,* cada uma das coordenadas que situam um ponto na superfície de uma esfera.

esferográfica *adj.* e *s.f.* Diz-se de ou caneta com reservatório de tinta muito grossa, apoiada sobre o suporte de escritura por uma pequenina esfera de metal duro (geralmente tungstênio).

DESENHO ESQUEMÁTICO DE UMA CANETA ESFEROGRÁFICA

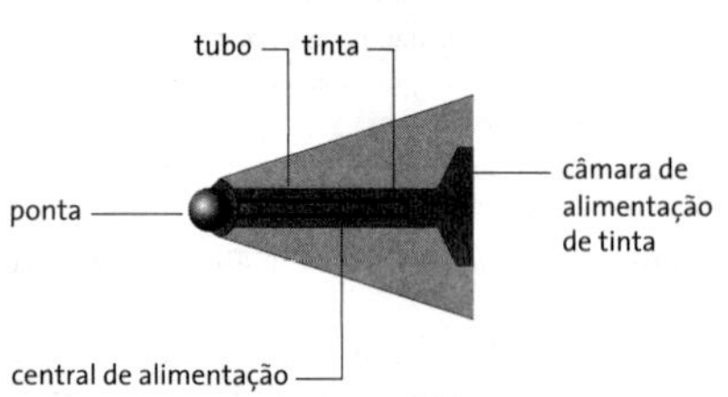

esferóide *adj.* e *s.m.* (gr. *sphairoeidés*). Diz-se de ou sólido que apresenta forma similar à da esfera.

esferômetro *s.m.* Instrumento destinado a medir o raio de uma esfera.

esférula *s.f.* (lat. *sphaerula*). Pequena esfera; gota.

esfiapar *v.t.* (conj. 4). Desfazer em fiapos.

esfígmico *adj.* Que concerne ao pulso.

esfigmomanômetro *s.m.* Aparelho dotado de um manômetro de ar com a ajuda do qual se mede a pressão arterial. (Sin. TENSIÔMETRO.)

esfíncter *s.m.* (gr. *sphigktér,* o que aperta). Sistema muscular constituído por várias fibras lisas (controle involuntário) ou estriadas (controle voluntário), cuja ação abre ou fecha o orifício de um canal.

esfincteriano *adj.* Relativo a um esfíncter.

esfinge *s.f.* (gr. *sphígx, sphiggós,* pelo lat. *sphinx, sphingis*). **1.** Entre os egípcios e os gregos, monstro fabuloso com corpo de leão e cabeça de gente. **2.** Estátua desse monstro. **3.** *Fig.* Pessoa enigmática, misteriosa.

esfíngico *adj.* **1.** Que lembra a esfinge. **2.** Que diz respeito à esfinge. **3.** Enigmático, misterioso.

esfoguear *v.t.* (conj. 15). Afoguear. ★ *v.pr.* **1.** Afoguear-se. **2.** Apressar-se, atarantar-se.

esfolar *v.t.* (conj. 4). **1.** Despojar da pele; arranhar, escoriar. **2.** Ferir tirando uma parte da pele. **3.** Tirar a pele do animal abatido no matadouro. **4.** Fazer pagar muito caro.

esfolhar *v.t.* (conj. 4). **1.** Tirar as folhas; desfolhar. ★ *v.pr.* Perder as folhas.

esfoliação *s.f.* **1.** Ato ou efeito de esfoliar. **2.** Separação das partes mortas que se destacam da epiderme, de uma mucosa etc., sob a forma de pequenas lâminas epiteliais.

esfoliar *v.t.* (conj. 16). **1.** Separar a casca de plantas em lâminas finas e superficiais. **2.** Causar esfoliação.

esfomear *v.t.* (conj. 15). Causar fome a; esfaimar.

esforçado *adj.* **1.** Forte, rijo. **2.** Que tem ânimo forte. **3.** Corajoso, valoroso. **4.** Animoso. ★ *adj.* e *s.m.* Que ou aquele que faz alguma coisa com empenho, com interesse.

esforçar *v.t.* (conj. 13). **1.** Dar forças a; robustecer, reforçar. **2.** Dar valor ou ânimo a; animar, estimular, encorajar. ★ *v.pr.* **1.** Tornar-se forte, animar-se. **2.** Empregar todas as forças, toda a diligência para conseguir alguma coisa.

esforço (ô) *s.m.* **1.** Ação enérgica do corpo ou do espírito. **2.** Ato penoso. **3.** Valor, ânimo, coragem. ● **Fís.** Aplicação de uma força sobre um corpo ou sistema que resulta ou não em realização de trabalho. **Fisiol.** *Prova de esforço,* medida do comportamento funcional respiratório e sobretudo cardíaco durante um determinado esforço.

esfrega *s.f.* **1.** Esfregação. **2.** *Fig.* Castigo, repreensão. **3.** *Fig.* Grande canseira, fadiga.

esfregação *s.f.* **1.** Ação de esfregar(-se); esfrega. **2.** Fricção. **3.** Limpeza que se faz esfregando com a mão, com uma escova ou com esfregão.

esfregaço *s.m.* **1.** Preparação microscópica obtida pela extensão, sobre uma lâmina, de células retiradas por punção ou raspagem. **2.** Camada de tinta muito leve, aplicada sobre outra de cor ou tom diferente, de modo que parte da camada inferior apareça permeando a superior.

esfregão *s.m.* **1.** Pano, esponja com que se esfrega, com que se lavam utensílios de cozinha, pias etc. **2.** Repreensão, castigo. **3.** *Pop.* Indivíduo sujo, enxovalhado, desmazelado.

esfregar *v.t.* (lat. *exfricare*) [conj. 14]. **1.** Passar numerosas vezes, fazendo pressão, um corpo sobre outro. **2.** Friccionar. **3.** Limpar, lavar. ★ *v.pr.* **1.** Roçar-se. **2.** Coçar-se, friccionar-se. **3.** *Chul.* Roçar-se de modo libidinoso.

esfriar *v.t.* (conj. 16). **1.** Tornar frio, abaixar a temperatura de; arrefecer. **2.** *Fig.* Diminuir o ardor, a atividade. ★ *v.i.* **1.** Ficar frio. **2.** *Fig.* Diminuir de intensidade. **3.** *Fig.* Morrer. **4.** Tornar-se insensível, indiferente.

esfrolar *v.t.* (conj. 4). Esfolar, escoriar.

esfumaçar *v.t.* (conj. 13). **1.** Esfumar, enegrecer com fumaça. **2.** Defumar alimentos.

esfumado *adj.* e *s.m.* Diz-se de ou desenho que tem sombras esbatidas a esfuminho.

esfumar *v.t.* (conj. 4). **1.** Amenizar ou sombrear um desenho com o esfuminho. **2.** Cobrir alguma coisa com uma sombra unida ou em nuanças velando os traços. **3.** Cobrir alguma coisa com uma sombra, tornando os contornos incertos. ★ *v.pr.* **1.** Desfazer-se em fumo. **2.** *Fig.* Apagar-se, desaparecer pouco a pouco.

esfuminho *s.m.* (it. *sfumino*). Rolo ou cilindro de pelica ou papel, usado para obter gradações de sombreado em desenhos a lápis, carvão ou pastel.

esfuziante *adj.2g.* **1.** Que esfuzia. **2.** *Fig.* Ruidosamente alegre.

esfuziar *v.i.* (conj. 16). **1.** *Ant.* Zunir como os projéteis. **2.** Soprar fortemente; sibilar. **3.** Fuzilar, cintilar. **4.** Fazer tumulto, provocar agitação.

esgadanhar *v.t.* (conj. 4). Ferir com as unhas; arranhar.

esgadelhado *adj.* Esguedelhado.

esgadelhar *v.t.* (conj. 4). Esguedelhar.

esgalhar *v.t.* (conj. 4). **1.** Dividir em galhos ou em ramos; desgalhar. **2.** Cortar os rebentos novos, para concentrar a seiva. **3.** Tirar esgalhos. **4.** *Fig.* Abrir, separar.

esgalho *s.m.* **1.** Rebento vegetal que se desenvolve pouco. **2.** Resto do galho cortado ou quebrado que fica no tronco. **3.** Ramificação do chifre de mamíferos como o veado.

esganação *s.f.* **1.** Ato ou efeito de esganar. **2.** Sofreguidão no comer. **3.** Avidez, ambição. **4.** Usura, avareza.

esganado *adj.* e *s.m.* **1.** Que ou aquele que demonstra sofreguidão no comer. **2.** Ávido, ambicioso. **3.** Usurário, avarento. **4.** *Fig.* Estreito, apertado.

esgana-gata *s.m.* Denominação comum a peixes ósseos, marinhos ou de água doce, cuja nadadeira dorsal é precedida por espinhos, em número variável, de acordo com a espécie.

esganar *v.t.* (conj. 4). Matar por sufocação; sufocar, estrangular. ★ *v.pr.* **1.** Suicidar-se por estrangulação. **2.** Mostrar-se sôfrego, ávido; mostrar-se ambicioso. **3.** Roer-se de inveja.

esganiçar *v.t.* (conj. 13). **1.** Tornar aguda (a voz), de maneira semelhante ao ganir dos cães. **2.** Cantar mal, em tom muito agudo.

esgar *s.m.* **1.** Atitude de escárnio. **2.** Careta, trejeito na face, contração da fisionomia.

esgaravatar *v.t.* (conj. 4). **1.** Remexer, esmiuçar, escarafunchar; esgravatar. **2.** Limpar as unhas ou os dentes com palito.

esgarçar *v.t.* (conj. 13). **1.** Separar, soltar os fios de um tecido. **2.** *P. ext.* Dilacerar superficialmente; arranhar.

esgazeado *adj.* Diz-se das cores claras, desmaiadas ou deslavadas.

esgazear *v.t.* (conj. 15). Abrir demasiadamente os olhos, sem os fixar em qualquer ponto.

esgoelar *v.t.* (conj. 4). **1.** Enunciar gritando; bradar. **2.** Esganar, estrangular. ★ *v.pr.* Gritar, abrindo muito a boca; gritar muito.

esgotado *adj.* **1.** No fim das forças; exausto. **2.** Que se esgotou, acabou; que se consumiu.

esgotamento *s.m.* **1.** Ato ou efeito de esgotar; resultado dessa ação. **2.** Estado de alguém cujas reservas nutritivas foram consumidas ou cujo tônus nervoso está muito reduzido; fraqueza extrema. **3.** Perda das forças físicas ou morais. **4.** Diminuição considerável. **5.** Consumo total. **6.** *Fig.* Empobrecimento, ruína. **7.** Final, término. **8.** Bombeamento para retirar a água acumulada numa depressão.

esgotar *v.t.* (conj. 4). **1.** Consumir um líquido até a última gota. **2.** Consumir, gastar, acabar, exaurir. **3.** Privar de todo o conteúdo. ★ *v.pr.* Consumir-se (as forças, a energia); cansar-se, exaurir-se, extenuar-se.

esgoto (ô) *s.m.* Conduto subterrâneo para escoamento das águas pluviais e dos detritos de um aglomerado populacional.

esgravatar *v.t.* (conj. 4). Esgaravatar.

esgrima *s.f.* (de or. germ.). Arte de manejar o florete, a espada, o sabre.

esgrimir *v.t.* e *v.i.* (conj. 6). **1.** Praticar esgrima. **2.** Manejar, vibrar golpes com arma branca. **3.** *Fig.* Discutir, argumentar com perícia e sutileza.

esgrimista *s.2g.* Pessoa que conhece ou pratica a esgrima.

esgrouviado *adj.* **1.** Semelhante ao grou; esguio e alto. **2.** Que tem o cabelo emaranhado ou revolto; esgrouvinhado.

esgrouvinhado *adj.* Esgrouviado.

esguedelhado *adj.* Desgrenhado, despenteado; esgadelhado.

ESGRIMA ▸ Modalidade olímpica desde 1896, a esgrima é praticada em quase todo o mundo, embora os europeus a dominem em praticamente todas as provas. A federação internacional, fundada em 1913 e que organiza campeonatos mundiais anuais, agrupa mais de uma centena de países. O vencedor dos combates, ou assaltos, é aquele que chega antes a cinco, oito ou dez toques no adversário. A comprovação de que houve toque é feita por meio de uma sinalização elétrica tanto na espada como no florete (a arma é ligada a lâmpadas de controle por meio de um fio flexível que acompanha o esgrimista em seus deslocamentos), porém não no sabre.

A B C D E F G H I J K L M N O P Q R S T U V W X Y Z

esguedelhar *v.t.* e *v.pr.* (conj. 4). Desgrenhar(-se), despentear(-se); esgadelhar.

esgueirar *v.t.* e *v.i.* (conj. 4). **1.** Desviar. **2.** Dirigir cautelosamente. ★ *v.pr.* Infiltrar-se.

esguelha (ê) *s.f.* **1.** Obliqüidade, soslaio, través. **2.** Fragmento de pano cortado em viés.

esguelhar *v.t.* (conj. 4). Colocar obliquamente, pôr de esguelha; enviesar.

esguichar *v.t.* (conj. 4). Expelir com força, tratando-se de líquidos. ★ *v.i.* Sair com força (o líquido) por abertura estreita.

esguicho *s.m.* **1.** Ato ou efeito de esguichar. **2.** Jato ou repuxo de um líquido.

esguio *adj.* (lat. *exiguus,* pequeno). Diz-se de pessoa ou coisa alta e esbelta.

eslávico *adj.* Eslavo.

eslavo *adj.* (lat. med. *slavus*). Relativo ou pertencente aos eslavos, grupo étnico que compreende russos, ucranianos, poloneses, sérvios, tchecos, eslovacos etc.; eslávico. ★ *s.m.* **1.** Indivíduo dos eslavos. **2.** Grupo de línguas indo-européias faladas pelos eslavos.

eslovaco *adj.* Relativo ou pertencente à Eslováquia. ★ *s.m.* **1.** O natural ou habitante da Eslováquia. **2.** Língua eslava falada na Eslováquia, onde é língua oficial.

esloveno *adj.* Relativo ou pertencente à Eslovênia. ★ *s.m.* **1.** O natural ou habitante da Eslovênia. **2.** Língua eslava falada na Eslovênia, onde é língua oficial.

esmaecer *v.i.* (conj. 25). **1.** Perder a cor. **2.** Desmaiar, perder o vigor, esmorecer.

esmagador (ô) *adj.* **1.** Que esmaga. **2.** *Fig.* Irretorquível, indiscutível. **3.** *Fig.* Opressivo, insuportável. ★ *s.m.* Qualquer aparelho que serve para esmagar, para reduzir a polpa.

esmagar *v.t.* (conj. 14). **1.** Amassar até rebentar, comprimindo, batendo, pisando. **2.** Triturar, quebrar. **3.** *Fig.* Vencer, aniquilar. **4.** Oprimir. **5.** Vexar, humilhar.

esmaltar *v.t.* (conj. 4). **1.** Cobrir de esmalte. **2.** Decorar uma cerâmica, um objeto etc. com esmalte. **3.** *Fig.* Adornar, embelezar.

esmalte *s.m.* (de or. germ.). **1.** Matéria vítrea, transparente ou opaca, que recobre certos materiais, a fim de conferir proteção, impermeabilidade e brilho ou coloração inalterável. **2.** Obra esmaltada. **3.** Substância dura e branca, rica em sais, que, no homem e em diversos animais, recobre a coroa dos dentes.

esmegma *s.m.* (gr. *smégma*). Substância esbranquiçada, pastosa, que se acumula sob as pregas dos órgãos genitais externos, especialmente do prepúcio peniano.

esmeralda *s.f.* (gr. *smáragdos*). Pedra preciosa de cor verde, silicato natural de alumínio e berilo. ★ *adj.2g.* Que é da cor dessa pedra.

esmeraldino *adj.* Da cor da esmeralda; verde-esmeralda.

esmerar *v.t.* (conj. 4). Aperfeiçoar, apurar. ★ *v.pr.* Empenhar-se em fazer as coisas com perfeição; aplicar-se.

esmeril *s.m.* (fr. ant. *esmeril*). **1.** Rocha metamórfica constituída principalmente de coríndon, de grande dureza, utilizada como abrasivo. **2.** Pedra de afiar, desbastar ou polir, geralmente de forma circular, acionada por motor ou manivela.

esmerilar *v.t.* (conj. 4). Esmerilhar.

esmerilhar *v.t.* (conj. 4). **1.** Polir com esmeril; esmerilar. **2.** Tornar um vidro fosco, tratando-o com esmeril. **3.** *Fig.* Aperfeiçoar, aprimorar. **4.** Investigar minuciosamente. ★ *v.pr.* *Fam.* Apurar-se, esmerar-se.

esmero (ê) *s.m.* **1.** Ação de esmerar(-se); cuidado. **2.** Apuro, primor, requinte. **3.** Asseio, elegância.

esmigalhar *v.t.* e *v.pr.* (conj. 4). Reduzir(-se) a migalhas; despedaçar(-se), fragmentar(-se).

esmiuçar *v.t.* (conj. 13). **1.** Dividir em partes muito pequenas. **2.** Reduzir a fragmentos. **3.** *Fig.* Examinar ou explicar minuciosamente; esquadrinhar.

esmo (ê) *s.m.* **1.** Estimativa; cálculo aproximado; avaliação sumária. **2.** *A esmo,* sem rumo, ao acaso; inadvertidamente.

esmola *s.f.* (gr. *eleemosyne,* piedade). **1.** O que se dá aos pobres por caridade; espórtula, óbolo. **2.** *Fig.* Favor. **3.** Benefício, donativo. **4.** *Pop.* Sova, surra.

esmolambado *adj.* e *s.m.* Esfarrapado, roto, maltrapilho.

esmolambar *v.t.* (conj. 4). **1.** Reduzir a molambos; esfarrapar. **2.** *Pop.* Acanalhar, achincalhar. ★ *v.i.* Andar em farrapos.

esmolar *v.t.* (conj. 4). **1.** Dar esmola ou dar como esmola. **2.** Pedir esmola ou pedir como esmola. ★ *v.i.* **1.** Pedir esmola; mendigar. **2.** Dar esmolas, ser caridoso.

esmoleiro *adj.* e *s.m.* **1.** Diz-se do ou o frade que pede esmolas para o convento. **2.** Mendigo.

esmoler (lé) *s.2g.* **1.** Pessoa encarregada de distribuir esmolas. **2.** *Pop.* Mendigo, pedinte. ★ *adj.* Que dá muitas esmolas.

esmorecer *v.t.* (conj. 25). **1.** Tirar o ânimo, as forças. **2.** Desalentar, desanimar. ★ *v.i.* **1.** Desanimar, perder o entusiasmo. **2.** Enfraquecer, definhar. **3.** Diminuir de intensidade; apagar-se. **4.** Declinar, cair.

esmorecido *adj.* **1.** Desanimado, triste. **2.** Atenuado, esbatido.

esmurrar *v.t.* (conj. 4). Dar murros em; socar.

esnobação *s.f.* Ação de esnobar.

esnobar *v.t.* (conj. 4). Tratar (alguém) com desprezo, com ares de superioridade; menosprezar. ★ *v.i.* Proceder como esnobe.

esnobe *adj.2g.* e *s.2g.* (ingl. *snob*). Diz-se de ou pessoa que demonstra esnobismo; pernóstico, afetado.

esnobismo *s.m.* (ingl. *snobbism*). Tendência para demonstrar falsa e exagerada superioridade; afetação.

és-nordeste *s.m.* Ponto subcolateral da rosa-dos-ventos, situado entre o nordeste e o leste (abrev. ENE). (Var. LÉS-NORDESTE.)

esofagiano *adj.* **1.** Relativo ao esôfago; esofágico. **2.** *Goteira esofagiana,* canal que, nos ruminantes, comunica a cárdia com a entrada do folhoso, através do retículo.

esofágico *adj.* Esofagiano.

esofagite *s.f.* Inflamação do esôfago.

esôfago *s.m.* (gr. *oisophágos*). Parte do trato digestivo constituída por um canal muscular e membranoso que se estende da faringe ao esôfago.

esotérico *adj.* (gr. *esóterikos,* reservado aos íntimos, aos adeptos). **1.** Diz-se da doutrina filosófica e religiosa ensinada secretamente, p. opos. a *exotérico.* **2.** *Fig.* Hermético, obscuro.

esoterismo *s.m.* **1.** Doutrina esotérica. **2.** Parte de certas filosofias cuja prática devia permanecer desconhecida pelos profanos.

espaçar *v.t.* (conj. 13). **1.** Separar por um espaço. **2.** Separar por intervalo de tempo; adiar. **3.** Prolongar, dilatar. **4.** Alargar, aumentar.

espacejar *v.t.* (conj. 4). **1.** Espaçar. **2.** Deixar espaço em branco entre linhas, letras ou palavras, quando da composição tipográfica.

espacial *adj.2g.* **1.** Relativo ao espaço. **2.** Relativo ao espaço intersideral.

VOCÊ SABIA...? A primeira nave **espacial** não tripulada foi lançada na década de 1950. Existem dois tipos de naves espaciais não tripuladas: os satélites e as sondas. Os satélites, presos à órbita terrestre, giram ao redor da Terra, ao passo que as sondas viajam pelo espaço para explorar outros planetas. Essas naves são enviadas ao espaço por meio de foguetes. Levam em seu interior equipamento científico da Terra, e as informações são obtidas por rádio.

espaço *s.m.* (lat. *spatium,* campo de corridas). **1.** Região com uma, duas ou três dimensões, ditas respectivamente extensão, superfície e volume, dentro da qual se localiza um ponto. **2.** Extensão indefinida. **3.** Lugar delimitado que pode conter alguma coisa. **4.** Intervalo de tempo. **5.** Extensão em que estão os astros, as galáxias etc. **6.** Distância percorrida por um ponto em movimento. ● **Anat.** Nome dado a certas regiões, a certos interstícios do corpo.

espaçoso (ô) *adj.* Amplo, extenso, largo, vasto.

espada *s.f.* (gr. *spáthe,* pelo lat. *spatha*). **1.** Arma branca, formada por uma lâmina comprida e pontiaguda, de um ou dois gumes. **2.** Estado, poder militar. ★ *s.m.pl.* Um dos naipes do baralho.

espadachim *s.m.* (it. *spadaccino*). **1.** Aquele que luta com espada. **2.** Pessoa que busca duelos; duelista. **3.** Brigão, rixento, valentão.

espada-de-são-jorge *s.f.* Planta originária da África, cultivada como ornamental pelas folhas longas e marmorizadas.

espadana *s.f.* **1.** O que tem forma de espada. **2.** Jato de líquido que lembra uma fita ou espada.

espadanado *adj.* Diz-se do líquido que cai em jatos.

espadanar *v.t.* (conj. 4). Lançar em grandes jatos. ★ *v.i.* Escorrer aos borbotões, jorrar em espadana.

espadarte *s.m.* Peixe de grande porte, que apresenta rostro com até 2 m, dos mares quentes e temperados. (Sin. PEIXE-ESPADA.)

espadaúdo *adj.* Que tem amplas espáduas.

espádice *s.f.* (gr. *spádix,* ramo de palmeira). Tipo de inflorescência formada por um eixo carnoso envolvido por uma bráctea, muito comum nas aráceas.

espadim *s.m.* Pequena espada de lâmina mais delgada que a ordinária, que complementa uniformes diversos.

espádua *s.f.* (lat. *spathula*). **1.** Articulação que une o braço ao tórax; espalda, ombro. **2.** Essa parte do corpo de um quadrúpede.

espaguete *s.m.* (it. *spaghetti*). Massa alimentícia de preparação rápida, à base de farinha de trigo e ovos, sob a forma de longo bastonete maciço.

espairecer *v.t.* (conj. 25). **1.** Distrair, entreter, recrear. **2.** Desanuviar. ★ *v.i.* e *v.pr.* Distrair(-se), recrear(-se).

espaldar *s.m.* Encosto de uma cadeira ou de um banco.

espalha-brasas *s.2g.2n. Fam.* Pessoa desastrada, barulhenta, estouvada.

espalhafato *s.m.* **1.** Barulho, estardalhaço. **2.** *Fam.* Ostentação luxuosa; exagero.

espalhafatoso (ô) *adj.* **1.** Que age com espalhafato. **2.** Que chama a atenção pelo exagero.

espalhar *v.t.* (conj. 4). **1.** Separar a palha de. **2.** Lançar em vários sentidos; dispersar, espargir. **3.** *Fig.* Divulgar, propagar. **4.** Ampliar, difundir. **5.** Distribuir. ★ *v.i.* **1.** Espairecer, distrair-se. **2.** Desvanecer-se. **3.** Dispersar-se. ★ *v.pr.* **1.** Difundir-se. **2.** *Fam.* Dissipar-se, propagar-se.

espalmado *adj.* **1.** Plano como a palma da mão. **2.** Diz-se da mão aberta e estendida.

espalmar *v.t.* (conj. 4). **1.** Alisar, achatar. **2.** Abrir, distender. **3.** Aparar com a palma da mão. ★ *v.pr.* Alisar-se, aplanar-se.

espanador (ô) *s.m.* Utensílio doméstico, em geral feito com penas, para limpar ou tirar o pó. ★ *adj.* Que espana ou espaneja, que sacode o pó.

espanar *v.t.* (conj. 4). Limpar com espanador, para tirar o pó; espanejar. ★ *v.pr. Fam.* Limpar-se; procurar apresentar-se com aspecto mais tratado.

espancar *v.t.* (conj. 12). **1.** Dar pancadas em; surrar, desancar. **2.** Afastar, afugentar. **3.** Dissipar, desfazer.

espandongado *adj.* **1.** Desalinhado, mal-vestido. **2.** Esfrangalhado, roto. **3.** Desleixado, relaxado. **4.** De ombros caídos, bamboleantes; malfeito, desengonçado. **5.** Metido a valente.

espandongar *v.t.* (conj. 14). **1.** Pôr em desordem, em desalinho. **2.** Estragar, avariar. **3.** Esfrangalhar.

espanejar *v.t.* e *v.pr.* (conj. 4). Espanar(-se).

espanhol *adj.* Relativo ou pertencente à Espanha, país da Europa. ★ *s.m.* **1.** O natural ou habitante da Espanha. **2.** Língua românica falada principalmente na Espanha e na América Latina.

espanholada *s.f.* **1.** Grande quantidade de espanhóis. **2.** *Pop.* Exagero, fanfarronada.

espanholismo *s.m.* **1.** Costume característico da Espanha ou do povo espanhol. **2.** Emprego de palavra ou expressão da língua espanhola num idioma estrangeiro.

espantadiço *adj.* Que se espanta facilmente; arisco.

espantado *adj.* **1.** Assustado. **2.** Surpreso, admirado.

espantador (ô) *adj.* e *s.m.* Que ou aquele que espanta.

espantalho *s.m.* **1.** Boneco de palha ou qualquer objeto que se põe nas árvores ou nos campos cultivados para espantar aves ou roedores. **2.** Pessoa muito feia, que mete medo. **3.** Pessoa que não serve para nada, inútil. **4.** Pessoa maltrajada ou extravagantemente vestida. **5.** Espectro.

espantar *v.t.* (conj. 4). **1.** Causar espanto, susto, medo; assombrar. **2.** Admirar, surpreender. **3.** Enxotar, expulsar. ★ *v.i.* Ser espantoso, causar espanto. ★ *v.pr.* **1.** Admirar-se, maravilhar-se. **2.** Ficar assustado.

espanto *s.m.* **1.** Surpresa causada por algo estranho, inesperado. **2.** Admiração, assombro, pasmo.

espantoso (ô) *adj.* **1.** Que causa espanto; assombroso. **2.** Digno de admiração; extraordinário.

esparadrapo *s.m.* (lat. tard. *sparadrapus*). Faixa de papel, tecido ou matéria plástica com uma das faces destinada a ser aplicada sobre a pele, recoberta por substância adesiva.

espargir *v.t.* (lat. *spargere*) [conj. 52]. **1.** Derramar (água, sangue etc.). **2.** Espalhar gotículas; borrifar, esparzir. **3.** Difundir. ★ *v.t.* e *v.pr.* Espalhar(-se), difundir(-se).

espargo *s.m.* Var. de ASPARGO.

esparramar *v.t.* (conj. 4). **1.** Dispersar, espalhar. **2.** Derramar, entornar. **3.** Achatar. ★ *v.i.* e *v.pr.* **1.** Espalhar-se, dispersar-se. **2.** *Fam.* Sentar-se sem compostura; escarrapachar-se.

esparramo ou **esparrame** *s.m.* **1.** Ato de esparramar; dispersão, esparramação. **2.** Alarde, aparato, espalhafato, ostentação. **3.** Rixa, briga.

esparrela *s.f.* **1.** Armadilha de caça. **2.** Laço para apanhar pássaros. **3.** Espécie de remo colocado na parte traseira de uma embarcação e que substitui o leme. **4.** *Fig.* Engano, logro.

esparso *adj.* (lat. *sparsu*). **1.** Solto, disperso. **2.** Derramado, espalhado.

espartano *adj.* **1.** Relativo a Esparta. **2.** *Fig.* Austero, rigoroso, severo. ★ *adj.* e *s.m.* O natural ou habitante de Esparta.

espartilho *s.m.* Colete provido de barbatanas ou lâminas de aço que as mulheres usavam sob outra peça do vestuário, para dar mais elegância ao corpo.

esparzir *v.t.* (conj. 78). Espargir.

espasmo *s.m.* (gr. *spasmós*, convulsão). **1.** Contração involuntária anormal dos músculos, especialmente dos músculos lisos. **2.** *Fig.* Abstração, êxtase, arroubo.

espasmódico *adj.* **1.** Relativo ao espasmo; espástico. **2.** Que provoca espasmo. **3.** *Fig.* Que tem os caracteres de um movimento involuntário e brusco.

espasmofílico *adj.* Relativo à espasmofilia.

espasmolítico *adj.* Sin. de ANTIESPASMÓDICO.

espasticidade *s.f.* Hipertonia muscular permanente, em geral decorrente de lesão no sistema piramidal.

espástico *adj.* (gr. *spastikós*). **1.** Espasmódico. **2.** Hipertônico.

espatifar *v.t.* (conj. 4). **1.** Fazer em pedaços; estraçalhar. **2.** *Fam.* Dissipar, esbanjar.

espátula *s.f.* (lat. *spathula*). **1.** Instrumento de metal, madeira etc. em forma de faca, sem corte, utilizado para abrir livros, estender e diluir massas, ungüentos etc. **2.** Extremidade das chaves dos instrumentos de sopro, sobre a qual se apoiam os dedos do executante.

EXEMPLOS DE ESPÁTULA

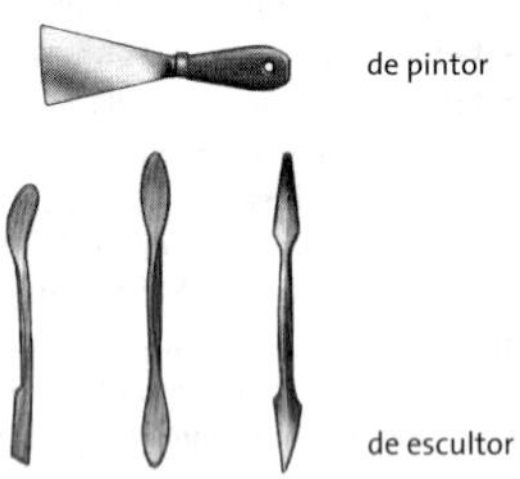

espaventar *v.t.* e *v.pr.* (conj. 4). **1.** Assustar(-se), espantar(se). **2.** Envaidecer(-se), ostentar.

espavento *s.m.* (it. *spavento*). **1.** Susto, sobressalto. **2.** Ostentação, luxo, aparato.

espavorir *v.t.* e *v.pr.* (conj. 79). Amedrontar(-se); apavorar(-se), aterrar(-se), assustar(-se).

especar *v.t.* (conj. 12). Sustentar com espeques; escorar.

especiação *s.f.* Mecanismo evolutivo que leva à formação de novas espécies.

especial *adj.2g.* (lat. *specialis*). **1.** Peculiar a pessoa ou coisa; específico. **2.** Fora do comum, excelente, notável. **3.** Exclusivo.

especialidade *s.f.* **1.** Caráter daquilo que é especial. **2.** Ramo de estudo, de trabalho particularizado em uma ciência ou arte. **3.** *P. ext.* Aquilo a que alguém se dedica particularmente. **4.** Prato característico de uma região, de um restaurante.

especialista *adj.2g.* e *s.2g.* **1.** Que ou aquele que se dedica exclusivamente ao estudo ou à prática de um ramo de uma ciência, arte ou profissão. **2.** Que ou aquele que tem grande habilidade ou prática em determinada coisa.

especialização *s.f.* **1.** Ação de especializar(-se). **2.** Diferenciação profissional no processo de divisão do trabalho.

especializar *v.t.* (conj. 4). **1.** Fazer adquirir conhecimentos especiais para a execução de um trabalho ou para a prática de uma ciência ou de uma arte. **2.** Particularizar, singularizar, distinguir. ★ *v.pr.* Adquirir uma especialização.

especiaria *s.f.* Substância aromática vegetal que serve para temperar, como cravo-da-índia, canela, noz-moscada.

espécie *s.f.* (lat. *species*). **1.** Qualidade, gênero, natureza. **2.** Coisa mais ou menos semelhante ou próxima a outra; tipo, variedade. **3.** Moeda que tem curso legal. **4.** Unidade de classificação de plantas e animais, que reúne indivíduos muito semelhantes entre si, com capacidade de se cruzar e deixar descendentes férteis. **5.** O gênero humano.

especificação *s.f.* **1.** Descrição, determinação circunstanciada. **2.** Definição das características essenciais (qualidade, dimensões etc.) que deve ter uma mercadoria, uma construção, um material, um produto etc. **3.** Cada uma dessas características.

especificar *v.t.* (conj. 12). Descrever, determinar circunstanciadamente.

especificativo *adj.* Que especifica ou contém especificação; especificador.

especificidade *s.f.* Qualidade daquilo que é específico.

específico *adj.* (lat. tard. *specificus*). **1.** Que é exclusivo de uma coisa ou espécie. **2.** Diz-se do medicamento que age especialmente contra determinada doença.

espécime ou **espécimen** *s.m.* (lat. *specimen*). Modelo, exemplar, tipo, amostra.

especioso (ô) *adj.* (lat. *speciosus*). **1.** Que tem apenas a aparência de verdade; ilusório, enganador. **2.** Refinado, delicado.

espectador (ô) *s.m.* (lat. *spectator*, observador). **1.** Pessoa que presencia qualquer acontecimento; testemunha ocular. **2.** Pessoa que assiste a um espetáculo teatral, cinematográfico etc.

espectral *adj.2g.* **1.** Relativo a espectro. **2.** Que tem o caráter de um espectro, de um fantasma.

espectro *s.m.* (lat. *spectrum*, simulacro). **1.** Fantasma, aparição ilusória. **2.** Presença ou iminência ameaçadora; espantalho. **3.** *Fig.* e *Fam.* Pessoa esguia, magra e macilenta. ● **Fís.** Representação de um fenômeno ondulatório pelas freqüências das ondas que o compõem.

especulação *s.f.* (lat. *speculatio*). **1.** Ato ou efeito de especular. **2.** Investigação teórica e desinteressada, sem qualquer outro objetivo além do puro conhecimento. **3.** Compra e venda sistemática de bens com a intenção de lucro alto e rápido. **4.** Negócio em que uma das partes aufere vantagens explorando a boa-fé da outra; exploração, logro.

especulador (ô) *adj.* e *s.m.* (lat. *speculator,* espião). **1.** Que ou aquele que especula. **2.** Diz-se de ou pessoa que procura tirar sempre proveito para si; interesseiro.

especular[1] *v.t.* (lat. *speculare,* espreitar) [conj. 4]. **1.** Observar, indagar, pesquisar. **2.** Valer-se de certas informações ou posição para auferir vantagens; explorar, lograr. ★ *v.i.* **1.** Meditar, raciocinar. **2.** Fazer negócios visando ao lucro. **3.** Fazer operações financeiras ou comerciais com bens negociáveis, a fim de tirar proveito da variação de suas cotações.

especular[2] *adj.2g.* (lat. *specularis*). Relativo ao espelho.

especulativo *adj.* (lat. tard. *speculativus*). **1.** Relativo a especulação. **2.** Que se dedica à teoria sem se preocupar com a prática; teórico.

espedaçar *v.t.* (conj. 13). Despedaçar.

espeleologia *s.f.* (do gr. *spelaion,* caverna). Estudo e exploração de cavernas.

espelhação *s.f.* Espelhamento.

espelhar *v.t.* (conj. 4). **1.** Refletir como um espelho. **2.** Converter em espelho; tornar liso, polido como um espelho. ★ *v.pr.* **1.** Ver-se em espelho. **2.** Brilhar, refletir-se.

espelharia *s.f.* **1.** Indústria de fabrico de espelho. **2.** Oficina para estanhagem de vidro.

espelheiro *s.m.* Fabricante, vendedor ou consertador de espelhos.

espelho (ê) *s.m.* (lat. *speculum*). **1.** Vidro polido e coberto por uma fina camada metálica (estanho, prata, alumínio) que reflete a luz e reproduz a imagem dos objetos colocados diante dele. **2.** *P. ext.* Qualquer superfície com essas propriedades. **3.** *Fig.* Tudo o que representa alguma coisa a nossos olhos. **4.** Chapa de metal que adorna ou disfarça o orifício em que se introduz a chave.

espeloteado *adj.* e *s.m.* Diz-se de ou indivíduo sem critério; espinoteado, estouvado.

espelunca *s.f.* (lat. *spelunca,* do gr. *spelugx, speluggos*). **1.** Antro, caverna. **2.** Lugar imundo, escuro. **3.** Casa de jogo; cassino.

espeque *s.m.* **1.** Escora. **2.** Alavanca utilizada no serviço de artilharia e de marinha para mover as peças, fardos etc. **3.** *Fig.* Proteção, arrimo, amparo.

espera *s.f.* **1.** Ato ou efeito de esperar. **2.** Tempo durante o qual se espera; demora, dilação. **3.** Expectativa, esperança. **4.** Tocaia, emboscada, cilada.

espera-marido *s.m.* Doce feito com ovos e calda de açúcar que se deixa queimar ligeiramente.

esperança[1] *s.f.* **1.** Expectativa de algo que se deseja. **2.** Objeto dessa espera. **3.** Espera da realização de algum evento ou fato. **4.** Fé, confiança.

esperança[2] *s.f.* Inseto ortóptero, semelhante ao gafanhoto, que apresenta asas anteriores de coloração verde e antenas mais longas que o corpo.

esperançar *v.t.* (conj. 13). Dar esperanças; animar. ★ *v.pr.* Ter esperança; animar-se.

esperançoso (ô) *adj.* **1.** Que tem esperança. **2.** Que dá esperança; auspicioso.

esperanto *s.m.* (de *Esperanto,* n.pr., o que espera). Língua artificial internacional criada por volta de 1887 por L. L. Zamenhof.

ESPERANTO ► Zamenhof, inventor do esperanto, foi um judeu polonês que viveu numa região onde se falavam várias línguas e onde havia um forte racismo. Pensando que o ódio se devia à incompreensão entre os homens, teve a idéia de criar, com base nas línguas românicas (derivadas do latim), uma língua artificial e fácil de aprender, que permitiria aos homens se entenderem.

---

esperar *v.t.* (lat. *sperare*) [conj. 4]. **1.** Ficar à espera de; aguardar. **2.** Ter esperança em; contar com. **3.** Supor, imaginar. **4.** Confiar, ter fé. **5.** Emboscar. **6.** Estar grávida. ★ *v.i.* Ter fé, ter esperança.

esperdiçar *v.t.* (conj. 13). Desperdiçar.

esperma *s.m.* (gr. *spérma,* semente). Substância complexa produzida pelos órgãos genitais dos animais machos que contém diversos elementos essenciais à vida e à locomoção dos espermatozóides. (Sin. SÊMEN.)

espermacete *s.m.* (lat. tard. *sperma ceti,* semente de cetáceo). Substância branca, semitransparente e oleosa, encontrada na cabeça dos cachalotes, utilizada na fabricação de cosméticos, sabão e velas.

espermátide *s.f.* Espermatozóide ainda imaturo, derivado da divisão meiótica de um espermatócito secundário; espermatoblasto.

espermatídeo ou **espermátide** *s.f.* Espermatozóide ainda imaturo, derivado da divisão meiótica de um espermatócito secundário.

espermatócito *s.m.* Célula germinativa masculina do reino animal.

espermatozóide *s.m.* Gameta masculino, produzido nos testículos, elemento fecundante do esperma.

ESTRUTURA DO ESPERMATOZÓIDE

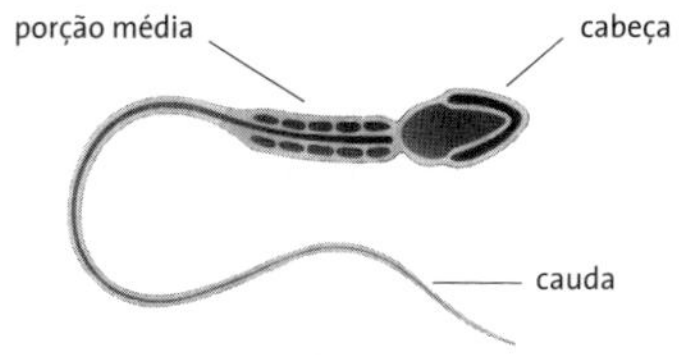

ESPERMATOZÓIDE ► Graças à forma aerodinâmica e à cauda em forma de chicote, o espermatozóide humano é muito adaptável à função de transportar os cromossomos masculinos através do conduto reprodutor feminino e fecundar a célula-ovo.

---

espermicida *adj.2g.* e *s.m.* Diz-se de ou substância química que, aplicada localmente na vagina, destrói os espermatozóides.

espernear *v.i.* (conj. 15). **1.** Agitar as pernas violentamente. **2.** *Fam.* Protestar por ter sido contrariado; zangar-se.

espertalhão *adj.* e *s.m.* *Pop.* Que ou aquele que é sagaz, astuto; finório.

espertar *v.t.* (conj. 4). **1.** Tornar esperto; despertar. **2.** Excitar, estimular, avivar. ★ *v.i.* e *v.pr.* **1.** Despertar. **2.** Animar-se. **3.** Dar sinal de alerta (a sentinela).

esperteza (ê) *s.f.* **1.** Qualidade de esperto. **2.** Ação de pessoa esperta. **3.** Astúcia, manha.

esperto *adj.* (lat. *expergitus,* de *expergiscere,* despertar). **1.** Desperto, vivaz, vivo. **2.** Agil, rápido. **3.** Astucioso, astuto, manhoso. **4.** Enérgico, ativo. (Cf. EXPERTO.)

espessar *v.t., v.i.* e *v.pr.* (lat. *spissare*) [conj. 4]. Tornar(-se) espesso, mais denso.

espesso (ê) *adj.* (lat. *spissus*). **1.** Grosso, consistente. **2.** Denso. **3.** Fechado, cerrado. **4.** Opaco. **5.** Sólido, compacto.

espessura *s.f.* **1.** Qualidade de espesso (usualmente, com o mesmo sentido geométrico de altura); grossura. **2.** Estado do que é denso. **3.** Ajuntamento de coisas que formam um todo compacto.

espetacular *adj.2g.* **1.** Que constitui um espetáculo; espetaculoso. **2.** Prodigioso, sensacional.

espetáculo *s.m.* (lat. *spectaculum*). **1.** Tudo aquilo que atrai o olhar, a atenção. **2.** Contemplação, vista. **3.** Representação teatral, cinematográfica, coreográfica etc. **4.** Cena ridícula; escândalo.

espetaculoso (ô) *adj.* **1.** Espetacular. **2.** Que é dado a exibição, a espetáculo, a escândalos.

espetado *adj.* **1.** Enfiado em, atravessado por espeto. **2.** Ferido, machucado. **3.** *Fig.* Ereto, eriçado.

espetar *v.t.* (conj. 4). **1.** Furar, atravessar com espeto, com objeto pontiagudo e perfurante. **2.** Fixar (a vista). **3.** Machucar, ferir. **4.** *Fig.* Fiar, creditar, ficar devendo (uma despesa). ★ *v.pr.* **1.** Ferir-se, machucar-se. **2.** *Fig.* Sair-se mal, ficar em má situação.

espeto (ê) *s.m.* (do germ.). **1.** Vareta, geralmente de ferro, para assar carne, peixe. **2.** Pau ou vara aguçada em uma das extremidades. **3.** *Fig.* Pessoa muito magra e alta. **4.** *Fig.* Situação difícil, embaraçosa e incômoda; complicação, contratempo.

espevitadeira *s.f.* Tesoura para espevitar pavios.

espevitado *adj.* **1.** Diz-se do morrão que foi cortado com a espevitadeira. **2.** *Fig.* Desembaraçado; que gosta de ostentação, nos gestos e no falar. **3.** Presumido, pretensioso.

espevitar *v.t.* (conj. 4). **1.** Cortar, aparar o morrão de uma vela ou de uma candeia. **2.** Despertar, avivar. ★ *v.pr.* **1.** Mostrar-se desembaraçado nos modos e no falar, para chamar a atenção sobre si. **2.** Agastar-se, abespinhar-se.

espezinhar *v.t.* (conj. 4). **1.** Calcar aos pés. **2.** *Fig.* Oprimir; magoar. **3.** Tratar com desprezo; humilhar.

espia[1] *s.2g.* (it. *spia*). **1.** Pessoa que observa ou espreita as ações de alguém; espião. **2.** Sentinela. ★ *s.f.* Olho-mágico.

espia[2] *s.f.* **1.** Cabo com que se amarra uma embarcação. **2.** Designação genérica dos cabos que, amarrados ao alto dos mastros e postes, servem para mantê-los em equilíbrio.

espião *s.m.* (it. *spione,* pelo fr. *spion*). **1.** Agente secreto que se mistura ao inimigo para recolher informações e transmiti-las ao governo para o qual trabalha. **2.** Aquele que espiona, que observa com o intuito de surpreender o segredo de outrem. **3.** Espia[1].

espiar *v.t.* (conj. 16). **1.** Observar secretamente, atentamente. **2.** Aguardar, esperar (oportunidade); espreitar. ★ *v.i.* **1.** Olhar, observar. **2.** Espionar.

espicaçar *v.t.* (conj. 13). **1.** Ferir com o bico. **2.** Esburacar, furar. **3.** Estimular, provocar, incitar. **4.** *Fig.* Torturar, afligir.

espichar *v.t.* (conj. 4). **1.** Enfiar peixes pelas guelras. **2.** Alongar; esticar. **3.** Furar, espetar. ★ *v.i.* *Pop.* Morrer. ★ *v.pr.* Deitar-se estirando-se.

espiciforme *adj.2g.* (do lat. *spica,* espiga). Que apresenta forma de espiga; espicular.

espícula *s.f.* (lat. *spicula,* pontas). Estrutura aculiforme, de natureza calcária ou silicosa, que forma o esqueleto dos espongiários.

espicular *adj.2g.* **1.** Relativo à espiga. **2.** Espiciforme.

espiga *s.f.* (lat. *spica,* ponta). **1.** Tipo de inflorescência com flores sésseis, dispostas em um eixo, muito próximas entre si. **2.** Pequena película cutânea que se desprende perto das unhas. **3.** Parte saliente de uma peça que se encaixa num rebaixo correspondente ou numa ranhura de outra peça. **4.** *Fig.* Contratempo, maçada. **5.** *Gír.* Logro, prejuízo.

espigado *adj.* **1.** Que criou espigas. **2.** Crescido, alto. **3.** *Gír.* Logrado, prejudicado.

espigão *s.m.* **1.** Espiga grande. **2.** Peça de madeira ou metal, aguçada, que se crava na parede ou no chão. **3.** A parte mais elevada de uma serra ou monte. **4.** Parte culminante do telhado que separa as águas. **5.** *Fig.* Edifício muito alto.

espigar *v.i.* (conj. 14). **1.** Formar espiga. **2.** Crescer, medrar, desenvolver-se. **3.** Germinar, brotar. **4.** Prolongar-se, projetar-se para cima. ★ *v.t.* Lograr, prejudicar. ★ *v.pr.* Comprometer-se.

espinafração *s.f.* *Pop.* Ato ou efeito de espinafrar; descompostura.

espinafrar *v.t.* (conj. 4). *Pop.* **1.** Repreender, descompor. **2.** Desmoralizar, ridicularizar.

espinafre *s.m.* (ár. *aspanaj*). Planta hortícola originária do Oriente, de folhas verde-escuras, sinuosas e comestíveis, e pequenas flores esverdeadas.

espinal *adj.2g.* (lat. *spinalis*). **1.** Relativo à espinha dorsal; espinhal. **2.** *Medula espinal,* medula.

espinel *s.m.* Espinhel.

espingarda *s.f.* (it. *spingarda*). Arma de fogo, portátil, de cano comprido e alma lisa.

espinha *s.f.* (lat. *spina*). **1.** Nome dado a certas apófises ou eminências ósseas muito salientes. **2.** Inflamação de um folículo piloso, geralmente purulenta. **3.** *Fig.* Embaraço, dificuldade. **4.** *Espinha dorsal,* linha mediana do dorso, formada pela sucessão das apófises espinhosas das vértebras; coluna vertebral. **5.** Peça óssea do corpo dos peixes que se forma no intervalo das massas musculares e que não possui homólogo entre os vertebrados terrestres.

espinhaço *s.m.* **1.** *Pop.* Espinha dorsal, coluna vertebral. **2.** *Pop.* Costas, dorso. **3.** Arestas de montes; cordilheira.

espinhal[1] *s.m.* **1.** Lugar onde crescem os arbustos espinhosos. (Sin. ESPINHEIRAL.) **2.** Feixe, moita de espinhos.

espinhal[2] *adj.2g.* Relativo à medula espinhal; espinal.

espinhar *v.t.* (conj. 4). **1.** Picar, ferir com espinho. **2.** *Pop.* Irritar, provocar, ofender. ★ *v.pr.* Agastar-se, ofender-se.

espinheiral *s.m.* Sin. de ESPINHAL[1].

espinheiro *s.m.* Arbusto de casca fina, cujos frutos e folhas são usados como condimento.

espinhel ou **espinel** *s.m.* (lat. *spina,* espinho). Aparelho de pesca composto de muitos anzóis preos com arame a uma corda ou a um jogo de cordas, que fica fundeado em meio a bancos de pesca; espinel, espichel.

espinhento *adj.* Que tem ou está cheio de espinhos ou espinhas; espinhoso.

espinho *s.m.* **1.** Estrutura vegetal pontiaguda que difere do acúleo por estar firmemente presa à planta. **2.** Estrutura aculiforme que recobre o corpo de animais como o ouriço e o porco-espinho. **3.** Objeto pontiagudo, estrepe. **4.** Dificuldade, embaraço. **5.** Aflição, tormento, preocupação.

espinho-de-cristo *s.m.* Sin. de COROA-DE-CRISTO.

espinhoso (ô) *adj.* **1.** Que tem ou está cheio de espinhos ou espinhas; espinhento. **2.** *Fig.* Difícil, árduo.

espiniforme *adj.2g.* Que tem forma de espinho ou espinha.

espinoteado *adj.* Estouvado, espeloteado.

espinotear *v.i.* (conj. 15). **1.** Dar pinotes; pinotear. **2.** Bracejar, espernear, debater-se. **3.** *Fig.* Esbravejar, encolerizar-se.

espiolhar *v.t.* (conj. 4). **1.** Tirar os piolhos. **2.** *Fig.* Examinar cuidadosamente; esmiuçar, pesquisar.

espionagem *s.f.* Ação de espionar.

espionar *v.t.* (fr. *espionner*) [conj. 4]. **1.** Recolher secretamente informações e transmiti-las (o espião). **2.** Investigar como espião; espreitar. **3.** Espiar.

espira *s.f.* (gr. *speira,* enrolamento). **1.** Conjunto de voltas de uma concha enrolada, como a dos gastrópodes. **2.** Cada uma das voltas de uma espiral, de uma hélice. **3.** Cada uma das voltas de fio que forma uma mola helicoidal.

espiral *s.f.* **1.** Curva descrita por um ponto que gira em torno de um ponto fixo, com distância crescente em relação a este. **2.** *Fig.* Crescimento rápido, aumento. ★ *adj.2g.* Que tem a forma de espira; enroscado como o caracol.

espiralado *adj.* Que tem a forma de uma espiral.

espiralar *v.t.* (conj. 4). Dar forma de espiral. ★ *v.i.* e *v.pr.* **1.** Tomar a forma de espiral. **2.** Subir em espiral.

espirar *v.i.* (lat. *spirare*) [conj. 4). Soprar; respirar, bafejar. ★ *v.t.* Exalar, emanar.

espírita *adj.2g.* (ingl. *spirit-rapper,* espírito que bate, pelo fr. *spirite*). Relativo ao espiritismo. ★ *adj.* e *s.2g.* Partidário do espiritismo; espiritista.

espiriteira *s.f.* Vasilha que se enche com espírito de álcool para arder.

espiritismo *s.m.* Doutrina baseada na crença da existência de comunicação entre vivos e mortos por meio da mediunidade.

espiritista *adj.2g.* e *s.2g.* Espírita.

espírito *s.m.* (lat. *spiritus,* sopro; ar). **1.** Princípio imaterial, parte incorpórea do ser humano, em oposição ao corpo, à matéria. **2.** Ser imaterial; assombração, fantasma. **3.** Faculdade de compreender, de conhecer; inteligência. **4.** Disposição, tendência. **5.** Aptidão. **6.** Humor. **7.** Sentido, significação. **8.** Líquido obtido pela destilação. **9.** *Espírito Santo,* terceira pessoa da Santíssima Trindade.

espírito-santense *adj.2g.* Relativo ou pertencente ao Espírito Santo, Estado brasileiro. ★ *s.2g.* O natural ou habitante do Espírito Santo.

espiritual *adj.2g.* (lat. *spiritualis*). **1.** Que é da natureza do espírito, p. opos. a *material.* **2.** Incorpóreo, imaterial. **3.** Relativo à religião, à vida devota. **4.** Sobrenatural, místico. ★ *s.m.* Aquilo que é espiritual; o poder espiritual.

espiritualidade *s.f.* Qualidade do que é espiritual.

espiritualismo *s.m.* Doutrina filosófica que admite a existência do espírito como realidade substancial superior à matéria e anterior a ela.

espiritualista *s.2g.* Partidário do espiritualismo. ★ *adj.2g.* Relativo ao espírito e ao espiritualismo.

espiritualização *s.f.* **1.** Ato ou efeito de espiritualizar(-se). **2.** Interpretação em sentido espiritual.

espiritualizar *v.t.* (conj. 4). **1.** Dar um caráter espiritual; depurar de toda materialidade, de toda sensualidade. **2.** Converter o sentido literal (de trecho ou palavra) em sentido alegórico. **3.** Alegrar, animar, excitar (sob o efeito de bebidas alcoólicas). ★ *v.pr.* **1.** Tornar-se espiritual. **2.** Desapegar-se dos valores materiais.

espirituoso (ô) *adj.* **1.** Que tem espírito, que tem graça. **2.** Conceituoso, agudo, engenhoso.

espirômetro *s.m.* Aparelho destinado a medir a capacidade vital, isto é, o volume de ar expirado no decorrer de uma expiração forçada depois de uma inspiração do mesmo tipo.

espiroqueta (ê) ou **espiroqueto** (ê) *s.m.* Nome comum a bactérias com forma espiral, responsável por diferentes tipos de infecções.

espirradeira *s.f.* Arbusto ou pequena árvore ornamental, de folhas opostas e flores rosadas, consideradas tóxicas. (Sin. LOENDRO.)

espirrar *v.i.* (lat. *expirare,* soprar) [conj. 4]. **1.** Dar espirro. **2.** Irromper, romper. **3.** Esguichar, soltar, jorrar. **4.** Sair subitamente de um aperto; ser expelido. ★ *v.t.* **1.** Lançar fora de si; expelir. **2.** Dar, emitir.

espirro *s.m.* Expulsão brusca e súbita de ar pelo nariz e pela boca, provocada por uma excitação da mucosa das vias aéreas respiratórias superiores.

esplanada *s.f.* (it. *spianata*). **1.** Amplo espaço descoberto na frente de um edifício. **2.** *P. ext.* Qualquer local plano e amplo.

esplâncnico *adj.* (gr. *splanchnikós*). Relativo às vísceras.

esplandecer *v.i.* (conj. 25). Resplandecer.

esplender *v.i.* (lat. *splendere*) [conj. 5]. Resplandecer.

esplêndido *adj.* (lat. *splendidus*). **1.** Brilhante, luminoso, reluzente. **2.** Magnificente, suntuoso. **3.** Admirável, perfeito, inexcedível.

esplendor (ô) *s.m.* (lat. *splendor*). **1.** Grande brilho; fulgência, resplandecência. **2.** Magnificência, suntuosidade. **3.** Grandeza, intensidade.

esplendoroso (ô) *adj.* Cheio de esplendor.

esplenético *adj.* e *s.m.* Que ou aquele que tem doença do baço.

esplênico *adj.* (gr. *splenikós*). Relativo ao baço.

esplenite *s.f.* Inflamação do baço.

espocar *v.i.* (onomat.) [conj. 12]. Estourar, explodir, saltar para fora com barulho.

espojar *v.t.* (conj. 4). **1.** Fazer cair no chão. **2.** Reduzir a pó; pulverizar. ★ *v.pr.* Revolver-se no chão (como o cão, o burro etc.).

espoleta (ê) *s.f.* (it. *spoletta*). Nome genérico dos artifícios que inflamam a carga dos projéteis ocos. ★ *s.m.* **1.** *Pop.* Capanga, guarda-costas. **2.** *Pop.* Indivíduo servil, bajulador. ★ *s.2g.* **1.** Criança travessa, peralta. **2.** Intrigante.

espoliação *s.f.* Ato ou efeito de espoliar.

espoliante *adj.2g.* e *s.2g.* Espoliador.

espoliar *v.t.* (lat. *spoliare*, despojar) [conj. 16]. Privar de alguma coisa ilegitimamente, por fraude ou por violência; esbulhar.

espoliativo *adj.* Espoliador.

espólio *s.m.* (lat. *spolium*, despojo). **1.** Bens que ficam por morte de qualquer pessoa. **2.** Despojo do inimigo de guerra.

espôndilo *s.m.* (gr. *spóndylos*). Sin. de VÉRTEBRA.

espongiários *s.m.pl.* Sin. de PORÍFEROS.

esponja *s.f.* (gr. *spongía*). **1.** Animal invertebrado, semelhante a uma planta, geralmente marinho, que apresenta forma variável e corpo com estrutura porosa. **2.** Substância proveniente desse animal. **3.** Objeto de aspecto análogo à esponja. **4.** *Fig.* e *Fam.* Indivíduo que bebe muito.

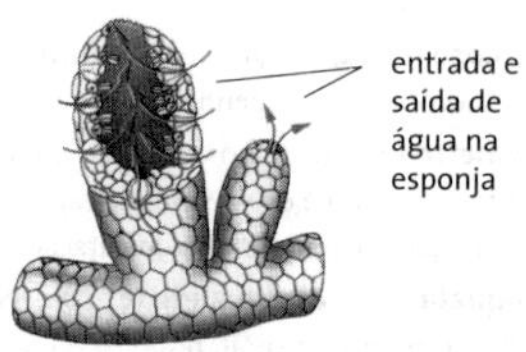

esponjoso (ô) *adj.* (lat. *spongiosus*). Semelhante à esponja; que se encharca como uma esponja. ● **Med.** Que tem a natureza da esponja; poroso. ▸ *Osso esponjoso*, tecido cheio de medula óssea que forma a quase totalidade dos ossos curtos e as extremidades dos longos.

esponsais *s.m.pl.* (lat. *sponsalis*, de esponsais). **1.** Promessa recíproca de casamento; noivado. **2.** Contrato ou convenção que precede o casamento.

esponsal *adj.2g.* Relativo ou pertencente a esposos.

esponsalício *adj.* Relativo aos esponsais.

espontaneidade *s.f.* Caráter daquilo que é espontâneo; naturalidade.

espontâneo *adj.* (lat. *spontaneus*). **1.** Que se faz voluntariamente, natural. **2.** Que vegeta sem intervenção humana.

espontar *v.t.* (conj. 4). Aparar as pontas de (ramos de árvores, dos cabelos, das asas de aves etc.). ★ *v.i.* Começar a surgir; despontar.

espora *s.f.* (do germ.). **1.** Haste de metal, terminada por uma ponta de roseta, que o cavaleiro prende no tacão do calçado, para picar o cavalo e apressar-lhe o passo. **2.** *Fig.* Estímulo. ★ *adj.2g.* *Pop.* Reles, sem valor.

esporada *s.f.* **1.** Picada com espora. **2.** *Fig.* Estímulo, incitamento. **3.** Descompostura.

esporádico *adj.* (gr. *sporadikós*). **1.** Disperso, espalhado. **2.** Raro, fortuito.

esporângio *s.m.* Estrutura reprodutiva das plantas que produz e contém os esporos.

esporão *s.m.* **1.** Saliência óssea e córnea da pata dos machos de aves galiformes, como o galo, que serve como uma arma. **2.** Dedo suplementar presente em certas raças de cães. **3.** Prancha saliente disposta na extremidade da proa de um navio, sobre a linha de flutuação ou na altura da metade do casco. **4.** Fortificação em ângulo saliente. ● **Agric.** Doença fúngica comum às gramíneas que invade os ovários das espigas.

esporear *v.t.* (conj. 15). **1.** Picar com a espora. **2.** *Fig.* Excitar, estimular.

esporo ou **espório** *s.m.* (gr. *sporá* ou *spóros*, semente). Unidade reprodutiva, geralmente unicelular e microscópica, produzida pelas plantas, protozoários e bactérias.

esporogônio *s.m.* Esporófito dos musgos, constituído por cápsula, seta e pé.

esporozoários *s.m.pl.* Classe de protozoários parasitas, que apresentam corpo celular simples, com um núcleo e sem organelas locomotoras.

esporro (ô) *s.m.* **1.** *Chul.* Esperma. **2.** *Chul.* Repreensão violenta.

esporte *s.m.* (ingl. *sport*). **1.** Conjunto dos exercícios físicos que se apresentam sob a forma de jogos individuais ou coletivos e dão vez à competição, praticados sob regras preestabelecidas; desporto. **2.** Cada uma das formas particulares dessa atividade. ★ *adj.2g.2n.* Diz-se de roupa ou adereço informal e confortável.

esportista *adj.2g.* e *s.2g.* Que ou aquele que se dedica ao esporte; desportista.

esportivo *adj.* **1.** Relativo ao esporte; desportivo. **2.** Informal, descontraído.

espórtula *s.f.* (lat. *sportula*, pequeno cesto). **1.** Gorjeta. **2.** Esmola.

esposa (ô) *s.f.* **1.** Mulher prometida para casamento; noiva. **2.** Mulher, em relação ao marido.

esposar *v.t.* (conj. 4). **1.** Unir ou tomar em casamento. **2.** Receber por esposa ou esposo. **3.** Adotar idéias ou opiniões. **4.** Amparar, sustentar. ★ *v.pr.* Unir-se em matrimônio; casar-se.

esposo (ô) *s.m.* (lat. *sponsus*, noivo). **1.** Pessoa unida a outra pelo casamento. **2.** Marido, em relação ao cônjuge.

espostejar *v.t.* (conj. 4). Cortar em postas; esquartejar, despedaçar.

espraiado *adj.* **1.** Que se espraiou. **2.** Alastrado. **3.** Espalhado, dilatado. ★ *s.m.* **1.** Espaço que a maré descobre na vazante. **2.** Alargamento do leito de um rio, geralmente por margens arenosas e pouco profundas.

espraiar *v.t.* (conj. 4). **1.** Lançar à praia. **2.** Estender, alastrar. **3.** Espalhar, dilatar. **4.** Espairecer, distrair. ★ *v.i.* e *v.pr.* Deixar a praia a descoberto; estender-se pela praia. ★ *v.pr.* **1.** *Fig.* Derramar-se, estender-se. **2.** Alastrar-se, expandir-se.

espreguiçadeira *s.f.* Cadeira, em geral de lona e de encosto reclinado ou reclinável, para repouso ou para dormir a sesta.

espreguiçar *v.t.* (conj. 13). **1.** Tirar a preguiça a; espertar. **2.** Alongar os membros preguiçosamente. ★ *v.pr.* **1.** Estirar os membros, bocejando, por efeito de sono ou preguiça. **2.** Expandir-se, alastrar-se.

espreita *s.f.* **1.** Ação de espreitar. **2.** Vigia, espionagem, atalaia.

espreitar *v.t.* (lat. *explicitare*) [conj. 4]. **1.** Observar ocultamente; espiar. **2.** Olhar atentamente; contemplar. **3.** Indagar, perscrutar.

espremedor (ô) *adj.* e *s.m.* Que, aquilo ou aquele que espreme.

espremer *v.t.* (lat. *exprimere*) [conj. 5]. **1.** Apertar de maneira a extrair o suco. **2.** Comprimir. **3.** Fazer sair; expelir. **4.** Não omitir; apurar. **5.** Vexar, oprimir. ★ *v.pr.* Comprimir-se, apertar-se.

espulgar *v.t.* (conj. 14). **1.** Tirar pulgas de. **2.** Esbulhar, roubar, surrupiar. ★ *v.pr.* Livrar-se de pulgas.

espuma *s.f.* (lat. *spuma,* baba). **1.** Bolhas esbranquiçadas que se formam na superfície de um líquido agitado ou aquecido; escuma. **2.** Saliva de alguns animais afogueados ou acometidos de raiva. **3.** Bolhas esbranquiçadas que se formam na pele do cavalo, causadas pelo suor.

espumadeira *s.f.* Escumadeira.

espumante *adj.2g.* **1.** Que lança ou levanta espuma. **2.** Que forma espuma. **3.** *Fig.* Furioso, raivoso, zangado.

espumar *v.t.* (conj. 4). **1.** Tirar a espuma de. **2.** Cobrir de espuma. ★ *v.i.* **1.** Formar, produzir espuma. **2.** Estar furioso, zangado.

espumarada *s.f.* Grande quantidade de espuma.

espumejante *adj.2g.* Que produz espuma.

espumejar *v.i.* (conj. 4). **1.** Lançar espuma. **2.** Espumar com raiva; irar-se.

espumoso (ô) *adj.* Que tem espuma, coberto de espuma; espumento.

espúrio *adj.* (lat. *spurius*). **1.** A que falta legitimidade; não genuíno. **2.** Bastardo. **3.** *Fig.* Falsificado, adulterado. **4.** Ilegal, ilegítimo. **5.** Que não é vernáculo.

esputar *v.i.* (lat. *sputare*) [conj. 4]. Salivar freqüentemente; cuspir muito.

esputo *s.m.* (lat. *sputum*). Cuspo, saliva.

esquadra *s.f.* (it. *squadra*). **1.** O conjunto dos navios de guerra de um país. **2.** Seção de uma companhia de infantaria. **3.** Posto policial.

esquadrão *s.m.* (it. *squadrone*). **1.** Unidade de cavalaria, de exército blindado ou de polícia. **2.** Unidade aérea de bombardeio, de caça ou de reconhecimento, que compreende diversas esquadrilhas.

esquadrejar *v.t.* (conj. 4). Serrar ou cortar em ângulo reto, em esquadria.

esquadria *s.f.* **Geom.** Ângulo reto. ► Corte em ângulo reto. **Arquit.** Conjunto de peças que formam a moldura a que se ajustam as folhas de portas e janelas; caixilho.

esquadrilha *s.f.* (esp. *escuadrilla*). Pequeno grupo de navios de guerra ou de aviões militares.

esquadrilhar *v.t.* (conj. 4). Partir os quadris a; desancar, derrear.

esquadrinhar *v.t.* (conj. 4). **1.** Procurar minuciosamente; investigar, perscrutar. **2.** Observar, estudar, analisar com atenção e cuidado.

esquadro *s.m.* (it. *squadro*). Instrumento em forma de triângulo retângulo ou composto por dois braços perpendiculares, utilizado para traçar ângulos retos ou verificar a perpendicularidade de duas linhas ou superfícies.

EXEMPLOS DE ESQUADROS

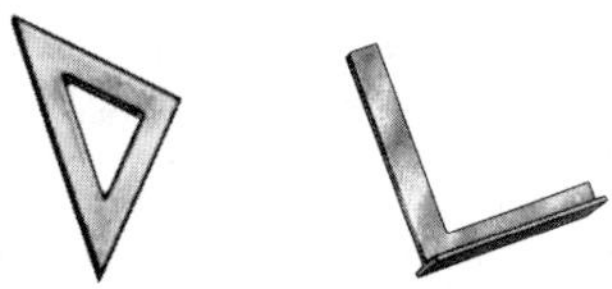

esquadro escolar — esquadro de carpinteiro

esqualidez (ê) *s.f.* Qualidade ou estado de esquálido.

esquálido *adj.* (lat. *squalidus,* áspero). **1.** Sujo, imundo. **2.** Descorado e fraco; macilento. **3.** Desalinhado. **4.** Torpe, sórdido.

esquartejar *v.t.* (conj. 4). **1.** Dividir um todo em quatro partes. **2.** Espedaçar, lacerar. **3.** Fazer um condenado padecer o suplício do esquartejamento.

esquecer *v.t.* (conj. 25). **1.** Perder a lembrança de. **2.** Não pensar em; procurar não se lembrar. **3.** Deixar, por inadvertência. **4.** Deixar de lado; olvidar, abandonar. ★ *v.i.* **1.** Não ser mencionado; ser omitido. **2.** Ficar no esquecimento, escapar da memória. ★ *v.pr.* **1.** Deixar sair da memória. **2.** Não se lembrar; descuidar-se, distrair-se.

esquecidiço *adj.* Que se esquece com facilidade, que tem memória fraca; desmemoriado, esquecido.

esquecido *adj.* **1.** Que se esqueceu. **2.** Que perdeu a sensibilidade, o movimento; lesado. **3.** Esquecidiço. ★ *s.m.* Indivíduo que sempre se esquece.

esquecimento *s.m.* **1.** Ato ou efeito de esquecer(-se); falta de memória; olvido. **2.** Omissão, descuido.

esquelético *adj.* **1.** Relativo ao esqueleto. **2.** *Fig.* Muito magro. ● **Med.** Diz-se de um músculo estriado que se liga a uma peça do esqueleto.

esqueleto (ê) *s.m.* (gr. *skeletós,* corpo ressequido). **1.** O conjunto dos ossos descarnados de um vertebrado morto. **2.** Armação, carcaça, arcabouço. **3.** *Fam.* Pessoa extremamente magra. **4.** Estrutura óssea ou, mais raramente, cartilaginosa do corpo dos vertebrados. ● **Arquit.** Estrutura de uma obra de construção.

esquema *s.m.* (gr. *schema, schematos,* configuração). **1.** Desenho que conserva apenas os traços fundamentais do original representado. **2.** Plano de uma obra literária, de um projeto, de uma teoria etc. **3.** Esboço, sinopse, resumo.

esquemático *adj.* **1.** Relativo a esquema. **2.** Que é feito por meio de esquema. **3.** Reduzido aos aspectos essenciais; simplificado.

esquematizar *v.t.* (conj. 4). **1.** Representar de modo esquemático; fazer o esquema de. **2.** Reduzir aos traços essenciais; apresentar resumindo.

esquentação *s.f.* **1.** Ação de esquentar(-se); esquentamento. **2.** Calor intenso. **3.** *Fig.* Discussão azeda; rixa.

esquentado *adj.* **1.** Aquecido. **2.** *Fig.* Encolerizado, excitado, exaltado.

esquentar *v.t.* (conj. 4). **1.** Tornar quente; aumentar o calor de, aquecer. **2.** *Fig.* Alentar, animar. **3.** *Fig.* Irritar, encolerizar. ★ *v.i.* **1.** Tornar-se quente; aquecer. **2.** *Fam.* Preocupar-se. ★ *v.pr.* **1.** Tornar-se quente; aquecer-se. **2.** Irritar-se, enfurecer-se.

esquerda (ê) *s.f.* **1.** O lado oposto ao direito. **2.** A mão esquerda. **3.** O lado esquerdo, em relação ao presidente, de uma sala que sedia uma assembléia deliberativa. **4.** Conjunto dos grupos ou partidos que professam opiniões avançadas.

esquerdismo *s.m.* **1.** Tendência da esquerda. **2.** Os esquerdistas.

esquerdista *adj.2g.* Relativo à esquerda ou ao esquerdismo. ★ *s.2g.* Partidário da esquerda ou do esquerdismo.

esquerdo (ê) *adj.* (basco *ezker*). **1.** Que está oposto ao lado direito; sinistro. **2.** Diz-se de pessoa canhota. **3.** Que se dispõe à esquerda do observador. **4.** *Fig.* Desajeitado, torcido, torto.

esquete *s.m.* (ingl. *sketch*). Diálogo de curta duração, em geral cômico, representado em teatro, cinema ou televisão.

esqui *s.m.* (nor. *ski*). **1.** Espécie de patim alongado, de madeira, metal ou matéria sintética, para andar ou deslizar sobre a neve ou a água. **2.** Esporte praticado com esses patins.

esquiar *v.i.* (conj. 16). Praticar o esqui.

esquife *s.m.* (it. *schifo*). **1.** Caixão fúnebre; ataúde, tumba. **2.** Embarcação leve, de dimensões reduzidas; batel.

esquilo *s.m.* **1.** Denominação comum a mamíferos roedores, em sua maioria de hábitos diurnos, que se alimentam de nozes e sementes. **2.** Sin. de CAXINGUELÊ.

esquimó *adj.2g.* Relativo ou pertencente aos esquimós, povo nativo da Groenlândia, da costa setentrional da América e da Sibéria Oriental. ★ *s.2g.* **1.** Indivíduo dos esquimós. **2.** Língua falada pelos esquimós.

esquina *s.f.* **1.** Canto exterior formado por dois planos que se cortam (duas paredes de um edifício, duas ruas, duas faces de uma caixa etc.); ângulo. **2.** Lugar em que se cruzam duas ruas. **3.** O próprio cruzamento.

esquisitice *s.f. Fam.* Maneira de proceder de pessoa esquisita; extravagância, singularidade.

esquisito *adj.* (lat. *exquisitus,* apurado, distinto). **1.** Não usual, fora do comum; singular, raro. **2.** Delicioso, excelente. **3.** Precioso, primoroso. **4.** *Fam.* Extravagante, excêntrico. **5.** De má aparência; feio. ★ *s.m.* Lugar ermo, deserto.

esquistossomo ou **esquistosomo** *s.m.* (do gr. *schistós,* fendido). Denominação comum aos vermes platelmintos agentes da esquistossomose.

esquistossomose *s.f.* Doença parasitária tropical, endêmica no Brasil, provocada por esquistossomos, que se caracteriza por cirrose hepática e hipertrofia do baço; barriga-d'água.

esquiva *s.f.* Ação de esquivar-se; esquivamento. ● **Esp.** No boxe, defesa em que o lutador sai da trajetória do golpe.

esquivança *s.f.* **1.** Retraimento. **2.** Desprezo, desdém, desamor. **3.** Aversão, repugnância.

esquivar *v.t.* (de or. germ.) [conj. 4]. **1.** Fugir de pessoa ou coisa que nos desagrada ou ameaça. **2.** Desdenhar, evitar. **3.** Afastar, desviar. ★ *v.pr.* **1.** Defender-se de um golpe saindo de sua trajetória. **2.** *Fig.* Deixar de fazer ou enfrentar; eximir-se, furtar-se.

esquivo *adj.* **1.** Que evita o trato, a convivência. **2.** Áspero, indócil. **3.** Intratável, arisco. **4.** Que evita ou rejeita carinhos, conversação etc.

esquizofrenia *s.f.* Psicose delirante crônica, caracterizada por uma discordância entre o pensamento, a vida emocional e a relação com o mundo exterior. (Sin. PSICOSE DISSOCIATIVA*.)

esquizofrênico *adj.* Relativo à esquizofrenia. ★ *adj.* e *s.m.* Que ou aquele que sofre de esquizofrenia.

esquizóide *adj.2g.* **1.** Relativo à esquizoidia. **2.** Que sofre de esquizoidia. **3.** Diz-se de uma personalidade neurótica que apresenta perturbações muito angustiantes. ★ *s.2g.* Aquele que sofre de esquizoidia.

esquizoidia *s.f.* Constituição mental caracterizada pelo fechamento sobre si mesmo, pela tendência à solidão, à introversão, à fantasia, o que dificulta a adaptação do indivíduo a seu meio.

essa *pron. dem.* (lat. *ipsa*). Fem. de *esse.*

esse (ê) *pron. dem.* (lat. *ipse*). Que ou o que está aí (próximo, no espaço ou no tempo, da pessoa com quem se fala).

essência *s.f.* (lat. *essentia*). **1.** O que constitui a natureza de um ser, de uma coisa. **2.** A existência. **3.** A idéia central. **4.** Óleo fino e aromático extraído de alguns vegetais.

essencial *adj.2g.* (lat. *essentialis*). **1.** Relativo a essência. **2.** Que representa a essência. **3.** Necessário, indispensável. ★ *s.m.* O ponto mais importante; o principal.

és-sudeste ou **és-sueste** *s.m.* Ponto subcolateral da rosa-dos-ventos, situado entre o leste e o sudeste (abrev. ESE) (Var. LÉS-SUESTE.)

esta *pron. dem.* Fem. de *este.*

estabanado *adj. Fam.* Que tem modos precipitados; desajeitado, desastrado.

estabelecer *v.t.* (conj. 25). **1.** Fazer estável, firme; fixar. **2.** Fundar, criar. **3.** Pôr em vigor; instituir. **4.** Demonstrar, provar. **5.** Mandar, ordenar, determinar. ★ *v.pr.* **1.** Fixar residência. **2.** Abrir estabelecimento comercial ou industrial.

estabelecimento *s.m.* **1.** Ato ou efeito de estabelecer(-se). **2.** Casa comercial. **3.** Fundação, instituição.

estabilidade *s.f.* (lat. *stabilitas*). **1.** Qualidade daquilo que é estável. **2.** Solidez, segurança. **3.** *Fig.* Permanência, duração. **4.** Situação e direito do empregado cuja demissão imotivada é vetada pela lei. ● **Fís.** Propriedade que permite a um sistema dinâmico retornar ao seu estado de equilíbrio depois de sofrer uma perturbação.

estabilizar *v.t.* (conj. 4). **1.** Tornar estável, fixo. **2.** Proceder à estabilização.

estabulação *s.f.* Sistema de criação de gado vacum pelo qual, em recinto coberto, os animais recebem alimentação suplementar, ou ficam em confinamento.

estabular[1] *adj.2g.* Relativo ou pertencente a estábulo.

estabular[2] *v.t.* (conj. 4). Criar e engordar em estábulo.

estábulo *s.m.* (lat. *stabulum,* domicílio). Lugar coberto onde se recolhe o gado, particularmente as vacas, fora das pastagens.

estaca *s.f.* (do gótico). **1.** Escora, espeque, esteio. **2.** Peça longa para fundações, de madeira, metal ou concreto armado, que se crava ou se executa no solo. ● **Agric.** Parte de um vegetal que se coloca no solo em condições favoráveis para que possa produzir raízes, crescer e formar nova planta.

estacada *s.f.* **1.** Barreira feita com grandes estacas para fechar uma passagem, proteger obras etc. **2.** Fileira de estacas.

estação *s.f.* (lat. *statio,* ação de ficar imóvel). **1.** Estância, paragem, estada. **2.** Parada de trens, ônibus, navios, destinada ao embarque e desembarque de passageiros ou cargas. **3.** Cada um dos quatro períodos de três meses em que se divide o ano pelos equinócios e solstícios. **4.** Época, temporada. **5.** Instalação científica, em geral para observação de fenômenos naturais. **6.** Conjunto dos emissores ou receptores de antenas. ● **Pec.** *Estação de monta,* período estipulado para acasalamento dos animais de uma criação, com o objetivo de facilitar o manejo das crias. **Topogr.** Piquete. ▸ Ponto do terreno, materializado ou não, em que se dispõe um instrumento para execução de medidas.

estacar *v.t.* (conj. 12). **1.** Sustentar com estacas; escorar. **2.** Interromper, suspender. ★ *v.i.* **1.** Parar subitamente; ficar parado. **2.** Ficar hesitante, perplexo.

estacaria *s.f.* **1.** Grande número de estacas. **2.** Conjunto de estacas que constituem os alicerces de um prédio ou de um dique. **3.** Lugar onde se põem ou se juntam muitas estacas.

estacionamento *s.m.* **1.** Ato ou efeito de estacionar, de parar. **2.** Área fora das vias de circulação ou edifício destinado ao estacionamento de veículos.

estacionar *v.i.* (conj. 4). **1.** Fazer estação, deter-se num lugar; parar. **2.** Não progredir; estagnar. **3.** Freqüentar assiduamente; fazer ponto. **4.** Deter-se (um veículo) por algum tempo num mesmo lugar. ★ *v.t.* Fazer parar um veículo por certo tempo.

estacionário *adj.* (lat. *stationarius,* fixo). **1.** Que fica no mesmo lugar, sem avançar, sem recuar, sem fazer progresso. **2.** Parado, imóvel. **3.** Diz-se da maré em estado de inércia. ● **Fís.** Diz-se de um fenômeno que não evolui com o tempo. ▸ *Onda estacionária,* aquela que não propaga energia e oscila sempre com a mesma amplitude e freqüência.

estada *s.f.* **1.** Ato ou efeito de estar; permanência, estância. **2.** Tempo que se passa em algum lugar; temporada.

estadear *v.t.* (conj. 15). Mostrar com orgulho e soberba; ostentar. ★ *v.pr.* Alardear pompas; ensoberbecer-se.

estadia *s.f.* **1.** Prazo concedido para carga e descarga do navio ancorado num porto. **2.** Estada, permanência.

estádio *s.m.* (gr. *stádion,* pelo lat. *stadium*). **1.** Campo em que se praticam jogos esportivos. **2.** Período de um processo; fase, época.

estadismo *s.m.* Sistema político em que o Estado intervém diretamente na economia e assume todas as funções sociais.

estadista *s.2g.* Pessoa de grande habilidade nos negócios políticos e na administração do Estado.

estado[1] *s.m.* (lat. *status,* postura). **1.** Forma da matéria de acordo com o grau de agregação de suas moléculas (sólido, líquido ou gasoso). **2.** Caracterização geral de um sistema físico ou substância, de acordo com sua forma, grau energético, posição ou tempo. **3.** Aspecto geral; modo de ser, de estar. **4.** Condição, situação física ou moral de uma pessoa. **5.** Registro, inventário. **6.** *Estado civil,* situação jurídica do indivíduo, no que diz respeito à família e à sociedade, resultante de filiação, sexo, casamento.

estado[2] *s.m.* **1.** Um povo social, política e juridicamente organizado que dispondo de uma estrutura administrativa e de um governo próprio tem soberania sobre determinado território. (Escreve-se com maiúscula.) **2.** Unidade de divisão política, administrativa e territorial de certos países. **3.** O governo, a administração superior de um país.

estado-maior *s.m.* **1.** Corpo de oficiais encarregados de assistir um chefe militar no planejamento e na execução de operações. **2.** Lugar onde se reúne esse corpo. **3.** Conjunto dos colaboradores de um chefe. **4.** Conjunto das personalidades mais importantes de um grupo.

estadual *adj.2g.* Relativo a cada um dos Estados pertencentes a uma federação. (Cf. ESTATAL.)

estadunidense *adj.2g.* e *s.2g.* Americano.

ESTAÇÕES DO ANO NO HEMISFÉRIO SUL

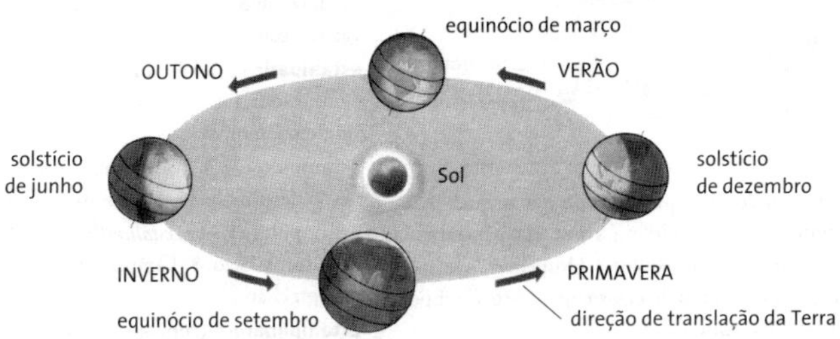

A B C D E F G H I J K L M N O P Q R S T U V W X Y Z

estafa *s.f.* **1.** Conjunto de problemas resultantes de atividade física ou intelectual exercida continuadamente além dos limites da fadiga. **2.** Fadiga, cansaço, esfalfamento.

estafante *adj.2g.* Que estafa; extremamente cansativo, fatigante, exaustivo.

estafar *v.t.* (it. *staffare*) [conj. 4]. **1.** Fatigar, cansar. **2.** Enfadar, maçar. **3.** Moer, espancar. ★ *v.pr.* Fatigar-se, cansar-se.

estafermo (ê) *s.m.* (it. *stà fermo,* está firme). **1.** Figura de pessoa móvel, presa a um eixo vertical, empregada antigamente no adestramento da cavalaria. **2.** *Fam.* Pessoa incompetente, sem préstimo; basbaque. **3.** *Fig.* Espantalho. **4.** *Fig.* Empecilho, estorvo.

estafeta (ê) *s.2g.* (it. *staffetta,* estribo). **1.** Distribuidor de correspondência postal, a cavalo. **2.** Correio. **3.** Mensageiro.

estafilino *adj.* Relativo à úvula.

estafilococcia *s.f.* Infecção provocada por um estafilococo.

estafilococo *s.m.* Nome comum às bactérias arredondadas, freqüentemente patogênicas, que formam grupos com aspecto de cachos de uva.

estagiar *v.i.* (conj. 16). Fazer estágio.

estagiário *adj.* e *s.m.* Que ou aquele que faz estágio. ★ *adj.* Relativo a estágio.

estágio *s.m.* (lat. tard. *stagium*). **1.** Período de estudos práticos exigido dos candidatos ao exercício de certas profissões. **2.** Formação prática efetuada numa empresa para complementar o ensino geral e teórico. **3.** Aprendizagem, experiência. **4.** Fase, etapa. **5.** Divisão de um período geológico que corresponde a um conjunto de terrenos de mesma idade. ● **Astronáut.** *Estágio (propulsivo),* parte autônoma e separável de um veículo espacial, geralmente dotada de meios de propulsão, que executa determinadas funções durante uma certa fase do vôo.

estagnação *s.f.* **1.** Estado daquilo que está estagnado. **2.** Falta de movimento, de atividade; inércia, paralisação.

estagnar *v.t.* (lat. *stagnare*) [conj. 4]. **1.** Impedir que corra (um líquido). **2.** Tornar inerte; parar, paralisar. ★ *v.i.* Ficar (água presa) parada, empoçada. ★ *v.pr.* **1.** Perder a fluidez, não circular. **2.** *Fig.* Não fazer nenhum progresso; parar.

estalactite *s.f.* (do gr. *stalaktós,* que escorre gota a gota). Concreção calcária pendente que se forma nos tetos das grutas ou cavernas.

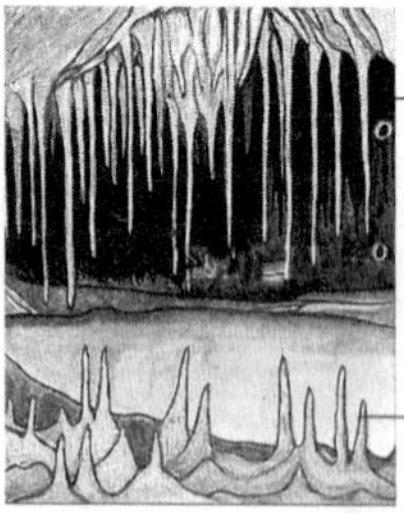

estalada *s.f.* **1.** Som de coisa que estala ou que se quebra. **2.** Ruído alto, rumor. **3.** *Fig.* Desordem, contenda, pancadaria.

estalagem *s.f.* (ant. al. *Stal,* estábulo). **1.** Hospedaria para viajantes; pousada. **2.** Conjunto de casas cujo acesso se dá por um corredor ou pátio comum.

estalagmite *s.f.* (gr. *stalagmós,* escoamento). Concreção calcária que se forma no solo das grutas ou cavernas.

estalajadeiro *s.m.* Proprietário ou administrador de estalagem.

estalão *s.m.* (fr. ant. *estalon*). Padrão, medida, craveira.

estalar[1] *v.i.* (conj. 4). **1.** Rachar, fender-se. **2.** Rebentar com fragor, dar estalo. **3.** Produzir-se subitamente, com estrondo. **4.** Produzir estalido; crepitar, estralar. ★ *v.t.* Espedaçar, quebrar, partir.

estalar[2] *s.m.* Estalido, estalo.

estaleiro *s.m.* Lugar em que se constroem ou se consertam navios.

estalido *s.m.* Som produzido por qualquer coisa que estala; estalo. ● **Med.** Ruído anormal percebido na auscultação durante as pleurisias e pericardites; crepitação.

estalo *s.m.* **1.** Som produzido por um corpo que vibra de repente; estralo, estalido. **2.** Crepitação. **3.** *Pop.* Bofetada. **4.** *Fam. De estalo,* de repente, inesperadamente.

estame *s.m.* (lat. *stamen,* fio). **Bot.** Elemento masculino da flor, formado por um estilete que sustenta a antera. **Têxt.** Fio empregado em tecelagem.

estamento *s.m.* (esp. *estamento*). Camada social originária do feudalismo europeu, cuja posição na hierarquia social é determinada pela tradição e pelo status legal de seus membros.

ESTAMENTO ▸ Na Europa Ocidental, na Idade Média, existiam três estamentos principais: o clero, a nobreza e o terceiro estado, composto dos camponeses livres e da burguesia. Esta última cresceu com o desenvolvimento das cidades.

---

estaminado *adj.* Diz-se das flores que apresentam estames, em particular das flores masculinas com estames e sem pistilo; estaminífero.

estampa *s.f.* (it. *stampa*). **1.** Cada uma das impressões obtidas em papel, ou em outro material, de uma matriz ou chapa, em qualquer tipo de gravura. **2.** Gravura. **3.** Aparência, aspecto.

estampado *adj.* Que se estampou; impresso, gravado. ★ *s.m.* Tecido estampado.

estampagem *s.f.* **1.** Ato ou efeito de estampar. **2.** Todo processo que consiste em gravar em baixo ou alto-relevo letras, ornamentos e figuras em papel, tecido etc. **3.** Conformação de um pedaço de metal por meio de uma ferramenta (matriz), que permite dotá-lo de uma forma e dimensões muito próximas das da peça acabada.

estampar *v.t.* (conj. 4). **1.** Imprimir em relevo por rebatimento mediante matriz gravada. **2.** Imprimir motivos variados sobre (papel, couro, tecido etc.); gravar. **3.** Deixar marca, sinal, vestígio. **4.** Mostrar, revelar, patentear. ★ *v.pr.* **1.** Gravar-se, fixar-se. **2.** Mostrar-se, patentear-se.

estamparia *s.f.* **1.** Fábrica ou seção de fábrica onde se estampam tecidos, folha-de-flandres etc. **2.** Depósito, loja onde se vendem estampas.

estampido *s.m.* **1.** Som forte e repentino, como o de detonação de arma de fogo; estouro. **2.** Tiro, disparo.

estampilha *s.f.* (esp. *estampilla*). **1.** Vinheta representativa de imposto. **2.** Selo. **3.** Lâmina ou chapa de metal para estampagem; chapa.

estampilhar *v.t.* (conj. 4). **1.** Pôr estampilha em. **2.** Selar.

estancar *v.t.* (lat. *stagnare*) [conj. 12]. **1.** Deter o escoamento de um líquido. **2.** Interromper, fazer cessar. **3.** Saciar, satisfazer. ★ *v.i.* **1.** Estagnar-se, parar. **2.** Esgotar-se, exaurir-se.

estância[1] *s.f.* (lat. *stantia,* coisas paradas). **1.** Lugar onde se está. **2.** Morada, residência. **3.** Parada, pouso, estação. **4.** (*SE*) Estação de água mineral. ● **Liter.** Sin. de ESTROFE.

estância[2] *s.f.* (*S*) Fazenda.

estancieiro *s.m.* Proprietário de estância.

estândar *s.m.* (ingl. *standard*). **1.** Padrão, modelo, norma. **2.** Símbolo, bandeira.

estandardização *s.f.* **1.** Ação de estandardizar. **2.** Unificação de produtos e métodos de fabricação, segundo um padrão estabelecido; padronização.

estandardizar *v.t.* (conj. 4). **1.** Submeter à estandardização. **2.** Reduzir a um só tipo; padronizar.

estandarte *s.m.* (fr. ant. *estendart*). **1.** Bandeira de regimentos militares. **2.** Insígnia de corporação militar, religiosas ou civil. **3.** Bandeira. **4.** *Pop.* Grande quantidade. ● **Bot.** Sin. de VEXILO.

estande *s.m.* (ingl. *stand*). **1.** Em uma experiência ou seleção, o número de plantas que são aproveitadas. **2.** Espaço ocupado por cada participante de uma exposição.

estanhar *v.t.* (conj. 4). Recobrir com camadas de estanho, para preservar uma peça da oxidação ou para espelhar um vidro.

estanho *s.m.* (lat. *stanneus,* de estanho). **1.** Elemento químico (símb. Sn) de número atômico 50, que constitui um metal branco-prateado, mais duro e menos denso que o chumbo, de vasta aplicação industrial. **2.** Objeto de estanho. **3.** *Bicos de estanho,* ângulos salientes dos cristais de cassiterita.

estânico *adj.* **1.** Relativo ao estanho. **2.** Diz-se dos compostos do estanho tetravalente.

estanque *adj.2g.* **1.** Que se estancou. **2.** Vedado, tapado, isolado. ★ *s.m.* Estancamento.

estante *s.f.* (lat. *stans, stantis*). **1.** Móvel com prateleiras onde se dispõem livros, discos etc. **2.** Pequeno móvel formado por uma tábua inclinada na parte superior onde se põem livros ou documentos, para facilitar a leitura.

estapafúrdio *adj.* **1.** Extravagante, excêntrico, esquisito. **2.** *Pop.* Estouvado.

estapear *v.t.* (conj. 15). Bater com tapas; esbofetear.

estaquear *v.t.* (conj. 15). **1.** Fixar uma série de estacas de fundação para sustentar uma obra a ser construída. **2.** Sustentar uma planta com estacas. ● **Agric.** Reproduzir através de estacas. ► Plantar estacas.

estaquia *s.f.* Processo artificial de multiplicação vegetativa de plantas por meio de estacas.

estar *v.lig.* (lat. *stare,* ficar de pé) [conj. 10]. **1.** Ser (em determinado momento, situação ou lugar); encontrar-se, achar-se. **2.** Ficar, tornar-se. **3.** Permanecer, manter-se. ★ *v.i.* **1.** Ser presente. **2.** Encontrar-se, achar-se. **3.** Persistir, permanecer. **4.** Comparecer. **5.** Ter domicílio; viver, morar. ★ *v.t.* **1.** Concordar, convir. **2.** Unir-se, aliar-se. **3.** Consistir, residir. ★ *v.aux.* Seguido de verbos no gerúndio, forma tempos compostos.

estardalhaço *s.m.* **1.** Grande bulha, estrondo, ruído. **2.** Ostentação.

estarrecer *v.t.* (conj. 25). Causar pavor, terror a; aterrar, apavorar, assustar. ★ *v.i.* e *v.pr.* **1.** Aterrar-se, apavorar-se. **2.** Permanecer desfalecido; desmaiar.

estatal *adj.2g.* Relativo ou pertencente ao Estado. (Cf. ESTADUAL.) ★ *s.f.* Empresa estatal.

estatelado *adj.* **1.** Que se estatelou; estendido, estirado. **2.** Admirado, espantado. **3.** Parado, hirto.

estatelar *v.t.* (conj. 4). **1.** Atirar ao chão, deitar por terra. **2.** Causar grande admiração a; tornar atônito. ★ *v.pr.* Cair estendido no solo.

estática *s.f.* **1.** Parte da mecânica que estuda o equilíbrio dos sistemas materiais em um referencial dado. **2.** Ruído semelhante a um espocar intermitente, causado por mau contato ou por correntes parasitas em aparelho telefônico, rádio etc.

estático *adj.* (gr. *statikos,* estacionário). **1.** Relativo ao equilíbrio dos sistemas materiais; que está em repouso. **2.** Desprovido de movimento; parado. **3.** Diz-se de uma arte, de uma obra caracterizada pelo equilíbrio, pela estabilidade.

estatística *s.f.* **1.** Ramo da matemática que estuda as técnicas de inferência dos fenômenos previsíveis através de amostragens do todo. **2.** Grupamento metódico de números referentes a fatos sociais, econômicos etc., para avaliação e estudo.

estatístico *adj.* **1.** Relativo à estatística. **2.** Obtido por meio da estatística. ★ *s.m.* Especialista em estatística.

estatização *s.f.* Ato ou efeito de estatizar.

estatizar *v.t.* (conj. 4). **1.** Fazer administrar pelo Estado; incorporar ao patrimônio do Estado, transformando em empresas estatais (de capital misto ou não) as empresas particulares. **2.** Reservar ao Estado a exploração de certos ramos da atividade econômica.

estátua *s.f.* (lat. *statua*). **1.** Obra de escultura, em três dimensões, que representa a figura inteira de um ser humano ou de um animal. **2.** *Fig.* Pessoa imóvel, sem ação.

estatuária *s.f.* (lat. *statuaria*). **1.** Arte de fazer estátuas. **2.** Conjunto e características das estátuas de uma época, de um país, de um monumento.

estatuário *adj.* (lat. *statuarius*). Relativo à estátua. ★ *s.m.* Escultor de estátuas.

estatueta (ê) *s.f.* Pequena estátua.

estatuir *v.t.* (lat. *statuere,* pôr de pé) [conj. 74]. Estabelecer em estatuto; deliberar, determinar.

estatura *s.f.* (lat. *statura*). **1.** Altura de um ser vivo, principalmente do homem. **2.** *Fig.* Competência, capacidade, dignidade.

estatutário *adj.* Relativo a estatutos.

estatuto *s.m.* (lat. *statutus,* estabelecido). Lei orgânica ou regulamento de um Estado, de uma associação.

estável *adj.2g.* (lat. *stabilis*). **1.** Que tem ou adquiriu estabilidade; firme, sólido. **2.** Que não se altera; invariável. **3.** *Fig.* Permanente, duradouro.

este[1] *s.m.* (ingl. *east*). **1.** Ponto do horizonte onde nasce o Sol; nascente, levante, oriente. (Var. LESTE.) **2.** Um dos quatro pontos cardeais (abrev. E), à direita do observador voltado para o norte. ★ *adj.* Relativo a ou proveniente do este.

este[2] *pron. dem.* (lat. *iste*). **1.** Que ou o que está aqui (próximo, no espaço ou no tempo, da pessoa com quem se fala). **2.** Que ou o que se mencionou por último. **3.** Que ou o que se segue.

estear *v.t.* (conj. 15). **1.** Amparar, segurar com esteios. **2.** *Fig.* Proteger, auxiliar. ★ *v.pr.* Basear-se, apoiar-se.

esteárico *adj.* (do gr. *stear,* sebo). Diz-se do ácido presente nas gorduras animais e nos óleos vegetais hidrogenados, utilizado principalmente na fabricação de velas.

estearina *s.f.* Substância graxa obtida pela mistura de ácido palmítico e ácido esteárico, utilizada em cosmética e como lubrificante.

esteatita *s.f.* Variedade compacta de talco encontrada em certas rochas metamórficas.

esteio *s.m.* (ingl. *stay*). **1.** Peça de madeira, metal etc., que serve para segurar ou escorar alguma coisa; montante. **2.** *Fig.* Amparo, proteção, arrimo.

esteira^{1} *s.f.* (esp. *estera*). **1.** Tecido de junco, palha etc., usado como tapete, revestimento de parede etc. **2.** *Esteira rolante,* dispositivo de movimento contínuo para transporte de cargas ou pessoas.

esteira^{2} *s.f.* (lat. *aestuaria*). **1.** Rasto escumoso deixado na água pelo deslocamento de uma embarcação. **2.** *Fig.* Vestígio, traço, reflexo. **3.** Norma, modelo.

esteiro *s.m.* (lat. *aestuarium,* estuário). Canal pouco profundo que se comunica com um rio ou com o mar, navegável por embarcações de pequeno calado.

estelar *adj.2g.* (lat. *stellaris*). Relativo às estrelas. ● **Anat.** *Gânglio estelar,* gânglio simpático cervical inferior com ramificações estreladas.

estelionatário *s.m.* Autor de estelionato.

estelionato *s.m.* (lat. *stellionatus*). Fato de obter, para si ou para outrem, vantagem ilícita, em prejuízo alheio, mediante fraude ou logro.

estêncil *s.m.* (ingl. *stencil*). Folha de metal, papel, tecido fibroso ou outro material, gravada ou perfurada de modo que, aplicada sobre uma superfície lisa e tendo recebido uma camada de tinta, reproduz o texto ou desenho nela traçado.

estendal *s.m.* **1.** Varal. **2.** Exposição de mercadorias. **3.** Conjunto dessas mercadorias. **4.** Lugar onde são expostas.

estendedouro *s.m.* **1.** Varal. **2.** Coradouro.

estender *v.t.* (lat. *extendere*) [conj. 5]. **1.** Proporcionar maior superfície a; alargar. **2.** Desdobrar, desenrolar. **3.** Alongar, estirar. **4.** Prolongar, dilatar. **5.** Aumentar, ampliar. ★ *v.pr.* **1.** Deitar-se, estirar-se. **2.** Desenvolver-se. **3.** Alargar-se, esticar-se. **4.** Prolongar-se. **5.** Grassar, alastrar-se.

estenia *s.f.* Estado normal de força e atividade orgânica.

estenodatilografia *s.f.* Trabalho que compreende o registro de textos por meio de estenografia e, em seguida, a datilografia segundo o texto estenografado.

estenografar *v.t.* (conj. 4). Registrar por meio de estenografia; taquigrafar.

estenografia *s.f.* Técnica de escrita abreviada segundo sinais convencionais que permite a rápida transcrição de um discurso; taquigrafia.

estenótipo *s.m.* Máquina para transcrição rápida de discursos ou textos ditados.

estenose *s.f.* (gr. *stenosis*). Estreitamento congênito ou adquirido de um conduto natural, de uma víscera oca ou de um conjunto anatômico (estenose da uretra, do crânio etc.).

estentor (ô) *s.m.* (gr. *Stentor,* n.pr.). **1.** Pessoa que tem voz muito forte. **2.** *P. ext.* Voz fortíssima.

estentóreo ou **estentórico** *adj.* **1.** Relativo a estentor. **2.** Diz-se da voz muito forte.

estepe^{1} *s.f.* (russo *step*). Formação vegetal constituída de espécies xerófitas, herbáceas ou arbustivas, que forma um tapete descontínuo.

estepe^{2} *s.m.* (ingl. *step*). Pneu sobressalente.

estequiometria *s.f.* Parte da química que estuda as proporções segundo as quais as substâncias reagem.

estequiométrico *adj.* Relativo à estequiometria.

éster *s.m.* Nome genérico dos compostos obtidos pela condensação de um álcool com um ácido carboxílico, com eliminação de água.

estercar *v.t.* (conj. 12). Adubar com esterco.

esterçar *v.t.* (conj. 13). Girar bastante o volante de um veículo.

esterco (ê) *s.m.* (lat. *stercus*). **1.** Estrume. **2.** Excremento animal.

estéreo^{1} ou **estere** *s.m.* (gr. *stereos,* sólido). Unidade de medida (símb. st), equivalente a um metro cúbico, utilizada para medir volume de lenha.

estéreo^{2} *adj.* Estereofônico.

estéreo^{3} *s.m.* Estereótipo.

estereofonia *s.f.* Técnica de transmissão ou de gravação e reprodução de sons que permite a reconstituição espacial das fontes sonoras.

estereofônico *adj.* **1.** Relativo à estereofonia; estéreo. **2.** Diz-se de um sistema acústico que utiliza essa técnica.

estereotipado *adj.* **1.** Marcado, caracterizado por um estereótipo. **2.** *Fig.* Sem originalidade; repetido, esquematizado.

estereotipar *v.t.* (conj. 4). **1.** Imprimir com estereótipos. **2.** *Fig.* Reduzir a fórmulas estereotipadas; esquematizar.

estereotipia *s.f.* **Art. Gráf.** Processo de reprodução e de composição tipográfica em clichês. **2.** Oficina em que se fazem trabalhos de estereotipia. **Psiq.** Repetição indefinida, automática e inadaptada à situação, de sons, palavras, movimentos ou gestos.

estereótipo *s.m.* **1.** Clichê obtido por estereotipia; estéreo. **2.** *Fig.* Caraterização simbólica e esquemática de pessoas ou grupos cujo comportamento se adapta às expectativas de rotina. **3.** *Fig.* Lugar-comum; chavão, clichê.

estéril *adj.2g.* (lat. *sterilis*). **1.** Que não produz frutos. **2.** Que não gera filhos; infecundo. **3.** Isento de micróbios ou de microorganismos vivos, inclusive de seus esporos; asséptico. **4.** Improdutivo, inútil.

esterilidade *s.f.* (lat. *sterilitas*). **1.** Estado daquilo que é estéril; infecundidade, infertilidade. **2.** Impossibilidade total ou parcial de produzir gametas funcionais ou zigotos viáveis. **3.** Estado de um meio biológico, de uma substância ou de um objeto isentos de qualquer micróbio.

esterilização *s.f.* **1.** Ato ou efeito de esterilizar. **2.** Processo de destruição dos microorganismos vivos e esporos de uma substância, de um ferimento, de um instrumento cirúrgico ou do ambiente por meios físicos ou químicos. **3.** Intervenção praticada no homem ou na mulher com o objetivo de torná-lo(a) estéril.

esterilizado *adj.* Submetido à esterilização.

esterilizador (ô) *s.m.* **1.** Aparelho que faz a esterilização de gêneros alimentícios. **2.** Aparelho empregado para esterilizar material cirúrgico, curativos etc. ★ *adj.* Esterilizante.

esterilizante *adj.2g.* Que esteriliza, que destrói os micróbios e/ou suas toxinas; esterilizador.

esterilizar *v.t.* (fr. *stériliser*) [conj. 4]. **1.** Tornar estéril. **2.** Destruir os germes patogênicos por meios físicos ou químicos. **3.** *Fig.* Tornar improfícuo; inutilizar.

esterlino *s.m.* Moeda de ouro inglesa de 100 *pence*; libra, libra esterlina. ★ *adj.* Relativo a essa moeda.

esterno *s.m.* (gr. *sternon*). Osso chato que ocupa a parte anterior do peito e no qual se articulam as cartilagens costais e as clavículas. ● **Zool.** Região ventral do tórax dos insetos.

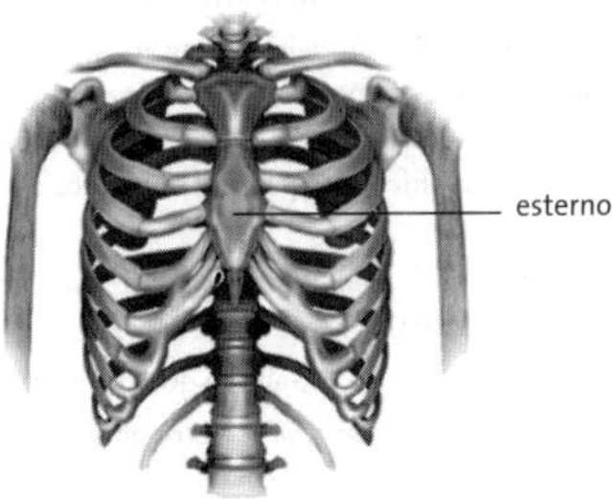

esternoclidomastóideo *adj.* e *s.m.* Diz-se de ou músculo situado na parte ântero-lateral do pescoço.

esteróide *s.m.* Nome genérico dos compostos químicos com estrutura semelhante à dos esteróis, que engloba diversos hormônios e alcalóides. ★ *adj. Hormônio esteróide* ou *esteróide* (*s.m.*), nome genérico dos hormônios derivados dos esteróis, secretados pelas glândulas endócrinas.

esterol *s.m.* Álcool policíclico orgânico, cujo principal representante é o colesterol.

esterqueira *s.f.* Escavação que serve para estocar o excremento e a urina dos animais; fossa.

estertor (ô) *s.m.* (lat. *stertor*). **1.** Som rouco, anormal, que acompanha a respiração, principalmente das pessoas em agonia. **2.** *P. ext.* A própria agonia dos moribundos. ● **Med.** Ruído patológico percebido pelo médico na auscultação dos pulmões, que se origina nos brônquios e alvéolos.

estertoroso (ô) *adj.* **1.** Diz-se da respiração rouca e difícil. **2.** Semelhante ao ronco.

esteta *s.2g.* (gr. *aisthetes*, pelo fr. *esthète*). **1.** Pessoa que aprecia e pratica o belo como valor essencial. **2.** Crítico, escritor que se dedica ao estudo da estética.

estética *s.f.* (gr. *aisthetike*). **1.** Estudo filosófico do belo e das obras de arte. **2.** Conjunto dos princípios fundamentais de uma expressão artística em conformidade com determinado ideal de beleza. **3.** Harmonia, beleza. **4.** Beleza física; plástica.

estético *adj.* **1.** Relativo à estética. **2.** Belo, harmonioso. **3.** Artístico.

estetoscópio *s.m.* (do gr. *stethos*, peito). Instrumento para auscultação do tórax.

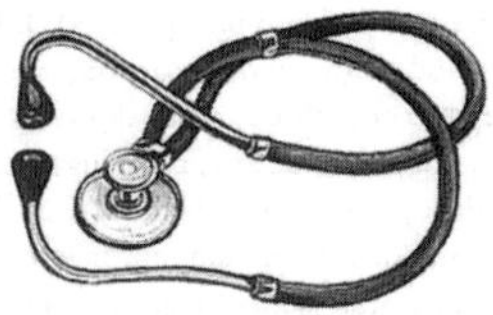

estévia *s.f.* Planta herbácea de pequenas flores brancas e folhas de sabor doce, que fornecem um adoçante natural denominado esteviosídeo.

esteviosídeo *adj.* e *s.m.* Diz-se de ou adoçante natural, não calórico, encontrado na estévia.

estiada *s.f.* Estiagem.

estiagem *s.f.* **1.** Falta prolongada de chuva; estiada. **2.** Tempo sereno e seco após uma temporada de chuva. **3.** Nível médio mais baixo de um curso d'água. **4.** Redução excepcional da vazão de um curso d'água.

estiar *v.i.* (conj. 16). **1.** Serenar (o tempo). **2.** Cessar de chover.

estibordo *s.m.* (hol. *stierboord*). O lado direito de uma embarcação, quando se está dentro dela, olhando para a proa (frente). (Sin. de BORESTE.)

esticador (ô) *adj.* Que estica, retesa, estende. ★ *s.m.* **1.** Caixilho de madeira onde se estende o papel para pintar a aquarela. **2.** Dispositivo ou mourão que assegura a tensão de um cabo, fio, correia ou arame de cerca.

esticar *v.t.* (conj. 12). **1.** Estender com força; retesar. **2.** Alongar. **3.** *Pop.* Prolongar.

estigma *s.m.* (gr. *stigma*). **1.** Marca, sinal, cicatriz. **2.** *Fig.* Marca infamante, labéu. ● **Bot.** Parte superior do pistilo, que serve de superfície receptora para os grãos de pólen. **Zool.** Orifício respiratório de insetos, aracnídeos e artrópodes terrestres, que constitui a extremidade de uma traquéia mais ou menos ramificada.

estigmatização *s.f.* Ato ou efeito de estigmatizar.

estigmatizar *v.t.* (lat. *stigmatizare*) [conj. 4]. **1.** Marcar com estigma. **2.** *Fig.* Censurar, condenar.

estilete (ê) *s.m.* (it. *stiletto*, de *stilo*, punhal). **1.** Instrumento cortante, comprido e fino. **2.** Adaga fina de lâmina triangular e muito afiada. ● **Med.** Instrumento cirúrgico constituído por uma fina lâmina metálica afiada, flexível ou rígida, destinada a sondar trajetos fistulosos, ferimentos etc. **Bot.** Parte do pistilo que contém o ovário e sustenta o estigma.

estilha *s.f.* **1.** Cavaco. **2.** Estilhaço.

estilhaçar *v.t.* e *v.pr.* (conj. 13). Partir(-se) em estilhaços.

estilhaço *s.m.* Fragmento, pedaço de objeto quebrado e lançado violentamente; estilha.

estilingue *s.m.* Atiradeira.

estilista *adj.* e *s.2g.* Que ou aquele que escreve com estilo apurado. ★ *s.m.* **1.** Pessoa que cria uma coleção de costura e supervisiona sua execução. **2.** Especialista em estilística.

estilística *s.f.* Estudo científico dos procedimentos de estilo em uma obra literária.

estilístico *adj.* **1.** Relativo a estilo. **2.** Relativo à estilística.

estilização *s.f.* Ato ou efeito de estilizar.

estilizar *v.t.* (conj. 4). **1.** Interpretar uma forma natural simplificando-a ou modificando-a com finalidades estéticas. **2.** Dar estilo a, aprimorar.

estilo *s.m.* (gr. *stylos,* ponteiro para escrever). **1.** Haste pontiaguda usada desde a Antiguidade para traçar caracteres sobre superfícies de cera; gráfio. **2.** Modo de expressão peculiar a um artista, a um gênero de arte, a um lugar, a uma época ou a uma atividade profissional. **3.** Maneira pessoal de se comportar, de se vestir, de executar um movimento.

estima *s.f.* **1.** Apreciação favorável, apreço, afeição; estimação. **2.** Consideração.

estimação *s.f.* (lat. *aestimatio,* apreciação, avaliação). **1.** Ato ou efeito de estimar. **2.** Estima.

estimar *v.t.* (lat. *aestimare,* avaliar) [conj. 4]. **1.** Ter estima, apreço, afeição. **2.** Regozijar-se por, ter prazer em. **3.** Determinar o valor de; avaliar, calcular. **4.** *Estimar um parâmetro,* encontrar um valor aproximado do parâmetro do qual depende uma lei de distribuição estatística ou uma das suas características, com base na informação fornecida por uma amostra. ★ *v.pr.* **1.** Ter-se em grande estima. **2.** Ter afeição recíproca.

estimativa *s.f.* **1.** Cálculo aproximado; avaliação. **2.** Operação estatística que permite determinar, em termos probabilísticos, os parâmetros de uma população ou uma lei de probabilidade. **3.** Conjectura, suposição.

estimativo *adj.* **1.** Que sabe apreciar, avaliar. **2.** Relativo ou fundado na estima. **3.** Baseado em probabilidades.

estimulante *adj.2g.* Que estimula; excitante. ★ *s.m.* **1.** Medicamento que tem a propriedade de ativar ou excitar a ação dos diferentes sistemas orgânicos. **2.** *Fig.* Estímulo, incitamento.

estimular *v.t.* (lat. *stimulare,* instigar com aguilhão) [conj. 4]. **1.** Excitar, incitar. **2.** Animar, encorajar. **3.** Incentivar, impulsionar. **4.** Aumentar, ativar as funções de um órgão. **5.** Ativar uma estrutura nervosa com o auxílio de modificações de seu ambiente interno ou externo.

estímulo *s.m.* (lat. *stimulus*). **1.** Aguilhão. **2.** Incentivo, impulso. **3.** Elemento do ambiente ou do meio interno suscetível de provocar, em certas condições, uma resposta de um sistema ou ser vivo.

estio *adj.* (lat. *aestivus,* do estio). Estival. ★ *s.m.* **1.** O verão, a estação mais quente do ano. **2.** *Fig.* Idade madura.

estiolar *v.t.* (fr. *étioler*) [conj. 4]. Enfraquecer, debilitar. ★ *v.i.* e *v.pr. P. ext.* Enfraquecer(-se), debilitar(-se).

estipe *s.f.* (lat. *stipes*). Moeda de cobre dos antigos romanos. ● **Bot.** Caule comprido, geralmente sem ramificações, cujas folhas formam um tufo apical, como nas palmeiras; estípite.

estipendiar *v.t.* (lat. *stipendiari*) [conj. 16]. Dar estipêndio a; assalariar, remunerar.

estipêndio *s.m.* (lat. *stipendium,* soldo). Remuneração pecuniária de trabalho.

estípula *s.f.* (lat. *stipula*). Formação laminar que ocorre na base do pecíolo de algumas plantas.

estipulação *s.f.* (lat. *stipulatio*). **1.** Ato de estipular. **2.** Contrato, convenção, promessa jurídica. **3.** Condição de um contrato ou ajuste.

estipular *v.t.* (lat. *stipulari,* exigir por contrato) [conj. **4.**]. **1.** Ajustar por meio de contrato; convencionar. **2.** Determinar, estabelecer.

estirada *s.f.* Caminhada longa; estirão.

estiramento *s.m.* **1.** Ato ou efeito de estirar(-se). **2.** Operação que consiste em exercer sobre um filme, fibra etc. tração em uma determinada direção, para melhorar suas qualidades mecânicas. ● **Med.** *Estiramento muscular,* aumento do comprimento de um músculo; distensão.

estirão *s.m.* Caminhada longa; estirada.

estirar *v.t.* (conj. 4). **1.** Estender puxando; esticar. **2.** Alongar, estender. **3.** Tornar longo prolixamente (um discurso). ★ *v.pr.* **1.** Estender-se ao comprido (no chão, no leito). **2.** Prolongar-se.

estireno *s.m.* Composto orgânico encontrado no estoraque e nos alcatrões de hulha, utilizado na produção de polímeros; vinilbenzeno.

estirpe *s.f.* (lat. *stirps,* tronco, raiz). **1.** Raiz, cepa. **2.** Ascendência, linhagem.

estiva *s.f.* (it. *stiva*). **1.** O fundo interno de um navio. **2.** A primeira camada de carga de um navio. **3.** Estivagem. **4.** Estivação.

estivação *s.f.* **1.** Ato ou efeito de estivar, estiva. **2.** Estivagem. ● **Biol.** Estado de torpor em que certos vegetais e algumas espécies animais passam o verão ou o período da seca. **Bot.** A disposição das diferentes partes de uma flor antes de desabrochar.

estivador (ô) *adj.* e *s.m.* Que ou aquele que arruma ou tira as cargas dos navios.

estivagem *s.f.* A tarefa, o trabalho de estivar; estivação, estiva.

estival *adj.2g.* (lat. *aestivalis*). **1.** Próprio do verão; calmoso, estio. **2.** Diz-se de planta que nasce ou se reproduz no verão.

estivar *v.t.* (lat. *stipare,* apertar, amontoar) [conj. 4]. **1.** Pôr, arrumar a carga ou estiva em (embarcação). **2.** Pesar a carga. **3.** Despachar na alfândega.

estocada *s.f.* **1.** Golpe com estoque. **2.** *Fig.* Ataque rude e repentino.

estocar[1] *v.t.* (conj. 12). Dar estocada em.

estocar[2] *v.t.* (conj. 12). **1.** Pôr no estoque; armazenar. **2.** Formar estoques de; guardar. **3.** Conservar, manter.

estofa (ô) *s.f.* (it. *stoffa*). **1.** Estofo, pano, tecido. **2.** *Fig.* Qualidade, condição.

estofado *adj.* **1.** Coberto ou guarnecido de estofo. **2.** Acolchoado.

estofar *v.t.* (conj. 4). **1.** Encher de material fofo ou macio (crina, pêlos etc.); acolchoar. **2.** Decorar ou cobrir com estofo. **3.** Executar o estofamento de um veículo.

estofo (ô) *s.m.* **1.** Qualquer tecido usado na decoração, especialmente para revestir móveis. **2.** Qualquer material empregado para estofar. **3.** *Fig.* Valor pessoal, caráter.

estoicismo *s.m.* **1.** Doutrina filosófica da Antiguidade que condicionava a felicidade a uma atitude de coragem impassível diante da dor e do mal. **2.** *Fig.* Firmeza, austeridade, resignação diante da adversidade.

estóico *adj.* (gr. *stoikos*). **1.** Relativo ou pertencente ao estoicismo. **2.** *Fig.* Diz-se de um indivíduo firme, impassível. ★ *s.m.* Partidário do estoicismo.

estojo (ô) *s.m.* (de or. germ.). **1.** Capa ou invólucro para proteger objetos delicados. **2.** Caixa com divisões internas para guardar objetos de escrita, instrumentos etc.

estola *s.f.* (lat. *stala,* veste talar). **1.** Larga faixa de tecido que os sacerdotes põem sobre a alva. **2.** Espécie de xale comprido, retangular, usado sobre os ombros.

estolão *s.m.* Caule superficial ou subterrâneo, rastejante, que a intervalos regulares emite raízes e ramos aéreos. (Sin. ESTOLHO.)

estolho *s.m.* Sin. de ESTOLÃO.

estoma *s.m.* (gr. *stoma,* boca). Sin. de ESTÔMATO.

estomacal *adj.2g.* **1.** Relativo ou pertencente ao estômago. **2.** Próprio para restabelecer o bom funcionamento do estômago. (Sin. ESTOMÁQUICO.)

estomagar *v.t.* (conj. 12). **1.** Irritar, agastar, causar indignação. **2.** Escandalizar.

estômago *s.m.* (gr. *stomakhos*). **1.** Porção do tubo digestivo, situada entre o esôfago e o duodeno, onde se processa a digestão química dos alimentos. **2.** *P. ext.* Parte exterior do corpo que corresponde mais ou menos ao estômago. **3.** *Fig.* Disposição, paciência para suportar situações desagradáveis.

ESTÔMAGO ▸ O estômago e os intestinos são muito ativos: o estômago mistura os alimentos e os intestinos vão empurrando a comida processada. É toda essa atividade que geralmente provoca ruídos no estômago. Quando sentimos fome, nosso estômago tem pouco líquido e muito gás. Como há muitos gases no estômago, o ruído é mais forte.

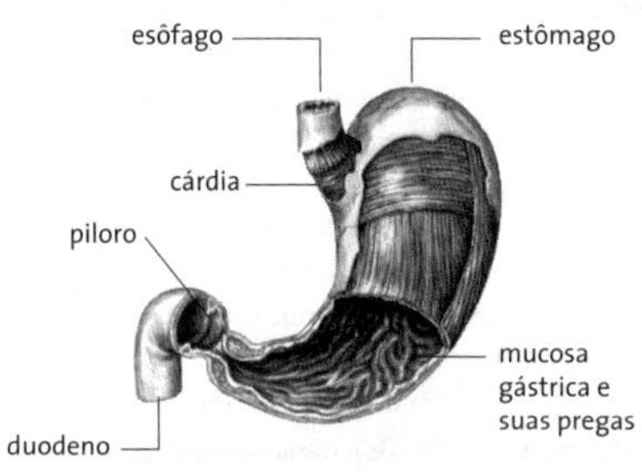

---

estomáquico *adj.* Sin. de ESTOMACAL.

estomático *adj.* **1.** Diz-se de medicamento próprio para as afecções da boca. **2.** Relativo ao estômato.

estomatite *s.f.* Inflamação da mucosa da boca e das gengivas.

estômato *s.m.* Estrutura microscópica encontrada na epiderme dos órgãos aéreos dos vegetais, principalmente das folhas, através da qual se efetua a troca gasosa com o meio. (Sin. ESTOMA.)

estomatologia *s.f.* Especialidade médica que se dedica às doenças da boca e de seus anexos.

estoniano *adj.* Relativo ou pertencente à Estônia, país da Europa. ★ *s.m.* **1.** O natural ou habitante da Estônia. **2.** Língua oficial desse país.

estontear *v.t.* e *v.i.* (conj. 15). **1.** Tornar tonto ou atônito; perturbar, entontecer. **2.** Deslumbrar, maravilhar. ★ *v.pr.* Aturdir-se, perturbar-se.

estopa (ô) *s.f.* (lat. *stuppa*). Resíduo fibroso do processamento do linho ou do cânhamo, utilizado para limpeza, calafetação de embarcações etc.

estopim *s.m.* **1.** Acessório explosivo destinado a transmitir o fogo para a explosão. **2.** *Fig.* Causa imediata que faz deflagrar um movimento, uma reação.

estoque[1] *s.m.* (do al. *stocken,* fincar). **1.** Espada longa e pontiaguda. **2.** Espada estreita de dois gumes.

estoque[2] *s.m.* (ingl. *stock*). **1.** Porção de mercadorias armazenadas em depósito, loja etc. **2.** Quantidade de mercadorias que constituem a propriedade de uma empresa.

estoquista *s.2g.* **1.** Pessoa que tem estoque de mercadorias. **2.** Funcionário encarregado da escrituração do estoque.

estoraque *s.m.* (gr. *styrax, styrakos*). **1.** Arbusto ornamental e aromático, originário da Tailândia e da Sumatra, de cuja casca se extrai o benjoim. **2.** Sin. de BENJOIM. **3.** Sin. de BENJOEIRO.

estorcer *v.t.* (lat. *extorquere,* desconjuntar) [conj. 25]. **1.** Torcer com força. **2.** Contorcer. **3.** Agitar tumultuosamente, em torvelinho. ★ *v.i.* Mudar de direção. ★ *v.pr.* Torcer-se de dor ou aflição; debater-se, contorcer-se.

estória *s.f.* História.

estornar *v.t.* (conj. 4). Lançar em débito ou crédito quantia igual a outra que havia sido indevidamente lançada em crédito ou em débito.

estorno (ô) *s.m.* (it. *storno*). **1.** Ato ou efeito de estornar. **2.** A quantia que se estorna.

estorricar *v.t.* e *v.i.* (conj. 12). Secar excessivamente, torrando ou quase queimando; esturricar.

estorvar *v.t.* (lat. *exturbare,* fazer sair à força) [conj. 4]. **1.** Pôr estorvo a; embaraçar, dificultar. **2.** Incomodar, importunar.

estorvo (ô) *s.m.* **1.** Embaraço, empecilho. **2.** O que estorva, que importuna.

estourado *adj.* **1.** Que estourou; rebentado. **2.** *Fam.* Sujeito a raivas fortes e súbitas.

estourar *v.i.* (onomat.) [Conj. 4]. **1.** Dar estouro, rebentar com estrondo. **2.** Troar, ribombar. **3.** Fazer-se em pedaços; rebentar. **4.** *Fig.* e *Fam.* Não se conter, ralhar em altos brados. **5.** *Pop.* Fazer muito sucesso. ★ *v.t.* Fazer rebentar com estrondo.

estouro *s.m.* **1.** Ruído que faz algum corpo ao rebentar; explosão. **2.** Dispersão dos bois de um rebanho tomado de pânico. **3.** *Fig.* e *Fam.* Reprimenda em altos brados. **4.** *Pop.* Sucesso repentino.

estouvado *adj.* e *s.m.* **1.** Que ou aquele que age sem pensar, que tem pouco juízo. **2.** Que ou aquele que age sem cuidado; estabanado.

estouvamento *s.m.* Qualidade de estouvado.

estrábico *adj.* e *s.m.* Diz-se de ou indivíduo afetado de estrabismo; caolho, vesgo, zarolho. ★ *adj.* **1.** Relativo ao estrabismo. **2.** Que tem ou em que há estrabismo.

estrabismo *s.m.* (gr. *strabismos*). Desvio permanente de um ou de ambos os eixos visuais de seu paralelismo normal.

estraçalhar *v.t.* e *v.pr.* (conj. 4). Fazer(-se) em pedaços; despedaçar(-se), rasgar(-se).

estrada *s.f.* (lat. *strata,* caminho calçado). **1.** Caminho público, fora do perímetro urbano, que liga uma localidade a outra e pelo qual transitam pessoas, animais ou veículos. **2.** Caminho, vereda, via. **3.** Direção, rota. **4.** *Fig.* Modo de proceder; meio, expediente.

estradeiro *adj.* **1.** Diz-se de cavalgadura que anda a passo de estrada, que tem bom passo. **2.** Que circula constantemente pelas estradas; andeiro.

estradiol *s.m.* Hormônio esteróide que, durante a vida fértil da mulher, representa quase que a totalidade da secreção estrogênica.

estrado *s.m.* (lat. *stratum,* leito). **1.** Armação plana, construída acima do nível do chão, onde se pisa ou se coloca em destaque alguma coisa; tablado. **2.** A parte da cama sobre a qual se assenta o colchão.

estragão *s.m.* Planta herbácea originária da Europa oriental, de flores esbranquiçadas e folhas de sabor picante, utilizadas por suas propriedades aromáticas ou como condimento.

estragar *v.t.* (conj. 14). **1.** Pôr em mau estado; danificar. **2.** Deteriorar. **3.** Corromper. **4.** Desperdiçar, esbanjar. **5.** Assolar, destruir. ★ *v.pr.* **1.** Arruinar-se, deteriorar-se. **2.** Corromper-se, depravar-se.

estrago *s.m.* (lat. *strages,* desabamento). **1.** Deformação, ruína, avaria. **2.** Deterioração. **3.** Corrupção, depravação. **4.** Desperdício, esbanjamento. **5.** Rombo, desfalque.

estral *adj.2g.* Relativo ao estro.

estralar *v.t.* e *v.i.* (conj. 4). Estalar.

estralo *s.m.* Estalo.

estrambótico *adj.* **1.** *Pop.* Extravagante, singular. **2.** Afetado, ridículo. ● **Liter.** Diz-se do soneto ao qual se acrescenta um estrambote.

estrangeirado *adj.* Que tem modos, linguagem ou aspecto de estrangeiro.

estrangeirismo *s.m.* **1.** Estrangeirice. **2.** Sin. de BARBARISMO.

estrangeiro *adj.* e *s.m.* (fr. ant. *estranger*). **1.** Que ou o que é de outro país; ádvena. **2.** Que ou aquele que não faz parte de um grupo; estranho, forasteiro. ★ *adj.* Relativo ou pertencente a estrangeiro. ★ *s.m.* Qualquer país estrangeiro.

estrangulação *s.f.* Estrangulamento.

estrangulamento *s.m.* **1.** Ato ou efeito de estrangular; estrangulação. **2.** Aperto, constrição. **3.** Constrição mais ou menos intensa, produzida natural ou artificialmente em uma parte do corpo. **4.** Sufocação, asfixia.

estrangular *v.t.* (lat. *strangulare*) [conj. 4]. **1.** Fazer alguém perder a respiração, a vida, apertando-lhe o pescoço; esganar. **2.** Apertar, comprimir. **3.** Conter, reprimir. **4.** Sufocar, asfixiar. **5.** *Fig.* Impedir o desenvolvimento. ★ *v.pr.* **1.** Suicidar-se por estrangulamento. **2.** Apertar-se. **3.** Sufocar-se, asfixiar-se.

estranhar *v.t.* (conj. 4). **1.** Achar estranho, fora do comum. **2.** Causar espanto ou admiração a. **3.** Não reconhecer, perceber como estranho ou alheio. **4.** Receber ou tratar com agressividade ou descortesia. **5.** Não se acomodar com. **6.** Achar censurável; censurar. ★ *v.pr.* **1.** Achar-se estranho ou apartado dos próprios hábitos. **2.** Desentender-se e agredir-se (duas ou mais pessoas).

estranheza (ê) *s.f.* **1.** Qualidade do que é estranho. **2.** Surpresa, espanto, apreensão.

estranho *adj.* (lat. *extraneus*). **1.** Contrário ao uso, ao normal ou ao esperado. **2.** Incomum, extraordinário. **3.** Exterior, estrangeiro. **4.** Desconhecido, misterioso. **5.** Que não tem nenhuma relação com o assunto ou tema; alheio. ★ *s.m.* **1.** Indivíduo estrangeiro. **2.** Pessoa que não conhecemos. **3.** Aquilo que se estranha.

estratagema *s.m.* (gr. *strategema*). **1.** Ardil de guerra cujo objetivo é enganar o inimigo. **2.** *Fig.* Artifício, ardil, subterfúgio.

estratégia *s.f.* (gr. *strategia*). **1.** Arte de planejar operações de guerra. **2.** Meio, expediente, plano. **3.** *Fig.* Astúcia, esperteza.

ESTRATÉGIA ▸ Termo de origem grega, *estratégia* passou a ser empregado para designar o planejamento e a condução de operações militares na França, no século XVIII. Pouco a pouco, foi incorporado também pela política; os recursos demográficos e econômicos são elementos da estratégia política.

---

estratégico *adj.* **1.** Relativo à estratégia. **2.** *Fig.* Astucioso, hábil. ★ *s.m.* Estrategista.

estrategista *s.2g.* **1.** Especialista ou prático da estratégia militar; estratégico. **2.** *Fig.* Pessoa astuciosa, ardilosa.

estratificação *s.f.* **1.** Ato ou efeito de estratificar. **2.** Disposição em camadas sucessivas de certos elementos teciduais, particularmente das células do epitélio. ● **Estat.** Operação estatística que, para uma sondagem, consiste em dividir a população em estratos. **Geol.** Processo segundo o qual os sedimentos se depositam em camadas ou estratos. **Sociol.** Organização da sociedade em estratos ou camadas sociais.

estratificar *v.t.* (lat. cient. *stratificare*) [conj. 12]. Dispor em camadas superpostas ou estratos.

estrato *s.m.* (lat. *stratum,* camada). **1.** Camada de nuvens baixas, uniformemente cinzentas, que não se localiza junto ao solo; *stratus.* **2.** Conjunto de pessoas que detêm a mesma situação social. **3.** *Estrato granuloso* e *estrato lúcido,* camadas de células da epiderme, entre a rede mucosa de Malpighi e a camada córnea da epiderme. ● **Bot.** Em uma formação vegetal, cada uma das várias camadas ou níveis da vegetação que apresenta espécies com a mesma forma (estrato arbóreo, estrato herbáceo etc.). **Geol.** Cada uma das camadas em que se dispõem as rochas em um dado terreno. (Sin. SINUSIA.)

estratocracia *s.f.* Forma de governo com supremacia dos militares.

estrato-cúmulo *s.m.* (lat. *stratocumulus*). Camada contínua ou conjunto de bancos de nuvens, geralmente delgada e de espessura uniforme, com contornos imprecisos e cor cinzenta.

estratosfera *s.f.* Zona da atmosfera de um planeta situada acima da troposfera e caracterizada por um pequeno crescimento da temperatura em função da altitude.

estratosférico *adj.* Relativo à estratosfera.

estreante *adj.2g.* e *s.2g.* Que ou quem estréia; principiante, novato, calouro.

estrear *v.t.* e *v.i.* (conj. 15). **1.** Fazer uso de algo pela primeira vez. **2.** Apresentar-se ao público pela primeira vez. **3.** Inaugurar, iniciar.

estrebaria *s.f.* Cocheira.

estrebuchar *v.i.* e *v.pr.* (conj. 4). Agitar convulsivamente os braços e as pernas; debater(-se). ★ *v.t.* Agitar com violência.

estréia *s.f.* (lat. *strena,* presente). **1.** Ação de estrear. **2.** O primeiro uso que se faz de uma coisa. **3.** Início de uma carreira, de uma atividade. **4.** Primeira representação de um espetáculo.

estreitamento *s.m.* **1.** Ato ou efeito de estreitar. **2.** *Fig.* Redução, diminuição. **3.** *Fig.* Fortalecimento, consolidação. ● **Med.** Diminuição do calibre de um canal ou de um orifício natural.

estreitar *v.t.* (conj. 4). **1.** Tornar estreito, diminuir a largura, o espaço; apertar. **2.** Abraçar com força. **3.** *Fig.* Unir, ligar. **4.** *Fig.* Tornar mais íntimo. ★ *v.i.* e *v.pr.* **1.** Tornar-se mais estreito. **2.** *Fig.* Tornar-se mais íntimo. **3.** Diminuir, encurtar.

estreiteza (ê) *s.f.* **1.** Qualidade de estreito. **2.** *Fig.* Escassez, carência, privação. **3.** *Fig.* Mesquinhez.

estreito *adj.* (lat. *strictus*). **1.** Que tem pouca largura. **2.** Apertado demais. **3.** Restrito, limitado. **4.** *Fig.* Mesquinho. **5.** Íntimo, próximo. **6.** Estrito. ★ *s.m.* **1.** Canal natural ou braço de mar que une dois mares ou duas partes de um mar. **2.** Desfiladeiro. ● **Anat.** Nome de duas circunferências ósseas da bacia.

estrela (ê) *s.f.* (lat. *stella*). **1.** Astro dotado de luz própria, observável sob a forma de ponto luminoso. **2.** Objeto, ornamento que tem a forma ou o brilho de estrela. **3.** *Fig.* Influência, outrora atribuída aos astros, na sorte dos homens; destino. **4.** *Fig.* Brilho, esplendor, glória. **5.** Artista célebre no teatro, no cinema. **6.** *Fig.* Pessoa eminente em determinada área. ● **Geom.** Polígono, na maioria das vezes regular, não convexo. **Mil.** Insígnia do posto de oficial-general.

? VOCÊ SABIA...? As **estrelas** vivem e morrem, mas sua vida dura bilhões de anos. Elas nascem quando uma nebulosa, ou seja, uma imensa nuvem de gás e poeira, se contrai e se aquece. A estrela "queima" seu hidrogênio durante milhões ou bilhões de anos, dependendo de sua massa. Quando o hidrogênio começa a se esgotar, a estrela cresce e se torna uma *gigante vermelha*. Nosso Sol alcançará esse estado em aproximadamente 5 bilhões de anos. Seu raio aumentará 50 vezes, e a temperatura da Terra ficará ao redor de 2.000° C. As estrelas medianas diminuem rapidamente, esfriam e se convertem em *anãs brancas*. As maiores explodem e se transformam em *supernovas*, que são extraordinariamente luminosas. Seu núcleo, extremamente denso, colapsa depois numa *estrela de nêutrons* ou num *buraco negro*.

---

estrela-d'alva *s.f.* Denominação corrente do planeta Vênus.

estrelado *adj.* (lat. *stellatus*). **1.** Salpicado, coberto de estrelas. **2.** Em forma de estrela. **3.** Diz-se do ovo frito mas não mexido.

estrela-do-mar *s.f.* Animal equinodermo marinho cujo corpo é formado por um disco central e cinco braços afilados, com vários pés ambulacrários responsáveis pela locomoção.

estrelar *v.t.* (conj. 4). **1.** Semear de estrelas ou de objetos em forma de estrela. **2.** Frigir (ovos). **3.** Trabalhar em filme ou peça, como um dos seus principais intérpretes. ★ *v.i.* Brilhar, cintilar. ★ *v.pr.* **1.** Cobrir-se de estrelas. **2.** Enfeitar-se.

estremadura *s.f.* Fronteira, limite.

estreme *adj.2g.* Que não tem mistura; genuíno.

estremeção *s.m.* **1.** Estremecimento. **2.** Abalo.

estremecer *v.t.* (conj. 25). **1.** Fazer tremer; abalar, sacudir. **2.** Causar medo a; assustar. **3.** Amar enternecidamente. ★ *v.i.* Tremer, súbita e repentinamente, por medo, emoção, surpresa etc. ★ *v.pr.* **1.** Abalar-se, sacudir-se. **2.** Assustar-se, horrorizar-se.

estremecido *adj.* **1.** Que estremeceu. **2.** Trêmulo, assustado. **3.** Muito amado ou querido. **4.** Pouco firme, abalado, enfraquecido.

estremecimento *s.m.* Ato ou efeito de estremecer; estremeção, abalo, tremor.

estremunhar *v.t.* (conj. 4). Acordar de repente a quem dorme profundamente. ★ *v.i.* Despertar de repente, ainda tonto de sono.

estrênuo *adj.* (lat. *strenuus*). **1.** Incansável, esforçado, pertinaz. **2.** Valente, corajoso, intrépido.

estrepar *v.t.* (conj. 4). **1.** Guarnecer, defender por meio de estrepes (fosso, vala etc.). **2.** Ferir com estrepe. ★ *v.pr.* *Pop.* Sair-se mal.

estrepe *s.m.* **1.** Espinho, abrolho. **2.** Defesa constituída por estacas pontiagudas camufladas no fundo de um buraco ou fosso. **3.** *Fig.* e *Fam.* Pessoa incômoda, má, de maus costumes.

estrepitar *v.i.* (conj. 4). Soar, vibrar com estrépito.

estrépito *s.m.* (lat. *strepitus*). **1.** Ruído forte; estrondo, fragor. **2.** Rumor, agitação, tumulto. **3.** Ostentação, pompa.

estrepitoso (ô) *adj.* **1.** Que produz estrépito; barulhento, ruidoso. **2.** *Fig.* Que dá na vista, que é notório.

estreptobacilo *s.m.* Bacilo que, em meio líquido, constitui colônias em forma de bastonetes.

estreptocócico *adj.* Relativo ao estreptococo.

estreptococo *s.m.* Denominação comum a bactérias arredondadas, muitas das quais patogênicas e responsáveis por diferentes infecções, porém sensíveis a numerosos antibióticos.

estreptomicina *s.f.* Antibiótico de ação bacteriostática e bactericida sobre numerosos germes.

estressado *adj.* Diz-se do indivíduo que se encontra em estresse.

estressar *v.t.* (conj. 4). Provocar estresse em.

estresse *s.m.* (ingl. *stress*). **1.** Agressão ao organismo em sua totalidade por agentes de qualquer natureza (emoção, frio, doenças etc.). **2.** Conjunto de respostas fisiológicas, metabólicas e comportamentais a essa agressão. (Em ingl. STRESS.)

estria *s.f.* (lat. *stria*). Pequeno sulco, linha ou ranhura na superfície de um corpo. ● **Agric.** Nome de diferentes doenças da cana-de-açúcar. **Anat.** Atrofia cutânea que afeta o abdome, as coxas, quadris e seios, de forma indelével, e que resulta, em geral, de alterações hormonais combinadas a ganhos de peso significativos e rápidos. **Arm.** Ranhura helicoidal no interior do cano de uma arma de fogo, que imprime ao projétil um movimento de rotação para aumentar sua precisão. (Sin. RAIA.) **Arquit.** Cada um dos filetes que ornamentam as colunas ou pilastras. **Geol.** Pequenos sulcos produzidos nas rochas pelo atrito com materiais transportados por geleiras ou devido ao movimento de duas camadas. **Mec.** Numa peça mecânica de revolução, cada uma das ranhuras longitudinais que, regularmente distribuídas sobre a circunferência, permitem realizar um acoplamento com uma peça complementar provida de estrias análogas.

estriado *adj.* (lat. *striatus*). Que tem estrias. ● **Anat.** *Corpo estriado*, conjunto, no cérebro, constituído pelos dois núcleos cinzentos centrais, o núcleo caudado e o putâmen, que intervém na regulação motora. ► *Músculo estriado*, músculo constituído de fibras de controle voluntário.

estriamento *s.m.* **1.** Ato ou efeito de estriar. **2.** Conjunto de estrias.

A B C D E F G H I J K L M N O P Q R S T U V W X Y Z

estriar *v.t.* (lat. *striare*) [conj. 16]. Traçar estrias; riscar. ● **Anat.** Apresentar (órgãos ou tecidos) estrias.

estribar *v.i.* (conj. 4). Meter os pés nos estribos. ★ *v.t.* **1.** Firmar nos estribos. **2.** Firmar, assentar, apoiar. ★ *v.i.* e *v.pr.* **1.** Apoiar-se, escorar-se. **2.** *Fig.* Fundamentar-se, basear-se.

estribeira *s.f.* **1.** Estribo curto. **2.** Loro.

estribilho *s.m.* (esp. *estribillo*). **1.** Verso ou versos repetidos no final de cada estrofe de uma composição poética ou de uma canção; refrão, ritornelo. **2.** *Fig.* Palavra que alguém repete a propósito de tudo.

estribo *s.m.* (de or. germ.). **1.** Aro de metal suspenso por uma correia de cada lado da sela e sobre o qual o cavaleiro apóia o pé. **2.** Qualquer peça que se assemelhe ao estribo. **3.** *Fig.* Arrimo, amparo, esteio. ● **Anat.** Ossículo do ouvido médio que se articula externamente com a bigorna e internamente com a janela oval, a qual oclui. **Constr.** Armação metálica que, nas construções em concreto armado, serve para ligar entre si as armaduras principais.

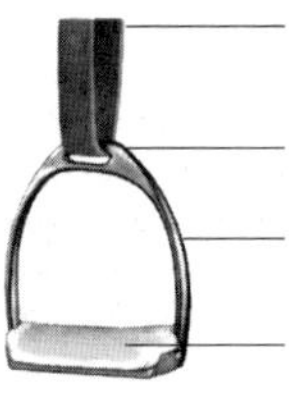

estricnina *s.f.* (do gr. *strykhnos,* erva-moura). Principal alcalóide extraído da noz-vômica, empregado em terapêutica, mas letal em doses elevadas por sua acentuada toxicidade.

estridência *s.f.* Qualidade de estridente.

estridente *adj.2g.* (lat. *stridens*). Diz-se de som agudo, penetrante; estrídulo.

estridor (ô) *s.m.* (lat. *stridor*). Som forte e penetrante; sibilo, zunido. ● **Med.** *Estridor laríngeo,* afecção benigna do recém-nascido, caracterizada por inspiração ruidosa, que não se acompanha de cianose ou de incômodo respiratório.

estridular *v.i.* (conj. 4). Produzir som agudo e penetrante. ★ *v.t.* Dizer, cantar com voz estridente.

estrídulo *adj.* (lat. *stridulus*). Que produz som agudo, forte e sibilante; estridente. ★ *s.m.* Som estridente.

estrige *s.f.* Sin. de CORUJA.

estrigiformes *s.m.pl.* Ordem de aves cosmopolitas, geralmente de hábitos noturnos, que possuem cabeça arredondada, olhos grandes e bico curto, representada pelas corujas e pelos mochos.

estrilar *v.i.* (conj. 4). **1.** Soltar estrilo ou som estrídulo. **2.** *Pop.* Zangar-se, vociferar, bradar.

estripar *v.t.* (conj. 4). Tirar as tripas a.

estripulia *s.f.* *Fam.* **1.** Travessura, bulha. **2.** Desordem, conflito.

estrito *adj.* (lat. *strictus,* estreito). **1.** Rigoroso, exato. **2.** Que não comporta analogia; rigoroso, estreito, restrito.

estro *s.m.* (gr. *oistros*). **1.** Engenho poético; inspiração, veia, imaginação artística. **2.** Desejo sexual. ● **Fisiol.** Conjunto de fenômenos fisiológicos e comportamentais que precedem e acompanham a ovulação nas mulheres e nas fêmeas dos mamíferos.

estróbilo *s.m.* **1.** O corpo de vermes como a tênia, constituído por vários proglótides. **2.** Pólipo diminuto de certos celenterados, durante o processo da estrobilação. ● **Bot.** Estrutura vegetal em forma de cone constituída de um eixo associado a esporófilos e esporângios.

estroboscopia *s.f.* Estudo dos fenômenos periódicos com alta freqüência.

estroboscópico *adj.* **1.** Relativo à estroboscopia. **2.** *Luz estroboscópica,* luz emitida de forma intermitente e a intervalos muito rápidos.

estrofe *s.f.* (gr. *strophe,* ação de girar). Grupo de versos que compõe uma unidade, com correspondência métrica com um ou mais grupos semelhantes. (Sin. ESTÂNCIA.)

? VOCÊ SABIA...? Modernamente considera-se **estrofe** cada uma das seções que compõem o poema, feita por um grupo de versos que formam uma unidade rítmica ou de conteúdo. Em sua origem grega, contudo, era o nome dado à primeira parte da intervenção do coro, nas odes, em que os cantores davam uma volta ao redor do palco.

---

estrófico *adj.* Relativo a estrofe.

estrófulo *s.m.* (do gr. *strophos,* corda). Dermatose papulosa muito pruriginosa que costuma afetar as crianças pequenas.

estrogênico *adj.* Relativo aos estrógenos.

estrogênio *s.m.* Sin. de ESTRÓGENO.

estrógeno *s.m.* Hormônio que provoca na mulher e na fêmea dos mamíferos os fenômenos fisiológicos e histológicos característicos do estro. (Sin. ESTROGÊNIO.)

estrogonofe *s.m.* (de *Stroganoff,* n.pr.). Guisado de carne em pedaços pequenos, com creme de leite e cogumelos.

estróina *adj.2g.* e *s.2g.* **1.** Extravagante, boêmio. **2.** Que ou aquele que leva uma vida de prazeres; dissipador.

estroinice *s.f.* Ação própria de estróina.

estroma *s.m.* **1.** Tecido conjuntivo de sustentação de um parênquima. **2.** Qualquer tecido constituído de uma massa densa de fibras, na qual se encontram outros tipos celulares. **3.** Matriz do cloroplasto, que envolve o sistema de membranas fotossintéticas.

estrompar *v.t.* (conj. 4). **1.** *Pop.* Estragar, arruinar; gastar. **2.** Fatigar, esfalfar.

estroncar *v.t.* (conj. 12). **1.** Privar de troncos ou ramos. **2.** Mutilar, decepar, desmembrar. **3.** Destroncar, desarticular, luxar.

estrôncio *s.m.* (lat. *strontium*). Elemento químico (símb. Sr) de número atômico 38, que constitui um metal alcalino-terroso, de cor amarelo-pálida, semelhante ao bário.

estrondar *v.i.* (conj. 4). Estrondear.

estrondear *v.i.* (conj. 15). **1.** Fazer estrondo, soar com força; estrondar. **2.** *Fig.* Causar sensação. **3.** *Fig.* Esbravejar, clamar.

estrondo *s.m.* **1.** Som forte que estruge; estampido, estrugido, estrépito. **2.** *Fig.* Ostentação, pompa. **3.** Tumulto, clamor.

estrondoso (ô) *adj.* **1.** Que produz estrondo; estrepitoso. **2.** *Fig.* Que causa sensação; muito falado. **3.** Grandioso.

estropiar *v.t.* (it. *stroppiare*) [conj. 16]. **1.** Aleijar, mutilar. **2.** *Fig.* Alterar, desfigurar, desvirtuar.

estropício *s.m.* (it. *stroppicio*). Dano, transtorno, malefício. (Cf. ESTRUPÍCIO.)

estrugido *s.m.* Estrondo.

estrugimento *s.m.* Ato ou efeito de estrugir.

estrugir *v.t.* e *v.i.* (conj. 52). **1.** Vibrar fortemente; estrondear. **2.** Produzir som agudo.

estruma *s.f.* **1.** Qualquer tumoração ganglionar. (Sin. ESCRÓFULA.) **2.** Bócio.

estrumar *v.t.* (conj. 4). **1.** Adubar com estrume; estercar. **2.** Açular, atiçar os cães.

estrume *s.m.* (lat. *strumen,* colmo). **1.** Mistura de restos orgânicos, matérias calcárias etc., fermentados, utilizada como adubo; esterco. **2.** Sujeira, imundície.

estrumeira *s.f.* **1.** Local onde se acumula, prepara ou fermenta o esterco; esterqueira. **2.** *Fig.* Local imundo; sujidade.

estrupício *s.m. Pop.* **1.** Conflito, gritaria, alvoroço. **2.** Grande quantidade, despropósito. (Cf. ESTROPÍCIO.)

estrupido *s.m.* Ruído causado por tropel de gente ou de animais.

estrutura *s.f.* (lat. *structura,* construção). **1.** Disposição, ordem e relações das partes de um conjunto. **2.** Organização das partes de um sistema que o caracteriza permanentemente. **3.** Armação, esqueleto, arcabouço. ● **Geol.** Natureza e disposição das camadas de um terreno. **Quím.** Disposição espacial dos átomos, das moléculas ou dos íons nas espécies químicas, consideradas em seus diversos estados físicos.

estruturação *s.f.* Ato ou efeito de estruturar; organização.

estrutural *adj.2g.* **1.** Relativo à estrutura. **2.** Relativo ao estruturalismo.

estruturalismo *s.m.* **1.** Corrente de pensamento que entende a realidade social como um conjunto de relações entre elementos com funções definidas. **2.** Tendência metodológica que busca a apreensão de estruturas concebidas como modelos matemáticos, mecânicos etc.

estruturalista *adj.2g.* Relativo ou pertencente ao estruturalismo. ★ *s.2g.* Partidário do estruturalismo.

estruturar *v.t.* (conj. 4). Formar a estrutura de; organizar, dispor.

estuante *adj.2g.* (lat. *aestuans*). **1.** Que estua; fervente, estuoso. **2.** Agitado. **3.** *Fig.* Que está na plenitude da força, do entusiasmo.

estuar *v.i.* (lat. *aestuare*) [conj. 4]. **1.** Estar muito quente; ferver. **2.** Agitar-se, vibrar. **3.** *Fig.* Estar pleno de vigor, de força.

estuário *s.m.* (lat. *aestuarium*). **1.** Embocadura de um rio que forma uma larga chanfradura no traçado do litoral. **2.** Foz.

estucar *v.t.* (conj. 12). Revestir, rebocar com estuque; construir teto em estuque.

estudante *s.2g.* **1.** Pessoa que estuda. **2.** Discípulo. **3.** Aluno.

estudar *v.t.* (lat. *studere,* aplicar-se) [conj. 4]. **1.** Aplicar a inteligência para aprender. **2.** Dedicar-se à apreciação, análise ou compreensão de uma obra, projeto, fato etc. **3.** Observar cuidadosamente, examinar. **4.** Freqüentar o curso de. **5.** Aprender de cor, decorar. **6.** Ensaiar. ★ *v.i.* **1.** Dedicar-se à aquisição de conhecimentos. **2.** Freqüentar uma escola. **3.** Meditar, pensar. ★ *v.pr.* Analisar-se, observar-se.

estúdio *s.m.* (lat. *studium*). **1.** Oficina de artista; ateliê. **2.** Local onde se filmam cenas para o cinema e para a televisão.

estudioso (ô) *adj.* e *s.m.* (lat. *studiosus*). **1.** Que ou aquele que é aplicado no estudo. **2.** Apreciador, cultor.

estudo *s.m.* **1.** Ato ou efeito de estudar. **2.** Aplicação do espírito para aprender algo. **3.** Conhecimento assim adquirido. **4.** Ensaio, monografia. **5.** Análise, exame preliminar à execução de um projeto. **6.** Versão preparatória de uma obra artística; esboço. **7.** Peça musical de forma livre, composta com finalidade didática.

ESTUDO ▸ Em música, chama-se *estudo* um gênero sem estrutura determinada. Foi muito comum na época romântica, na qual se destacam os de Chopin (*12 grandes estudos*), Schumann (*Estudos sinfônicos*) e Liszt (*24 grandes estudos*). No século XX, destacam-se os de Saint-Saëns (*6 estudos para a mão esquerda*), Debussy (*12 estudos*) e Bartók (*Mikrokosmos*).

---

estufa *s.f.* (it. *stufa*). **1.** Fogão para aquecimento de ambientes fechados. **2.** Recinto envidraçado, com aquecimento artificial, para cultura de plantas. **3.** Aparelho fechado com temperatura interior alta e constante, utilizado para a cultura de micróbios em laboratório, esterilização de material cirúrgico etc. ● **Ecol.** *Efeito estufa,* fenômeno pelo qual um ambiente isolado por um meio transparente à luz solar se aquece em conseqüência da opacidade desse mesmo meio à radiação infravermelha emitida pelos corpos presentes no ambiente.

estufado *adj.* **1.** Posto em estufa. **2.** Seco na estufa. **3.** Avolumado, inflado. ★ *s.m.* Carne pouco umedecida, cozida em fogo lento.

estufar *v.t.* (it. *stufare*) [conj. 4]. **1.** Pôr em estufa. **2.** Secar ou aquecer em estufa. **3.** Aumentar de volume; inflar, enfunar. **4.** Assar em estufa ou panela fechada.

estugar *v.t.* (conj. 14). Apressar ou aligeirar (o passo); andar mais depressa.

estultice *s.f.* Estultícia.

estultícia *s.f.* (lat. *stultitia*). Qualidade do que é estulto; estupidez, estultice.

estulto *adj.* (lat. *stultus*). Carente de discernimento; tolo, estúpido.

estuoso (ô) *adj.* Estuante.

estupefação *s.f.* (lat. *stupefactio*). **1.** Adormecimento de uma parte do corpo. **2.** *Fig.* Grande espanto; pasmo.

estupefaciente *adj.2g.* (lat. *stupefaciens*). **1.** Que entorpece. **2.** Que deixa atônito. ★ *s.m.* **1.** Medicamento que produz uma espécie de inércia física ou mental. **2.** Substância que exerce um efeito analgésico e euforizante, cujo uso pode provocar dependência.

estupefato *adj.* (lat. *stupefactus*). **1.** Entorpecido. **2.** Atônito, estarrecido.

estupendo *adj.* (lat. *stupendus*). **1.** Maravilhoso, fantástico. **2.** Monstruoso, espantoso. **3.** Extraordinário, excepcional.

estupidez (ê) *s.f.* **1.** Qualidade do que é estúpido. **2.** Ato, gesto ou coisa estúpida.

estupidificar *v.t.* e *v.pr.* (conj. 12). Tornar(-se) estúpido; embrutecer(-se).

estúpido *adj.* (lat. *stupidus*). **1.** Falto de inteligência; incapaz de compreender, discernir ou julgar. **2.** Bruto, descortês, grosseiro. ★ *s.m.* Indivíduo estúpido.

estupor (ô) *s.m.* (lat. *stupor*). **1.** Estado de entorpecimento. **2.** *Pop.* Paralisia súbita. **3.** *Pop.* Pessoa sem iniciativa. ● **Psiq.** Estado caracterizado por diminuição dos movimentos, mutismo, indiferença aparente às estimulações e vigilância diminuída.

estuporado *adj.* (lat. *stuporatus*). **1.** Tomado de estupor; paralisado. **2.** Extremamente cansado. **3.** Estragado, arruinado.

estuporar *v.t.* (conj. 4). **1.** Fazer cair em estupor. **2.** Apavorar, assombrar. ★ *v.pr.* **1.** Cansar-se extremamente. **2.** Estragar-se, arruinar-se. **3.** Tornar-se desprezível.

estuprar *v.t.* (lat. *stuprare*) [conj. 4]. **1.** Cometer estupro; violentar. **2.** Desvirginar.

estupro *s.m.* (lat. *stuprum*). Ato de coagir uma mulher, com violência ou ameaças, a práticas sexuais; violentação.

estuque *s.m.* (it. *stucco*). **1.** Massa para revestimento preparada com gesso, água e cola. **2.** Revestimento ou ornatos assim preparados.

estúrdia *s.f.* Estroinice, extravagância.

estúrdio *adj.* **1.** Estouvado, estróina, doidivanas. **2.** Esquisito, incomum.

esturjão *s.m.* (fr. *esturgeon*). Peixe primitivo de grande porte, típico dos mares temperados do hemisfério norte, muito apreciado pela carne e ova, da qual se faz o caviar.

esturrar[1] *v.t.* (conj. 4). Esturricar. ★ *v.t.*, *vi.* e *v.pr.* Inflamar(-se), exaltar(-se).

esturrar[2] *v.i.* (conj. 4). Urrar (a onça), dar esturro.

esturricar *v.t.* e *v.i.* (conj. 12). Estorricar.

esturro[1] *s.m.* **1.** Estado do que está quase queimando. **2.** Coisa esturrada.

esturro[2] *s.m.* O urro da onça.

esvaecer *v.t.* (lat. *vanescere*) [conj. 25]. **1.** Desfazer, desvanecer, apagar. **2.** Fazer perder as forças ou o ânimo; debilitar. ★ *v.pr.* **1.** Desvanecer-se, evaporar-se. **2.** Enfraquecer-se. ★ *v.i.* Desvanecer.

esvair *v.t.* (conj. 68). Exaurir, esgotar. ★ *v.pr.* **1.** Desaparecer, desfazer-se, dissipar-se. **2.** Passar com rapidez; escoar-se. **3.** Desmaiar, desfalecer.

esvão *s.m.* Var. de DESVÃO.

esvaziar *v.t.* (conj. 16). **1.** Tornar vazio; evacuar, desocupar. **2.** Retirar o conteúdo de; despejar, esgotar. **3.** *Fig.* Tirar a importância de. ★ *v.pr.* Tornar-se vazio.

esverdeado *adj.* Tirante a verde; verdoengo.

esverdear *v.t.* e *v.pr.* (conj. 15). Dar ou tomar cor verde.

esvoaçar *v.i.* (conj. 13). **1.** Adejar (a ave); bater as asas para erguer o vôo. **2.** *Fig.* Flutuar. ★ *v.pr.* **1.** Elevar-se em vôo. **2.** *Fig.* Agitar-se.

esvurmar *v.t.* (conj. 4). **1.** Espremer o pus a. **2.** *Fig.* Pôr a descoberto para criticar (defeito de alguém ou de alguma coisa).

eta *interj.* Exprime alegria, surpresa, admiração etc.

etano *s.m.* Hidrocarboneto saturado, constituinte importante do gás natural, utilizado sobretudo como combustível.

etanol *s.m.* Líquido incolor, obtido por fermentação da glicose ou por hidratação do etileno, que constitui, quando puro, o menos denso dos álcoois. (Sin. ÁLCOOL ETÍLICO*.)

etapa *s.f.* (fr. *étape*). **1.** Distância entre dois pontos de um trajeto a percorrer. **2.** Local de parada de uma tropa em marcha. **3.** Fase, estágio.

etário *adj.* Relativo à idade.

etc. (abrev. do lat. *et cetera*, e as outras coisas). Substitui elementos de uma longa enumeração.

eteno *s.m.* Sin. de ETILENO.

éter *s.m.* (gr. *aither*). **1.** *Ant.* Fluido hipotético que preencheria todo o espaço cósmico e serviria de meio de propagação da luz. **2.** *Poét.* Os espaços celestes. ● **Quím.** Nome genérico dos compostos orgânicos que apresentam um mesmo átomo de oxigênio ligado a dois radicais orgânicos. ▸ Denominação corrente do óxido de etila, líquido incolor, inflamável, de odor forte e com efeito anestésico geral. (Sin. ÉTER SULFÚRICO*.)

etéreo *adj.* (gr. *aitherios*). **1.** Relativo ao éter. **2.** Da natureza do éter; celestial, puro. **3.** Que contém éter.

eternidade *s.f.* (lat. *aeternitas*). **1.** Qualidade do que é eterno. **2.** Tempo muito longo. **3.** *Poét.* Imortalidade assegurada pela glória.

eternizar *v.t.* (conj. 4). **1.** Tornar eterno. **2.** Fazer subsistir por muito tempo. ★ *v.pr.* **1.** Durar muito tempo. **2.** Adquirir glória imorredoura.

eterno *adj.* (lat. *aeternus*). **1.** Que não tem começo nem fim. **2.** *Poét.* Que não tem fim, que dura sempre; imortal. **3.** *Fig.* Que dura a vida toda; perpétuo. **4.** *Fig.* Interminável, ininterrupto, incessante. ★ *s.m.* Deus.

ética *s.f.* (gr. *ethike*, moral). **1.** Ramo da filosofia que aborda os fundamentos da moral. **2.** Conjunto de regras que orientam a conduta em uma atividade profissional.

ético *adj.* (gr. *ethikos*). Relativo ou pertencente à ética.

etileno *s.m.* Hidrocarboneto protótipo dos alcenos, que constitui um gás incolor utilizado na produção de plásticos. (Sin. ETENO.)

etílico *adj.* **1.** Diz-se dos derivados do radical etila. **2.** *Pop.* Causado por bebida alcoólica. **3.** *Álcool etílico*, sin. de ETANOL.

étimo *s.m.* (gr. *etymos*, real, verdadeiro). Forma atestada ou hipotética da qual deriva uma palavra.

etimologia *s.f.* (gr. *etymologia*). **1.** Ciência que busca a origem das palavras de uma língua e a reconstituição da ascendência dessas palavras. **2.** Origem ou filiação particular de uma palavra dada.

etimológico *adj.* (gr. *etymologikos*). **1.** Relativo a etimologia. **2.** Diz-se da grafia e do sentido de uma palavra mais próximos de sua origem.

etimologista *s.2g.* Etimólogo.

etimólogo *s.m.* (gr. *etymologos*). Lingüista especialista em etimologia; etimologista.

etiologia *s.f.* (gr. *aitia*, causa). Ciência das causas, da origem das coisas. ● **Med.** Parte da medicina que pesquisa as causas das doenças.

etiológico *adj.* Relativo à etiologia.

etíope *adj.2g.* Relativo ou pertencente à Etiópia, país da África; etiópico. ★ *s.2g.* O natural ou habitante da Etiópia.

etiópico *adj.* Etíope.

etiqueta (ê) *s.f.* (fr. *étiquette*). **1.** Cerimonial usado nas cortes ou nas residências dos chefes de Estado. **2.** Formas cerimoniosas usadas entre particulares. **3.** Regra, estilo. **4.** Pequeno rótulo que indica preço, conteúdo etc. de objetos. **5.** Pedaço de tecido costurado em vestimenta, bolsa etc., com a marca do fabricante ou da loja.

etiquetar *v.t.* (conj. 4). Pôr etiqueta em.

etmoidal *adj.2g.* Relativo ao etmóide.

etmóide *s.m.* (do gr. *ethmos,* crivo). Osso situado na parte mediana e anterior da base do crânio, que contribui para formar o esqueleto das fossas nasais.

etnia *s.f.* (gr. *ethnos,* raça). Agrupamento com estrutura familiar, econômica e social homogênea, e cuja unidade baseia-se em língua, cultura e consciência grupal comuns.

étnico *adj.* (gr. *ethnikos*). **1.** Relativo à etnia. **2.** Próprio de uma etnia.

etnocêntrico *adj.* Relativo a ou caracterizado pelo etnocentrismo.

etnocentrismo *s.m.* Tendência a privilegiar a cultura de sua própria sociedade para analisar as outras sociedades.

etnografia *s.f.* Estudo descritivo das atividades de um grupo humano determinado.

etnologia *s.f.* Estudo do conjunto dos caracteres culturais de cada etnia.

etnônimo *s.m.* Nome de uma etnia.

etologia *s.f.* Ramo da biologia que estuda o comportamento dos animais.

etrusco *adj.* Pertencente ou relativo à Etrúria, região da Itália antiga. ★ *s.m.* **1.** O natural ou habitante da Etrúria. **2.** Língua dos etruscos.

eu *pron. pess.* (lat. *ego*). Forma da 1ª pessoa do sing. (caso reto), empregada como sujeito. ★ *s.m.* O sujeito que fala, pensa ou sente, por oposição à sua exterioridade. ● **Psican.** Sin. de EGO.

Eu símbolo químico do európio.

eucalipto *s.m.* (gr. *eu,* bom, e *kalyptos,* coberto). Nome comum a diversas árvores de grande porte, originárias da Austrália, que fornecem madeira utilizada principalmente na indústria de papel, e cujas folhas possuem propriedades terapêuticas.

eucalipto
E. globulus

EUCALIPTO ▸ Existem mais de seiscentas espécies de eucaliptos; alguns chegam a ultrapassar 100 metros de altura. O eucalipto é uma árvore de crescimento rápido, e a maioria das espécies volta a brotar dos troncos cortados, o que permite repovoar uma região em pouco tempo. É uma das árvores de reflorestamento mais usadas em todo o mundo.

eucaliptol *s.m.* Substância química utilizada como anti-séptico pulmonar.

eucarionte *s.m.* Sin. de EUCARIOTO.

eucarioto *s.m.* Organismo composto por células, cujo núcleo se encontra separado do citoplasma por uma membrana celular. (Sin. EUCARIONTE.)

eucariótico *adj.* Relativo aos eucariotos.

eucaristia *s.f.* (gr. *eucharistia,* ação de graças). **1.** Sacramento que, segundo a doutrina católica, contém real e substancialmente o corpo, o sangue, a alma e a divindade de Jesus Cristo sob as espécies de pão e de vinho. **2.** Comunhão do pão e do vinho consagrados.

eucarístico *adj.* Relativo à eucaristia.

eufêmico *adj.* **1.** Relativo ao eufemismo; eufemístico. **2.** Em que há eufemismo.

eufemismo *s.m.* (gr. *euphemismós*). **1.** Atenuação do sentido desagradável de uma expressão. **2.** A expressão resultante desse processo.

eufemístico *adj.* Eufêmico.

eufonia *s.f.* (gr. *euphonía*). Combinação harmônica de sons que é agradável à audição.

eufônico *adj.* **1.** Relativo à eufonia. **2.** Que produz eufonia. **3.** Melodioso, harmônico.

euforbiáceas *s.f.pl.* Família de plantas dicotiledôneas que inclui muitas espécies úteis ao homem, como a mamona, a mandioca e a seringueira.

euforia *s.f.* (gr. *euphoría*). **1.** Sensação intensa de bem-estar, de otimismo. **2.** Demonstração de contentamento; entusiasmo.

eufórico *adj.* **1.** Relativo à euforia. **2.** Que experimenta ou provoca euforia. **3.** Expansivo, alegre, feliz.

eufótico *adj.* *Zona eufótica,* zona superficial dos lagos e oceanos que recebe luz solar suficiente para propiciar a fotossíntese.

eugenia *s.f.* (gr. *eugéneia*). Conjunto de métodos que visam a melhorar o patrimônio genético de certos organismos vivos. (Sin. EUGENISMO.)

eugênico *adj.* Relativo à eugenia.

eugenismo *s.m.* Sin. de EUGENIA.

eunuco *s.m.* (gr. *eunoukhos,* o que guarda o leito). **1.** Homem que foi castrado. **2.** *Fig.* Homem sem energia viril; impotente.

eupnéia *s.f.* (gr. *eupnoia*). Facilidade de respiração.

eurialino *adj.* Diz-se do organismo que suporta grandes variações de salinidade do meio.

euro *s.m.* Unidade monetária da União Européia.

eurodólar *s.m.* Reserva monetária norte-americana depositada em bancos comerciais europeus.

europeização (e-i) *s.f.* Ação de europeizar.

europeizar (e-i) *v.t.* e *v.pr.* (conj. 4 e 19). Tornar(-se) europeu.

europeu *adj.* **1.** Relativo ou pertencente à Europa. **2.** *Gato europeu,* nome genérico dado aos gatos domésticos comuns. ★ *s.m.* O natural ou habitante da Europa.

európio *s.m.* (de *Europa,* top.). Elemento químico (símb. Eu) de número atômico 63, que constitui um metal do grupo dos lantanídeos ou terras-raras.

eutanásia *s.f.* (gr. *euthanasia*). **1.** Morte sem sofrimento. **2.** Conjunto de métodos que buscam uma morte sem sofrimento, a fim de abreviar os tormentos de um paciente portador de uma doença muito dolorosa e incurável.

eutrófico *adj.* Diz-se dos lagos e rios com elevada concentração de nutrientes e grande proliferação de bactérias e vegetais.

eutrofização *s.f.* Enriquecimento natural ou artificial da água com nutrientes.

eV símbolo do elétron-volt.

evacuação *s.f.* (lat. *evacuatio*). **1.** Ato ou efeito de evacuar(-se). **2.** Rejeição de matérias excrementícias. **3.** Abandono, geralmente coletivo, de um recinto. **4.** Retirada, em geral voluntária e ordenada, de tropas ou populações civis de uma região.

evacuar *v.t.* (lat. *evacuare,* esvaziar) [conj. 4]. **1.** Expelir, fazer sair do corpo. **2.** Esvaziar, sair de (algum lugar), desocupar. ★ *v.t.* e *v.i.* Expelir matérias fecais, expulsar os resíduos do organismo, eliminá-los pelas vias naturais. ★ *v.pr.* Sair espontaneamente.

evadir *v.t.* (lat. *evadere*) [conj. 6]. **1.** Escapar de; evitar, desviar. **2.** Eludir, sofismar. ★ *v.pr.* **1.** Escapa furtivamente. **2.** *Fig.* Sumir, desaparecer. **3.** Esquivar-se.

evaginação *s.f.* Saliência patológica de um órgão para fora de sua bainha.

evangelho *s.m.* (gr. *euaggelion,* boa mensagem). **1.** O ensinamento de Jesus Cristo. **2.** Cada um dos quatro livros que o contém. (Usa-se com maiúscula). **3.** Trecho desses livros lido na missa; momento dessa leitura durante a missa. **4.** *Fig.* Código, lei sagrada, regra imutável.

VOCÊ SABIA...? Os **evangelhos** canônicos são quatro. A tradição os atribui aos apóstolos Mateus, Marcos, Lucas e João. Os três primeiros são chamados *sinópticos*, porque apresentam semelhanças muito fortes, tanto de fundo como de forma; o Evangelho de Marcos é o mais antigo e constitui uma das principais fontes utilizadas pelos outros dois. A redação dos três primeiros evangelhos se situa provavelmente antes do ano 80, e o último, por volta do ano 100.

---

evangélico *adj.* (lat. ecles. *evangelicus*). **1.** Relativo ao Evangelho; contido no Evangelho. **2.** Termo utilizado pelos protestantes para caracterizar suas reformas como um retorno ao espírito do Evangelho. ★ *s.m.* Membro de uma das igrejas protestantes surgidas no séc. XX, em geral com ênfase no pentecostismo.

evangelismo *s.m.* Sistema moral, religioso, fundado no Evangelho.

evangelista *s.m.* **1.** Cada um dos quatro autores dos Evangelhos. **2.** O sacerdote que lê ou canta o Evangelho. ★ *s.2g.* **1.** Apóstolo ou pregador do Evangelho; evangelizador. **2.** Fig. Pessoa que prega uma doutrina; evangelizador.

evangelizar *v.t.* (lat. ecles. *evangelizare*) [conj. 4]. **1.** Pregar o Evangelho àqueles que o ignoram. **2.** *Fig.* Vulgarizar ou propalar uma doutrina ou um sistema.

evaporação *s.f.* (lat. *evaporatio*). **1.** Ato de evaporar(-se). **2.** Transformação, sem ebulição, de um líquido em vapor a partir das moléculas do líquido que se encontram em contato com o ar. (Cf. EBULIÇÃO.) **3.** Passagem da água do estado líquido para o estado gasoso (vapor de água). **4.** Transpiração dos vegetais. **5.** Tratamento industrial que objetiva concentrar uma solução, dela extraindo, pelo calor, pelo vácuo ou com atuação de ambos, qualquer solvente volátil.

evaporar *v.t.* (lat. *evaporare*) [conj. 4]. **1.** Realizar a evaporação de. **2.** Transformar um líquido em vapor, fazê-lo passar ao estado gasoso. **3.** Emitir, exalar (vapores). ★ *v.i.* Converter-se em vapor. ★ *v.pr.* **1.** Transformar-se em vapor. **2.** Desaparecer, desvanecer-se. **3.** Dissipar-se, consumir-se.

evaporometria *s.f.* Medida da evaporação, em climatologia.

evaporômetro *s.m.* Aparelho que mede a evaporação das águas dos rios, oceanos etc.

evasão *s.f.* (lat. *evasio*). **1.** Ação de evadir(-se), de escapar da prisão; fuga. **2.** *Fig.* Saída, retirada.

evasiva *s.f.* Subterfúgio, desculpa ardilosa.

evasivo *adj.* **1.** Que facilita a evasão. **2.** Que serve de subterfúgio. **3.** Argucioso, sutil.

evecção *s.f.* Desigualdade periódica do movimento da Lua, em conseqüência da excentricidade de sua órbita.

evento *s.m.* (lat. *eventus*). **1.** Acontecimento, sucesso. **2.** Eventualidade, acaso, acontecimento incerto. **3.** Acontecimento planejado que reúne várias pessoas, para fins profissionais, esportivos, de lazer ou outros. ● **Estat.** Em um fenômeno aleatório, ocorrência de um elemento de um conjunto universo definido previamente; acontecimento.

eventual *adj.2g.* (lat. tard. *eventualis*). Que depende das circunstâncias; casual, fortuito, acidental.

eventualidade *s.f.* (lat. tard. *eventualitas*). **1.** Caráter do que é eventual. **2.** Fato incerto; acaso, contingência.

eversão *s.f.* **1.** Destruição, ruína. **2.** Reviramento para fora. ● **Med.** Inversão de uma mucosa ao nível de um orifício natural onde forma uma dobra saliente.

everter *v.t.* (lat. *evertere*) [conj. 5]. **1.** Virar de pernas para o ar; subverter. **2.** Virar para fora. **3.** Destruir, arruinar.

evicção *s.f.* (lat. *evictio*). Ato ou efeito de despojar, desapossar. ● **Dir.** Perda de um direito ou bem em favor de terceiro, a quem se reconhece judicialmente a titularidade de direito anterior.

evicto *adj.* e *s.m.* (lat. *evictus,* vencido). Que ou aquele que está sujeito à evicção.

evidência *s.f.* (lat. *evidentia*). Caráter do que é evidente, manifesto.

evidenciar *v.t.* (conj. 16). Tornar evidente; comprovar, demonstrar. ★ *v.pr.* Aparecer com evidência; mostrar-se, destacar-se.

evidente *adj.2g.* (lat. *evidens*). Que não suscita dúvida; claro, manifesto, visível.

evisceração *s.f.* (lat. *evisceratio*). **1.** Ação de eviscerar. **2.** Saída das vísceras abdominais provocada pela abertura de uma ferida operatória.

eviscerar *v.t.* (lat. *eviscerare*) [conj. 4]. **1.** Tirar as vísceras de; estripar. **2.** Retirar as entranhas.

evitar *v.t.* (lat. *evitare*) [conj. 4]. **1.** Esquivar-se de, fugir ao que pode ser nocivo ou desagradável. **2.** Impedir, prevenir.

evocar *v.t.* (lat. *evocare*) [conj. 12]. **1.** Chamar, mandar vir de algum lugar. **2.** Trazer à lembrança. **3.** Fazer aparecer por meio de esconjuros ou exorcismos.

evocativo *adj.* Evocatório.

evolar-se *v.pr.* (lat. *evolare*) [conj. 7]. **1.** Elevar-se, voando. **2.** Desfazer-se no espaço; dissipar-se, desvanecer-se. **3.** Exalar, emanar.

EVOLUÇÃO ▸ Ao lado, as principais fases da evolução humana. O esquema mostra em escala os ancestrais diretos do homem moderno. O mais antigo data de aproximadamente 3 a 4 milhões de anos.

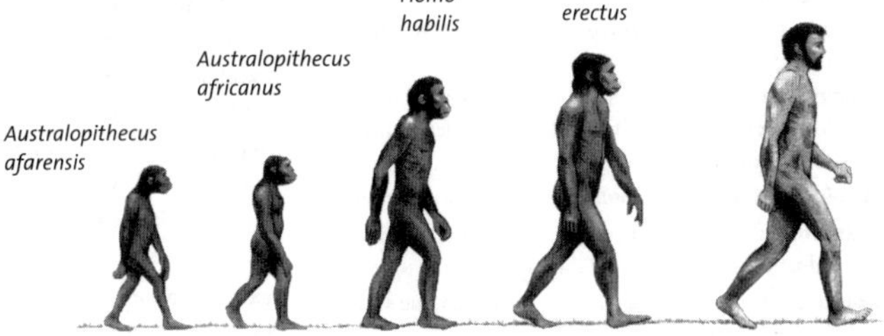

evolução *s.f.* (lat. *evolutio,* ação de desenrolar). **1.** Passagem progressiva de um estado a outro. **2.** Desenvolvimento ou transformação de idéias, sistemas, costumes, hábitos. **3.** Giro ou circuito de aves ou aviões. **4.** Movimentação coreográfica de blocos e escolas de samba no Carnaval. **5.** Conjunto das transformações dos caracteres de espécies animais e vegetais, de geração em geração, que leva ao aparecimento de novas espécies.

evolucionar *v.i.* (conj. 4). **1.** Evolver. **2.** Fazer evoluções. ★ *v.t.* Fazer passar por alterações sucessivas; alterar, modificar.

evolucionismo *s.m.* **1.** Conjunto das teorias explicativas do mecanismo da evolução dos seres vivos (lamarckismo, darwinismo, mutacionismo). **2.** Doutrina antropológica e sociológica que considera toda cultura o resultado de um processo constante de evolução.

evolucionista *adj.2g.* Relativo ao evolucionismo. ★ *s.2g.* Partidário do evolucionismo.

evoluir *v.i.* (fr. *évoluer*) [conj. 74]. **1.** Sofrer evolução ou transformação; evolver, evolucionar. **2.** Progredir, aperfeiçoar-se. **3.** *Fig.* Atualizar-se no que diz respeito a idéias ou convicções. **4.** Manobrar, desfilar.

evolutivo *adj.* Suscetível de evolução ou que produz evolução. ● **Med.** Diz-se de uma doença cuja evolução é contínua, em geral para o agravamento.

evolver *v.i.* (lat. *evolvere,* fazer rolar) [conj. 5]. Desenvolver-se gradualmente; evolucionar, evoluir.

evulsão *s.f.* (lat. *evulsio,* ação de arrancar). **1.** Avulsão, ablação. **2.** Em cirurgia, sin. ant. de EXTRAÇÃO.

evulsivo *adj.* Diz-se do instrumento cirúrgico próprio para fazer evulsão.

exação (z) *s.f.* (lat. *exactio*). **1.** Cobrança ou arrecadação rigorosa de impostos. **2.** Exatidão, correção, precisão.

exacerbação (z) *s.f.* (lat. *exacerbatio*). **1.** Ato ou efeito de exacerbar(-se). **2.** Aflição, irritação. **3.** Agravamento, recrudescimento.

exacerbar (z) *v.t.* (lat. *exacerbare*) [conj. 4]. **1.** Tornar acerbo ou áspero; exasperar. **2.** Tornar mais intenso ou mais violento. **3.** Irritar. ★ *v.pr.* Tornar-se mais intenso; agravar-se.

exagerado (z) *adj.* (lat. *exaggeratus*). **1.** Feito com exagero, em que há exageração. **2.** Que é dado a exagerar. **3.** Desmedido, excessivo. ★ *s.m.* Aquele que exagera.

exagerar (z) *v.t.* (lat. *exaggerare,* acumular terras; amontoar) [conj. 4]. **1.** Dar ou atribuir (a coisas ou fatos) proporções maiores do que as reais. **2.** Aparentar mais do que sente. **3.** Ampliar, aumentar. ★ *v.pr.* Ser exagerado nos gestos, nas atitudes etc.

exagero (z...ê) *s.m.* **1.** Exageração. **2.** Coisa desmedida, que ultrapassa os limites.

exalação (z) *s.f.* **1.** Ato ou efeito de exalar. **2.** Eliminação de substâncias em estado gasoso através da pele e pulmões.

exalar (z) *v.t.* (lat. *exhalare*) [conj. 4]. **1.** Emitir ou lançar fora de si. **2.** Evolar, recender, trescalar. **3.** Manifestar. **4.** Proferir, soltar. ★ *v.pr.* **1.** Emanar. **2.** Dissipar-se, extinguir-se.

exaltação (z) *s.f.* (lat. *exaltatio*). **1.** Ato ou efeito de exaltar(-se). **2.** Animação, excitação. **3.** Estado de pessoa irritada, pouco controlada. ● **Psiq.** Estado de superexcitação psicológica habitualmente associada à euforia.

exaltado (z) *adj.* **1.** Engrandecido, louvado. **2.** Apaixonado, ardente. **3.** Facilmente irritável. ★ *s.m.* Aquele que se exalta com facilidade.

exaltar (z) *v.t.* (lat. *exaltare*) [conj. 4]. **1.** Tornar alto; elevar, erguer. **2.** Louvar, elogiar, glorificar. **3.** Estimular, excitar. **4.** Exasperar, irritar. ★ *v.pr.* **1.** Elevar-se. **2.** Vangloriar-se, envaidecer-se. **3.** Enfurecer-se, irritar-se, encolerizar-se.

exame (z) *s.m.* (lat. *examen*). **1.** Ato ou efeito de examinar. **2.** Observação cuidadosa, investigação, pesquisa atenta e minuciosa. **3.** Prova ou série de provas às quais se submete um candidato para verificar suas habilitações. ● **Med.** Conjunto das investigações clínicas e técnicas efetuadas pelo médico para apreciar o estado de saúde de um indivíduo.

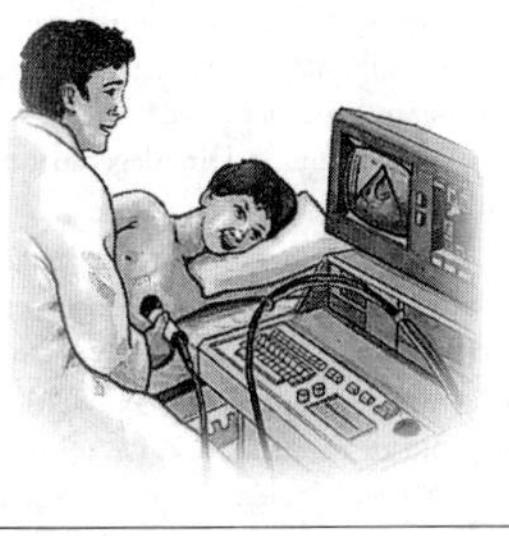

exame dos seios com ultra-som

examinando (z) *s.m.* Aquele que é ou será examinado.

examinar (z) *v.t.* (lat. *examinare,* pesar) [conj. 4]. **1.** Ponderar, observar ou analisar atenta e minuciosamente. **2.** Submeter um candidato a exame. **3.** Observar (o médico) alguém, seu organismo, em detalhe, para determinar seu estado de saúde; fazer um diagnóstico. **4.** Ver, sondar. ★ *v.pr.* Analisar a própria consciência.

exangue (z) *adj.2g.* (lat. *exsanguis*). **1.** Sem sangue. **2.** *Fig.* Sem forças, exausto; débil, fraco. **3.** Que perdeu muito sangue. **4.** Pálido, lívido.

exânime (z) *adj.2g.* (lat. *exanimis*). Desmaiado, desfalecido.

exantema (z ou cs) *s.m.* Erupção cutânea que acompanha certas doenças como rubéola e sarampo.

exantemático (z ou cs) *adj.* Diz-se da afecção que se caracteriza por exantema.

exarar (z) *v.t.* (lat. *exarare,* tirar lavrando) [conj. 4]. **1.** Gravar, entalhar, lapidar (letreiro, inscrição). **2.** Lavrar.

exartrema (z ou cs) *s.m.* Exartrose.

exartrose (z ou cs) *s.f.* Luxação dos ossos articulados por diartrose; exartrema.

exasperação (z) *s.f.* (lat. *exasperatio*). **1.** Ato ou efeito de exasperar(-se). **2.** Estado de violenta irritação; desespero.

exasperar (z) *v.t.* (lat. *exasperare*) [conj. 4]. **1.** Tornar áspero; irritar, encolerizar, enfurecer. **2.** Exacerbar, agravar.

exatidão (z) *s.f.* **1.** Qualidade do que é exato, verdadeiro. **2.** Pontualidade, regularidade, precisão. **3.** Perfeição, esmero.

exato (z) *adj.* (lat. *exactus,* posto fora; exigido). **1.** Perfeito, certo, correto. **2.** Sem erro, fiel. **3.** Rigoroso, preciso. **4.** Consciencioso, honrado.

exator (z...ô) *s.m.* (lat. *exactor*). Aquele que pratica a exação.

exatoria (z) *s.f.* **1.** Cargo ou função de exator. **2.** Repartição arrecadadora de impostos.

exaurir (z) *v.t.* (lat. *exhaurire*) [conj. 6]. **1.** Esgotar completamente; exaustar. **2.** Fazer secar. **3.** Gastar até o fim; dissipar totalmente. ★ *v.pr.* Cansar-se, extenuar-se, exaustar-se.

exaurível (z) *adj.2g.* Que se pode exaurir.

exaustão (z) *s.f.* (lat. *exhaustio*). Ato ou efeito de exaustar(-se) ou exaurir(-se); esgotamento.

exaustar *v.t.* e *v.pr.* (conj. 4). Exaurir(-se).

exaustivo (z) *adj.* **1.** Que se destina a esgotar. **2.** Que extenua ou fatiga.

exausto (z) *adj.* (lat. *exhaustus*). Extremamente fatigado; esgotado, extenuado.

exaustor (z...ô) *s.m.* Aparelho que aspira o ar viciado, vapores gordurosos etc., e que renova o ar de um ambiente.

excarcerar *v.t.* (conj. 4). Desencarcerar.

exceção *s.f.* (lat. *exceptio*). **1.** O que se exclui da regra comum, princípio ou norma. **2.** Privilégio, prerrogativa. **3.** *Fig.* Pessoa cujo modo de pensar ou proceder não é comum. **4.** *À exceção de,* com exclusão de; salvo, fora. ● **Dir.** Alegação jurídica para sustar ou diferir ação intentada.

excedente *adj.2g.* e *s.2g.* **1.** Que ou o que excede, sobra ou sobeja. **2.** Diz-se de ou candidato habilitado em exame mas não aproveitado por falta de vaga. ★ *s.m.* Excesso, sobra.

exceder *v.t.* (lat. *excedere,* sair de) [conj. 5]. **1.** Ultrapassar em número, peso, qualidade ou duração. **2.** Levar vantagem; superar, sobrepujar. ★ *v.pr.* **1.** Ir além do que é justo, natural ou conveniente. **2.** Enfurecer-se, exasperar-se. **3.** Fatigar-se, cansar-se. **4.** Apurar-se, esmerar-se.

excelência *s.f.* (lat. *excellentia*). **1.** Qualidade de excelente; primazia. **2.** Tratamento dado a autoridades. **3.** *Por excelência,* acima de tudo; especialmente.

excelente *adj.2g.* (lat. *excellens*). Que excele, que é muito bom; excelso, perfeito.

exceler *v.i.* (lat. *excellere*) [conj. 5]. Ser muito bom; sobrelevar-se, distinguir-se.

excelso *adj.* (lat. *excelsus*). **1.** Muito alto; elevado. **2.** Sublime, grandioso. **3.** Excelente.

excentricidade *s.f.* (ingl. *eccentricity*). Qualidade ou modos de excêntrico[1]; extravagância, esquisitice.

excêntrico[1] *adj.* e *s.m.* (ingl. *eccentric*). Diz-se de ou indivíduo extravagante, esdrúxulo, esquisito.

excêntrico[2] *adj.* (lat. tard. *excentricus*). Que se afasta do centro. ● **Mat.** Diz-se das figuras geométricas que não têm o mesmo centro.

excepcional *adj.2g.* (fr. *exceptionnel*). **1.** Em que há ou que envolve exceção. **2.** Privilegiado, escolhido. **3.** Excelente, incomum, extraordinário. ★ *adj.2g.* e *s.2g.* Diz-se de ou pessoa (em particular criança) que apresenta características físicas ou mentais afastadas da norma geral.

excerto *s.m.* (lat. *excerptus,* extraído). Trecho ou frase extraídos de uma obra, de um escrito; fragmento.

excessivo *adj.* Em que há excesso; demasiado, descomedido.

excesso *s.m.* (lat. *excessus,* afastamento). **1.** O que excede os limites normais. **2.** Superfluidade, exorbitância. **3.** Sobejo, sobra. **4.** Extremo, cúmulo. ★ *s.m.pl.* Violência, desmando, desregramento.

exceto *prep.* (lat. *exceptus,* de *excipere,* pôr à parte). Com exclusão de, afora.

excetuar *v.t.* (conj. 4). Fazer exceção de; isentar, excluir.

excipiente *s.m.* (lat. *excipiens,* de *excipere,* pôr à parte). Substância farmacologicamente neutra que se incorpora a um medicamento para que este seja mais bem absorvido.

excisão *s.f.* Ação de excisar, cortar.

excisar *v.t.* (conj. 16). Cortar ou extrair com instrumento cortante.

excitabilidade *s.f.* (lat. *excitabilitas*). **1.** Qualidade do que é excitável. **2.** Nervosismo, irritabilidade. ● **Fisiol.** Propriedade de uma célula, em particular nervosa ou muscular, de reagir a um estímulo.

excitação *s.f.* (lat. *excitatio*). **1.** Ato ou efeito de excitar(-se); excitamento. **2.** Atividade anormal e excessiva do organismo (estado de nervosismo, apreensão e agitação intensa). **3.** *Fig.* Encorajamento, incitação, provocação. ● **Eletr.** Força magnetomotriz que produz o fluxo magnético, num eletroímã. ▸ Produção de um fluxo de indução magnético num circuito magnético, por meio de corrente elétrica. **Fís.** Processo pelo qual um átomo, uma molécula ou um núcleo atômico efetua uma transição para um nível energético superior. **Fisiol.** Ativação do funcionamento de um órgão ou de um aparelho; estimulação.

excitado *adj.* Que sofre ou sofreu excitação. ● **Fís.** *Estado excitado,* estado em que se encontra um sistema quântico, caracterizado por uma energia superior à do seu estado fundamental.

excitante *adj.2g.* (lat. *excitans*). **1.** Que excita, que estimula. **2.** *Fig.* Que exalta os sentimentos ou as sensações. ★ *s.m.* Substância que aumenta o nível de vigília e/ou de atividade motora de um indivíduo, como o café e as anfetaminas.

excitar *v.t.* (lat. *excitare,* despertar) [conj. 4]. **1.** Ativar a ação de. **2.** *Fig.* Despertar, mover, causar. **3.** Irritar, encolerizar, provocar. **4.** Animar, incitar. **5.** Promover a excitação de. ● **Eletrotéc.** Realizar a excitação de um dispositivo elétrico. **Fís.** Submeter um átomo, uma molécula, um núcleo ou qualquer outro sistema quântico a um processo de excitação. **Med.** Estimular a ação ou o movimento de um órgão. ★ *v.pr.* **1.** Estimular-se, animar-se. **2.** Encolerizar-se, irritar-se. **3.** Exaltar-se, inflamar-se.

exclamação *s.f.* (lat. *exclamatio*). Ato ou efeito de exclamar; grito de alegria, surpresa, indignação. ● **Gram.** Ponto-de-exclamação.

EXCLAMAÇÃO ▸ Na exclamação, o escritor ou orador interrompe de repente o discurso e eleva o tom de voz para manifestar seu sentimento. Geralmente, a exclamação vem acompanhada de uma interjeição e do ponto-de-exclamação (!).

exclamar *v.i.* (lat. *exclamare,* gritar) [conj. 4]. **1.** Emitir palavras que expressam surpresa ou admiração. **2.** Bradar, vociferar.

excluir *v.t.* (lat. *excludere,* não deixar entrar) [conj. 74]. **1.** Ser incompatível com. **2.** Afastar, eliminar. **3.** Não admitir, rejeitar. **4.** Expulsar, pôr fora. **5.** Privar da posse de.

exclusão *s.f.* (lat. *exclusio*). **1.** Ato ou efeito de excluir. **2.** Método, sistema ou artifício através do qual se eliminam números, coisas ou pessoas para se chegar a determinada resolução ou conclusão. ● **Lóg.** Relação lógica entre pelo menos duas classes em que nenhum elemento de uma pertence à outra, ou a qualquer outra, e reciprocamente.

exclusive *adv.* Com exclusão de, excluindo.

exclusividade *s.f.* **1.** Qualidade do que é exclusivo. **2.** Posse, uso ou direito que não admite participação de terceiros.

exclusivismo *s.m.* (fr. *exclusivisme*). Sistema ou espírito de exclusão.

exclusivista *adj.2g.* e *s.2g.* **1.** Relativo ao exclusivismo. **2.** Que rejeita tudo o que contraria sua opinião. **3.** Que deseja tudo apenas para si. ★ *s.2g.* Adepto do exclusivismo.

exclusivo *adj.* (lat. tard. *exclusivus*). **1.** Que exclui; privativo, restrito. **2.** Que repele tudo o que é estranho.

excogitar *v.t.* (lat. *excogitare*) [conj. 4]. **1.** Cogitar muito; inventar, imaginar. **2.** Pesquisar, esquadrinhar. ★ *v.i.* Cogitar demoradamente; meditar, refletir.

excomungado *adj.* **1.** Que sofreu excomunhão. **2.** Maldito, segregado (falando-se com desprezo ou cólera). **3.** Detestável, amaldiçoado. ★ *s.m.* **1.** Pessoa que sofreu excomunhão. **2.** O Diabo.

excomungar *v.t.* (lat. *excommunicare*) [conj. 14]. **1.** Afastar da comunhão da Igreja Católica. **2.** *Fig.* Esconjurar, exorcizar. **3.** Condenar, reprovar.

excomunhão *s.f.* (lat. *excommunicatio*). **1.** Ato ou efeito de excomungar. . **2.** Esconjuro, maldição, praga. ● **Relig.** Pena eclesiástica que afasta alguém da comunhão dos fiéis.

excreção *s.f.* (lat. *excretio*). **1.** Eliminação, pelas células vivas, dos produtos residuais ou tóxicos de sua atividade bioquímica. **2.** Expulsão para fora do organismo desses mesmos produtos, retirados do meio interno (sangue ou linfa) pelos órgãos excretores. **3.** Eliminação dos produtos de secreção de uma glândula. **4.** Substância eliminada ou secretada.

excrementício *adj.* Relativo a excremento.

excremento *s.m.* (lat. *excrementum*). **1.** Matéria fecal; fezes. **2.** *Fig.* Ser abjeto, desprezível.

excrescência *s.f.* (lat. *excrescentia*). **1.** Saliência, elevação. **2.** *Fig.* Coisa inútil, feia ou desnecessária. ● **Med.** Tumor ou pseudotumor inflamatório que faz saliência na superfície do corpo, como as verrugas.

excreta *s.f.* Substância eliminada pelo organismo.

excretar *v.t.* (conj. 4). Expelir substâncias excrementícias; defecar, evacuar.

excretor (ô) *adj.* **1.** Relativo à excreção. **2.** Que serve às excreções. ● **Anat.** *Canal excretor,* conduto pelo qual uma glândula exócrina elimina o produto de sua secreção. ▸ *Órgãos excretores,* órgãos que eliminam do corpo compostos residuais ou a produção de certas glândulas.

excruciar *v.t.* (lat. *excruciare*) [conj. 16]. Afligir muito; pungir, martirizar.

excursão *s.f.* (lat. *excursio,* ação de correr muito). **1.** Viagem de recreio ou de pesquisa. **2.** Incursão, invasão. **3.** *Fig.* Digressão, divagação.

excursionar *v.i.* (conj. 4). Fazer uma excursão; viajar.

excursionista *adj.2g.* Relativo a excursões. ★ *s.2g.* Participante de uma excursão.

execração (z) *s.f.* (lat. *exsecratio*). **1.** Ato ou efeito de execrar; grande aversão, abominação. **2.** Imprecação, maldição, praga.

execrando (z) *adj.* (lat. *exsecrandus*). Digno de execração.

execrar (z) *v.t.* (lat. *exsecrari*) [conj. 4]. **1.** Ter horror a; abominar, detestar. **2.** Desejar mal a; amaldiçoar.

execrável (z) *adj.2g.* (lat. *exsecrabilis*). Que merece execração; abominável, detestável, ignominioso.

execução (z) *s.f.* (lat. *exsecutio*). **1.** Ato ou efeito de executar. **2.** Interpretação (de peça musical). **3.** Cumprimento de pena de morte. ● **Dir.** Cumprimento, realização, efetivação. ▸ Processo tendente à satisfação efetiva do direito do credor, mediante atos judiciais produtores de efeitos sobre o patrimônio do devedor, independentemente da colaboração deste.

executado (z) *adj.* Que se executou. ★ *s.m.* Que sofreu pena de morte.

executante (z) *adj.2g.* e *s.2g.* Que ou aquele que executa um trabalho artístico, uma tarefa ou uma ordem.

executar (z) *v.t.* (conj. 4). **1.** Levar a efeito; efetuar, realizar. **2.** Cumprir. **3.** Condenar, supliciar, justiçar. **4.** Tocar ou cantar (uma peça musical). **5.** Pôr em uso (um programa de computador); cumprir sua tarefa (um comando). ● **Dir.** Proceder à execução.

executável (z) *adj.2g.* Exeqüível. ● **Inform.** Diz-se de arquivos que contêm instruções em código de programação, que fazem o computador realizar tarefas (p. opos. aos arquivos que apenas armazenam informações, ditos *arquivos de dados*).

executivo (z) *adj.* Que executa ou põe em execução. ★ *s.m.* **1.** Um dos três poderes soberanos do Estado. (Usa-se com maiúscula.) **2.** Diretor ou alto funcionário que exerce funções executivas.

executor (z...ô) *adj.* e *s.m.* (lat. *exsecutor*). Que ou aquele que executa uma ordem, um projeto, um plano. ★ *s.m.* Algoz, carrasco.

executória (z) *s.f.* Repartição que trata da cobrança dos créditos de uma comunidade.

executório (z) *adj.* **1.** Que deve ser posto em execução. **2.** Que dá o poder de executar.

exegese (z ou cs) *s.f.* (gr. *exegesis*, explicação). Interpretação, explicação ou comentário de textos, especialmente os bíblicos ou místicos.

exegeta (z ou cs) *s.2g.* (gr. *exegetes*, intérprete). Pessoa que se dedica à exegese; intérprete.

exegético (z ou cs) *adj.* (gr. *exegetikos*). Relativo à exegese.

exemplar[1] (z) *adj.2g.* (lat. *exemplaris*). Que serve ou pode servir de exemplo, de modelo; modelar. ★ *s.m.* **1.** Modelo original que deve ser copiado. **2.** Cada unidade impressa pertencente à mesma tiragem.

exemplar[2] (z) *v.t.* (conj. 4). **1.** Castigar, sobretudo espancando, para servir de exemplo. **2.** Mostrar com ostentação.

exemplaridade (z) *s.f.* Qualidade do que é exemplar.

exemplário (z) *s.m.* (lat. *exemplarium*). Coleção de exemplos.

exemplificar (z) *v.t.* (conj. 12). **1.** Explicar com exemplos; ilustrar. **2.** Utilizar como exemplo; citar.

exemplo (z) *s.m.* (lat. *exemplum*, modelo). **1.** O que pode ou deve ser imitado; modelo. **2.** Amostra, prova. **3.** Fato de que se tira ensinamento ou proveito. **4.** Castigo, reprimenda. **5.** Provérbio, ditado. **6.** Citação ou enunciado que serve para mostrar o funcionamento de uma regra de gramática ou o uso de uma palavra. **7.** *A exemplo de*, conforme o exemplo dado por.

exéquias (z) *s.f.pl.* (lat. *exsequiae*). Cerimônias fúnebres.

exeqüibilidade (z) *s.f.* Qualidade de exeqüível.

exeqüível (z) *adj.2g.* (do lat. *exsequi*, seguir até o fim). Que pode ser executado; executável, possível.

exercer (z) *v.t.* (lat. *exercere*) [conj. 25]. **1.** Preencher os deveres, as obrigações inerentes a (cargo, função etc.). **2.** Praticar, exercitar. **3.** Desempenhar, cumprir.

exercício (z) *s.m.* (lat. *exercitium*). **1.** Ato de exercitar; prática, treino. **2.** Prática ou desempenho de profissão, função ou cargo. **3.** Tarefa dada aos alunos para aferir ou consolidar uma lição. **4.** Ação de movimentar o corpo segundo um certo plano de desenvolvimento físico. **5.** Período compreendido entre dois balanços de uma empresa.

exercitar (z) *v.t.* (lat. *exercitare*) [conj. 4]. **1.** Adestrar, treinar, habilitar. **2.** Pôr em ação. **3.** Fazer, praticar, empreender. ★ *v.pr.* Habilitar-se mediante estudo ou exercício.

exército (z) *s.m.* (lat. *exercitus*). **1.** Conjunto das forças militares de uma nação. **2.** Conjunto das forças terrestres, p. opos. a *marinha* e *aeronáutica*. **3.** Reunião de grande número de tropas sob as ordens de um comandante. **4.** *Fig.* Grande quantidade, multidão.

exérese (z ou cs) *s.f.* Ablação de um corpo estranho ou de uma parte do organismo.

exibição (z) *s.f.* (lat. *exhibitio*). **1.** Ação de exibir(-se). **2.** Apresentação pública (de filme, espetáculo, obra de arte).

exibicionismo (z) *s.m.* **1.** Mania ou gosto de exibir-se ou ostentar-se. **2.** Perversão sexual masculina, que consiste na exibição do pênis em público.

exibicionista (z) *adj.2g.* e *s.2g.* Diz-se de ou pessoa que pratica o exibicionismo.

exibir (z) *v.t.* (lat. *exhibere*) [conj. 6]. **1.** Mostrar, apresentar, expor. **2.** Ostentar, alardear com vaidade. ★ *v.pr.* **1.** Mostrar-se, apresentar-se. **2.** Mostrar-se ou expor-se por vaidade.

exigência (z) *s.f.* (lat. tard. *exigentia*). **1.** Ato de exigir ou reclamar. **2.** Imposição, pretensão desmedida; impertinência. **3.** Necessidade imperiosa, urgência.

exigente (z) *adj.2g.* (lat. *exigens*). **1.** Que exige, que reclama. **2.** Que é difícil de contentar, de satisfazer.

exigir *v.t.* (lat. *exigere*) [conj. 52]. **1.** Reclamar em função de direito legítimo ou suposto. **2.** Precisar, requerer. **3.** Prescrever, determinar, ordenar.

exigível (z) *adj.2g.* Que pode ser exigido.

exigüidade (z) *s.f.* (lat. *exiguitas*). Qualidade do que é exíguo; pequenez, estreiteza, insuficiência.

exíguo (z) *adj.* (lat. *exiguus*). **1.** Que tem pequena dimensão; diminuto. **2.** Parco, insuficiente, escasso.

exilado (z) *adj.* e *s.m.* Expulso de sua pátria; proscrito, degredado, desterrado.

exilar (z) *v.t.* (conj. 4). **1.** Banir de sua pátria, mandar para o exílio; degredar. **2.** *Fig.* Banir, segregar. ★ *v.pr. Fig.* Retirar-se do convívio social.

exílio (z) *s.m.* (lat. *exilium*). **1.** Expulsão de alguém de sua pátria; desterro, degredo, expatriação. **2.** O lugar onde vive o exilado. **3.** *Fig.* Lugar triste, solitário, sem alegrias.

exímio (z) *adj.* (lat. *eximius*). Que revela perfeição naquilo que faz; excelente.

eximir (z) *v.t.* (lat. *eximere*) [conj. 6]. Desobrigar, dispensar, isentar. ★ *v.pr.* Desobrigar-se, esquivar-se, recusar-se.

existência (z) *s.f.* (lat. tard. *existentia*). **1.** O fato de existir; estado do que existe. **2.** Vida, maneira de viver. **3.** Ente, ser. **4.** Presença, manifestação. ● **Filos.** Para os filósofos existencialistas, a experiência concreta da vida humana.

existencial (z) *adj.2g.* Relativo à existência.

existencialismo (z) *s.m.* Doutrina filosófica que concebe o primado da existência sobre a essência e tem por objeto a análise da existência humana em sua realidade concreta e vivida.

existente (z) *adj.2g.* (lat. *existens*). **1.** Que existe atualmente. **2.** Vivente.

existir (z) *v.i.* (lat. *existere*) [conj. 6]. **1.** Ser em determinado tempo ou lugar. **2.** Estar presente. **3.** Viver. **4.** Persistir, durar. ★ *v.impess.* Haver.

êxito (z) *s.m.* (lat. *exitus*, ação de sair). **1.** Consenqüência, resultado, efeito. **2.** Bom resultado; vitória, sucesso.

exocardite (z ou cs) *s.f.* Inflamação da membrana que reveste externamente o coração.

exócrino (z ou cs) *adj.* **1.** Diz-se da glândula cuja secreção é eliminada para fora do organismo ou numa cavidade que se comunica com o exterior. **2.** Diz-se da secreção dessa glândula.

êxodo (z) *s.m.* (gr. *exodos*). **1.** Saída. **2.** Emigração de um povo (ou de parte dele). ● **Relig.** Saída dos hebreus do Egito sob a liderança de Moisés, segundo livro do Pentateuco. **Teat.** Parte final da tragédia grega, após a última intervenção do coro.

exoesqueleto (z ou cs) (ê) *s.m.* Esqueleto externo que suporta o corpo de um animal, como a concha dos moluscos e a carapaça dos artrópodes. (Var. EXOSQUELETO.)

exogamia (z ou cs) *s.f.* Sistema social em que os matrimônios se realizam entre membros de outras tribos, famílias ou clãs. (Antôn. ENDOGAMIA.)

exógamo (z ou cs) *adj.* Relativo ou pertencente à exogamia. ★ *s.m.* Aquele que pratica a exogamia.

exógeno (z ou cs) *adj.* **1.** Que provém de uma causa externa. **2.** Que cresce de dentro para fora. **3.** Que se forma no exterior, na superfície.

exometria (z ou cs) *s.f.* Deslocamento do útero.

exoneração (z) *s.f.* (lat. *exoneratio*). **1.** Ato ou efeito de exonerar(-se). **2.** Demissão, dispensa. **3.** Isenção, desobrigação.

exonerar (z) *v.t.* (lat. *exonerare,* livrar da carga) [conj. 4]. **1.** Dispensar de um serviço, emprego ou cargo; demitir. **2.** Desobrigar, isentar, dispensar. ★ *v.pr.* **1.** Demitir-se. **2.** Desobrigar-se.

exorbitância (z) *s.f.* **1.** Qualidade do que é exorbitante. **2.** Excesso, demasia, exagero. **3.** Preço extorsivo.

exorbitante (z) *adj.2g.* (lat. *exorbitans*). **1.** Que sai da órbita. **2.** Que vai além dos limites do justo ou razoável; excessivo.

exorbitar (z) *v.t.* (lat. *exorbitare*) [conj. 4]. **1.** Sair de sua órbita. **2.** *Fig.* Ultrapassar os limites do justo, ou razoável; exceder-se.

exorcismar (z) *v.t.* (conj. 4). Exorcizar.

exorcismo (z) *s.m.* (lat. *exorcismus*). Cerimônia, oração ou prática para exorcizar o Demônio ou maus espíritos que estão possuindo alguém ou algo; esconjuro.

exorcista (z) *s.2g.* Aquele que faz exorcismos, que exorciza.

exorcizar (z) *v.t.* (lat. *exorcizare*) [conj. 4]. **1.** Expulsar os demônios por meio de preces. **2.** Esconjurar, conjurar; exorcismar.

exórdio (z) *s.m.* (lat. *exordium,* começo). **1.** Início de um discurso; introdução. **2.** *Fig.* Princípio, origem.

exornar (z) *v.t.* (lat. *exornare*) [conj. 4]. Adornar, ornamentar, enfeitar, ataviar.

exortar (z) *v.t.* (lat. *exhortari*) [conj. 4]. **1.** Animar, incentivar, estimular. **2.** Induzir, convencer. **3.** Advertir, admoestar, aconselhar.

exosfera (z ou cs) *s.f.* Camada superior da atmosfera de um planeta, na qual os átomos leves escapam da atração gravitacional e se evadem para o meio interplanetário.

exosqueleto (z ou cs...ê) *s.m.* Var. de EXOESQUELETO.

exotérico (z ou cs) *adj.* (gr. *exoterikos*). Diz-se da doutrina filosófica e religiosa ensinada publicamente, p. opos. às doutrinas *esotéricas.*

exoterismo (z ou cs) *s.m.* **1.** Qualidade de exotérico. **2.** A doutrina exotérica.

exotérmico (z ou cs) *adj.* Que libera calor, p. opos. a *endotérmico.*

exótico (z) *adj.* (lat. *exoticus*). **1.** Proveniente de países estrangeiros. **2.** *Fig.* Esquisito, extravagante, estranho.

exotismo (z) *s.m.* (fr. *exotisme*). **1.** Caráter do que é exótico. **2.** Conjunto de seres e coisas estrangeiras. **3.** Gosto pelo que é incomum, invulgar, extravagante.

expandir *v.t.* (lat. *expandere*) [conj. 6]. **1.** Tornar pando; alargar, dilatar, ampliar. **2.** Efetuar uma expansão. ★ *v.pr.* **1.** Falar com franqueza; desabar. **2.** Desenvolver-se, ampliar-se.

expansão *s.f.* (lat. *expansio*). **1.** Ação de expandir-se, dilatar-se. **2.** Difusão, propagação. **3.** Comportamento espontâneo e comunicativo que revela franqueza, estima ou confiança. ● **Fís.** Sin. de DILATAÇÃO. **Mec.** Terceiro tempo de funcionamento de um motor de ciclo de quatro tempos. (Sin. EXPLOSÃO.)

expansibilidade *s.f.* **1.** Caráter do que é expansível. **2.** Tendência que têm os gases a ocupar um espaço maior, de dilatar-se; expansão. **3.** *Fig.* Comunicabilidade, franqueza, lhaneza.

expansionismo *s.m.* (fr. *expansionnisme*). Atitude política que preconiza a expansão de um país além dos limites do seu território.

expansionista *adj.2g.* Relativo ao expansionismo. ★ *s.2g.* Partidário do expansionismo.

expansível *adj.2g.* Dotado de expansibilidade; suscetível de se expandir, expansivo.

expansividade *s.f.* Qualidade do que é expansivo.

expansivo *adj.* (lat. *expansivus*). **1.** Relativo à expansibilidade; expansível. **2.** *Fig.* Comunicativo, franco; entusiasta.

expatriar *v.t.* (conj. 16). Obrigar a sair da pátria; exilar, desterrar, banir. ★ *v.pr.* Deixar voluntariamente a pátria; emigrar.

expectador (ô) *s.m.* (lat. *exspectator*). Aquele que espera alguma coisa, fundado em promessas ou probabilidades; aquele que está na expectativa.

expectante *adj.2g.* (lat. *exspectans*). Que espera, observando.

expectativa *s.f.* Esperança fundada em promessas, direito ou probabilidades.

expectável *adj.2g.* Que se pode esperar; provável.

expectoração *s.f.* (lat. *expectoratio*). **1.** Expulsão, graças à tosse, de substâncias provenientes das vias respiratórias inferiores. **2.** Produto dessa expulsão; escarro.

expectorante *adj.2g.* e *s.m.* Diz-se de ou remédio que facilita a expectoração pela fluidificação das secreções brônquicas.

expectorar *v.t.* e *v.i.* (lat. *expectorare,* lançar fora do peito) [conj. 4]. Eliminar catarro para fora das vias respiratórias; escarrar. ★ *v.t. Fig.* Proferir com ira ou violência.

expedição *s.f.* (lat. *expeditio,* preparativos de guerra). **1.** Ação de expedir, distribuir ou entregar. **2.** Seção encarregada de expedir mercadorias. **3.** Remessa de tropas, navios de guerra ou mercantes com determinado objetivo. **4.** Viagem de exploração; excursão, missão.

expedicionário *adj.* **1.** Que pertence a uma expedição. **2.** Que expede, que faz o envio ou que dele se encarrega. ★ *s.m.* **1.** Pessoa que faz parte de uma expedição, mormente militar. **2.** Pracinha.

expedida *s.f.* Permissão para sair ou expedir.

expediente *adj.2g.* Que expede, que facilita; desembaraçado, expedito. ★ *s.m.* **1.** Meio de resolver uma dificuldade. **2.** Horário de funcionamento de uma repartição pública ou escritório.

expedir *v.t.* (lat. *expedire,* desimpedir) [conj. 70]. **1.** Enviar a seu destino; despachar. **2.** Mandar, fazer seguir com determinado fim. **3.** Promulgar. **4.** Despachar prontamente.

expedito *adj.* (lat. *expeditus*). Que age prontamente, diligentemente; desembaraçado, ativo, lesto.

expelir *v.t.* (lat. *expellere*) [conj. 57]. **1.** Lançar fora de modo violento; expulsar. **2.** Lançar de si. **3.** Proferir com violência.

vulcão no momento de expelir cinzas

expender *v.t.* (lat. *expendere,* pagar inteiramente) [conj. 5]. **1.** Apresentar, expor, explicar. **2.** Despender, gastar. **3.** Esmiuçar.

expensas *s.f.pl.* (lat. *expensa,* paga, despesa). *À* ou *às expensas de,* à custa de.

experiência *s.f.* (lat. *experientia*). **1.** Ato ou efeito de experimentar. **2.** Conhecimento adquirido pela prática ou pela observação. **3.** Habilidade, perícia, prática. **4.** No estudo de um fenômeno natural ou provocado, ensaio que tem por objeto verificar uma hipótese ou induzi-la a partir da observação; investigação científica, experimento, experimentação.

experiente *adj.2g.* e *s.2g.* Diz-se de ou pessoa que tem experiência (em um ofício, ciência, arte); perito, prático, versado.

experimentação *s.f.* Observação e análise dos fenômenos naturais; experiência.

experimentado *adj.* **1.** Que já foi tentado. **2.** Que foi submetido a prova. **3.** Experiente. **4.** *Fig.* Habituado aos percalços ou vicissitudes da vida; vivido.

experimental *adj.2g.* **1.** Relativo a experiência. **2.** Fundado na experiência.

experimentar *v.t.* (conj. 4). **1.** Ensaiar, verificar as qualidades de, pôr à prova. **2.** Tentar, empreender. **3.** Conhecer por experiência, sentir. **4.** Sofrer, suportar.

experimento *s.m.* (lat. *experimentum,* tentativa). Experiência, principalmente em se falando de ensaios e estudos científicos.

experto *adj.* e *s.m.* (lat. *expertus*). **1.** Diz-se de ou indivíduo entendido em determinado assunto. **2.** Experimentado, versado, entendido, sabedor. (Cf. ESPERTO.)

expiação *s.f.* **1.** Ato ou efeito de expiar. **2.** Reparação ou sofrimento pelo qual se expia uma culpa; castigo.

expiar *v.t.* (lat. *expiare,* purificar) [conj. 16]. **1.** Reparar um crime ou pecado por meio de penitência ou castigo. **2.** Sofrer as conseqüências de; pagar por.

expiatório *adj.* (lat. *expiatorius*). Que expia, que serve de expiação.

expiração *s.f.* (lat. *exspiratio*). **1.** Ação de eliminar para fora das vias respiratórias o ar já usado pelos pulmões, pobre em oxigênio e rico em gás carbônico e em vapor d'água. **2.** *Fig.* Fim de um prazo estabelecido. ● **Bot.** Ato pelo qual os vegetais expelem para fora os gases não absorvidos pelos seus tecidos.

expirar *v.t.* e *v.i.* (lat. *exspirare,* exalar) [conj. 4]. Expelir o ar contido nas vias respiratórias. ★ *v.i.* **1.** *Fig.* Morrer. **2.** *Fig.* Acabar, chegar ao fim.

explanação *s.f.* (lat. *explanatio*). Ato ou efeito de explanar; explicação, dissertação.

explanar *v.t.* (lat. *explanare,* aplanar dificuldades) [conj. 4]. **1.** Tornar inteligível; explicar, esclarecer. **2.** Dissertar.

expletivo *adj.* (lat. tard. *expletivus*). Que serve para preencher ou completar. ★ *adj.* e *s.m.* **Gram.** Diz-se de ou palavra desnecessária ao sentido de uma frase, usada como realce ou ênfase.

explicação *s.f.* (lat. *explicatio*). **1.** Ação de explicar. **2.** Desenvolvimento que se destina a esclarecer, a fazer compreender. **3.** Razão, motivo. **4.** Esclarecimento, justificação. **5.** Desculpa, desagravo.

explicar *v.t.* (lat. *explicare,* desdobrar) [conj. 12]. **1.** Fazer conhecer, tornar inteligível ou claro. **2.** Explanar, comentar. **3.** Justificar, apresentar razões ou motivos. **4.** Interpretar, analisar. **5.** Expressar, manifestar. ★ *v.pr.* **1.** Expressar-se, exprimir-se. **2.** Justificar-se.

explicativo *adj.* Que serve para explicar.

explicável *adj.2g.* Que pode ser explicado.

explicitação *s.f.* Ação de explicitar.

explicitar *v.t.* (conj. 4). Tornar explícito, claro.

explícito *adj.* (lat. *explicitus*). Que é enunciado completamente e não deixa dúvida; preciso, claro.

explodir *v.i.* (lat. *explodere*) [conj. 6]. **1.** Estourar violentamente, com estrondo, projetando fragmentos. **2.** Provocar explosão. **3.** *Fig.* Manifestar-se ruidosamente, com ímpeto. **4.** *Fig.* Encolerizar-se.

exploração *s.f.* (lat. *exploratio*). **1.** Ato ou efeito de explorar. **2.** Pesquisa, sondagem. **3.** Uso para determinado fim. **4.** *Fig.* Especulação, abuso. ● **Med.** *Exploração funcional,* conjunto de métodos clínicos e biológicos que permitem apreciar o funcionamento de um órgão ou de um aparelho orgânico.

explorador (ô) *adj.* e *s.m.* (lat. *explorator*). **1.** Que ou aquele que explora. **2.** Diz-se de ou pessoa que busca regiões desconhecidas ou inóspitas com objetivos científicos, culturais ou econômicos. **3.** *Fig.* Aproveitador.

VOCÊ SABIA...? Veja abaixo algumas informações sobre **exploradores**:

- Marco Polo tinha 17 anos quando realizou a longa e difícil viagem da Europa à China.
- David Livingstone foi o primeiro europeu a ver as cataratas Vitória, na África.
- Livingstone e outros exploradores procuraram a nascente do rio Nilo.
- Em 1863, John Hanning Speke demonstrou que a nascente do Nilo era o lago Vitória.
- A Lua é o ponto mais distante a que chegaram os exploradores humanos (porém, naves não tripuladas já pousaram em Marte). Os primeiros a tocar o solo da Lua foram os astronautas Neil Armstrong e Edwin Aldrin, dos EUA (1969).

explorar *v.t.* (lat. *explorare*) [conj. 4]. **1.** Examinar, analisar, estudar, pesquisar. **2.** Percorrer em viagem de estudo ou recreio. **3.** Desenvolver, cultivar, fazer produzir. **4.** *Fig.* Auferir lucro ou proveito abusando da boa-fé, bondade ou posição de alguém.

exploratório *adj.* (lat. *exploratorius*). Que serve para explorar. ● **Med.** Diz-se de exame ou cirurgia destinado a obter informações sobre o estado de um órgão.

explosão *s.f.* (lat. *explosio*). **1.** Ato ou efeito de explodir; estouro, detonação. **2.** *Fig.* Manifestação súbita e violenta. ● **Mec.** Sin. de EXPANSÃO. **Med.** Aparecimento inesperado de uma inflamação violenta. **Quím.** Fenômeno em que gases sob pressão são liberados ou gerados em um tempo muito curto.

explosivo *adj.* (lat. *explosivus*). **1.** Capaz de explodir ou provocar explosão. **2.** *Fig.* Que vibra ruidosa e subitamente; arrebatado, impetuoso. ● **Fís.** *Distância explosiva,* distância mínima entre dois eletrodos entre os quais ocorre o aparecimento de uma centelha (faísca), para certa tensão.

explotar *v.t.* (conj. 4). Explorar os recursos, principalmente minerais, de (área).

expoente *s.m.* **1.** Representante ilustre de uma classe, profissão, ciência ou arte. **2.** Aquele que expõe um assunto. ● **Mat.** Número que indica o grau de uma potência.

exponencial *adj.2g.* **1.** Relativo às potências dos números. **2.** *Fig.* Que vale como expoente, como representante eminente.

expor *v.t.* (lat. *exponere*) [conj. 45]. **1.** Pôr à vista; mostrar, exibir. **2.** Submeter à ação de. **3.** Explicar, desenvolver, explanar. **4.** Colocar em risco ou perigo. ★ *v.pr.* **1.** Exibir-se, mostrar-se. **2.** Submeter-se, arriscar-se.

exportação *s.f.* (lat. *exportatio*). Ação de exportar; venda de bens ou serviços para outro país.

exportador (ô) *adj.* e *s.m.* Que ou aquele que exporta.

exportar *v.t.* (lat. *exportare,* levar para fora) [conj. 4]. Vender para o exterior os bens e os serviços de um país.

exportável *adj.2g.* Que se pode exportar.

exposição *s.f.* (lat. *expositio*). **1.** Ato ou efeito de expor(-se). **2.** Apresentação escrita ou oral de idéias ou fatos. **3.** Exibição ao público de obras de arte, produtos agrícolas ou industriais etc. **4.** O conjunto das obras expostas. **5.** Local onde se faz uma exposição.

exposição de quadros

expositivo *adj.* **1.** Que é da natureza da exposição. **2.** Que expõe, declara ou elucida.

expositor (ô) *s.m.* (lat. *expositor*). **1.** Aquele que expõe, que faz ou participa de uma exposição. **2.** Aquele que apresenta ou interpreta um texto, teoria etc.; preletor.

exposto (ô) *adj.* e *s.m.* (lat. *expositus*). Que ou o que está à mostra, à vista.

expressão *s.f.* (b.-lat. *expressio*). **1.** Ato ou efeito de exprimir(-se). **2.** O que serve para expressar. **3.** Maneira de representar algo através da linguagem ou de técnica artística. **4.** Aspecto, fisionomia, ar. **5.** Palavra, frase, dito. **6.** Vivacidade, ânimo. ● **Mat.** *Expressão algébrica,* conjunto de termos que se reúnem por sinais de operação.

expressar *v.t.* e *v.pr.* (conj. 4). Exprimir(-se).

expressionismo *s.m.* **1.** Movimento artístico do início do séc. XX, surgido na Alemanha, que procurou expressar emoções através de trabalhos que fugiam às regras tradicionais de equilíbrio da composição, da regularidade da forma e da harmonia das cores. **2.** Característica de uma obra de arte, de qualquer época, que privilegia a expressividade em detrimento da obediência a um código formal.

expressionista *adj.* **1.** Relativo à expressão. **2.** Relativo ao expressionismo. ★ *s.2g.* Partidário do expressionismo.

expressividade *s.f.* Qualidade do que é expressivo.

expressivo *adj.* Que exprime bem o pensamento, o sentimento.

expresso *adj.* (lat. *expressus,* comprimido). **1.** Exarado, escrito, lavrado. **2.** Claro, preciso, formal. ★ *s.m.* Trem de passageiros com alta velocidade e que só pára nas grandes estações.

exprimir *v.t.* (lat. *exprimere,* espremer) [conj. 6]. **1.** Dar a conhecer, manifestar; expressar. **2.** Enunciar por gestos, imagens ou palavras; expressar. **3.** Representar, significar. ★ *v.pr.* Fazer conhecer, através de palavras ou outros meios, idéias ou sentimentos; expressar-se.

exprobrar *v.t.* (lat. *exprobrare*) [conj. 4]. Censurar com acrimônia; recriminar, acusar.

expropriar *v.t.* (conj. 16). Excluir alguém da posse de uma propriedade por meios jurídicos.

expugnar *v.t.* (lat. *expugnare*) [conj. 4]. **1.** Tomar à força de armas; dominar, vencer. **2.** *Fig.* Conquistar, abater, debelar.

expugnável *adj.2g.* Que pode ser expugnado; dominável, vencível.

expulsão *s.f.* (lat. *expulsio*). **1.** Ato ou efeito de expulsar. **2.** Saída forçada.

expulsar *v.t.* (lat. *expulsare*) [conj. 4]. **1.** Repelir ou fazer sair à força. **2.** Banir, degredar, exilar. **3.** Expelir, evacuar.

expulso *adj.* Que sofreu expulsão.

expurgação *s.f.* (lat. *expurgatio*). Ato ou efeito de expurgar; purificação, expurgo.

expurgado *adj.* Que sofreu expurgo; livre de impurezas.

expurgar *v.t.* (lat. *expurgare*) [conj. 14]. **1.** Purgar completamente; purificar. **2.** Limpar, sanear. **3.** Corrigir, emendar. **4.** Livrar do que é nocivo, prejudicial ou supérfluo.

expurgo *s.m.* **1.** Liberação de impurezas. **2.** Expurgação. **3.** Afastamento de um ou vários indivíduos de uma coletividade por questões políticas, doutrinárias etc.

exsicar *v.t.* (conj. 4). Secar bem; ressequir.

exsudação *s.f.* (lat. *exsudatio*). **1.** Ação de suar; transpiração. **2.** Humor, animal ou vegetal, que atravessa os poros e escorre pela superfície do organismo. **3.** Água que sai pelos extremos de uma acha de lenha exposta ao calor do fogo. ● **Fisiol.** Formação de um exsudato pela passagem, através das paredes dos vasos, de certos elementos do sangue.

exsudar *v.t.* (lat. *exsudare*) [conj. 4]. **1.** Suar, transpirar. **2.** Segregar em forma de gotas. ● **Med.** Sair por exsudação, apresentar o fenômeno da exsudação.

exsudato *s.m.* Matéria resultante de processo inflamatório constituída de líquidos, células etc., que sai dos vasos sanguíneos e se deposita em tecidos.

êxtase *s.m.* (gr. *extasis*). **1.** Estado de alguém que se encontra como que transportado fora de si e do mundo sensível. **2.** Estado de alegria e gozo extremo; deleite.

extasiante *adj.2g.* Que extasia.

extasiar *v.t.* (conj. 16). Causar êxtase a; arrebatar, enlevar. ★ *v.pr.* Cair em êxtase; admirar-se, deleitar-se, maravilhar-se.

extático *adj.* (gr. *exstatikós*). Que está em êxtase; enlevado, arrebatado.

extemporâneo *adj.* (lat. *extemporaneus*). Que não é próprio do tempo em que sucede ou se faz; inoportuno.

extensão *s.f.* (lat. *extensio*). **1.** Dimensão em superfície; comprimento. **2.** Duração. **3.** Desenvolvimento, tamanho. **4.** Porção de espaço ocupado por um corpo. **5.** Alcance no espaço, falando-se da vista, da voz, de uma arma etc. **6.** Importância, alcance. **7.** Ramal telefônico de um mesmo número, instalado em local diverso do telefone principal. ● **Inform.** Aumento da capacidade de uma parte de um sistema informático, particularmente das memórias.

extensível *adj.2g.* Que pode ser estendido; extensivo.

extensivo *adj.* (lat. tard. *extensivus*). **1.** Que se pode estender; extensível. **2.** Que determina ou que constitui extensão. **3.** Que se pode aplicar ou acomodar a casos ou objetos análogos. **4.** Extenso, amplo. ● **Agric.** Diz-se de uma cultura em que é aplicada pouca quantidade de trabalho e de capital por unidade de superfície e na qual se obtém uma produção pequena, p. opos. a *intensivo.* **Pec.** *Criação extensiva,* prática que consiste em manter poucos animais herbívoros por área de pasto, utilizada principalmente para a produção de carne ou de lã.

extenso *adj.* (lat. *extensus*). **1.** Que tem extensão; vasto. **2.** Longo, comprido. **3.** *Por extenso,* sem abreviaturas; por inteiro.

extensor (ô) *adj.* e *s.m.* Diz-se de ou músculo cuja ação provoca extensão de um membro.

extenuação *s.f.* (lat. *extenuatio*). Estado de grande cansaço; prostração, enfraquecimento.

extenuar *v.t.* (lat. *extenuare,* tornar tênue; enfraquecer) [conj. 4]. **1.** Esgotar as forças a; debilitar em extremo. **2.** Exaurir, gastar, abater. ★ *v.pr.* Cansar-se demais; debilitar-se, exaurir-se.

exterior (ô) *adj.* (lat. *exterior*). **1.** Que está por fora ou na parte de fora (p. opos. a *interior*). **2.** Relativo aos países estrangeiros. ★ *s.m.* **1.** O que está ou se vê pela parte de fora. **2.** Aspecto, aparência. **3.** País estrangeiro.

exterioridade *s.f.* Qualidade do que é exterior.

exteriorizar *v.t.* (conj. 4). Tornar exterior; manifestar, externar (idéias, sentimentos etc.). ★ *v.pr.* Manifestar-se, externar-se.

exterminar *v.t.* (lat. *exterminare,* desterrar) [conj. 4]. **1.** Destruir com mortandade. **2.** Fazer desaparecer, acabar com; extirpar. **3.** Pôr fora de; expulsar, banir.

extermínio *s.m.* (lat. *exterminium*). Ação de exterminar; eliminação, exterminação.

externar *v.t.* e *v.pr.* (conj. 4). Exteriorizar(-se).

externato *s.m.* Estabelecimento de ensino que admite apenas alunos externos.

externo *adj.* (lat. *externus*). **1.** Diz-se do que está por fora ou que vem de fora. **2.** Diz-se do aluno que não mora na escola. ● **Anat.** Que está mais distante do plano sagital médio do corpo (p. opos. a *interno*).

exteroceptivo *adj.* Diz-se da sensibilidade corpórea relacionada aos estímulos do meio exterior.

extinção *s.f.* (lat. *extinctio*). Ato ou efeito de extinguir(-se). ● **Biol.** Ausência de descendentes, que coloca fim a uma raça, a uma linhagem, a uma espécie animal ou vegetal. **Quím.** Hidratação da cal viva.

extinguir *v.t.* (lat. *extinguere*) [conj. 53]. **1.** Fazer que cesse de queimar, de brilhar. **2.** Fazer que cesse de existir. **3.** Pôr fim, acabar. **4.** Exterminar, aniquilar. **5.** Anular, cancelar. **6.** Suprimir, abolir. **7.** Fig. Acalmar, abrandar. ★ *v.pr.* **1.** Cessar de queimar, de brilhar. **2.** Deixar de existir. **3.** Consumir-se, esgotar-se.

extinto *adj.* (lat. *extinctus*). **1.** Que deixou de existir; findo, acabado. **2.** Suprimido, abolido. **3.** Que não arde mais (fogo); apagado.

extintor (ô) *adj.* (lat. *extinctor*). Que extingue ou serve para extinguir alguma coisa. ★ *s.m.* *Extintor de incêndio,* aparelho ou sistema de combate ao fogo.

EXEMPLO DE EXTINTOR DE INCÊNDIO

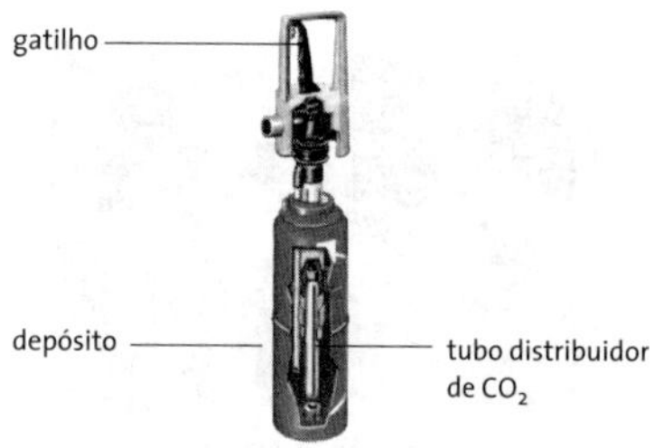

extirpação *s.f.* (lat. *extirpatio*). **1.** Ato ou efeito de extirpar. **2.** *Fig.* Extinção, eliminação, exterminação. ● **Med.** Ação de retirar completamente do organismo um órgão, corpo estranho ou formação patológica.

extirpar *v.t.* (lat. *extirpare*) [conj. 4]. **1.** Arrancar completamente, com dificuldade. **2.** Extrair (um cisto, um fibroma etc.). **3.** *Fig.* Extinguir, exterminar.

extirpável *adj.2g.* Que se pode extirpar.

extorquir *v.t.* (lat. *extorquere,* desconjuntar) [conj. 79]. Exigir, obter, com violência ou ameaças, o que não é devido.

extorsão *s.f.* (lat. *extorsio*). **1.** Ato ou efeito de extorquir. **2.** Uso de violência ou ameaça para obter dinheiro de alguém ou aquiescência a determinado plano.

extorsionário *adj.* Em que há extorsão; extorsivo. ★ *s.m.* Indivíduo que pratica extorsão.

extorsivo *adj.* Extorsionário.

extra *adj.* (lat. *extra,* fora, além). **1.** Extraordinário; além do normal ou do previsto. **2.** Classificação de produto agrícola da melhor qualidade, sem defeitos, com uniformidade na cor, tamanho e conformação. ★ *s.m.* **1.** Trabalho adicional, feito além do combinado. **2.** Remuneração por esse trabalho; adicional. ★ *s.2g.* Pessoa que trabalha acidentalmente, sem fazer parte do quadro de trabalhadores estáveis. ● **Cin.** Ator figurante, ponta.

extração *s.f.* (lat. *extractio*). **1.** Ato ou efeito de extrair. **2.** Consumo, venda. **3.** Retirada de (minério). **4.** Sorteio que indica os números dos bilhetes premiados numa loteria. ● **Mat.** Operação que consiste em calcular a raiz quadrada ou cúbica de um número. **Med.** Ação de retirar do organismo um corpo estranho, um órgão doente. (Sin. ant. EVULSÃO.) **Min.** Produção de uma mina ou pedreira.

plataforma de extração de petróleo

extraconjugal *adj.2g.* Que está fora dos direitos e deveres conjugais; extramatrimonial.

extracorpóreo *adj.* Fora do corpo.

extracurricular *adj.* Que está além ou fora do currículo escolar.

extradição *s.f.* (lat. *extraditio*). Ato de entregar um refugiado em país estrangeiro ao governo que o reclama.

extraditar *v.t.* (conj. 4). Entregar um refugiado em país estrangeiro ao governo que o reclama.

extragaláctico *adj.* Que pertence ao espaço exterior à nossa galáxia.

extrair *v.t.* (lat. *extrahere*) [conj. 68]. **1.** Tirar (algo) do lugar onde está, do corpo em que espontânea ou acidentalmente se formou ou introduziu. **2.** Arrancar, extirpar. **3.** Separar uma substância de outra por processo físico ou químico. **4.** Tirar, derivar. ● **Mat.** Calcular a raiz quadrada ou a raiz cúbica de um número.

extraível *adj.2g.* Que pode ser extraído.

extrajudicial *adj.2g.* Que é feito fora de juízo; extrajudiciário.

extrajudiciário *adj.* Extrajudicial.

extramatrimonial *adj.2g.* Extraconjugal.

extranumerário *adj.* Que está além do número certo. ★ *adj.* e *s.m.* Que ou aquele que não pertence ao quadro efetivo dos empregados ou funcionários.

extra-oficial *adj.2g.* Que não tem origem oficial.

extraordinário *adj.* (lat. *extraordinarius*). **1.** Que é, está ou vai além do costume, do normal ou do ordinário; extra. **2.** Extremo, excessivo, em elevado grau. **3.** Excepcional, notável. **4.** Esquisito, extravagante, esdrúxulo. **5.** Imprevisto, anormal. ★ *s.m.* **1.** O que não se faz ou que não ocorre habitualmente. **2.** Despesa fora do habitual ou do orçado.

extra-orgânico *adj.* Sin. de ANORGÂNICO.

extrapiramidal *adj.2g.* **1.** Que está situado fora dos feixes piramidais do encéfalo. **2.** *Sistema extrapiramidal,* conjunto de feixes e estruturas nervosas responsáveis pelo controle da motricidade, situados fora do feixe piramidal.

extrapolação *s.f.* Ato ou efeito de extrapolar. ● **Estat.** Processo que consiste em prolongar uma série estatística pela introdução de um novo termo que obedece à lei da série, ou em determinar a ordenada de um ponto situado no prolongamento de uma certa curva.

extrapolar *v.t.* (conj. 4). **1.** Chegar a uma conclusão ou resultado a partir de um dado anterior. **2.** Proceder à extrapolação estatística. **3.** Ir além de, ultrapassar.

extraprograma *adj.2g.* Que está fora do programa.

extra-sensorial *adj.2g.* Que pode ser percebido sem a intervenção de receptores sensoriais.

extra-sístole *s.f.* Contração prematura do coração que altera o ritmo cardíaco normal.

extra-sistólico *adj.* Relativo à extra-sístole.

extraterreno *adj.* De fora da Terra.

extraterrestre *adj.2g.* Diz-se de ou ser que se supõe originário de outros astros ou de outras galáxias.

extraterritorial *adj.2g.* Situado fora do território de uma jurisdição.

extrativo *adj.* **1.** Relativo à extração. **2.** Que opera por extração.

extrato *s.m.* (lat. *extractus,* extraído). **1.** Coisa extraída de outra; produto da extração. **2.** Trecho, fragmento. **3.** Resumo, síntese. **4.** Reprodução, cópia. ● **Quím.** Produto de uma extração química.

extrator (ô) *s.m.* **1.** Qualquer mecanismo ou dispositivo destinado a extrair objetos ou peças. **2.** Peça metálica localizada atrás do tambor de um revólver ou do cano de uma carabina para extrair os cartuchos deflagrados. ★ *adj.* Que extrai.

extra-uterino *adj.* **1.** Que ocorre ou se localiza fora da cavidade uterina. **2.** *Gravidez extra-uterina,* sin. de GRAVIDEZ ECTÓPICA*.

extravagância *s.f.* (fr. *extravagance*). **1.** Qualidade de extravagante. **2.** Ação que se desvia do normal, do bom senso; excentricidade, esquisitice. **3.** Dissipação, esbanjamento, estroinice. **4.** Libertinagem.

extravagante *adj.2g.* (lat. med. *extravagans, extravagantis*). **1.** Fora do comum, excêntrico, esquisito. **2.** Que denota ou pratica extravagâncias.

extravagar *v.i.* (conj. 14). **1.** Estar fora do número, da ordem, da espécie a que pertence. **2.** Divagar, distrair-se.

extravasar *v.t.* (conj. 4). **1.** Fazer transbordar, derramar (líquido), fora do recipiente. **2.** Manifestar de modo impetuoso; expandir, transbordar. ★ *v.i.* e *v.pr.* **1.** Transbordar. **2.** Escorrer abundantemente. **3.** Derramar-se (sangue ou qualquer líquido orgânico) para fora de seus canais naturais. **4.** Sair fora dos limites, do espaço de.

extraviar *v.t.* (conj. 16). **1.** Desviar do caminho certo. **2.** Não chegar ao destino (mercadoria, correspondência); perder. **3.** *Fig.* Fazer cair em erro, afastar dos princípios; desencaminhar.

extravio *s.m.* Ato ou efeito de extraviar(-se); desvio, descaminho.

extremado *adj.* Distinto entre muitos; insigne, excelente, perfeito.

extremar *v.t.* (conj. 4). Destacar algo ou alguém para exaltá-lo ou enaltecê-lo. ★ *v.pr.* Distinguir-se; assinalar-se entre muitos.

extrema-unção *s.f.* Na Igreja Católica, sacramento dado aos enfermos e moribundos pela unção do óleo santo.

extremidade *s.f.* (lat. *extremitas*). **1.** Parte extrema de um objeto, considerado em seu comprimento; ponta. **2.** Término, fim. ★ *s.f.pl.* Os pés, as mãos, as pernas ou os braços.

extremismo *s.m.* Tendência a recorrer a meios extremos, violentos, para resolver os males sociais.

extremo *adj.* (lat. *extremus*). **1.** Que está no ponto mais afastado; longínquo, remoto. **2.** Que está no auge, no último grau de intensidade. **3.** Derradeiro, último. ● **Mat.** Máximo ou mínimo relativo de uma função. ★ *s.m.pl.* **1.** Carinho excessivo. **2.** *Fig.* Últimos recursos. ● **Mat.** O primeiro e o último termos de uma proporção.

extremoso (ô) *adj.* Carinhoso, afetuoso.

extrínseco *adj.* (lat. *extrinsecus*). Que não pertence à essência de uma coisa. (Antôn. INTRÍNSECO.)

extroversão *s.f.* (lat. *extroversio*). Traço de personalidade caraterizado por uma freqüência elevada de condutas que visam a estabelecer contatos sociais e buscar estimulações novas. (Opõe-se a INTROVERSÃO.)

extrovertido *adj.* e *s.m.* Diz-se de ou pessoa caracterizada pela extroversão. ★ *adj.* **1.** Voltado para fora. **2.** Expansivo, falador, comunicativo.

extrusão *s.f.* **1.** Saída forçada, expulsão. **2.** Passagem de um plástico ou metal por um orifício, para dar-lhe conformação filamentosa.

extrusivo *adj.* **1.** Relativo a ou que provoca extrusão. **2.** *Rocha extrusiva,* sin. de ROCHA VULCÂNICA*.

exu *s.m.* Nos cultos afro-brasileiros, espírito malfazejo e violento; diabo.

exuberância (z) *s.f.* (lat. *exuberantia*). **1.** Grande abundância, copiosidade, fartura. **2.** Vigor, viço.

exuberante (z) *adj.2g.* (lat. *exuberans, exuberantis*). **1.** Muito abundante, copioso, farto. **2.** Cheio de vigor e viço.

exuberar (z) *v.i.* (lat. *exuberare,* transbordar) [conj. 4]. Existir em grande cópia; superabundar. ★ *v.t.* Manifestar superabundância de.

exulceração (z) *s.f.* **1.** Ato ou efeito de exulcerar. **2.** Ulceração superficial. **3.** *Fig.* Dor, sofrimento moral.

exultação (z) *s.f.* (lat. *exultatio*). Estado de quem exulta; júbilo, regozijo.

exultar (z) *v.i.* (lat. *exultare,* saltar) [conj. 4]. Demonstrar grande alegria ou alvoroço; jubilar-se, regozijar-se.

exumar (z) *v.t.* (lat. tard. *exhumare*) [conj. 4]. Tirar da sepultura; desenterrar.

ex-voto *s.m.* (lat. *ex voto,* conforme promessa). Quadro ou objeto colocado em uma igreja ou lugar de veneração em cumprimento de promessa ou agradecimento de graça obtida.

Ff Ff Ff

f *s.m.* Sexta letra do alfabeto português.

F[1] símbolo químico do flúor.

F[2] símbolo do farad.

fá *s.m.* **1.** Quarta nota musical da escala natural. **2.** Sinal que representa essa nota. **3.** *Clave de fá,* clave que indica a colocação dessa nota.

fã *s.2g.* (ingl. *fan,* de *fanatic,* fanático). **1.** Pessoa que tem grande admiração por artistas (músicos, atores) ou figuras populares (esportistas etc.). **2.** Admirador.

fábrica *s.f.* (lat. *fabrica,* mister; fabricação). **1.** Estabelecimento industrial no qual matérias-primas são transformadas em produtos finais. **2.** Qualidade, procedência, fabrico.

fabricante *s.2g.* (lat. *fabricans*). **1.** Pessoa que fabrica ou que é responsável pela fabricação. **2.** Pessoa que inventa, maquina.

fabricar *v.t.* (lat. *fabricare,* construir) [conj. 12]. **1.** Transformar matérias em objetos de uso corrente; manufaturar. **2.** Construir, edificar. **3.** *Fig.* Inventar, maquinar, idear. **4.** *Desus.* Cultivar, amanhar.

fabrico *s.m.* **1.** Fabricação. **2.** O produto de uma fábrica. **3.** *Desus.* Cultivo, amanho.

fabril *adj.2g.* (lat. *fabrilis*). Relativo a fábrica e ao fabrico.

fábula *s.f.* (lat. *fabula,* conversação; narração fictícia). **1.** Texto alegórico, cujas personagens são freqüentemente animais, do qual se extrai uma lição de moral. **2.** Narrativa inverossímil, imaginária ou mitológica; ficção. **3.** *Fig.* Mentira, ilusão. **4.** Quantia elevada em dinheiro.

fabulação *s.f.* (lat. *fabulatio,* conversação). **1.** Ação de fabular. **2.** Arranjo dos fatos que compõem a trama de uma obra de ficção.

fabular[1] *v.t.* (lat. *fabulare,* falar) [conj. 4]. Apresentar em forma de ficção ou fábula. ★ *v.i.* **1.** Contar ou fazer fábula. **2.** Contar ou inventar histórias ou mentiras.

fabular[2] *adj.2g.* Fabuloso.

fabulário *s.m.* (lat. *fabularium*). Coleção de fábulas; caderno de fábulas.

fabulista *s.2g.* Autor ou narrador de fábulas.

fabuloso (ô) *adj.* (lat. *fabulosus,* de que se contam fábulas). **1.** Relativo à fábula; fabular. **2.** Relativo ou pertencente às lendas antigas, à mitologia; mítico. **3.** Prodigioso, imenso, grandioso.

faca *s.f.* (lat. *falcula,* pequena foice). **1.** Instrumento cortante, composto de um cabo munido de uma lâmina; esta lâmina. **2.** Qualquer instrumento ou ferramenta cortante.

FÁBULA ► A origem das fábulas remonta à Antiguidade (séculos VII e VI a.C.); elas narravam as aventuras dos deuses e heróis. Foi o lendário Esopo que, no século VI a.C., ao escrever fábulas cujos personagens animais agiam como seres humanos e que sempre ilustravam um preceito moral, uniu seu nome à mais afortunada coleção de fábulas da literatura ocidental. La Fontaine (1621-1695), escritor francês, reuniu as histórias de Esopo e outras em suas *Fábulas.* Entre os latinos, a fábula só apareceu como gênero literário a partir do século I. Nesse século, Fedro (oriundo da Macedônia) escreveu fábulas sobre a sociedade romana. No Brasil, podemos citar, entre os expoentes máximos do gênero, Monteiro Lobato (1882-1948), cujas principais paixões eram escrever e desenhar, tendo deixado uma vasta literatura infantil, e Millôr Fernandes, escritor e humorista carioca que, de 1967 até nossos dias, tem marcado sua presença em jornais e revistas nacionais com suas "fábulas fabulosas".

facada *s.f.* **1.** Golpe de faca. **2.** *Fig.* Golpe inesperado; surpresa desagradável. **3.** *Gír.* Pedido de dinheiro; obtenção de dinheiro mediante lábia.

façanha *s.f.* **1.** Proeza, feito heróico. **2.** Feito extraordinário, de difícil execução.

facão *s.m.* **1.** Faca grande e pesada. **2.** Ferramenta agrícola. **3.** *Facão de mato,* sabre curto, de lâmina larga, empregado para abrir caminho através da vegetação; machete.

facção *s.f.* (lat. *factio,* maneira de fazer). **1.** Feito de armas. **2.** Grupo divergente de um partido. **3.** Bando sublevado.

facciosismo *s.m.* Caráter de faccioso; sectarismo, partidarismo.

faccioso (ô) *adj.* (lat. *factiosus*). **1.** Que fomenta movimentos contra o poder estabelecido. **2.** Revoltoso, sedicioso. **3.** *Fig.* Sectário, parcial.

face *s.f.* (lat. *facies,* aspecto, aparência, rosto). **1.** Parte anterior da cabeça humana; rosto humano. **2.** Parte lateral da cara, a maçã do rosto. **3.** Cada um dos lados de um objeto, coisa ou sólido geométrico. **4.** Aparência, aspecto. **5.** Fachada. **6.** Lado externo, superfície.

facear *v.t.* (conj. 15). **1.** Fazer faces, lados em. **2.** Estar ou mostrar-se à frente, à face de.

facécia *s.f.* (lat. *facetia*). **1.** Qualidade, modos de faceto. **2.** Expressão chistosa.

faceirice *s.f.* Qualidade de faceiro.

faceiro *adj.* **1.** Elegante, janota, taful. **2.** Afetado, pretensioso. **3.** Risonho, alegre.

faceta (ê) *s.f.* (fr. *facette*). **1.** Pequena superfície plana de um objeto. **2.** Lado, aspecto, ângulo.

facetar *v.t.* (conj. 4). **1.** Talhar em facetas; lapidar. **2.** Aprimorar, aperfeiçoar.

facetear *v.i.* (conj. 15). **1.** Dizer facécias, chistes. **2.** Ridicularizar, zombar.

faceto (ê) *adj.* (lat. *facetus,* elegante). Alegre, brincalhão, cômico.

fachada *s.f.* (it. *facciata*). **1.** Cada uma das faces exteriores de uma edificação; face. **2.** Face exterior de um edifício voltada para a rua; frente. **3.** *Fig.* Aparência, semblante.

facheiro *s.m.* **1.** Pessoa que leva o facho ou faz sinais com ele. **2.** Suporte do facho. ● **Bot.** Nome comum a diferentes espécies de plantas que são usadas como archotes, a fim de atrair e atordoar peixes, em pescarias noturnas.

facho *s.m.* (lat. *fasculum,* dim. de *fax, facis,* tocha). **1.** Matéria inflamável cuja luz serve de sinal; archote. **2.** Farol de guia para os navios. **3.** *Fig.* O que esclarece ou serve de luz intelectual.

facial *adj.2g.* (lat. *facialis*). **1.** Relativo ou pertencente à face. ● **Neurol.** *Nervo facial* ou *facial* (*s.m.*), cada um dos nervos que compõem o sétimo par de nervos cranianos, responsáveis pela inervação dos músculos da face. ▸ *Paralisia facial,* paralisia de origem periférica ou central dos músculos da face.

fácies *s.2g.* (lat. *facies*). **1.** Aspecto de um corpo. **2.** Aspecto, forma e expressão característica da face. **3.** Conjunto de características mineralógicas e estruturais de uma rocha. ● **Arqueol.** Conjunto de traços que permitem identificar um aspecto particular de um período cultural.

fácil *adj.2g.* (lat. *facilis*). **1.** Que se faz sem dificuldade. **2.** Sem complicações, simples. **3.** Complacente, tolerante. **4.** *Pop.* De honestidade duvidosa (falando-se de mulher).

facilidade *s.f.* (lat. *facilitas*). **1.** Qualidade do que é fácil. **2.** Aptidão, pendor. **3.** Comodidade, disponibilidade. ★ *s.f.pl.* **1.** Meios prontamente disponíveis para se realizar ou obter algo. **2.** Condescendência.

facilitação *s.f.* **1.** Ato ou efeito de facilitar; redução das dificuldades. **2.** Desatenção, descuido. ● **Fisiol.** Fenômeno bioelétrico que torna mais eficaz a transmissão das mensagens nervosas.

facilitar *v.t.* (it. *facilitare*) [conj. 4]. **1.** Tornar fácil. **2.** Pôr à disposição de; prontificar, facultar. ★ *v.i.* Expor-se ao perigo; proceder imprevidentemente.

facínora *adj.2g.* e *s.2g.* (lat. *facinora*). Que ou aquele que cometeu grande crime.

fac-similado *adj.* **1.** Que foi impresso em fac-símile. **2.** Que se refere a fac-símile.

fac-similar[1] *v.t.* (conj. 4). Imprimir em fac-símile.

fac-similar[2] *adj.2g.* Relativo a fac-símile.

fac-símile *s.m.* (lat. *fac simile,* fazer coisa semelhante). Reprodução exata, por processo mecânico, de textos ou imagens.

factível *adj.2g.* Que pode ser feito.

factótum *s.m.* (lat. *fac totum,* fazer tudo). **1.** Pessoa encarregada de todos os negócios de outrem. **2.** Pessoa indispensável. **3.** Indivíduo que se julga ou se mostra capaz de tudo fazer ou resolver.

faculdade *s.f.* (lat. *facultas*). **1.** Possibilidade física, moral ou intelectual. **2.** Direito, poder. **3.** Estabelecimento de ensino superior. ★ *s.f.pl.* **1.** Aptidões, disposições, pendores. **2.** Bens, posses, riquezas.

facultar *v.t.* (lat. *facultare*) [conj. 4]. **1.** Possibilitar, permitir. **2.** Pôr à disposição de; oferecer, proporcionar.

facultativo *adj.* **1.** Que se pode fazer ou não, que não é obrigatório. **2.** Que confere um direito, um poder.

facúndia *s.f.* (lat. *facundia*). Eloqüência.

facundo *adj.* (lat. *facundus*). **1.** Eloqüente, falador. **2.** Prolixo, verboso.

fada *s.f.* (lat. *fata, pl.* de *fatum,* destino). **1.** Ser imaginário representado por uma mulher dotada de poderes mágicos. **2.** Mulher notável pela graça, espírito, bondade e beleza.

VOCÊ SABIA...? As **fadas** procedem, provavelmente, da mitologia celta. Nas lendas do rei Artur, aparecem Morgana, Viviana e Melusina. Durante a Idade Média, o cristianismo modificou e matizou esses personagens míticos, e sua aparição é freqüente nos textos da época, recomendando aos cavalheiros o respeito à observância dos preceitos da Igreja. Posteriormente, suas lendas passaram a ser tema literário, com Perrault (século XVIII), os Irmãos Grimm e Andersen (século XIX).

---

fadar *v.t.* (conj. 4). **1.** Dar como fado. **2.** Predestinar, votar. **3.** Dotar, favorecer.

fadário *s.m.* **1.** Fado. **2.** Vida penosa.

fadiga *s.f.* **1.** Estado fisiológico consecutivo a um esforço prolongado, a um trabalho físico ou intelectual intenso; estafa, esgotamento. **2.** Sensação penosa causada pelo esforço ou trabalho intenso; cansaço. **3.** Deterioração de um material provocada pela repetição de solicitações mecânicas, que pode levá-lo à ruptura. ● **Med.** *Fadiga muscular,* diminuição da força ou da rapidez de contração de um músculo consecutiva a um esforço exagerado.

fadigar *v.t.* (conj. 14). Fatigar.

fadista *s.2g.* Compositor ou intérprete de fados.

fado *s.m.* (lat. *fatum,* destino). **1.** Destino, sorte; fadário. **2.** Canção popular portuguesa cujo tema é geralmente melancólico. **3.** Música e dança que acompanham essa canção.

fagócito *s.m.* Célula capaz de englobar e digerir partículas orgânicas ou inorgânicas.

fagocitose *s.f.* Propriedade que certos protozoários e algumas células possuem de capturar e ingerir partículas ou microorganismos por expansões da membrana plasmática.

fagote *s.m.* (it. *fagotto*). **1.** Instrumento musical de sopro, geralmente de madeira, de tubo aberto e palheta vibrante dupla, da família dos oboés. **2.** *P. ext.* O fagotista.

fagueiro *adj.* **1.** Que afaga; meigo, carinhoso. **2.** Agradável, prazeroso, afável. **3.** *Fig.* Satisfeito, alegre, contente.

fagulha *s.f.* Faísca.

faia *s.f.* (lat. *fagea*). Árvore ornamental, originária da Europa, que fornece madeira dura, própria para construção civil e marcenaria, e óleo comestível, retirado da amêndoa do fruto.

faiança *s.f.* (de *Faenza,* top.). Louça de massa argilosa, macia, porosa, recoberta com um verniz impermeável e opaco.

faina *s.f.* **1.** Qualquer trabalho a bordo de um navio. **2.** Trabalho prolongado, acúmulo de serviços; lida.

faisão *s.m.* (lat. *phasianus*). Nome comum às aves galiformes, originárias da Ásia Central, de plumagem colorida, brilhante, principalmente os machos, que apresentam uma longa cauda.

faisão comum (fêmea)

faisão-dourado (macho)

faísca *s.f.* (de or. germ.). **1.** Parcela de matéria incandescente que se desprende de um corpo em brasa ou em atrito com outro corpo; centelha, chispa, fagulha. **2.** Cintilação que acompanha uma descarga elétrica; raio. **3.** *Fig.* Brilho do espírito. **4.** Palheta de ouro perdida na terra ou areia das minas. **5.** *Pop.* Indivíduo esperto, ágil. **6.** *Faísca elétrica,* pequeno arco elétrico muito luminoso.

faiscador (ô) *s.m.* Aquele que cata faíscas de ouro na ganga das minas já exploradas.

faiscar (a-i) *v.t.* (conj. 12). **1.** Emitir faíscas; brilhar, cintilar. **2.** *Fig.* Lançar como faíscas; dardejar. ★ *v.i.* **1.** Brilhar, cintilar. **2.** *Fig.* Deslumbrar. **3.** Procurar, entre a areia e o cascalho das minas lavradas, faíscas de ouro ou de diamante.

faisqueira (a-i) *s.f.* **1.** Sítio onde se encontram faíscas de ouro. **2.** Cascalho abandonado nas minas já lavradas.

faixa *s.f.* (lat. *fascia*). **1.** Tira de matéria ou cor diferente aplicada sobre uma superfície ou que envolve um volume. **2.** Banda de tecido, couro etc., que serve para cingir a cintura; cinta. **3.** Tira de gaze com que se envolve ou se protege uma lesão ou fratura; atadura, ligadura. **4.** Tira ou atadura enrolada em torno da barriga do recém-nascido para proteger o umbigo. **5.** Fita que vai do ombro direito ao flanco esquerdo, usada como condecoração. **6.** Cada uma das músicas gravadas em um disco. **7.** Conjunto ou intervalo compreendido entre dois limites especificados.

fajuto *adj. Gír.* **1.** De má qualidade. **2.** Adulterado, falso.

fala *s.f.* **1.** Ato ou efeito de falar. **2.** Voz articulada, expressão do pensamento pela palavra. **3.** Modo de falar, linguagem.

falação *s.f. Pop.* Discurso, palavreado.

falácia *s.f.* (lat. *fallacia*). **1.** Engano, ilusão. **2.** Argumento capcioso que induz a erro; sofisma.

falacioso (ô) *adj.* Que contém falácia; enganoso.

falacrose *s.f.* Calvície.

falado *adj.* **1.** Sobre que se falou. **2.** Que é exprimido pela palavra. **3.** Combinado, ajustado. **4.** Afamado, celebrado. **5.** Que tem má fama, de quem se fala mal.

falador (ô) *adj.* **1.** Que fala muito; loquaz. **2.** Intrigante, mexeriqueiro; faladeiro.

falange *s.f.* (gr. *phalagx, phalaggos*). **1.** Unidade militar grega formada de 64 sintagmas, ou 16.384 homens. **2.** *P. ext.* Corpo de tropas. **3.** Grupo numeroso. ● **Anat.** Cada um dos segmentos articulados que compõem os dedos e os artelhos. ▸ Cada um dos pequenos ossos que constituem o esqueleto desses segmentos. ▸ *Falange ungueal,* sin. de FALANGETA.

falangeta (ê) *s.f.* A última falange dos dedos, onde crescem as unhas. (Sin. FALANGE* UNGUEAL.)

falanginha *s.f.* Segunda falange dos dedos.

falangista *s.2g.* Membro de uma falange.

falante *adj.2g.* e *s2g.* **1.** Que ou aquele que fala. **2.** Que ou aquele que fala copiosamente e com desembaraço.

falar *v.i.* (lat. *fabulare*) [conj. 4]. **1.** Articular, pronunciar os sons, as palavras de uma língua. **2.** Tomar a palavra em público; discursar. ★ *v.t.* **1.** Exprimir por meio de palavras; dizer. **2.** Contar, referir, narrar. **3.** Fazer uso de uma língua.

falastrão *adj.* e *s.m.* Que ou aquele que fala muito e de maneira empolada.

falatório *s.m.* **1.** Murmúrio de muitas pessoas falando ao mesmo tempo; burburinho. **2.** Palavreado inoportuno, discurseira. **3.** Maledicência, diz-que-diz, mexerico.

falaz *adj.2g.* (lat. *fallax*). **1.** Enganador, ardiloso, fraudulento. **2.** Ilusório, vão.

falca *s.f.* (b.-lat. *falca*). Tábua que corre de proa a popa num navio de madeira e que arremata a borda.

falcão *s.m.* (lat. *falco*). Denominação comum a aves falconiformes, de rapina, de hábitos diurnos.

falcão-abelheiro (fêmea) — falcão comum ou peregrino (macho)

falcatrua *s.f.* Ardil, artifício para lograr; fraude.

falciforme *adj.2g.* Diz-se da estrutura animal ou vegetal que tem forma de foice. ● **Med.** Diz-se de uma hemácia curva, em forma de foice, característica da drepanocitose ou anemia falciforme.

falcoaria *s.f.* **1.** Arte de adestrar falcões para caça. **2.** Lugar onde se criam falcões. **3.** Caçada com falcão.

falcoeiro *s.m.* (b.-lat. *falconarius*). Aquele que cria ou prepara falcões para caça.

falconiformes *s.m.pl.* Ordem de aves de rapina, de bico adunco e forte, asas e caudas pontudas, dedos providos de garras duras e aguçadas; são diurnas e caçadoras hábeis, de vôo rápido.

falda *s.f.* (al. ant. *falte,* dobra). Aba de montanha, serra ou monte; sopé, encosta.

faldistório *s.m.* (it. *faldistorio*). Cadeira episcopal de braços e sem espaldar.

falecer *v.i.* (conj. 25). **1.** Morrer. **2.** Faltar, escassear, carecer. **3.** Ser insuficiente.

falecimento *s.m.* **1.** Ato ou efeito de falecer; morte, óbito. **2.** Falta, privação, carência. **3.** Incapacidade, insuficiência.

falena *s.f.* (gr. *phalaina*). **1.** Nome correntemente dado a certas borboletas nocivas às plantas cultivadas ou às árvores das florestas. **2.** Denominação dada à mariposa.

falência *s.f.* (lat. *fallentia*). **1.** Ato ou efeito de falir. **2.** Condição do empresário cuja insolvência foi constatada pelos tribunais. **3.** *P. ext.* Fracasso, ruína, insucesso. **4.** *Fig.* Omissão, falha, falta.

falésia *s.f.* (fr. *falaise*). Forma de relevo litorâneo caracterizada por um escarpamento abrupto.

falha *s.f.* **1.** Fenda, lasca. **2.** Lacuna, omissão. **3.** *Fig.* Deslize, senão, descuido. **4.** Defeito, falta. ● **Geol.** Descontinuidade de terreno produzida por um deslocamento relativo dos dois compartimentos fraturados.

falhar *v.t.* (conj. 4). **1.** Fazer falha em; lascar, rachar. **2.** Faltar com (obrigação, promessa). **3.** Errar. ★ *v.i.* **1.** Cometer falta, incorrer em erro. **2.** Não funcionar, não trabalhar (máquina, dispositivo). **3.** Malograr, frustrar, baldar. **4.** Não comparecer.

falho *adj.* **1.** Que tem falha; trincado. **2.** Frustrado, logrado. **3.** Improdutivo, ineficaz. **4.** Insuficiente, insatisfatório.

fálico *adj.* Relativo ao falo. ● **Psican.** *Fase fálica,* fase da sexualidade infantil, entre três e seis anos, na qual as pulsões se orientam em torno do falo.

falir *v.i.* (lat. *fallere,* enganar, faltar) [conj. 79]. **1.** Suspender o pagamento aos credores; abrir falência. **2.** Fracassar, ser malsucedido. **3.** Faltar, minguar.

falível *adj.2g.* **1.** Que pode falhar ou faltar. **2.** Sujeito a engano, a erro.

falo *s.m.* (gr. *phallos,* pênis). **1.** Representação do pênis em ereção, símbolo da força viril e da fecundação. **2.** O próprio pênis. ● **Psican.** Designação da função simbólica adquirida pelo pênis durante a fase fálica, em sua relação com o desejo inconsciente.

falqueador (ô) *adj.* e *s.m.* Que ou aquele que falqueia ou falqueja.

falqueamento *s.m.* Ato ou efeito de falquear ou falquejar.

falquear *v.t.* (conj. 15). Falquejar.

falquejar *v.t.* (conj. 4). **1.** Desbastar (tronco ou toro de madeira); aparelhar, falquear. **2.** Firmar com cunhas.

falsário *s.m.* (lat. *falsarius*). **1.** Aquele que falsifica; falsificador. **2.** Perjuro.

falsear *v.t.* (conj. 15). **1.** Falsificar, tornar falso. **2.** Desvirtuar, deturpar. **3.** Atraiçoar, enganar. **4.** Frustrar, falhar. ★ *v.i.* Pisar em falso.

falsete (ê) *s.m.* (it. *falsetto*). Maneira de cantar que procura produzir sons mais agudos, acima do registro habitual.

falsetear *v.t.* e *v.i.* (conj. 15). Cantar em falsete.

falsidade *s.f.* (lat. *falsitas*). **1.** Qualidade do que é falso. **2.** Mentira, calúnia. **3.** Hipocrisia, perfídia.

falsificar *v.t.* (lat. *falsificare*) [conj. 12]. **1.** Alterar ou assemelhar com o fim de iludir ou de fraudar. **2.** Adulterar, arremedar, rasurar.

falso *adj.* (lat. *falsus,* de *fallere,* enganar, faltar). **1.** Que é contrário ao verdadeiro, que comporta um erro. **2.** Sem fundamento, injustificado. **3.** Que é imitação; postiço. **4.** Fingido, simulado. **5.** Que se faz passar pelo que não é. **6.** Desleal, pérfido, traidor. **7.** Falsificado. ★ *s.m.* O que é falso.

falso-testemunho *s.m.* Acusação falsa; calúnia, mentira.

falta *s.f.* **1.** Ato ou efeito de faltar. **2.** Deficiência, privação. **3.** Ausência. **4.** Erro, imperfeição. **5.** Não comparecimento às aulas, ao trabalho etc. ● **Esp.** Desrespeito a uma regra do jogo; infração.

faltar *v.t.* (conj. 4). **1.** Não existir; carecer. **2.** Não ter em quantidade suficiente. **3.** Haver de menos, desaparecer. ★ *v.i.* **1.** Estar ausente, não comparecer. **2.** Deixar de fazer, de cumprir; omitir-se. **3.** Morrer.

falto *adj.* **1.** Carecido, necessitado. **2.** Desprovido, falho.

faltoso (ô) *adj.* e *s.m.* **1.** Que ou o que cometeu falta. **2.** Que ou aquele que não comparece.

fama *s.f.* (lat. *fama*). **1.** Reputação, conceito. **2.** Renome, celebridade.

famélico *adj.* (lat. *famelicus*). Faminto.

famigerado *adj.* (lat. *famigeratus,* célebre). Que tem muita fama, principalmente quando má.

família *s.f.* (lat. *familia*). **1.** Grupo de pessoas ligadas entre si por laços de casamento ou de parentesco. **2.** Pai, mãe e filhos. **3.** Grupo de parentes mais ou menos próximos. **4.** Conjunto dos ancestrais ou os descendentes de um indivíduo; linhagem. **5.** Filhos, prole. **6.** Grupo de seres análogos ou semelhantes. ● **Biol.** Unidade taxonômica utilizada na classificação dos seres vivos, que reúne um ou mais gêneros similares ou relacionados. **Ling.** Grupo de línguas procedentes de outra anterior, dita língua primitiva. **Quím.** Cada uma das colunas verticais da tabela periódica dos elementos; grupo.

FAMÍLIA ▸ Em biologia, os nomes científicos internacionais das famílias são latinos e, em geral, derivados do nome do gênero-tipo, ao qual se acrescenta uma desinência. Nos nomes de família aportuguesados, a desinência é *ídeos* (masculino plural) em zoologia e *áceas* (feminino plural) em botânica: *felídeos, rosáceas.* A desinência é livre quando o nome da família não é derivado do nome de um gênero: *gramíneas, umbelíferas.*

---

familial *adj.2g.* Familiar. ● **Med.** Diz-se de um caráter ou de uma doença que se observa entre vários membros de uma mesma família.

familiar *adj.2g.* (lat. *familiaris*). **1.** Relativo ou pertencente à família; doméstico, familial. **2.** Que goza do convívio ou da intimidade de alguém; íntimo. **3.** Conhecido, trivial, comum. **4.** Caseiro, doméstico. ● **Ling.** Diz-se de palavra, construção etc., empregadas correntemente entre pessoas mais ou menos íntimas, fora das relações formais. ★ *adj.* e *s.m.* Que ou aquele que é da família ou vive na mesma casa.

familiaridade *s.f.* (lat. *familiaritas*). **1.** Qualidade do que é familiar; intimidade. **2.** Franqueza, confiança.

familiarizar *v.t.* (conj. 4). Tornar familiar. ★ *v.t.* e *v.pr.* Acostumar(-se), habituar(-se).

faminto *adj.* e *s.m.* (do lat. *fames*, fome). **1.** Que ou aquele que tem muita fome; esfaimado, famélico. **2.** *Fig.* Que deseja ardentemente; ávido, sôfrego, famélico.

famoso (ô) *adj.* (lat. *famosus*). **1.** Que tem fama; célebre. **2.** Superior, invulgar.

fâmulo *s.m.* (lat. *famulus*). **1.** Criado, serviçal. **2.** *Fig.* Homem servil, bajulador.

fanal *s.m.* (it. *fanale*). **1.** Facho, fogo que serve de lanterna ou farol. **2.** *Fig.* Guia, luz intelectual.

fanar *v.t.* (fr. *faner*) [conj. 4]. **1.** Amputar, truncar, aparar. **2.** Murchar, fenecer. ★ *v.pr.* Perder o frescor; murchar-se.

fanático *adj.* e *s.m.* (lat. *fanaticus*, pertencente ao templo). **1.** Que ou aquele que dá mostras de fanatismo. **2.** Diz-se de ou indivíduo que se julga inspirado por uma divindade. **3.** Admirador exaltado.

fanatismo *s.m.* **1.** Paixão cega que leva alguém a excessos em favor de uma religião, doutrina, partido etc. **2.** Dedicação, admiração excessiva.

fanatizar *v.t.* (conj. 4). Tornar fanático, inspirar fanatismo. ★ *v.pr.* Tornar-se fanático.

fandango *s.m.* (esp. *fandango*). **1.** Dança popular espanhola, executada por um casal, com acompanhamento de violão e castanholas. **2.** O ritmo dessa dança. **3.** Dança folclórica brasileira.

fanerógamo *adj.* e *s.m.* Diz-se de ou vegetal que possui os órgãos reprodutivos aparentes.

fanerozóico *s.m.* Na escala geológica, maior divisão do éon, posterior ao proterozóico, e marcada pela presença evidente de seres vivos (corresponde à duração das eras paleozóica, mesozóica e cenozóica).

fanfarra *s.f.* (fr. *fanfare*). **1.** Banda composta de metais e instrumentos de percussão. **2.** Música para essa banda.

fanfarrão *adj.* e *s.m.* Que ou aquele que ostenta valentia sendo covarde, que se gaba do que não faz ou não é capaz de fazer.

fanfarrear *v.i.* (conj. 15). Dizer fanfarrices; bazofiar, blasonar, jactar-se.

fanfarrice *s.f.* Qualidade, ato ou dito de fanfarrão; fanfarronice, bazófia, jactância.

fanfarronada *s.f.* Atitude de fanfarrão.

fanfarronar *v.i.* (conj. 4). Falar ou agir como fanfarrão.

fanfarronice *s.f.* Fanfarrice.

fanhoso *adj.* e *s.m.* Diz-se de ou pessoa que possui voz anasalada, como que saindo pelo nariz, e que não pronuncia certos fonemas; fanho. ★ *adj.* Diz-se dessa voz.

fanho *adj.* e *s.m.* Fanhoso.

fanico[1] *s.m.* Síncope, desmaio.

fanico[2] *s.m.* **1.** Fragmento, migalha, pedaço pequeno. **2.** *Pop.* Pequenos lucros.

faniquito *s.m.* *Fam.* Ataque nervoso, passageiro e sem gravidade; chilique.

fanopéia *s.f.* Recurso literário que consiste na projeção do objeto na imaginação visual.

fantasia *s.f.* (gr. *phantasia*, aparição). **1.** Imaginação. **2.** Ser ou coisa criada pela imaginação. **3.** Devaneio, sonho, divagação. **4.** Máscara, disfarce ou vestimenta carnavalesca. **5.** Gosto particular, capricho, excentricidade. ● **Mús.** Peça instrumental de forma livre. **Psican.** Produção imaginária de um sujeito que coloca em cena seu desejo imaginário inconsciente sob uma forma disfarçada. (Sin. FANTASMA.)

pessoas fantasiadas com máscaras

fantasiar *v.t.* (conj. 6). **1.** Criar na fantasia; imaginar, idealizar. **2.** Vestir com uma fantasia carnavalesca; mascarar. ★ *v.i.* Devanear, divagar. ★ *v.pr.* Vestir fantasia; mascarar-se.

fantasioso (ô) *adj.* Cheio de fantasias; imaginoso, irreal.

fantasista *adj.2g.* e *s.2g.* Que ou aquele que fantasia.

fantasma *s.m.* (gr. *phantasma*). **1.** Imagem mental ou representação de vulto de mortos, seres fantásticos etc., que infunde terror; espectro, assombração. **2.** *Fig.* Pessoa muito magra e pálida. **3.** *Fig.* Aparência vã, ilusão. **4.** Identidade falsa usada em fraudes. ● **Psican.** Sin. de FANTASIA.

fantasmagoria *s.f.* (gr. *phantasma*, aparição, e *agoreyo*, anúncio). **1.** Arte de fazer aparecer fantasma numa sala escura, com ajuda de ilusões de óptica. **2.** Conjunto de imagens ou visões fantásticas, irreais. **3.** Quimera, utopia. **4.** *Fig.* Falsa aparência.

fantasmagórico *adj.* **1.** Relativo ou pertencente à fantasmagoria. **2.** Ilusório, irreal, quimérico, fantástico.

fantasmático *adj.* Relativo a fantasma.

fantástico *adj.* (gr. *phantastikos*). **1.** Relativo à fantasia ou à imaginação. **2.** Criado pela fantasia ou ficção; quimérico. **3.** Extraordinário, excepcional, incrível. **4.** Diz-se de obra literária, artística ou cinematográfica que transcende o real. ★ *s.m.* O que pertence aos domínios da imaginação, da ficção.

fantoche *s.m.* (fr. *fantoche*). **1.** Boneco que se faz movimentar com a ajuda de fios ou com as mãos; bonifrate. **2.** *Fig.* Pessoa que fala e procede sob a orientação de outra.

faqueiro *s.m.* **1.** Jogo completo de talheres. **2.** Caixa ou estojo para guardar facas ou talheres. **3.** Fabricante de facas.

faquir *s.m.* (ár. *faqir*, pobre). **1.** Na Índia, membro de confraria mística muçulmana ou hindu. **2.** Artista que faz exibições de jejum prolongado e insensibilidade à dor.

faquirismo *s.m.* Condição, estado ou exercício dos faquires.

farad *s.m.* (de *Faraday*, n.pr.). Unidade de medida SI de capacidade elétrica (símb. F).

faraday *s.m.* (de *Faraday*, n.pr.). Quantidade de eletricidade igual a 96.490 coulombs que, em uma eletrólise, rompe a valência de um mol do eletrólito.

farândola *s.f.* (prov.). **1.** Grupo de maltrapilhos. **2.** Súcia de farsistas.

faraó *s.m.* (gr. *pharao*). Título dos antigos reis do Egito.

detalhe do sarcófago do faraó Tutancâmon

FARAÓ ► No Egito antigo, cada faraó reinava como senhor absoluto. Era também o sumo sacerdote e chefe militar, e seu povo o considerava um deus igual ao Sol. Recebia oferendas que entregava aos deuses. Seu túmulo era decorado com pinturas magníficas, onde se colocavam objetos preciosos e familiares e tudo o que pudesse tornar agradável sua vida depois da morte. Dois faraós foram particularmente célebres: Amenófis IV ou Akhenaton, que instaurou o culto de um deus único, o Sol, e Ramsés II, o conquistador e construtor, que reinou durante 66 anos.

faraônico *adj.* **1.** Relativo aos faraós ou à época deles. **2.** *Fig.* Grandioso, monumental.

farda *s.f.* (ár. *al-fardâ*). **1.** Uniforme militar. **2.** *Fig.* Vida militar. **3.** Uniforme.

fardado *adj.* e *s.m.* Que ou aquele que usa farda.

fardamento *s.m.* **1.** Fardas de uma corporação militar. **2.** Conjunto de fardas. **3.** Uniforme completo.

fardão *s.m.* **1.** Uniforme de gala dos militares. **2.** Veste simbólica dos membros da Academia Brasileira de Letras.

fardar *v.t.* (conj. 4). **1.** Vestir com farda. **2.** Prover de fardas.

fardo *s.m.* (lat. *fartum*, conteúdo). **1.** Carga, pacote, embrulho. **2.** Material (forragem, papel etc.) prensado e amarrado. **3.** *Fig.* O que pesa excessivamente.

farejar *v.t.* (conj. 4). **1.** Buscar, seguir por meio do faro ou olfato. **2.** Cheirar. **3.** *Fig.* Buscar, procurar. **4.** Adivinhar, descobrir, prever ★ *v.i.* Tomar o faro.

farelo *s.m.* **1.** Parte periférica dos grãos dos cereais, depois de separada pela moagem. **2.** Migalha, fragmento. **3.** Serragem.

farfalhante *adj.2g.* Que farfalha.

farfalhar *v.i.* (esp. *farfallar*) [conj. 4]. **1.** Fazer farfalhada; rumorejar. **2.** Falar com muitas palavras e pouco sentido.

farináceo *adj.* (lat. *farinaceus*). **1.** Que tem a natureza da farinha ou a ela se assemelha. **2.** Diz-se do vegetal que produz e acumula, em uma de suas partes, fécula ou substância farinácea. ★ *s.m.pl.* **1.** Produtos farináceos. **2.** Conjunto de fragmentos vegetais muito finos que se formam durante a trituração das sementes oleaginosas.

faringe *s.f.* (gr. *pharygx, pharyggos*). Canal musculomembranoso que comunica as fossas nasais e a boca com a laringe e o esôfago.

faríngeo *adj.* **1.** Relativo ou pertencente à faringe; faringiano. **2.** *Plexo faríngeo,* plexo nervoso situado sobre as paredes laterais da faringe.

faringiano *adj.* Faríngeo.

faringite *s.f.* Inflamação da faringe.

farinha *s.f.* (lat. *farina*). **1.** Pó obtido pela trituração de grãos de cereais, com que se fazem pães, bolos etc. **2.** Pó obtido pela trituração de grãos de leguminosas, de alguns tubérculos, raízes ou rizomas ou de sementes. **3.** Diamante pequeno, de pouco valor. ● **Agric.** Produto de origem animal produzido por moagem de aparas refugadas dos animais abatidos para alimentação humana, destinado a rações de animais ou a adubos.

farinheira *s.f.* **1.** Mulher que vende farinha. **2.** Vasilha em que, às refeições, se serve a farinha; farinheiro.

farinhento *adj.* **1.** Próprio da ou semelhante à farinha. **2.** Que contém muita farinha. **3.** Que se esfarinha.

farisaico *adj.* **1.** Relativo aos fariseus e ao farisaísmo. **2.** *Fig.* Hipócrita, falso.

farisaísmo *s.m.* **1.** Caráter ou atitude dos fariseus. **2.** Hipocrisia, falsidade.

fariseu *s.m.* (de or. aramaica). **1.** Membro de uma seita judaica surgida no séc. II a.C. **2.** *Fig.* Homem hipócrita e orgulhoso.

farmacêutico *adj.* (gr. *pharmakeutikos*). Relativo à farmácia. ★ *s.m.* **1.** Especialista em farmácia, habilitado por curso superior. **2.** Prático de farmácia. **3.** Profissional de farmácia; boticário.

farmácia *s.f.* (gr. *pharmakeia*). **1.** Ciência aplicada à concepção, à preparação e à distribuição de medicamentos. **2.** Local onde os medicamentos são preparados ou conservados e vendidos ao público ou onde são aplicados; botica. **3.** Conjunto de medicamentos, de produtos farmacêuticos. **4.** Disciplina que diz respeito à profissão de farmacêutico. **5.** Num estabelecimento hospitalar, local onde são preparados e/ou distribuídos os remédios destinados aos doentes internados.

fármaco *s.m.* Qualquer substância usada como medicamento.

farmacocinética *s.f.* Estudo da ação de um ou de vários medicamentos sobre um organismo vivo.

farmacodependência *s.f.* Necessidade de consumir um medicamento, consecutiva a um tratamento com fármacos ou ao uso de drogas psicoativas.

farmacologia *s.f.* Ciência que trata da preparação, do emprego, da posologia e da conservação dos medicamentos.

farmacológico *adj.* Relativo à farmacologia.

farmacopéia *s.f.* (gr. *pharmakopoiia*). Compilação que contém a nomenclatura das drogas, dos medicamentos simples e compostos e de artigos farmacêuticos.

farmacotécnica *s.f.* Ciência farmacêutica que trata da extração, da síntese e da purificação dos medicamentos.

farmacotécnico *adj.* Relativo a farmacotécnica. ★ *s.m.* Especialista em farmacotécnica.

farnel *s.m.* **1.** Trouxa com provisões para jornada; matula. **2.** Provisão de alimento para pequena viagem; merenda, lanche.

faro *s.m.* **1.** O olfato dos cães. **2.** Olfato em geral. **3.** *Fig.* Perspicácia, intuição.

faroeste *s.m.* (do ingl. *far west*). **1.** Gênero cinematográfico de peripécias movimentadas, criado nos EUA, que relata as aventuras dos desbravadores do Oeste norte-americano, no séc. XIX; película desse gênero; bangue-bangue. **2.** *Fam.* Lugar onde reina a lei do mais forte.

farofa *s.f.* **1.** Farinha de mandioca torrada ou escaldada na gordura, às vezes com ovos, carnes etc. **2.** *Pop.* Bazófia, fanfarronice. **3.** *Pop.* Conversa fiada, palavreado vazio.

farofeiro *adj.* e *s.m.* **1.** Fanfarrão, jactancioso, parlapatão. **2.** *Fam. Pej.* Diz-se do ou indivíduo que vai à praia levando comidas e bebidas.

farol[1] *s.m.* (cat. *faró,* do gr. *pharos*). **1.** Torre com um foco de luz para guiar os navegantes durante a noite. **2.** Sinal, semáforo. **3.** Projetor de luz colocado na frente de um veículo. **4.** *Fig.* Aquele que esclarece, que guia.

farol[2] *s.m. Gír.* Ostentação, falsa aparência com que se procura iludir os outros.

faroleiro[1] *s.m.* Aquele que cuida da manutenção e funcionamento de um farol marítimo.

faroleiro[2] *s.m. Gír.* Fanfarrão, blasonador, parlapatão.

farolete *s.m.* **1.** Pequeno farol. **2.** Lanterna de bolso, cilíndrica, de forte potência. **3.** Pequeno farol ou lanterna dos automóveis, colocado nos pára-lamas traseiros e dianteiros.

farpa *s.f.* **1.** Haste metálica e pontiaguda para picar touros. **2.** Pequeno fragmento, lasca que penetra acidentalmente sob a pele. **3.** *Fig.* Crítica mordaz, sarcasmo.

farpado *adj.* **1.** Provido de farpas, dentes ou pontas. **2.** Que tem forma de farpa. **3.** Cortado, dilacerado.

farpar *v.t.* (conj. 4). **1.** Introduzir farpas em. **2.** Munir de farpas ou pontas. **3.** Recortar em forma de farpa. **4.** Rasgar, romper, estraçalhar. ★ *v.pr.* Rasgar-se, romper-se.

farpear *v.t.* (conj. 15). **1.** Ferir, picar com farpas. **2.** *Fig.* Dirigir farpas a; criticar com sarcasmo.

farpela[1] *s.f.* Traje pobre e malfeito.

farpela[2] *s.f.* Uma das extremidades das agulhas de crochê, terminada em gancho agudo.

farra *s.f.* **1.** Diversão, orgia, folia. **2.** Brincadeira, caçoada.

farrancho *s.m.* **1.** Rancho que se encaminha para romaria ou diversão. **2.** Grupo de pessoas que se encontram para divertir-se.

farrapo *s.m.* **1.** Pedaço de pano muito usado ou rasgado; andrajo, trapo. **2.** Pessoa maltrapilha. **3.** Farroupilha.

farrear *v.i.* (conj. 15). Fazer farra; pandegar, foliar.

farripa *s.f.* Cabelo ralo e um tanto comprido; falripa.

farrista *adj.2g.* e *s.2g.* Diz-se de ou pessoa dada a farras; pândego.

farroupilha *s.2g.* **1.** Pessoa mal vestida, maltrapilha. **2.** *Fig.* Pessoa miserável, ordinária. ★ *adj.2g.* e *s.2g.* Revolucionário gaúcho da Revolução Farroupilha ou Guerra dos Farrapos (1835); farrapo.

farrusco *adj.* **1.** Sujo de fuligem ou de carvão. **2.** Negro, escuro.

farsa *s.f.* **1.** Gênero teatral que se distingue da comédia pelo exagero da comicidade. **2.** Ato ridículo, coisa burlesca. **3.** Fingimento, impostura. **4.** Ilusão, mentira, burla.

farsante *adj.2g.* e *s.2g.* **1.** Que ou aquele que faz rir com suas representações, gracejos e chocarrices. **2.** Pessoa que não procede com seriedade. **3.** Fingido, simulador.

farta *s.f. À farta,* com fartura, à saciedade.

fartar *v.t.* (conj. 4). **1.** Saciar, satisfazer (a fome, a sede). **2.** Satisfazer (desejos, instintos). **3.** Saturar, encher, atulhar. **4.** Aborrecer, chatear, enfastiar. ★ *v.i.* Ser bastante, suficiente. ★ *v.pr.* Cansar-se, exaurir-se.

farto *adj.* (lat. *fartus*). **1.** Saciado, satisfeito. **2.** Nutrido, nédio. **3.** Enfastiado, cheio. **4.** Em que há fartura, abundância.

fartum *s.m.* Cheiro desagradável, fedor de substâncias rançosas ou de alguns animais.

fartura *s.f.* (lat. *fartura*). **1.** Estado de farto. **2.** Grande quantidade, abundância de víveres.

fasces *s.m.pl.* Feixe de varas usado pelos antigos lictores romanos.

fasciculado *adj.* Reunido em fascículos ou feixes. ● **Bot.** Diz-se das folhas ou raízes em feixes. **Med.** *Tumor fasciculado,* tumor constituído de feixes de fibras ou de células fusiformes.

fascicular *adj.2g.* Em forma de fascículos.

fascículo *s.m.* (lat. *fasciculus*). **1.** Pequeno feixe. **2.** Cada um dos cadernos ou conjunto de cadernos de uma obra impressa, publicados sucessivamente. ● **Anat.** Nome dado a certos órgãos ou partes de órgãos, em razão de sua forma. **Bot.** Inflorescência cujas flores se inserem, apertadas, no mesmo nó caulinar.

fascinação *s.f.* (lat. *fascinatio*). **1.** Atração irresistível. **2.** Encantamento, enlevo, feitiço. **3.** Ilusão.

fascinar *v.t.* (lat. *fascinare*) [conj. 4]. **1.** Atrair irresistivelmente; seduzir. **2.** Enfeitiçar, encantar. **3.** Iludir.

fascínio *s.m.* (lat. *fascinum*). **1.** Fascinação, encanto. **2.** Encantamento, mau-olhado, quebranto.

fascíola *s.f.* Verme platelminto que parasita o fígado dos mamíferos e às vezes do homem.

fasciolíase *s.f.* Doença parasitária causada por fascíolas que se instalam principalmente no fígado e vias biliares.

fascismo *s.m.* **1.** Regime estabelecido na Itália, de 1922 a 1945, fundado sobre a ditadura de um partido único, a exaltação nacionalista e o corporativismo. **2.** Doutrina e práticas que visam a estabelecer um regime hierarquizado e totalitário.

fascista *adj.2g.* Relativo ou pertencente ao fascismo ou próprio dele. ★ *s.2g.* Partidário ou simpatizante do fascismo.

fase *s.f.* (gr. *phasis,* aparência). **1.** Cada uma das mudanças, dos aspectos sucessivos de um fenômeno em evolução; estádio, etapa. **2.** Espaço de tempo entre duas épocas ou acontecimentos; período. ● **Astron.** Aspecto que apresenta um planeta, satélite natural ou qualquer astro sem luz própria para um observador situado, p. ex., na Terra. **Fís.** Em um movimento oscilatório periódico, fator que indica a posição ou o estado de um ponto em relação a outro.

faseolar *adj.2g.* Que tem forma de feijão.

fasquia *s.f.* (ár. *faschia*). **1.** Lasca fina e alongada tirada de um tronco. **2.** Ripa.

FASES DA LUA

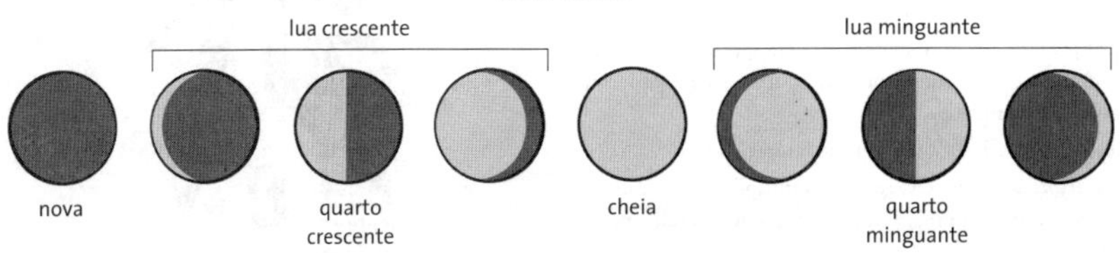

A B C D E F G H I J K L M N O P Q R S T U V W X Y Z

fasquiar *v.t.* (conj. 16). **1.** Cortar em fasquias. **2.** Revestir com fasquias.

fastidioso (ô) *adj.* (lat. *fastidiosus*). Que causa fastio; enfadonho, tedioso, fastiento.

fastígio *s.m.* (lat. *fastigium*). Auge.

fastio *s.m.* (lat. *fastidium*). **1.** Falta de apetite. **2.** Aborrecimento, tédio. **3.** Repugnância, aversão.

fasto *adj.* **1.** Dizia-se, entre os romanos, do dia em que era permitido exercer certas jurisdições. **2.** Próspero, fausto.

fastos *s.m.pl.* (lat. *fasti dies,* dias fastos). Entre os romanos, calendário que indicava os dias fastos e os nefastos.

fatacaz *s.m.* Fatia grande, naco.

fatal *adj.2g.* **1.** Marcado pelo destino; inevitável, inexorável. **2.** Mortal, derradeiro, final. **3.** Funesto, nocivo.

fatalidade *s.f.* (lat. *fatalitas*). **1.** Destino inevitável. **2.** Conseqüência inarredável e desastrosa. **3.** Coincidência deplorável, acaso infeliz, funesto. **4.** Adversidade, infortúnio, desgraça.

fatalismo *s.m.* **1.** Doutrina que considera todos os acontecimentos como irrevogavelmente marcados por uma causa única e sobrenatural. **2.** Atitude de quem se abandona passivamente aos acontecimentos.

fatalista *adj.2g.* **1.** Relativo ao fatalismo. **2.** Que se abandona sem reação aos fatos e acontecimentos. ★ *s.2g.* **1.** Adepto do fatalismo. **2.** Pessoa pessimista.

fateixa *s.f.* (ár. *khattaf*). **1.** Âncora destinada às pequenas embarcações. **2.** Gancho, arpão.

fatia *s.f.* (ár. *fattata,* migalha). **1.** Pedaço fino de alimento sólido. **2.** Porção, parte.

fatiado *adj.* Cortado em fatias.

fatiar *v.t.* (conj. 16). Cortar em fatias.

fatídico *adj.* (lat. *fatidicus,* profético). **1.** Que revela as decisões ou imposições do destino. **2.** Sinistro, trágico, profético.

fatigar *v.t.* (lat. *fatigare*) [conj. 14]. **1.** Causar fadiga ou cansaço; fadigar. **2.** Importunar, enfadar, molestar. ★ *v.i.* e *v.pr.* Cansar-se, fadigar-se.

fatiota *s.f.* Fato, roupa, traje.

fato[1] *s.m.* (lat. *factum*). **1.** Ato, ação, feito. **2.** Acontecimento, episódio. **3.** O que é verdadeiro, real.

fato[2] *s.m.* Roupa (exceto a branca); vestuário.

fato[3] *s.m.* **1.** Rebanho, manada (pequena e especialmente de cabras). **2.** (*NE*) Vísceras.

fator (ô) *s.m.* (lat. *factor,* criador, executor). **1.** Elemento que concorre ou contribui para um resultado. **2.** Aquele que determina ou executa algo. ● **Mat.** Constante que, em uma expressão, representa o número de vezes que uma operação deve ser realizada. ▸ Cada um dos elementos que participam de uma multiplicação. **Med.** Substância, geralmente uma molécula, que participa de uma reação biológica. **Metrol.** Nome genérico de grandezas sem dimensão, que servem para caracterizar as propriedades de um corpo, de um dispositivo etc.

fatoração *s.f.* Operação matemática em que um número ou polinômio é decomposto por outros, através de divisões sucessivas até a unidade.

fatorar *v.t.* (conj. 4). Efetuar uma fatoração.

fatorial *adj.2g.* e *s.m.* Diz-se de ou multiplicação de um número por todos os números inteiros menores que ele e maiores que zero.

fatual *adj.2g.* **1.** Relativo a um ou mais fatos. **2.** Cujo sentido contém a afirmação de um fato.

fátuo *adj.* (lat. *fatuus,* insípido). **1.** Vaidoso, presunçoso. **2.** Insensato, néscio. **3.** Efêmero, passageiro, fugaz.

fatura *s.f.* (lat. *factura*). **1.** Ato ou efeito de fazer; obra feita. **2.** Nota que discrimina mercadorias vendidas com seus respectivos preços, quantidades, marcas e pesos.

faturamento *s.m.* Ato ou efeito de faturar.

faturar *v.t.* (conj. 4). **1.** Fazer a fatura das mercadorias vendidas. **2.** Incluir na fatura uma mercadoria. **3.** *Pop.* Conseguir, obter algo vantajoso. ★ *v.i. Pop.* Lucrar, fazer dinheiro fácil.

faturista *s.2g.* Aquele que faz faturas.

fauce *s.f.* (lat. *fauces,* garganta). **1.** Nas plantas, a extremidade do tubo ou espaço imediato aos lábios da corola. **2.** A abertura da concha univalve e sua superfície superior. ★ *s.f.pl.* Garganta, goela.

faúlha *s.f.* (lat. *favilla*). **1.** Fagulha. **2.** A farinha mais fina que se evola no ato de peneirar.

fauna *s.f.* (de *Fauna,* n.pr.). Conjunto das espécies animais que vivem em um espaço geográfico ou em determinado hábitat.

fauno *s.m.* (lat. *Faunus,* divindade mitológica). **1.** Divindade romana campestre, cornuda e cabeluda. **2.** *Fig.* Homem libidinoso; sátiro.

fausto *adj.* (lat. *faustus*). Próspero, feliz, venturoso, ditoso. ★ *s.m.* Luxo, pompa.

faustoso (ô) *adj.* Faustuoso.

faustuoso (ô) *adj.* Luxuoso, pomposo; faustoso.

fautor (ô) *adj.* e *s.m.* (lat. *fautor*). Que ou aquele que favorece, determina ou estimula algo.

fautoria *s.f.* Favor, ajuda, proteção.

fautorizar *v.t.* (conj. 4). Favorecer, auxiliar; apadrinhar.

fava *s.f.* (lat. *faba*). **1.** Planta de caule ereto, nutritiva e dotada de propriedades medicinais, cujo fruto é uma vagem com sementes comestíveis; faveira. **2.** A vagem e a semente dessa planta. **3.** Vagem ou semente das leguminosas. ● **Veter.** Doença que incha o céu da boca dos eqüídeos. ▸ Doença que ataca os olhos dos galináceos.

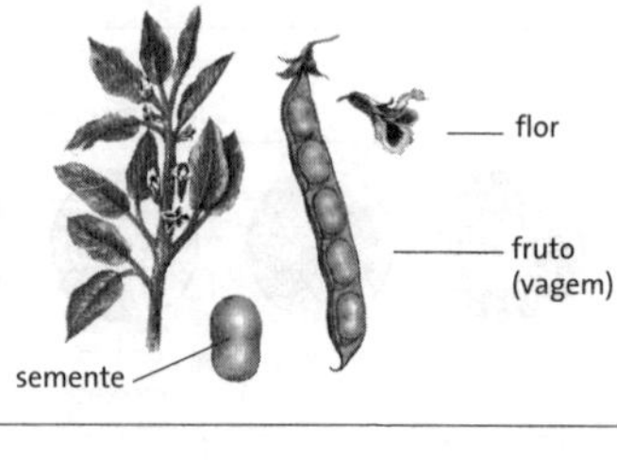

favela *s.f.* Núcleo de habitações rústicas e improvisadas nas áreas urbanas e suburbanas, em locais sem melhoramentos públicos, sobre terrenos de propriedade alheia (privada ou estatal), ou de posse não definida.

favelado *s.m.* Indivíduo que mora em favela.

favo *s.m.* (lat. *favus*). **1.** Estrutura de cera formada por células hexagonais, os alvéolos, em que as abelhas e as vespas depositam o mel e/ou abrigam suas crias. **2.** Tudo o que apresenta a configuração de um alvéolo. **3.** *Fig.* Coisa doce, agradável. ● **Med.** Sin. de TINHA.

favônio *s.m.* (lat. *favonius*). **1.** Zéfiro. **2.** Vento brando, favorável e promissor.

favor (ô) *s.m.* (lat. *favor*). **1.** Graça, obséquio. **2.** Benefício, interesse. **3.** Defesa, proteção. **4.** Parcialidade, indulgência. **5.** Poder, prestígio, influência.

favorável *adj.2g.* (lat. *favorabilis*). **1.** Propício, conveniente. **2.** Indulgente, benévolo. **3.** Propenso, inclinado.

favorecer *v.t.* (conj. 25). **1.** Dar auxílio a; proteger, apoiar. **2.** Dotar de boas qualidades. **3.** Beneficiar, oferecer condições propícias. **4.** Proteger com parcialidade. ★ *v.pr.* Aproveitar-se, valer-se de.

favorecido *adj.* Protegido, auxiliado.

favoritismo *s.m.* (fr. *favoritisme*). **1.** Inclinação a acolher ou amparar favores injustos, ilegais. **2.** Proteção por influências escusas ou pessoais.

favorito *adj.* e *s.m.* (it. *favorito*). **1.** Que ou aquele que goza da preferência, simpatia ou predileção de alguém; predileto, valido. **2.** Diz-se de ou concorrente que apresenta maiores possibilidades de vitória.

fax *s.m.* Aparelho para transmissão e recepção de imagens contidas em folhas de papel e convertidas em um sinal específico através de ligação telefônica.

faxina *s.f.* (lat. *fascina*). **1.** Gravetos, lenha miúda. **2.** Serviço de limpeza da caserna. **3.** *P. ext.* Qualquer serviço de limpeza.

faxineiro *s.m.* Aquele que faz faxina.

fazenda *s.f.* (lat. *facienda*). **1.** Grande propriedade rural destinada à lavoura ou à criação de gado. **2.** Pano, tecido. **3.** Bens, haveres. **4.** *Fig.* Qualidade, caráter. **5.** *Fazenda pública,* o tesouro público, as finanças do Estado. ► *Fazenda marinha,* instalação marítima destinada à criação de certos peixes, como o salmão.

fazendário *adj.* Relativo à fazenda pública.

fazendeiro *s.m.* **1.** Proprietário de fazendas. **2.** Trabalhador ou cultivador de fazendas.

fazer *v.t.* (lat. *facere*) [conj. 31]. **1.** Dar existência a; criar. **2.** Fabricar, construir. **3.** Empreender, realizar. **4.** Causar, ocasionar. **5.** Produzir, gerar. **6.** Executar. **7.** Fingir, simular. **8.** Representar. **9.** Ganhar, lucrar. **10.** Dispor, arrumar. **11.** Proferir, pronunciar. **12.** Produzir intelectualmente; compor. ★ *v.impess.* Expressa tempo decorrido ou ocorrência de fenômeno meteorológico; haver. ★ *v.pr.* **1.** Fixar-se, estabelecer-se. **2.** Fingir-se. **3.** Tornar-se, transformar-se.

faz-tudo *s.m.* **1.** Indivíduo que faz consertos e pequenos reparos em objetos, instalações da casa etc. **2.** Pessoa que se ocupa de muitos negócios.

Fe símbolo químico do ferro.

fé *s.f.* (lat. *fides*). **1.** Adesão total do homem a um ideal que o excede, a uma crença religiosa. **2.** Fidelidade em honrar compromissos; lealdade, garantia. **3.** Confiança em alguém ou em alguma coisa. **4.** Crença nos dogmas de uma religião; esta mesma religião.

fealdade *s.f.* Feiúra.

febre *s.f.* (lat. *febris*). **1.** Elevação da temperatura corporal acima do normal (hipertermia), acompanhada geralmente por mal-estar geral e que constitui uma resposta do organismo a uma agressão, em geral de natureza infecciosa. **2.** *Fig.* Agitação, paixão viva e desordenada. **3.** *Fig.* Volúpia, mania, desejo ardente. ● **Med.** *Febre aftosa,* sin. de AFTOSA. ► *Febre amarela,* doença infecciosa aguda, causada por um arbovírus transmitido por um mosquito, caracterizada por febre e icterícia. ► *Febre de Malta, febre ondulante* ou *febre mediterrânea,* sin. de BRUCELOSE. ► *Febre do feno,* manifestação alérgica provocada pela inalação do pólen de certas gramíneas, na época da floração. ► *Febre palustre,* sin. de MALÁRIA.

febricitante *adj.2g.* (lat. *febricitans*). **1.** Febril. **2.** *Fig.* Arrebatado, exaltado.

febrícula *s.f.* (lat. *febricula*). Febre ligeira e branda.

febrífugo *adj.* e *s.m.* Sin. de ANTIPIRÉTICO.

febril *adj.2g.* (lat. *febrilis*). **1.** Que denota febre. **2.** Que tem febre; febrento. **3.** *Fig.* Que revela viva excitação; agitado, nervoso, febricitante.

fecal *adj.2g.* (fr. *fécal*). **1.** Relativo a fezes. **2.** Que tem fezes. **3.** *Matérias fecais,* resíduos da digestão eliminados pelo ânus.

fechado *adj.* **1.** Não aberto, cerrado. **2.** Trancado, guardado. **3.** Diz-se do tempo quando ameaça tempestade. **4.** Diz-se de negociação ajustada. **5.** *Fig.* Diz-se de pessoa pouco acessível, introvertida. ● **Fon.** *Sílaba fechada,* sílaba terminada por uma ou várias consoantes pronunciadas. ► *Vogal fechada,* vogal emitida com uma pequena abertura dos maxilares e com uma grande elevação do dorso da língua na cavidade bucal.

fechadura *s.f.* Mecanismo que, mediante uma lingüeta acionada por chave, serve para fechamento de portas, gavetas, caixas etc.

fecha-fecha (ê) *s.m.* Pânico por ocasião de desordens públicas, que leva as lojas e estabelecimentos comerciais a fecharem suas portas.

fechamento *s.m.* **1.** Ação de fechar. **2.** Finalização de um negócio, trabalho etc. ● **Fon.** Grau de oclusão do conduto vocal para a articulação dos sons da fala.

fechar *v.t.* (conj. 4). **1.** Fixar uma parte móvel de modo a tapar uma abertura; obstruir, cerrar. **2.** Unir as partes de uma abertura. **3.** Acabar, rematar, terminar. **4.** Finalizar, concluir. **5.** Impedir o acesso a ou a circulação em; obstruir. **6.** Encarcerar, prender. **7.** Entrar na frente de um veículo em movimento, fazendo-o frear. **8.** Encerrar o uso de, tirar de funcionamento. ● **Eletr.** *Fechar um circuito,* estabelecer uma comunicação condutora que permita a passagem de corrente no circuito. ★ *v.i.* **1.** Cicatrizar. **2.** Tornar-se (o tempo) escuro e denso, ameaçando tempestade. **3.** Cessar, temporária ou definitivamente, uma atividade. ● **Med.** Suturar uma ferida cirúrgica ou acidental. ★ *v.pr.* **1.** Encerrar-se num recinto. **2.** Retrair-se, concentrar-se.

fecho (ê) *s.m.* **1.** Qualquer objeto (tranca, ferrolho, gancho etc.) com que se fecha alguma coisa. **2.** Remate, fim, acabamento. **3.** *Fecho éclair,* sin. de ZÍPER.

A B C D E F G H I J K L M N O P Q R S T U V W X Y Z

fécula *s.f.* (lat. *faecula*). Substância amilácea produzida por vegetais, que a armazenam em tubérculos, rizomas ou raízes.

feculento *adj.* (lat. *faeculentus*). **1.** Que contém fécula; feculoso. **2.** Diz-se de tubérculos, raízes e rizomas que produzem fécula em escala suficiente para a extração industrial. **3.** Diz-se de um líquido que contém sedimentos.

feculoso *adj.* Feculento.

fecundação *s.f.* (lat. *fecundatio*). **1.** Ação de fecundar. **2.** União do gameta masculino (anterozóide vegetal ou espermatozóide animal) com o gameta feminino (oosfera vegetal ou óvulo animal), para formar um ovo, ou zigoto. **3.** *Fecundação artificial,* fertilização do óvulo pelo espermatozóide fora do corpo feminino ou fora do ato sexual normal.

FECUNDAÇÃO ▸ Quando um espermatozóide entra em contato com as camadas superficiais do óvulo, muito maior que ele, o acrossomo da cabeça daquele libera enzimas digestivas. Estas criam um canal, que permite que a cabeça do espermatozóide alcance a membrana do óvulo. Esta se une então à membrana celular do espermatozóide, e o núcleo deste entra no citoplasma, para fundir-se com o núcleo feminino.

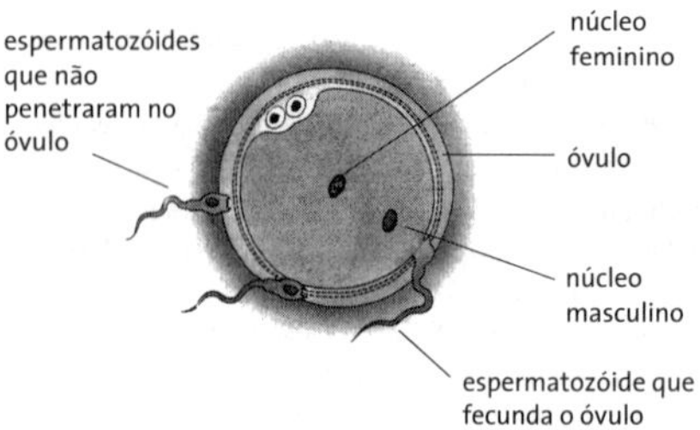

fecundar *v.t.* (lat. *fecundare*) [conj. 4]. **1.** Comunicar (a um germe) o princípio de seu desenvolvimento. **2.** Tornar fecundo, fértil, produtivo. **3.** *Fig.* Fomentar, fortalecer.

fecundidade *s.f.* (lat. *fecunditas*). **1.** Aptidão para fecundar; fertilidade. **2.** Aptidão do esperma para fecundar, na inseminação artificial animal. **3.** *Fig.* Qualidade de quem produz muito.

fecundo *adj.* (lat. *fecundus*). **1.** Que pode reproduzir(-se). **2.** Fértil, produtivo. **3.** Rico, copioso. **4.** *Fig.* Que produz em abundância; inventivo, criador.

fedegoso (ô) *adj.* Que exala mau cheiro; fétido. ★ *s.m.* **1.** Nome comum a várias plantas, algumas forrageiras, com propriedades medicinais, outras ornamentais. **2.** Sin. de FEDEGOSO-VERDADEIRO.

fedegoso-verdadeiro *s.m.* Arbusto de propriedades medicinais, de flores amarelas, comestíveis, e fruto cujas sementes, depois de torradas e moídas, fornecem o chamado café de fedegoso ou café do Senegal. (Sin. FEDEGOSO.)

fedelho (ê) *s.m.* **1.** Criança, criancinha. **2.** Criançola; rapaz com atitudes infantis.

fedentina *s.f.* Fedor.

feder *v.i.* (lat. *foetere*) [conj. 5]. Cheirar mal. ★ *v.t.* Exalar cheiro forte.

federação *s.f.* (lat. *foederatio*). **1.** União política entre Estados soberanos. **2.** Organização política das unidades geográficas de um país. **3.** Associação de clubes esportivos, sindicatos ou corporações.

federado *adj.* e *s.m.* (lat. *foederatus*). Que ou o que pertence a uma federação.

federal *adj.2g.* Relativo à federação.

federalismo *s.m.* Sistema político segundo o qual vários Estados independentes abdicam de uma parte de sua soberania em benefício de uma autoridade superior.

federalizar *v.t.* (conj. 4). Constituir um Estado em regime de federação.

federar *v.t.* (conj. 4). Unir em federação.

federativo *adj.* Relativo ou pertencente à federação.

fedor (ô) *s.m.* (lat. *foetor*). Mau cheiro, odor desagradável; fedentina.

fedorento *adj.* Que tem fedor; fétido.

feedback *s.m.* (ingl.). Controle de um sistema através de seu produto resultante. (Sin. RETROALIMENTAÇÃO, REALIMENTAÇÃO, AUTO-REGULAÇÃO.)

feérico *adj.* (fr. *féerique*). **1.** Que pertence ao mundo das fadas, que é próprio de fadas; mágico. **2.** *Fig.* Deslumbrante, maravilhoso, espetacular.

feição *s.f.* (lat. *factio,* modo de fazer). **1.** Forma, figura, feitio. **2.** Aspecto, aparência. **3.** Jeito, maneira, modo. **4.** Caráter, índole, natureza. **5.** Bom humor, boa disposição, condescendência. ★ *s.f.pl.* Traços fisionômicos, delineamento do rosto.

feijão *s.m.* (lat. *faseolus*). **1.** Vagem ou semente do feijoeiro; as vagens podem ser consumidas verdes e as sementes, de cores que variam do branco ao preto, semi-amadurecidas ou maduras e secas. **2.** *P. ext.* Sin. de FEIJOEIRO. **3.** Os grãos do feijoeiro, depois de preparados para alimentação.

feijão-fradinho *s.m.* Arbusto de folhas compostas, cujas vagens fornecem sementes miúdas utilizadas no preparo de pratos típicos da cozinha baiana; fradinho.

feijão-soja *s.m.* Sin. de SOJA.

feijoada *s.f.* **1.** Prato típico da cozinha brasileira, feito com feijão-preto, carne de porco, paio, lingüiça e carne-seca. **2.** *Pop.* Balbúrdia, confusão, trapalhada.

feijoal *s.m.* Plantação de feijões.

feijoeiro *s.m.* Planta anual, trepadeira, originária da América, cujo fruto é uma vagem reta ou curva, com numerosas sementes comestíveis. (Sin. FEIJÃO.)

feio *adj.* (lat. *foedus*). **1.** Desagradável à vista, sem beleza. **2.** Contrário à decência ou à conveniência. **3.** Difícil, insuportável. **4.** Diz-se de tempo chuvoso, fechado. ★ *s.m.* **1.** Coisa feia. **2.** Indivíduo feio.

feioso (ô) *adj.* Um tanto feio.

feira *s.f.* (lat. *feria,* dia de festa). **1.** Local onde se expõem e vendem mercadorias. **2.** Local onde se vendem frutas, legumes e outros produtos alimentícios. **3.** As compras feitas na feira. **4.** Designação complementar dos dias da semana, exceto sábado e domingo.

feirante *adj.2g.* Relativo à feira. ★ *s.2g.* Aquele que vende em feira.

feita *s.f.* **1.** Ato, ação, obra. **2.** Data, ocasião, vez.

feitiçaria *s.f.* **1.** Atividade de feiticeiro; bruxaria, sortilégio. **2.** Prática mágica que visa a exercer uma ação, geralmente nefasta, sobre um ser ou objeto. **3.** Feitiço.

feiticeira *s.f.* **1.** Aquela que faz feitiços; bruxa. **2.** Peixe-bruxa.

feiticeiro *s.m.* **1.** Aquele que faz feitiços; bruxo, mágico. **2.** Aquele que enfeitiça, encanta. ★ *adj.* **1.** Que faz feitiços. **2.** Encantador, atraente, fascinante.

feitiço *s.m.* **1.** Ato ou efeito de enfeitiçar. **2.** Objeto a que se atribuem poderes sobrenaturais; amuleto. **3.** *Fig.* Encanto, fascínio. ★ *adj.* Falso, artificial.

feitio *s.m.* **1.** Forma, configuração, feição. **2.** Disposição de espírito, índole, caráter. **3.** Trabalho de um artista ou artífice, principalmente em costura.

feito[1] *s.m.* (lat. *factum*). **1.** Ação, ato. **2.** Ato heróico, façanha. **3.** Processo jurídico.

feito[2] *adj.* (lat. *factus*). **1.** Realizado, consumado, constituído. **2.** Adulto, amadurecido. **3.** Disposto, proporcionado, constituído. **4.** Acabado, completo, concluído. **5.** Afeito. ★ *conj.* Do mesmo modo que, como.

feitor (ô) *s.m.* (lat. *factor*). **1.** Administrador de bens alheios. **2.** Superintendente que distribui e fiscaliza o serviço de trabalhadores, particularmente escravos; capataz. ★ *adj.* e *s.m.* Que ou aquele que faz; fazedor.

feitoria *s.f.* **1.** Administração ou cargo de feitor. **2.** Casa ou escritório dos feitores. **3.** No período colonial, posto de resgate de matéria-prima (principalmente pau-brasil). **4.** *P. us.* Ação de fazer; fabrico.

feitura *s.f.* (lat. *factura*). **1.** Maneira como uma coisa é feita, executada. **2.** Obra, trabalho, produção.

feiúra *s.f.* Estado ou qualidade do que é feio; fealdade.

feixe *s.m.* (lat. *fascis*). **1.** Conjunto de vários objetos unidos no sentido do comprimento; molho, amarrado. **2.** *Fig.* Grande porção de qualquer coisa; acervo. ● **Fís.** Fluxo de partículas produzidas por um acelerador, triadas e concentradas sobre um alvo ou um detector. **Neurol.** Conjunto de fibras nervosas paralelas que possuem a mesma origem e destino; trato corticoespinhal. **Ópt.** *Feixe luminoso,* conjunto de raios luminosos paralelos ou quase paralelos e associados a uma mesma frente de onda.

fel *s.m.* (lat. *fel*). **1.** Sin. de BILE. **2.** *Fig.* Amargura, azedume, mau humor.

felação *s.f.* Prática sexual que consiste na estimulação e sucção oral do pênis.

feldspato *s.m.* Nome dado a um grupo de silicatos naturais de alumínio, como potássio, sódio, cálcio e bário.

felicidade *s.f.* (lat. *felicitas*). **1.** Qualidade ou estado de feliz; ventura. **2.** Beatitude, contentamento, grande alegria. **3.** Circunstância favorável, boa sorte, sucesso.

felicitação *s.f.* Ato ou efeito de felicitar, cumprimentar. ★ *s.f.pl.* Cumprimentos, congratulações.

felicitar *v.t.* (lat. *felicitare*) [conj. 4]. **1.** Dar felicidade a; tornar feliz. **2.** Cumprimentar alguém por um sucesso.

felídeo *s.m.* Espécime dos felídeos. ★ *adj.* Relativo aos felídeos.

felídeos *s.m.pl.* (lat. *felis,* gato). Família de mamíferos carnívoros que compreende animais de garras retráteis e molares cortantes, como o lince, os leões, os tigres, as onças e todos os gatos. (Sin. FELINOS.)

felino *adj.* (lat. *felinus*). **1.** Relativo ou pertencente ao gato. **2.** *Fig.* Ágil. **3.** *Fig.* Fingido, traiçoeiro. ● **Zool.** Diz-se de um carnívoro de uma espécie que pertence à família dos felídeos. ★ *s.m.pl.* Sin. de FELÍDEOS.

EXEMPLOS DE FELINOS

feliz *adj.2g.* (lat. *felix,* fértil, próspero). **1.** Ditoso, afortunado. **2.** Próspero, bem-sucedido. **3.** Contente, alegre, satisfeito. **4.** Abençoado, bendito. **5.** Favorável.

felizardo *s.m.* **1.** Pessoa de muita sorte. **2.** Indivíduo muito feliz.

felpa (ê) *s.f.* (it. *felpa*). **1.** Pêlo saliente nos tecidos. **2.** Penugem, lanugem. **3.** *Fig.* Qualidade, espécie.

feltro (ê) *s.m.* Estofo de lã ou de pêlo que se emprega no fabrico de chapéus, pantufas etc.

fêmea *s.f.* (lat. *femina*). **1.** Animal ou planta do sexo feminino. **2.** *Pop.* A mulher. **3.** Diz-se de qualquer peça em que se encaixa outra, chamada macho.

fêmeo *adj.* Relativo à fêmea.

feminil *adj.2g.* (lat. *feminilis*). **1.** Feminino. **2.** Efeminado.

feminilidade *s.f.* Qualidade, caráter, maneira próprios de mulher.

feminino *adj.* (lat. *femininus*). **1.** Diz-se do indivíduo ou de órgão animal ou vegetal pertencente ao sexo portador das células reprodutoras mais volumosas. **2.** Relativo ou pertencente à mulher, feminil. **3.** Próprio de ou reservado às mulheres. ● **Gram.** Diz-se do gênero que se opõe ao masculino, ou ao masculino e ao neutro (numa classificação de três gêneros). ► Diz-se de substantivos que pertencem a esse gênero e dos adjetivos e determinantes que se referem a esses substantivos. **Liter.** *Rima feminina,* rima que termina em uma sílaba muda. ★ *s.m.* O gênero feminino.

feminismo *s.m.* Movimento pela melhoria e extensão do papel e dos direitos da mulher na sociedade.

feminista *adj.2g.* Relativo ou pertencente ao feminismo. ★ *s.2g.* Partidário do feminismo.

feminizar *v.t.* (conj. 4). Dar caráter ou feição feminina a.

femoral *adj.2g.* (lat. *femoralis*). **1.** Relativo ao fêmur ou a regiões vizinhas. **2.** *Nervo femoral,* sin. de NERVO CRURAL*.

fêmur *s.m.* (lat. *femur*). Osso longo que constitui isoladamente o esqueleto da coxa humana.

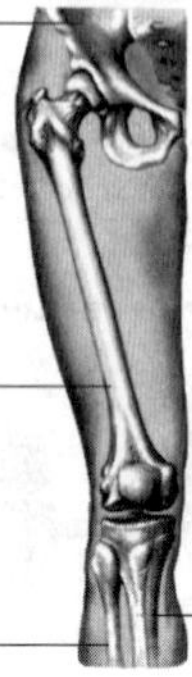

fenda *s.f.* Abertura estreita numa superfície ou objeto; rachadura, fendimento. ● **Anat.** Nome dado a vários interstícios do corpo, como a fenda etmoidal, a fenda olfativa e a fenda esfenoidal.

fender *v.t.* (lat. *findere*) [conj. 5]. **1.** Produzir fendas em; rachar. **2.** Dividir, apartar. **3.** Sulcar, atravessar. **4.** Fazer estremecer, abalar. **5.** Navegar por; sulcar ★ *v.i.* e *v.pr.* Rachar-se, abrir-se em fenda.

fenecer *v.i.* (conj. 25). **1.** Acabar, extinguir-se, findar. **2.** Morrer. **3.** Murchar, secar.

fenecimento *s.m.* **1.** Ato ou efeito de fenecer; fim. **2.** Morte, falecimento.

fenício *adj.* Relativo ou pertencente à Fenícia, região do Oriente Médio na Antiguidade, atual Líbano. ★ *s.m.* **1.** O natural ou habitante da Fenícia. **2.** Língua semítica extinta, cujo alfabeto é considerado o mais antigo de todas as escritas alfabéticas.

fenil *s.m.* Radical monovalente derivado do benzeno pela retirada de um átomo de hidrogênio.

fenilalanina *s.f.* Aminoácido essencial, precursor da dopamina e de outras catecolaminas, obtido por hidrólise de diversas proteínas.

fênix (cs) *s.f.2n.* (gr. *phoenix*). **1.** Pássaro fabuloso que vivia vários séculos, queimava-se numa fogueira e renascia de suas próprias cinzas. **2.** *Fig.* Ser superior, raro, único. ● **Bot.** Gênero de palmeiras que compreende a tamareira e espécies de pequenas plantas decorativas.

feno *s.m.* (lat. *fenum*). Erva ceifada e seca, de cheiro forte e agradável, para alimento de bovinos.

fenol *s.m.* (do gr. *phainos*, brilhante). **1.** Derivado hidroxilado do benzeno, que constitui um sólido branco, solúvel em água, cáustico e tóxico, aproveitado para a síntese de medicamentos e de corantes. **2.** Nome genérico dos compostos que apresentam uma ou mais hidroxilas ligadas diretamente ao anel aromático.

fenolftaleína *s.f.* Substância química derivada do fenol, utilizada como corante e como laxante.

fenólico *adj.* **1.** Relativo a ou que contém fenol. **2.** Diz-se dos compostos derivados do fenol.

fenomenal *adj.2g.* **1.** Que tem caráter de fenômeno. **2.** *Fam.* Surpreendente, espantoso, extraordinário.

fenômeno *s.m.* (gr. *phainomenon*). **1.** Fato natural constatado, suscetível de estudo científico, e que pode tornar-se objeto de experiência ou estudo. **2.** Pessoa ou coisa que se faz notar por seu caráter anormal ou surpreendente. **3.** *Fam.* Original, notável.

fenomenologia *s.f.* Sistema filosófico que visa a apreender, a partir dos dados imediatos da consciência, a essência do ser.

fenomenológico *adj.* Relativo à fenomenologia.

fenótipo *s.m.* (do gr. *phaino*, aparecer). Conjunto dos caracteres visíveis de um indivíduo, que exprimem seu genótipo em face do meio em que vive.

fera *s.f.* (lat. *fera*). **1.** Animal selvagem, carnívoro e bravio. **2.** *Fig.* Pessoa cruel e má. **3.** *Gír.* Pessoa exímia em uma atividade (especialmente no esporte).

o leopardo, exemplo de fera

feracidade *s.f.* (lat. *feracitas*). Fecundidade, fertilidade.

feraz *adj.2g.* (lat. *ferax*). Fecundo, fértil, produtivo.

féretro *s.m.* (lat. *feretrum*). Ataúde, caixão mortuário, esquife.

fereza (ê) *s.f.* **1.** Ferocidade, braveza. **2.** *Fig.* Crueldade, barbaridade, desumanidade.

féria *s.f.* (lat. *feria*, repouso em honra dos deuses). **1.** Dia da semana. **2.** Salário de operário. **3.** O dinheiro apurado no dia, na semana etc., numa casa comercial.

feriado *adj.* e *s.m.* (lat. *feriatus*). Diz-se de ou dia em que se suspendem as atividades nas empresas, escolas, repartições etc.

férias *s.f.pl.* Dias consecutivos destinados ao descanso dos trabalhadores e estudantes.

ferida *s.f.* **1.** Lesão produzida no organismo por golpe, choque, instrumento perfurante, cortante; ferimento, chaga, úlcera. **2.** *Fig.* Ofensa, injúria, mágoa, dor. ● **Med.** Incisão cirúrgica.

feridade *s.f.* Ferocidade.

ferido *adj.* e *s.m.* **1.** Que ou aquele que recebeu ferimento. **2.** *Fig.* Ofendido, magoado.

ferimento *s.m.* **1.** Ato ou efeito de ferir. **2.** Lesão produzida em um ponto qualquer do corpo por um traumatismo, pancada, arma ou um corpo resistente qualquer; ferida.

ferino *adj.* (lat. *ferinus*). **1.** Próprio da fera; feroz. **2.** Cruel, desumano. **3.** *Fig.* Penetrante, agudo, mordaz.

ferir *v.t.* (lat. *ferire*) [conj. 57]. **1.** Causar ferimento ou chaga; golpear. **2.** Machucar. **3.** Atritar, friccionar. **4.** *Fig.* Magoar, ofender. **5.** Contrariar, prejudicar. **6.** Afligir, contristar. ★ *v.pr.* **1.** Golpear-se, cortar-se; machucar-se. **2.** Contristar-se.

fermata *s.f.* (it. *fermata*). Em música, sinal que, colocado sobre uma nota ou uma pausa, indica o prolongamento de sua sustentação.

fermentação *s.f.* (lat. *fermentatio*). **1.** Transformação química devida à ação de enzimas secretadas por microorganismos como leveduras ou bactérias. **2.** Efervescência gasosa derivada dessa transformação. **3.** Podridão, decomposição enzimática de substância orgânica. **4.** *Fig.* Agitação, movimento, efervescência.

fermentar *v.t.* e *v.i.* (lat. *fermentare*) [conj. 4]. **1.** Entrar, estar em fermentação; sofrer uma fermentação. **2.** Fazer levedar, produzir fermentação. **3.** Decompor-se por meio da fermentação. **4.** *Fig.* Agitar(-se), excitar(-se).

fermentável *adj.2g.* Que se pode fermentar.

fermento *s.m.* (lat. *fermentum*). **1.** Agente que produz a fermentação de uma substância. **2.** Cultura de microorganismos selecionados que se introduz em produtos alimentícios (massa de pão, mosto de cervejaria etc.) a fim de provocar sua fermentação. **3.** *Fig.* O que dá origem ou provoca a paixão ou o ódio. ● **Med.** *Fermento lab* ou *lab-fermento,* enzima do suco gástrico que permite a coagulação do leite por precipitação da caseína digerida; quimosina, quimase.

férmio *s.m.* (de *Fermi,* n.pr.). Elemento químico artificial (símb. Fm), da família dos transurânicos, de número atômico 100, descoberto ao mesmo tempo que o einstêinio.

fero *adj.* (lat. *ferus*). **1.** Feroz, selvagem, rústico, bravio. **2.** Cruel, desumano, intratável. **3.** Violento, forte, impetuoso. **4.** Carregado, torvo, severo. **5.** Rijo, vigoroso.

ferocidade *s.f.* (lat. *ferocitas*). **1.** Qualidade de feroz; feridade. **2.** Crueldade.

feromônio *s.m.* Secreção glandular dos artrópodes, que provoca respostas comportamentais e de desenvolvimento nos indivíduos da mesma espécie.

feroz *adj.2g.* (lat. *ferox*). **1.** Que tem natureza ou índole de fera; selvagem, bravio. **2.** Cruel, perverso. **3.** Violento, impetuoso.

ferra *s.f.* **1.** Ação de marcar o gado com um ferro em brasa para sua identificação. **2.** Época em que se ferra o gado. **3.** Pá de ferro para tirar brasas. **4.** Balde de ferro.

ferrabrás *s.2g.* (fr. *fier-à-bras*). Valentão, fanfarrão; indivíduo violento e abrutalhado.

ferrador[1] (ô) *s.m.* Operário cuja atividade é ferrar cavalos.

ferrador[2] (ô) *s.m.* Sin. de **ARAPONGA**.

ferradura *s.f.* **1.** Peça de ferro semicircular presa com cravos na parte inferior dos cascos das montarias, para evitar que se desgastem. **2.** Pequena chapa metálica, semicircular, com que se reforça o salto dos calçados.

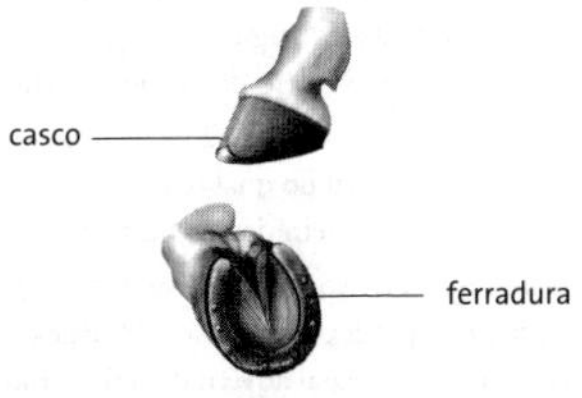

ferrageiro *s.m.* Comerciante de ferragens; ferreiro.

ferragem *s.f.* **1.** Peça de ferro ou metal não precioso que entra na construção de uma obra ou artefato. **2.** Colocação de ferraduras em animais de sela ou de trabalho. **3.** Objetos de pequena ferramentaria (parafusos, porcas, fixadores etc.).

ferramenta *s.f.* (lat. *ferramenta*). **1.** Instrumento utilizado na execução de um trabalho manual ou mecânico em qualquer atividade produtiva. **2.** Elemento físico ou lógico elaborado como instrumento para executar uma atividade.

ferramenteiro *s.m.* Operário que trabalha na fabricação ou na ajustagem de calibres, moldes, ferramentas etc.

ferrão[1] *s.m.* **1.** Ponta de ferro; aguilhão. **2.** Prolongamento posterior, aguçado, do abdome das fêmeas de certos himenópteros, que serve como órgão de defesa e de ataque.

ferrão[2] *s.m.* Sin. de **JAÇANÃ**.

ferrar *v.t.* (conj. 4). **1.** Guarnecer com ferro. **2.** Pôr ferraduras em. **3.** Marcar com ferro quente (bois, cavalos etc.). **4.** *Pop.* Perseguir ou prejudicar alguém. **5.** Aferrar-se. ★ *v.pr. Pop.* Sair-se mal, fracassar.

ferraria *s.f.* **1.** Fábrica ou oficina de grandes peças de ferro. **2.** Conjunto de objetos de ferro.

ferreiro[1] *s.m.* **1.** Artífice, operário que trabalha com ferro. **2.** Ferrageiro.

ferreiro[2] *s.m.* Sin. de **ARAPONGA**.

ferrenho *adj.* **1.** Da natureza do ferro. **2.** *Fig.* Duro, inflexível, intransigente. **3.** *Fig.* Persistente, obstinado, pertinaz.

férreo *adj.* (lat. *ferreus*). **1.** Feito de ferro. **2.** Forte, resistente. **3.** *Fig.* Inflexível, imbatível. **4.** Duro, rígido. **5.** *Via férrea,* ferrovia.

ferrete *s.m.* **1.** Ferro com que se marca o gado e, outrora, escravos e criminosos. **2.** *Fig.* Sinal de ignomínia; labéu. **3.** Epíteto ignominioso.

ferretear *v.t.* (conj. 15). **1.** Marcar com ferrete. **2.** *Fig.* Manchar a reputação; estigmatizar, acoimar. **3.** Afligir, pungir.

férrico *adj.* **1.** Diz-se dos compostos químicos do ferro trivalente. **2.** Ferrífero.

ferrífero *adj.* **1.** Que produz ferro. **2.** Que contém ferro ou sais de ferro. **3.** Composto de ferro; férrico.

ferro *s.m.* (lat. *ferrum*). **1.** Elemento químico (símb. Fe) de número atômico 26, que constitui um metal branco-acinzentado, tenaz, dúctil, maleável e magnético, de grande importância industrial, sobretudo na forma de ligas, aços e ferros fundidos. **2.** Ferramenta, instrumento, utensílio metálico. **3.** Lâmina metálica que constitui a parte cortante ou perfurante de um objeto, de uma arma. **4.** Algemas, grilhões. **5.** Instrumento de ferro que forma um desenho e serve, quando aquecido ao ponto de ferro em brasa, para marcar um animal e identificar a criação. **6.** A marca deixada no couro do animal por esse instrumento. **7.** *Estrada de ferro,* ferrovia.

ferroada *s.f.* **1.** Picada de ferrão. **2.** *Fig.* Crítica ferina, censura picante, mordaz.

ferroar *v.t.* (conj. 20) Dar ferroadas.

ferrolho (ô) *s.m.* Fecho corrediço de ferro, para trancar portas e janelas.

ferroso (ô) *adj.* **1.** Que contém ferro; ferruginoso. **2.** Diz-se dos compostos químicos nos quais o ferro é bivalente. **3.** Diz-se de um conjunto de ligas à base de ferro, que compreende principalmente os aços de uso geral, os aços especiais e os ferros fundidos.

ferro-velho *s.m.* Estabelecimento que comercia com sucata.

ferrovia *s.f.* (it. *ferrovia*). Via constituída por trilhos sobre os quais trafegam os trens; estrada de ferro, via férrea.

ferroviário *adj.* Relativo a ferrovia. ★ *s.m.* Aquele que trabalha em ferrovias.

ferrugem *s.f.* (lat. *ferrugo, ferruginis*). **1.** Produto da corrosão dos metais ferrosos, constituído principalmente por hidróxido férrico e facilmente formado pela ação do oxigênio e do ar úmido. **2.** Doença de plantas provocada por fungos, que se traduz por manchas vermelhas ou negras nos frutos, que logo apodrecem.

ferrugento *adj.* **1.** Que tem ferrugem; enferrujado, ferruginoso. **2.** *Fig.* Antiquado, emperrado.

ferruginoso (ô) *adj.* **1.** Que contém ferro; ferroso. **2.** Que tem a cor do ferro. **3.** Ferrugento.

fértil *adj.2g.* (lat. *fertilis*). **1.** Fecundo, que pode se reproduzir. **2.** Produtivo, inventivo. **3.** Abundante, farto. **4.** Diz-se da terra que produz muito. ● **Fís.** Diz-se do núcleo de um átomo que pode ser transformado, direta ou indiretamente, num núcleo físsil mediante a captura de um nêutron. ▸ Diz-se do átomo que contém esse núcleo e de uma matéria que contém tais átomos.

fertilidade *s.f.* (lat. *fertilitas*). **1.** Qualidade do que é fértil. **2.** Abundância, fartura. **3.** *Fig.* Riqueza de imaginação. ● **Biol.** Aptidão para a fecundação. ▸ Capacidade de conceber ou induzir à concepção.

fertilização *s.f.* Ato ou efeito de fertilizar(-se); fecundação.

fertilizante *adj.2g.* Que fertiliza, que fecunda; fertilizador. ★ *adj.2g.* e *s.m.* Diz-se de ou produto que contém nutrientes essenciais para as plantas, em especial os macronutrientes (nitrogênio, fósforo e potássio).

FERTILIZANTE ▸ A necessidade de adicionar fertilizantes ao solo depende das culturas e principalmente do tempo de descanso entre uma safra e outra. Em meados do século XX, começaram a ser empregados em larga escala fertilizantes produzidos pela indústria química, bem como pesticidas e outros aditivos. Isso aumentou muito o volume da produção agrícola, o que foi chamado de Revolução Verde. Os produtos assim obtidos, porém, apesar do tamanho maior, podem ter menor proporção de vitaminas e minerais, o que levou à valorização de produtos agrícolas obtidos com fertilizantes orgânicos.

---

fertilizar *v.t.* (conj. 4). **1.** Tornar fértil. **2.** Dar fertilidade a. ★ *v.i.* e *v.pr.* Tornar(-se) fértil ou produtivo.

férula *s.f.* (lat. *ferula*). Palmatória.

fervedouro *s.m.* **1.** Movimento, agitação semelhante à fervura. **2.** Inquietação, desassossego. **3.** Grande ajuntamento de seres que se movem.

ferver *v.i.* (lat. *fervere*) [conj. 5]. **1.** Estar em ebulição. **2.** *Fig.* Agitar-se, exaltar-se, vibrar de entusiasmo. ★ *v.t.* **1.** Produzir ebulição em. **2.** Colocar dentro de um líquido em ebulição.

fervescente *adj.2g.* Fervente.

fervido *adj.* Que ferveu.

férvido *adj.* (lat. *fervidus*). **1.** Muito quente; abrasador. **2.** *Fig.* Apaixonado, veemente, fervoroso. **3.** Impetuoso, indômito.

fervilhar *v.i.* (conj. 4). **1.** Ferver a miúdo, com freqüência. **2.** Aparecer ou concorrer em grande quantidade; pulular, abundar. **3.** Agitar-se, mexer-se de um lado para o outro.

fervor (ô) *s.m.* (lat. *fervor*). **1.** Ato de ferver. **2.** Fervura. **3.** Calor forte, ardência. **4.** *Fig.* Ardor, paixão. **5.** Zelo, dedicação. **6.** Caridade ativa, devoção. **7.** *Fig.* Grande atividade, diligência.

fervoroso *adj.* Cheio de fervor, de devoção.

fervura *s.f.* (lat. *fervura*, queimadura). **1.** Estado de um líquido a ferver; ebulição. **2.** *Fig.* Agitação, efervescência, alvoroço, fervor.

fescenino *adj.* (lat. *fescenninus*). Obsceno, licencioso.

festa *s.f.* (lat. *festa*, solenidades). **1.** Solenidade, comemoração, cerimônia em regozijo por qualquer fato ou data. **2.** Alegria, júbilo. **3.** Feriado, dia de descanso. **4.** Reunião alegre para fins de divertimento. **5.** Aquilo que causa um grande prazer. ★ *s.f.pl.* Carinhos, agrados.

festança *s.f.* Grande festa ou divertimento.

festão *s.m.* **1.** Grinalda, ramalhete de flores. **2.** Bordado em pequenos recortes arredondados, usado como remate de lençóis, toalhas etc. **3.** Ornato arquitetônico composto de flores, frutos e folhas entrelaçadas.

festeiro *adj.* e *s.m.* **1.** Que ou aquele que faz, dirige ou freqüenta festas. **2.** Que ou aquele que faz carícias; meigo.

festejar *v.t.* (conj. 4). **1.** Fazer festa, demonstrar alegria. **2.** Fazer festa em honra de; comemorar. **3.** Louvar, aplaudir. **4.** Acariciar.

festejo (ê) *s.m.* **1.** Ato ou efeito de festejar; solenidade, comemoração. **2.** Afago, atenções, mesuras.

festim *s.m.* (it. *festino*). **1.** Festa particular. **2.** Refeição de pompa, banquete suntuoso. **3.** Paródia, pândega, divertimento. **4.** Cartucho sem o projétil, ou bala, utilizado para simular tiros.

festival *s.m.* (ingl. *festival*). **1.** Grande festa. **2.** Série de representações consagradas a uma arte. **3.** Conjunto de elementos de naturezas afins, reunidos por quaisquer circunstâncias. ★ *adj.* Festivo.

festividade *s.f.* (lat. *festivitas*). **1.** Solenidade, comemoração religiosa ou cívica. **2.** Manifestação de alegria.

festivo *adj.* (lat. *festivus*). **1.** Relativo a ou próprio de festa; festival. **2.** Alegre, divertido.

festo (ê) *s.m.* **1.** Largura de uma peça de tecido. **2.** Dobra ao meio e em toda a extensão de uma peça de pano.

festoar *v.t.* (conj. 20). Ornar com festões ou grinaldas.

fetal *adj.2g.* Relativo ao feto.

fetiche *s.m.* (fr. *fétiche*). Objeto, natural ou artificial, ao qual são atribuídas propriedades mágicas ou o qual se venera como sobrenatural. ● **Psican.** Objeto de desejo no fetichismo.

fetichismo *s.m.* **1.** Culto a fetiches. **2.** Veneração supersticiosa a. ● **Psican.** Desvio sexual no qual o objeto de desejo é uma parte do corpo ou um objeto de uso pessoal.

fetichista *adj.2g.* Relativo ao fetichismo. ★ *adj.2g.* e *s.2g.* Que ou aquele que pratica o fetichismo. ● **Psican.** Diz-se de ou pessoa cujo prazer sexual advém de fetichismo.

fétido *adj.* (lat. *foetidus*). Que exala cheiro forte e repugnante; fedorento.

feto[1] *s.m.* (lat. *fetus*). **1.** Produto de concepção não chegado ainda a termo, mas já com as formas da espécie. **2.** Na espécie humana, o produto da concepção a partir do terceiro mês da gravidez até o fim de sua vida intra-uterina. **3.** *Fig.* Princípio, início, embrião, germe.

FETO ▸ Na espécie humana, o embrião se torna feto no fim do terceiro mês de vida intra-uterina. Nesse momento, já se pode distinguir o sexo, os traços do rosto estão bem delineados e as unhas começam a aparecer. As trocas gasosas respiratórias do feto (absorção de oxigênio e eliminação de gás carbônico), bem como a assimilação de nutrientes (glicose, aminoácidos, lipídios), ocorrem através da placenta. A função de excreção se efetua em parte pela placenta, em parte pelos rins fetais, com a emissão da urina para o líquido amniótico. O crescimento do feto é mais lento durante o segundo trimestre, mas se acelera de novo no último trimestre.

---

feto[2] *s.m.* (lat. *filictum*). Sin. de SAMAMBAIA.

feudal *adj.2g.* **1.** Relativo ao feudo. **2.** Relativo ou pertencente ao feudalismo.

feudalismo *s.m.* **1.** Sistema político, social e econômico da Europa durante a Idade Média, de economia agrária e poder político descentralizado. **2.** Todo poder econômico ou social que lembra a organização feudal.

feudatário *adj.* e *s.m.* **1.** Que ou aquele que paga feudo. **2.** Proprietário de um feudo; vassalo. **3.** Vassalo. **4.** *Fig.* Dependente, subordinado.

feudo *s.m.* (lat. tard. *feudum*). **1.** Grande extensão de terra concedida por um nobre a um vassalo em troca de fidelidade, prestação de serviços e tributos, e sobre a qual o senhor exercia poder absoluto, durante a Idade Média. **2.** Direitos e rendimentos que o senhor recebia.

fevereiro *s.m.* (lat. *februarius*). O segundo mês do ano, que possui 28 dias (29, nos anos bissextos).

fezes *s.f.pl.* (lat. *faex, faecis*). **1.** Sedimento de líquido; borra. **2.** Matérias fecais; resíduo da digestão. **3.** Escória metálica. **4.** *Fig.* Desgostos, amarguras. **5.** *Fig.* A parte pior ou mais desprezível.

fiação *s.f.* **1.** Ação, modo, trabalho de fiar[1]. **2.** Fábrica, lugar onde se fia ou tece matéria têxtil. **3.** Conjunto de fios condutores de energia elétrica; instalação elétrica.

fiada *s.f.* **1.** Fileira de tijolos ou pedras. **2.** Alinhamento, enfiada, fila.

fiadeira *s.f.* Fiandeira.

fiadeiro *s.m.* Fiandeiro.

fiado[1] *adj.* **1.** Que foi submetido à fiação. **2.** Diz-se do metal que, puxado à fieira, se transformou em fio delgado.

fiado[2] *adj.* **1.** Confiado. **2.** Comprado ou vendido a crédito. ★ *adv.* A crédito.

fiador (ô) *s.m.* **1.** Indivíduo que responde por outro, que o abona. **2.** Pessoa que se obriga com o credor de um terceiro a saldar o compromisso, caso o devedor não o faça.

fiambre *s.m.* (esp. *fiambre*). Tipo de presunto ou carne especialmente preparado para ser comido frio.

fiança *s.f.* **1.** Ato de fiar[2]. **2.** Obrigação assumida por terceiro, que se responsabiliza pelo devedor enquanto este não puder cumpri-la. **3.** Garantia, abonação, penhor. ● **Dir.** Importância depositada pelo réu para que possa responder ao processo em liberdade.

fiandeira *s.f.* **1.** Mulher que fia; fiadeira. **2.** Cada um dos apêndices pelos quais insetos como aranhas, lagartas, bichos-da-seda fazem sair a secreção protéica (fio de seda) que produzem. (Sin. FIEIRA.)

fiandeiro *adj.* e *s.m.* Que ou o que fia; fiadeiro.

fiapo *s.m.* Fio delgado, fiozinho.

fiar[1] *v.t.* (conj. 16). **1.** Reduzir a fios. **2.** Tirar ou puxar os metais à fieira. **3.** *Fig.* Tramar, urdir. ● **Zool.** Secretar um fio de seda, falando-se de invertebrados como as aranhas, o bicho-da-seda e numerosas lagartas. ★ *v.i.* Torcer ou reduzir a fios.

fiar[2] *v.t.* (conj. 16). **1.** Ser o fiador de; afiançar. **2.** Abonar. **3.** Confiar, entregar. **4.** Expor ao arbítrio de. **5.** Vender a crédito. **6.** Depositar confiança em. ★ *v.pr.* Confiar em.

fiasco *s.m.* (it. *fiasco*). Insucesso ridículo e vexatório.

fibra *s.f.* (lat. *fibra*). **1.** Filamento ou célula alongada, que constitui certos tecidos animais e vegetais ou certas substâncias minerais. **2.** *Fig.* Energia, pulso, firmeza. ● **Anat.** Elemento de aspecto filamentoso que constitui certos tecidos, como a *fibra muscular*, as *fibras conjuntivas* e a *fibra nervosa*. **Fisiol.** A parte não digerível dos vegetais. **Tecnol.** *Fibra óptica,* filamento de vidro ou de outro material dielétrico que conduz ondas eletromagnéticas visíveis ou infravermelhas, com grande capacidade de transmissão de dados. ▸ *Fibra de vidro,* filamento obtido por estiramento do vidro amolecido ou fundido.

FIBRA ▸ As *fibras naturais* podem ser de origem mineral, como o amianto; de origem vegetal, como o algodão, o linho ou o cânhamo; e de origem animal, como a lã e a seda. As *fibras químicas* podem ser divididas em *artificiais* e *sintéticas*. As primeiras são produzidas a partir da celulose, substância fibrosa encontrada, por exemplo, na pasta de madeira; daí serem também conhecidas como fibras celulósicas. A primeira fonte de celulose purificada foi a fibra curta restante do algodão após o descaroçamento; no grupo das *fibras artificiais*, temos basicamente o raiom viscose e o raiom acetato. As *fibras sintéticas*, tais como acrílico, náilon, poliéster, polipropileno e a fibra elastomérica, são obtidas a partir de polímeros sintetizados.

---

fibrila *s.f.* Pequena fibra. ● **Anat.** Elemento constitutivo das fibras musculares. **Bot.** Última ramificação das raízes das plantas.

fibrilação *s.f.* Sucessão de contrações muito rápidas, desco-ordenadas e ineficazes, das fibras musculares do miocárdio.

fibrina *s.f.* Proteína insolúvel, derivada do fibrinogênio, constituinte básico do coágulo sanguíneo.

fibrinogenemia *s.f.* Teor plasmático de fibrinogênio.

fibrinogênio *s.m.* Glicoproteína abundante no plasma, encontrada também na linfa e nas plaquetas, e que, sob a ação da trombina, produz a fibrina.

fibrinoso (ô) *adj.* Relativo à fibrina.

fibroblasto *s.m.* Célula conjuntiva jovem, responsável pela formação de fibras no organismo.

fibrocartilagem *s.f.* Cartilagem rica em colágeno presente principalmente nos discos intervertebrais e nos meniscos.

fibróide *adj.2g.* **1.** Relativo a fibras. **2.** Que se assemelha a fibras.

fibroma *s.m.* **1.** Tumor benigno conjuntivo, formado por fibroblastos, freqüente nos membros inferiores. **2.** Nome usual dos fibromiomas uterinos.

fibromioma *s.m.* Tumor benigno formado por tecidos fibroso e muscular.

fibrose *s.f.* **1.** Formação patológica de tecido fibroso. **2.** Degenerescência fibróide. **3.** Hiperplasia conjuntiva composta por fibras.

fibroso (ô) *adj.* Que contém fibras. ● **Anat.** *Tecido fibroso,* tecido conjuntivo rico em colágeno.

fíbula *s.f.* Sin. de PERÔNIO.

fibular *adj.2g.* Relativo à fíbula ou perônio.

ficar *v.lig.* (conj. 12). **1.** Permanecer. **2.** Tornar-se. ★ *v.t.* **1.** Estacionar, parar (em algum lugar). **2.** Estar situado. **3.** Restar, permanecer. **4.** Deter-se, demorar-se. **5.** Ser transferido. **6.** Combinar, tratar. **7.** Adquirir, comprar. **8.** Obrigar-se, comprometer-se. **9.** *Gír.* Trocar beijos e carícias sem compromisso. ★ *v.i.* e *v.pr.* Persistir, permanecer.

ficção *s.f.* (lat. *fictio,* de *fictus,* imaginado). **1.** Ato ou efeito de simular; fingimento. **2.** Criação do imaginário, o que não é real; fantasia. **3.** *Ficção científica,* gênero literário e cinematográfico que explora e extrapola realidades reveladas pela ciência. ● **Liter.** Categoria que agrupa romance, conto e novela.

ficcionista *s.2g.* Autor de obras de ficção.

ficha *s.f.* (fr. *fiche*). **1.** Pequena chapa ou folha de metal, plástico ou papelão, de diferentes cores e formatos, marcada por um sinal qualquer e que serve para provar, substituir ou identificar alguma coisa. **2.** Pequena placa que serve de marca ou de moeda em certos jogos ou para fazer funcionar alguns aparelhos. **3.** Folha de papel ou de cartão rígido com notas, registros etc., que pode ser classificada e arquivada.

fichar *v.t.* (conj. 4). **1.** Inscrever uma informação numa ficha de maneira a poder classificá-la; catalogar. **2.** Anotar.

fichário *s.m.* **1.** Coleção de fichas. **2.** Arquivo de fichas, cartões ou dossiês classificados verticalmente, para consultas e pesquisas.

ficologia *s.f.* (do gr. *phykos,* alga). Ramo da biologia que estuda as algas; algologia.

fictício *adj.* (lat. *ficticius*). **1.** Que pertence à ficção; irreal, imaginário. **2.** Simulado, aparente.

fidalgo *s.m.* (esp. *hidalgo,* contr. de *hijo* e *algo,* filho de algo). **1.** Antigamente, homem nobre de nascimento, por oposição àquele que era enobrecido; nobre, aristocrata. **2.** *Pop.* Indivíduo bem-trajado e de maneiras refinadas. **3.** Pessoa que vive de rendimentos. ★ *adj.* **1.** Relativo à fidalguia. **2.** Nobre, generoso. **3.** *Pop.* Requintado.

fidalguia *s.f.* **1.** Qualidade de fidalgo; nobreza. **2.** A classe dos fidalgos. **3.** *Fig.* Generosidade, nobreza de caráter.

fidedignidade *s.f.* Qualidade daquilo que é fidedigno; autenticidade, veracidade.

fidedigno *adj.* (do lat. *fides,* fé). Digno de fé; que merece crédito.

fidelidade *s.f.* (lat. *fidelitas*). **1.** Qualidade de fiel, devotado, a alguém ou a alguma coisa. **2.** Constância de sentimentos, afeições, hábitos. **3.** Observação rigorosa da verdade; precisão. **4.** *Fidelidade conjugal,* fidelidade ao cônjuge ou companheiro; em particular, ato de não cometer o adultério. ● **Eletrotéc.** Concordância entre o espectro sonoro criado em fontes sonoras e o espectro sonoro captado por um ouvinte na escuta de um alto-falante.

fidúcia *s.f.* (lat. *fiducia*). **1.** Confiança, segurança. **2.** *Pop.* Atrevimento, audácia.

fiducial *adj.2g.* Relativo à fidúcia; fiduciário.

fiduciário *adj.* Fiducial.

fieira *s.f.* **1.** Aparelho utilizado para estirar metais reduzindo-os a fio. **2.** Enfiada, fila de pessoas ou de coisas. **3.** Barbante, linha. **4.** *Fig.* Experiência, provação pela qual se faz alguém passar. ● **Zool.** Sin. de FIANDEIRA.

fiel *adj.2g.* (lat. *fidelis*). **1.** Que cumpre seus contratos, suas promessas; que guarda fidelidade. **2.** Constante, perseverante. **3.** Exato, preciso. **4.** Conforme, idêntico. ★ *s.m.* **1.** Ajudante de tesoureiro. **2.** *Fiel da balança,* haste, fio, ponteiro que marca o perfeito equilíbrio da balança. ★ *s.m.pl.* Pessoas que pertencem a uma Igreja, a uma religião; crentes.

figa *s.f.* **1.** Amuleto em forma de pequena mão fechada, com o dedo polegar enfiado entre o indicador e o médio. **2.** Gesto feito com a mão, os dedos dispostos como na figa, para esconjurar ou fazer troça.

figadal *adj.2g.* **1.** Próprio do fígado. **2.** *Fig.* Íntimo, profundo.

fígado *s.m.* (lat. *ficatum*). **1.** Glândula anexa do tubo digestivo, situada no hipocôndrio direito, que secreta a bile e desempenha múltiplas funções metabólicas. **2.** *Fig.* Coragem, valor. **3.** *Fig.* Índole, caráter.

FÍGADO HUMANO: FACE INFERIOR

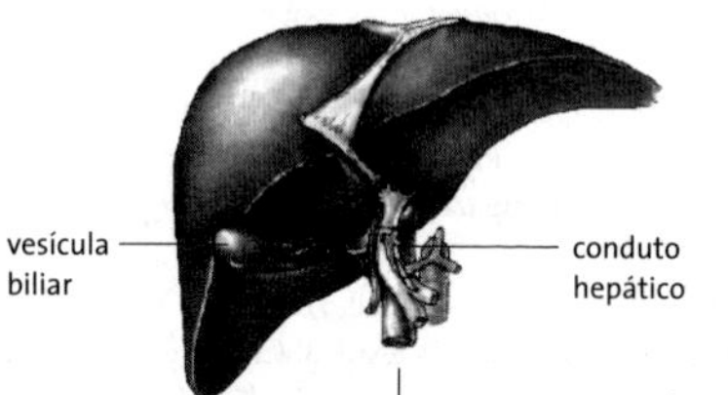

FÍGADO ► É a maior e mais volumosa glândula do corpo. Possui papel importante na digestão, na desintoxicação e no metabolismo energético, e sua atividade produz calor suficiente para os órgãos internos. O fígado é responsável pela secreção da bile, substância essencial para a digestão dos lipídios no intestino. A bile é secretada continuamente e passa do fígado para a vesícula biliar, onde é armazenada. Durante a digestão, as contrações da vesícula biliar expelem a bile para o duodeno.

figo *s.m.* (lat. *ficus*). **1.** Infrutescência comestível da figueira, formada por toda a inflorescência, que se torna carnuda depois da fecundação. **2.** *Fig.* Coisa machucada, amarrotada ou amassada. ● **Veter.** *Figo da ranilha,* doença do pé dos solípedes (jumento, cavalo, mulo), espécie de eczema que evolui com lesões praticamente incuráveis; pododermatite.

figo-da-índia *s.m.* Fruto da figueira-da-barbária, baga vermelha, amarela ou branca, comestível.

figueira *s.f.* (lat. *ficaria,* figueiral). **1.** Nome comum a várias árvores lactescentes, de folhas alternas e flores de tamanho reduzido. **2.** Pequena árvore frutífera, originária das costas do Mediterrâneo, de inflorescência comestível ao natural, quando madura, e usada para fazer doces em calda, quando verde.

figueira-da-barbária *s.f.* Arbusto originário das Américas, de tronco armado de espinhos e fruto comestível, conhecido como figo-da-índia. (Sin. FIGUEIRA-DA-ÍNDIA.)

figueira-da-índia *s.f.* **1.** Árvore ornamental originária da Índia, de casca cinzenta, copa arredondada, que fornece madeira própria para a fabricação de papel. **2.** Sin. de FIGUEIRA-DA-BARBÁRIA.

figura *s.f.* (lat. *figura*). **1.** Forma exterior de um corpo, de um ser. **2.** Aspecto, aparência. **3.** Personalidade marcante; vulto. **4.** Imagem, símbolo, emblema. **5.** Representação, desenho, ilustração. ● **Gram.** Recurso lingüístico no qual se procura criar um efeito imprevisto por meio de uma inversão da sintaxe.

figuração *s.f.* (lat. *figuratio*). **1.** Ação de figurar. **2.** Ação de representar qualquer coisa sob uma forma visível. **3.** Conjunto de figurantes em peça de teatro, balé, filme.

figurado *adj.* **1.** Alegórico, metafórico. **2.** Pintado, representado. **3.** Não existente; suposto, hipotético. **4.** Ornado com figuras. ● **Anat.** *Elemento figurado,* elemento de forma própria, visível ao microscópio, que no sangue é representado pelas hemácias, pelos leucócitos e pelas plaquetas.

figurante *s.2g.* **1.** Personagem secundária, geralmente muda, em peça de teatro, bailados, cinema. **2.** Qualquer pessoa que participa de uma peça de teatro ou filme.

figurão *s.m.* Pessoa importante.

figurar *v.t.* (lat. *figurare*) [conj. 4]. **1.** Representar a figura de. **2.** Representar por meio de pintura, escultura, desenho etc. **3.** Representar alegoricamente, simbolizar. **4.** Significar, representar. **5.** Fingir, aparentar. **6.** Imaginar, supor. **7.** Tomar parte, participar de. **8.** Fazer parte de, constar.

figurativo *adj.* **1.** Que é a representação realística de qualquer coisa, em oposição ao que é representado sob a forma de símbolo. **2.** Diz-se da arte, artista etc., que representa as formas do mundo visível (p. opos. a *não figurativo*).

figurinha *s.f.* Pequena estampa que representa animais, personagens famosos etc., e pode ser colada em um álbum.

figurinista *s.2g.* Desenhista de figurinos.

figurino *s.m.* (it. *figurino*). **1.** Figura ou desenho que representa modelos de traje. **2.** Traje, vestuário. **3.** Revista de moda. **4.** Pessoa que se veste rigorosamente de acordo com a moda. **5.** *Fig.* Modelo, exemplo, tipo.

fijiano *adj.* Relativo ou pertencente às ilhas Fiji, país da Oceania. ★ *s.m.* O natural ou habitante das ilhas Fiji.

fila[1] *s.f.* **1.** Fileira. **2.** Fileira de pessoas que se seguem umas às outras, por ordem de chegada, aguardando sua vez de ser atendidas em guichê, entrar em coletivo etc.

fila[2] *s.m.* **1.** Cão de guarda muito bravo. (Diz-se também *cão de fila.*) **2.** *Fila brasileiro,* raça de cães de grande porte usada para guarda de propriedades e de gado.

filaça *s.f.* (fr. *filasse*). Feixe de fibras vegetais extraídas dos caules de plantas fibrosas como linho, rami, cânhamo, juta etc.

filamento *s.m.* (lat. *filamentum*). **1.** Fio muito fino. **2.** Elemento fino e alongado de um órgão animal ou vegetal; fibra. **3.** Fibra têxtil contínua. ● **Astron.** Elemento da estrutura fina da cromosfera solar. **Eletr.** Nas lâmpadas elétricas, fio condutor, de diâmetro muito reduzido, que se torna incandescente com a passagem de corrente elétrica.

filante *adj.2g.* e *s.2g.* *Gír.* Diz-se de ou pessoa que fila.

filantropia *s.f.* **1.** Sentimento que leva as pessoas a se auxiliarem mutuamente. **2.** Amor à humanidade. **3.** Caridade.

filantropo (ô) *s.m.* (gr. *philantropos,* amigo do homem). Aquele que se ocupa em promover a melhoria das condições materiais e morais do homem.

filão *s.m.* (lat. *filum,* fio). **1.** Mineral ou rocha que preenche as fendas de uma rocha mais antiga; veio. **2.** *Fig.* Fonte, veio que se explora proveitosamente. **3.** *Pop.* (*SP*) Pão comprido, de peso e tamanho variáveis.

filar *v.t.* (conj. 16). **1.** Agarrar, prender, segurar. **2.** Açular (cães de fila). **3.** *Gír.* Conseguir, obter algo sem pagar. ★ *v.i.* **1.** Segurar a presa com os dentes. **2.** *Pop.* Espiar, observar.

filária *s.f.* Nome dado aos vermes nematódeos que parasitam o aparelho circulatório, tecido conjuntivo e cavidades serosas dos vertebrados, principalmente das aves e mamíferos.

filaríase *s.f.* Sin. de FILARIOSE.

filárico *adj.* Relativo às filárias.

filariose *s.f.* Termo genérico das afecções parasitárias devidas às filárias, como p. ex. a dracunculose, a bancroftose, a loaíase e a oncocercose. (Sin. FILARÍASE.)

filarmônica *s.f.* **1.** Sociedade musical. **2.** Orquestra sinfônica.

filarmônico *adj.* **1.** Relativo a ou próprio da filarmônica. **2.** Que gosta da harmonia ou da música. **3.** Diz-se de certas sociedades musicais.

filatelia *s.f.* (gr. *ateleia,* marca com selo). **1.** Ciência, estudo, pesquisa sobre os selos e, eventualmente, objetos conexos, como as marcas de franquia. **2.** Hábito e gosto de colecionar selos.

filáucia *s.f.* (gr. *philautia*). **1.** Amor-próprio; egoísmo. **2.** Jactância, presunção.

filé *s.m.* (fr. *filet*). **1.** Músculo interno da região lombar dos bovinos. **2.** Bife feito com essa carne, muito macio. **3.** Posta de peixe ou frango sem espinha ou osso. **4.** Trabalho de agulha em forma de rede, para decoração. **5.** *Fig.* A melhor parte.

fileira *s.f.* **1.** Série de pessoas, animais ou objetos em linha reta; fila, ala. **2.** Renque, carreira, fieira. ★ *s.f.pl.* Serviço, vida militar.

filete (ê) *s.m.* **1.** Pequeno fio. **2.** Líquido que corre em pequena quantidade. **3.** Fio. ● **Anat.** *Filete nervoso,* ramificação muito fina de um nervo. **Bot.** Parte do estame que sustenta a antera.

filha *s.f.* (lat. *filia*). Pessoa do sexo feminino, considerada em relação a seus pais.

filharada *s.f.* Grande quantidade de filhos.

filho *s.m.* (lat. *filius*). **1.** Pessoa do sexo masculino, considerada em relação a seus pais. **2.** Descendente. **3.** Natural, originário. **4.** Indivíduo em relação à casa onde recebeu ensino ou à pessoa que lho ministrou etc. **5.** Produto, resultado, conseqüência. **6.** A segunda pessoa da Santíssima Trindade. (Usa-se com maiúscula.) ★ *adj.* Procedente, conseqüente.

filhó *s.2g.* Bolinho de farinha e ovos, frito e polvilhado com açúcar e canela.

filho-de-santo *s.m.* **1.** Aquele que foi iniciado no candomblé. **2.** Pessoa que, de algum modo, cultua os orixás.

filhote *s.m.* **1.** Cria de animal. **2.** Natural, oriundo. **3.** Indivíduo favorecido, protegido. **4.** Dimin. de filho.

filhote de lobo irlandês

filhote de *chihuahua*

filiação *s.f.* (lat. *filiatio*). **1.** Ato ou efeito de filiar(-se). **2.** Relação de parentesco entre pais e filhos. **3.** Designação dos pais de alguém. **4.** Admissão em uma comunidade. **5.** Vinculação, encadeamento, ligação.

filial *adj.2g.* (lat. *filialis*). **1.** Que é próprio ou natural de filho. **2.** Que tem filiação. ★ *s.f.* Estabelecimento comercial dependente de outro; sucursal.

filiar *v.t.* (lat. *filiare*) [conj. 16]. **1.** Tomar como filho. **2.** Admitir em comunidade, sociedade etc.; afiliar. **3.** Associar, ligar, vincular. ★ *v.pr.* Ingressar numa organização, numa comunidade etc.; afiliar-se.

filiforme *adj.2g.* **1.** Que tem forma de fio. **2.** Delgado como um fio. ● **Anat.** *Papilas filiformes,* finas elevações da mucosa do dorso da língua. **Med.** *Pulso filiforme,* pulso muito fraco.

filigrana *s.f.* (it. *filigrana*). **1.** Espécie de renda de metal, feita de fios de ouro ou de prata delicadamente soldados. **2.** Desenho visível por transparência numa folha de papel, produzido por diferenças de espessura, e que representa uma marca, emblema ou efígie; marca-d'água. **3.** *Fig.* Trabalho delicado. **4.** *Fig.* Coisa supérflua.

filipino *adj.* Relativo ou pertencente às Filipinas, país da Ásia. ★ *s.m.* O natural ou habitante das Filipinas.

filisteu *adj.* Pertencente ou relativo aos filisteus, povo não semita estabelecido na antiga Palestina. ★ *s.m.* Indivíduo dos filisteus.

filmador (ô) *adj.* e *s.m.* Que ou o que filma.

filmadora *s.f.* Máquina de filmar.

filmagem *s.f.* Ato ou efeito de filmar.

filmar *v.t.* (conj. 4). **1.** Registrar (uma seqüência de imagens) em filme. **2.** Fazer um filme baseado no enredo de.

filme *s.m.* (ingl. *film,* película). **1.** Emulsão sensível depositada sobre uma base de plástico transparente flexível, como, por exemplo, o acetato de celulose, empregada em câmaras cinematográficas e em máquinas fotográficas. **2.** Obra cinematográfica. **3.** Fina camada de um produto que recobre uma superfície; película. ● **Biol.** *Filme de superfície,* nome dado pelos biólogos à interface água-ar.

filmoteca *s.f.* **1.** Coleção de filmes. **2.** Edifício ou sala onde se guardam esses filmes.

filo *s.m.* (gr. *phylon,* raça; ramo; tribo). Unidade taxonômica utilizada na classificação dos animais, que reúne uma ou mais classes similares ou relacionadas.

filó *s.m.* (lat. *filum,* fio). Tecido reticular de malha fina.

filodendro *s.m.* Nome comum a várias plantas ornamentais, cultivadas em jardins e interiores, de folhas recortadas e às vezes perfuradas.

filodérmico *adj.* Diz-se de produto farmacêutico destinado ao tratamento da pele.

filogênese *s.f.* Sin. de FILOGENIA.

filogenético *adj.* Relativo à filogenia.

filogenia *s.f.* História da evolução de uma raça, espécie, gênero e de outras unidades taxonômicas. (Sin. FILOGÊNESE.)

filologia *s.f.* (gr. *philologia*). Ciência cujo objetivo é a compreensão de uma cultura por meio do estudo crítico de seus textos.

filológico *adj.* Relativo à filologia.

filólogo *s.m.* (gr. *philologos*). Aquele que se dedica à filologia.

filoneísmo *s.m.* (gr. *neos,* novo). Gosto, entusiasmo pelas coisas novas.

filosofal *adj.2g.* *Pedra filosofal,* substância procurada pelos alquimistas, capaz de transformar em ouro os metais vis e curar ou remoçar o corpo humano.

filosofante *adj.2g.* e *s.2g.* **1.** Que ou aquele que filosofa. **2.** *Pej.* Que ou aquele que discorre disparatadamente, julgando-se erudito.

filosofar *v.i.* (lat. *philosophari*) [conj. 4]. **1.** Raciocinar acerca de temas filosóficos; entregar-se à especulação filosófica. **2.** Discorrer sobre matéria científica. **3.** Meditar, cismar, matutar. **4.** *Pej.* Discorrer de modo banal ou disparatado sobre algo ★ *v.t.* **1.** Argumentar ou discutir com sutileza. **2.** Dizer como quem filosofa.

filosofia *s.f.* (gr. *philosophia*). **1.** Atividade intelectual que se propõe refletir sobre os seres, as causas e os valores, considerados em seus valores mais gerais. **2.** Conjunto dos estudos e reflexões dessa atividade. **3.** Sistema particular de um filósofo. **4.** Sabedoria proveniente da experiência. **5.** Conjunto dos princípios que regem uma conduta.

filosófico *adj.* (gr. *philosophikos*). Relativo à filosofia ou aos filósofos.

filósofo *s.m.* (gr. *philosophos*). **1.** Aquele que se dedica à filosofia. **2.** Pensador que elabora uma doutrina ou um sistema filosófico. ★ *adj.* **1.** Que se dedica à filosofia. **2.** Sábio. **3.** *Pej.* Idealista, sonhador.

FILÓSOFOS ► *Tales de Mileto* (século VI a.C.) – foi o primeiro pensador jônico. Afirmava que o mundo era composto de água.

Pitágoras (século VI a.C.) – filósofo de Samos, que emigrou para a Magna Grécia (atual sul da Itália), onde fundou sua escola. Para os pitagóricos, os números eram mais reais que os objetos sensíveis. Pitágoras foi o primeiro a utilizar o termo "filosofia".

Heráclito (c. 540-c. 480 a.C.) – pensador jônico que acreditava que tudo estava em constante mudança, que os princípios contrários eram idênticos e que o Universo era feito de fogo.

Parmênides de Eléia (c. 540-c. 450 a.C.) – influente filósofo eleata, que interpretou a realidade como um fenômeno indivisível (dado que o nada pode não existir). Essa postura é conhecida como monismo.

Anaxágoras (c. 500-c. 428 a.C.) – filósofo e cientista da Jônia que expôs a teoria segundo a qual o mundo tem origem em um redemoinho cósmico causado pela Mente Divina ou *Nous*. Além disso, para Anaxágoras, tudo participa de tudo.

Empédocles (c. 490-c. 430 a.C.) – filósofo de Agrigento (Sicília), que proclamou que o mundo era formado por quatro elementos: terra, água, ar e fogo, sujeitos a constante mudança. Para Empédocles, a filosofia pode livrar os seres humanos do pecado.

---

filtração *s.f.* **1.** Passagem de um líquido através de um filtro, poroso e permeável, que retém as impurezas; filtragem. **2.** Operação que consiste em separar, com o auxílio de um filtro, uma fase contínua (líquida ou gasosa) de uma fase dispersa (sólida ou líquida), inicialmente misturadas. ● **Med.** *Filtração extra-renal,* técnica que permite livrar o sangue de impurezas em caso de falência da função excretora dos rins.

filtragem *s.f.* Ação ou efeito de filtrar; filtração.

filtrar *v.t.* (fr. *filtrer*) [conj. 4]. **1.** Fazer ou deixar passar um líquido ou um gás através de um filtro. **2.** Deixar passar moderando a intensidade de; absorver. **3.** Não permitir a passagem. **4.** *Fig.* Escolher, selecionar. ★ *v.i.* e *v.pr.* **1.** Passar através de filtro. **2.** *Fig.* Infiltrar-se.

filtro *s.m.* (lat. tard. *filtrum*). **1.** Corpo poroso ou aparelho através do qual se faz passar um fluido para eliminar matérias que nele se encontram em suspensão ou para extrair matérias sólidas ou pastosas a que está misturado. **2.** Vaso de barro, bojudo e com tampa, munido de pedra porosa e destinado a purificar a água; talha. ● **Fís.** Objeto ou dispositivo que serve para modificar, por transmissão, o fluxo e/ou a distribuição especial da radiação que o atravessa. **Fot.** Dispositivo transparente e colorido colocado diante de objetiva para selecionar ou interceptar certas raias do espectro.

fim *s.m.* (lat. *finis*). **1.** O que termina, a última parte. **2.** Conclusão, remate. **3.** Cessação, interrupção. **4.** Morte, desaparecimento. **5.** Objetivo, intenção, propósito. **6.** Destino. ● **Mec.** *Sem fim,* diz-se de cabo, corrente, correia etc., cujas extremidades foram reunidas.

fímbria *s.f.* (lat. *fimbria*). **1.** Borda, beirada, extremidade. **2.** Franja, orla.

fimbriado *adj.* **1.** Guarnecido de fímbria; franjado. **2.** Diz-se do órgão ou peça vegetal finamente recortado na fímbria, ou beirada.

fimbriar *v.t.* (conj. 16). Pôr fímbria em; franjar.

fimose *s.f.* (gr. *phimosis,* ligação). Estreitamento anormal do orifício prepucial do pênis, em geral congênito, que impede ou dificulta a exposição da glande.

finado *adj.* e *s.m.* **1.** Que ou aquele que se finou. **2.** Morto, falecido; o defunto.

finados *s.m.pl.* Segundo dia do mês de novembro, consagrado pelos católicos como dia de oração pelos mortos.

final *adj.2g.* (lat. *finalis*). **1.** Que diz respeito ao fim. **2.** Derradeiro, último. **3.** Que põe termo. ● **Gram.** Que indica finalidade ou intenção. ★ *s.m.* Desfecho, remate, fim. ★ *s.f.* Última prova, decisiva nas competições esportivas eliminatórias.

finalidade *s.f.* (lat. *finalitas*). **1.** Fim a que se destina algo; meta, objetivo. **2.** Adaptação de partes a um todo ou das partes de um todo umas às outras. ● **Filos.** Existência ou natureza de uma causa final.

finalista *adj.2g.* e *s.2g.* Que ou aquele que participa de uma final.

finalização *s.f.* Ato ou efeito de finalizar(-se); acabamento, conclusão.

finalizar *v.t.* (conj. 4). Arrematar, concluir, ultimar, acabar. ★ *v.i.* e *v.pr.* Chegar ao fim; terminar.

finanças *s.f.pl.* **1.** Erário, tesouro público. **2.** A ciência e a profissão do manejo do dinheiro, especialmente do dinheiro público. **3.** O estado financeiro de um país ou de um particular.

financeira *s.f.* Empresa de crédito e financiamento.

financeiro *adj.* Relativo às finanças. ★ *s.m.* Financista.

financiamento *s.m.* **1.** Ação de suprir os recursos necessários para a execução de determinado projeto, obra ou atividade, na forma de empréstimo ou de outra qualquer. **2.** Empréstimo a longo prazo.

financiar *v.t.* (conj. 16). Fornecer dinheiro para execução de; custear.

financista *s.2g.* Especialista em operações financeiras; financeiro.

finar *v.i.* (conj. 4). Findar, acabar. ★ *v.pr.* **1.** Definhar-se, debilitar-se; emagrecer. **2.** Morrer.

finca-pé *s.m.* **1.** Ato ou efeito de fincar o pé com força; firmeza. **2.** *Fig.* Persistência, teimosia, insistência. **3.** *Fig.* Empenho.

fincar *v.t.* (conj. 12). **1.** Pregar, cravar, implantar. **2.** Apoiar, pousar. **3.** Enraizar, fixar. ★ *v.pr.* **1.** Teimar, recalcitrar, insistir com afinco. **2.** Ficar firme, imóvel.

findar *v.t.* (conj. 4). **1.** Pôr fim a; finalizar, terminar. ★ *v.i.* Acabar, concluir.

findável *adj.2g.* Que tem fim; transitório.

findo *adj.* **1.** Que findou; passado. **2.** Acabado, concluído, terminado.

finês *s.m.* Sin. de FINLANDÊS.

fineza (ê) *s.f.* **1.** Qualidade do que é fino; finura. **2.** *Fig.* Delicadeza, gentileza, finura. **3.** Favor, obséquio. **4.** *Fig.* Argúcia, sagacidade.

fingido *adj.* **1.** Que finge, simula; falso, enganador. **2.** Hipócrita, impostor.

fingidor (ô) *adj.* e *s.m.* Que ou aquele que finge.

fingir *v.t.* (lat. *fingere,* modelar em barro) [conj. 52]. **1.** Simular, inventar. **2.** Supor o que não é; fantasiar. **3.** Mostrar o oposto do que é; aparentar. **4.** Imitar, arremedar. ★ *v.pr.* Querer passar por aquilo que não é; dar-se ares de.

finidade *s.f.* Propriedade do que é finito.

finítimo *adj.* (lat. *finitimus*). Confinante, contíguo, limítrofe.

finito *adj.* (lat. *finitus*). **1.** Que tem fim, que tem limites; limitado. **2.** Provisório, contingente. ● **Mat.** *Conjunto finito,* conjunto que tem um número contável de elementos.

finlandês *adj.* Relativo ou pertencente à Finlândia, país da Europa. ★ *s.m.* **1.** O natural ou habitante da Finlândia. **2.** Língua falada principalmente na Finlândia. (Sin. FINÊS.)

fino *adj.* (lat. *finis,* fim; o mais refinado). **1.** Que não é grosso; delgado. **2.** Aguçado, afiado. **3.** Delicado, suave. **4.** Diz-se de voz ou som agudo, penetrante. **5.** Cortês, gentil, polido. **6.** Apurado, escolhido. **7.** Elegante, seleto. **8.** De qualidade superior; excelente.

finório *adj.* e *s.m.* Espertalhão.

finta *s.f.* (it. *finta*). **1.** Engano, calote. **2.** Drible.

fintar *v.t.* (conj. 4). **1.** Enganar, lograr. **2.** Driblar.

finura *s.f.* **1.** Fineza. **2.** Astúcia, malícia.

fio *s.m.* (lat. *filum*). **1.** Pedaço de um material, de diâmetro uniforme e muito reduzido em relação ao comprimento. **2.** Fibra extraída de plantas têxteis. **3.** A corrente de um líquido. **4.** Gume. **5.** Série, sucessão contínua, encadeamento entre as partes de um todo. **6.** Traço mais ou menos fino; filete. **7.** *Fig.* Qualquer coisa muito tênue, delicada. **8.** Direção das fibras da madeira ou do tecido. **9.** *A fio,* seguidamente, a eito, sem interrupção.► *Fio dental,* pedaço de linha que se passa entre os dentes para limpá-los; traje de praia preso ao corpo por uma faixa que passa entre as nádegas, deixando-as expostas. ● **Eletr.** *Fio condutor,* fio metálico utilizado como condutor elétrico. **Zool.** Substância protéica secretada pelas aranhas, por algumas lagartas e pelo bicho-da-seda.

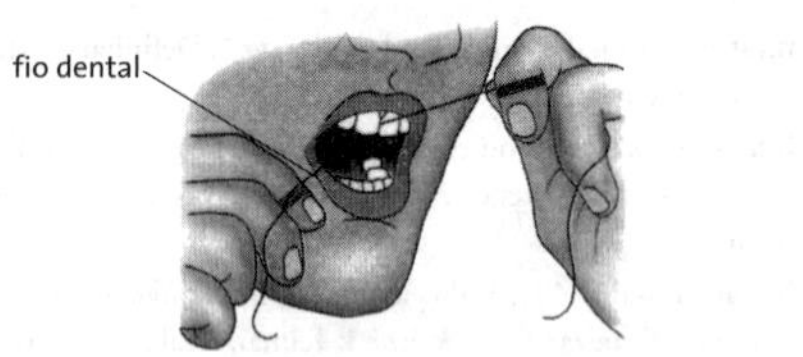

fiorde *s.m.* (nor. *fjord*). Golfo estreito e profundo, limitado por vertentes escarpadas, resultante da invasão de um vale glaciário pelo mar.

firma *s.f.* **1.** Assinatura por extenso ou abreviada, manuscrita ou gravada. **2.** Nome usado pelo comerciante ou industrial no exercício de suas atividades; razão social. **3.** Ponto de apoio.

firmamento *s.m.* (lat. *firmamentum*). **1.** A abóbada celeste; céu. **2.** Base, fundamento.

firmar *v.t.* (lat. *firmare*) [conj. 4]. **1.** Tornar firme, estável; consolidar. **2.** Pôr firma em; assinar. **3.** Sancionar, ratificar. **4.** Apoiar com força, amparar. **5.** *Fig.* Tornar forte, seguro, decidido. ★ *v.pr.* **1.** Tornar-se firme, estável; consolidar-se. **2.** Segurar-se, amparar-se. **3.** Basear-se, fundamentar-se.

firme *adj.2g.* (lat. *firmus*). **1.** Sólido, estável, fixo. **2.** Resoluto, decidido. **3.** Inalterável, imperturbável. **4.** Implacável. **5.** Obstinado, tenaz. **6.** Seguro, garantido.

firmeza (ê) *s.f.* **1.** Qualidade ou estado do que é firme, sólido. **2.** Estabilidade, constância. **3.** Força, vigor. **4.** Determinação, resolução. **5.** Energia moral.

fisália *s.f.* Sin. de CARAVELA[2].

fiscal *adj.2g.* (lat. *fiscalis*). Relativo ou pertencente ao fisco. ★ *s.m.* **1.** Funcionário dos poderes públicos que verifica o cumprimento das leis tributárias e penaliza os contraventores. **2.** Aquele que zela pela observância das normas.

fiscalização *s.f.* **1.** Ato ou efeito de fiscalizar. **2.** Cargo e exercício de fiscal.

fiscalizar *v.t.* (conj. 4). **1.** Zelar pela observância das leis e normas. **2.** Examinar, vigiar. ★ *v.i.* Exercer o ofício de fiscal.

fisco *s.m.* (lat. *fiscus*). **1.** Tesouro público, erário, fazenda pública. **2.** Órgãos da administração pública responsáveis pela arrecadação e fiscalização dos impostos.

fisga *s.f.* **1.** Arpão de pesca. **2.** Fenda, greta. **3.** Forquilha de estilingue. **4.** Pequeno arpão.

fisgada *s.f.* **1.** Ação de fisgar. **2.** Dor aguda e rápida; pontada.

fisgar *v.t.* (conj. 14). **1.** Agarrar com fisga ou arpão. **2.** Prender. **3.** *Fam.* Despertar amor em; enfeitiçar.

fisgo *s.m.* Extremidade farpada do anzol ou do arpão.

fisiatra *s.2g.* Especialista em fisiatria.

fisiatria *s.f.* Terapêutica que faz uso de agentes físicos e/ou de aparelhos mecânicos.

física *s.f.* (gr. *physike*). Ciência que estuda o aspecto material e energético dos fenômenos naturais, por observação da natureza, simulação laboratorial e formulação teórica.

FÍSICA ► É a ciência que investiga as leis do universo, ocupando-se do estudo da matéria e da energia. Tradicionalmente, costuma dividir-se em uma série de campos: mecânica, eletromagnetismo, óptica, termodinâmica etc. Por meio dessas diversas áreas de estudo, a física é capaz de dar uma descrição unificada dos fenômenos da natureza mediante um número relativamente pequeno de leis matemáticas. Por isso, é considerada a mais fundamental das ciências naturais.

físico *adj.* (gr. *physikos*). **1.** Relativo ou pertencente à natureza, à matéria. **2.** Relativo ao corpo humano. **3.** Relativo à física. **4.** *Ciências físicas,* a física e a química. ► *Propriedades físicas,* propriedades mecânicas, ópticas, elétricas, magnéticas, térmicas, nucleares etc., das substâncias. ● **Dir.** *Pessoa física,* o ser humano considerado individualmente como titular de direitos. ★ *s.m.* **1.** Conjunto das qualidades exteriores e materiais do homem; corpo. **2.** Especialista em física.

físico-química *s.f.* **1.** Conjunto das características físicas e químicas de um fenômeno. **2.** Ciência, compreendida entre a física e a química, que trata da investigação e da determinação dos sistemas, de suas propriedades e de suas relações com as respectivas estruturas. (Sin. QUÍMICO-FÍSICA.)

físico-químico *adj.* Relativo à físico-química. ★ *s.m.* Especialista em físico-química.

fisiologia *s.f.* **1.** Ciência que trata das funções orgânicas pelas quais a vida se manifesta. **2.** *Fisiologia comparada,* parte da fisiologia que estuda as funções de um órgão em vários tipos de animais, vertebrados e invertebrados.

fisiológico *adj.* **1.** Relativo à fisiologia. **2.** Diz-se das funções e reações normais do organismo.

fisiologista *s.2g.* Especialista em fisiologia; fisiólogo.

fisiólogo *s.m.* Fisiologista.

fisionomia *s.f.* (gr. *physiognomia*). **1.** Conjunto dos traços do rosto; cara, semblante. **2.** Expressão que resulta desse conjunto. **3.** *Fig.* Caráter, aspecto que distingue uma coisa de outra.

fisionômico *adj.* Relativo à fisionomia.

fisionomista *s.2g.* **1.** Pessoa hábil em julgar o caráter segundo a fisionomia. **2.** Pessoa que se lembra bem de fisionomias.

fisiopatologia *s.f.* Estudo dos distúrbios funcionais que afetam as funções fisiológicas e são responsáveis por sinais patológicos.

fisiopatológico *adj.* Relativo à fisiopatologia.

fisioterapeuta *s.2g.* Profissional que exerce a fisioterapia.

fisioterapia *s.f.* Tratamento de doenças ou de seqüelas de traumatismos por meio de agentes físicos, como água, calor, frio e irradiações.

fisioterápico *adj.* Relativo à fisioterapia.

fisocele *s.f.* Hérnia intestinal.

fissão *s.f.* (lat. *fissio,* ação de fender). Ruptura, cisão. ● **Fís.** Divisão de um núcleo atômico pesado, espontânea ou provocada, com liberação de energia e emissão de nêutrons.

físsil *adj.2g.* (lat. *fissilis*). **1.** Que tende a se fender. **2.** Diz-se do material que facilmente se divide em lâminas delgadas. **3.** Diz-se da matéria, em particular de átomos pesados, que pode sofrer fissão. (Sin. FISSIONÁVEL.)

fissionar *v.t.* (conj. 4). Realizar, provocar a fissão nuclear. ★ *v.i.* Experimentar a fissão.

fissionável *adj.2g.* Sin. de FÍSSIL.

fissura *s.f.* (lat. *fissura*). **1.** Pequena fenda, racha ou cissura. **2.** *Gír.* Desejo ardente, incontrolável, por alguma coisa. ● **Anat.** Fenda natural na superfície de certos órgãos. **Med.** Lesão ulcerosa nas pregas de uma membrana mucosa. ► Sulco estreito cavado na superfície de um tecido ou órgão. ► Fenda ou fratura nos ossos. ► Greta na pele calosa das mãos ou dos pés.

fissuração *s.f.* **1.** Estado das partes fendidas ou rachadas. **2.** Produção de fissuras. ● **Anat.** Divisão das vísceras em lóbulos.

fístula *s.f.* (lat. *fistula,* canudo). **1.** Comunicação anormal entre a luz de um elemento anatômico ou patológico e aquela de um outro elemento ou meio exterior. **2.** Trajeto percorrido pelo pus a partir de um foco purulento. **3.** *Poét.* Flauta pastoril. **4.** *Fístula anal,* trajeto estreito, irregular, que vai da mucosa anal até a pele da margem do ânus, quase sempre consecutivo a um abscesso na região.

fistulado *adj.* **1.** Fistuloso. **2.** Atravessado por um tubo ou canal em toda a sua extensão.

fistular *adj.2g.* (lat. *fistularis*). **1.** Relativo a uma fístula. **2.** Que apresenta um tubo, um canal, em todo o seu comprimento.

fistulização *s.f.* Formação de uma fístula.

fistuloso *adj.* **1.** Que apresenta uma fístula; fistulado. **2.** Da natureza da fístula.

fita *s.f.* (lat. *vitta*). **1.** Banda comprida e estreita de tecido ou outro material; tira, faixa. **2.** Filme cinematográfico. **3.** Ato, atitude que visa a impressionar; simulação, fingimento. **4.** Manha infantil, birra.

fitar *v.t.* (conj. 4). Olhar fixamente. ★ *v.pr.* Olhar-se atenta e reciprocamente.

fiteiro *adj.* e *s.m.* **1.** Que ou aquele que faz fita; manhoso, birrento. **2.** Que ou aquele que busca impressionar com fitas; fingido, mentiroso. **3.** Que ou aquele que fabrica fitas.

fitilho *s.m.* Fita estreita para atar.

fito *s.m.* (lat. *fictus*). **1.** Alvo, objetivo. **2.** Intenção, intuito. ★ *adj.* Fixo, cravado.

fitófago *adj.* e *s.m.* Diz-se de ou organismo que se nutre de vegetais.

fitologia *s.f.* Botânica.

fitoplâncton *s.m.* Conjunto de vegetais que constituem o plâncton.

fitormônio *s.m.* **1.** Hormônio vegetal que age em diversos processos de uma planta, como crescimento, dormência e floração. **2.** Hormônio sintético utilizado como herbicida ou inseticida.

fitose *s.f.* Doença causada por vegetais, especialmente por bactérias.

fitossanitário *adj.* Relativo aos cuidados dados aos vegetais para preservar-lhes a saúde.

fitosterol *s.m.* Nome genérico dos esteróis de origem vegetal.

fitoterapeuta *s.2g.* Especialista em fitoterapia.

fitoterapia *s.f.* Tratamento das doenças pelo uso de plantas.

fitotoxicidade *s.f.* Caráter de um produto ou substância fitotóxica.

fitotóxico *adj.* Diz-se do produto ou substância tóxica nociva às plantas e que pode acarretar-lhes enfraquecimento e morte.

fitotoxina *s.f.* Antígeno de origem vegetal que pode provocar a formação de anticorpos em um organismo vivo.

fiúza *s.f.* (lat. *fiducia*). Confiança, fé.

fivela *s.f.* (lat. *fibula,* colchete). Peça de metal, com um ou mais fuzilhões, que serve para prender algumas peças do vestuário (cintos, sapatos), dos arreios etc.

fixação (cs) *s.f.* Ato ou efeito de fixar(-se). ● **Biol.** Operação pela qual um tecido vivo é morto por um fixador, com o fim de se realizar um exame microscópico. **Psican.** Ligação privilegiada da libido a objetos, a representações ou a modos de satisfação libidinal dos estados pré-genitais. **Quím.** Estabilização de um corpo volátil. ► Reação química em que se introduz um elemento novo em uma substância.

fixador (cs...ô) *adj.* Que fixa. ★ *s.m.* **1.** Peça, aparelho ou substância para fixar. **2.** Líquido gomoso com que se fixam os cabelos. **3.** Líquido transparente e incolor que se pulveriza sobre desenhos para protegê-los. **4.** Substância que se adiciona aos perfumes para que não percam o aroma. ● **Biol.** Substância que provoca a morte celular e preserva a morfologia dos constituintes citoplasmáticos e nucleares, o que permite o estudo do material ao microscópio. **Fot.** Substância que torna uma imagem fotográfica inalterável sob ação da luz.

fixar (cs) *v.t.* (conj. 4). **1.** Tornar fixo, estável; pregar, prender. **2.** Estabelecer definitivamente. **3.** Reter na memória. **4.** *Fig.* Determinar, precisar. ● **Biol.** Praticar a fixação de um tecido. **Quím.** Proceder à fixacão de uma substância. ★ *v.pr.* **1.** Tornar-se firme. **2.** Estabelecer-se de maneira permanente. **3.** Fitar-se.

fixo (cs) *adj.* (lat. *fixus*). **1.** Firme, estável, pregado. **2.** Que não se move. **3.** Que não pode ser alterado.

flabelo *s.f.* (lat. *flabellum*). **1.** Leque ou ventarola. **2.** Folha de palmeira.

flacidez (ê) *s.f.* Estado do que é flácido. ● **Fisiol.** Estado de certos órgãos eréteis quando não estão cheios de sangue. ▸ Estado das fibras relaxadas.

flácido *adj.* (lat. *flaccidus*). Mole, frouxo, sem elasticidade.

flagelação *s.f.* (lat. *flagellatio*). **1.** Ato ou efeito de flagelar(-se). **2.** *Fig.* Tormento, aflição. **3.** Suplício.

flagelado[1] *adj.* Açoitado, torturado, atormentado. ★ *adj.* e *s.m.* Que ou aquele que, vítima de calamidades (inundações, secas, terremotos etc.), ficou desabrigado.

flagelado[2] *s.m.* Espécime dos flagelados. ★ *adj.* Relativo aos flagelados.

flagelados *s.m.pl.* Classe de protozoários que apresentam um ou mais flagelos em algum estágio do seu ciclo de vida.

flagelar *v.t.* (lat. *flagellare*) [conj. 4]. **1.** Açoitar, bater com flagelo ou castigar de outro modo qualquer. **2.** Atormentar, afligir, mortificar.

flagelo *s.m.* (lat. *flagellum,* chicote). **1.** Azorrague com que se açoita. **2.** Castigo, tortura. **3.** Calamidade, desgraça, infortúnio. ● **Biol.** Estrutura filamentosa, semelhante a um pêlo longo, cujo batimento provoca o deslocamento da célula no meio ou a circulação da água circundante.

flagra *s.m. Pop.* Flagrante.

flagrância *s.f.* (lat. *flagrantia,* calor intenso; paixão). **1.** Qualidade do que é flagrante. **2.** Momento em que ocorre certo fato, um flagrante.

flagrante *adj.2g.* (lat. *flagrans*). **1.** Ardente, inflamado. **2.** Rubro, corado. **3.** Evidente, incontestável. ★ *adj.2g.* e *s.m.* Diz-se de ou ato ou fato que ocorre no próprio momento em que é observado.

flagrar *v.i.* (lat. *flagrare*) [conj. 4]. Incendiar-se, arder. ★ *v.t.* **1.** Surpreender em ato flagrante. **2.** Registrar um flagrante de.

flama *s.f.* (lat. *flamma*). **1.** *Poét.* Chama, labareda. **2.** *Fig.* Vivacidade, ardor.

flamante *adj.2g.* (lat. *flammans*). Flamejante.

flamar *v.t.* (conj. 4). Desinfetar com fogo; flambar.

flambar *v.t.* (fr. *flamber*) [conj. 4]. **1.** Flamar. **2.** Despejar uma bebida alcoólica sobre um alimento e atear fogo.

flamboiã *s.m.* (fr. *flamboyant*). Árvore ornamental, originária de Madagascar, de casca castanha, flores vermelhas ou alaranjadas, com florada intensa e bom sombreamento. (Sin. FLOR-DO-PARAÍSO, PAU-ROSA.)

flamejante *adj.2g.* **1.** Que flameja; flamante, chamejante. **2.** *Fig.* Ostentoso, vistoso; flamante. ● **Arquit.** *Estilo flamejante,* estilo próprio do último período da arte gótica, caracterizado pelas linhas ondulantes, como labaredas, dos ornatos que lhe são característicos.

flamejar *v.i.* (conj. 4). **1.** Lançar uma chama brilhante. **2.** Brilhar como a chama.

flamengo[1] *adj.* (germ. *Flaming*). Relativo ou pertencente a Flandres, região da França e da Bélgica. ★ *s.m.* **1.** O natural ou habitante de Flandres. **2.** Conjunto de dialetos do holandês falado em Flandres.

flamengo[2] *s.m.* Var. de FLAMINGO.

flamingo *s.m.* (ingl. *flamingo*). Ave ciconiforme, pernalta, de coloração rosada e bico em forma de caixa que serve para peneirar pequenos animais da água. (Var. FLAMENGO.)

flâmula *s.f.* (lat. *flammula*). **1.** Pequena chama. **2.** Bandeirola farpada, estreita e comprida, fixada numa verga para indicar a direção do vento. **3.** Bandeira, pavilhão.

flanar *v.i.* (fr. *flâner*) [conj. 4]. Passear ociosamente, sem objetivo ou direção certa.

flanco *s.m.* (fr. *flanc*). **1.** Parte lateral do abdome humano, situada entre as costelas e a aba ilíaca da bacia. **2.** O lado de qualquer coisa. **3.** O lado do corpo. **4.** Parte lateral da cavidade abdominal dos quadrúpedes.

flandres *s.m.2n.* Sin. de LATA.

flanela *s.f.* (ingl. *flannel*). Tecido leve, de superfície pilosa e macia, produzido com fios de algodão ou lã.

flanquear *v.t.* (conj. 15). **1.** Defender pelos flancos ou lados. **2.** Atacar pelo flanco. **3.** Marchar paralelamente.

flash *s.m.* (ingl). Clarão breve e intenso que permite fotografar com luz natural insuficiente. ● **Jorn.** Notícia breve e resumida.

flato *s.m.* (lat. *flatus,* sopro). **1.** Movimento de ar. **2.** Flatulência. **3.** Ataque histérico, fanico. **4.** *Fig.* Vaidade, jactância.

flatulência *s.f.* (fr. *flatulence*). **1.** Acúmulo de gases no tubo digestivo; flatos, flatuosidade. **2.** Conjunto de ruídos produzidos pelo conflito entre esses gases e os líquidos no intestino. **3.** Emissão desses gases pela boca ou pelo ânus; flato.

flatulento *adj.* (fr. *flatulent*). **1.** Que é produzido pela flatulência. **2.** Que é da natureza do flato.

flauta *s.f.* (prov. *flaüto*). **1.** Instrumento musical de sopro, de tubo cilíndrico aberto e com orifícios. **2.** *Fam.* Indolência, vadiação.

flautear *v.i.* e *v.t.* (conj. 15). **1.** Tocar flauta. **2.** *Fam.* Vadiar, distrair-se.

flautim *s.m.* (it. *flautino*). Instrumento de sopro, mais curto e mais fino que a flauta, cujo tom é superior ao desta em uma oitava.

flautista *s.2g.* **1.** Músico que toca flauta. **2.** O que faz flautas. **3.** *Fam.* Indolente, vadio.

flavorizante *adj.2g.* e *s.m.* Diz-se de ou substância que confere ou intensifica o sabor e o aroma dos alimentos.

flébil *adj.2g.* (lat. *flebilis*). **1.** Choroso, plangente. **2.** Débil, fraco.

flebite *s.f.* (do gr. *phleps, phlebos,* veia). Inflamação de uma veia, que leva à sua obstrução por trombose.

flebítico *adj.* Relativo à flebite.

flebologia *s.f.* Estudo e tratamento das afecções venosas.

flecha *s.f.* (fr. *flèche*). **1.** Haste pontiaguda que serve como arma ao ser arremessada por um arco; seta. **2.** Qualquer objeto ou sinal parecido com a flecha; seta. ● **Bot.** Extremidade ou broto terminal das árvores. ▸ Inflorescência masculina do milho.

flechada *s.f.* **1.** Arremesso de flecha. **2.** Ferida aberta com flecha.

flechar *v.t.* (conj. 4). **1.** Ferir com flechas. **2.** *Fig.* Magoar, ferir. **3.** *Fig.* Molestar, ofender.

flecheiro *s.m.* Soldado ou caçador armado de arco e flecha; arqueiro.

flectir *v.t.* e *v.pr.*(lat. *flectere*) [conj. 65]. Curvar(-se), dobrar(-se), flexionar(-se). (Var. FLETIR.)

flegma (ê) *s.f.* (gr. *phlegma,* humor). Primeiro produto da destilação, ainda impuro, dos sucos fermentados de certos vegetais. (Var. FLEUMA.)

flegmão *s.m.* Inflamação supurada difusa, aguda ou subaguda, do tecido conjuntivo. (Var. FLEIMÃO, FLEUMÃO.)

flegmasia *s.f. P. us.* Inflamação interna.

flegmático *adj.* Var. de FLEUMÁTICO.

fleimão *s.m.* Var. de FLEGMÃO.

flertar *v.t.* e *v.i.* (conj. 4). **1.** Entreter relações sentimentais. **2.** Namorar.

flerte (ê) *s.m.* (ingl. *flirt*). **1.** Ação de flertar, de namorar; namoro ligeiro, sem conseqüência. **2.** Pessoa com quem se flerta.

fletir *v.t.* (conj. 65). Var. de FLECTIR.

fleugma *s.f.* Humor aquoso que, para os antigos, era parte essencial do sangue e de outros líquidos vitais. (Var. FLEUMA.)

fleugmático *adj.* Var. de FLEUMÁTICO.

fleuma *s.f.* (gr. *phlegma,* humor). **1.** Caráter de uma pessoa calma, impassível. **2.** *Fig.* Falta de interesse, de diligência; pachorra. ● **Med.** Var. de FLEUGMA. **Quím.** Var. de FLEGMA.

fleumão *s.m.* Var. de FLEGMÃO.

fleumático *adj.* (gr. *phlegmatikos*). **1.** Relativo à fleuma. **2.** Que controla suas emoções; impassível, imperturbável. (Var. FLEUGMÁTICO, FLEGMÁTICO.)

flexão (cs) *s.f.* (lat. *flexio*). **1.** Ação de flectir(-se), curvar-se. **2.** Estado do que é flexível; curvatura, dobradura. **3.** Ação de flectir um membro; posição flectida. ● **Ling.** Variação morfológica de um nome (declinação) ou de um verbo (conjugação) expressa pela mudança de suas desinências.

flexibilidade (cs) *s.f.* **1.** Qualidade do que é flexível. **2.** Elasticidade, agilidade; flexura. **3.** Aptidão para diversas ocupações. **4.** Maleabilidade.

flexibilização (cs) *s.f.* Ação de flexibilizar(-se).

flexibilizar (cs) *v.t.* e *v.pr.* (conj. 4). Tornar(-se) flexível.

flexionado (cs) *adj.* Que se flexionou.

flexionar (cs) *v.i.* (conj. 4). Flectir. ● **Ling.** Fazer a flexão de uma palavra.

flexível (cs) *adj.2g.* (lat. *flexibilis*). **1.** Que se dobra ou curva facilmente. **2.** *Fig.* Brando, complacente, dócil. **3.** Volúvel, muito mutável. **4.** Fácil de manejar; maleável. **5.** Que tem aptidão para várias atividades.

flexivo (cs) *adj.* Relativo à flexão.

flexor (cs...ô) *adj.* e *s.m.* (lat. *flexor*). **1.** Que ou o que faz dobrar ou curvar. **2.** *Músculo flexor* ou *flexor,* músculo ou conjunto de músculos cuja contração provoca o encurtamento, em flexão, de um membro ou de um segmento de membro.

flexuosidade (cs) *s.f.* Estado do que é flexuoso; flexura.

flexuoso (cs...ô) *adj.* (lat. *flexuosus*). Curvado alternadamente em vários sentidos diferentes; torcido, sinuoso.

flexura (cs) *s.f.* **1.** Junta, articulação dos ossos. **2.** Flexibilidade. **3.** Flexuosidade.

flictena *s.f.* **1.** Bolha transparente, repleta de serosidade, localizada na epiderme. **2.** Sin. de VESÍCULA.

floco *s.m.* (lat. *floccus,* velo de lã). **1.** Conjunto de partículas de um meio disperso que aderem fracamente umas às outras. **2.** Pequena massa leve de uma substância pouco densa, particularmente de neve. **3.** Grãos de cereais reduzidos a lâminas.

floculação *s.f.* **1.** Transformação reversível de uma solução coloidal em que ocorre a associação de suas partículas constituintes. **2.** Processo de depuração que se utiliza dessa propriedade.

floculante *adj.2g.* e *s.m.* **1.** Sin. de COAGULANTE. **2.** Reativo que produz floculação.

floema *s.m.* Tecido vascular das plantas, principal condutor da seiva elaborada. (Sin. LÍBER.)

flogístico *s.m.* Fluido idealizado pelos antigos químicos para explicar a combustão.

flogose *s.f.* **1.** Enrubescimento e calor resultantes de uma inflamação. **2.** A própria inflamação.

flor (ô) *s.f.* (lat. *flos, floris*). **1.** Órgão das plantas superiores que contém os aparelhos reprodutores, em geral rodeados por um perianto, cujas peças costumam ter cor brilhante e/ou perfume agradável. **2.** Planta que dá flores. **3.** Objeto ou desenho que representa uma flor. **4.** *Fig.* Época em que um ser tem toda a força vital, todo o vigor. **5.** *Fig.* A parte mais apreciada de um todo; nata, escol. **6.** *Fig.* Pessoa amável, delicada. **7.** *À flor de,* à superfície de. ● **Quím.** Nome dado pelos antigos químicos a determinados sólidos mais ou menos brilhantes, obtidos por sublimação ou oxidação prolongada.

FLOR ▸ Flor da macieira (flor bissexuada, órgãos masculinos e femininos reunidos)

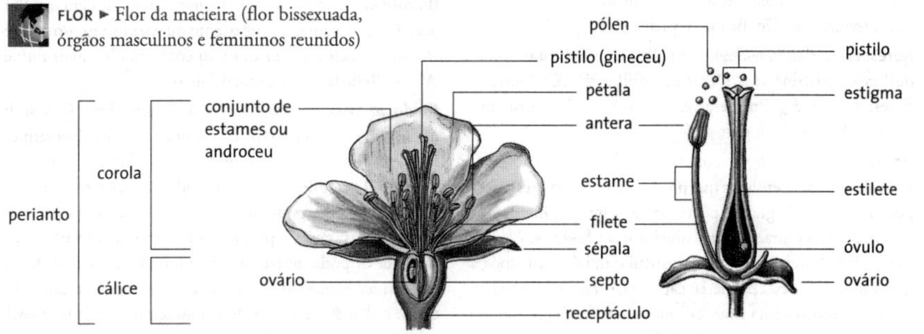

A B C D E F G H I J K L M N O P Q R S T U V W X Y Z

flora *s.f.* (lat. *Flora,* deusa romana das flores e da primavera). **1.** Conjunto das plantas que crescem numa região. **2.** Livro com a descrição das plantas de um país ou região e a determinação de suas espécies. **3.** Conjunto de plantas usadas para determinado fim. **4.** *Flora microbiana,* conjunto de microorganismos vivos existentes sobre os tecidos ou nas cavidades naturais do organismo.

floração *s.f.* **1.** Desenvolvimento da flor; florescência. **2.** Estado das plantas em flor; tempo durante o qual elas florescem. **3.** *Fig.* Desenvolvimento.

florada *s.f.* **1.** Quantidade de flores. **2.** Florescência.

floral *adj.2g.* (lat. *floralis*). **1.** Relativo ou pertencente à flor; flóreo. **2.** Diz-se dos gomos ou folhas que só têm flores.

florão *s.m.* Ornato circular, em forma de flor, no centro de um teto, abóbada etc.

florar *v.t.* e *v.i.* (conj. 4). Florir.

flor-da-quaresma *s.f.* Sin. de QUARESMEIRA.

flor-de-coral *s.f.* Árvore de porte médio, caule e ramos armados de espinhos, flores vermelhas em cachos, que fornece madeira branca, macia e esponjosa; mulungu, suinã; jasmim-vermelho.

flor-de-maio *s.f.* Erva ornamental, originária da Europa, de rizoma comprido e pequenas flores alvas que possuem propriedades medicinais e cosméticas. (Sin. CÍRIO-DE-NOSSA-SENHORA.)

flor-do-cerrado *s.f.* Subarbusto que atinge 1m de altura, de folhas compostas e flores rosadas ou vermelho-carmim.

flor-do-paraíso *s.f.* Sin. de FLAMBOIÃ.

floreado *adj.* **1.** Ornado de flores, de florões; florido. **2.** *Fig.* Enfeitado, rebuscado. ★ *s.m.* Floreio.

florear *v.t.* (conj. 15). **1.** Semear, cobrir ou ornamentar com flores. **2.** Enfeitar, ornamentar. **3.** Recorrer a artifícios retóricos. **4.** Executar (um exercício) com malabarismo. ★ *v.i.* Produzir flores; florescer.

floreio *s.m.* **1.** Ato ou efeito de florear; ornato, enfeite, floreado. **2.** Artifícios retóricos; recurso a imagens e figuras de estilo. **3.** Destreza de movimentos; malabarismo. ● **Arquit.** Ornamento em forma de flores entrelaçadas.

floreira *s.f.* **1.** Vaso ou jarra para flores. **2.** Florista.

florentino *adj.* Relativo ou pertencente a Florença, cidade da Itália. ★ *s.m.* O natural ou habitante de Florença.

flóreo *adj.* (lat. *floreus*). **1.** Florido. **2.** Floral.

florescência *s.f.* (lat. *florescentia*). **1.** Ação de florescer; período em que as plantas se cobrem de flores. **2.** *Fig.* Vigor, produtividade. **3.** *Fig.* Brilho, esplendor.

florescer *v.t.* (lat. *florescere*) [conj. 25]. **1.** Fazer brotar, cobrir de flores; florir, florear. **2.** Dar realce, brilho. ★ *v.i.* **1.** Produzir flores; florir. **2.** *Fig.* Prosperar, desenvolver-se. **3.** Existir com renome, brilho; distinguir-se.

floresta *s.f.* (fr. ant. *forest,* com infl. de *flor*). **1.** Formação vegetal geralmente densa em que predominam as árvores ou espécies lenhosas de grande porte; mata, selva. **2.** Grande número de coisas juntas. **3.** *Fig.* Labirinto, confusão. **4.** *Floresta secundária,* floresta que se reconstitui parcialmente após a derrubada da floresta primária; capoeira. ▸ *Floresta virgem* ou *primária,* ecossistema florestal que não sofreu agressão externa, especialmente por parte do homem.

florestal *adj.2g.* **1.** Relativo às florestas. **2.** Recoberto por florestas; que contém florestas.

florete (ê) *s.m.* (fr. *fleuret*). Espada de lâmina longa e fina, usada em esgrima.

FLORETE ▸ Nesta modalidade de esgrima, só a ponta da arma (e não a lâmina) pode tocar o tronco do adversário. A pontuação é marcada quando ocorre um toque ou mesmo um raspão, registrado por sensores elétricos.

florícola *adj.2g.* Relativo às flores ou à floricultura.

floricultor (ô) *s.m.* Aquele que cultiva flores. ★ *adj.* Relativo à floricultura.

floricultura *s.f.* **1.** Arte de cultivar flores. **2.** Lugar onde se cultivam ou vendem flores.

florido *adj.* **1.** Que está em florescência; floreado. **2.** Coberto, ornado de flores; flóreo.

florífero *adj.* Diz-se da planta que produz flores.

florilégio *s.m.* **1.** Coleção de flores. **2.** Coletânea, seleção, antologia.

florim *s.m.* **1.** Antiga unidade monetária da Holanda, substituída pelo euro em 2002. **2.** Unidade monetária da Hungria e do Suriname.

florir *v.t.* e *v.i.* (prov. *florir*) [conj. 79]. Florescer.

florista *s.2g.* **1.** Vendedor ou vendedora de flores; floreira. **2.** Pessoa que faz flores artificiais.

flotabilidade *s.f.* Sin. de FLUTUABILIDADE.

flotilha *s.f.* (esp. *flotilla*). **1.** Frota pequena. **2.** Conjunto de embarcações.

fluência *s.f.* (lat. *fluentia*). **1.** Ação de fluir; fluidez. **2.** Facilidade, clareza no falar.

fluente *adj.2g.* (lat. *fluens*). **1.** Que flui; fluido, corrente. **2.** Diz-se daquele que tem fluência. **3.** *Fig.* Espontâneo, natural.

fluidez (ê) *s.f.* **1.** Qualidade do que é fluido. **2.** Fluência. ● **Fís.** Para um líquido, propriedade de se escoar nas canalizações.

fluídico *adj.* Relativo a fluido.

fluidificar *v.t.* (conj. 12). **1.** Tornar fluido, aumentar a fluidez. **2.** Tornar menos consistente ou menos viscoso um resíduo, um betume, por diluição com um óleo mais fluido. ★ *v.pr.* Reduzir-se a fluido; diluir-se.

fluido *adj.* (lat. *fluidus*). **1.** Diz-se de um corpo (gás ou líquido) que, não tendo forma própria, é deformável sem esforço. **2.** Que corre ou circula como um líquido; que não é sólido. **3.** Diz-se de um corpo líquido à temperatura normal. **4.** *Fig.* Fluente, espontâneo, fácil. ★ *s.m.* **1.** Nome genérico dos líquidos, gases e plasmas que têm em comum a propriedade de poder tomar qualquer forma sob efeito de forças tão pequenas quanto se queira. **2.** Qualquer líquido. **3.** Líquido inflamável empregado em isqueiros. **4.** *Fig.* Influência misteriosa que atua a distância.

fluir *v.i.* (lat. *fluere*) [conj. 74]. **1.** Correr em estado líquido. **2.** Correr, passar. **3.** Correr em abundância; jorrar. **4.** *Fig.* Derivar, proceder.

fluminense *adj.2g.* (lat. *flumen, fluminis,* rio). **1.** Fluvial. **2.** Relativo ou pertencente ao Estado do Rio de Janeiro. ★ *s.2g.* O natural ou habitante do Estado do Rio de Janeiro.

flúor (ô) *s.m.* (lat. *fluor,* fluxo). Elemento químico (símb. F) da família dos halogênios, de número atômico 9, que constitui um gás ou líquido de cor amarelo-pálida e forte odor, de grande aplicação no combate às infecções bucais.

fluoração *s.f.* Substituição de um átomo de hidrogênio por um átomo de flúor em uma molécula. (Sin. FLUORETAÇÃO.)

fluorado *adj.* Que contém flúor.

fluorar *v.t.* Submeter à fluoração.

fluorcarboneto *s.m.* Nome genérico das combinações do carbono e do flúor, consideradas os melhores solventes do oxigênio gasoso.

fluoresceína *s.f.* Corante amarelo-alaranjado, dotado de fluorescência verde muito intensa, empregado principalmente no estudo de cursos de água subterrâneos.

fluorescência *s.f.* Propriedade que possuem certos materiais de absorver a luz e reemiti-la sob forma de radiação de maior comprimento de onda.

fluorescente *adj.2g.* **1.** Diz-se de substância ou material dotado de fluorescência. **2.** Diz-se de uma fonte de emissão luminosa produzida através de fluorescência.

fluoretação *s.f.* **1.** Adição de flúor à água destinada ao consumo. **2.** Sin. de FLUORAÇÃO.

fluoreto (ê) *s.m.* **1.** Composto binário do flúor com um outro elemento. **2.** Sal do ácido fluorídrico.

fluorídrico *adj.* Diz-se de um ácido formado por flúor e hidrogênio, cáustico e muito estável, empregado para gravar vidros.

fluorita *s.f.* Mineral de coloração verde ou violeta, de uso ornamental e industrial.

flutuabilidade *s.f.* Propriedade que um corpo apresenta de permanecer na superfície de um meio líquido. (Sin. FLOTABILIDADE.)

flutuação *s.f.* (lat. *fluctuatio*). **1.** Estado de um objeto que flutua. **2.** Movimento ondulatório dos líquidos. **3.** Ondulação de um corpo. **4.** Variação espontânea de uma grandeza física macroscópica em torno de seu valor médio. **5.** Variação, mudança.

flutuador (ô) *adj.* e *s.m.* Diz-se de ou dispositivo, peça etc., concebido para flutuar na superfície de um líquido, com fins de sinalização ou medição. ★ *s.m.* **1.** Cais flutuante para a atracação de pequenas embarcações. **2.** Bóia. **3.** Dispositivo para aumentar a flutuabilidade de um navio.

flutuante *adj.2g.* (lat. *fluctuans*). **1.** Que flutua. **2.** Agitado pelo vento, pela água; ondulante. **3.** *Fig.* Indeciso, irresoluto.

flutuar *v.i.* (lat. *fluctuare*) [conj. 4]. **1.** Conservar-se na superfície de um líquido; boiar, sobrenadar. **2.** Pairar ou mover-se em equilíbrio no espaço. **3.** Mover-se, esvoaçar, tremular ao vento. **4.** Apresentar variações, mudar constantemente. **5.** *Fig.* Estar indeciso; vacilar, hesitar.

fluvial *adj.2g.* (lat. *fluvialis*). **1.** Relativo ou pertencente a rio; fluminense. **2.** Que vive nos rios.

fluxo (cs) *s.m.* (lat. *fluxus*). **1.** Ato ou efeito de fluir. **2.** Corrimento normal ou patológico de um líquido orgânico. **3.** Substância que facilita a fusão de outras. **4.** Enchente ou vazante das águas do mar. **5.** *Fig.* Curso, corrente. **6.** *Fig.* Vicissitude, movimento contrário de um acontecimento. **7.** *Fig.* Grande quantidade, jorro, jato. **8.** *Fluxo menstrual,* regras, menstruação. ● **Fís.** Deslocamento de matéria ou de energia entre regiões distintas.

Fm símbolo químico do férmio.

fobia *s.f.* (do gr. *phobos,* medo). Medo angustiante e insensato de pessoas, objetos ou situações que não apresentam perigo, mas do qual o indivíduo não consegue livrar-se.

fóbico *adj.* Relativo à fobia.

foca *s.f.* (gr. *phoke,* pelo lat. *phoca*). Mamífero da ordem dos pinípedes, carnívoro, que ocorre principalmente em mares frios e é caçado para o aproveitamento da pele, da carne e da gordura.

VOCÊ SABIA...? As **focas** são animais que vivem nos mares frios, capazes de permanecer debaixo dos bancos de gelo, onde fazem furos para respirar. São caçadas por sua carne, gordura e pele (a dos filhotes recém-nascidos é um pêlo lanar), embora atualmente sua captura esteja parcialmente proibida. Todas as focas se alimentam de crustáceos, peixes e cefalópodes.

---

focal *adj.2g.* **1.** Relativo ao foco dos espelhos e das lentes. **2.** Relativo ao foco principal de uma lesão ou de um distúrbio. **3.** Diz-se dos raios luminosos que passam pelo foco ou muito perto do foco. **4.** *Distância focal,* distância do foco principal de um sistema óptico centrado ao plano principal do sistema.

focalizar *v.t.* (conj. 4). **1.** Focar. **2.** Fazer convergir a um ponto uma radiação (luz, onda sonora, feixe de elétrons etc.) **3.** Pôr em evidência; examinar, analisar.

focar *v.t.* (conj. 12). Pôr em foco; enfocar, focalizar.

focinhar *v.t.* e *v.i.* (conj. 4). **1.** Revolver com o focinho. **2.** Bater com o focinho.

focinheira *s.f.* **1.** Focinho de porco; focinho. **2.** Saco ou rede que se coloca no focinho dos animais para impedi-los de morder ou comer; barbilho, açaimo. **3.** Parte do cabresto que pertence à cabeça e passa por cima das ventas do cavalo.

focinho *s.m.* **1.** Parte anterior, alongada e mais ou menos pontuda, da face de certos mamíferos, onde se localizam as narinas. **2.** *Pop.* Rosto, face, cara.

foco *s.m.* (lat. *focus,* o lugar do fogo). **1.** Ponto para o qual convergem os raios emitidos por uma fonte de luz ou de calor muito afastada. **2.** Fogo que se acende à noite para servir de farol aos marinheiros. **3.** *Fig.* Ponto de reunião, centro de convergência. **4.** Sede de um processo patológico, localizado ou extensivo. ● **Mat.** Ponto fixo que, associado a uma dada reta (diretriz), possibilita a definição métrica das cônicas. **Med.** *Foco infeccioso,* região infeccionada de um órgão ou de um tecido que pode contaminar a região vizinha, uma região distante (por via sanguínea) ou o organismo todo (septicemia).

fofo (ô) *adj.* **1.** Macio, flácido, mole. **2.** *Fig.* Vaidoso, enfatuado, fanfarrão. **3.** *Fam.* Agradável ao toque; gracioso, adorável.

fofoca *s.f.* *Gír.* Mexerico, intriga.

fofocar *v.i.* (conj. 12). *Gír.* Fazer fofoca.

fogacho *s.m.* **1.** Fogueira, fogaréu. **2.** Chama, labareda. **3.** Assomo, ímpeto, repente.

fogão *s.m.* **1.** Aparelho com uma ou mais bocas, com ou sem forno, com ou sem chaminé, em que se acende o fogo para cozinhar os alimentos. **2.** Lareira.

fogareiro *s.m.* **1.** Utensílio doméstico de barro ou de ferro em que se acende o lume para cozinhar ou aquecer. **2.** Aparelho de metal, composto de um receptáculo em comunicação com o bico, onde se queima gasolina ou querosene.

fogaréu *s.m.* **1.** Fogueira, fogacho. **2.** Tigela ou concha onde se acendem substâncias inflamáveis.

fogo (ô) *s.m.* (lat. *focus,* o lugar do fogo, lar). **1.** Manifestação de uma combustão rápida e persistente acompanhada da emissão de luz e de energia térmica. **2.** Chama, labareda. **3.** Fonte de calor utilizada para o cozimento dos alimentos; lume. **4.** Queima de matéria pelas chamas. **5.** Disparo de artilharia, revólver, metralhadora etc. **6.** *Fig.* Excitação, ardor, paixão. **7.** *Pop.* Embriaguez, bebedeira. **8.** *Fogo de artifício* ou *fogos* (*s.m.pl.*), peça pirotécnica fácil de inflamar, com efeitos luminosos, utilizada em festejos juninos e outras comemorações.

fogo-apagou *s.f.* Ave columbiforme, de aparência escamosa, comum nos campos e cerrados da América do Sul, que deve o nome popular ao canto onomatopaico que faz lembrar essas palavras; rola-cascavel.

fogo-de-santelmo *s.m.* Santelmo.

fogo-fátuo *s.m.* **1.** Chama leve e fugaz produzida pelas emanações de fosfato de hidrogênio espontaneamente inflamável de matérias orgânicas em decomposição (brejos, cemitérios etc.). **2.** *Fig.* Falso brilho; esplendor, prazer de pouca duração.

fogo-selvagem *s.m.* Pênfigo foliáceo.

fogoso (ô) *adj.* **1.** Que tem fogo ou calor; abrasado. **2.** *Fig.* Animado, veemente. **3.** Impetuoso, impaciente, irrequieto.

fogueira *s.f.* **1.** Lenha ou outro combustível em labareda. **2.** Lume da lareira; fogo. **3.** Monte de lenha em chamas em que se queimavam as pessoas condenadas à morte pelo fogo. **4.** *Fig.* Incandescência, exaltação.

foguete (ê) *s.m.* **1.** Peça de artifício pirotécnico que estoura no ar pela combustão da pólvora, usada em festividades. **2.** Engenho de propulsão para espaçonaves, mísseis, satélites artificiais. **3.** *Fig.* Pessoa buliçosa, ágil, ativa. ★ *adj.2g.* Vivo, esperto.

EXEMPLOS DE FOGUETES LANÇADORES ESPACIAIS

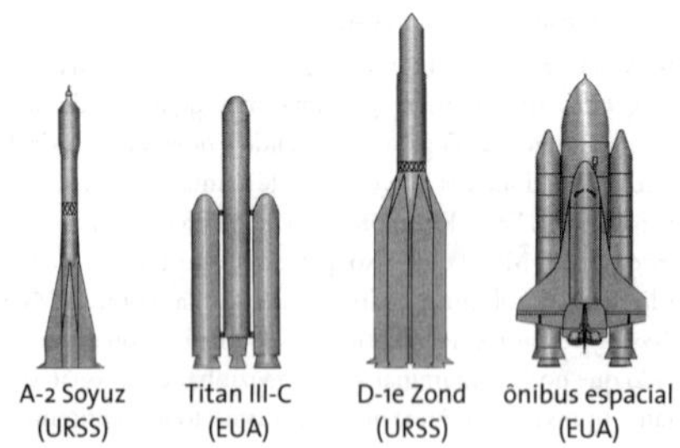

fogueteiro *s.m.* Aquele que solta ou fabrica foguetes ou outros fogos de artifício. ★ *adj.* Sapeca, levado, irrequieto.

foguetório *s.m.* Queima de foguetes.

foguista *s.2g.* **1.** Aquele que é incumbido da alimentação, vigilância e manutenção de uma caldeira ou fornalha. **2.** Auxiliar de maquinista de uma locomotiva a vapor.

foiçar *v.t.* (conj. 13). Cortar com foice; ceifar.

foice *s.f.* (lat. *falx, falcis*). **1.** Instrumento para cortar ou ceifar cereais, ervas etc., que consiste em uma lâmina de aço curva em semicírculo presa a um cabo. **2.** Pena curvada da cauda do galo. ● **Anat.** Nome dado a certas pregas de membrana em razão de sua forma recurvada.

foiciforme *adj.2g.* Que tem forma de foice.

fojo (ô) *s.m.* **1.** Cova disfarçada com folhas ou galhos para caçar, vivos, animais ferozes; mundéu. **2.** Cova disfarçada e cheia de estrepes e pontas, usada como defesa. **3.** Caverna, cova, buraco.

folclore *s.m.* (ingl. *folklore*). **1.** Conjunto das tradições populares e dos costumes relativos à cultura e à civilização de um país, de uma região. **2.** Estudo científico dessas tradições.

folclórico *adj.* Relativo ao folclore.

folclorista *s.2g.* Estudioso do folclore.

fole *s.m.* (lat. *follis*). **1.** Utensílio que produz vento, usado para ativar combustão, ventilar cavidades etc. **2.** Espécie de acordeão. **3.** *Fam.* Saco, papo.

fôlego *s.m.* **1.** Respiração, movimento alternado da aspiração e expiração do ar. **2.** Ação de assoprar, de impelir o ar com a boca. **3.** Faculdade de reter o ar nos pulmões. **4.** Descanso, folga, pausa.

folga *s.f.* **1.** Período de interrupção de um trabalho. **2.** Recreio, ócio, repouso. **3.** Abastança, largueza. **4.** Diferença nas dimensões de duas peças que se devem ajustar.

folgado *adj.* **1.** Que tem folga. **2.** Largo. ★ *adj.* e *s.m.* Que ou aquele que é ocioso, despreocupado.

folgança *s.f.* **1.** Descanso, folga. **2.** Folia.

folgar *v.t.* (lat. *follicare,* arquejar como fole) [conj. 14]. **1.** Dar folga ou descanso a. **2.** Alargar, desapertar. **3.** Descansar, ter alívio nos trabalhos. ★ *v.i.* **1.** Ter prazer. **2.** Divertir-se, brincar.

folgazão *adj.* e *s.m.* **1.** Alegre, vivaz, galhofeiro. **2.** Ocioso, folgado.

folguedo (ê) *s.m.* Brincadeira, folia.

folha (ô) *s.f.* (lat. tard. *folia*). **1.** Apêndice lateral dos caules e ramos das plantas, normalmente laminar e de coloração verde, cuja função principal é a fotossíntese. **2.** Pedaço de papel de uma certa dimensão, para escrever, imprimir etc. **3.** *P. ext.* O que está escrito ou impresso nesse papel. **4.** Publicação periódica; jornal. **5.** Chapa muito fina de metal, rocha ou mineral. **6.** Lâmina de metal e parte cortante de certos instrumentos. **7.** Relação, rol. **8.** Parte móvel de uma porta ou janela.

folha-de-flandres *s.f.* Sin. de LATA.

folhado *adj.* (lat. *foliatus*). **1.** Coberto de folhas; folhudo, folhoso. **2.** Folheado. **3.** Semelhante a folha.

folhagem *s.f.* **1.** Conjunto de galhos ou folhas de uma árvore que se apresentam sob diversas formas. **2.** Ramaria. **3.** Plantas ornamentais. **4.** Ornamentos semelhantes a folhas.

folhar *v.t.* (conj. 4). **1.** Prover de folhas. **2.** Ornar com folhagem. **3.** Folhear. ★ *v.i.* e *v.pr.* Cobrir-se de folhas.

folheado *adj.* **1.** Coberto com uma aplicação de folha ou lâmina de madeira. **2.** Revestido por uma matéria mais preciosa; folhado. **3.** Foliado.

folhear *v.t.* (conj. 15). **1.** Volver ou percorrer as folhas de um livro. **2.** Ler superficialmente trechos de um livro, passando-lhe as páginas apressadamente. **3.** Revestir, cobrir de folhas (lâminas). **4.** Dividir ou cortar em folhas ou lâminas; folhetear.

folheta (ê) *s.f.* Pequena folha ou lâmina.

folhetim *s.m.* (esp. *folletín*). **1.** Artigo de crítica literária publicado regularmente por um jornal, com a assinatura de um mesmo autor. **2.** Publicação de um romance em partes sucessivas num periódico (jornal, revista, fascículo).

folhetinesco (ê) *adj.* **1.** Relativo a ou próprio de folhetim. **2.** *Fig.* Diz-se de obra literária de pouco valor.

folhetinista *s.2g.* Autor de folhetins.

folheto (ê) *s.m.* (it. *foglietto*). **1.** Livro impresso, de poucas folhas, não encadernado; brochura, opúsculo. **2.** Impresso publicitário, comercial etc., para divulgação de produtos ou serviços; panfleto. ● **Anat.** *Folheto embrionário,* constituinte fundamental do córtex embrionário disposto em lâminas (ectoblasto, endoblasto e mesoblasto) que originam diferentes órgãos.

folhinha *s.f.* **1.** Pequena folha. **2.** Calendário.

folho (ô) *s.m.* (lat. *folium,* folha). **1.** Adorno pregueado com que se guarnecem vestidos, toalhas, colchas etc. **2.** Excrescência no casco dos animais. **3.** Sin. de FOLHOSO.

folhoso (ô) *adj.* Folhudo. ★ *s.m.* Terceiro estômago dos ruminantes, assim denominado pelas numerosas dobras de sua mucosa. (Sin. FOLHO.)

folhudo *adj.* Que tem muitas folhas; copado, folhoso.

folia *s.f.* (fr. *folie*). **1.** Brincadeira, divertimento, pândega; folguedo, folgança. **2.** Dança em ritmo acelerado ao som do pandeiro.

foliáceo *adj.* (lat. *foliaceus*). **1.** Que é da natureza das folhas; que tem a aparência das folhas. **2.** *Pulmão foliáceo,* órgão respiratório dos aracnídeos, formado pela invaginação da parede ventral do abdome.

foliado *adj.* (lat. *foliatus*). **1.** Diz-se das partes de uma planta providas de folhas; folhado. **2.** Disposto em folhas. **3.** Que tem o aspecto de folhas.

folião *adj.* e *s.m.* **1.** Que ou aquele que se entrega à folia. **2.** Histrião, farsante.

foliar[1] *adj.2g.* Relativo às folhas.

foliar[2] *v.i.* (conj. 16). **1.** Dançar folias, saltar, pular. **2.** Dar-se a festas, a brincadeiras; farrear.

folicular *adj.2g.* (lat. *follicularis*). **1.** Relativo ou semelhante a folículo; vesicular. **2.** Foliculoso.

foliculina *s.f.* Hormônio, secretado pelo folículo ovariano, que constitui um dos principais estrogênios fisiológicos.

foliculite *s.f.* Inflamação de um folículo piloso por um estafilococo.

folículo *s.m.* (lat. *folliculus,* saquinho). **1.** Pequeno fole. **2.** Fruto seco que se origina de um carpelo isolado e se abre por uma só fenda. ● **Anat.** Pequena formação anatômica em forma de saco, que delimita uma cavidade secretora ou excretora, ou que engloba um órgão; vesícula. ▸ Pequena formação linfóide circunscrita. ▸ *Folículo ovariano* ou *folículo de De Graaf,* elemento situado na superfície do ovário e que contém um óvulo em formação. ▸ *Folículo piloso* ou *folículo pilosebáceo,* pequeno saco que contém a base do pêlo e no qual se abre a glândula sebácea. **Med.** Formação patológica como o *folículo tuberculoso,* lesão elementar da tuberculose.

foliculoestimulante *adj.2g.* *Hormônio foliculoestimulante,* hormônio secretado pela hipófise anterior que controla o desenvolvimento dos folículos ovarianos (abrev. FSH).

foliculoso (ô) *adj.* **1.** Que tem folículos; folicular. **2.** Da natureza ou da forma de um folículo.

fólio *s.m.* (abrev. do lat. *in foliu,* na folha). **1.** Folha de um livro ou registro numerada no rosto e no verso. **2.** Folha de impressão de quatro páginas, dobrada ao meio.

folíolo *s.m.* (lat. *foliolum,* pequena folha). Cada uma das divisões do limbo de uma folha composta.

fome *s.f.* (lat. *fames*). **1.** Conjunto de sensações provocadas pela privação de nutrientes, que incitam o homem ou o animal a procurar os alimentos e que cessam com a ingestão destes. **2.** A situação das populações que sofrem de insuficiência de alimentação em quantidade ou qualidade nesse ou naquele componente imprescindível à saúde; penúria, miséria, míngua de víveres. **3.** *Fig.* Desejo ardente, ambição, avidez.

fomentação *s.f.* (lat. *fomentatio,* o que acende ou aquece). **1.** Fomento. **2.** Aplicação externa de uma medicação quente para combater uma inflamação.

fomentar *v.t.* (lat. *fomentare*) [conj. 4]. **1.** Sustentar, incitar, impulsionar. **2.** Promover o progresso, o desenvolvimento de. **3.** Aplicar um medicamento sobre a pele através de fricção.

fonação *s.f.* (do gr. *phone,* voz). Conjunto de fatores fisiológicos e neurofisiológicos que concorrem para a produção da voz.

fonador (ô) *adj.* **1.** Diz-se dos órgãos que entram em funcionamento quando da emissão da voz. **2.** Relativo à fonação; fonativo.

fonativo *adj.* Fonador.

fone *s.m.* **1.** Telefone. **2.** Parte de um aparelho telefônico que reúne um microfone e uma cápsula receptora, respectivamente para a transmissão e recepção da voz. **3.** Qualquer aparelho que transforma sinais elétricos em sinais acústicos.

fonema *s.m.* (gr. *phonema,* som da voz). Menor unidade lingüística que distingue signos na cadeia falada.

fonêmico *adj.* Relativo ao fonema.

fonética *s.f.* Ciência que estuda os sons da linguagem do ponto de vista de sua articulação ou de sua recepção auditiva.

fonético *adj.* Relativo à fonética.

foniatra *s.2g.* Especialista em foniatria.

foniatria *s.f.* Parte da medicina que estuda os distúrbios da voz e as afecções do aparelho fonador.

fônico *adj.* Relativo aos sons da fala.

fonoaudiologia *s.f.* Disciplina que visa ao estudo, à cura, à reabilitação e à prevenção dos distúrbios da linguagem.

fonoaudiólogo *s.m.* Profissional de nível universitário que pratica a fonoaudiologia; fonoaudiologista.

fonografia *s.f.* Procedimento mecânico de registro ou reprodução dos sons, baseado na transmissão de vibrações por meio de uma ponta que se desloca sobre um disco em rotação.

fonográfico *adj.* Relativo ao fonógrafo, à fonografia, aos fonogramas.

fonógrafo *s.m.* Aparelho que reproduz os sons gravados em discos sob a forma de sulcos espiralados.

fonograma *s.m.* **1.** Sinal gráfico que representa um som ou seqüência de sons. **2.** Inscrição do som, obtida por meio de aparelhos registradores, em fonética experimental. **3.** Som gravado.

fonologia *s.f.* Ciência que trata dos fonemas do ponto de vista de sua função em uma língua dada.

fonológico *adj.* Relativo à fonologia.

fontanela *s.f.* (it. *fontanella,* pequena fonte). Espaço cartilaginoso existente na caixa craniana dos recém-nascidos antes de sua ossificação completa, nos pontos de junção das suturas ósseas; moleira.

fonte *s.f.* (lat. *fons, fontis*). **1.** Água nascente que emana do solo. **2.** Lugar em que continuamente nasce água; nascente. **3.** Bebedouro, bica. **4.** Chafariz. **5.** Princípio, origem, causa. **6.** Aquilo que produz alguma coisa. **7.** Documento ou texto original que se consulta. **8.** Origem de uma informação. **9.** Pia batismal. **10.** Circuito que fornece energia elétrica. (Diz-se também fonte de alimentação.) **Anat.** Cada um dos lados da cabeça, entre os olhos e as orelhas, que formam a região temporal. ● **Art. Gráf.** Conjunto de caracteres com desenho próprio, incluindo as letras do alfabeto e números. **Astron.** *Fonte de radiação,* todo objeto astronômico que emite radiação eletromagnética. **Fís.** Região ou ponto que fornece matéria ou energia para um sistema.

fora *adv.* (lat. *foras*). **1.** Na parte exterior; exteriormente. **2.** Ao ar livre. **3.** Em outro local. **4.** Em outro país; no exterior. **5.** *Fora de,* além dos limites de. ▸ *Por fora,* pela parte externa. ★ *prep.* Exceto, salvo, afora. ★ *interj.* Exprime repúdio, reprovação ou que se emprega para ordenar uma expulsão.

fora-da-lei *adj.2g.2n.* e *s.2g.2n.* Que ou aquele que está à margem da lei; marginal.

foragido *adj.* e *s.m.* (lat. *foras exitus,* saída fora). **1.** Que ou aquele que está refugiado em terra estranha; emigrado, expatriado. **2.** Que ou aquele que está escondido da justiça; homiziado. **3.** Perseguido, acossado.

foragir-se *v.pr.* (conj. 52). **1.** Emigrar, expatriar-se. **2.** Evadir-se, fugir; homiziar-se.

forame ou **forâmen** *s.m.* (lat. *foramen*). Abertura, buraco, cova, furo. ● **Anat.** Orifício anatômico de pequena dimensão.

foraminíferos *s.m.pl.* (lat. *foramen,* buraco). Grupo de animais protozoários, sarcodíneos, geralmente marinhos e providos de conchas quitinosas ou calcárias que, após a morte dos animais, formam grandes bancos sedimentares no fundo do mar.

forasteiro *adj.* e *s.m.* (cat. *foraster*). Que ou aquele que é de fora; estrangeiro, estranho.

forca (ô) *s.f.* (lat. *furca*). **1.** Instrumento para o suplício da estrangulação; patíbulo, cadafalso. **2.** *Fig.* Laço, cilada.

força (ô) *s.f.* (lat. tard. *fortia*). **1.** Causa capaz de agir, de produzir um efeito. **2.** Violência. **3.** Energia física. **4.** Energia moral. **5.** Autoridade, poder, influência. **6.** A virtude e a eficácia das coisas. **7.** Resistência, solidez. **8.** Valor, peso. ● **Fís.** Conceito que traduz quantitativamente as interações entre objetos e que permite explicar suas deformações ou as modificações de seus movimentos. ★ *s.f.pl. Forças Armadas,* conjunto dos exércitos de terra, mar e ar.

forcado *s.m.* **1.** Ferramenta agrícola dentada, própria para movimentar forragem e feno a granel; garfo. **2.** Quantidade de forragens ou fenos apanhada de uma só vez com o forcado. **3.** Tijolo mais delgado e largo que o ordinário. ★ *adj.* Que tem o pé fendido (falando-se de alguns animais).

forçado *adj.* **1.** Constrangido, obrigado, compelido. **2.** Sem espontaneidade; fingido, contrafeito. **3.** Aberto à força, arrombado.

forçar *v.t.* (conj. 13). **1.** Fazer ceder à força; obrigar. **2.** Constranger, violentar. **3.** Conquistar, conseguir, obter por força. **4.** Quebrar, arrombar. **5.** Interpretar mal; desvirtuar. **6.** Torcer, subornar, corromper. **7.** Estuprar. ★ *v.pr.* Constranger-se.

forcejar *v.t.* (conj. 4). **1.** Fazer esforço; esforçar-se, empenhar-se. **2.** Lutar, pelejar. ★ *v.i.* Fazer esforço; lutar. ★ *v.pr.* Forçar-se, constranger-se.

forcejo (ê) *s.m.* Ato ou efeito de forcejar.

fórceps ou **fórcipe** *s.m.* (lat. *forceps, forcipis*). **1.** Instrumento para auxiliar a extração do feto durante um parto difícil. **2.** Pinça ou tenaz cirúrgica utilizada para extrair corpos estranhos.

forçoso (ô) *adj.* **1.** Que tem força, vigor. **2.** Violento, impetuoso. **3.** Necessário, inevitável.

forçudo *adj.* Que tem força; forte, robusto.

forense *adj.2g.* (lat. *forensis*). **1.** Relativo ao foro judicial. **2.** Que se usa nos tribunais.

FORENSE ▸ A medicina forense, também denominada medicina legal, recebe esse nome por se tratar de uma especialidade médica que aplica conhecimentos médicos na resolução de questões jurídicas.

---

fórfex (cs) ou **fórfice** *s.m.* Instrumento cirúrgico semelhante a uma tesoura.

forja *s.f.* (fr. *forge*). **1.** Conjunto de fornalha, fole e bigorna onde os ferreiros caldeiam o metal. **2.** Oficina de ferreiro. **3.** Fundição.

forjar *v.t.* (conj. 4). **1.** Conformar um metal ou liga metálica através de forjamento. **2.** Fabricar um metal por forjamento. **3.** Fabricar, compor. **4.** Inventar, imaginar. **5.** Falsificar.

forma *s.f.* (lat. *forma*). **1.** Maneira de ser. **2.** Feição exterior; aparência. **3.** Ser ou objeto percebido confusamente; silhueta, vulto. **4.** *Fig.* Maneira de exprimir o pensamento. **5.** Maneira variável pela qual uma coisa se apresenta; estado, aspecto. **6.** Condição física de um esportista. ● **Gram.** Aspecto material sob o qual se apresenta uma unidade lingüística ou um enunciado. ★ *s.f.pl.* Contornos, linhas exteriores.

forma (ô) *s.f.* **1.** Modelo oco em que se introduz material líquido ou pastoso que, ao solidificar-se, tomará a forma do modelo. **2.** Peça de madeira com a feição do pé, empregada na confecção de calçados. **3.** Vasilha em que se assam alimentos.

formação *s.f.* (lat. *formatio*). **1.** Ato ou efeito de formar(-se). **2.** Modo por que uma coisa se forma. **3.** Desenvolvimento e modificação dos órgãos, das funções, de um organismo. **4.** Educação, instrução, caráter. ● **Anat.** Conjunto constituído por diferentes elementos que desempenham a mesma função. **Ling.** *Formação de palavras,* conjunto de procedimentos morfossintáticos (derivação e composição) que possibilitam a criação de unidades novas a partir de morfemas lexicais.

formal *adj.2g.* (lat. *formalis*). **1.** Relativo à forma. **2.** Formulado com precisão; genuíno. **3.** Evidente, claro, patente. **4.** Que diz respeito à aparência e não à essência. **5.** Que cumpre as formalidades; cerimonioso.

formaldeído *s.m.* O mais simples dos aldeídos, que constitui um gás obtido pela oxidação do metanol. (Sin. ALDEÍDO FÓRMICO*.)

formalidade *s.f.* (fr. *formalité*). **1.** Modo de proceder publicamente. **2.** Cerimônia determinada pela civilidade; etiqueta. **3.** Operação prescrita em certos casos pela lei para a validade de um ato administrativo, jurídico ou judiciário. **4.** Ato de pouca importância.

formalismo *s.m.* **1.** Apego excessivo a formalidades, a etiquetas; conjunto dessas etiquetas. **2.** Tendência artística de privilegiar a forma e as qualidades formais em detrimento do conteúdo e da realidade.

formalizar *v.t.* (fr. *formaliser*) [conj. 4]. **1.** Dar forma a; formar. **2.** Executar segundo as fórmulas ou regras. **3.** Reduzir um sistema de conhecimentos a estruturas formais. ★ *v.pr.* Ofender-se, escandalizar-se, melindrar-se.

formando *s.m.* Diplomando.

formão *s.m.* **1.** Ferramenta com uma lâmina afiada numa das extremidades, para talhar madeira. **2.** Instrumento de corte usado para dar forma a materiais de revestimento (ardósia, xistos etc.).

formar *v.t.* (lat. *formare*) [conj. 4]. **1.** Dar forma a; constituir, criar. **2.** Dar certa configuração; fabricar, fazer. **3.** Tomar a forma, o aspecto de. **4.** Instruir, educar, aperfeiçoar. ★ *v.i.* Entrar em formatura. ★ *v.pr.* **1.** Tomar forma; desenvolver-se, progredir. **2.** Educar-se, instruir-se, preparar-se. **3.** Diplomar-se.

formatação *s.f.* **Inform.** Ação de formatar.

formatar *v.t.* **1.** Dar formato a. **2.** Escolher forma, cor, tamanho ou outro atributo. ● **Inform.** Dividir um disco de armazenamento em setores, excluindo informações anteriores.

formato *s.m.* (fr. *format*). **1.** Dimensão ou feitio. **2.** Categoria de tamanho, linguagem de programação ou outro atributo.

formatura *s.f.* (lat. *formatura*, conformação). **1.** Ato ou efeito de formar(-se). **2.** Graduação em curso de nível médio ou superior.

fórmica *s.f.* (marca registrada). Material coberto com resina artificial para revestimento de móveis, balcões etc.

formicação *s.f.* (lat. *formicatio*, comichão). Dormência e sensação de picadas provocadas por má circulação sanguínea em uma parte do corpo.

formicida *s.m.* Produto químico tóxico para combater as formigas.

fórmico *adj.* (lat. *formica*, formiga). **1.** Diz-se do ácido e do aldeído que possuem um único átomo de carbono. (Sin. METANÓICO.) **2.** *Ácido fórmico*, o mais simples dos ácidos carboxílicos, que constitui um líquido redutor. ▸ *Aldeído fórmico*, sin. de FORMALDEÍDO.

formidando *adj.* (lat. *formidandus*, de *formidare*, temer). Que dá medo; formidável, terrível, pavoroso.

formidável *adj.2g.* (lat. *formidabilis*, temível). **1.** Descomunal, colossal. **2.** Terrível, formidando. **3.** Que impõe respeito, que desperta admiração. **4.** Extraordinário.

formiga *s.f.* (lat. *formica*). **1.** Nome comum a várias espécies de insetos himenópteros que vivem em sociedades ditas formigueiros, onde se encontram rainhas fecundas e inúmeras operárias. **2.** *Fig.* Pessoa econômica. **3.** *Fam.* Pessoa que gosta de doces.

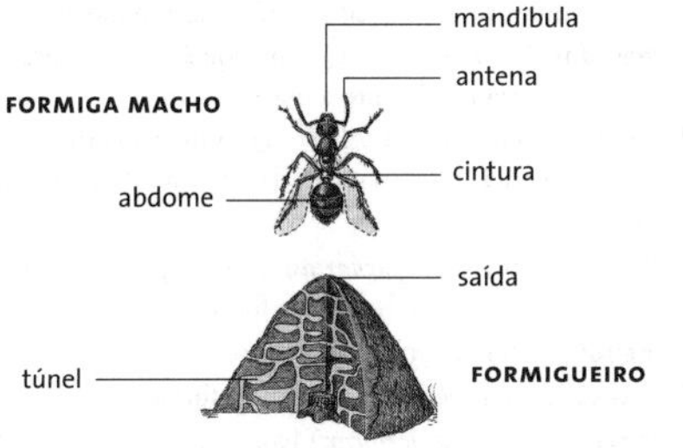

FORMIGA ▸ Uma colônia de formigas compreende um número muito variável de indivíduos segundo a espécie. Quase todos são fêmeas estéreis (operárias, soldados) que asseguram a vida da sociedade. Os machos são alados e têm vida curta; as fêmeas férteis perdem as asas depois da cópula e se transformam em rainhas.

formiga-cortadeira *s.f.* Sin. de SAÚVA.

formigamento *s.m.* **1.** Sensação de comichão ou agulhada que surge espontaneamente quando ocorre compressão de vasos ou nervos no decorrer de certas doenças. **2.** *Fig.* Movimento, agitação de muitas pessoas ou coisas.

formigar *v.i.* (conj. 14). **1.** Ser a sede de um formigamento. **2.** Agitar-se em grande número. **3.** Abundar, pulular.

formigueiro *s.m.* **1.** Ninho de formigas; conjunto de formigas que habitam o mesmo local. **2.** *Fig.* Lugar onde se agitam muitas pessoas. **3.** *Fig.* Desassossego, impaciência, comichão.

formol *s.m.* Solução aquosa de formaldeído, que constitui um potente anti-séptico.

formoso (ô) *adj.* **1.** De belas formas; bonito. **2.** Aprazível, deleitoso. **3.** Magnífico, esplêndido.

formosura *s.f.* Qualidade ou estado de formoso; beleza, perfeição.

fórmula *s.f.* (lat. *formula*, forma delicada, beleza). **1.** Preceito estabelecido para regular qualquer ato. **2.** Modelo com os termos formais por que um ato deve ser concebido. **3.** Lista do conjunto dos constituintes de um medicamento. **4.** Maneira de se expressar, de agir, conforme o uso. **5.** *Fig.* Conjunto de indicações, de elementos aptos a fornecer uma solução num domínio preciso. **6.** Receita de um médico. ● **Mat.** Nome usual de certas igualdades ou desigualdades. ▸ Resultado de um cálculo. ▸ Expressão de uma lei física. **Quím.** Representação gráfica que indica a composição de uma espécie química.

formulação *s.f.* **1.** Ato ou efeito de formular. **2.** Determinação das quantidades relativas dos diversos elementos que entram em uma mistura.

formular *v.t.* (conj. 4). **1.** Pôr em fórmula, redigir segundo uma fórmula. **2.** Exprimir de maneira precisa. **3.** Receitar. ★ *v.pr.* Manifestar-se, aparecer.

formulário *s.m.* (lat. *formularius*, legista). **1.** Coletânea de fórmulas. **2.** Recompilação de receitas; farmacopéia. **3.** Modelo impresso no qual se inscrevem as informações solicitadas. **4.** Livro de orações.

fornada *s.f.* **1.** Conjunto de peças ou objetos colocados juntos em um forno para cozer. **2.** *Fig.* e *Pop.* Porção de coisas feitas de uma só vez.

fornalha *s.f.* **1.** Forno grande; forja. **2.** Parte da caldeira a vapor onde o combustível é queimado. **3.** *Fig.* Lugar muito quente.

fornecedor (ô) *adj.* e *s.m.* **1.** Que ou aquele que fornece. **2.** Diz-se de ou estabelecimento a que se compra.

fornecer *v.t.* (conj. 25). **1.** Abastecer, prover, guarnecer. **2.** Produzir, gerar. **3.** Proporcionar, dar. ★ *v.pr.* Abastecer-se, aprovisionar-se.

forneiro[1] *s.m.* (lat. tard. *furnarius*). Aquele que se ocupa ou é dono de forno. ★ *adj.* Relativo a forno.

forneiro[2] *s.m.* Sin. de JOÃO-DE-BARRO.

fornicação *s.f.* (lat. *fornicatio*). Ação de fornicar.

fornicar *v.t.* e *v.i.* (lat. *fornicari*) [conj. 12]. Ter relações sexuais com; copular.

fornido *adj.* **1.** Provido, abastecido. **2.** Robusto, nutrido.

fornilho *s.m.* (esp. *hornillo*). **1.** Pequeno forno ou fogareiro. **2.** Parte do cachimbo onde arde o fumo.

forno (ô) *s.m.* (lat. *furnus*). **1.** Compartimento no qual são submetidas à ação do calor substâncias que se quer aquecer, cozer, secar, calcinar ou fundir. **2.** Aparelho no qual se aquece uma matéria para submetê-la a transformações físicas ou químicas. **3.** *Fig.* Lugar muito quente.

forno-d'água *s.m.* Sin. de VITÓRIA-RÉGIA.

foro *s.m.* (lat. *forum*). **1.** Lugar em que o poder judiciário desempenha suas funções; fórum. **2.** Tribunal em que se administra justiça. **3.** Alçada, jurisdição.

forqueta (ê) *s.f.* Forquilha.

forquilha *s.f.* (esp. *horquilla*). **1.** Forcado de três pontas para remexer mato ou palha. **2.** Cabide, descanso. **3.** Pau ou tronco bifurcado; forqueta. **4.** Parte da estrutura dos veículos de duas rodas que sustenta a roda dianteira e o guidom, permitindo o direcionamento do veículo. ● **Bot.** Parte da árvore ou do tronco principal onde os galhos se dividem em dois, formando um V mais ou menos aberto. **Zool.** Peça óssea das aves, formada pelas duas clavículas soldadas.

forra *s.f.* Desforra.

forra (ô) *s.f.* Entretela ou chumaço para reforçar alguma parte da roupa.

forração *s.f.* **1.** Ato ou efeito de forrar[1]. **2.** Conjunto de forros[1].

forrageiro *adj.* **1.** Relativo a forragem. **2.** Que serve como forragem; forraginoso.

forragem *s.f.* Toda matéria vegetal que serve para alimentar animais de criação.

forrar[1] *v.t.* (conj. 4). **1.** Guarnecer com forro; entretelar. **2.** Revestir, cobrir. **3.** *Pop.* Alimentar. ★ *v.pr.* **1.** Vestir-se agasalhadamente. **2.** *Pop.* Alimentar-se. **3.** Desforrar(-se).

forrar[2] *v.t.* (conj. 4). **1.** Tornar livre; alforriar. **2.** Poupar, economizar, guardar. ★ *v.pr.* Afastar-se de algo; livrar-se.

forro[1] (ô) *s.m.* (ant. fr. *feurre*). **1.** Enchimento de colchões, assentos de cadeiras etc. **2.** O tecido com que se cobrem os móveis estofados. **3.** Estofo que reforça o interior de roupas, sapatos, bolsas etc. **4.** Revestimento interno de tetos, paredes, fundo de navios etc.

forro[2] (ô) *adj.* e *s.m.* Que ou aquele que recebeu alforria; livre.

forró *s.m.* Arrasta-pé.

forrobodó *s.m.* **1.** Arrasta-pé. **2.** Confusão, altercação, briga.

fortalecer *v.t.* (conj. 25). **1.** Tornar forte; robustecer. **2.** Encorajar, animar. **3.** Dar mais força a; corroborar. **4.** Prover com meios de defesa; fortificar. ★ *v.pr.* **1.** Animar-se, encorajar-se. **2.** Robustecer-se. **3.** Desenvolver a força física; aumentar a resistência.

fortalecimento *s.m.* Ato ou efeito de fortalecer(-se).

fortaleza (ê) *s.f.* (lat. *fortalitia*). **1.** Força, vigor, robustez. **2.** Energia, força moral. **3.** Lugar fortificado para a defesa de uma cidade ou região; forte, fortificação.

fortalezense *adj.2g.* Relativo ou pertencente a Fortaleza (CE). ★ *s.2g.* O natural ou habitante de Fortaleza.

forte *adj.2g.* (lat. *fortis*). **1.** Que tem força, energia, vigor. **2.** Robusto, corpulento. **3.** Intenso, violento. **4.** Que tem muito poder; poderoso. **5.** Resistente, firme, espesso. **6.** Que produz viva impressão sobre o olfato, o paladar; concentrado. **7.** Que tem efeitos intensos e rápidos. **8.** Diz-se de mecanismos, dispositivos etc., potentes. ● **Quím.** Diz-se de um eletrólito quase inteiramente dissociado. ★ *s.2g.* **1.** Pessoa forte. **2.** Pessoa valente, corajosa. ★ *s.m.* **1.** Fortificação. **2.** O ponto mais importante de algo. **3.** Aquilo em que alguém mostra mais aptidão ou conhecimento. ★ *adv.* Com intensidade. ● **Mús.** Intensificando o som.

fortidão *s.f.* (lat. *fortitudo*). **1.** Qualidade do que é forte, consistente. **2.** *Fig.* Aspereza, rispidez, violência.

fortificação *s.f.* (lat. *fortificatio*). **1.** Construção de defesa militar; forte, fortaleza. **2.** Sistema geral de defesa de uma praça fortificada.

fortificado *adj.* **1.** Que foi fortalecido. **2.** Que é defendido por fortificações.

fortificante *adj.2g.* Que fortifica; fortificador. ★ *s.m.* Designação comum e imprecisa de qualquer substância, alimentar ou medicamentosa, susceptível de estimular ou fortificar o organismo.

fortificar *v.t.* (lat. *fortificare*) [conj. 12]. **1.** Tornar forte; fortalecer. **2.** Cercar ou guarnecer de fortificações. **3.** Auxiliar, reforçar. ★ *v.pr.* Tornar-se forte.

fortim *s.m.* (it. *fortino*). Pequeno forte.

fortuito *adj.* (lat. *fortuitus*). Que acontece por acaso; imprevisto, casual.

fortuna[1] *s.f.* (lat. *fortuna*). **1.** Sorte, fado, fatalidade, destino. **2.** Casualidade, acaso. **3.** Conjunto de bens, de riquezas. **4.** Grande soma de dinheiro. **5.** Ventura, felicidade. **6.** Infortúnio, adversidade.

fortuna[2] *s.f.* Planta ornamental, originária da África, de flores amarelas e folhas dotadas de gemas adventícias que asseguram a multiplicação vegetativa. (Sin. RODA-DA-FORTUNA.)

fórum *s.m.* (lat. *forum*). **1.** Foro. **2.** Lugar onde o povo se reunia na Roma antiga. **3.** Grupo que discute um assunto determinado, em encontro pessoal ou por algum meio de comunicação. **4.** Local físico ou na internet onde ocorre esse encontro.

fosco (ô) *adj.* (lat. *fuscus*). **1.** Sem brilho, embaciado. **2.** *Fig.* Alterado, perturbado, mudado. ★ *s.m.* Tom embaciado ou escuro.

fosfagênio *s.m.* Amida fosfórica da creatina, importante para a contração muscular. (Var. FOSFAGENO.)

fosfageno *s.m.* Var. de FOSFAGÊNIO.

fosfatado *adj.* **1.** Tratado pelo fósforo ou por um fosfato. **2.** Misturado a um fosfato ou levado ao estado de fosfato.

fosfatase *s.f.* Enzima que catalisa a hidrólise dos ácidos fosfóricos.

fosfático *adj.* **1.** Formado de fosfato. **2.** Relativo a fosfato.

fosfato *s.m.* **1.** Sal do éster do ácido fosfórico. **2.** Rocha sedimentar que contém minerais fosfatados exploráveis.

fosfatúria *s.f.* Quantidade de fosfatos eliminada pela urina em 24 horas.

fosfeno *s.m.* Sensação luminosa provocada pela compressão do globo ocular; fosfena.

fosfeto (ê) *s.m.* Composto de fósforo com os metais.

fosfito *s.m.* Sal ou éster do ácido fosforoso.

fosfocálcico *adj.* **1.** Relativo ao fósforo e ao cálcio. **2.** *Metabolismo fosfocálcico,* conjunto dos fenômenos de absorção, fixação e excreção do fósforo e do cálcio pelo organismo.

fosfogênio *s.m.* Var. de FOSFOGENO.

fosfogeno *s.m.* Nome comum do cloreto do ácido carbônico, que constitui um gás incolor altamente tóxico. (Var. FOSFOGÊNIO.)

fosforado *adj.* Que contém fósforo.

fosfóreo *adj.* **1.** Fosfórico. **2.** Que contém fósforo.

fosforescência *s.f.* Luminescência na qual a emissão de luz persiste um tempo apreciável depois que cessou a excitação.

fosforescente *adj.2g.* **1.** Dotado de fosforescência. **2.** Diz-se de substância luminescente que continua a emitir luminosidade mesmo algum tempo após o término do estímulo.

fosforescer *v.i.* (conj. 25). Emitir brilho fosforescente; produzir luz fosforescente.

fosfórico *adj.* Relativo ao fósforo; fosfóreo. ● **Quím.** Diz-se de compostos oxigenados do fósforo pentavalente. ▸ *Ácido fosfórico,* triácido que constitui um sólido incolor cristalizado.

fosforização *s.f.* **1.** Ato ou efeito de fosforizar. **2.** Formação do fosfato de cálcio no metabolismo animal.

fosforizar *v.t.* (conj. 4). Tornar fosfórico.

fósforo *s.m.* (gr. *phosphoros,* que traz luz). **1.** Elemento químico (símb. P) de número atômico 15, da família dos não metais, de grande importância na composição de fertilizantes e que apresenta fácil combustão quando em forma cristalizada. **2.** Palito de madeira com resina numa das extremidades que, esfregado em superfície áspera, incendeia-se.

fosforoso (ô) *adj.* **1.** Diz-se dos compostos do fósforo bivalente. **2.** Diz-se dos minérios e dos ferros fundidos que contêm fósforo.

fosquinha *s.f.* **1.** Dissimulação, disfarce. **2.** Provocação, incitação; momice.

fossa *s.f.* (lat. *fossa*). **1.** Cova, vala, depressão. **2.** Cavidade subterrânea para coleta dos materiais fecais de uma habitação e que não está ligada a uma rede de esgotos. **3.** Esterqueira. **4.** *Pop.* Estado de tristeza, de depressão. ● **Anat.** Cavidade em órgãos animais com a entrada mais larga que o fundo. ▸ Cavidade mais ou menos profunda de uma parte do esqueleto, como as fossas ilíacas, nasal, orbital e temporal.

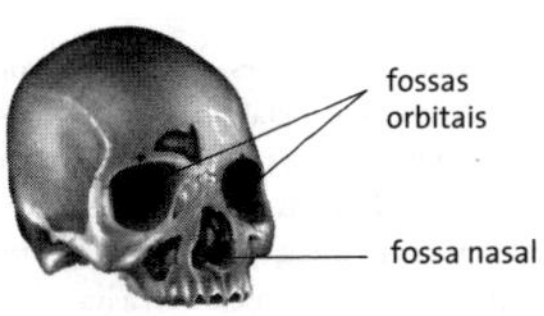

fossar *v.t.* (lat. *fossare*) [conj. 4]. Fuçar.

fosseta (ê) *s.f.* Pequena fossa. ● **Anat.** Depressão existente no meio do occipital e correspondente ao maior desenvolvimento do lóbulo cerebeloso mediano.

fóssil *s.m.* (lat. *fossilis*). Resto ou vestígio de planta ou animal que se apresenta petrificado ou endurecido em camadas rochosas de épocas geológicas anteriores à atual. ★ *adj.2g.* **1.** Diz-se de qualquer corpo orgânico que se petrificou no seio da terra. **2.** *Combustível fóssil,* combustível que se formou na Terra no decorrer de várias eras geológicas, como o petróleo.

fossilização *s.f.* Passagem de um organismo ao estado fóssil, que se opera na ausência de ar por substituição parcial ou total dos tecidos por substâncias minerais.

fossilizar *v.t.* e *v.pr.* (conj. 4). **1.** Tornar(-se) fóssil. **2.** *Pej.* Cessar de evoluir; estar ultrapassado, obsoleto.

fosso (ô) *s.m.* (lat. *fossus*). **1.** Cova, vala. **2.** Cavidade para fechar um espaço, para defender uma praça ou fazer escoar as águas. **3.** *Fig.* O que separa. **4.** Cavidade na terra que contorna um castelo ou fortificação, em geral preenchida com água.

fotelétrico *adj.* Var. de FOTOELÉTRICO.

fotelétron *s.m.* Var. de FOTOELÉTRON.

foto *s.f.* Forma reduzida de fotografia.

fotoativação *s.f.* Ativação de uma reação química por fótons incidentes.

fotocondução *s.f.* Liberação de cargas elétricas em um semicondutor sob a ação da luz.

fotocondutividade *s.f.* Aumento da condutividade elétrica de um semicondutor exposto à ação de uma radiação eletromagnética.

fotocondutivo *adj.* Que apresenta a propriedade da fotocondutividade; fotocondutor.

fotocondutor (ô) *adj.* Fotocondutivo.

fotocópia *s.f.* **1.** Processo de reprodução de documentos por meio da fotografia, com a utilização de um papel sensibilizado especial. **2.** Cópia assim obtida.

fotoeletricidade *s.f.* Tipo de eletricidade induzida por radiação eletromagnética, particularmente pela luz.

fotoelétrico *adj.* **1.** Diz-se de um processo de conversão da energia solar que conduz à produção de eletricidade. (Var. FOTELÉTRICO.) **2.** *Célula fotoelétrica,* dispositivo que permite obter correntes elétricas pela ação de um fluxo luminoso. ▸ *Efeito fotoelétrico,* fenômeno de interação entre a radiação e a matéria, caracterizado pela absorção de fótons e pela liberação consecutiva de elétrons.

fotoelétron *s.m.* Elétron emitido por efeito fotoelétrico. (Var. FOTELÉTRON.)

fotoemissão *s.f.* Emissão de elétrons por uma substância fotossensível.

fotoemissor (ô) *adj.* Que apresenta a propriedade da fotoemissão.

fotofobia *s.f.* **1.** Tendência de evitar a luz direta nos olhos, em razão da dor ocular que ela provoca no curso de certas afecções. **2.** Horror à luz.

fotofóbico *adj.* e *s.m.* Que ou aquele que sofre de fotofobia.

fotogenia *s.f.* **1.** Produção da luz. **2.** Qualidade de fotogênico.

fotogênico *adj.* **1.** Que produz imagens pela ação da luz. **2.** Relativo aos efeitos químicos da luz sobre certos corpos. **3.** Que impressiona bem a placa fotográfica. **4.** Diz-se de pessoa que se apresenta bem em fotografia.

fotografar *v.t.* (conj. 4). Obter uma imagem por meio de fotografia. ★ *v.i.* **1.** Fazer fotografias. **2.** Sair (bem ou mal) em fotografia.

fotografia *s.f.* **1.** Procedimento que permite registrar, com a ajuda da luz e de produtos químicos, a imagem de um objeto sobre uma superfície fotossensível. **2.** Imagem obtida por esse processo. **3.** *Fig.* Cópia fiel, reprodução exata; retrato.

fotográfico *adj.* Relativo à fotografia.

fotógrafo *s.m.* Pessoa que pratica ou se ocupa de fotografia.

fotogrametria *s.f.* Conjunto das técnicas que possibilitam determinar a forma, as dimensões e a posição no espaço de um objeto, a partir de fotografias.

fotogravura *s.f.* Conjunto de processos fotográficos ou de análise eletrônica utilizados para a reprodução impressa de ilustrações.

fotólise *s.f.* Decomposição química pela ação da luz.

fotolito *s.m.* Filme ou jogo de filmes, positivos, para reprodução de texto ou ilustrações, utilizado na gravação de chapas para impressão.

fotomagnético *adj.* Diz-se dos fenômenos magnéticos devidos à ação da luz.

fotômetro *s.m.* Instrumento que mede a intensidade de luz.

fóton *s.m.* *Quantum* de radiação eletromagnética, considerado uma das partículas subatômicas, de carga e massa nulas.

fotonovela *s.f.* História romanesca em quadrinhos, composta de imagens fotográficas e textos.

fotoperíodo *s.m.* Comprimento relativo dos períodos de presença e ausência de luz, que afeta o desenvolvimento dos organismos vivos.

fotoperiodismo *s.m.* Resposta biológica dos organismos ao fotoperíodo, como a floração das plantas.

fotoquímica *s.f.* Estudo das transformações químicas provocadas ou aceleradas pela luz.

fotoquímico *adj.* Relativo à fotoquímica.

fotorreceptor (ô) *s.m.* Célula responsável pela recepção e transformação da luz em impulso nervoso.

fotosfera *s.f.* Região da atmosfera de uma estrela, em particular do Sol, de onde provém a quase totalidade da radiação visível.

fotossíntese *s.f.* Nos vegetais, síntese de compostos orgânicos a partir de água, gás carbônico e energia da luz absorvida pela clorofila.

fotossensível *adj.2g.* Diz-se da substância que emite elétrons quando excitada por radiação eletromagnética.

fotossintético *adj.* Relativo ou característico da fotossíntese.

fototerapia *s.f.* Tratamento pela luz.

fototropismo *s.m.* Movimento de crescimento de uma planta, orientado pela luz.

fovismo *s.m.* (fr. *fauvisme,* de *fauve,* fera). Movimento artístico do início do séc. XX caracterizado pela simplificação das formas das figuras, que são apenas sugeridas, e pelo emprego das cores puras, que não são as da realidade.

fox-terrier *s.m.* (ingl.) Cão de origem inglesa, próprio para caçar animais em toca.

foz *s.f.* (lat. *faux*). Embocadura, ponto onde o rio desemboca; boca do rio.

Fr Símbolo químoco do frâncio.

fracalhão *adj.* e *s.m.* Muito fraco; covarde.

fração *s.f.* (lat. *fractio*). **1.** Ato ou efeito de partir ou dividir. **2.** Parte de um todo. ● **Mat.** Notação que indica uma divisão entre dois números inteiros, quando o divisor é diferente de zero. (Sin. RAZÃO.)

fracassar *v.i.* (conj. 4). Não ter o resultado esperado; falhar, malograr. ★ *v.t.* Quebrar com estrondo.

fracasso *s.m.* (it. *fracasso*). **1.** Ação de fracassar; malogro. **2.** Fragor, estrépito, barulho. **3.** Malogro, insucesso.

fracionamento *s.m.* Ato ou efeito de fracionar(-se). ● **Quím.** Método de análise ou de separação dos constituintes de uma mistura, em que se aproveitam as diferenças entre suas propriedades.

fracionar *v.t.* (conj 4). Dividir em frações. ● **Quím.** Praticar o fracionamento.

fracionário *adj.* Que contém frações. ● **Gram.** Diz-se do numeral que exprime fração, ou em quantas partes iguais foi dividida a unidade. **Mat.** Relativo às frações, às propriedades das frações. ▸ Diz-se do número que não é inteiro.

fraco *adj.* (lat. *flaccus,* pendente, mole). **1.** Sem vigor, sem força física. **2.** Que não apresenta resistência; frágil. **3.** De pouca intensidade, pouco ativo. **4.** Indefeso, desarmado, impotente. **5.** Pouco desenvolvido, restrito. **6.** Desprovido de valor; medíocre. **7.** Que não tem energia moral, firmeza, autoridade. ● **Mús.** Diz-se de um tempo ou parte do tempo não marcados pela métrica. **Quím.** Diz-se de um eletrólito pouco dissociado. ★ *s.m.* **1.** Pessoa fraca, sem forças, sem poder nem recursos. **2.** O que há de menos sólido, o lado mais vulnerável de. **3.** Inclinação, predileção, paixão.

fractal *s.m.* Figura ou sólido que pode ser subdividido, infinitamente e de maneira simétrica, de modo tal que suas subdivisões têm exatamente a mesma forma que a original.

frade *s.m.* (lat. *frater,* irmão). Membro de uma ordem religiosa que vive afastado do convívio social.

fraga *s.f.* **1.** Rocha escarpada, penhasco. **2.** Brenha, terreno escabroso.

fragata[1] *s.f.* (it. *fregata*). **1.** Antigo navio de guerra à vela e de pequeno porte. **2.** Navio de escolta, principalmente anti-submarino, de tonelagem superior à da corveta.

fragata[2] *s.f.* Sin. de ALCATRAZ.

VOCÊ SABIA...? O princípio da **fotografia** (inventada em 1816 por Nicéphore Niepce e depois aperfeiçoada por Daguerre e outros) baseia-se na transformação de compostos químicos sob a ação da luz ou de radiações (raios ultravioleta e infravermelhos, raios X, raios gama etc.). Para obter a fotografia, projeta-se uma imagem sobre um suporte revestido de fina camada de um desses mencionados compostos. Assim se forma a imagem fotográfica na camada sensível, devido a reações fotoquímicas. Essa imagem é instável, por isso é necessário tratar a emulsão fotossensível com banhos apropriados para provocar transformações químicas que resultem em novos compostos, estáveis e insensíveis à luz.

frágil *adj.2g.* (lat. *fragilis*). **1.** Que se quebra com facilidade. **2.** Que se pode danificar ou deteriorar facilmente. **3.** Que não é sólido nem resistente; débil. **4.** Que é física ou psicologicamente fraco. **5.** Delicado, fino. **6.** *Fig.* Pouco estável, efêmero, transitório.

fragilidade *s.f.* (lat. *fragilitas*). Qualidade, caráter do que é frágil.

fragmentar *v.t.* (conj. 4). **1.** Reduzir a fragmentos; dividir, fracionar. **2.** Quebrar. ★ *v.pr.* Partir-se, quebrar-se.

fragmentário *adj.* Que constitui ou representa fragmento de um todo.

fragmento *s.m.* (lat. *fragmentum*). **1.** Cada uma das partes de um objeto que se quebrou ou dividiu; porção, pedaço. **2.** O que sobra de um documento ou de uma obra antiga. **3.** Trecho, passagem.

fragor (ô) *s.m.* (lat. *fragor*). Estrondo, estampido, estrépito.

fragoroso (ô) *adj.* Que produz fragor; ruidoso, estrondoso.

fragoso (ô) *adj.* (lat. *fragosus*). **1.** Que tem fragas; penhascoso, escabroso. **2.** Difícil, áspero.

fragrância *s.f.* (lat. *fragrantia*). Qualidade de fragrante; cheiro, odor agradável; perfume, aroma.

fragrante *adj.2g.* (lat. *fragrans*). Que exala cheiro suave; perfumado, aromático.

frágua *s.f.* (lat. *fabrica*, forja). **1.** Fornalha, forja. **2.** *Fig.* Fogo vivo, fogueira. **3.** *Fig.* Ardor, calor intenso.

frajola *adj.2g.* *Pop.* Elegante, bem-vestido, gracioso.

fralda *s.f.* (de or. germ.). **1.** Peça de fazenda ou de papel absorvente (descartável) com que se envolve a parte inferior do tronco de uma criança a fim de absorver os excrementos. **2.** Parte inferior da camisa. **3.** As abas, sopé de morro ou serra; falda.

framboesa (ê) *s.f.* (fr. *framboise*). Fruto da framboeseira, formado por numerosas drupas vermelhas, amarelas, brancas ou roxas, de sabor doce, comestível cru ou em doces e compotas.

framboeseira *s.f.* Arbusto originário dos Estados Unidos e Europa, de ramos alongados, flores brancas e frutos comestíveis.

francês *adj.* Relativo ou pertencente à França, país da Europa. ★ *s.m.* **1.** O natural ou habitante da França. **2.** Língua românica falada principalmente na França, Canadá, Bélgica e Suíça, e que é também a língua oficial de numerosas repúblicas africanas.

francesismo *s.m.* **1.** Qualidade do que é francês; conjunto de características do que é reconhecido como francês. **2.** Galicismo. **3.** Imitação afetada das coisas francesas.

frâncio *s.m.* (lat. cient. *francium*). Elemento químico radioativo (símb. Fr) de número atômico 87, pouco estável, o mais pesado da família dos metais alcalinos.

franciscano *adj.* **1.** Relativo a São Francisco de Assis. **2.** Relativo ou pertencente à ordem religiosa fundada por esse santo. **3.** Simples, despojado. ★ *s.m.* Religioso da ordem fundada por São Francisco.

franco[1] *s.m.* Indivíduo dos francos, povos germânicos que conquistaram a Gália na Antiguidade. ★ *adj.* **1.** Pertencente ou relativo a esses povos. **2.** Que é dito ou feito sem dissimulação, sem rodeios. **3.** Que fala ou age sem dissimulação, sem rodeios. **4.** Sincero, verdadeiro. **5.** Independente, não sujeito a outrem. **6.** Espontâneo, não constrangido. **7.** Generoso, liberal. **8.** *Entrada franca,* facilidade de entrar à vontade ou de entrar sem pagar. ▸ *Franco de bordo,* cláusula pela qual o negociante se compromete a entregar, livre de frete, uma mercadoria a bordo do navio que a transportará. (Emprega-se usualmente a abreviatura FOB.) ▸ *Franco de porte,* de cujo transporte nada há a pagar. ▸ *Porto franco, zona franca,* porto ou região fronteiriça em que as mercadorias estrangeiras entram livremente, sem formalidades nem pagamentos de direitos.

franco[2] *s.m.* **1.** Antiga unidade monetária da França, Bélgica, Luxemburgo, Andorra e Mônaco, substituída pelo euro em 2002. **2.** Unidade monetária de diversos países: Liechtenstein e Suíça; Benin, Burquina, Camarões, Chade, Comores, Congo, Costa do Marfim, Gabão, Guiné-Bissau, Guiné Equatorial, Mali, Níger, República Centro-Africana, Senegal e Togo; Burundi, Djibuti, Guiné, Madagascar e Ruanda.

franco-atirador (ô) *s.m.* **1.** Soldado que não faz parte de uma força regular; guerrilheiro. **2.** *P. ext.* Aquele que trabalha, material ou ideologicamente, sem estar ligado a um grupo ou a uma empresa.

franco-brasileiro *adj.* Relativo ou pertencente à França e ao Brasil. ★ *s.m.* Pessoa de origem e/ou língua francesa e brasileira.

franco-maçom *s.m.* Sin. de MAÇOM.

franco-maçonaria *s.f.* Sin. de MAÇONARIA.

franga *s.f.* **1.** Galinha nova que ainda não põe ovos. **2.** *Pop.* Mulher muito jovem.

frangalho *s.m.* **1.** Trapo, farrapo, pedaço de pano. **2.** *Fig.* Pessoa ou coisa miserável, arruinada.

frango *s.m.* **1.** Galo jovem que ainda não atingiu a maturidade sexual. **2.** *Fam.* Adolescente, rapazola, frangote. **3.** *Pop.* No jogo de futebol, bola fácil de defender que o goleiro deixa passar. **4.** *Frango de corte,* frango criado para a produção de carne.

frangote *s.m.* **1.** Pequeno frango. **2.** *Fig.* Rapazinho, garoto, frango.

franja *s.f.* (fr. *frange*). **1.** Faixa de tecido orlada de fios, usada em decoração e em peças do vestuário. **2.** Tudo aquilo que lembra uma franja propriamente dita. ● **Fís.** Cada uma das faixas retilíneas, alternadamente brilhantes e escuras, observáveis em uma zona de difração ou de interferência luminosa.

franjar *v.t.* (conj. 4). **1.** Guarnecer com franjas. **2.** Desfiar em franjas. **3.** Cortar em franjas.

franqueado *adj.* Que se franqueou; livre. ★ *s.m.* Comerciante que utiliza a marca, a organização, a imagem publicitária etc., de um outro, em troca de uma remuneração.

franqueador (ô) *s.m.* Comerciante que cede sua marca, organização, imagem publicitária etc., a outro, em troca de remuneração.

franquear *v.t.* (conj. 15). **1.** Isentar de impostos. **2.** Desimpedir, facilitar, desembaraçar. **3.** Pagar pelo transporte de. **4.** Permitir, conceder, autorizar, pôr à disposição. **5.** Transpor, passar além.

franqueza (ê) *s.f.* **1.** Qualidade daquele que é franco; sinceridade. **2.** Isenção.

franquia *s.f.* **1.** Isenção, privilégio, imunidade. **2.** Liberdade de direitos. **3.** Cláusula de contrato de seguro que fixa um montante, em caso de perda, a cargo do assegurado. **4.** Pagamento do porte da carta no momento da postagem. **5.** *Fig.* Asilo, guarida.

franzido *adj.* **1.** Que se franziu. **2.** Feito com pregas muito pequenas e unidas. ★ *s.m.* Coisa franzida.

franzino *adj.* **1.** Delicado, delgado, fino. **2.** Diz-se de voz fina, fraca, esganiçada.

franzir *v.t.* (conj. 6). **1.** Fazer pregas fofas ou rugas em. **2.** Fazer pregas muito pequenas no tecido. ★ *v.pr.* Dobrar-se em pregas; enrugar-se, contrair-se.

fraque *s.m.* (fr. *frac*). Casaco de cerimônia, justo, com abas arredondadas atrás.

fraquear *v.i.* (conj. 15). Fraquejar.

fraquejar *v.i.* (conj. 4). Perder a força, o vigor, a resistência; fraquear.

fraqueza (ê) *s.f.* **1.** Estado ou qualidade de fraco; falta de força, de resistência; fragilidade. **2.** *Fig.* Falta de firmeza, de capacidade espiritual, moral ou intelectual. **3.** Falta de ânimo; pusilanimidade.

frasal *adj.2g.* Relativo à frase.

frasco *s.m.* (lat. tard. *flasco*). Recipiente para líquidos, com gargalo curto.

frase *s.f.* (gr. *phrasis*, dicção, elocução). **1.** Unidade gramatical composta de elementos ordenados, capaz de conter o enunciado completo de uma oração. **2.** Expressão, locução. **3.** Fragmento de uma linha melódica que forma um todo.

fraseado *adj.* Disposto em frases. ★ *s.m.* Modo de dizer ou escrever; palavreado.

frasear *v.i.* (conj. 15). **1.** Fazer frases. **2.** Requintar na construção da frase. **3.** *Pej.* Expressar-se com rebuscamento.

fraseologia *s.f.* Construção de frase característica de um indivíduo, grupo ou língua.

fraseológico *adj.* **1.** Relativo à fraseologia. **2.** Diz-se do dicionário que contém as frases e expressões mais características de uma língua.

frasqueira *s.f.* Maleta usada em viagens, para transportar frascos e objetos de toucador.

fraternal *adj.2g.* Fraterno.

fraternidade *s.f.* (lat. *fraternitas*). **1.** Laço de parentesco entre irmãos; irmandade. **2.** Vínculo de solidariedade; fraternização, camaradagem.

fraternizar *v.i.* (conj. 4). Confraternizar.

fraterno *adj.* (lat. *fraternus*). **1.** Relativo ou pertencente a irmãos. **2.** Próprio de irmãos; fraternal. **3.** Afetuoso, cordial.

fratria *s.f.* **1.** Cada um dos grupos em que se subdividiam as tribos atenienses, na Grécia antiga. **2.** Grupo de clãs, numa sociedade primitiva.

fratricida *adj.2g.* e *s.2g.* (lat. *fratricida*). Que ou aquele que mata irmão ou irmã. ★ *adj.2g.* Diz-se de lutas ou guerras entre compatriotas e das guerras civis.

fratricídio *s.m.* (lat. *fratricidium*). **1.** Crime cometido por aquele que mata o próprio irmão ou irmã. **2.** Guerra civil.

fratura *s.f.* (lat. *fractura*). **1.** Ato ou efeito de fraturar; quebra, ruptura. **2.** Rompimento brusco de um osso, em geral como resultado de um traumatismo. **3.** *Fratura exposta,* aquela na qual um ferimento comunica a área quebrada com o meio externo.

VOCÊ SABIA...? Quando um osso se fratura ou quebra, as células da zona lesada crescem e se multiplicam para fechar a ferida. Se dois extremos de um osso quebrado são acomodados e sustentados com um revestimento de gesso, o osso é reparado. Nas crianças e nos adultos jovens, esse processo de reparação demora doze semanas, ou menos, para os ossos das pernas ou dos braços. Outras **fraturas** mais complicadas, denominadas compostas, podem ser mais difíceis de curar. Às vezes, os médicos inserem pinos especiais no osso para unir as partes quebradas.

---

fraturar *v.t.* (conj. 4). **1.** Quebrar, reduzir a pedaços. **2.** Produzir, causar fratura em (osso).

fraudar *v.t.* (lat. *fraudare*) [conj. 4]. **1.** Praticar fraude. **2.** Prejudicar ou lograr por meio de fraude.

fraude *s.f.* (lat. *fraus, fraudis*). **1.** Ato desonesto praticado com a intenção de enganar, transgredindo a lei ou os regulamentos. **2.** Engano, ato de má-fé.

fraudulento *adj.* (lat. *fraudulentus*). **1.** Propenso à fraude. **2.** Em que há fraude; fraudatório.

freada *s.f.* **1.** Ato ou efeito de frear; brecada. **2.** *Pop.* Maneira violenta de frear.

frear *v.t.* e *v.i.* (conj. 15). **1.** Diminuir a velocidade de um corpo em movimento até a eventual parada desse movimento; frenar, brecar. **2.** Diminuir a marcha, o avanço ou o desenvolvimento; reprimir, conter.

freático *adj.* (do gr. *phrear, phreatos,* poço). **1.** Relativo a camadas aqüíferas subterrâneas. **2.** *Lençol freático,* lençol aqüífero subterrâneo de pouca profundidade, formado pela infiltração das precipitações, que alimenta poços e nascentes.

frechal *s.m.* Viga que sustenta caibros ou outras vigas.

frege[1] *s.m.* *Pop.* Desordem, arrelia, barulho.

frege[2] *s.m.* Casa de pasto pouco asseada; fregemoscas.

frege-moscas *s.m.2n.* Frege[2].

freguês *s.m.* (lat. *filius gregis,* filho do rebanho). **1.** Habitante de uma freguesia. **2.** Aquele que vende ou compra habitualmente à mesma pessoa. **3.** *P. ext.* Comprador, cliente. **4.** Indivíduo qualquer.

freguesia *s.f.* **1.** Distrito de uma paróquia. **2.** Conjunto de paroquianos. **3.** Clientela, grupo de compradores.

frei *s.m.* Freire.

freio *s.m.* (lat. *frenum*). **1.** Parte do arreio que se põe na boca do cavalo para dirigi-lo. **2.** Dispositivo destinado a diminuir a marcha, parar ou imobilizar um conjunto mecânico dotado de movimento; breque. **3.** Trava. **4.** *Fig.* Aquilo que retém, que entrava. ● **Anat.** Nome dado a certas pregas cutâneas ou mucosas que impedem ou limitam os movimentos de um órgão.

freira *s.f.* **1.** Religiosa professa; sóror, monja. **2.** *Freira secular,* a que fez todos os votos, exceto o de clausura.

freire *s.m.* Membro de uma ordem religiosa ou militar; frei.

freixo *s.m.* Árvore originária da Europa e da Ásia, que fornece madeira dura e amarelada usada na fabricação de tonéis. (Sin. MANÁ.)

fremente *adj.2g.* Que freme; agitado, violento, vibrante.

fremir *v.i.* (lat. *fremere*) [conj. 6]. **1.** Bramir, rugir, bramar. **2.** Vibrar, soar. **3.** Estremecer, tremer, agitar-se. **4.** Estremecer de medo, prazer ou ódio.

frêmito *s.m.* (lat. *fremitus*). **1.** Barulho, rumor, rugido. **2.** Tremor, estremecimento, vibração. **3.** Rumor produzido por esse estremecimento. **4.** *Fig.* Comoção, abalo, estremecimento de alegria. **5.** Sensação espasmódica. ● **Med.** Sensação de tremor ligeiro, localizado, percebido à palpação em caso de estenose mitral ou de cisto hidático.

frenesi *s.m.* **1.** Delírio, desvario. **2.** Exaltação violenta; arrebatamento, excitação. **3.** Inquietação, impaciência, agitação. ● **Med.** Delírio sintomático provocado por inflamação do cérebro e das meninges.

frenético *adj.* (gr. *phrenetikos*). **1.** Atacado de frenesi. **2.** Arrebatado, exaltado. **3.** Impaciente, inquieto. **4.** Convulso, agitado.

frênico *adj.* **1.** Relativo ao diafragma. **2.** *Nervo frênico,* cada um dos dois ramos do plexo cervical que inervam o diafragma.

frenopata *s.2g.* Pessoa que sofre de frenopatia.

frenopatia *s.f.* Distúrbio mental.

frente *s.f.* **1.** Parte anterior ou dianteira de qualquer coisa; face. **2.** O primeiro lugar, o que está mais adiantado ou na dianteira de. **3.** Fachada. **4.** Coalizão de forças políticas distintas para um objetivo comum. **5.** Zona de combate mais avançada. (Sin. fr. FRONT.) ● **Fís.** *Frente de onda,* parte anterior da onda, considerada do lado para o qual ela se propaga. **Meteor.** Superfície de descontinuidade entre massas de ar convergentes, diferenciadas pela temperatura e pelo grau de umidade.

frentista *s.2g.* Empregado que atende o público, num posto de gasolina.

freon *s.m.* Nome comercial de uma série de gases clorados e fluorados inflamáveis, utilizados como agentes refrigerantes ou propulsores de aerossóis.

freqüência *s.f.* (lat. *frequentia*). **1.** Ato ou efeito de freqüentar. **2.** Caráter daquilo que acontece muitas vezes. **3.** Conjunto de pessoas que freqüentam um lugar. ● **Fís.** Grandeza associada a um fenômeno periódico e que indica o número de vezes que esse fenômeno se reproduz em um intervalo dado.

freqüentador (ô) *adj.* e *s.m.* Que ou aquele que freqüenta determinado local.

freqüentar *v.t.* (lat. *frequentare*) [conj. 4]. **1.** Ir muitas vezes, habitualmente, a um lugar. **2.** Viver na intimidade de, conviver com. **3.** Cursar, seguir (aula, disciplina etc.).

freqüentativo *adj.* Diz-se de uma forma verbal, provida de um afixo, que indica a repetição da ação expressa pela raiz do verbo.

freqüente *adj.2g.* (lat. *frequens*). Que se produz muitas vezes; repetido, amiudado.

fresa *s.f.* (fr. *fraise*). Ferramenta rotativa com várias arestas cortantes dispostas ao redor de seu eixo de rotação.

fresagem *s.f.* Ação de fresar.

fresar *v.t.* (conj. 4). Usinar (uma peça) por meio de uma fresa; desbastar ou cortar com fresa.

fresca (ê) *s.f.* Brisa que sopra ao cair da tarde nos dias quentes.

fresco (ê) *adj.* (de or. germ.). **1.** Ligeiramente frio. **2.** Que tem viço, vivacidade. **3.** Vigoroso, forte, robusto. **4.** De pouco tempo; recente. **5.** Que não está estragado; saudável. ★ *adj.* e *s.m. Chul.* Que ou o que é efeminado ou homossexual.

frescor (ô) *s.m.* **1.** Qualidade do que é fresco; frescura, fresquidão. **2.** Vivacidade, exuberância, jovialidade. **3.** Vigor da vegetação; verdor, vivacidade.

frescura *s.f.* **1.** Frescor. **2.** *Pop.* Afetação, formalidade.

fressura *s.f.* Conjunto das vísceras mais grossas dos grandes animais abatidos em matadouro (traquéia, pulmão, coração e fígado).

fresta *s.f.* (lat. *fenestra,* janela). **1.** Abertura em parede, mais estreita que a janela, para iluminação do interior. **2.** Abertura na porta ou na janela por onde passa luz. **3.** Fenda, greta, frincha.

fretar *v.t.* (conj. 4). **1.** Tomar a frete; alugar (veículo, embarcação). **2.** Carregar, equipar. **3.** Ajustar por frete.

frete *s.m.* (hol. *vraecht*). **1.** Preço do transporte de mercadorias por via aérea, marítima, fluvial ou terrestre. **2.** Carga de um avião, embarcação ou caminhão.

frevo (ê) *s.m.* Dança e música do Carnaval pernambucano.

friagem *s.f.* **1.** Frescor, frio atmosférico; frialdade. **2.** Queda repentina da temperatura, com ventos frios, que ocorre na Amazônia ocidental entre os meses de maio e agosto.

frialdade *s.f.* **1.** Frieza. **2.** Friagem.

friável *adj.2g.* (lat. *friabilis,* quebradiço). Que se fragmenta facilmente.

fricativa *s.f.* Consoante constritiva.

fricção *s.f.* (lat. *frictio*). **1.** Ato ou efeito de friccionar; atrito. **2.** Resistência que apresentam duas superfícies em contato que se movimentam uma em relação a outra. **3.** Ação de esfregar uma parte do corpo ou todo ele com as mãos limpas ou untadas com algum medicamento ou droga.

friccionar *v.t.* (conj. 4). **1.** Fazer fricção em; esfregar. **2.** Atritar, roçar. **3.** Fomentar. ★ *v.pr.* Fazer fricção em si próprio.

fricote *s.m. Pop.* **1.** Trejeito manhoso, manha. **2.** Simulação de excitação nervosa; chilique.

frieira *s.f.* Lesão inflamatória acompanhada de prurido, mais comum nas extremidades, cujas causas principais estão relacionadas ao desenvolvimento de fungos, perturbações circulatórias, endócrinas, neurovegetativas ou carência alimentar.

frieza (ê) *s.f.* **1.** Qualidade do que é frio; frialdade, frigidez. **2.** Falta de ardor, de entusiasmo; indiferença. **3.** Falta de amabilidade; desinteresse.

frigideira *s.f.* **1.** Panela larga e pouco profunda, com cabo comprido, para fritar. **2.** Fritada.

frigidez (ê) *s.f.* **1.** Frialdade. **2.** Para a mulher, ausência total ou parcial de desejo ou de prazer sexual, em geral de ordem psíquica.

frígido *adj.* (lat. *frigidus,* frio). **1.** Demasiadamente frio; gelado, álgido. **2.** Falto de energia. **3.** Que não experimenta desejo e/ou prazer sexual.

frigir *v.t.* (lat. *frigere*) [conj. 63]. **1.** Fritar. **2.** *Fig.* Apoquentar, importunar. ★ *v.i.* **1.** Ficar frito. **2.** *Fig.* Ostentar em público; querer ser admirado.

frigorífico *adj.* (lat. *frigorificus*). Que produz ou conserva frio. ★ *s.m.* Instalação, industrial ou doméstica, onde se conservam, em baixa temperatura, alimentos ou substâncias perecíveis.

frincha *s.f.* **1.** Fenda, greta, fresta. **2.** Canal muito estreito.

frio *adj.* (lat. *frigus*). **1.** Que não tem calor, que tem baixa temperatura, particularmente em relação à do corpo humano. **2.** Que denota frieza; sem vida, sem animação. **3.** Reservado, indiferente. **4.** Insensível, cruel. **5.** Que é pouco sensual; frígido.

6. *Pop.* Falso, sem valor legal. ★ *s.m.* **1.** Baixa temperatura da atmosfera, do ar ambiente. **2.** Sensação causada por essa temperatura. **3.** *Fig.* Desalento, fraqueza, inércia. ★ *s.m.pl.* Produtos de salsicharia em geral; carnes conservadas ou defumadas. ★ *s.f. Pop.* Situação embaraçosa, difícil; enrascada.

casa de frios

friorento *adj.* Que sente muito frio; friento.

frisa[1] *s.f.* Nos teatros, camarote um pouco acima do nível da platéia.

frisa[2] *s.f.* (de *Frísia,* n.pr.). **1.** Tecido grosseiro de lã. **2.** Máquina para frisar lã.

frisado[1] *adj.* **1.** Encaracolado, encrespado, anelado. **2.** Diz-se das raças de pombos ou de galinhas com plumagem arrepiada.

frisado[2] *adj.* Que tem frisos.

frisante *adj.2g.* **1.** Que frisa. **2.** Adequado, próprio, de acordo com a ocasião ou pessoa. **3.** Terminante, convincente. **4.** Diz-se do vinho cujo teor de gás carbônico provém exclusivamente da fermentação.

frisar[1] *v.t.* (conj. 4). Encaracolar, encrespar.

frisar[2] *v.t.* (conj. 4). **1.** Pôr friso em. **2.** *Fig.* Salientar, enfatizar. **3.** Ter semelhança, ser análogo. **4.** Roçar, quase tocar.

friso *s.m.* (it. *friso*). **1.** Superfície plana que forma uma faixa contínua. **2.** Banda ou tira pintada ou esculpida com fins decorativos. ● **Arquit.** Parte do entablamento compreendida entre a arquitrave e a cornija.

fritada *s.f.* **1.** O que se frita de uma vez. **2.** Prato feito com ovos fritos com legumes, ou carne picada etc.; fritada.

fritar *v.t.* (conj. 4). Cozinhar em óleo ou gordura muito quente; frigir.

frito *adj.* (lat. *frictus*). Que se frigiu.

fritura *s.f.* (lat. *frictura*). **1.** Ação de fritar. **2.** Alimento gorduroso resultante desse processo.

frivolidade *s.f.* **1.** Qualidade, caráter do que é frívolo; futilidade. **2.** Coisa de pouco valor.

frívolo *adj.* (lat. *frivolus*). **1.** Sem importância, de pouco valor; vão. **2.** Que gosta de coisas fúteis; fútil, superficial.

fronde *s.f.* (lat. *frons, frondis*). **1.** A copa das árvores. **2.** A folhagem ou rama das samambaias e das palmeiras.

frondoso (ô) *adj.* (lat. *frondosus*). **1.** Abundante de folhas e ramos. **2.** Copado, espesso. **3.** *Fig.* Abundante, extenso.

fronha *s.f.* Espécie de saco ou capa de tecido em que se envolve o travesseiro.

front *s.m.* (fr.) Sin. de FRENTE.

frontal *adj.2g.* (lat. *frontalis*). **1.** Relativo ou pertencente à fronte. **2.** Franco, declarado. ● **Anat.** *Lobo frontal,* parte anterior de cada um dos hemisférios cerebrais. ▸ *Osso frontal* ou *frontal* (*s.m.*), osso ímpar, mediano e simétrico, situado na parte anterior do crânio do homem, bem como em quase todos os vertebrados.

frontão *s.m.* (it. *frontone*). Ornato arquitetônico em forma de triângulo ou de arco que arremata a face principal de um edifício, de um monumento.

frontaria *s.f.* Frontispício.

fronte *s.f.* (lat. *frons, frontis*). **1.** Parte do rosto humano compreendida entre a raiz dos cabelos, a arcada superciliar e os bordos anteriores das fossas temporais; testa. **2.** *P. ext.* Todo o rosto. **3.** Região anterior do crânio dos vertebrados. **4.** Frente, frontispício.

frontear *v.t.* (conj. 15). Ficar defronte, estar defronte. ★ *v.pr.* Defrontar-se.

fronteira *s.f.* **1.** A parte de um país, região ou território que confina com outro. **2.** Limite, extremo, fim. **3.** Limite do território de um Estado e do exercício do poder territorial.

fronteiriço *adj.* Pertencente ou relativo à fronteira. ★ *adj.* e *s.m.* Diz-se de ou habitante de uma região que fica próxima da fronteira.

fronteiro *adj.* **1.** Que está em frente a. **2.** Situado na fronteira.

frontispício *s.m.* (b.-lat. *frontispicium*). **1.** Fachada principal de um edifício, de um monumento; frontaria. **2.** Título principal e inteiramente desenvolvido de um livro. **3.** Ilustração colocada na página de rosto ou na página anterior. **4.** *P. ext.* Rosto.

frota *s.f.* (prov. *flota*). **1.** Grande número de navios de guerra; armada. **2.** Conjunto de navios mercantes. **3.** Conjunto de veículos pertencentes a uma mesma pessoa ou empresa.

frouxidão *s.f.* Qualidade ou estado de frouxo.

frouxo *adj.* (lat. *fluxus,* fluido). **1.** Não retesado, lasso, bambo. **2.** Sem energia, mole, flácido. **3.** Pouco apertado, folgado. **4.** *Fig.* Fraco, poltrão, tíbio.

frufru *s.m.* (fr. *frou-frou,* termo onomat.). Ligeiro ruído produzido pelo atrito de folhas ou de roupas (especialmente de seda).

frugal *adj.2g.* (lat. *frugalis*). **1.** Relativo a frutas. **2.** Constituído por frutas. **3.** Que se alimenta de frutas; que come pouco, sobriamente.

frugífero *adj.* (lat. *frugifer*). Que dá frutos em abundância.

frugívoro *adj.* e *s.m.* Que ou aquele que se alimenta de frutas.

FRUGÍVORO ▸ Entre os animais frugívoros encontramos alguns morcegos que durante a noite recolhem frutos para comê-los em seu refúgio, junto com os insetos atraídos pela colheita. Devido a esse tipo de alimentação, alguns desses morcegos têm odor similar ao de um sabonete perfumado.

fruição (u-i) *s.f.* Ato ou efeito de fruir; gozo.

fruir *v.t.* (lat. *frui,* gozar de) [conj. 74]. **1.** Desfrutar, gozar, tirar proveito de. **2.** Estar na posse de.

frumentação *s.f.* Ato de forragear, de fazer provisões de cereais.

frumental *adj.2g.* Relativo a cereais. ★ *s.m.* Tipo de aveia.

frumentário *adj.* Relativo ao trigo e, p. ext., aos cereais em geral; frumentício.

frumentício *adj.* Frumentário.

frumento *s.m.* **1.** O melhor tipo de trigo; trigo macio. **2.** *P. ext.* Qualquer cereal. ★ *adj.* Diz-se da cor vermelho-alaranjada pálida da pelagem de certos bovinos.

frumentoso (ô) *adj.* Que é abundante em trigo ou cereais.

frustração *s.f.* (lat. *frustratio*). **1.** Ato ou efeito de frustrar(-se); malogro, decepção, falha. **2.** Acontecimento cujo resultado foi pior do que se esperava. ● **Psican.** Estado de um sujeito confrontado a uma insatisfação libidinal por motivos internos ou externos.

frustrado *adj.* **1.** Que não sucedeu como se esperava; baldado, malogrado. **2.** Decepcionado. **3.** Que não se desenvolveu completamente; incompleto.

frustrar *v.t.* (lat. *frustrare*) [conj. 4]. **1.** Privar alguém daquilo que lhe é devido. **2.** Decepcionar, enganar. **3.** Baldar. ★ *v.pr.* Não suceder aquilo que se esperava; malograr-se, falhar.

fruta *s.f.* (lat. *fructus,* fruto, proveito). Designação genérica de todos os frutos, pseudofrutos e infrutescências comestíveis e adocicados; fruto.

frutas e verduras numa quitanda

fruta-do-conde *s.f.* **1.** Fruto da pinheira; baga verde-amarelada, de polpa branca ou creme, macia e doce, que envolve sementes escuras. (Sin. ATA, PINHA.). **2.** Sin. de PINHEIRA.

fruta-pão *s.f.* Árvore de grande porte, originária da Ásia, cujo fruto, grande e de odor característico, pode ser consumido cru ou assado.

fruteira *s.f.* Fruteiro.

fruteiro[1] *s.m.* **1.** Vendedor de frutas. **2.** Prato ou cesto em que se põem as frutas; fruteira. ★ *adj.* Que gosta de fruta.

fruteiro[2] *adj.* Que dá frutos; frutífero.

frutescente *adj.2g.* Sin. de FRUTÍFERO.

fruticultor (ô) *s.m.* Aquele que cultiva árvores frutíferas.

fruticultura *s.f.* Cultura de árvores frutíferas.

frutífero *adj.* (lat. *fructifer*). **1.** Que dá frutos. **2.** Diz-se de árvores, culturas etc., que produzem frutas comestíveis ou utilizáveis industrialmente. (Sin. FRUTESCENTE.) **3.** *Fig.* Proveitoso, produtivo.

frutificação *s.f.* (lat. *fructificatio*). **1.** Formação de frutos. **2.** Época em que são produzidos os frutos. **3.** Conjunto de órgãos reprodutores dos vegetais criptógamos.

frutificar *v.i.* (lat. *fructificare*) [conj. 12]. **1.** Produzir frutos. **2.** *Fig.* Dar bons resultados, trazer benefícios. ★ *v.t.* Fazer dar resultado.

frutívoro *adj.* Que se sustenta ou vive de frutos.

fruto *s.m.* (lat. *fructus*). **1.** Órgão vegetal resultante do desenvolvimento de um ou mais ovários, que serve de proteção durante o desenvolvimento das sementes e depois participa de sua disseminação. **2.** Fruta. **3.** Produto da terra para alimentar o homem. **4.** Produto, produção. **5.** Resultado, proveito, benefício. **6.** *Frutos do mar,* nome genérico dado aos invertebrados marinhos de uso alimentar, tais como camarões, caranguejos, lagostas e lulas. ★ *s.m.pl.* **1.** Produtos. **2.** Benefícios, proventos.

frutose *s.f.* (lat. *fructus,* fruto). Açúcar isômero da glicose, o mais doce dos monossacarídeos.

frutuoso (ô) *adj.* (lat. *fructuosos*). **1.** Que está cheio de frutos. **2.** Que dá bons frutos; útil, proveitoso.

FSH (abrev. do ingl. *follicle-stimulating hormone*). Hormônio foliculoestimulante.

ftiríase *s.f.* Infestação por piolhos, devida à falta de higiene.

fuá *s.m.* Fuxico, intriga, conflito, briga.

fubá *s.m.* (quimb. *fu'ba*). Farinha de milho ou de arroz para uso culinário.

fubecada *s.f.* **1.** Surra. **2.** Bordoada, pancada. **3.** Malogro, insucesso.

fuça *s.f.* *Pop.* **1.** Focinho. **2.** Rosto, cara.

fuçar *v.t.* (conj. 13). **1.** Revolver a terra; esgarvatar. **2.** Revolver com o focinho; fossar. **3.** *Fig.* Remexer, revolver. ★ *v.i.* Esquadrinhar negócios alheios; fossar, bisbilhotar.

fúcsia *s.f.* Sin. de BRINCO-DE-PRINCESA.

fueiro *s.m.* (lat. *funarius*). **1.** Pau grosseiro, não trabalhado. **2.** Cada uma das estacas que escoram a carga em carros de bois, charretes ou vagões ferroviários.

fuga[1] *s.f.* (lat. *fuga*). **1.** Ato ou efeito de fugir; evasão, fugida. **2.** Saída ou retirada feita às pressas, para escapar a algum perigo. **3.** Abandono do lar ou da residência habitual. **4.** Escapatória, subterfúgio. **5.** Cano ou conjunto de canos de chaminé, protegidos por alvenaria, que se elevam acima do telhado. ● **Geom.** *Ponto de fuga,* ponto do espaço para onde convergem todas as retas que representam uma mesma direção.

fuga[2] *s.f.* (it. *fuga*). Composição musical em contraponto, a várias vozes, baseada no princípio da imitação.

fugacidade *s.f.* (lat. *fugacitas*). Qualidade, caráter do que é fugaz.

fugaz *adj.2g.* (lat. *fugax*). **1.** Que foge com rapidez; veloz. **2.** Que dura pouco; transitório.

fugida *s.f.* **1.** Fuga. **2.** Ação de ir a algum lugar e voltar em pouco tempo.

fugidio *adj.* **1.** Inclinado a fugas; habituado a fugir. **2.** Fugaz, efêmero. **3.** Arisco, esquivo.

fugir *v.i.* (lat. *fugere*) [conj. 62]. **1.** Afastar-se, retirar-se, partir apressadamente para escapar. **2.** Retirar-se em debandada. **3.** Sair de onde se estava preso. ★ *v.t.* **1.** Evitar algo ou alguém, por aversão ou temor. **2.** Afastar-se de, abandonar. **3.** Esquivar-se. ★ *v.pr.* **1.** Evitar algo ou alguém. **2.** Afastar-se de, escapulir.

fugitivo *adj.* (lat. *fugitivus*). **1.** Que fugiu. **2.** *Fig.* Fugaz, fugidio. **3.** Pouco acentuado; indefinido, vago. ★ *s.m.* Aquele que fugiu.

fuinha (u-i) *s.f.* (fr. *fouine*). **1.** Denominação comum a mamíferos carnívoros de pequeno porte, de hábitos noturnos, que se alimentam de aves e pequenos mamíferos. (Sin. DONINHA, GARDUNHO. **2.** *Fig.* Pessoa magra. **3.** *Pop.* Intrigueiro, mexeriqueiro.

fujão *adj.* e *s.m.* Que ou aquele que foge com freqüência.

fula *s.2g.* **1.** Indivíduo dos fulas, antiga denominação dos negros da Guiné. **2.** Mestiço de negro e mulato; pardo.

fulano *s.m.* (ár. *fulan*). Nome usado para designar pessoa incerta ou que não se deseja nomear; beltrano, sicrano.

fulcro *s.m.* (lat. *fulcrum*). **1.** Apoio, amparo, sustentáculo. **2.** Ponto de apoio da alavanca. **3.** Fundamento, base.

fulgência *s.f.* Qualidade de fulgente; fulgor, brilho.

fulgente *adj.2g.* (lat. *fulgens*). Que tem fulgor; brilhante, fúlgido, cintilante.

fúlgido *adj.* (lat. *fulgidus*). Fulgente.

fulgir *v.i.* (lat. *fulgere*) [conj. 78]. **1.** Ter fulgor; brilhar, fulgurar. **2.** Distinguir-se, sobressair. ★ *v.t.* **1.** Fazer brilhar. **2.** Ostentar, exibir.

fulgor (ô) *s.m.* (lat. *fulgor*). Brilho, clarão, cintilação.

fulguração *s.f.* (lat. *fulguratio*). **1.** Ato ou efeito de fulgurar; brilho, cintilação. **2.** Clarão produzido por descarga elétrica nas altas regiões da troposfera, e da qual não se ouve o ruído do trovão. ● **Astron.** Variação rápida e irregular da luminosidade de uma estrela. **Med.** Perturbação produzida num organismo vivo por descarga elétrica ou pelo raio. ▸ Morte acidental por um raio.

fulgurante *adj.2g.* (lat. *fulgurans*). Que fulgura; brilhante, coruscante. ● **Med.** Diz-se de uma dor muito viva e intensa, mas de curta duração.

fulgurar *v.i.* (lat. *fulgurare*) [conj. 4]. **1.** Brilhar, fulgir, cintilar. **2.** Relampejar, coruscar. **3.** *Fig.* Distinguir-se, realçar, sobressair.

fuligem *s.f.* (lat. *fuligo, fuliginis*). Pó negro e espesso depositado pela fumaça em chaminés e superfícies expostas.

fuliginoso (ô) *adj.* (lat. *fuliginosus*). Coberto ou denegrido pela fuligem; tisnado.

fulminante *adj.2g.* (lat. *fulminans*). **1.** Que fulmina, que despede raios. **2.** Que causa morte súbita. **3.** Que derriba, que destrói instantaneamente. **4.** Que encerra forte censura. **5.** *Fig.* Atroz, cruel, doloroso.

fulminar *v.t.* (lat. *fulminare*) [conj. 4]. **1.** Ferir com raio. **2.** Matar instantaneamente, especialmente por descarga elétrica. **3.** Ferir com golpe súbito e irresistível. **4.** Aniquilar, consumir. **5.** Detonar, estourar, explodir. **6.** *P. ext.* Censurar, condenar. ★ *v.i.* Lançar raios, coriscos.

fulminato *s.m.* Sal do ácido fulmínico.

fulmínico *adj.* *Ácido fulmínico,* ácido pouco estável, de caráter explosivo acentuado.

fulo *adj.* (lat. *fulvus,* amarelado). Que, por irritação, empalidece ou muda de cor; furioso, enraivecido.

fulvo *adj.* (lat. *fulvus*). De cor amarela meio avermelhada. ★ *s.m.* Essa cor.

fumaça *s.f.* **1.** Grande quantidade de fumo que se desprende de material queimado. **2.** Fumada. ★ *s.f.pl.* Jactância, vaidade; fumos.

fumaçar *v.t.* (conj. 13). Enfumaçar. ★ *v.i.* Fumegar.

fumaceira *s.f.* Grande quantidade de fumaça; fumarada, fumeiro.

fumada *s.f.* **1.** Fumo feito para sinal de alarme. **2.** Fumo que se tira de cada vez do cachimbo ou cigarro; fumaça, tragada.

fumageiro *adj.* Relativo ao fumo ou ao tabaco.

fumagina *s.f.* **1.** Moléstia das árvores, causada por fungos que se desenvolvem na secreção açucarada deixada por pulgões sobre as folhas. **2.** Doença do cafeeiro provocada por fungo, na qual as folhas ficam cobertas por uma fuligem.

fumante *adj.2g.* e *s.2g.* Que ou aquele que tem o hábito de fumar.

fumar *v.i.* (lat. *fumare*) [conj. 4]. **1.** Aspirar fumaça de cigarro, cachimbo ou charuto. **2.** Expelir vapores. ★ *v.t.* **1.** Aspirar e respirar o fumo de. **2.** Defumar.

fumarento *adj.* Que expele ou joga fumo.

fumegante *adj.2g.* Que fumega.

fumegar *v.i.* (lat. *fumigare,* defumar) [conj. 14]. **1.** Lançar fumo ou fumaça; fumaçar, fumarar. **2.** Exalar vapor.

fumeiro *s.m.* **1.** Interior de chaminé. **2.** Cano por onde sai o fumo. **3.** Lugar onde se penduram carnes para curar ou defumar.

fumicultor (ô) *s.m.* Cultivador de fumo.

fumicultura *s.f.* Cultivo de fumo.

fumigação *s.f.* **1.** Ato ou efeito de fumigar. **2.** Fumigatório. ● **Agric.** Técnica de combate a certas pragas por ação de gás tóxico.

fumigador (ô) *s.m.* Aparelho para insuflar ou produzir a fumaça utilizada na fumigação. ★ *adj.* Que fumiga.

fumigante *s.m.* Pesticida usado contra insetos, nematóides e outras pragas.

fumigar *v.t.* (lat. *fumigare*) [conj. 14]. **1.** Expor ao fumo, vapores ou gases; defumar. **2.** Difundir fumaça ou vapor de substância odorosa para sanear um ambiente, destruir insetos, mascarar maus cheiros etc.

fumigatório *adj.* **1.** Relativo à fumigação. **2.** Que serve para fumigação. ★ *s.m.* O fumo, vapores ou gases que são aplicados para fumigar; fumigação.

fumo *s.m.* (lat. *fumus*). **1.** Conjunto de partículas sólidas, extremamente tênues, que se desprendem dos corpos em combustão; fumaça. **2.** Vapor, exalação. **3.** Denominação comum a várias plantas originárias da América do Sul e suas variedades, cultivadas principalmente para o aproveitamento das folhas. (V.tb. TABACO.) **4.** As folhas dessas plantas preparadas para fumar, mascar ou aspirar. **5.** Hábito de fumar; tabagismo. **6.** Sin. de MACONHA. **7.** *Fig.* O nada, coisa vã que dura pouco. **8.** Faixa de crepe que se usa em sinal de luto. ★ *s.m.pl.* *Fig.* Fumaças, jactância.

fumo-de-angola *s.m.* Sin. de MACONHA.

funambulesco (ê) *adj.* **1.** Relativo a ou próprio de funâmbulo. **2.** Burlesco, ridículo.

funambulismo *s.m.* Arte do funâmbulo.

funâmbulo *s.m.* (lat. *funambulus*). **1.** Acrobata que caminha na corda. **2.** *Fig.* Pessoa inconstante, volúvel.

função *s.f.* (lat. *functio*). **1.** Atividade normal, própria ou natural de um órgão, de uma máquina etc. **2.** Ofício, cargo, emprego. **3.** Deveres que um ofício ou cargo impõe; serviço, trabalho. **4.** Atribuições de determinado organismo ou entidade. **5.** Uso, utilidade, serventia. **6.** Espetáculo, festividade. ● **Mat.** Relação que, a cada elemento de um conjunto de partida, associa uma imagem. **Quím.** Conjunto de propriedades comuns a uma família de compostos e relacionadas com a presença, nestes, de grupos de átomos característicos, chamados grupos funcionais.

funcho *s.m.* Sin. de ERVA-DOCE.

funcional *adj.2g.* **1.** Relativo à função ou às funções de um órgão, uma máquina etc. **2.** Diz-se de uma obra ou projeto prático, facilmente utilizável na função a que se destina. **3.** Relativo a funcionário. ● **Med.** Diz-se de um distúrbio que não é devido a uma lesão anatômica ou a uma anomalia de um órgão. **Quím.** Que caracteriza uma função química.

funcionalismo *s.m.* **1.** A classe dos funcionários públicos. **2.** Qualidade do que é funcional; praticidade.

funcionamento *s.m.* **1.** Ato ou efeito de funcionar. **2.** Modo como uma coisa funciona.

funcionar *v.i.* (lat. *functio, functionis,* execução; trabalho) [conj. 4]. **1.** Exercer as funções; trabalhar. **2.** Executar movimentos, mover-se bem e com regularidade.

funcionário *s.m.* **1.** Indivíduo que desempenha uma função permanente e retribuída; empregado. **2.** Empregado público.

funda *s.f.* (lat. *funda*). **1.** Arma de arremesso para lançar pedras ou outros projéteis a distância. **2.** Atiradeira ou estilingue. ● **Med.** Aparelho para contenção de hérnia.

fundação *s.f.* (b.-lat. *fundatio*). **1.** Ato ou efeito de fundar. **2.** Origem, criação, estabelecimento. **3.** Obra inicial de preparação para o assentamento de uma construção; alicerce. **4.** Pessoa jurídica autônoma criada para fins de utilidade pública ou beneficentes.

fundamental *adj.2g.* (b.-lat. *fundamentalis*). **1.** Que serve de base, de fundamento. **2.** Essencial, necessário. **3.** Determinante, decisivo. ● **Fís.** Diz-se do estado de energia mínima de um sistema quântico (núcleo, átomo etc.).

fundamentar *v.t.* (b.-lat. *fundamentare*) [conj. 4]. **1.** Lançar fundamentos ou alicerces; fundar. **2.** Firmar, assentar em bases, estabelecer, basear. **3.** Justificar, documentar, explicar. ★ *v.pr.* Apoiar-se, basear-se, fundar-se.

fundamento *s.m.* (lat. *fundamentum*). **1.** Base, alicerce, fundação. **2.** *Fig.* Elemento essencial sobre o qual se apóia todo o resto; sustentáculo. **3.** Razão, justificativa, motivo. **4.** Conjunto de postulados de um sistema filosófico. ★ *s.m.pl.* As primeiras noções de qualquer arte ou ciência.

fundão *s.m.* **1.** Ponto de um rio etc., de maior profundidade. **2.** O mar alto. **3.** Lugar ermo e distante.

fundar *v.t.* (lat. *fundare*) [conj. 4]. **1.** Construir, edificar, fundamentar. **2.** Estabelecer, criar, instituir. **3.** *Fig.* Apoiar com razões, motivos, provas. **4.** Firmar, arraigar. ★ *v.pr.* Fundamentar-se.

fundeadouro *s.m.* Local onde os navios fundeiam; ancoradouro.

fundear *v.t.* (conj. 15). Ancorar (o navio). ★ *v.i.* **1.** Entrar no porto ou baía; aportar, ancorar. **2.** Ir ao fundo, tocar o fundo.

fundente *adj.2g.* (lat. *fundens*). **1.** Que está em fusão. **2.** Que facilita a fusão; que se derrete ou liquefaz.

fundiário *adj.* (lat. *fundus, fundi,* fazenda). Relativo a terras; agrário.

fundição *s.f.* **1.** Processo de fusão, purificação e vazamento de metais e ligas. **2.** Instalação metalúrgica onde é realizado esse processo. **3.** Local onde se transforma ferro em aço e se martela este metal a quente para dar-lhe diferentes formas; forja. **4.** Ação, arte de moldar objetos em metal fundente.

fundilho *s.m.* A parte da calça ou cueca que corresponde ao assento. (Mais us. no *pl.*)

fundir *v.t.* (lat. *fundere*) [conj. 6]. **1.** Levar do estado sólido ao líquido. **2.** Derreter, liquefazer. **3.** Confeccionar vazando metal fundente em molde apropriado. **4.** Unir, ligar, combinar. **5.** *Gír.* Perturbar, confundir. ★ *v.pr.* **1.** Tornar-se líquido, derreter-se. **2.** Misturar-se, incorporar-se.

fundível *adj.2g.* Que se pode fundir; fusível, fúsil.

fundo *adj.* (lat. *fundus*). **1.** Que está muito abaixo da superfície; profundo. **2.** Metido para dentro; cavado. **3.** *Fig.* Firme, arraigado. ★ *s.m.* **1.** Parte que, num objeto, depressão ou cavidade, fica mais baixa, mais distante da borda ou da abertura. **2.** A parte sólida sobre a qual repousam as águas. **3.** Profundidade. **4.** A parte mais afastada da entrada ou do ponto de onde se olha. **5.** Elemento, material sobre o qual se apóia alguma coisa; base. **6.** Essência, substância. **7.** Conjunto de recursos monetários usados como reserva, para cobrir despesas extraordinárias ou para aplicação no mercado financeiro. **8.** *A fundo,* profundamente. ● **Anat.** A parte mais profunda de um órgão oco. **Esp.** *Corrida de fundo,* prova esportiva com percurso acima de 5.000 m. ▸ *Corrida de meio fundo,* prova de meia distância, entre 800 m e 3.000 m. **Med.** *Fundo do olho,* parte do olho visível com o oftalmoscópio. ★ *s.m.pl.* **1.** Parte de uma casa oposta à fachada. **2.** Os haveres de um negociante, banqueiro etc.; capital, fundo. **3.** Verbas públicas destinadas ao desenvolvimento de determinados setores da economia. ● **Econ.** *Fundos públicos,* papéis de crédito emitidos ou garantidos pelo Estado.

fundura *s.f.* Profundidade, fundo.

fúnebre *adj.2g.* (lat. *funebris*). **1.** Relativo ou pertencente aos funerais. **2.** Relativo à morte ou aos mortos; funeral, funerário, macabro.

funeral *adj.2g.* (lat. *funeralis*). Fúnebre. ★ *s.m.* Cerimônia, pompa fúnebre. (Mais us. no *pl.*)

funerário *adj.* (lat. *funerarius*). **1.** Fúnebre. **2.** Em que repousam os restos mortais.

funesto *adj.* (lat. *funestus*). **1.** Que provoca morte, desgraça. **2.** Nocivo, fatal. **3.** Que prognostica a morte. **4.** Que causa amargura, tristeza. **5.** Trágico, infausto.

TIPOS DE ÂNCORAS USADAS PARA FUNDEAR

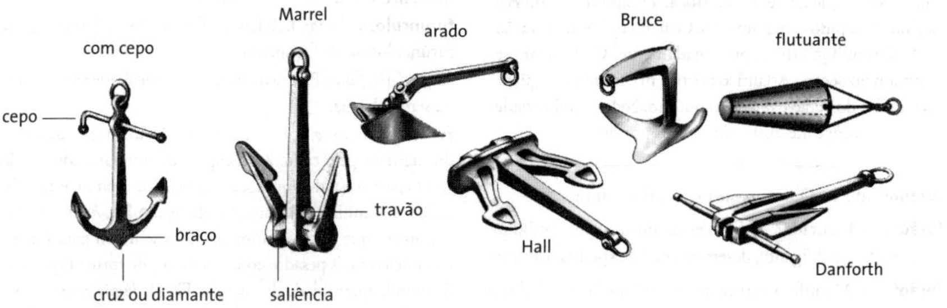

fungar *v.i.* (onomat.) [conj. 14]. **1.** Aspirar fortemente pelo nariz, fazendo ruído. **2.** Mostrar, com isso, indisposição ou má vontade; resmungar. ★ *v.t.* Absorver pelo nariz.

fungicida *adj.2g.* e *s.m.* **1.** Diz-se de ou substância que serve para matar fungos. **2.** Diz-se de ou substância que destrói fungos patogênicos causadores de micoses.

fúngico *adj.* **1.** Relativo a fungos, a cogumelos. **2.** Diz-se das estruturas produzidas por fungos. **3.** *Intoxicação fúngica,* intoxicação por cogumelos venenosos.

fungível *adj.2g.* (lat. *fungibilis*). Diz-se das coisas que se consomem com o uso.

fungo *s.m.* (lat. *fungus*). **1.** Espécime dos fungos. **2.** Excrescência carnosa, esponjosa, que aparece na pele, especialmente em torno de uma ferida.

fungos *s.m.pl.* Grupo de organismos desprovidos de clorofila, geralmente pluricelulares saprófitos ou parasitas, representado pelos bolores, fermentos, cogumelos e orelhas-de-pau, que, segundo alguns autores, constitui um reino à parte dos vegetais.

funicular *adj.2g.* **1.** Composto de cordas; que funciona por meio de cordas. **2.** Diz-se da porção da raiz nervosa que corre pela cavidade de conjugação existente entre duas vértebras. **3.** Relativo ao cordão espermático ou ao cordão umbilical. ★ *s.m.* Sistema de transporte cuja tração é proporcionada por cabos, utilizado em locais onde há grandes diferenças de nível; veículo utilizado por meio desse sistema.

funículo *s.m.* **1.** Pequena corda. **2.** Pequeno cordão anatômico; cordão espermático, cordão umbilical.

funil *s.m.* (prov. *fonilh*). Utensílio em forma de cone para transvasar líquidos.

funilaria *s.f.* **1.** Técnica de trabalhar em lata, em especial para consertar veículos acidentados. **2.** Local em que tais serviços são realizados.

funileiro *s.m.* **1.** Aquele que trabalha em funilaria; lanterneiro. **2.** Latoeiro.

fura-bolo *s.m. Pop.* Nome dado ao dedo indicador.

furacão *s.m.* **1.** Ciclone tropical que provoca tempestades violentas. **2.** Tufão. **3.** *Fig.* Tudo o que destrói rapidamente; turbilhão. **4.** *Fig.* Grande perturbação.

? VOCÊ SABIA...? O **furacão** é uma tempestade tropical violenta, em que o vento gira muito rápido, em espiral. Origina-se do ar quente que se encontra no mar, perto do equador. Esse ar sobe e se coloca por cima do ar mais fresco, que desce. Nessa troca, a massa de ar começa a girar tão rápido como um pião. O diâmetro de um furacão é de 650 quilômetros, aproximadamente. Os furacões se formam no oceano Atlântico e ocorrem com mais freqüência no fim do verão e início do outono. Neles, a velocidade do vento atinge até 200 quilômetros por hora.

---

furador (ô) *s.m.* Objeto próprio para furar; furão.

furão[1] *s.m.* **1.** Furador. **2.** *Fig.* Pessoa intrometida, bisbilhoteira. **3.** Pessoa diligente, desembaraçada, expedita; cavador.

furão[2] *s.m.* Mamífero carnívoro, de coloração geral cinza-amarelada, que vive em galerias.

furar *v.t.* (lat. *forare*) [conj. 4]. **1.** Abrir furos em; esburacar. **2.** Penetrar em, romper. **3.** *Pop.* Fazer malograr, frustrar. **4.** Dificultar, atrapalhar, perturbar. **5.** No futebol, não acertar a bola. ★ *v.i.* **1.** Fazer furo. **2.** Irromper, sair.

furfuráceo *adj.* **1.** Relativo ou semelhante a farelo ou farinha. **2.** Diz-se de lesões recobertas ou compostas de pequenas escamas pulverulentas.

furgão *s.m.* (fr. *fourgon*). Veículo automóvel com compartimento metálico coberto, para pequenas cargas.

fúria *s.f.* (lat. *furia*). **1.** Cólera, ira, raiva, ódio. **2.** Precipitação, violência. **3.** Ímpeto de valentia, de insânia e de delírio. **4.** Inspiração, estro, entusiasmo, fervor. **5.** Forte arrebatamento, ardor impetuoso.

furibundo *adj.* (lat. *furibundus*). Irado, exaltadamente colérico; enfurecido.

furioso (ô) *adj.* (lat. *furiosus*). **1.** Que tem fúria; colérico, raivoso. **2.** Impetuoso, violento, arrebatado. **3.** Forte, encarniçado, resistente.

furna *s.f.* (lat. *furnus,* forno). **1.** Caverna, gruta, antro. **2.** Sítio retirado.

furo *s.m.* **1.** Orifício, buraco, abertura. **2.** *Pop.* Engano, falha desconcertante. ● **Jorn.** Notícia importante dada em primeira mão.

furor (ô) *s.m.* (lat. *furor*). **1.** Cólera extrema, ira, fúria. **2.** Paixão desmedida. **3.** Violência, impetuosidade. **4.** Loucura, frenesi, grande agitação. ● **Med.** Delírio violento. ► *Furor uterino,* sin. de NINFOMANIA.

furriel *s.m.* (fr. *fourrier*). **1.** Posto militar do exército no Brasil colonial, equivalente ao atual terceiro-sargento. **2.** Pessoa que ocupava esse posto.

furta-cor (ô) *adj.2g.* Que varia de cor segundo os reflexos da luz; cambiante. ★ *s.m.* A cor cambiante.

furtadela *s.f.* Ato de furtar, de esconder, ou de fugir a uma dificuldade.

furtar *v.t.* (b.-lat. *furtare*) [conj. 4]. **1.** Apoderar-se de coisa alheia, sem violência; subtrair fraudulentamente. **2.** Falsificar. **3.** Desviar, esquivar. ★ *v.i.* Subtrair coisa alheia. ★ *v.pr.* Esquivar-se, fugir.

furtivo *adj.* (lat. *furtivus*). **1.** Praticado de modo escondido, oculto. **2.** Secreto, escondido. **3.** Disfarçado, dissimulado.

furto *s.m.* (lat. *furtum*). **1.** Ato ou efeito de furtar. **2.** A coisa furtada.

furúnculo *s.m.* (lat. *furunculus*). Pequena tumefação dolorosa e purulenta, devida à infecção de um folículo piloso por um estafilococo.

furunculose *s.f.* Doença caracterizada pelo aparecimento simultâneo ou sucessivo de furúnculos.

furunculoso (ô) *adj.* **1.** Relativo a furúnculo. **2.** Acometido de furúnculos ou de furunculose.

fusa *s.f.* (it. *fusa*). Figura de notação musical que vale metade da semicolcheia.

fusão *s.f.* (lat. *fusio,* ação de derramar). **1.** Ato ou efeito de fundir, derreter pelo calor. **2.** Passagem de um corpo do estado sólido para o estado líquido; a condição de estar no estado líquido. **3.** Reunião, combinação, aliança. ● **Fís.** *Fusão nuclear,* reação em que núcleos atômicos leves se unem para formar um núcleo mais pesado, com liberação, de forma explosiva, de grande quantidade de energia. **Fisiol.** *Fusão retiniana* ou *fusão da retina,* propriedade visual na qual imagens se formam em pontos diferentes ou não correspondentes nas duas retinas, mas dão lugar a uma única imagem no cérebro. **Psican.** Diz-se de um tipo de relação arcaica em que o sujeito e o objeto não se distinguem.

fusco *adj.* (lat. *fuscus*). **1.** Escuro, pardo. **2.** *Fig.* Melancólico, triste.

fuselagem *s.f.* (fr. *fuselage*). Estrutura de um avião ou um planador que liga as asas à empenagem e que constitui geralmente o habitáculo do aparelho.

fusibilidade *s.f.* Qualidade daquilo que é fusível.

fusiforme *adj.2g.* Que tem a forma de fuso.

fúsil *adj.2g.* (lat. *fusilis*). Fusível.

fusionar *v.t.* (lat. *fusio, fusionis,* ação de derramar) [conj. 4]. **1.** Fazer a fusão de; fundir. **2.** Reunir, misturar, amalgamar.

fusível *adj.2g.* **1.** Que pode ser fundido; fúsil, fundível. **2.** Que tem o ponto de fusão relativamente pouco elevado. ★ *s.m.* Dispositivo de proteção e conexão elétrica que se funde quando a corrente que o atravessa é superior a um valor predeterminado.

fuso *s.m.* (lat. *fusus*). **1.** Pequena bobina de madeira para fiar, torcer e enrolar o fio. **2.** Agulha cônica em torno da qual se enrola o fio de algodão, de seda etc. **3.** A peça onde se enrola a corda de aço dos relógios e que gira quando se lhes dá corda. **4.** *Fuso horário,* cada uma das 24 faixas situadas entre dois meridianos da Terra, em que todos os pontos têm, em princípio, a mesma hora legal. ● **Biol.** Conjunto de fibrilas citoplasmáticas que aparecem durante a divisão celular e orientam os cromossomos em seu deslocamento para os pólos.

fustão *s.m.* (de *Fustat,* n.pr.). Tecido de algodão com relevos no lado direito.

fuste *s.m.* (lat. *fustis,* pau). **1.** Vareta ou haste de madeira. **2.** Peça de madeira na qual é fixado o cano de uma arma de fogo. ● **Arquit.** Tronco da coluna, compreendido entre a base e o capitel.

fustigar *v.t.* (lat. *fustigare*) [conj. 14]. **1.** Bater com fuste ou algo flexível; vergastar, açoitar. **2.** Bater com força (vento, chuva, granizo etc.). **3.** Instigar, estimular, incitar. **4.** *Fig.* Ferir, magoar, ofender.

futebol *s.m.* (ingl. *football,* jogo de bola com o pé). **1.** Esporte no qual 22 jogadores, divididos em duas equipes, se esforçam por fazer entrar uma bola no gol da equipe contrária, sem intervenção das mãos. **2.** *Futebol americano,* esporte semelhante ao rúgbi, praticado, principalmente nos Estados Unidos, com uma bola oval.

futebolista *s.2g.* **1.** Jogador de futebol. **2.** Perito em futebol.

futebolístico *adj.* Relativo ao futebolismo.

fútil *adj.2g.* (lat. *futilis*). **1.** Sem interesse, valor ou importância. **2.** Frívolo, leviano. ★ *s.m.* Pessoa fútil.

futilidade *s.f.* (lat. *futilitas*). **1.** Caráter, natureza daquilo que é fútil. **2.** Coisa fútil; coisa de pouca importância.

futrica *s.f.* **1.** Montão de coisas velhas. **2.** *Pop.* Fuxico, intriga. ★ *s.m.* Pessoa vil, egoísta, de maus sentimentos.

futricar *v.t.* (conj. 12). **1.** Negociar trapaceando; mercadejar. **2.** Intrometer-se em alguma coisa para atrapalhar. **3.** Pilheriar de modo impertinente. **4.** Fuxicar, intrigar.

futriqueiro *adj.* e *s.m.* Que ou aquele que futrica.

futurismo *s.m.* Movimento literário e artístico do início do séc. XX, que condena a tradição estética e procura integrar o mundo moderno (manifestações tecnológicas e sociais) à expressão poética e plástica.

futuro *adj.* (lat. *futurus*). Que está por vir; vindouro. ★ *s.m.* **1.** O tempo que está por vir. **2.** O sustento e a vida de cada um, a contar do tempo ou das circunstâncias atuais. **3.** Destino, fado. ● **Gram.** Sistema de formas verbais que situam a ação num tempo posterior ao momento presente.

futuroso (ô) *adj.* **1.** Que tem bom futuro. **2.** Promissor, auspicioso.

fuxicar *v.t.* (conj. 12). **1.** Fazer desajeitadamente e às pressas. **2.** Alinhavar. **3.** Remexer, envolver. ★ *v.i.* Intrigar, mexericar, fazer fuxicos.

fuxico *s.m.* **1.** Intriga, mexerico. **2.** Namoro descarado.

fuxiqueiro *adj.* e *s.m.* Que ou aquele que fuxica; mexeriqueiro.

fuzarca *s.f.* **1.** Farra, folia. **2.** Desordem, confusão.

fuzil *s.m.* (fr. *fusil*). **1.** Arma de fogo portátil, de caça ou de uso militar, formada por um cano de pequeno calibre montado numa armação de madeira (coronha) e equipada com gatilho e mira. **2.** Clarão, relâmpago.

fuzilar *v.t.* (conj. 4). **1.** Executar a tiros. **2.** Despedir à maneira de raios ou clarões. ★ *v.i.* **1.** Inflamar-se a matéria elétrica na atmosfera; relampejar. **2.** *Fig.* Ameaçar, anunciar ódio, rancor. **3.** Brilhar intensamente.

fuzilaria *s.f.* **1.** Descarga simultânea de armas de fogo. **2.** Tiroteio entre duas tropas armadas.

fuzileiro *s.m.* **1.** Soldado armado de fuzil. **2.** *Fuzileiro naval,* membro da infantaria da Marinha de Guerra.

fuzuê *s.m.* **1.** *Pop.* Festa, farra, função. **2.** Conflito, briga, barulho, confusão.

VOCÊ SABIA...? O primeiro antecedente documentado do **futebol** é um jogo de bola romano, chamado *harpastum*. Era jogado em terreno retangular e consistia em colocar um odre cheio de areia, usando os pés ou a mão, em alguma das bases situadas atrás da linha de fundo. Na França, do século X ao século XVIII, popularizou-se o violento jogo *la soule*, em que grande quantidade de jogadores tentava levar uma bolsa de couro cheia de farelo a um lugar determinado. Foi na Inglaterra, para onde os normandos que a invadiram levaram *la soule*, que o jogo, com novas regras, recebeu o nome de *football* – que empregamos hoje, no Brasil, na forma aportuguesada *futebol*.

Gg Gg Gg

g *s.m.* Sétima letra do alfabeto português.

g símbolo do grama.

Ga símbolo químico do gálio.

gabação *s.f.* Ação de gabar; elogio, gabo.

gabar *v.t.* (nor. ant. *gabb,* zombaria) [conj. 4]. Apregoar as boas qualidades de; louvar, elogiar. ★ *v.pr.* Exaltar os próprios méritos; jactar-se, vangloriar-se, blasonar.

gabardina *s.f.* **1.** Tecido de lã, algodão, seda etc., próprio para roupas; gabardine. **2.** Capa feita com esse tecido.

gabardine *s.m.* Gabardina.

gabaritado *adj.* Que tem gabarito; categorizado.

gabaritar *v.t.* (conj. 4). Dar gabarito a.

gabarito *s.m.* (fr. *gabarit*). **1.** Modelo que serve para traçar, controlar ou verificar o perfil ou as dimensões que devem ter certos objetos. **2.** Molde, padrão. **3.** Tabela das respostas corretas às questões de uma prova, especialmente de múltipla escolha. **4.** *Fig.* Categoria, hierarquia. ● **Constr.** Épura, padrão em verdadeira grandeza de uma obra, que permite materializar seus perfis e verificar suas dimensões.

gabarola *s.2g.* Gabola.

gabarolice *s.f.* Gabolice.

gabinete (ê) *s.m.* (it. *gabinetto*). **1.** Sala pequena para trabalho intelectual; escritório. **2.** Em uma habitação, cômodo destinado a diferentes usos. **3.** Sala reservada a certas autoridades. **4.** Corpo de auxiliares imediatos de um presidente, governador, ministro ou prefeito. **5.** Corpo de ministros ou secretários de Estado.

gabiroba *s.f.* Var. de GUABIROBA.

gabiru *s.m. Pop.* **1.** Var. de GUABIRU. **2.** Patife, velhaco, gaiato.

gabo *s.m.* **1.** Gabação. **2.** Vaidade, jactância.

gabola *s.2g.* Aquele que se gaba ou vangloria; gabarola.

gabolice *s.f.* Ato, dito ou qualidade de gabola; jactância, gabarolice.

gabonense *adj.2g.* e *s.2g.* Gabonês.

gabonês *adj.* Relativo ou pertencente ao Gabão, país da África; gabonense. ★ *s.m.* O natural ou habitante do Gabão.

gadanha *s.f.* **1.** Espécie de foice de cabo comprido para ceifar. **2.** Colher grande e funda; concha.

gadanhar *v.t.* (conj. 4). **1.** Cortar (feno, erva etc.) com a gadanha. **2.** Arranhar com as unhas ou o gadanho. **3.** Agarrar ferozmente.

gadanho *s.m.* **1.** Garra das aves de rapina. **2.** *P. ext.* Unha. **3.** Espécie de ancinho, com grandes dentes de ferro, de vários usos na agricultura; alfanje.

gado *s.m.* (esp. *ganado*). **1.** Conjunto de animais criados no campo para trabalhos agrícolas ou uso doméstico e industrial; rebanho, vara, fato. **2.** *Gado grosso,* eqüinos, bovinos. ► *Gado miúdo,* porcos, cabras, carneiros.

gadolínio *s.m.* (de *Gadollin,* n.pr.). Elemento químico (símb. Gd) de número atômico 64, que constitui um sólido de cor cinza-clara, do grupo das terras raras.

gafa *s.f.* **1.** Sarna leprosa de certos animais; gafeira. **2.** Lepra. **3.** Doença de certos frutos.

gafanhoto *s.m.* Denominação comum a insetos saltadores, ortópteros, que na fase adulta voam em grandes grupos e constituem pragas de plantações.

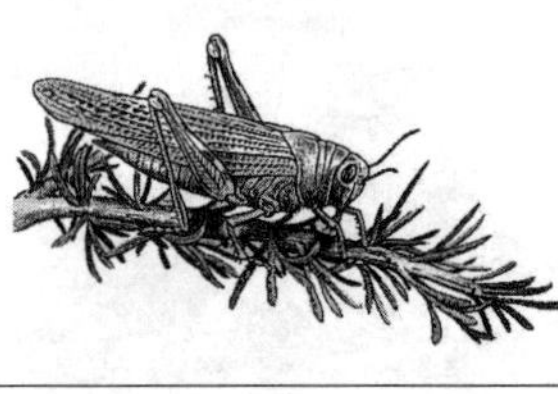

gafanhoto-de-jurema *s.m.* Sin. de BICHO-PAU.

gafe *s.f.* (fr. *gaffe*). Indiscrição involuntária; descuido, engano constrangedor, embaraçoso.

gafeira *s.f.* **1.** Sarna de alguns animais; morrinha, gafa. **2.** Doença dos bois, com inchação das pálpebras. **3.** *Ant.* Lepra.

gafeirento *adj.* Cheio de gafeira, que padece de gafeira; gafento.

gafento *adj.* **1.** Gafeirento. **2.** *Fam.* Que comete gafes.

gafieira *s.f.* **1.** Baile popular, arrasta-pé. **2.** Local onde se realizam esses bailes.

gaforina ou **gaforinha** *s.f.* (de *Gafforini*, n.pr.). Cabeleira áspera e mal penteada.

gagá *adj.2g.* (fr. *gaga*, de *gâteux*, gasto). Que perdeu o vigor físico e intelectual; caduco, decrépito.

gago *adj.* e *s.m.* (onomat.). Que ou aquele que gagueja ou se acha acometido de gagueira.

gagueira *s.f.* Dificuldade para articular as palavras, manifestada particularmente pela repetição desnecessária de sílabas e pela dificuldade em articular a sílaba seguinte; gaguez, gaguice, tartamudez.

gaguejar *v.i.* (conj. 4). **1.** Estar acometido de gagueira. **2.** Falar com dificuldade, com embaraço, em conseqüência de uma emoção ou de um estado anormal. ★ *v.t.* Pronunciar com dificuldade, hesitação; balbuciar.

gaguez (ê) ou **gaguice** *s.f.* Gagueira.

gaiato *s.m.* **1.** Rapaz travesso e vadio; garoto. **2.** Pessoa alegre, brincalhona. ★ *adj.* Ladino, malicioso, alegre.

gaio *adj.* Jovial, alegre.

gaiola *s.f.* (b.-lat. *caveola*, de *cavea*, jaula). **1.** Casinha portátil, gradeada de arame ou junco, para aprisionar pássaros. **2.** Jaula. **3.** *Pop.* Prisão, cadeia. ★ *s.m.* **1.** (*N* e *NE*) Pequeno vapor de navegação fluvial. **2.** (*SP*) Vagão aberto de estrada de ferro para transporte de madeira, de animais etc.

gaita *s.f.* (de or. gót.). **1.** Pequena flauta rude; pífano, pífaro. **2.** Pequeno instrumento musical, retangular, cujo som é produzido por palhetas livres que vibram quando se assopra ou aspira; harmônica. **3.** *Gír.* Dinheiro. **4.** *Gaita de foles*, instrumento de sopro no qual o ar enche um odre de pele de cabra ou carneiro, saindo por tubos providos de palhetas.

gaiteiro *s.m.* Tocador de gaita ou harmônica. ★ *adj.* **1.** Festeiro, folião. **2.** Assanhado, exibido.

gaivota *s.f.* (lat. *gavia*). Denominação comum às aves caradriiformes, de asas longas, que ocorrem nas praias e águas continentais. ★ *s.m.* *Pop.* Tolo, palerma.

gajeiro *s.m.* Marinheiro encarregado de vigiar, do cesto da gávea, as embarcações ou a terra.

gajo *s.m.* *Pop.* Sujeito qualquer, tipo.

gala[1] *s.f.* (it. *gala*). **1.** Grande festa, geralmente de caráter oficial. **2.** Pompa, fausto.

gala[2] *s.f.* **1.** Mancha da fecundação do ovo. **2.** Esperma, sêmen.

galã *s.m.* (esp. *galán*). **1.** Ator ou personagem que, em cinema ou teatro, representa o principal papel nas tramas amorosas. **2.** Homem belo e elegante.

galactóforo *adj.* **1.** Que produz leite. **2.** Diz-se dos canais excretores do leite, que o conduzem das glândulas mamárias até a ponta do mamilo. **3.** *Glândula galactófora*, sin. de MAMA.

galactógeno *adj.* Que provoca ou aumenta a secreção do leite; galactagogo.

galactagogo (ô) *adj.* Galactógeno. ★ *s.m.* Substância empregada para aumentar a secreção de leite.

galáctico *adj.* Relativo à Via Láctea ou a qualquer outra galáxia.

galactopoese *s.f.* Formação do leite na glândula mamária após o parto.

galactorréia *s.f.* Perda de leite fora das condições normais de aleitamento.

galactose *s.f.* Açúcar obtido pela hidrólise da lactose.

galactosidase *s.f.* Sin. de LACTASE.

galado *adj.* Fecundado.

galalite *s.f.* (gr. *gala*, leite, e *lithos*, pedra). Material plástico duro obtido a partir de caseína aquecida sob pressão e formolizada antes da secagem.

galantaria *s.f.* Ato, dito ou qualidade de galante; gentileza.

galante *adj.2g.* (fr. *galant*). **1.** Airoso, garboso, elegante. **2.** Divertido, engraçado, levemente malicioso. **3.** Distinto, polido, elegante. ★ *s.m.* Homem galante com mulheres.

galantear *v.t.* (conj. 15). **1.** Fazer galanteios. **2.** Lisonjear. **3.** Enfeitar, adornar. ★ *v.i.* Dizer galanteios, namorar.

galanteio *s.m.* Elogio, gracejo delicado ou gentileza dirigido a uma mulher com propósito de sedução.

galão[1] *s.m.* **1.** Tira de prata, ouro, seda ou lã utilizada como remate ou enfeite. **2.** Distintivo de patentes militares. **3.** Corcovo ou salto do cavalo, com as patas dianteiras levantadas.

galão[2] *s.m.* (ingl. *gallon*). Medida de capacidade empregada na Grã-Bretanha e no Canadá (*galão imperial*, equivalente a 4,5 litros), bem como nos Estados Unidos (*galão americano*, equivalente a 3,8 litros).

galapo *s.m.* Almofada da sela do cavalo.

galar *v.t.* (conj. 4). **1.** Cobrir, fecundar a fêmea, falando-se de galináceos. **2.** Falando-se das aves de criação em geral, fecundar a fêmea.

galardão *s.m.* (al. ant. *Wilardon*). **1.** Recompensa ou prêmio por serviços valiosos prestados. **2.** Honra, glória.

galardoar *v.t.* (conj. 20). Conferir galardão a; premiar, recompensar.

gálata *adj.2g.* Relativo ou pertencente à Galácia, antiga região da Ásia. ★ *s.m.* O natural ou habitante da Galácia.

A B C D E F G H I J K L M N O P Q R S T U V W X Y Z

galáxia (cs) *s.f.* (gr. *galaxias*, círculo lácteo). Vasto conjunto de estrelas e de matéria interestelar cuja coesão é assegurada pela gravidade.

galé *s.f.* Antiga embarcação movida a remos e à vela; galera. ★ *s.m.* **1.** Indivíduo sentenciado às galés, a remar acorrentado a uma galé. **2.** *Fig.* Pessoa escravizada a trabalho penoso e duro.

galeão *s.m.* **1.** Antigo navio de vela de alto bordo. **2.** Barco auxiliar de pesca.

galear *v.i.* (conj. 13). Saltar (o cavalo) em galões.

galego (ê) *adj.* Relativo ou pertencente à Galiza, região da Espanha. ★ *s.m.* **1.** O natural ou habitante da Galiza. **2.** Língua românica falada na Galiza.

galena *s.f.* (lat. *galena*). Sulfeto natural de chumbo, principal minério de chumbo e o mais antigo dos semicondutores utilizados para a detecção de sinais radioelétricos. ★ *s.m.* Aparelho rudimentar de rádio que utiliza o cristal de galena.

galera[1] *s.f.* (cat. *galera*). **1.** Galé. **2.** Antigo veleiro com três a cinco mastros e armação redonda. **3.** Carro para transporte de bombeiros. **4.** Carroça grande, de quatro rodas, para transporte de cargas pesadas. **5.** Forno para fundição.

galera[2] *s.f.* **1.** Grupo de torcedores adeptos de um clube esportivo. **2.** Grupo de amigos; turma, pessoal.

galeria *s.f.* (it. *galleria*). **1.** Corredor interno ou externo que serve de comunicação entre as peças do mesmo andar de um edifício. **2.** Passagem que liga uma rua a outra através de um edifício, geralmente ladeada por lojas comerciais. **3.** Pequeno centro comercial. **4.** Coleção de quadros ou objetos de arte. **5.** Local de exposição dessa coleção. **6.** Setor de um teatro localizado acima do balcão ou do *foyer*. **7.** Corredor subterrâneo de cavernas, minas, trincheiras etc. **8.** Canalização subterrânea para esgotos, águas pluviais etc. **9.** Passagem escavada no solo, madeira etc., por certos animais, tais como tatu, formigas etc. **10.** Abertura em forma de túnel feita na pele por parasitas.

galés *s.m.pl.* Pena dos condenados a remar em galé, acorrentados.

galês *adj.* Relativo ou pertencente ao País de Gales, Grã-Bretanha. ★ *s.m.* O natural ou habitante do País de Gales.

galeto (ê) *s.m.* (it. *galletto*, galinho). **1.** Galo jovem. **2.** O galo jovem assado.

galgar *v.t.* (conj. 14). **1.** Transpor, andar, correr alargando as pernas. **2.** Saltar por cima de. **3.** Alcançar, atingir. **4.** Elevar-se, subir a. ★ *v.i.* **1.** Andar velozmente. **2.** Elevar-se rapidamente.

galgo *s.m.* (lat. *gallicus*). Cão longilíneo de cabeça alongada e musculatura forte, muito rápido em corridas.

galhada *s.f.* **1.** Ramagem das árvores. **2.** Conjunto de estruturas que compõem o chifre dos cervídeos; galharada.

galhardete (ê) *s.m.* (it. *gagliardetto*). **1.** Bandeira trapezoidal para fazer sinais em embarcações ou portos. **2.** Bandeirinha usada em festejos populares; flâmula.

galhardia *s.f.* **1.** Qualidade de galhardo; elegância. **2.** *Fig.* Gentileza, generosidade. **3.** Valor, bravura, esforço.

galhardo *adj.* (it. *gagliardo*). **1.** Elegante, garboso. **2.** Generoso. **3.** Valente, bravo, esforçado.

galheiro *s.m.* Denominação popular do cervídeo que apresenta chifres ramificados.

galheta (ê) *s.f.* (esp. *galleta*). **1.** Pequeno vaso de vidro com azeite ou vinagre, no serviço de mesa. **2.** Recipiente em que se guardam a água ou o vinho para a missa. **3.** Frasco de vidro empregado em laboratório químico.

galheteiro *s.m.* Utensílio de mesa que contém as galhetas de azeite e vinagre, e também os recipientes de sal, pimenta etc.

galho *s.m.* **1.** Toda ramificação do tronco de uma árvore, direta ou indireta, de grande ou pequeno diâmetro; ramo. **2.** Chifre dos cervídeos. **3.** Briga, confusão. **4.** *Pop.* Emprego ou ocupação subsidiária; bico.

galhofa *s.f.* (esp. *gallofa*). **1.** Ato ou efeito de galhofar. **2.** Brincadeira, gracejo, zombaria.

galhofar *v.t.* (conj. 4). Fazer galhofa de. ★ *v.i.* Dizer ou fazer galhofa; zombar, troçar, brincar ruidosamente.

galhofeiro *adj.* e *s.m.* Que ou o que é dado a galhofas; folgazão, alegre, divertido.

galhudo *adj.* Que tem galhos, que tem grandes chifres.

galicismo *s.m.* **1.** Palavra, locução ou construção sintática peculiar à língua francesa; francesismo. **2.** Empréstimo de procedência francesa.

galiformes *s.m.pl.* Ordem de aves com pés geralmente adaptados para ciscar e correr, que se alimentam principalmente de vegetais.

galileano *adj.* Relativo às concepções do astrônomo italiano Galileu (1564-1642). ● **Astron.** Diz-se de cada um dos quatro principais satélites de Júpiter, descobertos por Galileu.

galileu *adj.* Relativo ou pertencente à Galiléia, na Palestina. ★ *s.m.* O natural ou habitante da Galiléia.

galináceo *adj.* (lat. *gallinaceus*). Relativo às galinhas.

GALÁXIA ▸ Nossa galáxia se assemelha a uma espiral esbranquiçada de aproximadamente 100.000 anos-luz de diâmetro. Agrupa cerca de 100 bilhões de estrelas similares ao Sol. Uma parte de nossa galáxia pode ser vista à noite no céu. Tem a forma de uma esteira esbranquiçada. Por isso, recebe o nome de Via Láctea. O Universo contém milhões de galáxias de feitios muito diferentes.

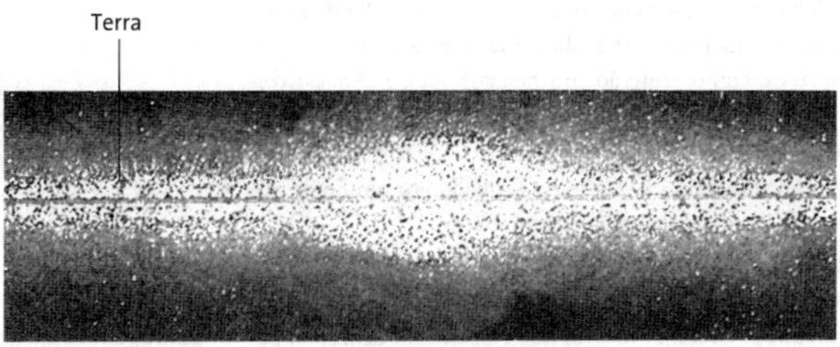

a Via Láctea vista lateralmente

galinha *s.f.* (lat. *gallina*). **1.** A fêmea do galo. **2.** Ave doméstica apreciada por sua carne e seus ovos. **3.** *Fig.* Mulher devassa. **4.** *Fig.* Pessoa fraca ou covarde. **5.** Galinha garnizé, sin. de GARNIZÉ. ▸ *Galinha poedeira,* ave criada para produção de ovos para consumo.

galinha-d'angola *s.f.* Ave galiforme originária da África que deu origem a várias raças domésticas criadas para a produção de carne e ovos. (Sin. GALINHOLA, TÔ-FRACO.)

galinheiro *s.m.* **1.** Lugar onde se recolhem ou criam galinhas; capoeira. **2.** Vendedor de galinhas.

galinhola *s.f.* Sin. de GALINHA-D'ANGOLA.

gálio *s.m.* (de *Gallus,* n.pr.). Elemento químico (símb. Ga) de número atômico 31, que constitui um metal branco-prateado de baixa dureza e de fácil liquefação à temperatura ambiente.

galo[1] *s.m.* Gaulês.

galo[2] *s.m.* (lat. *gallus*). **1.** Ave galiforme, próxima do faisão, do qual difere pelo maior desenvolvimento das carúnculas (crista e barbilhão) e da cauda. **2.** Macho da galinha doméstica. **3.** Elevação produzida por contusão ou pancada, especialmente na cabeça.

galocha *s.f.* (fr. *galoche*). Espécie de calçado de borracha que se usa por cima dos sapatos, a fim de preservá-los da umidade.

galopada *s.f.* **1.** Ação de galopar. **2.** Corrida a galope.

galopante *adj.2g.* **1.** Que galopa. **2.** Diz-se das formas agudas de evolução rápida de uma enfermidade.

galopar *v.i.* (conj. 4). **1.** Andar a galope; galopear. **2.** *Fig.* Caminhar, desenvolver-se muito depressa. ★ *v.t.* Percorrer galopando; galopear.

galope *s.m.* (fr. *galop*). **1.** A mais rápida das andaduras naturais do cavalo e outros eqüídeos. **2.** *Fig.* Corrida muito rápida. **3.** A parte superior dos mastros, que recebe a borla.

galopear *v.t.* e *v.i.* (conj. 15). Galopar.

galpão *s.m.* (asteca *calpulli*). **1.** Construção rústica sem paredes internas, para abrigar carros, máquinas etc.; alpendre, telheiro. **2.** Construção rural para armazenar cereais e outros insumos. **3.** Estábulo.

galvânico *adj.* **1.** Relativo ao galvanismo. **2.** *Pilha galvânica,* dispositivo que gera energia elétrica através de reações químicas entre eletrodos metálicos e um meio eletrolítico.

galvanismo *s.m.* (de *Galvani,* n.pr.). Conjunto dos fenômenos relacionados com a produção de corrente elétrica contínua.

galvanização *s.f.* Ato ou efeito de galvanizar.

galvanizado *adj.* **1.** Que se galvanizou. **2.** *Fig.* Arrebatado, eletrizado.

galvanizar *v.t.* (de *Galvani,* n.pr.) [conj. 4]. **1.** Eletrizar por meio de uma pilha. **2.** Recobrir uma peça com uma camada metálica, como proteção contra a corrosão. **3.** Aplicar corrente elétrica contínua em um tecido vivo. **4.** *Fig.* Animar, movimentar, agitar.

galvanocautério *s.m.* Cautério formado por um fio de platina no qual circula uma corrente elétrica.

galvanômetro *s.m.* Instrumento para revelar ou medir a intensidade das correntes elétricas fracas.

galvanoplastia *s.f.* Processo que consiste em depositar, por eletrólise, uma camada de metal sobre um suporte, metálico ou não.

galvanoterapia *s.f.* Aplicação terapêutica do galvanismo.

gama *s.m.* (gr. *gamma*). Terceira letra do alfabeto grego, correspondente ao *g*. ● **Fís.** *Raios gama,* radiações eletromagnéticas muito penetrantes, emitidas em certas reações nucleares. ★ *s.f.* **1.** Sucessão, série de sentimentos, pensamentos, idéias etc. **2.** Gradação, nuança. ● **Metrol.** Unidade de intensidade do campo de indução magnética utilizada em prospecção magnética, igual a 10^9 tesla.

gamado *adj.* *Gír.* Muito interessado, apaixonado.

gamaglobulina *s.f.* Globulina plasmática que constitui a maioria dos anticorpos.

gamão *s.m.* Jogo de dois parceiros, com 15 peças para cada um, disputado num tabuleiro especial.

gamar *v.t.* e *v.i.* (conj. 4). *Gír.* Ter grande paixão, amor ou interesse por.

gamarra *s.f.* Correia que se ata da cilha à focinheira dos animais de montaria, para que não levantem demasiado a cabeça.

gambá *s.m.* (tupi *gã'bá,* seio oco). **1.** Denominação comum a mamíferos marsupiais, arborícolas, de pelagem branca e preta, que ocorrem no sul dos Estados Unidos, Américas Central e do Sul. (Sin. SARUÊ.) **2.** *Fig.* Beberrão.

gambiano *adj.* Relativo ou pertencente à Gâmbia, país da África; gambiense. ★ *s.m.* O natural ou habitante da Gâmbia; gambiense.

gambiarra *s.f.* **1.** Lâmpada ou conjunto de luzes e refletores ligados em um mesmo fio ou vara. **2.** *Pop.* Conserto, arranjo provisório.

gambiense *adj.2g.* e *s.2g.* Gambiano.

gambito *s.m.* (it. *gambetto,* de *gamba,* perna). **1.** Ardil próprio para derrotar o adversário. **2.** *Pop.* Perna fina; cambito.

gamela *s.f.* (lat. *camella,* escudela). **1.** Tigela grande e alongada, de madeira ou barro, para diversos fins. **2.** *Pop.* Mentira.

gameta (ê) *s.m.* (gr. *gametes,* esposo). Célula sexuada, masculina ou feminina, haplóide, responsável pela reprodução dos seres vivos.

gametângio *s.m.* Órgão vegetal que produz gametas.

gametócito *s.m.* Célula germinativa que produz, através da gametogênese, um gameta masculino ou feminino.

gametófito *s.m.* Organismo vegetal, originado a partir de um esporo, que possui órgãos sexuais e produz gametas.

gametogênese *s.f.* Processo biológico de formação dos gametas.

gamo *s.m.* Mamífero artiodáctilo, ruminante, da família dos cervídeos, de pelagem parda com manchas brancas, que ocorre na Europa mediterrânea e Oriente Próximo.

gamo macho, que possui chifres

gamogênese *s.f.* Reprodução sexuada. (Sin. GAMOGONIA.)

gamogonia *s.f.* Sin. de GAMOGÊNESE.

gamossépalo *adj.* Diz-se do cálice de uma flor que tem as sépalas unidas ou soldadas entre si.

gana *s.f.* (esp. *gana*). **1.** Grande vontade ou apetite para qualquer coisa. **2.** Desejo de fazer mal, má vontade. **3.** Raiva, ímpeto.

ganância *s.f.* (esp. *ganancia*). **1.** Ambição desmedida de ganho. **2.** Ganho ilícito, usura.

ganancioso (ô) *adj.* Que tem ganância.

gancho *s.m.* **1.** Peça resistente, com uma das extremidades em curva, para alçar, suspender ou agarrar fardos. **2.** Curva no corte da calça que vai da cintura, na frente, até a cintura nas costas, passando por entre as pernas; cavalo.

gandaia *s.f.* (esp. *gandaya*). **1.** A busca, no lixo, de algum objeto de valor. **2.** *Fig.* Vadiagem, ociosidade.

gandaiar *v.i.* (conj. 4). Andar à gandaia, vadiar.

gandaieiro *adj.* e *s.m.* Que ou aquele que anda à gandaia.

gandula *s.m.* Aquele que vai buscar as bolas que saem fora de campo ou quadra esportiva.

ganense *adj.2g.* Relativo ou pertencente a Gana, país da África. ★ *s.2g.* O natural ou habitante de Gana.

ganga[1] *s.f.* (al. *Gang,* veio metálico). Material impuro, não explorável, de um filão mineralizado.

ganga[2] *s.f.* (ch. *kang*). **1.** Tecido amarelo ou azul, fabricado na Índia. **2.** Bagatela, insignificância.

gangético *adj.* Relativo ou pertencente ao rio Ganges, na Índia.

gânglio *s.m.* (gr. *ganglion,* novelo). **1.** Pequena dilatação arredondada ou fusiforme, presente em alguns pontos nos vasos linfáticos (*gânglio linfático*) e nos nervos (*gânglio nervoso*). **2.** Em sentido estrito, gânglio linfático inflamado e tumefeito do pescoço, axila ou virilha.

ganglioma *s.m.* Tumor dos gânglios linfáticos.

ganglionar *adj.2g.* **1.** Relativo aos gânglios. **2.** Que é da natureza dos gânglios.

ganglioplégico *adj.* e *s.m.* Diz-se de ou substância que age ao nível dos gânglios nervosos vegetativos e que bloqueia a ação da acetilcolina.

gangorra (ô) *s.f.* **1.** Trave apoiada transversalmente sobre outra e que oscila na vertical, conforme o peso das crianças que se sentam em cada extremidade. **2.** Engenho primitivo, manual, de cana-de-açúcar, formado por dois rolos de madeira entre esteios verticais.

gangrena *s.f.* (gr. *gaggraina*). **1.** Morte localizada de tecidos, que leva à necrose de uma dada região do corpo. **2.** *Fig.* Corrupção, degradação moral.

gangrenar *v.t.* (conj. 4). **1.** Causar gangrena. **2.** *Fig.* Corromper moralmente, degradar. ★ *v.i.* e *v.pr.* Ser atacado de gangrena.

gângster *s.m.* (ingl. *gangster*). Membro de uma gangue; malfeitor, bandido.

gangue *s.f.* (ingl. *gang*). **1.** Bando de malfeitores. **2.** *Gír.* Turma de jovens com características e roupas próprias.

ganhador (ô) *adj.* e *s.m.* Que ou aquele que ganha em jogo, disputa ou loteria.

ganha-pão *s.m.* Trabalho ou instrumento com o qual se obtém o sustento, a subsistência.

ganhar *v.t.* (conj. 4). **1.** Adquirir, obter, conseguir. **2.** Obter a posse de. **3.** Obter como proveito, lucro. **4.** Conquistar, granjear, captar. **5.** Vencer (competição, debate). **6.** Receber, perceber (como salário). **7.** Tomar, contrair. **8.** Estender-se, propagar-se. **9.** Atingir, chegar a. ★ *v.i.* **1.** Obter a posse de dinheiro ou bens. **2.** Obter sucesso, vencer. **3.** Obter melhoria. **4.** Adquirir vantagem ou dianteira. **5.** Receber como pagamento.

ganho *s.m.* **1.** Ato ou efeito de ganhar. **2.** Lucro, proveito. **3.** Salário, remuneração. ● **Eletrôn.** Relação entre a potência de saída e a de entrada de um circuito elétrico. ★ *adj.* Que se ganhou.

ganido *s.m.* (lat. *gannitus*). **1.** Grito lamentoso dos cães. **2.** *Fig.* Voz esganiçada.

ganir *v.i.* (lat. *gannire*) [conj. 6]. **1.** Soltar ganidos. **2.** Gemer como os cães.

ganja *s.f.* Vaidade, presunção. ★ *adj.2g.* vaidoso, presumido.

ganóide *adj.2g.* *Escama ganóide,* tipo de escama óssea que ocorre em peixes primitivos.

ganoína *s.f.* Substância que forma as escamas de alguns peixes.

ganso *s.m.* Ave anseriforme, originária da Ásia e Europa, que apresenta bico cornificado, língua carnosa e pés com palmouras, criada no mundo inteiro.

ganzá *s.m.* (quimb. *nganza,* cabaça). Instrumento musical de percussão.

garagem *s.f.* (fr. *garage*). Abrigo para a guarda de automóveis, ônibus, barcos etc.

garagista *s.2g.* **1.** Responsável por uma garagem. **2.** Manobrista.

garanhão *s.m.* (de or. germ.). Macho reprodutor em diversas espécies de criação, particularmente do cavalo.

garantia *s.f.* **1.** Ato ou efeito de garantir. **2.** Documento que atesta, por tempo determinado, a boa qualidade de um produto, e proporciona ao comprador o direito de troca ou conserto caso apresente defeitos de fabricação. **3.** *P. ext.* O período em que vigora tal garantia.

garantir *v.t.* (conj. 6). **1.** Assegurar, sob responsabilidade, o cumprimento de uma obrigação em condições previamente definidas. **2.** Assegurar a manutenção, a existência ou o respeito a. **3.** Responsabilizar-se pelas qualidades e pelo bom funcionamento de; fornecer garantia. **4.** Dar como verdadeiro, seguro, certo; certificar. **5.** Tornar certo, seguro. ★ *v.pr.* Pôr-se ao abrigo, defender-se de ou contra.

garapa *s.f.* **1.** Bebida feita pela mistura de mel, rapadura ou açúcar com água e gotas de limão. **2.** Caldo da cana-de-açúcar. **3.** Bebida ou refresco de fruta muito açucarado. **4.** *Fig.* Coisa boa e fácil de obter.

garatéia *s.f.* **1.** Aparelho de pesca composto de vários anzóis na extremidade da mesma linha. **2.** Pequena âncora de pedra usada em embarcações de pesca.

garatuja *s.f.* **1.** Escrita, letra muito malfeita; rabisco, gatafunhos. **2.** Momice, esgar. **3.** Primeira manifestação de desenho infantil.

garbo *s.m.* (it. *garbo*). **1.** Elegância, distinção, donaire, galhardia. **2.** Brio, pundonor.

garboso (ô) *adj.* Que tem garbo e elegância; galhardo, donairoso.

garça *s.f.* (lat. lus. *gartia*). Ave ciconiforme de porte elegante, provida de pernas e dedos compridos, bico longo e pontiagudo, que durante o vôo curva o pescoço e estende as pernas para trás.

garção *s.m.* Var. de GARÇOM.

garço *adj.* Esverdeado, verde-azulado (diz-se particularmente dos olhos).

garçom *s.m.* (fr. *garçon*). Empregado que serve em cafés, restaurantes etc. (Var. GARÇÃO.)

garçonete *s.f.* Empregada que serve à mesa ou ao balcão de bares, lanchonetes etc.

gardênia *s.f.* (de *Garden,* n.pr.). Arbusto ornamental originário da China, de flores brancas e perfumadas e cujo fruto apresenta propriedades emolientes e febrífugas. (Sin. JASMIM-DO-CABO.)

gardunho *s.m.* Sin. de FUINHA.

gare *s.f.* *Gal.* Estação ferroviária.

garfada *s.f.* Quantidade, porção que se pode retirar de cada vez com um garfo.

garfagem *s.f.* Método de enxertia pelo qual se produz uma muda a partir de um ramo destacado, denominado garfo.

garfar *v.t.* (conj. 4). **1.** Revolver ou rasgar com garfo ou forquilha. **2.** Enxertar de garfo. **3.** *Gír.* Lesar, causar prejuízo a.

garfo *s.m.* **1.** Utensílio de mesa com dois, três ou quatro dentes. **2.** Instrumento de dois dentes ou mais, com cabo alongado, utilizado para diversos trabalhos, principalmente agrícolas. **3.** Peça ou instrumento em forma de forquilha ou com dentes. **4.** Parte do quadro que suporta a roda dianteira e o guidom de uma bicicleta ou motocicleta. ● **Agric.** Ramo destacado de um vegetal para garfagem. ▸ Renovo, enxerto.

gargalhada *s.f.* Risada prolongada, franca e ruidosa; casquinada.

gargalhar *v.i.* (onomat.) [conj. 4]. Rir ruidosamente, dar gargalhadas; casquinar.

gargalo *s.m.* Parte superior de garrafa ou de vaso cuja abertura é estreita.

garganta *s.f.* **1.** Parte interior do pescoço que corresponde principalmente à faringe; goela. **2.** *P. ext.* A própria voz. **3.** Abertura ou passagem estreita. **4.** Vale estreito, encaixado entre vertentes abruptas (penhascos); desfiladeiro. **5.** *Dor de garganta,* nome comum a diversas inflamações da região da garganta, como amigdalite, angina, faringite e laringite. **6.** *Pop.* Mentira, fanfarronice.

gargantear *v.i.* (conj. 15). **1.** Cantar, variando ligeiramente os tons. **2.** *Pop.* Fanfarronar, bazofiar. ★ *v.t.* Dizer ou cantar com voz garganteada, requebrada.

gargantilha *s.f.* (esp. *gargantilla*). Colar justo que serve de ornamento para o pescoço.

gargântua *s.m.* (de *Gargântua,* n.pr.). Comilão insaciável; glutão.

gargarejar *v.t.* (lat. *gargarizare*) [conj. 4]. Praticar o gargarejo. ★ *v.i.* **1.** Fazer gargarejos. **2.** *Pop.* Namorar, conversando da rua para a janela.

gargarejo *s.m.* **1.** Ato ou efeito de agitar na garganta, pelo ar que se faz sair da laringe, água ou um medicamento líquido. **2.** Solução medicamentosa introduzida na boca e na garganta, sem ser deglutida, para tratar afecções bucais ou da garganta.

gari *s.m.* (de *Gary,* n.pr.). Varredor de ruas; empregado da limpeza urbana.

garimpagem *s.f.* Ação de garimpar.

garimpar *v.i.* (conj. 4). **1.** Exercer a exploração e lavra artesanal de jazidas minerais, principalmente ouro, cassiterita e gemas preciosas. **2.** *Fig.* Explorar preciosidades, especialmente literárias e documentárias. **3.** *Fam.* Meter o dedo no nariz.

garimpeiro *s.m.* Aquele que garimpa.

garimpo *s.m.* **1.** Mina de diamantes ou metais preciosos. **2.** Local onde existem explorações diamantinas e auríferas.

garlopa *s.f.* (hol. *voorlooper,* que corta antes). Plaina grande.

garnisé *adj.2g.* e *s.m.* (de *Guernsey,* n.pr.). **1.** Diz-se de ou variedade de galinha pequena, originária da Grã-Bretanha. **2.** *Pop.* Diz-se de ou homem de baixa estatura, arrogante e provocador.

garoa *s.f.* **1.** Nevoeiro fino e persistente. **2.** Chuva fina, chuvisco.

garoar *v.i.* (conj. 20). Chuviscar levemente; cair garoa.

garota (ô) *s.f.* **1.** Menina. **2.** *Pop.* Namorada.

garotada *s.f.* **1.** Ajuntamento de garotos. **2.** Ato ou palavras próprias de garoto.

garotice *s.f.* Ato, dito próprio de garoto; brejeirice, criancice.

garoto (ô) *s.m.* **1.** Menino, criança. **2.** Gaiato. **3.** Rapaz imberbe.

garoupa *s.f.* Denominação comum a vários peixes teleósteos marinhos que atingem grandes dimensões, de carne muito saborosa.

garra *s.f.* (de or. celta). **1.** Unha pontuda e recurvada que ocorre em muitos mamíferos carnívoros, roedores, aves de rapina e répteis. **2.** *Fig.* Rapacidade, cobiça. **3.** *Pop.* Esforço, empenho. ● **Agric.** Instrumento de preensão para condicionar produtos a granel como feno, palha e esterco.

VOCÊ SABIA...? As **garras,** como todo tipo de unha, constituem-se de pele dura, da mesma forma que os chifres de alguns animais. Quando são amplas e planas, chamam-se simplesmente unhas; mas se são curvas e afiadas recebem o nome de garras. Um olhar mais atento às garras de um animal permitirá conhecer seu estilo de vida. Felinos e aves de rapina têm garras muito curvas e afiadas para apanhar e dilacerar suas presas.

garras de águia

garrafa *s.f.* (ár. *garraf*). **1.** Recipiente para líquidos, geralmente de vidro e de forma alongada e cilíndrica, cuja abertura é mais estreita do que o bojo. **2.** A porção de líquido contida nesse recipiente.

garrafada *s.f.* **1.** Conteúdo de uma garrafa. **2.** Pancada com garrafa. **3.** Beberagem de características medicinais preparada com ervas.

garrafal *adj.2g.* **1.** Que tem forma de garrafa. **2.** Grande, imenso.

garrafão *s.m.* Grande garrafa de vidro, geralmente revestida por um trançado de vime ou palha para que não se quebre. ● **Esp.** Área da quadra de basquete, junto à tabela, onde cada atacante pode ficar no máximo três segundos de cada vez.

garrancho *s.m.* (esp. *garrancho*). **1.** Doença no casco dos animais de montaria. **2.** Letra ruim e difícil de ser compreendida. ● **Bot.** Ramo tortuoso das árvores. ▸ Galho fino dos arbustos ou das árvores; graveto.

garrano *s.m.* Cavalo pequeno, troncudo e vigoroso.

garrido *adj.* **1.** Que se enfeita ou se traja com demasiado apuro; janota. **2.** Elegante, gracioso. **3.** Alegre, brilhante.

garrir *v.i.* (lat. *garrire,* tagarelar) [conj. 79]. **1.** Badalar. **2.** Chilrear. **3.** Tagarelar, falar muito. **4.** Ostentar, pompear. **5.** Brincar, foliar. ★ *v.pr.* Vestir-se com elegância.

garrotar *v.t.* (conj. 4). Garrotear.

garrote[1] *s.m.* (fr. *garrot*). **1.** A parte compreendida entre o dorso de um animal de carga e o pescoço; agulha, cernelha. **2.** Prego forte para fixar a ferragem na roda dos carros de lavoura. **3.** *Fig.* Angústia. **4.** Antigo suplício por estrangulamento sem suspensão; instrumento com o qual era produzido esse suplício. ● **Med.** Aparelho destinado a comprimir os vasos de um membro ou de um segmento de membro, a fim de interromper momentaneamente a circulação do sangue.

garrote[2] *s.m.* Rês bovina ainda não adulta; novilho.

garrotear[1] *v.t.* (conj. 15). Aplicar ou fixar o garrote em; garrotar.

garrotear[2] *v.t.* (conj. 15) [*RS*]. Sovar (o couro) até deixá-lo macio.

garrotilho *s.m.* **1.** Sin. de CRUPE. **2.** Doença infecciosa e contagiosa que afeta principalmente os eqüídeos jovens, caracterizada por uma inflamação purulenta das vias respiratórias superiores e dos gânglios correspondentes.

garrucha *s.f.* **1.** Mecanismo com que se armavam as bestas. **2.** Pistola de carregar pela boca.

garrulice *s.f.* Qualidade de gárrulo; loquacidade, tagarelice.

gárrulo *adj.* e *s.m.* (lat. *garrulus*). **1.** Que ou aquele que canta muito; chilreador. **2.** Falador, tagarela.

garupa *s.f.* Parte do corpo dos quadrúpedes, em particular dos eqüídeos, correspondente à bacia e ao sacro.

gás *s.m.* (fr. *gaz,* caos, desordem, do lat. *chaos*). **1.** Substância que ocupa a totalidade do volume de todo recipiente no qual é encerrada. **2.** Substância que se encontra no estado gasoso na temperatura e na pressão normais. **3.** *Fig.* Presunção, bazófia. **4.** Animação, energia, desembaraço. **5.** *Gás de botijão* ou *gás liquefeito de petróleo* (*GLP*), combustível composto basicamente por propano e butano, muito tóxico e inflamável, vendido em botijões. ▸ *Gás de rua* ou *gás de nafta,* gás manufaturado para utilização doméstica ou industrial, fornecido ao consumidor através de tubulação subterrânea. ▸ *Gás natural,* combustível composto basicamente de metano e etano, atóxico, fornecido por tubulações ou canalização. ▸ *Gás natural veicular,* gás natural usado como combustível em veículos automotores. ▸ *Gás dos pântanos,* o metano. ● **Quím.** *Gás nobre* ou *gás raro,* cada um dos gases monoatômicos (hélio, neônio, argônio, criptônio e xenônio), presentes em pequena quantidade na atmosfera, cujos átomos possuem camadas eletrônicas completas. ★ *s.m.pl.* Mistura produzida no tubo digestivo de ar deglutido e dos produtos voláteis resultantes das fermentações; ventosidades, flatulência.

? VOCÊ SABIA...? O **gás natural** deixa poucos resíduos poluentes após a queima, tanto em motores de veículos quanto em fornos e caldeiras industriais. É usado como fonte de calor, eletricidade e força motriz. Nas indústrias química, petroquímica e de fertilizantes, é utilizado como matéria-prima. As principais reservas brasileiras de gás natural estão localizadas na bacia de Campos (RJ), na bacia de Santos (SP) e nos campos de Urucu e Juruá (AM).

---

gascão *adj.* Relativo ou pertencente à Gasconha, região da França. ★ *s.m.* O natural ou habitante da Gasconha.

gaseificação (e-i) *s.f.* **1.** Ação de gaseificar. **2.** Transformação de material combustível sólido ou líquido em gás.

gaseificar (e-i) *v.t.* (conj. 12). **1.** Transformar em produto gasoso. **2.** Dissolver gás carbônico na água.

gaseiforme (e-i) *adj.2g.* Que se apresenta no estado gasoso.

gasoduto *s.m.* Tubulação para o transporte de gás natural ou derivados de petróleo a grandes distâncias.

? VOCÊ SABIA...? O **gasoduto** Bolívia-Brasil estende-se por 3.150 km, dos quais 2.593 km no Brasil. Liga Santa Cruz de la Sierra, na Bolívia, a Porto Alegre, no Rio Grande do Sul, passando por Mato Grosso do Sul, São Paulo, Paraná e Santa Catarina. As tubulações têm diâmetro de cerca de 72 cm e somam 540.000 toneladas.

---

gasolina *s.f.* (fr. *gazoline*). **1.** Destilado de petróleo cujo intervalo de destilação situa-se entre 40 e 220° C. **2.** *Gasolina automotiva,* mistura de hidrocarbonetos de origem mineral ou sintética destinada à alimentação dos motores térmicos de ignição comandada.

gasometria *s.f.* Medida das características físicas dos gases industriais (volume, densidade etc.). ● **Med.** *Gasometria sanguínea,* medida dos níveis gasosos do sangue.

gasômetro *s.m.* (fr. *gazomètre*). **1.** Reservatório no qual o gás fabricado é armazenado a volume variável e sob pressão praticamente constante. **2.** Aparelho para medir gás. **3.** Fábrica de gás.

gasoso (ô) *adj.* **1.** Relativo ao gás, que está sob forma de gás. **2.** Que contém gases em solução. **3.** Diz-se do que se acompanha de gás produzido por micróbios anaeróbios. **4.** *Água gasosa,* água que contém gás carbônico diluído.

gasparinho *s.m.* (de *Gaspar,* n.pr.). A menor fração de um bilhete de loteria.

gáspea *s.f.* A parte superior e dianteira do calçado.

gastador (ô) *adj.* e *s.m.* **1.** Que ou aquele que gasta. **2.** Esbanjador, dissipador, perdulário.

gastalho *s.m.* Peça com que se apertam aduelas em trabalhos de marcenaria.

gastar *v.t.* (lat. *vastare,* devastar) [conj. 4]. **1.** Diminuir o volume de, através do atrito. **2.** Consumir, destruir, arruinar. **3.** Despender, consumir. **4.** Dissipar, esbanjar. **5.** Esgotar, exaurir, consumir. **6.** Enfraquecer, extenuar. ★ *v.i.* **1.** Despender dinheiro, recursos. **2.** Consumir-se, deteriorar-se. ★ *v.pr.* **1.** Arruinar-se, perder as forças ou a saúde. **2.** Extinguir-se, acabar-se.

gastável *adj.2g.* Que se pode gastar.

gasto *adj.* **1.** Diz-se do que se gastou ou se despendeu pelo uso. **2.** Cansado, fraco, exausto. **3.** Deteriorado pelo uso; usado, surrado. **4.** *Fig.* Consumido, avelhantado. ★ *s.m.* **1.** Ato ou efeito de gastar. **2.** Despesa, dispêndio.

gastralgia *s.f.* Dor localizada no epigástrio que se acompanha ou não de problemas digestivos.

gastrectomia *s.f.* Operação que consiste na ablação total ou parcial do estômago.

gastrenterite *s.f.* Var. de GASTROENTERITE.

gástrico *adj.* (gr. *gaster,* estômago). **1.** Relativo ao estômago. **2.** *Suco gástrico,* líquido secretado pelas glândulas tubulares da mucosa estomacal, rico em ácido clorídrico e enzimas, que constitui um dos agentes da digestão.

gastrina *s.f.* Hormônio secretado pela mucosa estomacal ou duodenal, que age sobre a secreção gástrica.

gastrintestinal *adj.2g.* Var. de GASTROINTESTINAL.

gastrite *s.f.* Irritação ou inflamação no estômago, às vezes causada por bactéria.

gastrocnêmio *s.m.* Músculo da parte posterior da perna.

gastroenterite *s.f.* Inflamação simultânea das mucosas gástrica e duodenal, freqüentemente de origem infecciosa. (Var. GASTRENTERITE.)

gastrointestinal *adj.2g.* Relativo ao estômago e aos intestinos. (Var. GASTRINTESTINAL.)

gastronomia *s.f.* Arte de cozinhar e de apreciar a boa comida.

gastronômico *adj.* Relativo à gastronomia.

gastrônomo *s.m.* Pessoa que se dedica à gastronomia ou que aprecia a boa comida.

gastropilórico *adj.* Relativo ao estômago e ao piloro.

gastrópode *s.m.* Espécime dos gastrópodes. ★ *adj.2g.* Relativo aos gastrópodes.

gastrópodes *s.m.pl.* Classe de moluscos aquáticos ou terrestres, com concha geralmente espiralada e reduzida ou ausente em algumas espécies, representada pelos caramujos e lesmas.

gastrorragia *s.f.* Hemorragia do estômago, causada geralmente por úlcera, câncer ou gastrite.

gastroscopia *s.f.* Endoscopia do estômago.

gastrose *s.f.* Nome genérico das doenças do estômago.

gastura *s.f.* **1.** Comichão, prurido. **2.** Inquietação nervosa; aflição, mal-estar.

gatafunhos *s.m.pl.* Garatuja.

gataria *s.f.* Multidão de gatos.

gatilho *s.m.* (esp. *gatillo*) **1.** Peça das armas de fogo com a qual se faz o disparo. **2.** Peça de metal que, num mecanismo, trabalha como uma alavanca.

gato *s.m.* (lat. *cattus*). **1.** Mamífero carnívoro da família dos felídeos, que apresenta visão noturna bem desenvolvida, bigodes sensíveis e garras retráteis. **2.** Peixe-gato. **3.** Espécie de gancho que segura peças em obras de cantaria. **4.** *Fig.* Indivíduo ligeiro, esperto. **5.** *Pop.* Erro, lapso, engano. **6.** *Gír.* Homem bonito, atraente. **7.** (*MS, PR* e *SP*) Aquele que recruta bóias-frias para os trabalhos da lavoura; intermediário entre estes e o fazendeiro.

GATO ▸ Os gatos possuem excelente visão noturna, língua áspera, bigodes sensíveis, unhas retráteis, grande aptidão para a espreita e o salto e costumes de caçador. As variedades selvagens (lince e suçuarana), assim como as domésticas, são numerosas e diversas. A gata, sexualmente madura por volta dos 9 ou 10 meses, tem uma gestação que dura de oito a dez semanas, e o número de crias que integram a ninhada é de duas a cinco; sua longevidade média é de 12 a 15 anos.

gato-do-mato *s.m.* Denominação comum a mamíferos carnívoros, felídeos, selvagens e de pequeno porte, que estão ameaçados de extinção.

gato-do-mato-grande *s.m.* Sin. de JAGUATIRICA.

gato-pingado *s.m.* *Pop.* Diz-se de cada um dos poucos assistentes a uma reunião ou solenidade.

gatunagem *s.f.* **1.** Ação de gatuno; roubo, furto, gatunice. **2.** Bando de gatunos. **3.** Vida de gatuno; vadiagem.

gatuno *adj.* e *s.m.* Que ou aquele que furta; ladrão.

gaturamo *s.m.* (tupi *katu'rama*). Nome comum a diferentes espécies de aves passeriformes de hábitos frugívoros.

gauchesco (a-u...ê) *adj.* Relativo a gaúcho.

gaúcho *adj.* (esp. plat. *gaucho*). Relativo ou pertencente ao Rio Grande do Sul; rio-grandense-do-sul. ★ *s.m.* **1.** O natural ou habitante do Rio Grande do Sul; rio-grandense-do-sul. **2.** Peão de estância; bom cavaleiro, ginete.

gaudério *s.m.* (do lat. *gaudere,* gozar). **1.** Vadio, malandro. **2.** Gáudio. ● **Zool.** Sin. de CHOPIM. ▸ Sin. de BARBEIRO². ★ *adj.* e *s.m.* Que ou aquele que vive à custa alheia; parasita.

gáudio *s.m.* (lat. *gaudium*). **1.** Júbilo, alegria. **2.** Folia, brincadeira; gaudério.

gaulês *adj.* Relativo ou pertencente à antiga Gália, atual França; galo. ★ *s.m.* **1.** O natural ou habitante da Gália; galo. **2.** Língua céltica falada pelos gauleses.

gávea *s.f.* (lat. *cavea,* jaula). **1.** Mastaréu que prolonga alguns mastros. **2.** Plataforma que cruza esse mastaréu. **3.** Vela quadrada montada nesse mastro.

gavela *s.f.* (lat. *gabella*). Feixe, molho (de ervas, de espigas); paveia.

gaveta (ê) *s.f.* (prov. *gàveda*). **1.** Caixa sem tampa, corrediça, embutida num móvel (armário, mesa, cômoda etc.). **2.** Nas máquinas, dispositivo mecânico com movimento de translação que distribui um fluido segundo uma forma predeterminada.

gaveteiro *s.m.* Armação de madeira colocada no interior de um móvel para sustentar gavetas.

gavião *s.m.* (esp. *gavilán*). Denominação comum a aves falconiformes, caracterizadas pela presença de bico adunco e garras afiadas.

gavião-de-penacho *s.m.* Sin. de HARPIA.

gavião-real *s.m.* Sin. de HARPIA.

gaviformes *s.m.pl.* Ordem de aves de pernas curtas, localizadas bem posteriormente ao corpo, com dedos unidos por membrana, que ocorrem no hemisfério norte.

gavinha *s.f.* Órgão de fixação de certas plantas, que se enrola em estacas ou em outras plantas. (Sin. CIRRO.)

gay *adj.2g.* e *s.m.* (ingl.). Que ou aquele que é homossexual.

gaza *s.f.* Var. de GAZE.

gaze *s.f.* Tecido de algodão, muito leve e transparente, esterilizado, utilizado em curativos ou na fabricação de compressas; o curativo que usa esse tecido. (Var. GAZA.)

gazear[1] *v.i.* (conj. 15). Cantar (garça, andorinha etc.).

gazear[2] *v.i.* (conj. 15). Gazetear.

gazeio[1] *s.m.* Canto especial de algumas aves como a garça, a andorinha etc.

gazeio[2] *s.m.* Ação de gazear; gazeta.

gazela *s.f.* (ár. vulgar *gazel*). Denominação comum a mamíferos artiodáctilos, da família dos bovídeos, caracterizados pela presença de chifres espiralados.

gazeta[1] (ê) *s.f.* (it. *gazzetta*). Publicação periódica de notícias políticas, literárias, artísticas etc.; jornal.

gazeta[2] (ê) *s.f.* Ato ou efeito de gazetear; gazeio.

gazetear *v.i.* (conj. 15). Faltar às aulas, ou ao trabalho, para vadiar; gazear.

gazeteiro[1] *s.m.* **1.** Aquele que publica ou redige gazetas; jornalista. **2.** *Fig.* Boateiro, mentiroso.

gazeteiro[2] *adj.* e *s.m.* Que ou aquele que gazeteia.

gazua *s.f.* (esp. *ganzúa*). Ferro curvo empregado para abrir fechaduras; chave falsa.

Gd símbolo químico do gadolínio.

Ge símbolo químico do germânio.

geada *s.f.* Orvalho congelado que forma fina camada branca sobre as folhas, o solo, os telhados.

gear *v.i.* (lat. *gelare*) [conj. 15]. Formar-se geada, cair geada.

gebo (ê) *adj.* e *s.m.* (lat. *gibbus*). **1.** Corcunda. **2.** Que ou aquele que se veste mal, sem elegância.

geena *s.f.* (hebr. *Gehinnom*). Inferno, na linguagem bíblica.

gêiser *s.m.* (ingl. *geyser*, de *Geysir*, top.). Fonte de onde jorra, sob pressão, água quente ou vapor de água de modo intermitente, com emanações sulfurosas provenientes da água do lençol freático por gases vulcânicos.

gel *s.m.* Substância coloidal de consistência viscosa que tende a se dilatar ao absorver água.

geladeira *s.f.* **1.** Aparelho frigorífico termicamente isolado em que se produz frio para a conservação de gêneros alimentícios; refrigerador. **2.** *Fig.* Lugar muito frio.

GELADEIRA ► Quando um líquido evapora (ou seja, se transforma em vapor ou gás), absorve o calor que o rodeia. As geladeiras têm um tubo cheio de gás que, ao esfriar, se transforma em líquido. Ao passar pelo tubo da geladeira, o líquido absorve o calor e se converte em gás novamente. Cada vez que esse ciclo se repete, a geladeira resfria.

---

gelado *adj.* **1.** Congelado. **2.** Refrescado ou esfriado no gelo. **3.** Muito frio. ★ *s.m.* **1.** Doce, iguaria, bebida que se conservou no gelo. **2.** Sorvete.

gelar *v.t.* (lat. *gelare*) [conj. 4]. **1.** Transformar em gelo; congelar. **2.** Tornar muito frio, esfriar. **3.** Transpassar de frio. **4.** *Fig.* Paralisar, amedrontar. ★ *v.i.* e *v.pr.* **1.** Converter(-se) em gelo; congelar-se. **2.** Esfriar(-se) muito. **3.** Destruir(-se) pela ação do frio. **4.** Perder o entusiasmo, o calor. **5.** Ficar paralisado de medo, assombrado.

gelatina *s.f.* (lat. tard. *gelatina*). **1.** Substância protéica de consistência viscosa, obtida pela desnaturação do colágeno da pele e dos ossos ou extraída de certos vegetais. **2.** Essa substância preparada industrialmente para uso culinário. **3.** Qualquer substância com consistência semelhante à da gelatina.

gelatinização *s.f.* **1.** Ação de gelatinizar. **2.** Transformação da nitrocelulose fibrosa em um material cuja consistência situa-se entre a da gelatina e a da cartilagem.

gelatinoso (ô) *adj.* **1.** Que contém gelatina. **2.** Que tem uma consistência comparável à da gelatina. **3.** Viscoso, visguento, pegajoso.

geléia *s.f.* (fr. *gelée*). **1.** Conserva preparada com frutas, açúcar, ácido cítrico e pectina, que se concentra em fogo forte e que, após esfriar, tem consistência gelatinosa. **2.** Alimento preparado com o tutano do boi, ossos e espinhas de peixes etc.; mocotó. ● **Zool.** *Geléia real*, líquido secretado pelas glândulas faríngeas das abelhas operárias, que serve para alimentar as larvas.

geleira *s.f.* **1.** Grande massa de neve transformada em gelo que se acumula nas áreas continentais sujeitas a precipitações de neve superiores ao degelo, e que se encontra submetida a um escoamento lento; glaciar. **2.** Recipiente para conservar gelo. **3.** Embarcação com frigoríficos, para o transporte de peixes. **4.** Balde ou recipiente para gelo.

gelha *s.f.* **1.** Rugosidade de grãos e frutas. **2.** Ruga, prega.

gélido *adj.* (lat. *gelidus*). **1.** Muito frio, gelado. **2.** Enregelado. **3.** *Fig.* Paralisado.

gelificação *s.f.* Passagem de um estado fluido a um estado de gel.

gelo (ê) *s.m.* (lat. *gelum*). **1.** Água no estado sólido. **2.** *P. ext.* Qualquer outro líquido nesse estado. **3.** Frio excessivo. **4.** *Fig.* Insensibilidade, indiferença. **5.** Tonalidade de cinza quase branco. ★ *adj.* **1.** Diz-se dessa tonalidade. **2.** Que tem essa tonalidade.

gelo-seco *s.m.* Anidrido carbônico sólido.

gelosia *s.f.* (it. *gelosia*, persiana). **1.** Grade de fasquias de madeira com que se tapa o vão de uma janela; rótula. **2.** Treliça através da qual é possível ver sem ser visto.

gélula *s.f.* Cápsula de gelatina que contém medicamentos a serem absorvidos pela boca.

gema *s.f.* (lat. *gemma*). **1.** Parte central (vitelo) do ovo das aves e dos répteis, amarela, e que contém as reservas nutritivas. **2.** Parte essencial, centro. **3.** Nome genérico de pedras preciosas e pedras finas transparentes. **4.** Aquilo que é mais puro e genuíno. ● **Biol.** Porção de um tecido que pode originar um novo indivíduo nos vegetais e em alguns filos animais; broto. **Bot.** Forma rudimentar de um ramo, antes do período de desenvolvimento.

gemada *s.f.* Gema de ovo batida com açúcar e, eventualmente, canela, vinho do Porto etc.

gemelar *adj.2g.* Relativo a gêmeos.

gemelípara *adj.* e *s.f.* Diz-se de ou mulher que deu à luz gêmeos.

gemelos *s.m.pl.* Os músculos gêmeos da perna.

gêmeo *adj.* (lat. *geminus*). **1.** Diz-se de cada um dos dois ou mais irmãos ou irmãs nascidos no mesmo parto. **2.** *Fig.* Diz-se de duas coisas idênticas ou muito semelhantes. ★ *s.m.* **1.** Aquele que nasceu de mesmo parto que outrem. **2.** *Gêmeo fraterno*, sin. de GÊMEO BIVITELINO*. ▸ *Gêmeo idêntico*, sin. de GÊMEO UNIVITELINO*. ● **Anat.** Cada um dos quatro músculos pares das nádegas e das pernas.

gemer *v.i.* (lat. *gemere*) [conj. 5]. **1.** Exprimir sofrimento, dor com sons plangentes. **2.** *Fig.* Soltar queixas, lamentações. **3.** Sussurrar, murmurar em tom plangente. **4.** Produzir ruído lento e monótono; ranger. ★ *v.t.* **1.** Dizer ou cantar gemendo. **2.** Prantear. **3.** Sofrer, padecer.

gemido *s.m.* **1.** Ato ou efeito de gemer. **2.** Lamentação, som plangente.

geminação *s.f.* (lat. *geminatio*). **1.** Ato ou efeito de geminar; duplicação. **2.** União de duas peças, dois objetos. ● **Odont.** Anomalia caracterizada pela fusão de todos os tecidos de dois dentes contíguos.

geminado *adj.* (lat. *geminatus*). **1.** Duplicado, dobrado. **2.** Diz-se de objetos dispostos aos pares. **3.** *Casas geminadas*, aquelas cuja parede divisória é comum. ● **Bot.** Diz-se da estrutura que nasce ou se insere aos pares.

geminar *v.t.* (lat. *geminare*) [conj. 4]. **1.** Duplicar, dobrar. **2.** Unir dois a dois, dispor em pares.

geminiano *adj.* e *s.m.* Diz-se de ou indivíduo nascido sob o signo de Gêmeos (de 21 de maio a 20 de junho).

REPRESENTAÇÕES GRÁFICAS DO SIGNO ASTROLÓGICO DE GÊMEOS

gemiparidade *s.f.* Sin. de BROTAMENTO.

gemologia *s.f.* Parte da geologia que estuda as gemas.

gêmula *s.f.* Pequena gema. ● **Bot.** Estrutura reprodutiva das algas. **Zool.** Conjunto de células envolvidas por uma capa protetora, que ocorre na maioria das esponjas, responsável pela multiplicação vegetativa.

genciana *s.f.* (lat. *gentiana*). **1.** Erva originária dos Alpes, cuja raiz é usada em licoraria e como estimulante do suco gástrico. **2.** Esse licor. **3.** Erva ornamental, de flores azuis com propriedades medicinais, utilizadas como infusão e em licoraria.

gene *s.m.* (do gr. *genes*, nascido). **1.** Unidade genética, situada no cromossomo, que condiciona a transmissão e a manifestação dos caracteres hereditários. **2.** Segmento de ADN responsável pela síntese de uma proteína.

genealogia *s.f.* **1.** Lista dos membros de uma família, que estabelece uma linha de filiação. **2.** Estirpe, linhagem, origem. ● **Biol.** Conjunto de descendentes de um indivíduo. ▸ Estudo da origem e formação do indivíduo ou da espécie.

genealógico *adj.* **1.** Relativo à genealogia. **2.** *Árvore genealógica*, quadro arborescente que indica o desenvolvimento de uma família a partir de um casal ancestral comum.

genebra *s.f.* (fr. ant. *genevre*). Aguardente de mosto de cereais fermentado e destilado, acrescido de frutos de zimbro.

genebrês *adj.* Relativo ou pertencente a Genebra, cidade da Suíça; genebrino. ★ *s.m.* O natural ou habitante de Genebra; genebrino.

genebrino *adj.* e *s.m.* Genebrês.

general *s.m.* **1.** Posto máximo do Exército brasileiro, em tempo de paz, e imediatamente inferior a marechal, em tempo de guerra. **2.** Pessoa que ocupa esse posto. **3.** *Fig.* Chefe, caudilho.

generalato *s.m.* Posto de general.

general-de-brigada *s.m.* **1.** Posto do Exército brasileiro imediatamente inferior a general-de-divisão e superior a coronel. **2.** Pessoa que ocupa esse posto.

general-de-divisão *s.m.* **1.** Posto do Exército brasileiro imediatamente inferior a general-de-exército e superior a general-de-brigada. **2.** Pessoa que ocupa esse posto.

general-de-exército *s.m.* **1.** Posto do Exército brasileiro imediatamente inferior a general e superior a general-de-divisão. **2.** Pessoa que ocupa esse posto.

generalício *adj.* Relativo a general.

generalidade *s.f.* (lat. *generalitas*). **1.** Qualidade do que é geral. **2.** O maior número. ★ *s.f.pl.* Idéias gerais, princípios elementares; rudimentos.

generalíssimo *s.m.* Chefe supremo das forças de um Estado ou coalizão.

generalista *s.2g.* **1.** Aquele que tem conhecimentos gerais, não especializados. **2.** Sin. de CLÍNICO GERAL.

generalização *s.f.* Ato ou efeito de generalizar. ● **Filos.** Ação de estender os resultados da observação de alguns casos ao conjunto dos casos possíveis.

generalizar *v.t.* (do lat. *generalis*, geral) [conj. 4]. **1.** Tornar geral, difundir. **2.** Vulgarizar. ★ *v.pr.* Tornar-se comum, propagar-se.

generativo *adj.* (lat. *generativus*). **1.** Que pode gerar. **2.** Relativo à geração.

genérico *adj.* **1.** Relativo ou pertencente ao gênero. **2.** Expresso ou tratado em termos vagos e indeterminados. ★ *adj.* e *s.m.* Diz-se de ou medicamento que contém os mesmos princípios ativos e dosagem que outro comercializado com a marca do fabricante.

gênero *s.m.* (lat. *genus, generis,* nascimento; raça). **1.** Conjunto de elementos, seres com características comuns. **2.** Modo, maneira, atitude, estilo. ● **Biol.** Unidade taxonômica dos sistemas de classificação sob a qual se reúnem uma ou mais espécies próximas. **Gram.** Categoria que divide os substantivos em duas ou três classes (masculino, feminino e neutro). ► *Substantivo comum de dois gêneros,* aquele que tem forma invariável para os dois gêneros. **Liter.** Categoria de obras literárias definidas por um conjunto de regras e características comuns; estilo. ★ *s.m.pl.* Produtos destinados ao consumo; víveres, mercadoria.

GÊNERO ► Os gêneros literários se distinguem pela forma de tratar um tema.

- O *romance* é uma obra de ficção. O autor dá vida aos personagens, cria seus sentimentos, paixões, aventuras. Existem romances policiais, históricos, românticos, de ficção científica, de espionagem etc.
- No *ensaio,* o autor expressa suas opiniões sobre um tema em particular.
- A *poesia,* em verso ou prosa, é uma arte da linguagem. Explora o ritmo, a harmonia, as sonoridades, as imagens.
- A *peça teatral* é um texto a ser encenado diante do público.
- A *autobiografia* é uma obra em que o autor conta sua vida.
- As *memórias* são relatos de fatos que o autor presenciou ou de que participou.

generosidade *s.f.* (lat. *generositas*). **1.** Qualidade de generoso. **2.** Disposição para a bondade e para a indulgência.

generoso (ô) *adj.* (lat. *generosus,* nobre). **1.** Que dá com largueza. **2.** Benevolente, bom, nobre. **3.** Fértil, abundante.

gênese *s.f.* (gr. *génesis,* geração). **1.** Formação dos seres a partir de uma origem; geração. **2.** Série, encadeamento de fatos e causas que têm um resultado. **3.** *P. ext.* Sistema cosmogônico.

genesíaco *adj.* **1.** Relativo à gênese. **2.** Genético.

genética *s.f.* Parte da biologia que estuda as leis e os mecanismos de transmissão dos caracteres hereditários nos organismos vivos.

geneticista *s.2g.* Especialista em genética.

genético *adj.* (gr. *genetikós*). **1.** Relativo à geração ou à genética; genesíaco. **2.** *Manipulação genética,* técnica para alterar um ou mais genes de uma célula que será usada na geração de um ser.

genetlíaco *adj.* (gr. *genethliakós*). Relativo ao nascimento.

gengibre *s.m.* (gr. *ziggíberis*). Erva originária da Ásia, cujo rizoma é utilizado como remédio, condimento e aromatizante em bebidas, doces e perfumaria.

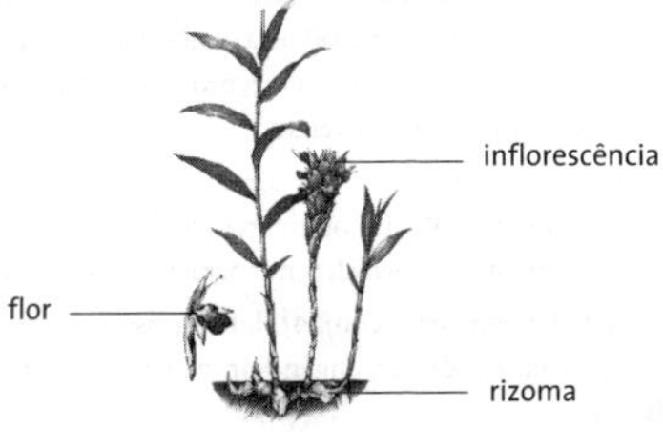

gengiva *s.f.* (lat. *gingiva*). Espessa mucosa de cor rósea, ricamente vascularizada, que recobre as arcadas alveolares dos maxilares superior e inferior.

gengival *adj.2g.* Relativo às gengivas.

gengivite *s.f.* Inflamação das gengivas, de causas locais ou sistêmicas.

genial *adj.2g.* **1.** Relativo a ou próprio de gênio. **2.** Que é dotado de talento, de gênio. **3.** Excelente, ótimo.

gênio *s.m.* (lat. *genius*). **1.** O espírito tutelar das artes, das ciências etc. **2.** O mais alto grau de capacidade intelectual que pode alcançar a mente humana. **3.** Indivíduo muito inteligente; crânio. **4.** Índole, temperamento. **5.** Ser sobrenatural ao qual se atribuía um poder mágico. **6.** *Fam.* Irascibilidade.

genioso (ô) *adj.* Que tem mau gênio; irascível.

genital *adj.2g.* (lat. *genitalis*). **1.** Relativo à reprodução. **2.** *Órgãos genitais,* órgãos sexuais. ● **Anat.** *Aparelho* ou *trato genital,* conjunto de órgãos genitais de qualquer dos sexos. ► *Partes genitais,* os órgãos sexuais. **Psican.** *Organização genital,* estágio final da organização libidinal, no qual as zonas erógenas estão subordinadas aos órgãos genitais.

genitivo *s.m.* (lat. *genitivus*). Caso de declinação em que um nome se flexiona para exprimir sua relação de posse com outro.

genitor (ô) *s.m.* (lat. *genitor*). Aquele que gera; o pai.

geniturinário *adj.* Relativo aos órgãos da reprodução e às vias urinárias; urogenital.

genoblasto *s.m.* Célula sexual madura.

genocídio *s.m.* Extermínio sistemático de um grupo humano nacional, étnico ou religioso.

genoma *s.m.* **1.** Conjunto dos genes do gameta. **2.** Grupo de cromossomos de origem materna ou paterna.

genótipo *s.m.* **1.** Constituição hereditária de um indivíduo, animal ou vegetal. **2.** Conjunto dos genes de um indivíduo.

genovês *adj.* Relativo ou pertencente a Gênova, cidade da Itália. ★ *s.m.* O natural ou habitante de Gênova.

genro *s.m.* (lat. *gener*). O marido da filha em relação aos pais dela.

gentalha *s.f.* Pessoas de baixo nível, ordinárias; ralé.

gente *s.f.* (lat. *gens, gentis,* família). **1.** Quantidade de pessoas; povo, multidão. **2.** Habitantes de um país; população. **3.** Os seres humanos, a humanidade. **4.** Família. **5.** Pessoas com características comuns, do mesmo grupo, bairro, partido etc. **6.** *Pop.* Nós, a pessoa ou pessoas que falam.

gentil *adj.2g.* (lat. *gentilis*). **1.** Nobre, cavalheiresco, generoso. **2.** Delicado, amável, cortês. **3.** Garboso, elegante, gracioso.

gentileza (ê) *s.f.* **1.** Qualidade de gentil. **2.** Ação nobre, distinta. **3.** Delicadeza, amabilidade, cortesia.

gentílico *adj.* (lat. tard. *gentilicus*). Relativo ou pertencente ao gentio. ★ *adj.* e *s.m.* Diz-se de ou nomes designativos da região a que pertencem homens ou coisas.

gentio *s.m.* (lat. *genetivus*). **1.** Aquele que não pertence à civilização cristã; pagão. **2.** Índio, indígena. **3.** Grande quantidade de gente. ★ *adj.* **1.** Que segue o paganismo. **2.** Incivilizado, inculto.

genuflexão (cs) *s.f.* (lat. *genu,* joelho, e *flexio,* flexão). Ação de dobrar o joelho ou os joelhos, de ajoelhar.

genuflexo (cs) *adj.* Ajoelhado.

A B C D E F G H I J K L M N O P Q R S T U V W X Y Z

genuflexório (cs) *s.m.* (lat. tard. *genuflexorium*). Banquinho com encosto, sobre o qual as pessoas se ajoelham para rezar.

genuinidade (u-i) *s.f.* Qualidade de genuíno.

genuíno *adj.* (lat. *genuinus*). **1.** Puro, sem mistura ou alteração. **2.** Próprio, verdadeiro, natural.

genuvalgo *s.m.* Deformação em que o joelho encontra-se desviado para dentro e a perna para fora.

genuvaro *s.m.* Deformação em que o eixo da perna em relação à coxa encontra-se desviado para fora.

geocêntrico *adj.* **1.** Relativo a um sistema de coordenadas cuja origem é o centro da Terra. **2.** *Movimento geocêntrico,* movimento aparente de um astro em torno da Terra, considerada centro de observação.

geocentrismo *s.m.* Antiga concepção astronômica segundo a qual em torno da Terra, centro do Universo, girariam os outros astros.

geodésia *s.f.* (gr. *geodaisía,* divisão das terras). Ciência que estuda as dimensões e a forma da Terra.

geodésico *adj.* Relativo à geodésia.

geodinâmica *s.f.* Estudo da dinâmica do globo e de suas diferentes camadas constitutivas.

geodinâmico *adj.* Relativo à geodinâmica.

geofísica *s.f.* Estudo da estrutura física do globo terrestre e de suas evoluções.

geofísico *adj.* Relativo ou pertencente à geofísica. ★ *s.m.* Especialista em geofísica.

geografia *s.f.* **1.** Ciência que estuda as combinações entre os fenômenos físicos e humanos na superfície terrestre. **2.** Conjunto dos caracteres que constituem a realidade física e humana de um lugar. **3.** Obra que trata dessa ciência.

geográfico *adj.* Relativo ou pertencente à geografia.

geógrafo *s.m.* Especialista em geografia.

VOCÊ SABIA...? Os **geógrafos** estudam a Terra e suas características e também os seres vivos. Observam as paisagens terrestres: onde vivem as pessoas, os animais e as plantas. Analisam traçados específicos como rios e desertos, investigam onde se constroem as cidades, o que é produzido pelas indústrias, como a natureza e os seres humanos modificam a paisagem. Com equipes de pesquisa, medem com cuidado os acidentes geográficos e elaboram diversos tipos de mapas. Os geógrafos ajudam a planejar as cidades e os campos em que habitamos.

---

geóide *s.m.* Termo adotado para designar a forma geométrica da Terra. ● **Geogr.** Superfície de referência para as observações de nivelamento geodésico.

geologia *s.f.* **1.** Estudo da natureza, distribuição, história e gênese dos constituintes da Terra. **2.** Conjunto das características do subsolo de uma região.

geológico *adj.* Relativo à geologia.

geólogo *s.m.* Especialista em geologia.

geomancia *s.f.* Adivinhação feita com as figuras formadas por um monte de terra lançado sobre uma mesa.

geomante *s.2g.* Pessoa que pratica a geomancia.

geomântico *adj.* Relativo à geomancia.

geômetra *s.2g.* (gr. *geometra*). **1.** Matemático especialista em geometria. **2.** Técnico qualificado que mede, calcula, delimita, representa e estima áreas por meio de técnicas topográficas e topométricas.

geometria *s.f.* (gr. *geometría*). Ciência matemática que estuda as relações entre os pontos, as retas, as curvas, as superfícies e os sólidos no espaço.

geométrico *adj.* (gr. *geometrikós*). Relativo à geometria.

geopolítica *s.f.* Estudo das relações entre o espaço natural (relevo, clima etc.) e a política dos Estados.

geopolítico *adj.* Relativo à geopolítica.

geoquímica *s.f.* Estudo da freqüência, da distribuição e da migração dos elementos químicos constituintes do globo terrestre.

geoquímico *adj.* Relativo à geoquímica. ★ *s.m.* Especialista em geoquímica.

geotermia *s.f.* **1.** Fenômenos térmicos internos do globo terrestre. **2.** Estudo desses fenômenos.

geotermômetro *s.m.* Dado ou elemento que permite avaliar a temperatura de um fenômeno geológico.

geotrópico *adj.* Relativo a geotropismo.

geotropismo *s.m.* **1.** Tipo de crescimento orientado pela gravidade, que ocorre nos órgãos vegetativos das plantas. **2.** Reação locomotora de certas espécies de animais, provocada e orientada pela gravidade.

geração *s.f.* (lat. *generatio*). **1.** Ato ou efeito de gerar. **2.** Função pela qual os seres organizados se reproduzem. **3.** Linhagem, ascendência, genealogia. **4.** Conjunto de pessoas que têm aproximadamente a mesma idade e vivem na mesma época. ● **Biol.** *Geração espontânea,* teoria admitida durante a Antiguidade e a Idade Média, em relação a determinados animais, segundo a qual existiria uma formação espontânea de seres vivos a partir da matéria organizada ou de substâncias em decomposição.

gerador (ô) *s.m.* (lat. *generator*). **1.** Aquele que gera. **2.** Produtor, criador. **3.** Pai, genitor, criador. ● **Eletr.** Máquina que transforma energia mecânica em energia elétrica. **Eletrôn.** Circuito que gera corrente ou tensão com características predeterminadas ★ *adj.* Que gera.

geral *adj.2g.* (lat. *generalis*). **1.** Comum a um grande número de coisas ou indivíduos. **2.** Relativo a todos os elementos de um conjunto de pessoas ou coisas. **3.** Comum aos indivíduos de um mesmo gênero; genérico. **4.** Vago, indeterminado, genérico. **5.** *Em geral,* de modo geral, quase sempre. ● **Med.** Relativo ao todo do organismo, do corpo de alguém. ★ *s.m.* **1.** Conjunto dos princípios gerais, p. opos. aos particulares. **2.** Superior de certas ordens religiosas. ★ *s.f.* Localidade (sobretudo em estádio de futebol) pela qual se paga o mais baixo dos preços. ★ *s.m.pl.* Campos extensos e desabitados cujas terras se encontram inaproveitadas.

gerânio *s.m.* (gr. *geránion,* de *géranos,* grou). Denominação comum a diversas plantas originárias da Europa, cultivadas como ornamentais, especialmente para guarnecer canteiros.

gerar *v.t.* (lat. *generare*) [conj. 4]. **1.** Dar existência, origem a; criar. **2.** Produzir, causar, engendrar. ★ *v.pr.* Nascer, desenvolver-se.

gerativo *adj.* **1.** Relativo à geração. **2.** Que pode gerar.

geratriz *s.f.* (lat. *generatrix*). **1.** Aquela que gera. **2.** Aparelho ou máquina que transforma outras formas de energia em energia elétrica. ● **Geom.** Curva ou reta que permite definir um sólido ou uma superfície de revolução. ★ *adj.f.* Que gera.

gérbera *s.f.* Erva originária da Ásia e da África, de flores amarelas, roxas ou alaranjadas.

gerência *s.f.* **1.** Ato ou efeito de gerir. **2.** Gestão, administração. **3.** Função de gerente; duração dessa função. **4.** Administração por um gerente. **5.** Escritório onde o gerente exerce suas funções.

gerenciamento *s.m.* **1.** Ação de gerenciar. **2.** Organização de informações em meio eletrônico.

gerenciar *v.t.* (conj. 16). **1.** Exercer as funções de gerente. **2.** Administrar uma empresa na qualidade de gerente. **3.** Gerir, administrar. **4.** Cuidar do armazenamento e recuperação de; organizar, trabalhar com.

gerente *s.2g.* Indivíduo colocado à frente de um estabelecimento comercial ou industrial, com o encargo de geri-lo, de administrá-lo. ★ *adj.2g.* Que gere.

gergelim *s.m.* (ár. *jiljilan,* grão de coentro). **1.** Planta herbácea, originária do Oriente, cujas sementes, de propriedades medicinais, fornecem óleo comestível e são também utilizadas em culinária. (Sin. SÉSAMO.) **2.** A semente dessa planta.

geriatra *s.2g.* Especialista em geriatria.

geriatria *s.f.* (do gr. *géron,* velho). Ramo da medicina que estuda os fenômenos responsáveis pelo envelhecimento e pela atenuação de seus efeitos.

geriátrico *adj.* Relativo à geriatria.

geringonça *s.f.* (esp. *jerigonza*). Coisa malfeita, que ameaça desconjuntar-se.

gerir *v.t.* (lat. *gerere*) [conj. 57]. **1.** Ter gerência sobre; gerenciar. **2.** Administrar, governar, dirigir, regular; gerenciar.

germânico *adj.* **1.** Relativo ou pertencente à Germânia, antiga região da Europa, e à Alemanha, país da Europa. **2.** Relativo ou pertencente aos países de língua e civilização alemã. ★ *adj.* e *s.m.* Diz-se de ou grupo de línguas indo-européias que deu origem ao inglês, alemão, holandês e às línguas nórdicas.

germânio *s.m.* (do lat. *Germania,* Alemanha). Elemento químico (símb. Ge) de número atômico 32, que constitui um sólido quebradiço de cor cinza e rara ocorrência, utilizado na fabricação de semicondutores.

germanismo *s.m.* **1.** Afetação de modos, maneiras ou costumes alemães. **2.** Exaltação ou fanatismo por tudo quanto é alemão.

germanizar *v.t.* (conj. 4). **1.** Tornar alemão. **2.** Dar feição alemã a.

germano[1] *adj.* (lat. *germanus,* irmão). **1.** Diz-se de irmãos descendentes do mesmo pai e da mesma mãe. **2.** *Fig.* Sem adulteração; genuíno, puro. **3.** *Primos germanos,* descendentes de dois irmãos, de duas irmãs ou de um irmão e uma irmã. ★ *s.m.* **1.** Cada um dos irmãos germanos. **2.** *Primos descendentes de germanos,* diz-se dos filhos de irmãos germanos.

germano[2] *adj.* Relativo ou pertencente aos germanos, povo que habitava a Germânia, antiga região da Europa. ★ *s.m.* Indivíduo dos germanos.

germe ou **gérmen** *s.m.* (lat. *germen*). **1.** Estado rudimentar e originário de todo ser vivo; embrião. **2.** Pequena massa viva, pouco organizada, mas apta a crescer e diferenciar-se, para originar um órgão ou um indivíduo. **3.** Parte da semente que dá origem à plântula. **4.** Vitelo[2] dos ovos dos pássaros. **5.** Conjunto de células do embrião animal ou vegetal cuja diferenciação origina exclusivamente os gametas. **6.** Micróbio. **7.** *P. ext.* O princípio, a causa ou a origem de alguma coisa.

germicida *adj.2g.* e *s.m.* Diz-se de ou produto ou agente físico que elimina germes patógenos.

germinação *s.f.* (lat. *germinatio*). **1.** Ação de germinar. **2.** Início do desenvolvimento de um novo indivíduo vegetal, a partir de uma semente.

GERMINAÇÃO ▸ Em algumas plantas, como a fava *Vicia faba*, o cotilédone permanece embaixo da terra enquanto surgem as primeiras folhas. Em outras, como a do feijão, o cotilédone, folha embrionária que nutre a planta na fase inicial, brota do solo com as primeiras folhas.

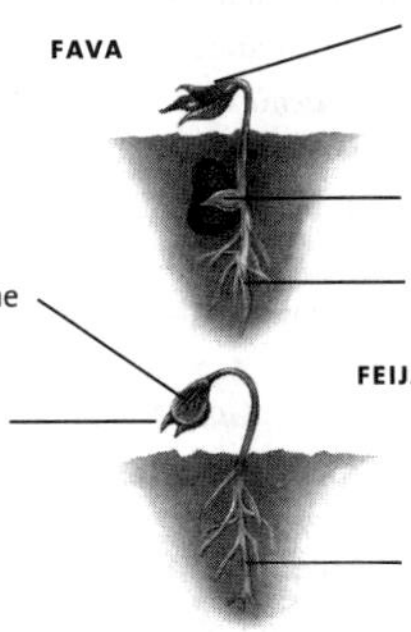

germinador (ô) *adj.* Que tem a faculdade de fazer germinar. ★ *s.m.* **1.** Aparelho com controles de temperatura e umidade, em que se faz a análise do poder germinativo das sementes. **2.** Local onde se armazenam tubérculos (como a batata), para propagação.

germinal *adj.2g.* **1.** Relativo ao germe ou à germinação. **2.** Relativo às células reprodutivas dos seres vivos.

germinar *v.i.* (lat. *germinare*) [conj. 4]. **1.** Principiar a desenvolver-se (grãos, sementes etc.); brotar, abrolhar, grelar. **2.** Nascer, crescer, difundir-se. ★ *v.t.* Gerar, produzir, originar.

gerontocracia *s.f.* (do gr. *géron, gerontos,* ancião). Governo exercido por anciãos.

gerontologia *s.f.* Estudo dos aspectos biológicos, psicológicos, sociais e econômicos relacionados à senilidade e ao envelhecimento.

gerontológico *adj.* Relativo à gerontologia.

gerontologista *s.2g.* Especialista em gerontologia. (Sin. GERONTÓLOGO.)

gerontólogo *s.m.* Sin. de GERONTOLOGISTA.

gerúndio *s.m.* (lat. *gerundium,* de *gerere,* executar). Forma nominal do verbo que apresenta o processo verbal em curso e que desempenha funções exercidas pelo advérbio ou pelo adjetivo.

gessar *v.t.* (conj. 4). Engessar.

gesso (ê) *s.m.* (gr. *gypsos*). **1.** Material de construção resultante do cozimento do gipso, seguido de moagem. **2.** Esse mesmo material misturado com água e endurecido. **3.** *P. ext.* Estátuas, objetos de arte moldados em gesso. ● **Agric.** Fertilizante cálcico usado na manutenção de pastagens e correção de acidez do solo. **Med.** Aparelho de contenção e imobilização, moldado diretamente no paciente em casos de fraturas e certas afecções do aparelho locomotor.

gesta *s.f.* (lat. *gesta,* feitos). Conjunto de poemas épicos medievais que celebram feitos de personagens históricos ou lendários.

gestação *s.f.* (lat. *gestatio,* transporte). **1.** Estado de uma mulher ou de uma fêmea vivípara que corresponde ao desenvolvimento do embrião desde a fecundação até o parto. **2.** Tempo de duração desse estado. **3.** Gravidez, prenhez. **4.** *Fig.* Tempo de elaboração de um trabalho, de uma idéia; gênese.

gestacional *adj.2g.* Relativo à gestação.

gestaltismo (gues) *s.m.* (do al. *Gestalt,* forma). Teoria psicológica que recusa isolar os fenômenos para explicá-los, e que os considera como conjuntos estruturados indissociáveis.

gestante *adj.2g.* (lat. *gestans*). Que está em gestação. ★ *s.f.* A mulher em período de gravidez.

gestão *s.f.* (lat. *gestio*). **1.** Ação de gerir. **2.** Gerência, administração.

gestatório *adj.* **1.** Relativo à gestação. **2.** Que pode ser levado, conduzido, transportado.

gesticulação *s.f.* (lat. *gesticulatio*). **1.** Ação de gesticular. **2.** Conjunto de gestos.

gesticular *v.i.* (lat. *gesticulari*) [conj. 4]. **1.** Fazer muitos gestos. **2.** Expressar-se por mímica. ★ *v.t.* Formular gesticulando.

gesto *s.m.* (lat. *gestus*). **1.** Movimento do corpo, principalmente das mãos, dos braços e da cabeça. **2.** Aceno, sinal. **3.** Aspecto, aparência. **4.** Ação, ato.

gestor *s.2g.* Pessoa encarregada da administração de um projeto ou tarefa, sem o cargo de gerente.

giárdia *s.f.* Protozoário flagelado parasita de diversos animais e agente da giardíase.

giardíase *s.f.* Parasitose devida a giárdias, que provoca diarréias, vômitos e distúrbios hepáticos.

giba *s.f.* (lat. *gibba*). **1.** Saliência ou curvatura anormal da coluna vertebral que produz uma proeminência externa. **2.** Corcova do boi zebu; cupim. **3.** Corcunda.

gibão[1] *s.m.* (it. *giubbone*). Antiga veste masculina que cobre do pescoço até um pouco abaixo da cintura, usada ainda no Nordeste.

gibão[2] *s.m.* (fr. *gibbon*). Denominação comum a macacos antropomorfos arborícolas, sem cauda e com braços longos, originários do sudeste da Ásia.

gibi *s.m.* **1.** Moleque negro. **2.** Revista de histórias em quadrinhos.

gibosidade *s.f.* **1.** Giba, corcova, corcunda, bossa. **2.** Curvatura convexa, principalmente da coluna vertebral. **3.** Proeminência no dorso de alguns animais, causada por massas de tecido adiposo.

giboso (ô) *adj.* (lat. *gibbosus*). **1.** Relativo à gibosidade. **2.** Diz-se de um astro cuja superfície iluminada visível é superior à metade do disco aparente.

gigabyte *s.m.* **Inform.** Unidade de medida de informação, equivalente a 2^{30} bytes (símb. GB). (Cf. BYTE.)

gigante *adj.2g.* e *s.m.* (gr. *gígas, gigantos*). Que ou aquele que apresenta tamanho descomunal. ★ *adj.2g.* Extraordinário, de grandes dimensões, portentoso. ● **Astron.** Diz-se de estrela de grande luminosidade, pouco densa e de diâmetro entre 15 e 40 vezes maior do que o do Sol.

gigantesco (ê) *adj.* (it. *gigantesco*). **1.** Relativo a ou próprio de gigante. **2.** Muito grande, muito alto. **3.** *Fig.* De proporções desmesuradas, extraordinárias. **4.** Prodigioso, grandioso.

gigantismo *s.m.* Crescimento anormal e exagerado de um indivíduo humano, animal ou vegetal, onde se mantêm as proporções relativas dos diversos órgãos; macrossomia.

gigolô *s.m.* (fr. *gigolo*). **1.** Indivíduo, em geral jovem e bem-apessoado, que vive à custa de prostituta ou de mulher mantida por outrem. **2.** *P. ext.* Indivíduo que vive à custa de outrem.

gilê *s.m.* (fr. *gilet*). Colete.

gilete *s.f.* (de *K.C. Gillette,* n.pr.) [nome comercial]. Lâmina de barbear.

gilvaz *s.m.* Golpe ou cicatriz no rosto, produzido por instrumento cortante.

gim *s.m.* (ingl. *gin*). Aguardente de cereais (cevada, trigo, aveia) aromatizada com frutos de zimbro.

gimnospermas *s.f.pl.* (gr. *gymnos,* nu). Grupo de plantas que apresentam sementes descobertas, isto é, não estão encerradas em um fruto, como as coníferas.

ginandria *s.f.* Pseudo-hermafroditismo em que a mulher passa a apresentar certos caracteres sexuais masculinos.

GESTAÇÃO ► Para adaptar-se ao tamanho crescente do feto, produz-se na mãe um aumento do tamanho do abdome e os órgãos internos ficam mais comprimidos.

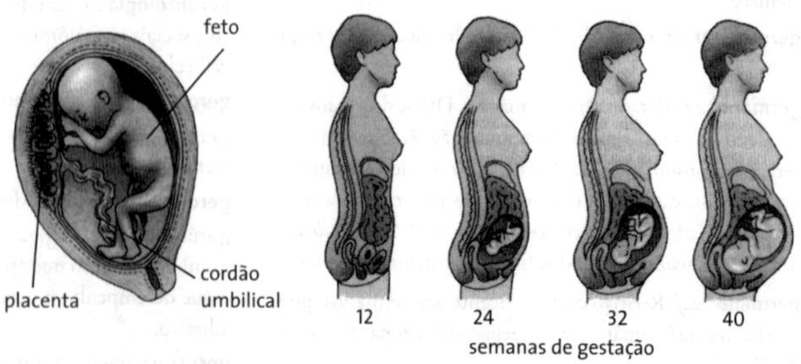

ginandróide *adj.* e *s.f.* Diz-se de ou mulher que apresenta ginandria.

ginasial *adj.2g.* Relativo ou pertencente ao ginásio.

ginasiano *s.m.* Aluno do curso ginasial.

ginásio *s.m.* (gr. *gymnásion*). **1.** Local destinado a competições esportivas. **2.** Antigo nome das quatro últimas séries do ensino fundamental. **3.** Estabelecimento que ministrava esse curso.

ginasta *s.2g.* (gr. *gymnastés*). **1.** Pessoa que pratica a ginástica esportiva. **2.** Artista de circo que executa exercícios de força e destreza.

ginástica *s.f.* (gr. *gymnastiké*). **1.** Conjunto de técnicas para desenvolvimento e manutenção da saúde por meio de exercícios físicos. **2.** Esporte olímpico em que o atleta executa saltos e outros movimentos de equilíbrio e coordenação, sendo avaliado pelo grau de dificuldade e pela qualidade da execução.

GINÁSTICA ▸ Há três modalidades olímpicas de ginástica. Na *ginástica artística*, as mulheres disputam quatro provas: salto sobre cavalo, trave, barras assimétricas e solo. Nesta última, que é executada com fundo musical, a atleta brasileira Daiane dos Santos ganhou destaque mundial a partir de 2003. Os homens disputam seis provas de ginástica artística: salto sobre cavalo, cavalo com alças, argolas, barra fixa, barras paralelas e solo. A *ginástica rítmica* é exclusivamente feminina; usa acompanhamento musical e cinco aparelhos: fita, corda, maça, bola e arco. O *trampolim acrobático*, com saltos elaborados sobre a piscina, tem provas masculinas e femininas.

---

ginástico *adj.* Relativo à ginástica.

gincana *s.f.* (hindustani *gendkhana*). Conjunto de provas em que os concorrentes devem cumprir certas tarefas com a máxima rapidez e habilidade.

gineceu *s.m.* (gr. *gynaikeion*). **1.** Na Grécia antiga, aposento reservado às mulheres, nos fundos da habitação. **2.** Conjunto de órgãos femininos da flor, que compreende o ovário, o estilete e o estigma. (Sin. PISTILO.)

ginecologia *s.f.* Especialidade da medicina que se ocupa do organismo feminino e de seu aparelho genital.

ginecológico *adj.* Relativo à ginecologia.

ginecologista *s.2g.* Médico especializado em ginecologia.

ginecomastia *s.f.* Desenvolvimento anormal e exagerado das mamas no homem.

ginete (ê) *s.m.* (ár. *zanati*). **1.** Cavalo de boa raça, ligeiro, dócil e bem adestrado; corcel. **2.** Sela grosseira usada pelos vaqueiros nordestinos. **3.** Cavaleiro que monta bem.

ginga *s.f.* **1.** Espécie de remo apoiado na popa que movimenta a embarcação. **2.** Movimento oscilatório; balanço, bamboleio.

gingar *v.i.* (conj. 14). **1.** Balançar o corpo; bambolear, balançar. **2.** Navegar com ginga. **3.** Caçoar, troçar.

ginja *s.f.* **1.** Fruto da ginjeira. **2.** Bebida fabricada com esse fruto. ★ *s.m.* **1.** Homem idoso, muito magro e aferrado às tradições. **2.** Velhote avarento.

ginjeira *s.f.* Variedade de cerejeira originária da Europa, cujos frutos, vermelho-escuros, têm polpa mole e acidulada.

ginkgoáceas *s.f.pl.* Família de plantas gimnospermas, que compreende apenas uma espécie, árvore alta, ramificada, de folhas em forma de leque, originária do Extremo Oriente.

ginseng *s.m.* (pal. ingl., do chinês *jen-shen*). Planta originária da Manchúria e da Coréia, cuja raiz apresenta propriedades tônicas, fortificantes, consideradas levemente afrodisíacas.

gípseo *adj.* (lat. *gypseus*). Feito de gesso.

gipsita *s.f.* Sin. de GIPSO.

gipso *s.m.* Sulfato hidratado natural de cálcio, de baixa dureza, que, quando desidratado por aquecimento, constitui o gesso. (Sin. GIPSITA.)

gir *adj.2g.* e *s.2g.* (de *Gir*, top.). Diz-se de ou raça de gado zebu, criada em especial para a produção de carne, mas da qual foram desenvolvidas linhagens para a produção de leite.

girafa *s.f.* (ár. *zurafa*). Mamífero ruminante de grande porte, de pescoço longo e pelagem malhada, que vive nas savanas africanas do sul do Saara.

girafídeos *s.m.pl.* Família (*Giraffidae*) de mamíferos ruminantes africanos, como a girafa e o ocapi, representantes atuais dos gêneros fósseis do mioceno e do plioceno.

girândola *s.f.* (it. *girandola*). Artifício pirotécnico constituído por lanças fixadas sobre uma roda que gira no plano horizontal.

girar *v.i.* (lat. *gyrare*) [conj. 4]. **1.** Andar à roda ou em giro. **2.** Andar de um lado para outro; perambular, vaguear. **3.** Circular. **4.** Lidar, labutar. ★ *v.t.* **1.** Descrever círculo ou giro. **2.** Fazer rodar, pôr em movimento circular. **3.** Percorrer em volta; circundar.

girassol *s.m.* **1.** Planta herbácea ornamental cujas flores têm a característica de voltarem-se para o Sol e cujas sementes fornecem óleo comestível e são aproveitadas em culinária. (Sin. HELIANTO.) **2.** Variedade de quartzo brilhante empregado em joalheria.

---

giratório *adj.* **1.** Que gira; girador. **2.** Diz-se do movimento de rotação.

gíria *s.f.* **1.** Linguagem que emprega palavras de forma e/ou significado compreendidos apenas por membros de um grupo; jargão. **2.** Essas palavras.

girino *s.m.* (gr. *gyrínos*). Larva dos anfíbios anuros, de hábitos aquáticos e respiração branquial, dotada de grande cabeça e de cauda que serve de nadadeira.

giro *s.m.* **1.** Ato ou efeito de girar; volta, revolução, rotação. **2.** Circulação. **3.** Curso das operações mercantis, comércio. ● **Anat.** Sin. de CIRCUNVOLUÇÃO.

giroscópio *s.m.* Aparelho constituído de um rotor que gira em alta velocidade em torno de seu eixo de simetria e que, quando suspenso devidamente, conserva invariável a direção desse eixo.

A B C D E F G H I J K L M N O P Q R S T U V W X Y Z

giz *s.m.* (gr. *gypsos,* gesso). Pequeno bastão de carbonato ou sulfato de cálcio, usado para escrever em quadros-negros ou tecidos.

glabela *s.f.* Parte do osso frontal localizada entre as sobrancelhas.

glabro *adj.* (lat. *glaber*). Sem pêlos ou sem barba; imberbe. • **Bot.** Diz-se dos órgãos vegetais desprovidos de pêlos.

glacê *s.m.* (fr. *glacé*). Mistura de clara de ovo, açúcar, corante etc. que serve de cobertura para bolos e confeitos. ★ *adj.2g.* Diz-se da fruta passada em calda de açúcar.

glaciação *s.f.* **1.** Ação de transformar em gelo, de congelar. **2.** Período geológico durante o qual uma região foi recoberta por geleiras.

glacial *adj.2g.* (lat. *glacialis*). **1.** Que diz respeito ao gelo e à sua ação. **2.** Que gela, que causa frio intenso e penetrante.

glaciar *s.f.* Geleira.

glaciário *adj.* **1.** Relativo ao gelo ou às geleiras. **2.** Diz-se do período no decorrer do qual as geleiras ocuparam vastas regiões da Terra.

gladiador (ô) *s.m.* (lat. *gladiator*). Homem que, entre os romanos, combatia na arena contra outros homens ou contra animais ferozes.

VOCÊ SABIA...? Os jogos de **gladiadores** eram a princípio substitutos dos sacrifícios humanos. Os primeiros combates de gladiadores tiveram lugar em Roma, em 264 a.C., durante os funerais de Júnio Bruto. Foram admitidos no programa dos jogos públicos em 29 a.C. Os gladiadores eram lutadores profissionais, prisioneiros de guerra ou condenados à morte formados em escolas. Durante o Império Romano, seu armamento e sua indumentária foram cuidadosamente definidos. Alguns iam armados somente com escudo e espada (os *secutores*); outros, com uma rede chumbada e um tridente (os *retiarii*). Poucos gladiadores podiam usar armamento pesado.

---

gládio *s.m.* (lat. *gladius*). **1.** Espada de dois gumes. **2.** *P. ext.* Qualquer espada; ferro de combate. **3.** Soldado armado de gládio.

gladíolo *s.m.* (lat. *gladiolus*). Sin. de PALMA-DE-SANTA-RITA.

glande *s.f.* (lat. *glans, glandis*). **1.** O fruto do carvalho. **2.** Nome de vários objetos semelhantes ao fruto do carvalho. **3.** Extremidade do pênis.

glande-do-mar *s.f.* Sin. de CRACA.

glândula *s.f.* (lat. *glandula*). **1.** Pequena glande. **2.** Órgão animal ou vegetal cujas células produzem secreção. **3.** *Glândulas de Bartholin,* glândulas responsáveis pela lubrificação do orifício vaginal durante as relações sexuais.

glandular *adj.2g.* **1.** Relativo a glândula; glanduloso. **2.** Que tem função de glândula.

glanduloso (ô) *adj.* **1.** Glandular. **2.** Composto de glândulas.

glauco *adj.* (gr. *glaukós*). Verde-azulado; verdemar.

glaucoma *s.m.* (gr. *glaúkoma*). Aumento da pressão intraocular que provoca atrofia do nervo óptico e diminuição do campo visual ou mesmo cegueira.

glaucomatoso (ô) *adj.* Acometido de glaucoma.

gleba *s.f.* (lat. *gleba*). **1.** Terreno próprio para cultura. **2.** Torrão. **3.** Porção de terra onde há minérios. **4.** Na Idade Média, solo ao qual os servos estavam ligados e que deviam cultivar.

glena *s.f.* Cavidade articular pouco profunda de um osso.

glenoidal *adj.2g.* **1.** Relativo à glena; glenóide. **2.** Diz-se das cavidades articulares nas quais um osso se encaixa em outro, de modo a poder se movimentar em vários sentidos.

glenóide *adj.2g.* Glenoidal. ★ *s.f.* Cavidade responsável pela articulação da omoplata (ou escápula) com a cabeça do úmero.

glia *s.f.* Neuróglia ou gliócito.

glial *adj.2g.* Relativo à glia ou neuróglia.

glicemia *s.f.* Quantidade de glicose no sangue.

glicêmico *adj.* Relativo à glicemia.

glicérico *adj.* *Ácido glicérico,* ácido obtido pela oxidação da glicerina.

glicerina *s.f.* **1.** Nome genérico de diferentes produtos à base de glicerol, obtidos e comercializados industrialmente. (Sin. GLICEROL.) **2.** Em farmácia, líquido viscoso utilizado por sua ação anti-séptica, laxativa e emoliente.

glicerol *s.m.* **1.** Triálcool líquido viscoso, encontrado nas gorduras naturais, de amplo emprego industrial. **2.** Sin. de GLICERINA.

glicídico *adj.* Relativo aos glicídios.

glicídio *s.m.* (do gr. *glykys,* doce). Composto orgânico, combinação de carbono, hidrogênio e oxigênio, que apresenta, ao lado de diversas funções álcool, um grupo redutor, aldeído ou cetona. (Var. GLUCÍDIO, GLÚCIDE; sin. CARBOIDRATO, hidrato de carbono.)

glicínia *s.f.* (lat. cient. *glycinia*). Trepadeira arbustiva originária da China, de flores azul-violeta, brancas ou cor-de-rosa, grandes e aromáticas, cultivada como ornamental.

glicogênese ou **glicogenia** *s.f.* Formação de glicose circulante no sangue por hidrólise do glicogênio de reserva.

glicogênio *s.m.* Glicídio complexo que constitui a principal reserva de glicose no reino animal.

glicogenogênese *s.f.* Formação de glicogênio, mediante o armazenamento da glicose no organismo.

glicol *s.m.* **1.** Líquido viscoso utilizado na indústria de explosivos, plastificantes etc. **2.** Nome genérico dos diálcoois.

glicolipídio *s.m.* Lipídio cuja molécula comporta glicídios.

glicólise *s.f.* Processo de degradação da glicose, com a formação de ATP e fornecimento de energia para os tecidos.

glicorregulação *s.f.* Conjunto dos mecanismos fisiológicos que permitem manter constante a taxa sanguínea de glicose.

glicosado *adj.* Que contém ou que recebeu glicose. (Var. GLUCOSADO.)

glicose *s.f.* (do gr. *glykys,* doce). O mais importante e disseminado monossacarídeo, principal fonte de energia do organismo.

gliócito *s.m.* Neuróglia.

global *adj.2g.* **1.** Relativo ao globo terrestre. **2.** Considerado em sua totalidade; inteiro.

globalização *s.f.* Expansão das atividades de grandes empresas, em especial do hemisfério norte, para países de outros continentes.

GLOBALIZAÇÃO ▸ A globalização se iniciou com a exportação em larga escala e a criação de empresas de comercialização, nos países de destino, pertencentes ao grupo que controla a produção. Depois, multiplicaram-se as empresas ou unidades de produção em outros países, controladas pelo grupo de origem e com profundo impacto na organização social e econômica dos países de destino.

globina *s.f.* Proteína característica da hemoglobina.

globo (ô) *s.m.* (lat. *globus*). **1.** Corpo esférico, esfera. **2.** Corpo sólido redondo, bola. **3.** Qualquer astro, especialmente a Terra. **4.** *Globo ocular* ou *globo do olho,* a parte do sistema visual que fica na órbita. ▸ *Globo terrestre,* a Terra; representação, sobre uma esfera, da superfície terrestre.

globular *adj.2g.* **1.** Relativo a glóbulo. **2.** Globuloso. **3.** Relativo aos glóbulos do sangue.

globulina *s.f.* Proteína de elevado peso molecular, presente no plasma sanguíneo, que desempenha um papel importante nos fenômenos vitais.

glóbulo *s.m.* (lat. *globulus*). Pequeno globo, pequeno corpo esférico. ● **Anat.** Pequeno corpo ou célula, de forma geralmente arredondada ou ovalar, presente nos diversos líquidos do organismo. ▸ *Glóbulo branco,* sin. de LEUCÓCITO. ▸ *Glóbulo vermelho,* sin. de HEMÁCIA. **Astron.** Nebulosidade escura, de forma circular, observada no meio interestelar e que corresponde às estrelas em formação. **Med.** Cápsula esférica de consistência gelatinosa que contém uma substância medicamentosa.

globuloso (ô) *adj.* **1.** Que tem a forma de um glóbulo; globular. **2.** Que é composto de glóbulos.

glomérulo *s.m.* **1.** Qualquer formação anatômica semelhante a um novelo, em geral globulosa, vascular e excretora, ou constituída de terminais nervosos. **2.** *Glomérulo renal,* parte do néfron encarregada de filtrar o plasma sanguíneo.

glória *s.f.* (lat. *gloria*). **1.** Fama, renome, celebridade que se alcança pelas virtudes, talentos, boas ações etc. **2.** Beatitude celeste, bem-aventurança. **3.** Homenagem, exaltação. **4.** Vaidade, ufania. ● **B.-Art.** Representação de uma auréola luminosa que envolve todo o corpo de Cristo.

gloriar *v.t.* (lat. *gloriari*) [conj. 16]. Glorificar. ★ *v.pr.* **1.** Glorificar-se. **2.** Envaidecer-se, ufanar-se, vangloriar-se.

glorificação *s.f.* (lat. *glorificatio*). **1.** Ação de glorificar(-se). **2.** Elevação dos justos à glória eterna. **3.** Exaltação.

glorificar *v.t.* (lat. *glorificare*) [conj. 12]. **1.** Cobrir de glória; honrar, gloriar. **2.** Canonizar, beatificar. ★ *v.pr.* Obter glórias; gloriar-se.

gloríola *s.f.* (lat. *gloriola*). **1.** Pequena glória, sem muito valor. **2.** Boa reputação injustificada.

glorioso (ô) *adj.* (lat. *gloriosus*). **1.** Que conquistou a glória, recoberto de glória. **2.** Que é motivo de orgulho, de vaidade.

glosa *s.f.* (lat. tard. *glosa,* do gr. *glossa,* língua). **1.** Anotação concisa entre as linhas ou nas margens de um manuscrito, para explicar uma palavra ou uma passagem obscura; comentário, interpretação. **2.** Censura, crítica, repreensão. ● **Liter.** Desenvolvimento do mote em um vilancete, que se organiza em versos chamados *voltas.*

glosador (ô) *s.m.* **1.** Indivíduo que glosa; intérprete, hermeneuta. **2.** *Fig.* Versejador.

glosar *v.t.* (conj. 4). **1.** Fazer glosa de (texto ou palavra); comentar, interpretar. **2.** Compor (glosas), desenvolvendo um mote. **3.** Censurar, criticar, repreender. ★ *v.i.* Compor glosas.

glossário *s.m.* (lat. *glossarium*). **1.** Compilação de glosas. **2.** Lista alfabética colocada ao fim de uma obra que esclarece o sentido das palavras nela utilizadas. **3.** Dicionário que trata de um domínio especializado.

glossolalia *s.f.* Produção de uma linguagem inventada, comum entre os paranóicos.

glote *s.f.* (gr. *glottis*). Orifício da laringe circunscrito pelas duas cordas vocais inferiores.

gloterar *v.i.* (conj. 4). Soltar gritos (cegonha).

glótico *adj.* Relativo à glote.

gloxínia (cs) *s.f.* Nome comum a várias espécies de ervas de folhas aveludadas e tubulares, originárias do Brasil e cultivadas no mundo inteiro, em vasos e estufas, pela beleza das flores.

GLS *adj.*e *s.2g.* (sigla de *Gays, Lésbicas e Simpatizantes*). Diz-se de quem recebe bem a presença de comportamentos homossexuais em público.

glucagon *s.m.* Hormônio antagonista da insulina e de ação hipoglicêmica, secretado pelas ilhotas de Langerhans do pâncreas, ou ilhas pancreáticas.

glucídio ou **glúcide** *s.m.* Var. de GLICÍDIO.

glucônico *adj.* Diz-se do ácido resultante da oxidação da glicose.

glucosado *adj.* Var. de GLICOSADO.

glucose *s.f.* Produto resultante da hidrólise incompleta do amido, utilizado na indústria alimentícia e farmacêutica.

gluglu *s.m.* (onomat.). **1.** A voz do peru. **2.** O som de um líquido que sai de uma garrafa ou de um cano.

glutamato *s.m.* Sal ou éster do ácido glutâmico.

glutâmico *adj.* *Ácido glutâmico,* aminoácido neuromediador, resultante da hidrólise das proteínas.

glutamina *s.f.* Amida do ácido glutâmico.

glutão[1] *adj.* e *s.m.* (lat. *glutto, gluttonis,* de *glutire,* engolir). Que ou aquele que come muito e vorazmente.

glutão[2] *s.m.* Mamífero carnívoro, robusto e de pelagem espessa marrom, que ocorre nos bosques do norte da Europa e na América do Norte.

glúten ou **glute** *s.m.* (lat. *gluten,* cola, goma). Parte protéica da farinha dos cereais, pouco calórica e muito nutritiva.

glúteo *adj.* (gr. *gloutos,* nádega). Relativo à região das nádegas.

glúteos *s.m.pl.* Os músculos das nádegas.

glutinoso (ô) *adj.* (lat. *glutinosus,* viscoso). **1.** Que tem glúten. **2.** Da natureza do glúten. **3.** Viscoso, pegajoso.

glutonaria *s.f.* Vício do glutão[1].

gnaisse *s.m.* (al. *Gneiss*). Rocha metamórfica constituída de cristais de mica, quartzo e feldspato, dispostos em lâminas paralelas.

gnetáceas *s.f.pl.* Família de plantas gimnospermas, lenhosas, arbustivas ou trepadeiras, de folhas grandes e de forma elíptica, como o toá.

gnomo *s.m.* (do gr. *gnómon,* que conhece). **1.** Personagem sobrenatural que habita o interior da Terra e tem sob sua guarda minas e tesouros. **2.** *Fig.* Homem pequeno e desajeitado.

gnose (gr. *gnosis*) *s.f.* **1.** Sabedoria, conhecimento. **2.** Conhecimento esotérico da divindade.

gnoseologia *s.f.* Parte da filosofia que trata dos fundamentos do conhecimento.

gnosticismo *s.m.* Sistema religioso-filosófico que pretende atingir o conhecimento pleno de Deus.

gnóstico *adj.* Relativo ao gnosticismo. ★ *s.m.* Adepto do gnosticismo.

gnu *s.m.* Antílope africano de grande porte, da família dos bovídeos, que apresenta o traseiro rebaixado e chifres semelhantes aos do búfalo.

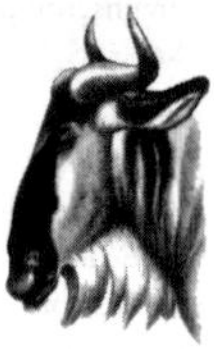

godê *s.m.* (fr. *godet*). **1.** Corte do tecido em forma de circunferência e em viés, usado para saias, mangas etc. **2.** Pequena tigela para diluir as cores, usada pelos pintores.

godo (ô) *s.m.* Indivíduo dos godos, povo germânico bárbaro da Antiguidade.

goela *s.f.* (lat. *gulella,* dim. de *gula,* esôfago). Parte interior do pescoço (faringe, parte posterior da boca) por onde passam os alimentos da boca para o esôfago.

gofrar *v.t.* (esp. *gofrar*) [conj. 4]. **1.** Fazer nervuras de (folhas ou pétalas artificiais). **2.** Dar relevo em (folha de papel ou cartão).

gogo (ô) *s.m.* (onomat.). **1.** Sin. de GOSMA. **2.** Secamento da extremidade da língua dos pássaros, em conseqüência de o bico permanecer aberto durante as afecções respiratórias. (Sin. PIGARRA.)

gogó *s.m.* **1.** Proeminência laríngea. **2.** *Fam.* Pomo-de-adão.

goiaba *s.f.* Fruto da goiabeira, baga amarela, de aroma forte, com polpa vermelha ou branca comestível crua e muito utilizada na produção de doces, geléias e compotas.

goiabada *s.f.* Doce de goiaba em massa.

goiabeira *s.f.* Árvore de pequeno porte, de flores brancas, originária das regiões quentes das Américas e cultivada pelos frutos comestíveis.

goiamu ou **goiamum** *s.m.* Var. de GUAIAMU.

goiano *adj.* Relativo ou pertencente a Goiás, estado brasileiro. ★ *s.m.* O natural ou habitante de Goiás.

goiasita *s.f.* Mineral composto fosfato-hidratado de alumínio e sulfato de cálcio, que ocorre em Goiás.

goitacá *s.2g.* Indivíduo dos goitacás, povo indígena que vivia no Rio de Janeiro. (Var. GUAITACÁ.)

goiva *s.f.* (lat. *gubia*). Ferramenta com a extremidade cortante em forma de meia cana ou de "*v*", usada em xilogravura e na escultura em madeira.

goiveiro *s.m.* Arbusto ornamental de flores aromáticas, vermelhas, rajadas de branco, ou amarelas. (Sin. GOIVO.)

goivo *s.m.* Sin. de GOIVEIRO.

gol (ô) *s.m.* (ingl. *goal*). **1.** No futebol e em outros esportes, conjunto formado pelas traves, travessão e rede, para onde deve ser lançada a bola para marcar um ponto. **2.** Ponto, marcado quando a bola entra nesse local.

gola *s.f.* (lat. *gula,* pescoço, garganta). A parte de várias peças do vestuário que cinge o pescoço ou está junto deste. ● **Arquit.** Moldura formada por duas curvas, uma convexa e a outra côncava.

golada *s.f.* Gole.

gole *s.m.* Quantidade de líquido que se pode engolir de uma vez só; golada, trago.

goleada *s.f.* Grande número de gols marcados por um time durante uma partida.

golear *v.t.* (conj. 15). Fazer grande número de gols.

goleiro *s.m.* Jogador que tem por função defender o gol de sua equipe.

golfada *s.f.* **1.** Porção de vômito que se expele de uma só vez. **2.** Líquido que sai de uma só vez por uma abertura; jorro, jato.

golfar *v.t.* (conj. 4). **1.** Expelir em golfadas; vomitar, jorrar. **2.** Lançar de si; emitir. **3.** Proferir impetuosa e abundantemente. ★ *v.i.* Aparecer com ímpeto; irromper.

golfe (ô) *s.m.* (ingl. *golf*). Esporte que consiste em lançar uma bola com um mínimo de golpes de tacos, fazendo-a entrar nos 18 buracos sucessivos de um vasto campo.

golfinho *s.m.* **1.** Denominação comum aos mamíferos cetáceos, marinhos, que ocorrem principalmente no mar Mediterrâneo e em regiões do oceano Atlântico. (Sin. DELFIM.) **2.** Sin. de BOTO.

golfista *s.2g.* Jogador de golfe.

golfo *s.m.* Reentrância do litoral, de grandes dimensões e com abertura muito larga.

golpe *s.m.* (lat. *colaphus,* bofetada). **1.** Choque que resulta do movimento com que um corpo atinge outro; pancada. **2.** Movimento de ataque efetuado por uma parte do corpo ou por meio de instrumento contundente ou cortante. **3.** Ferimento causado por esse movimento. **4.** Ação súbita e inesperada. **5.** Ato ou empreendimento decisivo. **6.** Acontecimento infausto, desgraça, infortúnio. **7.** Manobra desonesta com o fim de enganar, roubar outrem. **8.** *Golpe de Estado,* conquista do poder político por meios ilegais.

golpear *v.t.* (conj. 15). **1.** Dar golpes em. **2.** Ferir com golpes. **3.** *Fig.* Desgostar, afligir, angustiar.

goma *s.f.* (gr. *kommi,* pelo lat. *gumma*). **1.** Substância glicídica viscosa que exsuda do tronco de certos vegetais, empregada em farmacêutica, na indústria de colas e vernizes. **2.** Fécula ou amido extraídos da araruta, da mandioca etc.; tapioca. **3.** Cola de amido para engomar roupas. **4.** Cola feita com farinha de trigo e água. **5.** *Goma de mascar,* chiclete. ● **Med.** Produção nodular da pele, de origem infecciosa, que evolui para a friabilidade e ulceração.

goma-arábica *s.f.* Goma vermelho-escura exsudada por algumas espécies de acácia, empregada como cola ao natural ou após transformação.

goma-elástica *s.f.* Látex produzido pelo caucho.

goma-guta *s.f.* Resina produzida pela guta-percha, empregada na produção de corantes.

goma-laca *s.f.* Resina obtida do exsudato de um inseto homóptero, utilizada na indústria de vernizes, ceras etc. (Sin. LACA.)

gomar *v.t.* (conj. 4). Passar goma em; engomar.

goma-resina *s.f.* Mistura natural de goma e resina produzida por plantas de regiões quentes.

gomo *s.m.* (lat. *gemma,* rebento). **1.** Rebento ou botão vegetal, capaz de gerar um ramo. **2.** Divisão do caule de gramíneas (cana, bambu) delimitada pelos nós. **3.** Segmento da parte suculenta de certos frutos (laranja, tangerina, limão) separado por uma película. **4.** Saliência par do casco do cavalo, onde se reúnem os ramos da ranilha.

gomose *s.f.* Doença dos vegetais caracterizada pela produção abundante de goma.

gomoso (ô) *adj.* **1.** Que destila ou contém goma. **2.** Consistente como a goma; viscoso. **3.** Relativo às gomoses vegetais, naturais ou patológicas. ● **Bot.** Diz-se do vegetal que possui gomos.

gônada *s.f.* (lat. *gonades,* órgãos genitais). Órgão sexual em cujo interior se formam os gametas.

gonadoestimulina *s.f.* Hormônio gonadotrófico de origem hipofisária.

gonadotrófico *adj.* Diz-se do hormônio secretado pela hipófise anterior, cuja ação está relacionada ao desenvolvimento das gônadas ou estruturas a elas associadas, como o hormônio foliculoestimulante e o hormônio luteinizante*, ou produzido pela placenta durante a gravidez.

gonartrite *s.f.* Inflamação da articulação do joelho.

gôndola *s.f.* (it. *gondola*). **1.** Barco longo e chato, impulsionado por um único remo, comum em Veneza. **2.** Vagão ferroviário de lados basculantes e descoberto, para transporte de cargas a granel. **3.** Prateleiras superpostas em lojas e supermercados para a apresentação de produtos. **4.** Barquinha suspensa na parte inferior de um balão dirigível ou aeróstato.

gondoleiro *s.m.* Barqueiro que conduz uma gôndola.

gongo *s.m.* (malaio *gong*). Instrumento musical de percussão de origem oriental, composto de um disco de bronze suspenso, tocado com uma baqueta ou com o punho.

gongolô *s.m.* Sin. de PIOLHO-DE-COBRA.

gongórico *adj.* Relativo ao gongorismo.

gongorismo *s.m.* (de *Góngora,* n.pr.). Corrente literária barroca que valorizava o rebuscamento da forma, com muitas inversões, trocadilhos e alusões aos clássicos. (Sin. CULTERANISMO.)

gonococia *s.f.* Infecção causada pelo gonococo.

gonococo *s.m.* (gr. *gonos,* sêmen, e *kokkos,* grão esférico). Bactéria intracelular patógena, agente etiológico da blenorragia.

gonorréia *s.f.* (gr. *gonorrhoia*). Sin. de BLENORRAGIA.

gonzo *s.m.* (gr. *gomphos,* cavilha, prego). Dobradiça de porta ou janela.

gorar *v.t.* (conj. 4). **1.** Frustrar, malograr, baldar. **2.** Impedir a incubação de (ovo). ★ *v.i.* e *v.pr.* **1.** Não gerar (o ovo) no período de incubação. **2.** Frustrar-se, malograr-se.

gordo (ô) *adj.* (lat. *gurdus,* grosseiro, estúpido). **1.** Formado de gordura ou de matéria untuosa. **2.** Que tem grande teor de gordura ou matéria sebácea. **3.** Que apresenta o tecido adiposo muito desenvolvido. **4.** *Fig.* Importante, considerável, avantajado. ★ *s.m.* **1.** Qualquer substância gordurosa. **2.** Pessoa muito gorda.

gorducho *adj.* e *s.m.* (lat. *gurdus*). Que ou aquele que é um tanto gordo, rechonchudo.

gordura *s.f.* (lat. *gurdus*). **1.** Qualidade do que é gordo. **2.** Substância untuosa de origem animal ou vegetal que, em estado sólido, se derrete com facilidade. **3.** Sebo, unto, banha. **4.** Tecido adiposo. **5.** Acúmulo de banha nos tecidos, adiposidade. **6.** Corpo graxo de origem mineral (vaselina). **7.** *Fig.* Obesidade.

gorduroso (ô) *adj.* (lat. *gurdus*). Que tem gordura; gordo.

gorgolejar *v.i.* (onomat.) [conj. 4]. Produzir o ruído do gargarejo.

gorgolejo (ê) *s.m.* Ação de gorgolejar.

gorgomilo *s.m.pl.* (onomat.). O princípio do esôfago e da traquéia; garganta, goela.

gorgorão *s.m.* (fr. *gourgouran*). Tecido encorpado de seda ou lã.

gorgulho *s.m.* (lat. *curculio*). Sin. de CARUNCHO.

gorila *s.m.* (gr. *gorillai*). Grande macaco antropomorfo das florestas equatoriais africanas, de pelagem escura, que ao caminhar apóia-se no dorso dos dedos das mãos.

gorja *s.f.* (fr. *gorge*). Garganta, goela.

gorjear *v.i.* (conj. 15). Emitir (ave canora) sons melodiosos; trilar, cantar.

gorjeio *s.m.* Ato ou efeito de gorjear; trinado, canto.

gorjeta (ê) *s.f.* **1.** Bebida ou dinheiro com que se remunerava um pequeno serviço; gratificação. **2.** Pequena quantia além do preço combinado dada a alguém que serviu bem; espórtula.

A B C D E F G H I J K L M N O P Q R S T U V W X Y Z

goro (ô) *adj.* **1.** Diz-se de ovo que gorou. **2.** *Fig.* Malogrado, frustrado, baldado.

gorro (ô) *s.m.* (basco *garri*). Barrete.

gosma *s.f.* **1.** Doença das aves, especialmente dos galináceos, que se caracteriza pelo aparecimento de uma película na ponta da língua; gogo. **2.** Doença dos potros, que consiste na inflamação das membranas mucosas das vias respiratórias. **3.** *Pop.* Baba espessa ou pegajosa; escarro.

gosmento *adj.* **1.** Que tem gosma. **2.** Que tem consistência de gosma; pegajoso.

gostar *v.t.* (lat. *gustare*) [conj. 4]. **1.** Achar saboroso. **2.** Sentir prazer. **3.** Ter afeição, amizade ou amor por. **4.** Apreciar, aprovar. **5.** Ter inclinação por. **6.** Estar habituado a; costumar. ★ *v.pr.* Ter afeto mútuo; amar-se.

gosto (ô) *s.m.* (lat. *gustus*). **1.** Sentido que permite distinguir os sabores das substâncias; paladar, sabor. **2.** Sabor característico de, reconhecido pelo sentido gustativo. **3.** Predileção, inclinação, interesse. **4.** Discernimento do que é belo ou feio. **5.** Simpatia, inclinação favorável. **6.** Satisfação, gozo, prazer.

gostoso (ô) *adj.* **1.** Que tem gosto, sabor agradável; saboroso. **2.** *Fig.* Que dá prazer; agradável. **3.** Que demonstra satisfação, prazer.

gostosura *s.f.* **1.** Qualidade de gostoso. **2.** Prazer intenso.

gota[1] (ô) *s.f.* (lat. *gutta*). **1.** Quantidade muito pequena de um líquido que se destaca sob a forma de um glóbulo; pingo. **2.** *P. ext.* Quantidade muito pequena.

gota[2] (ô) *s.f.* Doença metabólica de manifestações articulares, renais e cutâneas, associadas à sobrecarga orgânica de ácido úrico.

goteira *s.f.* **1.** Calha que acompanha a borda inferior dos telhados, para receber as águas da chuva. **2.** Telhado de beiral, para esse mesmo fim. **3.** Buraco na cobertura de uma construção por onde entra a chuva. **4.** Canal, sulco ou região deprimida e alongada do organismo. **5.** Aparelho rígido, metálico ou de gesso, para imobilizar um membro fraturado ou doente.

gotejar *v.i.* (conj. 4). Cair gota a gota. ★ *v.t.* Deixar cair gota a gota.

gótico *adj.* (lat. *gotticus*). **1.** Relativo aos godos. **2.** Diz-se de uma forma de arte, particularmente arquitetônica, que floresceu na Europa do séc. XII à Renascença. ★ *s.m.* **1.** Arte, estilo gótico. **2.** Língua germânica falada outrora pelos godos.

? VOCÊ SABIA...? A arte **gótica** nasceu na região da Île-de-France. No fim da Idade Média, os monumentos góticos eram carregados de enfeites em forma de chamas, o que deu origem à designação "gótico flamejante".

gotícula *s.f.* Gota minúscula.

goto (ô) *s.m.* (lat. *guttur*, garganta). **1.** *Pop.* Glote. **2.** Agrado, simpatia.

gotoso (ô) *adj.* **1.** Relativo à gota. **2.** Acometido de gota.

governador (ô) *adj.* Que governa. ★ *s.m.* **1.** Aquele que governa. **2.** Titular do Poder Executivo de um Estado ou região administrativa.

governamental *adj.2g.* Relativo ou pertencente ao governo.

governanta *s.f.* Mulher que se emprega em casa de família para dirigi-la ou encarregar-se da educação das crianças.

governante *adj.2g.* e *s.2g.* Que ou aquele que governa.

governar *v.t.* (lat. *gubernare*) [conj. 4]. **1.** Regular o andamento de, conduzir, dirigir. **2.** Exercer sobre um país ou região o poder político, em especial o Executivo. **3.** Gerir, administrar. **4.** Exercer poder sobre, dominar. ★ *v.i.* Ter poder ou autoridade; regular. ★ *v.pr.* Governar a si próprio.

governável *adj.2g.* (lat. *gubernabilis*). **1.** Que se pode governar ou dirigir. **2.** Dócil, obediente.

governista *adj.2g.* e *s.2g.* Que ou aquele que é partidário do governo.

governo (ê) *s.m.* **1.** Ato ou efeito de governar(-se). **2.** Domínio, controle. **3.** Administração, direção. **4.** Em um Estado, conjunto dos organismos políticos e das pessoas que exercem o Poder Executivo. **5.** Sistema político de um Estado. **6.** Período em que alguém governa. **7.** Regulamento, orientação, norma, regra. **8.** Comando, controle.

gozação *s.f.* *Pop.* Ação de gozar; zombaria, troça, ridicularização.

gozado *adj.* **1.** Que se gozou; desfrutado. **2.** *Pop.* Que provoca riso, engraçado. **3.** *Pop.* Esquisito, estranho.

gozar *v.t.* (conj. 4). **1.** Sentir, experimentar grande prazer na posse de. **2.** Aproveitar-se das vantagens de; desfrutar, usufruir. **3.** *Pop.* Troçar, zombar, ridicularizar. ★ *v.i.* **1.** Experimentar, sentir prazer, satisfação. **2.** Ter orgasmo. **3.** *Pop.* Fazer troça, zombaria.

gozo[1] (ô) *s.m.* **1.** Ato ou efeito de gozar; posse, usufruto. **2.** Prazer, satisfação, deleite. **3.** *Pop.* Graça, motivo de riso.

gozo[2] (ô) *adj.* Diz-se dos cães que não são de raça.

gozoso (ô) *adj.* Em que há, ou que revela gozo ou satisfação.

gr símbolo do grau.

graça *s.f.* (lat. *gratia*). **1.** Favor concedido ou recebido; benefício, dádiva, mercê. **2.** Perdão, indulto. **3.** Atrativo peculiar a uma pessoa ou coisa; encanto, elegância. **4.** Na teologia católica, auxílio sobrenatural que Deus concede aos homens para que eles alcancem a salvação. **5.** Nome de batismo. **6.** Espírito, humor. **7.** Gracejo, chiste. **8.** *Graças a,* em virtude de. ▸ *De graça,* gratuitamente. ★ *s.f.pl.* Agradecimento.

gracejar *v.i.* (conj. 4). Dizer ou fazer gracejos. ★ *v.t.* Exprimir por gracejos.

gracejo (ê) *s.m.* Ato ou dito espirituoso e inofensivo; pilhéria, chiste, graça.

grácil *adj.2g.* (lat. *gracilis,* delgado). **1.** Delicado, fino. **2.** Gracioso, airoso, elegante. **3.** Sutil, fino, agudo.

gracioso (ô) *adj.* (lat. *gratiosus*). **1.** Que tem ou em que há graça. **2.** Atraente, charmoso. **3.** Gratuito, de graça.

graçola *s.f.* (lat. *gratia,* graça). *Fam.* Dito ou gracejo de mau gosto; chalaça, chocarrice. ★ *s.2g.* Pessoa que diz graçolas.

gradação *s.f.* **1.** Aumento, diminuição ou transição gradual. **2.** Matiz, nuança.

gradagem *s.f.* Operação com a grade agrícola que faz o acabamento do trabalho executado pelo arado; gradeação.

gradativo *adj.* **1.** Disposto em graus. **2.** Em que há gradação; gradual.

grade *s.f.* (lat. *crates*). **1.** Armação de peças paralelas ou cruzadas para fechar, dividir ou cercar algum lugar. **2.** Instrumento agrícola que serve para desfazer os torrões de terra já lavrada. ● **Mat.** Tabela retangular de dupla entrada que possibilita comparar as variedades estatísticas de um fenômeno ao longo do tempo. ★ *s.f.pl.* *Pop.* Cadeia, prisão.

gradear *v.t.* (conj. 15). Guarnecer de grades; pôr grades em.

gradiente *s.m.* (lat. *gradiens, gradientis*). **1.** Medida da variação de uma grandeza física (temperatura, pressão atmosférica etc.), em função de um intervalo de variação de uma outra característica (altitude, distância etc.). **2.** Variação da concentração de uma substância ou propriedade fisiológica, nas células e nos organismos.

gradil *s.m.* Grade baixa, de madeira ou de ferro, para cercar jardins.

grado[1] *s.m.* (lat. *gratus*). *De bom* ou *de mau grado,* de boa ou de má vontade.

grado[2] *adj.* (lat. *granatus,* abundante em grãos). **1.** Diz-se de grãos de cereais grandes. **2.** Importante, distinto, notável.

grado[3] *s.m.* Antiga unidade de medida de ângulo.

graduação *s.f.* **1.** Ato ou efeito de graduar(-se). **2.** Divisão em graus. **3.** Honra e distinção hierárquica de um posto militar.

graduado *adj.* **1.** Dividido em graus. **2.** Que obteve grau universitário. **3.** Distinto, douto, eminente. **4.** Que tem a honra e a distinção de um posto militar.

gradual *adj.2g.* **1.** Que aumenta ou diminui por grau. **2.** Progressivo, gradativo.

graduar *v.t.* (lat. *graduare*) [conj. 4]. **1.** Dividir em graus. **2.** Aumentar ou diminuir por graus; regular. **3.** Pôr em série; classificar. **4.** Conferir a alguém o grau universitário. ★ *v.pr.* **1.** Obter grau universitário; formar-se. **2.** Obter graduação militar.

grafar *v.t.* (gr. *graphein,* escrever) [conj. 4]. Dar forma escrita a; ortografar.

grafia *s.f.* (gr. *graphein,* escrever). **1.** Representação escrita de uma palavra. **2.** Ortografia. **3.** A técnica usada para tornar escrita a comunicação entre os homens.

gráfica *s.f.* **1.** A arte de grafar palavras. **2.** Estabelecimento onde são impressos livros, revistas, jornais etc.

gráfico *adj.* (gr. *graphikos*). **1.** Relativo à grafia. **2.** Representado por figuras geométricas, mapas e, principalmente, desenho linear. **3.** *Arte gráfica,* desenho, gravura original e, *p. ext.,* todo processo de impressão. ● **Mat.** Diz-se dos métodos de resolução de certos problemas por intermédio de figuras geométricas, geralmente desenhadas no plano. ★ *s.m.* **1.** Representação visual de dados qualitativos, ordenados ou quantitativos. **2.** Profissional das artes e indústrias gráficas.

grã-finismo *s.m.* Qualidade, ato ou hábito próprio de grã-fino.

grã-fino *adj.* e *s.m.* Que ou aquele que afeta riqueza, elegância, superioridade socioeconômica. ★ *adj.* Elegante, fino, luxuoso.

gráfio *s.m.* Estilo.

grafita *s.f.* (do gr. *graphís,* estilete para escrever). Variedade de carbono cuja cristalização forma um mineral de brilho metálico, utilizado na fabricação de lápis; grafite.

grafite[1] *s.f.* **1.** Grafita. **2.** Lápis próprio para desenhar.

grafite[2] (it. *graffiti*) *s.f.* Inscrição, figura ou risco, geralmente de caráter informativo, contestatório ou jocoso, traçado em monumentos ou muros.

grafologia *s.f.* **1.** Interpretação da escrita, considerada como uma expressão da personalidade. **2.** Ciência geral da escrita, materialmente considerada.

gral *s.m.* (fr. *graal*). Almofariz.

gralha *s.f.* (lat. *gracula*). **1.** Denominação comum a aves passeriformes, de canto estridente, que vivem em bandos. **2.** *Fig.* Pessoa muito faladeira.

gralhar *v.i.* (conj. 4). **1.** Grasnar (gralha). **2.** Falar com voz semelhante à da gralha. **3.** Tagarelar.

grama[1] *s.m.* (gr. *gramma,* peso). Unidade de massa (símb. g), equivalente a um milésimo de quilograma.

grama[2] *s.f.* (lat. *gramina*). **1.** Nome comum a diversas espécies de plantas de rizomas entrelaçados, rastejantes e de crescimento rápido, algumas forrageiras e outras utilizadas em jardinagem. **2.** Gramado.

gramado *adj.* e *s.m.* Diz-se de ou solo recoberto por uma vegetação de gramíneas; grama, relvado. ★ *s.m.* Campo de futebol.

gramar[1] *v.t.* (conj. 4). Instalar um gramado, por semeadura, por mudas ou por estolhos, em um solo adequadamente preparado.

gramar[2] *v.t.* (lat. *carminare,* cardar) [conj. 4]. **1.** Dobrar e desdobrar sucessivamente fibra de linho, juta etc., para separar os feixes fibrosos. **2.** Aturar, suportar, agüentar. **3.** Percorrer, andar, trilhar.

gramática *s.f.* (gr. *grammatiké téchne,* a arte de escrever ou ler). **1.** Conjunto das estruturas lingüísticas próprias de uma língua. **2.** Conjunto das regras que presidem a correção, a norma da língua escrita ou falada. **3.** Livro que trata dessas regras.

gramatical *adj.2g.* **1.** Relativo à gramática. **2.** Que segue as regras da gramática.

gramático *adj.* (lat. *grammaticus*). Relativo à gramática. ★ *s.m.* Aquele que ensina ou estuda gramática ou autor de gramáticas.

gramema *s.m.* Morfema que equivale ao sufixo ou à desinência de uma palavra.

gramínea *s.f.* Espécime das gramíneas.

gramíneas *s.f.pl.* (lat. *gramens, graminis*). Família de plantas monocotiledôneas que apresentam flores hermafroditas dispostas e inflorescência, e que engloba diversas espécies de grande interesse econômico.

o trigo, uma gramínea

? VOCÊ SABIA...? A família das **gramíneas** compreende cereais (trigo, arroz, aveia, cevada, milho, sorgo, centeio) e espécies que constituem as pradarias naturais e artificiais (plantas forrageiras, grama). A cana-de-açúcar e o bambu são igualmente gramíneas.

gramíneo *adj.* Relativo às gramíneas.

gram-negativo *adj.* Diz-se da bactéria que, após imersão no álcool, perde a coloração adquirida anteriormente.

gramofone *s.m.* Antigo fonógrafo que reproduz sons por meio de discos; vitrola.

grampeador (ô) *s.m.* Aparelho para grampear papéis etc.

grampear *v.t.* (conj. 15). **1.** Prender ou segurar com grampos. **2.** *Gír.* Prender, deter. **3.** *Gír.* Realizar uma escuta clandestina em determinada linha telefônica.

grampo *s.m.* (it. *grampa*). **1.** Prego sem cabeça, curvado em forma de U. **2.** Pequena peça metálica de duas hastes para prender os cabelos. **3.** Prendedor de folhas de papel. **4.** Haste que, em algumas máquinas, segura a peça que está sendo trabalhada. **5.** *Gír.* Dispositivo para escuta clandestina de ligações telefônicas.

gram-positivo *adj.* Diz-se da bactéria que, mesmo sob ação do álcool, conserva a coloração adquirida anteriormente.

grana *s.f. Pop.* Dinheiro.

granada *s.f.* (fr. *grenade,* romã; projétil). **1.** Projétil leve, explosivo, incendiário ou lacrimogêneo, lançado com a mão ou com o auxílio de um fuzil. **2.** Mineral composto geralmente de alumínio, óxido de ferro e sílica, de coloração vermelho-castanha, usado em joalheria.

granadeiro *s.m.* **1.** *Ant.* Soldado encarregado de lançar granadas. **2.** Soldado que pertence às companhias dos regimentos de infantaria.

granadino *adj.* (do fr. *grenade,* romã). Da cor da romã.

granar *v.t.* (lat. *grana,* grãos) [conj. 4]. Reduzir a grãos ou pequenos fragmentos; granular. ★ *v.i.* **1.** Desenvolver grãos (os cereais). **2.** Estar na adolescência.

grande *adj.2g.* (lat. *grandis*). **1.** Que tem tamanho, importância, quantidade ou qualidade maior que a média de sua categoria. **2.** Que é notável pela sua elevação ou nobreza. **3.** Soberbo, magnífico, excepcional. **4.** Que atingiu a idade adulta; crescido, criado. ★ *s.2g.* **1.** Aquele que é relativamente maior que os outros. **2.** Personalidade, empresa predominante em determinada área. **3.** Indivíduo poderoso, rico, influente.

grandeza (ê) *s.f.* (lat. *grandis*). **1.** Qualidade ou caráter de grande. **2.** Extensão, tamanho. **3.** Dimensão. **4.** Nobreza de sentimentos, elevação moral. **5.** Magnificência, opulência. ● **Astron.** Sin. impróprio de MAGNITUDE. **Fís.** Qualquer entidade passível de medição; dimensão. ★ *s.f.pl.* Os bens do mundo; dignidades, honrarias.

grandiloqüência *s.f.* Qualidade de grandíloquo.

grandíloquo (quo ou co) *adj.* (lat. *grandiloquus*). **1.** Que tem muita eloqüência. **2.** Diz-se de linguagem ou estilo nobre, pomposo.

grandioso (ô) *adj.* **1.** Que tem grandeza, magnificência. **2.** Pomposo, imponente. **3.** Nobre, elevado, sublime.

granel *s.m.* **1.** Depósito de cereais; celeiro, tulha. **2.** *A granel,* diz-se de mercadoria ou carga que não foi embalada, ensacada ou encaixotada. ► *A granel,* em grande quantidade, abundantemente.

graneleiro *adj.* e *s.m.* **1.** Diz-se de ou depósito agrícola em que se guardam grãos ou forragem. **2.** Diz-se de ou veículo, navio etc. que transporta grãos.

graniforme *adj.2g.* Que tem forma de grão.

granítico *adj.* **1.** Relativo a ou formado de granito. **2.** *Fig.* Muito firme, inabalável.

granito *s.m.* (it. *granito*). Rocha magmática formada principalmente de quartzo e feldspato, principal constituinte da crosta continental.

granívoro *adj.* e *s.m.* Que se alimenta de grãos ou sementes.

granizo *s.m.* (esp. *granizo*). Precipitação atmosférica formada por pequenos glóbulos de gelo resultantes da congelação das gotas de água ao atravessarem uma camada de ar frio; chuva de pedra.

VOCÊ SABIA...? O **granizo** se forma quando as gotas de água contidas numa nuvem de chuva são levantadas várias vezes pelas correntes de ar e se congelam na parte superior da nuvem. Quando a gota aumenta de peso, cai transformada em granizo.

---

granja *s.f.* (fr. *grange*). **1.** Pequena fazenda ou sítio em que é praticada uma cultura ou indústria em escala reduzida. **2.** Estabelecimento rural voltado para a criação de aves. **3.** Construção em que se recolhem os frutos, cereais etc., de uma herdade.

granjear *v.t.* (conj. 15). **1.** Cultivar, amanhar. **2.** Obter com trabalho ou esforço; conseguir, adquirir. **3.** Atrair, conquistar.

granjeio *s.m.* **1.** Ato ou efeito de granjear. **2.** Cultura, lavoura. **3.** *P. ext.* Colheita de produtos agrícolas. **4.** *Fig.* Ganho, proveito.

granjeiro *s.m.* Explorador ou proprietário de granja.

granulação *s.f.* (lat. *granulatio*). **1.** Ato ou efeito de granular. **2.** Grânulo. ● **Anat.** *Granulações aracnóides,* expansões da aracnóide nas quais o líquido cefalorraquidiano, ou cérebro-espinhal, é reabsorvido. **Biol.** Qualquer uma das inclusões em forma de grãos características de certos leucócitos. **Med.** Formação nodular de pequeno tamanho, localizada nas mucosas, nas serosas ou nas vísceras.

granulado *adj.* **1.** Que apresenta granulações. **2.** Em forma de grânulos. ★ *s.m.* Substância que se apresenta em forma de grãos.

granular[1] *adj.2g.* **1.** Que se compõe de pequenos grãos ou grânulos. **2.** Que tem a forma de grão.

granular[2] *v.t.* (conj. 4). **1.** Produzir grânulos. **2.** Reduzir a pequenos grãos.

grânulo *s.m.* (lat. *granulum,* pequeno grão). **1.** Pequeno grão. **2.** Pequena esfera; glóbulo. **3.** Cada uma das pequenas saliências de uma superfície áspera; granulação. ● **Astron.** Elemento brilhante, poligonal, irregular, de pequena dimensão e de curta duração, observável em luz branca na fotosfera do Sol. **Quím.** Nome dado às partículas dispersas nas suspensões.

granulócito *s.m.* Leucócito cujo núcleo tem forma irregular e que apresenta granulações no citoplasma. (Sin. POLINUCLEAR.)

granuloma *s.m.* Pequeno tumor de forma arredondada.

granulomatose *s.f.* Afecção caracterizada pela presença de granulomas múltiplos.

granulosa *s.f.* Parte do folículo ovariano que se transforma em corpo lúteo.

granuloso (ô) *adj.* Composto de pequenos grãos. ● **Med.** Que apresenta granulações patológicas.

grão[1] *s.m.* (lat. *granum*). **1.** Semente de cereais e de algumas outras plantas, em geral comestível. **2.** Pequeno corpo esférico; glóbulo. **3.** *Fig.* Ínfima parcela; dose mínima. ● **Bot.** *Grão de pólen,* cada uma das unidades que formam o elemento masculino reprodutor das angiospermas e das gimnospermas. ★ *s.m.pl.* Cereais.

grão-de-bico *s.m.* **1.** Planta leguminosa, de caule ereto, cujo fruto constitui uma vagem cujas sementes são utilizadas na alimentação. (Sin. GRAVANÇO.) **2.** A semente dessa planta.

grão-ducado *s.m.* Território cujo soberano é um grão-duque.

grão-duque *s.m.* **1.** Título nobiliário situado entre o duque e o rei. **2.** Príncipe da família imperial russa.

grão-mestre *s.m.* **1.** Chefe de uma ordem religiosa ou de uma ordem de cavalaria. **2.** Chefe de loja maçônica.

grão-vizir *s.m.* Primeiro-ministro do antigo Império Otomano.

grapefruit (ingl.) *s.m.* **1.** Árvore cítrica, originária das Caraíbas, de copa redonda, flores brancas e frutos redondos e amarelos, cuja polpa tem sabor agradável, levemente amargo. (Sin. POMELO.) **2.** O fruto dessa árvore.

grasnar *v.i.* (lat. *gracinare*) [conj. 4]. **1.** Soltar a voz (ganso, pato, corvo etc.); grasnir, crocitar. **2.** Gritar com voz metálica, desagradável como a dos corvos. ★ *v.t.* Dizer grasnando.

grasnir *v.t.* e *v.i.* (conj. 6). Grasnar.

grassar *v.i.* (conj. 4). **1.** Desenvolver-se, alastrar-se. **2.** Divulgar-se.

gratidão *s.f.* (lat. *gratitudo*). **1.** Qualidade de quem é grato. **2.** Reconhecimento por um benefício recebido; agradecimento.

gratificação *s.f.* (lat. *gratificatio*). **1.** Ato ou efeito de gratificar. **2.** Soma além da combinada paga por uma tarefa difícil ou bem executada. **3.** Gorjeta.

gratificar *v.t.* (lat. *gratificare*) [conj. 12]. **1.** Dar gratificação a. **2.** Brindar em prova de reconhecimento. **3.** Pagar, remunerar. **4.** Dar gorjeta. **5.** Demonstrar gratidão; recompensar.

grátis *adv.* (lat. *gratis*). Sem custo ou ônus; gratuitamente. ★ *adj.* Gratuito.

grato *adj.* (lat. *gratus*). **1.** Agradecido, reconhecido. **2.** Agradável, aprazível.

gratuidade *s.f.* Qualidade do que é gratuito.

gratuito *adj.* (lat. *gratuitus*). **1.** Feito ou concedido de graça ou espontaneamente; grátis. **2.** Desinteressado, espontâneo. **3.** *Fig.* Sem fundamento.

gratulação *s.f.* (lat. *gratulatio*). **1.** Ato ou efeito de gratular. **2.** Congratulação.

gratular *v.t.* (lat. *gratulare*) [conj. 4]. **1.** Demonstrar reconhecimento para com (alguém); agradecer. **2.** Dar parabéns a, congratular-se com; felicitar.

gratulatório *adj.* (lat. *gratulatorius*). **1.** Que demonstra gratidão ou reconhecimento. **2.** Que é próprio para felicitar.

grau *s.m.* (lat. *gradus*). **1.** Cada um dos pontos percorridos em estudo, ofício, profissão. **2.** Cada uma das divisões dos instrumentos graduados, como termômetro etc.; gradação. **3.** Categoria, ordem, classe. **4.** Intensidade relativa; ponto, nível. **5.** Intensidade, força. **6.** Nota, valor atribuído a trabalhos escolares. **7.** Ordem de relação de parentesco. ● **Gram.** Flexão de substantivos, adjetivos e advérbios utilizada para exprimir variação de grandeza, afetividade ou intensidade. **Mat.** Soma dos expoentes das variáveis de um monômio. ▸ Em um polinômio, soma dos expoentes das variáveis do monômio de maior grau. **Metrol.** Nome dado à unidade em diversas escalas empíricas de medida. ▸ Unidade de arco de círculo igual a 1/360 de circunferência. ▸ Unidade de medida de ângulos (símb. gr). **Mús.** Nota de uma escala musical contada a partir da nota inicial.

graúdo *adj.* (lat. *granutus,* de *granum,* grão). **1.** Grande, grado. **2.** Crescido, desenvolvido. **3.** *Fig.* Importante, poderoso. **4.** Considerável, abundante, vultoso. ★ *s.m.* Indivíduo rico, influente, poderoso.

graúna *s.f.* (tupi *uara úna*). Ave passeriforme de coloração geral preta, inclusive no bico e nos pés. (Sin. IRAÚNA.)

gravação[1] *s.f.* **1.** Ato ou efeito de gravar[1]; registro. **2.** Operação por meio da qual dados ou sinais sonoros, visuais etc., são fixados sobre um suporte (disco, fita ou película), por meio de processos mecânicos, ópticos ou magnéticos. **3.** *P. ext.* Disco, fita ou película em que algo foi gravado para reprodução em aparelho apropriado.

gravação[2] *s.f.* **1.** Ato ou efeito de gravar[2]; opressão. **2.** Gravame.

gravador (ô) *s.m.* **1.** Artista ou artesão que faz gravuras. **2.** Aparelho para registro e reprodução de sons sobre fita magnética. ★ *adj.* Que grava.

gravame *s.m.* (lat. *gravamen*). **1.** Imposto, ônus ou encargo pesado; gravação. **2.** Incômodo, importunação.

gravanço *s.m.* Sin. de GRÃO-DE-BICO.

gravar[1] *v.t.* (gr. *graphein,* inscrever) [conj. 4]. **1.** Esculpir figuras ou letras em metal, madeira, pedra. **2.** Imprimir, estampar, marcar. **3.** Registrar dados ou sinais sonoros ou visuais sobre um disco, fita ou película, para reprodução em aparelho apropriado. **4.** Traçar sobre uma placa de metal, madeira etc., com instrumento cortante ou com ácido, imagens que serão impressas sob forma de gravura (estampa). **5.** Registrar, fixar, reter na memória. ★ *v.pr.* Fixar-se, imprimir-se.

gravar[2] *v.t.* (lat. *gravare*) [conj. 4]. **1.** Onerar, oprimir, vexar. **2.** Sobrecarregar com tributos. **3.** Molestar, oprimir.

gravata *s.f.* (fr. *cravate,* de or. servo-croata). **1.** Tira de tecido colocada à volta do pescoço, sob o colarinho da camisa, e atada à frente com nó ou laço. **2.** Golpe no qual se aperta o pescoço do adversário.

gravatá *s.m.* Sin. de CARAGUATÁ.

grave *adj.2g.* (lat. *gravis*). **1.** Sujeito à ação da gravidade; pesado. **2.** Sério, importante. **3.** Penoso, difícil. **4.** Diz-se de um som de freqüência baixa. **5.** Danoso, perigoso, trágico. ● **Gram.** *Acento grave,* sinal diacrítico descendente da esquerda para a direita que indica a crase. **Liter.** Diz-se do verso em que há rimas compostas por palavras paroxítonas. ★ *s.m.* Som grave.

graveto (ê) *s.m.* Lenha muito fina; cavaco.

gravidade[1] *s.f.* **1.** Qualidade do que é grave. **2.** Seriedade, importância, relevância. **3.** Circunspecção, reserva. **4.** Estado de perigo, que pode ter sérias ou funestas conseqüências.

gravidade[2] *s.f.* **1.** Aceleração gravitacional criada pela Terra ou, mais genericamente, por um astro qualquer. **2.** *Centro de gravidade,* ponto de aplicação da resultante das forças de peso que se exercem sobre o conjunto das partículas que compõem um corpo; baricentro, centro de inércia, centro de massa.

gravidez (ê) *s.f.* **1.** Estado do organismo feminino durante o processo de gestação. **2.** A própria gestação.

gravídico *adj.* Relativo ou pertencente à gravidez.

grávido *adj.* (lat. *gravidus*). **1.** Cheio, repleto, pesado. **2.** Diz-se da mulher, durante a gestação; prenhe. **3.** Diz-se do útero que contém um embrião.

gravimetria *s.f.* **1.** Estudo da intensidade do campo gravitacional terrestre. **2.** Análise química quantitativa efetuada por meio de pesagens.

graviola *s.f.* **1.** Árvore de casca aromática, flores amarelas e solitárias, cujo fruto é uma baga de polpa branca, lactescente, comestível. **2.** O fruto dessa árvore.

gravitação *s.f.* **1.** Ato ou efeito de gravitar, de descrever órbita. **2.** Fenômeno físico pelo qual todos os corpos materiais se atraem reciprocamente em razão direta de sua massa e em razão inversa do quadrado de sua distância.

gravitacional *adj.2g.* **1.** Relativo à gravitação. **2.** *Campo gravitacional,* região ao redor de um corpo onde atua a força gravitacional; campo de gravidade. ► *Colapso gravitacional,* evento cataclísmico da vida de uma estrela que ocorre quando a gravitação predomina sobre as forças nucleares no interior dessa estrela. ► *Força gravitacional,* força de interação presente na gravitação.

gravitar *v.i.* (lat. cient. *gravitare,* de *gravis,* pesado) [conj. 4]. Descrever uma trajetória em torno de um ponto central, em virtude da gravitação; orbitar. ★ *v.t.* **1.** Tender para um centro ou ponto, pela força da gravitação. **2.** *Fig.* Girar, andar em torno de; seguir, acompanhar.

gravura *s.f.* **1.** Ato ou efeito de gravar. **2.** Arte ou técnica que possibilita a reprodução de figuras fixadas sobre uma superfície dura (chapa) de madeira, metal, pedra etc. **3.** Obra assim obtida; estampa.

graxa *s.f.* **1.** Composição à base de cera usada para conservar e dar brilho aos sapatos. **2.** Pasta feita com óleo, para lubrificação de máquinas.

graxo *adj.* (lat. *crassus,* gordo). Oleoso, gorduroso, gordurento. ● **Quím.** *Ácidos graxos,* ácidos carboxílicos saturados. ► *Substâncias graxas* ou *matérias graxas,* substâncias neutras de origem orgânica, insolúveis na água, de vasta aplicação industrial.

gray *s.m.* (de *Gray,* n.pr.). Unidade de medida SI de dose absorvida de radioatividade (símb. Gy).

greco-latino *adj.* Relativo aos gregos e aos latinos, ou ao grego e ao latim.

greco-romano *adj.* Relativo aos gregos e aos romanos.

greda (ê) *s.f.* (lat. *creta*). Rocha calcária argilosa, de origem orgânica e coloração branca; giz.

gregário *adj.* (lat. *gregarius*). **1.** Diz-se de animal que vive em bando ou em grupo, mas sem estrutura social. **2.** Que é próprio das multidões.

gregarismo *s.m.* Instinto gregário. ● **Zool.** Característica das espécies animais nas quais a vida em grupo persiste fora do período de reprodução.

grego (ê) *adj.* **1.** Relativo ou pertencente à Grécia, país da Europa. **2.** *Fig.* Obscuro, ininteligível. ★ *s.m.* **1.** O natural ou habitante da Grécia. **2.** Língua indo-européia falada pelos gregos.

GREGO ► Os gregos fizeram da matemática uma verdadeira ciência, isto é, uma atividade na qual se busca o conhecimento por si mesmo. Eles aperfeiçoaram as técnicas de cálculo e, além disso, definiram, enunciaram e demonstraram numerosas leis e princípios (teoria dos números, proporções, cálculo de área, geometria, álgebra). Tales de Mileto, Pitágoras e mais tarde Arquimedes foram os artífices mais célebres desse desenvolvimento.

---

gregoriano *adj.* **1.** Relativo a um dos papas de nome Gregório. **2.** *Canto gregoriano,* sin. de CANTOCHÃO.

grei *s.f.* (lat. *grex, gregis*). **1.** Rebanho de gado miúdo. **2.** *Fig.* Conjunto dos paroquianos ou diocesanos. **3.** Partido, facção.

grelar *v.t.* (conj. 4). **1.** Fitar (uma mulher) com intenção de namoro. **2.** Dar uma olhada; espiar. **3.** Namorar, cortejar. ★ *v.i.* Deitar grelos ou rebentos; rebentar, germinar.

grelha *s.f.* (fr. ant. *greille*). **1.** Grade metálica para assar alimentos sobre o fogo. **2.** Grade sobre a qual se põe carvão.

grelhado *adj.* **1.** Assado sobre a grelha. **2.** Que tem forma de grelha. ★ *s.m.* Peixe, frango, carne etc., preparado na grelha.

grelhar *v.t.* (conj. 4). Assar ou torrar sobre a grelha.

grelo (ê) *s.m.* (fr. *grêle*). **1.** Brotação inicial de gemas de sementes, tubérculos e bulbos. **2.** Broto, rebento, renovo. **3.** *Chul.* Clitóris.

grêmio *s.m.* **1.** Seio, colo. **2.** Associação de indivíduos para fins recreativos ou para a defesa de interesses comuns.

grená *adj.2g.* Da cor do mineral granada; vermelho-castanho. ★ *s.m.* Essa cor.

grenha *s.f.* (esp. *greña*). **1.** Cabelo despenteado, desalinhado. **2.** Juba de leão. **3.** Mata densa, emaranhada.

grés *s.m.* (fr. *grés*). **1.** Pedra abrasiva ou pedaço de metal empregado para rebarbar uma peça de vidro. **2.** Cerâmica de massa sílico-argilosa, opaca, dura, capaz de suportar uma alta temperatura de cozimento.

greta (ê) *s.f.* **1.** Abertura estreita, racha, fenda; gretadura. **2.** Racha na superfície da terra, das madeiras etc. **3.** Fissura pouco profunda que surge na espessura da pele ou no limite das membranas mucosas.

gretar *v.t.* (lat. *crepitare,* estalar ruidosamente) [conj. 4]. Abrir gretas ou pequenas rachas em; fender. ★ *v.i.* e *v.pr.* **1.** Fender-se, rachar-se. **2.** *Fig.* Desmanchar-se, desfazer-se.

greve *s.f.* (de *Grève,* n.pr.). Parada coletiva, voluntária e combinada, do trabalho ou do estudo, para obter o atendimento de reivindicações.

grevista *adj.2g.* Relativo a greve. ★ *adj.2g.* e *s.2g.* Que ou aquele que participa de greve.

grifar *v.t.* (conj. 4). **1.** Imprimir em grifo[1]. **2.** Sublinhar (letras manuscritas ou datilografadas). **3.** Ressaltar, destacar, frisar.

grifo[1] *s.m.* (de S. *Gryphe,* n.pr.). **1.** Itálico. **2.** Ação de grifar, sublinhar.

grifo[2] *s.m.* (gr. *gryps, grypos,* pelo lat. *gryphus*). Animal fantástico, alado, com corpo de leão e cabeça de ave de rapina.

grifo[3] *s.m. Pop.* Ferramenta com mandíbulas ajustáveis, para apertar canos.

grilagem *s.f. Pop.* Apropriação ilícita de terras, por meio da expulsão de seus proprietários, posseiros ou índios, e legalização do domínio mediante documentação falsa.

grilar *v.t.* (conj. 4). **1.** *Gír.* Incomodar alguém com questões problemáticas; chatear, preocupar, amolar. **2.** *Pop.* Praticar grilagem. ★ *v.pr.* Chatear-se, incomodar-se.

grileiro *s.m. Pop.* Aquele que pratica grilagem.

grilhão *s.m.* **1.** Cordão grosso de ouro. **2.** Corrente que segura os presos; algema. **3.** Grilheta. **4.** *Fig.* Sujeição, cativeiro.

grilheta (ê) *s.f.* **1.** Cadeia de ferro ligada a uma bola do mesmo metal, com que se prendiam as pernas dos condenados; grilhão. **2.** *Fig.* Obrigação penosa. ★ *s.m.* O próprio condenado.

grilo *s.m.* (lat. *grillus*). **1.** Denominação comum a insetos ortópteros que apresentam longas antenas filiformes e órgãos estriduladores nas asas anteriores. **2.** *Pop.* Propriedade territorial legalizada com título falso. **3.** *Gír.* Problema, chateação, amolação, preocupação.

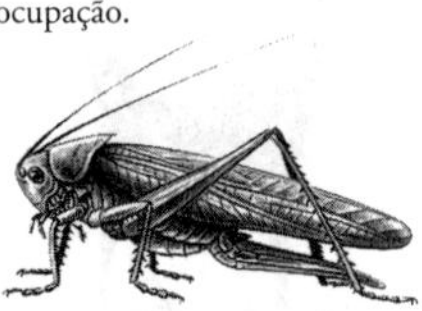

grinalda *s.f.* **1.** Coroa ornamental de flores ou folhagens; guirlanda. **2.** Coroa de bordados ou pedrarias; diadema, tiara.

gringo *s.m.* (esp. *gringo,* da expressão *hablar en griego,* grego). *Depr.* Estrangeiro, especialmente louro ou ruivo.

gripal *adj.2g.* Relativo à gripe.

gripar *v.i.* (fr. *gripper*) [conj. 4]. **1.** Aquecer e aderir (peças mecânicas) por falta de lubrificação; engripar. **2.** Travar, bloquear-se, enguiçar; engripar. ★ *v.pr.* Ser atacado de gripe; resfriar-se.

gripe *s.f.* (fr. *grippe*). Afecção viral muito contagiosa caracterizada por febre, coriza, tosse e dores musculares.

gris *adj.2g.* (fr. *gris*). Cinzento-azulado; pardo. ★ *s.m.* A cor gris.

grisalho *adj.* (fr. *grisaille*). **1.** Acinzentado, mesclado de branco e preto. **2.** Que tem cabelos grisalhos; encanecido.

grisu *s.m.* (fr. dial. *feu grisou,* fogo grego). Gás inflamável, formado principalmente de metano, que se desprende das minas de carvão e, quando misturado ao ar, explode ao contato de uma chama.

grita *s.f.* **1.** Gritaria, alarido. **2.** *Fig.* Reclamação, descontentamento.

gritante *adj.2g.* **1.** Que grita ou clama. **2.** Que chama a atenção de imediato; evidente.

gritar *v.i.* (conj. 4). **1.** Dar ou emitir gritos. **2.** Falar em voz alta. **3.** Bradar por socorro. **4.** Queixar-se, protestar, reclamar. **5.** Ralhar, admoestar; zangar-se. ★ *v.t.* **1.** Chamar aos gritos. **2.** Pedir ou reclamar em altos brados, aos gritos. **3.** Proferir em tom de voz elevado.

gritaria *s.f.* Muitos gritos sucessivos ou misturados; grita, berreiro, alarido.

grito *s.m.* **1.** Voz humana alta, aguda, que pode ser ouvida ao longe; berro, brado. **2.** Voz de alguns animais. **3.** Ruído alto, estridente. **4.** *Fig.* Protesto, clamor.

grogue *s.m.* (ingl. *grog*). Coquetel feito com açúcar queimado, aguardente, água e casca de limão. ★ *adj.2g.* Bêbado ou como que bêbado; cambaleante, tonto.

grosa[1] *s.f.* (it. *grossa*). Doze dúzias.

grosa[2] *s.f.* **1.** Lima grossa para desbastar madeira ou casco de cavalgaduras. **2.** Faca de fio embotado para descarnar peles.

groselha *s.f.* (fr. *groseille*). **1.** Fruto da groselheira, baga vermelha ou rosada da qual se extrai um líquido espesso e açucarado, usado no preparo de bebida não-alcoólica. **2.** Xarope feito desse fruto.

groselheira *s.f.* Nome comum a diversos arbustos originários da Europa e da Ásia, de folhas grandes, flores esverdeadas, cultivados pelos frutos.

grosseiro *adj.* (fr. *grossier*). **1.** Grosso, tosco, de má qualidade. **2.** Áspero, rugoso. **3.** *Fig.* Imperfeito, mal-acabado. **4.** Obsceno, indecoroso. **5.** Incivil, bárbaro, inculto. **6.** Que demonstra ignorância, estupidez.

grosseria *s.f.* (fr. *grosserie*). Ato ou caráter de quem é grosseiro; grossura.

grosso (ô) *adj.* (lat. *grossus*). **1.** Que ultrapassa em espessura, volume etc., coisas do mesmo gênero. **2.** Compacto, denso, consistente. **3.** Caloso, áspero. **4.** Diz-se de som ou voz grave, baixo. **5.** Grande, importante, considerável. **6.** Grosseiro, rude, incivil. **7.** Corpulento, volumoso, gordo. **8.** Evidente, manifesto. ★ *s.m.* A parte mais importante ou mais numerosa.

grossura *s.f.* **1.** Qualidade do que é grosso; espessura. **2.** Dimensão de um sólido que equivale à distância entre a superfície anterior e a posterior; volume, espessura. **3.** Grosseria.

grota *s.f.* (it. *grotta,* caverna). **1.** Abertura que as águas da enchente fazem na ribanceira de um rio. **2.** Terreno situado na interseção de duas montanhas; vale profundo. **3.** Depressão sombria e úmida em encostas escarpadas.

grotão *s.m.* (it. *grottone*). **1.** Grota grande. **2.** Depressão profunda que se situa entre montanhas de relevo fortemente desnivelado.

grotesco (ê) *adj.* (it. *grottesco*). Que suscita o riso por sua extravagância; ridículo, cômico, caricato. ★ *s.m.* O que é grotesco.

grou *s.m.* (lat. *grus*). Denominação comum a aves pernaltas, de pescoço longo e asas bastante amplas, que ocorrem no mundo inteiro, exceto na América do Sul.

grua *s.f.* (fr. *grue*). **1.** Guindaste. **2.** Guindaste hidráulico que permite o deslocamento da câmara cinematográfica em qualquer direção.

grudar *v.t.* (conj. 4). **1.** Unir com grude; colar. **2.** Fazer aderir a; unir, pegar. ★ *v.pr.* **1.** Ligar-se com grude. **2.** Unir-se, juntar-se. **3.** Atracarem-se dois adversários em luta.

grude *s.m.* (lat. *gluten*). **1.** Espécie de cola para madeira. **2.** Cola feita de farinha de trigo e água. **3.** Qualquer cola. **4.** *Pop.* Comida de má qualidade ou malfeita.

grudento *adj.* Que gruda; pegajoso.

grugulejar *v.i.* (onomat.) [conj. 4]. **1.** Soltar a voz (peru). **2.** Imitar a voz do peru.

gruiformes *s.f.pl.* Ordem de aves pernaltas a que pertencem os grous.

gruir *v.i.* (conj. 74). Soltar (o grou) a voz.

grumete (ê) *s.m.* (ingl. *groom,* cavalariço, e *mate,* ajudante). Marinheiro de baixa graduação, responsável pela limpeza de bordo; aprendiz.

grumixama *s.f.* (do tupi). Fruto da grumixameira, baga roxo-escura, vermelha ou amarela, de polpa levemente ácida, comestível ao natural ou em compotas e doces.

grumixameira *s.f.* Árvore de casca cinzenta que fornece madeira branca, dura, própria para marcenaria, cultivada pelos frutos e como ornamental.

grumo *s.m.* (lat. *grumus,* montículo). **1.** Pequena porção de matéria coagulada e viscosa. **2.** Grânulo, pequeno coágulo.

grumoso (ô) *adj.* Cheio de grumos; granuloso.

grunhido *s.m.* **1.** A voz do porco. **2.** *Fig.* Grito que se assemelha ao do porco.

grunhir *v.i.* (lat. *grunnire*) [conj. 6]. **1.** Soltar grunhido (o porco). **2.** Soltar vozes que se assemelham à do porco.

grupal *adj.2g.* Relativo a grupo.

grupar *v.t.* (conj. 4). Agrupar.

grupelho (ê) *s.m.* Pequeno grupo político mais ou menos organizado.

grupo *s.m.* (it. *gruppo*). **1.** Parte homogênea de um conjunto em uma determinada classificação. **2.** Conjunto de coisas ou seres da mesma natureza, com características comuns. **3.** Conjunto definido pelo número ou quantidade, p. opos. a unidade; bando. **4.** Conjunto de pessoas com atividades, comportamentos, atitudes ou objetivos comuns. ● **Biol.** Subdivisão usada na classificação zoológica ou botânica, da qual não se pode ou não se deseja precisar o valor hierárquico. **Eletr.** Conjunto de dispositivos de um mesmo tipo, acoplados de modo a permitir uma ação simultânea. **Med.** *Grupo sanguíneo,* conjunto de antígenos presentes nos elementos figurados do sangue e em algumas proteínas séricas, geneticamente induzidos e agrupados em sistemas distintos. **Psicol.** *Psicoterapia de grupo,* aquela cujos efeitos terapêuticos derivam da manutenção e discussão das relações dos pacientes entre si e com o terapeuta. **Quím.** Na tabela periódica dos elementos, família.

gruta *s.f.* (gr. *krypte,* pelo lat. *crypta*). Caverna, natural ou artificial; antro.

guabiroba *s.f.* (do tupi). Fruto da guabirobeira, baga que pode ser comida crua ou utilizada na confecção de doces e geléias. (Var. GABIROBA.)

guabirobeira *s.f.* Nome comum a diversos arbustos ou árvores pequenas que ocorrem geralmente em regiões de campos e cerrados.

guabiru *s.m.* (tupi). **1.** Mamífero roedor de ventre branco e dorso acinzentado, comum nas regiões rurais do Brasil. (Var. GABIRU.) **2.** *Fig.* Ladrão, gatuno, rato.

guache *s.m.* (fr. *gouache*). **1.** Tinta de consistência pastosa, opaca, feita de cores diluídas em água e misturadas com cola. **2.** Obra, geralmente sobre papel, executada com essa tinta.

guaco *s.m.* Trepadeira arbustiva de flores brancas e folhas consideradas anti-sépticas, expectorantes e cicatrizantes.

guaiá *s.m.* Sin. de CARANGUEJO.

guaiaca *s.f.* Cinto largo de couro, com pequenos bolsos.

guáiaco *s.m.* (esp. *guayaco*). **1.** Árvore que fornece madeira pardo-esverdeada, muito dura e aromática, própria para obras de torno e construção naval. **2.** Resina dessa árvore, usada em preparados farmacêuticos.

guaiacol *s.m.* Substância medicamentosa isolada da resina de guáiaco, utilizada como anti-séptico pulmonar e expectorante.

guaiamu ou **guaiamum** *s.m.* (tupi *waia'mu*). Caranguejo de carapaça azul, provido de uma pinça pequena e outra grande, que vive em tocas escavadas nas praias. (Var. GOIAMU ou GOIAMUM.)

guaicuru[1] *s.m.* Planta perene cuja raiz tem propriedades adstringentes e tônicas.

guaicuru[2] *s.2g.* Indivíduo dos guaicurus, povo indígena que vivia na região do Grande Chaco.

guaitacá *s.2g.* Var. de GOITACÁ.

guampa *s.f.* (esp. *guampa*). **1.** Chifre, corno. **2.** Vasilha para líquidos feita com uma seção de chifre bovino.

guanaco *s.m.* (quíchua *uanacu*). Ruminante selvagem que ocorre na América do Sul desde o sudoeste do Peru até a Argentina, na Terra do Fogo.

guandira *s.f.* Sin. de MORCEGO.

guanidina *s.f.* Composto semelhante à uréia, estimulante dos músculos estriados, encontrado em certos alimentos.

guanina *s.f.* Base nitrogenada derivada da purina, presente nos ácidos nucléicos.

guano *s.m.* (quíchua *uanu,* esterco). Depósito de excrementos, cadáveres, restos e demais resíduos peculiares aos locais habitados por aves e morcegos; adubo proveniente desses depósitos.

guapo *adj.* **1.** Corajoso, ousado, valente. **2.** Elegante, garboso, airoso.

guapuruvu *s.m.* Árvore de tronco reto e liso, de flores amarelas, que fornece madeira branca e leve utilizada na fabricação de caixotes e polpa de celulose.

guará *s.2g.* (tupi *gwa'rá*). **1.** Mamífero canídeo sul-americano ameaçado de extinção, de pelagem amarelo-avermelhada, que difere do lobo por não formar alcatéia e não apresentar sua ferocidade. (Sin. LOBO-GUARÁ, LOBO-VERMELHO.) **2.** Ave ciconiforme, de plumagem vermelha, típica de manguezais e alagados, ameaçada de extinção.

guaraná *s.m.* (tupi *wara'ná*). **1.** Arbusto trepador cujo fruto contém uma ou duas sementes, de propriedades excitantes, utilizadas na fabricação de medicamentos e refrigerantes; guaranazeiro. **2.** Massa comestível fabricada com as sementes desse arbusto. **3.** Bebida fabricada com o pó dessa massa.

guarandi-azul *s.m.* Sin. de AZULÃO.

guarani *s.2g.* Indivíduo dos guaranis, povo indígena tupi da região sul do Brasil. ★ *s.m.* **1.** Língua tupi-guarani falada por esse povo e, com algumas modificações, no Paraguai e na Bolívia. **2.** Unidade monetária do Paraguai. ★ *adj.2g.* Relativo ou pertencente aos guaranis.

guarantã *s.2g.* (tupi *uira'tã*). Árvore de crescimento rápido que fornece madeira de lei amarelo-clara, apropriada para dormentes, postes e mourões, e utilizada para reflorestamento no sul do Brasil.

guararema *s.f.* Árvore de grande porte que fornece madeira clara, leve e macia, com forte cheiro de alho, quando verde. (Sin. PAU-D'ALHO.)

guarda *s.f.* **1.** Ato ou efeito de guardar. **2.** Vigilância para defender, proteger ou conservar. **3.** Proteção, abrigo, amparo. **4.** Grupo de vigilância ou proteção. **5.** Parte de uma arma branca entre a lâmina e o punho, para proteger a mão. **6.** Grade ou balaustrada que protege extremidades de balcões, janelas e escadas. **7.** *Em guarda*, posição básica da esgrima, para ataque ou defesa. ● **Ind. Gráf.** Folha não impressa colada no início e no final do livro, entre o miolo e a capa. ★ *s.2g.* Pessoa encarregada da vigilância de algo ou de alguém, em geral membro de um grupo; segurança.

guarda-chaves *s.2g.2n.* Empregado ferroviário encarregado de manobrar e vigiar as chaves dos desvios nos entroncamentos das linhas.

guarda-chuva *s.m.* Objeto portátil, formado por uma haste e um pano estendido sobre varetas flexíveis, para proteger da chuva.

guarda-comida *s.m.* Armário para guardar alimentos, geralmente guarnecido de uma tela para permitir a ventilação.

guarda-costas *s.m.2n.* Navio armado para a defesa das costas ou para evitar o contrabando. ★ *s.2g.2n.* Indivíduo que acompanha outro com o fim de protegê-lo de agressão.

guarda-jóias *s.m.2n.* **1.** Porta-jóias. **2.** Indivíduo encarregado de guardar as jóias da casa real.

guarda-livros *s.2g.2n.* Aquele que é responsável pela escrituração mercantil de uma empresa.

guarda-louça *s.m.* Armário ou prateleira em que se guardam louças.

guarda-marinha *s.m.* **1.** Posto da Marinha de Guerra brasileira imediatamente inferior a segundo-tenente e superior a suboficial. **2.** Pessoa que ocupa esse posto.

guarda-mato *s.m.* Peça da espingarda que protege o gatilho.

guarda-mor *s.m.* **1.** Chefe da polícia marítima alfandegária. **2.** Indivíduo que representa o fisco a bordo dos navios ancorados num porto.

guarda-móveis *s.m.2n.* Estabelecimento onde se guardam móveis mediante pagamento.

guardanapo *s.m.* (fr. *garde-nappe*). Peça de pano ou papel utilizada para limpar a boca e proteger a roupa durante as refeições.

guarda-noturno *s.m.* Guarda que vigia ruas e casas durante a noite.

guarda-pó *s.m.* **1.** Casaco comprido, de tecido leve, para proteger as roupas, utilizado por professores, médicos etc. **2.** Forro de madeira que recobre o vigamento das casas.

guardar *v.t.* (lat. *guardare*, de or. germ.) [conj. 4]. **1.** Vigiar a fim de defender ou proteger. **2.** Vigiar (presos) para evitar uma evasão. **3.** Conservar, manter. **4.** Ocultar, esconder. **5.** Observar, cumprir. **6.** Livrar, defender. ★ *v.pr.* **1.** Abrigar-se, proteger-se. **2.** Abster-se.

guarda-roupa *s.m.* **1.** Armário onde se guarda roupa. **2.** O conjunto de trajes de uma pessoa, grupo de pessoas, empresa ou peça teatral ou cinematográfica etc. ★ *s.2g.* Pessoa que, num teatro, tem a seu cargo a guarda das roupas.

guarda-sol *s.m.* Grande guarda-chuva de tecido grosso, para proteger do sol.

guardião *s.m.* (lat. *guardianus*). **1.** Título que se dá a certos superiores de alguns conventos. **2.** *Fig.* Aquele que guarda, protege, conserva alguma coisa ou alguém.

guariba *s.2g.* (tupi *wa'riwa*). Denominação comum aos símios caracterizados pela presença de barba na região faringiana e pelo grito peculiar.

guarida *s.f.* (de or. gótica). **1.** Acolhimento, abrigo, refúgio, proteção. **2.** Covil de animais selvagens.

guarita *s.f.* **1.** Construção saliente nos ângulos de fortificações antigas na qual se abrigavam as vigias e sentinelas. **2.** Modernamente, pequena construção colocada à entrada de estabelecimentos militares, casas etc. para abrigar sentinelas ou vigias.

guarnecer *v.t.* (conj. 25). **1.** Prover do necessário; munir, aparelhar. **2.** Ornar, enfeitar. **3.** Colocar defesas, fortalecer. **4.** Ocupar militarmente.

guarnição *s.f.* **1.** O que serve para guarnecer ou adornar. **2.** Conjunto das tropas estacionadas numa cidade ou numa obra de fortificação. **3.** Pessoal empregado a bordo de um navio de guerra. **4.** Orla, ornato, enfeite da fímbria de um vestido. **5.** Prato secundário que acompanha o principal.

guaru *s.m.* Sin. de BARRIGUDINHO.

guaruba *s.f.* Ave psitaciforme de cauda longa, coloração amarela e dourada, com rêmiges verdes, que ocorre no Maranhão e Pará. (Sin. ARARAJUBA.)

guarupucu *s.m.* Sin. de CERVO.

guasca *s.f.* (quíchua *kwask' a*, laço). (*RS*) Tira ou correia de couro cru. ★ *s.2g.* **1.** Habitante do campo; caipira, roceiro. **2.** Rio-grandense-do-sul, gaúcho. ★ *adj.2g.* Relativo ou pertencente ao gaúcho.

guatambu *s.m.* (tupi *gwa áta mbu*). **1.** Designação de várias árvores que fornecem madeira própria para marcenaria e cabos de ferramentas. **2.** A madeira dessas árvores. **3.** Porrete feito com essa madeira.

guatemalense *adj.2g.* Relativo ou pertencente à Guatemala, país da América Central; guatemalteco. ★ *s.2g.* O natural ou habitante da Guatemala; guatemalteco.

guatemalteco *adj.* e *s.m.* Guatemalense.

guaxe *s.m.* (tupi *waxi*). Ave passeriforme que ocorre da Amazônia a Santa Catarina, e na Argentina e no Paraguai.

guaxima *s.f.* (tupi *waxima*). Planta que produz fibras têxteis, usadas na fabricação de sacos de aniagem, e que possui propriedades medicinais.

guaxinim *s.m.* (tupi *waxi'ni*). Sin. de MÃO-PELADA.

guaxo *adj.* (esp. *guacho*, de or. quíchua). **1.** Diz-se da criança ou animal que perdeu a mãe ou dela foi separado no período de amamentação. **2.** Diz-se de ovo posto fora do ninho ou no ninho de outra ave. **3.** Diz-se de planta que medra facilmente, sem maiores cuidados.

A B C D E F G H I J K L M N O P Q R S T U V W X Y Z

gude *s.m.* Jogo infantil com bolinhas de vidro.

guedelha (ê) *s.f.* **1.** Cabelo comprido e emaranhado; grenha. **2.** *Fig.* Vantagem, lucro, proveito.

gueixa *s.f.* (jap. *geisha*). Dançarina e cantora japonesa.

guelra *s.f.* Sin. de BRÂNQUIA.

gueriri *s.f.* Sin. de OSTRA.

guerra *s.f.* (lat. *guerra,* de or. germ.). **1.** Luta armada entre nações ou partidos. **2.** Luta, conflito, combate. **3.** *Fig.* Oposição, hostilidade. ● **Mil.** *Guerra civil,* luta armada entre grupos de uma mesma nação ou povo. ▸ *Guerra fria,* período em que os EUA e a URSS competiram pela supremacia mundial, entre o término da Segunda Guerra (1945) e o fim da URSS (1989). ▸ *Guerra santa,* guerra travada por motivos religiosos.

guerrear *v.t.* (conj. 15). **1.** Declarar guerra; combater, hostilizar. **2.** *Fig.* Perseguir, causar mal ou dano. **3.** Fazer oposição a; hostilizar. ★ *v.i.* Fazer guerra, combater, pelejar.

guerreiro *adj.* **1.** Relativo à guerra; belicoso. **2.** Inclinado à guerra; belicoso, aguerrido. ★ *adj.* e *s.m.* **1.** Que ou aquele que faz profissão das armas. **2.** *Fig.* Que ou aquele que é inclinado à luta, ao trabalho.

guerrilha *s.f.* (esp. *guerilla*). **1.** Forma de guerra caracterizada pela não obediência às convenções militares, ações de emboscada e ataques-surpresa realizados por pequenos grupos. **2.** Grupo de soldados que portam armas leves e têm por missão inquietar o inimigo.

guerrilheiro *s.m.* O que faz parte de uma guerrilha ou bando armado. ★ *adj.* Relativo à guerrilha.

gueto (ê) *s.m.* (it. *ghetto*). **1.** Bairro onde eram confinados os judeus na Europa. **2.** *P. ext.* Bairro em qualquer cidade habitado por populações segregadas socialmente.

guia *s.f.* **1.** Ato ou efeito de guiar. **2.** Documento ou formulário que acompanha mercadorias ou correspondências oficiais. **3.** Peça que dirige o movimento de outra em uma máquina ou em trabalhos manuais. **4.** Correia que tem uma das extremidades presa ao freio do cavalo, ficando a outra na mão do cavaleiro. **5.** Colar de miçangas ou de contas de vidro usado por filhos-de-santo. **6.** Sin. de MEIO-FIO. ★ *s.2g.* **1.** Aquele que guia ou dá informações a expedições, viajantes, turistas etc. **2.** Aquele que dirige alguém ou um grupo, no aspecto moral, religioso ou espiritual; mentor, mestre, guru. **3.** Aquilo que move e impele os atos de alguém. ★ *s.m.* **1.** Publicação com informações sobre pontos turísticos, meios de transporte etc. de uma cidade, país, região etc. **2.** Publicação com informações sobre algum tipo de serviço ou produto. **3.** Vaqueiro que conduz a boiada.

guianense (ùi) *adj.2g.* Relativo ou pertencente à Guiana, país da América do Sul; guianês. ★ *s.2g.* O natural ou habitante da Guiana; guianês.

guianês (ùi) *adj.* e *s.m.* Guianense.

guiar *v.t.* (lat. *guidare,* de or. gótica) [conj. 16]. **1.** Acompanhar, escoltar, dirigir. **2.** Ajudar alguém a encontrar seu caminho; orientar, conduzir. **3.** Dirigir o movimento de (veículo, cavalo etc.); conduzir. **4.** Impor a um dispositivo, a uma ferramenta, uma trajetória rigorosa. **5.** Orientar moral ou intelectualmente; encaminhar. **6.** Proteger, socorrer, amparar. ★ *v.i.* Dirigir automóvel. ★ *v.pr.* Orientar-se, dirigir-se.

guichê *s.m.* (fr. *guichet*). Pequena abertura em porta, parede, grade etc., para a venda de ingressos, pagamentos e recebimentos.

guidom ou **guidão** *s.m.* (fr. *guidon*). Tubo metálico que comanda a coluna de direção de um veículo de duas ou três rodas e cujas extremidades são munidas de punhos (em que se apóiam as mãos para guiar) e contêm os comandos dos freios.

guilhotina *s.f.* (de *Guillotin,* n.pr.). **1.** Instrumento para decapitar os condenados à morte pela queda de uma lâmina que corre entre dois montantes verticais. **2.** Execução capital, pena de morte por decapitação. **3.** Máquina para cortar papel e cartão e para aparar livros e revistas.

? VOCÊ SABIA...? A **guilhotina**, instrumento para decapitar pessoas condenadas à pena de morte, se converteu num símbolo da Revolução Francesa. Joseph-Ignace Guillotin (1738-1814) fez a guilhotina ser adotada pela Assembléia francesa em 1789, como instrumento para executar de modo mais seguro e indolor, se comparado com os métodos tradicionais – enforcamento, decapitação com machado etc.

guilhotinar *v.t.* (conj. 4). **1.** Executar na guilhotina. **2.** Cortar, aparar com guilhotina.

guimba *s.f.* *Pop.* Ponta ou pedaço que resta de um cigarro depois de fumado.

guinada *s.f.* **1.** Desvio repentino para um lado. **2.** *Fig.* Mudança repentina de opinião, de comportamento etc.

guinar *v.i.* (conj. 4). Dar guinadas. ★ *v.t.* Volver rápida e repentinamente.

guinchar[1] *v.i.* (conj. 4). **1.** Dar guinchos. **2.** Chiar.

guinchar[2] *v.t.* **1.** Içar com guincho ou guindaste. **2.** Rebocar com guincho.

guincho[1] *s.m.* (onomat). **1.** *Fam.* Grito agudo, sem articulação de palavra; guinchado. **2.** Chiado, chio. ● **Med.** Acesso de tosse sucessiva e repetida.

guincho[2] *s.m.* (ingl. *winch*). **1.** Aparelho próprio para levantar cargas. **2.** Guindaste. **3.** Veículo com um sistema de levantamento e reboque, para transportar veículos avariados.

guinda *s.f.* **1.** Corda para guindar. **2.** Altura de um mastro ou mastaréu.

guindar *v.t.* (fr. *guinder*) [conj. 4]. **1.** Levantar ao alto; elevar, içar. **2.** Elevar a alta posição. **3.** Tornar empolado, pretensioso. ★ *v.pr.* Levantar-se, alçar-se.

guindaste *s.m.* (prov. *guindatz,* de or. nórdica). Aparelho para içar cargas; guincho, grua.

guiné *s.f.* Planta herbácea perene, com característico odor que lembra o alho e cujas raízes têm propriedades medicinais.

guineano *adj.* **1.** Relativo ou pertencente à Guiné, país da África; guinéu. **2.** Guineense. ★ *s.m.* **1.** O natural ou habitante da Guiné; guinéu. **2.** Guineense.

guineense (nè) *adj.2g.* Relativo ou pertencente à Guiné-Bissau, país da África; guineano. ★ *s.2g.* O natural ou habitante da Guiné-Bissau; guineano.

guinéu *adj.* e *s.m.* Guineano.

guinéu-equatoriano *adj.* Relativo ou pertencente à Guiné-Equatorial, país da África. ★ *s.m.* O natural ou habitante da Guiné-Equatorial.

guirapuru *s.m.* Var. de UIRAPURU.

guirlanda *s.f.* (fr. *guirlande*). **1.** Grinalda. **2.** Motivo ornamental feito de um entrelaçado de folhas, flores ou frutas, que cai entre dois pontos ou uma série de pontos aos quais está ligado. **3.** *P. ext.* Série de pessoas ou objetos dispostos em forma de guirlanda.

guisa *s.f.* (lat. *guisa,* de or. germ.). *À guisa de,* à maneira de, à feição de.

guisado *s.m.* Picadinho de carne etc. com molho; ensopado, refogado.

guisar *v.t.* (conj. 4). **1.** Preparar (alimentos) refogando. **2.** Preparar, aprontar. **3.** Ajudar, auxiliar.

guitarra *s.f.* (gr. *kithara,* cítara, pelo ár. *kitara*). Instrumento musical de cordas dedilháveis, com caixa de ressonância e braço.

guitarrista *s.2g.* Aquele que ensina ou toca guitarra.

guizo *s.m.* **1.** Pequena esfera de metal, oca, perfurada, que contém uma massa metálica que a faz ressoar, quando agitada. **2.** Órgão sonoro da cauda das cascavéis.

gula *s.f.* (cat. *gula,* garganta). **1.** Vício ou defeito de comer e beber em demasia; gulodice. **2.** Gosto pelas boas iguarias. **3.** *Fig.* Desejo ardente, cobiça, sofreguidão. **4.** *Desus.* Garganta, goela.

gulodice *s.f.* **1.** Iguaria que excita o apetite; guloseima, acepipe. **2.** Gula.

guloseima *s.f.* Manjar delicado e muito saboroso; doce, gulodice.

guloso (ô) *adj.* e *s.m.* **1.** Que ou aquele que come muito; comilão, glutão. **2.** Que ou o que gosta de guloseimas.

gume *s.m.* (lat. *acumen,* ponta do gládio). **1.** A parte cortante ou o corte de uma lâmina ou arma branca; fio. **2.** *Fig.* Agudeza de espírito; perspicácia.

gupiara *s.f.* (tupi *ku'rupi'ara*). Cascalho ralo, com pouca terra a encobri-lo.

guri *s.m.* (tupi *ki'ri,* pequeno). Criança, menino.

gurizada *s.f.* Grupo de meninos ou guris.

guru *s.m.* **1.** Mestre da vida interior, na Índia. **2.** Guia ou líder espiritual.

gurupés *s.m.2n.* (fr. *beaupré*). Mastro lançado do bico da proa para a frente, nos veleiros, não considerado na contagem do número de mastros.

gusa *s.m.* (al. *Guss,* metal fundido). Produto siderúrgico obtido em alto-forno mediante fusão redutora de minério de ferro com coque ou carvão de madeira.

gustação *s.f.* (lat. *gustatio*). **1.** Ato ou efeito de provar, experimentar. **2.** Função que assegura a percepção dos sabores.

gustativo *adj.* **1.** Relativo ao sentido do gosto. **2.** *Nervo gustativo,* nervo sensitivo da língua.

guta *s.f.* Sin. de GUTA-PERCHA.

guta-percha *s.f.* **1.** Denominação comum a plantas da Malaísia que fornecem uma substância dura, semelhante à borracha, empregada em odontologia e como isolante elétrico. **2.** A substância extraída do látex dessas plantas. (Sin. GUTA.)

gutífero *adj.* **1.** Diz-se do vegetal que produz ou contém guta-percha. **2.** Que goteja, que deita gotas.

gutural *adj.2g.* (lat. *gutturalis,* de *guttur,* garganta). **1.** Relativo à garganta. **2.** Diz-se de voz ou som, emitido pela garganta, que tem entonação rouca.

guzerá ou **guzerate** *adj.2g.* Relativo ou pertencente a Guzerate, na Índia. ★ *s.m.* **1.** O natural ou habitante de Guzerate. **2.** Língua falada por esse povo. ★ *adj.2g.* e *s.2g.* Diz-se de ou raça bovina originária da Índia e muito desenvolvida no Brasil.

Hh **Hh** *Hh*

h (agá) *s.m.* Oitava letra do alfabeto português.

h símbolo da hora.

h símbolo químico do hidrogênio.

ha símbolo de hectare.

Ha símbolo químico do hânio.

hábil *adj.2g.* (lat. *habilis*). **1.** Que sabe fazer; que executa com agilidade e eficiência. **2.** Capaz, apto, destro. **3.** Engenhoso, astuto, inteligente.

habilidade *s.f.* (lat. *habilitas*). **1.** Qualidade daquele que é hábil. **2.** Capacidade, destreza, agilidade. **3.** Engenhosidade, astúcia, manha. **4.** Qualidade de alguém que é capaz de realizar um ato com uma boa adaptação psicomotora.

habilidoso (ô) *adj.* e *s.m.* Que ou aquele que revela habilidade.

habilitação *s.f.* **1.** Ato ou efeito de habilitar(-se). **2.** Capacidade, aptidão. **3.** Conhecimento formal e domínio técnico de uma determinada área, tarefa ou profissão. **4.** Documento, título que atesta esse conhecimento e dá direito a exercer certas tarefas.

habilitado *adj.* Que tem habilitações; capacitado.

habilitador (ô) *adj.* Que habilita.

habilitante *s.2g.* **1.** Pessoa que se pretende habilitar. **2.** Pessoa que pretende habilitar-se.

habilitar *v.t.* (lat. tard. *habilitare*) [conj. 4]. **1.** Tornar hábil, apto, capaz para alguma coisa. **2.** Preparar, dispor. ★ *v.pr.* **1.** Justificar com documentos legais sua habilitação. **2.** Prover-se dos conhecimentos necessários para determinado ato. **3.** Preparar-se, dispor-se.

habitação *s.f.* (lat. *habitatio*). **1.** Ato ou efeito de habitar. **2.** Lugar em que se habita ou mora; moradia, residência, casa, domicílio.

habitacional *adj.2g.* Relativo à habitação.

habitáculo *s.m.* (lat. *habitaculus*). *Poét.* Morada, residência, habitação.

habitante *s.2g.* (do lat. *habitants*). Pessoa que habitualmente reside em determinado lugar. ★ *adj.2g.* Domiciliado, residente, morador.

habitar *v.t.* (lat. *habitare*) [conj. 4]. **1.** Ocupar como residência; morar, residir em. **2.** Povoar, viver. **3.** Freqüentar. ★ *v.i.* **1.** Residir, morar, viver. **2.** Estar em.

habitat (lat.) ou **hábitat** *s.m.* **1.** Parte do meio ambiente definida por um conjunto de fatores físicos na qual vive um indivíduo, uma população, uma espécie ou um conjunto de espécies. **2.** Conjunto dos fatos geográficos e condições relativos à moradia do homem (forma, localização, agrupamento das casas etc.).

VOCÊ SABIA...? A pior ameaça para os animais é a destruição de seu **hábitat**: as florestas, as pradarias, os recifes de coral, os pântanos e outros lugares onde vivem. Para reduzir a possibilidade de desaparecimento de animais ameaçados de extinção, devemos proteger seu hábitat, evitando que seja destruído para dar lugar a plantações ou construções. Também é importante controlar o aumento da população humana.

habitável *adj.2g.* (lat. *habitabilis*). Que pode ser habitado.

habite-se *s.m.2n.* Documento concedido pela prefeitura municipal que libera uma construção para habitação; auto de conclusão de obra.

hábito *s.m.* (lat. *habitus*). **1.** Disposição para determinado ato ou comportamento adquirida pela repetição do mesmo; uso, costume. **2.** Maneira de agir, pensar ou sentir costumeira. **3.** Aptidão, facilidade no desempenho de uma tarefa adquirida pela prática freqüente. **4.** Uso constante de alguma coisa que causa dependência. **5.** Aquilo com que se cobre o corpo; roupa, traje, vestimenta. **6.** A vestimenta usada pelos eclesiásticos. **7.** A vida eclesiástica. ★ *s.m.pl.* **1.** Modos, costumes ou usos particulares de um meio, de um país etc. **2.** O conjunto das maneiras de comportamento próprias de uma pessoa. ● **Biol.** Comportamentos particulares aos animais de uma espécie.

habituação *s.f.* **1.** Ato ou efeito de habituar(-se). **2.** Processo simples de aprendizagem que consiste numa diminuição das respostas de um indivíduo a um estímulo, quando este lhe é apresentado permanentemente e sem reforço.

habitual *adj.2g.* (lat. tard. *habitualis*). **1.** Que ocorre ou se faz por hábito. **2.** Corriqueiro, costumeiro. **3.** Constante, freqüente, ordinário, corrente.

habituar *v.t.* (lat. tard. *habituare*) [conj. 4]. **1.** Fazer contrair hábito a; acostumar. **2.** Preparar por meio de hábito ou costume; exercitar. ★ *v.pr.* Afazer-se a alguma coisa por hábito, acostumar-se.

hachura *s.f.* (fr. *hachure*). Traços paralelos ou cruzados que se empregam em desenhos, gravuras e trabalhos gráficos para marcar as sombras e meias-tintas.

hachurar *v.t.* (conj. 4). Traçar hachuras em.

hacker *s.2g.* (ingl.). **Inform.** Pessoa que acessa um sistema de computadores sem autorização.

HACKER ▸ Uma invasão de *hackers* pode ter diversas finalidades, prejudiciais ou não para as informações guardadas, os usuários ou os proprietários de um sistema de dados. Já os *crackers*, também chamados "piratas eletrônicos", tentam invadir redes e sistemas para roubar informações e valores.

---

haflinger *s.m.* (al.). Raça de pôneis originária da Áustria, apta para todas as disciplinas eqüestres.

háfnio *s.m.* Elemento químico (símb. Hf) de número atômico 72, que constitui um metal raro de cor branco-prateada, utilizado na fabricação de fibras de tungstênio e lâmpadas incandescentes.

hagiografia *s.f.* Biografia de santos.

hagiógrafo *s.m.* (gr. *hagiographos*). **1.** Autor de uma hagiografia. **2.** Especialista em hagiografia.

hagiologia *s.f.* Hagiológio.

hagiológio *s.m.* Tratado, estudo sobre a vida dos santos; hagiologia.

haicai *s.m.* (jap. *haikai*). Forma poética japonesa composta de três linhas, a primeira e a última com cinco sílabas e a segunda com sete.

haitiano *adj.* Relativo ou pertencente ao Haiti, país da América Central. ★ *s.m.* O natural ou habitante do Haiti.

haliêutica *s.f.* (gr. *halieutike*). Arte da pesca.

hálito *s.m.* (lat. *halitus*). **1.** O ar que sai dos pulmões durante a expiração; bafo. **2.** Exalação, emanação, cheiro. **3.** Cheiro da boca. **4.** *Poét.* Vento brando, brisa.

halitose *s.f.* Hálito fétido.

hall *s.m.* (ingl.). **1.** Sala de entrada de grandes dimensões; saguão. **2.** Grande vestíbulo de hotel, residência particular ou estabelecimento público.

halo *s.m.* (gr. *halos,* disco, coroa). **1.** Círculo luminoso que, por vezes, aparece em volta do disco solar ou lunar, em virtude da refração da luz solar através de pequenos cristais de gelo presentes na atmosfera terrestre. **2.** Qualquer círculo luminoso que rodeia um objeto; nimbo, auréola, aura. **3.** Auréola que envolve a cabeça de Jesus Cristo e dos santos, nas imagens sacras. **4.** *Fig.* Glória, prestígio, honra. ● **Anat.** Círculo avermelhado em volta do mamilo; aréola. ▸ Hálux.

halófilo *adj.* Diz-se do ser vivo que habita meios salinos.

halogenação *s.f.* Substituição de um átomo de hidrogênio por um de halogênio ou adição de halogênios em uma molécula.

halogênio *s.m.* Denominação comum dada ao flúor, cloro, bromo e iodo por sua facilidade de formação de sais quando combinados com elementos eletropositivos.

halografia *s.f.* **1.** Descrição dos sais. **2.** Parte da química que estuda essas substâncias.

halóide *adj.* e *s.m.* Diz-se de ou sal resultante da combinação de um halogênio com um outro elemento muito eletropositivo.

halometria *s.f.* Processo de avaliação da concentração de soluções salinas.

haltere ou **halter** *s.m.* (gr. *halteres,* pesos para ginástica). Instrumento de ginástica formado de dois discos ou esferas metálicos reunidos por uma haste; pesos.

halterofilia *s.f.* ou **halterofilismo** *s.m.* Esporte que consiste em levantar halteres; levantamento de pesos.

halterofilista *s.2g.* Aquele que pratica a halterofilia.

hálux (cs) *s.m.* O dedo grande do pé; halo.

hamamélis *s.f.2n.* Arbusto ornamental, originário da América do Norte, de flores amarelas, cujas folhas e casca fornecem extrato utilizado em medicina e cosmética.

hambúrguer *s.m.* (ingl. *hamburger*). Massa de carne moída e temperada, de forma arredondada, que depois de frita ou grelhada é consumida principalmente em sanduíches.

hamburguês *adj.* Relativo ou pertencente a Hamburgo, cidade da Alemanha. ★ *s.m.* O natural ou habitante de Hamburgo.

hamster *s.m.* (ingl.) Pequeno mamífero roedor, originário da Eurásia, que se caracteriza pela presença de bolsas nas regiões laterais da boca, criado para utilização em experimentos de laboratório ou como animal de estimação.

handebol *s.m.* (ingl. *handball*). Esporte em que cada uma das duas equipes de sete jogadores tenta fazer gol arremessando a bola, ou seja, jogando-a com as mãos.

hangar *s.m.* (fr. *hangar*). Grande abrigo ou galpão para aeronaves.

hânio *s.m.* Elemento químico transurânico (símb. Ha) de número atômico 105, obtido artificialmente através do bombardeamento do califórnio por íons de nitrôgenio.

hanseniano *adj.* Relativo à hanseníase. ★ *adj.* e *s.m.* Que ou aquele que sofre de hanseníase.

hanseníase *s.f.* (de *G. H. A. Hansen*, n.pr.). Doença infecciosa crônica e contagiosa que provoca ulcerações cutâneas diversas e lesões do sistema nervoso. (Sin. LEPRA.)

haplóide *adj.2g.* Diz-se da célula ou organismo que possui apenas a metade do par dos cromossomos homólogos.

haplologia *s.f.* Omissão de uma sílaba quando na mesma palavra ocorrem duas sílabas contíguas iniciadas pela mesma consoante.

happening *s.m.* (ingl., acontecimento). **1.** Tendência artística pós-moderna que incorpora elementos das artes plásticas, música, literatura, cinema e teatro, executada coletivamente sem um roteiro predeterminado. **2.** Cada um desses eventos.

haraquiri *s.m.* (jap. *hara*, ventre, e *kiri*, cortar). Modo de suicídio japonês que consiste em cortar o ventre com espada ou faca, segundo um ritual.

haras *s.m.2n.* (fr. *haras*). Estância para criação e aperfeiçoamento de cavalos de raça.

hardware *s.m.* (ingl). **Inform.** Conjunto de equipamentos e dispositivos de um computador constituídos de elementos físicos, como unidade de processamento, monitor, impressora etc. (p. opos. a programas, dados e outros elementos lógicos, constituídos por bits de informação, denominados *software*).

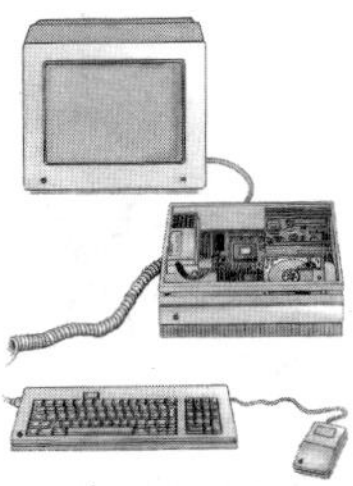

harém *s.m.* (ár. *haram*, proibido). **1.** Parte de um palácio ou casa muçulmana, de acesso interditado, reservada às mulheres; serralho. **2.** O conjunto das mulheres que aí habitam; serralho. **3.** *Fig.* Prostíbulo.

harmonia *s.f.* (gr. *harmonia*, união, proporção). **1.** Qualidade de um conjunto que resulta da boa disposição e ordenação entre seus elementos; proporção, ordem, simetria. **2.** Relação entre as partes de um todo (forma, cores, sons, ritmos etc.), em particular de uma obra artística ou literária. **3.** Ciência da formação e do encadeamento dos acordes musicais. **4.** Conjunto ou sucessão de sons agradáveis. **5.** Estado de paz, concórdia, união entre pessoas ou grupos.

harmônica *s.f.* **1.** Gaita de boca. **2.** Harmônio portátil; sanfona.

harmônico *adj.* (gr. *harmonikos*). **1.** Relativo à harmonia. **2.** Que tem harmonia. **3.** Coerente, congruente, proporcionado. **4.** Diz-se do que é afinado, sonoro. ● **Fís.** Diz-se dos fenômenos periódicos cuja freqüência é um múltiplo inteiro da freqüência de outro. **Mat.** *Análise harmônica*, ramo da matemática que trata da possibilidade de representar uma função periódica por uma série trigonométrica. ★ *s.m.* Som suscetível de ser emitido por uma fonte sonora e cuja freqüência é um múltiplo inteiro da correspondente ao modo fundamental de vibração.

harmônio *s.m.* Instrumento a ar, sem tubos, com lâminas vibrantes livres, com teclado e registros, munido de um sistema de foles.

harmonioso (ô) *adj.* **1.** Que tem harmonia. **2.** Que está em harmonia, em proporção; acorde, agradável.

harmonista[1] *s.2g.* Pessoa que conhece e pratica as regras da harmonia.

harmonista[2] *s.2g.* Tocador de harmônio.

harmonizar *v.t.* (conj. 4). **1.** Pôr em harmonia; conciliar, congraçar. **2.** Escrever os acordes que acompanham uma melodia. **3.** Unir, aliar. **4.** Concordar, pacificar. ★ *v.i.* Estar de acordo, em harmonia; harmonizar-se. ★ *v.pr.* Estar ou pôr-se em harmonia, de acordo.

harpa *s.f.* (lat. *harpa*, de or. germ.). Instrumento musical de cordas dedilháveis, de forma triangular.

harpear *v.t.* e *v.i.* (conj. 15). Harpejar.

harpejar *v.t.* (conj. 4). Tocar na harpa; harpear. ★ *v.i.* Tocar harpa; harpear.

harpia *s.f.* (gr. *harpyia*). **1.** Monstro fabuloso com rosto de mulher e corpo de abutre. **2.** Pessoa avarenta. **3.** Pessoa ávida, que vive de extorsões. **4.** Ave falconiforme de rapina, de até 2 m de envergadura, que ocorre do México à Bolívia, na Argentina e em grande parte do Brasil. (Sin. GAVIÃO-DE-PENACHO, GAVIÃO-REAL.)

harpista *s.2g.* Músico que toca harpa.

hasta *s.f.* (lat. *hasta*, lança). **1.** Lança, pique. **2.** Leilão.

haste *s.f.* (lat. *hasta*, lança). **1.** Pedaço de madeira ou ferro, delgado e vertical, em que se coloca uma bandeira, uma lança, uma alabarda. **2.** Parte fina e alongada de um objeto; fuste. **3.** Parte de um vegetal a que estão seguros folhas, flores, frutos. **4.** Chifre, corno.

hastear *v.t.* (conj. 15). **1.** Içar, elevar à extremidade de haste ou mastro; arvorar. **2.** *P. ext.* Levantar, erguer. ★ *v.pr.* Erguer-se, elevar-se.

haurir *v.t.* (lat. *haurire*) [conj. 6]. **1.** Aspirar, sorver. **2.** Esgotar, consumir. **3.** Extrair, colher.

hausto *s.m.* **1.** Ato ou efeito de haurir. **2.** Aspiração, sorvo. **3.** Gole, sorvo, trago.

havaiano *adj.* Relativo ou pertencente ao Havaí, Estado americano ultramarino. ★ *s.m.* O natural ou habitante do Havaí.

havana *s.m.* **1.** Tabaco cultivado em Cuba, especial para a produção de charutos. **2.** Charuto fabricado com esse tabaco. **3.** Cor castanho-clara, semelhante à do tabaco de Havana. ★ *adj.2g.* Que é dessa cor.

havanês *adj.* Relativo ou pertencente a Havana, capital de Cuba; havano. ★ *s.m.* O natural ou habitante de Havana; havano.

havano *adj.* e *s.m.* Havanês.

haver[1] *v.t.* (lat. *habere*) [conj. 2]. **1.** Ter, possuir. **2.** Obter, conseguir. ★ *v.impess.* Existir, acontecer, suceder, realizar-se, fazer. ★ *v.pr.* **1.** Agir, proceder. **2.** Entender-se, arranjar-se. ★ *v.aux.* Seguido de verbos no particípio, forma tempos compostos.

haver[2] *s.m.* Parte da conta que recebe os lançamentos de crédito. ★ *s.m.pl.* Bens, posses, riquezas.

haxixe *s.m.* (ár. *hashih*). Droga psicoativa constituída pela resina dourada e viscosa que cobre as flores e as folhas de cima do cânhamo ou maconha.

He símbolo químico do hélio.

hebdomadário *adj.* (lat. *hebdomadarius*). Semanal. ★ *s.m.* Periódico (jornal, revista etc.) que se publica todas as semanas; semanário.

hebraico *adj.* Relativo ou pertencente aos hebreus; hebreu. ★ *s.m.* Língua semítica falada pelos hebreus e que hoje é a língua oficial do Estado de Israel; hebreu.

hebraísmo *s.m.* **1.** Palavra ou expressão da língua hebraica assimilada por outro idioma. **2.** Estudo da língua e da literatura hebraica.

hebraísta *s.2g.* Pessoa que estuda a língua e a literatura hebraicas.

hebreu *s.m.* **1.** Indivíduo dos hebreus, povo semita da Antiguidade, do qual descendem os atuais judeus. **2.** Hebraico. ★ *adj.* Relativo ou pertencente a esse povo; hebraico.

? VOCÊ SABIA...? Os **hebreus** eram um povo de pastores nômades originário da Mesopotâmia. Dois mil anos antes de Cristo, percorriam o Oriente Médio em busca de terras férteis. Finalmente se instalaram, primeiro na Palestina e depois no Egito. Perseguidos, erraram pelo deserto guiados por Moisés. Por volta de 1250 a.C., voltaram à Palestina e fundaram o reino de Israel, cuja capital foi Jerusalém. Ao longo de um século, três soberanos, Saul, Davi e Salomão, uniram esse povo formado por doze tribos.

---

hecatombe *s.f.* (gr. *hekatombe*). **1.** Na Grécia antiga, sacrifício de cem bois. **2.** *P. ext.* Sacrifício de muitas vítimas; matança, mortandade. **3.** *Fig.* Morte de grande número de pessoas.

hectare *s.m.* (do gr. *hekaton*, cem). Medida de superfície igual a 100 ares, ou 10.000 metros quadrados (símb. ha).

hectograma *s.m.* Medida de massa equivalente a 100 gramas (símb. hg).

hectolitro *s.m.* Medida de volume equivalente a 100 litros (símb. hl).

hectômetro *s.m.* Medida de comprimento equivalente a 100 metros (símb. hm).

hediondo *adj.* **1.** Muito feio, horrendo. **2.** Repugnante, asqueroso. **3.** *Fig.* Ignóbil, sórdido, imundo. **4.** *Fig.* Sinistro, medonho.

hedonismo *s.m.* (do gr. *hedone*, prazer). Doutrina moral que considera o prazer a finalidade da vida.

hegemonia *s.f.* (gr. *hegemonia*, comando). **1.** Supremacia de um Estado, de uma cidade ou de um grupo social sobre outros. **2.** *Fig.* Supremacia, domínio, preponderância, proeminência.

hegemônico *adj.* Relativo à hegemonia.

hégira *s.f.* (ár. *al-higrah*, fuga). **1.** Era muçulmana, contada a partir de 622 da era cristã, em correspondência à data da fuga de Maomé de Meca para Medina. **2.** *Fig.* Fuga, emigração, êxodo.

hein *interj.* Hem.

helênico *adj.* **1.** Relativo ou pertencente aos helenos ou à Hélade, região central da Grécia antiga. **2.** Relativo ou pertencente à Grécia antiga e aos antigos gregos.

helenismo *s.m.* (gr. *hellenismos*). **1.** Conjunto da civilização grega. **2.** Caráter dessa civilização. **3.** Palavra ou expressão de origem grega que penetrou nas línguas ocidentais modernas.

helenista *s.2g.* Especialista na língua, na literatura ou na civilização gregas.

helenístico *adj.* **1.** Relativo ao helenismo. **2.** Diz-se do período histórico grego que se estende da conquista de Alexandre (331-323 a.C.) até a dominação romana (31 a.C.).

helenizar *v.t.* (conj. 4). Dotar de características gregas. ★ *v.pr.* Assumir características gregas.

heleno *s.m.* **1.** Indivíduo dos helenos, povos que povoaram a Grécia na Antiguidade. **2.** Grego. ★ *adj.* Grego.

helianto *s.m.* Sin. de GIRASSOL.

hélice *s.f.* (gr. *helix, helikos*, espiral). **1.** Aparelho de propulsão, tração ou sustentação constituído por pás cujas superfícies estão dispostas regularmente em torno de uma peça central acionada por um motor e que é utilizado em navios, torpedos e aeronaves. **2.** Curva cujas tangentes formam um ângulo constante com uma direção dada. ★ *s.2g.* Prega dorsal da orelha dos mamíferos, que forma, no homem e nos macacos, o rebordo convexo do pavilhão auditivo.

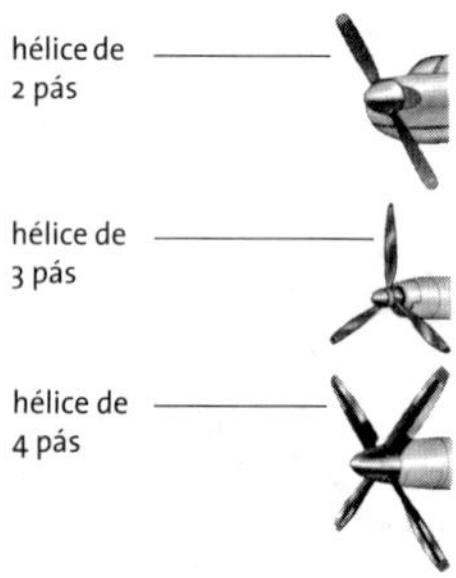

---

helicoidal *adj.2g.* Que tem a forma de hélice; helicóide.

helicóide *adj.2g.* Helicoidal.

helicóptero *s.m.* (fr. *hélicoptère*). Aeronave com hélices horizontais, capaz de sustentar-se no ar e deslocar-se em qualquer sentido.

heliéia *s.f.* Assembléia do povo ou tribunal popular em certas cidades gregas.

hélio *s.m.* (gr. *helios*, sol). Elemento químico (símb. He) de número atômico 2, que constitui um gás nobre presente em grande quantidade no Sol e em pequena taxa na atmosfera terrestre, utilizado em balões.

heliocentrismo *s.m.* Sistema astronômico em que se considera o Sol como o centro do Universo ou como astro em torno do qual se efetua a translação dos planetas.

heliografia *s.f.* **1.** Descrição do Sol. **2.** Sistema de reprodução de originais transparentes ou translúcidos em papel sensibilizado com corante especial.

heliográfico *adj.* **1.** Relativo à heliografia. **2.** *Papel heliográfico,* papel com camada sensível utilizado para a reprodução de desenhos a partir de decalque.

heliógrafo *s.m.* Aparelho utilizado para observação do Sol e dos fenômenos que ocorrem em sua superfície.

heliogravura *s.f.* Designação genérica dos processos de obtenção de formas de impressão gravadas em baixo-relevo e dos processos que utilizam essas formas.

heliômetro *s.m.* Instrumento óptico construído para medir o diâmetro do Sol e usado atualmente para medir posições relativas entre astros.

helioscópio *s.m.* Designação comum a todos os instrumentos dotados de lentes especiais para visualização do Sol.

heliose *s.f.* Insolação.

helioterapia *s.f.* Tratamento de doenças pelos raios solares.

heliotropia *s.f.* Característica que têm certas plantas de voltarem suas hastes, folhas ou flores para o sol. (Sin. HELIOTROPISMO.)

heliotrópio *s.m.* **1.** Designação comum a todas as plantas cujas flores se voltam para o sol. **2.** Variedade de calcedônia verde-escura, manchada de vermelho e opaca.

heliotropismo *s.m.* Fenômeno fotográfico em que a fonte de luz é o sol. ● **Bot.** Sin. de HELIOTROPIA.

heliporto (ô) *s.m.* Conjunto das instalações que compõem uma área destinada ao pouso e à decolagem de helicópteros.

helmintíase *s.f.* Afecção parasitária devida aos helmintos; verminose. (Var. HELMINTOSE.)

helmíntico *adj.* Relativo ou pertencente aos helmintos.

helminto *s.m.* (gr. *helmins, helminthos,* verme). Denominação comum aos vermes parasitas intestinais.

helmintologia *s.f.* Ciência que estuda os vermes parasitas intestinais (platelmintos e nematódeos).

helmintologista *s.2g.* Especialista em helmintologia.

helmintose *s.f.* Var. de HELMINTÍASE.

helvécio *adj.* **1.** Relativo ou pertencente aos helvécios, povo gaulês que habitava a antiga Helvécia, atualmente Suíça. **2.** Relativo à Suíça. ★ *s.m.* Indivíduo dos helvécios.

hem *interj.* Exprime interrogação, dúvida, admiração.

hemácia *s.f.* (do gr. *haima, haimatos,* sangue). Célula do sangue circulante, desprovida de núcleo e de organelas e rica em hemoglobina, responsável pelo transporte de gases no organismo. (Sin. ERITRÓCITO, GLÓBULO VERMELHO.)

hemático *adj.* Relativo ao sangue.

hematita *s.f.* (gr. *haimatites*). Óxido natural de ferro, um dos mais importantes minérios desse metal, pelo seu teor de pureza.

hematócrito *s.m.* Porcentagem volumétrica de hemácias em uma dada quantidade de sangue.

hematófago *adj.* e *s.m.* **1.** Diz-se de ou animal que se alimenta de sangue. **2.** Diz-se de um grande leucócito mononucleado (macrófago) que engloba e destrói os glóbulos sanguíneos velhos.

hematófobo *adj.* e *s.m.* Que ou aquele que tem horror a sangue.

hematogênico *adj.* **1.** Que provém do sangue ou o produz. **2.** Relativo à circulação do sangue.

hematologia *s.f.* **1.** Ciência que estuda a estrutura histológica, a composição química e as propriedades físicas do sangue. **2.** Parte da medicina que se ocupa das doenças do sangue e dos órgãos relacionados à produção do sangue.

hematológico *adj.* Relativo à hematologia.

hematogista *s.2g.* Especialista em hematologia.

hematoma *s.m.* (do gr. *haima, haimatos,* sangue). Derrame de sangue no interior de uma cavidade natural ou sob a pele, em conseqüência da ruptura de vasos.

hematopoese *s.f.* Var. de HEMATOPOIESE.

hematopoiese *s.f.* Conjunto dos processos de produção das diversas células do sangue. (Var. HEMATOPOESE.)

hematose *s.f.* (gr. *haimatosis,* produção de sangue). Transformação, ao nível dos alvéolos pulmonares, do sangue venoso em sangue arterial.

hematuria *s.f.* Emissão de sangue pelas vias urinárias.

hemerologia *s.f.* Ciência que estuda a elaboração de calendários.

hemerosfera *s.f.* Instrumento utilizado para determinar a hora exata do nascer e do pôr do sol.

hemeroteca *s.f.* (do gr. *hemeros,* diário). Seção de revistas e jornais em uma biblioteca.

hemialgia *s.f.* Sin. de ENXAQUECA.

hemianestesia *s.f.* Perda da sensibilidade que afeta uma metade do corpo.

hemiciclo *s.m.* (gr. *hemikyklos*). **1.** Semicírculo. **2.** Anfiteatro semicircular.

hemicrania *s.f.* Sin. de ENXAQUECA.

hemicrânio *s.m.* Metade direita ou esquerda do cérebro.

hemimetabólico *adj.* Diz-se dos insetos que apresentam metamorfose gradual ou incompleta.

hemiopia *s.f.* Perda da metade do campo visual.

hemiparasita *adj.* e *s.m.* Diz-se de ou planta que apresenta fotossíntese e retira do hospedeiro apenas água e sais minerais.

hemiparesia *s.f.* Paralisia discreta da metade direita ou esquerda do corpo.

hemiplegia *s.f.* Perda da mobilidade voluntária da metade direita ou esquerda do corpo, devida a uma lesão das vias piramidais.

hemípteros *s.m.pl.* Ordem de insetos que apresentam metamorfose gradual e peças bucais sugadoras, representada pelos percevejos.

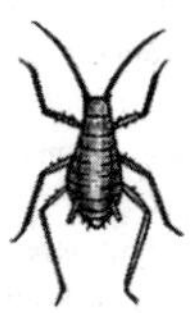

percevejo, inseto hemíptero

hemisférico *adj.* **1.** Relativo a hemisfério. **2.** Que tem a forma da metade de uma esfera.

hemisfério *s.m.* (gr. *hemisphairion*). **1.** Cada uma das duas partes de uma esfera dividida por um plano que passa por seu centro. **2.** Cada uma das duas metades do globo terrestre ou da esfera celeste (hemisfério norte, setentrional ou boreal; hemisfério sul, meridional ou austral). ● **Anat.** *Hemisfério cerebeloso,* cada uma das duas partes laterais e simétricas do cerebelo. ▸ *Hemisfério cerebral,* cada uma das metades do cérebro anterior, ou telencéfalo.

hemistíquio *s.m.* (gr. *hemistichyon*). Metade de um verso, marcada por uma pausa ou por um corte.

hemobiologia *s.f.* Disciplina médica que trata das transfusões e dos derivados do sangue.

hemocompatibilidade *s.f.* Compatibilidade sanguínea.

hemocultura *s.f.* Semeadura de um meio de cultura com sangue, para investigar a presença de micróbios patogênicos.

hemodiálise *s.f.* Procedimento de depuração do sangue em caso de insuficiência renal.

hemodinâmica *s.f.* **1.** Estudo dos diferentes fatores que regem a circulação sanguínea. **2.** Determinação das pressões intravasculares e intracardíacas.

hemofilia *s.f.* Afecção hemorrágica hereditária, causada pela falta de um ou mais fatores de coagulação do sangue.

hemofílico *adj.* Relativo à hemofilia. ★ *adj.* e *s.m.* Que ou aquele que foi acometido de hemofilia.

hemoglobina *s.f.* Pigmento das hemácias responsável pelo transporte do oxigênio e do anidrido carbônico.

hemoglobinopatia *s.f.* Afecção hereditária das hemácias devida a uma alteração estrutural da hemoglobina.

hemoglobinuria *s.f.* Presença patológica de hemoglobina na urina.

hemograma *s.m.* Resultado do estudo quantitativo e qualitativo das células sanguíneas.

hemolinfa *s.f.* Sangue de muitos invertebrados, normalmente incolor.

hemólise *s.f.* Destruição dos glóbulos vermelhos.

hemolisina *s.f.* Anticorpo que provoca a hemólise.

hemolítico *adj.* **1.** Relativo à hemólise. **2.** Que provoca ou favorece a hemólise. **3.** *Doença hemolítica do recém-nascido,* conjunto de acidentes neonatais devido à incompatibilidade sanguínea entre a mãe e o feto.

hemorragia *s.f.* (gr. *haimorrhagia*). **1.** Derramamento de sangue para fora dos vasos. **2.** *Hemorragia cerebral,* derramamento de sangue no tecido cerebral.

hemorrágico *adj.* Relativo à hemorragia.

hemorroidal *adj.2g.* ou **hemorroidário** *adj.* **1.** Relativo às hemorróidas. **2.** Acometido de hemorróidas. **3.** *Artéria hemorroidal,* cada uma das três artérias da região anorretal. ▸ *Veia hemorroidal,* cada uma das veias anorretais que formam um plexo onde se localizam as hemorróidas.

hemorróidas ou **hemorróides** *s.f.pl.* (gr. *haimorrhoida, haimorrhoides*). Varizes das veias anorretais.

hemostase *s.f.* Interrupção de uma hemorragia, espontânea ou provocada.

hemostático *adj.* e *s.m.* (gr. *haimostatikós*). Diz-se de ou agente mecânico, físico ou medicamentoso capaz de interromper as hemorragias.

hemotipologia *s.f.* Estudo dos caracteres geneticamente determinados do sangue e dos grupos sanguíneos.

hena *s.f.* Arbusto originário da Índia e da Arábia, de pequenas flores brancas, cuja casca e folhas são utilizadas em cosmética. (Sin. RESEDÁ.)

hendecaedro *s.m.* Poliedro de onze faces.

hendecagonal *adj.2g.* Que possui onze ângulos.

hendecágono *s.m.* (do gr. *hendeka,* onze). Polígono que tem onze ângulos e, por conseguinte, onze lados.

hendecassílabo *adj.* e *s.m.* (gr. *hendekasyllabos*). Diz-se de ou verso de onze sílabas.

heparina *s.f.* Substância anticoagulante presente em todos os tecidos, em particular no fígado.

hepáticas *s.f.pl.* Classe de plantas briófitas, desprovidas de raízes verdadeiras, geralmente epífitas ou aquáticas.

hepático *adj.* (gr. *hepatikós*). **1.** Relativo ao fígado. **2.** *Canal hepático,* canal biliar que recebe os canalículos biliares. ▸ *Insuficiência hepática,* estado caracterizado por diminuição da atividade funcional do fígado. ★ *s.m.* Pessoa que sofre do fígado.

hepatite *s.f.* (gr. *hepatitis*). Qualquer moléstia inflamatória do fígado, de origem tóxica ou infecciosa.

hepatócito *s.m.* Célula do fígado.

hepatologia *s.f.* Estudo da anatomia, da fisiologia e da patologia do fígado.

heptaedro *s.m.* Poliedro de sete faces.

heptágono *s.m.* (gr. *heptaganon*). Polígono de sete ângulos e, por conseguinte, sete lados.

heptassílabo *adj.* e *s.m.* **1.** Diz-se de ou vocábulo que tem sete sílabas. **2.** Diz-se de ou verso que tem sete sílabas. (Sin. SEPTISSÍLABO.)

heptatlo *s.m.* Modalidade olímpica feminina com sete provas diferentes de atletismo (corridas de 100 m com barreiras, 200 m e 800 m, saltos em altura e em distância, arremessos de peso e de dardo), vencida pela atleta com melhor pontuação geral.

hera *s.f.* (lat. *hedera*). Trepadeira com raízes adventícias e fixadoras, muito cultivada para revestimento de muros e paredes.

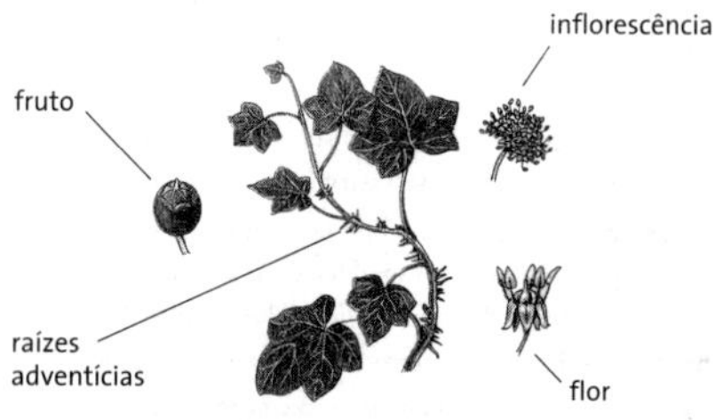

heráldica *s.f.* Ciência que estuda as regras de composição, descrição e interpretação dos brasões.

heráldico *adj.* (lat. tard. *heraldicus*). **1.** Relativo à heráldica. **2.** Nobre, aristocrático. ★ *s.m.* Heraldista.

heraldista *s.2g.* Especialista em heráldica; heráldico.

herança *s.f.* (lat. *haerentia,* de *haerere,* estar fixo). **1.** Bem, direito ou obrigação transmitidos por disposição testamentária ou por via de sucessão. **2.** O que é herdado dos pais, de gerações anteriores.

herbáceo *adj.* (lat. *herbaceus*). Semelhante à erva e da mesma natureza que ela. ● **Bot.** *Planta herbácea,* erva.

herbanário *s.m.* **1.** Indivíduo que conhece e/ou vende ervas medicinais. **2.** Local onde se processa essa venda. (Sin. ERVANÁRIO.)

herbário *s.m.* (lat. *herbarius*). **1.** Coleção de plantas, ou partes de plantas, secas sob compressão, etiquetadas e catalogadas com rigor, a fim de servirem para o estudo da sistemática. **2.** Local onde se conservam plantas secas.

herbicida *adj.2g.* e *s.m.* **1.** Diz-se de ou produto químico utilizado para eliminar as ervas invasoras. **2.** Diz-se de ou qualquer produto capaz de matar os vegetais.

herbívoro *adj.* e *s.m.* (lat. *herbivorus*). Diz-se de ou animal que se alimenta de plantas.

hercúleo *adj.* **1.** Relativo a ou próprio de Hércules, semideus grego de grande força física. **2.** *Fig.* Muito forte.

herdade *s.f.* Grande propriedade rural, com terras de semeadura e casa de habitação; quinta.

herdar *v.t.* (lat. *hereditare*) [conj. 4]. **1.** Receber como herança. **2.** Adquirir por hereditariedade. **3.** *Fig.* Adquirir por parentesco ou consangüinidade características físicas ou morais. **4.** *Fig.* Receber algo que pertenceu anteriormente a alguém. **5.** *Fig.* Deixar por herança ou transmissão; legar.

herdeiro *s.m.* (lat. *hereditarius*). **1.** Aquele que é chamado a receber, por lei, a herança ou sucessão de um parente; sucessor. **2.** Aquele que herda alguma coisa. **3.** *Fam.* Filho.

hereditariedade *s.f.* **1.** Qualidade do que é hereditário. **2.** Conjunto das características dos pais transmitidas a seus descendentes. **3.** Transmissão de caracteres genéticos de uma geração às seguintes.

hereditário *adj.* (lat. *hereditarius*). **1.** Que se transmite por sucessão. **2.** Que se transmite segundo as leis genéticas da hereditariedade.

herege *adj.2g.* e *s.2g.* (gr. *hairetikós*, pelo prov. *eretge*). **1.** Que ou aquele que professa uma heresia. **2.** *Pop.* Que ou aquele que não vai à missa nem comunga; ateu, ímpio, herético.

heresia *s.f.* (gr. *hairesis*, opinião, doutrina). **1.** Opinião ou prática contraditórias ao pensamento ou comportamento da maioria. **2.** Doutrina contraria à fé católica e condenada pela Igreja.

heresiarca *s.2g.* (gr. *hairesiarches*). **1.** Chefe de uma seita herética. **2.** Propagador de uma heresia.

herético *adj.* (gr. *hairetikós*). Relativo à heresia ou que contém heresia. ★ *adj.* e *s.m.* Herege.

herma *s.f.* (gr. *Hermes*, n.pr.). Busto esculpido em que o peito, as costas e os ombros são cortados por planos verticais.

hermafroditismo *s.m.* Condição de hermafrodita. ● **Med.** Estado intersexuado patológico, caracterizado pela presença de órgãos genitais internos e externos ambíguos e dos dois tipos de gônadas, testículos e ovários. (Sin. ANDROGINISMO.)

hermafrodita *adj.2g.* e *s.2g.* ou **hermafrodito** *adj.* e *s.m.* (gr. *Hermaphróditos*). Diz-se de ou ser vivo, animal ou planta que reúne em si os órgãos reprodutores dos dois sexos. (Sin. ANDRÓGINO, BISSEXUADO.)

hermeneuta *s.2g.* (gr. *hermeneutes*). **1.** Aquele que é versado em hermenêutica. **2.** Glosador.

hermenêutica *s.f.* (gr. *hermeneutike*). **1.** Interpretação do sentido das palavras. **2.** Interpretação dos textos sagrados. **3.** Arte de interpretar leis.

hermenêutico *adj.* (gr. *hermeneutikós*). Relativo à hermenêutica.

hermético *adj.* (gr. *hermetikós*). **1.** Impermeável ao ar; estanque. **2.** Fechado completamente. **3.** Relativo ao hermetismo ou à alquimia. **4.** *Fig.* De compreensão difícil, de sentido vago ou obscuro; misterioso.

hermetismo *s.m.* **1.** Doutrina esotérica surgida no Egito antigo. **2.** Na Idade Média e na Renascença, doutrina oculta dos alquimistas. **3.** Qualidade do que é hermético, difícil de compreender; obscuro.

hérnia *s.f.* (lat. *hernia*, de *hernos*, broto). **1.** Saída de um órgão ou de parte dele para fora da cavidade que o contém. **2.** *Hérnia de disco*, deslocamento para dentro do canal raquidiano de uma parte de um disco vertebral.

hernial *adj.2g.* Relativo à hérnia; hérnico, herniário.

herniário *adj.* Hernial.

hérnico *adj.* Hernial.

herói *s.m.* (gr. *heros*). **1.** Nome dado pelos gregos aos grandes homens divinizados. **2.** Aquele que se distingue pelo valor ou por ações extraordinárias, principalmente por feitos brilhantes durante a guerra. **3.** Principal personagem de uma obra literária ou cinematográfica; protagonista.

heróico *adj.* (gr. *heroikos*, pelo lat. *heroicus*). **1.** Relativo a herói. **2.** Próprio ou digno de herói. **3.** Que implica grande esforço; estóico. **4.** *Verso heróico*, diz-se do verso decassílabo, considerado como metro mais adequado para os poemas épicos.

heroína[1] *s.f.* **1.** Mulher de grande coragem, que se distingue por atos heróicos. **2.** Mulher que figura como protagonista de uma obra literária ou cinematográfica.

heroína[2] *s.f.* Estupefaciente derivado da morfina, que constitui a mais perigosa das drogas que conduzem à toxicomania.

heroinômano *s.m.* Toxicômano de heroína.

heroísmo *s.m.* **1.** Virtude excepcional, própria do herói. **2.** Qualidade do que é heróico. **3.** *Fig.* Arrojo, coragem, bravura.

herpes *s.m.2n.* (gr. *herpes*, de *herpein*, rastejar). **1.** Afecção cutânea ou mucosa aguda, devida a um herpes-vírus, caracterizada por erupções vesiculosas. **2.** Designação errônea de certas dermatoses que não são provocadas por um herpes-vírus.

HERPES ▸ O herpes pode manifestar-se em qualquer parte da pele ou das mucosas, sendo o contorno da boca a zona de localização mais freqüente. A erupção, precedida por uma sensação de queimação, começa com uma mancha vermelha sobre a qual se desenvolvem vesículas translúcidas, que se rompem e secam depois de alguns dias. Formam-se também crostas escuras que caem sem deixar marcas.

herpes-zóster *s.m.* Sin. de COBREIRO.

herpes-vírus *s.m.* Nome comum a um grupo de vírus que inclui aqueles responsáveis pelo herpes, pela varicela e pelo cobreiro.

herpético *adj.* **1.** Da natureza do herpes. **2.** Que se relaciona ou que é devido ao herpes. **3.** Que sofre de herpes.

herpetologia *s.f.* Ramo da zoologia que estuda os répteis.

herpetólogo *s.m.* Especialista em herpetologia.

hertz *s.m.* (de H. *Hertz,* n.pr.). Unidade de freqüência (símb. Hz) equivalente à freqüência de um fenômeno periódico cujo período é um segundo.

hertziano *adj.* Relativo às ondas eletromagnéticas, em especial na faixa das ondas de rádio; radioelétrico.

hesitação *s.f.* (lat. *haesitatio*). **1.** Ato ou efeito de hesitar. **2.** Estado de quem hesita. **3.** Indecisão, vacilação, dúvida.

hesitante *adj.2g.* (lat. *haesitans*). **1.** Que hesita. **2.** Que tem dificuldade em tomar decisões; indeciso, irresoluto. **3.** Que carece de segurança; inseguro, titubeante.

hesitar *v.t.* e *v.i.* (lat. *haesitare*) [conj. 4]. **1.** Manter-se num estado de incerteza ou irresolução. **2.** Estar ou ficar indeciso ou perplexo. **3.** Duvidar. **4.** Titubear, vacilar.

heteroátomo *s.m.* Átomo de um elemento diferente do carbono ou do hidrogênio em um composto orgânico.

heterodoxia (cs) *s.f.* **1.** Qualidade do que é heterodoxo. **2.** Opinião, teoria heterodoxa.

heterodoxo (cs) *adj.* e *s.m.* (gr. *heterodoxos*). Que ou aquele que se manifesta contrário à doutrina ortodoxa ou a uma opinião tradicional. ● **Econ.** *Choque heterodoxo,* política antiinflacionária que prevê o congelamento de preços e a desindexação da economia.

heterogêneo *adj.* (gr. *heterogenes,* de outro gênero). **1.** De natureza diferente; que não se pode fundir em um todo. **2.** Diz-se de um conjunto no qual falta unidade, composto de elementos de natureza diversa. **3.** *Fig.* Mesclado, desigual, díspar, irregular. ● **Quím.** Diz-se de um sistema químico formado de diversas fases.

heteromorfo *adj.* Que apresenta formas muito diferentes na mesma espécie.

heterônimo *s.m.* Nome que um escritor dá a um autor por ele criado, com biografia e obra distintas da sua.

heteronomia *s.f.* Condição de pessoa, grupo ou instituição submetidos a leis que lhes são exteriores.

heterônomo *adj.* Diz-se do cristal cuja formação não obedece às leis conhecidas.

heterose *s.f.* Aumento do vigor, resistência e tamanho nos indivíduos híbridos, quando comparados aos indivíduos parentais. (Sin. VIGOR HÍBRIDO ou VIGOR DO HÍBRIDO.)

heterosfera *s.f.* Camada atmosférica na qual a proporção entre os gases não é constante.

heterósido *s.m.* Nome genérico dos glicídios formados pela combinação de uma ose ou de um holosídeo com um composto de origem diferente.

heterossexual (cs) *adj.2g.* Relativo à heterossexualidade. ★ *adj.2g.* e *s.2g.* Diz-se de ou aquele cujo desejo sexual se dirige aos indivíduos do sexo oposto. (Antôn. HOMOSSEXUAL.)

heterossexualidade (cs) *s.f.* Desejo sexual dirigido a indivíduos do sexo oposto.

heterotermo *adj.* e *s.m.* Diz-se de ou animal cuja temperatura do corpo varia em função da temperatura do meio externo. (Sin. PECILOTERMO.)

heterotrofia *s.f.* Modo de nutrição dos organismos heterótrofos. (Sin. HETEROTROFISMO.)

heterotrofismo *s.m.* Sin. de HETEROTROFIA.

heterótrofo *adj.* Diz-se do organismo que obtém nutrientes de fontes externas, pois não realiza fotossíntese.

heterozigoto (ô) *adj.* e *s.m.* Diz-se de ou indivíduo cujo patrimônio genético apresenta genes maternos e paternos diferentes para uma determinada característica.

heureca (gr. *Heureka,* achei) *interj.* Exprime satisfação diante de uma descoberta, um invento ou a resolução de um problema complicado.

hexaedro (cs) *s.m.* (gr. *hexaedros*). Poliedro de seis faces.

hexagonal (cs) *adj.2g.* **1.** Que tem a forma de um hexágono. **2.** Diz-se de um sólido cuja base é um hexágono.

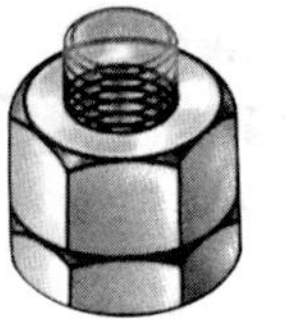

porca hexagonal

hexágono (cs) *s.m.* (gr. *hexagonos*). Polígono que tem seis ângulos e, por conseguinte, seis lados.

hexano (cs) *s.m.* Hidrocarboneto saturado que apresenta seis átomos de carbono.

hexassílabo (cs) *adj.* e *s.m.* **1.** Diz-se de ou palavra que tem seis sílabas. **2.** Diz-se de ou verso de seis sílabas.

hexose (cs) *s.f.* Nome genérico dos compostos químicos derivados do hexano, cujo maior representante é a glicose.

Hf símbolo químico do háfnio.

hialino *adj.* (do gr. *hyalos,* vidro). Que tem a transparência ou o aspecto do vidro; hialóide.

hialita *s.f.* Variedade de opala semelhante ao vidro.

hialóide *adj.2g.* Hialino. ● **Anat.** *s.f.* Membrana que contém o humor vítreo do olho.

hiatal *adj.2g.* Relativo a um hiato anatômico.

hiato *s.m.* (lat. *hiatus,* de *hiare,* abrir a boca). **1.** Encontro de duas vogais pertencentes a sílabas diferentes e pronunciadas em emissões sucessivas de voz. **2.** Falha, descontinuidade, lacuna. **3.** Intervalo, interrupção. ● **Anat.** Orifício ou fenda do corpo humano.

hibernação *s.f.* (lat. *hibernatio, hibernationis*). **1.** Período de inatividade comum em muitos mamíferos e vertebrados inferiores, que ocorre durante o inverno. **2.** *Fig.* Inatividade, inércia, estagnação.

hibernal *adj.2g.* (lat. *hibernalis*). Que se produz em ou é próprio do inverno; invernal.

hibernar *v.i.* (lat. *hibernare*) [conj. 4]. Passar o inverno em estado de hipotermia ou hibernação.

hibisco *s.m.* (gr. *hibiskos*). Nome comum a diversas árvores, arbustos e ervas cultivados como ornamentais e para aproveitamento de fibras têxteis.

hibridação *s.f.* **1.** Cruzamento de dois indivíduos de variedades, raças ou, mais raramente, espécies diferentes. **2.** Produção de híbridos; hibridização.

hibridismo *s.m.* **1.** Situação genética própria dos híbridos. **2.** Qualidade daquilo que provém de elementos de natureza diferente. ● **Gram.** Formação de palavras com elementos ou radicais de línguas diferentes. ► Palavra assim formada.

híbrido *adj.* e *s.m.* (gr. *hybris, hybridos,* mistura). Diz-se de ou animal ou vegetal que resulta de cruzamento entre variedades ou raças diferentes. ★ *adj.* **1.** Em que há mistura de duas espécies ou gêneros diferentes; mesclado. **2.** Irregular, misto. ● **Gram.** Diz-se da palavra formada por hibridismo. **Quím.** Diz-se de um orbital atômico obtido por combinação de outros orbitais. **Zootec.** *Vigor híbrido* ou *vigor do híbrido,* sin. de HETEROSE.

hidático *adj.* (gr. *hydatikos,* pelo fr. *hydatique*). Que contém hidátides ou que está relacionado às hidátides. ► *Cisto hidático* ou *doença hidática,* cisto arredondado, às vezes volumoso, desenvolvido nos tecidos (fígado, pulmões, baço etc.) pela hidátide.

hidátide *s.f.* Forma larvar de uma espécie de tênia, que se aloja no fígado ou no pulmão de vários mamíferos e do homem; vesícula que a contém.

hidra *s.f.* (gr. *Hydra,* n.pr.). **1.** Animal cnidário, hidrozoário e solitário, que apresenta forma de pólipo e vive em água doce. **2.** Nome dado outrora às serpentes de água doce. **3.** *Fig.* Perigo incessantemente renovado (por alusão à Hidra de Lerna, serpente da mitologia grega que possuía sete cabeças que renasciam quando cortadas).

hidrácido *s.m.* Nome comum dos ácidos que não contêm oxigênio, mas hidrogênio combinado com um ou mais não-metais.

hidragogo (ô) *s.m.* Purgativo violento.

hidralcoólico *adj.* Extrato alcoólico que se dissolve na água.

hidramático *adj.* **1.** Diz-se da transmissão de marchas de um veículo que é acionada automaticamente por um sistema hidráulico. **2.** Diz-se do veículo com esse sistema de transmissão.

hidrante[1] *s.m.* (ingl. *hydrant*). Tomada de água equipada com válvula ou torneira onde se liga uma mangueira e que pode ser utilizada para extinção de incêndios.

hidrante[2] *s.m.* Tipo de pólipo tubular dos cnidários, que apresenta a base fixa ao substrato e outra extremidade livre, provida de boca, rodeada por tentáculos.

hidratação *s.f.* **1.** Fixação de água em uma espécie química. **2.** Transformação em hidrato.

hidratante *adj.2g.* e *s.m.* Que ou o que produz uma hidratação.

hidratar *v.t.* (conj. 4). **1.** Submeter à hidratação. **2.** Converter em hidrato.

hidrato *s.m.* (gr. *hydor, hydratos,* água). **1.** Combinação de uma substância com água. **2.** *Hidrato de carbono,* sin. de GLICÍDIO.

hidráulica *s.f.* **1.** Ramo da mecânica dos fluidos que trata dos líquidos, isto é, dos fluidos incompressíveis. **2.** Técnica industrial relativa à utilização de líquidos sob pressão (p. ex. óleo).

hidráulico *adj.* (gr. *hydraulikós*). **1.** Relativo à circulação dos líquidos, em especial da água. **2.** Relativo à hidráulica. **3.** Que utiliza um líquido sob pressão (p. ex. óleo). **3.** *Cal hidráulica* ou *aglomerante hidráulico,* pó à base de silicatos ou aluminatos de cálcio, capaz de atingir a pega e endurecer debaixo de água. ► *Energia hidráulica,* energia fornecida pelos cursos de água.

hidravião *s.m.* Hidroavião.

hidrelétrico *adj.* Hidroelétrico.

hidreto *s.m.* Combinação do hidrogênio com uma substância simples ou composta.

hídrico *adj.* Relativo à água.

hidroalcoólico *adj.* Hidralcoólico.

hidroavião ou **hidravião** *s.m.* Avião munido de flutuadores ou de uma quilha, capaz de decolar e pousar na superfície da água. (Sin. HIDROPLANO.)

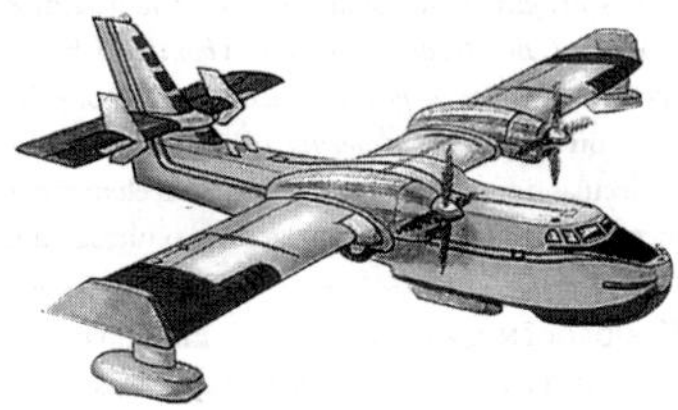

hidrocarbonato *s.m.* Carbonato básico hidratado.

hidrocarboneto (ê) *s.m.* Composto formado unicamente de carbono e hidrogênio.

hidrocarbônico *adj.* Que contém hidrogênio e carbono.

hidrocefalia *s.f.* Dilatação das cavidades ventriculares intracerebrais decorrente de excesso de líquido cefalorraquidiano.

hidrocelulose *s.f.* Nome genérico dos derivados da hidrólise parcial da celulose.

hidrocultura *s.f.* Sistema de cultivo de vegetais em água, com nutrientes minerais em suspensão.

hidrodinâmica *s.f.* Ramo da física que estuda os meios líquidos em movimento e o comportamento dos sólidos neles imersos.

hidrodinâmico *adj.* Relativo à hidrodinâmica.

hidroelétrico ou **hidrelétrico** *adj.* Diz-se da corrente elétrica gerada por energia hidráulica.

hidrofilia *s.f.* **1.** Propriedade molecular resultante das fortes afinidades existentes entre certos grupos moleculares e a água. **2.** Propriedade que possuem certos colóides de reter e absorver uma quantidade considerável de água.

hidrófilo *adj.* **1.** Que gosta de água. **2.** Que absorve bem a água. **3.** Que tem afinidade com a água.

hidrofísica *s.f.* Ramo da física que estuda os fenômenos relacionados ao meio líquido.

hidrófito *adj.* Diz-se da planta adaptada parcial ou totalmente à vida aquática.

hidrofobia *s.f.* **1.** Horror à água e a quaisquer líquidos. **2.** Sin. de RAIVA.

hidrófobo *adj.* **1.** Que tem horror à água e a quaisquer líquidos. **2.** Diz-se do animal atacado de hidrofobia. **3.** Que evita a água.

hidrogel *s.m.* Gel cujo meio de suspensão é a água.

hidrogenação *s.f.* **1.** Fixação de hidrogênio em uma substância simples ou composta. **2.** Conversão do carvão em hidrocarbonetos por ação do hidrogênio sobre o carvão (com ou sem catalisador) ou sobre compostos orgânicos provenientes da queima.

A B C D E F G H I J K L M N O P Q R S T U V W X Y Z

hidrogenado *adj.* **1.** Combinado com hidrogênio. **2.** Que contém hidrogênio.

hidrogenante *adj.2g.* Que se relaciona a uma fixação de hidrogênio. ★ *adj.2g.* e *s.m.* Que ou o que cede facilmente ao hidrogênio.

hidrogenar *v.t.* (conj. 4). Fixar hidrogênio em (uma substância).

hidrogênio *s.m.* (gr. *hydor,* água). **1.** Elemento químico (símb. H) de número atômico 1, que constitui um gás incolor, pouco denso, presente em grande quantidade no Sol, na atmosfera e na hidrosfera. **2.** *Bomba de hidrogênio* ou *bomba H,* bomba termonuclear. ▸ *Hidrogênio pesado,* sin. de DEUTÉRIO. ▸ *Ponte de hidrogênio* ou *ligação de hidrogênio,* modo de associação entre duas moléculas que contêm hidrogênio e um elemento muito eletronegativo, como o flúor, o oxigênio e o nitrogênio.

HIDROGÊNIO ▸ O hidrogênio é utilizado industrialmente na hidrogenação de graxas e óleos (na elaboração de margarina), na extração de alguns metais e na fabricação de outros produtos químicos, como o cloreto de hidrogênio e o metanol. É usado também como combustível: ele arde rapidamente, com uma chama quente e invisível. Quando se queima uma mistura de hidrogênio e oxigênio, produz-se uma explosão.

---

hidrografia *s.f.* **1.** Parte da geografia física que estuda a hidrosfera. **2.** Conjunto das águas correntes ou estáveis de uma região.

hidrográfico *adj.* Relativo à hidrografia.

hidrólise *s.f.* **1.** Ruptura de uma ligação química pela água. **2.** Reação durante a qual se produz esse fenômeno.

hidrologia *s.f.* **1.** Ciência que trata das propriedades mecânicas, físicas e químicas das águas marítimas e continentais. **2.** Estudo das águas minerais e de suas aplicações terapêuticas.

hidromedusa *s.f.* Forma medusóide de organismos aquáticos da classe dos hidrozoários, de hábitos de plâncton.

hidrômetro *s.m.* **1.** Instrumento para medir o peso, a velocidade e a densidade dos líquidos. **2.** Aparelho para medir a quantidade de água consumida nas residências.

hidromineral *adj.2g.* Relativo às águas minerais.

hidrônio *s.m.* Íon resultante da combinação de um íon de hidrogênio com uma molécula simples de água.

hidrópico *adj.* e *s.m.* (lat. *hydropicus*). **1.** Relativo à hidropisia. **2.** Que ou aquele que sofre de hidropisia.

hidropisia *s.f.* Acúmulo patológico de serosidade em uma parte do corpo.

hidroplano *s.m.* Sin. de HIDROAVIÃO.

hidroponia *s.f.* Cultivo dos vegetais sem terra, em que o sistema radicular da planta se desenvolve mergulhado em água ou fixado em outro substrato, ambos com nutrientes minerais em suspensão.

hidrose *s.f.* **1.** Distúrbio funcional da secreção sudoral. **2.** Lesão orgânica do aparelho sudoríparo.

hidrosfera *s.f.* A totalidade das águas do planeta, compreendendo oceanos, mares, lagos, cursos de água, águas subterrâneas, calotas polares e geleiras.

hidrossol *s.m.* Solvente cujo meio de dispersão é a água.

hidrossolúvel *adj.2g.* Solúvel em água ou em meio aquoso.

hidrostática *s.f.* Estudo das condições de equilíbrio dos líquidos.

hidrostático *adj.* Relativo à hidrostática.

hidroterapia *s.f.* Conjunto dos métodos terapêuticos que aproveitam as propriedades físicas e químicas da água sob diferentes formas.

hidrotérmico *adj.* Relativo simultaneamente à água e ao calor.

hidrotropia *s.f.* Solubilidade aparente de substâncias pouco solúveis ou insolúveis na água, produzida por soluções de sais.

hidrovia *s.f.* Via navegável utilizada para transporte.

hidroxila (cs) *s.f.* Radical monovalente negativo constituído por um átomo de oxigênio e um de hidrogênio, que caracteriza as bases.

hidroxilação (cs) *s.f.* Fixação de radicais hidroxilas em um composto orgânico.

hidroxílico (cs) *adj.* Relativo a uma hidroxila.

hidrozoários *s.m.pl.* Classe de animais cnidários, em sua maioria marinhos, que se apresentam sob a forma de pólipo ou medusa, com algumas espécies passando pelas duas formas em seu ciclo de vida.

hiena *s.f.* (gr. *hyaina*). Denominação comum a mamíferos carnívoros, noturnos, que apresentam a parte traseira bem rebaixada, cabeça grande, pescoço grosso e que ocorrem na Ásia e na África do Sul.

hiena manchada

hiena listrada

---

hierarquia *s.f.* (gr. *hierarchía,* poder sagrado). **1.** Ordem e subordinação de poderes, categorias, patentes e dignidades. **2.** Classificação baseada nas relações entre superiores e dependentes. **3.** Ordenação, escala.

hierárquico *adj.* Relativo ou pertencente à hierarquia.

hierarquizar *v.t.* (conj. 4). Organizar de acordo com uma ordem hierárquica.

hierático *adj.* (gr. *hieratikós*). **1.** Relativo às coisas sacerdotais, religiosas, sagradas. **2.** *Escrita hierática,* escrita cursiva egípcia derivada dos hieróglifos e utilizada nos manuscritos.

hieroglífico *adj.* (gr. *hierogluphikós*). **1.** Relativo a ou escrito em hieróglifos. **2.** *Fig.* Ilegível, enigmático, confuso.

hieróglifo *s.m.* (lat. *hieroglyphus*). **1.** Ideograma que constituía a base da escrita dos antigos egípcios. **2.** *Fig.* Escrita ilegível, ininteligível, enigmática.

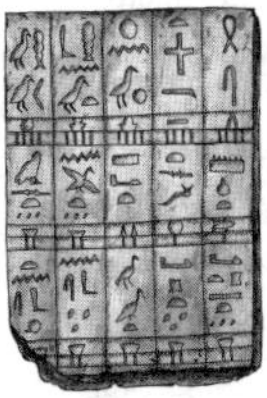

pedra com hieróglifos gravados

HIERÓGLIFO ► Os hieróglifos egípcios foram um mistério até 1822. Depois de anos de trabalho, Champollion finalmente conseguiu decifrá-los graças à pedra de Roseta. Nesta, um mesmo texto estava inscrito em três escrituras diferentes: grega, demótica (escrita egípcia popular) e hieroglífica. Comparando-as, Champollion pôde decifrar esse sistema.

hierosolimita *adj.2g.* (lat. *Hierosolyma*, Jerusalém). Relativo ou pertencente a Jerusalém; hierosolimitano. ★ *s.2g.* O natural ou habitante de Jerusalém; hierosolimitano.

hierosolimitano *adj.* e *s.m.* Hierosolimita.

hifa *s.f.* Cada um dos elementos filamentosos que compõem o micélio dos fungos.

hífen *s.m.* (lat. *hyphen*) [pl. *hifens* ou *hífenes*]. Sinal gráfico que une os elementos de uma palavra composta ou pronomes oblíquos ao verbo.

higidez (ê) *s.f.* Qualidade de hígido; estado de saúde.

hígido *adj.* (gr. *hygies*, são). **1.** Que tem saúde. **2.** Que diz respeito à saúde; salutar.

higiene *s.f.* (do gr. *hygieinos*, relativo à saúde). **1.** Conjunto de princípios e práticas individuais e coletivas que visam a conservação da saúde e do bem-estar e a preservação das funções orgânicas. **2.** Conjunto das práticas que asseguram a limpeza do corpo; asseio. **3.** Conjunto das condições sanitárias dos lugares públicos e de trabalho. **4.** Limpeza, asseio.

higiênico *adj.* **1.** Relativo à higiene. **2.** Que tem ou promove higiene.

higienista *s.2g.* (fr. *hygiéniste*). Especialista em assuntos de higiene; sanitarista.

higrometria *s.f.* Parte da meteorologia que estuda a quantidade de vapor de água contida no ar. (Sin. HIGROSCOPIA.)

higrométrico *adj.* **1.** Relativo à higrometria. **2.** *Estado higrométrico*, taxa de umidade relativa do ar.

higrômetro *s.m.* Sin. de HIGROSCÓPIO.

higroscópico *adj.* **1.** Relativo a higroscópio ou a higroscopia. **2.** Que tem tendência a absorver a umidade do ar. **3.** Diz-se de um corpo que tem afinidade com a água e favorece a sua condensação.

higroscopia *s.f.* Sin. de HIGROMETRIA.

higroscópio *s.m.* (do gr. *hygros*, umidade). Instrumento que indica a umidade do ar utilizando a propriedade que certos corpos têm de mudar de aspecto ao absorver o vapor de água. (Sin. HIGRÔMETRO.)

hilariante *adj.2g.* (lat. *hilarans, hilarantis*). **1.** Que provoca o riso; hilário. **2.** *Gás hilariante*, gás incolor cuja inalação provoca anestesia e sensação de euforia acompanhada de risos.

hilaridade *s.f.* (lat. *hilaritas, hilaritatis*). Explosão de risos, comicidade.

hiléia *s.f.* (gr. *hyle*, madeira, floresta). Nome dado pelo naturalista alemão Humboldt à floresta de tipo equatorial que recobre a Amazônia, dos Andes ao Atlântico.

hilo *s.m.* (lat. *hilum*). Parte deprimida de uma víscera, onde se encontra o ponto de penetração dos vasos sanguíneos e dos nervos desse órgão. ● **Bot.** Pequena superfície do óvulo na qual se prende o funículo. ► Na semente, cicatriz deixada no tegumento. ► No grão de amido, o núcleo a partir do qual se acumulam as diversas camadas.

hímen *s.m.* (gr. *hymen*, membrana). **1.** Membrana cutâneo-mucosa situada na entrada da vagina e que geralmente se rompe na primeira relação sexual. **2.** *Hímen complacente*, o que não se rompe à passagem do pênis. ● **Bot.** Membrana delgada que envolve a corola em botão e que se rompe na época do desabrochamento.

himenal *adj.2g.* Relativo ao hímen.

himeneu *s.m.* Casamento, bodas.

himenópteros *s.m.pl.* Ordem de insetos que apresentam metamorfose completa e peças bucais mastigadoras ou sugadoras, representada pelas formigas, abelhas e vespas.

hinário *s.m.* (lat. *hymnarium*). Livro que contém hinos sagrados, coleção de hinos.

hindi *s.m.* Língua oficial da Índia, falada no norte do país.

hindu *adj.2g.* e *s.2g.* **1.** Indiano. **2.** Hinduísta.

hinduísmo *s.m.* Corrente religiosa majoritária da Índia.

hindustani *s.m.* Língua falada no norte da Índia por hindus e muçulmanos. ★ *adj.2g.* Relativo ao hindustani.

hino *s.m.* (gr. *hymnos*). **1.** Composição poética ou religiosa utilizada na liturgia cristã, freqüentemente musicada. **2.** Canto musicado que simboliza uma nação. **3.** Coro, canto.

hioglosso *adj.* e *s.m.* Diz-se do ou músculo par da língua.

hióide *adj.* e *s.m.* (gr. *hyoeides*). Diz-se do ou pequeno osso mediano localizado abaixo da mandíbula e acima da laringe.

hiperacidez (ê) *s.f.* **1.** Qualidade ou estado daquilo que é hiperácido. **2.** *Hiperacidez gástrica*, manifestação clínica de azia e dores gástricas.

hiperácido *adj.* Excessivamente ácido.

hipérbato *s.m.* (gr. *hyperbaton*, revirado). Figura de linguagem caracterizada pela inversão violenta dos termos da frase.

hiperbibasmo *s.m.* (gr. *hyperbibasmos*). Deslocamento do acento tônico de uma palavra.

hipérbole *s.f.* (gr. *hyperbole*). Figura de retórica que consiste na ênfase resultante de um exagero deliberado. ● **Mat.** Curva aberta da família das cônicas, que tem dois focos e dois eixos de simetria, com aspecto de duas parábolas dispostas opostamente.

hiperbólico *adj.* (lat. *hyperbolicus*). **1.** Diz-se de estilo, expressão caracterizados pela hipérbole. **2.** *Fig.* Exagerado. ● **Mat.** Que tem a forma de uma hipérbole.

hiperbóreo *adj.* (gr. *hyperboreos*, de *Hyperborea*, top. mítico). Do extremo norte; setentrional.

hipercalórico *adj.* **1.** De alto teor calórico. **2.** Diz-se de um regime alimentar rico em calorias.

hipercorreção *s.f.* Erro lingüístico provocado pelo excesso de zelo quanto à pronúncia correta de uma palavra. (Sin. HIPERURBANISMO, ULTRACORREÇÃO.)

hipercrítico *adj.* e *s.m.* Que ou aquele que critica ou censura excessivamente.

hipercromia *s.f.* Aumento do conteúdo de pigmento em qualquer célula ou tecido.

hipercrômico *adj.* Relativo à hipercromia.

hiperestesia *s.f.* Acentuação da sensibilidade que fornece um caráter doloroso a certas sensações.

hiperglicemia *s.f.* Aumento acentuado da taxa sanguínea de glicose, um dos sintomas do diabetes.

hiper-hidrose ou **hiperidrose** *s.f.* Secreção sudoral exagerada.

hiperinsulinismo *s.m.* Secreção excessiva de insulina, que ocasiona problemas hipoglicêmicos, convulsões etc.

hiperlink *s.m.* **Inform.** Comando que, em um arquivo digital, leva a uma parte não-consecutiva do mesmo texto ou a outro documento, página, obra etc.

hipermetrope *adj.2g.* e *s.2g.* Que ou aquele que apresenta hipermetropia.

híperon *s.m.* Classe de partículas atômicas que inclui aquelas com massa superior à dos núcleons.

hiperosteose ou **hiperostose** *s.f.* Deformação devida ao espessamento relativamente extenso de um ou mais ossos.

hiperparasita *adj.2g.* e *s.m.* Diz-se de ou parasita que vive às custas de outro parasita.

hiperplasia *s.f.* Desenvolvimento excessivo de um tecido por multiplicação de suas células.

hiperplásico *adj.* Relativo à hiperplasia.

hiperqueratose *s.f.* Hiperceratose.

hiper-realismo *s.m.* Corrente das artes plásticas surgida nos Estados Unidos no final dos anos 60, caracterizada por uma interpretação quase fotográfica do visível.

hipersecreção *s.f.* Exagero da secreção de uma glândula.

hipersensibilidade *s.f.* **1.** Sensibilidade exagerada ou extrema. **2.** Condição apresentada por certos indivíduos cuja reação imunitária é acentuada.

hipersensível *adj.2g.* De sensibilidade excessiva.

hipertensão *s.f.* Aumento anormal da pressão no interior de uma cavidade ou de um vaso. ● **Med.** *Hipertensão arterial,* pressão arterial superior à normal.

hipertenso *adj.* Relativo à hipertensão. ★ *adj.* e *s.m.* Que ou aquele que sofre de hipertensão arterial.

hipertermia *s.f.* Elevação anormal da temperatura do corpo ou de uma parte dele.

hipertérmico *adj.* Relativo à hipertermia.

hipertexto *s.m.* **Inform.** Formato de arquivo cujo texto tem *hiperlinks* e pode ser lido em diversas seqüências.

hipertireóideo *adj.* Relativo ao hipertireoidismo.

hipertireoidismo *s.m.* Aumento da secreção da tireóide, em geral associado a uma hipertrofia dessa glândula.

hipertonia *s.f.* (do gr. *hypertonos,* excessivamente estendido). **1.** Estado de uma solução cuja concentração molecular é superior àquela de uma solução de referência. **2.** Aumento exagerado do tônus muscular.

hipertônico *adj.* **1.** Relativo à hipertonia. **2.** Que se encontra em estado de hipertonia.

hipertrofia *s.f.* **1.** Aumento do volume e do funcionamento de um tecido ou de um órgão. **2.** *Fig.* Desenvolvimento excessivo.

hipertrofiar *v.t.* (conj. 16). Produzir hipertrofia em. ★ *v.pr.* Sofrer hipertrofia, crescer muito.

hiperurbanismo *s.m.* Sin. de HIPERCORREÇÃO.

hipervitaminose *s.f.* Excesso de vitaminas no organismo.

hípico *adj.* Relativo ao hipismo.

hipismo *s.m.* (do gr. *hippos,* cavalo). Conjunto das atividades esportivas praticadas a cavalo.

VOCÊ SABIA...? O **hipismo** olímpico é disputado em três modalidades: *salto, concurso completo de equitação* (CCE) e *adestramento* (em que o cavaleiro põe à prova sua capacidade de adestrar o cavalo). É o único esporte em que não há provas separadas para homens e mulheres. Entre as outras modalidades de hipismo, destacam-se o *volteio,* em que o cavaleiro faz acrobacias sobre o animal, e o *enduro,* prova de resistência em terreno acidentado.

hipnagógico *adj.* **1.** Relativo ao adormecimento. **2.** Que leva ao adormecimento precedente ao sono.

hipnógeno *adj.* e *s.m.* Que ou o que pode induzir ao sono.

hipnologia *s.f.* (do gr. *hypnos,* sono). Ramo da fisiologia que estuda o sono.

hipnose *s.f.* Diminuição do estado de vigília, provocada por sugestão, em que o hipnotizado encontra-se susceptível apenas à influência do hipnotizador.

hipnótico *adj.* Relativo à hipnose, ao hipnotismo. ★ *adj.* e *s.m.* Diz-se de ou qualquer substância ou técnica capaz de provocar o sono.

hipnotismo *s.m.* Conjunto de técnicas que permite provocar um estado de hipnose.

hipnotizar *v.t.* (conj. 4). **1.** Submeter (alguém) à hipnose. **2.** *Fig.* Magnetizar, fascinar. ★ *v.pr.* *Fig.* Concentrar a atenção, as esperanças em.

hipoalgesia *s.f.* Diminuição da percepção e da reatividade à dor; hipoalgia.

hipoalgia *s.f.* Hipoalgesia.

hipocalórico *adj.* Diz-se de um regime alimentar pobre em calorias.

hipocâmpico *adj.* Relativo ao hipocampo do cérebro.

hipocampo[1] *s.m.* (gr. *Hippokampos,* n.pr.). Ser mitológico, metade cavalo e metade peixe.

hipocampo[2] *s.m.* (do gr. *hypos,* abaixo de). Quinto giro temporal do cérebro.

hipocentro *s.m.* Ponto no interior da crosta terrestre de onde partem os distúrbios de um sismo.

A B C D E F G H I J K L M N O P Q R S T U V W X Y Z

hipocondria *s.f.* **1.** Distúrbio psíquico caracterizado pela inquietação e preocupação excessivas quanto ao funcionamento dos órgãos e à saúde. **2.** *Fig.* Melancolia, tristeza.

hipocondríaco *adj.* Relativo ao hipocôndrio, ou à hipocondria. ★ *adj.* e *s.m.* Que ou aquele que apresenta hipocondria.

hipocôndrio *s.m.* (gr. *hypochondrion*). Cada uma das duas partes laterais superiores do abdome, situadas imediatamente sob as costelas.

hipocorístico *adj.* e *s.m.* (gr. *hypokoristikon*). Diz-se de ou diminutivo carinhoso formado por dois sufixos ou por sílabas repetidas.

hipocrisia *s.f.* (gr. *hypokrisia*). **1.** Vício que consiste em aparentar uma virtude, um sentimento que não se tem. **2.** Fingimento, falsidade. **3.** Falsa devoção; beatice.

hipócrita *adj.2g.* (gr. *hypokrites*). **1.** Que tem hipocrisia. **2.** Que denota hipocrisia; falso, fingido. ★ *s.2g.* Pessoa hipócrita.

hipocromia *s.f.* Carência de pigmentação. ● **Med.** Deficiência de hemoglobina nas hemácias.

hipocrômico *adj.* Relativo à hipocromia. ● **Med.** Diz-se da anemia na qual as hemácias não contêm um teor suficiente de hemoglobina por carência de ferro no organismo.

hipoderme *s.f.* **1.** Parte profunda da pele, sob a derme, rica em tecido adiposo. **2.** Camada subepidérmica, de um ou mais estratos, presente no caule e folhas de algumas plantas.

hipodérmico *adj.* **1.** Que está sob a pele; subcutâneo. **2.** Relativo à hipoderme; subcutâneo. **3.** *Injeção hipodérmica,* injeção terapêutica aplicada sob a pele; injeção subcutânea.

hipodermose *s.f.* Sin. de BERNE.

hipódromo *s.m.* (gr. *hippodromos*). Pista destinada às corridas de cavalo ou aos exercícios de equitação; prado.

hipoestesia *s.f.* Diminuição anormal de um ou mais dos tipos de sensibilidade.

hipofisário *adj.* Relativo ou pertencente à hipófise.

hipófise *s.f.* (gr. *hypóphysis,* broto). **1.** Glândula, ou órgão glandular e nervoso, situada sob a face inferior do cérebro e que desempenha um papel crucial em numerosos fenômenos fisiológicos. (Sin. PITUITÁRIA, GLÂNDULA PITUITÁRIA.) **2.** *Hipófise anterior,* lobo anterior da hipófise, controlado pelo hipotálamo. ► *Hipófise posterior,* lobo posterior da hipófise. (Sin. NEUROIPÓFISE.)

HIPÓFISE ► A hipófise é uma glândula pequena que no homem alcança o volume de uma azeitona e pesa aproximadamente 0,62 grama. Situa-se no interior da caixa craniana, numa depressão óssea denominada *sela túrcica.* A hipófise é formada por duas partes ou lóbulos, diferenciadas por sua estrutura, origem embrionária e funções.

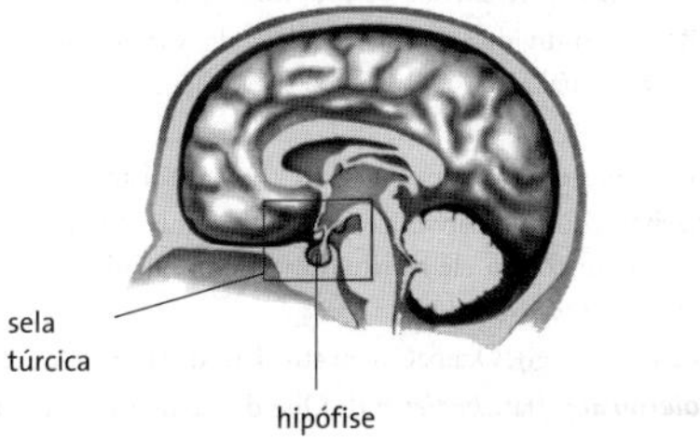

hipogástrico *adj.* Relativo ao hipogástrio.

hipogástrio *s.m.* Parte inferior do abdome, situada entre a região umbilical e o púbis.

hipoglicemia *s.f.* Diminuição da taxa sanguínea de glicose.

hipoglicêmico *adj.* Relativo à hipoglicemia. ★ *adj.* e *s.m.* Que ou aquele que apresenta hipoglicemia.

hipognato *adj.* Que possui a mandíbula inferior maior que a superior.

hipomania *s.f.* Estado maníaco de grau moderado.

hipomaníaco *adj.* Relativo à hipomania. ★ *adj.* e *s.m.* Que ou aquele que apresenta hipomania; hipômano.

hipômano *adj.* e *s.m.* Hipomaníaco.

hipoplasia *s.f.* Redução moderada do desenvolvimento de um órgão ou de um tecido.

hipopótamo *s.m.* (gr. *hippopotamos,* cavalo do rio). **1.** Mamífero artiodáctilo de grande porte, com corpo e pernas muito robustos e pele grossa com poucos pêlos, que ocorre na África. **2.** *Fig.* Pessoa enorme, bruta.

hipossecreção *s.f.* Secreção inferior à normal.

hipostenia *s.f.* **1.** Diminuição do funcionamento de certos tecidos e órgãos. **2.** Diminuição do tônus nervoso.

hipotalâmico *adj.* Relativo ao hipotálamo.

hipotálamo *s.m.* Região do diencéfalo localizada na base do cérebro, responsável pelo controle do sistema nervoso autônomo e por diversas outras funções orgânicas.

hipoteca *s.f.* (gr. *hypotheke,* suporte, pelo lat. *hypotheca*). Direito real, imobiliário e indivisível que onera um bem imóvel para garantir o pagamento de uma dívida.

hipotecar *v.t.* (conj. 12). **1.** Sujeitar a hipoteca. **2.** Garantir por hipoteca.

hipotecário *adj.* Relativo a hipoteca.

hipotensão *s.f.* Diminuição anormal da pressão no interior de um órgão ou sistema. ● **Med.** *Hipotensão arterial,* tensão arterial abaixo do normal.

hipotensivo *adj.* Relativo a ou provocado pela hipotensão.

hipotenso *adj.* Relativo à hipotensão. ★ *adj.* e *s.m.* Que ou aquele que sofre de hipotensão arterial.

hipotensor (ô) *adj.* e *s.m.* Diz-se de ou substância que diminui a tensão arterial.

hipotenusa *s.f.* (gr. *hypoteinousa*). Em um triângulo retângulo, lado oposto ao ângulo reto, e que é o maior dos três lados.

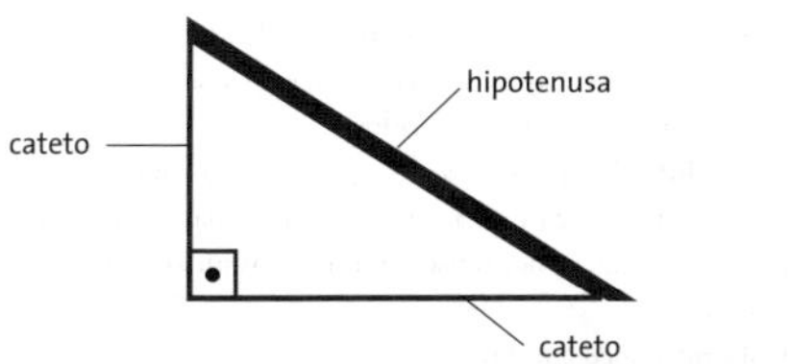

hipotermia *s.f.* Diminuição abaixo do normal da temperatura do corpo.

hipotérmico *adj.* Relativo a ou caracterizado pela hipotermia.

hipótese *s.f.* (do gr. *hypothesis,* suposição, pelo lat. *hypothesis*). **1.** Suposição que se faz acerca de uma coisa possível ou não; conjetura. **2.** Teoria provável, se bem que não demonstrada ainda. **3.** Eventualidade. **4.** Na lógica tradicional, proposição particular, compreendida como implícita à tese, ou inclusa nela; na lógica moderna, fórmula que figura como pressuposto de uma dedução e que, distintamente de um axioma, tem apenas um caráter transitório. ● **Mat.** Conjunto de dados de que se parte para procurar demonstrar por via lógica uma proposição nova.

hipotético *adj.* (gr. *hypothetikós*). **1.** Baseado numa hipótese. **2.** Duvidoso, incerto.

hipotonia *s.f.* **1.** Estado de uma solução salina cuja concentração é inferior àquela de uma tomada como referência. **2.** Diminuição do tônus muscular.

hipotrofia *s.f.* **1.** Nutrição insuficiente. **2.** Desenvolvimento insuficiente de todo ou parte do corpo.

hipovitaminose *s.f.* Forma atenuada de avitaminose.

hipóxia (cs) *s.f.* Diminuição do oxigênio liberado ao nível dos tecidos.

hipsômetro *s.m.* Instrumento que mede as variações de pressão atmosférica com a altitude pela variação da temperatura de ebulição da água pura.

hircino *adj.* (lat. *hircinus,* de *hircus,* bode). Relativo a ou próprio de bode.

hirsutismo *s.m.* Desenvolvimento acentuado de pêlos, cabelos etc., devido a distúrbios das glândulas endócrinas.

hirsuto *adj.* (lat. *hirsutus,* eriçado). **1.** Que tem cabelos ou pêlos longos, rijos e espessos. **2.** Arrepiado, eriçado, emaranhado; hirto.

hirto *adj.* (lat. *hirtus,* que tem pontas). **1.** Duro, inteiriçado, muito teso. **2.** Hirsuto. **3.** Ereto, imóvel. **4.** *Fig.* Ríspido, intratável.

hirudina *s.f.* Princípio ativo, de ação anticoagulante, da saliva das sanguessugas.

hirudíneos *s.m.pl.* Classe de vermes anelídeos, hermafroditos, em sua maioria parasitas, que apresentam o corpo segmentado e achatado, com ventosas nas partes anterior e posterior.

hirundino *adj.* Relativo a ou próprio de andorinhas.

hispânico *adj.* Relativo à Espanha ou à América Espanhola.

hispanista *s.2g.* Pessoa que se dedica ao estudo da cultura hispânica.

hispano-americano *adj.* Relativo ou pertencente à América de língua espanhola. ★ *s.m.* Indivíduo de origem espanhola e americana.

híspido *adj.* (lat. *hispidus*). Hirsuto, hirto.

hissope *s.m.* Esfera com furos munida de cabo que o sacerdote mergulha em água benta para aspergi-la sobre os fiéis ou objetos que estão sendo benzidos.

histamina *s.f.* Amina presente nos tecidos dos mamíferos e produzida em maior taxa nos processos inflamatórios, que provoca contração dos músculos lisos e vasodilatação dos capilares.

histaminérgico *adj.* Histamínico.

histamínico *adj.* Relativo à histamina; histaminérgico.

histerectomia *s.f.* Ablação cirúrgica do útero.

histeria *s.f.* (do gr. *hystera,* útero). Estrutura neurótica caracterizada pela tradução de representações e sentimentos inconscientes em sintomas corporais diversos.

histérico *adj.* (lat. *hystericus*). **1.** Relativo à histeria. **2.** Que apresenta histeria. **3.** Excessivamente nervoso, agitado. ★ *s.m.* Aquele que padece de histeria.

histerismo *s.m.* Irritabilidade excessiva; histeria.

histiócito *s.m.* Célula livre do tecido conjuntivo.

histofisiologia *s.f.* Fisiologia dos tecidos.

histogênico *adj.* Relativo à histogênese.

histografia *s.f.* Parte da biologia que descreve os tecidos orgânicos.

histologia *s.f.* (do gr. *histos,* tecido). Estudo da formação, da evolução e da composição dos tecidos dos seres vivos.

HISTOLOGIA ▸ A histologia geralmente estuda as células e os tecidos mortos. Para a análise de tecidos ou células vivas empregam-se os corantes vitais, que não são tóxicos. Só podem ser estudados vivos elementos anatômicos isolados, como as hemácias, os leucócitos, os espermatozóides etc., e organismos celulares muito pequenos, como bactérias e micróbios. O microscópio eletrônico trouxe contribuições interessantes e precisas à histologia.

---

histoquímica *s.f.* Domínio da histologia que analisa a composição química de cortes de tecidos e a atividade das enzimas sobre eles.

história *s.f.* (gr. *historia,* investigação). **1.** Seqüência de eventos que marcaram um período ou parte da vida da humanidade, de um povo, Estado, indivíduo etc. **2.** Ciência que estuda o passado da humanidade. **3.** Estudo de um período ou evento passado, de uma evolução. **4.** Narrativa baseada em acontecimentos e personagens reais ou imaginários; conto, fábula. **5.** Lorota, mentira, intriga.

historiador (ô) *s.m.* **1.** Aquele que se dedica ao estudo da história. **2.** Autor de obras de história.

historiar *v.t.* (conj. 16). **1.** Fazer a história de. **2.** Narrar, contar.

historicidade *s.f.* Caráter daquilo que é histórico.

histórico *adj.* (gr. *historikós*). **1.** Relativo ou pertencente à história. **2.** Que estuda, narra ou se baseia na história. ★ *s.m.* Relação cronológica de um fato.

historieta (ê) *s.f.* (fr. *historiette*). **1.** Pequena história, narração de pouca importância. **2.** História anedótica.

historiografia *s.f.* (gr. *historiographía*). **1.** Arte de escrever história. **2.** Estudo crítico e histórico acerca de um fato histórico ou dos historiadores.

historiógrafo *s.m.* (gr. *historiographos*). **1.** Historiador. **2.** Escritor encarregado de narrar os acontecimentos de uma época ou a vida de uma personagem histórica.

histrião *s.m.* (lat. *histrio, histrionis*). **1.** Ator antigo que representava farsas grosseiras, com acompanhamento de flauta. **2.** *P. ext.* Farsista, comediante, cômico. **3.** Prestidigitador, bufão. **4.** Cabotino, charlatão, ridículo.

histriônico *adj.* Relativo a ou próprio de histrião.

hitita *s.2g.* Indivíduo dos hititas, povo da Antiguidade que ocupava a atual Síria. ★ *adj.2g.* Relativo ou pertencente aos hititas.

hitlerismo *s.m.* Doutrina de Adolf Hitler; nazismo.

hitlerista *adj.2g.* Relativo à doutrina de Adolf Hitler, ou ao regime político por ele instituído. ★ *s.2g.* Partidário dessa doutrina ou regime.

hobby *s.m.* (ingl). Ocupação ou atividade de lazer, descanso.

hodierno *adj.* (lat. *hodiernus*). Que diz respeito ao dia de hoje, atual.

hoje (ô) *adv.* (lat. *hodie,* de *hoc die,* neste dia). **1.** No presente dia; neste dia. **2.** No tempo presente. **3.** *Hoje em dia,* atualmente.

holandês *adj.* **1.** Relativo ou pertencente à Holanda; neerlandês. **2.** Diz-se de uma raça de vacas leiteiras. ★ *s.m.* **1.** O natural ou habitante da Holanda. **2.** Língua germânica falada nos Países Baixos; neerlandês.

holerite *s.m.* (de *Hollerith,* n.pr.) Documento fornecido pelo empregador a cada empregado, com a discriminação de seu salário bruto, deduções e eventuais acréscimos; contracheque.

hólmio *s.m.* (de *Holmia,* nome lat. de Estocolmo, n.pr.). Elemento químico (símb. Ho) de número atômico 67, que constitui um sólido prateado do grupo das terras-raras.

holocausto *s.m.* (gr. *holokauston*). **1.** Antigo sacrifício hebreu em que a vítima (um animal) era totalmente consumida pelo fogo; imolação. **2.** A própria vítima desse sacrifício. **3.** Massacre maciço de pessoas; genocídio.

holoceno *s.m.* Época geológica mais recente do período quaternário, com duração aproximada de 1 milhão de anos. ★ *adj.* Relativo ou pertencente a essa época.

holofote *s.m.* (gr. *holophotos,* todo iluminado). Farol ou projetor que ilumina objetos à distância.

holografia *s.f.* Técnica de fotografia em relevo que utiliza as interferências produzidas pela superposição de dois feixes de *laser,* um que provém do aparelho emissor e outro difratado pelo objeto a fotografar.

holograma *s.m.* Registro fotográfico do efeito da interferência de radiações de um feixe de *laser* com reflexões dessas radiações por um objeto tridimensional.

holometabólico *adj.* Diz-se dos insetos que sofrem metamorfose completa.

holoproteína *s.f.* Proteína cuja hidrólise completa só libera aminoácidos; holoprotídeo.

holoprotídeo *s.m.* Holoproteína.

holosídeo *s.m.* Composto orgânico que, por hidrólise, fornece somente oses.

hombridade *s.f.* (esp. *hombredad,* de *hombre,* homem). **1.** Aspecto varonil, másculo. **2.** *Fig.* Nobreza de caráter, dignidade, brio.

homem *s.m.* (lat. *homo, hominis*). **1.** Mamífero primata social de posição ereta, que se distingue dos outros animais por apresentar linguagem articulada, raciocínio desenvolvido e produção de cultura. **2.** A espécie humana considerada de maneira geral; a humanidade. **3.** Qualquer ser humano. **4.** Ser humano do sexo masculino; varão. **5.** Ser humano do sexo masculino que atingiu a idade adulta. **6.** *Fig.* Pessoa corajosa, forte, viril. **7.** *Pop.* Ser humano do sexo masculino que mantém relacionamento com uma mulher; amante, marido. **8.** Indivíduo (operário, soldado etc.) que executa ordens de seus superiores.

homenagear *v.t.* (conj. 15). Prestar homenagem a.

homenagem *s.f.* (prov. *homenatge*). **1.** Demonstração ou prova de respeito, admiração. **2.** Juramento de fidelidade, subordinação e respeito; preito. **3.** Ato de consideração, de cortesia.

homeopata *adj.2g.* Que exerce a homeopatia. ★ *s.2g.* **1.** Partidário da homeopatia. **2.** Doutor em medicina que exerce a homeopatia.

homeopatia *s.f.* (do gr. *homoios,* semelhante, e *pathos,* doença). Terapêutica que trata os sintomas das afecções através de produtos que determinam, no homem são, sintomas semelhantes. (Cf. ALOPATIA.)

homeopático *adj.* Relativo à homeopatia.

homeostase *s.f.* Princípio segundo o qual todo organismo tenderia a estabilizar algumas de suas constantes fisiológicas.

homeostático *adj.* Relativo à homeostase.

homeotermia *s.f.* Capacidade de manter a temperatura do corpo a um nível constante, independentemente da temperatura do meio externo.

homeotermo *adj.* Que apresenta homeotermia. ★ *adj.* e *s.m.* Diz-se de ou animal que apresenta a temperatura constante (aves e mamíferos).

homérico *adj.* **1.** Relativo ou pertencente ao poeta grego Homero ou às suas obras. **2.** Épico, fabuloso, lendário. **3.** Extraordinário, enorme.

homicida *s.2g.* (lat. *homicida*). Pessoa que mata outra; assassino. ★ *adj.2g.* **1.** Que é causador de morte. **2.** Que pratica homicídio.

homicídio *s.m.* (lat. *homicidium*). Ação de matar, voluntariamente ou não, um ser humano.

homilia ou **homília** *s.f.* (lat. *homilia,* lições de professor). **1.** Instrução em estilo coloquial sobre a religião e principalmente o Evangelho. **2.** Discurso em estilo afetado, que tem por tema a moral.

hominídeos *s.m.pl.* Família de mamíferos primatas, formada pelo homem atual e pelas espécies fósseis mais próximas, consideradas como ancestrais da nossa espécie.

HOMEM ▸ Abaixo, as formações cranianas do homem e de seus ancestrais.

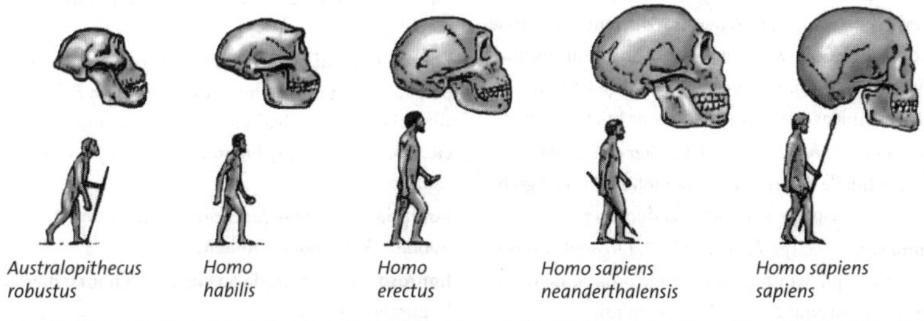

A B C D E F G H I J K L M N O P Q R S T U V W X Y Z

homiziar *v.t.* (conj. 16). **1.** Acobertar, dar asilo, esconder à ação da Justiça. **2.** Esconder, encobrir. **3.** Indispor, intrigar. ★ *v.pr.* **1.** Fugir à ação da Justiça; foragir-se. **2.** Esconder-se, encobrir-se.

homizio *s.m.* (lat. *homicidium*). **1.** Ato ou efeito de homiziar(-se). **2.** Esconderijo.

homofonia *s.f.* **1.** Identidade de pronúncia entre palavras com grafia e sentido diferentes. **2.** Música executada em uníssono por vozes e/ou instrumentos.

homofônico *adj.* Relativo à homofonia.

homófono *adj.* e *s.m.* (gr. *homophonos*). Diz-se de ou palavras que apresentam homofonia.

homogeneidade *s.f.* Qualidade ou estado de homogêneo; homogenia.

homogeneização *s.f.* **1.** Ação de homogeneizar(-se). **2.** Ação de submeter determinados líquidos, como o leite, a um tratamento que impede a decantação dos seus elementos constitutivos.

homogeneizar *v.t.* e *v.pr.* (conj. 4). Tornar(-se) homogêneo; assemelhar(-se), igualar(-se).

homogêneo *adj.* **1.** Diz-se de um corpo cuja composição e estrutura são as mesmas em todos os pontos. **2.** Igual, análogo, idêntico. **3.** Que tem grande identidade, comunhão de idéias ou de sentimentos. ● **Quím.** Que é formado de uma única fase.

homografia *s.f.* Identidade de grafia (e freqüentemente de pronúncia) entre palavras de sentido diferente.

homógrafo *adj.* e *s.m.* Diz-se de ou palavras que possuem a mesma grafia e sentido diferente.

homologação *s.f.* **1.** Ação de homologar. **2.** Confirmação ou aprovação de um ato oficial ou de uma sentença pela autoridade administrativa ou judiciária.

homologar *v.t.* (conj. 14). **1.** Aprovar, ratificar, confirmar oficial ou juridicamente. **2.** Conformar-se com.

homologia *s.f.* **1.** Qualidade do que é homólogo. **2.** Caráter dos compostos químicos homólogos. ● **Biol.** Semelhança de posição, de conexão, de estruturas e possivelmente de origem entre um órgão de um animal ou planta e um órgão de outro animal ou planta, mas que não apresentam a mesma forma nem a mesma função.

homólogo *adj.* (gr. *homologos*). **1.** Diz-se das coisas que se correspondem segundo determinada lei. **2.** *P. ext.* Equivalente, correspondente. **3.** Diz-se de órgãos que possuem a mesma estrutura fundamental, a mesma origem embrionária e as mesmas conexões, mas cuja função pode ser diferente. (Opõe-se a ANÁLOGO.) **4.** *Cromossomos homólogos,* os dois cromossomos de um mesmo par. ● **Quím.** *Composto homólogo,* cada um dos compostos orgânicos que possuem a mesma função química.

homonímia *s.f.* (gr. *homonymia*). **1.** Caráter do que é homônimo. **2.** Identidade de pronúncia (homofonia) ou de grafia (homografia) entre palavras de sentido diferente.

homônimo *adj.* e *s.m.* (gr. *homonymós*). **1.** Diz-se de ou pessoa, cidade etc., que tem o mesmo nome próprio de outra. **2.** Diz-se de ou palavras em que há homonímia.

homópteros *s.m.pl.* Ordem de insetos pterigotos, fitófagos, com metamorfose gradual, cuja tromba se origina na parte de trás da cabeça, representada pelas cigarras.

homossexual (cs) *adj.2g.* Relativo à homossexualidade. ★ *adj.2g.* e *s.2g.* Que ou aquele cujo desejo sexual se dirige a pessoas de seu sexo. (Antôn. HETEROSSEXUAL.)

homossexualidade (cs) *s.f.* Desejo sexual dirigido a indivíduos do mesmo sexo; homossexualismo.

homossexualismo (cs) *s.m.* Homossexualidade.

homozigoto *s.m.* Organismo cujo patrimônio genético apresenta genes maternos e paternos iguais, para uma determinada característica.

hondurenho *adj.* Relativo ou pertencente a Honduras, país da América Central; hondurense. ★ *s.m.* O natural ou habitante de Honduras; hondurense.

hondurense *adj.2g.* e *s.2g.* Hondurenho.

honestar *v.t.* (lat. *honestare*) [conj. 4]. **1.** Tornar honesto, honrar. **2.** Adornar, embelezar. ★ *v.pr.* Portar-se com honestidade.

honesto *adj.* (lat. *honestus,* de *honor,* honra). **1.** Que age com dignidade; honrado. **2.** Que é conforme às regras da probidade e da moral; íntegro, probo. **3.** Correto, adequado. **4.** Que não mente; franco, sincero. **5.** Escrupuloso. **6.** Casto, recatado, pudico. ★ *s.m.* O que é conforme à probidade.

honorabilidade *s.f.* (lat. *honorabilitas*). **1.** Estado, qualidade de honorável. **2.** Benemerência, probidade, respeitabilidade.

honorário *adj.* (lat. *honorarius*). **1.** Que dá apenas honras, sem proveitos materiais. **2.** Que dá direito às honras mas não ao exercício das funções. **3.** Honroso. ★ *s.m.pl.* Pagamento, remuneração, em especial de profissionais liberais.

honorável *adj.2g.* (lat. *honorabilis*). **1.** Digno de ser honrado, respeitado, estimado. **2.** Que é conforme à honra, à dignidade.

honorificar *v.t.* (lat. *honorificare*) [conj. 12]. Agraciar, honrar.

honorífico *adj.* (lat. *honorificus*). **1.** Honroso. **2.** Honorário.

honra *s.f.* (lat. *honorare,* honrar). **1.** Sentimento de dignidade moral que faz agir de modo a conservar a própria estima e merecer a dos outros; brio. **2.** Testemunho ou prova de estima, de consideração; veneração, reconhecimento. **3.** Boa reputação, glória adquiridas por virtude, coragem, talento. **4.** Distinção, graça, privilégio. **5.** Castidade, pureza, inocência ★ *s.f.pl.* **1.** Manifestações particulares de respeito. **2.** Honraria.

honradez (ê) *s.f.* **1.** Qualidade de honrado. **2.** Integridade moral, brio.

honrado *adj.* **1.** Que tem honra; honesto, digno, probo. **2.** Puro, sem mácula, casto. **3.** Tratado com honra e respeito; respeitado.

honrar *v.t.* (conj. 4). **1.** Prestar honra ou demonstrar respeito por. **2.** Distinguir com honrarias; dignificar. **3.** Respeitar, reverenciar, acatar. **4.** Satisfazer, cumprir (compromissos, trato etc.). **5.** Lisonjear, penhorar, cativar. ★ *v.pr.* Ufanar-se, envaidecer-se.

honraria *s.f.* **1.** Dignidade, distinção, honras. **2.** Graça que nobilita. **3.** Título que nobilita.

honroso (ô) *adj.* Que dá ou em que há honra; dignificante, honorário, honorífico.

hóquei *s.m.* (ingl. *hockey*). Esporte, jogado na grama ou no gelo, em que os jogadores tentam marcar gol impelindo uma bola ou disco de 7 cm de diâmetro com bastões recurvados.

hora *s.f.* (lat. *hora*). **1.** Unidade de medida de tempo (símb. h) que equivale a 3.600 segundos, ou 60 minutos, e corresponde à vigésima quarta parte do dia. **2.** Período de tempo que corresponde aproximadamente a essa unidade. **3.** Momento determinado do dia. **4.** Momento conveniente. **5.** Ensejo, oportunidade. **6.** *Hora legal,* hora preestabelecida adotada em um país.

horário *adj.* (lat. *horarius*). **1.** Relativo às horas. **2.** Diz-se de um movimento de rotação que se efetua no sentido dos ponteiros de um relógio. ★ *s.m.* Indicação das horas em que se executa determinada atividade.

horda *s.f.* (fr. *horde*). **1.** Tribo nômade. **2.** *Fig.* Bando de pessoas indisciplinadas, de malfeitores.

hordeáceo *adj.* Semelhante a grãos ou espigas de cevada.

hordéolo *s.m.* (lat. *hordeolus*). Sin. de TERÇOL.

horista *adj.2g.* e *s.2g.* Diz-se de ou empregado que recebe remuneração por hora de trabalho.

horizontal *adj.2g.* **1.** Paralelo ao horizonte. **2.** Perpendicular a uma direção que representa convencionalmente a vertical. **3.** Deitado, estendido. **4.** Plano, nivelado. ● **Astron.** *Coordenadas horizontais,* a altura e o azimute de um astro. ★ *s.f.* Linha paralela ao horizonte.

horizonte *s.m.* (gr. *horizon, horizontos*). **1.** Plano que passa pelo observador e é perpendicular à direção do fio de prumo (vertical). **2.** Extensão, espaço que a vista abrange. **3.** Extensão de uma ação, de uma atividade. **4.** *Linha do horizonte,* linha que limita circularmente todas as partes da Terra que se podem ver de um ponto determinado. ● **Aeron.** *Horizonte artificial,* instrumento que indica a posição de uma aeronave em relação ao horizonte.

hormonal *adj.2g.* Relativo aos hormônios; hormônico.

hormônico *adj.* Hormonal.

hormônio *s.m.* (do gr. *hormon,* de *hormaein,* pôr em movimento). **1.** Substância secretada por uma glândula endócrina ou elaborada por um tecido, vertida diretamente no sangue e que exerce uma ação fisiológica específica sobre o funcionamento de um órgão. **2.** *Hormônio vegetal,* substância elaborada pelas plantas, que regula o seu desenvolvimento.

horóscopo *s.m.* (gr. *horoskopos*). Prognóstico astrológico tirado da interpretação da posição dos astros no momento do nascimento de uma pessoa.

horrendo *adj.* (lat. *horrendus*). **1.** Horrível. **2.** Medonho, tremendo.

horripilação *s.f.* (lat. *horripilatio*). **1.** Ação de horripilar. **2.** Ereção dos pêlos cutâneos.

horripilante *adj.2g.* (lat. *horripilans*). **1.** Que arrepia. **2.** *Fig.* Que causa horror.

horripilar *v.t.* (lat. *horripilare*) [conj. 4]. **1.** Causar a ereção dos pêlos; arrepiar. **2.** Causar arrepios, horrorizar, repugnar.

horrível *adj.2g.* (lat. *horribilis*). **1.** Que causa horror; horrendo, horroroso. **2.** Muito ruim, muito mau; horroroso.

horror (ô) *s.m.* (lat. *horror*). **1.** Impressão física de medo e arrepio. **2.** Repulsa, antipatia, aversão. **3.** Medo, pavor. ★ *s.m.pl.* **1.** Coisas atrozes, terríveis. **2.** Ações ou palavras cruéis, obscenas. **3.** Quantia considerável.

horrorizar *v.t.* (conj. 4). Amedrontar, horripilar, encher de pavor. ★ *v.i.* Causar horror. ★ *v.pr.* Horripilar-se, encher-se de pavor.

horroroso (ô) *adj.* Horrível.

horta *s.f.* (lat. tard. *horta,* de *hortus,* jardim, pomar). Área cujo solo é especialmente preparado para o cultivo intensivo de hortaliças.

hortaliça *s.f.* (lat. med. *hortalis*). Designação genérica das plantas cultivadas em hortas e reservadas para uso culinário.

EXEMPLOS DE HORTALIÇAS

cebola — rabanete — cenoura

VOCÊ SABIA...? Consideram-se **hortaliças** as raízes (rabanete, cenoura, beterraba, nabo etc.), bulbos (cebola, alho etc.), tubérculos (batata etc.), flores e inflorescências (couve-flor, alcachofra etc.), frutos e sementes (pepino, melão, abóbora, berinjela etc.) e muitas leguminosas (lentilhas, feijões etc.). As hortaliças são excelentes fontes de minerais e vitaminas, embora algumas delas, por conter grande proporção de água (95%), tenham escasso valor nutritivo.

hortelã *s.f.* (lat. *hortulana*). Planta herbácea de odor penetrante e sabor apimentado, com propriedades medicinais, cujas folhas fornecem o mentol, usado na licoraria e confeitaria.

hortelão *s.m.* (lat. *hortulanus*). Aquele que trata de uma horta.

hortense *adj.2g.* Relativo a horta.

hortênsia *s.f.* Arbusto ornamental originário da China cujas inflorescências mudam de cor conforme a acidez do solo: azul nas terras ácidas, rosada nas alcalinas. (Sin. ROSA-DO-JAPÃO.)

hortícola *adj.2g.* (lat. *horticola*). **1.** Relativo à cultura das hortas e jardins. **2.** Diz-se das plantas das quais se faz uso culinário. **3.** Relativo à cultura dessas plantas.

horticultor (ô) *s.m.* **1.** Aquele que se ocupa de horticultura. **2.** O que é versado em assuntos de horticultura ou deles trata; jardineiro.

horticultura *s.f.* **1.** Ramo da agricultura que compreende o cultivo intensivo de legumes, verduras, árvores e arbustos frutíferos e ornamentais; olericultura. **2.** Arte de cultivar jardins.

A B C D E F G H I J K L M N O P Q R S T U V W X Y Z

hortifrutigranjeiro *adj.* e *s.m.* Diz-se de ou conjunto de produtos de hortas, pomares e granjas, geralmente comercializados no mesmo estabelecimento.

horto (ô) *s.m.* (lat. *hortus*). **1.** Pequeno terreno onde são cultivadas plantas de jardim; pequena horta. **2.** Estabelecimento de horticultura. **3.** *Fig.* Lugar de tormento (por alusão ao Horto das Oliveiras, onde Cristo padeceu). ► *Horto florestal*, local onde são estudadas plantas florestais.

hosana *s.m.* (hebr. *hoscha*, salva-nos agora). **1.** Aclamação que se canta no Domingo de Ramos. **2.** Canto, grito de alegria; hino. **3.** *Fig.* Aclamação, saudação, louvor.

hospedagem *s.f.* **1.** Ato ou efeito de hospedar. **2.** Hospedaria. **3.** *P. ext.* Hospitalidade, acolhimento.

hospedar *v.t.* (lat. *hospitare*) [conj. 4]. **1.** Receber como hóspede; acolher em casa, hotel etc., mediante retribuição ou graciosamente. **2.** Alojar, albergar, agasalhar, abrigar. ★ *v.pr.* Acomodar-se como hóspede em algum lugar; alojar-se, instalar-se.

hospedaria *s.f.* **1.** Estabelecimento onde se aceitam hóspedes mediante determinado preço; estalagem, albergaria, albergue. **2.** Casa reservada em certas comunidades religiosas para alojamento dos peregrinos ou viajantes.

hóspede *s.2g.* (lat. *hospes, hospitis*). **1.** Pessoa que se aloja temporariamente em casa alheia ou em hotel, pensão, hospedaria etc. **2.** Visitante. **3.** Pessoa estranha, alheia; peregrino. ● **Biol.** Parasita em relação ao organismo que o hospeda. **Bot.** Planta que hospeda parasitas ou epífitas.

hospedeiro *adj.* **1.** Que se refere a hóspede, que hospeda. **2.** Afável, obsequiador, que recebe bem. ★ *s.m.* **1.** Aquele que hospeda. **2.** Dono de hospedaria. ● **Biol.** Qualquer animal ou planta que hospeda um parasito.

hospício *s.m.* (lat. *hospitium*). Estabelecimento público ou privado destinado ao recolhimento e tratamento de pessoas acometidas de distúrbios mentais graves; manicômio.

hospital *s.m.* (do lat. *hospitalis*). Estabelecimento público ou privado, dotado de recursos para o atendimento e tratamento de doentes e acidentados.

VOCÊ SABIA...? As primeiras instalações a receber o nome **hospital** surgiram no fim do século IV, sob a influência do cristianismo. Utilizadas sobretudo como abrigo para os viajantes, ocasionalmente contavam com uma ala destinada ao cuidado dos doentes.

---

hospitalar *adj.2g.* Relativo a hospital.

hospital-dia *s.m.* Serviço hospitalar em que os doentes recebem tratamento durante o dia e retornam a seu domicílio à noite, em geral adotado por hospitais psiquiátricos.

hospitaleiro *adj.* **1.** Que hospeda por bondade ou caridade; caritativo. **2.** Que acolhe (visitas, hóspedes) com satisfação; acolhedor. ★ *s.m.* Aquele que dá hospedagem.

hospitalidade *s.f.* (lat. *hospitalitas*). **1.** Ação de acolher em casa por caridade ou cortesia. **2.** Qualidade do que é hospitaleiro. **3.** *P. ext.* Acolhimento afetuoso.

hospitalizar *v.t.* (conj. 4). **1.** Internar num estabelecimento hospitalar. **2.** Converter em hospital. ★ *v.pr.* Internar-se em hospital ou casa de saúde.

hoste *s.f.* (do lat. *hostis*, inimigo). **1.** Tropa, exército. **2.** Bando, chusma. ★ *s.m.* *Ant.* Inimigo.

hóstia *s.f.* (lat. *hostia*). Pão destinado ao sacrifício eucarístico.

hostil *adj.2g.* (lat. *hostilis*). **1.** Que se opõe a; inimigo, adverso, contrário. **2.** Que denota desaprovação, inimizade; agressivo.

hostilizar *v.t.* (conj. 4). **1.** Tratar de modo hostil, como a um inimigo. **2.** Ser contrário ou hostil a; opor-se. **3.** Causar dano, prejudicar, ferir. **4.** Mover guerra contra; guerrear. ★ *v.pr.* Combater-se, agredir-se mutuamente.

hotel *s.m.* (fr. *hôtel*). Hospedaria onde se alugam quartos mobiliados, com ou sem refeições.

hotelaria *s.f.* **1.** Administração de hotéis. **2.** Conjunto de hotéis de uma região.

hoteleiro *adj.* Relativo ou pertencente a hotéis. ★ *s.m.* Dono ou encarregado de hotel.

huguenote *s.2g.* Designação dada aos protestantes pelos católicos franceses. ★ *adj.2g.* Relativo ou pertencente aos huguenotes.

hulha *s.f.* (fr. *houille*). Combustível mineral fóssil, sólido, proveniente de vegetais.

hulheira *s.f.* Mina de hulha.

hulhífero *adj.* **1.** Relativo à hulha. **2.** Que contém hulha.

hum *interj.* Exprime dúvida, impaciência, reticência ou, ainda, aprovação, prazer.

humanidade *s.f.* (lat. *humanitas, humanitatis*). **1.** A natureza humana. **2.** O conjunto de todos os homens. **3.** Bondade, benevolência, compaixão. ★ *s.f.pl.* **1.** Estudo e cultivo de línguas e literatura. **2.** Disciplinas ou o estudo das línguas e literaturas clássicas, gramática, filosofia etc.

humanismo *s.m.* **1.** Corrente filosófica que coloca o homem e os valores humanos acima de todos os outros valores. **2.** Movimento intelectual e literário dos séculos XIV a XVI, ligado ao Renascimento e de método e filosofia inspirados no estudo dos textos da Antiguidade clássica. **3.** Método de formação intelectual fundado sobre as humanidades.

humanista *s.2g.* **1.** Pessoa versada em ou dedicada às humanidades. **2.** Partidário do humanismo. ★ *adj.2g.* Humanístico.

humanístico *adj.* Relativo ou pertencente ao humanismo; humanista.

humanitário *adj.* **1.** Que se interessa pela humanidade e pela melhoria da condição humana; filantrópico. **2.** Que tem sentimentos de humanidade; bondoso. ★ *s.m.* Pessoa que se ocupa com os interesses da humanidade; filantropo, benfeitor.

humanitarismo *s.m.* **1.** Conjunto de concepções humanitárias. **2.** Amor à humanidade; filantropia.

humanizar *v.t.* (fr. *humaniser*) [conj. 4]. **1.** Tornar humano, dar estado ou condições humanas. **2.** Tornar benévolo, benigno. ★ *v.pr.* **1.** Tornar-se humano. **2.** Tornar-se sensível, carinhoso.

humano *adj.* (lat. *humanus*). **1.** Que tem as características de homem, tomado enquanto espécie. **2.** Relativo ou pertencente ao homem. **3.** Sensível, piedoso, compassivo. ★ *s.m.pl.* Os homens; a humanidade.

humificação *s.f.* Conjunto de modificações que transformam em húmus a matéria orgânica incorporada ao solo.

humildade *s.f.* **1.** Consciência da própria fraqueza ou situação. **2.** Condição, caráter de humilde.

humilde *adj.2g.* (lat. *humilis,* de *humus,* solo). **1.** Que tem humildade. **2.** Simples, modesto, singelo. **3.** Respeitoso, submisso. ★ *s.2g.* Pessoa humilde.

humilhação *s.f.* Ato ou efeito de humilhar(-se).

humilhante *adj.2g.* Que humilha, vexa, rebaixa; vexatório, aviltante.

humilhar *v.t.* (lat. *humiliare*) [conj. 4]. **1.** Tornar humilde. **2.** Tratar desdenhosamente, com menosprezo; rebaixar, vexar. **3.** Submeter, oprimir, sujeitar. ★ *v.pr.* Mostrar-se humilde; submeter-se.

humo *s.m.* Var. de HÚMUS.

humor[1] (ô) *s.m.* (lat. *humor*). **1.** Termo antigo utilizado para designar qualquer líquido do organismo, como o sangue e a linfa. **2.** Estado psíquico que indica a disposição afetiva de um sujeito em um dado momento. **3.** *Humor aquoso,* líquido transparente encontrado entre a córnea e o cristalino. ▸ *Humor vítreo,* substância gelatinosa encontrada entre o cristalino e a retina.

humor[2] (ô) *s.m.* (ingl. *humor*). **1.** Capacidade de valorizar o cômico, o pitoresco, o absurdo ou o insólito. **2.** Ironia de uma situação, de um acontecimento. **3.** *Humor negro,* humor cruel, que faz rir de situações ou ações trágicas ou cruéis.

humoral *adj.2g.* Relativo aos humores.

humorismo *s.m.* (ingl. *humorism*). **1.** Faculdade de captar e exprimir o ridículo de uma situação. **2.** Atividade de humorista.

humorista *s.2g.* Aquele que faz rir com atos, palavras, desenhos etc.

humorístico *adj.* (ingl. *humoristic*). **1.** Relativo ao humor[2]. **2.** Que tem, revela ou manifesta humor[2].

húmus *s.m.* (lat. *humus,* terra). Matéria orgânica, coloidal, escura, resultante da decomposição de restos de plantas e animais, encontrada na camada superficial do solo, que contribui para sua fertilização. (Var. HUMO.)

VOCÊ SABIA...? Um solo fértil é rico em **húmus**, matéria orgânica fina formada pela decomposição de plantas mortas e detritos animais, sob a ação de micróbios e bactérias que estão no solo. Esses micróbios trabalham melhor onde há calor, ventilação e abundância de folhas e ervas de pasto. Um solo fértil requer água e minerais em quantidades adequadas, que contribuem para o desenvolvimento da vegetação e das árvores, que por sua vez protegem o solo da erosão.

---

húngaro *adj.* Relativo ou pertencente à Hungria, país da Europa. ★ *s.m.* **1.** O natural ou habitante da Hungria; magiar. **2.** Língua falada principalmente na Hungria.

huno *s.m.* Indivíduo dos hunos, povo bárbaro e nômade da Ásia antiga. ★ *adj.* Relativo ou pertencente a esse povo.

hurra *interj.* Exprime alegria, aprovação, aplauso. ★ *s.m.* Saudação, felicitação.

husky *s.m.* (ingl.) *Husky siberiano,* raça de cão de origem siberiana, utilizada para puxar trenó.

Ii Ii Ii

i *s.m.* Nona letra do alfabeto português.

I símbolo químico do iodo.

iacaninã *s.f.* Sin. de CANINANA.

ianomâmi *s.2g.* Indivíduo dos ianomâmis, povo indígena de Roraima, Amazonas e Venezuela.

ianque *adj.2g.* e *s.2g.* (ingl. *yankee*). Americano.

iaô *s.f.* (ioruba *Yawo*). **1.** Filha-de-santo. **2.** Mulher iniciante em um candomblé.

iaque *s.m.* Mamífero artiodáctilo, da família dos bovídeos, que ocorre nas regiões montanhosas da Ásia Central.

iara *s.f.* (tupi *yara,* senhora). Espírito ou fada que, na mitologia brasileira, habita o fundo das águas; mãe-d'água, uiara.

iate *s.m.* (ingl. *yacht*). Embarcação de recreio movida a vela ou a motor.

iatismo *s.m.* Prática da navegação esportiva ou de recreio em iate.

iatista *adj.2g.* e *s.2g.* Que ou aquele que se dedica ao iatismo.

iatrogênico *adj.* Diz-se de uma patologia decorrente de intervenção médica, procedimento cirúrgico, medicamentoso etc.

iaupê-jaçanã *s.m.* Sin. de VITÓRIA-RÉGIA.

ibérico *adj.* **1.** Relativo ou pertencente à Ibéria, atual Espanha, ou aos iberos, povo que a habitava; ibero. **2.** Relativo ou pertencente à península Ibérica; ibero. ★ *s.m.* Indivíduo dos iberos; ibero.

ibero (bé) *adj.* e *s.m.* (lat. *iberus*). Ibérico.

ibero-americano *adj.* Relativo aos povos americanos colonizados pelos países da península Ibérica. ★ *s.m.* Indivíduo desses povos.

ibid. abrev. de *ibidem.*

ibidem (bí) *adv.* (lat.). No mesmo lugar, no mesmo trecho. (Indica que o trecho citado se encontra no lugar já mencionado em citação precedente.) [Abrev. *ibid.*]

ibijaú *s.m.* Sin. de BACURAU.

ibirapitanga *s.f.* Sin. de PAU-BRASIL.

íbis *s.2g.2n.* (gr. *ibis*). Denominação comum às aves ciconiformes, pernaltas, de bico longo, largo e encurvado, que ocorrem na África e Ásia.

íbis-sagrado

íbis-vermelho

ibope *s.m.* (da sigla do Instituto Brasileiro de Opinião Pública e Estatística). **1.** Índice de audiência. **2.** Prestígio, sucesso.

içá *s.2g.* (tupi *ïsa'ub,* formiga-mestra). Designação das fêmeas ou rainhas de certas espécies de formiga; tanajura.

içar *v.t.* (conj. 13). Levantar, alçar, erguer, guindar.

iceberg *s.m.* (ingl.). Nas regiões polares, grande bloco de gelo desprendido das geleiras continentais que flutua no mar.

icnografia *s.f.* (gr. *ichnographía*). **1.** Planta de edifício. **2.** Técnica de desenhar essas plantas. (Cf. ICONOGRAFIA.)

ícone *s.2g.* (gr. *eikon,* imagem). **1.** Imagem de Cristo, da Virgem e dos santos nas igrejas do Oriente de tradição bizantina. **2.** Pessoa ou objeto que simboliza um movimento, época ou acontecimento. ● **Inform.** Figura usada como sinalização ou representação de funções em programas e arquivos eletrônicos.

iconoclasta *adj.2g.* e *s.2g.* (gr. *eikonoklastes*). Que ou aquele que destrói imagens ou ídolos.

iconografia *s.f.* **1.** Estudo descritivo das imagens relativas a um personagem, tema, obra, período, país etc. **2.** Conjunto das ilustrações de uma obra impressa. (Cf. ICNOGRAFIA.)

iconolatria *s.f.* Adoração de imagens.

iconologia *s.f.* **1.** Em artes plásticas, estudo da formação, transmissão e conteúdo das imagens e representações figurativas. **2.** Representação alegórica ou emblemática de entes morais.

iconoteca *s.f.* **1.** Coleção iconográfica sistematizada. **2.** Seção de museu ou biblioteca com essa coleção.

icosaedro *s.m.* (gr. *eikosaedron*). Poliedro com 20 faces.

icoságono *s.m.* (gr. *eikosagon*). Polígono que tem 20 ângulos e, em conseqüência, 20 lados.

icterícia *s.f.* (gr. *íkteros*). Patologia causada por elevação do nível de bilirrubina no sangue, que se traduz clinicamente por uma coloração amarelada da pele, das mucosas e principalmente da esclerótica.

ictérico *adj.* Relativo à icterícia. ★ *adj.* e *s.m.* Que ou aquele que apresenta icterícia.

ictiófago *adj.* e *s.m.* Que ou o que se alimenta principalmente de peixes.

ictiologia *s.f.* Estudo científico dos peixes.

VOCÊ SABIA...? A **ictiologia** começou a desenvolver-se no século XVI, na França. Rondelet escreveu a *História dos peixes*. As grandes viagens do século XVI trouxeram uma extensa gama de exemplares e descrições, organizados depois pelos suecos Peter Artedi e Carl von Linné, sobretudo por este.

---

ictiose *s.f.* (do gr. *ichthys, ichthyos,* peixe). Doença dermatológica que leva à aspereza e escamação da pele.

id *s.m.* (lat. *id*). Instância psíquica que, para a personalidade, constitui o reservatório das pulsões e daquilo que foi recalcado.

id. abrev. de *idem*.

ida *s.f.* **1.** Ação ou movimento de ir; partida. **2.** Jornada, caminhada, passeio.

idade *s.f.* (lat. *aetas, aetatis*). **1.** Número de anos da vida de alguém ou alguma coisa. **2.** Duração usual da vida **3.** Cada uma das diferentes fases da vida. **4.** Velhice. **5.** Grupo de séculos estudados como um período histórico. **6.** Período, época, era. **7.** Terceira idade, época da vida humana após os 60 ou 65 anos, dependendo da legislação ou âmbito considerado. ● **Geol.** Menor subdivisão do tempo geológico, inferior a época e equivalente a estágio.

IDADE ► Os períodos descritos pela história começam na *Idade Antiga*, mais conhecida como Antiguidade. As seguintes são: *Idade Média*, compreendida entre os anos de 476 e 1453; *Idade Moderna*, situada entre 1453 e 1789; e *Idade Contemporânea*, que começa em 1789 e prossegue até o presente.

---

ideação *s.f.* Formação da idéia, ato de idear; concepção.

ideal *s.m.* (lat. *idealis*). **1.** Conjunto de valores intelectuais, morais, estéticos, políticos, considerado como um fim que se pretende atingir. **2.** O que o espírito concebe como modelo perfeito; perfeição. ★ *adj.2g.* **1.** Que só existe no pensamento, na idéia; imaginário. **2.** Quimérico, inacessível.

idealismo *s.m.* **1.** Atitude do que aspira a um ideal, freqüentemente utópico. **2.** Doutrina filosófica que reduz a realidade ao pensamento.

idealização *s.f.* **1.** Ato ou efeito de idealizar. **2.** Processo psicanalítico por meio do qual o objeto do desejo se acha investido, pelo indivíduo, de qualidades que ele não possui objetivamente.

idealizar *v.t.* (fr. *idéaliser*) [conj. 4]. **1.** Dar caráter, perfeição ideal a. **2.** Planejar, projetar, conceber; idear. **3.** Criar na imaginação; imaginar, fantasiar, idear.

idear *v.t.* (conj. 15). Idealizar.

idéia *s.f.* (gr. *idea*). **1.** Representação mental de um objeto ou fato. **2.** Concepção intelectual. **3.** Imagem. **4.** Sugestão. **5.** Projeto, plano. **6.** Modo de ver, opinião. ★ *s.f.pl.* **1.** Opiniões ou concepções a respeito de. **2.** Tendências e orientações do pensamento numa época, sociedade ou civilização determinadas.

idem *adv.* (lat). O mesmo, do mesmo modo. (Emprega-se para evitar repetições.) [Abrev. *id.*]

idêntico *adj.* (lat. tard. *identicus*). **1.** Que é perfeitamente semelhante, igual a. **2.** Que está compreendido sob a mesma idéia. **3.** Análogo, semelhante.

identidade *s.f.* **1.** Caráter do que é idêntico; concordância, igualdade. **2.** Característica, caráter permanente e fundamental que distingue um indivíduo ou grupo dos outros. **3.** Relação entre duas ou mais coisas (ou seres) de similitude perfeita. **4.** Conjunto de caracteres e dados próprios e exclusivos de uma pessoa (nome, sexo, filiação etc.). ● **Mat.** Função que relaciona os elementos de um conjunto entre si ou com os de um conjunto idêntico.

identificação *s.f.* Ato ou efeito de identificar (-se). ● **Psican.** Processo pelo qual um sujeito assimila algo da representação que possui de um outro sujeito e se transforma com isso.

identificar *v.t.* (lat. tard. *identificare*) [conj. 12]. **1.** Tornar ou declarar idêntico, igualar. **2.** Determinar, reconhecer com precisão a natureza, tipo, categoria etc. de. **3.** Estabelecer, discriminar a identidade de (alguém). ★ *v.pr.* **1.** Compenetrar-se dos sentimentos ou idéias de outro. **2.** Conformar-se, ajustar-se.

ideografia *s.f.* Representação direta das idéias por sinais gráficos que são a imagem figurada do objeto.

ideográfico *adj.* Diz-se de uma escrita que utiliza ideogramas.

ideograma *s.m.* Símbolo gráfico que corresponde a um conceito, utilizado em algumas escritas, como o chinês e os antigos hieróglifos egípcios.

IDEOGRAMAS CHINESES

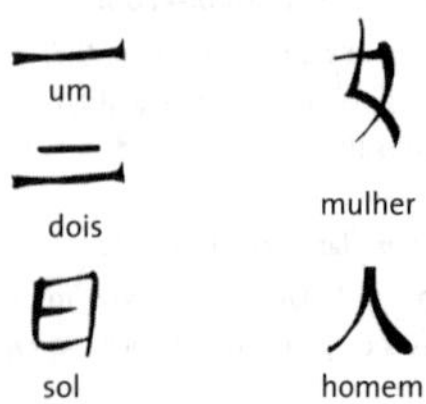

---

ideologia *s.f.* **1.** Conjunto das idéias gerais que constituem uma doutrina. **2.** Conjunto de idéias, crenças, doutrinas próprias de uma sociedade ou classe social.

ideológico *adj.* Relativo à ideologia.

ideólogo *s.m.* Pessoa que formula idéias que orientam um movimento, uma doutrina ou uma organização.

idílico *adj.* **1.** Relativo a idílio. **2.** Amoroso, gentil, suave. **3.** Fantasioso, irreal.

idílio *s.m.* (gr. *eidyllion,* poemeto). **1.** Poema curto, descritivo ou narrativo, que canta geralmente o amor em um ambiente pastoril. **2.** *Fig.* Sonho, fantasia, devaneio. **3.** *Fig.* Entretenimento amoroso; amor suave e puro.

idioma *s.m.* (gr. *idioma,* caráter próprio). **1.** Língua, falar próprio de uma comunidade; língua. **2.** Linguagem, expressão.

idiomático *adj.* (gr. *idiomatikos*). **1.** Relativo a idioma. **2.** Próprio, exclusivo de um idioma.

idiopático *adj.* Diz-se de uma doença que não é decorrente de outra.

idiossincrasia *s.f.* (gr. *idiosynkrasía*). Maneira de ver, sentir, reagir peculiar a cada pessoa.

idiossincrático *adj.* Relativo à idiossincrasia.

idiota *adj.2g.* e *s.2g.* (gr. *idiótes*). **1.** Diz-se de ou indivíduo pouco inteligente, incapaz de coordenar idéias; estúpido, parvo, tolo. **2.** Diz-se de ou indivíduo sem instrução; ignorante. ● **Med.** Diz-se de ou indivíduo acometido de idiotia. ★ *adj.2g.* Que denota estupidez.

idiotia *s.f.* Idiotice. ● **Med.** *Ant.* Déficit intelectual muito profundo.

idiotice *s.f.* Qualidade, dito ou modo de idiota.

idiótico *adj.* Relativo a idiota.

idiotismo *s.m.* (gr. *idiotismos*). Idiotice.

idólatra *adj.2g.* e *s.2g.* (gr. *eidololátres*). **1.** Que ou aquele que adora ídolos. **2.** Admirador exaltado. ★ *adj.2g.* Idolátrico.

idolatrar *v.t.* (conj. 4). **1.** Prestar idolatria. **2.** *Fig.* Amar excessivamente, com grande paixão.

idolatria *s.f.* (gr. *eidololatreía*). **1.** Adoração, culto de ídolos. **2.** *Fig.* Amor exagerado.

idolátrico *adj.* Relativo à idolatria; idólatra.

ídolo *s.m.* (gr. *eídom,* imagem; simulacro, de *eidos,* forma). **1.** Figura, estátua que representa uma divindade que se adora. **2.** *Fig.* Pessoa à qual se tributam louvores excessivos ou que se ama apaixonadamente. **3.** Personalidade que desfruta de grande popularidade (artistas populares, esportistas etc.).

idoneidade *s.f.* Qualidade de idôneo; capacidade, competência, aptidão.

idôneo *adj.* (lat. *idoneus*). **1.** Próprio, adequado para alguma coisa. **2.** Apto, capaz, habilitado, competente. **3.** Capaz de exercer os atos civis e políticos.

idos *s.m.pl.* Os tempos, os dias passados.

idoso (ô) *adj.* **1.** Diz-se de pessoa que tem muitos anos; velho. **2.** Diz-se de pessoa com mais de 60 anos. ★ *s.m.* Pessoa idosa.

IDOSO ► O Estatuto do Idoso é a lei que estabelece os direitos assegurados pelo Estado brasileiro às pessoas com idade igual ou superior a 60 anos. Foi sancionado pelo presidente Luís Inácio Lula da Silva em outubro de 2003.

---

iemenense *adj.2g.* Relativo à República Árabe do Iêmen, país da África; iemenita. ★ *s.2g.* O natural ou habitante desse país; iemenita.

iemenita *adj.2g.* e *s.2g.* Iemenense.

iene *s.m.* Unidade monetária do Japão.

igaçaba *s.f.* (tupi *iga saba*). **1.** Recipiente grande, de barro, para água ou alimentos. **2.** Urna funerária indígena.

igapó *s.m.* (tupi *ia pó*). **1.** Na Amazônia, terra quase que permanentemente alagada, ao longo dos rios. **2.** *Mata de igapó,* trecho de floresta mais próximo aos rios, freqüentemente inundado, com muitas palmeiras e cipós, que ocorre na Amazônia.

igara *s.f.* (tupi *i'ara*). Canoa inteiriça, feita de casca de árvore.

igarapé *s.m.* (tupi *iara pé,* caminho da água). Pequeno rio ou riacho que só dá passagem a embarcações pequenas ou canoas.

iglu *s.m.* (ingl. *igloo*). Habitação esquimó em forma de cúpula, construída com blocos de gelo.

CONSTRUÇÃO DE UM IGLU

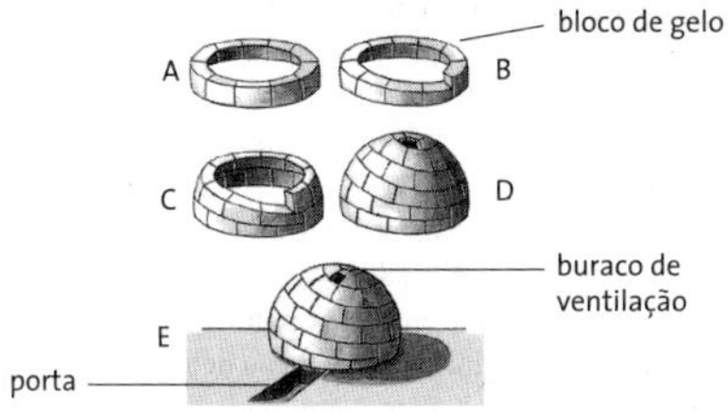

---

ignaro *adj.* (lat. *ignarus*). Ignorante.

ignavo *adj.* (lat. *ignavus*). **1.** Indolente, preguiçoso, negligente. **2.** Covarde, pusilânime.

ígneo *adj.* (lat. *igneus*). **1.** Relativo ao fogo. **2.** Que tem a natureza, estado ou cor do fogo. **3.** *Fig.* Inflamado, ardente. ● **Geol.** Produzido pela ação do fogo. ► *Rocha ígnea,* sin. de ROCHA MAGMÁTICA*. **Quím.** Que se faz sob a ação do calor.

ignescência *s.f.* Ignição.

ignição *s.f.* (lat. tard. *ignitio, ignitionis*). **1.** Estado das substâncias ou dos corpos em combustão viva, caracterizado pela emissão de luz; ignescência. **2.** Num motor, inflamação comandada da mistura combustível fornecida pelo carburador ou pelo sistema de injeção. **3.** Conjunto dos dispositivos que desempenham esta função.

ignóbil *adj.2g.* (lat. *ignobilis*). Que não tem nobreza; vil, abjeto, infame.

ignomínia *s.f.* (lat. *ignominia*). Desonra extrema, opróbrio, infâmia.

ignominioso (ô) *adj.* (lat. *ignominiosus*). Que causa ignomínia; desonroso, aviltante.

ignorância *s.f.* Caráter, qualidade ou estado de ignorante.

ignorante *adj.2g.* e *s.2g.* **1.** Que ou aquele que não tem saber, conhecimento, instrução; ignaro, inculto. **2.** Que ou aquele que não é instruído em determinada área; ignaro, inculto. **3.** Estúpido, bruto, boçal.

ignorado *adj.* Ignoto.

ignorar *v.t.* (lat. *ignorare*) [conj. 4]. **1.** Não saber, não conhecer. **2.** Não levar em conta, não praticar, desconhecer. **3.** *Pop.* Estranhar, censurar, criticar; não reparar em. ★ *v.pr.* Desconhecer-se a si próprio.

ignoto (o ou ô) *adj.* (lat. *ignotus*). Que se ignora, desconhece; ignorado.

igreja (ê) *s.f.* (gr. *ekklesia,* pelo lat. *ecclesia*). **1.** Comunidade organizada de pessoas que professam a mesma doutrina. **2.** Edifício onde se reúnem os fiéis. **3.** A Igreja Católica.

igual *adj.2g.* (lat. *aequalis*). **1.** Que tem a mesma natureza, quantidade ou qualidade; idêntico. **2.** Parecido, análogo. **3.** Que não varia. **4.** Nivelado, plano, regular. ★ *adj.2g.* e *s.2g.* Que ou aquele que tem a mesma condição, situação ou categoria de outrem.

igualar *v.t.* (conj. 4). **1.** Tornar igual. **2.** Ser igual a. **3.** Nivelar, aplainar, alisar (um terreno, uma superfície). **4.** Estar ou ficar no mesmo nível ou altura. ★ *v.pr.* **1.** Tornar-se igual. **2.** Supor-se igual, rivalizar.

igualável *adj.2g.* Que pode ser igualado.

igualdade *s.f.* (lat. *aequalitas*). **1.** Qualidade do que é igual. **2.** Relação entre coisas iguais. **3.** Uniformidade, identidade. **4.** Princípio pelo qual todos os cidadãos podem invocar os mesmo direitos. ● **Geom.** Relação entre duas figuras geométricas isomórficas. **Mat.** Expressão matemática que relaciona dois termos ou variáveis com o mesmo valor numérico.

VOCÊ SABIA...? Na época medieval, os direitos de uma pessoa dependiam de ela ter nascido em família nobre ou plebéia, seguir a religião católica ou não ou dedicar sua vida a uma instituição religiosa ou militar. A **igualdade** de direitos começou a ser conquistada no fim do século XVIII, na Inglaterra e na França. Hoje, a maioria dos Estados garante a todos os seus membros os mesmos direitos legais e procura criar condições práticas para que possam exercê-los plenamente.

---

igualha *s.f. Pej.* Identidade de condição ou posição social.

igualitário *adj.* (fr. *égalitaire*). **1.** Relativo ao igualitarismo. **2.** Que tem como objetivo a igualdade civil, política e moral. ★ *s.m.* Partidário dessa igualdade.

igualitarismo *s.m.* (fr. *égalitarisme*). Sistema que advoga a igualdade de condições para todos os membros de uma sociedade.

iguana *s.m.* (aruaque antilhano *iwana*). Denominação comum a répteis lacertílios de regiões temperadas e tropicais, que se caracterizam pela presença de uma crista dorsal, papo inflável e cauda com faixas transversais escuras. (Sin. CAMALEÃO, SINIMBU.)

iguaria *s.f.* **1.** Manjar saboroso, prato delicado; guloseima, acepipe. **2.** *P. ext.* Qualquer comida preparada.

iídiche *s.m.* (al. *Juddisch*). Língua falada pelos israelitas em diversos países europeus e também nos EUA e no Brasil; judeu-alemão.

ilação *s.f.* (lat. *illatio, illationis*). Aquilo que se infere de certos fatos; dedução, conclusão.

ilaquear *v.t.* (lat. *illaqueare*) [conj. 15]. **1.** Enlaçar, enredar, prender. **2.** *Fig.* Quebrar ou desfazer a influência de. ★ *v.i.* e *v.pr.* **1.** Cair em logro. **2.** Deixar-se tentar; cair em tentação.

ilativo *adj.* e *s.m.* (lat. *illativus*). Que ou o que conclui, em que há ilação; conclusivo.

ilegal *adj.2g.* (lat. *ilegalis*). Que não é legal, que é contrário à lei, ilegítimo ou ilícito.

ilegítimo *adj.* (lat. *ilegitimus*). **1.** Que não preenche todas as condições requeridas pela lei. **2.** Que não se justifica; desarrazoado.

ilegível *adj.2g.* Que não se pode ler; obscuro, confuso.

íleo[1] *s.m.* (lat. cient. *ileum*). Porção terminal do intestino delgado, a qual se segue ao jejuno. (Cf. ÍLIO.)

íleo[2] *s.m.* Oclusão aguda do intestino, que provoca dores e cólicas abdominais.

ileocecal *adj.2g.* **1.** Relativo ao íleo e ao ceco. **2.** *Válvula ileocecal,* válvula da junção do intestino delgado com o intestino grosso.

ileso (ê ou é) *adj.* (lat. *illaesus*). Que não está leso ou ofendido; são e salvo, incólume.

iletrado *adj.* (lat. *illiteratus*). **1.** Que não sabe ler nem escrever; analfabeto. **2.** Que não tem instrução.

ilha *s.f.* (cat. *illa*). **1.** Porção de terra cercada de água por todos os lados; ínsula. **2.** *Fig.* Objeto, ser completamente isolado.

ilhar *v.t.* e *v.pr.* (conj. 4). **1.** Tornar(-se) semelhante a ilha; insular(-se). **2.** Separar(-se), isolar(-se); insular(-se). **3.** Tornar(-se) incomunicável; insular(-se).

ilharga *s.f.* (lat. *iliarica,* de *ilia,* flanco, ventre). **1.** Cada uma das partes laterais e inferiores do baixo-ventre. **2.** Parte lateral de qualquer corpo. ★ *s.f.pl. Fig.* Conselheiros, protetores, confidentes.

ilhéu *adj.* Relativo ou pertencente a uma ilha. ★ *s.m.* **1.** Ilhota. **2.** Rochedo no meio do mar. ★ *adj.* e *s.m.* Diz-se de ou habitante da ilha; insular.

ilhó *s.2g.* ou **ilhós** *s.2g.2n.* **1.** Orifício redondo em pano, couro etc. por onde passa um cordão ou fita. **2.** Aro de metal que circunda esse orifício.

ilhota *s.f.* **1.** Ilha pequena; ilhéu. **2.** *Ilhotas de Langerhans,* conjunto de células endócrinas agrupadas no pâncreas, responsáveis pela secreção de insulina.

ilíaco *adj.* (lat. *iliacus,* de *ilia,* flanco, ventre). **1.** Relativo ou pertencente às paredes laterais da bacia. **2.** *Fossa ilíaca,* cada uma das duas regiões laterais da parte superior do abdome limitadas externamente pelo osso ilíaco. ► *Músculo ilíaco,* músculo que se estende da face interna do osso ilíaco ao pequeno trocânter do fêmur. ★ *adj.* e *s.m. Osso ilíaco* ou *ilíaco,* osso chato, largo e par que constitui a parte anterior e lateral da bacia.

ilibar *v.t.* (lat. *illibare*) [conj. 4]. **1.** Tornar puro ou imaculado. **2.** Justificar, reabilitar.

ilícito *adj.* (lat. *illicitus*). Que não é lícito; proibido pela moral ou pela lei. ★ *s.m.* **1.** Ato proibido por lei. **2.** *Ilícito penal,* ato criminoso ou delituoso para o qual a lei prevê pena.

ilimitado *adj.* (lat. *illimitatus*). **1.** Que não tem limites; infinito, imenso. **2.** Indeterminado, indefinido.

ílio ou **ílion** *s.m.* Um dos três elementos do osso ilíaco, que forma a saliência da anca. (Cf. ÍLEO.)

ilógico *adj.* Que não é conforme à lógica; absurdo, incoerente.

ilogismo *s.m.* Caráter do que é ilógico; absurdo, incoerência.

iludir *v.t.* (lat. *illudere,* zombar; lesar) [conj. 6]. **1.** Produzir ilusão em; enganar, engodar. **2.** Baldar, frustrar, malograr. **3.** Dissimular, disfarçar.

iludível *adj.2g.* Que pode ser iludido; que se pode induzir ao erro.

iluminação *s.f.* (lat. *illuminatio*). **1.** Ato ou efeito de iluminar(-se). **2.** Irradiação de luz natural ou artificial. **3.** Modo pelo qual a luz é distribuída em um recinto ou aplicada a um objeto. **4.** Comunicação da luz divina ao espírito do homem, segundo os místicos. **5.** *Fig.* Ilustração, saber.

iluminado *adj.* **1.** Que recebeu luz. **2.** Ornado com iluminuras. ★ *adj.* e *s.m.* Que ou aquele que obteve a iluminação divina.

iluminador (ô) *adj.* (lat. *iluminator*). Que ilumina. ★ *s.m.* **1.** Aquele que faz iluminuras. **2.** Técnico em iluminação.

iluminância *s.f.* Quociente do fluxo luminoso recebido por uma superfície pela área dessa superfície.

iluminar *v.t.* (lat. *illuminare*) [conj. 4]. **1.** Irradiar luz sobre; alumiar. **2.** Esclarecer, ilustrar, ensinar. **3.** Aconselhar, guiar, inspirar. **4.** Adornar, realçar. **5.** Animar, alegrar. **6.** Deixar transparecer, tornar evidente. **7.** Ornar (manuscrito, livro) com iluminuras. ★ *v.pr.* **1.** Encher-se de luz. **2.** Alcançar a iluminação divina.

iluminismo *s.m.* Movimento que caracterizou o pensamento europeu do século XVIII, baseado na crença do poder da razão e do progresso, na liberdade de pensamento e na emancipação política.

iluminura *s.f.* **1.** Arte e técnica (sobretudo medieval) de ilustração de manuscritos e livros com figuras e letras ornamentadas. **2.** A pintura assim realizada.

ilusão *s.f.* (lat. *illusio, illusionis*). **1.** Engano dos sentidos ou da mente que faz tomar a aparência pela realidade. **2.** Interpretação errônea de um fato. **3.** Pensamento, esperança quimérica; sonho, fantasia. **4.** Engano, logro, fraude.

ilusionismo *s.m.* Arte de produzir fenômenos que parecem reais, mas contradizem as leis naturais; prestidigitação.

ilusionista *s.2g.* Pessoa que executa experiências de ilusionismo; prestidigitador.

ilusório *adj.* (lat. *illusorius*). **1.** Que causa ilusão. **2.** Que é ilusão, que não se realiza. **3.** Falso, vão, errôneo, enganoso.

ilustração *s.f.* (lat. *illustratio*). **1.** Ato ou efeito de ilustrar(-se). **2.** Conjunto de conhecimentos; saber. **3.** Exemplo, modelo. **4.** Gravura, fotografia ou reprodução em uma obra impressa.

ilustrado *adj.* **1.** Que se ilustrou; esclarecido, instruído. **2.** Diz-se da obra impressa que tem gravuras, desenhos etc.

ilustrador (ô) *adj.* e *s.m.* **1.** Que ou o que ilustra. **2.** Artista que faz ilustrações.

ilustrar *v.t.* (lat. *illustrare*) [conj. 4]. **1.** Tornar ilustre, célebre. **2.** Esclarecer, comentar, elucidar. **3.** Transmitir conhecimentos a; instruir. **4.** Servir como exemplo, modelo ou esclarecimento. **5.** Adornar um texto com imagens. ★ *v.pr.* **1.** Adquirir lustre, ilustração, glória, celebridade. **2.** Instruir-se.

ilustrativo *adj.* Que serve para ilustrar.

ilustre *adj.2g.* (lat. *illustris*). **1.** De grande mérito; eminente. **2.** Nobre, fidalgo. **3.** Célebre, famoso, renomado.

imã *s.m.* (ár. *imam,* guia; modelo). **1.** Aquele que lidera o culto na mesquita. **2.** Chefe religioso e secular de uma comunidade ou grupo islâmico.

ímã *s.m.* (fr. *aimant*). **1.** Metal ferromagnético que, quando moldado em forma de pequena peça, apresenta, em função de seu campo magnético, um pólo de atração e outro de repulsão. **2.** Dispositivo destinado a produzir um campo magnético externo. **3.** *Fig.* O que atrai irresistivelmente.

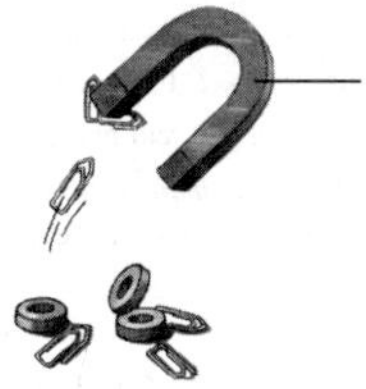

imaculado *adj.* (lat. *immaculatus*). **1.** Sem mácula ou mancha. **2.** Inocente, puro, cândido.

imagem *s.f.* (lat. *imago, imaginis*). **1.** Representação ou reprodução visual de um objeto; figura. **2.** Representação de um objeto de culto ou de veneração; ídolo. **3.** Representação mental de um objeto, pessoa, situação etc. **4.** *Fig.* Aquilo que reproduz, imita ou evoca algo, alguém. **5.** Figura, metáfora. ● **Fís.** Conjunto de pontos ou de elementos que representam a aparência de um objeto, formados a partir da reflexão, difusão, emissão ou transmissão da radiação desse objeto. **Mat.** Na relação entre dois conjuntos A e B, elemento ou conjunto de elementos de B associados a somente um elemento do conjunto A.

imaginação *s.f.* (lat. *imaginatio, imaginationis*). **1.** Faculdade que permite elaborar ou evocar, no presente, imagens mentais. **2.** Capacidade de elaborar imagens e concepções novas, de encontrar soluções originais para problemas. **3.** Faculdade de inventar, criar, conceber. **4.** Opinião sem fundamento, absurda. **5.** Crença, crendice, superstição. **6.** Fantasia, devaneio, cisma.

imaginar *v.t.* (conj. 4). **1.** Conceber por meio da imaginação; criar, inventar. **2.** Fantasiar, idealizar. **3.** Crer, julgar, supor. ★ *v.pr.* Supor-se, figurar-se, crer-se.

imaginário *adj.* (lat. *imaginarius*). Que só existe na imaginação; fantástico, ilusório. ● **Mat.** Número não real que é parte integrante de um número complexo. ★ *s.m.* **1.** Aquele que faz imagens ou estátuas de santos; santeiro. **2.** Domínio da imaginação.

imaginativo *adj.* e *s.m.* Que ou aquele que imagina facilmente, que tem imaginação.

imaginável *adj.2g.* Que pode ser imaginado.

imaginoso (ô) *adj.* (lat. *imaginosus*). **1.** Cheio de imaginação. **2.** Rico de imagens, metáforas. **3.** Fantástico, fabuloso, inverossímil.

imago *s.f.* (lat. *imago,* imagem). Quarta e última fase de metamorfose dos insetos holometabólicos, que corresponde à fase adulta final. ● **Psican.** Representação infantil e inconsciente que constitui um modelo imutável que rege a conduta de um sujeito e seu modo de apreensão do outro.

imane *adj.2g.* (lat. *immanis*). **1.** Enorme, imenso, desmedido. **2.** *Fig.* Atroz, cruel, feroz.

imanência *s.f.* (lat. *immanentia*). Qualidade do que é imanente.

imanente *adj.2g.* (lat. *immanens,* de *immanere,* permanecer). **1.** Que existe sempre num dado objeto ou ser; que não se pode separar dele. **2.** Permanente, constante. **3.** Circunscrito, limitado ao ser ou sujeito (p. opos. a *transcendente*).

imanizar *v.t.* (conj. 4). Imantar.

imantar *v.t.* (conj. 4). Transmitir a propriedade do ímã; magnetizar, imanizar.

imarcescível *adj.2g.* (lat. *immarcescibilis*). **1.** Que não murcha; eterno, duradouro. **2.** Incorruptível, inalterável.

imarginado *adj.* Que não tem margens.

imaterial *adj.2g.* (lat. *immaterialis*). Que não tem consistência material; impalpável, incorpóreo. ★ *s.m.* Aquilo que é imaterial.

imaterializar *v.t.* (conj. 4). **1.** Tornar imaterial, pelo pensamento ou raciocínio. **2.** Espiritualizar.

imaturo *adj.* (lat. *immaturus*). **1.** Que ainda não chegou à maturidade, que não é maduro. **2.** Precoce, antecipado, prematuro.

imbecil *adj.2g.* e *s.2g.* (lat. *imbecillis*). **1.** Desprovido de inteligência; estúpido, tolo, parvo. **2.** *Fig.* Pusilânime, covarde. **3.** *Ant.* Acometido de imbecilidade. ★ *adj.2g.* Que denota imbecilidade.

imbecilidade *s.f.* (lat. *imbecillitas*). **1.** Qualidade ou estado de imbecil; tolice, estupidez. **2.** Ato ou dito imbecil. **3.** *Fig.* Pusilanimidade, covardia. **4.** *Ant.* Déficit intelectual profundo.

imbecilizar *v.t.* e *v.pr.* (conj. 4). Tornar(-se) imbecil.

imbele *adj.2g.* (lat. *imbellis*). **1.** Não belicoso, que não é capaz para a guerra. **2.** *Fig.* Fraco, débil, tímido, covarde.

imberbe *adj.2g.* (lat. *imberbis*). **1.** Que não tem barba. **2.** Jovem, moço.

imbricação *s.f.* (lat. *imbricare*). Dispor coisas de modo que umas se sobreponham, em parte, às outras, como as telhas de um telhado.

imbricado *adj.* **1.** Que apresenta imbricação. **2.** Diz-se das partes de um agregado que se sobrepõem parcialmente umas às outras, como as telhas de um telhado, as escamas dos peixes.

imbricar *v.t.* (lat. *imbricare,* cobrir com telhas) [conj. 12]. **1.** Dispor, arranjar (coisas) de modo que umas se sobreponham, em parte, às outras, como as telhas de um telhado. **2.** Entrelaçar, sobrepor.

imbu *s.m.* Var. de UMBU.

imbuia *s.f.* Árvore de grande porte, de casca espessa, que fornece madeira durável, parda, utilizada em marcenaria de luxo pelos desenhos dos veios. (Var. UMBUIA.)

imbuído *adj.* Cheio, impregnado, penetrado.

imbuir *v.t.* (lat. *imbuere*) [conj. 74]. **1.** Embeber, impregnar, encher. **2.** Fixar, sugerir. **3.** Infundir, persuadir, insinuar, incutir. **4.** Penetrar em. ★ *v.pr.* **1.** Impregnar-se. **2.** Convencer-se.

imburana *s.f.* Árvore pequena, comum na caatinga, que fornece madeira clara e dura, própria para carpintaria e construção civil, e cujas sementes são utilizadas como aromatizante.

imbuzeiro *s.m.* Var. de UMBUZEIRO.

imediação *s.f.* O fato de estar imediato; vizinhança, proximidade, contigüidade. ★ *s.f.pl.* Cercanias, arredores.

imediatismo *s.m.* **1.** Caráter do que é imediato. **2.** Maneira direta de proceder, sem mediações nem rodeios.

imediato *adj.* (lat. *immediatus*). **1.** Direto, sem intermediário. **2.** Que acontece sem intervalo; rápido. **3.** Contíguo, próximo. **4.** Seguinte, próximo. ★ *s.m.* Aquele que vem em categoria logo abaixo do chefe.

imemorável *adj.2g.* (lat. *immemorabilis*). De que não pode haver ou não há memória; imemorial.

imemorial *adj.2g.* (lat. *immemoria*). **1.** Imemorável. **2.** Anterior à época de que se tem memória; muito antigo.

imensidade *s.f.* (lat. *immensitas, immensitatis*). **1.** Qualidade de imenso; imensidão. **2.** Extensão muito vasta; imensidão, vastidão. **3.** Grande quantidade ou quantidade que não se pode contar; imensidão.

imensidão *s.f.* Imensidade.

imenso *adj.* (lat. *immensus*). **1.** Que não tem limites em medida; incomensurável, ilimitado, infinito. **2.** Enorme, colossal. **3.** Muito numeroso, em grande quantidade.

imensurável *adj.2g.* (lat. *immensurabilis*). Que não se pode medir; incomensurável.

imerecido *adj.* Não merecido, indevido.

imergência *s.f.* Imersão.

imergente *adj.2g.* Que imerge.

imergir *v.t.* (conj. 78). Mergulhar em um líquido. ★ *v.i.* Afundar, submergir. ★ *v.pr.* Entrar, penetrar em.

imersão *s.f.* Ato ou efeito de imergir; imergência. ● **Astron.** Entrada de um astro na sombra de outro.

imerso *adj.* (lat. *immersus*). **1.** Mergulhado (em um líquido). **2.** *Fig.* Absorto, mergulhado.

imigração *s.f.* Ato ou efeito de imigrar. (Cf. EMIGRAÇÃO.)

imigrado *adj.* Que imigrou.

imigrante *adj.2g.* e *s.2g.* Que ou aquele que imigra.

imigrar *v.i.* (lat. *immigrare,* mudar para) [conj. 4]. Estabelecer-se em um país estrangeiro, temporária ou definitivamente. (Cf. EMIGRAR.)

imigratório *adj.* Relativo à imigração ou aos imigrantes.

iminência *s.f.* (lat. *imminentia*). Qualidade do que está iminente.

iminente *adj.2g.* (lat. *imminens,* de *imminere,* estar próximo). Que está para vir ou para acontecer brevemente; muito próximo. (Cf. EMINENTE.)

imiscuir *v.t.* e *v.pr.* (lat. *immiscere*) [conj. 74]. **1.** Misturar(-se), mesclar(-se). **2.** Intrometer-se, envolver-se em, ingerir-se.

imitação *s.f.* (lat. *imitatio*). **1.** Ato ou efeito de imitar. **2.** Material trabalhado que imita outro mais rico e mais caro. **3.** Falsificação, contrafação.

imitar *v.t.* (lat. *imitare*) [conj. 4]. **1.** Fazer ou esforçar-se por fazer exatamente o que faz alguém ou alguma coisa. **2.** Reproduzir exatamente; copiar. **3.** Tomar por modelo. **4.** Produzir o mesmo efeito de; assemelhar-se a. **5.** Falsificar.

imitável *adj.2g.* (lat. *imitabilis*). Que se pode imitar, que é digno de imitar.

imitir *v.t.* (lat. *immitere*) [conj. 6]. **1.** Investir em. **2.** Pôr para dentro, fazer entrar, meter.

imo *adj.* (lat. *imus*). Que está mais fundo, mais interno; íntimo. ★ *s.m.* O cerne, o âmago.

imobiliária *s.f.* Empresa encarregada da construção, da comercialização ou da administração de imóveis.

imobiliário *adj.* (lat. *immobilis*). Relativo a um bem imóvel, a imóveis.

imobilidade *s.f.* **1.** Estado de uma pessoa ou coisa que não se move. **2.** Estabilidade. **3.** Serenidade.

imobilismo *s.m.* Oposição sistemática a todo progresso, a qualquer inovação.

imobilista *adj.2g.* Relativo ao imobilismo. ★ *s.2g.* Partidário do imobilismo.

imobilização *s.f.* **1.** Ato ou efeito de imobilizar (-se). **2.** Parada ou diminuição extrema do ritmo de uma atividade. **3.** Estado, atitude de alguém, de um animal ou parte de seu corpo que cessa de se movimentar. **4.** Procedimento terapêutico que mantém imóvel um membro ou parte do corpo do paciente. **5.** Estado de um indivíduo submetido a este tratamento. **6.** Atribuição a um bem móvel da qualidade de bem imóvel.

imobilizado *adj.* Que se imobilizou; paralisado. ★ *s.m.* Parte do patrimônio de uma empresa constituída pelos bens considerados imóveis, isto é, que não sofrem transformação e não entram no movimento comercial.

imobilizar *v.t.* (fr. *immobiliser*) [conj. 4]. **1.** Tornar imóvel. **2.** Privar dos meios de agir, de se mover. **3.** Obrigar a permanecer inativo. **4.** Manter uma parte do corpo imóvel por diversos meios. **5.** Submeter um bem ou recurso móvel ao regime jurídico dos imóveis. ★ *v.pr.* **1.** Tornar-se imóvel. **2.** Estacionar, não progredir.

imoderação *s.f.* Falta de moderação; descomedimento, excesso.

imoderado *adj.* (lat. *immoderatus*). **1.** Que passa da medida. **2.** Descomedido, demasiado.

imodéstia *s.f.* (lat. *immodestia*). **1.** Falta de modéstia. **2.** Presunção, orgulho.

imodesto *adj.* (lat. *immodestus*). **1.** Que não tem modéstia. **2.** Orgulhoso, presumido, arrogante. **3.** Impudico.

imódico *adj.* (lat. *immodicus*). **1.** Demasiado, excessivo, exorbitante. **2.** De preço elevado.

imolação *s.f.* (lat. *immolatio*). **1.** Ato ou efeito de imolar; sacrifício. **2.** Morticínio, matança, carnificina.

imolar *v.t.* (lat. *immolare*) [conj. 4]. **1.** Oferecer em sacrifício. **2.** Matar. **3.** Sacrificar, prejudicar. ★ *v.pr.* Sacrificar-se por.

imoral *adj.2g.* (fr. *immoral*). **1.** Que é contrário aos princípios morais ou à moral. **2.** Devasso, desonesto, libertino.

imoralidade *s.f.* **1.** Qualidade do que é imoral. **2.** Coisa imoral. **3.** Devassidão, desonestidade, indecência.

imoralismo *s.m.* Tendência para rejeitar os valores morais normalmente aceitos. ● **Filos.** Doutrina moral que admite regras contrárias às da moral vigente.

imoralista *adj.2g.* Relativo a ou que denota imoralismo. ★ *s.2g.* Partidário do imoralismo.

imorredouro *adj.* **1.** Que não morre, imperecível, eterno. **2.** *P. ext.* Duradouro, perdurável.

imortal *adj.2g.* (lat. *immortalis*). **1.** Que não está sujeito à morte; eterno. **2.** *Fig.* Que se admira ou lembra por muito tempo; inesquecível. **3.** *Fig.* Que não tem fim; permanente. ★ *s.2g.* Membro da Academia Brasileira de Letras.

imortalidade *s.f.* (lat. *immortalitas*). **1.** Qualidade, estado do que é imortal. **2.** *Fig.* Vida perpétua na memória dos homens.

imortalizar *v.t.* e *v.pr.* (conj. 4). Tornar(-se) imortal.

imotivado *adj.* Sem motivo, sem fundamento.

imóvel *adj.2g.* (lat. *immobilis*). Que não se move. ★ *adj.* e *s.m.* Diz-se de ou qualquer bem que não é móvel, como casa, terras, edifícios e terrenos, p. opos. a *móvel.*

impaciência *s.f.* (lat. *impatientia*). **1.** Falta de paciência; incapacidade de suportar algo ou alguém. **2.** Pressa, sofreguidão.

impacientar *v.t.* (conj. 4). **1.** Fazer perder a paciência. **2.** Agastar, irritar. ★ *v.pr.* Perder a paciência; irritar-se.

impaciente *adj.2g.* **1.** Que não tem paciência. **2.** Apressado, sôfrego. **3.** Inquieto, nervoso. ★ *s.m.* Aquele que não tem paciência.

impacto *s.m.* (lat. *impactus*). **1.** Colisão de dois ou vários corpos. **2.** Colisão de um projétil. **3.** *Fig.* Abalo moral, choque. **4.** *Fig.* Impressão muito forte. **5.** *Impacto ambiental,* impacto causado no meio ambiente pela introdução brusca, repetida ou contínua de elementos que o modificam.

impagável *adj.2g.* **1.** Que não se pode ou não se deve pagar. **2.** Incobrável. **3.** Extraordinário, admirável. **4.** Muito engraçado, cômico ou ridículo.

impala *s.m.* Antílope de médio porte, com machos de chifres anelados, em forma de lira, que vivem em grandes bandos, na África.

impalpável *adj.2g.* **1.** Que não se pode apalpar, que não é percebido pelo tato; intangível. **2.** Imaterial, incorpóreo.

impaludismo *s.m.* Sin. de MALÁRIA.

impar *v.i.* (conj. 4). **1.** Respirar com dificuldade; arfar. **2.** Ficar empanturrado de comida ou bebida. **3.** Mostrar desprezo, arrogância. ★ *v.t.* Abafar, sufocar.

ímpar *adj.2g.* (lat. *impar,* desigual). **1.** Que não tem par, que não tem igual; único. **2.** Diz-se dos números que não se pode dividir em dois números inteiros iguais. **3.** Notado por um número ímpar. ● **Anat.** Diz-se de órgãos únicos no organismo e que não possuem o seu simétrico (estômago, fígado etc.). ★ *s.m.* Numero ímpar.

imparcial *adj.2g.* **1.** Que não sacrifica a justiça ou a verdade a considerações particulares. **2.** Que não toma partido; justo, reto, eqüitativo.

imparissílabo *adj.* e *s.m.* Diz-se de ou vocábulo que tem número ímpar de sílabas.

impasse *s.m.* (fr. *impasse*). **1.** Situação que não oferece saída favorável. **2.** Dificuldade, embaraço.

impassibilidade *s.f.* Qualidade, caráter de impassível.

impassível *adj.2g.* (lat. *impassibilis*). Insensível ou imune à dor ou às paixões.

impávido *adj.* (lat. *impavidus*). Sem medo, intrépido, corajoso; afoito.

impeachment *s.m.* (ingl.). Destituição de presidente, governador ou prefeito, decidida legalmente pelo Poder Legislativo, como condenação por má conduta ou outro crime grave; impedimento.

IMPEACHMENT ▸ O processo de *impeachment* do presidente Fernando Collor de Melo foi instaurado em 29 de setembro de 1992, após denúncias de corrupção e grandes manifestações nas capitais. Condenado em 29 de dezembro, Collor perdeu os direitos políticos por oito anos e foi empossado definitivamente na presidência Itamar Franco, que fora eleito como vice-presidente e assumira o cargo desde o afastamento do presidente eleito.

impecável *adj.2g.* (lat. *impeccabilis*). **1.** Incapaz de pecar, de errar. **2.** Sem defeito, correto, perfeito.

impedância *s.f.* Medida da resistência de um circuito elétrico à passagem de uma corrente elétrica.

impedimento *s.m.* (lat. *impedimentum*). Aquilo que impede; estorvo, obstáculo. ● **Esp.** No futebol, posição irregular de um jogador que, com o goleiro adversário à frente e colocado além ou na mesma linha de seu último oponente, recebe a bola de um companheiro.

impedir *v.t.* (lat. *impedire*) [conj. 70]. **1.** Opor-se a, pôr obstáculo a. **2.** Estorvar, não permitir, barrar.

impeditivo *adj.* Que impede; impediente.

impelir *v.t.* (lat. *impellere*) [conj. 57]. **1.** Lançar, arremessar, empurrar. **2.** *Fig.* Incitar, estimular, induzir, instigar. **3.** *Fig.* Obrigar, coagir, constranger.

impene *adj.2g.* Diz-se do animal sem plumas.

impenetrável *adj.2g.* **1.** Que não pode ser penetrado ou atravessado. **2.** *Fig.* Que não se pode explicar ou compreender. **3.** *Fig.* Que não deixa perceber o que sente ou pensa.

impenitência *s.f.* (lat. *impoenitentia*). **1.** Obstinação no pecado. **2.** Falta de arrependimento; persistência no erro. **3.** *Fig.* Obstinação.

impenitente *adj.2g.* (lat. *impoenitens*). **1.** Que é obstinado, endurecido no pecado. **2.** Que não se arrepende, que persiste, permanece no erro ou no crime. **3.** *Fam.* Que persiste em um hábito; inveterado.

impensado *adj.* Que não foi pensado ou premeditado; imprevisto, inopinado.

impensável *adj.2g.* Que não se deve pensar ou supor; inconcebível, inadmissível.

imperador (ô) *s.m.* (lat. *imperator*). Chefe, soberano de um império.

VOCÊ SABIA...? Carlos Magno foi rei dos francos (franceses) de 771 a 814 d.C. Governou grande parte da Europa Ocidental e dedicou-se a reviver o Império Romano. No Natal do ano 800, o papa Leão III coroou-o **imperador** do Ocidente. Carlos Magno foi grande admirador do conhecimento, fomentou a literatura e as artes na corte franca e fundou em Aachen (hoje na Alemanha), sua capital, a escola do palácio, que pode ser considerada a primeira universidade medieval. Foi um governante inteligente. Seu império perdurou por quase mil anos e tornou-se conhecido como Sacro Império Romano-Germânico.

imperante *adj.2g.* e *s.2g.* Que ou o que impera.

imperar *v.t.* (lat. *imperare*) [conj. 4]. **1.** Governar como imperador; mandar como soberano. **2.** Predominar. ★ *v.i.* **1.** Reinar, exercer o mando supremo. **2.** Dominar, prevalecer; exercer grande domínio ou influência.

imperativo *adj.* (lat. *imperativus*). Que impõe, que manda com autoridade. ★ *s.m.* **1.** Princípio com caráter de obrigação imperiosa. **2.** Modo verbal em que se exorta o interlocutor a cumprir a ação expressa pelo verbo.

imperatriz *s.f.* (lat. *imperatrix*). **1.** Mulher de um imperador. **2.** Mulher que governa um império.

imperceptível *adj.2g.* **1.** Que não se pode perceber ou apreender com os sentidos; insensível. **2.** Diminuto, insignificante.

imperdoável *adj.2g.* Que não merece perdão; indesculpável.

imperecedouro *adj.* Imperecível.

imperecível *adj.2g.* (lat. *perecere*). **1.** Que não perece, que dura muito; imperecedouro. **2.** Que dura muito tempo; eterno.

imperfectível *adj.2g.* Que não se pode aperfeiçoar.

imperfeição *s.f.* **1.** Estado do que não é perfeito. **2.** Falha, irregularidade. **3.** Vício, defeito.

imperfeito *adj.* (lat. *imperfectus*). **1.** Que não está perfeito; falho, incompleto. **2.** Defeituoso, falho, não aperfeiçoado. ● **Gram.** Diz-se do tempo verbal de uma ação passada mas não concluída.

imperial *adj.2g.* (lat. *imperialis*). Relativo ou pertencente a imperador ou a império.

imperialismo *s.m.* Política expansionista de um Estado, visando o domínio territorial e/ou econômico de outros Estados.

imperialista *adj.2g.* Relativo ao imperialismo. ★ *s.2g.* **1.** Partidário do imperialismo. **2.** Adepto do governo imperial.

imperícia *s.f.* (lat. *imperitia*). Falta de habilidade, experiência ou destreza; incompetência.

império *s.m.* (lat. *imperium*, poder soberano). **1.** Forma de governo monárquica que tem por chefe um imperador. **2.** Nação assim governada. **3.** Conjunto de territórios dependentes de um imperador. **4.** Domínio, poder, autoridade.

VOCÊ SABIA...? O **Império** Romano foi fundado pelo imperador Augusto em 27 a.C. e durou cerca de quinhentos anos. Até o ano 200 d.C., o império era próspero e pacífico. Uma rede de estradas o unia e servia ao comércio e à defesa. As cidades tinham edifícios públicos muito bem construídos, e o campo, fazendas bastante produtivas.

imperioso (ô) *adj.* (lat. *imperiosus*). **1.** Que manda com energia; autoritário. **2.** Que tem grande domínio e influência. **3.** Irresistível.

imperito *adj.* Que não tem perícia.

impermeabilização *s.f.* **1.** Ato ou efeito de impermeabilizar. **2.** Revestimento impermeável de uma construção ou tecido.

impermeabilizar *v.t.* (conj. 4). **1.** Tornar impermeável. **2.** Revestir com material impermeável.

impermeável *adj.2g.* (lat. *impermeabilis*). **1.** Diz-se dos corpos que não se deixam atravessar pela água. **2.** *Fig.* Que não se deixa impregnar; insensível. ★ *s.m.* Vestimenta feita de fazenda impermeabilizada.

impermutável *adj.2g.* Que não se pode permutar.

imperscrutável *adj.2g.* Que não se pode perscrutar.

impertérrito *adj.* (lat. *imperterritus*). Destemido, impávido, intrépido.

impertinência *s.f.* **1.** Caráter do que é impertinente. **2.** Coisa que não tem relação com aquilo de que se trata. **3.** Maneira desrespeitosa de falar, de proceder.

impertinente *adj.2g.* **1.** Que não tem relação com o assunto tratado; inoportuno, descabido. **2.** Que fala ou age de maneira ofensiva; insolente.

imperturbável *adj.2g.* Que nada pode perturbar, comover, alterar; impassível.

impérvio *adj.* (lat. *impervius*). **1.** Que não dá passagem; intransitável, inacessível. **2.** Que não se deixa influenciar; impenetrável.

impessoal *adj.2g.* (lat. *impersonalis*). **1.** Que não tem personalidade, que não existe como pessoa. **2.** Que não pertence ou não se aplica a uma pessoa em particular. **3.** Que faz abstração das idéias ou dos gostos pessoais; objetivo, imparcial. **4.** Que testemunha esse caráter. ● **Gram.** *Verbo impessoal,* verbo que só tem como forma a terceira pessoa do singular, sem nenhum pronome para indicar o sujeito, que figura em orações sem sujeito. ► *Infinitivo impessoal,* forma do infinitivo que não tem sujeito e não se flexiona.

impetigo ou **impetigem** *s.f.* (lat. *impetigo, impetiginis*). Doença infecciosa da pele, contagiosa, causada por germes piogênicos, freqüente em crianças e lactentes.

ímpeto *s.m.* (lat. *impetus*). **1.** Movimento violento e súbito. **2.** Arrebatamento, precipitação. **3.** Assalto, violência, ataque.

impetrante *adj.2g.* e *s.2g.* **1.** Que ou aquele que impetra, suplica, pede. **2.** Que ou aquele que solicita cargo, título, diploma etc. à autoridade competente.

impetrar *v.t.* (lat. *impetrare*) [conj. 4]. **1.** Suplicar, pedir, requerer. **2.** Solicitar (cargo, título etc.) à autoridade competente.

impetuoso (ô) *adj.* (lat. *impetuosus*). **1.** Que se move com ímpeto, violenta e rapidamente. **2.** *Fig.* Veemente, fogoso.

impiedade *s.f.* (lat. *impietas, impietatis*). **1.** Ausência de piedade; desumanidade, crueldade. **2.** Ação impiedosa. **3.** Qualidade do que é ímpio; falta de fé. **4.** Falta de respeito, desprezo pela religião ou pelo que deve ser respeitado.

impiedoso (ô) *adj.* **1.** Sem compaixão; desapiedado, desumano. **2.** Que não perdoa nada.

impingem ou **impigem** *s.f.* Doença dermatológica, vesiculosa e pruriginosa.

impingir *v.t.* (lat. *impingere*) [conj. 52]. **1.** Obrigar a aceitar. **2.** Dar com força, pespegar. **3.** Fazer acreditar. **4.** Vender por mais do que o justo valor. **5.** Fazer tomar (algo) por outra coisa.

ímpio *adj.* (lat. *impius*). **1.** Que não tem fé; herege. **2.** Que é contrário à religião. **3.** Que ofende os pais, a moral, a justiça etc. ★ *s.m.* O que é inimigo da religião ou do que merece respeito religioso; herege.

implacável *adj.2g.* (lat. *implacabilis*). **1.** Que não se pode aplacar, cuja violência não se abranda. **2.** Que não perdoa.

implantação *s.f.* Ato ou efeito de implantar (-se). ● **Med.** Intervenção cirúrgica que consiste em colocar sob a pele uma substância lentamente assimilável. ► Anastomose da extremidade de um órgão na porção lateral de um outro.

implantar *v.t.* (lat. *plantare)* [conj. 4]. **1.** Inserir, fixar em. **2.** Estabelecer, introduzir. **3.** Fazer implante de. **4.** *Fig.* Hastear, levantar. ★ *v.pr.* Plantar-se, fixar-se.

implante *s.m.* (lat. *plantare,* plantar). **1.** Ato ou efeito de implantar(-se). **2.** Material destinado à implantação. **3.** Técnica que consiste em retirar tufos de cabelos das regiões temporais e occipitais e transportá-los para áreas desnudas nos indivíduos com calvície. **4.** Implante dentário, infra-estrutura metálica destinada a suportar uma prótese dentária.

implementar *v.t.* (conj. 4). Executar ou fazer executar (plano, projeto etc.).

implemento *s.m.* (lat. *implementum*). **1.** Instrumento, equipo, apetrecho. **2.** Execução, cumprimento.

implicação *s.f.* (lat. *implicatio*). **1.** Ato ou efeito de implicar(-se). **2.** O que foi implicado, subentendido. **3.** Conseqüência, encadeamento, complicação. **4.** *Fig.* Implicância, incompatibilidade.

implicado *adj.* **1.** Embaraçado, enredado. **2.** Comprometido, envolvido. ★ *s.m.* Indivíduo comprometido em processo jurídico.

implicância *s.f.* Qualidade, caráter ou ato de implicante; implicação.

implicar *v.t.* (lat. *implicare*) [conj. 12]. **1.** Embaraçar, envolver, enredar. **2.** Dar a entender, pressupor. **3.** Tornar necessário, indispensável. **4.** Produzir ou ter como conseqüência; acarretar. **5.** Ser incompatível, não se harmonizar; antipatizar. **6.** Causar aborrecimento ou zanga. ★ *v.i.* Ser incompatível, não se harmonizar. ★ *v.pr.* **1.** Comprometer-se, enredar-se. **2.** Intrometer-se.

implicativo *adj.* **1.** Que implica. **2.** Que traz implicação.

implícito *adj.* (lat. *implicitus*). Que está contido numa proposição sem estar expresso em termos precisos, formais; tácito, subentendido.

implodir *v.t.* (conj. 78). Realizar uma implosão, ser a fonte de uma implosão.

implorar *v.t.* (lat. *implorare*) [conj. 4]. **1.** Pedir humildemente, suplicar. **2.** Solicitar com insistência. ★ *v.i.* **1.** Pedir com ansiedade e insistência. **2.** Pedir perdão ou piedade.

implosão *s.f.* (ingl. *implosion,* p. opos. a *explosion*). **1.** Fenômeno físico no qual um meio sólido ou um corpo oco, submetido a uma pressão externa superior à sua resistência mecânica, se destrói violentamente e tende a se concentrar em um volume reduzido. **2.** Conjunto de explosões combinadas, dimensionadas para provocar a queda dos destroços de um edifício em direção a um ponto central.

implume *adj.2g.* (lat. *implumis*). Diz-se do animal que não tem (ou que ainda não tem) plumas ou penas.

impolidez (ê) *s.f.* **1.** Falta de polidez; descortesia. **2.** Ação, palavra impolida.

impolido *adj.* (lat. *impolitus*). **1.** Sem polimento. **2.** Que não tem polidez; rude, grosseiro.

impoluto *adj.* (lat. *impollutus*). **1.** Não poluído, puro. **2.** Imaculado, ilibado, virtuoso.

imponderado *adj.* Que denota falta de ponderação; impensado, irrefletido.

imponderável *adj.2g.* **1.** Diz-se do que não tem peso apreciável (tal como a luz, a eletricidade). **2.** *Fig.* Que não se pode ponderar, avaliar; muito sutil. ★ *s.m.* *Fig.* Elemento indefinível que influi em determinado assunto ou matéria.

imponência *s.f.* (lat. *imponentia*). Qualidade de imponente.

imponente *adj.2g.* (lat. *imponens*). **1.** Que impõe respeito, admiração; majestoso. **2.** Considerável, importante. **3.** Arrogante, sobranceiro.

impontual *adj.2g.* Que não é pontual.

impopular *adj.2g.* (lat. *popularis*). **1.** Que não tem popularidade. **2.** Que não tem a aceitação do povo.

impopularizar *v.t.* e *v.pr.* (conj. 4). Tornar(-se) impopular.

impor (ô) *v.t.* (lat. *imponere*) [conj. 45]. **1.** Obrigar a observar, a aceitar; determinar, fixar. **2.** Infundir, inspirar. ★ *v.pr.* Fazer-se aceitar como necessário, incontestável, ou pelo respeito que inspira.

importação *s.f.* (ingl. *importation*). **1.** Ação de comprar bens e serviços de um país estrangeiro. **2.** Mercadorias importadas.

importador (ô) *adj.* e *s.m.* Que ou aquele que faz comércio de importação.

importância *s.f.* (lat. *importantis*). **1.** Qualidade do que tem valor, por si mesmo ou pelas conseqüências que pode acarretar. **2.** Autoridade, influência. **3.** Vaidade, alta opinião de si próprio. **4.** Quantia, soma em dinheiro.

importante *adj.2g.* **1.** Que tem importância, valor. **2.** Digno de consideração, de apreço. **3.** Que goza de autoridade, influência. ★ *s.m.* **1.** O essencial, o que há de mais útil, de mais interessante. **2.** Pessoa importante.

importar[1] *v.t.* (lat. *importare*) [conj. 4]. Trazer para um país mercadorias, mão-de-obra etc., provenientes de países estrangeiros.

importar[2] *v.t.* (conj. 4). **1.** Ter importância, afetar, atingir. **2.** Causar, implicar, ter como conseqüência. **3.** Atingir um determinado preço. **4.** Ser importante, útil ou proveitoso; valer, convir. ★ *v.pr.* Dar importância, valor a.

importe *s.m.* Soma ou importância total, custo.

importunar *v.t.* (conj. 4). Molestar, incomodar.

importuno *adj.* (lat. *importunus*). **1.** Que importuna; enfadonho, molesto. **2.** Que incomoda com sua ação repetida ou fora de propósito. **3.** Insuportável, incômodo, impertinente.

imposição *s.f.* (lat. *impositio*). **1.** Ação de impor. **2.** Determinação, ordem, injunção. **3.** Coisa imposta. **4.** O ato de conferir as insígnias de uma dignidade.

impositivo *adj.* Que (se) impõe.

impossibilidade *s.f.* (lat. *impossibilitas*). **1.** Caráter do que é impossível. **2.** Coisa impossível.

impossibilitar *v.t.* (conj. 4). **1.** Tornar impossível. **2.** Mostrar ou representar como impossível. **3.** Impedir (alguém) de fazer (algo). ★ *v.pr.* Perder a capacidade, a aptidão.

impossível *adj.2g.* (lat. *impossibilis.*) **1.** Que não pode ser; que não se pode fazer. **2.** Muito difícil de executar. **3.** Esquisito, extravagante. **4.** Muito penoso, desagradável, insuportável. **5.** Incrível, extraordinário. ★ *s.m.* **1.** O que é impossível. **2.** *Fig.* O que parece impossível.

impostar *v.t.* (it. *impostare*). Emitir corretamente (a voz).

impostergável *adj.2g.* Que não se pode postergar.

imposto (ô) *adj.* **1.** Que se impôs à força. **2.** Colocado, posto. ★ *s.m.* **1.** Contribuição obrigatória paga pelo cidadão para assegurar o funcionamento do Estado e das coletividades locais. **2.** Encargo, ônus, obrigação.

impostor (ô) *adj.* e *s.m.* (lat. *impostor*). Que ou aquele que se faz passar pelo que não é, que engana com falsas aparências.

impostura *s.f.* (lat. *impostura*). **1.** Ação de iludir, enganar com falsas aparências ou falsas imputações; embuste. **2.** Vaidade, presunção. **3.** Fingimento, hipocrisia.

impotável *adj.2g.* Que não se pode beber.

impotência *s.f.* (lat. *impotentia*). **1.** Falta de poder, de força. **2.** Dificuldade ou impossibilidade para o homem de completar o ato sexual, de origem orgânica ou psicológica. **3.** *Impotência funcional,* perda total ou parcial das funções de uma parte do corpo, devida a fratura, paralisia etc.

impotente *adj.2g.* (lat. *impotens*). **1.** Que não pode. **2.** Inapto para a função sexual. **3.** Fraco, débil, incapaz. ★ *s.m.* Indivíduo impotente.

impraticável *adj.2g.* **1.** Que não se pode pôr em prática; inexeqüível, inexecutável, irrealizável. **2.** Impossível, dificílimo. **3.** Intransitável.

imprecação *s.f.* (lat. *imprecatio*). **1.** Ato ou efeito de imprecar. **2.** Maldição, praga. **3.** Rogo, súplica.

imprecar *v.t.* (lat. *imprecare*) [conj. 12]. **1.** Rogar para que recaiam (males ou bens) sobre alguém. **2.** Pedir, rogar, suplicar. ★ *v.i.* Dizer pragas, praguejar.

imprecativo *adj.* Que envolve imprecações.

imprecatório *adj.* Que tem caráter de imprecação.

imprecaução *s.f.* Falta de precaução; imprevidência.

imprecisão *s.f.* Falta de precisão, de exatidão, de rigor.

impreciso *adj.* **1.** Falto de precisão, exatidão, rigor. **2.** Indeterminado, vago, indefinido.

impregnar *v.t.* (lat. *impraegnare*) [conj. 4]. **1.** Fazer penetrar uma substância em. **2.** Embeber, ensopar, encharcar. **3.** *Fig.* Imbuir, encher. ★ *v.pr.* **1.** Embeber-se, ensopar-se. **2.** Compenetrar-se, imbuir-se.

imprensa *s.f.* (esp. *imprenta.*) **1.** Arte de imprimir. **2.** Máquina de imprimir. **3.** Conjunto dos jornais e revistas periódicos. **4.** Conjunto dos jornalistas. **5.** O jornalismo. **6.** *P. ext.* A atividade jornalística exercida nos diversos veículos de comunicação de massa.

imprensar *v.t.* (conj. 4). **1.** Apertar no prelo ou na prensa. **2.** Apertar de encontro a alguma coisa. **3.** Coagir, constranger.

imprescindível *adj.2g.* De que não se pode prescindir; necessário, indispensável.

imprescritível *adj.2g.* **1.** Diz-se de um bem ou direito que não pode ser atingido pela prescrição. **2.** Imune à ação do tempo.

impressão *s.f.* (lat. *impressio*). **1.** Ato ou efeito de imprimir(-se). **2.** Marca deixada por um objeto que se pressionou contra outro. **3.** Sinal, traço, vestígio. **4.** Efeito produzido nos órgãos dos sentidos, na mente. ● **Eletrôn.** *Impressão de circuitos,* processo que consiste na fotografia de um esquema desenhado e na sua reprodução posterior através de lâminas de metal condutor dispostas sobre uma placa de material isolante, como a baquelita.

impressionante *adj.2g.* Que impressiona, comove; tocante.

impressionar *v.t.* (conj. 4). **1.** Produzir, deixar uma marca. **2.** Produzir, pela luz, uma transformação fotoquímica em uma superfície sensível. **3.** *Fig.* Comover, tocar.

impressionismo *s.m.* **1.** Movimento artístico do séc. XIX, principalmente pictórico, que se preocupou com as sensações de luz e cor. **2.** Tendência literária inspirada nesse movimento.

IMPRESSIONISMO ► A estética impressionista marcou a primeira ruptura na arte moderna, durante o último terço do século XIX. Com o objetivo de trabalhar ao ar livre e dar prioridade à sensação do artista, introduziu-se na pintura tudo o que era cambiante (céu, água, folhagem), tudo o que transformava as coisas (luz, estação, hora), tudo o que era transitório (neve, neblina, aurora, crepúsculo). Esse era o centro das preocupações dos artistas, que renunciaram a desenhar os contornos e aboliram o preto, o branco puro e a cor terra para buscar "vibrações coloridas" por justaposição das pinceladas e fragmentação das cores primárias e suas respectivas complementares. A mistura não era feita na paleta, mas nascia de uma sensação óptica que tendia a dissolver as formas.

---

impressionista *adj.2g.* Relativo ou pertencente ao impressionismo. ★ *s.2g.* Artista seguidor desse movimento.

impresso *adj.* (lat. *impressus*). **1.** Que se fez por meio de imprensa. **2.** *Fig.* Gravado, fixado. ★ *s.m.* **1.** Qualquer obra impressa (livro, folha volante etc.). **2.** Folha especial para serviços administrativos, correspondência etc.

impressor (ô) *adj.* Que imprime, que serve para impressão. ★ *s.m.* **1.** Diretor ou proprietário de uma oficina gráfica ou tipografia. **2.** Operário que trabalha em uma impressora.

impressora (ô) *s.f.* **1.** Máquina de imprimir; prensa, imprensa. **2.** Equipamento periférico para imprimir em papel os resultados de um processamento em computador.

EXEMPLOS DE IMPRESSORAS

---

imprestável *adj.2g.* **1.** Que não presta; inútil. **2.** Que não é prestimoso. ★ *s.2g.* Pessoa sem préstimos, inútil.

impreterível *adj.2g.* **1.** Que não se pode preterir; indeclinável. **2.** Inadiável, impostergável.

imprevidência *s.f.* Falta de previdência; desprevenção.

imprevidente *adj.2g.* e *s.2g.* Que ou aquele que não tem previdência.

imprevisão *s.f.* **1.** Falta de previsão. **2.** Desleixo, descuido, negligência.

imprevisível *adj.2g.* Que não se pode prever.

imprevisto *adj.* Que acontece sem ter sido previsto; súbito. ★ *s.m.* Acontecimento que não se pode prever.

imprimir *v.t.* (lat. *imprimere*) [conj. 6]. **1.** Produzir ou deixar marcas ou sinais em, por meio de pressão; estampar, gravar. **2.** Reproduzir (livro, jornal etc.) mediante processo de impressão. **3.** Publicar, editar (texto, artigo etc.). **4.** Produzir, causar, dotar de. **5.** Comunicar, transmitir um movimento a um corpo ou objeto. **6.** *Fig.* Infundir, inspirar. ★ *v.pr.* Ficar marcado, fixar-se, gravar-se.

imprinting *s.m.* (ingl.). Nos mamíferos e nas aves, processo de aprendizagem pelo qual o recém-nascido se fixa ao primeiro objeto móvel percebido e reage a ele como se fosse sua mãe.

ímprobo *adj.* (lat. *improbus*). **1.** Que não é probo; desonesto. **2.** *Fig.* Árduo, duro, fatigante.

improcedente *adj.2g.* **1.** Que não procede, que não se justifica; infundado. **2.** Incoerente.

improdutivo *adj.* **1.** Que não produz; estéril, infecundo. **2.** Que não rende; infrutífero, inútil.

improferível *adj.2g.* Que não se pode proferir.

improfícuo *adj.* **1.** Que não é profícuo. **2.** Baldado, inútil.

impropério *s.m.* (lat. *improperium*). **1.** Ato ou palavra infamante; vitupério, opróbrio. **2.** Repreensão ofensiva e injuriosa.

impropriedade *s.f.* **1.** Qualidade de impróprio, inadequado. **2.** Inconveniência, inoportunidade. **3.** Incoerência, contradição, absurdo. **4.** Emprego incorreto de um termo.

impróprio *adj.* (lat. *improprius*). **1.** Que não é próprio; inadequado. **2.** A que falta propriedade. **3.** Inconveniente, inadequado, inoportuno. **4.** Desaconselhável.

improrrogável *adj.2g.* Que não se pode ou não se deve prorrogar.

improvável *adj.2g.* (lat. *improbabilis*). **1.** Que não se pode provar ou evidenciar. **2.** Que tem pequena probabilidade de se realizar.

improvidência *s.f.* Qualidade de improvidente.

improvidente *adj.2g.* **1.** Que não é providente. **2.** Negligente, desleixado.

improvisação *s.f.* **1.** Ato de improvisar(-se). **2.** Aquilo que se improvisa. **3.** Execução e criação musicais realizadas sem preparação prévia e sem notações em partitura.

improvisar *v.t.* (conj. 4). **1.** Fazer, organizar sem preparo prévio, com os meios imediatamente disponíveis. **2.** Compor (música, discurso) sem preparo prévio. **3.** Inventar, forjar. ★ *v.pr.* Desempenhar uma função com a qual não se está habituado.

improviso *adj.* (lat. *improvisus*). Repentino, inopinado. ★ *s.m.* **1.** Pequena peça improvisada em versos, epigrama, madrigal ou canção. **2.** Peça musical curta de forma livre. **3.** *De improviso,* de repente, de súbito, sem preparo prévio.

imprudência *s.f.* **1.** Qualidade de imprudente. **2.** Ato contrário à prudência.

imprudente *adj.2g.* e *s.2g.* Que ou aquele que não tem prudência.

impuberdade *s.f.* Estado ou idade de pessoa impúbere; impubescência.

impúbere *adj.2g.* e *s.2g.* (lat. *impuber, impuberis*). Que ou aquele que ainda não chegou à puberdade; impubescente.

impubescência *s.f.* Impuberdade.

impubescente *adj.2g.* e *s.2g.* Impúbere.

impudência *s.f.* (lat. *impudentia*). **1.** Qualidade, caráter de impudente; impudor. **2.** Ato ou palavra impudente.

impudente *adj.2g.* (lat. *impudens*). Despudorado, cínico, sem-vergonha.

A B C D E F G H **I** J K L M N O P Q R S T U V W X Y Z

impudicícia *s.f.* (lat. *impudicitia*). **1.** Falta de pudicícia; qualidade de impudico. **2.** Ato, palavra impudica. **3.** Lascívia.

impudico *adj.* (lat. *impudicus*). Que fere o pudor; obsceno, lascivo. ★ *adj.* e *s.m.* Que ou aquele que não tem pudor; despudorado.

impudor (ô) *s.m.* **1.** Falta de pudor, de pejo, de compostura. **2.** Cinismo, descaramento, despudor; impudência.

impugnação *s.f.* (lat. *impugnatio*). Ato ou efeito de impugnar; contestação, oposição, contradição, refutação.

impugnar *v.t.* (lat. *impugnare*) [conj. 4]. **1.** Refutar, contrariar, contestar. **2.** Resistir, opor-se a.

impulsão *s.f.* (lat. *impulsio*). Ação de uma força que age sobre um corpo e tende a imprimir-lhe um movimento ou o movimento assim produzido; impulso.

impulsionar *v.t.* (conj. 4). **1.** Dar impulso ou impulsão a; impelir, impulsar. **2.** Estimular, impelir moralmente.

impulsivo *adj.* **1.** Que dá ou produz impulso ou impulsão. **2.** Movido por impulso. ★ *adj.* e *s.m.* **1.** Que ou aquele que age irrefletidamente, por impulso. **2.** Que ou aquele que se excita ou se enfurece facilmente.

impulso *s.m.* (lat. *impulsus*). **1.** Ato ou efeito de impelir, impulsionar. **2.** Impulsão. **3.** Estímulo, incitamento. **4.** *Fig.* Necessidade imperiosa, muitas vezes irresistível, que leva à prática de atos irrefletidos; ímpeto. ● **Eletrôn.** Grupo de oscilações de altíssima freqüência que se sucedem periodicamente no tempo. **Fisiol.** *Impulso nervoso,* sinal transmitido ao longo da membrana neuronal por intermédio de uma corrente elétrica.

impulsor (ô) *adj.* e *s.m.* (lat. *impulsor*). Que ou o que impulsiona, impele.

impune *adj.2g.* (lat. *impunis*). Que não foi punido, que escapou à punição.

impunidade *s.f.* (lat. *impunitas*). **1.** Estado de impune. **2.** Falta de punição.

impunível *adj.2g.* Que não se pode punir.

impureza (ê) *s.f.* (lat. *impuritia*). **1.** Estado de impuro; falta de pureza. **2.** O que há de impuro ou poluto em alguma coisa; elemento de natureza diversa dos constituintes de uma substância pura. **3.** Falta de limpeza, de asseio; sordidez. **4.** *Fig.* Impudicícia, imoralidade. ● **Eletrôn.** Átomo estranho que vem se situar entre dois átomos ou no lugar de um átomo e que funciona como doador ou receptor de elétrons.

impuro *adj.* (lat. *impurus*). **1.** Que não é puro. **2.** Que tem a composição alterada pela presença de elementos estranhos, contaminados ou infectados. **3.** Que está misturado a alguma substância. **4.** Sórdido, sujo, imundo, torpe. **5.** *Fig.* Impudico, imoral, lascivo.

imputabilidade *s.f.* **1.** Qualidade de imputável. **2.** Possibilidade de atribuir a um indivíduo a responsabilidade por uma infração.

imputação *s.f.* (lat. *imputatio*). **1.** Ato ou efeito de imputar. **2.** Aquilo que se imputa; inculpação. **3.** *Fig.* Responsabilidade pessoal.

imputar *v.t.* (lat. *imputare*) [conj. 4]. **1.** Atribuir a alguém, a alguma coisa, a responsabilidade de. **2.** Qualificar de delito, falta ou erro. **3.** Aplicar um pagamento a uma dívida, líquida e vencida.

imputável *adj.2g.* Que se pode imputar.

imputrescível *adj.2g.* Que não se putrefaz, que não pode apodrecer ou corromper-se.

imundícia *s.f.* Imundície.

imundície *s.f.* (lat. *immunditie*). **1.** Sujeira, falta de asseio; imundice, imundícia. **2.** Lixo, detritos. **3.** *Pop.* Grande quantidade de coisas (miúdas ou graúdas).

imundo *adj.* (lat. *immundus*). **1.** Excessivamente sujo. **2.** *Fig.* Ignóbil, sórdido, vil. **3.** *Fig.* Obsceno, indecente, imoral.

imune *adj.2g.* (lat. *immunis*). **1.** Que tem imunidade; isento, livre. **2.** Diz-se de organismo imunizado ou dos elementos da resposta imunitária.

imunidade *s.f.* (lat. *immunitas, immunitatis*). **1.** Isenção de impostos, deveres, encargos etc. **2.** Reação de defesa de um organismo à entrada de um antígeno que lhe é estranho, seja através da produção de anticorpos (*imunidade humoral*), seja pela ativação de células do sistema imunológico (*imunidade celular*). **3.** Privilégio.

imunitário *adj.* Relativo à imunidade de um organismo.

imunização *s.f.* **1.** Ato ou efeito de imunizar(-se). **2.** Aquisição de imunidade específica ou elaboração de resposta imunitária contra certos antígenos.

? VOCÊ SABIA...? A **imunização** contra doenças infecciosas foi um grande sucesso nos países onde foi posta em prática, o que determinou grande redução na incidência de doenças como difteria, sarampo, rubéola, poliomielite e tuberculose. A varíola constitui um caso especial, pelo fato de ter sido totalmente erradicada, devido, em grande parte, ao programa de imunização levado a cabo pela Organização Mundial de Saúde.

---

imunizar *v.t.* (conj. 4). **1.** Tornar imune ou refratário a doença. **2.** *Fig.* Subtrair a uma influência nociva.

imunodeficiência *s.f.* **1.** Deficiência do sistema imunitário. **2.** *Síndrome de imunodeficiência adquirida,* aids.

imunodeficiente *adj.2g.* e *s.2g.* Que ou aquele que possui sistema imunitário deficiente.

imunodepressão *s.f.* Diminuição ou ausência de resposta imune. (Sin. IMUNOSSUPRESSÃO.)

imunodepressivo *adj.* Relativo a imunodepressor ou a imunodepressão.

imunodepressor (ô) *adj.* e *s.m.* Diz-se de ou medicamento ou tratamento capaz de diminuir ou mesmo suprimir as reações de defesa de um organismo contra um antígeno, utilizado como preparação de transplante.

imunogênico *adj.* Que induz uma reação imunológica.

imunoglobulina *s.f.* Proteína circulante no sangue e nas secreções, que pode se combinar ao antígeno específico que originou sua produção pelo plasmócito.

imunologia *s.f.* Parte da biologia e da medicina que estuda a imunidade.

imunológico *adj.* **1.** Relativo à imunologia. **2.** Relativo à imunidade.

imunologista *s.2g.* Especialista em imunologia.

imunossupressão *s.f.* Sin. de IMUNODEPRESSÃO.

imunoterapia *s.f.* Terapia baseada em reações imunitárias, com introdução de antígenos ou de anticorpos em um organismo.

imutável *adj.2g.* (lat. *immutabilis*). Que não muda, que não está sujeito a mudança.

In símbolo químico do índio.

inabalável *adj.2g.* **1.** Que não pode ser abalado; sólido, firme. **2.** Inquebrantável.

inábil *adj.2g.* (lat. *inhabilis*). **1.** Que não tem habilidade. **2.** Incompetente, incapaz. **3.** Juridicamente incapaz. **4.** Desajeitado.

inabilitar *v.t.* (conj. 4). **1.** Tornar inábil, incapaz. **2.** Tirar a possibilidade de; impedir. **3.** Reprovar em exame ou concurso. ★ *v.pr.* **1.** Tornar-se inábil. **2.** Perder a aptidão para; impossibilitar-se.

inabitado *adj.* (lat. *inhabitatus*). Que não é habitado.

inabitável *adj.2g.* Que não se pode habitar.

inabordável *adj.2g.* **1.** Que não se pode abordar; inacessível. **2.** *Fig.* A quem não se pode falar.

inacabado *adj.* Não acabado; incompleto, imperfeito.

inacabável *adj.2g.* Que não se pode acabar.

inação *s.f.* **1.** Falta de ação; inércia. **2.** Falta de trabalho, ociosidade. **3.** Indecisão, irresolução.

inaceitável *adj.2g.* Que não se pode ou não se deve aceitar.

inacessível *adj.2g.* (lat. *inaccessibilis*). **1.** Que não oferece acesso. **2.** Que não se pode atingir ou alcançar; inatingível. **3.** Incompreensível, ininteligível.

inacreditável *adj.2g.* Em que não se pode acreditar; incrível.

inadaptável *adj.2g.* Que não se pode adaptar.

inadequado *adj.* Não adequado; impróprio.

inadiável *adj.2g.* Que não pode ser adiado; impreterível, impostergável.

inadimplemento *s.m.* Falta de observância de um contrato ou de qualquer de suas condições.

inadimplente *adj.2g.* e *s.2g.* Que ou aquele que não cumpre devidamente um contrato e, *p. ext.*, qualquer compromisso.

inadimplência *s.f.* Qualidade, estado de inadimplente.

inadimplir *v.t.* (conj. 6). **1.** Deixar de cumprir no termo convencionado (as obrigações de um contrato). **2.** *P. ext.* Deixar de cumprir um compromisso.

inadmissível *adj.2g.* Que não se deve ou não se pode admitir.

inadvertência *s.f.* **1.** Falta de advertência; descuido, imprevidência. **2.** Distração, irreflexão.

inadvertido *adj.* Feito sem reflexão.

inalação *s.f.* (lat. *inhalatio*). **1.** Ato ou efeito de inalar. **2.** Absorção, pela vias respiratórias, de vapor de água puro ou misturado a substâncias medicamentosas.

inalante *adj.2g.* Que é absorvido por inalação.

inalar *v.t.* (lat. *inhalare*) [conj. 4]. **1.** Aspirar, absorver pelas vias respiratórias. **2.** *Fig.* Receber, assimilar, absorver.

inalienável *adj.2g.* Que não pode ser alienado, transferido.

inalterado *adj.* **1.** Que não se altera, que não sofreu alteração. **2.** Sem perturbação.

inalterável *adj.2g.* **1.** Que não pode ser alterado; imutável. **2.** Imperturbável, inabalável, constante.

inambu *s.2g.* Var. de INHAMBU.

inamissível *adj.2g.* (lat. *inamissibilis*). Não sujeito a ser perdido.

inamovível *adj.2g.* **1.** Que não pode ser movido de um lugar para outro. **2.** Que não pode ser revogado, punido ou destituído.

inane *adj.2g.* (lat. *inanis*). **1.** Que nada contém; vazio, oco. **2.** *Fig.* Fútil, frívolo.

inanição *s.f.* (lat. *inanitio, inanitionis*). **1.** Estado de inane; vacuidade. **2.** Privação total ou parcial de alimento; seu resultado. **3.** Extrema debilidade, fraqueza.

inanidade *s.f.* (lat. *inanitas*). **1.** Qualidade de inane. **2.** Inutilidade. **3.** Frivolidade, futilidade.

inanimado *adj.* (lat. *inanimatus*). **1.** Sem animação, imóvel. **2.** Sem vida ou sem ânimo; desfalecido. **3.** Que não tem alma. **4.** Que carece de vivacidade ou animação.

inanir *v.t.* (conj. 6). Reduzir à inanição.

inapelável *adj.2g.* De que não se pode apelar.

inapetência *s.f.* Falta ou diminuição do apetite; fastio, anorexia.

inapetente *adj.2g.* Que não tem apetite.

inaplicável *adj.2g.* **1.** Que não pode ser aplicado. **2.** Que não vem ao caso.

inapreciável *adj.2g.* **1.** Que não se pode avaliar, apreciar. **2.** Coisa preciosa, de que não se pode calcular o valor.

inaproveitável *adj.2g.* Que não se pode aproveitar.

inaptidão *s.f.* **1.** Falta de aptidão; incapacidade, incompetência. **2.** Estado daquele que não pode mais exercer atividade profissional. **3.** Falta de inteligência; inépcia.

inapto *adj.* **1.** Que não é apto, que não tem capacidade; incompetente. **2.** Não habilitado. **3.** Inábil, imperito. **4.** Inepto.

inarticulado *adj.* **1.** Que não é articulado. **2.** Mal ou indistintamente articulado. **3.** Que não tem articulações.

inatacável *adj.2g.* **1.** Que não se pode atacar; incontestável. **2.** Incensurável, irreprochável, irrepreensível.

inatingível *adj.2g.* Inacessível.

inativo *adj.* **1.** Que não tem atividade; inerte. **2.** Sem movimentação, paralisado. ★ *adj.* e *s.m.* **1.** Diz-se de ou funcionário público militar temporariamente afastado do serviço ativo por determinação superior. **2.** Reformado ou aposentado.

inato *adj.* (lat. *innatus*). Que nasce com o indivíduo; congênito.

inaudito *adj.* (lat. *inauditus*). Que nunca se ouviu dizer; extraordinário, espantoso.

inaudível *adj.2g.* (lat. *inaudibilis*). Que não pode ser percebido pelo ouvido; não audível.

inauguração *s.f.* (lat. *inauguratio*). **1.** Ato ou efeito de inaugurar. **2.** Cerimônia com que se inaugura um estabelecimento, instituição, exposição etc. **3.** Início de exercício; implantação.

inaugural *adj.2g.* (lat. *inauguralis*). **1.** Relativo a inauguração. **2.** Que inaugura.

inaugurar *v.t.* (lat. *inaugurare*) [conj. 4]. **1.** Expor, mostrar ou oferecer ao uso pela primeira vez. **2.** Marcar o início, introduzir o uso de. **3.** Iniciar o funcionamento de.

inautêntico *adj.* Que não é autêntico.

inavegável *adj.2g.* Que não pode ser navegado.

INCA ► Os incas foram um povo que habitou as montanhas do Peru, talvez desde 2000 a.C. Eles começaram a construir seu império por volta de 1200 d.C. Os reis incas Pachacuti e seu filho Topa Inca estenderam o império de 1438 a 1493; nessa época, ele chegou a abranger grande parte do que hoje constitui o Peru, o Equador e a Bolívia, além do norte do Chile. Seu território abrangia, ainda, parte da floresta amazônica. Em 1533, foram dominados pelos espanhóis, que destruíram a civilização por completo.

inca *adj.2g.* Relativo ou pertencente aos incas, dinastia dominante no Peru na época da conquista espanhola; incaico. ★ *s.2g.* **1.** Título dos soberanos dessa dinastia. **2.** Indivíduo dos incas.

incabível *adj.2g.* Que não tem cabimento, que não é aceitável.

incaico *adj.* Inca.

incalar *v.t.* (conj. 4). Pôr bóias ou chumbada em uma rede de pesca.

incalculável *adj.2g.* **1.** Que não se pode calcular. **2.** Muito numeroso.

incandescência *s.f.* (lat. *incandescentia*). Fenômeno que ocorre quando um corpo é aquecido a uma temperatura elevada e emite radiação térmica visível.

incandescente *adj.2g.* (lat. *incandescens*). **1.** Que está em brasa; ardente, candente. **2.** *Fig.* Exaltado, arrebatado.

incandescer *v.t.* (lat. *incandescere*) [conj. 25]. Tornar candente, pôr em brasa; escandescer. ★ *v.i.* Tornar-se candente; escandescer.

incansável *adj.2g.* **1.** Que não se cansa. **2.** Muito ativo, laborioso.

incapacidade *s.f.* Falta de capacidade; incompetência, inaptidão.

incapacitar *v.t.* (conj. 4). Tornar incapaz, inabilitar.

incapaz *adj.2g.* e *s.2g.* **1.** Que ou aquele que não é capaz. **2.** Que ou aquele que não tem capacidade para; inabilitado. **3.** Incompetente, inábil. ● **Dir.** Que ou aquele que não tem capacidade legal.

inçar *v.t.* (conj. 4). **1.** Povoar abundantemente. **2.** Crescer a ponto de sufocar ou abafar. **3.** Alastrar-se. espalhar-se. ★ *v.pr.* Contaminar-se, contagiar-se.

incauto *adj.* e *s.m.* (lat. *incautus*). **1.** Que ou aquele que não tem cautela; imprudente. **2.** Crédulo, ingênuo.

incender *v.t.* (lat. *incedere*) [conj. 5]. **1.** Pôr fogo a; inflamar, acender. **2.** Fazer corar; ruborizar. **3.** Estimular, incitar. **4.** Excitar, suscitar. ★ *v.pr.* **1.** Inflamar-se, acender-se. **2.** *Fig.* Abrasar-se, afoguear-se, exaltar-se.

incendiar *v.t.* (conj. 17). **1.** Pôr fogo a; queimar. **2.** *Fig.* Excitar, inflamar, abrasar. **3.** Avermelhar, afoguear. ★ *v.pr.* **1.** Queimar, arder. **2.** Inflamar-se, excitar-se.

incendiário *adj.* (lat. *incendiarius*). **1.** Que é próprio para incendiar, para provocar um incêndio. **2.** *Fig.* Próprio para inflamar os espíritos. **3.** *Fig.* Exaltado, arrebatado. ★ *s.m.* Autor voluntário de um incêndio.

incêndio *s.m.* (lat. *incendium*). **1.** O ato ou efeito de incendiar(-se). **2.** Fogo que se propaga e causa estragos. **3.** *Fig.* Entusiasmo, ardor. **4.** *Fig.* Tumulto, conflagração.

incensação *s.f.* Ato ou efeito de incensar.

incensar *v.t.* (lat. *incensare*) [conj. 4]. **1.** Defumar ou perfumar com incenso. **2.** *Fig.* Elogiar em excesso; bajular.

incenso *s.m.* (lat. *incensum*). **1.** Resina vegetal aromática que, em combustão, exala odor forte e agradável. **2.** *Fig.* Elogio, lisonja.

incensurável *adj.2g.* Não censurável.

incentivar *v.t.* (conj. 4). Dar incentivo a; estimular, incitar.

incentivo *adj.* (lat. *incentivus*). Que incentiva, estimula, incita. ★ *s.m.* **1.** Aquilo que incentiva; estímulo, incitamento. **2.** *Incentivo fiscal,* subsídio concedido pelo governo, na forma de renúncia de parte de sua receita com impostos.

incerteza (ê) *s.f.* **1.** Falta de certeza. **2.** Dúvida, hesitação. **3.** Imprecisão, dúvida. **4.** Inconstância, imprevisibilidade.

incerto *adj.* (lat. *incertus*). **1.** Que não é certo, seguro; impreciso, vago. **2.** Duvidoso, indeciso, irresoluto. **3.** Variável, oscilante. ★ *s.m.* O que não é certo. (Cf. **INSERTO.**)

incessante *adj.2g.* (lat. *incessans*). **1.** Que não cessa; contínuo. **2.** Assíduo, constante.

incesto *s.m.* (lat. *incestum*). Relações sexuais entre pessoas ligadas por um certo grau de parentesco, proibidas em determinadas sociedades.

incestuoso (ô) *adj.* (lat. *incestuosus*). **1.** Relativo ao incesto. **2.** Que tem caráter de incesto. **3.** Que nasceu de um incesto. ★ *adj.* e *s.m.* Que ou aquele que pratica incesto.

inchação *s.f.* **1.** Ato ou efeito de inchar; intumescimento, inchamento. **2.** Tumor, edema; inchaço. **3.** *Fam.* Arrogância, presunção, bazófia.

inchaço *s.m.* *Pop.* Inchação.

inchar *v.t.* (lat. *inflare*) [conj. 4]. **1.** Tornar túmido; intumescer. **2.** Aumentar o volume; dilatar, engrossar. **3.** Empolar, amaneirar (o estilo). **4.** Enfunar. **5.** Tornar vaidoso, orgulhoso. ★ *v.i.* e *v.pr.* **1.** Aumentar de volume; dilatar-se. **2.** Tornar-se tumefato; intumescer-se. **3.** *Fig.* Envaidecer-se, enfatuar-se.

incidência *s.f.* (lat. *incidentia*). **1.** Qualidade de incidente. **2.** Ato ou efeito de incidir.

incidental *adj.2g.* (lat. *incidentalis*). **1.** Relativo a incidente. **2.** Acidental.

incidente *adj.2g.* (lat. *incidens*). **1.** Que incide, que cai sobre uma superfície. **2.** Que ocorre, sobrevém. ★ *s.m.* **1.** Fato secundário que sobrevém no decurso de um fato principal; episódio. **2.** Desentendimento, atrito.

incidir *v.i.* (lat. *incidere*) [conj. 6]. **1.** Cair em. **2.** Cair, incorrer. **3.** Acometer, atacar. **4.** Coincidir. ★ *v.t.* Sobrevir, acontecer.

incinerar *v.t.* (lat. *incinerare*) [conj. 4]. Reduzir a cinzas, destruir pela ação do fogo; calcinar, cremar.

incipiência *s.f.* Qualidade de incipiente.

incipiente *adj.2g.* (lat. *incipiens*). Que começa; principiante. (Cf. INSIPIENTE.)

incircunciso *adj.* e *s.m.* (lat. *incircumcisus*). **1.** Que ou aquele que não recebeu a circuncisão. **2.** Na linguagem bíblica, infiel, pagão.

incisão *s.f.* (lat. *incisio, incisionis*). Corte alongado feito por instrumento cortante; talho, incisura.

incisivo *adj.* **1.** Que corta ou é próprio para cortar. **2.** *Fig.* Sem rodeios, direto. **3.** *Fig.* Penetrante, cortante. ★ *s.m.* Dente de mamíferos, de raiz única e coroa cortante.

INCISIVOS DE DIFERENTES MAMÍFEROS

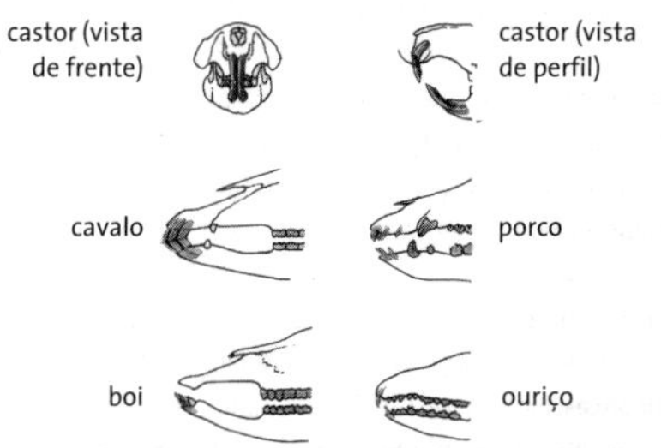

inciso *adj.* (lat. *incisus*). Ferido com ferro de gume; cortado. ● **Bot.** Diz-se do vegetal, ou peça vegetal, que possui recortes profundos e irregulares nas margens. ★ *s.m.* Subdivisão de um dispositivo legal que complementa outro parágrafo.

incisura *s.f.* (lat. *incisura*). Incisão. ● **Anat.** Entalhe que possuem as bordas de alguns ossos.

incitação *s.f.* (lat. *incitatio*). **1.** Ato ou efeito de incitar(-se); instigação, incitamento. **2.** Aquilo que impele à ação; incentivo, estímulo.

incitante *adj.2g.* Que incita; incitador, incitativo.

incitar *v.t.* (lat. *incitare*) [conj. 4]. **1.** Impelir, instigar. **2.** Provocar, suscitar. **3.** Estimular, excitar. ★ *v.pr.* **1.** Estimular-se, excitar-se. **2.** Irritar-se, encolerizar-se.

incivil *adj.2g.* (lat. *incivilis*). **1.** Que não tem civilidade; descortês. **2.** Que é contrário ao direito civil, ou por ele não admitido.

incivilidade *s.f.* **1.** Falta de civilidade; indelicadeza, descortesia. **2.** Ato, dito ou expressão incivil.

incivilizado *adj.* Que não é civilizado; inculto, grosseiro.

inclassificável *adj.2g.* **1.** Que não se pode classificar. **2.** Confuso, desordenado. **3.** Inqualificável.

inclemência *s.f.* (lat. *inclementia*). **1.** Falta de clemência; impiedade. **2.** Rigor, dureza, severidade.

inclemente *adj.2g.* (lat. *inclemens*). **1.** Que não tem clemência; cruel, impiedoso. **2.** *Fig.* Duro, rigoroso, severo.

inclinação *s.f.* (lat. *inclinatio*). **1.** Ato ou efeito de inclinar(-se). **2.** Estado do que é inclinado. **3.** Obliqüidade de duas linhas, de duas superfícies ou de dois corpos, um em relação ao outro. **4.** Ação de abaixar a cabeça ou curvar o corpo em sinal de aquiescência ou respeito. **5.** *Fig.* Tendência, vocação, propensão.

INCLINAÇÃO ► O eixo terrestre é uma linha imaginária que corre entre os pólos e tem uma inclinação de aproximadamente 23,5° em relação ao eixo vertical.

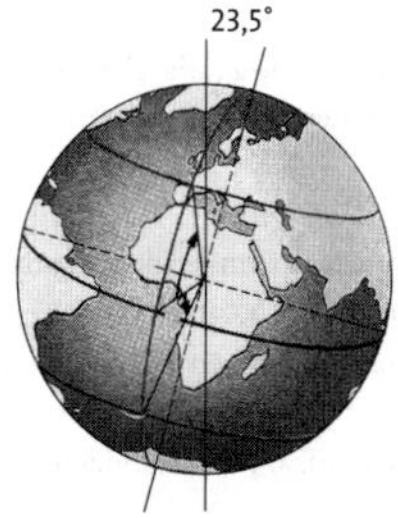

inclinado *adj.* **1.** Que está fora da linha vertical. **2.** *Fig.* Propenso, tendente.

inclinar *v.t.* (lat. *inclinare*) [conj. 4]. **1.** Desviar da linha vertical ou reta. **2.** Abaixar, fazer pender. **3.** Dar declive, obliqüidade a. **4.** Dirigir, direcionar, fazendo ângulo ou curva. **5.** Tornar propenso; predispor. **6.** Ter ou revelar propensão; tender. ★ *v.i.* Perder a posição vertical ou reta. ★ *v.pr.* **1.** Desviar-se da linha vertical ou reta. **2.** Curvar-se, abaixar-se. **3.** Tomar declive ou obliqüidade. **4.** Concordar, ceder. **5.** Ter propensão. **6.** *Fig.* Submeter-se.

inclinável *adj.2g.* Que pode ser inclinado.

ínclito *adj.* (lat. *inclitus*). Famoso, célebre, ilustre.

incluir *v.t.* (lat. *includere*) [conj. 74]. **1.** Compreender, abranger. **2.** Encerrar, inserir, introduzir. **3.** Envolver, implicar. **4.** Fazer constar de uma lista; arrolar. ★ *v.pr.* **1.** Estar incluído; fazer parte. **2.** Fechar-se, encerrar-se. **3.** Pôr ou fazer pôr o próprio nome numa lista.

inclusão *s.f.* (lat. *inclusio*). **1.** Ato ou efeito de incluir(-se). **2.** Estado de uma coisa incluída. ● **Biol.** Substância figurada intracelular que não pertence aos constituintes normais da célula. **Metal.** Constituinte metálico ou não, em geral indesejável, distribuído no interior de um metal ou liga. **Odont.** Estado de um dente que permanece contido no maxilar ou em tecidos moles vizinhos.

inclusive *adv.* (lat. *inclusive*). **1.** De maneira inclusiva; inclusivamente. **2.** Até mesmo; também.

inclusivo *adj.* (lat. *inclusivus*). Que inclui, compreende ou encerra.

incluso *adj.* (lat. *inclusus*). **1.** Que se incluiu, inseriu. **2.** Compreendido.

inço *s.m.* (*RS*) Conjunto de ervas daninhas que infestam lavouras comerciais na sua fase de desenvolvimento vegetativo.

incoação *s.f.* Começo, princípio.

incoagulável *adj.2g.* Que não se coagula.

incoativo *adj.* (lat. *inchoativus*). Que começa. ★ *adj.* e *s.m.* Diz-se de ou verbo que indica o começo, o estágio inicial ou a progressão de uma ação.

incõe *adj.2g.* Inconho.

incoercível *adj.2g.* **1.** Que não se pode coagir. **2.** Que não se pode reprimir, refrear. ● **Fís.** Que não se pode comprimir, conter.

incoerência *s.f.* **1.** Qualidade de incoerente. **2.** Atitude, opinião incoerente.

incoerente *adj.2g.* **1.** Que não tem coerência. **2.** Desconexo, desarmônico. **3.** Que não tem lógica; contraditório. ★ *s.2g.* Pessoa incoerente.

incógnita *s.f.* **1.** Nome dado à variável ou às variáveis de equações e inequações matemáticas. **2.** O que é desconhecido e se procura saber.

incógnito *adj.* (lat. *incognitus*). Não conhecido; ignoto. ★ *s.m.* **1.** Aquilo que é desconhecido; enigma. **2.** Estado daquele que não quer dar-se a conhecer.

incognoscível *adj.2g.* Que não é cognoscível, que não se pode conhecer.

íncola *s.2g.* (lat. *incola*). **1.** *Poét.* Habitante, morador. **2.** Indígena.

incolor (ô) *adj.2g.* (lat. *incolor*). Que não tem cor.

incólume *adj.2g.* (lat. *incolumis*). **1.** São e salvo, livre de perigo; ileso. **2.** Em bom estado de conservação.

incombustível *adj.2g.* (lat. tard. *incombustibilis*). Que não pode ser degradado por combustão, que não queima.

incombusto *adj.* **1.** Que não foi queimado, que não entrou em combustão. **2.** Diz-se de um corpo que, numa combustão, não se combinou totalmente com o oxigênio do ar.

incomensurável *adj.2g.* **1.** Que não pode ser medido; imensurável. **2.** Que não tem limites conhecidos. **3.** Enorme, imenso. ● **Mat.** Diz-se de duas grandezas que não têm medida comum.

incomodar *v.t.* (lat. *incommodare*) [conj. 4]. **1.** Causar incômodo a; molestar, importunar. **2.** Desgostar, aborrecer. ★ *v.pr.* **1.** Causar incômodo a si mesmo; molestar-se, cansar-se. **2.** Dar-se ao incômodo ou ao trabalho de; preocupar-se.

incômodo[1] *adj.* (lat. *incommodus*). **1.** Que não é cômodo, que causa mal-estar. **2.** Que não oferece conforto. **3.** Aborrecido, enfadonho. **4.** Que causa dificuldade, embaraço, estorvo; importuno.

incômodo[2] *s.m.* (lat. *incommodum*). **1.** Doença ligeira, mal-estar, indisposição. **2.** Fluxo menstrual. **3.** Trabalho, fadiga. **4.** Transtorno, perturbação. **5.** Dificuldade, estorvo.

incomparável *adj.2g.* (lat. *incomparabilis*). **1.** Que não se pode comparar, que não admite comparação. **2.** Inimitável, extraordinário, insigne.

incompassível *adj.2g.* Que não tem compaixão; inexorável, implacável.

incompatibilidade *s.f.* Qualidade ou estado de incompatível. ● **Med.** Condição entre dois indivíduos, na qual um é portador de um antígeno e o outro, do anticorpo correspondente. ▸ *Incompatibilidade materno-fetal,* situação na qual o anticorpo materno pode atravessar a barreira placentária e destruir glóbulos vermelhos do feto.

incompatibilizar *v.t.* (conj. 4). Tornar incompatível. ★ *v.pr.* Tornar-se incompatível; desentender-se.

incompatível *adj.2g.* Que não é compatível; que não se pode harmonizar com; inconciliável. ● **Mat.** Diz-se de um sistema de equações cujo conjunto de soluções é vazio. **Med.** Diz-se do sangue de um doador com antígeno que corresponde ao anticorpo presente no sangue do receptor.

incompetência *s.f.* **1.** Falta de competência. **2.** Ausência de conhecimentos suficientes. **3.** *Fig.* Inabilidade, ignorância, inaptidão.

incompetente *adj.2g.* e *s.2g.* **1.** Que ou aquele que não tem competência. **2.** Incapaz, inábil, inapto.

incompleto *adj.* (lat. *incompletus*). **1.** Que não está completo; inacabado. **2.** *P. ext.* Mutilado, imperfeito.

incompreendido *adj.* e *s.m.* Que ou aquele que não é compreendido.

incompreensão *s.f.* Falta de compreensão.

incompreensível *adj.2g.* (lat. *incomprehensibilis*). **1.** Que não se pode compreender; ininteligível. **2.** Que é muito difícil de compreender ou explicar. **3.** Obscuro, confuso. ★ *s.m.* O que não se pode compreender.

incompressível *adj.2g.* **1.** Que não é compressível, que não pode diminuir de volume por efeito da pressão. **2.** Que não pode ser reduzido. **3.** *Fig.* Que não se pode coagir; irreprimível.

incomum *adj.2g.* Que não é comum; extraordinário, invulgar.

incomunicável *adj.2g.* (lat. *incommunicabilis*). **1.** Que não é comunicável. **2.** *Fig.* Insociável, retraído.

incomutável *adj.2g.* (lat. *incommutabilis*). **1.** Que não é comutável. **2.** Que não pode mudar de proprietário.

inconcebível *adj.2g.* **1.** Que não se pode conceber, compreender. **2.** Inimaginável, surpreendente, insuspeitável.

inconcessível *adj.2g.* Que não se pode conceder.

inconciliável *adj.2g.* Que não é conciliável; incompatível, contraditório.

inconcludente *adj.2g.* Que não é concludente; ilógico.

inconcluso *adj.* Não concluído, não terminado; inacabado.

inconcusso *adj.* (lat. *inconcussus*). **1.** Firme, inabalável, sólido. **2.** *Fig.* Austero, imaculado, incorruptível. **3.** *Fig.* Incontestável, indubitável, irrecusável.

incondicionado *adj.* **1.** Incondicional. **2.** Diz-se de um reflexo suscitado por um estímulo anterior a todo e qualquer condicionamento. **3.** Diz-se de um estímulo que provoca tal reflexo.

incondicional *adj.2g.* Que não admite ou não supõe qualquer condição; imperativo, absoluto, incondicionado.

inconfessado *adj.* Inconfesso.

inconfessável *adj.2g.* Que não se pode ou não se deve confessar.

inconfesso *adj.* **1.** Que não é confesso. **2.** Que não se confessou; inconfessado.

inconfidência *s.f.* **1.** Falta de fé ou de fidelidade para com alguém, especialmente para com o Estado ou soberano. **2.** Abuso de confiança; infidelidade. **3.** Revelação de segredo confiado.

inconfidente *adj.2g.* Que revela os segredos confiados, especialmente do Estado. ★ *s.m.* Designação genérica de quem participava do movimento patriótico brasileiro denominado Inconfidência Mineira ou Conjuração Mineira, debelado em 1789.

INCONFIDENTE ▸ No fim do século XVIII, na capitania de Minas Gerais, aumentava a revolta da população contra os impostos pagos ao reino de Portugal, em especial contra o quinto, de 20% sobre o ouro extraído, e a derrama, cobrada de toda a população. Discutia-se a criação de uma República com capital em São João del Rey, mas um dos participantes delatou a conspiração às autoridades e vários inconfidentes foram presos em 1789. Por ordem real, o líder deveria ser executado, recebendo os demais o degredo ou outras penas. Joaquim José da Silva Xavier, o Tiradentes, foi enforcado e esquartejado em 1792. Com a proclamação da República, foi declarado herói nacional e, na data de sua morte, 21 de abril, instituiu-se feriado nacional.

---

inconformado *adj.* e *s.m.* **1.** Que ou aquele que não se conforma; não resignado. **2.** Que ou aquele que contesta, que demonstra insatisfação.

inconformismo *s.m.* Ato, dito ou caráter de inconformado; insatisfação, contestação.

inconfundível *adj.2g.* Que não se confunde com outro; distinto, diferente.

incongelável *adj.2g.* Que não se pode congelar.

incongruência *s.f.* (lat. *incongruentia*). **1.** Qualidade de incongruente. **2.** Incompatibilidade, incoerência. ● **Med.** Falha de adaptação de duas extremidades de um osso fraturado, dos elementos de uma articulação deslocada ou de duas porções viscerais durante uma anastomose.

incongruente *adj.2g.* (lat. *incongruens*). Impróprio, incompatível, inadequado. ● **Med.** Diz-se de uma anastomose, fratura ou articulação que apresenta uma incongruência.

inconho *adj.* (tupi *i kôe*). **1.** Diz-se de frutos que nascem pegados um ao outro. **2.** Diz-se de coisas muito ligadas entre si.

inconivente *adj.2g.* Não conivente.

inconquistável *adj.2g.* Que não se pode conquistar.

inconsciência *s.f.* **1.** Estado ou qualidade de inconsciente. **2.** Irresponsabilidade, irreflexão, leviandade.

inconsciente *adj.2g.* **1.** Que não tem consciência. **2.** Que perdeu a consciência, que está desacordado. **3.** De que não se tem consciência. **4.** Irresponsável, leviano. ● **Psican.** Relativo ao inconsciente. ★ *s.2g.* Aquele que procede sem consciência do que faz. ★ *s.m.* **Psican.** Instância psíquica autônoma em relação à consciência, constituída por pulsões e desejos recalcados e regida pelo princípio de prazer.

inconseqüência *s.f.* Qualidade, ato ou caráter de inconseqüente.

inconseqüente *adj.2g.* **1.** Que não mede as conseqüências. **2.** Imprudente, precipitado, apressado. **3.** Incoerente, contraditório. ★ *s.2g.* Pessoa inconseqüente.

inconsiderado *adj.* (lat. *inconsideratus*). **1.** Feito ou dito sem consideração ou reflexão; inadvertido. **2.** Arriscado, temerário.

inconsistência *s.f.* Qualidade, estado de inconsistente. ● **Lóg.** Propriedade de uma teoria lógica na qual uma mesma fórmula é ao mesmo tempo demonstrável e refutável.

inconsistente *adj.2g.* **1.** Que tem falta de consistência, de solidez. **2.** *Fig.* Que não tem lógica, conseqüência.

inconsolável *adj.2g.* (lat. *inconsolabilis*). Que não se pode consolar.

inconspícuo *adj.* **1.** Que não é conspícuo. **2.** Que não é facilmente perceptível. **3.** Diz-se da parte ou órgão vegetal de tamanho diminuto.

inconstância *s.f.* **1.** Falta de constância; volubilidade. **2.** Instabilidade, mobilidade. **3.** Leviandade, infidelidade.

inconstante *adj.2g.* **1.** Não constante; volúvel. **2.** Mutável, instável. **3.** Leviano, infiel. ★ *s.2g.* Pessoa volúvel, que muda de opinião ou de gosto com freqüência.

inconstitucional *adj.2g.* (fr. *inconstitutionnel*). Que se opõe à Constituição.

incontável *adj.2g.* Impossível de contar; inumerável.

incontentável *adj.2g.* Que não se pode contentar.

incontestabilidade *s.f.* Qualidade do que é incontestável.

incontestado *adj.* Inconteste.

incontestável *adj.2g.* **1.** Que não se pode contestar; indubitável, inegável. **2.** Certo, irrefutável.

inconteste *adj.2g.* Que não é contestado, discutido; incontestado.

incontido *adj.* Que não pode ser contido.

incontinência *s.f.* **1.** Falta de continência, de temperança; excesso. **2.** Falta de castidade. ● **Med.** Emissão involuntária de urina ou matéria fecal.

incontinente *adj.2g.* e *s.2g.* **1.** Que ou aquele que tem incontinência; imoderado. **2.** Que ou aquele que não é casto. **3.** Que ou aquele que não retém a urina, as matérias fecais etc.

incontinenti *adv.* (lat. *in continenti*). Sem demora; de imediato.

incontrolável *adj.2g.* Que não se pode controlar; incoercível, insopitável.

incontroverso *adj.* (lat. *incontroversus*). Não controverso, inconcusso, incontestável.

inconveniência *s.f.* (lat. *inconvenientia*). **1.** Falta de conveniência. **2.** Ato ou dito inconveniente; incivilidade, grosseria, descortesia.

inconveniente *adj.2g.* (lat. *incoveniens*). **1.** Que não convém. **2.** Que fere as conveniências; inoportuno. **3.** Inadequado, impróprio. ★ *s.m.* Prejuízo, desvantagem.

inconversível *adj.2g.* (lat. *inconversibilis*). Que não se pode converter; inconvertível.

inconvertível *adj.2g.* Inconversível.

incorporação *s.f.* (lat. *incorporatio*). **1.** Ato ou efeito de incorporar(-se). **2.** *P. ext.* Reunião, agrupamento. **3.** Processo pelo qual o corpo de um médium é tomado por um espírito. **4.** *Incorporação imobiliária,* operação pela qual uma empresa construtora ou imobiliária lidera a constituição de um condomínio para a construção de um edifício comercial ou de apartamentos. ● **Psican.** Modalidade de relação de objeto, protótipo da identificação e da introjeção, que consiste em fazer penetrar em si um objeto, destruí-lo e apropriar-se de seu conteúdo.

A B C D E F G H I J K L M N O P Q R S T U V W X Y Z

incorporar *v.t.* (lat. *incorporare*) [conj. 4]. **1.** Dar forma corpórea. **2.** Receber, reunir em corporação. **3.** Proceder à incorporação. **4.** Reunir diversas empresas em uma só. ★ *v.pr.* **1.** Entrar na composição de; agregar-se. **2.** *Fig.* Congregar-se, reunir-se, juntar-se. **3.** Tomar forma corpórea; materializar-se.

incorpóreo *adj.* (lat. *incorporeus*). Que não tem corpo; imaterial, impalpável.

incorreção *s.f.* **1.** Qualidade de incorreto. **2.** Falta de correção; erro. **3.** Ato, atitude ou procedimento incorreto.

incorrer *v.t.* (lat. *incurrere*) [conj. 5]. **1.** Estar sujeito a, incluído em; incidir. **2.** Atrair sobre si, cair em.

incorreto *adj.* (lat. *incorrectus*). **1.** Que não está correto; errado. **2.** Desonesto, ímprobo.

incorrigível *adj.2g.* (lat. *incorrigibilis*). **1.** Que não se pode corrigir. **2.** Que não se sujeita a correção; renitente, reincidente.

incorruptível ou **incorrutível** *adj.2g.* **1.** Que não se corrompe; inalterável. **2.** Que não se deixa corromper ou subornar.

incorrupto ou **incorruto** *adj.* Que não se corrompeu.

incorrutibilidade *s.f.* Qualidade de incorruptível.

incrédulo *adj.* e *s.m.* (lat. *incredulus*). **1.** Que ou aquele que não crê nos dogmas religiosos; ateu. **2.** Que ou aquele que dificilmente se deixa convencer; descrente, incréu, cético. ★ *adj.* Próprio de quem está em dúvida.

incrementar *v.t.* (conj. 4). **1.** Dar incremento a; desenvolver. **2.** *Gír.* Animar, melhorar.

incremento *s.m.* (lat. *incrementum*). **1.** Ação de crescer, aumentar. **2.** Desenvolvimento, crescimento, aumento.

increpar *v.t.* (lat. *increpare*) [conj. 4]. **1.** Repreender severamente. **2.** Argüir, acusar, censurar.

incréu *s.m.* Incrédulo.

incriminar *v.t.* (lat. *incriminare*) [conj. 4]. **1.** Imputar algum crime a. **2.** Declarar ou tomar por criminoso. **3.** Denunciar, inculpar. **4.** Acusar. ★ *v.pr.* Denunciar ou deixar transparecer a própria culpa.

incrível *adj.2g.* (lat. *incredibilis*). **1.** Que não se acredita; inacreditável. **2.** Excêntrico, singular, incomum. **3.** Extraordinário, excessivo. ★ *s.m.* Aquilo em que não se pode crer.

incruento *adj.* (lat. *incruentus*). Em que não se derramou sangue.

incrustação *s.f.* (lat. *incrustatio*). **1.** Ato ou efeito de incrustar. **2.** A coisa incrustada. **3.** Bloco metálico fundido que obtura uma cavidade dentária e reconstitui a forma anatômica do dente.

? VOCÊ SABIA...? A **incrustação** foi empregada na decoração de móveis antigos. A arte oriental e a muçulmana utilizaram o marfim na ornamentação de portas, como as do alcácer de Sevilha, na Espanha. No século XVI, as armas e os instrumentos musicais eram incrustados com marfim, nácar ou metal. No Extremo Oriente, apreciam-se especialmente as incrustações de nácar sobre madeira.

---

incrustar *v.t.* (lat. *incrustare*) [conj. 4]. **1.** Revestir com uma camada mais ou menos espessa de qualquer substância; cobrir de crosta. **2.** Aplicar ou inserir numa peça outra de matéria diferente, geralmente mais preciosa. **3.** Fixar, gravar. ★ *v.pr.* **1.** Aderir fortemente a uma superfície. **2.** Cobrir-se de incrustações. **3.** *Fig.* Fixar-se, arraigar-se, enraizar-se.

incubação *s.f.* (lat. *incubatio*). **1.** Ato ou efeito de incubar. **2.** Período de latência entre a instalação de agentes patógenos no organismo e o aparecimento dos primeiros sintomas de uma doença. **3.** Conservação de culturas microbianas em estufa para que se desenvolvam. **4.** *Fig.* Preparação, elaboração. (Cf. ENCUBAÇÃO.)

incubadeira *s.f.* Sin. de INCUBADORA.

incubado *adj.* Diz-se de doença já em desenvolvimento porém ainda sem manifestação aparente.

incubadora (ô) *s.f.* **1.** Equipamento com fonte artificial de calor, para incubação de ovos. **2.** Instalação para abrigar pintinhos nos seus primeiros dias de vida. **3.** Recinto fechado, de paredes transparentes, em que se mantêm crianças prematuras. **4.** Equipamento próprio para a incubação de culturas celulares ou bacteriológicas. (Sin. INCUBADEIRA.)

incubar *v.t.* (lat. *incubare,* chocar) [conj. 4]. **1.** Chocar (ovos). **2.** Ter em estado latente. **3.** *Fig.* Elaborar, planejar, preparar. ★ *v.i.* **1.** Chocar ovos. **2.** Pôr na incubadora. (Cf. ENCUBAR.)

inculcar *v.t.* (lat. *inculcare*) [conj. 12]. **1.** Propor, recomendar. **2.** Repetir para imprimir no espírito de alguém. **3.** Apregoar, apontar. **4.** Revelar, dar a entender. ★ *v.pr.* Impor-se como vantajoso ou indispensável; insinuar-se.

inculpado[1] *adj.* (lat. *inculpatus*). Que está sem culpa; inocente.

inculpado[2] *adj.* Que se inculpou, incriminou; acusado.

inculpar *v.t.* (lat. *inculpare*) [conj. 4]. **1.** Atribuir culpa a; incriminar, acusar. **2.** Censurar, repreender.

inculpável *adj.2g.* (lat. *inculpabilis*). **1.** Que não é culpável. **2.** Que não merece ser culpado.

incultivável *adj.2g.* Não cultivável.

inculto *adj.* (lat. *incultus*). **1.** Que não está cultivado. **2.** Sem cultura intelectual; bárbaro. **3.** Pouco tratado, sem cuidados.

incultura *s.f.* **1.** Qualidade de inculto. **2.** Falta de cultura, de ilustração.

incumbência *s.f.* (lat. *incumbentia*). Tarefa, missão, encargo.

incumbir *v.t.* (lat. *incumbere*) [conj. 6]. **1.** Dar incumbência, encarregar de. **2.** Ser da obrigação, caber. ★ *v.pr.* Tomar encargo, encarregar-se de.

incunábulo *s.m.* (lat. *incunabula,* berço). Qualquer livro impresso antes de 1500.

incurável *adj.2g.* (fr. *incurable*). **1.** Que não tem cura. **2.** Irremediável, insanável. **3.** *Fig.* Incorrigível.

incúria *s.f.* (lat. *incuria*). **1.** Falta de cuidado; negligência, desleixo. **2.** Inércia, inação.

incursão *s.f.* (lat. *incursio, incursionis*). **1.** Invasão hostil ou militar. **2.** Entrada, penetração.

incurso *adj.* (lat. *incursus*). Que incorreu, que está sujeito a (penalidade, imputação etc.). ★ *s.m.* Ação de incorrer.

incutir *v.t.* (lat. *incutere,* espetar) [conj. 6]. **1.** Introduzir ou infundir no ânimo de. **2.** Inspirar, insinuar, sugerir.

inda *adv.* Ainda.

indagação *s.f.* (lat. *indagatio*). **1.** Ato ou efeito de indagar; investigação, pesquisa. **2.** Inquirição, devassa.

indagar *v.t.* (lat. *indagare*) [conj. 14]. **1.** Procurar saber; investigar, averiguar. **2.** Perguntar, inquirir. **3.** Esquadrinhar, explorar.

INDAGAR ▸ Devido à sua engenhosa maneira de indagar para encontrar pistas que permitissem a eles resolver os casos que lhes eram apresentados, às vezes a partir de vestígios insignificantes como um pedaço de papel ou uma mancha, personagens da ficção como Sherlock Holmes e Hércules Poirot se converteram em sinônimo da agudeza do investigador criminal.

indagativo *adj.* **1.** Que indaga. **2.** Inquisitivo.

indaiá *s.m.* (tupi *ini'ya,* fruto de fios). Denominação comum a diversas palmeiras que ocorrem no Brasil Central.

indaiá-açu *s.m.* Palmeira de folhas compridas e frutos que contêm amêndoas fornecedoras de óleo de pindoba.

indaiá-do-campo *s.m.* Palmeira acaule, de folhas rígidas e frutos que são drupas vermelhas.

indébito *adj.* (lat. *indebitus*). **1.** Que não é devido ou que não se deve. **2.** Indevido, improcedente, imerecido.

indecência *s.f.* (lat. *indecentia*). **1.** Qualidade, caráter de indecente. **2.** Ato ou dito indecente. **3.** Imoralidade, obscenidade.

indecente *adj.2g.* (lat. *indecens*). Que é contrário à decência, ao pudor, aos bons costumes; imoral; obsceno. ★ *s.2g.* Pessoa indecente.

indecifrável *adj.2g.* Que não se pode decifrar ou entender; inextrincável.

indecisão *s.f.* **1.** Estado, caráter de indeciso; irresolução, hesitação. **2.** Incapacidade de decidir.

indeciso *adj.* (lat. *indecisus*). **1.** Que tem dificuldade em decidir-se; irresoluto. **2.** Que não está decidido; duvidoso, incerto. **3.** Vago, impreciso. ★ *s.m.* Indivíduo irresoluto.

indeclinável *adj.2g.* (lat. *indeclinabilis*). **1.** Não declinável. **2.** Inevitável. **3.** Irrecusável. ● **Ling.** Diz-se das palavras que não se flexionam em casos.

indecomponível *adj.2g.* Que não se pode decompor.

indecoro (ô) *s.m.* **1.** Falta de decoro. **2.** Ação indecorosa, indecente.

indecoroso (ô) *adj.* Sem decoro, indecente, vergonhoso, imoral.

indefectível *adj.2g.* **1.** Infalível. **2.** Imperecível, indestrutível.

indefensável *adj.2g.* Que não se pode defender.

indefenso *adj.* Indefeso.

indeferido *adj.* Não deferido; negado.

indeferimento *s.m.* **1.** Negação de um pedido formalizado em requerimento. **2.** Sanção de inobservância de uma prescrição legal que motiva a rejeição de uma requisição na Justiça.

indeferir *v.t.* (conj. 57). Não deferir, dar despacho desfavorável; desatender.

indefeso *adj.* (lat. *indefensus*). **1.** Que não é defendido; indefenso. **2.** Desarmado, inerme. ★ *s.m.* Pessoa indefesa.

indefinido *adj.* (lat. *indefinitus*). **1.** Não definido. **2.** Vago, impreciso. ● **Gram.** *Artigo indefinido,* artigo que se refere a um representante de uma espécie não mencionado anteriormente. ▸ *Pronome indefinido,* pronome da 3ª pessoa gramatical, considerada de um modo vago e indeterminado.

indefinível *adj.2g.* **1.** Que não se pode definir; indeterminável. **2.** Inexplicável.

indeiscência (e-i) *s.f.* Qualidade de indeiscente.

indeiscente (e-i) *adj.2g.* Que não se abre naturalmente para libertar as sementes na época da maturação.

indelével *adj.2g.* (lat. *indelebilis*). **1.** Que não se pode apagar. **2.** Que o tempo não destrói; perene.

indelicadeza (ê) *s.f.* **1.** Falta de delicadeza; descortesia, impolidez. **2.** Ato ou expressão indelicada; grosseria.

indelicado *adj.* Que não tem delicadeza; grosseiro, descortês.

indemonstrável *adj.2g.* Não demonstrável.

indene *adj.2g.* (lat. *indemnis*). Que não sofreu dano ou prejuízo; ileso, incólume.

indenização *s.f.* **1.** Reparação, compensação de dano. **2.** Ressarcimento.

indenizar *v.t.* (fr. *indemniser*) [conj. 4]. Dar indenização a; compensar, ressarcir.

independência *s.f.* **1.** Ausência de dependência; liberdade. **2.** Estado, condição de independente. **3.** *Fig.* Fortuna pecuniária; bens que tornam alguém independente.

INDEPENDÊNCIA ▸ Personagens marcantes promoveram a independência dos principais países da América do Sul. José de San Martín libertou o Chile e a Argentina entre 1816 e 1818. O Brasil alcançou sua independência em 1822, proclamada por Dom Pedro I, que também era herdeiro de seu pai, Dom João VI, ao trono de Portugal. Entre 1819 e 1825, o libertador Simón Bolívar conquistou a independência para Venezuela, Colômbia, Equador, Panamá e Peru e fundou a nação da Bolívia. Bolívar, venezuelano de nascimento, foi estadista, diplomata e escritor. Viajou pela Europa e pelos Estados Unidos da América. Foi testemunha de importantes acontecimentos históricos e abraçou as idéias liberais e revolucionárias. Publicou diversos jornais nos territórios hispano-americanos, nos quais difundiu idéias de liberdade e independência. Impulsionou a educação e mandou construir escolas, estradas e hospitais.

Simón Bolívar

independente *adj.2g.* **1.** Que não depende de ninguém ou de nada; livre. **2.** Que não tem relação de subordinação ou sujeição. **3.** Que se governa por leis próprias. **4.** Contrário à tirania ou ao despotismo. **5.** Separado, apartado. **6.** Que não está ligado a movimento, associação, partido etc. ★ *s.2g.* Pessoa ou instituição independente.

indescritível *adj.2g.* **1.** Que não se pode descrever ou exprimir. **2.** *Fig.* Extraordinário, incomum, espantoso.

indesculpável *adj.2g.* Que não se pode desculpar; imperdoável, inescusável.

A B C D E F G H **I** J K L M N O P Q R S T U V W X Y Z

indesejável *adj.2g.* e *s.2g.* Que ou aquele que não é desejado.

indestrutível *adj.2g.* **1.** Que não pode ser destruído. **2.** *Fig.* Inabalável, inalterável.

indeterminação *s.f.* **1.** Caráter de indeterminado. **2.** Falta de determinação. **3.** Falta de decisão, de vontade; indecisão.

indeterminado *adj.* **1.** Não determinado; não fixo. **2.** Indefinido, indistinto, incerto. **3.** Irresoluto, indeciso, hesitante. ● **Gram.** Diz-se do sujeito que não vem expresso na oração e que não pode ser identificado. ★ *s.m.* O que não é determinado.

indeterminar *v.t.* (conj. 4). Tornar indeterminado.

indevassável *adj.2g.* Que não pode ou não deve ser devassado.

indevido *adj.* **1.** Que não é devido; incorreto. **2.** Impróprio, inconveniente. **3.** Imerecido.

índex (cs) *adj.2g.* (lat. *index*). **1.** Índice. **2.** O dedo indicador. **3.** Lista oficial dos livros cuja publicação, leitura ou venda eram interditadas aos católicos.

indexação (cs) *s.f.* **1.** Ato ou efeito de indexar. **2.** Variação automática, ao longo do tempo e em função de um índice determinado, do valor nominal de um preço ou obrigação.

indexar (cs) *v.t.* (conj. 4). **1.** Classificar na forma de índice. **2.** Ligar a variação de um valor (título, salário etc.) à de um elemento tomado como sistema de referência (moeda estrangeira, ouro, índices etc.).

indez (ê) *adj.2g.* e *s.m.* (lat. *indicii,* de *indicium,* sinal). **1.** Diz-se de ou objeto semelhante a um ovo que se coloca no ninho de uma ave para estimular a postura. **2.** *Fig.* Diz-se de ou pessoa por demais suscetível ou delicada.

indianismo *s.m.* **1.** Estudo humanístico do subcontinente indiano. **2.** Palavra ou hábito próprios das línguas ou da cultura indianas introduzidos em outra língua ou cultura. **3.** Literatura inspirada em temas da vida dos índios brasileiros.

indianista *adj.2g.* Relativo ao indianismo. ★ *s.2g.* **1.** Estudioso das línguas e civilização indianas. **2.** Etnólogo especializado no estudo dos indígenas.

indiano *adj.* (lat. *indianus*). Relativo ou pertencente à Índia, país da Ásia; hindu, índico, índio. ★ *s.m.* O natural ou habitante da Índia; hindu.

indicação *s.f.* (lat. *indicatio*). **1.** Ato ou efeito de indicar. **2.** O que indica.

indicador (ô) *adj.* (lat. *indicator*). **1.** Que indica. **2.** *Dedo indicador,* o segundo dedo da mão, entre o polegar e o dedo médio; índex, índice, indicador. ● **Ecol.** Diz-se de certos organismos cuja presença em determinado ambiente é sinal das condições físicas e químicas desse local. ★ *s.m.* **1.** Aparelho que serve para indicar. **2.** Dedo indicador. **3.** Livro ou brochura que dá indicações, que serve de guia. **4.** Elemento que serve de referência para regular ou avaliar um elemento móvel ou variável.

indicativo *adj.* e *s.m.* (lat. *indicativus*). Que ou o que indica. ● **Gram.** Diz-se de ou modo verbal em que se exprime uma ação ou estado considerados reais ou certos.

índice *s.m.* (lat. *index, indicis*). **1.** O que serve para mostrar, indicar ou revelar algo ou uma qualidade. **2.** . Lista de elementos como assunto, tema, ilustrações, nomes de pessoas ou lugares etc., que indica sua posição em uma obra impressa ou eletrônica. **3.** Dedo indicador. **4.** Pequeno sinal colocado um pouco abaixo e à direita de uma letra. **5.** Número ou valor fixo que permite resumir e caracterizar a variação de uma grandeza ou corrigir valores variáveis. ● **Mat.** Algarismo colocado na abertura do radical para indicar o grau da raiz. ▸ Sinal distintivo dado à letra que se emprega num mesmo cálculo para representar grandezas análogas.

indiciado *adj.* Notado por indícios. ★ *s.m.* **1.** Aquele sobre o qual recaem indícios. **2.** Pessoa acusada de cometer ato delituoso; acusado, pronunciado.

indiciar *v.t.* (conj. 16). **1.** Dar indícios de, mostrar por indícios. **2.** Acusar, denunciar.

indício *s.m.* (lat. *indicium*). Sinal, vestígio, indicação aparente e provável de que uma coisa existe.

índico *adj.* **1.** Indiano. **2.** Relativo ao oceano Índico ou aos países por ele banhados.

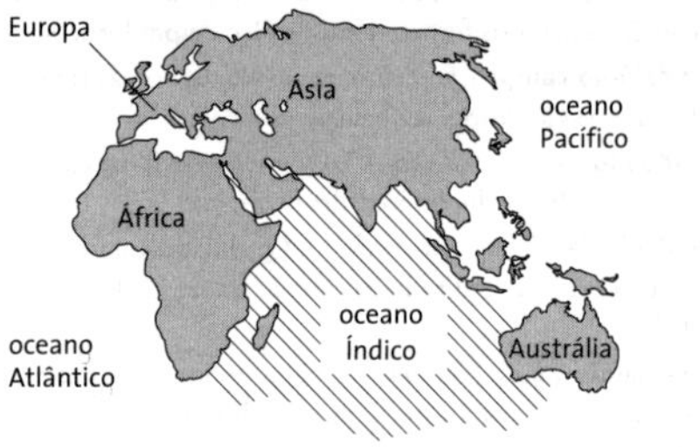

indiferença *s.f.* (lat. *indifferentia*). **1.** Qualidade de indiferente. **2.** Apatia, insensibilidade. **3.** Negligência, descuido, desleixo.

indiferenciação *s.f.* Perda parcial ou total das características morfológicas e funcionais de uma célula ou tecido.

indiferente *adj.2g.* (lat. *indifferens*). **1.** Que não apresenta qualquer motivo de preferência. **2.** Pouco importante, desinteressante. **3.** Que nada comove, que não se importa. **4.** Alheio, desinteressado, apático. ★ *s.2g.* Pessoa que não demonstra amizade, ódio ou interesse.

indígena *adj.2g.* (gr. *endógenes,* nascido em casa). **1.** Diz-se de indivíduo ou povo originário da região ou país onde vive; aborígine. **2.** Relativo ou pertencente a esse povo. ★ *s.2g.* Indivíduo originário da região onde vive; aborígine.

indigência *s.f.* (lat. *indigentia*). Qualidade ou estado de indigente; penúria, pobreza extrema.

indigenismo *s.m.* Estudos ou conhecimentos sobre os indígenas brasileiros.

indigenista *adj.2g.* Relativo ao indigenismo. ★ *s.2g.* Aquele que se dedica ao indigenismo; sertanista.

indigente *adj.2g.* (lat. *indigens*). Muito pobre, miserável. ★ *s.2g.* Aquele que vive em extrema penúria.

indigestão *s.f.* (lat. *indigestio, indigestionis*). **1.** Conjunto de distúrbios provocados por mau funcionamento digestivo (náuseas, vômitos, meteorismo, diarréia); dispepsia. **2.** Indisposição proveniente de uma digestão malfeita. **3.** Ato ou efeito de fartar-se.

indigesto *adj.* (lat. *indigestus*). **1.** Difícil de digerir. **2.** Que causa indigestão. **3.** Não digerido. **4.** *Fig.* Enfadonho, árido. **5.** *Fig.* Obscuro, confuso, ininteligível.

indigitar *v.t.* (lat. *indigitare*) [conj. 4]. **1.** Apontar com o dedo; mostrar, indicar. **2.** Notar, designar. **3.** Recomendar. **4.** Apontar como culpado.

indignação *s.f.* (lat. *indignatio, indignationis*). **1.** Sentimento de cólera e de desprezo que uma ofensa ou uma ação injusta provocam. **2.** Ira, raiva, ódio. **3.** Desprezo, aversão.

indignado *adj.* (lat. *indignatus*). **1.** Que está cheio de indignação. **2.** Revoltado, furioso.

indignar *v.t.* (lat. *indignare*) [conj. 4]. **1.** Excitar, provocar indignação. **2.** Causar repulsão, revoltar, indispor. ★ *v.pr.* **1.** Sentir indignação. **2.** Zangar-se, revoltar-se.

indignidade *s.f.* **1.** Falta de dignidade; baixeza, vileza. **2.** Ação indigna, vil.

indigno *adj.* (lat. *indignus*). **1.** Que não é digno; que não merece consideração. **2.** Mau, odioso. **3.** Desprezível, que desonra. ★ *s.m.* Pessoa indigna, vil, desprezível.

índigo *s.m.* (lat. *indicus*). **1.** Anil. **2.** A cor azul. **3.** *Índigo azul,* sin. de INDIGOTINA.

indigotina *s.f.* Composto químico que é o constituinte azul do índigo ou anil. (Sin. ÍNDIGO* AZUL.)

índio[1] *s.m.* Indígena da América.

índio[2] *s.m.* (lat. cient. *indium*). Elemento químico (símb. In) de número atômico 49, que constitui um metal raro de baixa dureza e cor branco-prateada.

indireta *s.f.* Alusão ou observação disfarçada, não explícita.

indireto *adj.* (lat. *indirectus*). **1.** Que não é direto, que não se encaminha desde logo ao objetivo. **2.** Que se faz com desvios, rodeios, interrupções etc. **3.** Disfarçado, dissimulado. ● Gram. *Discurso indireto,* enunciado que reproduz as palavras de alguém no interior de um outro enunciado por meio de um subordinativo.

indiscernível *adj.2g.* Que não se pode discernir.

indisciplina *s.f.* Falta de disciplina; desobediência.

indisciplinado *adj.* **1.** Que não tem disciplina. **2.** Rebelde a toda disciplina.

indisciplinar *v.t.* (conj. 4). **1.** Promover a indisciplina de. **2.** Revoltar, sublevar. **3.** Desmoralizar, relaxar. ★ *v.pr.* Perder a disciplina; sublevar-se.

indiscreto *adj.* e *s.m.* (lat. *indiscretus*). **1.** Que ou aquele que não é discreto; falto de discrição. **2.** Intrometido, bisbilhoteiro. **3.** Que ou aquele que não guarda segredo; falador, mexeriqueiro.

indiscrição *s.f.* **1.** Falta de discrição; revelação de um segredo. **2.** Ato, palavra indiscreta. **3.** Bisbilhotice.

indiscriminado *adj.* Não discriminado; misturado; indistinto.

indiscutível *adj.2g.* **1.** Que não se pode ou não se deve discutir. **2.** Que se impõe por sua evidência; incontestável, irrefutável.

indisfarçável *adj.2g.* Que não é disfarçável.

indispensável *adj.2g.* e *s.m.* Que ou o que não se pode dispensar; inescusável.

indisponível *adj.2g.* Que não é ou não está disponível; de que não se pode dispor.

indispor (ô) *v.t.* (conj. 45). **1.** Alterar levemente a saúde de. **2.** *Fig.* Tornar pouco favorável; descontentar. ★ *v.pr.* Malquistar-se com alguém; aborrecer-se, zangar-se.

indisposição *s.f.* **1.** Ato ou efeito de indispor (-se). **2.** Leve enfermidade. **3.** Falta de disposição; mal-estar. **4.** Conflito, desavença. **5.** *Fig.* Má vontade, aversão.

indisposto (ô) *adj.* (lat. *indispositus*). **1.** Levemente doente, incomodado. **2.** Agastado, irritado, mal-humorado.

indisputável *adj.2g.* Que não se pode disputar.

indissimulável *adj.2g.* Que não se pode dissimular.

indissolúvel *adj.2g.* (lat. *indissolubilis*). Que não se pode dissolver; insolúvel.

indistinto *adj.* (lat. *indistinctus*). Que não é bem distinto; vago, indeterminado, indistinguível.

inditoso (ô) *adj.* Desditoso, desventurado.

individual *adj.2g.* **1.** Que pertence ou que é próprio ao indivíduo. **2.** Feito, executado por um só indivíduo. **3.** Pessoal, particular, singular.

individualidade *s.f.* O que constitui, caracteriza e distingue um indivíduo.

individualismo *s.m.* (fr. *individualisme*). Tendência a desenvolver excessiva e exclusivamente o valor e os direitos do indivíduo, sem considerar interesses coletivos.

individualista *adj.2g.* Relativo a ou que denota individualismo. ★ *s.2g.* Pessoa individualista.

individualização *s.f.* Ato ou efeito de individualizar(-se).

individualizar *v.t.* (conj. 4). **1.** Distinguir, considerar uma pessoa, uma coisa isoladamente; individuar. **2.** Particularizar, caracterizar.

individuar *v.t.* (conj. 4). **1.** Individualizar. **2.** Narrar ou expor minuciosamente; especificar.

indivíduo *s.m.* (lat. *individuus*). **1.** Todo ser, animal ou vegetal, em relação à sua espécie. **2.** Pessoa considerada isoladamente, em relação a uma coletividade. **3.** Pessoa indeterminada de que se fala com certo desprezo. ★ *adj.* Indiviso.

indivisível *adj.2g.* (lat. *indivisibilis*). Que não pode ser dividido, separado.

indiviso *adj.* (lat. *indivisus*). **1.** Que não é dividido, que não está separado; indivíduo. **2.** Que é possuído ao mesmo tempo por várias pessoas.

indizível *adj.2g.* **1.** Que não se pode dizer ou exprimir. **2.** Inefável.

indochinês *adj.* Relativo ou pertencente à Indochina, região da Ásia. ★ *s.m.* O natural ou habitante da Indochina.

indócil *adj.2g.* (lat. *indocilis*). **1.** Que não é dócil. **2.** Que não se deixa governar; rebelde, indisciplinado. **3.** Impaciente, inquieto, irritado.

indo-europeu *s.m.* **1.** Grupo que abrange a maioria das línguas européias atuais. **2.** Língua pré-histórica e hipotética que deu origem a essas línguas. ★ *adj.* **1.** Pertencente ou relativo a esse grupo de línguas. **2.** Pertencente ou relativo a essa língua ou aos povos que a falaram.

indo-germânico *adj.* Termo que os filólogos alemães empregavam como sinônimo de *indo-europeu.*

índole *s.f.* (lat. *indoles*). **1.** Propensão natural, disposição, inclinação. **2.** Gênio, caráter, temperamento.

indolência *s.f.* (lat. *indolentia*). **1.** Falta de dor; insensibilidade física. **2.** Falta de atividade física; inação, ociosidade. **3.** Negligência, indiferença, apatia.

A B C D E F G H I J K L M N O P Q R S T U V W X Y Z

indolente *adj.2g.* (lat. *indolens*). **1.** Que não causa dor. **2.** Indiferente, apático. **3.** Negligente, descuidado. **4.** Ocioso, preguiçoso.

indolor (ô) *adj.2g.* (lat. *indoloris*). **1.** Sem dor. **2.** Que não causa dor.

indomado *adj.* Que não está domado ou domesticado; indômito.

indomável *adj.2g.* (lat. *indomabilis*). **1.** Que não se pode domar, amansar. **2.** Inflexível, irredutível, implacável.

indômito *adj.* (lat. *indomitus*). **1.** Indomado. **2.** *Fig.* Soberbo, altivo, arrogante.

indonésio *adj.* Relativo ou pertencente à Indonésia, país da Ásia. ★ *s.m.* **1.** O natural ou habitante da Indonésia. **2.** Língua oficial desse país, variante do malaio.

indouto *adj.* (lat. *indoctus*). Que não é douto, que não tem erudição.

indubitável *adj.2g.* (lat. *indubilabilis*). De que não se pode duvidar; incontestável.

indução *s.f.* (lat. *inductio*). **1.** Ato ou efeito de induzir; instigação. **2.** Forma de raciocínio que, do exame de casos particulares, chega a uma proposição geral. ● **Fís.** *Indução eletromagnética,* produção de uma força eletromotriz em um circuito pela variação do fluxo de indução magnética que o atravessa. ► *Indução magnética,* grandeza que caracteriza a densidade do fluxo magnético que atravessa uma substância. **Med.** Primeiro estágio da anestesia.

indulgência *s.f.* (lat. *indulgentia*). **1.** Facilidade em perdoar os erros dos outros; tolerância. **2.** Clemência, misericórdia. **3.** Indulto, perdão.

indulgenciar *v.t.* (conj. 16). Tratar com indulgência; perdoar.

indulgente *adj.2g.* (lat. *indulgens*). **1.** Que perdoa facilmente; tolerante. **2.** Que denota indulgência.

indultado *adj.* Que recebeu indulto.

indultar *v.t.* (conj. 4). **1.** Dar indulto a, perdoar. **2.** Atenuar a pena imposta.

indulto *s.m.* (lat. *indultum*). **1.** Perdão, graça, dispensa, redução ou comutação de pena. **2.** Decreto pelo qual se consegue uma graça ou privilégio. **3.** Benefício concedido pelo presidente da República, espontaneamente ou mediante provocação do interessado ou de outrem, que consiste no perdão, na redução ou na comutação da pena.

indumentária *s.f.* **1.** Arte do vestuário. **2.** Conjunto do vestuário de determinada época, região ou povo. **3.** Roupa, traje.

indumentário *adj.* Relativo a indumentária.

indumento *s.m.* (lat. *indumentum*). **1.** Vestuário, traje. **2.** Cobertura ou revestimento. **3.** Conjunto de pêlos, glândulas, escamas etc. que recobre a superfície de órgãos ou partes vegetais.

induração *s.f.* Endurecimento de um tecido orgânico que pode traduzir uma inflamação, esclerose, tumor, calcificação ou ossificação.

indústria *s.f.* **1.** Habilidade para fazer alguma coisa. **2.** Invenção, engenho, artifício. **3.** Astúcia, especulação. **4.** Conjunto de atividades econômicas que produzem bens materiais pela transformação e pelo aproveitamento de matérias-primas. **5.** Cada uma dessas atividades econômicas. **6.** Atividade econômica organizada em larga escala.

industrial *adj.2g.* **1.** Relativo ou pertencente à indústria. **2.** Diz-se de um local onde a indústria é importante. **3.** *Desenho industrial,* projeto que se destina à execução, em escala industrial, de um objeto funcional; *design.* ★ *s.2g.* Proprietário de uma indústria.

industrialização *s.f.* **1.** Ato ou efeito de industrializar(-se). **2.** Processo social e econômico caracterizado pela implantação ou desenvolvimento industrial acelerados.

INDUSTRIALIZAÇÃO ► Entre os animais cujos produtos a humanidade vem industrializando desde épocas muito remotas estão os ruminantes (camelos, lhamas, vacas, búfalos, ovelhas), dos quais se aproveita a carne fresca e seca, o leite, o couro e até os ossos e chifres. Outro "sócio" importante é o bicho-da-seda, industrializado há cerca de mil anos.

---

industrializar *v.t.* (conj. 4). **1.** Dar caráter industrial a. **2.** Aproveitar (algo) como matéria-prima. ★ *v.pr.* Desenvolver (em uma região ou país) indústrias.

industriar *v.t.* (conj. 16). **1.** Ensinar, adestrar, orientar. **2.** Induzir. ★ *v.pr.* Adestrar-se, aprender.

industriário *s.m.* Aquele que trabalha em uma indústria; operário.

industrioso (ô) *adj.* (lat. *industriosus*). **1.** Que tem indústria, habilidade. **2.** Feito com indústria; engenhoso. **3.** Esperto, manhoso.

indutância *s.f.* Grandeza que indica a dependência entre a força eletromotriz induzida ou auto-induzida em um circuito e a variação de corrente que a produziu, medida no SI em henry.

indutivo *adj.* (lat. *inductivus*). **1.** Que induz, que incita. **2.** Que procede por indução. **3.** Diz-se de um circuito elétrico cuja grandeza essencial é a indutância. **4.** *Lógica indutiva,* sistema que codifica os procedimentos principais da indução científica e que trata das noções de confirmação, de predição e de explicação.

indutor (ô) *adj.* (lat. *inductor*). Que induz, que instiga. ● **Eletr.** Diz-se do que produz o fenômeno da indução. ★ *s.m.* Aquele que induz; instigador. ● **Eletr.** Ímã ou eletroímã destinado a fornecer o campo magnético criador da indução.

induzido *adj.* **1.** Que se induziu. **2.** Diz-se da corrente elétrica produzida por indução. ★ *s.m.* Parte de uma máquina de coletor ou de uma máquina síncrona na qual é induzida uma força eletromotriz e em que os condutores são percorridos pela corrente de carga.

induzir *v.t.* (lat. *inducere*) [conj. 72]. **1.** Raciocinar por indução. **2.** Levar ou persuadir a praticar algum ato. **3.** Estabelecer por via de conseqüência; concluir. **4.** Revestir, emboçar, guarnecer. **5.** Causar, incutir. ● **Eletr.** Produzir os efeitos da indução.

inebriar *v.t.* (lat. *inebriare*) [conj. 16]. **1.** Embebedar, embriagar. **2.** *Poét.* Extasiar, turvar. **3.** *Fig.* Deliciar, entusiasmar. ★ *v.pr.* **1.** Embriagar-se. **2.** Extasiar-se.

ineditismo *s.m.* Qualidade de inédito.

inédito *adj.* e *s.m.* (lat. *ineditus*). **1.** Que ou o que não foi impresso, publicado. **2.** Novo, desconhecido, nunca visto.

inefável *adj.2g.* (lat. *ineffabilis*). **1.** Que não se pode exprimir por palavras; indizível. **2.** *Fig.* Delicioso, inebriante.

ineficácia *s.f.* (lat. *inefficatia*). Falta de eficácia; inutilidade, insuficiência.

ineficaz *adj.2g.* (lat. *inefficax*). **1.** Que não produz efeito; inútil. **2.** Que não produz os efeitos desejados; ineficiente.

ineficiente *adj.2g.* Sem eficiência.

inegável *adj.2g.* Que não se pode negar; certo, incontestável, irrefutável.

inegociável *adj.2g.* Que não se pode negociar.

inelegível *adj.2g.* Que não pode ser eleito.

inelutável *adj.2g.* (lat. *ineluctabilis*). **1.** Que não pode ser evitado, impedido. **2.** Invencível, irresistível, fatal.

inenarrável *adj.2g.* (lat. *inenarrabilis*). **1.** Que não pode ser narrado, contado. **2.** Indizível, indescritível, extraordinário.

inépcia *s.f.* (lat. *ineptia*). **1.** Falta absoluta de aptidão. **2.** Imbecilidade, estupidez.

inepto *adj.* (lat. *ineptus*). **1.** Sem nenhuma aptidão; inábil, incapaz, incompetente. **2.** Tolo, imbecil, idiota.

inequação *s.f.* Expressão algébrica de uma desigualdade entre dois ou mais termos.

inequívoco *adj.* Em que não há equívoco, que não deixa dúvidas; claro, evidente.

inércia *s.f.* (lat. *inertia*). **1.** Estado do que é inerte. **2.** *Fig.* Falta de ação; preguiça, indolência, torpor. ● **Fís.** Propriedade que têm os corpos de persistir no estado de repouso ou de movimento enquanto não intervém uma força que altere esse estado.

inercial *adj.2g.* Relativo à inércia.

inerente *adj.2g.* (lat. *inhaerens*). Ligado de modo íntimo e necessário a alguma coisa ou pessoa; inseparável.

inerme *adj.2g.* (lat. *inermis*). **1.** Que não tem armas ou meios de defesa. **2.** Diz-se de vegetal que não tem acúleos ou espinhos.

inerte *adj.2g.* (lat. *iners, inertis*). **1.** Sem movimento, sem atividade. **2.** Preguiçoso, ocioso, indolente. **3.** Que produz inércia.

inervação *s.f.* (lat. *enervatio*). **1.** Modo de distribuição dos nervos numa região ou num órgão. **2.** Conjunto de nervos de qualquer parte de um organismo. **3.** Ação dos componentes nervosos sobre as funções vitais. **4.** Conjunto ou distribuição das nervuras da folha; enervação, nervação.

inervar *v.t.* (lat. *enervare*) [conj. 4]. **1.** Prover com nervos. **2.** Atravessar, atingir um órgão (falando-se de um nervo).

inescrupuloso (ô) *adj.* Que não tem escrúpulos; desonesto.

inescrutável *adj.2g.* Que não se pode escrutar ou indagar; impenetrável, insondável.

inescusável *adj.2g.* (lat. *inexcusabilis*). **1.** Indispensável. **2.** Indesculpável.

inesgotável *adj.2g.* **1.** Que não se pode esgotar; inexaurível. **2.** Copioso, abundante.

inesperado *adj.* Que não é ou não era esperado; imprevisto, inopinado. ★ *s.m.* Fato, acontecimento imprevisto.

inesquecível *adj.2g.* **1.** Que não se pode esquecer; inolvidável. **2.** Memorável.

inestimável *adj.2g.* (lat. *inaestimabilis*). **1.** Que não se pode estimar, avaliar, calcular. **2.** Que se tem em grande estima.

inevitável *adj.2g.* (lat. *inevitabilis*). Que não se pode evitar; fatal.

inexato (z) *adj.* Que não é exato, que contém erros; falso, errado.

inexaurível (z) *adj.2g.* Que não se exaure; inesgotável.

inexcedível *adj.2g.* Que não pode ser excedido ou ultrapassado; insuperável.

inexecutável (z) *adj.2g.* Inexeqüível.

inexeqüível (z) *adj.2g.* Que não se pode executar; inexecutável, impraticável.

inexistência (z) *s.f.* Falta de existência, não existência; carência, falta.

inexistente (z) *adj.2g.* Que não existe.

inexorável (z) *adj.2g.* (lat. *inexorabilis*). **1.** Que não se deixa mover ou dobrar a rogos ou súplicas; implacável, inflexível. **2.** Reto, austero, muito severo.

inexperiente *adj.2g.* e *s.2g.* **1.** Que ou aquele que não tem experiência, que não é experimentado. **2.** Inocente, ingênuo.

inexplicável *adj.2g.* (lat. *inexplicabilis*). **1.** Que não se pode explicar. **2.** Enigmático, obscuro. **3.** Incompreensível, indefinível.

inexplorado *adj.* (lat. *inexploratus*). Que não foi explorado; desconhecido.

inexplorável *adj.2g.* Que não é suscetível de ser explorado.

inexpressável *adj.2g.* Que não se pode expressar.

inexpressivo *adj.* Não expressivo.

inexprimível *adj.2g.* **1.** Que não se pode exprimir. **2.** *Fig.* Inefável, delicioso, encantador.

inexpugnável *adj.2g.* (lat. *inexpugnabilis*). **1.** Que não se pode tomar, vencer, conquistar pela força das armas. **2.** Que não se pode vencer com razões, promessas ou ameaças; inabalável. **3.** *Fig.* Audaz, intrépido.

inextinguível *adj.2g.* (lat. *inexstinguibilis*). **1.** Que não se pode extinguir. **2.** Que não se pode acalmar ou fazer cessar.

inextirpável *adj.2g.* (lat. *inextirpabilis*). **1.** Que não se pode extirpar, arrancar. **2.** *Fig.* Indestrutível.

inextricável ou **inextrincável** *adj.2g.* (lat. *inextricabilis*). **1.** Que não se pode desenredar ou desemaranhar. **2.** Indecifrável.

infalível *adj.2g.* **1.** Que não falha; indefectível. **2.** Que não pode deixar de acontecer. **3.** Que não pode enganar-se, que não erra. **4.** Preciso, exato.

infamante *adj.2g.* (lat. *infamans*). Que lança ou envolve infâmia; infamatório.

infamar *v.t.* (lat. *infamare*) [conj. 4]. **1.** Cobrir publicamente de vergonha; tornar infame, ignominioso. **2.** Fazer cair em descrédito; difamar, desacreditar.

infame *adj.2g.* (lat. *infamis*). **1.** Desacreditado pela lei ou pela opinião pública; abjeto, vil. **2.** Que pratica infâmias. **3.** Que causa repugnância. **4.** Péssimo, detestável. ★ *s.2g.* Aquele que pratica infâmias.

infâmia *s.f.* (lat. *infamia*). **1.** Caráter do que é infame. **2.** Ação vil, abjeta, torpe, vergonhosa. **3.** Palavras injuriosas. **4.** Desonra, ignomínia.

infância *s.f.* (lat. *infantia*). **1.** Período da vida humana compreendido entre o nascimento e a puberdade. **2.** As crianças. **3.** *Fig.* Começo, origem. **4.** Simplicidade, ingenuidade.

INFÂNCIA ▸ O período de vida compreendido entre o nascimento e a puberdade divide-se em quatro fases sucessivas. A primeira é a do recém-nascido e vai do nascimento até três semanas aproximadamente. Depois vem a do lactente (até os 18 meses), seguida, por sua vez, pelas fases da primeira infância (até os 6 ou 7 anos) e da segunda infância (até a puberdade). Esse período se caracteriza essencialmente pelo desenvolvimento físico, psicomotor e intelectual.

infantaria *s.f.* **1.** Tropa militar que combate a pé. **2.** Uma das armas do Exército.

infante[1] *s.m.* Soldado de infantaria.

infante[2] *s.2g.* (lat. *infans, infantis*). **1.** Filho (ou filha) dos reis de Portugal e Espanha, mas não herdeiro da coroa. **2.** Criança. ★ *adj.2g.* Infantil.

infanticida *adj.2g.* e *s.2g.* (lat. *infanticida*). Que ou aquele que comete infanticídio.

infanticídio *s.m.* (lat. *infanticidium*). Crime que consiste em matar o próprio filho, durante ou logo após o parto.

infantil *adj.2g.* (lat. *infantilis*). **1.** Relativo ou pertencente à infância, aos infantes. **2.** Próprio de criança; pueril. **3.** *Fig.* Simples, ingênuo.

infantilismo *s.m.* **1.** Estado de um indivíduo adulto em que persistem aspectos fisiológicos ou psíquicos próprios da infância. **2.** Comportamento infantil de um adulto.

infantilizar *v.t.* (conj. 4). **1.** Tornar infantil. **2.** Dar aspecto infantil a.

infartamento *s.m.* Necrose hemorrágica visceral causada por obstrução venosa.

infarto *s.m.* **1.** Lesão visceral, geralmente necrótica, por obstrução arterial devida a trombose ou embolia. (Var. ENFARTE.) **2.** *Infarto agudo do miocárdio,* manifestação última da doença coronariana, provocada por obstrução de uma das artérias coronárias e conseqüente necrose do território por ela irrigado. ▸ *Infarto pulmonar,* manifestação da obstrução embólica de uma artéria pulmonar, com necrose do parênquima pulmonar. ▸ *Infarto cerebral,* sin. de DERRAME CEREBRAL.

infatigável *adj.2g.* (lat. *infatigabilis.*) **1.** Que não se fatiga, que não se cansa. **2.** Zeloso, prestimoso.

infauna *s.f.* Conjunto de organismos que vivem abaixo da superfície de um ambiente aquático.

infausto *adj.* (lat. *infaustus*). **1.** Que não é fausto; não próspero, infeliz, desgraçado. **2.** Aziago, agourento.

infecção ou **infeção** *s.f.* (lat. *infectio*). **1.** Ato ou efeito de infeccionar(-se). **2.** Doença causada por microorganismos patogênicos (bactérias, vírus, fungos), que pode ficar localizada ou, ao contrário, difundir-se e provocar uma septicemia. **3.** *Fig.* Corrupção, contaminação, contágio moral.

VOCÊ SABIA...? **Infecção** é a invasão do organismo por um microrganismo casual (patogênico). Depois de certo tempo (período de incubação, que varia nos diferentes microrganismos), a infecção se torna aparente na pessoa infectada. Geralmente, o termo "infecção" se restringe à invasão de microrganismos (bactérias, por exemplo); as infecções por larvas e outros parasitas são chamadas de infestações ou parasitoses.

infeccionado *adj.* Em que há infecção; infectado.

infeccionar ou **infecionar** *v.t.* (conj. 4). **1.** Causar infecção em; infectar, contagiar, contaminar. **2.** *Fig.* Perverter, corromper, viciar. ★ *v.i.* Possuir infecção. ★ *v.pr.* **1.** Contaminar-se. **2.** Perverter-se, corromper-se.

infecciosidade *s.f.* Poder infeccioso de um agente patógeno vivo. (Sin. VIRULÊNCIA.)

infeccioso ou **infecioso** (ô) *adj.* **1.** Que produz infecção; infectante, infectuoso. **2.** Que resulta ou é acompanhado de infecção.

infectante *adj.2g.* Que infecciona; infeccioso, infectuoso.

infectar ou **infetar** *v.t.* (conj. 4). **1.** Infeccionar, contaminar, tornar infecto. **2.** Causar infecção por meio de germes patogênicos. **3.** Corromper moralmente; perverter. ★ *v.pr.* **1.** Contaminar-se, infeccionar-se. **2.** Corromper-se, perverter-se.

infecto ou **infeto** *adj.* (lat. *infectus*). **1.** Que manifesta infecção; infeccionado, contaminado. **2.** Que exala emanações fétidas, pútridas, malcheirosas. **3.** *Fam.* Muito ruim, de péssima qualidade.

infectocontagioso ou **infetocontagioso** (ô) *adj.* Que produz infecção e se propaga por contágio.

infectologia *s.f.* Ramo da medicina que estuda as doenças infecciosas.

infecundo *adj.* (lat. *infecundus*). **1.** Não fecundo; estéril. **2.** Improdutivo.

infelicidade *s.f.* **1.** Falta de felicidade; desventura. **2.** Desgraça, infortúnio.

infelicitar *v.t.* (lat. *infelicitare*) [conj. 4]. **1.** Tornar infeliz. **2.** Desvirginar, deflorar. ★ *v.pr.* Tornar-se infeliz.

infeliz *adj.2g.* (lat. *infelix*). **1.** Que não é feliz. **2.** Desfavorecido pela sorte; desafortunado. **3.** Desgraçado, desventurado. **4.** Funesto, desastroso. ★ *s.2g.* Pessoa infeliz.

infenso *adj.* (lat. *infensus*). Adverso, inimigo, contrário.

inferência *s.f.* (lat. *inferentia*). **1.** Ato ou efeito de inferir; conclusão. **2.** Operação lógica pela qual se tira uma conclusão de uma ou várias proposições admitidas como verdadeiras.

inferior (ô) *adj.2g.* (lat. *inferior*). **1.** Colocado abaixo ou por baixo. **2.** Que é de valor menor ou mais baixo. **3.** Menor em dignidade, em merecimento, em organização. ● **Bot.** *Vegetais inferiores,* designação de plantas não vasculares (musgos, hepáticas, algas, cogumelos). ★ *s.2g.* Subordinado, subalterno.

inferioridade *s.f.* Qualidade ou estado de inferior. ● **Psican.** *Complexo de inferioridade,* sintoma neurótico que corresponde a uma depreciação de si, associada a um sentimento de culpa.

inferiorizar *v.t.* e *v.pr.* (fr. *inferioriser*) [conj. 4]. Tornar(-se) inferior; rebaixar(-se), diminuir(-se).

inferir *v.t.* (lat. *inferere*) [conj. 57]. **1.** Tirar uma conclusão partindo de um fato, de um princípio. **2.** Concluir, deduzir.

infernal *adj.2g.* (lat. *infernalis*). **1.** Pertencente a ou próprio do inferno. **2.** Diabólico, demoníaco. **3.** Diz-se de ruído, movimento etc. muito alto ou intenso. **4.** *Fam.* Insuportável, intolerável.

infernar *v.t.* (conj. 4). Infernizar.

inferninho *s.m.* Boate em ambiente pequeno com música barulhenta.

infernizar *v.t.* (conj. 4). **1.** Levar para o inferno; infernar. **2.** Apoquentar, atormentar; infernar. **3.** Tornar incômodo, insuportável. ★ *v.pr.* **1.** Meter-se no inferno. **2.** Afligir-se, desesperar-se, atormentar-se.

inferno *s.m.* (lat. *infernus,* região inferior). **1.** Lugar onde os condenados sofrem o castigo eterno, segundo diversas religiões. **2.** *Fig.* Lugar onde se sofre muito. **3.** *Fig.* Lugar onde há desordem e confusão.

ínfero *adj.* (lat. *inferus*). Que fica por baixo; inferior. ● **Bot.** Diz-se de um ovário situado abaixo dos pontos de inserção das sépalas, pétalas e estames.

infértil *adj.2g.* (lat. *infertilis*). **1.** Que não é fértil; estéril. **2.** *Fig.* Que produz pouco ou nada.

infestação *s.f.* (lat. *infestatio, infestationis*). **1.** Ato ou efeito de infestar. **2.** Presença, num organismo, de parasitos que provocam ou não perturbações patológicas. **3.** Em culturas agrícolas, proliferação de pragas (plantas invasoras, insetos, bactérias, fungos). **4.** Presença de grande número de mosquitos ou outros insetos em uma região. ● **Med.** Fixação, no hospedeiro, de ectoparasitas artrópodes.

infestante *adj.2g.* **1.** Que infesta. **2.** Diz-se de um parasita que penetra no organismo de um hospedeiro. **3.** Em culturas agrícolas, diz-se das plantas invasoras, em geral indicadoras de carência ou excesso de nutrientes no solo.

infestar *v.t.* (lat. *infestare*) [conj. 4]. **1.** Devastar, assolar, invadir. **2.** Invadir um organismo, falando-se de parasitos. **3.** Existir em grande quantidade; abundar. **4.** Causar estragos, danos, a. ● **Med.** Produzir uma infestação em um indivíduo ou animal.

infesto *adj.* (lat. *infestus*). **1.** Adverso, molesto, inimigo. **2.** *P. ext.* Nocivo, pernicioso.

infetante *adj.2g.* Infectante.

infetar *v.t.* (conj. 4). Infectar.

infeto *adj.* Infecto.

infetocontagioso *adj.* Infectocontagioso.

infidelidade *s.f.* **1.** Falta de fidelidade; deslealdade, traição. **2.** Falta de exatidão, de verdade.

infiel *adj.2g.* (lat. *infidelis*). **1.** Que não é fiel, que falta a seus compromissos; desleal, pérfido. **2.** Que não exprime a verdade, a realidade. **3.** Que comete abuso de confiança. ★ *s.2g.* **1.** Aquele que não é fiel. **2.** Pessoa que não professa uma determinada fé, tida como verdadeira; pagão, gentio.

infiltração *s.f.* **1.** Ato ou efeito de infiltrar(-se). **2.** Passagem lenta de um líquido através dos interstícios de um corpo. **3.** *Fig.* Difusão de idéias ou doutrinas. ● **Med.** Injeção feita de modo a espalhar a substância medicamentosa na região tratada. ▸ Invasão de certos tecidos, sobretudo do tecido conjuntivo, por células ou por um líquido orgânico, como sangue, urina, pus etc.

infiltrado *adj.* Que se infiltrou. ★ *s.m.* **1.** Infiltração patológica de um tecido por células. **2.** Em radiologia, opacidade pulmonar circunscrita, homogênea e de pequena extensão.

infiltrar *v.t.* (conj. 4). **1.** Penetrar como por um filtro através dos poros de um corpo sólido. **2.** Embeber, impregnar. **3.** *Fig.* Introduzir pouco a pouco; insinuar. ● **Med.** Produzir uma infiltração, falando-se de um líquido orgânico ou células. ★ *v.pr.* **1.** Penetrar através de; filtrar-se. **2.** Introduzir-se aos poucos; insinuar-se.

ínfimo *adj.* (lat. *infimus*). **1.** Muito pequeno. **2.** Que está em último lugar; inferior.

infindável *adj.2g.* **1.** Que não se pode acabar; interminável. **2.** Infinito.

infindo *adj.* (lat. *infinitus*). **1.** Infinito. **2.** Inesgotável. **3.** Muito grande, muito numeroso.

infinidade *s.f.* (lat. *infinitas*). **1.** Qualidade de infinito. **2.** Um número muito grande.

infinitesimal *adj.2g.* **1.** Extremamente pequeno; infinitésimo. **2.** Diz-se dos números ou das operações entre números extremamente pequenos.

infinitivo *adj.* e *s.m.* (lat. *infinitivus*). Diz-se de ou forma nominal do verbo que apresenta o processo verbal em potência, aproximando-se do substantivo.

infinito *adj.* (lat. *infinitus*). **1.** Que não tem fim; infindável, infindo. **2.** Que não tem limites; ilimitado. **3.** Imenso em extensão, duração ou intensidade. **4.** Inumerável, incomensurável. ★ *s.m.* **1.** O que não tem fim, o que não tem limites. **2.** O que está além de qualquer medida. **3.** O firmamento, o céu.

infirmar *v.t.* (conj. 4). **1.** Tirar a força, a firmeza; enfraquecer. **2.** Diminuir a autoridade, a eficácia. **3.** Declarar nulo; invalidar, revogar.

infixo (cs) *s.m.* Elemento intercalado no radical dos vocábulos primitivos.

inflação[1] *s.f.* (lat. *inflatio*). **1.** Ato ou efeito de inflar(-se); inchaço, intumescimento. **2.** Presunção, vaidade.

inflação[2] *s.f.* (ingl. *inflation*) **1.** Aumento geral dos preços que resulta na perda do poder aquisitivo da moeda. **2.** *P. ext.* Aumento excessivo de qualquer coisa.

inflacionar *v.t.* (conj. 4). **1.** Promover inflação na economia de um país. **2.** Provocar a desvalorização do papel-moeda, pela emissão excessiva. **3.** Tornar a oferta maior que a demanda.

inflacionário *adj.* **1.** Relativo à inflação econômica ou que tende a produzi-la. **2.** Em que há inflação.

inflamação *s.f.* (lat. *inflamatio*). **1.** Ato ou efeito de inflamar(-se). **2.** Fenômeno pelo qual um corpo em combustão produz chama. **3.** Conjunto de reações tissulares e humorais do organismo frente a uma agressão, que se traduz por rubor, tumefação, dor e, às vezes, febre. **4.** *Fig.* Rubor.

inflamado *adj.* **1.** Que apresenta inflamação. **2.** *Fig.* Cheio de ardor, de paixão; exaltado, veemente.

A B C D E F G H I J K L M N O P Q R S T U V W X Y Z

inflamar *v.t.* (lat. *inflammare*) [conj. 4]. **1.** Pôr fogo em. **2.** Causar inflamação a. **3.** *Fig.* Encher de ardor, de paixão; animar, estimular, incitar. ★ *v.pr.* **1.** Converter-se em chamas; incendiar-se. **2.** Ruborizar-se, avermelhar-se. **3.** Exaltar-se.

inflamável *adj.2g.* Que se inflama facilmente.

inflar *v.t.* (lat. *inflare*) [conj. 4]. **1.** Dilatar, enchendo de ar ou gás. **2.** Avolumar, fazer crescer, inchar. **3.** *P. ext.* Encher-se de. ★ *v.i.* Aumentar de volume; intumescer.

inflável *adj.2g.* Que se pode inflar.

inflectir ou **infletir** *v.t.*, *v.i.* e *v.pr.* (lat. *inflectere*) [conj. 65]. **1.** Curvar(-se), dobrar(-se), inclinar (-se). **2.** Modificar(-se). **3.** Incidir, recair. **3.** Mudar de rumo; dobrar, virar.

inflexão (cs) *s.f.* (lat. *inflexio, inflexionis*). **1.** Ato ou efeito de inflectir(-se). **2.** Modo como um corpo está dobrado; dobradura. **3.** Inclinação. **4.** Modulação, mudança de tom ou de acento na voz.

inflexível (cs) *adj.2g.* (lat. *inflexibilis*). **1.** Que não se pode dobrar ou curvar. **2.** *Fig.* Que não cede, que não se deixa mover; insensível, impassível. **3.** Implacável, inexorável.

infligir *v.t.* (lat. *infligere*) [conj. 52]. Aplicar pena ou castigo por uma falta, por um crime.

inflorescência *s.f.* Órgão vegetal formado pela reunião de mais de uma flor no mesmo pedúnculo.

INFLORESCÊNCIA ▸ Freqüentemente, as plantas produzem flores em grupos, denominados inflorescências. Há dois tipos básicos de inflorescência, conforme a disposição das flores. Na inflorescência *fechada*, a flor inicial se desenvolve na extremidade do pedúnculo, de modo que as flores posteriores só podem brotar nos ramos laterais que estão abaixo dela. Na inflorescência *aberta*, a extremidade do pedúnculo continua crescendo, enquanto as flores se desenvolvem a partir dos pedúnculos laterais situados abaixo da primeira flor.

As inflorescências assumem diferentes formas.

---

influência *s.f.* (lat. *influentia*). **1.** Ato ou efeito de influir, ação de um ser sobre outro. **2.** Ascendência, autoridade, poder. **3.** Influxo. **4.** Prestígio, crédito.

influenciar *v.t.* (conj. 16). Exercer influência sobre. ★ *v.pr.* Sofrer influência.

influente *adj.2g.* (lat. *influens*). Que influi; que tem autoridade, prestígio.

influenza *s.f.* (it. pelo ingl. *influenza*). Gripe.

influir *v.t.* (conj. 74). **1.** Fazer correr fluido para dentro de. **2.** Exercer uma ação sobre. **3.** Ter importância, significação. **4.** *Fig.* Inspirar, incutir. ★ *v.pr.* **1.** Entusiasmar-se. **2.** Aplicar-se com ardor.

influxo (cs) *s.m.* (lat. *influxus*). **1.** Ato ou efeito de influir. **2.** *Fig.* Afluência, convergência. **3.** Maré-cheia, preamar. ● **Med.** *Influxo nervoso,* impulso nervoso.

informação *s.f.* (lat. *informatio*). **1.** Ato ou efeito de informar(-se); informe. **2.** Notícia recebida ou comunicada ao público. **3.** Dados sobre alguém ou alguma coisa. **4.** Conhecimento, participação. **5.** Instrução, orientação. ● **Cibern.** Medida da diversidade das escolhas em um repertório de mensagens possíveis. **Inform.** Sinal ou grupo de sinais de um repertório que pode ser tratado, armazenado etc., segundo procedimentos da informática.

informal *adj.2g.* **1.** Desprovido de formalidades, sem cerimônia. **2.** Não institucionalizado.

informante *adj.2g.* e *s.2g.* (lat. *informans*). **1.** Informador. **2.** Indivíduo que dá informações à polícia.

informar *v.t.* (lat. *informare*) [conj. 4]. **1.** Dar informação ou parecer. **2.** Fazer saber, comunicar. **3.** Instruir, orientar. **4.** Confirmar, corroborar. **5.** Dar aviso, comunicação, notícia. ★ *v.pr.* Tomar conhecimento; inteirar-se.

informática *s.f.* **1.** Ciência do tratamento automático e lógico da informação. **2.** Conjunto das aplicações de tal ciência, que emprega diversos equipamentos (computadores) e programas. **3.** *Sistema informático,* conjunto de meios de aquisição, tratamento e transmissão da informação, empregados para dada aplicação.

informe[1] *adj.2g.* (lat. *informis*). **1.** Sem forma determinada. **2.** De formas pesadas e desgraciosas. **3.** Tosco, grosseiro.

informe[2] *s.m.* Texto com finalidade informativa; boletim.

infortunado *adj.* (lat. *infortunatus*). Atingido pela má sorte; infeliz, desgraçado.

infortúnio *s.m.* (lat. *infortunium*). **1.** Fortuna adversa, desventura, infelicidade. **2.** Fato, acontecimento funesto; desgraça.

infração *s.f.* (lat. *infractio*). **1.** Ato ou efeito de infringir; transgressão, falta. **2.** Violação de uma lei, de uma ordem, de um tratado etc.

infra-estrutura *s.f.* **1.** Conjunto das partes inferiores de uma construção, geralmente enterradas (subsolo, fundações etc.). **2.** Conjunto de obras necessárias à implantação de um conjunto de instalações. **3.** Para os marxistas, estrutura econômica da sociedade sobre a qual se eleva uma superestrutura.

infra-som *s.m.* Designação dada às ondas sonoras que se propagam com freqüência inferior àquelas perceptíveis pelo ouvido humano.

infrator (ô) *s.m.* (lat. *infractor*). Aquele que infringe; transgressor.

infravermelho *adj.* Diz-se da radiação eletromagnética compreendida entre a luz visível e as microondas (abrev. IR).

VOCÊ SABIA...? A fonte mais comum de raios **infravermelhos** é a poeira cósmica aquecida (pequenas partículas de matéria presentes em muitas regiões do espaço); a luz ou a radiação ultravioleta que incide sobre essa poeira é absorvida por suas partículas e as aquece. São fontes de infravermelhos as camadas de poeira que envolvem as estrelas e as nuvens de pó associadas a seu nascimento.

---

infrene *adj.2g.* (lat. *infrenis*). Sem freio; desenfreado, descomedido, descontrolado.

infringir *v.t.* (lat. *infringere*) [conj. 52]. Transgredir, violar, não respeitar.

infrutescência *s.f.* Forma de frutificação resultante do desenvolvimento de uma inflorescência.

infrutífero *adj.* **1.** Que não dá fruto; estéril. **2.** *Fig.* Que não produz resultado útil; inútil.

infundado *adj.* **1.** Que não tem fundamento ou alicerce. **2.** *Fig.* Que não tem sentido, causa ou razão de ser; falso.

infundir *v.t.* (lat. *infundere*) [conj. 6]. **1.** Verter, derramar. **2.** Pôr em infusão num líquido. **3.** *Fig.* Inspirar, incutir, insuflar. ★ *v.pr.* Introduzir-se, penetrar.

infusão *s.f.* (lat. *infusio, infusionis*). **1.** Ato ou efeito de infundir(-se) **2.** Procedimento que consiste em colocar um erva ou outra substância em um líquido para extrair seus princípios ativos. **3.** O líquido resultante.

infusível *adj.2g.* Que não se pode fundir ou derreter.

infuso *adj.* (lat. *infusus*). Posto de infusão. ★ *s.m.* **1.** Produto de uma infusão. **2.** O líquido em que ela se fez.

ingá *s.m.* (tupi *i-ga*). **1.** Denominação comum a diversas árvores pequenas, ou arbustos, melíferos, de madeira branca ou avermelhada e fruto comestível. **2.** O fruto dessas árvores.

ingazeiro *s.m.* **1.** Denominação comum a diversas plantas cujos frutos são comestíveis. **2.** Árvore de flores vermelhas que ocorre na região do rio Tapajós.

ingênito *adj.* (lat. *ingenitus*). De nascença; congênito, inato, natural.

ingente *adj.2g.* (lat. *ingens, ingentis*). **1.** Muito grande; desmedido, enorme. **2.** Muito forte; intenso, retumbante.

ingenuidade *s.f.* **1.** Inocência com que uma pessoa manifesta naturalmente seus sentimentos; singeleza, candura. **2.** Excesso de credulidade.

ingênuo *adj.* (lat. *ingenuus,* livre de nascença). **1.** De uma inocência franca. **2.** Simples, sem malícia. **3.** *Arte ingênua,* pintura praticada por artistas autodidatas, dotados de um senso plástico natural. ★ *s.m.* **1.** Pessoa simples. **2.** Artista que pratica a arte ingênua.

ingerência *s.f.* (lat. *ingerentia*). **1.** Ato ou efeito de ingerir(-se). **2.** Intervenção, influência. **3.** Intervenção de um Estado na política interna de outro Estado.

ingerir *v.t.* (lat. *ingerere*) [conj. 57]. **1.** Introduzir. **2.** Pôr no estômago; engolir, deglutir. ★ *v.pr.* Intrometer-se, imiscuir-se.

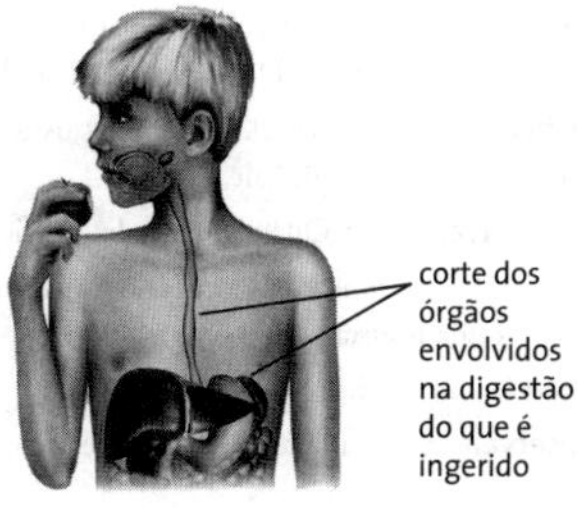

ingestão *s.f.* (lat. *ingestio*). Ato ou efeito de ingerir, de introduzir no estômago; deglutição.

inglês *adj.* **1.** Relativo ou pertencente à Inglaterra. **2.** Relativo ou pertencente à Grã-Bretanha. **3.** *Puro-sangue inglês,* raça de cavalos de corrida, também chamada apenas *puro-sangue.* ★ *s.m.* **1.** O natural ou habitante da Inglaterra. **2.** Língua indo-européia do grupo germânico, falada principalmente na Grã-Bretanha e na América do Norte.

inglório *adj.* (lat. *inglorius*). **1.** Que não é glorioso, em que não há glória. **2.** Modesto, obscuro.

ingovernável *adj.2g.* **1.** Que não se pode governar. **2.** Insubmisso, indisciplinável. **3.** Irreprimível, irrefreável.

ingratidão *s.f.* (lat. *ingratitudo*). **1.** Falta de reconhecimento, de gratidão. **2.** Qualidade ou ato de ingrato.

ingrato *adj.* e *s.m.* (lat. *ingratus*). Que ou aquele que não reconhece os benefícios ou favores recebidos; mal-agradecido. ★ *adj.* **1.** Que não corresponde aos esforços empregados. **2.** Desagradável, molesto.

ingrediente *s.m.* (lat. *ingrediens, ingredientis*). O que entra na composição de uma mistura; elemento integrante, componente.

íngreme *adj.2g.* Que tem acentuado declive; escarpado, abrupto.

ingressar *v.i.* (conj. 4). Ser admitido dentro, entrar.

ingresso *s.m.* **1.** Ato ou efeito de ingressar; entrada. **2.** Admissão, introdução. **3.** Princípio, início. **4.** Cartão que dá direito a entrar em espetáculos, jogos etc.; entrada, bilhete.

íngua *s.f.* (lat. *inguina*). *Pop.* Nome dado a qualquer gânglio linfático superficial que se inflama, especialmente aquele situado nas virilhas ou nas axilas.

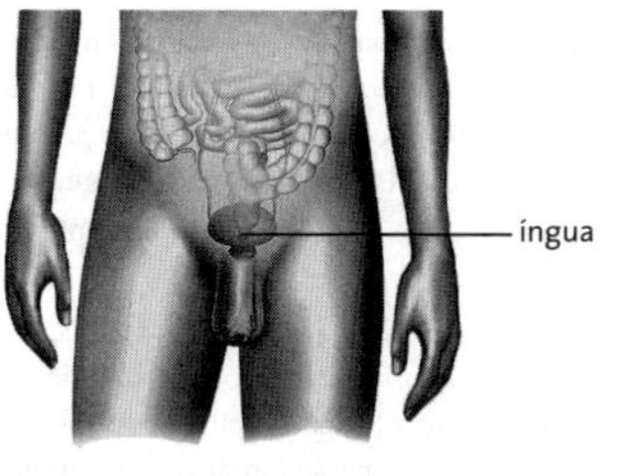

inguinal *adj.2g.* (lat. *inguinalis*). **1.** Relativo ou pertencente à virilha. **2.** *Canal inguinal,* espaço entre os músculos da parede abdominal através do qual passa o cordão espermático no homem.

ingurgitação *s.f.* Aumento de volume de um órgão por acúmulo de sangue, plasma ou líquido por ele secretado; ingurgitamento.

ingurgitar *v.t.* (lat. *ingurgitare*) [conj. 4]. **1.** Engolir com avidez. **2.** Encher até derramar ou deitar fora. **3.** Obstruir. ★ *v.i.* e *v.pr.* **1.** Adquirir ingurgitamento. **2.** *Fig.* Comer muito, enfartar-se, encher-se.

inhaca *s.f.* (tupi *yakwa*). *Pop.* Mau cheiro.

inhambu *s.m.* (tupi *ina bu*). **1.** Denominação comum às aves tinamiformes, com aparência de galináceos, que ocorrem do México à Patagônia. (Var. INAMBU, NAMBU.) **2.** Sin. de CODORNA.

inhame *s.m.* Hortaliça originária do sul da Ásia, que fornece rizoma comestível de cores variadas, rico em amido, proteínas, vitaminas e açúcar. (Sin. TAIOBA-DE-SÃO-TOMÉ.)

inhuma ou **inhaúma** *s.f.* Var. de ANHUMA.

inibição *s.f.* (lat. *inhibitio*). **1.** Ato ou efeito de inibir(-se). **2.** Acanhamento, embaraço. **3.** Ausência ou retraimento de um comportamento que, em uma situação semelhante, anterior, esteve presente ou em grau mais forte. ● **Fisiol.** Diminuição da atividade de um neurônio, de uma fibra muscular ou de uma célula secretória sob a ação de um impulso nervoso ou de um hormônio.

inibido *adj.* e *s.m.* Que ou aquele que sofre de inibição.

inibidor (ô) *adj.* Que inibe ou é relativo à inibição; inibitivo, inibitório. ● **Agric.** Diz-se da substância que impede ou retarda o crescimento de plantas ou de partes delas. ★ *s.m.* Aquele ou aquilo que inibe.

inibir *v.t.* (lat. *inhibere*) [conj. 6]. **1.** Impedir, impossibilitar, tolher. **2.** Embaraçar, acanhar, proibir. **3.** Impedir o início ou a propagação de uma reação química. ★ *v.pr.* Embaraçar-se, tolher-se, reprimir-se.

inibitório *adj.* **1.** Inibidor. **2.** Que se acompanha de uma inibição do ponto de vista fisiológico ou imunológico.

iniciação *s.f.* (lat. *initiatio*). **1.** Ato ou efeito de iniciar(-se). **2.** Cerimônia que introduz um indivíduo em um grupo que compartilha um saber comum. **3.** Primeiras noções ou conhecimentos de uma arte, ciência ou religião. **4.** Cerimônia pela qual se inicia alguém nos mistérios de uma religião ou doutrina.

iniciado *adj.* e *s.m.* Que ou aquele que sofreu iniciação.

iniciador (ô) *adj.* e *s.m.* (lat. *initiator*). Que ou aquele que inicia.

inicial *adj.2g.* (lat. *initialis*). **1.** Relativo ou pertencente a início. **2.** Que está no começo, que inicia. **3.** Primitivo, original. ★ *s.f.* Letra que inicia uma palavra. ★ *s.f.pl.* A primeira letra do nome e a(s) do(s) sobrenome(s) de alguém.

iniciante *adj.2g.* e *s.2g.* Que ou aquele que inicia; principiante.

iniciar *v.t.* (lat. *initiare*) [conj. 16]. **1.** Começar, principiar. **2.** Dar a alguém as primeiras noções de uma ciência, arte ou religião. **3.** Instruir, informar, inteirar. **4.** Admitir alguém ao conhecimento, participação e prática em mistérios religiosos, conhecimentos secretos etc. ★ *v.pr.* Introduzir-se; dar os primeiros passos.

iniciático *adj.* Relativo ou pertencente à iniciação.

iniciativa *s.f.* **1.** Ação de quem propõe ou inicia algo. **2.** Qualidade de quem é levado a agir espontaneamente; atividade, diligência.

início *s.m.* (lat. *initium*). **1.** Ato ou efeito de iniciar; começo, princípio. **2.** Inauguração, estréia, abertura. **3.** Preâmbulo, exórdio, introdução.

inidôneo *adj.* Que não é idôneo.

inigualável *adj.2g.* Que não pode ser igualado; incomparável, único, insuperável.

iniludível *adj.2g.* Que não é iludível; que não admite dúvidas.

inimaginável *adj.2g.* **1.** Que não se pode imaginar. **2.** Extraordinário, incrível.

inimigo *adj.* (lat. *inimicus*). **1.** Não amigo, hostil, adverso, contrário. **2.** De ou pertencente a partido, facção ou grupo oposto. ★ *s.m.* **1.** Aquele que tem inimizade, ódio a alguém. **2.** Aquele com o qual se entra em guerra. **3.** O que é prejudicial, oposto, contrário. **4.** *Inimigo público,* indivíduo nocivo à sociedade.

inimitável *adj.2g.* (lat. *inimitabilis*). Que não pode ser imitado; único, irreproduzível.

inimizade *s.f.* (lat. *inimicitas, inimicitatis*). Sentimento duradouro de hostilidade; ódio, aversão, malquerença.

inimizar *v.t.* (conj. 4). Tornar inimigo, malquistar. ★ *v.i.* Provocar inimizade. ★ *v.pr.* Tornar-se inimigo, contrair inimizade, indispor-se.

ininteligível *adj.2g.* Que não se pode entender; incompreensível, confuso.

ininterrupto *adj.* **1.** Que não é interrompido; contínuo. **2.** Incessante, constante.

iniqüidade *s.f.* (lat. *iniquitas*). **1.** Qualidade de iníquo. **2.** Ato ou dito iníquo; injustiça.

iníquo *adj.* (lat. *iniquus*). Contrário à eqüidade; injusto.

injeção *s.f.* (lat. *injectio*). **1.** Ato ou efeito de injetar(-se). **2.** O que se injeta. **3.** Introdução, sob pressão, de fluidos nas cavidades naturais ou nos tecidos orgânicos, por meio de seringa e agulha. ● **Eng.** Consolidação de um terreno ou de uma obra pela introdução, sob pressão, de uma calda de cimento ou argamassa. **Mec.** Introdução, sob pressão, de uma quantidade controlada de combustível no ar de admissão para formar uma mistura capaz de queimar na câmara de combustão de um motor.

injetado *adj.* **1.** Introduzido, falando-se de um fluido. **2.** Cheio de um fluido. **3.** Corado ou vermelho pelo afluxo do sangue. **4.** Que recebeu algum fluido por injeção.

injetar *v.t.* (lat. *injectare*) [conj. 4]. **1.** Introduzir sob pressão. **2.** Afluir com excesso. **3.** Introduzir (um fluido) sob pressão. ★ *v.pr.* **1.** Ficar corado ou vermelho com o afluxo do sangue. **2.** Encher-se de um fluido injetado.

injetável *adj.2g.* Que pode ser injetado, particularmente no organismo.

injetor (ô) *adj.* Que injeta. ★ *s.m.* Aparelho com o qual se introduz um fluido sob pressão em uma máquina ou motor.

injunção *s.f.* (lat. *injuctio*). **1.** Ato ou efeito de injungir. **2.** Ordem precisa, formal. **3.** Imposição, pressão das circunstâncias.

injungir *v.t.* (lat. *injungere*) [conj. 58]. **1.** Ordenar expressamente; obrigar. **2.** Impor, constranger.

injúria *s.f.* (lat. *injuria*). **1.** Ato ou efeito de injuriar. **2.** Ato ou dito ofensivo; ofensa, insulto. **3.** Dano, estrago.

injuriar *v.t.* (lat. *injuriare*) [conj. 16]. **1.** Ofender com ações ou ditos; difamar, insultar. **2.** Desonrar. **3.** Causar dano, estrago a.

injustiça *s.f.* (lat. *injustitia*). **1.** Falta de justiça. **2.** Ato contrário à justiça. **3.** Iniqüidade.

injustificável *adj.2g.* Que não se pode justificar.

injusto *adj.* (lat. *injustus*). Contrário à justiça, à eqüidade. ★ *s.m.* Pessoa injusta.

in-loco *loc. adv.* (lat.). No lugar.

inobservância *s.f.* Falta habitual de observância, de cumprimento.

inobservável *adj.2g.* **1.** Que não se pode observar. **2.** Que não se pode cumprir.

inocência *s.f.* (lat. *innocentia*). **1.** Qualidade ou estado de inocente. **2.** Ausência de culpabilidade. **3.** Simplicidade, ingenuidade, pureza.

inocentar *v.t.* (conj. 4). Declarar inocente; desculpar, absolver.

inocente *adj.2g.* e *s.2g.* (lat. *innocens*). **1.** Que ou aquele que ignora ou desconhece o mal; puro, cândido. **2.** Que ou aquele que não tem culpa, que não é culpado. **3.** Ingênuo, simples de espírito. **4.** Criança de tenra idade. **5.** Inócuo.

inoculação *s.f.* **1.** Ato ou efeito de inocular(-se). **2.** Introdução no organismo de germe vivo, vírus, veneno, vacina, soro.

inoculante *adj.2g.* Diz-se do organismo ou substância usado numa inoculação.

inocular *v.t.* (fr. *inoculer*) [conj. 4]. **1.** Introduzir (germe, vírus, veneno etc.) em um organismo. **2.** *Fig.* Introduzir, transmitir. **3.** Proceder à inoculação. ★ *v.pr.* Introduzir (germe, vírus etc.) no próprio organismo.

inoculável *adj.2g.* Que pode ser inoculado.

inóculo *s.m.* Quantidade de germes ou substâncias inoculados ou a serem inoculados.

inócuo *adj.* (lat. *innocuus*). Que não faz dano, que não tem efeito prejudicial; inofensivo, inocente.

inodoro *adj.* (lat. *inodorus*). Sem odor, sem cheiro.

inofensivo *adj.* **1.** Que não faz mal a ninguém. **2.** Inócuo.

inolvidável *adj.2g.* Que não se olvida; inesquecível.

inominado *adj.* Que não tem nome. ● **Anat.** *Linha inominada,* eminência da face interna do osso ilíaco.

inominável *adj.2g.* (lat. *innominabilis*). **1.** Que não se pode nomear; a que não se pode dar nome. **2.** *Fig.* Vil, baixo, inqualificável.

inoperância *s.f.* Qualidade de inoperante.

inoperante *adj.2g.* **1.** Que não opera. **2.** Que não produz o efeito necessário ou desejado; inútil, ineficaz.

inópia *s.f.* (lat. *inopia*). **1.** Penúria, indigência, escassez. **2.** *Fig.* Defeito, falta.

inopinado *adj.* (lat. *inopinatus*). **1.** Que sobrevém quando não se espera; imprevisto, inesperado, súbito. **2.** Extraordinário, singular.

inoportuno *adj.* (lat. *inopportunus*). **1.** Que não é oportuno; fora de propósito, intempestivo. **2.** Que se faz ou ocorre em momento não conveniente, não apropriado.

inorgânico *adj.* **1.** Que não é orgânico. **2.** Diz-se dos corpos desprovidos de vida, não organizados, que só podem se desenvolver por justaposição, como os minerais. ● **Med.** Sin. de ANORGÂNICO. **Quím.** Diz-se dos compostos que não apresentam carbono em sua constituição, com exceção do monóxido de carbono, do gás carbônico e dos compostos que contêm o radical carbonato; mineral.

inóspito *adj.* (lat. *inhospitus*). **1.** Que não exerce a hospitalidade. **2.** Em que não se pode viver; inabitável.

inotrópico *adj.* **1.** Diz-se da potência da contração dos músculos. **2.** Diz-se de drogas ou de inervação do músculo cardíaco que atuam sobre as contrações.

inovação *s.f.* (lat. *innovatio*). **1.** Ato ou efeito de inovar. **2.** Introdução de alguma novidade nos costumes, na ciência, nas artes etc. **3.** Renovação.

inovar *v.t.* (lat. *innovare*) [conj. 4]. Introduzir algo novo nos costumes, artes, ciência etc.

inoxidável (cs) *adj.2g.* **1.** Não oxidável. **2.** Diz-se de metal ou liga que resiste à corrosão.

input *s.m.* (ingl.). Sin. de SINAL DE ENTRADA*.

inqualificável *adj.2g.* **1.** Que não pode ser qualificado. **2.** Que não merece qualificação; abjeto, inclassificável.

inquebrantável *adj.2g.* **1.** Que não se quebra, abate; inflexível, rijo. **2.** Incansável, infatigável, inabalável.

inquérito *s.m.* (do lat. *quaeritare*, procurar). **1.** Inquirição. **2.** Conjunto de atos e diligências destinados a apurar alguma coisa; sindicância.

inquestionável *adj.2g.* Que não se pode questionar ou pôr em dúvida; indiscutível.

inquietação *s.f.* (lat. *inquietatio*). Qualidade, estado de inquieto; inquietude.

inquietante *adj.2g.* Que causa inquietude.

inquietar *v.t.* (lat. *inquietare*) [conj. 4]. **1.** Tornar inquieto. **2.** Desassossegar, perturbar. **3.** Amotinar, sublevar. ★ *v.pr.* Preocupar-se, apoquentar-se; desassossegar-se.

inquieto *adj.* (lat. *inquietus*). **1.** Que não está quieto; agitado, perturbado. **2.** Apreensivo, receoso, aflito.

inquietude *s.f.* Inquietação.

inquilinato *s.m.* (lat. *inquilinatus*). **1.** Estado de quem reside em imóvel alugado. **2.** Os inquilinos.

inquilino *s.m.* (lat. *inquilinus*). Aquele que reside em imóvel alugado. ● **Biol.** Organismo que vive em ou no interior de outro, sem parasitá-lo.

inquinar *v.t.* (lat. *inquinare*) [conj. 4]. **1.** Sujar, manchar. **2.** Poluir, infectar. **3.** Corromper. **4.** Qualificar, notar, tachar.

inquirição *s.f.* **1.** Ato ou efeito de inquirir; inquérito. **2.** Reunião de depoimentos para elucidar uma questão duvidosa; inquérito, sindicância. **3.** Pesquisas ordenadas por uma autoridade administrativa ou judiciária; sindicância, averiguação.

inquirir *v.t.* (lat. *inquirere*). [conj. 6]. **1.** Buscar informações sobre; investigar, pesquisar. **2.** Perguntar, indagar, interrogar.

inquisição *s.f.* (lat. *inquisitio*). **1.** Ato ou efeito de inquirir. **2.** Antigo tribunal eclesiástico para julgar e punir o que considerava crime contra a fé católica. (Usa-se com maiúscula.) [Sin. SANTO OFÍCIO.]

inquisidor (ô) *s.m.* (lat. *inquisitor*). Membro de um tribunal da Inquisição.

inquisitivo *adj.* (lat. *inquisitivus*). Relativo a inquisição; interrogativo, indagativo, questionador.

inquisitorial *adj.2g.* **1.** Relativo ou pertencente à Inquisição. **2.** Relativo a inquérito. **3.** Sem complacência, severo.

insaciável *adj.2g.* (lat. *insatiabilis*). **1.** Que não pode ser saciado. **2.** *Fig.* Que não se pode satisfazer plenamente.

insalubre *adj.2g.* (lat. *insaluber*). Que não é salubre; doentio, prejudicial à saúde, malsão.

insalubridade *s.f.* (lat. *insalubritas*). Qualidade ou estado de insalubre.

insanável *adj.2g.* (lat. *insanabilis*). **1.** Que não se pode sanar ou curar. **2.** *Fig.* Irremediável, insolúvel.

insânia *s.f.* (lat. *insania*). Insanidade.

insanidade *s.f.* (lat. *insanitas*). **1.** Qualidade, caráter de insano; loucura, demência. **2.** Dito, ação que revela falta de juízo, de bom senso.

insano *adj.* (lat. *insanus*). **1.** Louco, demente, insensato; sandeu. **2.** *Fig.* Excessivo, desmedido.

insatisfação *s.f.* Falta de satisfação, de contentamento; desagrado.

insatisfeito *adj.* **1.** Que não se acha satisfeito, que não está saciado. **2.** Descontente.

INSETÍVORO ► Como os ouriços e as toupeiras, são considerados os animais mamíferos mais primitivos. Um olfato bem desenvolvido os ajuda a encontrar as presas. Os ouriços são insetívoros bastante típicos, amplamente encontrados na Europa, Ásia e África. As toupeiras, com seu couro forte e as patas anteriores dotadas de poderosas garras, estão adaptadas para escavar e passam a maior parte da vida no subsolo.

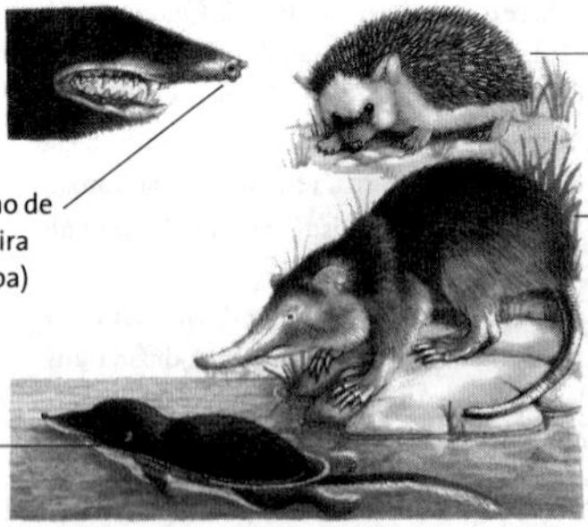

inscrever *v.t.* (lat. *inscribere*) [conj. 5]. **1.** Gravar na pedra, no mármore etc. **2.** Esculpir, entalhar. **3.** Fazer constar, escrever algo em registro, lista etc. **4.** Notar, lembrar. ● **Geom.** Traçar uma figura dentro de outra. ★ *v.pr.* Escrever ou fazer escrever o próprio nome num registro, numa lista etc.

inscrição *s.f.* (lat. *inscriptio*). **1.** Ato ou efeito de inscrever(-se). **2.** Caracteres gravados em mármore, pedra etc. **3.** Inclusão, registro em lista, concurso etc.

inscrito *adj.* (lat. *inscriptus*). **1.** Entalhado, gravado. **2.** Escrito em registro, em lista. ● **Geom.** Diz-se de um polígono cujos vértices estão numa curva dada, ou de uma curva tangente a todos os lados de um polígono dado. ★ *s.m.* Aquele que se inscreveu.

insegurança *s.f.* Qualidade de inseguro.

inseguro *adj.* Que não tem segurança.

inseminação *s.f.* **1.** Fecundação do óvulo. **2.** Deposição de sêmen nas vias genitais da fêmea. **3.** *Inseminação artificial*, introdução do esperma nas vias genitais de uma mulher ou de uma fêmea, com vistas à fecundação.

inseminar *v.t.* (conj. 4). **1.** Proceder à inseminação. **2.** Proceder à inseminação artificial.

insensatez (ê) *s.f.* **1.** Qualidade de insensato. **2.** Ato, dito insensato.

insensato *adj.* (lat. *insensatus*). **1.** Que perdeu a razão; louco, insano. **2.** Contrário ao bom senso. ★ *s.m.* Pessoa insensata.

insensibilizar *v.t.* (conj. 4). Tornar insensível; dessensibilizar.

insensível *adj.2g.* (lat. *insensibilis*). **1.** Que não sente as sensações habituais. **2.** Que não se deixa comover; indiferente. **3.** Imperceptível.

inseparável *adj.2g.* (lat. *inseparabilis*). Que não se pode separar.

insepulto *adj.* (lat. *insepultus*). Que não foi sepultado.

inserção *s.f.* (lat. *insertio*). **1.** Ato ou efeito de inserir(-se). **2.** Fixação de uma parte em outra. **3.** Lugar onde alguma coisa se fixa. ● **Anat.** Local onde se fixa um músculo ou ligamento. ► Para um órgão, o fato de se juntar a um outro; local onde se dá esta junção. **Bot.** União das folhas com o nó caulinar.

inserir *v.t.* (lat. *inserere*) [conj. 57]. **1.** Fazer entrar em, colocar no meio de; introduzir. **2.** Fixar uma parte em outra.

inserto *adj.* (lat. *insertus*). **1.** Que se inseriu, introduziu. **2.** Publicado entre outras coisas. **3.** Diz-se de uma peça incluída em outra quando de sua obtenção por moldagem ou fundição. (Cf. INCERTO.)

inseticida *adj.2g.* e *s.m.* Que ou o que destrói insetos.

insetífugo *adj.* e *s.m.* Diz-se de ou produto que afugenta os insetos.

insetívoro *adj.* **1.** Que se alimenta de insetos. **2.** Relativo aos insetívoros. ★ *s.m.* Espécime dos insetívoros.

insetívoros *s.m.pl.* Ordem de animais mamíferos, com focinho longo e afilado, dentes numerosos e pontudos, pés com cinco artelhos, providos de unhas, que se alimentam de vermes e insetos.

inseto *s.m.* (lat. *insectum*). Espécime dos insetos.

insetologia *s.2g.* Sin. de ENTOMOLOGIA.

insetos *s.m.pl.* Classe de animais artrópodes que apresentam o corpo dividido em cabeça, tórax e abdome, com três pares de patas, geralmente com um par de antenas e dois pares de asas.

insídia *s.f.* (lat. *insidia*). **1.** Emboscada, cilada, traição. **2.** Perfídia, estratagema, intriga.

insidioso (ô) *adj.* (lat. *insidiosus*) [conj. 16]. **1.** Que arma insídias. **2.** Aleivoso, traiçoeiro, pérfido. **3.** Diz-se de uma doença que se inicia com aparência de benignidade e só manifesta seus sintomas quando a afecção já evoluiu.

insight (sai) *s.m.* (ingl.) Ato de perceber de maneira súbita a solução de um problema, a natureza de uma figura ou de um objeto etc.

insigne *adj.2g.* (lat. *insignis*). Notável, célebre, assinalado.

insígnia *s.f.* **1.** Sinal distintivo de uma função, posição hierárquica etc.; emblema, símbolo. **2.** Divisa, legenda inscrita em emblemas, escudos, brasões.

A coroa era uma insígnia medieval.

VOCÊ SABIA...? As **insígnias** reais, adotadas pelas monarquias cristãs na Idade Média, eram, nos reinos hispânicos, a coroa, a espada, o cetro, o manto púrpura e o trono; em Aragão e Navarra havia ainda o fruto de ouro. A proclamação real incluía a entrega das insígnias ao soberano. Entre as insígnias imperiais de D. Pedro II, no Brasil, estão o globo imperial e o anel da sagração.

insignificância *s.f.* **1.** Qualidade ou estado de insignificante. **2.** Coisa sem valor ou importância; bagatela, ninharia.

insignificante *adj.2g.* **1.** Que não significa nada. **2.** Sem importância, sem valor.

insincero *adj.* Que não é sincero; sem sinceridade.

insinuação *s.f.* (lat. *insinuatio*). **1.** Ato de insinuar(-se). **2.** Aquilo que se insinua, que se dá a entender. **3.** Conselho indireto, advertência. **4.** Indicação, lembrança.

insinuante *adj.2g.* **1.** Que tem o dom, a habilidade, de se insinuar. **2.** Simpático, cativante.

insinuar *v.t.* (lat. *insinuare*) [conj. 4]. **1.** Fazer entrar no espírito de maneira indireta, sutil. **2.** Incutir o conhecimento de; pretender provar. **3.** Induzir, aconselhar. ★ *v.pr.* Introduzir-se, fazer-se aceitar com habilidade.

insípido *adj.* (lat. *insipidus*). **1.** Que não tem gosto, sabor. **2.** *Fig.* Sem atrativos, sem interesse, sem graça; enfadonho.

insipiência *s.f.* Qualidade de insipiente.

insipiente *adj.2g.* (lat. *insipiens*). **1.** Ignorante, não sapiente. **2.** Insensato, imprudente. (Cf. INCIPIENTE.)

insistência *s.f.* **1.** Qualidade de insistência. **2.** Ato ou efeito de insistir.

insistente *adj.2g.* **1.** Que insiste; perseverante. **2.** Teimoso, obstinado.

insistir *v.t.* (lat. *insistere*) [conj. 6]. **1.** Perseverar em pedir ou dizer alguma coisa. **2.** Estender-se longamente. ★ *v.i.* **1.** Perseverar em uma atitude ou ação. **2.** Obstinar-se, teimar.

insociável *adj.2g.* (lat. *insociabilis*). **1.** Que é incapaz de associar-se ou viver em sociedade. **2.** Diz-se de pessoa arredia, com quem é difícil entender-se; misantropo.

insofismável *adj.2g.* Que não se pode sofismar.

insofrido *adj.* **1.** Que é pouco sofredor. **2.** Pouco paciente (no sofrimento). **3.** Inquieto, indomável.

insolação *s.f.* (lat. *insolatio*). **1.** Ação de expor ao sol. **2.** Ação dos raios solares sobre um objeto. **3.** Distúrbio provocado pela exposição excessiva aos raios solares, caracterizado por náuseas, vômitos, cefaléia e vertigens. **4.** Número de horas durante as quais o sol brilhou num dia, num mês ou num ano determinado.

insolência *s.f.* (lat. *insolentia*). **1.** Qualidade, caráter de insolente; arrogância, atrevimento. **2.** Dito, ação insolente. **3.** Maneira insólita de proceder. **4.** Desaforo, falta de respeito.

insolente *adj.2g.* (lat. *insolens*). **1.** Desusado, insólito. **2.** Arrogante, atrevido. **3.** Desrespeitoso, malcriado, desaforado. ★ *s.2g.* Pessoa insolente.

insólito *adj.* (lat. *insolitus*). **1.** Que não acontece habitualmente. **2.** Contrário ao uso, às regras. **3.** Desusado, extraordinário, incrível.

insolúvel *adj.2g.* (lat. *insolubilis*). **1.** Que não se pode dissolver. **2.** Que não se pode resolver. **3.** Que não se pode pagar; incobrável.

insolvência *s.f.* Situação em que uma pessoa física ou jurídica é incapaz de pagar suas dívidas.

insolvente *adj.2g.* e *s.2g.* Que ou aquele que está em estado de insolvência.

insondável *adj.2g.* **1.** Que não é possível sondar, de que não se pode achar o fundo. **2.** *Fig.* Inexplicável, imperscrutável, enigmático.

insone *adj.2g.* (lat. *insomnis*). **1.** Que não tem sono, que não dorme. **2.** Em que não se dorme.

insônia *s.f.* (lat. *insomnia*). **1.** Privação, ausência de sono. **2.** Vigília. **3.** Impossibilidade ou dificuldade de adormecer ou de dormir suficientemente.

insopitável *adj.2g.* Que não se pode sopitar.

insosso (ô) *adj.* (lat. *insulsus*). **1.** Insulso. **2.** Sem tempero, insípido.

inspeção *s.f.* (lat. *inspectio*). **1.** Ato ou efeito de inspecionar; exame, vistoria. **2.** Encargo de vigiar.

inspecionar *v.t.* (conj. 4). **1.** Vistoriar, examinar para controlar. **2.** Examinar com grande atenção. **3.** Vigiar, revistar. **4.** Proceder a um controle para verificar a destinação, a carga, estado sanitário etc. de navio ou avião.

inspetor (ô) *s.m.* **1.** Funcionário encarregado de controlar as atividades de outras pessoas ou de organismos ou coletividades. **2.** Funcionário encarregado da inspeção.

inspetoria *s.f.* **1.** Cargo de inspetor. **2.** Repartição encarregada de inspecionar.

inspiração *s.f.* (lat. *inspiratio*). **1.** Ação de inspirar(-se) ou ser inspirado. **2.** Fase da respiração na qual o ar atmosférico penetra nos pulmões. **3.** Estímulo, incentivo à criação, ao pensamento. **4.** O que dá esse estímulo. **5.** Estro.

INSPIRAÇÃO ► Durante a inspiração (tomada de ar), as costelas se dilatam por força da contração dos músculos intercostais externos. O diafragma se contrai e abaixa. Isso estende o tórax, fazendo baixar a pressão na cavidade pleural. Conseqüentemente, os pulmões se expandem e o ar entra nos alvéolos através dos brônquios.

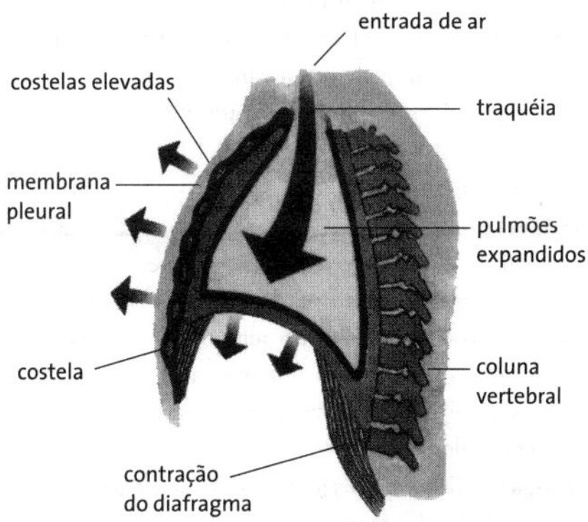

inspirado *adj.* e *s.m.* Que ou aquele que procede sob a influência de uma inspiração mística, poética. ★ *adj.* Que revela tal inspiração.

inspirador (ô) *adj.* e *s.m.* (lat. *inspirator*). **1.** Que ou o que inspira, arrebata, entusiasma. **2.** Que ou o que serve ou contribui para a inspiração.

inspirar *v.t.* (lat. *inspirare*) [conj. 4]. **1.** Fazer penetrar ar ou gás nos pulmões. **2.** Fazer nascer um sentimento, um pensamento, um desígnio. **3.** Fazer nascer o entusiasmo criador. ★ *v.pr.* Servir-se das idéias, das obras de outrem para criar ou projetar algo.

inspiratório *adj.* **1.** Que inspira; próprio para a inspiração. **2.** Relativo à inspiração do ar nos pulmões.

instabilidade *s.f.* **1.** Falta de estabilidade, de permanência. **2.** Inconstância. ● **Meteor.** Estado de desequilíbrio dinâmico ou térmico da atmosfera, que determina movimentos verticais ascendentes do ar.

instalação *s.f.* **1.** Ato ou efeito de instalar(-se); estabelecimento. **2.** Conjunto de aparelhos, máquinas, peças etc. para realização de determinada função ou atividade (instalação hidráulica, instalação elétrica etc.). ● **B.-Art.** Obra cujos elementos, de caráter plástico ou conceitual, são organizados em um espaço montado como um ambiente.

instalar *v.t.* (do germ. *stall*, assento) [conj. 4]. **1.** Pôr no lugar, montar e dispor para funcionar (aparelho, circuito etc.). **2.** Colocar, estabelecer alguém num lugar. ★ *v.pr.* **1.** Tomar posse de. **2.** Estabelecer-se, alojar-se.

instância *s.f.* (lat. *instantia*). **1.** Qualidade de instante. **2.** Solicitação urgente. **3.** Repetição de um pedido, ordens ou recomendações. **4.** Organismo, repartição que exerce um poder de decisão. ● **Dir.** Grau de jurisdição. **Psican.** Qualquer estrutura do aparelho psíquico, como o id, o ego, o superego etc.

instantâneo *adj.* **1.** Que se realiza ou acontece em um instante; repentino. **2.** Que não dura mais que um instante; momentâneo, efêmero, transitório. ★ *s.m.* Procedimento de fotografia em que o filme se revela automaticamente assim que sai da máquina fotográfica.

instante *adj.2g.* (lat. *instans*). **1.** Que está próximo a sobrevir; iminente. **2.** Veemente, enérgico. **3.** Premente, urgente. ★ *s.m.* **1.** Momento muito breve. **2.** Ocasião, hora, momento.

instar *v.t.* (lat. *instare*) [conj. 4]. Pedir, solicitar com instância. ★ *v.i.* **1.** Estar iminente, próximo a suceder ou sobrevir. **2.** Insistir. **3.** Tornar-se necessário, urgente.

instaurar *v.t.* (lat. *instaurare*) [conj. 4]. **1.** Estabelecer, fundar. **2.** Inaugurar, começar.

instável *adj.2g.* (lat. *instabilis*). **1.** Que não é estável, não tem estabilidade. **2.** Mutável, volúvel, inconstante. **3.** Móvel, movediço. **4.** Diz-se de um terreno que desmorona quando escavado. **5.** Diz-se de um composto químico que se decompõe facilmente. ● **Fís.** Diz-se do equilíbrio apresentado por um sistema que, ligeiramente afastado dessa posição de equilíbrio, distancia-se dela para encontrar um novo estado de equilíbrio.

instigar *v.t.* (lat. *instigare*) [conj. 14]. **1.** Incitar, estimular, induzir. **2.** Persuadir, aconselhar.

instilar *v.t.* (lat. *instillare*) [conj. 4]. **1.** Verter gota a gota. **2.** Introduzir gota a gota uma substância medicamentosa em um canal ou cavidade natural do organismo. **3.** *Fig.* Persuadir, insinuar, insuflar.

instintivo *adj.* **1.** Relativo ao instinto. **2.** Que nasce do ou é determinado pelo instinto.

instinto *s.m.* (lat. *instinctus*). **1.** Conjunto de comportamentos animais característicos da espécie, transmitido por via genética e que se exprime na ausência de aprendizagem. **2.** Impulso irracional e espontâneo, intuição. **3.** Dom inato, aptidão natural. ● **Psican.** Termo que designa, no homem, por analogia ao instinto animal, formações psíquicas transmitidas filogeneticamente. ► Termo impróprio às vezes usado para designar pulsão.

institucional *adj.2g.* **1.** Relativo a instituição. **2.** Diz-se de matéria jornalística, texto, foto, publicação, *site* etc. criados por uma empresa ou outra instituição para comunicar-se com o público interno e/ou externo.

instituição *s.f.* (lat. *institutio*). **1.** Ato ou efeito de instituir, de estabelecer. **2.** A coisa instituída; instituto. **3.** Organização, estabelecimento, sociedade de finalidade educativa, religiosa, filantrópica etc.; instituto. **4.** Conjunto de regras e normas estabelecidas para a satisfação de interesses coletivos. ★ *s.f.pl.* Leis fundamentais de um país.

instituir *v.t.* (lat. *instituere*) [conj. 74]. **1.** Estabelecer, fundar, instaurar, criar, dar início a. **2.** Marcar, determinar, assinalar. **3.** Educar, instruir, doutrinar.

instituto *s.m.* (lat. *institutus*). **1.** Regulamentação, norma, regra. **2.** Instituição. **3.** Nome de certos estabelecimentos de pesquisa científica, de ensino. **4.** Órgão público instituído para determinado fim.

instrução *s.f.* (lat. *instructio*). **1.** Ato ou efeito de instruir(-se). **2.** Ensino, educação. **3.** Saber, noções adquiridas. **4.** Informações, orientações para executar determinada operação. **4.** Ordem, solicitação.

instruído *adj.* **1.** Que tem instrução. **2.** Informado, orientado.

instruir *v.t.* (lat. *instruere*) [conj. 74]. **1.** Formar o espírito de alguém com lições, conhecimentos; ensinar. **2.** Dar ciência de alguma coisa; informar, esclarecer. **3.** Adestrar, habilitar. **4.** Ordenar, solicitar. ★ *v.pr.* Tornar-se sabedor, adquirir conhecimentos.

instrumentação *s.f.* **1.** Ato ou efeito de instrumentar. **2.** Conjunto de instrumentos de medição, análise, observação etc. **3.** Conjunto dos instrumentos e aparelhos que possibilitam a operação de um veículo, instalação etc. **4.** Maneira como está concebida a parte instrumental de uma composição musical. **5.** Adaptação de uma música a determinado instrumento. **6.** Tecnologia da concepção e do emprego destes instrumentos.

instrumentador (ô) *s.m.* Enfermeiro especializado, que limpa e esteriliza os instrumentos cirúrgicos, prepara a sala de operações e fornece ao cirurgião o necessário durante a cirurgia.

instrumental *adj.2g.* (lat. *instrumentalis*). **1.** Relativo a instrumentos. **2.** Que serve de instrumento. **3.** Diz-se de música executada apenas com instrumentos. ★ *s.m.* **1.** Conjunto de instrumentos. **2.** Os instrumentos de música de uma orquestra.

instrumentar *v.t.* (fr. *instrumenter*) [conj. 4]. **1.** Destinar a cada instrumento musical a parte de uma obra que lhe pertence. **2.** Escrever e dispor as partituras de acordo com as regras da instrumentação.

instrumentista *s.2g.* **1.** Músico que toca um instrumento. **2.** Compositor de música instrumental.

instrumento *s.m.* (lat. *instrumentum*). **1.** Todo objeto que serve para auxiliar ou levar a efeito uma ação física qualquer. **2.** Utensílio, ferramenta, máquina, aparelho que serve para

A B C D E F G H I J K L M N O P Q R S T U V W X Y Z

executar uma obra ou fazer uma operação. **3.** Objeto destinado a produzir sons musicais. **4.** *Fig.* O que é empregado para conseguir um resultado.

INSTRUMENTO ► Os instrumentos de *corda* são os que melhor se prestam para expressar sentimentos em geral, como alegria e tristeza. Entre os instrumentos de *sopro*, os *metais* emitem sons claros e alegres por seu brilho. Os de *madeira* produzem sons mais doces, que convidam a sonhar. Os instrumentos de *percussão* representam as batidas do coração. E dão ritmo à música.

trompete (metal)

instrutivo *adj.* Que é próprio para instruir; informativo, educativo.

instrutor (ô) *adj.* e *s.m.* (lat. *instructor*). Que ou aquele que instrui, ensina.

insubmissão *s.f.* **1.** Falta de submissão; independência. **2.** Indisciplina, desobediência, insubordinação.

insubmisso *adj.* **1.** Que não se submete; independente. **2.** Rebelde. **3.** Insubordinado, indisciplinado. ★ *s.m.* **1.** O que comete crime de insubmissão. **2.** Cidadão que foi convocado para o serviço militar e não se apresentou para prestá-lo.

insubordinado *adj.* e *s.m.* Que ou aquele que mostra ou tem espírito de insubordinação; desobediente, insubmisso, rebelde.

insubordinar *v.t.* (conj. 4). Tornar insubordinado, promover a insubordinação de; amotinar, revoltar. ★ *v.pr.* Cometer ato de insubordinação; sublevar-se.

insubornável *adj.2g.* Que não é subornável; íntegro, correto.

insubsistente *adj.2g.* **1.** Que não pode subsistir. **2.** Que não tem valor ou fundamento.

insubstituível *adj.2g.* Que não pode ser substituído; inigualável.

insucesso *s.m.* Falta de sucesso; mau êxito, fracasso, malogro.

insuficiência *s.f.* **1.** Falta de suficiência. **2.** Incapacidade, inaptidão. **3.** Carência, deficiência, pobreza. **4.** Impossibilidade de um órgão ou glândula em exercer suas funções normais. (Cf. DEFICIÊNCIA.)

insuficiente *adj.2g.* **1.** Que não é suficiente, bastante. **2.** Incapaz, inepto, incompetente.

insuflação *s.f.* (lat. *insufflatio*). **1.** Ato ou efeito de insuflar. **2.** Introdução de ar ou gás em uma cavidade natural do corpo com propósito diagnóstico ou terapêutico.

insuflador (ô) *adj.* Que insufla. ★ *s.m.* **1.** Instrumento que serve às insuflações terapêuticas. **2.** Aparelho para insuflar ar comprimido (sob a grelha de uma caldeira a vapor, num gasogênio etc.).

insuflar *v.t.* (lat. *insufflare*) [conj. 4]. **1.** Soprar, bafejar. **2.** Introduzir, por meio do sopro de um aparelho especial, um gás, um vapor em uma cavidade do corpo. **3.** *Fig.* Dar, inspirar, incutir.

ínsula *s.f.* (lat. *insula*). Ilha. ● **Anat.** *Lobo da ínsula,* área do córtex cerebral posterior à fissura lateral do cérebro, ou fissura de Sylvius.

insulado *adj.* Ilhado, isolado.

insulano *adj.* e *s.m.* (lat. *insulanus*). Insular.

insular[1] *adj.2g.* (lat. *insularis*). Pertencente ou relativo a uma ilha; insulano. ★ *s.2g.* Ilhéu.

insular[2] *v.t.* e *v.pr.* (conj. 4). Ilhar.

insulina *s.f.* (lat. *insula,* ilha). Hormônio endógeno produzido no pâncreas pelas ilhas pancreáticas, de ação hipoglicemiante, utilizado no tratamento do diabetes em injeções subcutâneas ou intramusculares.

insulinase *s.f.* Enzima que catalisa a hidrólise da insulina, presente no fígado, rins e músculos.

insulínico *adj.* Relativo à insulina.

insulso *adj.* (lat. *insulsus*). **1.** Que não tem sal; insosso. **2.** *Fig.* Sem graça, desinteressante.

insultar *v.t.* (lat. *insultare,* saltar sobre, atacar) [conj. 4]. Atacar com palavras ou modos ofensivos; ultrajar, afrontar, ofender.

insulto *s.m.* (lat. *insultus*). Ultraje, ofensa, afronta com atos ou palavras.

insumo *s.m.* (neol.). O que entra como matéria-prima, força de trabalho, consumo de energia etc., para se conseguir um produto final.

insuperável *adj.2g.* (lat. *insuperabilis*). **1.** Que não se pode superar; invencível. **2.** Inigualável.

insuportável *adj.2g.* **1.** Que não se pode suportar; intolerável. **2.** Muito desagradável, incômodo.

insurgente *adj.2g.* e *s.2g.* Que ou aquele que se insurge; rebelde, insurreto.

insurgir *v.t.* (lat. *insurgere*) [conj. 52]. **1.** Sublevar, revoltar, rebelar. **2.** Emergir, surgir. ★ *v.pr.* Revoltar-se, sublevar-se.

insurreição *s.f.* (lat. *insurrectio*). **1.** Ato ou efeito de insurgir(-se); rebelião, revolta. **2.** Levante contra o poder constituído com o fim de derrubá-lo. **3.** Oposição vivamente expressa.

insurreto ou **insurrecto** *adj.* e *s.m.* (lat. *insurrectus*). Que ou aquele que se insurge ou insurgiu; revoltoso, rebelde, insurgente.

insuspeito *adj.* **1.** Que não é suspeito. **2.** Que merece confiança. **3.** Reto, imparcial.

insustentável *adj.2g.* Que não se pode sustentar; que não se pode defender.

intacto *adj.* (lat. *intactus*). **1.** Que não foi tocado; intocado. **2.** Sem dano ou alteração; incólume.

intangível *adj.2g.* **1.** Em que não se pode tocar; impalpável. **2.** Intocável.

intanha *s.f.* Var. de UNTANHA.

íntegra *s.f.* **1.** Totalidade. **2.** Contexto completo de documento, lei etc.

integração *s.f.* (lat. *integratio*). **1.** Ato ou efeito de integrar(-se). **2.** Reunião de um território, uma população, uma minoria. **3.** Coordenação que permite a passagem de um serviço de transporte a outro, de uma rede a uma outra, num ponto determinado do percurso. **4.** Incorporação de grupos minoritários a uma sociedade, com os mesmos direitos dos grupos majoritários. ● **Mat.** Cálculo que permite conhecer a integral de uma dada função. **Neurol.** Coordenação das atividades de vários órgãos, com vistas a um funcionamento harmonioso, realizada por diversos centros nervosos.

integral *adj.2g.* (lat. *integralis*). **1.** Inteiro, total, completo. **2.** Diz-se do leite oferecido ao consumidor sem ter sido previamente desnatado. **3.** Diz-se do cereal do qual se extraiu a casca mas não a película. **4.** Diz-se do alimento feito ou preparado com estes cereais. ● **Mat.** *Cálculo integral,* ramo do cálculo infinitesimal no qual se determinam grandezas funcionais a partir de infinitésimos dados. ★ *s.f.* **Mat.** Limite, se existir, das somas de um número indefinidamente crescente de elementos indefinidamente pequenos construídos dividindo-se indefinidamente o domínio de definição de uma função.

integralismo *s.m.* **1.** Aplicação integral de uma doutrina ou sistema. **2.** Movimento político brasileiro (1932-1937) inspirado no fascismo.

integralizar *v.t.* (conj. 4). **1.** Integrar. **2.** Pagar (um acionista) as parcelas correspondentes ao valor das ações subscritas no capital social de uma empresa.

integrante *adj.2g.* **1.** Que integra, que completa. **2.** Que constitui parte de um todo. **3.** Necessário, essencial. ● **Gram.** Diz-se da conjunção subordinativa que introduz uma oração subordinada substantiva (que, se, como). ★ *s.2g.* **1.** Parte que integra um todo. **2.** Pessoa que integra um grupo, uma associação, uma família etc.; membro.

integrar *v.t.* (lat. *integrare*) [conj. 4]. **1.** Tornar inteiro, completar, inteirar; integralizar. **2.** Fazer entrar num conjunto, num grupo. ● **Mat.** Proceder a uma integração. ★ *v.pr.* **1.** Inteirar-se, completar-se. **2.** Tornar-se parte de; reunir-se, incorporar-se.

integridade *s.f.* (lat. *integritas*). **1.** Estado ou qualidade de íntegro, inteiro, completo. **2.** *Fig.* Honestidade, retidão.

íntegro *adj.* (lat. *integrus*). **1.** Inteiro, completo. **2.** Probo, incorruptível.

inteirar *v.t.* (conj. 4). **1.** Tornar inteiro; completar, preencher. **2.** Tornar ciente; informar. ★ *v.pr.* **1.** Formar-se ou constituir-se num todo. **2.** Tomar ciência; informar-se.

inteireza (ê) *s.f.* **1.** Qualidade de inteiro. **2.** Integridade física. **3.** Estado normal e perfeito das funções de um organismo. **4.** Retidão, austeridade, integridade moral.

inteiriço *adj.* Composto de uma só peça; que não tem emendas ou juntas.

inteiro *adj.* (lat. *integrus*). **1.** Diz-se daquilo que está completo, íntegro, de que nada se retirou. **2.** Irrestrito, absoluto, total. **3.** Ileso, intacto, sem faltar nem um pedaço. **4.** Em toda a sua extensão, quantidade ou duração. **5.** Que se apresenta em uma só peça; sem cortes ou falhas. **6.** Diz-se do animal que não foi castrado. ★ *adj.* e *s.m.* **Mat.** *Número inteiro* ou *inteiro,* qualquer elemento positivo ou negativo da série 1, 2, 3... ★ *s.m.* Uma unidade inteira.

intelecção *s.f.* (lat. *intellectio, intellectionis*). Atividade do intelecto; ação de entender, conceber.

intelectivo *adj.* (lat. *intellectivus*). Pertencente ou concernente ao intelecto, ao entendimento.

intelecto *s.m.* (lat. *intellectus*). Faculdade de compreender, de apreender.

intelectual *adj.2g.* (lat. *intellectualis*). **1.** Relativo ao intelecto, ao entendimento. **2.** Que se refere à atividade do espírito, à reflexão (p. opos. às atividades físicas, manuais). ★ *s.2g.* Aquele que, por gosto ou por profissão, se dedica a atividades intelectuais.

intelectualidade *s.f.* **1.** Qualidade de intelectual. **2.** Conjunto de intelectuais. **3.** A classe dos intelectuais.

intelectualismo *s.m.* Doutrina filosófica que tende a reduzir todos os fenômenos psicológicos a idéias, a raciocínios abstratos.

intelectualizar *v.t.* (conj. 4). Elevar à categoria de coisas intelectuais. ★ *v.pr.* Tornar-se intelectual.

inteligência *s.f.* (lat. *intelligentia*). **1.** Conjunto das funções mentais que têm por objeto o conhecimento conceitual e racional; entendimento. **2.** Aptidão, capacidade de escolher entre várias alternativas, de se adaptar a diferentes situações, de julgar etc.; discernimento. **3.** Destreza, habilidade. **4.** Boa convivência, união de sentimentos. **5.** *Inteligência artificial,* conjunto de teorias e de técnicas empregadas com a finalidade de desenvolver máquinas capazes de simular a inteligência humana.

inteligente *adj.2g.* (lat. *intelligens*). **1.** Que concebe e compreende as relações entre as coisas; dotado de razão. **2.** Que apresenta um desenvolvimento da inteligência relativamente superior à média. **3.** Diz-se, por analogia ao ser humano, dos animais que são capazes de aprender ou intervir em situações novas. **4.** Diz-se de máquinas capazes de simular a inteligência humana para cumprir uma função determinada.

? VOCÊ SABIA...? Depois dos seres humanos, os animais mais **inteligentes** talvez sejam os chimpanzés ou os golfinhos. Ambos têm boa capacidade de resolver problemas e comunicar-se. Os chimpanzés descobrem rapidamente que, empilhando caixas, podem alcançar as bananas.

inteligível *adj.2g.* (lat. *intelligibilis*). Que pode ser entendido, compreendido.

intemerato *adj.* (lat. *intemeratus*). Que se mantém incorrupto, imaculado e sem medo; íntegro. (Cf. INTIMORATO.)

intemperança *s.f.* (lat. *intemperantia*). **1.** Falta de temperança, de sobriedade; excesso. **2.** Falta de moderação no comer e no beber.

intempérie *s.f.* (lat. *intemperies*). Rigor das condições climáticas; mau tempo.

intempestivo *adj.* (lat. *intempestivus*). **1.** Que não se faz, que não acontece no momento oportuno. **2.** Inesperado, inoportuno, inopinado.

intenção *s.f.* (lat. *intentio, intentionis*). **1.** Desígnio deliberado de praticar tal ou qual ato. **2.** Vontade, desejo. **3.** Pensamento secreto e reservado.

intencional *adj.2g.* **1.** Que é feito com intenção. **2.** Relativo ou pertencente à intenção.

intendência *s.f.* **1.** Direção, administração de negócios. **2.** Cargo, dignidade de intendente. **3.** Edifício onde o intendente tem sua secretaria. **4.** Serviço encarregado de prover às necessidades dos militares.

intendente *s.2g.* **1.** Pessoa encarregada de administrar os negócios, o patrimônio de uma coletividade ou de um particular. **2.** *Ant.* Prefeito.

intensidade *s.f.* **1.** Qualidade de intenso. **2.** Grau de tensão, de força, de energia, de atividade. **3.** Grau muito elevado. ● **Fís.** Módulo de uma grandeza vetorial. **Mús.** Sensação de força produzida por um som.

intensificar *v.t.* (conj. 12). Tornar mais forte, mais intenso; desenvolver.

intensivo *adj.* **1.** Que tem intensidade; intenso. **2.** Que é feito com aplicação e esforços concentrados, intensos, geralmente em prazo curto. **3.** Diz-se de uma cultura ou de um sistema de produção agrícola para os quais é aplicada grande quantidade de trabalho e de capital por unidade de superfície. **4.** Diz-se de uma criação cujos animais recebem uma alimentação que lhes permite realizar boas performances zootécnicas (grande produção leiteira e crescimento rápido).

intenso *adj.* (lat. *intensus*). **1.** Que tem muita força. **2.** Ativo, animado, vívido. **3.** Veemente, impetuoso, ousado.

intentar *v.t.* (lat. *intentare*) [conj. 4]. **1.** Tentar, projetar. **2.** Formular, propor, em juízo. **3.** Esforçar-se por, diligenciar. **4.** Empreender, praticar.

intento *s.m.* (lat. *intentus*). **1.** Desígnio, intenção. **2.** Propósito, objetivo.

intentona *s.f.* (esp. *intentona*). *Pop.* **1.** Intento louco, projeto insensato. **2.** Ataque imprevisto. **3.** Conluio de motim ou revolta.

interação *s.f.* **1.** Ato ou efeito de interagir. **2.** Ação, influência recíproca. **3.** Ação recíproca que exercem um sobre outro dois ou mais sistemas físicos. **4.** *Interação social,* relação interpessoal, entre pelo menos dois indivíduos, pela qual os comportamentos destes indivíduos influenciam-se mutuamente e modificam-se individualmente.

interagir *v.i.* (conj. 52). Agir, influenciar reciprocamente.

interarticular *adj.2g.* Diz-se do espaço entre duas superfícies articulares, principalmente entre duas vértebras.

interastral *adj.2g.* Que existe ou se situa entre os astros; intersideral, interestelar.

interatividade *s.f.* Qualidade de interativo.

interativo *adj.* **1.** Que ocorre com ação recíproca dos participantes. **2.** Diz-se de comunicação ou processo em que há troca nos dois sentidos, em que os participantes se alternam como emissores e receptores das mensagens.

INTERATIVO ▸ A maior parte do aprendizado feito por computador é **interativa**; a máquina oferece textos, diagramas, gráficos, fotografias, animações, fotogramas de filmes e som gravado, aos quais o estudante pode responder de várias maneiras, com o mouse, com o teclado e até com a voz. Os bons programas avaliam o progresso do estudante e, de acordo com ele, modificam a velocidade do processo de ensino.

intercalado *adj.* Entremeado, interposto. ● **Gram.** Diz-se da oração sintaticamente independente que se encaixa em outra oração.

intercalar[1] *adj.2g.* (lat. *intercalaris*). Que está intercalado; acrescentado, inserido.

intercalar[2] *v.t.* (lat. *intercalare*) [conj. 4]. Inserir entre outras coisas; entremear, interpor.

intercâmbio *s.m.* **1.** Troca, permuta. **2.** Relação comercial ou cultural entre países ou instituições.

interceder *v.t.* (lat. *intercedere*) [conj. 5]. Intervir a favor de; rogar, pedir.

intercelular *adj.2g.* **1.** Que se situa entre células vivas. **2.** *Canais intercelulares,* cavidades localizadas entre as células de um órgão, que contêm produtos de secreção (como os canalículos biliares). ▸ *Substância intercelular,* matéria situada entre células, constituída de macromoléculas, água e eletrólitos.

interceptar *v.t.* (conj. 4). **1.** Interromper o curso de; fazer parar, pôr obstáculo a. **2.** Apoderar-se de surpresa do que é enviado a alguém. **3.** Cortar, interromper.

intercessão *s.f.* (lat. *intercessio, intercessionis*). **1.** Ato ou efeito de interceder. **2.** Pedido em favor de alguém.

intercessor (ô) *adj.* e *s.m.* (lat. *intercessor*). Que ou aquele que intercede.

interclube *adj.2g.* Que se realiza entre dois ou mais clubes.

intercomunicação *s.f.* **1.** Ato ou efeito de intercomunicar-se. **2.** Comunicação, geralmente telefônica, à curta distância (em um mesmo prédio, entre vagões de um trem etc.).

intercontinental *adj.2g.* **1.** Que está situado ou que se efetua entre continentes. **2.** Relativo a dois ou mais continentes ao mesmo tempo.

intercorrente *adj.2g.* (lat. *intercurrens*). **1.** Que sobrevém no decurso de outra coisa. **2.** Diz-se de uma afecção que se instala no curso de uma outra já existente.

intercostal *adj.2g.* Situado entre as costelas.

intercurso *s.m.* **1.** Comunicação, trato; intercâmbio. **2.** Relações sexuais.

interdependência *s.f.* Dependência mútua.

interdependente *adj.2g.* Relativo a, que tem interdependência.

interdepender *v.t.* (conj. 5). Depender reciprocamente.

interdição *s.f.* (lat. *interdictio*). Ato ou efeito de interditar; proibição.

interdigital *adj.2g.* **1.** Situado entre os dedos. **2.** *Membrana interdigital,* membrana existente entre os dedos de vários vertebrados para favorecer a natação ou locomoção em terrenos alagados.

interditar *v.t.* (conj. 4). **1.** Proibir. **2.** Proibir o acesso a determinado local.

interdito[1] *adj.* (lat. *interdictus*). Que está sob interdição; interditado.

interdito[2] *s.m.* (lat. *interdictum*). Proibição, interdição.

interdizer *v.t.* (lat. *interdicere*) [conj. 29]. **1.** Proibir qualquer coisa a alguém. **2.** Privar alguém do direito de exercer suas funções; suspender.

interespecífico *adj.* Diz-se das relações que ocorrem entre espécies biológicas diferentes.

interessado *adj.* **1.** Que tem interesse em. **2.** Que tem parte nos interesses ou lucros de uma empresa, negócio etc. **3.** Que tem por base interesses pessoais. ★ *s.m.* Pessoa que tem interesse em determinada coisa.

interessante *adj.2g.* **1.** Que oferece interesse; que chama a atenção. **2.** Atraente, simpático.

interessar *v.t.* (conj. 4). **1.** Dar interesse ou proveito a. **2.** Ter importância para, dizer respeito a. **3.** Inspirar interesse, chamar a atenção; cativar, atrair. ★ *v.i.* Ter ou despertar interesse. ★ *v.pr.* Ter ou adquirir interesse por.

interesse (é ou ê) *s.m.* **1.** Utilidade, vantagem que se encontra em determinada coisa. **2.** Curiosidade, aprovação, prazer. **3.** Importância dada a alguma coisa. **4.** O que atrai, seduz, fixa. **5.** Boa vontade, benevolência, solicitude. **6.** Apego exclusivo ao que é vantajoso; cobiça, avidez. **7.** Lucro que se aufere de uma operação comercial ou industrial. **8.** Juro de um capital depositado.

interesseiro *adj.* **1.** Que só visa ao próprio interesse. **2.** Inspirado ou feito por interesse. ★ *s.m.* Indivíduo interesseiro.

interestadual *adj.2g.* **1.** Concernente às relações entre os Estados. **2.** Que se realiza entre dois ou mais Estados.

interestelar *adj.2g.* **1.** Que se situa ou se produz entre as estrelas de uma galáxia; interstelar. **2.** *Matéria interestelar,* conjunto de matérias muito difusas (gases facilmente ionizáveis e poeiras) que existe no espaço entre as estrelas de uma galáxia.

INTERESTELAR ▸ O espaço que separa as estrelas de nossa galáxia não está vazio. Esse meio interestelar é constituído de gás misturado a uma pequena porção (menos de 1%) de partículas de poeira; concentra-se nos braços espirais da galáxia e constitui a centésima parte de sua massa total.

---

interface *s.f.* **1.** Superfície de contato entre dois meios com densidades diferentes. **2.** Elemento que estabelece a comunicação entre dois outros de natureza diferente, como p. ex. um programa que transmite comandos do usuário a um computador ou banco de dados.

interferência *s.f.* (fr. *interférence*). **1.** Ato ou efeito de interferir; intervenção. **2.** Conjunção. ● **Fís.** Fenômeno que resulta da superposição de ondas de mesma natureza e de freqüências iguais (ou próximas) e que se manifesta por uma variação no espaço ou no tempo da amplitude da resultante das ondas. **Telecom.** Perturbação na recepção, sob a forma de ruídos, devida a causas externas ao aparelho.

interferente *adj.2g.* **1.** Que interfere. **2.** Que apresenta um fenômeno de interferência.

interferir *v.t.* (conj. 57). **1.** Intervir. **2.** Produzir uma interferência. **3.** Perturbar uma emissão radioelétrica.

intérferon *s.m.* Proteína sintetizada por uma célula infectada por vírus e que, ao se difundir, evita que este ou outro vírus penetre e se multiplique em outras células.

interfone *s.m.* Instalação telefônica equipada com alto-falantes que permite a conversação entre interlocutores, geralmente situados em salas diferentes de um prédio.

intergalático *adj.* Que se situa ou se produz entre as galáxias.

intergovernamental *adj.2g.* Que se realiza entre dois ou mais governos ou governadores.

interim *s.m.* (lat. *interim*). **1.** Estado interino; momento intermediário. **2.** Tempo durante o qual uma função é preenchida por funcionário interino.

interino *adj.* (it. *interino*). Provisório, temporário. ★ *adj.* e *s.m.* Que ou aquele que exerce provisoriamente uma função ou cargo durante a ausência do titular.

interior (ô) *adj.2g.* (lat. *interior*). **1.** Que está dentro, no espaço compreendido entre os limites de um corpo. **2.** Que se refere ao espírito, à alma, aos estados psicológicos. ● **Astron.** Diz-se de um planeta que está mais próximo do Sol do que a Terra. ★ *s.m.* **1.** A parte de dentro. **2.** A parte central, interna, de um país; sertão. **3.** Conjunto dos municípios de um Estado, excluindo o da capital.

interiorano *adj.* **1.** Relativo ao interior de um país. **2.** Que é do interior.

interiorização *s.f.* Em psicanálise, processo que consiste em transpor para o interior de si aquilo com o que um sujeito se defronta no mundo exterior.

interjeição *s.f.* (lat. *interjectio, interjectionis*). Palavra invariável, isolada, que forma uma frase por si só e que exprime uma reação afetiva.

interjetivo *adj.* (b.-lat. *interjectivus,* intercalado). Relativo a ou que expressa a interjeição; que tem valor de interjeição.

interleucina *s.f.* Substância secretada pelos monócitos e macrófagos durante as infecções e pelos astrócitos durante os estados de fadiga, considerada como o hormônio da fadiga.

interligar *v.t.* (conj. 14). Ligar em relação de interdependência; relacionar.

interlocução *s.f.* (lat. *interlocutio, interlocutionis*). **1.** Conversação entre duas ou mais pessoas; diálogo. **2.** Fala que sobrevém no decurso de uma conversa, interrompendo-lhe o fio.

interlocutor (ô) *s.m.* **1.** Pessoa que conversa com outra, que toma parte numa conversação. **2.** A pessoa com quem se fala; a outra pessoa de um diálogo. **3.** Aquele que fala, faz exposição verbal ou negocia em nome de um grupo.

interlúdio *s.m.* (lat. *interludium*). **1.** Trecho musical para ser tocado entre as diversas partes de uma longa composição. **2.** *Fig.* Intervalo, pausa.

interlúnio *s.m.* Época em que a lua não é visível.

intermediar *v.i.* (conj. 17). **1.** Estar ou existir de permeio. **2.** Intervir, interceder.

intermediário *adj.* Que está de permeio; intermédio. ★ *s.m.* **1.** Agente de negócios. **2.** Aquele que compra do produtor e vende a outro comerciante ou ao consumidor; atravessador. **3.** Mediador.

intermédio *adj.* (lat. *intermedius*). Que está de permeio; intermediário. ★ *s.m.* Intercessão, intervenção, mediação.

intermenstrual *adj.2g.* **1.** Situado no período entre duas menstruações, particularmente no meio do ciclo menstrual. **2.** *Crise intermenstrual,* dor pélvica e pequeno sangramento vaginal na época da ovulação, também conhecida como "dor do meio".

interminável *adj.2g.* (lat. *interminabilis*). **1.** Que não se pode terminar. **2.** Que não tem termo ou limite.

interministerial *adj.2g.* **1.** Que se refere a vários ministérios. **2.** Que se verifica entre ministros.

intermitente *adj.2g.* (lat. *intermittens*). Que pára e recomeça por intervalos. ● **Med.** *Febre intermitente,* a que desaparece de espaço a espaço, que ataca a intervalos. ► *Pulso intermitente,* pulso cujas pulsações se produzem a intervalos irregulares.

intermunicipal *adj.2g.* Que se realiza entre dois ou mais municípios.

intermuscular *adj.2g.* Que se situa entre os músculos.

internacional *adj.2g.* **1.** Que se realiza, que se passa ou que se situa entre nações. **2.** Relativo às relações entre as nações. **3.** *Águas internacionais,* conjunto dos mares além das águas territoriais, que não se encontram dentro dos limites de soberania de nenhum Estado. **4.** *Direito internacional,* conjunto de leis que regem as relações da sociedade internacional.

internacionalismo *s.m.* **1.** Sistema de políticas internacionais. **2.** Doutrina que defende a aliança internacional de classes sociais ou grupos políticos.

internacionalizar *v.t.* (conj. 4). **1.** Dar caráter internacional a. **2.** Difundir por várias nações.

internar *v.t.* (conj. 4). **1.** Pôr no interior, colocar dentro, introduzir. **2.** Colocar em hospital, asilo, internato etc. **3.** Obrigar a residir no interior de um país com a privação da liberdade de sair dali. ★ *v.pr.* Introduzir-se, meter-se pelo interior.

internato *s.m.* **1.** Escola onde os alunos, além da educação, têm alimentação e residência; pensionato. **2.** Situação de um aluno interno. **3.** Conjunto dos internos de um colégio.

internauta *s.2g.* Pessoa que navega na internet, que utiliza um programa navegador para visitar páginas e *sites.*

internet *s.f.* Conjunto de redes de computadores interligadas por um protocolo comum (que permite a localização de páginas nos cinco continentes) e que funcionam de modo independente de controle central.

INTERNET ► Os usuários conectam seus computadores por cabos ou linhas telefônicas aos servidores, computadores que encaminham os dados para outros servidores por cabos de alta velocidade. A primeira rede descentralizada foi criada nos EUA, na década de 1960, pelas Forças Armadas americanas, com o objetivo de manter-se funcionando mesmo que várias linhas fossem interrompidas. O sistema de navegação *www* foi desenvolvido em 1990 por Timothy Berners-Lee, do European Laboratory for Particle Physics, CERN. Isso permitiu a pessoas sem conhecimento de programação participar da rede, lendo e publicando páginas com textos e imagens, trocando *e-mails* etc.

interno *adj.* (lat. *internus*). **1.** Que está dentro; interior, íntimo. **2.** Que diz respeito à natureza profunda de algo, à sua estrutura. **3.** *Medicamento de uso interno,* medicamento que se administra a um organismo por via oral, retal ou parenteral. ● **Anat.** Diz-se da situação de um órgão que se acha mais próximo do plano sagital mediano do corpo do que de um determinado ponto de referência ou de um outro órgão. ► Diz-se de todos os órgãos que se localizam no interior da cavidade abdominal e torácica e das enfermidades e sintomas que os acometem. ★ *s.m.* **1.** Aluno que reside na escola, no internato. **2.** Indivíduo internado em estabelecimento de recuperação; detento, presidiário. **3.** Estudante de medicina que reside no hospital onde faz estágio ou adquire prática; p. ext., médico recém-formado que reside no hospital onde adquire prática.

interoceânico *adj.* Que separa ou une dois oceanos.

interpartidário *adj.* Que se realiza entre partidos.

interpelação *s.f.* (lat. *interpellatio*). Ato ou efeito de interpelar.

interpelador (ô) *adj.* e *s.m.* (lat. *interpellator*). Que ou aquele que interpela, que dirige uma interpelação; interpelante.

interpelar *v.t.* (lat. *interpellare*) [conj. 4]. **1.** Dirigir a palavra a alguém para perguntar alguma coisa. **2.** Intimar.

interpenetrar-se *v.pr.* (conj. 7). Penetrar-se mutuamente.

interplanetário *adj.* Que se situa, se produz ou se desloca entre os planetas do sistema solar.

interpolação *s.f.* (lat. *interpolatio*). **1.** Ação de interpolar; posição, colocação entre duas coisas; intercalação. **2.** Descontinuação, interrupção. **3.** Inserção de um fragmento de extensão variável na cópia de um documento ou de um texto literário, alterando, desse modo, o original.

interpolar[1] *adj.2g.* Que está entre dois pólos.

interpolar[2] *v.t.* (lat. *interpolare,* alterar) [conj. 4]. **1.** Interromper, descontinuar. **2.** Introduzir palavras, trechos etc. em um texto. **3.** Intercalar, entremear, pôr de permeio.

interpor (ô) *v.t.* (lat. *interponere*) [conj. 45]. **1.** Pôr entre; entremeter. **2.** Recorrer a, usar de determinado recurso. **3.** Fazer intervir; expor. **4.** Opor, contrapor. ★ *v.pr.* **1.** Pôr-se entre. **2.** Intervir como mediador. **3.** Surgir como obstáculo.

interposição *s.f.* (lat. *interpositio*). **1.** Ato ou efeito de interpor(-se). **2.** Posição entre duas coisas. **3.** Intervenção de autoridade superior. **4.** Ação de sobrevir, interrompendo. **5.** Ocorrência de obstáculo.

interposto (ô) *adj.* **1.** Que se interpôs. **2.** Entreposto.

interpretação *s.f.* (lat. *interpretatio*). **1.** Ato ou efeito de interpretar. **2.** Explicação do sentido de um texto; comentário crítico. **3.** Atribuição de sentido simbólico ou alegórico a. **4.** Arte e técnica de representar (no cinema, teatro, televisão etc.); representação, desempenho. ● **Psican.** Intervenção do analista que visa evidenciar ao analisante o sentido latente do material fornecido por este durante as sessões.

INTERPRETAÇÃO ► Alguns atores de cinema se tornaram célebres pelos personagens que interpretaram em filmes. É o caso, por exemplo, de Bela Lugosi como o vampiro Drácula, de Boris Karloff como o monstro de *Frankenstein,* de Basil Rathbone como o detetive Sherlock Holmes, de Errol Flynn como espadachim em filmes de aventura ou de John Wayne como vaqueiro do Oeste americano.

interpretar *v.t.* (lat. *interpretare*) [conj. 4]. **1.** Atribuir a alguma coisa um sentido simbólico ou alegórico. **2.** Explicar, comentar ou aclarar o sentido de. **3.** Ajuizar bem ou mal a intenção de; julgar. **4.** Dramatizar, representar. **5.** Julgar, considerar, avaliar.

interpretativo *adj.* **1.** Sujeito à interpretação. **2.** Que explica.

interpretável *adj.2g.* Que pode ser interpretado.

intérprete *s.2g.* (lat. *interpres, interpretis*). **1.** Aquele que interpreta. **2.** Pessoa que explica, que torna inteligível por meio de explicações. **3.** Pessoa que traduz para alguém o que é dito em idioma que este não entende; tradutor. **4.** Pessoa que executa, exprime, transmite ou representa, de determinada maneira, uma obra de arte. **5.** Exegeta.

interregno *s.m.* (lat. *interregnum*). **1.** Período entre a morte do rei e a sagração de seu sucessor. **2.** Período de interrupção, de cessação temporária de uma função por seu titular. **3.** *Fig.* Interrupção, cessação momentânea; intervalo.

interrogação *s.f.* (lat. *interrogatio*). **1.** Ato ou efeito de interrogar(-se); pergunta. **2.** Gesto ou sinal interrogativo. **3.** Interrogatório. ● **Gram.** Ponto-de-interrogação.

interrogar *v.t.* (lat. *interrogare*) [conj. 14]. **1.** Fazer perguntas; inquirir, indagar. **2.** *Fig.* Consultar, examinar, investigar. **3.** Olhar atentamente, examinar bem. ★ *v.i.* Fazer perguntas. ★ *v.pr.* Examinar, inquirir a própria consciência.

interrogativo *adj.* (lat. *interrogativus*). **1.** Que serve para interrogação; interrogatório. **2.** Que indica interrogação. ● **Gram.** *Advérbios interrogativos,* advérbios de causa (*por que*), de lugar (*onde*), de modo (*como*) e de tempo (*quando*) empregados nas interrogações. ▸ *Pronomes interrogativos,* pronomes *que, quem, qual* e *quanto,* empregados nas interrogações.

interrogatório *adj.* Interrogativo. ★ *s.m.* **1.** Ato ou efeito de interrogar; interrogação. **2.** Perguntas que o magistrado faz a um réu ou a testemunhas, e as respostas destes. **3.** Processo verbal que consigna essas perguntas e respostas. **4.** Inquirição.

interromper *v.t.* (lat. *interrompere*) [conj. 5]. **1.** Fazer cessar, extinguir. **2.** Cortar a continuidade de. **3.** Cortar a palavra de alguém. **4.** Estorvar, embaraçar. ★ *v.pr.* **1.** Deixar de fazer uma coisa. **2.** Parar no decurso de uma ação.

interrupção *s.f.* (lat. *interruptio*). **1.** Ato ou efeito de interromper(-se). **2.** Cessação, suspensão.

interrupto *adj.* (lat. *interruptus*). Interrompido, descontinuado, suspenso.

interruptor (ô) *adj.* Que interrompe. ★ *s.m.* **1.** O que interrompe. **2.** Chave ou botão utilizado para ligar ou desligar aparelhos eletrodomésticos, lâmpadas etc.

intersecção ou **interseção** *s.f.* (lat. *intersectio*). Ação de cortar; corte, cruzamento.

intersexual (cs) *adj.2g.* Relativo à intersexualidade.

intersexualidade (cs) *s.f.* Presença simultânea em um mesmo indivíduo de caracteres sexuais masculinos e femininos, em proporções variadas.

intersideral *adj.2g.* Situado entre os astros; interastral.

intersindical *adj.2g.* Relativo a ou que se realiza entre sindicatos.

intersticial *adj.2g.* **1.** Relativo aos interstícios. **2.** Que ocupa os interstícios. ● **Anat.** Diz-se de estruturas que preenchem os espaços entre as células parenquimatosas dos órgãos.

interstício *s.m.* (lat. *interstitium*). **1.** Pequeno espaço vazio entre as partes de um todo; intervalo. **2.** Fenda, greta. **3.** Intervalo que separa dois órgãos contínuos. **4.** Tempo que um funcionário público tem de cumprir para fazer jus a promoção.

intertrigem ou **intertrigo** *s.m.* Infecção da derme e epiderme em dobra cutânea natural (virilha, axila, entre os dedos etc.), causada mais freqüentemente por estreptococos ou por fungos.

intertropical *adj.2g.* Que se acha localizado entre os trópicos.

interurbano *adj.* **1.** Que ocorre entre cidades. **2.** Relativo ao que ocorre dentro dos limites da mesma cidade. ★ *adj.* e *s.m.* Diz-se de ou telefonema realizado entre duas cidades.

intervalar[1] *adj.2g.* Relativo a intervalo; situado num intervalo.

intervalar[2] *v.t.* (conj. 4). **1.** Dispor com intervalos. **2.** Entremear, intercalar, alternar.

intervalo *s.m.* (lat. *intervallum*). **1.** Distância entre um ponto e outro. **2.** Espaço de tempo entre dois períodos, duas épocas, duas partes de um espetáculo etc. **3.** Interrupção de um trabalho ou estudo para descanso. ● **Mús.** Diferença de altura entre dois sons.

intervenção *s.f.* (lat. *interventio*). **1.** Ato ou efeito de intervir; interferência. **2.** Ação direta do governo federal em um Estado federado e, *p. ext.*, do governo estadual em um município, prevista em certos casos segundo a Constituição. ● **Med.** Tratamento ativo; operação.

interveniente *adj.2g.* (lat. *interveniens*). Que intervém; interventor.

interventor (ô) *adj.* Interveniente. ★ *s.m.* Delegado do presidente da República indicado para assumir provisoriamente o governo de um Estado federado.

intervertebral *adj.2g.* **1.** Localizado entre duas vértebras. **2.** *Ligamentos intervertebrais,* ligamentos espessos que unem as lâminas de vértebras contíguas.

intervir *v.i.* (lat. *intervenire*) [conj. 67]. **1.** Tomar parte voluntariamente. **2.** Interpor sua autoridade, tornar-se mediador. **3.** Assumir (o governo federal) a gestão dos negócios públicos de um Estado federado. **4.** Ocorrer incidentemente; sobrevir.

intestinal *adj.2g.* (lat. *intestinalis*). **1.** Relativo ou pertencente aos intestinos. **2.** *Suco intestinal,* líquido enzimático secretado pelas glândulas do duodeno e jejuno para a digestão dos alimentos.

intestino[1] *s.m.* (lat. *intestinum*). **1.** No ser humano, porção do tubo digestivo que vai do piloro (saída do estômago) até o ânus, dividida em intestino delgado e intestino grosso. **2.** *Intestino delgado,* porção do intestino que compreende o duodeno, o jejuno e o íleo. ▸ *Intestino grosso,* porção do intestino que compreende o ceco, o cólon e o reto. ★ *s.m.pl.* O conjunto formado pelos intestinos delgado e grosso.

INTESTINO ▸ O intestino delgado, onde ocorre a parte mais importante da digestão, compreende o duodeno, que se une com o íleo por meio do jejuno, num total de cerca de 7 metros de comprimento por 4 cm de diâmetro. É revestido de numerosas pilosidades que aumentam a superfície útil dessa área. As secreções digestivas provêm de três fontes principais: o fígado, o pâncreas e a parede do intestino delgado.

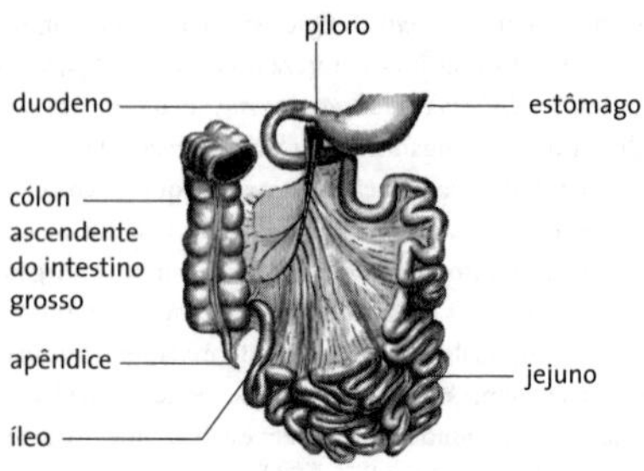

intestino² *adj.* (lat. *intestinus*). **1.** Que está ou se passa no interior de qualquer corpo; interior, interno. **2.** Fig. Que se passa no interior de um corpo social.

intimação *s.f.* (lat. *intimatio*). Ato de intimar ou de ser intimado.

intimar *v.t.* (lat. *intimare*) [conj. 4]. **1.** Chamar alguém perante autoridade judicial ou policial para prestar depoimento ou dar explicações. **2.** Citar, notificar. **3.** Dar ordens, determinar de modo impositivo. ★ *v.i.* Falar com arrogância.

intimativa *s.f.* **1.** Gesto, palavra ou frase com força de intimação. **2.** Afirmação enérgica. **3.** Arrogância no mandar.

intimativo *adj.* **1.** Próprio para intimar. **2.** Afirmativo, enérgico, imperioso.

intimidade *s.f.* **1.** Caráter de íntimo, secreto. **2.** Amizade íntima, relações íntimas.

intimidar *v.t.* (conj. 4). **1.** Inspirar medo, apreensão, pavor. **2.** Tornar tímido, temeroso. ★ *v.pr.* Atemorizar-se, tornar-se tímido, amedrontar-se.

íntimo *adj.* (lat. *intimus*). **1.** Interior e profundo. **2.** Que existe no âmago do ser. **3.** A que se é estreitamente ligado por uma afeição muito forte. **4.** Que é inteiramente privado. ★ *s.m.* **1.** O que há de mais profundo numa coisa, em nós mesmos. **2.** Amigo muito caro.

intimorato *adj.* Destemido, sem temor. (Cf. INTEMERATO.)

intitular *v.t.* (lat. *intitulare*) [conj. 4]. **1.** Dar um título a uma obra. **2.** Chamar, denominar. ★ *v.pr.* **1.** Denominar-se. **2.** Considerar-se, ter-se na conta de.

intocável *adj.2g.* **1.** Em que não se pode tocar; intangível. **2.** Inatacável, irrepreensível, intangível.

intolerância *s.f.* (lat. *intolerantia*). **1.** Qualidade de intolerante; falta de tolerância. **2.** Intransigência. ● **Med.** Reação anormal do organismo contra alguma substância medicamentosa ou alimentar.

intolerante *adj.2g.* e *s.2g.* (lat. *intolerans*). Que ou aquele que não é tolerante; intransigente.

intolerável *adj.2g.* (lat. *intolerabilis*). Que não se pode tolerar; insuportável.

intoxicação (cs) *s.f.* **1.** Introdução ou acúmulo de substância em um organismo vivo em quantidade suficiente para provocar distúrbios. **2.** Envenenamento. **3.** *Intoxicação alimentar,* afecção de evolução rápida, em geral com distúrbios intestinais, ocorrida a partir da ingestão de alimentos ou água contaminados.

intoxicar (cs) *v.t.* e *v.pr.* (conj. 12). **1.** Causar ou sofrer intoxicação. **2.** Envenenar(-se), impregnar (-se) de substâncias tóxicas.

intracelular *adj.2g.* Que se encontra no interior das células.

intracraniano *adj.2g.* Que se situa no interior da caixa craniana. (Sin. ENDOCRANIANO.)

intradérmico *adj.* **1.** Que se situa na espessura da derme. **2.** Diz-se de injeção feita na espessura da derme com agulha muito fina.

intraduzível *adj.2g.* **1.** Que não se pode traduzir. **2.** De difícil interpretação. **3.** Que não se pode exprimir; inexprimível.

intra-epitelial *adj.2g.* **1.** Que está no interior do epitélio. **2.** *Epitelioma intra-epitelial,* neoplasia maligna de células epiteliais, principalmente no colo do útero.

intra-específico *adj.* Diz-se da relação que ocorre entre indivíduos de uma mesma espécie biológica.

intragável *adj.2g.* **1.** Não tragável, impossível de se tragar. **2.** *Fig.* Intolerável, repugnante.

intramedular *adj.2g.* Situado no interior da medula espinhal ou óssea.

intramolecular *adj.2g.* Relativo ao interior das moléculas.

intramuscular *adj.2g.* **1.** Que se situa no interior de um músculo. **2.** Que se aplica no interior de um músculo. **2.** *Injeção intramuscular,* injeção feita na espessura do músculo por meio de uma agulha comprida.

intranqüilizar *v.t.* e *v.pr.* (conj. 4). Tornar(-se) intranqüilo; desassossegar-se.

intranqüilo *adj.* Que não é ou que não está tranqüilo; desassossegado, inquieto, preocupado.

intransferível *adj.2g.* Que não é transferível; inalienável.

intransigente *adj.2g.* e *s.2g.* **1.** Que ou aquele que não transige, que não faz concessão; intolerante. **2.** *Fig.* Austero, inflexível, rígido.

intransitável *adj.2g.* **1.** Que não apresenta condições de ser transitado; que tem o trânsito impedido. **2.** Fig. Intratável, impraticável.

intransitivo *adj.* **1.** Diz-se do que fica em si mesmo, não transitando ou não transmitindo sua ação ou influência a algo ou alguém. **2.** Diz-se dos verbos que expressam uma idéia completa, sem a necessidade de uma palavra para integrar-lhes o sentido.

INTRANSITIVO ▸ Como sabemos que um verbo é intransitivo? Porque não exige complemento para ter sentido completo. Por exemplo, nas orações "A águia voa", "O ladrão fugiu" e "José morreu", não há necessidade, para o sentido, de um terceiro termo. Já os verbos transitivos exigem depois de si um complemento (direto ou indireto) para que seu sentido se complete, como em: "Eu escrevi *uma carta*", "João pegou *o ladrão*".

---

intransmissível *adj.2g.* Que não se pode transmitir.

intransponível *adj.2g.* Que não se pode transpor.

intra-ocular *adj.2g.* Situado dentro do olho.

intrapulmonar *adj.2g.* Relativo ao interior dos pulmões.

intratável *adj.2g.* (lat. *intractabilis*). **1.** Que não se pode tratar; que não é tratável. **2.** Com quem não se pode tratar; insociável. **3.** *Fig.* Intransitável, inacessível.

intra-uterino *adj.* **1.** Que se refere ao interior do útero. **2.** *Dispositivo intra-uterino,* artefato feito de plástico, às vezes revestido de cobre, colocado no interior da cavidade uterina com fins contraceptivos (abrev. DIU).

intravascular *adj.2g.* **1.** Que se acha no interior dos vasos sanguíneos e linfáticos. **2.** Diz-se de injeção aplicada no interior de uma artéria ou veia.

intravenoso (ô) *adj.* **1.** Relativo ao interior da veia. **2.** Que se situa ou se faz no interior da veia.

intrépido *adj.* (lat. *intrepidus*). **1.** Que não teme o perigo; audaz, corajoso. **2.** Que não se deixa intimidar; tenaz, obstinado.

intricado ou **intrincado** *adj.* **1.** Enredado, emaranhado. **2.** Difícil de perceber. **3.** Obscuro, confuso.

A B C D E F G H I J K L M N O P Q R S T U V W X Y Z

intricar ou **intrincar** *v.t.* (conj. 12). **1.** Enredar em tricas e trapaças; emaranhar, embaraçar. **2.** Complicar, confundir. **3.** Tornar obscuro. ★ *v.pr.* **1.** Embaraçar-se, enredar-se. **2.** Complicar-se, confundir-se. **3.** Tornar-se obscuro, difícil de compreender.

intriga *s.f.* **1.** Maquinação secreta para obter alguma vantagem ou para prejudicar alguém; enredo. **2.** Insídia, cilada.

intrigado *s.m.* Inimigo, desafeto. ★ *adj.* **1.** Em que há intriga. **2.** Desconfiado, preocupado.

intrigar *v.t.* e *v.i.* (lat. *intricare*) [conj. 14]. **1.** Fazer intrigas; indispor, maquinar. **2.** Enredar. **3.** Excitar fortemente a curiosidade. ★ *v.pr.* **1.** Inimizar-se, indispor-se, desavir-se. **2.** Encher-se de curiosidade, preocupação ou desconfiança.

intrínseco *adj.* (lat. *intrinsecus*). **1.** Que é próprio e essencial. **2.** Que existe por si mesmo, fora de qualquer convenção; inerente. **3.** Interior, interno, íntimo. (Antôn. EXTRÍNSECO.) ● **Anat.** Diz-se de músculos internos de certos órgãos. ▸ Diz-se de formações nervosas localizadas no interior de um tecido ou órgão.

introdução *s.f.* (lat. *introductio*). **1.** Ato ou efeito de introduzir(-se). **2.** Admissão em algum lugar. **3.** O que introduz ao conhecimento de uma coisa. **4.** Aviso explicativo no início de uma obra; proêmio, prefácio. **5.** Parte inicial de uma composição musical.

introdutivo *adj.* **1.** Que serve de introdução. **2.** Introdutório.

introdutor (ô) *adj.* e *s.m.* (lat. *introductor*). Que ou aquele que introduz algo.

introdutório *adj.* (lat. *introductorius*). Relativo a introdução, que constitui início ou princípio; introdutivo.

introduzir *v.t.* (lat. *introducere*) [conj. 72]. **1.** Fazer entrar alguém. **2.** Apresentar. **3.** Fazer entrar uma coisa em outra. **4.** *Fig.* Fazer adotar pelo uso. **5.** Produzir, causar, estabelecer. ★ *v.pr.* **1.** Entrar, penetrar. **2.** Fazer-se receber ou admitir.

intróito *s.m.* (lat. *introitus*). **1.** Entrada, começo, início, princípio. **2.** Na liturgia da missa, oração introdutória com que o ofício se inicia.

introjeção *s.f.* Em psicanálise, processo próximo ao da incorporação e da identificação, que consiste em integrar os objetos exteriores e suas qualidades nas diversas instâncias do aparelho psíquico.

intrometer *v.t.* (lat. *intromittere*) [conj. 5]. Fazer entrar, introduzir; entremeter. ★ *v.pr.* Meter-se com as coisas dos outros; imiscuir-se.

intrometido *adj.* Metido para dentro; entremetido. ★ *adj.* e *s.m.* **1.** Que ou aquele que se mete no que não lhe pertence ou diz respeito. **2.** Ousado, atrevido; metediço.

intrometimento *s.m.* Intromissão.

intromissão *s.f.* (lat. *intromissio*). **1.** Ato ou efeito de intrometer(-se); intrometimento. **2.** Ação pela qual um corpo é introduzido em outro. **3.** Intervenção, ingerência; interferência.

introspecção ou **introspeção** *s.f.* **1.** Atividade daquele que presta atenção a seus próprios estados e atividades internos. **2.** Estudo da consciência por si mesma.

introspectivo *adj.* Em que há introspecção.

introversão *s.f.* Ação de se voltar para dentro. ● **Psicol.** Tendência a se voltar para si mesmo. (Opõe-se a EXTROVERSÃO.)

introverter *v.t.* e *v.pr.* (conj. 5). **1.** Voltar-se para dentro; concentrar-se. **2.** Tornar-se introvertido.

introvertido *adj.* Voltado para dentro. ★ *adj.* e *s.m.* Diz-se de ou pessoa que apresenta introversão.

intrujão *adj.* e *s.m.* **1.** Que ou o que intruja. **2.** Receptor de objetos furtados.

intrujar *v.t.* (conj. 4). Intrometer-se com outras pessoas para as enganar ou explorar em proveito próprio; enganar, explorar.

intrujice *s.f.* Ação de intrujar; logro, engano.

intrusão *s.f.* Ato de se introduzir sem direito numa sociedade, num cargo; usurpação. ● **Geol.** Penetração do magma em formações preexistentes. ▸ Conjunto de rochas magmáticas localizadas a grande profundidade.

intruso *adj.* e *s.m.* (lat. *intrusus*). **1.** Que ou o que se introduz em alguma parte sem ter qualidade para tanto. **2.** Metido, intrometido. **3.** *Pop.* Penetra.

intubação *s.f.* Em reanimação e anestesia, introdução na traquéia de um tubo grosso para manter as vias aéreas e superiores abertas e permitir a ventilação mecânica.

intuição (u-i) *s.f.* (lat. tard. *intuitio, intuitionis*). **1.** Conhecimento claro, direto, imediato da verdade sem o auxílio do raciocínio. **2.** Sentimento irracional, não verificável, de que um evento vai se produzir, de que algo existe; pressentimento. ● **Filos.** Apreensão direta e imediata da realidade.

intuir *v.t.* e *v.i.* (lat. *intueri*) [conj. 74]. Deduzir ou concluir por intuição, sem a intervenção do raciocínio.

intuitivo (u-i) *adj.* **1.** Relativo a, obtido por intuição. **2.** Que age por intuição.

intuito *s.m.* (lat. *intuitus*). Intenção, objetivo, propósito.

intumescência *s.f.* Qualidade ou estado de intumescente, túmido; inchação, tumefação. ● **Med.** Inchação dos tegumentos que não se acompanha de sinais de inflamação e que pode ser ligada a um edema ou infiltração anormal da pele; inchaço, intumescimento.

intumescer *v.t.* (lat. *intumescere*) [conj. 25]. Tornar túmido; fazer inchar, engrossar. ★ *v.i.* e *v.pr.* Aumentar de volume, fazer-se túmido; inchar, enfatuar-se.

intumescimento *s.m.* Intumescência.

inturgescer *v.t.*, *v.i.* e *v.pr.* (lat. *inturgescere*) [conj. 25]. Tornar(-se) túrgido ou inchado.

intuscepção *s.f.* Penetração de uma parte de um órgão tubular (p. ex. intestino) na parte adjacente; invaginação.

inúbil *adj.2g.* Que não é núbil, que não está ainda em idade de casar.

inumação *s.f.* (lat. *inhumatio*). Ato ou efeito de inumar um cadáver; enterro, sepultamento.

inumano *adj.* (lat. *inhumanus*). **1.** Que não tem humanidade. **2.** Cruel, bárbaro, implacável.

inumar *v.t.* (lat. *inhumare*) [conj. 4]. Enterrar, sepultar (um cadáver).

inumerável *adj.2g.* (lat. *innumerabilis*). **1.** Que não se pode contar ou numerar. **2.** Extremamente numeroso; inúmero.

inúmero *adj.* (lat. *innumerus*). Inumerável.

inundação *s.f.* (lat. *inundatio*). **1.** Ato ou efeito de inundar(-se). **2.** Transbordamento das águas, cobrindo certa extensão de terreno; alagamento.

INUNDAÇÃO ► As inundações decorrentes dos degelos de primavera nos países temperados, assim como as que resultam das chuvas nos países de clima de monções, são periódicas e bastante regulares. As inundações previsíveis são benéficas para a agricultura (um exemplo disso é o vale do Nilo). Nos climas subtropicais e mediterrâneos, com chuvas irregulares e de tipo tormentoso, são esporádicas e imprevisíveis. As inundações ocorrem devido a bruscas elevações de temperatura, que derretem a neve nas regiões montanhosas, ou a aguaceiros intensos e contínuos, em rios de forte declive, solo impermeável e com reduzida cobertura vegetal. Essas inundações são as mais catastróficas.

---

inundar *v.t.* (lat. *inundare*) [conj. 4]. **1.** Submergir um terreno por um transbordamento de águas; alagar. **2.** Banhar, lavar. **3.** *Fig.* Encher, fartar. ★ *v.pr.* **1.** Encher-se de água. **2.** Banhar-se, lavar-se.

inundável *adj.2g.* Que se pode inundar.

inusitado *adj.* (lat. *inusitatus*). Não usual; incomum, esquisito, estranho.

inútil *adj.2g.* (lat. *inutilis*). **1.** Que não é útil; sem serventia, imprestável. **2.** Desnecessário. **3.** Estéril, vão. ★ *s.2g.* Pessoa inútil.

inutilidade *s.f.* (lat. *inutilitas*). **1.** Qualidade de inútil. **2.** Falta de utilidade. **3.** Coisa ou pessoa inútil, sem préstimo.

inutilizar *v.t.* (conj. 4). **1.** Tornar inútil ou imprestável. **2.** Baldar, frustrar. ★ *v.pr.* Tornar-se inútil ou incapaz para algum ofício.

invadir *v.t.* (lat. *invadere*) [conj. 6]. **1.** Entrar violentamente em. **2.** Tomar, ocupar. **3.** Espalhar-se, disseminar-se.

invaginação *s.f.* Formação de uma bainha. ● **Biol.** Dobramento de uma camada de células no interior de outra, formando uma bolsa de camada dupla. **Med.** Dobramento de um órgão sobre si mesmo, como um dedo de luva invertido.

invalidar *v.t.* (conj. 4). **1.** Tornar ou declarar não válido, ineficaz; anular. **2.** Fazer perder o crédito a, tirar a importância a. **3.** Tornar inválido, incapaz para o trabalho.

invalidez (ê) *s.f.* **1.** O estado de inválido. **2.** Estado da pessoa que, por enfermidade ou velhice, tornou-se incapaz de trabalhar.

inválido *adj.* (lat. *invalidus*). **1.** Nulo, que não tem validade. **2.** Enfermo incapaz. **3.** *Fig.* Insubsistente. ★ *s.m.* Pessoa que se incapacitou para um serviço ou um cargo, por enfermidade ou velhice.

invariável *adj.2g.* Que não varia; imutável, constante ● **Ling.** Diz-se das palavras que não sofrem flexões de gênero, número, pessoa ou caso.

invasão *s.f.* (lat. *invasio*). **1.** Ato ou efeito de invadir. **2.** Irrupção feita num país por uma força militar. **3.** Ocupação geral de um lugar. **4.** *Fig.* Difusão súbita. ● **Med.** Irrupção de uma epidemia numa região. ► *Período de invasão*, período do início de doenças infecciosas que se sucede ao *período de incubação*.

invasivo *adj.* **1.** Diz-se do tumor que se estende e invade tecidos vizinhos. **2.** Diz-se de técnicas de diagnóstico ou de tratamento que envolvem a invasão do organismo por um agente físico externo (p. ex. cateterismo), por oposição às técnicas não invasivas.

invasor (ô) *adj.* e *s.m.* (lat. *invasor*). Que ou o que invade, que pratica a invasão. ● **Agric.** Diz-se das ervas que crescem de modo indesejável em uma dada cultura; erva daninha.

invectiva *s.f.* Expressão violenta e injuriosa; insulto.

invectivar *v.t.* e *v.i.* (conj. 4). Proferir invectivas; atacar, injuriar.

invectivo *adj.* (lat. *invectivus*). Que tem o caráter de invectiva; injurioso, insultuoso.

inveja *s.f.* (lat. *invidia*). **1.** Sentimento de pesar ou desgosto em face da felicidade, da superioridade de outrem. **2.** Desejo intenso de possuir o que é de outrem.

invejar *v.t.* (conj. 4). **1.** Ter inveja de. **2.** Cobiçar, desejar o que é de outrem.

invejável *adj.2g.* **1.** Que é digno de inveja; cobiçável. **2.** Que tem muito valor; precioso.

invejoso (ô) *adj.* **1.** Atormentado pela inveja. **2.** Que revela inveja. ★ *s.m.* Indivíduo que sente inveja.

invenção *s.f.* (lat. *inventio*). **1.** Ato ou efeito de inventar, criar algo novo. **2.** Coisa inventada; invento. **3.** O que não pertence à realidade; ficção. **4.** Mentira para enganar.

invencionice *s.f.* Mentira, intriga, enredo, embuste.

invencível *adj.2g.* (lat. *invencibilis*). **1.** Que não pode ser vencido. **2.** Que não pode ser levado a cabo; impraticável. **3.** Irresistível.

invendável *adj.2g.* Invendível.

invendível *adj.2g.* **1.** Que não se pode vender; invendável. **2.** Que não encontra comprador.

inventar *v.t.* (conj. 4). **1.** Achar, criar algo novo. **2.** Imaginar uma coisa que se dá como real. **3.** Fingir, urdir. **4.** Resolver, colocar na cabeça. ★ *v.i.* *Pop.* Conceber explicações ou falsos argumentos.

inventariante *adj.2g.* e *s.2g.* **1.** Que ou aquele que inventaria ou que dá os bens a inventário. **2.** Pessoa nomeada juridicamente para relacionar, administrar e partilhar a herança.

inventariar *v.t.* (conj. 16). **1.** Fazer o inventário de. **2.** Enumerar, catalogar. **3.** Descrever detalhadamente.

inventário *s.m.* (lat. *inventarium*). **1.** Rol, registro, catálogo, por escrito e por artigos, dos bens de uma pessoa. **2.** O documento em que se acham escritos e descritos esses bens. **3.** Avaliação das mercadorias armazenadas e dos diversos valores, para conhecer lucros e perdas. ● **Dir.** Processo que tem por fim a transferência do patrimônio de alguém que morreu a seus herdeiros e sucessores, na proporção exata de seus direitos.

inventiva *s.f.* Engenhosidade, imaginativa; engenho, imaginação.

inventividade *s.f.* Faculdade de inventar; criatividade.

inventivo *adj.* **1.** Que tem o gênio, o talento de inventar, de criar; inventor. **2.** Que tem muita imaginação.

invento *s.m.* Invenção.

inventor (ô) *s.m.* **1.** Aquele que inventa; autor, criador. **2.** Pessoa que cria uma coisa suscetível de ser industrializada. ★ *adj.* Inventivo.

VOCÊ SABIA...? O **inventor** americano Thomas Alva Edison (1847-1931) foi o mais criativo de todos os tempos e realizou mais de mil inventos. Entre eles estão a lâmpada elétrica, a câmera de cinema e o fonógrafo, antecessor do toca-discos.

---

inverídico *adj.* Que não é verídico; falso.

inverificável *adj.2g.* Que não pode ser verificado.

invernada[1] *s.f.* **1.** Invernia. **2.** Temporada em que há chuvas e ventos, como no inverno.

invernada[2] *s.f.* (esp. *invernada*). **1.** Local onde se recolhe o gado para invernar. **2.** Em fazendas de criação de gado de corte, pasto razoavelmente extenso para descanso e engorda de animais.

invernagem *s.f.* **1.** Ação de invernar (o gado); invernação. **2.** Período durante o qual os animais de criação são alimentados com forragens ensiladas. **3.** Lavra que se faz no inverno.

invernal *adj.2g.* **1.** Relativo ao inverno. **2.** Hibernal.

invernar *v.i.* (conj. 4). **1.** Fazer inverno. **2.** Passar temporada de inverno em determinado lugar. **3.** Ação de criar gado de corte em pastagens próprias para o período de estiagem. **4.** Passar o inverno ao abrigo dos rigores próprios da estação.

invernia *s.f.* Inverno rigoroso; invernada.

invernista *s.2g.* **1.** Criador ou fazendeiro que se dedica à engorda de gado de corte em suas pastagens, tanto de animais próprios quanto de terceiros. **2.** *(S)* A pessoa que se ocupa em proporcionar invernada ao gado.

inverno *s.m.* (lat. *hibernus*). **1.** A mais fria estação do ano, situada entre o outono e a primavera, e que, no hemisfério Sul, vai de 21 junho a 22 de setembro. **2.** Estação das chuvas nas regiões tropicais, no norte e nordeste do Brasil. **3.** *Fig.* Velhice. **4.** *Inverno nuclear,* em caso de conflito nuclear generalizado, hipótese segundo a qual a quantidade de partículas em suspensão na atmosfera tornaria o céu tão opaco que a temperatura poderia atingir, durante vários meses, de -20° C a -30° C. ★ *s.m.pl. Fig.* Tempo que se conta numa vida longa, anos de idade avançada.

invernoso (ô) *adj.* Relativo ao inverno, que é próprio do inverno; hibernal.

inverossímil *adj.2g.* e *s.m.* Que ou o que não é verossímil, que não parece verdadeiro; pouco provável.

inverossimilhança *s.f.* Falta de verossimilhança; improbabilidade.

inversão *s.f.* (lat. *inversio*). **1.** Ato ou efeito de inverter. **2.** Mudança de marcha, de direção, de circulação. **3.** *Desus.* Homossexualidade. ● **Eletr.** Conversão de corrente unidirecional em corrente alternada. **Genét.** Tipo de mutação cromossômica, na qual ocorre mudança de sentido na seqüência dos genes contidos em certo trecho do cromossomo. **Meteor.** *Inversão térmica,* condição atmosférica em que o ar frio permanece nas camadas mais baixas, junto ao solo, preso sob camadas de ar mais quente, mais comum em inverno.

inverso *adj.* (lat. *inversus*). **1.** Contrário ou oposto ao sentido ou direção natural ou normal; invertido. **2.** Cujos termos ou elementos não estão dispostos na ordem direta ou lógica. ★ *s.m.* O contrário, o oposto.

inversor (ô) *adj.* e *s.m.* Que ou o que inverte. ★ *s.m.* Mecanismo destinado a inverter o sentido de marcha de um conjunto mecânico. ● **Eletr.** Aparelho que converte a corrente contínua em alternada.

invertebrado *adj.* e *s.m.* Diz-se de ou animal que não possui coluna vertebral, como os insetos, os crustáceos, os moluscos, os vermes, os ouriços-do-mar etc.

INVERTEBRADO ▸ O grupo dos invertebrados compreende animais sem coluna vertebral e abrange 1,5 milhão de espécies. Existem três grandes famílias: os moluscos, os crustáceos e os insetos. As demais espécies pertencem a grupos menores: equinodermos, cnidários, anelídeos, aracnídeos e miriápodes.

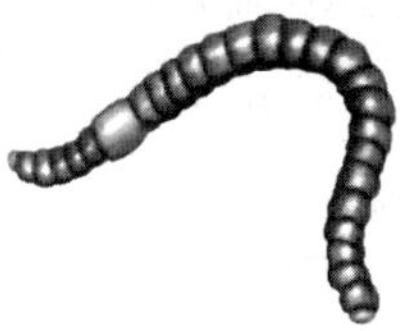

lombriga (anelídeo)

---

inverter *v.t.* (lat. *invertere*) [conj. 5]. **1.** Colocar em sentido contrário ao sentido original; pôr às avessas. **2.** Trocar a ordem dos termos de um conjunto, frase etc. **3.** Alterar, mudar completamente. ★ *v.pr.* Virar-se, voltar-se em sentido contrário.

invertido *adj.* Que se inverteu; colocado numa ordem ou sentido oposto ao natural. ● **Aeron.** *Vôo invertido,* vôo de um avião sobre o dorso. ★ *adj.* e *s.m. Desus.* Homossexual.

invés *s.m.* (b.-lat. *inverse*). **1.** O lado oposto ao normal; avesso. **2.** *Ao invés (de),* ao contrário (de), ao revés (de).

investida *s.f.* **1.** Ato ou efeito de investir; assalto, ataque, investimento. **2.** *Fig.* Ensaio, tentativa.

investidor (ô) *s.m.* Agente ou instituição que realiza aplicações com fins de investimento.

investidura *s.f.* **1.** Ato de investir, de dar ou tomar posse de um cargo. **2.** Posse. **3.** Cerimônia que acompanha o ato de posse.

investigação *s.f.* (lat. *investigatio*). **1.** Ato ou efeito de investigar. **2.** Pesquisa atenta e continuada. **3.** Sindicância.

investigador (ô) *adj.* e *s.m.* (lat. *investigator*). **1.** Que ou o que investiga. **2.** Agente da polícia civil.

investigar *v.t.* (lat. *investigare*) [conj. 14]. **1.** Seguir os vestígios. **2.** Pesquisar, inquirir, indagar. **3.** Examinar com cuidado.

investimento *s.m.* **1.** Ato ou efeito de investir. **2.** Investida. **3.** Aplicação de dinheiro ou títulos em empreendimentos que renderão juros ou lucros, geralmente a longo prazo.

investir *v.t.* e *v.i.* (lat. *investire*) [conj. 54]. **1.** Dar, com certas formalidades, posse ou investidura a; empossar. **2.** Atacar, acometer. **3.** Atirar-se com ímpeto, correr precipitadamente; arremeter, atacar. **4.** Aplicar dinheiro ou títulos em empreendimentos para obter juros ou lucros. **5.** Dedicar tempo, dinheiro ou outro recurso à execução de.

inveterado *adj.* (lat. *inveteratus*). **1.** Muito antigo. **2.** Arraigado, entranhado, enraizado.

inveterar *v.t.* (lat. *inveterare*) [conj. 4]. **1.** Tornar velho, antigo. **2.** Introduzir, arraigar, fixar. ★ *v.pr.* Arraigar-se com o tempo.

inviável *adj.2g.* Que não é viável; impraticável, inexeqüível. ● **Med.** Diz-se de um feto que não atingiu o estágio de desenvolvimento suficiente para a vida. ► Diz-se do recém-nascido que apresenta lesões incompatíveis com a vida.

invicto *adj.* (lat. *invictus*). **1.** Que nunca foi vencido. **2.** *Fig.* Invencível.

ínvio *adj.* (lat. *invius*). Em que não há caminho; intransitável.

inviolado *adj.* (lat. *inviolatus*). Que não foi violado ou infringido.

inviolável *adj.2g.* (lat. *inviolabilis*). Que não se pode violar.

invisível *adj.2g.* (lat. *invisibilis*). **1.** Que não é visível, que não pode ser visto. **2.** Que age de modo oculto, fora da visão. ★ *s.m.* Aquilo que é invisível.

in vivo (lat.). *loc. adv.* e *adj.* Diz-se de toda reação fisiológica que se dá no organismo.

in vitro (lat.). *loc. adv.* e *adj.* Diz-se de exploração ou experimentação biológica que se faz fora do organismo.

invocação *s.f.* (lat. *invocatio*). **1.** Ato ou efeito de invocar. **2.** Chamamento, pedido de socorro, de proteção; rogo. **3.** Ato de aduzir como prova do que se diz. **4.** Consagração, dedicação, proteção. ● **Liter.** Súplica do poeta a uma divindade, a uma musa, para pedir inspiração.

invocar *v.t.* (lat. *invocare*) [conj. 12]. **1.** Chamar em seu auxílio com uma prece, uma súplica; evocar, conjurar. **2.** Suplicar, pedir, rogar. **3.** *Fig.* Citar em seu favor. **4.** Provocar, irritar. **5.** Embirrar, antipatizar.

invocativo *adj.* Invocatório.

invocatório *adj.* Relativo à invocação.

involução *s.f.* **1.** Movimento de regressão. **2.** Modificação fisiológica ou patológica que se processa no sentido de uma regressão.

invólucro *s.m.* (lat. *involucrum*). Envoltório; coisa que envolve. ● **Anat.** Qualquer estrutura membranosa ou mucosa que envolve um órgão ou tecido do corpo. **Bot.** Conjunto de pequenas folhas ou brácteas situado logo abaixo de uma flor ou inflorescência.

involuir *v.i.* (conj. 74). Regredir.

involuntário *adj.* (lat. *involuntarius*). Feito independentemente da vontade. ● **Fisiol.** Diz-se de fenômenos orgânicos que não estão submetidos à vontade, como a contração do coração.

involutivo *adj.* Relativo a ou que denota involução.

invulgar *adj.2g.* Que não é vulgar; raro.

invulnerável *adj.2g.* (lat. *invulnerabilis*). **1.** Que não é vulnerável. **2.** Inatacável, inatingível.

iodado *adj.* Que contém iodo.

iodar *v.t.* (conj. 4). **1.** Proceder à iodação de um composto. **2.** Incorporar fisicamente o iodo a um líquido ou a um sólido.

iodato *s.m.* Sal do ácido iódico.

iodeto (ê) *s.m.* **1.** Combinação de iodo com uma substância simples. **2.** Composto orgânico derivado de um hidrocarboneto por substituição de um átomo de hidrogênio por um de iodo.

iódico *adj.* Diz-se do anidro ou do ácido resultante da oxidação do iodo.

iodídrico *adj.* Diz-se do ácido resultante da combinação de hidrogênio e de iodo, que constitui um gás incolor de odor sufocante.

iodo *s.m.* (gr. *iodes*, roxo). Elemento químico (símb. I) de número atômico 53, do grupo dos halogênios, que constitui um sólido negro de forte odor, com grande aplicação na medicina.

iodofórmio *s.m.* Composto químico obtido pela ação do iodo sobre a acetona em meio básico, empregado como anti-séptico.

ioga *s.f.* (sânscr. *yoga*, união). Sistema místico filosófico da Índia que procura a supremacia do espírito sobre a matéria através de exercícios específicos.

VOCÊ SABIA...? A **ioga** compreende vários estilos ou escolas, todas baseadas em técnicas de concentração. A mais conhecida é a *hata-ioga*, que consiste em conseguir, por meio de posturas do corpo de alto grau de dificuldade, que o *prana*, sopro vital, atravesse alguns canais no organismo e ative a energia localizada em certos centros principais ou chacras. A ioga é praticada na Índia há mais de 2.000 anos.

---

iogue *s.2g.* (sânscr. *yogin*). **1.** Asceta indiano. **2.** Pessoa que pratica ioga.

iogurte *s.m.* (turco *yoghurt*). Leite coalhado pelo fermento láctico.

ioiô *s.m.* (fr. *yo-yo*). Brinquedo constituído por duas rodelas unidas pelo centro, por onde passa um cordão que as faz subir e descer com um movimento de rotação.

iole *s.f.* (nor. *jol*, canoa). Embarcação esportiva leve, estreita e alongada, movida a remo.

íon *s.m.* (gr. *ion*, o que anda). Partícula carregada eletricamente e formada por um átomo ou grupo de átomos que ganhou ou perdeu um ou vários elétrons; iônio, ionte, ião.

iônico[1] *adj.* Var. de JÔNICO.

iônico[2] *adj.* **1.** Relativo aos íons. **2.** *Corrente iônica*, corrente transmitida por íons em solução de cada lado da membrana de células nervosas e musculares. ► *Ligação iônica*, ligação que une, por atração eletrostática, os íons de sinais contrários em um composto químico.

iônio[1] *s.m.* Var. de JÔNIO.

iônio[2] *s.m.* Íon.

ionização *s.f.* **1.** Processo ao fim do qual uma molécula ou um átomo neutro se torna portador de uma carga elétrica positiva ou negativa. **2.** Efeito produzido pela irradiação ionizante em organismos vivos.

ionosfera *s.f.* Zona da alta atmosfera de um planeta, em particular da Terra, caracterizada pela presença de elétrons e íons.

ionte *s.m.* Íon.

ioruba *s.2g.* Indivíduo dos iorubas, povo negro sudanês; iorubano. ★ *adj.2g.* Pertencente ou relativo a esse povo; iorubano.

iorubano *adj.* e *s.m.* Ioruba.

ipê *s.m.* (tupi *i'pé*, árvore cascuda). Nome comum a diversas árvores de porte regular, de flores amarelas ou violeta e floração intensa, muitas das quais típicas do Brasil e aproveitadas para a extração de madeira de lei. (Sin. PAU-D'ARCO, PEÚVA.)

ipeca *s.f.* Sin. de IPECACUANHA.

ipecacuanha *s.f.* Erva rasteira, lenhosa, de flores brancas e raízes longas, de onde se extrai um alcalóide de propriedades medicinais. (Sin. IPECA, RAIZ-DO-BRASIL.)

ippon *s.m.* Vitória em luta de judô, obtida mediante a derrubada do oponente, de forma que ele caia de costas no tatame, ou por sua imobilização durante 25 segundos.

ir *v.i.* (lat. *ire*) [conj. 66]. **1.** Passar de um lugar para outro; mover-se. **2.** Deslocar-se para além; afastar-se. **3.** Seguir, prosseguir. **4.** Chegar. **5.** Partir. **6.** Acontecer, ocorrer. **7.** Decorrer, transcorrer (tempo). **8.** Encaminhar-se, dirigir-se. **9.** Aparecer, comparecer, apresentar-se. ★ *v.pr.* **1.** Dirigir-se, destinar-se. **2.** Partir, retirar-se. **3.** Consumir-se, extinguir-se. **4.** Morrer.

IR (do ingl. *infrared*) abrev. de infravermelho.

Ir símbolo químico do irídio.

ira *s.f.* (lat. *ira*). **1.** Paixão que incita a agressividade contra alguém ou algo; raiva, cólera, ódio, fúria. **2.** Indignação furiosa, desejo veemente de vingança.

iracúndia *s.f.* (lat. *iracundia*). Irascibilidade.

iracundo *adj.* (lat. *iracundus*). Irascível.

iraniano *adj.* Relativo ou pertencente ao Irã, país do Oriente Médio. ★ *s.m.* **1.** O natural ou habitante do Irã. **2.** Persa.

iraquiano *adj.* Relativo ou pertencente ao Iraque, país do Oriente Médio. ★ *s.m.* O natural ou habitante do Iraque.

irar *v.i.* e *v.pr.* (conj. 4). Encher(-se) de ira; encolerizar(-se), enfurecer(-se).

irara *s.f.* (tupi *i'rá*, mel, e *rá*, tomar). Mamífero carnívoro que se alimenta de aves, pequenos mamíferos e mel, que vive em matas desde o México até o nordeste da Argentina.

irascível *adj.2g.* (lat. *irascibilis*). Que se ira, se irrita, se encoleriza com facilidade; iracundo.

iraúna *s.f.* Sin. de GRAÚNA.

irerê *s.m.* (tupi *ire'rê*). Ave anseriforme de máscara branca que habita a região tropical da América do Sul e a África.

iriar *v.t.* e *v.pr.* (conj. 16). Irisar(-se).

iridáceas *s.f.pl.* (gr. *iris, iridos*, íris). Família de plantas monocotiledôneas, herbáceas, com rizomas ou bulbos subterrâneos e flores geralmente reunidas em inflorescências, como o açafrão e a palma-de-santa-rita.

iridescente *adj.2g.* Que reflete as cores do arco-íris.

irídio *s.m.* (gr. *iris, iridos*, íris). Elemento químico (símb. Ir) de número atômico 77, que constitui um metal raro, análogo à platina, de acentuada dureza e resistência.

iridodiagnóstico *s.m.* Método que, segundo alguns, permite detectar doenças orgânicas pelo exame da íris.

iridoscopia *s.f.* Exame da íris por meio de lupa.

íris *s.2g.2n.* (gr. *iris*). **1.** O espectro solar. **2.** Membrana circular contrátil, variadamente colorida, que ocupa o centro anterior do olho, com um orifício ao meio, a pupila. ● **Bot.** Nome comum a plantas bulbosas ou rizomatosas, de talo simples ou pouco ramificado e flores grandes.

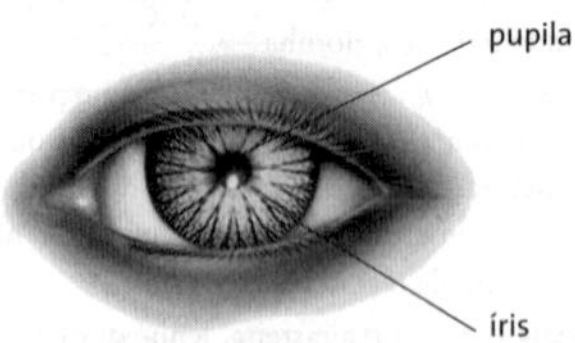

irisação *s.f.* Ato ou efeito de irisar(-se). ● **Fís.** Propriedade que possuem certos corpos de difundir a luz em raios coloridos como o arco-íris. ▸ Reflexo que lembra as cores do arco-íris, observável na superfície destes corpos.

irisado *adj.* **1.** Que apresenta as cores do arco-íris; iriado. **2.** *Fig.* Matizado.

irisar *v.t.* (conj. 4). **1.** Fazer aparecer uma irisação, dar as cores do arco-íris; iriar. **2.** *Fig.* Matizar. ★ *v.pr.* Revestir-se das cores do arco-íris; iriar-se.

irlandês *adj.* Relativo ou pertencente à Irlanda, país da Europa. ★ *s.m.* **1.** O natural ou habitante da Irlanda. **2.** Língua céltica falada na Irlanda.

irmã *s.f.* **1.** Forma feminina de irmão. **2.** Freira, madre.

irmanar *v.t.* e *v.i.* (conj. 4). **1.** Tornar irmão. **2.** Emparelhar, unir, ajuntar. **3.** Igualar.

irmandade *s.f.* **1.** Fraternidade, parentesco entre irmãos. **2.** Confraria.

irmão *s.m.* **1.** Aquele que nasceu do mesmo pai e da mesma mãe de outrem. **2.** Nome que se dão entre si os religiosos e os maçons. **3.** Membro de uma congregação religiosa leiga. **4.** *Fig.* Pessoa semelhante a outra em sentimentos, inclinações e inspirações. **5.** *Irmão de leite*, cada um dos indivíduos que foram amamentados pela mesma mulher, embora filhos de mães diferentes; colaço.

ironia *s.f.* (lat. *ironia*). **1.** Modo de expressão que consiste em dizer o contrário do que as palavras significam. **2.** Zombaria, sarcasmo.

irônico *adj.* (lat. *ironicus*). Em que há ironia.

ironizar *v.t.* e *v.i.* (conj. 4). Tornar irônico, exprimir com ironia; troçar, zombar.

irracional *adj.2g.* (lat. *irrationalis*). **1.** Que não é dotado de razão, de raciocínio. **2.** Contrário à razão; desarrazoado. ● **Mat.** Relativo aos irracionais. ★ *s.m.* Número real que não pode ser escrito como inteiro ou como uma fração de um inteiro.

irradiação *s.f.* (lat. *irradiatio*). **1.** Ato ou efeito de irradiar(-se), de ser irradiado. **2.** Exposição à luz ou a outras formas de radiação. **3.** *Fig.* Propagação, difusão. ● **Fís.** Radiação.

irradiar *v.t.* (lat. *irradiare*) [conj. 16]. **1.** Espalhar, propagar. **2.** *Fig.* Fazer sentir sua ação em determinado âmbito. **3.** *Fig.* Externar uma sensação de felicidade, de alegria. ● **Fís.** Emitir radiação. **Telecom.** Realizar a teledifusão de programas de rádio ou televisão. ★ *v.i.* **Fís.** Propagar-se sob a forma de radiações a partir de uma fonte.

irreal *adj.2g.* e *s.m.* Que ou o que não é real; imaginário.

irrealizável *adj.2g.* Que não se pode realizar; inexeqüível, impraticável.

irreconciliável *adj.2g.* Que não se pode reconciliar.

irreconhecível *adj.2g.* Que não se pode reconhecer.

irrecuperável *adj.2g.* Que não se pode recuperar.

irrecusável *adj.2g.* (lat. *irrecusabilis*). **1.** Que não pode ou não deve ser recusado. **2.** Incontestável.

irredutível *adj.2g.* **1.** Que não pode ser reduzido ou simplificado; irreduzível. **2.** *Fig.* Que não transige; invencível.

irreduzível *adj.2g.* Irredutível. ● **Med.** Que não pode ser colocado novamente no lugar primitivo.

irrefletido *adj.* **1.** Que não reflete; que age sem reflexão. **2.** Em que não há reflexão; impensado.

irreflexão (cs) *s.f.* **1.** Falta de reflexão; imponderação. **2.** Precipitação, imprudência, leviandade.

irrefreável *adj.2g.* Que não se pode refrear; irreprimível.

irrefutável *adj.2g.* (lat. *irrefutabilis*). Que não pode ser refutado; evidente, incontestável, indiscutível.

irregular *adj.2g.* **1.** Que não é regular, que não tem simetria ou uniformidade. **2.** Que funciona de forma anômala, deficiente. **3.** Que não é conforme às leis, aos regulamentos. **4.** Inconstante, mutável. ● **Gram.** Diz-se do verbo que se afasta do paradigma de sua conjugação. **Med.** Diz-se do pulso que não apresenta uniformidade nas suas pulsações.

irrelevante *adj.2g.* Que não é relevante, que tem pouca ou nenhuma importância.

irreligioso (ô) *adj.* **1.** Que não tem religião. **2.** Que atenta contra a religião. **3.** Incrédulo, ímpio, ateu.

irremediável *adj.2g.* (lat. *irremediabilis*). **1.** Que não pode ser remediado; irreparável. **2.** *Fig.* Fatal, infalível, inevitável.

irremissível *adj.2g.* (lat. *irremissibilis*). Que não tem remissão ou perdão.

irremovível *adj.2g.* Que não se pode remover, evitar ou afastar; inamovível.

irreparável *adj.2g.* (lat. *irreparabilis*). Que não se pode reparar ou restaurar; irremediável, insanável.

irrepreensível *adj.2g.* (lat. *irreprehensibilis*). Que não merece censura, em que não há nada a repreender.

irreprimível *adj.2g.* Que não se pode reprimir ou conter; irrefreável.

irreprochável *adj.2g.* **1.** Que não merece reproche ou repreensão. **2.** Em que não há defeito. **3.** Irrepreensível, impecável.

irreproduzível *adj.2g.* Que não se pode reproduzir.

irrequieto *adj.* (lat. *irrequietus*). **1.** Muito inquieto, que não pára nunca. **2.** Revolto, turbulento. **3.** Muito vivo, buliçoso.

irresgatável *adj.2g.* Que não se pode resgatar.

irresistível *adj.2g.* (lat. *irresistibilis*). **1.** A quem ou a que não se pode resistir. **2.** Invencível, insuperável. **3.** Encantador, fascinante.

irresolução *s.f.* **1.** Falta de resolução. **2.** Incerteza, hesitação.

irresoluto *adj.* (lat. *irresolutus*). **1.** Em que falta resolução; hesitante. **2.** Que ainda não teve resolução.

irrespirável *adj.2g.* Que não se pode respirar.

irrespondível *adj.2g.* A que não é possível responder; irrefutável, irretorquível.

irresponsável *adj.2g.* e *s.2g.* Que ou aquele que não é responsável, que não tem responsabilidade.

irrestrito *adj.* Não restrito, amplo, ilimitado.

irretorquível *adj.2g.* Que não pode ser retorquido; irrespondível.

irretratável *adj.2g.* Que não se pode retratar.

irreverência *s.f.* **1.** Qualidade de irreverente. **2.** Dito, ato irreverente; desacato.

irreverente *adj.2g.* **1.** Que não tem reverência. **2.** Em que não há reverência; desrespeitoso. ★ *s.2g.* Pessoa irreverente.

irreversível *adj.2g.* **1.** Que não é reversível. **2.** Que só se pode acompanhar numa única direção.

irrevogável *adj.2g.* Que não pode ser revogado; definitivo.

irrigação *s.f.* (lat. *irrigatio*). Ação de irrigar. ● **Agric.** Técnica que consiste, nas regiões áridas, em canalizar água por processos diversos, para compensar a insuficiência de precipitações e/ou das reservas hídricas do solo. **Fisiol.** Aporte de sangue aos tecidos através dos vasos sanguíneos. **Med.** Ação de pôr uma parte afetada do corpo em contato prolongado com um líquido.

irrigar *v.t.* (lat. *irrigare*) [conj. 14]. **1.** Regar (terra, solo). **2.** Banhar. **3.** Fazer irrigações.

irrigável *adj.2g.* Que pode ser irrigado; que se pode regar.

irrisão *s.f.* (lat. *irrisio, irrisionis*). Mofa, zombaria, escárnio.

irrisório *adj.* (lat. *irrisorius*). **1.** Em que há irrisão. **2.** Que, pela sua insignificância, provoca o riso ou escárnio; ridículo.

irritabilidade *s.f.* (lat. *irritabilitas*). Estado, qualidade de irritável. ● **Biol.** Propriedade que possuem as células, os tecidos ou os organismos vivos de responder a um estímulo do meio.

irritação *s.f.* (lat. *irritatio*). **1.** Ato ou efeito de irritar(-se). **2.** Estado de uma pessoa irritada. **3.** Agastamento, cólera. **4.** Ação do que excita os nervos, os órgãos etc.; resultado dessa ação. **5.** Inflamação ligeira da pele, de um órgão.

irritadiço *adj.* Irritável.

irritante *adj.2g.* (lat. *irritans*). **1.** Que irrita, agasta. **2.** Que causa irritação. **3.** Excitante, estimulante. ★ *s.m.* Substância, medicamento irritante.

irritar *v.t.* (lat. *irritare*) [conj. 4]. **1.** Encolerizar, exasperar, agastar. **2.** Exaltar, exacerbar. **3.** Causar dor, inflamação a um órgão. ★ *v.pr.* **1.** Encolerizar-se, exasperar-se. **2.** Exaltar-se, inflamar-se.

irritável *adj.2g.* (lat. *irritabilis*). **1.** Suscetível a irritar-se, a sofrer irritação. **2.** Que se irrita facilmente; irritadiço.

irromper *v.i.* (lat. *irrumpere*) [conj. 5]. **1.** Entrar com ímpeto, invadir. **2.** Brotar, romper, surgir de repente.

irrupção *s.f.* (lat. *irruptio*). **1.** Invasão súbita e violenta. **2.** Transbordamento brusco do mar, de um rio.

isca *s.f.* (lat. *esca*). **1.** Engodo que os pescadores põem no anzol para pescar. **2.** Combustível que se inflama com as faíscas da pederneira. **3.** Mecha do isqueiro. **4.** (*MG*) Minhoca. **5.** Fig. Engodo para atrair e prender; chamariz.

isenção *s.f.* (lat. *exemptio*). **1.** Ato ou efeito de isentar(-se), eximir(-se). **2.** Estado ou condição de isento. **3.** Privilégio ou prerrogativa que isenta, exime ou desobriga alguém de alguma coisa. **4.** Independência de caráter, desprendimento moral; imparcialidade.

isentar *v.t.* (conj. 4). Tornar isento, desobrigar de um dever; eximir, livrar. ★ *v.pr.* Desobrigar-se, livrar-se.

isento *adj.* (lat. *exemptus*). **1.** Que não está sujeito a um dever ou obrigação; dispensado, livre. **2.** Desprovido, desguarnecido. **3.** Desapaixonado, neutro, imparcial.

islã ou **islame** *s.m.* (ár. *islam,* obediência a Deus). **1.** Religião e civilização dos muçulmanos. **2.** O mundo muçulmano.

islâmico *adj.* Relativo ou pertencente ao Islã.

islamismo *s.m.* Doutrina do Islã ou de Maomé; religião dos muçulmanos.

? VOCÊ SABIA...? O **islã** nasceu com o profeta Maomé, que viveu de 570 a 632 de nossa era e pregou a fé em um único Deus, chamado Alá. O livro sagrado dos muçulmanos é o Alcorão. O islã dita várias leis que regulam todos os detalhes da vida dos islamitas. Entre elas encontram-se os cinco deveres de um bom muçulmano: 1) recitar sua profissão de fé; 2) rezar cinco vezes por dia em direção a Meca; 3) dar esmola aos pobres; 4) fazer jejum durante o mês do ramadã; 5) fazer a peregrinação a Meca ao menos uma vez na vida.

islamita *adj.2g.* Relativo ao islamismo. ★ *s.2g.* Adepto do islamismo; muçulmano.

islamítico *adj.* Relativo ou pertencente aos islamitas ou ao islamismo.

islandês *adj.* Relativo ou pertencente à Islândia, país da Europa. ★ *s.m.* **1.** O natural ou habitante da Islândia. **2.** Língua germânica falada na Islândia.

isobárico *adj.* Diz-se da transformação física ou química que ocorre sem alteração da pressão.

isóbaro *adj.* Diz-se de dois ou mais nuclídeos que possuem o mesmo número de massa, mas números atômicos diferentes.

isocrônico *adj.* Sin. de ISÓCRONO.

isócrono *adj.* **1.** Que se efetua a intervalos de tempo iguais. (Sin. ISOCRÔNICO.) **2.** Diz-se das formações geológicas que apresentam a mesma idade.

isoelétrico *adj.* Diz-se de uma substância eletricamente neutra.

isogamia *s.f.* Fusão de gametas iguais.

isoiônico (o-i) *adj.* Diz-se dos sistemas que contêm a mesma quantidade de íons.

isolação *s.f.* **1.** Isolamento. **2.** Conjunto dos materiais utilizados para isolar um dispositivo elétrico.

isolado *adj.* **1.** Que se isolou. **2.** Separado, insulado. **3.** Só, solitário. **4.** Individual, sem relação com outras coisas ou seres da mesma espécie. ● **Eletr.** Protegido do contato de todo corpo condutor de eletricidade.

isolador (ô) *adj.* e *s.m.* Isolante.

isolamento *s.m.* **1.** Ato ou efeito de isolar(-se). **2.** Estado de coisa ou pessoa isolada; isolação. ● **Eletr.** Ausência de contato entre um corpo eletrizado e os corpos vizinhos. **Med.** Ação de manter um doente contagioso confinado para não contagiar outras pessoas.

isolante *adj.2g.* Que isola; isolador. ★ *adj.2g.* e *s.m.* Diz-se de ou material que impede a transmissão de calor, eletricidade ou outra forma de energia entre os corpos.

isolar *v.t.* (do it. *isolato,* de *isola,* ilha) [conj. 4]. **1.** Separar algo dos objetos vizinhos. **2.** Afastar alguém dos demais. **3.** Distinguir algo do todo ou do conjunto a que pertence; abstrair. **4.** Impedir o acesso a determinada área ou local. **5.** Impedir a transmissão de calor, eletricidade etc. ★ *v.pr.* Retirar-se do convívio social; insular-se.

isoleucina *s.f.* Aminoácido essencial presente em numerosas proteínas.

isolinha *s.f.* Sin. de CURVA* DE NÍVEL.

isomeria *s.f.* **1.** Caráter dos compostos químicos isômeros; isomerismo. **2.** Propriedade apresentada por um núcleo atômico que pode existir sob a forma de isômero.

isomérico *adj.* **1.** Relativo à isomeria. **2.** Sin. de ISÔMERO.

isomerismo *s.m.* Isomeria.

isomerizacão *s.f.* Transformação de um composto químico em composto isômero.

isômero *adj.* e *s.m.* Diz-se de ou compostos que têm mesma composição química e mesma massa molecular, mas estruturas atômicas e propriedades diferentes. ★ *adj.* Diz-se dos diferentes estados estáveis de um núcleo atômico. (Sin. ISOMÉRICO.)

isomorfismo *s.m.* Qualidade, caráter, propriedade de isomorfo.

isomorfo *adj.* **1.** Que tem a mesma forma. **2.** Diz-se de duas substâncias químicas que se apresentam com a mesma estrutura cristalina.

isonomia *s.f.* Estado ou condição dos que são governados pelas mesmas leis.

isopor (ô) *s.m.* **1.** Nome comercial do poliestireno expandido, ou espuma de poliestireno, utilizado como isolante térmico e acústico. **2.** Objeto feito com esse material.

isópteros *s.m.pl.* Ordem de insetos pterigotos, que engloba os cupins, com formas férteis, aladas e pigmentadas, e formas estéreis e incolores, desprovidas de asas.

isósceles *adj.2g.2n.* ou **isóscele** *adj.2g.* (gr. *isoskeles*). **1.** Que tem dois lados iguais. **2.** *Triângulo isósceles,* triângulo que tem dois lados com o mesmo comprimento e, em conseqüência, dois ângulos com a mesma medida.

isotérmico *adj.* Diz-se de uma transformação física ou química que ocorre sem alteração da temperatura.

isotônico *adj.* **1.** Diz-se de uma solução que apresenta pressão osmótica igual à de uma outra solução de referência. **2.** Diz-se da contração muscular em que a força desenvolvida permanece constante durante a variação do comprimento desse músculo.

isótono *adj.* Diz-se dos nuclídeos que possuem o mesmo número de nêutrons, mas um número diferente de prótons.

isótopo *adj.* e *s.m.* Diz-se de ou cada um dos diferentes tipos possíveis de núcleos atômicos de um mesmo elemento, que diferem pelo número de nêutrons, mas têm o mesmo número de prótons.

isotrópico *adj.* Diz-se de um meio ou de um corpo material cujas propriedades macroscópicas em um ponto não dependem da direção; isótropo.

isótropo *adj.* e *s.m.* Isotrópico.

isqueiro *s.m.* Aparelho provido de uma mecha embebida em fluido adequado ou de reservatório de gás que, ao ser acionado, emite uma pequena chama.

isquemia *s.f.* (do gr. *ischein,* deter). Suspensão da circulação sanguínea numa zona localizada do organismo.

isquiático *adj.* **1.** Relativo ao ísquio. **2.** *Tuberosidade isquiática,* protuberância do osso ilíaco na qual repousa o corpo na posição sentada.

ísquio ou **ísquion** *s.m.* (gr. *ischion*). Um dos três elementos ósseos do osso ilíaco, que constitui a parte póstero-inferior desse osso.

israelense *adj.2g.* Relativo ou pertencente a Israel, país do Oriente Médio. ★ *s.2g.* O natural ou habitante de Israel.

israelita *adj.2g.* Relativo ao Israel bíblico, a seu povo. ★ *s.2g.* Descendente de Jacó ou Israel; judeu, hebreu.

isso *pron. dem.* (lat. *ipsum*). **1.** Essa(s) coisa(s). **2.** *Depr.* Essa pessoa. ★ *interj.* Exprime aprovação, incentivo, encorajamento.

istmo *s.m.* (gr. *isthmos*). **1.** Estreita faixa de terra situada entre dois mares, que une duas terras. **2.** Nome dado a certas partes retraídas de uma região do corpo ou de um órgão, como o istmo do encéfalo, da faringe, do útero, de uma vértebra.

isto *pron. dem.* (lat. *istud*). **1.** Esta(s) coisa(s). **2.** *Depr.* Esta pessoa. ★ *interj.* Isso.

itabirito *s.m.* (de *Itabira,* top.). Rocha metamórfica xistosa, composta essencialmente de grãos de quartzo alternados com minério de ferro.

italianismo *s.m.* **1.** Imitação da língua ou dos costumes italianos. **2.** Expressão ou construção própria do italiano emprestada a uma outra língua.

italiano *adj.* Relativo ou pertencente à Itália, país da Europa. ★ *s.m.* **1.** O natural ou habitante da Itália. **2.** Língua românica falada principalmente na Itália.

itálico *adj.* **1.** Relativo ou pertencente à Itália. **2.** Italiota. ★ *adj.* e *s.m.* Diz-se do ou caractere de impressão levemente inclinado para a direita.

italiota *s.2g.* Indivíduo dos italiotas, povos que povoaram a península italiana, na Antiguidade. ★ *adj.2g.* Relativo ou pertencente a esses povos; itálico.

ítalo *adj.* **1.** Relativo à Itália. **2.** Romano, latino, italiano. ★ *s.m.* Habitante ou natural da Itália.

itararé *s.m.* (tupi *i tá rá ré,* pedra escovada). Curso subterrâneo de um rio através de rochas calcárias; sumidouro.

item *s.m.* (lat. *item*). Cada um dos artigos de um regulamento, contrato, requerimento etc.

iteração *s.f.* (lat. *iteratio, iterationis*). Ato ou efeito de iterar; repetição.

iterar *v.t.* (lat. *iterare*) [conj. 4]. Tornar a fazer ou dizer; repetir, reiterar.

iterativo *adj.* (lat. *iterativus*). **1.** Feito de novo; repetido, reiterado. **2.** Que procede por iteração.

itérbio *s.m.* (de *Ytterby,* top.). Elemento químico (símb. Yb) de número atômico 70, que constitui um metal branco-prateado, brilhante, do grupo dos lantanídios.

itinerante *adj.2g.* (lat. *itinerans*). **1.** Que viaja, que percorre itinerários. **2.** Que vai de cidade em cidade a fim de cumprir suas funções. **3.** *Cultura itinerante,* técnica agrícola em que há um deslocamento das zonas de cultura, por exaustão do solo ou migração dos agricultores. ★ *s.2g.* Pregador itinerante.

itinerário *adj.* (lat. *itinerarius*). Relativo a caminhos. ★ *s.m.* **1.** Caminho, roteiro, trajeto a percorrer ou percorrido. **2.** Trajetória, caminho.

itororó *s.m.* (tupi *i toró ró*). Pequena cachoeira ou salto.

ítrio *s.m.* (lat. cient. *yttrium*). Elemento químico (símb. Y) de número atômico 39, que constitui um metal semelhante ao ferro, utilizado como pigmento vermelho nos tubos de televisão colorida.

iuan *s.m.* Unidade monetária da China.

iugoslavo *adj.* Relativo ou pertencente à Iugoslávia, país da Europa. ★ *s.m.* O natural ou habitante da Iugoslávia.

ixe *interj.* Exprime ironia.

Jj Jj Jj

j *s.m.* Décima letra do alfabeto português.

J símbolo do joule.

já *adv.* (lat. *jam*). **1.** Neste momento, agora. **2.** Imediatamente, sem demora. **3.** Em breve, logo. **4.** Nesse tempo, então. **5.** Em algum tempo (passado). **6.** Antecipadamente, de antemão. **7.** *Já que,* uma vez que, visto que, como.

jabá *s.2g.* Sin. de CHARQUE.

jabiru *s.m.* Var. de JABURU.

jaborandi *s.m.* (tupi *yabora'di*). Nome comum a numerosas plantas que fornecem folhas consideradas medicinais e utilizadas como sudoríferas e excitantes das glândulas salivares.

jabota *s.f.* A fêmea do jabuti.

jaburu *s.m.* (tupi *yabiru*). Ave ciconiforme de grande porte, com bico grande e negro, levemente recurvado para cima, que vive às margens dos rios, lagos e pântanos. (Var. JABIRU; sin. TAPUCAJÁ.)

jabuti *s.m.* (tupi *yabu ti*). Denominação comum aos répteis quelônios, frugívoros, que apresentam carapaça alta, formada por escudos poligonais de coloração parda e amarela.

jabuticaba *s.f.* (tupi *iapoti kaba*). Fruto da jabuticabeira, baga redonda, de casca roxo-escura e polpa esbranquiçada, rica em mucilagem e de sabor doce.

jabuticabeira *s.f.* Árvore de porte médio, de flores pequenas, brancas e aromáticas, e frutos que surgem diretamente no tronco liso, nos ramos e até nas raízes descobertas.

jaca *s.f.* (malaiala *chakka*). **1.** Fruto da jaqueira, de grande volume, que possui a casca cheia de picos e sementes grandes, comestíveis. **2.** Sin. de JAQUEIRA.

jacá *s.m.* (tupi *aya'ka*). Cesto de taquara trançada, usado sobretudo para o transporte de aves.

jaça *s.f.* **1.** Mancha ou falha que tira a homogeneidade de uma pedra preciosa. **2.** *Fig.* Mácula, defeito.

jacami ou **jacamim** *s.m.* (tupi *yaka'mi*). **1.** Árvore característica dos terrenos inundáveis pela maré, no Pará, que fornece madeira dura e compacta. **2.** Denominação comum a várias aves gruiformes, semelhantes às galinhas, que possuem a cabeça pequena, pescoço curto e pernas avantajadas.

jaçanã *s.f.* (tupi *iasa nã*). **1.** Ave caradriiforme com pernas finas e compridas, pés munidos de dedos longos adaptados para a locomoção sobre a vegetação aquática. (Sin. JAPIAÇOCA, FERRÃO, MARREQUINHA.) **2.** Sin. de VITÓRIA-RÉGIA.

jacarandá *s.m.* (tupi *yakara'na*). Nome comum a diversas espécies de árvores de porte regular ou arbustos grandes, que fornecem madeira com diversas utilidades.

jacarandá-cabiúna *s.m.* Sin. de CABIÚNA.

jacarandá-da-bahia *s.m.* Árvore grande, de flores brancas, que fornece madeira escura, pesada, dura e resistente, própria para marcenaria de luxo.

jacaré *s.m.* (tupi *yaka'ré*). **1.** Réptil crocodiliano que apresenta pele grossa e coriácea formada por escudos rijos, pernas curtas e dedos providos de garras e membranas natatórias. **2.** Tipo de colher de pedreiro, empregada para introduzir massa nas juntas de alvenaria. **3.** Facão.

jacaré-de-papo-amarelo *s.m.* Réptil crocodiliano, ameaçado de extinção, que apresenta focinho quadrado e três séries transversais de escudos na nuca.

jacaretinga *s.m.* Réptil crocodiliano, ameaçado de extinção, que apresenta peito branco e ocorre no alto Paraguai e alto Paraíba.

jacente *adj.2g.* (lat. *jacens*). **1.** Que jaz, que está deitado. **2.** Que está situado. **3.** Diz-se da estátua em que a figura é representada deitada. **4.** *Herança jacente,* a que não foi reclamada por nenhum herdeiro. ★ *s.m.* Viga longitudinal em que assentam os tabuleiros das pontes.

jaci *s.m.* Palmeira da Amazônia, de folhas muito compridas, e frutos que são cocos de polpa mole.

jacinto *s.m.* (gr. *Hyakinthos,* n.pr.). Erva bulbosa, ornamental, de flores aromáticas com corola azul, branca ou rósea, originária dos Bálcãs e da Ásia Menor.

jacobinismo *s.m.* **1.** Doutrina política dos jacobinos. **2.** Convicção democrática exaltada e intransigente. **3.** Radicalismo.

jacobino *adj.* e *s.m.* (de *Jacob,* n.pr.). **1.** Membro de um clube político revolucionário fundado em Paris em 1789. **2.** Democrata exaltado. **3.** Nacionalista radical, xenófobo.

já-começa *s.2g.2n.* **1.** *Fam.* Coceira, sarna. **2.** *Pop.* Cachaça.

jactância *s.f.* **1.** Vaidade, orgulho. **2.** Arrogância, altivez.

jactancioso (ô) *adj.* Que tem jactância.

jactar-se *v.pr.* (lat. *jactare*) [conj. 7]. Ufanar-se, vangloriar-se, gabar-se.

jacu *s.m.* (tupi *ya'ku*). Denominação comum a aves galiformes, que ocorrem nas matas primárias do Brasil e se alimentam de folhas e frutas.

jacuba *s.f.* **1.** Café engrossado com farinha de mandioca. **2.** Bebida feita com água, farinha de mandioca, açúcar ou mel e, às vezes, um pouco de cachaça.

jaculação *s.f.* (lat. *jaculatis*). **1.** Ato de jacular; arremesso. **2.** Tiro de artilharia. **3.** Espaço percorrido pelo tiro.

jacular *v.t.* e *v.i.* (conj. 4). **1.** Lançar, arremessar. **2.** Ferir com arma de arremesso. **3.** Ejacular.

jaculatória *s.f.* Oração curta e fervorosa.

jacutinga *s.f.* Ave galiforme, ameaçada de extinção, que apresenta coloração azulada, com a parte superior da cabeça branca, e ocorre da Bahia até o Rio Grande do Sul.

jade *s.m.* (fr. *ejade*). Rocha metamórfica muito dura, entre o verde e o branco, utilizada desde a alta Antiguidade como pedra de adorno (jóias, objetos de arte).

jaez (ê) *s.m.* (ár. *gehez*). **1.** Aparelho e ornato para bestas. **2.** *Fig.* Qualidade, espécie, gênero; laia.

jaguar *s.m.* (tupi *yawara*). Sin. de ONÇA-PINTADA.

jaguaretê *s.2g.* Sin. de ONÇA-PINTADA.

jaguatirica *s.f.* Mamífero carnívoro da família dos felídeos, de pelagem amarelada com malhas redondas bem escuras, ameaçado de extinção. (Sin. GATO-DO-MATO-GRANDE, MARACAJÁ.)

jagunço *s.m.* **1.** Nome que se dava aos rebeldes fanáticos que acompanhavam Antônio Conselheiro na campanha de Canudos. **2.** Guarda-costas, capanga.

jalapa *s.f.* (de *Jalapa,* n.pr.). Trepadeira de grande porte, com flores brancas ou rosadas, e raiz tuberosa de propriedades altamente purgativas.

jaleco *s.m.* (turco *jeleck*). Espécie de jaqueta usada por médicos, dentistas etc., para a proteção da roupa durante o trabalho.

jamaicano *adj.* Relativo ou pertencente à Jamaica, país das Antilhas. ★ *s.m.* O natural ou habitante da Jamaica.

jamais *adv.* (lat. *jam magis*). Em tempo nenhum, nunca.

jamanta[1] *s.f.* Peixe cartilaginoso, semelhante à raia, que possui dois lóbulos em forma de chifre na cabeça.

jamanta[2] *s.m.* **1.** Homenzarrão desajeitado. **2.** Calçado caseiro. **3.** Reboque ou carreta sem tração própria, utilizado para transporte de outros veículos. **4.** *P. ext.* Veículo que puxa esta carreta.

jambeiro *s.m.* Árvore originária da Índia e da Malásia, de fruto comestível, casca adstringente e flores melíferas, cultivada como frutífera e ornamental. (Sin. JAMBO, JAMBO-ROSA.)

jâmbico *adj.* (gr. *iambikós*). **1.** Relativo a ou composto de jambos. **2.** Irônico, satírico.

jambo[1] *s.m.* (lat. *iambus*). Antigo pé métrico de duas sílabas, uma breve e outra longa.

jambo[2] *s.m.* (malaio *djambu*). **1.** Fruto do jambeiro, baga amarelo-rosada ou branco-rosada, suculenta e comestível. **2.** Sin. de JAMBEIRO. **3.** *P. ext.* A cor desse fruto.

jambolão *s.m.* Sin. de JAMELÃO.

jambo-rosa *s.m.* Sin. de JAMBEIRO.

jamegão *s.m.* *Pop.* Assinatura, rubrica.

jamelão *s.m.* Árvore de grande porte, originária da Ásia, cujo fruto é uma baga roxa, comestível, que mancha as mãos e a roupa. (Sin. JAMBOLÃO.)

jandaia *s.f.* (do tupi). Denominação comum a três aves psitaciformes do Brasil, uma de intensa coloração alaranjada, outra de dorso verde e cabeça laranja e a terceira verde escura com a parte anterior da cabeça vermelha.

janeiro *s.m.* (lat. *januarius*). O primeiro mês do ano, que possui 31 dias.

janela *s.f.* (lat. *januella,* dim. de *janua*). **1.** Abertura a meia altura das paredes externas de uma construção, guarnecida por um caixilho envidraçado ou por persianas, que pode ser aberta para entrada de ar e luz permitindo, em geral, a visão do exterior **2.** *Fig.* Qualquer abertura, buraco ou rasgão. ● **Anat.** Nome dado a duas aberturas localizadas na parede interna da caixa do tímpano, a *janela oval* e a *janela redonda,* que comunicam o ouvido médio com o ouvido interno. **Inform.** Cada um dos quadros que exibe, na tela de um computador, um programa, arquivo ou comando.

jangada *s.f.* (malaio *changadam*). **1.** Armação feita com as madeiras de um navio para o salvamento dos náufragos. **2.** Balsa de pescadores do Norte e Nordeste do Brasil, feita de paus roliços muito leves amarrados entre si e com vela triangular içada a um mastro flexível.

jangadeiro *s.m.* Proprietário ou tripulante de jangada.

jângal *s.m.* (sâns. *jangala*). **1.** Denominação dada à floresta densa e luxuriante da Ásia meridional, especialmente na Índia. **2.** Floresta, mata virgem.

janota *adj.* e *s.2g.* (fr. de *Janot,* n.pr.). **1.** Diz-se de ou indivíduo que se veste com excessivo apuro e que disso se gaba; casquilho, almofadinha. **2.** Elegante.

janta *s.f. Pop.* Jantar comum em família.

jantar[1] *s.m.* **1.** Refeição tomada à noite ou nas últimas horas da tarde. **2.** Conjunto dos pratos que o compõem.

jantar[2] *v.i.* (lat. *jentare*) [conj. 4]. Tomar o jantar; cear. ★ *v.t.* Comer no jantar.

jaó *s.m.* Ave tinamiforme de plumagem vivamente colorida que ocorre no Mato Grosso.

japati *s.m.* Sin. de CUÍCA.

japiaçoca *s.f.* Sin. de JAÇANÃ.

japonês *adj.* Relativo ao Japão, país da Ásia; nipônico. ★ *s.m.* **1.** O natural ou habitante do Japão; nipônico. **2.** Língua falada no Japão.

jaqueira *s.f.* Árvore de grande porte, originária da Cochinchina, muito cultivada pelos frutos de grande volume e pela madeira branco-amarelada. (Sin. JACA.)

jaqueta (ê) *s.f.* (fr. *jaquette*). **1.** Casaco curto para homem, sem abas, e que só chega até a cintura; jaleco. **2.** Casaco curto e reforçado para proteger contra o frio. ● **Odont.** *Coroa de jaqueta,* coroa de revestimento em cerâmica ou resina sintética destinada a reconstituir o esmalte e a dentina de um dente lesado.

jardinagem *s.f.* **1.** Cultura de jardins. **2.** A arte de cultivar jardins.

jardinar *v.t.* e *v.i.* (conj. 4). Dedicar-se à jardinagem; cultivar um jardim.

jardineira *s.f.* **1.** Móvel ou recipiente de forma alongada para cultivo de flores e plantas ornamentais. **2.** Mulher que trata de jardins. **3.** *Ant.* Bonde ou ônibus aberto, de bancos paralelos. **4.** (*RS*) Carro de quatro rodas, de tração animal, para transporte de pessoas. **5.** Traje em que à calça ou saia se sobrepõe um peitilho, com alças que se prendem atrás.

jardineiro *s.m.* Pessoa que trata dos jardins; o que cultiva um jardim.

jargão *s.m.* **1.** Vocabulário próprio de uma profissão ou atividade; linguagem técnica. **2.** Gíria.

jarivá *s.f.* Palmeira acaule cujos folíolos fornecem uma fibra fina e resistente, o tucum, usado para a confecção de redes e esteiras.

jarra *s.f.* (ár. *djarra*). Vaso usado para água ou flores; jarro.

jarrete (ê) *s.m.* (fr. *jarret*). **1.** Parte posterior do joelho, situada atrás da sua articulação. **2.** Região do membro posterior dos quadrúpedes situada entre a perna e a canela.

jarro *s.m.* Vaso de flores; jarra.

jasmim *s.m.* (persa *iasamim*). **1.** Nome comum a diversos arbustos e trepadeiras originárias do Oriente, de folhas opostas e flores brancas, aromáticas. (Sin. JASMINEIRO.) **2.** A flor do jasmim. **3.** Perfume extraído dessa flor.

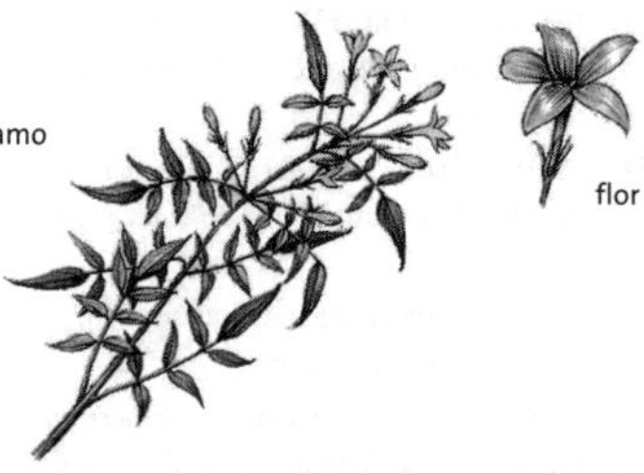

jaquetão *s.m.* Casaco trespassado que faz parte do traje masculino.

jaraguá *s.m.* (tupi *yara'wa*). Capim alto, originário da África e cultivado em todo o Brasil como forrageiro.

jararaca *s.f.* (tupi *yara'raka*). Cobra venenosa, responsável pela maioria dos acidentes com ofídeos no Brasil, que atinge 1m de comprimento e vive próximo aos cerrados e campos cultivados.

jararacuçu *s.2g.* Cobra venenosa que alcança 2,20 m de comprimento e ocorre nas zonas baixas e alagadas do Brasil. (Sin. SURUCUCU-DOURADO.)

jarda *s.f.* (ingl. *yard*). Principal unidade de comprimento (símb. yd) do sistema de medidas utilizado nos países anglo-saxões, equivalente a 0,914 m.

jardim *s.m.* (fr. *jardin*). **1.** Espaço, ordinariamente fechado, onde se cultivam árvores, flores, plantas ornamentais. **2.** *Fig.* Terra fértil. **3.** *Jardim botânico,* parque onde são cultivadas espécies vegetais, com cartazes ou etiquetas onde constam seus nomes científicos, para facilitar o estudo metódico. ▸ *Jardim zoológico,* local para exposição permanente de animais.

jasmim-do-cabo *s.m.* **1.** Arbusto originário da África do Sul, de folhas elípticas, brilhantes, e flores brancas, utilizadas em perfumaria. **2.** Sin. de GARDÊNIA.

jasmineiro *s.m.* Sin. de JASMIM.

jaspe *s.m.* (lat. *iaspis*). Calcedônia impura, geralmente vermelha, utilizada na fabricação de objetos preciosos.

jataí[1] *s.f.* (tupi *yata'i*). Abelha que faz o ninho em ocos de troncos, vãos de pedras ou de muros.

jataí[2] *s.m.* Árvore de grande porte e flores amareladas, que fornece madeira avermelhada, pesada e dura, e de cujo tronco se extrai uma resina empregada na fabricação de verniz.

jato *s.m.* (lat. *jactus*). **1.** Ação de lançar ou arremessar; arremesso, impulso. **2.** Emissão de raios. **3.** Movimento de um fluido que escapa subitamente; jorro. **4.** *Propulsão a jato,* propulsão obtida pela reação de um jato de fluido expelido no sentido contrário ao do movimento do veículo.

jatobá *s.m.* (tupi *yata'wá*). Árvore de grande porte, de folhas compostas e pequenas flores ferrugíneas, que fornece madeira vermelho-parda, própria para construção civil e naval.

jaú *s.m.* (tupi *ya'ú*). **1.** Peixe teleósteo que atinge até 1,50 m de comprimento e ocorre nas bacias do rio Amazonas e Paraná. **2.** Andaime suspenso por cabos, móvel no sentido vertical, empregado para pintar ou rebocar paredes de edifícios altos.

jaula *s.f.* (fr. ant. *jaole*). Prisão para feras, guarnecida de barras de ferro.

javaé *s.2g.* Indivíduo dos javaés, povo indígena jê que vive em Tocantins.

javali *s.m.* (ár. *djabali,* montês). Mamífero artiodáctilo, suiforme, de cabeça grande, focinho alongado, boca provida de grandes dentes caninos, que ocorre na Europa e Ásia. (Sin. PORCO-BRAVO, PORCO-MONTÊS.)

javanês *adj.* Relativo ou pertencente a Java, ilha da Polinésia. ★ *s.m.* **1.** O natural ou habitante dessa ilha. **2.** Língua falada em grande parte da ilha de Java.

jazer *v.i.* (lat. *jacere*) [conj. 33]. **1.** Estar deitado. **2.** Estar estendido, imóvel, prostrado, morto. **3.** Estar situado. **4.** *Fig.* Habitar, morar, viver.

jazida *s.f.* **1.** Ato de jazer. **2.** Lugar onde alguém jaz. **3.** Local em que um minério se acumulou e pode ser explorado economicamente.

jazigo *s.m.* **1.** Sepultura ou lugar a ela destinado; túmulo, sepulcro. **2.** Monumento funerário.

jazz *s.m.* (ingl). Música de origem norte-americana baseada principalmente na improvisação.

jê *s.2g.* Indivíduo dos jês, conjunto de povos indígenas do planalto Central. ★ *s.m.* Grupo de línguas faladas por esses povos. ★ *adj.2g.* Pertencente ou relativo a esses povos ou a esse grupo de línguas.

jeans *s.m.* **1.** Tecido resistente de algodão, em geral azul, empregado no feitio de calças, jaquetas etc. **2.** Calça desse tecido.

JEANS ► O *jeans* tornou-se bastante popular nos EUA na segunda metade do século XX. Tendo se transformado num símbolo de juventude e rebeldia contra o consumismo, é um dos itens da moda jovem mais vendidos a cada ano em diversos países, em sucessivas variações de cor e modelo.

jeca *adj.2g.* e *s.2g.* **1.** Caipira. **2.** *P. ext.* Pessoa de mau gosto.

jegue *s.m.* Jumento, jerico.

jeito *s.m.* (lat. *jactus,* arremesso). **1.** Aspecto, feição. **2.** Maneira, modo. **3.** Habilidade, propensão. **4.** Disposição de espírito, caráter. **5.** Torção, torcedura. **6.** Arrumação, organização, disposição.

jeitoso (ô) *adj.* **1.** Que tem jeito; apto, hábil. **2.** Que tem boa aparência; gracioso, atraente. **3.** Adequado, apropriado, conveniente.

jejuar *v.i.* (lat. *jejunare*) [conj. 4]. **1.** Abster-se de comer; praticar o jejum. **2.** Cumprir o preceito religioso do jejum. **3.** *Fig.* Abster-se de. ★ *v.t.* Ser ignorante; ignorar.

jejum *s.m.* (lat. *jejunus*). **1.** Privação parcial ou completa de alimento durante certo tempo; período no qual se dá essa privação. **2.** Prática religiosa que consiste na privação completa ou parcial de alimento. **3.** *Fig.* Privação ou abstinência de alguma coisa. **4.** *Fig.* Ignorância de alguma coisa.

jejuno *adj.* (lat. *jejunus*). **1.** Que está em jejum. **2.** Ignorante, insipiente. ★ *s.m.* Porção do intestino delgado que se segue ao duodeno e antecede o íleo.

jejunoíleo *s.m.* Parte do intestino delgado entre o duodeno e o ceco.

jenipapeiro *s.m.* Árvore de caule reto, flores branco-amareladas e frutos comestíveis, que fornece madeira flexível e resistente, empregada em marcenaria.

jenipapo *s.m.* (tupi *ñandi'pab*). **1.** Fruto do jenipapeiro, baga comestível, utilizada para licores e compotas, que fornece suco de cor azul-escura, utilizado em pintura corporal pelos índios. **2.** Mancha escura na parte inferior da região dorsal das crianças, tida como sinal de mestiçagem.

jeová *s.m.* Designação de Deus no Antigo Testamento.

jequitibá *s.m.* (tupi *yekïti'bá*). Árvore de grande porte, de folhas oblongas e flores vermelhas, que fornece madeira resistente, utilizada em marcenaria e carpintaria.

jequitibá-rosa *s.m.* Árvore alta de tronco grosso, folhas ovaladas e flores brancas, que fornece madeira de lei vermelho-rosada, utilizada em marcenaria e carpintaria.

jereba *s.m.* (tupi *ye'rebae*). **1.** Montaria ruim, magra e fraca. **2.** Sujeito desajeitado, desleixado. **3.** Pano atado em arame para limpar canos.

jereré *s.m.* (tupi *yere'ré*). Pequena rede em forma de saco para pegar siri ou peixes miúdos.

jeribá *s.m.* Sin. de JERIBAZEIRO.

jeribazeiro *s.m.* Palmeira alta, de folhas com segmentos, frutos fibrosos, mucilaginosos e comestíveis, muito comum na orla marítima. (Sin. JERIBÁ.)

jerico *s.m.* Jumento, jegue.

jerimu ou **jerimum** *s.m.* (tupi *yuru'mu*). **1.** Sin. de ABÓBORA. **2.** Sin. de ABOBOREIRA.

jerimuzeiro *s.m.* Sin. de ABOBOREIRA.

jeropiga *s.f.* **1.** Bebida alcoólica preparada com suco de fruta fermentado ou não, álcool puro e açúcar. **2.** Qualquer vinho ou bebida alcoólica de baixa qualidade.

jérsei[1] *s.m.* e *adj.2g.* (de *Jersey,* top.). Diz-se de ou raça de bovinos de pequeno tamanho, leiteira, originária da ilha de Jersey.

jérsei[2] *s.m.* (de *Jersey,* n.pr.). Tecido de malha muito fina, feito de seda, linho, algodão ou lã, usado na confecção de roupas.

jeru *s.m.* Sin. de PAPAGAIO.

jesuíta *s.m.* Membro da Companhia de Jesus, ordem religiosa fundada por Santo Inácio de Loyola.

jesuítico *adj.* Relativo aos jesuítas.

jia *s.f.* (tupi *yu'i*). Denominação popular de rãs que vivem perto de água, muito procuradas pela carne saborosa.

jibóia[1] *s.f.* (tupi *y'bói*). Cobra não venenosa, arborícola, de grande porte, que alcança 4 m de comprimento e ocorre no Brasil inteiro.

jibóia[2] *s.f.* Planta ornamental originária das Ilhas Salomão, de caule ramoso e folhas verdes com manchas amarelas.

jiboiar *v.i.* (conj. 4). **1.** Digerir em repouso uma refeição pesada. **2.** Serpentear.

jihad *s.m.* (ár.) A guerra santa dos muçulmanos, para defesa e expansão do Islã.

jiló *s.m.* (quimb. *njilu*). Fruto do jiloeiro, baga vermelha de sabor amargo, comestível enquanto verde e, depois de cozido, considerado tônico e estomáquico.

jiloeiro *s.m.* Planta originária da África, de caule reto, flores brancas e frutos comestíveis.

jingle *s.m.* (ingl., "ruído metálico"). Tema musical composto para propaganda de marca, produto etc., veiculado em rádio e/ou televisão.

jipe *s.m.* (ingl. *jeep*). Veículo ligeiro para qualquer tipo de terreno, criado por uma empresa norte-americana.

jirau *s.m.* (tupi *yi'rab*). **1.** Palanque ou estrado de madeira sobre forquilhas cravadas no chão, para guardar utensílios. **2.** Cama de varas. **3.** Armação de madeira sobre a qual se constroem as casas, para evitar água e umidade.

jiu-jitsu *s.m.* (jap. *jujutsu*, dez astúcias). Luta japonesa que combina golpes de destreza e defesa sem armas.

joalheiro *s.m.* **1.** Pessoa que faz ou vende jóias. **2.** Cravador de pedras preciosas. ★ *adj.* Relativo a jóias.

joalheria *s.f.* **1.** Arte de trabalhar metais e pedras para fins decorativos. **2.** Profissão de joalheiro. **3.** Loja de joalheiro.

joanete (ê) *s.m.* (esp. *juanete*). Bursite crônica do primeiro artelho do pé, que acarreta saliência ou deformação na região articular.

joaninha *s.f.* Inseto coleóptero de pequeno tamanho, com élitros em forma de cúpula, geralmente coloridos, com algumas espécies que exalam odor desagradável.

joão-bobo *s.m.* Ave piciforme de bico vermelho que constrói ninhos em barrancos e ocorre do norte do Brasil até a Argentina.

joão-de-barro *s.m.* Ave passeriforme que constrói ninho em forma de forno, utilizando barro úmido misturado com esterco e palha. (Sin. FORNEIRO, BARREIRO.)

joão-ninguém *s.m.* *Pop.* Homem sem importância alguma; pobre-diabo.

joça *s.f.* Coisa qualquer, sem importância, sem valor.

jocoso (ô) *adj.* (lat. *jocosus*). **1.** Que provoca riso; alegre, gracioso, chistoso. **2.** Termo musical que indica o caráter ligeiro e lúdico de uma obra.

joeira *s.f.* **1.** Peneira larga e rasa que se sacode para separar o trigo do joio; crivo. **2.** Aparelho para peneirar a farinha de trigo.

joeirar *v.t.* (conj. 4). **1.** Agitar (o trigo) numa joeira, para separá-lo do joio. **2.** *Fig.* Escolher, separando o que é bom do que é mau; selecionar.

joelheira *s.f.* **1.** Peça de malha elástica ou curativo para proteger a articulação do joelho. **2.** Parte da bota de montar ou da armadura que protege o joelho.

joelho (ê) *s.m.* (lat. *genuculum*, dim. de *genu*, joelho). **1.** Parte do corpo onde se dá a junção da coxa com a perna. **2.** Conjunto de duas peças articuladas com movimento semelhante ao do joelho. **3.** *De joelhos*, com os joelhos no chão, ajoelhado; *fig.* humilhado, diminuído.

REGIÃO DO JOELHO

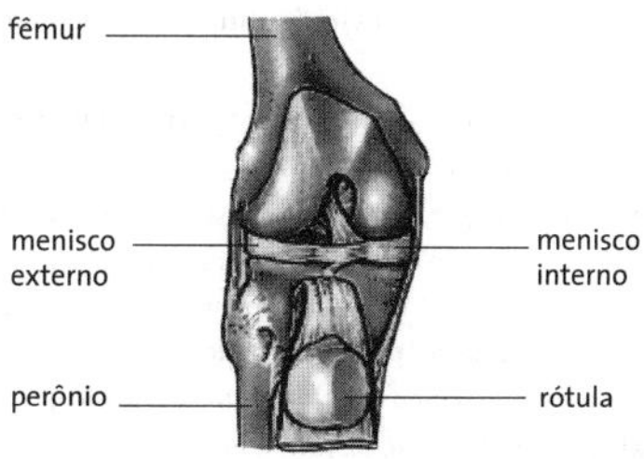

jogada *s.f.* **1.** Ato ou efeito de jogar. **2.** Lance de jogo. **3.** Negociata, engenhosamente tramada, com fins lucrativos.

jogado *adj.* **1.** Que se jogou; arriscado ao jogo. **2.** Inerte, prostrado. **3.** Abandonado, esquecido.

jogador (ô) *s.m.* **1.** Pessoa que joga. **2.** Pessoa que tem o vício, a paixão do jogo. **3.** Indivíduo que pratica certos esportes de equipe.

jogar *v.t.* (lat. *jocari*) [conj. 14]. **1.** Executar as diversas combinações (de um jogo). **2.** Arriscar, apostar no jogo. **3.** Atirar, arremessar. **4.** Dizer ou fazer brincadeira. ★ *v.i.* **1.** Fazer apostas em jogo. **2.** Balançar (embarcação). ★ *v.pr.* Atirar-se, arremessar-se.

jogatina *s.f.* *Fam.* Hábito, vício ou exercício de jogo (comumente o de azar.)

jogo (ô) *s.m.* (lat. *jocus*). **1.** Divertimento público composto de exercícios esportivos. **2.** Exercício ou divertimento sujeito a regras determinadas, com ou sem apostas. **3.** Objeto(s) com que se praticam tais atividades. **4.** Vício de jogar. **5.** Maneira de jogar. **6.** Partida. **7.** Conjunto de objetos que executam a mesma função. **8.** Brincadeira, folguedo, divertimento. **9.** Ato ou efeito de jogar; balanço. **10.** *Jogo de azar*, aquele em que se ganha ou perde mais por sorte do que por cálculo.

jogral *s.m.* (lat. *jocularis*). **1.** Trovador medieval itinerante que ganhava a vida divulgando poesia e entretendo o público. **2.** Intérprete de poemas ou canções; recitador, declamador. **3.** Farsista, truão, histrião, palhaço.

joguete (ê) *s.m.* **1.** Motivo de mofa, zombaria. **2.** O que é deixado à ação de uma força.

jóia *s.f.* (fr. *joie,* alegria.) **1.** Artefato de matéria preciosa (ouro, prata etc.), com ou sem pedras preciosas, usado como insígnia ou adorno. **2.** *Fig.* Pessoa ou coisa de grande valor, ou de aspecto agradável. **3.** Taxa de inscrição em sociedade ou clubes recreativos. ★ *adj.2g. Gír.* Bom, bonito, excelente.

joio *s.m.* (lat. *lolium*). **1.** Planta de colmos eretos, folhas ásperas e flores dispostas em espigas alongadas, que ocorre junto a plantações de trigo em todo o mundo. **2.** *Fig.* Coisa de má qualidade que se mistura às boas e as prejudica.

jojoba *s.f.* Planta arbustiva originária dos desertos do norte do México, cuja semente fornece uma cera líquida utilizada em lubrificantes e cosméticos.

jônico *adj.* **1.** Relativo ou pertencente à Jônia ou aos jônios. **2.** Diz-se de um dialeto literário da Grécia antiga. (Var. IÔNICO.) ★ *s.m.* **1.** Jônio. **2.** Dialeto jônico.

jônio *s.m.* **1.** Indivíduo dos jônios, povo heleno que habitava a Jônia, região central da Grécia antiga. **2.** Dialeto jônico. (Var. IÔNIO.)

jóquei *s.m.* (ingl. *jockey*). Cavaleiro profissional que participa de corridas de competição.

jornada *s.f.* **1.** Viagem, caminhada que se faz no período de um dia. **2.** *P. ext.* Duração do trabalho de um dia. **3.** Viagem com qualquer duração. **4.** Expedição, batalha, empresa militar. **5.** *(NE)* Cena cantada nos presépios e pastoris. **6.** *Jornada de trabalho,* período de tempo aplicado a uma atividade qualquer.

jornal *s.m.* (lat. *diurnalis,* diário). **1.** Publicação diária que dá notícia dos fatos ocorridos e informações políticas, econômicas, culturais etc. **2.** Qualquer periódico, seja ou não diário. **3.** O salário de um dia de trabalho.

VOCÊ SABIA...? Na Idade Média, as notícias de guerra ou sobre a morte de um rei demoravam dias para chegar às diversas partes de um país: pregoeiros anunciavam as novidades à população. No século XVI, com a invenção da prensa, as pessoas começaram a ler boletins e folhetos informativos. O primeiro **jornal** diário impresso foi publicado em Londres em 1621 e continha notícias da França, Itália, Espanha e outros países europeus.

---

jornaleco *s.m. Pej.* Jornal de pouco valor informativo, sem importância ou mal redigido.

jornaleiro *s.m.* **1.** Trabalhador braçal, geralmente agrícola ou operário, que trabalha a jornal, isto é, que ganha por dia trabalhado. **2.** Vendedor ou entregador de jornais.

jornalismo *s.m.* **1.** Conjunto das atividades que se referem à redação de um jornal ou qualquer outro órgão de imprensa. **2.** Profissão do jornalista. **3.** Conjunto dos jornais ou dos jornalistas; imprensa periódica.

jornalista *s.2g.* Pessoa que trabalha ou escreve em órgão da imprensa periódica (jornal, revista etc.).

jornalístico *adj.* Relativo ao jornalismo ou aos jornalistas.

jorrar *v.i.* (conj. 4). **1.** Sair, brotar, correr com ímpeto. **2.** Formar bojo, barriga ou saliência convexa. ★ *v.t.* **1.** Fazer sair, lançar com ímpeto. **2.** Emitir, expelir, lançar de si.

jorro (ô) *s.m.* Ato ou efeito de jorrar; jato, saída impetuosa de um líquido.

joule *s.m.* (de *Joule,* n.pr.). Unidade de medida SI de energia (símb. J).

jovem *adj.2g.* (lat. *juvenis*). **1.** Novo, de pouca idade. **2.** Que ainda possui o vigor e a alegria da juventude; moço. **3.** Que não tem o espírito amadurecido; ingênuo. ★ *s.2g.* Pessoa jovem.

jovial *adj.2g.* (lat. *jovialis*). Alegre, expansivo, divertido, folgazão.

jovialidade *s.f.* Qualidade de jovial.

juá *s.m.* **1.** Nome comum a diversos arbustos pequenos, armados de espinhos, cujos frutos são bagas arredondadas, amarelas ou vermelhas. **2.** Sin. de JUAZEIRO. **3.** O fruto do juazeiro.

juazeiro *s.m.* Árvore típica dos sertões brasileiros, armada de espinhos, de flores pequenas, frutos amarelos e folhas procuradas pelo gado. (Sin. JUÁ, LARANJEIRA-DE-VAQUEIRO.)

juba *s.f.* (lat. *juba*). **1.** Crina do leão. **2.** *Pop.* Cabeleira abundante, mal penteada.

jubilação *s.f.* (lat. *jubilatio*). **1.** Ato ou efeito de jubilar(-se), de encher(-se) de júbilo; grande alegria. **2.** Aposentadoria de um professor, após certo tempo de atividade. **3.** Afastamento de um aluno de uma instituição de ensino.

jubilar[1] *adj.2g.* **1.** Relativo a jubileu ou ao cinqüentenário. **2.** *P. ext.* Relativo a qualquer aniversário grato e solene.

jubilar[2] *v.i.* (lat. *jubilare*) [conj. 4]. Sentir, manifestar júbilo; exultar. ★ *v.t.* Conceder a jubilação a (professor ou aluno). ★ *v.pr.* **1.** Encher-se de júbilo. **2.** Obter (um professor) a jubilação.

jubileu *s.m.* (lat. *jubilaeus,* de or. hebr.). **1.** Indulgência plenária concedida pelo papa em algumas solenidades. **2.** Solenidade em que se recebe essa indulgência. **3.** Cinqüentenário de um casamento, do exercício de um cargo, de uma função etc.

júbilo *s.m.* (lat. *jubilum*). Grande alegria, exultação.

jubiloso (ô) *adj.* Muito alegre, exultante.

jucá *s.m.* Sin. de PAU-FERRO.

juçara *s.f.* (tupi *yu'sara*). **1.** Palmeira alta cujas folhas são utilizadas para forragem e o caule, reto, possui parte terminal comestível. **2.** Sin. de AÇAÍ.

jucundo *adj.* (lat. *jucundus*). Agradável, alegre, aprazível, prazenteiro.

judaico *adj.* Pertencente ou relativo aos judeus ou ao judaísmo; judeu.

judaísmo *s.m.* **1.** Religião dos judeus. **2.** O conjunto dos judeus.

JUDAÍSMO ► É a primeira religião monoteísta. Segundo ela, Deus entregou a Moisés as Tábuas da Lei, com os dez mandamentos, que todo judeu deve respeitar. O judaísmo prega que o homem tem o dever de ser o melhor que puder. No fim dos tempos, um messias enviado por Deus fará reinar a justiça sobre a Terra. A Bíblia, livro sagrado dos judeus, relata a história do povo hebreu desde seus primórdios e indica como deve reger-se sua vida religiosa.

---

judaizante *adj.2g.* Que judaíza.

judaizar *v.i.* (gr. *ioudaizein*) [conj. 4]. **1.** Submeter-se à observância da lei judaica. **2.** Converter ao judaísmo.

judas *s.m.* (de *Judas,* n.pr.). **1.** Traidor. **2.** Boneco de palha ou pano vestido com velhas peças de roupa que é malhado e queimado no Sábado de Aleluia. **3.** Pessoa que se veste mal, de andrajos.

judeu *adj.* **1.** Relativo ou pertencente à Judéia, região da Ásia na Antiguidade, ou aos judeus. **2.** Israelense. **3.** Judaico. ★ *s.m.* **1.** O natural ou habitante da Judéia. **2.** Israelense. **3.** Adepto do judaísmo.

judia *s.f.* (esp. *judía*). Fem. de *judeu.*

judiação *s.f. Pop.* **1.** Ato de judiar, maltratar. **2.** Perversidade.

judiar *v.t.* (conj. 16). Maltratar, zombar, atormentar.

judiaria[1] *s.f.* **1.** *Ant.* Bairro judeu, gueto. **2.** Grande porção de judeus.

judiaria[2] *s.f.* Mofa, zombaria, maus-tratos.

judicante *adj.2g.* (lat. *judicans*). **1.** Que julga; judicativo. **2.** Que exerce as funções de juiz.

judicativo *adj.* **1.** Judicante. **2.** Sentencioso.

judicatório *adj.* **1.** Próprio para julgar. **2.** Relativo a julgamentos.

judicial *adj.2g.* (lat. *judicialis*). **1.** Relativo a juízo, ao foro; forense, judiciário. **2.** Que se faz perante o juiz ou por seu intermédio.

judiciário *adj.* (lat. *judiciarius*). Relativo à organização da Justiça; judicial. ★ *s.m.* O Poder Judiciário.

judicioso (ô) *adj.* **1.** Que julga bem. **2.** Acertado, sensato.

judô *s.m.* (jap. *judo*). Esporte de combate, de origem japonesa, em que a agilidade e a velocidade de execução dos golpes desempenham um papel preponderante.

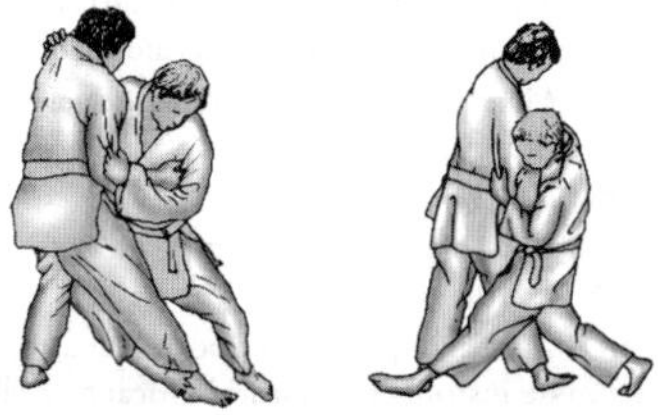

JUDÔ ▸ O judô deriva do jiu-jitsu, arte marcial japonesa praticada pelos samurais. Surgiu no século XIX graças a Jigoro Kano e chegou à Europa no começo do século XX. Faz parte dos Jogos Olímpicos desde 1964.

judoca *s.2g.* (jap. *judoka*). Pessoa que pratica o judô.

jugo *s.m.* (lat. *jugum*). **1.** Canga com que se jungem os animais para puxar o arado ou o carro. **2.** *Fig.* Opressão, sujeição.

jugular[1] *adj.2g.* (lat. *jugularis*). Relativo ou pertencente à garganta ou ao pescoço. ★ *s.f.* **1.** Cada uma das quatro grossas veias localizadas em cada face lateral do pescoço. **2.** Tira que passa sob o queixo e junto ao pescoço, para segurar na cabeça um boné ou capacete.

jugular[2] *v.t.* (lat. *jugulare*) [conj. 4]. **1.** Deter em sua evolução; extinguir. **2.** Extinguir, debelar. **3.** Estrangular, decapitar.

juiz (u-i) *s.m.* (lat. *judex, judicis*). **1.** Magistrado que tem por função ministrar a justiça. **2.** Membro de um júri. **3.** Pessoa que serve de árbitro em alguma pendência ou competição. **4.** Árbitro, julgador.

juíza *s.f.* Mulher que exerce as funções de juiz.

juizado (u-i) *s.m.* **1.** Cargo de juiz. **2.** Juízo; órgão da justiça dirigido por um juiz.

juízo *s.m.* (lat. *judicium*). **1.** Ato ou efeito de julgar. **2.** Faculdade intelectual de julgar, de apreciar; julgamento, apreciação. **3.** Sensatez, bom senso, siso. **4.** Foro ou tribunal em que se administra a justiça.

jujuba *s.f.* (lat. tard. *jujuba,* de or. grega). **1.** Fruto da jujubeira. **2.** O suco ou a massa extraídos da jujuba. **3.** Bala feita de jujuba.

jujubeira *s.f.* Árvore originária da Índia, armada de espinhos, de frutos pequenos e amarelados, de sabor ácido, comestíveis.

julgado *adj.* **1.** Que se julgou; sentenciado. **2.** Decidido pelo juiz ou tribunal. **3.** Adjudicado por sentença. **4.** Pensado, criado, reputado. ★ *s.m.* **1.** Decisão de juiz ou tribunal. **2.** *Fig.* Coisa definitivamente resolvida, sem remédio.

julgamento *s.m.* **1.** Ato ou efeito de julgar(-se). **2.** Opinião, juízo, apreciação. **3.** Decisão, sentença emanada de um tribunal ou juiz.

julgar *v.t.* (lat. *judicare*) [conj. 14]. **1.** Decidir um litígio na qualidade de juiz ou árbitro. **2.** Sentenciar. **3.** Pensar, supor. **4.** Avaliar, emitir opinião, formular um juízo. **5.** Reputar, considerar. ★ *v.i.* Sentenciar. ★ *v.pr.* Ter-se por, considerar-se.

julho *s.m.* (lat. *Julius,* n.pr.). O sétimo mês do ano, que possui 31 dias.

juliano *adj.* **1.** Relativo à reforma cronológica de Júlio César. **2.** *Ano juliano,* ano de 365,25 dias. ▸ *Calendário juliano,* calendário reformado por Júlio César no ano 46 a.C.

jumento *s.m.* **1.** Mamífero perissodáctilo, de porte pequeno, crina curta e orelhas grandes, utilizado para tração e carga; jegue, jerico. (Sin. ASNO.) **2.** Sin. de BURRO.

juncáceas *s.f.pl.* Família de plantas monocotiledôneas, típicas de lugares úmidos, que engloba o junco.

junção *s.f.* **1.** Ato ou efeito de juntar; conexão, ligação. **2.** Encontro de dois caminhos, tubos etc. **3.** Reunião, confluência.

juncar *v.t.* (conj. 12). **1.** Cobrir de juncos. **2.** Espalhar aqui e ali. **3.** Cobrir, alastrar.

junco[1] *s.m.* Denominação comum a ervas monocotiledôneas de haste longa, desprovida de folhas, que geralmente vegetam em terrenos úmidos, na beira de lagos, rios e até mesmo dentro da água.

junco[2] *s.m.* (chinês *jonk*). Barco de fundo chato, sem quilha, com dois ou três mastros e velas de lona ou palha trançada reforçadas por tiras de bambu, utilizado para transporte ou para pesca no Extremo Oriente.

jungir *v.t.* (conj. 78). **1.** Prender ao jugo; emparelhar, juntar (animais de tiro). **2.** Ligar, prender. **3.** *Fig.* Submeter, dominar.

junho *s.m.* O sexto mês do ano, que possui 30 dias.

junino *adj.* Relativo às festas populares de Santo Antônio, São João e São Pedro, que ocorrem no mês de junho.

júnior *adj.* (lat. *junior*). O mais moço (de dois). (Usado com freqüência para distinguir o filho que tem o mesmo nome do pai.) ★ *s.m.* Jovem esportista cuja idade varia de 11 a 13 anos.

junípero *s.m.* Sin. de ZIMBRO.

junquilho *s.m.* Denominação comum a duas espécies de plantas bulbosas, de flores aromáticas, que ocorrem nos campos de regiões temperadas e são cultivadas em jardins.

junta *s.f.* **1.** Local onde se juntam dois ou mais elementos. **2.** Lugar onde se tocam dois ossos; articulação, juntura. **3.** Conferência de médicos. **4.** Assembléia, comissão. **5.** *Junta de bois,* parelha de bois ajoujados. ● **Constr.** Espaço entre dois elementos (pedras, tijolos, lajes etc.) preenchido com argamassa ou com material elástico. **Mec.** Dispositivo que transmite um movimento de rotação entre duas árvores cuja posição relativa é mal definida ou variável.

juntar *v.t.* (conj. 4). **1.** Aproximar duas ou mais coisas de modo que se toquem. **2.** Acrescentar, adicionar, ajuntar. **3.** Ligar, unir. ★ *v.pr.* **1.** Associar-se, unir-se. **2.** *Pop.* Amasiar-se.

junto *adj.* **1.** Unido, ligado. **2.** Reunido, chegado, contíguo. **3.** *Junto a, junto de,* ao lado de, próximo a, perto de. ★ *adv.* Juntamente.

juntura *s.f.* **1.** Junta. **2.** Série de pontos por onde duas ou mais coisas se juntam.

jupati *s.m.* Sin. de CUÍCA.

juquiri *s.m.* Arbusto com o tronco e galhos recobertos de pêlos escuros, folhas compostas e inflorescência terminal de muitas flores, que ocorre na Amazônia.

jura *s.f.* Juramento.

jurado *adj.* **1.** Que prestou juramento; protestado com juramento. **2.** Solenemente declarado. ★ *s.m.* Membro do tribunal do júri.

juramentado *adj.* e *s.m.* Que ou aquele que prestou juramento (para o exercício de função pública, testemunho em tribunal etc.).

juramentar *v.t.* (conj. 4). Fazer, prestar juramento; ajuramentar. ★ *v.pr.* Obrigar-se por juramento; ajuramentar(-se).

juramento *s.m.* **1.** Ato ou efeito de jurar; jura. **2.** O que se jurou; jura, promessa. **3.** Fórmula usada para o juramento.

jurar *v.t.* (lat. *jurare*) [conj. 4]. **1.** Prometer ou afirmar solenemente, tomando por testemunha divindade ou coisa sagrada. **2.** Declarar ou afirmar perante testemunhas. **3.** Invocar, chamar. **4.** Afirmar categoricamente. ★ *v.i.* Prestar juramento.

jurássico *s.m.* Período geológico da era mesozóica compreendido entre o triássico e o cretáceo, com duração aproximada de 60 milhões de anos. ★ *adj.* Relativo ou pertencente a esse período.

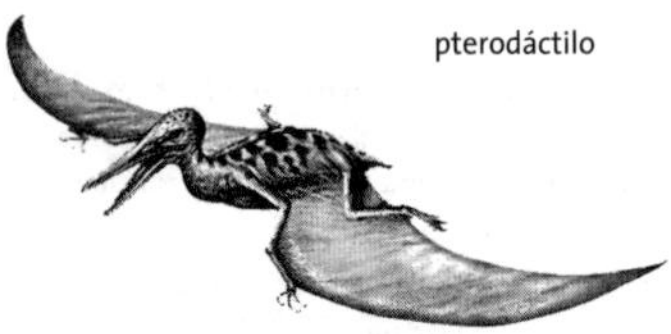

pterodáctilo

VOCÊ SABIA...? A fauna marinha do **jurássico** era dominada por diversos tipos de animais, como os ouriços-do-mar, os *Ammonites*, os braquiópodos e os ictiossauros. Em terra firme surgiram dinossauros de todos os tamanhos, entre eles os pterodáctilos, répteis voadores.

jurema *s.f.* Pequena árvore de troncos e galhos providos de espinhos, flores esbranquiçadas ou esverdeadas, que fornece madeira de lei própria para marcenaria.

júri *s.m.* (lat. *jus, juris*). **1.** Conselho ou comissão de cidadãos que, como jurados, julgam uma causa; tribunal do júri. **2.** Comissão encarregada de julgar o mérito de alguém ou de alguma coisa.

juridicidade *s.f.* **1.** Caráter ou qualidade de jurídico. **2.** Legalidade.

jurídico *adj.* **1.** Relativo ou pertencente ao direito. **2.** Que é regular, que está de acordo com as normas do direito. **3.** *Capacidade jurídica,* aptidão legal para exercer direitos e contrair obrigações. ▸ *Pessoa jurídica,* entidade jurídica composta por instituições, sociedades, associações etc., que, por força de lei, tomam individualidade própria, distinta das pessoas que a formam. (Opõe-se a *pessoa física.*)

jurisconsulto *s.m.* (lat. *jurisconsultus*). Pessoa versada em leis e cuja profissão é dar pareceres sobre questões de direito; jurista.

jurisdição *s.f.* (lat. *jurisdictio, jurisdictionis*). **1.** Poder conferido a uma autoridade para aplicar as leis em determinada área. **2.** Extensão territorial em que atua um juiz.

jurisprudência *s.f.* **1.** Ciência do direito e das leis. **2.** Conjunto dos princípios de direito seguidos num país, numa dada época ou em determinada matéria. **3.** Conjunto de decisões judiciais conexas e coerentes.

jurista *s.2g.* Jurisconsulto.

juriti *s.f.* Ave columbiforme que apresenta uma mancha azul ao redor dos olhos e vive em locais quentes, capoeiras, matas e cerrados. (Sin. PUPU.)

juro *s.m.* **1.** Taxa percentual que incide sobre uma certa quantia de dinheiro emprestada por um determinado tempo. **2.** Soma que o devedor paga ao credor em remuneração pelo uso do dinheiro emprestado; rendimento de dinheiro emprestado.

jurubeba *s.f.* Nome comum a várias plantas de flores brancas, grandes, e frutos que são bagas, muito utilizados em medicina popular e no preparo de aperitivos.

juruna *s.2g.* Indivíduo dos jurunas, povo indígena tupi que vive no Mato Grosso.

jurupari *s.m.* **1.** Planta que fornece madeira dura, utilizada na confecção de instrumento musical africano. **2.** Tipo de trompa dos índios do Alto Amazonas.

jurupoca *s.f.* **1.** Peixe teleósteo, prognata, de coloração geral escura com manchas amarelas, que ocorre em muitos rios do Brasil. **2.** Sin. de SURUBIM.

jururu *adj.2g.* Acabrunhado, cabisbaixo, melancólico, tristonho.

jus *s.m.* **1.** Direito. **2.** *Fazer jus a,* ter direito a; merecer.

jusante *s.f.* **1.** Baixa-mar. **2.** Refluxo da maré. **3.** Com relação a um ponto considerado, parte de um curso de água compreendida entre este ponto e a foz. **4.** *A jusante,* rio abaixo; mais perto da embocadura com relação a um ponto considerado. (Antôn. A MONTANTE.)

justa *s.f.* **1.** Duelo, torneio. **2.** *P. ext.* Qualquer luta, disputa ou contenda. **3.** *P. ext.* Polêmica renhida.

justapor (ô) *v.t.* (conj. 45). Pôr uma coisa imediatamente ao lado de outra; aproximar, sobrepor. ★ *v.pr.* Pôr-se em contigüidade.

justaposição *s.f.* **1.** Ato ou efeito de justapor (-se). **2.** Situação contígua. ● **Gram.** Processo de formação de palavras no qual se reúnem duas outras palavras que conservam sua integridade.

justaposto (ô) *adj.* Que está posto junto ou em contigüidade; sobreposto.

justar *v.i.* (conj. 4). **1.** Empenhar-se em uma justa. **2.** Esgrimir. **3.** Competir com.

justeza (ê) *s.f.* Qualidade de justo; exatidão, precisão.

justiça *s.f.* (lat. *justitia*). **1.** Virtude moral pela qual se atribui a cada indivíduo o que lhe compete. **2.** Conformidade com o direito. **3.** Ação ou poder de julgar alguém, punindo ou recompensando. **4.** Conjunto de tribunais ou magistrados. **5.** *P. ext.* O poder judiciário.

justiçado *adj.* e *s.m.* Que ou aquele que se justiçou.

justiçar *v.t.* (conj. 13). **1.** Punir com pena de morte. **2.** Aplicar justiça severa. **3.** Supliciar.

justiceiro *adj.* e *s.m.* **1.** Que ou aquele que se empenha na aplicação da justiça. **2.** Que ou aquele que é severo e rígido no fazer cumprir a lei; imparcial, rigoroso.

justificação *s.f.* **1.** Ato ou efeito de justificar (-se). **2.** Fundamento, causa. **3.** Coisa que serve para justificar. **4.** Prova judicial.

justificar *v.t.* (conj. 12). **1.** Demonstrar, provar inocência. **2.** Mostrar que uma coisa não é falsa ou infundada; legitimar, desculpar. **3.** Provar em juízo. **4.** Reabilitar, tornar justo. **5.** Demonstrar, provar. **6.** Fundamentar. ● **Art. Gráf.** Ajustar o tamanho das linhas de um texto a fim de padronizá-lo. ★ *v.pr.* **1.** Provar inocência. **2.** Apresentar motivos, razões, desculpas.

justificativa *s.f.* Explicação, motivo, razão.

justo *adj.* (lat. *justus*). **1.** Que é conforme à justiça, ao direito, à eqüidade. **2.** Que é conforme à razão, à lógica, à verdade. **3.** Imparcial, reto, íntegro. **4.** Preciso, rigoroso, exato. **5.** Que se ajusta bem, que se adapta sem folgas. **6.** Apertado, ajustado demais. ★ *s.m.* Indivíduo que pauta sua vida pela justiça, pela eqüidade, pelo direito.

juta *s.f.* **1.** Planta originária da Índia, de caule ramificado na parte superior, folhas lisas e flores amareladas, que fornece fibras têxteis. **2.** Fibra grosseira extraída dessa planta, da qual se fazem sacos, especialmente para cereais, e tecidos rústicos.

juvenil *adj.2g.* (lat. *juvenilis*). **1.** Que é próprio da juventude. **2.** *P. ext.* Jovem. **3.** Diz-se do esportista cuja idade está entre 13 e 16 anos. ● **Biol.** *Hormônio juvenil*, hormônio secretado por uma glândula especial dos insetos, que inibe a metamorfose e promove o desenvolvimento das estruturas larvais. ★ *s.m.* Torneio esportivo de que participam esportistas juvenis.

juventude *s.f.* (lat. *juventus, juventutis*). **1.** Parte da vida do homem entre a infância e a idade viril; mocidade. **2.** Estado de uma pessoa jovem. **3.** As pessoas jovens. **4.** *Fig.* Energia, vigor, viço.

Kk Kk *Kk*

k *s.m.* Letra oficialmente abolida do alfabeto português e substituída por *qu,* antes de *e, i, e* por *c,* antes das demais letras. (Subsiste, porém, na grafia de nomes próprios estrangeiros ou deles derivados e em abreviaturas e símbolos adotados por convenção internacional.)

K[1] símbolo químico do potássio.

K[2] símbolo de kelvin.

Kaiser *s.m.* (al., do lat. *Caesar,* César). Imperador da Alemanha, em particular o imperador Guilherme II.

kantiano *adj.* e *s.m.* **1.** Relativo ao filósofo alemão Immanuel Kant (1724-1804) ou a suas teorias. **2.** Partidário desta filosofia.

kantismo *s.m.* Doutrina filosófica de Immanuel Kant (1724-1804).

kardecismo *s.m.* Doutrina espírita codificada pelo francês Alan Kardec (1804-1869).

kardecista *adj.2g.* Relativo ao kardecismo. ★ *s.2g.* Partidário do kardecismo.

kart *s.m.* (ingl.). Pequeno veículo automóvel de competição com embreagem automática, sem marchas, carroçaria ou suspensão.

kartódromo *s.m.* Pista própria para corridas de *kart.*

kelvin *s.m.* (de *Kelvin,* n.pr.). Unidade de medida SI de temperatura (símb. K).

KELVIN ► O *kelvin* foi definido pela XIII Conferência Geral de Pesos e Medidas, realizada em outubro de 1967. Anteriormente, essa mesma unidade chamava-se "grau kelvin" (símbolo: K).

---

kepleriano *adj.* **1.** Relativo ao astrônomo alemão J. Kepler (1571-1630). **2.** Diz-se do movimento de um corpo celeste que se efetua segundo as leis postuladas por esse astrônomo.

kg símbolo do quilograma.

kibutz *s.m.* (hebr.) [pl. inv. ou *kibutzim*]. Fazenda ou colônia coletiva em Israel, cuja organização se baseia na cooperação voluntária.

KIBUTZ ► Os primeiros *kibutz,* criados pelos socialistas sionistas a partir de 1909, possuíam características militares e agrícolas. Após 1948, com a formação do estado de Israel, os *kibutz* constituíram um setor de ponta da agricultura israelense. São, hoje, um setor minoritário.

---

kilt *s.m.* (ingl). Saia curta e pregueada, em tecido xadrez, usada pelos escoceses.

kitsch *adj.2g.2n.* (al. *Kitsch,* pseudo-arte). Diz-se de obra de arte, móvel, estilo etc. cujo "mau gosto" pode desagradar alguns, mas agradar outros.

kiwi *s.m.* (ingl.) **1.** Trepadeira originária da China, de folhagem densa, que produz frutos comestíveis, de casca marrom coberta de pêlos e polpa verde-amarelada, levemente ácida. **2.** O fruto dessa trepadeira.

know-how (nou-hau) *s.m.* (ingl.). Conjunto de conhecimentos e experiência relativos a operações ou procedimentos úteis para a elaboração de um produto ou execução de um serviço.

kung fu *s.m.* (chin. *gōngfu*) **1.** Arte marcial e conjunto de técnicas de origem chinesa, em que se usam golpes de pé e mão, bem como espada e bastão, para ataque e defesa. **2.** Esporte desenvolvido a partir dessas técnicas, em que foram proibidos os golpes que causam incapacidade temporária ou permanente.

Ll Ll Ll

l *s.m.* Décima primeira letra do alfabeto português.

l símbolo do litro.

lá[1] *s.m.* **1.** Nota musical. **2.** Sexto grau da escala de dó. **3.** Sinal que o representa.

lá[2] *adv.* (do lat. *ad illac*). **1.** Naquele lugar, ali. **2.** Aquele lugar. **3.** Para aquele lugar. **4.** Nesse tempo.

lã *s.f.* (lat. *lana*). **1.** Pêlo que reveste o corpo do carneiro, utilizado como matéria têxtil. **2.** *P. ext.* Qualquer fibra têxtil de origem animal (alpaca, camelo, lhama etc.). **3.** Tecido ou roupa feita com a lã.

labareda (ê) *s.f.* (esp. *llamarada*). Chama.

lábaro *s.m.* (do gr. *labaron*). **1.** Estandarte usado pelos exércitos romanos. **2.** Bandeira.

labelo *s.m.* **1.** A maior e a mais vistosa pétala das orquídeas. **2.** Margem revirada de certas conchas.

labéu *s.m.* (lat. *labes,* queda). **1.** Mancha na reputação, na honra; desdouro, desonra. **2.** Nota infamante, calúnia.

lábia *s.f.* (lat. *labium,* lábio). **1.** Astúcia, manha. **2.** Fala melíflua para iludir ou angariar favores e simpatia.

labiadas *s.f.pl.* Família de plantas dicotiledôneas, herbáceas ou arbustivas, de folhas opostas, em geral com aroma intenso, como a sálvia, a hortelã, o manjericão e a manjerona.

labial *adj.2g.* (lat. *labialis*). **1.** Relativo a lábio, usado nos lábios. **2.** *Leitura labial,* reconhecimento da palavra pela observação dos movimentos dos lábios.

lábil *adj.2g.* (do lat. *labilis*). **1.** Que escorrega ou desliza facilmente. **2.** Instável, variável, oscilante. **3.** Diz-se dos compostos químicos pouco estáveis, notadamente ao calor, como certas proteínas, vitaminas etc. ● **Psiq.** Diz-se do humor que oscila entre estados de alegria e tristeza.

lábio *s.m.* (lat. *labium*). **1.** Cada uma das partes carnudas que formam o contorno da boca. **2.** Parte ou objeto semelhante ao lábio. ● **Anat.** Cada uma das quatro pregas cutâneas (grandes e pequenos lábios) do aparelho genital feminino externo, que delimitam lateralmente a depressão vulvar. **Bot.** Lobo superior ou inferior de uma corola. **Med.** *Lábio leporino,* malformação congênita que consiste de uma fenda mais ou menos extensa do lábio superior, devida à ausência de soldagem dos brotos faciais do embrião. **Zool.** Peça mediana situada acima ou abaixo da abertura da boca dos insetos.

labiodental *adj.2g.* Diz-se da consoante cuja articulação se realiza pela aproximação ou pelo contato do lábio inferior e dos incisivos superiores.

labiríntico *adj.* (do gr. *labyrinthikós*). **1.** Relativo a labirinto. **2.** Relativo ao labirinto do ouvido interno.

labirintite *s.f.* Inflamação do ouvido interno que se traduz por comprometimento da audição e problemas do equilíbrio.

labirinto *s.m.* (gr. *labyrinthos*). **1.** Construção com muitas passagens ou divisões, dispostas para dificultar que se lhe ache a saída. **2.** Parque ou jardim cortado por vários caminhos de sebe entrelaçados. **3.** *Fig.* Complicação, dificuldade. ● **Anat.** Órgão do ouvido interno formado por um tubo enrolado em espiral e que contém as terminações sensoriais do nervo auditivo.

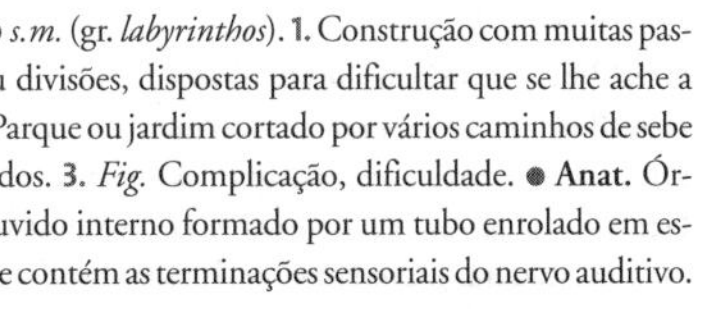

representação gráfica de labirinto

labor (ô) *s.m.* (lat. *labor*). Trabalho árduo e prolongado; faina, labuta, lavor.

laborar *v.t.* e *v.i.* (conj. 4). **1.** Trabalhar, lidar, labutar. **2.** Cair, incidir, incorrer (em engano, equívoco, erro).

laboratório *s.m.* Local aparelhado para a realização de pesquisas científicas, ensaios industriais, revelações fotográficas etc. ● **Teat.** Exercício de improvisação para atores, derivado das experiências do Teatro de Laboratório de Grotowski.

laboratorista *s.2g.* Pessoa que trabalha em laboratório.

laborioso (ô) *adj.* (lat. *laboriosus*). **1.** Que trabalha muito; trabalhador. **2.** Que custa muito esforço; trabalhoso.

laborterapia *s.f.* Conjunto de técnicas que utilizam o valor terapêutico do trabalho para o tratamento de distúrbios mentais.

labrador (ô) *s.m.* Cão de caça de grande porte e pelagem negra ou ruiva.

labrego (ê) *adj.* (esp. *labriego*). **1.** *Pej.* Aldeão, camponês, rústico. **2.** *Fig.* Malcriado, grosseiro, mal-educado. ★ *s.m.* Indivíduo labrego.

labuta *s.f.* Trabalho, lida, faina, labor.

labutar *v.i.* (conj. 4). **1.** Trabalhar, lidar, laborar. **2.** Lutar, empenhar-se, esforçar-se.

laca *s.f.* (do sânscr. *laksa*). **1.** Resina avermelhada fornecida por certas plantas, usada para decorar objetos e móveis. **2.** Tinta de película dura e resistente, que seca pela evaporação do solvente. **3.** Sin. de GOMA-LACA.

laçada *s.f.* Laço.

laçador (ô) *adj.* e *s.m.* Que ou aquele que laça.

lacaio *s.m.* (esp. *lacayo*). **1.** Criado, geralmente trajado de libré. **2.** *Fig.* Indivíduo servil, subserviente, de mau caráter.

laçar *v.t.* (conj. 13). **1.** Prender com laço; atar, enlaçar. **2.** Atirar o laço em (boi, cavalo, ovelha etc.), para prendê-lo.

laçaria *s.f.* **1.** Elemento decorativo, pintado ou esculpido, composto de flores ou frutas presas por fitas. **2.** Porção de laços. **3.** Fitas enlaçadas.

laçarote *s.m.* Laço bonito, vistoso.

lacedemônio *adj.* Relativo ou pertencente à Lacedemônia, Lacônia ou Esparta, antiga cidade grega. ★ *s.m.* O natural ou habitante da Lacedemônia. (Sin. LACÔNIO.)

lacerar *v.t.* (lat. *lacerare*) [conj. 4]. Reduzir a pedaços; dilacerar, rasgar.

lacertílio *s.m.* Espécime dos lacertílios.

lacertílios *s.m.pl.* Subordem dos répteis que engloba os lagartos, as lagartixas, os camaleões e os iguanas.

laço *s.m.* (lat. *laceus*). **1.** Nó corrediço facilmente desatável; laçada, enlaçadura. **2.** Corda comprida com um nó corredio em uma extremidade, para laçar cavalos e bois. **3.** *Fig.* Estratagema para atrair ou enganar. **4.** Aliança, união, vínculo, ligação. **5.** Armadilha para caçar aves e quadrúpedes.

lacônico *adj.* (gr. *lakonikós*). Conciso, breve, resumido.

lacônio *adj.* e *s.m.* Sin. de LACEDEMÔNIO.

laconismo *s.m.* (gr. *lakonismos*). Modo de falar notável pela brevidade, concisão e energia.

lacraia *s.f.* (ár. *ala-qrab*). **1.** Sin. de CENTOPÉIA. **2.** *Fig.* Pessoa muito má.

lacrainha *s.f.* Denominação comum a insetos dermápteros que possuem uma pinça característica na extremidade do abdome. (Sin. TESOURINHA.)

lacrar *v.t.* (conj. 4). **1.** Pôr lacre em, fechar com lacre. **2.** *P. ext.* Fechar, prender ou ligar (com outro material ou substância) de maneira inviolável.

lacrau *s.m.* (ár. *ala-qrab*). Sin. de ESCORPIÃO.

lacre *s.m.* (do sânscr. *laksa*). Mistura de substâncias resinosas com matérias corantes utilizada para selar cartas, fechar embalagens etc. e que, depois de aberta, não pode ser reconstituída.

lacrimal *adj.2g.* (lat. *lacrimalis*). **1.** Relativo às lágrimas. **2.** *Glândulas lacrimais,* glândulas que secretam as lágrimas, situadas no ângulo ântero-lateral superior da órbita. ★ *s.m.* Pequeno osso situado no interior da órbita ocular.

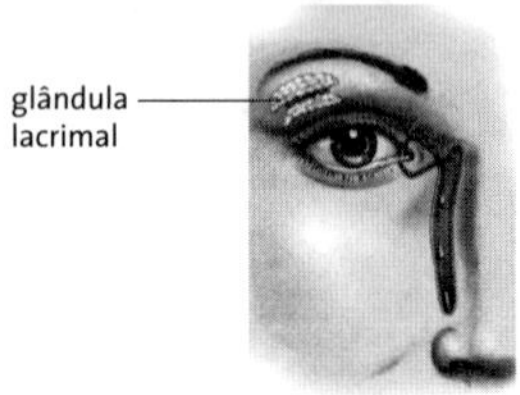

lacrimejar *v.t.* (conj. 4). **1.** Verter lágrimas; lagrimejar. **2.** Chorar, choramingar.

lacrimogênio *adj.* e *s.m.* Diz-se de ou gás que irrita a mucosa do nariz e dos olhos, para fazer as vítimas chorarem.

lacrimoso (ô) *adj.* (lat. *lacrimosus*). **1.** Que lacrimeja ou chora; choroso. **2.** *P. ext.* Lastimoso, aflito. **3.** Que provoca lágrimas.

lactação *s.f.* **1.** Formação, secreção e excreção do leite. **2.** Período durante o qual isso ocorre. **3.** Ato de amamentar uma criança. **4.** Quantidade de leite produzida por uma fêmea durante o período de secreção do leite.

lactalbumina *s.f.* Albumina do leite.

lactante *adj.2g.* (lat. *lactans, lactantis*). **1.** Que produz leite. **2.** Diz-se das vacas que amamentam diretamente o bezerro. ★ *s.f.* Mulher que amamenta, que aleita.

lactar *v.t.* (lat. *lactare*) [conj. 4]. Amamentar, aleitar. ★ *v.i.* Mamar.

lactase *s.f.* Enzima secretada pela mucosa intestinal, que converte a lactose em glicose e galactose. (Sin. GALACTOSIDASE.)

lactente *adj.2g.* e *s.2g.* (lat. *lactens, lactentis*). Diz-se de ou mamífero ainda não desmamado; bebê que ainda mama.

lácteo *adj.* (lat. *lacteus*). **1.** Relativo ao leite. **2.** Leitoso. **3.** Que resulta da secreção do leite. **4.** Que contém leite. **5.** Relativo aos dentes de leite (primeira dentição). **6.** *Dieta láctea,* regime alimentar no qual o leite é o alimento único ou principal.

lactescente *adj.2g.* (lat. *lactescens, lactescentis*). **1.** Que contém suco leitoso. **2.** Que tem a aparência, a consistência do leite. ● **Bot.** Diz-se da planta que contém abundante seiva leitosa, como a figueira. (Sin. LACTÍFERO, LEITOSO.)

láctico *adj.* **1.** Diz-se de um ácido-álcool resultante da fermentação das hexoses sob ação de certas bactérias, e da decomposição do glicogênio durante a contração muscular. **2.** *Bacilo láctico,* sin. de LACTOBACILO. ► *Fermentos lácticos,* mistura de diversos bacilos lácticos que modifica favoravelmente a flora intestinal.

lactífero *adj.* (lat. *lactifer*). Que produz, contém ou conduz o leite. ● **Bot.** Sin. de LACTESCENTE.

lactobacilo *s.m.* Bactéria constituinte da flora digestiva dos mamíferos, utilizada para a fabricação de iogurte. (Sin. BACILO LÁCTICO*.)

lactose *s.f.* Dissacarídeo que constitui o principal carboidrato do leite dos mamíferos.

lacuna *s.f.* (lat. *lacuna*). **1.** Espaço vago no interior de um corpo; vazio, vão, cavidade. **2.** Omissão, falha. **3.** Trecho em branco ou pontilhado, no enunciado de um exercício escrito, a ser preenchido pelo aluno.

lacunar *adj.2g.* Que apresenta lacunas; lacunoso. ● **Anat.** *Sistema lacunar,* conjunto de cavidades descontínuas que contêm a maior parte dos líquidos do organismo e que preenchem os interstícios das células, dos tecidos e dos órgãos.

lacunoso (ô) *adj.* (lat. *lacunosus*). Lacunar. ● **Bot.** *Tecido lacunoso,* tecido vegetal da face inferior das folhas das plantas dicotiledôneas, onde ocorrem as trocas gasosas.

lacustre *adj.2g.* (lat. *lacustris*). **1.** Relativo a lago. **2.** Situado sobre ou às margens de um lago. **3.** Que vive nas águas ou à margem de um lago.

ladainha (a-í) *s.f.* (do lat. *litania.*) **1.** Litania. **2.** *Fam.* Enumeração longa e fastidiosa.

ladear *v.t.* (conj. 15). **1.** Estar ou seguir ao lado de. **2.** Flanquear, rodear, contornar. **3.** Fugir a; evitar, rodear.

ladeira *s.f.* **1.** Inclinação de terreno; rampa. **2.** Rua ou caminho muito íngreme.

ladino *adj.* (lat. *latinus,* latino). **1.** Astuto, espertalhão, finório, manhoso. **2.** Vivo, gracioso. ★ *s.m.* Indivíduo esperto, vivo.

lado *s.m.* (lat. *latus*). **1.** Parte direita ou esquerda de um corpo, de um objeto, de um lugar; face, flanco. **2.** Qualquer face de um objeto, em relação às outras que o compõem. **3.** Sítio, lugar, banda. **4.** Partido, facção, fileira. **5.** Linha de parentesco. **6.** Aspecto, feição, ângulo.

ladrão *adj.* (lat. *latro, latronis*). Que rouba ou furta. ★ *s.m.* **1.** Aquele que se apodera de bens alheios, ainda que os destine a terceiros. **2.** *Fig.* Homem sem consciência; biltre, tratante, patife. **3.** Tubo de escoamento do líquido excedente de uma caixa-d'água, pia etc. ● **Bot.** Broto ou rebento, geralmente infrutífero e vigoroso, que aparece na base do tronco ou na vizinhança das raízes.

ladrar *v.t.* e *v.i.* (lat. *latrare*) [conj. 4]. Latir.

ladravaz *s.m.* Grande ladrão.

ladrido *s.m.* Latido.

ladrilhar *v.t.* (conj. 4). **1.** Revestir com ladrilhos. **2.** *Fig.* Cobrir, juncar.

ladrilheiro *s.m.* **1.** Ladrilhador. **2.** Fabricante de ladrilhos.

ladrilho *s.m.* Pequena placa de cerâmica, mármore etc., de formato variado, empregada para constituir um revestimento.

ladro *s.m.* Sin. de CHATO.

ladroagem *s.f.* Ladroeira.

ladroeira *s.f.* **1.** Ato próprio de ladrões; ladroagem, roubo. **2.** Esconderijo de ladrões; covil.

lagamar *s.m.* **1.** Cova no fundo do mar ou no leito de um rio. **2.** Baía ou golfo abrigado no interior de um rio ou numa enseada. **3.** Lagoa de água salgada.

lagar *s.m.* (lat. *lacale,* de *lacus,* lago). **1.** Tanque, depósito ou equipamento onde se espremem frutas de sumo açucarado. **2.** Estabelecimento industrial ou local onde se processam as uvas para a produção de vinho.

lagarta *s.f.* (lat. *lacarta*). **1.** Forma larvar dos insetos da ordem dos lepidópteros. **2.** Cinta sem fim de segmentos metálicos articulados colocada entre as rodas de um veículo (tanque, trator etc.) e o solo, que permite deslocamento em qualquer terreno.

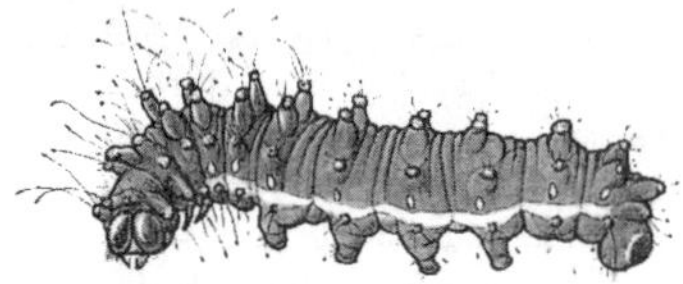

lagarta-de-fogo *s.f.* Sin. de TATURANA.

lagartear *v.i.* (conj. 15). Aquecer-se ao sol.

lagartixa *s.f.* (esp. *lagartija*). Réptil lacertílio de pequeno porte, noturno, que apresenta cinco dedos com placas adesivas que lhe permitem subir em paredes.

lagarto *s.m.* (lat. *lacartus*). **1.** Denominação comum a répteis lacertílios de corpo delgado e cauda longa, que preferem ambientes secos e pedregosos. (Sin. TEIÚ.) **2.** Carne dura do quarto traseiro de bovino.

lago *s.m.* (lat. *lacus*). **1.** Grande extensão de águas confinadas, mais ou menos profundas, acumuladas em depressões do solo, a partir de origens diversas. **2.** *Fig.* Grande quantidade de líquido derramado.

lagoa (ô) *s.f.* (do lat. *lacuna*). **1.** Pequeno lago. **2.** Depressão pouco profunda, coberta de água doce ou salgada; charco.

lagomorfos *s.m.pl.* Ordem de mamíferos que apresentam incisivos de crescimento contínuo, caninos ausentes, cauda curta e grossa, representada pelas lebres e coelhos.

lagosta (ô) *s.f.* Crustáceo marinho com cinco pares de patas, que geralmente habita fendas e buracos de fundos rochosos ou coralinos.

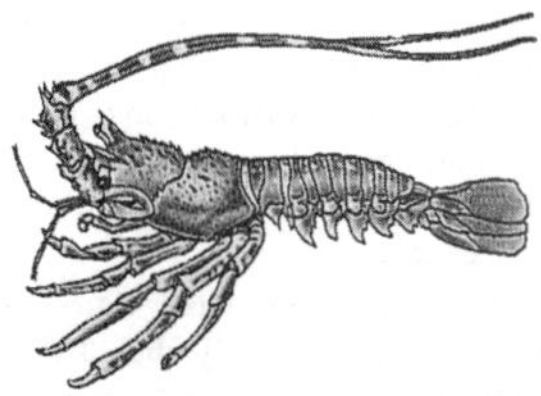

lagosteiro *adj.* Que serve para pescar lagostas. ★ *s.m.* **1.** Barco próprio para a pesca da lagosta. **2.** Pescador ou vendedor de lagostas.

lagostim *s.m.* Crustáceo marinho semelhante à lagosta, que apresenta antenas curtas, largas e achatadas.

lágrima *s.f.* (lat. *lacrima*). **1.** Gota de líquido salgado, secretado por duas glândulas situadas sob as pálpebras, acima dos globos oculares, o qual umedece a conjuntiva. **2.** *Fig.* Gota ou pingo de um líquido.

lagrimejar *v.t.* (conj. 4). Lacrimejar.

laguna *s.f.* (lat. *lacuna,* cisterna). **1.** Extensão de água salgada ou salobra, separada do mar por um cordão litorâneo cortado por um canal, que mantém ligação com o mar. **2.** *(AM)* Baixada inundada à margem de um rio.

laia *s.f.* **1.** Qualidade, feitio. **2.** *Fam.* e *Pej.* Natureza, caráter, índole.

laicidade *s.f.* **1.** Concepção e organização da sociedade fundadas na separação entre Igreja e Estado. **2.** Caráter do que é laico ou leigo, independente de concepções religiosas.

laicismo *s.m.* Doutrina dos partidários da laicização das instituições sociopolíticas e de ensino.

laicizar *v.t.* (do lat. *laicus,* leigo) [conj. 4]. Tornar leigo; subtrair a autoridade religiosa a uma instituição (escola etc.).

laico *adj.* (lat. *laicus*). Leigo.

laivo *s.m.* **1.** Mancha, nódoa. **2.** Veio de madeira. ★ *s.m.pl. Fig.* **1.** Noções superficiais. **2.** Vestígios, sinais, traços, mostras.

laje *s.f.* **1.** Placa de mármore, pedra ou outro material usada para revestir o solo, as paredes dos edifícios, para cobrir túmulos etc. **2.** *P. ext.* Qualquer pedra lisa, chata e larga, de grandes dimensões. ● **Constr.** Painel monobloco de concreto armado, solidário com seus apoios, utilizado geralmente como piso ou forro.

lajeado *s.m.* Pavimento recoberto de lajes; lajedo, lajeamento. ★ *adj.* Revestido de lajes.

lajeamento *s.m.* **1.** Ação de lajear. **2.** O que serve para lajear. **3.** Lajeado.

lajear *v.t.* (conj. 15). Revestir com lajes.

lajedo (ê) *s.m.* Lajeado.

lajota *s.f.* **1.** Laje pequena. **2.** Placa para revestimento de solos ou muro, maior que o ladrilho.

lama[1] *s.f.* (lat. *lama,* lamaçal). **1.** Mistura pastosa de argila e água. **2.** Lodo. **3.** *Fig.* Vida, condição ou circunstâncias abjetas, desprezíveis.

lama[2] *s.m.* Sacerdote budista entre os tibetanos.

lamaçal *s.m.* Lugar cheio de lama; atoleiro, lamaceiro, lameiro, lodaçal.

lamaceiro *s.m.* Lamaçal.

lamacento *adj.* **1.** Cheio de lama. **2.** Semelhante à lama.

lamarckismo *s.m.* Teoria evolucionista proposta pelo naturalista francês J. Lamarck (1744-1829) no início do século XIX, segundo a qual a origem de novas espécies se daria a partir da transmissão de caracteres adquiridos pela ação do ambiente, ao longo da vida.

lambada *s.f.* **1.** Golpe aplicado com pau, chicote ou objeto flexível. **2.** *Fig.* Crítica severa; descompostura. **3.** *Gír.* Dose ou gole de bebida alcoólica. **4.** Dança popular de pares ou trios, acompanhada por músicas de influências latinas.

lambança *s.f.* **1.** *Pop.* O que se pode comer ou lamber. **2.** Jactância, fanfarrice, bazófia. **3.** Intriga, mexerico. **4.** Mentira, lorota, peta. **5.** Adulação, bajulação, fingimento. **6.** Desordem, barulho, algazarra. **7.** Preguiça, inércia, vadiagem.

lambão *adj.* e *s.m.* **1.** *Pop.* Glutão, comilão, guloso, lambaz. **2.** Que ou aquele que se lambuza ao comer. **3.** *Fig.* Tolo, parvo.

lambar *v.t.* (conj. 4). Dar lambadas em.

lambari *s.m.* Denominação comum a muitas espécies de peixes teleósteos de água doce, que apresentam dentes anteriores serrilhados. (Sin. PIABA.)

lambaz *adj.2g.* e *s.2g. Pop.* Lambão. ★ *s.m.* Vassoura de cordas usada em navios.

lambe-lambe *s.m.* Fotógrafo ambulante.

lamber *v.t.* (lat. *lambere*) [conj. 5]. **1.** Passar a língua em. **2.** *Fig.* Tocar levemente, roçar.

lambida *s.f.* Ação de lamber.

lambidela *s.f.* **1.** Lambida rápida ou pequena. **2.** *Fig.* Adulação, lisonja.

lambido *adj.* **1.** Que se lambeu. **2.** Desgracioso, deselegante. **3.** Afetado, presumido.

lambiscar *v.t.* (conj. 12). Comer sem apetite; petiscar, beliscar. ★ *v.i.* Comer com freqüência, mas pouco de cada vez, de vários tipos de comida.

lambisco *s.m. Pop.* Porção ínfima de comida.

lambisgóia *s.2g.* **1.** Mulher delambida, presunçosa. **2.** Pessoa intrometida, enxerida. **3.** Pessoa magra, sem graça, antipática.

lambrequim *s.m.* (fr. *lambrequin*). **1.** Ornamento colocado sobre um pavilhão, tenda ou na beira de um telhado, para dissimular goteiras ou canos. **2.** Recorte de fazenda que envolve um dossel etc.

lambreta (ê) *s.f.* (it. *Lambretta*). Nome comercial de uma espécie de motoneta.

lambri ou **lambril** *s.m.* Var. de LAMBRIS.

lambris *s.m.pl.* (fr. *lambris*). Toda obra de marcenaria com a qual se reveste e decora o interior de um local, especialmente suas paredes. (Var. LAMBRI, LAMBRIL.)

lambrisar *v.t.* (conj. 4). Revestir com lambris.

lambuja *s.f.* Lambujem.

lambujem *s.f.* **1.** Guloseima, gulodice. **2.** Pequena vantagem concedida ao adversário em jogo, aposta ou negócio; lambuja. **3.** Pequeno lucro.

lambuzar *v.t.* e *v.pr.* (conj. 4). **1.** Sujar(-se) com matéria pegajosa ou gordurosa. **2.** Besuntar(-se), untar(-se).

lameiro *s.m.* **1.** Lamaçal. **2.** Terra pantanosa nas vazantes dos rios, onde o pasto cresce abundantemente.

lamela *s.f.* (lat. *lamella*). Pequena lâmina, muito delgada. ● **Biol.** *Lamela média,* camada de natureza péctica situada entre as paredes celulósicas de duas células vegetais contíguas. **Bot.** Órgão, ou parte de um órgão, em forma de pequena lâmina ou escama. ▸ Cada uma das lâminas que compõem, de forma radial, a parte inferior do píleo (chapéu) dos cogumelos.

lameliforme *adj.2g.* Que tem a forma de lâmina ou lamela.

lameloso (ô) *adj.* **1.** Cheio ou coberto de lamelas. **2.** Que se pode separar em lâminas.

lamentação *s.f.* (lat. *lamentatio*). **1.** Ato ou efeito de lamentar(-se). **2.** Choro acompanhado de gemidos e clamores; queixume, lástima. **3.** Canto fúnebre.

lamentar *v.t.* (lat. *lamentari*) [conj. 4]. **1.** Lastimar, deplorar. **2.** Sentir contrariedade, descontentamento por motivo de. **3.** Arrepender-se. ★ *v.pr.* Manifestar mágoas; queixar-se.

lamentável *adj.2g.* (lat. *lamentabilis*). **1.** Que merece ser lamentado por causar pesar, mágoa, sofrimento. **2.** Digno de censura.

lamento *s.m.* (lat. *lamentum*). **1.** Ação de lamentar. **2.** Expressão de pesar, de mágoa em face do infortúnio. **3.** Pranto, queixa, gemido; lamentação.

lamentoso (ô) *adj.* **1.** Que tem caráter de lamento. **2.** Deplorável, lastimável, lamentável. **3.** Triste, melancólico.

A B C D E F G H I J K L M N O P Q R S T U V W X Y Z

lâmina *s.f.* (lat. *lamina*). **1.** Chapa delgada de metal. **2.** Tira pouco espessa de qualquer substância; lasca. **3.** Parte cortante de um instrumento ou ferramenta, geralmente metálica. ● **Agric.** *Lâmina agrícola,* estrutura cortante presente em grande parte dos implementos agrícolas. **Anat.** *Lâmina vertebral,* parte óssea que forma o arco posterior das vértebras, entre a apófise articular e a apófise espinhosa.

laminação *s.f.* Ato ou efeito de laminar.

laminado *adj.* **1.** Composto de uma série de lâminas. **2.** Diz-se de uma peça de madeira obtida por laminação. **3.** Material obtido pela associação de dois ou vários elementos (papel, plástico, folha de alumínio etc.), usado para embalagem. ★ *s.m.* Produto metalúrgico obtido por laminação.

laminador (ô) *adj.* Que reduz a lâminas. ★ *s.m.* Equipamento para laminar produtos metalúrgicos, fazendo-os passar entre dois cilindros que giram em sentidos contrários.

laminar[1] *v.t.* (conj. 4). **1.** Reduzir a lâminas. **2.** Submeter um produto, geralmente metálico, a uma deformação permanente pela passagem entre dois cilindros de eixos paralelos. **3.** Transformar uma tora de madeira em chapas para a colagem.

laminar[2] *adj.2g.* **1.** Relativo a lâmina. **2.** Que tem a forma de lâmina.

lamínula *s.f.* **1.** Lâmina de pouca espessura. **2.** Pequena lâmina transparente e incolor, utilizada em microscopia para recobrir o objeto que vai ser examinado.

lâmpada *s.f.* (gr. *lampas, lampados,* facho). **1.** Fonte emissora de luz, construída para produzir luz visível, infravermelha ou ultravioleta. **2.** Aparelho de iluminação constituído por bulbo, soquete e acessórios.

lampadário *s.m.* (lat. *lampadarius*). Suporte para uma ou mais lâmpadas, em residência ou via pública.

lamparina *s.f.* **1.** Pequena lâmpada. **2.** Pequeno disco com um pavio aceso no centro que bóia sobre óleo, querosene etc., produzindo luz fraca. **3.** Tapa na orelha.

lampeiro *adj.* **1.** Que vem antes do tempo próprio; temporão. **2.** Apressado, ligeiro, rápido.

lampejar *v.i.* (conj. 4). Emitir lampejo; faiscar, cintilar. ★ *v.t.* Emitir, irradiar.

lampejo (ê) *s.m.* **1.** Brilho ou clarão repentino; fulgor rápido, chispa, faísca. **2.** *Fig.* Manifestação repentina de uma idéia genial.

lampião *s.m.* Objeto bojudo com uma matéria combustível e uma mecha, para a iluminação.

VOCÊ SABIA...? O óleo arde, e talvez ao constatar isso um habitante das cavernas tenha feito o primeiro **lampião** a óleo. A gordura e o óleo animal iluminaram a vida das pessoas durante milhares de anos, até que, em 1784, o suíço Aimé Argand inventou um tipo melhor de lâmpada: tinha um pavio cilíndrico no qual o ar podia circular, produzindo uma luz muito mais brilhante. No século XIX, muitos lares só contavam com lampiões de querosene. Mais tarde foram introduzidos os lampiões a gás e as lâmpadas elétricas.

---

lampreia *s.f.* (lat. *lampetra*). Denominação comum a peixes de corpo alongado, pele nua e viscosa, e boca circular provida de dentes córneos com a qual se fixa a outros peixes.

lamúria *s.f.* **1.** Choro baixo, lamentação. **2.** Choradeira.

lamuriar *v.i.* e *v.pr.* (conj. 16). Lastimar(-se), lamentar(-se), prantear(-se).

lamuriento *adj.* Que gosta de se lamuriar.

LAN (sigla de *local area network*). **Inform.** Rede de computadores e periféricos conectados por cabo, sem transmissão por linha telefônica ou provedor de internet; rede local.

lança *s.f.* (lat. *lancea*). **1.** Arma ofensiva de haste longa com um ferro agudo na ponta. **2.** Braço de guindaste. **3.** Varal de veículo de tração animal.

lança-chamas *s.m.2n.* Arma que lança líquidos inflamados sobre o inimigo.

lançada *s.f.* **1.** Impulso ou instante do lançamento. **2.** Golpe de lança. **3.** Ferimento causado por lança.

lançadeira *s.f.* **1.** Peça do tear em forma de naveta com um pequeno cilindro ao meio (canela), que faz correr o fio da trama entre os da urdidura. **2.** Peça análoga nas máquinas de costura.

lançador (ô) *s.m.* **1.** Aquele que lança ou faz lançamentos. **2.** Aquele que oferece lanço em leilão. **3.** Aquele que faz lançamentos contábeis. ★ *adj.* Que lança.

lançador de dardo

---

lançamento *s.m.* **1.** Ato ou efeito de lançar. **2.** O primeiro número de um periódico. **3.** Início das vendas de um novo produto; este novo produto. **4.** Envio de um engenho para o espaço por meio de um dispositivo de propulsão. ● **Arquit.** Assentamento dos alicerces de um edifício. **Bot.** O gomo, o rebento das plantas. **Contab.** Ato ou efeito de inscrever uma operação em livro próprio.

lança-perfume *s.m.* Bisnaga de vidro ou metal que contém éter perfumado, usada outrora nas festas carnavalescas.

lançar *v.t.* (lat. *lanceare,* lancear) [conj. 13]. **1.** Atirar com força, arremessar. **2.** Fazer cair. **3.** Espalhar, semear. **4.** Derramar, verter, despejar. **5.** Fazer brotar. **6.** Infundir, gerar. **7.** Proferir, exclamar. **8.** Atribuir, imputar. **9.** Escriturar nos livros competentes. **10.** Iniciar, dar princípio. **11.** Promover, tornar conhecido. **12.** *Lançar a âncora,* fundear. ★ *v.i.* Vomitar. ★ *v.pr.* **1.** Arremessar-se. **2.** Precipitar-se. **3.** Aventurar-se. **4.** Desaguar (falando-se de cursos fluviais).

lança-torpedos *s.m.2n.* Aparelho instalado a bordo de navios de guerra e destinado a disparar torpedos.

lance *s.m.* **1.** Ato ou efeito de lançar. **2.** Fato, acontecimento. **3.** Rasgo, ação notável de coragem, de força etc. **4.** Episódio, passagem. **5.** Nos jogos, aposta. **6.** Lanço.

lancear *v.t.* (conj. 15). **1.** Ferir com lança. **2.** *Fig.* Afligir, atormentar.

lanceiro *s.m.* (lat. *lancearius*). **1.** Soldado de cavalaria armado de lança. **2.** Fabricante de lanças. **3.** Cabide de lanças.

lanceolado *adj.* (lat. *lanceolatus*). De feitio ou formato semelhante ao da lança. ● **Bot.** Diz-se de todo órgão ou peça vegetal cuja forma lembra a ponta de uma lança.

lanceta[1] (ê) *s.f.* **1.** Pequeno instrumento cirúrgico com lâmina cortante, utilizado para sangrar, vacinar e perfurar abscessos. **2.** Pequeno cutelo ou faca para abater animais.

lanceta[2] (ê) *s.f.* Sin. de CAVALINHA.

lancetar *v.t.* (conj. 4). Cortar ou abrir com lanceta.

lancha *s.f.* (malaio *lancaran,* rápido). **1.** Pequena embarcação para carga e descarga de navios, pesca ou esporte.

lanchar *v.t.* (conj. 4). Comer como lanche. ★ *v.i.* Comer um lanche.

lanche *s.m.* (ingl. *lunch*). **1.** Refeição ligeira entre o almoço e o jantar; colação, merenda. **2.** Refeição ligeira (sanduíche, refrigerante etc.) de preparo rápido.

lancheira *s.f.* Espécie de maleta para levar lanche; merendeira.

lancinante *adj.2g.* (lat. *lancinans, lancinantis*). **1.** Que lancina. **2.** Que aflige, que atormenta. **3.** Pungente.

lancinar *v.i.* (lat. *lancinare*) [conj. 4]. **1.** Causar a sensação de pontadas agudas. **2.** *Fig.* Atormentar, pungir, afligir.

lanço *s.m.* **1.** Ato ou efeito de lançar; arremesso, lançamento. **2.** Oferta de preço para compra de coisas em leilão; lance. **3.** Quantidade de peixe apanhado na rede. **4.** Extensão de um muro, parede, de fachada de um edifício. **5.** Parte de uma escada compreendida entre dois patamares ou descansos; lance.

lande *s.f.* (lat. *glans, glandis*). Grande fruto do carvalho.

langanho *s.m.* **1.** Carne de má qualidade. **2.** *Fig.* Coisa mole ou viscosa, repugnante.

langor (ô) *s.m.* (lat. *languor*). Languidez.

languescer *v.i.* (lat. *languescere*) [conj. 25]. **1.** Tornar-se lânguido, perder as forças; enfraquecer, debilitar-se. **2.** Adoecer, enfermar. **3.** Diminuir o ânimo, a atividade; esmorecer, afrouxar.

languidez (ê) *s.f.* Estado de lânguido; langor.

lânguido *adj.* (lat. *languidus*). **1.** Debilitado, sem energia, fraco, langoroso. **2.** Voluptuoso, sensual. **3.** Mórbido, doentio. **4.** Mole, frouxo.

lanhar *v.t.* (lat. *laniare*) [conj. 4]. **1.** Dar golpes em; ferir, maltratar. **2.** Magoar, afligir, angustiar, torturar. **3.** Deturpar, desvirtuar, alterar.

lanho *s.m.* **1.** Golpe com instrumento cortante. **2.** Pedaço de carne cortado em tiras.

lanífero *adj.* (lat. *lanifer*). Diz-se do animal que tem ou produz lã; lanígero.

lanifício *s.m.* (lat. *lanificium*). **1.** Obra ou tecido de lã. **2.** Indústria de fios, tecidos ou artigos de lã.

lanígero *adj.* (lat. *laniger*). Lanífero.

lanolina *s.f.* Gordura purificada obtida a partir de lã de ovelha, utilizada como excipiente para pomadas, cremes e pastas.

lanoso (ô) *adj.* (lat. *lanosus*). **1.** Relativo à lã. **2.** Que tem lã. **3.** Semelhante à lã.

lantânio *s.m.* (do gr. *lanthanein,* estar escondido). Elemento químico (símb. La) de número atômico 57, que constitui um metal de baixa dureza, de cor cinza-prateada.

lantanídios ou **lantanídeos** *s.m.pl.* Terras-raras.

lantejoula ou **lantejoila** *s.f.* (esp. *lentejuela*). Pequena lâmina cintilante para enfeitar vestidos ou bordados. (Var. LENTEJOULA, LENTEJOILA.)

lanterna *s.f.* (lat. *lanterna*). **1.** Recipiente de material transparente, no interior do qual se abriga uma fonte de luz. **2.** Dispositivo portátil de iluminação elétrica, alimentado por pilhas ou acumuladores. **3.** Farol. **4.** Dispositivo de iluminação ou sinalização, colocado na parte dianteira, traseira ou lateral de automóveis e outros veículos.

lanterneiro *s.m.* **1.** Indivíduo que faz lanternas. **2.** Funileiro. **3.** Aquele que carrega as lanternas numa procissão.

lanterninha *s.f.* Pequena lanterna. ★ *s.2g.* Pessoa que, com uma lanterna, indica os lugares, numa casa de diversões.

lanugem *s.f.* (lat. *lanugo, lanuginis*). Penugem vegetal espessa que recobre os brotos, as folhas e a casca de certos frutos como o pêssego.

lanuginoso (ô) *adj.* (lat. *lanuginosus*). **1.** Que tem a natureza da lã. **2.** Coberto de lanugem ou penugem.

laociano ou **laosiano** *adj.* Relativo ou pertencente ao Laos, país da Ásia. ★ *s.m.* O natural ou habitante do Laos.

lapa *s.f.* **1.** Toca, gruta, caverna. **2.** Material estéril subjacente ao minério. ● **Zool.** Molusco gastrópode de concha amarelo-escura, que ocorre no mar Mediterrâneo e no oceano Atlântico.

lapão *adj.* Relativo ou pertencente à Lapônia, região escandinava; lapônio. ★ *s.m.* O natural ou habitante da Lapônia.

láparo *s.m.* Coelho não adulto.

laparoscopia *s.f.* Exame endoscópico da cavidade abdominal.

laparotomia *s.f.* Operação que consiste em incisar a parede abdominal.

lapela *s.f.* Parte dianteira de uma gola, voltada para fora.

lapidação *s.f.* (lat. *lapidatio*). **1.** Ato ou efeito de lapidar. **2.** Oficina em que se lapidam cristais e pedras preciosas. **3.** Suplício que consistia no apedrejamento do criminoso. **4.** *Fig.* Aperfeiçoamento, aprimoramento, esmerilação.

lapidar[1] *adj.2g.* (lat. *lapidaris*). **1.** Relativo a lápide ou a lapidação. **2.** Gravado em pedra. **3.** Bem trabalhado, bem elaborado.

lapidar[2] *v.t.* (lat. *lapidare*) [conj. 4]. **1.** Talhar, polir e facetar (pedra preciosa). **2.** Apedrejar. **3.** *Fig.* Aperfeiçoar, aprimorar.

lapidaria *s.f.* **1.** A arte de lapidar pedras preciosas. **2.** Oficina ou loja de lapidário.

lapidária *s.f.* Ciência que se dedica às inscrições lapidares dos monumentos antigos.

lapidário *s.m.* (lat. *lapidarius*). **1.** Artista que lapida pedras preciosas. **2.** Pequena mó utilizada para polir pedras preciosas.

lápide *s.f.* (lat. *lapis, lapidis,* pedra). **1.** Pedra com uma inscrição comemorativa. **2.** Laje que cobre uma sepultura; laje tumular.

lapidificar *v.t.* (conj. 12). Converter em pedra, dar a uma substância a dureza da pedra; petrificar.

lápis *s.m.2n.* (lat. *lapis*). **1.** Paralelepípedo ou cilindro de grafita com um invólucro de madeira para escrever ou desenhar. **2.** Qualquer substância de configuração oblonga, com ou sem invólucro, que sirva para riscar, desenhar ou escrever.

lapiseira *s.f.* Instrumento para escrever constituído de um cilindro oco no qual são colocadas grafites.

lápis-lazúli *s.m.* (it. *lapis lazzuli*) **1.** Pedra de uma tonalidade azul muito apreciada, constituída de lazurita. **2.** Vidro colorido de azul pelo óxido de cobalto.

lapso *s.m.* (lat. *lapsus*). **1.** Intervalo ou espaço de tempo. **2.** Erro cometido por descuido, esquecimento ou distração; engano, inadvertência. **3.** Falta, falha. ★ *adj.* **1.** Que caiu em falta; relapso, culpado. **2.** Caído, descaído.

laquê *s.m.* (fr. *laqué*). Líquido que, depois de borrifado nos cabelos, endurece, fixando o penteado.

laqueação *s.f.* Ato ou efeito de laquear.

laquear[1] *s.m.* (lat. *laqueare*). Dossel de leito, lavrado e ornamentado.

laquear[2] *v.t.* (conj. 15). Cobrir com uma camada de laca.

lar *s.m.* (lat. *lar*). **1.** A parte de uma lareira ou de uma cozinha na qual se acende o fogo. **2.** *Fig.* A casa de habitação. **3.** *Fig.* A família. **4.** *Fig.* A terra natal.

laranja *s.f.* (do sâns. *naranga*). Fruto comestível das laranjeiras, de casca amarelo-dourada ou avermelhada quando maduro, utilizado na produção de sucos concentrados, óleos essenciais, rações e aromas. ★ *s.m.* **1.** A cor desse fruto, um amarelo com tons avermelhados. **2.** *Gír.* Aquele que foi enganado; otário. **3.** Pessoa física que é responsável legal por uma operação fraudulenta em lugar do proprietário. ★ *adj.2g.* **1.** Que é da cor da laranja. **2.** *Agente laranja,* herbicida de alta capacidade destrutiva utilizado durante a Guerra do Vietnã para fins bélicos.

laranja-cravo *s.f.* Sin. de TANGERINA.

laranjada *s.f.* Suco de laranja com água e adoçante.

laranja-da-baía *s.f.* **1.** Variedade de laranjeira, de frutos grandes, arredondados, sem sementes, que apresenta uma pequena saliência denominada "umbigo". **2.** O fruto dessa árvore.

laranjal *s.m.* Plantação de laranjeiras.

laranja-lima *s.f.* **1.** Variedade de laranjeira de frutos doces, pouco ácidos. **2.** O fruto dessa árvore.

laranja-pêra *s.f.* **1.** Variedade de laranjeira de frutos alongados, elipsóides, com casca lisa. **2.** O fruto dessa árvore.

laranjeira *s.f.* Nome comum a diversas variedades de árvores originárias da Ásia, de flores melíferas e fruto comestível, repleto de sumo.

laranjeira-cravo *s.f.* Sin. de TANGERINEIRA.

laranjeira-de-vaqueiro *s.f.* Sin. de JUAZEIRO.

larápio *s.m.* Gatuno, ladrão.

lareira *s.f.* Fornalha onde se acende o fogo para aquecimento de interiores.

larga *s.f.* **1.** Ato ou efeito de largar(-se). **2.** *Fig.* Liberdade, soltura, folga, largueza. **3.** Campo aberto, sem divisa. **4.** *À larga,* com largueza, à vontade.

largada *s.f.* Ato de largar, especialmente em relação à saída de corredores em pista.

largar *v.t.* (conj. 14). **1.** Desprender, soltar. **2.** Deixar cair. **3.** Deixar, abandonar. **4.** Deixar livre. **5.** Proferir, emitir. ★ *v.i.* **1.** Partir. **2.** Dar início a uma corrida. ★ *v.pr.* **1.** Separar-se, afastar-se. **2.** Soltar-se. **3.** Pôr-se, ficar-se.

largo[1] *adj.* (lat. *largus*). **1.** Que tem certa extensão no sentido perpendicular ao comprimento. **2.** Grande, extenso. **3.** Folgado, não apertado. **4.** Liberal, pródigo. **5.** Abrangente, sem preconceitos. **6.** Grande, considerável. ★ *s.m.* **1.** Praça, esplanada. **2.** Alto-mar.

largo[2] *adv.* (it. *largus*). Andamento musical muito lento.

largueza (ê) *s.f.* **1.** Largura. **2.** Desafogo, abastança. **3.** Liberalidade, generosidade.

largura *s.f.* **1.** Extensão tomada no sentido perpendicular ao comprimento; largueza. **2.** Qualquer plano apreciado quanto à sua dimensão transversal.

laringe *s.2g.* (gr. *larygx, lariggos*). Órgão da fonação situado no trajeto das vias respiratórias, entre a faringe e a traquéia.

laríngeo *adj.* Relativo à laringe; laringiano.

laringiano *adj.* Laríngeo.

laringite *s.f.* **1.** Inflamação aguda ou crônica da laringe, geralmente acompanhada de febre e modificação no timbre da voz. **2.** *Laringite diftérica,* forma de difteria caracterizada pela produção de falsas membranas na laringe.

laringologia *s.f.* Anatomia, fisiologia e patologia da laringe.

laringologista *s.m.* e *f.* Especialista em laringologia.

laringoscópio *s.m.* Aparelho que permite observar a laringe, a base da língua e os seios da hipofaringe.

larva *s.f.* (do lat. *larva,* máscara). Forma de desenvolvimento que ocorre após a eclosão do ovo e antecede a forma adulta, presente na maioria dos invertebrados e nos vertebrados anamniotas.

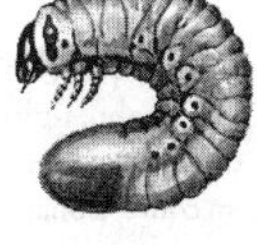
larva de besouro

? VOCÊ SABIA...? A **larva** corresponde à principal etapa de crescimento e alimentação do ciclo vital de um inseto, e normalmente depende de uma fonte de nutrição e um hábitat muito diferentes dos requeridos pelos insetos adultos.

larval *adj.2g.* (lat. *larvalis*). Relativo à larva; larvar, larvário.

larvar *adj.2g.* Larval.

larvário *adj.* Larval.

lasanha *s.f.* (it. *lasagna*). **1.** Massa alimentícia de farinha de trigo, cortada em tiras largas. **2.** Prato de origem italiana preparado com essa massa em camadas entremeadas de recheio.

lasca *s.f.* **1.** Fragmento de madeira, pedra ou metal. **2.** *Fig.* Tira, fatia.

lascado *adj.* Partido ou rachado em lascas.

lascar *v.t.* (conj. 12). **1.** Quebrar em lascas. **2.** Tirar lascas de. **3.** *Pop.* Dar, aplicar (golpe). ★ *v.i.* e *v.pr.* Fender(-se) ou fazer(-se) em lascas.

lascívia *s.f.* (lat. *lascivia*). **1.** Caráter lascivo. **2.** Libidinagem, sensualidade.

lascivo *adj.* (lat. *lascivus*). **1.** Tendente à luxúria. **2.** Que provoca a luxúria ou é por ela inspirado. **3.** Sensual, libidinoso.

laser *s.m.* (ingl., abrev. de *light amplification by stimulated emission of radiation,* amplificação de luz por emissão estimulada de radiação). **1.** Aparelho que opera o *fenômeno laser* para gerar um feixe de radiação monocromática, com aplicações em telecomunicações, física, medicina etc. **2.** *Fenômeno laser,* fenômeno da amplificação de luz por emissão estimulada de radiação.

lassidão *s.f.* (lat. *lassitudo*). **1.** Estado de lasso, fadiga resultante de longo esforço; lassitude. **2.** Cansaço, tédio. **3.** Abatimento, prostração.

lassitude *s.f.* Lassidão.

lasso *adj.* (lat. *lassus*). **1.** Que sente profunda fadiga física; cansado, abatido. **2.** Cansado, entediado. **3.** Frouxo, bambo.

lástima *s.f.* **1.** Compaixão, piedade, pena. **2.** Infortúnio, desgraça, desventura. **3.** Queixa, lamentação. **4.** *Depr.* Pessoa ou coisa inútil, sem serventia ou aptidão.

lastimar *v.t.* (do gr. *blasphemein,* proferir palavras ímpias) [conj. 4]. **1.** Ter compaixão, dó, piedade. **2.** Lamentar.

lastimável *adj.2g.* **1.** Que provoca lástima, piedade, compaixão. **2.** Lamentável.

lastimoso (ô) *adj.* **1.** Que causa lástima; lastimável. **2.** Que se lastima; choroso.

lastragem *s.f.* Ato ou efeito de lastrear ou lastrar.

lastrar *v.t.* (conj. 4). Lastrear.

lastrear *v.t.* (conj. 15). Encher de lastro os tanques de um navio; lastrar.

lastro *s.m.* (hol. *last,* carga). **1.** Peso que se coloca no porão de um navio para que ele se equilibre na água. **2.** Camada que cobre o fundo de qualquer coisa. **3.** Depósito em ouro que serve de garantia ao papel-moeda. **4.** *Fig.* Base, fundamento.

lata *s.f.* (lat. tard. *latta*). **1.** Cada uma das varas transversais da parreira. **2.** Folha de ferro recoberta com estanho. **3.** Chapa fina de aço recoberta com estanho, utilizada em recipientes para conservas. (Sin. FLANDRES, FOLHA-DE-FLANDRES.) **4.** Recipiente ou embalagem confeccionada com esse material.

latada *s.f.* **1.** Grade de ripas ou varas, na qual se apóiam trepadeiras, parreiras etc. **2.** (*N*) Cobertura, em geral de folhas de coqueiro, improvisada para abrigar pessoas.

latagão *s.m.* Homem alto e vigoroso.

latão *s.m.* **1.** Liga de cobre e de zinco, utilizada na indústria por sua maleabilidade, ductilidade, resistência mecânica e à corrosão. **2.** Recipiente metálico com gargalo curto provido de tampa, com capacidade de até 40 litros.

lataria *s.f.* **1.** Grande quantidade de latas. **2.** Conservas em lata. **3.** *Pop.* A carroceria de um automóvel.

látego *s.m.* **1.** Chicote de corda ou de correia; açoite, azorrague. **2.** *Fig.* Castigo, flagelo. **3.** *Fig.* Estímulo.

latejar *v.i.* (conj. 4). **1.** Bater, pulsar, palpitar. **2.** Arfar, arquejar, resfolegar.

latejo (ê) *s.m.* Ato ou efeito de latejar.

latência *s.f.* **1.** Qualidade ou estado de latente. **2.** Estado do que se acha encoberto, incógnito, não manifesto. ● **Psican.** *Período de latência,* período da organização sexual infantil no qual a pulsão sexual encontra-se recalcada, compreendido entre o final do complexo de Édipo e o início da puberdade.

latente *adj.2g.* (lat. *latens, latentis*). **1.** Não aparente; que não se manifesta por fora; oculto, subjacente. **2.** Disfarçado, dissimulado. **3.** Virtual. ● **Agric.** Diz-se da gema de galho de árvore em período de dormência. **Med.** Diz-se de uma doença que não se manifesta por sintomas aparentes. **Psican.** Diz-se do conteúdo psíquico (pensamentos, idéias, desejos) descoberto pela análise, e do qual se origina o conteúdo manifesto.

lateral *adj.2g.* (lat. *lateralis*). **1.** Relativo ao lado. **2.** Que fica ao lado. ● **Fon.** *Consoante lateral,* consoante articulada com uma oclusão na parte média do conduto vocal e um escoamento contínuo do fluxo de ar pelas bordas laterais da língua. ★ *s.f.* No cavalo, conjunto formado pelos membros anterior e posterior do mesmo lado. ● **Esp.** Linha que delimita cada lado de um campo ou quadra. ▸ Infração em que a bola sai do campo pela lateral; cobrança dessa infração. ★ *s.2g.* No futebol, jogador que defende e ataca perto da linha lateral do campo.

lateralidade *s.f.* Qualidade de lateral. ● **Neurol.** Preferência sistematizada (direita ou esquerda) na utilização de certos órgãos pares (mãos, olhos, pés).

látex (cs) *s.m.* (lat. *latex,* líquido). **1.** Líquido de composição variada, semelhante a uma emulsão, secretado por certas plantas; látice. **2.** Nome genérico das emulsões aquosas de certas substâncias macromoleculares sintéticas.

latíbulo *s.m.* (lat. *latibulum*). **1.** Lugar esconso ou secreto; esconderijo. **2.** *Poét.* Morada dos deuses, céu.

látice *s.m.* (lat. *latex*). Látex.

laticínio *s.m.* (lat. *lacticinium*). Produto alimentar feito com leite ou em que o leite participa como ingrediente principal (manteiga, queijo etc.).

latido *s.m.* A voz do cachorro; ladrido.

latifundiário *adj.* Relativo ou pertencente a latifúndio. ★ *s.m.* Proprietário ou arrendatário de um latifúndio.

latifúndio *s.m.* (lat. *latifundium*). Grande extensão de terra, geralmente pouco produtiva.

latim *s.m.* (do *adv.* lat. *latine,* em língua latina). **1.** Língua indo-européia falada, sob diversas formas, pelos romanos da Antiguidade e em toda a Europa durante a Idade Média. **2.** *Latim tardio,* modalidade do latim utilizada a partir do século IV, caracterizada pela desfiguração da antiga norma e pela diferenciação dialetal.

latinidade *s.f.* (lat. *latinitas, latinitatis*). **1.** Modo de falar ou escrever em latim. **2.** Conjunto dos povos de origem latina; o mundo latino, a civilização latina. **3.** Condição de latino.

latinismo *s.m.* **1.** Idiotismo próprio da língua latina. **2.** Palavra, construção da língua latina introduzidas em outra língua.

latinista *s.2g.* (fr. *latiniste*). Especialista em língua e literatura latinas.

latinização *s.f.* **1.** Ação de latinizar. **2.** Adoção de um alfabeto latino para uma língua que era escrita com outro sistema.

latinizar *v.t.* (lat. *latinizare*) [conj. 4]. **1.** Dar a uma palavra forma ou terminação latina. **2.** Conferir a um povo as características da civilização romana; em particular, impor-lhe a língua latina.

latino *adj.* (lat. *latinus*). **1.** Relativo ou pertencente ao latim. **2.** Diz-se das línguas originárias do latim. **3.** Diz-se dos povos e países que falam essas línguas ou sofreram influência da civilização romana. **4.** Relativo a esses povos. **5.** *Alfabeto latino*, conjunto das letras utilizadas para transcrever as línguas românicas e outras. ★ *s.m.* **1.** O natural ou habitante do Lácio, região da Itália. **2.** Indivíduo de povos ou países latinos.

latino-americano *adj.* Relativo ou pertencente à América Latina. ★ *s.m.* O natural ou habitante da América Latina.

latir *v.i.* (lat. *glattire*) [conj. 6]. **1.** Emitir (o cão) sua voz, dar latidos; ladrar. **2.** *Fig.* e *Pej.* Gritar. ★ *s.m.* Latido.

latitude *s.f.* (lat. *latitudo, latitudinis*). **1.** Estado ou qualidade de lato; amplitude. **2.** Liberdade de ação. **3.** Em um sistema de coordenadas esféricas, distância angular entre um ponto e o plano fundamental, orientada, a partir deste último, de 0° a 90°. **4.** Distância angular entre um ponto qualquer da superfície terrestre e a linha do equador. **5.** Lugar considerado em relação ao clima, à temperatura.

latitudinal *adj.2g.* Relativo a latitude.

latitudinário *adj.* **1.** Largo, extensivo. **2.** De interpretação arbitrária ou muito ampla.

lato[1] *adj.* (lat. *latus*). Amplo, largo, dilatado.

lato[2] (lat.). *Latu Sensu*, em sentido lato, amplo. (Antôn. STRICTO SENSU.)

latoaria *s.f.* **1.** Manufatura ou comércio de objetos de lata. **2.** Esses objetos.

latoeiro *s.m.* **1.** O que faz ou comercia objetos de latão ou lata. **2.** O que trabalha peças de latão; funileiro.

latrina *s.f.* (lat. *latrina*). **1.** Lugar reservado para dejeções; privada, reservado. **2.** Vaso sanitário.

latrocínio *s.m.* (lat. *latrocinium*). Roubo praticado com violência, acarretando à vítima lesões corporais graves ou morte.

lauda *s.f.* **1.** Cada um dos dois lados de uma folha de papel. **2.** Folha de papel para datilografia em redações jornalísticas.

láudano *s.m.* (lat. cient. *laudanum*). Solução hidroalcoólica de ópio em pó, à base de açafrão.

laudatório *adj.* (lat. *laudatorius*). **1.** Relativo a louvor. **2.** Que serve para louvar.

laudo *s.m.* (lat. *laudo*). **1.** Parecer de perito ou árbitro. **2.** Documento em que se relata esse parecer.

lauráceas *s.f.pl.* (do lat. *laurus*, loureiro). Família de plantas dicotiledôneas arbóreas, geralmente lenhosas, de flores pequenas e fruto freqüentemente carnoso, como o abacateiro, a imbuia e o loureiro.

láurea *s.f.* (lat. *laurea*). **1.** Coroa de louros. **2.** *P. ext.* Recompensa, prêmio, laurel.

laureado *adj.* **1.** Ornado ou coroado de louros. **2.** Premiado, festejado.

laurear *v.t.* (lat. *laureare*) [conj. 15]. **1.** Cingir ou coroar de louros. **2.** Premiar por mérito. **3.** *Fig.* Festejar, aplaudir.

laurel *s.m.* (esp. *laurel*). Láurea.

laurêncio *s.m.* Elemento químico transurânico (símb. Lw) de número atômico 103, obtido artificialmente pelo bombardeamento do califórnio por íons de boro.

lauto *adj.* (lat. *lautus*). **1.** Luxuoso, suntuoso, magnificente. **2.** Farto, abundante.

lava *s.f.* Matéria em fusão emitida a alta temperatura (700-1.200° C) por um vulcão, que se solidifica ao resfriar-se para formar uma rocha vulcânica.

lavabo *s.m.* (lat. *lavabo*). **1.** Lavatório fixo em uma parede, para fim higiênico. **2.** Local em que se encontram esses lavatórios. **3.** Pequeno banheiro social.

lavada *s.f.* Lavagem.

lavadeira *s.f.* **1.** Mulher que lava roupa manualmente; lavandeira. **2.** Sin. de LIBÉLULA.

lavadela *s.f.* Lavagem rápida.

lavadora (ô) *s.f.* Equipamento ou máquina para lavar roupas, louças etc.

lavadouro *s.m.* **1.** Lugar público onde se lava roupa. **2.** Tina em que se lava roupa.

lavagem *s.f.* **1.** Ato ou efeito de lavar; lavação, lavada. **2.** Comida para porcos. **3.** Purificação de um metal, precipitado, gás etc. por contato com um ou mais líquidos apropriados. **4.** *Lavagem de dinheiro*, crime que consiste em dissimular a a origem de ganhos obtidos com tráfico de drogas ou outra atividade ilegal, para uso em qualquer atividade. ● **Med.** *Lavagem gástrica* ou *estomacal*, introdução de um líquido no es-

LATITUDE ► A latitude é determinada por meio de um sistema de coordenadas geográficas e corresponde à distância angular entre um dado ponto da superfície terrestre e a linha do equador; é contada de 0° (no equador) a 90° (nos pólos, Norte e Sul). Chamam-se altas latitudes as próximas aos pólos, e baixas latitudes as mais próximas à linha do equador, que está a 0° de latitude. As latitudes médias são as que ficam junto aos trópicos de Câncer e de Capricórnio, em direção aos pólos. Os trópicos são dois círculos imaginários, paralelos ao equador, que limitam a região pela qual o sol passa pelo zênite duas vezes por ano. O de Capricórnio está a 23°27'05" de latitude sul (passando sobre a cidade de São Paulo, no Brasil) e o de Câncer fica à mesma latitude, porém no hemisfério norte.

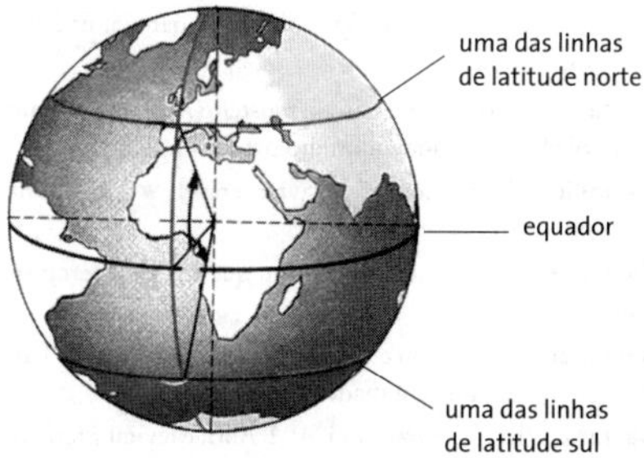

tômago, seguida de sua evacuação imediata para esvaziar o conteúdo gástrico. ▸ *Lavagem intestinal,* injeção de um líquido no intestino grosso pelo ânus, realizada para favorecer a evacuação das matérias fecais ou com finalidade diagnóstica; clister.

VOCÊ SABIA...? A expressão *lavagem de dinheiro* surgiu nos EUA, entre as décadas de 1920 e 1930, quando o crime organizado usava lavanderias como fachadas legais para a origem de seus lucros com tráfico de bebidas alcoólicas. Uma das razões mais prementes para o combate mundial a esse crime é que o dinheiro lavado financia mais crimes e alimenta a corrupção, agravando os problemas sociais. A principal finalidade da lavagem de dinheiro é possibilitar a utilização legal de recursos que foram obtidos de forma ilegal.

---

lavanda *s.f.* (it. *lavanda,* alfazema). **1.** Arbusto originário da região do Mediterrâneo, de flores azuis ou violeta, que fornecem essência utilizada em perfumaria. **2.** Sin. de ALFAZEMA. **3.** Água-de-colônia feita com essência dessa planta.

lavandeira *s.f.* **1.** Lavadeira. **2.** Sin. de LIBÉLULA.

lavanderia *s.f.* **1.** Estabelecimento onde se lava e passa peças de vestuário, cama e mesa. **2.** Dependência onde se faz a lavagem de roupa.

lava-pés *s.m.2n.* **1.** Cerimônia da Quinta-Feira Santa durante a qual o bispo ou o padre, imitando o gesto de Cristo na última ceia, lava os pés de 12 homens. **2.** Inseto himenóptero que constrói grandes formigueiros em áreas abertas e cuja ferroada é muito dolorida.

lavar *v.t.* (lat. *lavare*) [conj. 4]. **1.** Limpar, banhando em água ou em qualquer líquido. **2.** Regar, banhar. **3.** Proceder à lavagem de um minério, precipitado etc. **4.** *Fig.* Purificar, expurgar. ● **B.-Art.** Passar com pincel, sobre um desenho, tintas de cores diluídas (aguada, aquarela). ★ *v.pr.* Banhar-se para se limpar; purificar-se.

lavatório *s.m.* (lat. *lavatorium*). **1.** Recipiente próprio para lavar o rosto e as mãos. **2.** Dependência onde se instala o lavatório.

lavor (ô) *s.m.* (lat. *labor*). **1.** Qualquer ofício manual. **2.** Trabalho, faina, labor. **3.** Trabalho de agulha feito segundo um desenho. **4.** Ornamento em relevo; entalhe.

lavoura *s.f.* **1.** Preparo do solo para plantar ou semear; lavra. **2.** Cultivo da terra; lavra, lavramento, lavradio. **3.** Terreno cultivado e arado; lavra.

lavra[1] *s.f.* **1.** Ação ou maneira de lavrar a terra. **2.** Lavoura. **3.** Extração de minérios. **4.** *Fig.* Cultivo, preparo. **5.** Execução, criação, autoria.

lavra[2] *s.f.* **1.** No Oriente cristão, mosteiro habitado por monges isolados. **2.** Grande mosteiro ortodoxo.

lavradio *adj.* Próprio para se lavrar; arável. ★ *s.m.* Cultura, lavoura.

lavrador (ô) *s.m.* Aquele que lavra, que cultiva a terra; agricultor.

lavragem *s.f.* **1.** Ato ou efeito de lavrar; lavramento. **2.** Lavra, lavoura. **3.** Entalhe em madeira.

lavrar *v.t.* (lat. *laborare*) [conj. 4]. **1.** Abrir e revirar a terra com arado, enxada, enxadão; arar. **2.** Cinzelar, entalhar. **3.** Consignar por escrito; exarar. **4.** Bordar. ★ *v.i.* Alastrar-se, grassar.

lavratura *s.f.* Ato de lavrar uma escritura, um documento.

laxante *adj.2g.* e *s.m.* (lat. *laxans, laxantis*). Diz-se de ou substância que facilita a evacuação das fezes, empregada como tratamento da constipação intestinal; laxativo.

laxar *v.t.* (lat. *laxare*) [conj. 4]. **1.** Tornar laxo ou lasso; afrouxar, alargar. **2.** Tornar livre; desimpedir. **3.** *Fig.* Aliviar, abrandar, atenuar.

laxativo *adj.* e *s.m.* (lat. *laxativus*). Diz-se de ou purgativo leve; laxante.

laxo (cs) *adj.* (lat. *laxus*). Frouxo, lasso.

layout (léi-aut) *s.m.* (ingl.). Apresentação de uma obra gráfica o mais próximo possível de como será o resultado visual impresso. (Aport. LEIAUTE.)

lazarento *adj.* e *s.m.* **1.** Que ou aquele que tem chagas ou pústulas. **2.** Leproso.

lazareto (ê) *s.m.* (it. *lazzaretto*). **1.** Estabelecimento onde se isolam pessoas suspeitas de contato com doenças contagiosas e onde elas eventualmente permanecem de quarentena. **2.** *Ant.* Leprosário.

lazarina *s.f.* (de *Lázaro,* n.pr.). Espingarda de cano fino e comprido, para caçar passarinhos.

lázaro *adj.* e *s.m.* (de *Lázaro,* n.pr. bíblico). **1.** Hanseniano, leproso, morfético. **2.** Lazarento, chaguento.

lazeira *s.f.* **1.** Desgraça, infortúnio, calamidade. **2.** *Fig.* Fome.

lazer (ê) *s.m.* (do lat. *licere,* ser lícito, permitido). **1.** Tempo de que se pode dispor sem prejuízo das ocupações ordinárias. **2.** Atividade praticada nesse tempo; entretenimento. **3.** Descanso, folga, ócio.

lazulita *s.f.* Fosfato natural de alumínio e magnésio, hidratado, de cor azul.

leal *adj.2g.* (lat. *legalis,* legal). **1.** Que obedece às leis da probidade, da retidão. **2.** Sincero, fiel e honesto.

lealdade *s.f.* **1.** Qualidade ou caráter de leal; retidão, probidade. **2.** Sinceridade, franqueza, honestidade.

leão *s.m.* (lat. *leo, leonis*). **1.** Mamífero carnívoro, único felídeo cujo macho adulto apresenta uma juba, que vive em pequenos grupos na África e em partes da Ásia. **2.** *Fig.* Homem valente e corajoso.

---

leão-marinho *s.m.* Mamífero carnívoro que difere da foca pela presença de orelhas e pela capacidade de se locomover apoiado sobre os quatro membros. (Sin. LOBO-MARINHO.)

lebiste *s.m.* Peixe de água doce, vivíparo, originário do México, muito apreciado por aquariófilos e criado em tanques para destruição de larvas de mosquito. (Sin. MEXICANO.)

lebrão *s.m.* O macho da lebre.

lebre *s.f.* (lat. *lepus, leporis*). Mamífero lagomorfo que difere do coelho pela presença de orelhas mais compridas e patas posteriores maiores e mais fortes.

lebreiro *adj.* e *s.m.* Diz-se de ou cão que caça lebres.

lebrel ou **lebréu** *s.m.* Cão amestrado na caça de lebres; galgo.

lechia *s.f.* Var. de LICHIA.

lecionar *v.t.* (conj. 4). **1.** Dar lições de; ensinar. **2.** Instruir, doutrinar. ★ *v.i.* **1.** Dedicar-se ao magistério; ser professor. **2.** Dar aulas.

lecitidáceas *s.f.pl.* (do gr. *lekythos,* frasco). Família de plantas dicotiledôneas, arbóreas, de folhas alternadas e fruto seco, como o jequitibá, a castanheira-do-pará e a sapucaia.

lecitina *s.f.* (gr. *lekithos,* gema de ovo). Gordura complexa presente em numerosos tecidos vegetais e animais, de uso alimentar, farmacêutico etc.

ledo (ê) *adj.* (lat. *laetus,* alegre). Alegre, contente, satisfeito, jubiloso.

ledor (ô) *adj.* e *s.m.* Diz-se de ou pessoa que lê; leitor.

legação *s.f.* (lat. *legatio*). **1.** Ato ou efeito de legar. **2.** Representação diplomática de um Estado junto a outro, onde não possui embaixada. **3.** Local onde funciona essa representação. **4.** Cargo ou dignidade de legado[2].

legado[1] *s.m.* (lat. *legatum*). **1.** Doação feita por testamento. **2.** O que se recebeu ou deixou a outrem ou à posteridade.

legado[2] *adj.* e *s.m.* (lat. *legatus,* embaixador, enviado). **1.** Diz-se de ou enviado de um governo junto a outro para determinada missão diplomática. **2.** Diz-se de ou representante oficial do papa.

legal *adj.2g.* (lat. *legalis*). **1.** Conforme à lei; legítimo, lícito. **2.** *Pop.* Bom, excelente.

legalidade *s.f.* (lat. *legalitas, legalitatis*). Qualidade ou estado de legal.

VOCÊ SABIA...? A **legalidade** refere-se a tudo o que é estabelecido pelas leis. Está presente nos campos dos quais se ocupa o direito, como os aspectos civis (família, patrimônio), fiscais (impostos), trabalhistas, administrativos e penais, que tratam especificamente das infrações da legalidade.

---

legalismo *s.m.* **1.** Fidelidade ao regime estabelecido ou a uma autoridade considerada legítima. **2.** Preocupação com o respeito minucioso da letra da lei e as formas que ela prescreve.

legalizar *v.t.* (conj. 4). **1.** Tornar legal. **2.** Revestir das formalidades exigidas por lei. **3.** Autenticar, legitimar.

legar *v.t.* (lat. *legare*) [conj. 14]. **1.** Enviar um representante diplomático a um Estado, como legado[2] ou legação. **2.** Deixar como legado[1] em testamento. **3.** Transmitir, deixar (bens, tradições).

legatário *s.m.* (lat. *legatarius*). Beneficiário de um legado[1]; herdeiro.

legenda *s.f.* (lat. *legenda*). **1.** Titulação impressa junto a uma fotografia, desenho, mapa etc. **2.** Tradução, em vernáculo, que acompanha as imagens de um filme falado em idioma estrangeiro. **3.** Inscrição, letreiro.

legendário *adj.* **1.** Relativo à legenda. **2.** Lendário. ★ *s.m.* Coleção de biografias dos santos.

legião *s.f.* (lat. *legio, legionis*). **1.** Corpo de tropa do antigo exército romano. **2.** Divisão de exército. **3.** Grande número de pessoas.

legionário *adj.* (lat. *legionarius*). Relativo ou pertencente a uma legião. ★ *s.m.* Soldado de uma legião.

legislação *s.f.* (lat. *legislatio*). **1.** Ato de legislar. **2.** Conjunto das leis sobre determinada matéria. **3.** Totalidade das leis de um Estado ou de algum ramo do direito.

legislador (ô) *s.m.* (lat. *legislator*). **1.** Aquele que legisla. **2.** Membro do poder legislativo. ★ *adj.* Que legisla; legislativo.

legislar *v.i.* (conj. 4). Formular, estabelecer ou decretar leis. ★ *v.t.* Determinar, preceituar, formular.

legislativo *adj.* **1.** Relativo à legislação ou ao poder de legislar. **2.** Que legisla; legislador. ★ *s.m.* Um dos três poderes soberanos do Estado. (Usa-se com maiúscula.)

legislatura *s.f.* **1.** Corpo legislativo (deputados e senadores) em atividade. **2.** Período durante o qual os legisladores exercem seus poderes.

legista[1] *adj.2g.* e *s.2g.* (lat. tard. *legista*). Que ou aquele que conhece ou estuda as leis; jurisconsulto.

legista[2] *s.2g.* Médico que aplica seus conhecimentos médicos a questões jurídicas.

legítima *s.f.* Parte da herança de que o testador não dispõe livremente, porque a lei a reserva a herdeiros determinados (filhos, cônjuge etc.).

legitimar *v.t.* (conj. 4). **1.** Tornar legítimo para todos os efeitos da lei. **2.** Fazer reconhecer por autêntico um poder, um título etc.; legalizar. **3.** Justificar.

legitimidade *s.f.* **1.** Qualidade de legítimo. **2.** Conformidade à lei; legalidade.

legítimo *adj.* (lat. *legitimus*). **1.** Que tem as qualidades requeridas pela lei. **2.** *Fig.* Justo, razoável. **3.** Autêntico, genuíno.

legível *adj.2g.* (lat. tard. *legibilis*). Fácil de ler; compreensível.

legorne *adj.2g.* e *s.2g.* Diz-se de uma espécie de galinha originária do Mediterrâneo.

légua *s.f.* (lat. *leuca*). **1.** Medida linear equivalente a 4 km. **2.** *Fam.* Distância considerável. **3.** *Légua marítima,* a vigésima parte do grau contada num círculo máximo da Terra, equivalente a 3 milhas ou c. 5,556 km.

leguleio *s.m.* (lat. *leguleins*). **1.** Indivíduo que cumpre servilmente a lei. **2.** *Fig.* Advogado chicaneiro; rábula.

legume *s.m.* (lat. *legumen*). **1.** Denominação dada a vários produtos alimentícios de origem vegetal, como a cenoura; hortaliça. **2.** Sin. de VAGEM.

leguminosas *s.f.pl.* Família de plantas dicotiledôneas que compreende grandes árvores, arbustos, subarbustos, ervas e trepadeiras de flores e frutos variados, como o feijão, a soja, o pau-brasil e o jacarandá.

leguminoso (ô) *adj.* (lat. *leguminosus*). Diz-se do vegetal que frutifica em vagem.

lei *s.f.* (lat. *lex, legis*). **1.** Norma jurídica escrita, emanada da autoridade soberana do Estado, que define os direitos e deveres de cada um. **2.** Conjunto de regras jurídicas, de prescrições legais. **3.** Expressão da relação entre fenômenos naturais; regra constante que exprime essa relação. **4.** *P. ext.* Regra, norma, preceito. ● **Metal.** Proporção de metal precioso que entra numa liga; concentração.

leiaute *s.m.* Aport. de LAYOUT.

leicenço *s.m.* Furúnculo, fleimão.

leigo *adj.* (lat. *laicus*). **1.** Que não tem ordens sacras; laico. **2.** *Fig.* Que é estranho ou alheio a um assunto, que não é perito nem entendido. ★ *s.m.* Pessoa leiga.

leilão *s.m.* Venda pública feita a quem ofereça o maior preço, dê o maior lance; hasta.

leiloar *v.t.* (conj. 20). **1.** Vender em leilão. **2.** Apregoar em leilão.

leiloeiro *s.m.* Organizador ou pregoeiro de leilões.

leira *s.f.* **1.** Rego que o arado abre na terra e no qual se lança a semente; sulco. (Var. LEIVA.) **2.** Nos terrenos cultivados, pequena elevação de terra que separa duas linhas de sulcos e que, nos declives, é paralela às curvas de nível, para evitar a erosão. **3.** Extensão maior ou menor de terreno.

leishmaniose *s.f.* Parasitose do homem e de certos animais, provocada por um protozoário e transmitida por um mosquito, que pode afetar as vísceras (calazar), o tecido cutâneo (úlcera-de-bauru) ou ambos (leishmaniose brasileira).

leitão *s.m.* **1.** Porco jovem; bácoro, bacorinho. **2.** *Leitão de leite,* leitão que ainda mama ou que é alimentado com leite; leitão abatido ainda jovem, para consumo da carne.

leitar[1] *adj.2g.* **1.** Referente ao leite. **2.** Que tem a cor do leite; leitoso.

leitar[2] *v.i.* (conj. 4). **1.** Criar leite ou suco leitoso (folha, fruto etc.). **2.** Fazer sentir o sabor do leite ou do suco leitoso que contém.

leitaria *s.f.* Var. de LEITERIA.

leite *s.m.* (lat. *lac, lactis*). **1.** Líquido branco, opaco e nutritivo, secretado pelas glândulas mamárias das fêmeas dos mamíferos para a nutrição da prole. **2.** Suco branco de diversos vegetais. **3.** *Leite condensado,* xarope grosso constituído de leite evaporado e muito açúcar. ▸ *Leite evaporado,* leite do qual se retirou cerca de 65% de água. ● **Agric.** *Leite de cal,* suspensão aquosa de cal hidratada, utilizada como corretivo da acidez do solo e para caiação de árvores.

VOCÊ SABIA...? O alimento ideal para o bebê durante os primeiros meses de vida é o **leite** materno, que fornece à criança não apenas todos os nutrientes necessários como os anticorpos presentes na mãe, que a protegerão contra infecções. O leite produzido nos quatro ou cinco primeiros dias depois do nascimento chama-se colostro e é particularmente rico em anticorpos, proteínas e vitaminas A e E.

---

leiteira *s.f.* **1.** Vendedora de leite. **2.** Recipiente para ferver ou servir leite.

leiteiro[1] *adj.* **1.** Que produz leite. **2.** Relativo ao leite, à industrialização do leite. **3.** Diz-se do veículo destinado a recolher os latões de leite dos produtores para levá-los às usinas de laticínios. **4.** *Raça leiteira,* bovino geneticamente melhorado para a produção de leite. ▸ *Vaca leiteira,* fêmea bovina explorada como produtora de leite. ★ *s.m.* Profissional encarregado da entrega do leite ao consumidor ou comerciante.

leiteiro[2] *s.m.* Árvore alta, de casca acinzentada, da qual exsuda um látex leitoso, que fornece madeira leve empregada em caixotaria.

leiteria *s.f.* **1.** Estabelecimento comercial que serve leite e seus derivados. (Var. LEITARIA.) **2.** Em uma fazenda, local onde se conserva o leite e onde eventualmente se fabrica manteiga.

leito *s.m.* (lat. *lectus*). **1.** Móvel em que se deita para repousar ou dormir; cama. **2.** *P. ext.* Qualquer lugar em que se pode deitar, estender-se. **3.** Canal escavado por um curso de água e pelo qual escoam as águas. **4.** Juntas horizontais das pedras ou tijolos em uma construção. **5.** Camada de um material espalhado sobre outro.

leitoa (ô) *s.f.* A fêmea do leitão.

leitor (ô) *adj.* e *s.m.* (lat. *lector*). **1.** Que ou aquele que lê, que tem o hábito ou o gosto de ler. **2.** Diz-se de ou aparelho que transforma em impulsos elétricos os sinais gravados.

leitoso (ô) *adj.* **1.** Que se assemelha ao leite; lácteo. **2.** Que tem a cor do leite. ● **Bot.** Sin. de LACTESCENTE.

leitura *s.f.* (lat. *lectura*). **1.** Ato ou efeito de ler. **2.** Aquilo que se lê. **3.** Análise, interpretação que se faz de uma obra. **4.** Indicação dada por um instrumento de medida. ● **Eletroac.** Restituição dos sinais gravados sob sua forma inicial (elétrica ou acústica). **Inform.** Reconhecimento de caracteres alfanuméricos ou de figuras gráficas, para memorização ou processamento.

leiva *s.f.* **1.** Var. de LEIRA. **2.** Campo lavrado. **3.** Cada um dos torrões de terra gramada que se transplanta para a formação de relvados.

lema *s.m.* (gr. *lemma*). **1.** Em matemática, proposição preliminar cuja demonstração facilita ou prepara a de um teorema subseqüente. **2.** *Fig.* Regra ou norma escrita de procedimento; divisa, sentença. ● **Bot.** Peça escamiforme que se encontra na base da flor das gramíneas.

lembrança *s.f.* **1.** Impressão, idéia que a memória conserva; recordação, reminiscência. **2.** A faculdade da memória. **3.** Lembrete. **4.** Alvitre, inspiração, idéia. **5.** Presente, mimo, brinde. ★ *s.f.pl.* Cumprimentos, saudações, recomendações.

lembrar *v.t.* (lat. *memorare*) [conj. 4]. **1.** Trazer à memória, recordar. **2.** Fazer notar; recordar, advertir. **3.** Aproximar por analogia, parecer. ★ *v.pr.* **1.** Recordar-se, ter lembrança. **2.** Vir, acorrer à lembrança.

lembrete (ê) *s.m.* **1.** Anotação feita para lembrar coisas importantes; nota, lembrança, apontamento. **2.** *Fam.* Repreensão, censura.

leme *s.m.* **1.** Aparelho móvel para auxiliar na manobra e direcionamento dos barcos. **2.** Qualquer uma das superfícies móveis utilizadas para obter a rotação de uma aeronave em torno de um dos seus três eixos. **3.** *Fig.* Governo, direção.

lemingue *s.2g.* Mamífero roedor, que ocorre nas montanhas do norte da Europa e Ásia.

lemnisco *s.m.* Feixe de fibras do sistema nervoso central.

lêmure *s.m.* Mamífero primata, noturno, de braços relativamente curtos, dedos livres, cauda longa e peluda, que ocorre em Madagascar.

lenço *s.m.* (lat. *linteum,* pano de linho). **1.** Peça de tecido que serve principalmente para assoar o nariz. **2.** Pedaço de pano que se destina a resguardar ou ornar a cabeça ou o pescoço. **3.** Lado de gaveta.

lençol *s.m.* (lat. *linteolum*). **1.** Peça de tecido cortada e embainhada, com a qual se guarnecem as camas. **2.** Grande extensão de areia ou de água no subsolo. **3.** Aquilo que cobre ou envolve como um lençol.

lenda *s.f.* (lat. *legenda*). **1.** Narrativa em que fatos históricos são deformados pela imaginação popular ou pela invenção poética; legenda. **2.** Tradição popular. **3.** *Pej.* Invenção fabulosa, mentira.

lendário *adj.* **1.** Que tem a natureza das lendas. **2.** Relativo a lenda; legendário. **3.** Popularizado pela tradição. ★ *s.m.* Conjunto de lendas.

lêndea *s.f.* Ovo que o piolho põe entre os cabelos.

lene *adj.2g.* (lat. *lenis*). Suave, ameno, brando.

lengalenga *s.f.* Narração, discurso prolongado e monótono; ladainha, arenga.

lenha *s.f.* (lat. *ligna, pl.* de *lignum,* lenho). **1.** Conjunto de achas, cavacos, troncos de árvores etc., secos e reservados para servir de combustível. **2.** *Fam.* Surra, sova, tunda.

lenhador (ô) *s.m.* **1.** Pessoa que trabalha na derrubada de árvores. **2.** O que vai colher lenha nos matos.

lenheiro *s.m.* **1.** Cortador de lenha; lenhador. **2.** Negociante de lenha. **3.** Lugar onde se empilha lenha cortada.

lenho *s.m.* (lat. *lignum*). **1.** Sin. de XILEMA. **2.** Tronco, madeiro. **3.** *Fig.* Embarcação, navio.

lenhoso (ô) *adj.* (lat. *lignosus*). **1.** Da natureza da madeira. **2.** Que pertence à madeira; lígneo. **3.** Diz-se da planta cujos tecidos estão impregnados de lignina.

lenimento *s.m.* (lat. *lenimentum*). **1.** Aquilo que abranda. **2.** Medicamento que alivia a dor; lenitivo.

leninismo *s.m.* Desenvolvimento teórico e prático do marxismo, realizado pelo pensador e estadista russo V. Lenin (1870-1924).

lenir *v.t.* (lat. *lenire*) [conj. 79]. **1.** Abrandar, atenuar. **2.** *Fig.* Consolar, aliviar.

lenitivo *adj.* e *s.m.* (lat. *lenitivus*). **1.** Que ou o que acalma, suaviza, atenua. **2.** *Fig.* Consolação, alívio, conforto.

lenocínio *s.m.* (lat. *lenocinium*). Crime de favorecimento à prostituição ou à libidinagem.

lente[1] *s.f.* (lat. *lens, lentis,* lentilha). **1.** Peça de vidro ou de uma substância refringente qualquer, limitada por superfícies geralmente esféricas, utilizada para formar imagens ópticas. **2.** *Lente de contato* ou *córnea,* prótese móvel transparente, em forma de disco, colocada sobre a córnea para a correção dos defeitos de refração. ● **Astron.** *Lente gravitacional,* campo gravitacional intenso, devido a um objeto celeste de grande massa, capaz de provocar um desvio significativo na trajetória de raios luminosos. **Eletrôn.** Dispositivo eletromagnético que substitui as lentes no microscópio eletrônico. ▸ *Lente eletrônica,* dispositivo formado por condensadores (*lente eletrostática*), por bobinas ou eletroímãs (*lente eletromagnética*), que desvia feixes de partículas carregadas, da mesma forma que as *lentes ópticas* com relação aos feixes luminosos.

lente[2] *s.2g.* (do lat. *legens, legentis*). Professor, especialmente do ensino universitário.

lentejoula ou **lentejoila** *s.f.* Var. de LANTEJOULA.

lentidão *s.f.* (lat. *lentitudo*). Qualidade de lento; morosidade.

lentilha *s.f.* (lat. *lenticula*). **1.** Trepadeira leguminosa originária do Mediterrâneo, de flores brancas ou violáceas, muito cultivada pelo grão alimentício e nutritivo. **2.** O grão dessa planta.

lento *adj.* (lat. *lentus*). **1.** Que não atua com presteza; moroso. **2.** Que se faz com vagar.

leoa (ô) *s.f.* **1.** A fêmea do leão. **2.** *Fig.* Mulher agressiva, ferina.

leonino[1] *adj.* (lat. *leoninus*). **1.** Próprio do leão. **2.** *Fig.* Diz-se de uma partilha, de um contrato em que uma pessoa reserva para si a melhor parte.

leonino[2] *adj.* e *s.m.* Diz-se de ou indivíduo nascido sob o signo de Leão (de 22 de julho a 22 de agosto).

REPRESENTAÇÕES GRÁFICAS DO SIGNO ASTROLÓGICO DE LEÃO

leopardo *s.m.* Mamífero carnívoro, felídeo, de pelagem quase sempre de fundo amarelo com manchas pretas, que ocorre na África e na Ásia.

lépido *adj.* (lat. *lepidus*). **1.** Alegre, contente, risonho, jovial. **2.** Mofador, troçador, gracejador. **3.** Rápido, ligeiro, lesto.

lepidopterologia *s.f.* Divisão da entomologia que estuda os insetos lepidópteros.

lepidópteros *s.m.pl.* Ordem de insetos com dois pares de asas membranosas cobertas por escamas imbricadas e coloridas, que engloba as mariposas e as borboletas.

leporino *adj.* (lat. *leporinus*). Relativo ou semelhante a lebre. ● **Med.** *Lábio leporino,* malformação congênita na qual o lábio superior encontra-se fendido.

lepra *s.f.* **1.** Hanseníase. **2.** *Pop.* Qualquer doença na pele dos animais; sarna. **3.** *Fig.* Vício condenável, difícil de erradicar.

leprosário *s.m.* Estabelecimento de isolamento reservado aos hansenianos (leprosos).

leproso (ô) *adj.* (lat. *leprosus*). **1.** Hanseniano. **2.** *Fig.* Repulsivo, repugnante. **3.** *Fig.* Vicioso, nocivo. ★ *s.m.* Indivíduo leproso.

leque *s.m.* **1.** Pequeno abano composto de hastes de madeira ou metal ligadas por tecido leve e articuladas na extremidade inferior por um eixo comum, de modo que se possa abrir e fechar rapidamente. **2.** *Fig.* Qualquer coisa que tenha forma semelhante a um leque, como a cauda aberta do pavão etc. **3.** Curva de escada. **4.** *Fig.* Conjunto de idéias, planos, sugestões que se desdobram à maneira de um leque.

ler *v.t.* (lat. *legere*) [conj. 42]. **1.** Reconhecer, compreender os sinais gráficos de uma língua. **2.** Tomar ou dar conhecimento do conteúdo de um escrito. **3.** Reconhecer ou interpretar um conjunto de sinais diferentes da escrita (música, gráficos etc.). **4.** *Fig.* Desvendar, compreender. ● **Inform.** Reconhecer (um computador) uma informação armazenada em suporte magnético (disquete, fita etc.). ★ *v.i.* Saber reconhecer as letras do alfabeto, juntando-as em palavras.

lerdo *adj.* (esp. *lerdo*). **1.** Que tem movimentos pesados, lentos, vagarosos. **2.** Estúpido, grosseiro.

leréia *s.f.* Léria.

léria *s.f.* **1.** Conversa untuosa, astuciosa, para iludir a boa-fé de alguém. **2.** Conversa que não leva a resultado prático; conversa mole, leréia, lero-lero.

lero-lero *s.m.* *Gír.* Léria.

lesão *s.f.* (lat. *laesio*). **1.** Ato ou efeito de lesar. **2.** Dano, prejuízo, ofensa. ● **Med.** Perturbação causada ao tecido de um órgão, como ferida, contusão, inflamação, tumor etc.

lesa-pátria *s.f.* Crime contra a pátria.

lesar *v.t.* (conj. 4). **1.** Ofender alguém em seus direitos; prejudicar. **2.** Provocar lesão em; contundir, ferir.

lesbianismo *s.m.* Homossexualismo feminino.

lesbiano *adj.* Lésbico.

lésbica *s.f.* Mulher homossexual.

lésbico *adj.* Relativo à homossexualidade feminina; lesbiano, lésbio.

lesivo *adj.* **1.** Que lesa, que causa lesão. **2.** Prejudicial, nocivo, danoso, ofensivo.

lesma (ê) *s.f.* (lat. *limax*). **1.** Molusco gastrópode de concha ausente ou reduzida e oculta sob o manto, que se alimenta de vegetais. (Sin. CUMBÉ.) **2.** *Fig.* Pessoa vagarosa, mole, indolente.

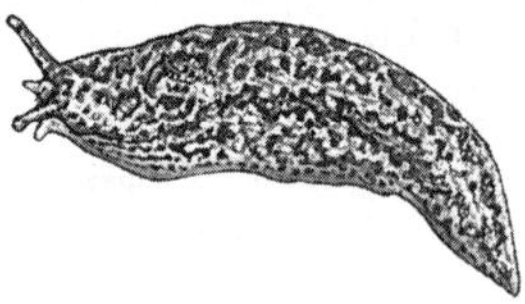

lés-nordeste *s.m.* Var. de ÉS-NORDESTE.

leso *adj.* (lat. *laesus*). **1.** Lesado. **2.** Tolhido, paralítico. **3.** Idiota, atoleimado, tolo.

lés-sueste *s.m.* Var. de ÉS-SUDESTE.

leste *adj.* e *s.m.* Var. de ESTE[1].

lesto *adj.* **1.** Ligeiro, ágil nos movimentos. **2.** *Fig.* Decidido, pronto; desembaraçado.

letal *adj.2g.* (lat. *letalis*). **1.** Que causa a morte; mortal, mortífero, fatal. **2.** Relativo à morte; funesto, lúgubre. ● **Genét.** Diz-se de um gene que causa a morte precoce do indivíduo que o recebe.

letalidade *s.f.* **1.** Qualidade de letal. **2.** Mortalidade. **3.** Caráter de um gene letal.

letão *adj.* e *s.m.* Relativo ou pertencente à Letônia, país da Europa. ★ *s.m.* **1.** O natural ou habitante da Letônia. **2.** Língua falada na Letônia.

letargia *s.f.* (lat. *lethargia*). **1.** Espécie de sonolência mórbida, profunda, contínua, sem febre nem infecção. (Sin. LETARGO.) **2.** *Fig.* Apatia, preguiça, desânimo, indolência.

letárgico *adj.* (lat. *lethargicus*). **1.** Relativo à letargia. **2.** *Fig.* Apático, preguiçoso, indolente.

letargo *s.m.* (lat. *lethargus*). Sin. de LETARGIA.

letivo *adj.* Relativo a lições ou aulas.

letra (ê) *s.f.* (lat. *littera*). **1.** Cada um dos caracteres que representam o alfabeto de uma língua escrita. **2.** Forma em que se representam estas letras. **3.** Palavras, versos que acompanham as músicas nas óperas, canções etc. **4.** Sentido restrito e literal. ● **Econ.** *Letra de câmbio,* espécie de título negociável no mercado, que consiste numa ordem de pagamento em que uma pessoa ordena que outra pague determinada quantia a uma terceira. ► *Letras do Tesouro,* títulos emitidos pelo governo federal, com prazo fixo e a juros de mercado. ★ *s.m.pl.* A literatura, a atividade literária.

letrado *adj.* e *s.m.* **1.** Que ou aquele que tem amplos conhecimentos; culto, ilustrado. **2.** Versado em literatura. **3.** Que escreve.

letreiro *s.m.* **1.** Inscrição em grandes letras com que se dá informação, aviso etc. **2.** Legenda, rótulo, inscrição.

léu *s.m.* (prov. *leu*). **1.** Vagar, ocasião, ensejo. **2.** *Ao léu,* à toa, à vontade.

leucemia *s.f.* (do gr. *leukos,* branco). Designação genérica de um grupo de afecções caracterizadas por uma proliferação de células malignas de origem hematopoiética.

leucêmico *adj.* Relativo à leucemia. ★ *adj.* e *s.m.* Que ou aquele que sofre de leucemia.

leucina *s.f.* Aminoácido homólogo da glicocola.

leucócito *s.m.* Célula sanguínea nucleada, classificada em granulócito, linfócito e monócito, conforme sua estrutura celular. (Sin. GLÓBULO* BRANCO.)

VOCÊ SABIA...? Os **leucócitos** ou glóbulos brancos formam-se na medula óssea, embora alguns se desenvolvam nos gânglios linfáticos. Existem dois tipos básicos: os que contêm grânulos (granulócitos) e os que não os contêm (monócitos e linfócitos, que são portanto agranulócitos). Sua função conjunta é defender o organismo de infecções e eliminar qualquer corpo celular lesado ou defeituoso; são os responsáveis pelos mecanismos mais importantes da resposta imunológica.

leucoma *s.m.* (gr. *leukoma,* coisa branca). Cicatriz de coloração branca como porcelana que sucede a uma ferida ou ulceração da córnea.

leucoplasia *s.f.* Afecção crônica das mucosas que leva a uma queratinização do epitélio e à formação de manchas brancas, de aspecto porcelanizado.

leucopoiese *s.f.* Formação dos glóbulos brancos.

leucopoiético *adj.* Relativo à leucopoiese.

leucorréia *s.f.* Secreção mucosa ou purulenta originária da vagina.

leucorréico *adj.* Relativo à leucorréia.

leva *s.f.* **1.** Ato de levantar as âncoras de um navio. **2.** Grupo, conjunto.

levada *s.f.* **1.** Ato de levar. **2.** Canal que conduz a água para a roda de um moinho a fim de promover seu funcionamento. **3.** *(BA)* Rego que leva águas pluviais para os tanques. **4.** *(CE)* Canaleta, escavada no solo, que conduz a água destinada à irrigação. **5.** *(N)* Corte com que se marcam as reses nas orelhas.

levadiço *adj.* **1.** Que se pode levantar facilmente. **2.** Móvel, movediço.

levado *adj.* **1.** Travesso, buliçoso, traquinas. **2.** Indisciplinado.

leva-e-traz *s.2g.2n.* Mexeriqueiro, fofoqueiro.

levantamento *s.m.* **1.** Ato ou efeito de levantar(-se). **2.** Arrolamento, lista, inventário. **3.** Pesquisa de informação ou dados numa investigação ou planejamento. **4.** *Levantamento de peso,* competição em que os atletas disputam quem levanta o maior peso; modalidade olímpica com esta prova.

levantar *v.t.* (conj. 4). **1.** Pôr ao alto, erguer, suspender. **2.** Hastear, arvorar. **3.** Edificar. **4.** Tornar alto ou mais alto. **5.** Arrolar, listar, inventariar. **6.** Sublevar, revoltar. **7.** Arrecadar (fundos), obter. **8.** Coletar, coligir (informações). **9.** Pôr em discussão, mencionar, aventar (uma hipótese). ★ *v.pr.* **1.** Erguer-se, pôr-se de pé. **2.** Sair da cama. **3.** Exaltar-se, manifestar-se.

levante *s.m.* **1.** Este[1]. **2.** Revolta, insurreição, motim; levantamento. ★ *adj.2g.* Que se levanta.

levar *v.t.* (lat. *levare,* levantar) [conj. 4]. **1.** Fazer passar de um lugar a outro; transportar, conduzir. **2.** Retirar ou afastar de um lugar. **3.** Ser portador de; carregar. **4.** Impelir, induzir, persuadir. **5.** Resultar em, causar. **6.** Ter, ganhar, receber. **7.** Causar morte a; matar. **8.** Tomar, gastar, consumir (tempo). ★ *v.pr.* Deixar-se dominar ou guiar.

leve *adj.2g.* (lat. *levis*). **1.** Que tem pouco peso, que não pesa. **2.** Pouco espesso, pouco denso. **3.** Suave, delicado, leviano. **4.** Frugal. **5.** De pouca gravidade, pouco importante; superficial.

levedar *v.t.* (conj. 4). Tornar lêvedo, fazer fermentar. ★ *v.i.* Fermentar.

lêvedo ou **levedo** (ê) *s.m.* Sin. de LEVEDURA.

levedura *s.f.* Denominação genérica de alguns fungos unicelulares que se reproduzem principalmente assexuadamente e constituem os agentes da fermentação alcoólica da cerveja, do vinho e do pão. (Sin. LÊVEDO, LEVEDO.)

leveza (ê) *s.f.* Qualidade ou estado de leve.

leviandade *s.f.* Qualidade de leviano.

leviano *adj.* **1.** Que procede ou julga precipitadamente, sem refletir; imprudente. **2.** Sem seriedade, que procede repreensivelmente. **3.** Leve. ★ *s.m.* Pessoa leviana.

levita *s.2g.* **1.** Membro da tribo de Levi, tradicionalmente encarregado do serviço do Templo no antigo Israel. **2.** *P. ext.* Clérigo, eclesiástico.

levitar *v.i.* e *v.pr.* (lat. *levare,* elevar) [conj. 4]. Elevar-se (algo ou alguém) no ar como que livre da ação da gravidade, por meios mágicos ou em êxtase místico. ★ *v.t.* Fazer flutuar, erguer.

levogiro *adj.* **1.** Sinistrogiro. **2.** Diz-se dos compostos químicos que fazem girar o plano de polarização da luz para a esquerda.

lexema (cs) *s.m.* Morfema que equivale à raiz ou ao radical de uma palavra.

lexia (cs) *s.f.* (do gr. *lexis,* palavra). Unidade de comportamento léxico equivalente a palavra, a vocábulo ou mesmo a expressão.

lexical (cs) *adj.2g.* Relativo ao léxico, ao vocabulário de uma língua.

lexicalizar (cs) *v.t.* (conj. 4). Registrar (uma palavra) em dicionário; dicionarizar.

léxico (cs) *s.m.* (gr. *lexikon,* de *lexis,* palavra). **1.** Dicionário especializado e geralmente sucinto de uma ciência, técnica ou domínio especializado. **2.** Conjunto de lexemas que formam a língua de uma comunidade. **3.** Dicionário bilíngüe sucinto que opõe paralelamente unidades lexicais de duas línguas.

lexicografia (cs) *s.f.* **1.** Técnica de confecção de dicionários. **2.** Análise lingüística dessa técnica.

lexicográfico (cs) *adj.* Relativo à lexicografia.

lexicógrafo (cs) *s.m.* **1.** Autor de dicionário. **2.** Lingüista que se dedica à lexicografia.

lexicologia (cs) *s.f.* Disciplina lingüística que tem por objetivo estudar o léxico.

lexicológico (cs) *adj.* Relativo à lexicologia.

lexicólogo (cs) *s.m.* Lingüista especializado em lexicologia.

lezíria *s.f.* (ár. *al-jazair*). Terra plana, às margens de um rio, que se alaga por ocasião das cheias.

lh abrev. do ingl. *luteinizing hormone,* hormônio luteinizante.

lha comb. do pron. pess. *lhe* com o art. def. fem. *a.*

lhama *s.2g.* (quíchua *lhama*). Mamífero artiodáctilo que ocorre na cordilheira dos Andes, criado como animal de carga e para o fornecimento de carne e lã. (Sin. ALPACA[1])

lhaneza (ê) *s.f.* Qualidade de lhano; lhanura.

lhano *adj.* (esp. *llano*). **1.** Sincero, franco. **2.** Amável, afável, fino.

lhanura *s.f.* (esp. *llanura*). **1.** Planura. **2.** Lhaneza.

lhe *pron. pess.* (lat. *illi*). Forma da 3ª pess. do sing. (caso oblíquo), masc. e fem., empregada como objeto indireto.

lho comb. do pron. pess. *lhe* com o art. def. masc. *o.*

liame *s.m.* (lat. *ligamen*). O que serve para ligar uma coisa a outra.

liana *s.f.* (fr. *liane*). Planta sarmentosa cuja haste flexível se agarra ao tronco e galhos de árvores, como a videira.

libação *s.f.* (lat. *libatio*). **1.** Ato ou efeito de libar. **2.** Na Antiguidade, oferenda ritual de um líquido (vinho, azeite) a uma divindade, que se espalhava sobre o solo ou sobre um altar.

libanês *adj.* Relativo ou pertencente ao Líbano, país do Oriente Médio. ★ *s.m.* O natural ou habitante do Líbano.

libar *v.t.* (lat. *libare*) [conj. 4]. **1.** Beber, tomar, sorver. **2.** Experimentar, provar, gozar. ★ *v.i.* Fazer libações; ofertar aos deuses.

libelista *s.2g.* Aquele que faz libelos.

libelo *s.m.* (lat. *libellus,* pequeno livro). **1.** Pequeno escrito acusatório. **2.** Acusação.

libélula *s.f.* (lat. *libellula*). Inseto da ordem dos odonatos, que apresenta corpo afilado, asas retas, membranosas, e cabeça redonda com grandes olhos globulosos. (Sin. LAVADEIRA.)

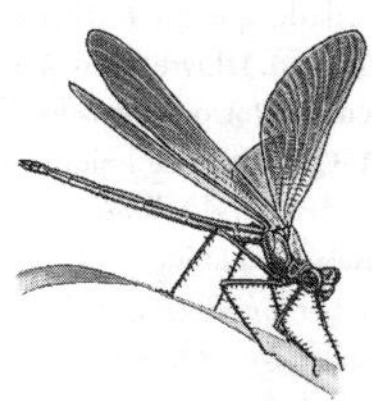

líber *s.m.* (lat. *liber,* casca de árvore). Sin. de FLOEMA.

liberação *s.f.* (lat. *liberatio*). **1.** Ato ou efeito de liberar(-se). **2.** Desoneração, dispensa. **3.** Libertação. **4.** Fim de uma regulamentação, controle etc. ● **Fís.** e **Quím.** Desprendimento de energia quando de uma reação química ou nuclear; desprendimento de um gás quando de uma reação química.

liberado *adj.* **1.** Que se liberou; livre. **2.** Desobrigado, dispensado. ★ *s.m.* Aquele que se tornou livre.

liberal *adj.2g.* **1.** Generoso, pródigo. **2.** Relativo ou pertencente ao liberalismo; liberalista. **3.** Que tem idéias avançadas, progressistas. **4.** *Profissional liberal,* profissional que não está sob as ordens de outro ou, quando está, age com a liberdade determinada pela natureza intelectual da função, como ocorre com o advogado ou o médico. ★ *s.2g.* **1.** Pessoa liberal. **2.** Partidário do liberalismo; liberalista.

liberalidade *s.f.* (lat. *liberalitas, liberalitatis*). Propensão para dar com largueza; generosidade.

liberalismo *s.m.* **1.** Doutrina econômica que preconiza a livre iniciativa e se opõe a toda intervenção do Estado na economia. **2.** Doutrina política que postula a limitação dos poderes do Estado para salvaguardar a liberdade individual. **3.** Respeito pelos direitos do outro; tolerância.

liberalista *adj.2g.* e *s.2g.* Liberal.

liberalizar *v.t.* (conj. 4). **1.** Dar com liberalidade; prodigalizar. **2.** Tornar liberal. ★ *v.pr.* Tornar-se liberal.

liberar *v.t.* (lat. *liberare*) [conj. 4]. **1.** Isentar, desobrigar, desonerar. **2.** Suprimir qualquer limitação. **3.** Livrar, libertar. **4.** Anular a interdição de. **5.** Desprender (uma reação química ou nuclear) uma certa quantidade de energia. **6.** Produzir e desprender (uma reação química) um gás. ★ *v.pr.* Desobrigar-se; libertar-se.

liberdade *s.f.* (lat. *libertas, libertatis*). **1.** Faculdade de fazer ou de não fazer algo, de escolher. **2.** Independência. **3.** Estado oposto ao do cativeiro ou prisão, à escravidão; qualidade de livre. **4.** Desembaraço, facilidade. **5.** Permissão, licença. ★ *s.f.pl.* **1.** Imunidades e franquias. **2.** Maneira de agir com audácia.

libertação *s.f.* (lat. *libertatis*). Ato ou efeito de libertar(-se); liberação.

libertar *v.t.* (lat. *libertare*) [conj. 4]. **1.** Tornar livre, dar liberdade a. **2.** Aliviar, desobrigar. **3.** Desobstruir, descarregar. ★ *v.pr.* **1.** Pôr-se em liberdade; escapar-se. **2.** Emancipar-se, livrar-se.

libertário *adj.* e *s.m.* **1.** Que ou aquele que prega ou é partidário da liberdade absoluta. **2.** Anarquista.

libertinagem *s.f.* **1.** Modo libertino de viver. **2.** *Ant.* Descrença, incredulidade religiosa.

libertino *adj.* e *s.m.* (lat. *libertinus*). **1.** Que ou aquele que é desregrado em sua conduta; devasso, dissoluto. **2.** *Ant.* Dizia-se de ou pessoa livre da disciplina da fé religiosa; livre-pensador.

liberto *adj.* (lat. *libertus*). **1.** Livre, solto. **2.** Diz-se do escravo que ganhou a liberdade; forro, alforriado. **3.** Salvo.

libidinagem *s.f.* **1.** Qualidade de libidinoso; sensualidade, lascívia, voluptuosidade. **2.** *Ato libidinoso.*

libidinal *adj.2g.* Relativo à libido.

libidinoso (ô) *adj.* (lat. *libidinosus*). Relativo a ou que evoca os prazeres sexuais; lascivo, voluptuoso.

libido *s.f.* (lat. *libido,* de *libere,* ter vontade de). Desejo sexual. ● **Psican.** Energia da pulsão sexual, em especial a parte essencial das transformações que esta última pode sofrer.

líbio *adj.* Relativo ou pertencente à Líbia, país do norte da África. ★ *s.m.* O natural ou habitante da Líbia.

libra *s.f.* **1.** Unidade monetária do Egito, Líbano, Malta, Síria e Sudão. **2.** *Libra esterlina,* unidade monetária do Reino Unido. **3.** Antiga unidade monetária da Irlanda, substituída pelo euro em 2002. ● **Metrol.** Unidade britânica de massa.

libração *s.f.* (lat. *libratio*). **1.** Ato ou efeito de librar(-se). **2.** Movimento oscilante em busca de equilíbrio. **3.** Movimento de um corpo celeste caracterizado por uma oscilação em torno de uma posição de equilíbrio.

librar *v.t.* (lat. *librare*) [conj. 4]. **1.** Equilibrar. **2.** Suspender. **3.** Fundamentar. ★ *v.pr.* **1.** Suspender-se, sustentar-se no ar. **2.** Consistir em, basear-se.

libré *s.f.* (fr. *livrée*). **1.** Vestimenta dos criados de nobres, com as cores e armas do brasão. **2.** *Fig.* Aparência, exterioridade.

libreto (ê) *s.m.* (it. *libretto*). **1.** Texto de uma obra dramático-vocal, principalmente de uma ópera. **2.** Texto literário posto em música.

libriano *adj.* e *s.m.* Diz-se de ou indivíduo nascido sob o signo de Libra (de 23 de setembro a 22 de outubro).

REPRESENTAÇÕES GRÁFICAS DO SIGNO ASTROLÓGICO DE LIBRA

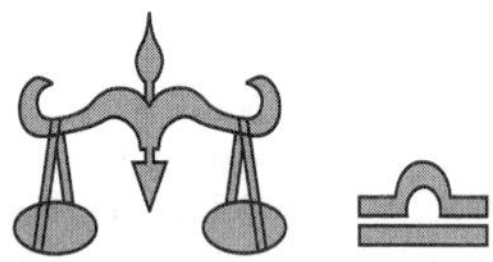

liça *s.f.* (fr. *lice,* barreira, de or. germ.). **1.** Lugar reservado para combates, torneios etc.; campo, paliçada. **2.** *P. ext.* Luta, briga, combate. **3.** *Fig.* Lugar onde se discutem questões controvertidas.

lição *s.f.* (lat. *lectio, lectionis*). **1.** Ensino de ciência ou arte ministrado em público ou em particular. **2.** O que o professor marca para estudar. **3.** Ensinamento, norma de proceder. **4.** Advertência, reprimenda.

licença *s.f.* (lat. *licentia*). **1.** Permissão concedida a alguém pela autoridade competente ou por um superior hierárquico, para fazer ou deixar de fazer alguma coisa. **2.** Documento que atesta essa permissão. **3.** Consentimento, permissão, autorização. **4.** Afastamento temporário do serviço. **5.** Licenciosidade. **6.** Licenciamento. **7.** *Licença poética,* possibilidade aberta ao escritor ou ao poeta de empregar formas ou construções incorretas sob o ponto de vista da gramática normativa.

licença-prêmio *s.f.* Licença especial a que tem direito, no Brasil, o funcionário público, após certo período de efetivo serviço.

licenciado *adj.* Que tem ou está autorizado por licença. ★ *adj.* e *s.m.* Que ou aquele que tem a licenciatura.

licenciamento *s.m.* Ato ou efeito de licenciar (-se); licença.

licenciar *v.t.* (lat. *licentiare*) [conj. 16]. **1.** Conceder licença. **2.** Isentar temporariamente do serviço. **3.** Autorizar, permitir. **4.** Conferir a licenciatura. ★ *v.pr.* **1.** Tomar licença; afastar-se oficialmente do trabalho por determinado período. **2.** Obter a licenciatura.

licenciatura *s.f.* Grau universitário que habilita a exercer o magistério.

licenciosidade *s.f.* **1.** Qualidade de licencioso; liberdade excessiva, contrária à decência, ao pudor. **2.** Libertinagem.

licencioso (ô) *adj.* (lat. *licentiosus*). **1.** Indisciplinado, desregrado. **2.** Contrário à decência, ao pudor.

liceu *s.m.* (gr. *lykeion,* ginásio onde Aristóteles ensinava). Estabelecimento de ensino de segundo grau ou profissional.

lichia *s.f.* Árvore originária da Ásia, de pequenas flores brancas ou esverdeadas e frutos arredondados, vermelhos, dispostos em cachos, que fornece madeira própria para obras externas. (Var. LECHIA.)

licitação *s.f.* (lat. *licitatio, licitationis*). **1.** Oferecimento de preço (lanço) sobre coisa posta em leilão ou hasta pública. **2.** Concorrência.

licitante *adj.2g.* e *s.2g.* Que ou aquele que participa de licitação.

licitar *v.t.* (lat. *licitare*) [conj. 4]. **1.** Oferecer quantia para a arrematação de bem posto em leilão ou hasta pública. **2.** Pôr em leilão ou hasta pública. **3.** Oferecer lanço sobre.

lícito *adj.* (lat. *licitus*). **1.** Que está de acordo com a lei; legal. **2.** Honesto, correto, justo.

licitude *s.f.* Qualidade de lícito.

licopeno *s.m.* Pigmento carotenóide vermelho do tomate e do pimentão; licopino, neonicopeno.

licopino *s.m.* Licopeno.

licor (ô) *s.m.* (lat. *liquor,* fluidez, líquido). **1.** Bebida alcoólica adocicada obtida pela mistura ou redestilação de álcool etílico com substâncias de origem vegetal. **2.** Designação genérica de várias preparações farmacêuticas, principalmente das que contêm álcool.

licoraria *s.f.* Arte e técnica da fabricação de licores.

licoreira *s.f.* Licoreiro.

licoreiro *s.m.* **1.** Aparelho de forma análoga ao galheteiro que contém copos e garrafas para licor; licoreira. **2.** Garrafa, em geral lapidada, que contém licor; licoreira. **3.** Aquele que fabrica licores.

licoroso (ô) *adj.* Diz-se de bebida alcoólica que apresenta gosto adocicado em função da presença de açúcar.

lictor (ô) *s.m.* (lat. *lictor*). Oficial que marchava à frente dos principais magistrados da antiga Roma com um feixe de varas e um machado, para abrir-lhes caminho.

lida *s.f.* Ação de lidar; faina, azáfama; lide.

lidador (ô) *adj.* e *s.m.* Que ou aquele que lida; trabalhador, lutador.

lidar *v.t.* (conj. 4). **1.** Tomar parte em combates, lutas; lutar. **2.** Trabalhar, elaborar. **3.** Conviver, relacionar-se, tratar. ★ *v.i.* **1.** Trabalhar, labutar. **2.** Pelejar em batalha.

lide *s.f.* (lat. *lis, litis*). **1.** Lida. **2.** Combate, duelo, contenda. **3.** Litígio, questão forense.

líder *s.2g.* (ingl. *leader*). **1.** Aquele que toma as iniciativas e decisões num grupo, dirige e orienta os outros membros, detém o comando. **2.** Aquele que chefia um partido político, um sindicato. **3.** Aquele que está à frente de uma competição esportiva. **4.** Empresa, grupo, produto etc. que ocupa o primeiro lugar em determinado mercado ou setor.

liderança *s.f.* **1.** Função, ação do líder. **2.** Comando, direção, hegemonia.

liderar *v.t.* (conj. 4). **1.** Dirigir como líder. **2.** Chefiar. **3.** Ocupar a principal posição no decurso de uma competição desportiva, ramo ou setor de mercado etc.

lídimo *adj.* (lat. *legitimus*). **1.** Autêntico, legítimo. **2.** Vernáculo.

lido *adj.* **1.** Que se leu. **2.** Que adquiriu conhecimentos com muitas leituras; letrado, erudito.

liga *s.f.* **1.** Aliança, união, pacto. **2.** Aliança, confederação de regiões. **3.** Associação para defesa de determinados interesses. **4.** Fita ou elástico para prender a meia à perna. **5.** Produto metalúrgico resultante da incorporação de elementos metálicos ou não a um metal, para modificar suas propriedades.

ligação *s.f.* (lat. *ligatio*). **1.** Ato ou efeito de ligar(-se); união, junção. **2.** O que liga, une; liame, conexão. **3.** Relação, afinidade entre dois ou mais seres. **4.** Linha ferroviária, rodoviária, marítima ou aérea que estabelece comunicação regular entre dois pontos. **5.** Comunicação através de telegrafia, telefonia, radiotelefonia. ● **Gram.** *Verbo de ligação,* verbo que estabelece a união entre duas palavras ou expressões de caráter nominal e expressa aparência, permanência ou mudança de estado; verbo predicativo. **Quím.** *Ligação química,* interação entre átomos diferentes ou idênticos que conduz à formação de compostos químicos.

ligadura *s.f.* (lat. *ligatura*). **1.** Ação de ligar; ligamento. **2.** Elemento (fio, barbante etc.) usado para ligar ou atar. **3.** Atadura. ● **Med.** Operação que consiste em dar um nó ao redor de uma parte qualquer do corpo, como as trompas ou um vaso sanguíneo. ► Fio ou linha que serve para essa operação. **Mús.** Linha em forma de arco que indica a sustentação ou a ligação das notas ou a soma de sua duração.

ligamento *s.m.* (lat. *ligamentum*). **1.** Ação de ligar, unir; ligadura. **2.** Vínculo. ● **Anat.** Conjunto de fibras conjuntivas cerradas e resistentes, dirigidas no mesmo sentido, que liga entre si ossos articulados ou mantém os órgãos nas respectivas posições. ► *Ligamento de Falópio,* sin. de ARCO CRURAL* PROFUNDO.

ligamentoso (ô) *adj.* Da natureza do ligamento.

ligar *v.t.* (lat. *ligare*) [conj. 14]. **1.** Atar, prender uma coisa a outra. **2.** Prender, fixar. **3.** Encadear, relacionar. **4.** Misturar, combinar. **5.** Unir em razão de afeto. **6.** Pôr em contato, comunicar. **7.** Conectar um aparelho à fonte de energia que o faz funcionar, um circuito elétrico a outro. **8.** Conectar a rede interna de água, gás etc. de um local à rede de abastecimento. ★ *v.i.* Aderir-se, unir-se, soldar-se. ★ *v.pr.* **1.** Fazer uma união. **2.** Relacionar-se. **3.** Obrigar-se, sujeitar-se.

ligeiro *adj.* (fr. *léger*). **1.** Leve. **2.** Rápido, veloz. **3.** Presto, ágil. **4.** Delgado, fino. **5.** Inconstante, leviano, irrefletido. **6.** Tratante, desonesto.

light *adj.2g.* (ingl. leve). Diz-se de um produto alimentar com redução de 25% do total calórico, por conter menos açúcar ou menos gorduras em comparação com o produto tradicional. (Cf. DIET.)

lígneo *adj.* (lat. *ligneus*). Lenhoso.

lignificar-se *v.pr.* (lat. *lignificare*) [conj. 12]. Impregnar-se de lignina, em se falando de órgãos vegetais.

lignina *s.f.* (do lat. *lignum,* lenho). Substância orgânica que impregna as células, as fibras e os vasos do vegetal, e que os torna impermeáveis e inextensíveis.

lignita *s.f.* Var. de LINHITA.

lilás *s.m.* (fr. *lilas,* de or. persa). **1.** Arbusto ornamental originário da Ásia e Europa, de folhas verde-brilhantes e flores azuis, purpúreas ou brancas, aromáticas. **2.** A flor desse arbusto. **3.** A cor violeta-clara dessa flor. **4.** O perfume da mesma flor. ★ *adj.2g.* Que tem a cor violeta-clara dessa flor.

liliáceas *s.f.pl.* Família de plantas monocotiledôneas, herbáceas, muitas vezes com caule subterrâneo bulboso e flores vistosas.

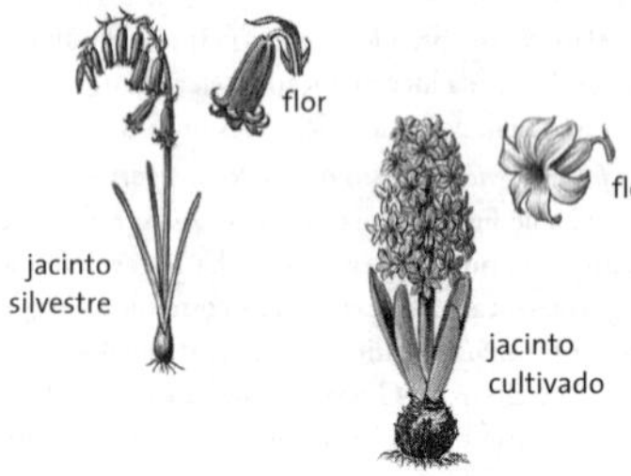

LILIÁCEAS ▸ A família das liliáceas é muito variada. Além dos lírios, ela inclui o jacinto, a açucena, a tulipa, o alho, a cebola e o aspargo.

liliforme *adj.2g.* Que tem a forma de um lírio.

lima[1] *s.f.* (lat. *lima*). **1.** Ferramenta manual de aço temperado, com saliências ásperas e cortantes nas faces, usada para alisar, lixar ou desbastar metal, madeira etc. **2.** *Fig.* Aperfeiçoamento, retoque.

As limas têm linhas em diferentes sentidos, de acordo com a forma que se queira dar ao objeto limado.

lima[2] *s.f.* Fruto da limeira, cítrico, de casca fina e cor amarelo-limão, que contém suco levemente amargo e de pouca acidez.

lima-da-pérsia *s.f.* Sin. de LIMEIRA.

limador (ô) *adj.* e *s.m.* (lat. *limator*). **1.** Que ou aquele que lima. **2.** *Fig.* O que pule ou aperfeiçoa.

limadura *s.f.* Limagem.

limagem *s.f.* **1.** Ato ou efeito de limar; limadura. **2.** *Fig.* Aperfeiçoamento, polimento, aprimoramento.

limalha *s.f.* (fr. *limaille*). Conjunto de partículas produzidas pela fricção da lima contra metal.

limão *s.m.* (persa *limum*). Fruto do limoeiro, de cor verde ou amarelo-pálida, polpa ácida e suco tônico, cuja casca fornece óleo essencial.

limão-bravo *s.m.* **1.** Arbusto de folhas opostas, pequenas flores esverdeadas e fruto muito aromático que possui odor semelhante ao do limão. **2.** O fruto desse arbusto.

limão-cravo *s.m.* **1.** Árvore pequena, originária da Índia, de flores brancas, cujo fruto é uma baga globosa, ácida e vermelho-alaranjada. **2.** O fruto dessa árvore.

limão-galego *s.m.* **1.** Árvore pequena, variedade de limeira, armada de espinhos, de flores brancas, aromáticas e melíferas, cujos frutos são pequenos, arredondados, de suco ácido. **2.** O fruto dessa árvore.

limão-taiti *s.m.* **1.** Variedade de limeira cujo fruto, de suco ácido, é usualmente confundido com o limão. **2.** O fruto dessa árvore.

limar *v.t.* (lat. *limare*) [conj. 4]. **1.** Polir ou desbastar com a lima. **2.** *Fig.* Aprimorar, aperfeiçoar, retocar.

límbico *adj.* Relativo ao limbo. ● **Anat.** *Sistema* ou *formação límbica,* conjunto de estruturas nervosas cerebrais que desempenha um importante papel na memória e nas reações comportamentais de ordem alimentar, sexual e social, em associação com o córtex cerebral e o hipotálamo.

limbo *s.m.* (lat. *limbus*). **1.** Orla, borda, franja. **2.** Rebordo exterior e graduado de um círculo, de um instrumento medidor. **3.** *Fig.* Estado vago, indiferenciado. ● **Astron.** O perfil do disco visível dos astros. **Bot.** Parte principal da folha, alargada e geralmente rica em clorofila. ▸ Parte larga de uma pétala ou de uma sépala. **Teol.** Lugar onde ficam as almas dos justos e das crianças mortas sem batismo, até a vinda de Jesus Cristo.

limeira *s.f.* Árvore pequena, originária da Índia, de ramos armados de espinhos finos e compridos, pequenas flores brancas e fruto de cor amarelo-limão. (Sin. LIMA-DA-PÉRSIA.)

limiar *s.m.* (lat. *liminaris*). **1.** Soleira da porta, patamar. **2.** Nível de intensidade do estímulo a partir do qual um fenômeno fisiológico é desencadeado. **3.** *Fig.* Entrada, começo, liminar.

liminar *s.m.* (lat. *liminaris*). Limiar. ★ *adj.2g.* **1.** Preliminar. **2.** Diz-se de um estímulo que está no nível de seu limiar. ★ *adj.* e *s.f.* Diz-se de ou providência determinada pelo juiz de direito (sem apreciar o mérito do feito), a fim de evitar dano irreparável ao direito alegado.

limitação *s.f.* (lat. *limitatio*). **1.** Ato ou efeito de limitar(-se). **2.** Fixação, restrição. **3.** Deficiência, insuficiência, mediocridade.

limitar *v.t.* (lat. *limitare*) [conj. 4]. **1.** Determinar os limites de; demarcar, lindar. **2.** Reduzir a determinadas proporções; restringir. **3.** Fixar, estipular, designar. **4.** Formar fronteiras ou limites com. ★ *v.pr.* **1.** Consistir unicamente em. **2.** Contentar-se, satisfazer-se com. **3.** Ter como limite; confinar.

limitativo *adj.* Que serve para limitar; limitante, restritivo.

limite *s.m.* (lat. *limens, limitis*). **1.** Linha que marca o fim de uma extensão. **2.** Linha real ou imaginária que separa dois países ou dois terrenos contíguos; fronteira. **3.** Termo de uma ação, de uma influência. ● **Mat.** *Limite de uma função,* valor do qual se aproxima uma função quando a variável do domínio tende a um valor fixo ou ao infinito.

limítrofe *adj.2g.* (lat. *limitrophus*). Cujos limites são contíguos; fronteiriço.

limnologia *s.f.* (do gr. *limne,* lago). Estudo dos fenômenos físicos e biológicos relativos aos lagos e lagunas.

limnólogo *s.m.* Especialista em limnologia.

limo *s.m.* (lat. *limus*). **1.** Conjunto de algas filamentosas ou não que cobrem como um tapete verde e viscoso a superfície das águas estagnadas e os lugares úmidos. **2.** *P. ext.* Lodo, lama. **3.** *Fig.* Imundície, sordidez.

limoal *s.m.* Plantação de limoeiros.

limoeiro *s.m.* Árvore pequena, originária da Índia, de copa aberta, ramos armados de espinhos, flores brancas e frutos de polpa ácida.

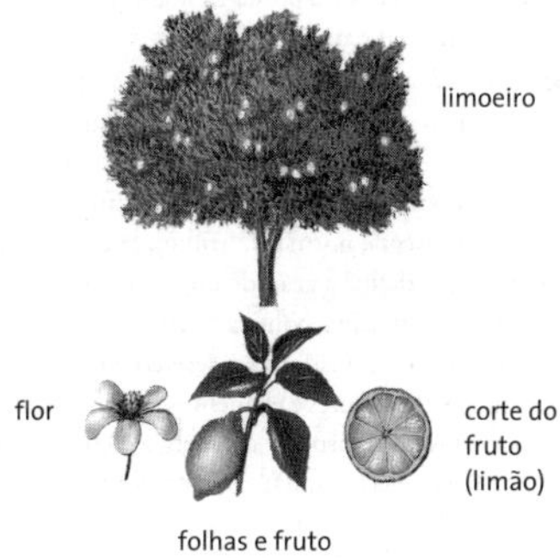

limonada *s.f.* Refresco de suco de limão, água e açúcar ou adoçante.

limoso (ô) *adj.* (lat. *limosus*). Cheio de limo; lodoso.

limpa *s.f.* **1.** Ação de limpar. **2.** *Pop.* Saque completo, depredação.

limpadela *s.f.* Ação de limpar um pouco.

limpador *s.m.* Aquele ou aquilo que limpa. ★ *adj.* Que limpa. ● **Zool.** Diz-se dos pássaros que se alimentam recolhendo parasitas da pele de um mamífero ou os restos entre os dentes de um crocodilo.

limpa-pratos *s.m.2n.* **1.** Aparelho para limpar pratos. **2.** *Fig.* Comilão, glutão. ● **Bot.** Arbusto originário da Síria, de folhas, flores e frutos comestíveis, de ação emoliente, que produz fibra para cordoalha.

limpar *v.t.* (lat. *limpidare*) [conj. 4]. **1.** Tornar limpo, asseado; tirar a sujeira. **2.** Livrar de impurezas, de corpos estranhos; expurgar, purificar. **3.** Retirar o mato de um terreno. **4.** *Pop.* Arruinar, espoliar. **5.** *Pop.* Saquear, furtar. ★ v.i Desanuviar-se (o céu). ★ *v.pr.* Tornar-se limpo.

limpa-trilhos *s.m.2n.* Dispositivo colocado na parte dianteira das locomotivas etc., para remover pedras ou outros obstáculos.

limpeza (ê) *s.f.* **1.** Qualidade de limpo; asseio. **2.** Ato ou efeito de limpar. **3.** *Fig.* Decência, correção, pureza. **4.** *Fig.* Dignidade, honradez, honestidade. **5.** *Pop.* Furto em larga escala.

límpido *adj.* (lat. *limpidus*). **1.** Transparente, translúcido, cristalino. **2.** Puro, brilhante. **3.** Diz-se de som claro, nítido, cristalino. **4.** Isento de obscuridade; claro. **5.** Diz-se do céu sem nuvens. **6.** *Fig.* Puro, ingênuo, simples.

limpo *adj.* (lat. *limpidus*). **1.** Sem sujeira ou mancha; asseado. **2.** Que se limpou. **3.** Expurgado, isento. **4.** Claro, desanuviado. **5.** *Fig.* Imaculado, puro. **6.** Diz-se de trabalho bem-acabado, perfeito. **7.** *Pop.* Sem dinheiro. ★ *s.m.* Faixa de terreno em que não há vegetação.

limusine *s.f.* (fr. *limousine*). Automóvel de luxo, com divisória entre a cabine do motorista e o banco dos passageiros, muito espaçoso.

lináceas *s.f.pl.* Família de plantas dicotiledôneas herbáceas, arbóreas ou arbustivas, de flores vistosas, como o linho.

lince *s.m.* (gr. *ligx, ligkos*). Mamífero carnívoro, da família dos felídeos, que apresenta patas longas, cauda curta e orelhas terminadas por um tufo de pêlos, encontrado na Europa, África, Ásia e América.

linchamento *s.m.* (de C. *Lynch,* n.pr.). Ato ou efeito de linchar.

linchar *v.t.* (conj. 4). Julgar, sumariamente e sem processo legal, segundo a lei de Lynch.

linda *s.f.* (lat. *limes, limitis*). Linha divisória; limite, marco, linde.

lindar *v.t.* (conj. 4). **1.** Pôr lindas em; limitar, balizar, demarcar. **2.** Confinar.

linde *s.2g.* Linda.

lindeiro *adj.* Relativo a linha ou limite; limítrofe.

lindeza (ê) *s.f.* **1.** Qualidade de lindo; formosura, beleza. **2.** Primor, graça, perfeição.

lindo *adj.* (lat. *limpidus,* limpo). **1.** Agradável à vista; formoso, belo, bonito. **2.** Elegante, airoso. **3.** Apurado, primoroso. **4.** Elevado, nobre, admirável.

lineamento *s.m.* (lat. *lineamentum*). Traço, produção de uma linha. ★ *s.m.pl.* **1.** Traços gerais, esboço, debuxo. **2.** As feições ou as linhas do rosto, do corpo humano. **3.** Primeiras noções; rudimentos.

linear *adj.2g.* (lat. *linearis*). **1.** Relativo ou semelhante à linha. **2.** Cuja variação pode ser representada por uma linha. **3.** Diz-se de uma medida de comprimento, em oposição à medida de superfície ou de volume. **4.** *Fig.* Claro, sem enredos ou complicações; simplório. ● **Mat.** Diz-se das equações ou funções que não envolvem potências de números. ★ *s.m. Linear A* e *linear B,* nomes dados a duas escritas lineares da Antiguidade grega.

linfa *s.f.* (gr. *lymphe*). **1.** Líquido rico em proteínas e em linfócitos que circula no organismo, notadamente nos vasos linfáticos. **2.** Qualquer líquido aquoso semelhante à linfa. **3.** *Poét.* A água.

linfático *adj.* (lat. *lymphaticus*). **1.** Relativo à linfa. **2.** *Fig.* Sem vida, sem energia; apático. ★ *adj.* e *s.m.* **1.** Que ou aquele que sofre de linfatismo. **2.** Diz-se de ou vasos que veiculam a linfa, gânglios que a contêm e o sistema que os reúne.

linfócito *s.m.* (do gr. *lymphe,* linfa). Leucócito mononucleado de pequeno tamanho, de citoplasma reduzido.

linfóide *adj.2g.* **1.** Relacionado aos gânglios linfáticos. **2.** *Sistema linfóide,* conjunto dos tecidos constitutivos dos órgãos linfóides (gânglios linfáticos, amígdalas, folículos linfóides do intestino, baço, timo).

linfoma *s.m.* Tumor maligno do tecido linfóide.

linfonodo *s.m.* Gânglio linfático.

A B C D E F G H I J K L M N O P Q R S T U V W X Y Z

lingote *s.m.* (fr. *lingot*). Lâmina ou barra de metal fundido.

língua[1] *s.f.* (lat. *lingua*). **1.** Corpo carnudo, alongado, móvel, situado na cavidade bucal, que, no homem, é um dos principais órgãos da fala. **2.** Qualquer objeto semelhante. **3.** *Língua presa* ou *língua aderente*, língua fixada de forma anormal, por meio de pregas, ao assoalho da boca.

EXEMPLOS DE LÍNGUAS DE ANIMAIS DE RESPIRAÇÃO AÉREA

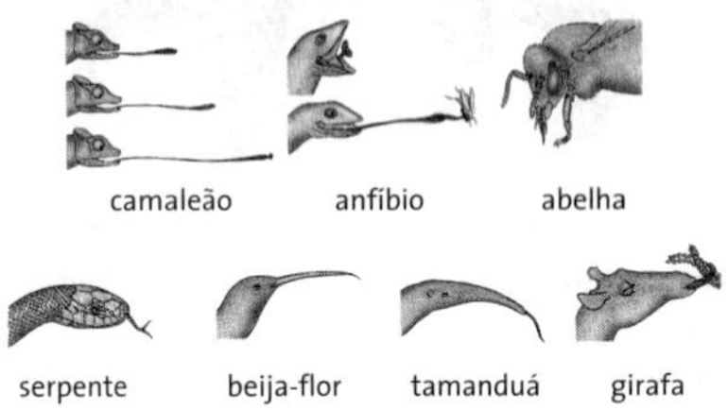

língua[2] *s.f.* **1.** Sistema de signos vocais, eventualmente gráficos, próprio de uma comunidade de indivíduos, que o utilizam como instrumento de comunicação e expressão. **2.** Conjunto de termos de um idioma e das regras de sua gramática. **3.** Qualquer das variedades da linguagem; idioma. **4.** Linguagem, estilo.

linguado[1] *s.m.* (lat. *lingulatus*). Lâmina comprida; barra de ferro.

linguado[2] *s.m.* Peixe teleósteo de carne saborosa e corpo achatado, cujos olhos sofrem migração para um dos lados do corpo, que se torna o lado superior. (Sin. RODOVALHO.)

linguagem *s.f.* **1.** Capacidade dos seres humanos de exprimir seu pensamento e de comunicá-lo por meio de um sistema de sinais vocais. **2.** Todo sistema de signos não verbais usado para comunicação. **3.** Maneira de falar própria de um grupo, disciplina etc. **4.** Maneira de se exprimir. **5.** Voz, grito, canto dos animais. **6.** Conjunto de caracteres, símbolos e regras utilizado para dar instruções a um computador.

linguajar *s.m.* Fala, linguagem; modo de falar.

lingual *adj.2g.* (lat. *lingualis*). Relativo à língua[1].

linguarudo *adj.* e *s.m.* Falador, mexeriqueiro.

lingüeta (ê) *s.f.* (it. *lingueta*). **1.** Pequeno objeto em forma de língua. **2.** Peça móvel das fechaduras que entra nos espelhos quando girada por meio da chave.

lingüiça *s.f.* **1.** Embutido de carne de suíno pura ou misturada à carne de bovino ou ao toucinho e diferentes temperos, em geral acondicionada em tripa fina de bovino. **2.** *Gír.* Acúmulo de notícias, conversas sem interesse.

linguiforme *adj.2g.* Que tem forma de língua.

lingüista *s.2g.* (fr. *linguiste*). Especialista em lingüística.

lingüística *s.f.* Ciência cujo objetivo é a descrição das línguas naturais.

LINGÜÍSTICA ▸ Algumas áreas da lingüística: a *fonética* estuda o som das palavras. A *morfologia* estuda a forma das palavras. A *sintaxe* estuda o modo como se relacionam as palavras em uma oração. A *semântica* estuda o significado das palavras.

lingüístico *adj.* **1.** Relativo à prática da língua. **2.** Relativo à lingüística.

linguodental *adj.2g.* e *s.f.* Diz-se de ou consoante cuja zona de articulação está entre a ponta da língua e a arcada dentária superior, como t, d e n.

linha *s.f.* (lat. *linea*). **1.** Traço contínuo, visível ou imaginário, que separa duas coisas contíguas. **2.** Traço que limita um objeto; contorno. **3.** Fio usado em trabalho de costura. **4.** Fio com um ou vários anzóis na extremidade, próprio para pescar. **5.** Fila, fileira. **6.** Regra, norma. **7.** Trilhos, leito das ferrovias. **8.** Orientação que define a ação de um grupo, os elementos essenciais de uma doutrina, política. **9.** Itinerário regular seguido por um serviço de transporte; o serviço em si. ● **Eletrotéc.** Conjunto dos condutores e elementos de isolamento, suporte etc. envolvidos no transporte de energia elétrica ou na transmissão de sinais elétricos. **Mús.** Traço horizontal que serve à notação. **Zool.** *Linha lateral,* órgão sensorial dos peixes, formado por um canal subcutâneo que comporta células sensíveis às vibrações da água. ★ *s.f.pl. Fig.* Carta, missiva.

linhaça *s.f.* Semente do linho, da qual se extrai um óleo, dito de linhaça, que tem aplicações industriais.

linhada *s.f.* **1.** Lance de linha e anzol. **2.** Espiadela, olhada.

linhagem *s.f.* **1.** Série de indivíduos que compreende um elemento e seus ascendentes; genealogia. **2.** Condição social. ● **Biol.** Grupo de células ou de indivíduos de patrimônio genético semelhante e que possuem um mesmo ancestral.

linhita *s.f.* (do lat. *lignum,* lenho). Mineral combustível de origem orgânica que contém 70% de carvão, muitas vezes com aspecto de madeira fossilizada, utilizado nas centrais térmicas. (Var. LIGNITA.)

linho *s.m.* (lat. *linum*). **1.** Planta herbácea originária da Ásia, de caule cilíndrico, folhas esparsas e flores azuis, que fornece excelentes fibras têxteis e óleo empregado em pintura. **2.** Tecido feito com as fibras dessa planta.

linicultor (ô) *s.m.* Aquele que cultiva o linho.

linimento *s.m.* (lat. *linimentum*). **1.** Medicamento untuoso que tem por excipiente uma matéria gordurosa, usado para fricções. **2.** Preparação líquida aplicada sobre a pele, destinada a acalmar a dor.

link *s.m.* (ingl.) **Inform.** Vínculo entre dois elementos ou trechos de um arquivo ou programa de computador.

linoléico *adj.* Diz-se do ácido presente em diversos óleos vegetais, sob a forma de glicerídeo; linólico, vitamina F.

linóleo *s.m.* (ingl. *linoleum*). **1.** Tecido de juta impermeabilizado com óleo de linhaça e cortiça pulverizada. **2.** Tapete desse tecido.

linólico *adj.* Linoléico.

linotipia *s.f.* Composição tipográfica em linotipo.

linotipo *s.f.* (ingl. *Linotype,* n.pr.) [marca registrada]. Máquina de composição mecânica que utiliza um teclado para produzir linhas justificadas fundidas num único bloco.

liofilização *s.f.* Desidratação especial de certas substâncias suscetíveis de serem alteradas pela ação do tempo, que permite a conservação de alimentos, vacinas, medicamentos etc.

liofilizado *adj.* Diz-se de produto industrialmente preparado por liofilização e que se conserva em perfeitas condições por muito tempo.

liofilizar *v.t.* (conj. 4). Submeter (um produto) à liofilização.

lipase *s.f.* Enzima digestiva secretada pelo pâncreas, que participa da hidrólise das gorduras.

lípide *s.m.* Sin. de LIPÍDIO.

lipidemia *s.f.* Teor de lipídios no sangue.

lipídio *s.m.* Nome dado às substâncias orgânicas comumente chamadas gorduras, formadas de ácidos graxos unidos a outros compostos. (Sin. LÍPIDE.)

lipóide *adj.2g.* Que se assemelha à gordura. ★ *s.m.* Lipídio complexo.

lipólise *s.f.* Hidrólise enzimática das gorduras alimentares.

lipoma *s.m.* (do gr. *lipos,* gordura). Tumor benigno constituído por tecido gorduroso que se localiza sob a pele, em geral na altura do dorso, do pescoço e das espáduas.

lipoproteína *s.f.* Combinação de uma proteína com um lipídio, forma pela qual os lipídios são veiculados no sangue.

liposo (ô) *adj.* Gorduroso.

lipossolúvel *adj.2g.* Que se dissolve em gordura.

lipotrópico *adj.* Diz-se da substância que se fixa nas gorduras ou que facilita seu metabolismo.

liquefação ou **liqüefação** *s.f.* **1.** Ato ou efeito de liquefazer(-se) ou liqüefazer(-se). **2.** Passagem de uma substância gasosa ao estado líquido; liquidificação.

liquefazer ou **liqüefazer** *v.t.* (conj. 31). **1.** Transformar um gás ou um sólido em líquido. **2.** Fundir, derreter. ★ *v.pr.* Tornar-se líquido.

liquefeito ou **liqüefeito** *adj.* Reduzido a líquido; derretido.

líquen *s.m.* (gr. *leichen*). Organismo simbiótico formado pela associação de uma alga microscópica e um fungo filamentoso, que vive no solo de florestas, sobre o tronco ou ramos de árvores, na superfície de rochedos ou sobre muros. ● **Med.** *Líquen plano,* dermatose pruriginosa caracterizada por pequenas elevações poliédricas, secas e duras, de cor avermelhada.

LÍQUEN ► Os liquens vivem no solo dos bosques, nos troncos e ramos de árvores, na superfície de rochas ou pedras de muros. Pioneiros da vegetação nas zonas inóspitas, constituem, amiúde, a única vegetação das altas montanhas. Alguns vivem sob as duras condições do deserto, outros no solo gelado das regiões árticas.

liquidação ou **liqüidação** *s.f.* **1.** Ato ou efeito de liquidar ou liqüidar. **2.** Operação que tem por fim o acerto de contas; pagamento, resgate. **3.** *P. ext.* Aniquilação, término, dissolução. **4.** Venda de mercadoria a preços módicos, a fim de obter uma saída rápida. **5.** Meio de dissolução de uma sociedade mercantil que através da realização de seu ativo e resgate de seu passivo distribui entre os sócios o ativo líquido ou os prejuízos que se verificaram.

liquidar ou **liqüidar** *v.t.* (conj. 4). **1.** Ajustar, acertar, apurar (contas), mediante o recebimento de créditos e pagamento de débitos. **2.** Proceder a uma liquidação, pagar, resgatar (um título); solver (uma obrigação). **3.** Resgatar um compromisso financeiro. **4.** Extinguir, dissolver. **5.** *Fig.* Matar. ★ *v.i.* **1.** Encerrar transações comerciais. **2.** Vender a preços reduzidos, para acabar rapidamente com o estoque. ★ *v.pr.* Aniquilar-se, acabar-se, destruir-se.

liquidável *adj.2g.* Que pode ser liquidado.

liquidez (ê) ou **liqüidez** (ê) *s.f.* **1.** Qualidade ou estado de líquido. **2.** Qualidade daquilo de que se pode dispor imediatamente. **3.** Capacidade de um bem, título ou obrigação de se transformar em dinheiro, em disponibilidade monetária.

liquidificação ou **liqüidificação** *s.f.* **1.** Ato ou efeito de liquidificar. **2.** Liquefação.

liquidificador (ô) ou **liqüidificador** (ô) *adj.* Que liquidifica. ★ *s.m.* Aparelho de uso doméstico para triturar e misturar certos produtos alimentícios.

liquidificar ou **liqüidificar** *v.t.* (conj. 12). Tornar líquido.

líquido ou **líqüido** *adj.* (lat. *liquidus*). **1.** Diz-se do corpo cujas moléculas, dotadas de extrema mobilidade, fazem-no tomar a forma do recipiente que o contém. **2.** Perfeitamente determinado; apurado, liquidado. **3.** *Peso líquido,* peso de um objeto deduzida a embalagem que o contém (p. opos. a *bruto*). **4.** Diz-se do valor que não está sujeito a reduções ou encargos. ★ *s.m.* **1.** Um corpo líquido; bebida ou alimento líquido. **2.** Valor líquido. **3.** *Líquido orgânico,* líquido que circula no organismo ou é secretado por ele (sangue, plasma, linfa etc).

líquor *s.m.* Sin. de LÍQUIDO CEFALORRAQUIDIANO*.

lira[1] *s.f.* (gr. *lyra*). **1.** Instrumento musical de cordas pinçadas, constituído por uma caixa com duas hastes curvas em forma de U, sustentadas por uma barra transversal. **2.** *Fig.* A inspiração poética. ● **Liter.** Tipo de estrofe ou de composição poética de cinco versos e esquema de rima fixo, dos séculos XVI e XVII.

lira[2] *s.f.* Ave de grande porte, cujo macho apresenta cauda de penas longas semelhante à forma de uma lira, que ocorre nas florestas da Austrália.

lira[3] *s.f.* **1.** Unidade monetária de Chipre e da Turquia. **2.** Antiga unidade monetária da Itália e de San Marino, substituída pelo euro em 2002.

lirial *adj.2g.* **1.** Que tem a cor do lírio; alvo. **2.** *Fig.* Puro, inocente.

lírica *s.f.* **1.** Na Antiguidade grega, a poesia que era cantada com acompanhamento de lira. **2.** Poesia lírica. **3.** Coleção de poesias líricas.

lírico *adj.* (gr. *lyrikós*). **1.** Relativo a lira[1]. **2.** Diz-se de um gênero poético inspirado na lírica grega. **3.** Diz-se de obra ou autor pertencente a esse gênero. **4.** Diz-se de uma obra poética, literária ou artística na qual o autor exprime com certa paixão seus sentimentos pessoais. **5.** Cheio de sentimento, de vibração. **6.** Relativo à ópera. ★ *s.m.* Poeta que compõe poesias do gênero lírico.

lírio *s.m.* (lat. *lilium,* do gr. *leirion*). **1.** Nome comum a diversas plantas ornamentais de bulbos grandes e flores brancas, vermelhas ou amarelas, perfumadas. (Sin. LIS.) **2.** A flor dessas plantas. **3.** *Fig.* Símbolo da pureza.

lírio-amarelo *s.m.* Planta herbácea ornamental, originária do Oriente, de bulbos grandes e flores amarelas e aromáticas.

lírio-branco *s.m.* Sin. de AÇUCENA.

lírio-do-mar *s.m.* Animal equinodermo, crinóide, semelhante a um vegetal, que se diferencia de outros do grupo pela ausência de madreporito e ventosas.

lirismo *s.m.* **1.** Inspiração lírica. **2.** Exaltação dos sentimentos pessoais.

lirista *s.2g.* **1.** Tocador de lira. **2.** Poeta lírico.

lis *s.m.* Sin. de LÍRIO.

lisboeta (ê) *adj.2g.* Relativo ou pertencente a Lisboa, capital de Portugal; lisbonense. ★ *s.2g.* O natural ou habitante de Lisboa; lisbonense.

lisbonense *adj.2g.* e *s.2g.* Lisboeta.

lise *s.f.* **1.** Fragmentação enzimática das moléculas orgânicas cujas partes se tornam solúveis em água. **2.** Destruição, natural ou não, de um elemento orgânico (tecido, célula) pela ação de agentes químicos, físicos ou biológicos.

lisérgico *adj. Ácido lisérgico,* substância alucinógena, cristalina, obtida por hidrólise de certos alcalóides e por síntese orgânica, da qual deriva o LSD.

lisina *s.f.* Aminoácido que participa da constituição de proteínas.

liso *adj.* **1.** Que não apresenta aspereza. **2.** *Fig.* Sincero, honrado. **3.** *Gír.* Sem dinheiro.

lisol *s.m.* Desinfetante e antisséptico formado por cresóis e sabão de potassa, em óleo de linhaça.

lisonja *s.f.* (esp. ant. *losenja*). **1.** Adulação, bajulação, louvor interesseiro. **2.** *Fig.* Mimo, afago, carícia.

lisonjear *v.t.* (conj. 15). **1.** Elogiar com afetação, para obter estima ou prestígio; adular. **2.** Agradar a; satisfazer, deleitar.

lisonjeiro *adj.* e *s.m.* **1.** Que ou o que lisonjeia; adulador. **2.** Que ou o que promete melhora; satisfatório.

lisossomo *s.m.* Vesícula citoplasmática que contém enzimas hidrolíticas e desempenha importante papel na digestão intracelular.

lista *s.f.* (fr. *liste,* de or. germ.). **1.** Tira comprida e estreita de pano ou papel. **2.** Relação de nomes de pessoas ou de coisas; catálogo, rol, listagem. **3.** Cardápio. (Cf. LISTRA.)

listagem *s.f.* **1.** Lista. **2.** Impressão, em formulários contínuos, realizada via computador.

listra *s.f.* Risca de cor diferente em um tecido, papel, animal. (Cf. LISTA.)

listrado *adj.* Que tem listras.

listrar *v.t.* (conj. 4). **1.** Riscar. **2.** Entrelaçar com riscas. ★ *v.pr.* Adornar-se com riscas.

lisura *s.f.* **1.** Qualidade de liso; maciez, planura. **2.** *Fig.* Franqueza, sinceridade. **3.** Honestidade, boa-fé, honradez.

litania *s.f.* (gr. *litaneia*). Série dialogada de súplicas ou de aclamações litúrgicas dirigidas a Deus ou aos santos; ladainha.

liteira *s.f.* (lat. *lectuaria,* fem. de *lectuarius*). Cadeira coberta, suspensa por varais e conduzida por homens ou animais.

literal *adj.2g.* (lat. *litteralis*). **1.** Relativo a letra. **2.** Conforme a letra de um texto. **3.** Expresso, rigoroso, restrito. ● **Mat.** *Grandezas literais,* as que se exprimem por letras; grandezas algébricas.

literário *adj.* (lat. *litterarius*). **1.** Relativo à literatura enquanto atividade. **2.** Que realça técnicas e qualidades específicas da literatura. **3.** Que diz respeito às letras.

literato *s.m.* (lat. *litteratus*). Pessoa que se ocupa de literatura; escritor.

literatura *s.f.* (lat. *litteratura*). **1.** Arte de escrever trabalhos artísticos em prosa ou verso. **2.** Conjunto desses trabalhos pertencentes a um país, época, gênero etc. **3.** Conjunto de conhecimentos e de estudos relacionados a essas obras e seus autores. **4.** Atividade, profissão de escritor. **5.** Conjunto de escritos dedicados a alguém, a um assunto. **6.** Sonho, fantasia, irrealidade.

litíase *s.f.* Formação de cálculos em um órgão glandular ou em um reservatório do organismo. (Sin. de CALCULOSE.)

lítico *adj.* **1.** Relativo a pedra. **2.** Relativo à indústria pré-histórica da pedra. **3.** Que contém fragmentos de rochas.

litigante *adj.2g.* (lat. *litigans*). **1.** Relativo a litígio. **2.** Que litiga. ★ *s.2g.* O que litiga ou sustenta litígio (no foro); parte.

litigar *v.i.* (lat. *litigare*) [conj. 14]. Pleitear, questionar em juízo.

litígio *s.m.* (lat. *litigium*). **1.** Demanda judicial. **2.** Controvérsia ou discussão formada em juízo a respeito do direito ou da coisa que serve de objeto da ação ajuizada.

litigioso (ô) *adj.* (lat. *litigiosus*). **1.** Relativo a litígio. **2.** Que é passível de contestação.

lítio *s.m.* (do gr. *lithos,* pedra). Elemento químico (símb. Li) de número atômico 3, que constitui um metal alcalino de cor branco-prateada, muito leve e mole.

litografar *v.t.* (conj. 4). Imprimir pelos processos da litografia.

litografia *s.f.* **1.** Arte de reproduzir por impressão desenhos feitos com tinta ou lápis gorduroso em pedra calcária. **2.** Gravura ou estampa impressa por esse processo. **3.** Oficina de litógrafo.

litógrafo *s.m.* Aquele que imprime segundo os processos da litografia.

litogravura *s.f.* Gravura obtida pelo processo da litografia.

litologia *s.f.* (do gr. *lithos,* pedra). Estudo da natureza mineral das rochas que constituem uma formação geológica, particularmente as sedimentares.

litoral *s.m.* (do lat. *littoralis,* da costa). **1.** Zona de contato entre o mar e a terra; extensão de território ao longo da costa. **2.** Conjunto de costas de um país, de uma região, de um mar ou de um oceano. ★ *adj.2g.* Relativo às bordas do mar; litorâneo.

litorâneo *adj.* Relativo ao litoral.

litorina *s.f.* (it. *littorina*). Sin. de AUTOMOTRIZ.

litosfera *s.f.* Parte sólida da crosta terrestre.

lítotes *s.f.2n.* (gr. *lítotes,* simplicidade). Figura de linguagem próxima da ironia que consiste em se afirmar uma idéia pela negação do seu contrário.

litro *s.m.* (gr. *litra,* peso de doze onças). **1.** Unidade de capacidade para líquidos ou materiais secos equivalente a 1 decímetro cúbico (símb. l). **2.** Garrafa que contém 1 litro; seu conteúdo.

lituano *adj.* Relativo ou pertencente à Lituânia, país da Europa. ★ *s.m.* **1.** O natural ou habitante da Lituânia. **2.** Língua falada na Lituânia.

liturgia *s.f.* (lat. ecles. *liturgia,* do gr. *leitourgía*). **1.** Conjunto de ritos, orações e cantos do culto público que a Igreja presta a Deus, determinado ou reconhecido pela autoridade competente. **2.** Parte desse culto, cerimonial particular.

litúrgico *adj.* (gr. *leitourgikós*). Relativo à liturgia.

lívido *adj.* (lat. *lividus*). Extremamente pálido.

livrar *v.t.* (lat. *liberare*) [conj. 4]. **1.** Soltar, libertar. **2.** Defender, preservar, pôr ao abrigo de mal ou perigo. **3.** Tirar alguém de uma situação difícil, embaraçosa, aborrecida. **4.** Absolver. ★ *v.pr.* **1.** Tornar-se livre, libertar-se. **2.** Desobrigar-se, eximir-se. **3.** Fugir, escapar.

livraria *s.f.* **1.** Loja ou parte de um estabelecimento comercial onde se vendem livros. **2.** Biblioteca.

livre *adj.2g.* (lat. *liber*). **1.** Que tem a faculdade de agir ou de não agir. **2.** Que não está sujeito a domínio estrangeiro; independente. **3.** Isento de constrangimento, de coação. **4.** Que não apresenta obstáculos. **5.** Licencioso, libertino. **6.** Absolvido pela Justiça. **7.** Solto, desprendido. ● **Liter.** Diz-se dos versos que apresentam extensão desigual e ritmos variados. ▸ Diz-se dos versos desvinculados de qualquer regra de prosódia. **Quím.** Diz-se de uma substância não combinada. ★ *s.m.* Nado com braçadas alternadas e o peito voltado para o fundo da piscina. (Sin. CRAWL)

livre-arbítrio *s.m.* Liberdade absoluta de determinação e de escolha.

livre-docência *s.f.* Título hierárquico na docência universitária, após o doutorado.

livre-docente *s.2g.* Professor universitário aprovado em concurso de livre-docência.

livreiro *adj.* Relativo à produção de livros; livresco. ★ *s.m.* Comerciante de livros, obras impressas etc.

livre-pensador (ô) *s.m.* Aquele que não está ligado a nenhum credo religioso, pensa livremente e só aceita as doutrinas que sua razão concebe.

livresco (ê) *adj.* **1.** Livreiro. **2.** Próprio dos livros. **3.** Que provém unicamente dos livros.

livrete (ê) *s.m.* (fr. *livret*). **1.** Livro pequeno. **2.** Caderneta; livreta.

livro *s.m.* (lat. *liber, libri*). **1.** Conjunto de folhas impressas e reunidas em volume encadernado ou brochado. **2.** Obra em prosa ou verso, de qualquer extensão. **3.** Subdivisão de certas obras, em geral superior a um capítulo. **4.** Registro, caderno, carnê no qual se fazem anotações. **5.** Registro no qual um comerciante lança suas transações. **6.** *Livro de bolso,* denominação dos livros editados em formato reduzido, a preço acessível.

lixa *s.f.* Papel ou pano revestido de material abrasivo, empregado para polir madeira, metais etc.

lixar *v.t.* (conj. 4). **1.** Desgastar ou polir com lixa. **2.** Polir, limar, brunir. ★ *v.pr. Pop.* Incomodar-se, enfurecer-se, indignar-se.

lixeira *s.f.* Objeto, local ou instalação para coleta de lixo.

lixeiro *s.m.* Profissional que recolhe e transporta o lixo das residências.

lixívia *s.f.* (lat. *lixivia*). **1.** Solução alcalina ou salina que serve para a saponificação e para a remoção da glicerina do sabão. **2.** Sin. de BARRELA.

lixiviação *s.f.* **1.** Operação que consiste em fazer passar lentamente um solvente através de um produto pulverizado e depositado em camada espessa, para extrair um ou mais constituintes solúveis (perfumes, alcalóides etc.). **2.** Dissolução química de certos constituintes de um material, utilizada para extrair metais e minerais de valor de um minério. ● **Pedol.** Processo natural de arraste mecânico de partículas do solo sob a ação da chuva.

lixiviar *v.t.* (conj. 16). **1.** Proceder à lixiviação. **2.** Limpar por meio de lixívia ou barrela.

lixo *s.m.* **1.** Restos domésticos ou industriais; despejos, resíduos inaproveitáveis. **2.** Tudo o que não presta e se joga fora. **3.** Sujeira, imundície. **4.** Coisa ou coisas inúteis, sem valor. **5.** *Lixo atômico,* conjunto dos resíduos radioativos provenientes da fusão nuclear.

lm símbolo do lúmen.

ló[1] *s.m.* **1.** Lado do navio que se acha exposto ao vento. **2.** Cada uma das metades da embarcação em sentido longitudinal.

ló[2] *s.m.* Tecido fino como escumilha.

loa (ô) *s.f.* **1.** Prólogo das peças do antigo teatro português. **2.** Discurso laudatório; apologia. ★ *s.f.pl.* **1.** Cantigas populares em louvor dos santos. **2.** Mentira, peta.

lobby *s.m.* (ingl.). Atividade individual ou de grupos de interesses privados que procura influenciar decisões do governo.

lobinho[1] *s.m.* Categoria de escotismo destinada a crianças de menos de dez anos.

lobinho[2] *s.m.* Cisto sebáceo do couro cabeludo; lúpia.

lobisomem *s.m.* **1.** Homem que, segundo certas crenças, tem o poder de metamorfosear-se em lobo à noite e voltar à forma humana de dia. **2.** *Fig.* Indivíduo feio ou de mau gênio.

lobista *s.2g.* Aquele que participa de *lobby.*

lobo *s.m.* (gr. *lobos*). **1.** Parte arredondada e convexa de um órgão qualquer (pulmão, fígado, cérebro). **2.** Convexidade, geralmente arredondada, de órgãos foliáceos ou florais. ● **Neurol.** Região do cérebro compreendida entre dois sulcos ou fissuras. **Odont.** Cada uma das principais divisões da coroa do dente.

lobo (ô) *s.m.* (lat. *lupus*). Mamífero carnívoro, selvagem, de hábitos noturnos, que caça em grupo e ocorre na Europa, Ásia e América do Norte.

lobo-do-mar *s.m.* Velho marinheiro, marujo experiente.

lobo-guará *s.m.* Sin. de GUARÁ.

lobo-marinho *s.m.* Sin. de LEÃO-MARINHO.

lobo-marsupial *s.m.* Sin. de DIABO-DA-TASMÂNIA.

lobotomia *s.f.* Seção cirúrgica das fibras nervosas que unem o córtex cerebral pré-frontal às regiões subcorticais.

lobo-vermelho *s.m.* Sin. de GUARÁ.

lôbrego *adj.* **1.** Soturno, lúgubre, tétrico. **2.** Assustador, pavoroso.

lobrigar *v.t.* (conj. 14). **1.** Ver com dificuldade; entrever, enxergar. **2.** Ver casualmente. **3.** *Fig.* Perceber, notar, entender.

lobular *adj.2g.* ou **lobulado** *adj.* **1.** Que tem a forma de um lóbulo. **2.** Que pertence a um lóbulo ou está dividido em lóbulos.

lóbulo *s.m.* **1.** Pequeno lobo. **2.** Divisão de um lobo. **3.** Região do cérebro pouco extensa que compreende em geral apenas uma ou duas circunvoluções cerebrais. **4.** *Lóbulo da orelha,* parte macia e arredondada da orelha onde é costume colocar brincos.

lobuloso (ô) *adj.* **1.** Que é dividido em lóbulos. **2.** Semelhante ao lóbulo.

loca *s.f.* **1.** Esconderijo de peixe sob pedras acumuladas, lajes, troncos, carcaças de embarcações etc., debaixo da água. **2.** Furna, toca. **3.** Lapa, gruta pequena.

locação *s.f.* (lat. *locatio*). **1.** Ato ou efeito de locar. **2.** Arrendamento, aluguel. **3.** Contrato pelo qual alguém se obriga, mediante remuneração periódica, a permitir a outrem o uso de uma coisa, ou a prestar-lhe determinado serviço. **4.** Remuneração referente ao aluguel.

locador (ô) *s.m.* (lat. *locator*). **1.** Pessoa que dá algo em aluguel. **2.** Arrendador, senhorio.

local *adj.2g.* (lat. *localis*). **1.** Próprio de um lugar. **2.** Que ocorre em ou se restringe a determinada área. ● **Med.** Circunscrito, limitado a determinado órgão. ★ *s.m.* Lugar, ponto.

localidade *s.f.* (lat. *localitas, localitatis*). **1.** Lugar, local determinado. **2.** Lugarejo, povoado.

localização *s.f.* **1.** Ato ou efeito de localizar (-se). **2.** Lugar em que se assinala a existência de algo; situação, posição. ● **Med.** Concentração em determinada parte do corpo de manifestações de um estado mórbido.

localizar *v.t.* (conj. 4). **1.** Determinar o lugar de. **2.** Encontrar o local em que algo ou alguém se acha. **3.** Limitar, circunscrever a um lugar determinado. ★ *v.pr.* Fixar-se, estabelecer-se em.

loção *s.f.* (lat. *lotio*). Líquido perfumado e levemente alcoolizado que se usa no tratamento da pele e dos cabelos.

locar *v.t.* (lat. *locare*) [conj. 12]. **1.** Alugar, arrendar. **2.** Localizar. **3.** Marcar com estaca o eixo de uma estrada. **4.** Proceder à locação.

locatário *s.m.* (lat. *locatarius*). **1.** Aquele que aluga um objeto, um imóvel mediante contrato escrito ou verbal. **2.** Inquilino, arrendatário.

locaute *s.m.* Aport. de LOCK-OUT.

lock-out *s.m.* (ingl). Fechamento dos estabelecimentos industriais e comerciais por iniciativa dos proprietários com o intuito de fazer frente a um movimento grevista dos trabalhadores ou para pressionar o governo. (Aport. LOCAUTE.)

locomoção *s.f.* Ação de andar ou transportar-se de um lugar para outro.

locomotiva *s.f.* (ingl. *locomotive*). Máquina a vapor, elétrica ou com motor a combustão etc., montada sobre rodas, destinada a rebocar um comboio de carros ou de vagões sobre uma via férrea.

locomotivo *adj.* Relativo à locomotiva.

locomotor (ô) *adj.* **1.** Relativo à locomoção. **2.** Que opera a locomoção.

locomóvel *adj.2g.* Que pode se locomover. ★ *s.m.* Máquina a vapor montada sobre rodas não motrizes.

locomover-se *v.pr.* (conj. 5). Deslocar-se, mover-se, passar de um ponto a outro.

locução *s.f.* (lat. *locutio*). **1.** Expressão, forma particular de linguagem. **2.** Atividade do locutor. ● **Gram.** Grupo de palavras que têm o valor gramatical e/ou semântico de uma só palavra.

locupletação *s.f.* (lat. *locupletatio*). Ato ou efeito de locupletar(-se).

locupletar *v.t.* (lat. *locupletare*) [conj. 4]. **1.** Tornar rico, enriquecer. **2.** Encher em demasia, abarrotar, fartar. ★ *v.pr.* **1.** Enriquecer-se. **2.** Fartar-se, encher-se, saciar-se.

locutor (ô) *s.m.* (lat. *locutor*). **1.** Sujeito que formula enunciados, p. opos. àquele que os recebe ou responde. **2.** Pessoa que fala efetivamente uma língua (usado normalmente no plural.). **3.** Profissional que apresenta programas de rádio ou televisão, lê textos, faz comentários etc.

locutório *s.m.* Nos mosteiros, conventos ou prisões, compartimento dividido por grades, através das quais conversam os internos com as pessoas que os visitam.

lodaçal *s.m.* **1.** Lamaçal, atoleiro, charco. **2.** *Fig.* Local onde se pratica o vício; lugar degradante. **3.** *Fig.* Vida desregrada, devassidão.

lodo (ô) *s.m.* (lat. *lutum*). **1.** Depósito terroso com mistura de restos de vegetais ou de matérias animais, que se forma no fundo das águas; lama. **2.** Sedimento, borra. **3.** *Fig.* Ignomínia, degradação moral.

lodoso (ô) *adj.* Em que há lodo; lodacento, lamacento.

loendro *s.m.* Sin. de ESPIRRADEIRA.

logarítmico *adj.* **1.** Relativo aos logaritmos. **2.** Diz-se de uma representação gráfica em que as grandezas são representadas por números ou comprimentos proporcionais aos seus respectivos logaritmos; diz-se da escala correspondente.

logaritmo *s.m.* (lat. cient. *logarithmus*). *Logaritmo de um número real positivo em um sistema de base* a *positiva,* ou simplesmente *logaritmo,* expoente da potência a que se deve elevar *a* para encontrar o número considerado.

lógica *s.f.* (gr. *logike,* pelo lat. *logica*). **1.** Estudo das leis do raciocínio, das proposições. **2.** Coerência de raciocínio, de idéias. **3.** *Fig.* Maneira particular de raciocinar. **4.** *Lógica formal* ou *lógica simbólica,* estudo geral dos raciocínios dedutivos. ► *Lógica matemática,* teoria científica dos raciocínios, que exclui os processos psicológicos.

lógico *adj.* (gr. *logikós*). **1.** Relativo à ciência da lógica. **2.** De acordo com as regras da lógica, do bom senso; coerente, racional. ★ *s.m.* Especialista em lógica.

logística *s.f.* **1.** Parte da arte da guerra que visa a garantir provisões, transporte, alojamento, hospitalização etc. aos efetivos militares em operação. **2.** Antigo nome da lógica moderna. **3.** Planejamento, execução e controle de transporte e armazenagem de bens, serviços ou informações entre sua origem e o consumidor.

logístico *adj.* (gr. *logistikós*). **1.** Relativo ou pertencente à logística militar. **2.** Relativo à logística como disciplina.

logo *adv.* (lat. *loco,* ablativo de *locus*). **1.** Imediatamente, sem demora. **2.** Em futuro próximo, em breve. **3.** *Até logo,* até breve. ► *Logo mais,* daqui a pouco. ★ *conj.* **1.** Portanto, por conseguinte. **2.** *Logo que,* assim que, no momento em que.

logogrifo *s.m.* (gr. *logos,* discurso, e *griphos,* enigma). **1.** Modalidade de charada que consiste em formar certo número de palavras com letras de outra palavra. **2.** *Fig.* e *Fam.* Linguagem ininteligível.

logopéia *s.f.* (gr. *logopoeia,* criação de palavras). Arte de combinar as palavras a fim de sugerir a idéia de beleza pela forma e pelo conteúdo.

logorréia *s.f.* **1.** Emissão desordenada, rápida e incoercível de palavras, com ou sem sentido. **2.** Verbosidade excessiva.

logotipo *s.m.* **1.** Grupo de letras, abreviações etc. fundidas em um bloco único para acelerar a composição tipográfica. **2.** Representação gráfica de uma marca comercial, da sigla de uma instituição etc.

logradouro *s.m.* **1.** O que é ou pode ser fruído ou logrado por alguém. **2.** Rua, praça, jardim, de uso público.

lograr *v.t.* (lat. *lucrari,* lucrar) [conj. 4]. **1.** Gozar, fruir, desfrutar. **2.** Tirar proveito; lucrar. **3.** Conseguir, obter, alcançar. **4.** Enganar com astúcia; burlar. ★ *v.pr.* **1.** Aproveitar-se, gozar. **2.** Aumentar. **3.** Auferir vantagens.

logro (ô) *s.m.* **1.** Ato ou efeito de lograr. **2.** Burla, fraude, trapaça. **3.** Usufruto, gozo.

loireiro *s.m.* Var. de LOUREIRO.

loiro *s.m.* Var. de LOURO.

loja[1] *s.f.* (fr. *loge.*). **1.** Estabelecimento comercial onde se vendem mercadorias por atacado ou a varejo. **2.** Casa térrea. ● **Anat.** Cavidade mais ou menos bem delimitada na qual está situado um órgão. **Bot.** Cada uma das subdivisões da antera e do ovário. **Zool.** Compartimento de abertura limitada e faces resistentes, que contém um indivíduo de colônia animal.

loja[2] *s.f.* (ingl. *lodge*). **1.** Local onde os franco-maçons realizam suas assembléias. **2.** Célula maçônica fundamental. (Usa-se com maiúscula.) **3.** *Grande loja,* federação de lojas.

lojista *adj.2g.* Relativo a loja comercial. ★ *s.2g.* Pessoa que tem ou dirige uma loja de comércio.

lomba *s.f.* **1.** Pequena elevação do solo. **2.** Ladeira, encosta. **3.** (*RS*) Aclive suave das coxilhas; lombada. **4.** Lombeira.

lombada[1] *s.f.* **1.** Dorso de boi. **2.** Lado do livro, revista etc. onde estão a costura, a colagem ou os grampos.

lombada[2] *s.f.* **1.** Elevação do solo, aclive. **2.** Lomba.

lombalgia *s.f.* Síndrome dolorosa que afeta a região lombar.

lombar *adj.2g.* **1.** Relativo ao lombo. **2.** *Região lombar,* região posterior do abdome, situada nos dois lados da coluna vertebral, abaixo da caixa torácica e acima das cristas ilíacas. ★ *s.f.* Cada uma das cinco vértebras lombares.

lombeira *s.f.* **1.** Quebrantamento de forças, moleza do corpo. **2.** Sonolência. **3.** Preguiça, indolência, indisposição para o trabalho; lomba.

lombilho *s.m.* **1.** (*S*) Espécie de sela de montaria. **2.** Músculo lombar da rês, próprio para ser assado.

lombo *s.m.* (lat. *lumbus*). **1.** Região lombar; dorso, costas. **2.** Parte carnosa pegada à espinha dorsal de um lado e de outro. **3.** Parte do boi que compreende os músculos da região renal e da anca. **4.** Superfície exterior ou convexa. **5.** Elevação, altura.

lombrical *adj.2g.* Relativo a lombrigas.

lombriga *s.f.* (lat. *lumbricus,* minhoca). Verme nematódeo, parasita intestinal do homem e de animais domésticos. (Sin. BICHA.)

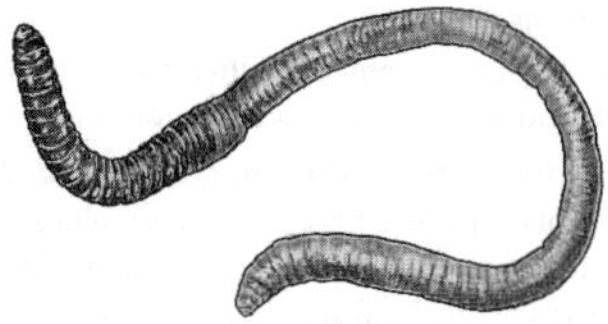

lona *s.f.* (de *Olonne,* top.). **1.** Tecido de linho, algodão ou fibras sintéticas, espesso e impermeabilizado. **2.** Peça desse tecido utilizada para cobrir mercadorias expostas às intempéries; oleado, encerado. **3.** Tenda de circo. **4.** Tecido tratado e revestido empregado na fabricação de certos pneus.

londrino *adj.* Relativo ou pertencente a Londres, capital da Inglaterra. ★ *s.m.* O natural ou habitante de Londres.

longânime *adj.2g.* (lat. *longanimis*). **1.** Que tem grandeza de ânimo; generoso, bondoso. **2.** Paciente. **3.** Corajoso.

longarina *s.f.* (it. *longarina*). **1.** Grande peça de vigamento de madeira que sustém, liga ou reforça várias outras. **2.** Cada uma das vigas sobre as quais repousa o tabuleiro das pontes. **3.** Cada uma das peças compridas e paralelas à carroceria de um veículo, usadas como ornato, reforço etc.

longe *adv.* (lat. *longe*). **1.** A grande distância, no espaço ou no tempo. **2.** *Ao longe,* longe. ★ *adj.2g.* Distante, afastado.

longevidade *s.f.* (lat. *longaevitas, longaevitatis*). **1.** Longa duração da vida. **2.** Tempo de duração da vida, em geral.

longevo *adj.* (lat. *longaevus*). **1.** Que tem muita idade; idoso, velho. **2.** *Poét.* Duradouro, vivaz.

VOCÊ SABIA...? As pessoas mais **longevas** moram no Japão, onde a expectativa de vida (ou seja, a idade que um indivíduo pode alcançar, em média) é de 81,6 anos. É mais alta que a dos EUA ou da Europa. Em alguns países pobres da África, a expectativa de vida é de apenas 32 a 40 anos.

longínquo *adj.* (lat. *longinquus*). Que se encontra a grande distância no espaço ou no tempo; afastado, distante.

longitude *s.f.* (lat. *longitudo*). **1.** Grande distância, lonjura. **2.** Distância angular entre um ponto qualquer da superfície terrestre e o meridiano inicial ou de origem. ● **Mat.** Em um sistema de coordenadas esféricas, distância angular entre a projeção de um ponto sobre o plano fundamental e uma direção de referência, orientada a partir desta última de 0° a 360° ou de 0° a 180°.

longitudinal *adj.2g.* (lat. *longitudinalis*). **1.** Relativo ao comprimento. **2.** Colocado no sentido do comprimento.

longo *adj.* (lat. *longus*). **1.** Comprido, extenso. **2.** Cujo comprimento, duração ou extensão é maior que o dos demais. **3.** Duradouro, demorado, dilatado. **4.** *Ao longo de,* no sentido do comprimento; durante algum tempo. ● **Fon.** Diz-se do fonema cuja emissão tem maior duração, relativamente ao breve.

lonjura *s.f.* Grande distância; longitude.

lontra *s.f.* (lat. *lutra*) Mamífero carnívoro de hábitos anfíbios, piscívoro, que possui cabeça achatada, orelhas pequenas, patas curtas e palmadas.

loquacidade *s.f.* Qualidade de loquaz.

loquaz *adj.2g.* (lat. *loquax*). **1.** Que fala muito; tagarela, palrador. **2.** Eloqüente.

lorde *s.m.* (ingl. *lord,* senhor). **1.** Título nobiliárquico inglês. **2.** *Fig.* Indivíduo rico ou que vive com ostentação.

lordose *s.f.* (gr. *lordosis*). **1.** Curvatura fisiológica de convexidade anterior das partes cervical e lombar da coluna vertebral. **2.** Acentuação patológica dessa curvatura; hiperlordose.

loriga *s.f.* (lat. *lorica,* couraça). Cota de malha usada pelos combatentes medievais.

loro *s.m.* (lat. *lorum*). **1.** Correia dupla, afivelada à sela e utilizada para sustentar o estribo; estribeira. **2.** Tira de couro macio usada para atar qualquer objeto ou manter presos pequenos animais. **3.** Em se tratando das aves, espaço, às vezes nu, compreendido entre a base do bico e o olho.

lorota *s.f.* *Pop.* **1.** Mentira. **2.** Conversa fiada. **3.** Bazófia, gabolice.

lorpa (ô) *adj.2g.* e *s.2g.* **1.** Aparvalhado, pateta, imbecil. **2.** Grosseiro, boçal.

lorpice *s.f.* Qualidade ou ato de lorpa.

losango *s.m.* Polígono formado por quatro lados iguais, com dois ângulos agudos e dois obtusos.

losna *s.f.* (lat. *aloxanum*). Arbusto originário da Ásia e Europa, cultivado como aromático e medicinal.

lotação[1] *s.f.* **1.** Ato ou efeito de lotar ou lotear. **2.** Capacidade de um veículo de transporte, navio, sala de espetáculos etc. **3.** Orçamento. **4.** Cômputo do rendimento de um cargo ou emprego público. **5.** Número de servidores públicos que devem ter exercício em cada repartição. **6.** Locação de funcionário em determinado órgão de uma repartição.

lotação[2] *s.m.* Veículo (táxi, furgão) de transporte coletivo em que os passageiros dividem o preço da corrida.

lotar *v.t.* (conj. 4). **1.** Lotear. **2.** Fixar o lote ou determinar a lotação de. **3.** Calcular, sortear. **4.** Colocar (funcionário) em determinado setor ou repartição. ★ *v.i.* Completar a lotação; encher.

lote *s.m.* (fr. *lot,* de or. germ.). **1.** Parte de um todo que se divide. **2.** Certa quantidade de animais ou objetos, geralmente da mesma natureza, reunidos. **3.** Porção de terreno resultante de loteamento e que constitui uma unidade imobiliária autônoma. **4.** Grupo de unidades de um produto que foi fabricado em condições idênticas, para fins de inspeção e controle. **5.** Qualidade, espécie, laia.

loteamento *s.m.* **1.** Ato ou efeito de repartir em lotes. **2.** Divisão de um terreno em lotes, para construção de casas etc.

lotear *v.t.* (conj. 15). Dividir em lotes; lotar.

loteca *s.f.* *Pop.* Loteria esportiva.

loteria *s.f.* (it. *lotteria*). **1.** Espécie de jogo de azar em que os prêmios são distribuídos mediante a correspondência entre o número do bilhete e aquele sorteado. **2.** Coisa ou negócio que dependa do acaso; rifa. **3.** *Loteria esportiva,* jogo de palpites sobre resultados de partidas de futebol; loteca.

lotérico *adj.* Relativo a loteria.

loto[1] *s.f.* (abrev. de loteria). Loteria que premia a quem apostar num grupo de números sorteados.

loto[2] *s.m.* Árvore originária da China, de copa arredondada, flores vermelhas, frutos comestíveis, cultivada como ornamental. (Var. LÓTUS.)

loto[3] (ô) *s.m.* (it. *lotto*). Jogo com cartões divididos em quadrinhos numerados, que são cobertos pelos jogadores à medida que são sorteados os 90 números correspondentes.

loto-sagrado-do-egito *s.m.* Planta aquática originária da Índia e do Egito, de flores brancas e sementes comestíveis. (Sin. LÓTUS.)

lótus *s.m.2n.* (gr. *lotos,* pelo lat. *lotus*). **1.** Var. de LOTO[2]. **2.** Sin. de LOTO-SAGRADO-DO-EGITO. **3.** Representação estilizada dessas plantas e de suas flores.

louça *s.f.* (do lat. *lutea,* de *luteus,* feito de barro). **1.** Artefato de barro, porcelana etc., para serviço de mesa. **2.** Conjunto desses artefatos; aparelho. **3.** O próprio material de que são feitos. **4.** *Pop.* Coisa fina, excelente. **5.** Conjunto de objetos fabricado por um louceiro. **6.** *Louça sanitária,* conjunto de vasos que integram a instalação de um banheiro.

louçainha (a-i) *s.f.* **1.** Trajo muito ataviado. **2.** Gala, adorno, enfeite.

louçania *s.f.* **1.** Qualidade de loução. **2.** Atavio, ornato. **3.** Garbo, gentileza, porte elegante.

loução *adj.* **1.** Garrido, enfeitado, ataviado. **2.** Galante, vistoso, gracioso. **3.** De aparência saudável; formoso, belo.

louco *adj.* **1.** Diz-se daquele que apresenta distúrbio mental grave; alienado, doido, insano. **2.** Que está fora de si; insensato. **3.** Furioso, alucinado. **4.** Temerário, imprudente. **5.** *Fig.* Dominado por emoção ou paixão intensa. **6.** Extravagante, excêntrico, esquisito. ● **Mec.** Diz-se de um mecanismo que gira livremente sobre a árvore que o suporta. ★ *s.m.* Indivíduo louco.

loucura *s.f.* **1.** Qualidade ou caráter de louco. **2.** Doença mental, demência, insanidade. **3.** Ato próprio de louco. **4.** Falta de discernimento; insensatez, doidice. **5.** Ato extravagante, incomum.

loureiro *s.m.* Arbusto ou pequena árvore, de flores amarelas e folhas oblongas, aromáticas, de propriedades medicinais e utilizadas como condimento. (Var. LOIREIRO; sin. LOURO[2])

louro[1] ou **loiro** *adj.* Que é de uma cor entre o dourado e o castanho-claro; fulvo. ★ *s.m.* **1.** Essa cor. **2.** Pessoa que tem os cabelos louros.

louro[2] ou **loiro** *s.m.* (lat. *laurus*). **1.** Sin. de LOUREIRO. **2.** Folha dessa planta. **3.** Sin. de PAPAGAIO. ★ *s.m.pl. Fig.* Glória.

louro-bravo *s.m.* Sin. de CANELEIRA.

lousa *s.f.* **1.** Peça mural plana, em cuja superfície se escreve com um pedaço de giz; quadro-negro. **2.** Lâmina de pedra, laje. **3.** Lápide funerária assentada sobre a sepultura; laje tumular.

louva-a-deus *s.m.2n.* Inseto ortóptero, mimético, que apresenta patas anteriores alongadas, fêmur e tíbia armados com espinhos, para captura de presas. (Sin. BENDITO.)

louvação *s.f.* **1.** Ato ou efeito de louvar; louvor. **2.** Avaliação feita em laudos de peritos. **3.** Composição poética popular, em homenagem a pessoas, datas festivas ou festas, geralmente em setissílabos.

louvar *v.t.* (lat. *laudare*) [conj. 4]. **1.** Exaltar, glorificar. **2.** Dirigir elogios a alguém, decantar-lhe os méritos. **3.** Aprovar, aplaudir. **4.** Avaliar, calcular o valor de (por meio de laudos de peritos).

louvável *adj.2g.* (lat. *laudabilis*). Digno de louvor.

louvor (ô) *s.m.* **1.** Ato ou efeito de louvar; louvação, exaltação, glorificação. **2.** Apologia.

LSD *s.m.* (al. *Lyserg Saure Diäthylamid*). Alucinógeno derivado do ácido lisérgico, que provoca intensas alterações vegetativas, perceptivas e psíquicas.

lth abrev. de *luteotrophic hormone*, hormônio luteotrófico ou prolactina.

lua *s.f.* (lat. *Luna*). **1.** Satélite natural da Terra e que reflete a luz recebida do Sol, conforme a posição em que se encontra. **2.** Satélite natural de um planeta qualquer.

? VOCÊ SABIA...? A **Lua** tem um diâmetro de 3.476 km. A Lua é atraída pela gravidade da Terra como qualquer coisa que cai no chão, e gira ao redor dela seguindo uma órbita quase circular. Desse modo, sempre mantém mais ou menos a mesma distância de nosso planeta, ou seja, cerca de 385.000 km (30 vezes o diâmetro da Terra). Se a Terra fosse como uma bola de tênis, a Lua seria do tamanho de uma bolinha de gude e estaria a 2 m de distância.

---

lua-de-mel *s.f.* Os primeiros tempos após o casamento.

luar *s.m.* Luminosidade provocada pela lua ao refletir a radiação solar.

lubricidade *s.f.* (lat. *lubricitas*). **1.** Qualidade de lúbrico. **2.** *Fig.* Luxúria, lascívia, sensualidade.

lúbrico *adj.* (lat. *lubricus*). **1.** Escorregadio, untuoso. **2.** Úmido, liso. **3.** *Fig.* Luxurioso, lascivo, sensual.

lubrificante *adj.2g.* Que lubrifica. ★ *s.m.* Produto próprio para lubrificar.

lubrificar *v.t.* (conj. 12). **1.** Tornar lúbrico ou escorregadio; untar. **2.** Umedecer, molhar. **3.** Interpor camada de produto apropriado entre duas superfícies em contato, para diminuir o atrito, o desgaste e o aquecimento.

lucerna *s.f.* (lat. *lucerna*). Archote, lume, lanterna.

lucidez (ê) *s.f.* **1.** Qualidade de lúcido. **2.** Funcionamento normal das atividades mentais.

lúcido *adj.* (lat. *lucidus*). **1.** Que luz; brilhante, resplandecente. **2.** Transparente, límpido. **3.** *Fig.* Que vê, compreende ou exprime claramente algo; que tem clareza.

lúcifer *s.m.* (lat. *lucifer*, o que traz a luz). Demônio. (Usa-se com maiúscula.)

lucífero *adj. Poét.* Que traz ou dá luz ou fogo.

lucilar *v.i.* (conj. 4). Brilhar com pouca intensidade; tremeluzir.

lúcio *s.m.* Peixe ósseo de rios e lagos da Europa, de até 1,50 m de comprimento, que apresenta coloração esverdeada com estrias verticais pardas.

lucrar *v.t.* (lat. *lucrare*) [conj. 4]. **1.** Auferir lucros. **2.** Tirar vantagem; aproveitar. **3.** Gozar, aproveitar, desfrutar.

lucrativo *adj.* (lat. *lucrativus*). Que dá lucro; vantajoso, útil. **2.** Bem remunerado.

lucro *s.m.* (lat. *lucrum*). **1.** Vantagens ou interesses que se tiram de uma operação comercial, industrial etc. **2.** Ganho proveniente de qualquer especulação depois de descontadas as despesas; ganho líquido. **3.** Ganho gratuito ou que se obteve sem trabalho. **4.** Proveito, utilidade, vantagem.

lucubração *s.f.* Elucubração.

lucubrar *v.t.* (lat. *lucubrare*) [conj. 4]. Elucubrar.

ludibriar *v.t.* (conj. 16). Engodar, enganar com palavras capciosas; embair, iludir. ★ *v.i.* Não dar importância; desdenhar, zombar.

ludíbrio *s.m.* (lat. *ludibrium*). **1.** Escárnio, zombaria, desprezo. **2.** Engano, logro. **3.** Objeto de zombaria.

lúdico *adj.* (do lat. *ludus*). Relativo a jogo, brinquedo, diversão.

ludo *s.m.* **1.** Jogo de dados e tabuleiro. **2.** *P. ext.* Jogo, brinquedo.

lufa *s.f.* **1.** Ventania, lufada. **2.** Afã, pressa. **3.** Contração da vela sob a ação do vento.

lufada *s.f.* Rajada de vento.

lufa-lufa *s.f.* Grande pressa, azáfama.

lugar *s.m.* (do lat. *localis*). **1.** Porção delimitada de um espaço, de uma superfície. **2.** Local adequado para determinado fim. **3.** Local, sítio. **4.** Povoado, localidade. **5.** Assento marcado e determinado. **6.** Habitação, vivenda. **7.** Situação numa série ou ordem. **8.** Trecho de um livro; passagem de um autor. **9.** Oportunidade, ensejo, ocasião. **10.** Direção, destino.

lugar-comum *s.m.* **1.** Reflexão banal, desprovida de originalidade; trivialidade. **2.** Argumento muito repetido e repisado. **3.** Fórmula cediça de falar ou escrever; chavão, clichê.

lugarejo (ê) *s.m.* **1.** Lugar pequeno. **2.** Povoação insignificante; arraial.

lugar-tenente *s.2g.* Aquele que secunda o chefe e o substitui.

lugente *adj.2g.* (lat. *lugens, lugentis*). Lastimoso, plangente, lúgubre.

lúgubre *adj.2g.* (lat. *lugubris*). **1.** Que exprime ou inspira sombria tristeza; fúnebre. **2.** Que é sinal de morte, de luto. **3.** Sombrio, soturno, sinistro.

lula *s.f.* (lat. *lunula*, pequena lua). Molusco cefalópode provido de dez tentáculos com ventosas, que ocorre no Atlântico. (Sin. CALAMAR.)

lumaréu *s.m.* Fogueira, fogaréu.

lumbágico *adj.* Relativo a lumbago.

lumbago *s.m.* (lat. *lumbago*). Acidente doloroso súbito que ataca a região lombar da coluna, em geral depois de um esforço ou de um movimento brusco de torção da coluna.

lumbricida *adj.2g.* e *s.m.* Que ou o que mata lombrigas.

lume *s.f.* (lat. *lumen*). **1.** Luz. **2.** Fogo, fogueira. **3.** Clarão, brilho, fulgor. **4.** Vela, círio. **5.** *Fig.* Ilustração, guia, saber. **6.** *Fig.* Luminar. ● **Bot.** Espaço entre as paredes de uma célula vegetal. **Zool.** Cavidade central de um ducto.

lúmen *s.m.* Unidade de medida SI de fluxo luminoso (símb. lm).

luminar *adj.2g.* (lat. *luminaris*). Que dá ou espalha luz. ★ *s.m.* **1.** Astro, planeta. **2.** Aquilo que esparge luz; foco. **3.** *Fig.* Pessoa de grande saber em qualquer ciência, artes ou letras; lume, luzeiro.

luminária *s.f.* (lat. *luminaria*). **1.** Aparelho que serve para distribuir, filtrar ou transformar a luz das lâmpadas, equipado de modo a fixá-las, protegê-las e conectá-las à rede elétrica. **2.** Pequeno vaso no qual se deita azeite ou estearina e se põe uma torcida, para iluminar; candeia, lamparina, lanterna. **3.** *P. ext.* Aquilo que alumia.

luminescência *s.f.* **1.** Emissão de radiação eletromagnética por uma substância previamente excitada, sobretudo luz visível. **2.** *Luminescência atmosférica,* claridade gerada pela emissão de energia luminosa pelas partículas da atmosfera de um planeta.

luminescente *adj.2g.* **1.** Relativo à luminescência. **2.** *Substância luminescente,* matéria que, submetida a um feixe de elétrons, emite luz. **3.** *Tubo luminescente,* tubo que contém gás ou vapor que se ilumina no momento em que é produzida uma descarga elétrica.

luminosidade *s.f.* **1.** Qualidade de luminoso. **2.** Potência total irradiada por um astro, integrada em todo o espectro eletromagnético e em todas as direções. **3.** O atributo de uma cor em conformidade com o grau de luz por ela refletida.

luminoso (ô) *adj.* (lat. *luminosus*). **1.** Que emite luz. **2.** Que reflete luz. **3.** Magnífico, brilhante, ilustre. **4.** Claro, evidente. ★ *s.m.* Painel publicitário iluminado.

lunação *s.f.* (lat. *lunatio, lunationis*). Intervalo de tempo compreendido entre duas luas novas consecutivas, cuja duração média é de 29 dias, 12h, 44min e 2,8s. (Sin. MÊS LUNAR.)

lunar *adj.2g.* (lat. *lunar*). **1.** Relativo à Lua; selênico. **2.** *Ano lunar,* período de 12 meses lunares. ▸ *Mês lunar,* sin. de LUNAÇÃO.

lunático *adj.* e *s.m.* (lat. *lunaticus*). **1.** Influenciado pela Lua; aluado. **2.** Maníaco, visionário, sonhador. **3.** *P. ext.* Louco.

lundu ou **lundum** *s.m.* **1.** Dança de pares soltos, de origem africana. **2.** Música que acompanha essa dança. **3.** Canção, música, em geral de caráter cômico ou picaresco. **4.** Amuo, zanga; calundu.

luneta (ê) *s.f.* (fr. *lunette*). **1.** Instrumento óptico para observação de objetos distantes, cuja objetiva é constituída de uma lente convergente ou de um sistema equivalente. **2.** Osso bifurcado no encontro das clavículas dos pássaros. **3.** Arco transversal de uma abóbada de contorno redondo, característica da arquitetura barroca. **4.** Janelinha aberta em um teto.

lupa *s.f.* (fr. *loupe*). **1.** Lente convergente que amplia os objetos. **2.** *Gír.* Óculos. **3.** Excrescência lenhosa que se apresenta no tronco e nos galhos de certas árvores. **4.** Tumor produzido pela hipertrofia de uma glândula sebácea. **5.** Tumor mole que se forma no joelho de alguns animais.

lupanar *s.m.* (lat. *lupanar*). Prostíbulo.

lupino *adj.* (lat. *lupinus*). Relativo a lobo.

lúpulo *s.m.* (lat. *lupulus*). Planta herbácea originária da Europa, de folhas opostas e flores esverdeadas e melíferas, utilizada na produção do malte e empregada na fabricação de cerveja.

lúrido *adj.* (lat. *luridus*). **1.** Pálido, lívido. **2.** *Poét.* Escuro, sombrio.

lusco-fusco *s.m.* Momento de transição entre o dia e a noite, ao anoitecer ou ao amanhecer.

lusíada *adj.2g.* e *s.2g.* Lusitano.

lusitanismo *s.m.* **1.** Qualidade de lusitano. **2.** Costume próprio dos lusitanos ou portugueses. **3.** Palavra, construção ou pronúncia peculiares ao português de Portugal.

lusitano *adj.* Relativo à Lusitânia, a Portugal; português, luso, lusíada. ★ *s.m.* O natural ou habitante da Lusitânia, de Portugal; português, luso, lusíada.

luso *adj.* e *s.m.* (de *Lusus,* n.pr.). Lusitano.

luso-brasileiro *adj.* De ou relativo a Portugal e ao Brasil. ★ *s.m.* Aquele que tem origem portuguesa e brasileira.

lustração[1] *s.f.* (lat. *lustratio, lustrationis*). Cerimônia pública ou particular na qual, por meio de água lustral, sacrifícios e procissões, se purificava uma pessoa ou um lugar.

lustração[2] *s.f.* Ato ou efeito de dar lustro, brilho ou polimento.

lustral *adj.2g.* (lat. *lustralis*). **1.** Que purifica. **2.** *Água lustral,* água sagrada dos antigos; água de batismo.

lustrar[1] *v.t.* (lat. *lustrare*) [conj. 4]. **1.** Purificar, limpar. **2.** Percorrer examinando.

lustrar[2] *v.t.* (lat. *lustrare*) [conj. 4]. Ilustrar, instruir. ★ *v.i.* Brilhar, luzir.

lustrar[3] *v.t.* (conj. 4). **1.** Dar lustro; polir, envernizar. **2.** Engraxar (couro).

lustrar[4] *v.i.* (lat. *lustrari*) [conj. 4]. Freqüentar.

lustre *s.m.* **1.** Lustro. **2.** *Fig.* Brilhantismo, glória. **3.** Luminária fixada em suporte no teto ou em parede. **4.** Gentileza, graça, distinção.

lustro[1] *s.m.* Brilho, polimento, lustre.

lustro[2] *s.m.* (lat. *lustrum*). Qüinqüênio.

lustroso (ô) *adj.* **1.** Que tem lustro. **2.** Tornado brilhante pelo uso, pelo atrito. **3.** Pomposo, esplendoroso. **4.** Magnífico, ilustre.

luta *s.f.* (lat. *lucta*). **1.** Combate de dois atletas, corpo a corpo e sem armas. **2.** Combate, com ou sem armas; peleja. **3.** *Fig.* Esforço feito por duas pessoas, dois grupos, para vencer um ao outro. **4.** Conflito, controvérsia, pleito. **5.** Ação de duas forças que agem em sentido contrário. **6.** *Fig.* Empenho, esforço, lida.

? VOCÊ SABIA...? A **luta** é, sem dúvida, o meio mais antigo de defesa do homem. É um esporte de combate corpo a corpo, ligado estreitamente a tradições populares. Foi regulamentado durante a segunda metade do século XIX, em duas formas: luta greco-romana e luta livre. Ambas são esportes olímpicos.

lutador (ô) *s.m.* (lat. *luctator*). **1.** Aquele que luta, que gosta de lutar. **2.** Esportista praticante de luta. ★ *adj.* Que luta muito, que enfrenta dificuldades.

lutar *v.i.* (lat. *luctare*) [conj. 4]. **1.** Combater corpo a corpo; brigar, pugnar. **2.** Lidar, labutar. ★ *v.t.* **1.** Travar luta; combater. **2.** Disputar uma contenda; contender, competir. **3.** Esforçar-se por vencer um obstáculo.

lutécio *s.m.* (de *Lutecia,* n.pr.). Elemento químico (símb. Lu) de número atômico 71, o último da série dos lantanídios, que constitui um metal prateado encontrado na areia monazítica.

luteinizante *adj.* *Hormônio luteinizante*, um dos hormônios gonadotróficos hipofisários (abrev. LH).

lúteo *adj.* (lat. *luteus*). **1.** Amarelo-avermelhado. **2.** *Corpo lúteo,* sin. de CORPO AMARELO.

luteranismo *s.m.* Doutrina religiosa de Martim Lutero (1483-1546), teólogo e reformador alemão.

luterano *adj.* Relativo ou pertencente a Lutero ou ao luteranismo. ★ *s.m.* Adepto dessa doutrina.

luto *s.m.* (lat. *luctus*). **1.** Profundo pesar causado pela morte de alguém. **2.** Sinais exteriores desse pesar, em particular o traje negro. **3.** O tempo de duração do luto. **4.** *Fig.* A morte. ● **Psican.** Trabalho intrapsíquico de elaboração da perda de um objeto amado externo.

lutuoso (ô) *adj.* (lat. *luctuosus*). **1.** Coberto de luto. **2.** *Fig.* Fúnebre, triste.

luva *s.f.* Peça do vestuário que se adapta ao formato da mão e dos dedos, utilizada contra o frio, como proteção ou como adorno. ★ *s.f.pl.* **1.** Quantia que o inquilino paga ao senhorio para fazer ou renovar um contrato de locação. **2.** Quantia paga a alguém pela renovação do contrato de prestação de serviço.

lux (cs) *s.m.2n.* Unidade de medida SI de iluminância (símb. lx).

luxação *s.f.* **1.** Deslocamento das extremidades articulares dos ossos que provoca uma modificação permanente de suas relações anatômicas normais. **2.** Deslocamento de certos órgãos; desarticulação, torcedura.

luxar[1] *v.t.* (lat. *luxare*) [conj. 4]. **1.** Provocar uma luxação. **2.** Deslocar, desarticular, torcer.

luxar[2] *v.i.* (conj. 4). **1.** Ostentar luxo. **2.** *(S)* Recusar por cerimônia.

luxaria *s.f.* Luxo excessivo.

luxemburguense *adj.2g.* e *s.2g.* Luxemburguês.

luxemburguês *adj.* Relativo ou pertencente a Luxemburgo, cidade e país da Europa; luxemburguense. ★ *s.m.* O natural ou habitante de Luxemburgo; luxemburguense.

luxento *adj.* **1.** Luxuoso. **2.** Cheio de melindres, cerimônias ou exigências. **3.** Que gosta de ostentar; pomposo.

luxo *s.m.* (lat. *luxus*). **1.** Suntuosidade excessiva; fausto, pompa, aparato. **2.** *Fig.* Abundância, profusão. **3.** Viço, vigor, esplendor. **4.** Melindres, dengues. **5.** Negação afetada; afetação.

lúxon (cs) *s.m.* Partícula cósmica que se desloca com a velocidade da luz.

luxuoso (ô) *adj.* **1.** Que ostenta luxo; faustuoso, aparatoso. **2.** Farto, abundante.

luxúria *s.f.* (lat. *luxuria*). **1.** Estado do que é luxuriante; viço, abundância. **2.** Atração pelos prazeres carnais; lascívia, concupiscência.

luxuriante *adj.2g.* (lat. *luxurians, luxuriantis*). **1.** Que medra e cresce com abundância de seiva; viçoso, exuberante. **2.** Lascivo, libidinoso, concupiscente.

luxuriar *v.i.* (lat. *luxuriare*) [conj. 16]. **1.** Viçar, vicejar. **2.** Entregar-se a libertinagens. ★ *v.t.* Levar à luxúria.

luxurioso (ô) *adj.* e *s.m.* (lat. *luxuriosus*). **1.** Que ou aquele que denota luxúria. **2.** Lascivo, sensual, voluptuoso.

luz *s.f.* (lat. *lux*). **1.** Radiação eletromagnética cujo comprimento de onda corresponde ao intervalo de sensibilidade do olho humano, entre o ultravioleta e o infravermelho. **2.** Claridade que o Sol espalha sobre a Terra. **3.** Objeto que serve para iluminar (lampião, vela, lâmpada elétrica etc.). **4.** Furo que atravessa um instrumento. **5.** *Fig.* Aquilo que esclarece o espírito. **6.** Inteligência, juízo. ● **Anat.** Espaço central livre no interior de um vaso ou de um canal do organismo. **Tecnol.** Distância que separa duas superfícies ou duas peças. ★ *s.f.pl.* **1.** A ciência, o progresso. **2.** Noções, conhecimentos.

luzeiro *s.m.* **1.** Coisa que emite luz; clarão, farol. **2.** Astro, estrela. **3.** *Fig.* Luminar.

luzente *adj.2g.* Que luz ou brilha; refulgente, luminoso, brilhante, luzidio.

luzidio *adj.* Luzente, brilhante, polido.

luzido *adj.* Vistoso, brilhante, esplendoroso, pomposo.

luziluzir *v.i.* (conj. 72). Tremeluzir.

luzimento *s.m.* **1.** Ato ou efeito de luzir. **2.** Esplendor, brilho. **3.** Pompa, fausto.

luzir *v.i.* (lat. *lucere*) [conj. 72]. **1.** Dar luz, irradiar claridade; brilhar, resplandecer. **2.** Refletir a luz (superfícies polidas). **3.** *Fig.* Medrar, aparecer em todo o viço. ★ *v.t.* **1.** Irradiar, fazer brilhar. **2.** Aproveitar.

lx símbolo do lux.

Mm **Mm** *Mm*

m[1] *s.m.* Décima segunda letra do alfabeto português.

m[2] símbolo do metro.

ma comb. do pron. pess. *me* com o art. def. fem. *a*.

maca *s.f.* **1.** Leito ou cama de lona para o repouso dos marinheiros a bordo. **2.** Aparelho que serve de transporte aos enfermos ou feridos. (Cf. PADIOLA.)

maça *s.f.* (lat. *matea*). **1.** Bastão de madeira grosso e pesado, com uma das extremidades mais dilatada, usado como arma de guerra até o séc. XVI. **2.** Qualquer bastão semelhante a essa arma. **3.** Pilão cilíndrico munido de cabo, usado para bater as pedras dos pavimentos; maço. **4.** Espécie de martelo, em geral de madeira, com duas cabeças.

maçã *s.f.* **1.** Fruto da macieira, pomo arredondado de casca verde ou avermelhada e sabor doce, levemente ácido. **2.** *Maçã do rosto,* parte mais saliente da bochecha, abaixo do olho.

As maçãs apresentam um grande número de variedades e formatos.

macabro *adj.* (de *Macabeus,* n.pr.). Fúnebre, ou que tem ares de coisa fúnebre.

macaca *s.f.* **1.** Fêmea do macaco. **2.** *Pop.* Infortúnio, desgraça.

macacada *s.f.* **1.** Porção de macacos. **2.** *Pop.* Grupo de amigos; turma, pessoal.

macacão *s.m.* Traje inteiriço, com a camisa cosida à calça, originariamente confeccionado em tecido grosso e usado por operários.

macaco[1] *s.m.* **1.** Denominação comum a mamíferos primatas, arborícolas ou terrestres, geralmente sociais, que apresentam postura semi-ereta e musculatura facial bem desenvolvida. (Sin. de BUGIO.) **2.** *Fig.* Aquele que parodia, imita as ações dos outros. ★ *adj.* **1.** Fino, sagaz, astucioso. **2.** Feio, desproporcionado.

macaco[2] *s.m.* **1.** Aparelho colocado sob cargas pesadas para levantá-las até pequena altura ou para sustentá-las. **2.** Em um bate-estacas, o peso utilizado para afundar as estacas.

macacoa (ô) *s.f.* *Fam.* Doença de pouca importância; achaque.

macaco-aranha *s.m.* Primata arborícola de braços e pernas longos, cauda longa e preênsil, que ocorre do México ao Brasil Central.

macaco-de-cheiro *s.m.* Primata de pequeno porte, em extinção, com cauda não preênsil, que vive na América tropical, em bandos de até cem indivíduos.

macaco-prego *s.m.* Primata das Américas do Sul e Central, cujo nome deriva do fato de apresentar a glande do pênis, no momento da ereção, em formato de cabeça de prego.

maçada *s.f.* **1.** Golpe ou pancada com maço ou maça. **2.** Sova de paulada, pancadaria. **3.** Trapaça no jogo. **4.** *Fig.* Coisa maçante, muito longa e enfadonha. **5.** Contratempo.

macadame *s.m.* (de *McAdam,* n.pr.). **1.** Base de pavimento constituída de uma ou mais camadas de pedra britada e material de enchimento, aglutinados pela água. **2.** Material assim empregado.

macadâmia *s.f.* Árvore originária da Austrália, de frutos arredondados, cuja amêndoa é conhecida como noz-macadâmia. (Sin. NOGUEIRA-DO-HAVAÍ.)

macadamizar *v.t.* (conj. 4). Pavimentar com macadame.

maçador (ô) *adj.* e *s.m.* Maçante.

macambira *s.f.* (tupi *maka'bira*). Planta de folhas rijas, espinhudas, que ocorre nas regiões etcsecas do Nordeste.

macambúzio *adj.* Melancólico, sorumbático, taciturno, carrancudo.

maçaneta (ê) *s.f.* Remate de forma arredondada ou piramidal, usado como puxador para abrir portas e janelas ou como ornamento de móveis e outros objetos.

maçante *adj.2g.* Cansativo, chato ao extremo; maçador, amolante.

maçapão *s.m.* (esp. *mazapán*). Bolo de farinha de trigo, ovos e amêndoas.

macaquear *v.t.* (conj. 15). Imitar ridiculamente, arremedar como os macacos.

macaquice *s.f.* **1.** Ato de macaquear. **2.** Momice, trejeito, gesto cômico.

maçar *v.t.* (conj. 13). **1.** Bater com maça ou maço. **2.** Pisar, bater com pau ou outro instrumento. **3.** *Fig.* Importunar, enfadar, repisar, repetir várias vezes.

maçaranduba *s.f.* (tupi *masara'duwa*). **1.** Árvore de grande porte, de casca parda e folhas compridas, que fornece madeira vermelho-escura, resistente, própria para obras externas e marcenaria. (Sin. MAÇARANDUBEIRA.) **2.** O fruto dessa árvore.

maçarandubeira *s.f.* Sin. de MAÇARANDUBA.

macaréu *s.m.* Agitação brusca das águas que se produz em certos estuários no momento da cheia e que progride rapidamente para as nascentes sob a forma de onda violenta; pororoca.

maçarico *s.m.* **1.** Aparelho de soldar, fundir ou cortar metais, que produz uma chama de elevada temperatura. **2.** Instrumento que permite, por combustão de um gás, obter e direcionar uma chama quente. ● **Zool.** Denominação comum a aves caradriiformes, com pernas e bicos longos, que vivem em regiões litorâneas e margens de rios e lagos. (Sin. BATUÍRA.)

maçaroca *s.f.* **1.** Pequena bobina sobre a qual a fiandeira enrola o fio. **2.** Tufo, bola de cabelos, pêlos ou crina. **3.** Espiga de milho. **4.** Molho, feixe. **5.** Qualquer coisa emaranhada e embaraçada.

macarrão *s.m.* (it. *maccherone*). Massa alimentícia de farinha de trigo, em forma de fita, tubo ou em outras formas, pronta para cozimento.

macarronada *s.f.* Preparação culinária de macarrão cozido, a que geralmente se adicionam manteiga, queijo e um molho.

macarrônico *adj.* **1.** Diz-se de um texto burlesco em que se faz a latinização arbitrária de vocábulos. **2.** *P. ext.* Diz-se de idioma ou texto pronunciado ou escrito erradamente. **3.** Irônico, burlesco, jocoso.

macaxeira *s.f.* (*N* e *NE*) Sin. de MANDIOCA.

macedônia *s.f.* **1.** Legumes diversos cortados em pequenos cubos. **2.** Pedacinhos de frutas gelados ou servidos numa espécie de geléia. **3.** *Fig.* Composição literária constituída por uma amálgama de peças ou assuntos de gêneros diferentes. **4.** *Fig.* Qualquer conjunto de coisas misturadas desordenadamente.

macedônico *adj.* Macedônio.

macedônio *adj.* Relativo ou pertencente à Macedônia, região dos Bálcãs, hoje dividida entre a Grécia, a Iugoslávia e a Bulgária; macedônico. ★ *s.m.* O natural ou habitante da Macedônia.

macega *s.f.* Erva brava e daninha que surge nas terras semeadas.

maceioense (ò-en) *adj.2g.* Relativo ou pertencente a Maceió, capital de Alagoas. ★ *s.2g.* O natural ou habitante dessa cidade.

macela *s.f.* Nome comum a diversas plantas herbáceas de flores e folhas aromáticas, utilizadas em infusões e na confecção de colchões e travesseiros. (Sin. MARCELA.)

macerar *v.t.* (lat. *macerare*) [conj. 4]. **1.** Extrair substâncias, em geral medicinais, de uma substância sólida mediante a imersão destas em líquidos com propriedades solventes. **2.** Esmagar e misturar em um almofariz substâncias farmacológicas de consistências diferentes, como na preparação de certos comprimidos e de algumas pomadas. **3.** *Fig.* Mortificar. ★ *v.pr.* Mortificar o corpo, torturar-se.

maceta (ê) *s.f.* **1.** Pequeno maço utilizado por diversos profissionais, em particular pelos cortadores de pedras. **2.** Peça cilíndrica de base chata para moer tintas. **3.** Baqueta com que se percute o bombo.

macetar *v.t.* (conj. 4). Dar ou bater com o macete em.

macete (ê) *s.m.* **1.** Martelo cônico e de metal usado por pedreiros, canteiros e funileiros, ou cilíndrico e de madeira, usado por carpinteiros e marceneiros; maço. **2.** *Gír.* Recurso de emergência adotado para conseguir algo difícil.

machadada *s.f.* Golpe de machado ou de machadinha.

machadinha *s.f.* **1.** Pequeno machado, que se maneja com uma só mão, com fins e utilidades diversos. **2.** Ferramenta utilizada nos açougues para cortar peças com ossos.

machado *s.m.* Ferramenta agrícola robusta e de lâmina cortante, utilizada para rachar lenha, derrubar árvores etc.

MACHADO ▸ O machado, ao mesmo tempo arma e ferramenta, foi peça fundamental entre os instrumentos pré-históricos, especialmente em certas culturas de economia florestal e madeireira. Foram produzidos machados de sílex ou quartzito (rocha cuja base é o quartzo) em forma de amêndoa e com lâmina de duas faces, que o homem empunhava diretamente. No início do período neolítico, os machados passaram a ter cabos. Na Idade do Ferro, fundiram-se machados de cobre que imitavam os de pedra. O cabo era fixado com cordas ou encaixado num orifício aberto na parte superior da lâmina metálica. Mais tarde, apareceu o machado com fenda para encaixe do cabo; nos túmulos reais de Ur, na antiga Babilônia (atual Iraque), foram descobertos machados entalhados.

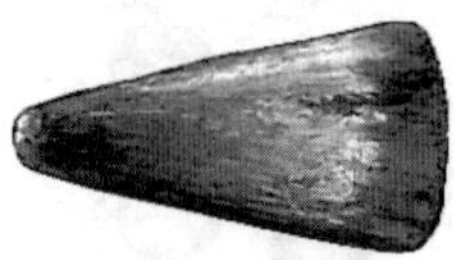

lâmina de pedra usada em machado pré-histórico

---

machete (ê) *s.m.* Facão.

machismo *s.m.* Comportamento, atitude de quem considera o sexo masculino superior, em direitos e qualidades, ao feminino.

macho *s.m.* **1.** Animal que pertence ao sexo masculino. **2.** Mulo, filho de jumento e égua ou de cavalo e jumenta. **3.** Ferramenta para fazer roscas internas em pequenos furos. **4.** Peça que se encaixa em outra, chamada fêmea. **5.** Dobra em duas pregas num pano, uma de cada lado. ★ *adj.* **1.** Que é do sexo ou do gênero masculino. **2.** Forte, vigoroso. **3.** Valente, corajoso; másculo, viril. **4.** Diz-se de alguns animais que têm o mesmo nome para os dois sexos.

machucadura *s.f.* **1.** Estado de coisa machucada. **2.** Ferida, contusão, pisadura, machucão.

machucar *v.t.* (esp. *machucar*) [conj. 12]. **1.** Esmagar alguma coisa com o peso ou a dureza de outra. **2.** Amarfanhar, amassar. **3.** *Fig.* Ferir, magoar. **4.** Pisar, triturar. **5.** Debulhar (cereais). **6.** Modelar com os dedos em barro ou cera.

maciço *adj.* (esp. *macizo*). **1.** Que é ou parece ser compacto, espesso. **2.** Que não é oco nem cheio de matéria diferente. **3.** Que agrupa grande número de pessoas. ★ *s.m.* **1.** Obra compacta. **2.** Bosque cerrado. **3.** Conjunto de elevações que apresentam, freqüentemente, caráter montanhoso.

macieira *s.f.* Árvore originária da Europa e da Ásia, de folhas ovais, flores brancas, melíferas, cultivada pelos frutos (maçãs), muito apreciados, ou como ornamental.

macieza (ê) *s.f.* Qualidade de macio; suavidade ao tato.

macilento *adj.* (lat. *macilentus,* magro). **1.** Pálido, descorado, sem brilho. **2.** Magro, descarnado, doentio.

macio *adj.* (ár. *masish*). **1.** Suave ao tato; brando. **2.** Sem asperezas, liso. **3.** Fofo, mole.

maciota *s.f.* *Na maciota,* sem esforço; suavemente.

maço *s.m.* **1.** Conjunto de coisas (papéis, cédulas, cartas) atadas pelo mesmo liame ou contidas no mesmo invólucro (cigarros etc.). **2.** Reunião de produtos vegetais da mesma espécie ou de mesma utilização, fechados e atados; molho, feixe. **3.** Maça. **4.** Macete.

maçom *s.m.* (fr. *maçon*). Aquele que é filiado à maçonaria. (Sin. FRANCO-MAÇOM.)

maçonaria *s.f.* Sociedade secreta espalhada em todo o mundo, que professa os princípios de igualdade e fraternidade e cujos membros se dão a conhecer apenas entre si e por meio de sinais secretos. (Sin. FRANCO-MAÇONARIA.)

maconha *s.f.* **1.** Planta herbácea originária da Ásia, de caule ereto, flores esverdeadas e folhas que fornecem uma substância entorpecente. (Sin. CÂNHAMO, FUMO-DE-ANGOLA.) **2.** Nome dado às folhas e flores dessa planta que, depois de secas e torradas, constituem uma droga considerada entorpecente. (Sin. DIAMBA, ERVA, FUMO.)

maconheiro *s.m.* Vendedor de maconha. ★ *adj.* e *s.m.* Que ou aquele que é viciado em maconha.

maçônico *adj.* Relativo ou pertencente à maçonaria.

macramé *s.m.* (fr.). **1.** Renda de linha ou cordão de sisal, trançada e amarrada à mão. **2.** Fio trançado, próprio para bordados e crochês.

má-criação *s.f.* Ato ou dito de malcriado; grosseria, incivilidade.

macróbio *adj.* e *s.m.* (gr. *makrobios*). Que ou o que tem idade muito avançada.

macrobiótica *s.f.* (do gr. *makrobiotes,* longevidade). **1.** Parte da higiene que se ocupa dos meios de prolongamento da vida. **2.** Conjunto de preceitos e regras alimentares (predominância de cereais integrais, interdição de carnes vermelhas e alimentos artificiais etc.) que, segundo seus adeptos, equilibram as forças antagônicas do organismo.

macrocéfalo *adj.* e *s.m.* Diz-se de ou pessoa acometida de macrocefalia.

macrocosmo *s.m.* O Universo, em oposição ao homem, considerado um mundo em miniatura ou microcosmo.

macroelemento *s.m.* Nutriente mineral essencial, requerido pelas plantas em grandes quantidades. (Sin. MACRONUTRIENTE.)

macrófago *adj.* e *s.m.* Diz-se de ou célula fagocitária de grandes dimensões, móvel, presente nos tecidos e órgãos dos vertebrados, que atua no processo inflamatório.

macromolécula *s.f.* Molécula de grandes dimensões, constituída de subunidades menores, ligadas entre si.

macronutriente *s.m.* Sin. de MACROELEMENTO.

macrópode *adj.2g.* Diz-se do animal que tem pés, barbatanas ou pedúnculos longos.

macuco *s.m.* (tupi *ma'kuku*). Ave tinamiforme de coloração avermelhada com manchas transversais negras no dorso, que ocorre nas regiões de mata do Brasil, Paraguai e Argentina.

maçudo *adj.* **1.** Que tem forma de maça. **2.** *Fig.* Diz-se de discurso ou escrito maçante, importuno.

mácula *s.f.* (lat. *macula*). **1.** Mancha, nódoa. **2.** *Fig.* Desonra, defeito moral; pecado. ● **Anat.** Pequena depressão amarela localizada na retina, no ponto onde o eixo óptico atinge o fundo do globo ocular.

maculável *adj.2g.* Que se pode macular.

macular *v.t.* (lat. *maculare*) [conj. 4]. **1.** Produzir manchas; manchar. **2.** *Fig.* Manchar moralmente; desonrar, infamar.

macumba *s.f.* (de or. quimb.). **1.** Culto sincrético animista e fetichista, de influências africanas, católicas e espíritas, realizado em terreiros ou ao ar livre, com danças, cânticos e oferendas rituais, ao som de instrumentos de percussão. **2.** Ritual ou oferenda desse culto.

MACUMBA ▸ Cada orixá tem sua oferenda predileta, que geralmente consiste em um embrulho de comida (farofa, dendê, carne, mel, limão), acompanhado de outros presentes como cachaça, perfume, charutos ou velas de diversas cores. As oferendas são depositadas em encruzilhadas, praias ou terrenos baldios, para obter favores e apoio do orixá ao qual são dedicadas.

---

macumbeiro *s.m.* **1.** Chefe ou freqüentador de terreiro de macumba. **2.** Feiticeiro.

madagascarense *adj.2g.* e *s.2g.* Malgaxe.

madama ou **madame** *s.f.* (fr. *madame*). **1.** Senhora, dama. **2.** *Pop.* Mulher rica e afetada. **3.** *Chul.* Meretriz. **4.** Dona de prostíbulo; cafetina.

madeira[1] *s.f.* (lat. *materia*). **1.** Parte lenhosa das árvores constituída de fibras e vasos condutores da seiva bruta. **2.** Tronco de árvore cortado em esquadria ou serrado em pranchas ou vigas, para servir à construção. **3.** *Madeira de lei,* a que, por ser mais rija e mais resistente ao tempo e ao cupim, se emprega na fabricação de móveis de luxo, vigamento das casas, mastreação e cascos de navios etc.

madeira[2] *s.m.* Designação genérica de vinhos produzidos na ilha da Madeira.

madeiramento *s.m.* **1.** Porção de madeira. **2.** Combinação e reunião de elementos de madeira que constituem um suporte provisório ou uma estrutura definitiva em uma edificação.

madeirar *v.t.* (conj. 4). Revestir com madeira.

madeireiro *s.m.* **1.** Negociante de madeiras. **2.** Operário que trabalha ou corta a madeira nas matas. ★ *adj.* Relativo à extração de madeiras.

madeiro *s.m.* **1.** Madeira. **2.** Cruz.

madeixa *s.f.* (lat. *mataxa*). **1.** Pequena meada, porção de fios de algodão, linho, seda ou lã. **2.** Maior ou menor porção de fios de cabelo; mecha, melena.

mádido *adj.* (lat. *madidus*). *Poét.* Umedecido, orvalhado.

madona *s.f.* (it. *madonna*). Imagem da Virgem Maria.

madorna ou **madorra** (ô) *s.f.* Modorra.

madraço *adj.* e *s.m.* (ár. *matrâ,* colchão). Ocioso, indolente, preguiçoso.

madrasta *s.f.* **1.** A mulher com relação aos filhos do matrimônio anterior do marido. **2.** *Fig.* Mãe pouco carinhosa, que maltrata os filhos. **3.** Qualquer mulher ou qualquer coisa de que provêm dissabores. ★ *adj.* Ingrata, pouco carinhosa, má.

madre *s.f.* (lat. *mater, matris,* mãe). **1.** *Desus.* Mãe. **2.** Freira, religiosa professa. **3.** Superiora de um convento. **4.** Útero, matriz.

madrepérola *s.f.* (it. *madreperla*). **1.** Substância nacarada da concha dos moluscos, composta de camadas finíssimas de carbonato de cálcio. **2.** Parte nacarada da concha desse animal.

madressilva *s.f.* (do lat. tard. *matrisilva*). Nome comum a diversas ervas trepadeiras, de flores avermelhadas e perfumadas, cultivadas como ornamentais.

madrigal *s.m.* (it. *madrigale*). **1.** Pequena composição poética que encerra um pensamento delicado, terno ou galante. **2.** Canção pastoril. **3.** *Fig.* e *Fam.* Galanteio. **4.** Gênero poético-musical, polifônico ou monódico, para vozes, com ou sem acompanhamento instrumental.

madrigalesco (ê) *adj.* Próprio do madrigal.

madrilenho ou **madrileno** *adj.* Relativo ou pertencente a Madri, capital da Espanha; madrilense. ★ *s.m.* O natural ou habitante de Madri; madrilense.

madrilense *adj.2g.* e *s.2g.* Madrilenho.

madrinha *s.f.* (do lat. *matrina,* mãezinha). **1.** Mulher que serve de testemunha em um batismo, crisma, casamento. **2.** Pessoa que dá nome a alguma coisa, que a batiza ou inaugura. **3.** Protetora. **4.** Animal que, levando ao pescoço uma campainha ou cincerro, serve de guia a uma tropa de muares.

madrugada *s.f.* **1.** O fim da noite ou o começo do dia; alvorada, aurora. **2.** *Fig.* Precocidade, antecipação.

madrugar *v.i.* (conj. 14). **1.** Levantar da cama muito cedo, pôr-se de pé ao amanhecer. **2.** Fazer algo antes do tempo devido. **3.** Preceder outrem em alguma coisa. **4.** Aparecer antes do tempo ou muito cedo.

madurar *v.t.* e *v.i.* (lat. *maturare*) [conj. 4]. **1.** Sazonar, tornar maduro; amadurecer. **2.** *Fig.* Criar juízo, prudência.

madurecer *v.t.* e *v.i.* (lat. *maturescere*) [conj. 25]. Amadurecer.

madureza (ê) *s.f.* **1.** Qualidade ou estado de maduro; sazonamento, maturação. **2.** *Fig.* Estado do que está plenamente desenvolvido; maturidade. **3.** *Fig.* Gravidade, circunspeção, prudência.

maduro *adj.* (lat. *maturus*). **1.** Diz-se dos frutos completamente desenvolvidos, que atingiram o ponto em que deve ser feita a colheita; amadurecido, sazonado. **2.** Diz-se de uma estrutura viva que atingiu a maturidade. **3.** Que não é jovem; avançado em anos. **4.** *Fig.* Refletido, ponderado, prudente. **5.** Diz-se de um abscesso que está no ponto de ser aberto, de um botão prestes a drenar. **6.** *Idade madura,* idade que se segue à juventude.

mãe *s.f.* (lat. *mater*). **1.** Mulher ou fêmea de animal que gerou algum filho. **2.** O que dá existência, fornece substância. **3.** *Fig.* Aquela que dá assistência aos desgraçados. **4.** País, lugar onde uma coisa começou. **5.** Fonte, causa, origem.

mãe-benta *s.f.* Bolinho de farinha de arroz e coco, assado, originalmente, em forminha de folha de bananeira.

mãe-d'água *s.f.* Iara.

mãe-de-santo *s.f.* Sacerdotisa-chefe nos cultos afro-brasileiros.

mãe-de-saúva *s.f.* **1.** Sin. de COBRA-DE-DUAS-CABEÇAS. **2.** Sin. de COBRA-CEGA.

maestria *s.f.* Mestria.

maestrina *s.f.* Mulher que dirige orquestra ou compõe música.

maestro *s.m.* (it. *maestro,* mestre). Regente.

má-fé *s.f.* Intenção dolosa.

máfia *s.f.* (de *Mafia,* sociedade secreta constituída na Sicília, na Itália, no início do séc. XIX). **1.** Qualquer grupo criminoso organizado. **2.** Grupo de pessoas que age às ocultas e por quaisquer meios, a fim de manter seus interesses.

MÁFIA ▸ A Máfia nasceu na Itália entre os anos 1820 e 1848, para defender os interesses dos grandes proprietários de terras contra os camponeses. Seu principal foco foi Palermo. No século XX, espalhou-se para outras cidades e passou a controlar diversas atividades ilícitas (entre elas o narcotráfico). Em nossos dias, costuma-se dar o nome de máfia a qualquer grupo dedicado ao crime.

---

mafioso (ô) *adj.* e *s.m.* **1.** Que ou aquele que pertence à máfia italiana; bandido, ladrão. **2.** Que ou aquele que pertence a uma máfia.

má-formação *s.f.* Sin. de MALFORMAÇÃO.

magarefe *s.m.* **1.** Abatedor de gado; homem que nos matadouros mata e esfola as reses. **2.** Açougueiro. **3.** *Fig.* Mau cirurgião.

magazine *s.m.* (ingl. *magazine*). **1.** Revista periódica, geralmente ilustrada, que trata dos mais variados assuntos. **2.** Estabelecimento comercial que vende os mais variados produtos. **3.** Loja de artigos de moda.

magia *s.f.* (gr. *mageia,* pelo lat. tard. *magia*). **1.** Conjunto de conhecimentos e práticas capazes de produzir efeitos contrários às leis naturais. **2.** Esses efeitos. **3.** *Fig.* Fascinação, encantamento. **4.** *Fig.* Efeito surpreendente, comparável aos da magia.

magiar *adj.2g.* e *s.2g.* (húngaro *magyar*). Húngaro.

mágica *s.f.* **1.** Ato teatral com transformações fantásticas; prestidigitação. **2.** *Fig.* Encanto, deslumbramento.

mágico *adj.* (lat. *magicus*). **1.** Que resulta de ou que tem magia. **2.** *Fig.* Que causa admiração, encanto; maravilhoso. ★ *s.m.* **1.** Aquele que se dedica à magia; mago. **2.** Prestidigitador, ilusionista.

magistério *s.m.* (lat. *magisterium*). **1.** Cargo de professor. **2.** Exercício do professorado. **3.** A classe dos professores. **4.** *Ant.* Curso de nível secundário para formação de professores para as quatro séries iniciais do primeiro grau. **5.** Curso para formação de docentes para educação infantil e para as quatro séries iniciais do ensino fundamental, constituído por curso Normal de nível médio ou curso de nível superior com graduação plena e licenciatura. **6.** *Fig.* Autoridade doutrinal, moral e intelectual.

magistrado *s.m.* (lat. *magistratus*). **1.** Funcionário ou oficial civil investido de autoridade jurisdicional, administrativa ou política. **2.** Designação geral de juízes, desembargadores e ministros.

magistral *adj.2g.* (lat. tard. *magistralis*). **1.** Relativo ao mestre; imperioso, autoritário. **2.** Superior, excelente, irrepreensível, perfeito. **3.** Diz-se de medicamento preparado pelo farmacêutico a partir de fórmula prescrita pelo médico.

magistratura *s.f.* **1.** Dignidade ou função de juiz de direito. **2.** A classe dos magistrados.

magma *s.m.* (gr. *magma,* pasta). **1.** Material em estado de fusão, constituído de silicatos, óxidos e elementos voláteis, formado no interior da Terra e que, ao resfriar-se, forma uma rocha. **2.** Massa pastosa, espessa e viscosa. **3.** *Fig.* Aglomerado, confusão.

magmático *adj.* **1.** Relativo ao magma, à sua função e ao seu derrame. **2.** Diz-se da rocha resultante da cristalização de um magma, como os granitos e os basaltos. (Sin. ROCHA ÍGNEA*, ROCHA ERUPTIVA*.)

magna-carta *s.f.* Denominação dada à Constituição de um Estado soberano.

magnânimo *adj.* (lat. *magnanimus*). **1.** Que perdoa facilmente; generoso, benevolente. **2.** Nobre, elevado.

magnata *s.2g.* (lat. tard. *magnas, magnatis*). **1.** Pessoa poderosa, influente, muito rica. **2.** Grande capitalista.

magnésia *s.f.* (de *Magnesia,* top.). Óxido ou hidróxido de magnésio.

magnésio *s.m.* Elemento químico (símb. Mg), de número atômico 12, que constitui um metal leve de cor branco-prateada, abundante na natureza, de larga aplicação industrial.

magnético *adj.* (gr. *magnetikos*). **1.** Relativo ao magneto ou ímã, ao magnetismo ou às suas aplicações. **2.** *Ant.* Dizia-se de um fluido hipotético que explicaria as propriedades dos ímãs. **3.** *Fig.* Que exerce forte atração; fascinante, sedutor. **4.** *Campo magnético,* região em torno de um ímã, dentro do qual os corpos metálicos estão sujeitos à atuação das forças de atração e repulsão de seus pólos. ▸ *Força magnética,* aquela exercida sobre um corpo que está sujeito a um campo magnético. ▸ *Fita magnética,* fita de papel, metal, plástico etc. revestida ou impregnada de material magnético, que serve de suporte para registro de imagens.

magnetismo *s.m.* **1.** Conjunto dos fenômenos apresentados pelos materiais magnetizados. **2.** Ramo da física que estuda as propriedades da matéria magnetizada, os ímãs. **3.** *Fig.* Atração, fascínio, sedução.

magnetita *s.f.* Óxido natural de ferro dotado de magnetismo, excelente minério de ferro.

magnetização *s.f.* Ato ou efeito de magnetizar; imantação, imanização.

magnetizar *v.t.* (conj. 4). **1.** Dotar (um metal) das propriedades próprias de um ímã; transmitir, induzir a magnetização; imantar, imanizar. **2.** Exercer poderosa atração sobre; fascinar, seduzir.

magneto *s.m.* (fr. *magnéto,* abrev. de *machine magnéto-électrique*). Gerador elétrico em que o campo indutor é produzido por um ímã permanente.

magnetomotriz *adj. Força magnetomotriz,* grandeza escalar igual à circulação do vetor campo elétrico ao longo de um circuito fechado.

magnetosfera *s.f.* Campo magnético de um planeta situado acima da ionosfera e limitado pela magnetopausa.

magnetron *s.m.* Válvula utilizada no controle ou emissão de radiação eletromagnética de alta freqüência; componente dos sistemas que trabalham com microondas.

magnificar *v.t.* (lat. *magnificare*) [conj. 12]. **1.** Exaltar, engrandecer, glorificar. **2.** Aumentar, ampliar.

magnificência *s.f.* (lat. *magnificentia*). **1.** Qualidade de magnificente; esplendor, brilho. **2.** Generosidade, liberalidade. **3.** Ostentação, luxo, fausto.

magnificente *adj.2g.* **1.** Esplendoroso, brilhante. **2.** Grandioso, suntuoso, magnífico. **3.** Generoso, liberal.

magnífico *adj.* (lat. *magnificus*). **1.** Magnificente. **2.** Muito bom ou muito belo; excelente. **3.** Glorioso, cheio de grandeza.

magnitude *s.f.* (lat. *magnitudo*). **1.** Qualidade de magno; grandeza. **2.** Dimensão, importância, gravidade. ● **Astron.** Número que caracteriza o brilho aparente ou absoluto de um astro.

magno *adj.* (lat. *magnus*). Grande, importante, magnífico.

magnólia *s.f.* (de *P. Magnol,* n.pr.). **1.** Nome comum a diversas árvores ornamentais, de grandes flores perfumadas; magnoleira. **2.** A flor dessas plantas.

mago *s.m.* (lat. *magus*). **1.** Sacerdote do zoroastrismo. **2.** Aquele que pratica a magia; mágico, bruxo. **3.** Astrólogo, adivinho.

mágoa *s.f.* (lat. *macula,* mancha). **1.** Marca lívida causada por contusão; mácula. **2.** Dor. **3.** Sentimento de tristeza, pesar; desgosto. **4.** Ressentimento.

magoar *v.t.* (lat. *maculare,* manchar) [conj. 20]. **1.** Tornar doloroso; ferir, contundir. **2.** Ofender, desgostar, contristar. ★ *v.i.* Provocar mágoa.

magote *s.m.* Ajuntamento de pessoas ou coisas; bando, lote.

magrelo *adj.* e *s.m.* Magricela.

magreza (ê) *s.f.* Estado ou qualidade do que é magro. ● **Fisiol.** Estado geral do indivíduo cuja relação de massa adiposa/peso corpóreo é inferior a 10% no homem e a 14% na mulher.

magricela *adj.2g.* e *s.2g.* Diz-se de ou pessoa muito magra; magrelo.

magro *adj.* (lat. *macer*). **1.** Que não tem muita gordura. **2.** Que não contém gordura. **3.** Pouco abundante, parco, minguado.

maia *adj.2g.* Relativo ou pertencente aos maias, antigo povo indígena da América Central e México. ★ *s.2g.* Indivíduo desse povo. ★ *s.m.* Língua falada pelos maias.

maiêutica *s.f.* (gr. *maieutike*, arte de partejar). Na filosofia socrática, arte de levar o interlocutor a descobrir verdades que ele já possuía, embora desconhecesse, através de perguntas. ● **Med.** Obstetrícia.

maiêutico *adj.* Relativo à maiêutica.

maio *s.m.* (lat. *maius*). O quinto mês do ano, que tem 31 dias.

maiô *s.m.* (fr. *maillot*). **1.** Traje feminino de banho, feito de tecido flexível, com que se cobre o tronco. **2.** Vestimenta de malha, bem ajustada ao corpo, usada por dançarinos, funâmbulos etc.

maionese *s.f.* (fr. *mayonnaise*). Molho frio, cremoso, preparado com ovos, azeite, sal, limão, para condimentar certos alimentos ou acompanhar saladas.

maior *adj.2g.* (lat. *major*). **1.** Diz-se do que excede outro em dimensão, intensidade ou duração (p. opos. a *menor*). **2.** Que excede os outros em importância. ★ *adj.2g.* e *s.2g.* Que ou aqueles que atingiu a maioridade. ★ *s.m.pl.* Avós, antepassados, ascendentes.

maioral *s.2g.* Chefe, líder.

maioria *s.f.* **1.** Superioridade numérica dos elementos de um conjunto; a maior parte de um conjunto. **2.** O número de votos necessários para validar a decisão de uma assembléia. **3.** Grupo que obteve esses sufrágios.

maioridade *s.f.* Estado da pessoa que, em virtude da idade, adquiriu perante a lei plena capacidade para exercer seus direitos e administrar livremente seus bens.

mais *adv.* (lat. *magis*). **1.** Em maior número, quantidade ou intensidade. **2.** *A mais*, além do necessário. ▸ *Mais ou menos*, aproximadamente. ▸ *Sem mais, no mais*, de resto. ▸ *Sem mais nem menos*, inesperadamente. ★ *pron. indef.* Maior número, quantidade ou intensidade. ★ *s.m.* **1.** O resto, o restante, o excesso. **2.** As demais pessoas ou coisas. ● **Mat.** Sinal de adição, representado em geral por uma pequena cruz (+) colocada entre as duas quantidades que serão adicionadas.

maisena *s.f.* (de *Maizena*, n.pr.) [nome comercial]. Amido farináceo de milho, de múltiplos usos em culinária.

mais-que-perfeito *adj.* e *s.m.* Diz-se de ou o tempo verbal que exprime uma ação que ocorre antes de outra, já passada.

mais-valia *s.f.* No pensamento marxista, valor excedente ao da força de trabalho, expropriado ao operário pelo capitalista, que constituiria propriamente o lucro.

maitaca *s.f.* Var. de MARITACA.

maiúscula *s.f.* Letra maiúscula.

maiúsculo *adj.* (lat. *majusculus*, um pouco maior). Diz-se da letra que tem forma particular e um pouco maior que as demais (minúsculas), empregada no começo de uma palavra para assinalar um nome próprio ou para marcar o início de uma frase ou verso; maiúscula.

majestade *s.f.* (lat. *majestas, majestatis*). **1.** Grandeza suprema; excelência, sublimidade. **2.** Aspecto grandioso, grave, solene. **3.** Título próprio dos imperadores e dos reis.

majestático *adj.* **1.** Pertencente ou relativo à majestade ou ao poder supremo. **2.** Augusto, majestoso.

majestoso (ô) *adj.* **1.** Que tem majestade. **2.** Sublime, belo. **3.** Pomposo, imponente. **4.** Suntuoso, magnífico.

major *s.m.* (lat. *major*, maior). **1.** Posto do Exército brasileiro imediatamente inferior a tenente-coronel e superior a capitão. **2.** Pessoa que ocupa esse posto.

majoração *s.f.* Ato ou efeito de majorar; aumento.

majorar *v.t.* (conj. 4). Aumentar.

major-aviador *s.m.* **1.** Posto da Aeronáutica brasileira imediatamente inferior a tenente-coronel e superior a capitão-aviador. **2.** Pessoa que ocupa esse posto.

major-brigadeiro *s.m.* **1.** Posto da Aeronáutica brasileira imediatamente inferior a tenente-brigadeiro e superior a brigadeiro-do-ar. **2.** Pessoa que ocupa esse posto.

majoritário *adj.* Relativo à maioria.

mal[1] *s.m.* (lat. *malum*). **1.** O que se opõe ao bem, à moral, ao direito, à justiça. **2.** O que pode causar prejuízo, dano ou dor. **3.** Doença ou fenômeno que deteriora algo, uma situação; moléstia, enfermidade. **4.** Dano, prejuízo, malefício. **5.** Calamidade, infortúnio, desgraça. **6.** Dor, tormento, aflição. ● **Med.** *Grande mal*, forma de epilepsia caracterizada pelo aparecimento de crises convulsivas. ▸ *Pequeno mal*, forma de epilepsia caracterizada por breves períodos de ausência. **Vet.** *Mal de cernelha*, ferimento da cernelha, em geral causado pelo atrito do arreamento; mal de garrote.

mal[2] *adv.* (lat. *male*). **1.** De maneira má, errada ou imprópria. **2.** De modo grosseiro, ofensivo, imoral. **3.** A custo, apenas. **4.** Insatisfatoriamente. **5.** Em condições de saúde precárias.

mala *s.f.* **1.** Espécie de caixa, em couro, lona etc. com armação de madeira, ferro ou papelão, para transporte dos objetos dos quais se necessita em viagem. **2.** Saco de couro ou pano, lacrado, para transportar documentos. *Gír.* Pessoa chata.

malabarismo *s.m.* (de *Malabar*, n.pr.). **1.** A arte do malabarista. **2.** *Fig.* Habilidade para lidar com situações difíceis, instáveis.

VOCÊ SABIA...? O **malabarismo** é uma das especialidades mais antigas do circo. Embora tenha se popularizado nos circos europeus em torno de 1830, procedente da China e da Índia, já era praticado pelos antigos egípcios, por meio dos quais chegou aos gregos. Os grandes malabaristas são capazes de realizar atos assombrosos.

---

malabarista *s.2g.* **1.** Indivíduo que executa movimentos de contorções e equilibrismo. **2.** *Fig.* Indivíduo ágil, hábil, esperto.

mal-acabado *adj.* Malfeito, desalinhado.

malacacheta (ê) *s.f.* Sin. de MICA.

mal-agradecido *adj.* e *s.m.* Ingrato.

malagueta (ê) *s.f.* Arbusto originário da África tropical, de folhas ovais, flores brancas e fruto ardido, utilizado como tempero. (Sin. PIMENTA-MALAGUETA.)

malaiala *s.m.* Língua dravídica falada na Índia.

malaio *adj.* Relativo ou pertencente à península Malaia, parte ocidental da Malásia (Ásia); malásio. ★ *s.m.* **1.** O natural ou habitante da Malásia; malásio. **2.** Língua falada na Malásia e na Indonésia.

mal-ajambrado *adj.* Que está mal vestido, feio; mal-arranjado, mal-arrumado.

malandragem *s.f.* **1.** Conjunto ou reunião de malandros. **2.** Qualidade, estado ou ação de malandro; malandrice. **3.** Preguiça, ociosidade.

malandrice *s.f.* Malandragem.

malandro *adj.* e *s.m.* (it. *malandrino*). **1.** Que ou aquele que não trabalha e vive de expedientes; tratante. **2.** Diz-se de ou sujeito finório, astuto. **3.** Patife, biltre, ladrão. **4.** Vagabundo, vadio.

malaquita *s.f.* (gr. *malachites*). Carbonato hidratado de cobre natural, pedra de belo verde vivo que se pode cinzelar e polir para obras de joalheria e fantasia.

malar *adj.2g.* (de lat. cient. *malaris,* mandíbula). **1.** Relativo às bochechas, à região do osso malar ou maçãs do rosto. **2.** *Osso malar,* um dos ossos da face componentes da órbita, cujo relevo corresponde à maçã do rosto.

malária *s.f.* (it. *malaria*). Doença parasitária causada por um protozoário e transmitida pela picada das fêmeas de mosquitos do gênero *Anopheles*; maleita. (Sin. PALUDISMO, IMPALUDISMO, FEBRE PALUSTRE.)

MALÁRIA ► A malária pode ser causada por qualquer uma das quatro espécies de protozoários do gênero *Plasmodium*. Esses organismos passam grande parte de seu ciclo vital dentro dos glóbulos vermelhos dos hospedeiros humanos, e são transmitidos de uma pessoa para outra pela picada da fêmea do *Anopheles*.

mal-arranjado *adj.* Mal-ajambrado.

mal-arrumado *adj.* Mal-ajambrado.

malásio *adj.* Relativo ou pertencente à Malásia, país da Ásia. ★ *s.m.* O natural ou habitante da Malásia.

mal-assombrado *adj.* Que tem assombrações, fantasmas.

malbaratar *v.t.* (conj. 4). **1.** Vender algo com perda. **2.** Desperdiçar, gastar mal, dissipar.

malbarato *s.m.* **1.** Venda por preço vil. **2.** Depreciação. **3.** Desperdício, esbanjamento, dissipação. **4.** *Fig.* Desprezo, menosprezo.

malcheiroso (ô) *adj.* Que tem odor desagradável; fétido, fedorento.

malcriação ou **má-criação** *s.f.* Falta de cortesia, grosseria, ofensa.

malcriado *adj.* Grosseiro, mal-educado, descortês, incivil, indelicado.

maldade *s.f.* **1.** Qualidade de mau. **2.** Atitude ou ação de quem faz o mal; ruindade, perversidade, crueldade, malvadez. **3.** Malícia, mordacidade. **4.** *Fam.* Travessura, traquinada. **5.** *Fam.* Tarimba, experiência.

maldar *v.t.* e *v.i.* (conj. 4). **1.** Fazer mau juízo. **2.** Maliciar.

maldição *s.f.* (lat. *maledictio*). **1.** Ato ou efeito de maldizer ou amaldiçoar. **2.** Palavras com que uma pessoa deseja que advenham males a outra; imprecação, praga. **3.** Desgraça, fatalidade.

maldito *adj.* (lat. *maledictus*). **1.** Que foi amaldiçoado. **2.** Que traz maldição; pernicioso, funesto. **3.** Perverso, maligno. **4.** Desagradável, enfadonho, detestável. ★ *s.m.* Pessoa amaldiçoada, condenada.

maldizente *adj.2g.* e *s.2g.* Maledicente.

maldizer *v.t.* (lat. *maledicere*) [conj. 29]. **1.** Desejar mal a; amaldiçoar. **2.** Manifestar impaciência, cólera, contra algo ou alguém. **3.** Dizer mal, praguejar, queixar-se, lastimar-se.

maldoso (ô) *adj.* **1.** Que tem maldade; de má índole, perverso, cruel. **2.** *Fig.* Malicioso, irônico, mordaz. **3.** Travesso, endiabrado.

malear *v.t.* (lat. tard. *malleare*) [conj. 15]. **1.** Dar marteladas. **2.** Converter em lâminas, estender um metal (a martelo). **3.** *Fig.* Abrandar, tornar dócil, flexível.

maleável *adj.2g.* **1.** Que pode ser maleado, reduzido a lâminas ou chapas; flexível, dobrável. **2.** *Fig.* Dócil, flexível.

maledicência *s.f.* (lat. *maledicentia*). Ação ou hábito de falar mal de alguém, com a intenção de denegrir; difamação, má-língua.

maledicente *adj.2g.* e *s.2g.* (lat. *maledicens*). Que ou aquele que diz mal dos outros.

mal-educado *adj.* e *s.m.* Malcriado.

malefício *s.m.* (lat. *maleficium*). **1.** Ação má; maldade, maleficência. **2.** Resultado pernicioso ou nefasto; prejuízo, dano. **3.** Sortilégio, feitiço com propósito de fazer o mal.

maléfico *adj.* (lat. *maleficus*). **1.** Que causa mal; danoso, prejudicial. **2.** Que tem influência sobrenatural e maligna.

maleiro *s.m.* Local onde se guardam malas.

maleita *s.f.* (lat. *maledicta*). Malária.

maleitoso (ô) *adj.* **1.** Doente de malária. **2.** Que provoca malária. ★ *s.m.* Indivíduo que tem malária.

mal-encarado *adj.* De má cara, carrancudo.

mal-entendido *s.m.* **1.** Palavra, ação mal interpretada ou mal compreendida; engano, equívoco. **2.** Desentendimento, altercação.

maléolo *s.m.* (lat. *malleolus,* pequeno martelo). Cada uma das apófises da região inferior da tíbia (*maléolo interno*) e do perônio (*maléolo externo*) que formam o tornozelo.

mal-estar *s.m.* **1.** Indisposição, incômodo, ansiedade. **2.** Sensação de uma perturbação fisiológica. **3.** *Fig.* Estado de desassossego, de inquietação.

maleta (ê) *s.f.* Mala de pequenas dimensões; malote.

malevolência *s.f.* (lat. *malevolentia*). Qualidade de malevolente.

malevolente *adj.2g.* (lat. *malevolens, malevolentis*). **1.** Inclinado a desejar mal a alguém; malévolo. **2.** Que tem má índole; mau, maléfico, malévolo.

malévolo *adj.* (lat. *malevolus*). Malevolente.

malfadado *adj.* e *s.m.* Que ou aquele que nasceu com mau fado ou má sorte; desditoso, infortunado.

malfadar *v.t.* (conj. 4). **1.** Vaticinar mau fado a. **2.** Destinar à desgraça; desgraçar. **3.** Tornar infeliz; desventurar.

malfazejo (ê) *adj.* **1.** Que se compraz em fazer mal; malfeitor. **2.** Prejudicial, nocivo.

malfeito *adj.* **1.** Que é feito sem perfeição; mal acabado, mal fabricado. **2.** Que tem má configuração; deforme. **3.** *Fig.* Injusto, imerecido. ★ *s.m.* *Ant.* Malfeitoria.

malfeitor (ô) *s.m.* (lat. *malefactor*). **1.** Pessoa que comete atos criminosos; facínora, bandido. **2.** Malfazejo.

malfeitoria *s.f.* **1.** Dano, malefício, prejuízo. **2.** Delito, crime.

malformação *s.f.* Defeito de conformação presente ao nascimento devido a fatores hereditários, infecciosos, químicos, nutricionais etc. (Sin. MÁ-FORMAÇÃO.)

malgaxe *adj.2g.* Relativo ou pertencente à República Malgaxe (Madagascar), país da África; madagascarense. ★ *s.2g.* **1.** O natural ou habitante desse país. **2.** A língua oficial de Malgaxe.

malgrado[1] *s.m.* Desagrado, desprazer, mau grado.

malgrado[2] *prep.* Apesar de.

malha[1] *s.f.* (fr. *maille*). **1.** Vão entre os fios de um tecido. **2.** Nome genérico dos artigos de malharia. **3.** Cada um dos anéis de ferro de que se faziam as armaduras na Idade Média. **4.** Vestimenta que adere ao corpo, utilizada pelos dançarinos e ginastas. **5.** Roupa colante feita de malha. **6.** Suéter. **7.** Enredo, trama, laço.

malha[2] *s.f.* (lat. *macula,* mancha). **1.** Mancha no pêlo dos animais ou na penugem das aves; mancha natural. **2.** Descoloração ou mancha no conjunto de uma vegetação.

malha[3] *s.f.* **1.** Ato de malhar. **2.** Sova, tunda, pisa, surra. **3.** Jogo que consiste em arremessar, à distância de cerca de 30 m, discos de metal, para derrubar um marco. **4.** Disco usado neste jogo.

malhação *s.f.* **1.** Ação de bater ou trabalhar com o malho. **2.** *Gír.* Ação de beijar longamente e abraçar; malho. **3.** *Gír.* Ato de exercitar o corpo com objetivo de dar-lhe vigor e agilidade.

malhado[1] *adj.* Que se malhou; batido com malho.

malhado[2] *adj.* Diz-se de animal ou pelagem que tem malhas[2] ou manchas.

malhar *v.t.* (conj. 4). **1.** Bater metal para torná-lo mais denso e mais elástico. **2.** Bater com malho, martelo ou instrumento análogo. **3.** Debulhar na eira. **4.** Bater em; espancar. **5.** *Fig.* Zombar de, criticar violentamente. **6.** *Gír.* Fazer exercícios de ginástica ou de levantamento de peso.

malharia *s.f.* **1.** Estabelecimento onde são produzidos tecidos de malha. **2.** Comércio desses artigos (meias, maiôs etc.). **3.** A arte de produzir tecidos em malha. **4.** Artigos de malha, em tecido ou confeccionados.

malho *s.m.* (lat. *malleus*). **1.** Martelo grande, sem unhas nem orelhas, usado mais freqüentemente por ferreiros. **2.** Marrão, marreta. **3.** Maço de calceteiro. **4.** *Gír.* Ato de dar abraços apertados com beijos longos; amasso.

mal-humorado *adj.* **1.** Que tem humores mórbidos; enfermiço, adoentado. **2.** *Fig.* Que está de mau humor; zangado, aborrecido. **3.** *Fig.* Intratável, ranzinza.

malícia *s.f.* (lat. *malitia*). **1.** Tendência para julgar, dizer, agir com maldade; dolo, má-fé. **2.** Dito picante, levemente impudico. **3.** Sagacidade, astúcia. **4.** Esperteza adquirida pela experiência. **5.** Intenção maldosa ou licenciosa.

maliciar *v.t.* (conj. 16). **1.** Atribuir malícia a. **2.** Tomar em mau sentido. **3.** Desconfiar, suspeitar, maldar.

malicioso (ô) *adj.* e *s.m.* (lat. *malitiosus*). **1.** Que ou aquele que tem malícia. **2.** Travesso, picante, brejeiro. **3.** Sagaz, mordaz.

maligno *adj.* (lat. *malignus*). **1.** Propenso a dizer ou a fazer maldade; maléfico, mau. **2.** Nocivo, pernicioso. **3.** Fatal, funesto. **4.** Que revela tendência maliciosa. **5.** Diz-se de tumor cancerígeno ou de doença de gravidade anormal.

má-língua *s.f.* Maledicência. ★ *s.2g.* Pessoa maledicente.

mal-intencionado *adj.* e *s.m.* Que ou aquele que tem más intenções.

malmequer *s.m.* Nome comum a diversas plantas herbáceas ou arbustivas, ornamentais, de flores amarelas, brancas ou purpúreas, originárias da Europa e África. (Sin. BEM-ME-QUER.)

maloca *s.f.* (esp. *maloca*). **1.** Grande habitação indígena, coberta de palmas secas, que aloja várias famílias. **2.** Aldeia de índios. **3.** *(NE)* Gado que os vaqueiros ajuntam nas vaquejadas e levam para os currais. **4.** Gado que costuma pastar em determinados pontos do campo. **5.** Favela.

malogrado *adj.* Que malogrou.

malograr *v.t.* (conj. 4). Perder, inutilizar, fazer gorar. ★ *v.pr.* **1.** Frustrar-se, gorar-se, não vingar, não ir avante. **2.** Desaparecer prematuramente.

malogro (ô) *s.m.* Ato ou efeito de malograr; revés, frustração, insucesso.

malote *s.m.* **1.** Maleta. **2.** Embalagem flexível lacrável, para correspondência e pequenas encomendas. **3.** Serviço particular de entrega de correspondência.

malquerença *s.f.* Sentimento de querer mal; inimizade, antipatia.

malquerer *v.t.* (conj. 38). Querer ou desejar mal a; detestar, aborrecer. ★ *s.m.* Aversão, inimizade.

malquistar *v.t.* (conj. 4). Tornar malquisto ou inimigo; indispor (uma pessoa com outra), inimizar. ★ *v.i.* Causar inimizade. ★ *v.pr.* Inimizar-se, adquirir malquerença.

malquisto *adj.* Que é objeto de antipatia; odiado.

malsão *adj.* **1.** Insalubre. **2.** *Fig.* Que atenta contra a moral. **3.** Maligno, mau, mórbido, daninho.

malsinar[1] *v.t.* (esp. *malsin*) [conj. 4]. **1.** Denunciar, delatar. **2.** Caluniar, deturpar, desvirtuar. **3.** Censurar, condenar.

malsinar[2] *v.t.* (conj. 4). Desejar mal a, agourar mal de.

malsoante ou **malsonante** *adj.2g.* **1.** Que soa mal; sem eufonia. **2.** Desafinado. **3.** Contrário à decência.

malta *s.f.* (de *Malta,* top.). **1.** Bando de desordeiros, vagabundos; súcia, corja. **2.** Vadiagem, gandaia. **3.** Agrupamento de indivíduos para agredir alguém.

maltase *s.f.* Enzima que transforma a maltose em glicose, durante a digestão.

malte *s.m.* (ingl. *malt*). Grão, em geral de cevada, que é estimulado a germinar para a seguir ser tostado, empregado na fabricação de cerveja.

maltês *adj.* Relativo ou pertencente à Malta, país insular do Mediterrâneo. ★ *s.m.* O natural ou habitante de Malta.

maltose *s.f.* Polissacarídeo obtido pela hidrólise parcial do amido, que fornece duas moléculas de glicose.

maltrapilho *adj.* e *s.m.* Diz-se de ou pessoa mal vestida, esfarrapada.

maltratar *v.t.* (conj. 4). **1.** Tratar com brutalidade ou grosseria uma pessoa, por atos ou palavras. **2.** Usar com desleixo, causando dano; estragar, danificar. **3.** Espancar, açoitar. **4.** Insultar, ofender, ultrajar. **5.** Lesar fisicamente; mutilar.

maluco *adj.* e *s.m.* **1.** Alienado mental, louco, doido. **2.** Tonto, zonzo. **3.** Diz-se de ou indivíduo estouvado, doidivanas. ★ *adj.* **1.** Extravagante, esquisito. **2.** Absurdo.

maluquice *s.f.* *Fam.* Ação, palavra própria de maluco; doidice.

malva *s.f.* (lat. *malva*). **1.** Planta herbácea, originária da Europa e da América do Norte, de flores rosadas, rica em mucilagem e com propriedades medicinais. **2.** Nome comum a diversas plantas ornamentais, a maioria com propriedades medicinais.

MALVA ► A malva contém uma mucilagem utilizada em farmácia e confeitaria. Suas folhas e raízes são cozidas, enquanto a flor entra na composição de ungüentos.

malváceas *s.f.pl.* Família de plantas dicotiledôneas, herbáceas, arbustivas ou arbóreas, de flores em geral grandes e vistosas, como a malva, o hibisco e o quiabo.

malvadez (ê) ou **malvadeza** (ê) *s.f.* Qualidade ou ato de malvado; perversidade, crueldade, perversidade.

malvado *adj.* e *s.m.* (lat. *malifatius,* desgraçado). Que ou aquele que pratica atos cruéis ou grandes crimes; perverso, mau.

malversação *s.f.* **1.** Desvio de fundos no exercício de um cargo; dilapidação. **2.** Má administração.

malversar *v.t.* (lat. *male versari,* comportar-se mal) [conj. 4]. **1.** Apropriar-se de dinheiro no exercício de um cargo; dilapidar. **2.** Administrar mal.

malvisto *adj.* **1.** Que não é bem conceituado ou aceito; suspeito. **2.** Inimizado, malquisto.

mama *s.f.* (lat. *mamma*). **1.** Órgão glandular que, na mulher e nas fêmeas dos mamíferos, secreta leite; teta, úbere. (Sin. GLÂNDULA MAMÁRIA* ou GALACTÓFORA.) **2.** Mamadura.

CORTE DE PERFIL DA MAMA

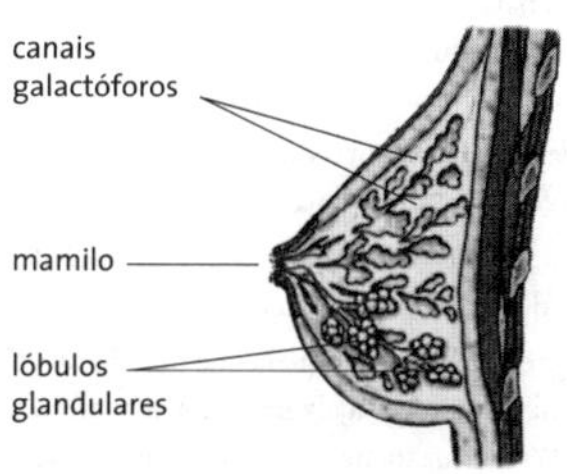

mamada *s.f.* **1.** Mamadura. **2.** Refeição do recém-nascido ou do animal novo.

mamadeira *s.f.* **1.** Depósito de vidro ou plástico, graduado, munido de um bico, cujo conteúdo serve ao aleitamento artificial do recém-nascido. **2.** Máquina destinada ao aleitamento artificial automático de alguns animais domésticos.

mamãe *s.f.* Mãe, em linguagem afetiva e carinhosa.

mamangaba ou **mamangava** *s.f.* Inseto himenóptero de corpo robusto e peludo, que faz o ninho no chão e cujo ferrão pode ser utilizado várias vezes.

mamão *s.m.* (de *mama,* por parecer um seio). Fruto do mamoeiro, de forma oblonga ou arredondada, casca amarela e polpa amarela ou amarelo-avermelhada, carnosa e doce.

mamar *v.t.* (lat. *mammare*) [conj. 4]. **1.** Sugar o leite do seio de uma mulher ou das tetas de uma fêmea de animal. **2.** Sugar qualquer coisa. **3.** *Fig.* Tirar vantagens, obter lucros ilícitos em negócios, empresas ou administração pública. ★ *v.i.* **1.** Sugar leite de mama ou teta. **2.** Embriagar-se.

mamário *adj.* **1.** Relativo às mamas. **2.** *Glândula mamária,* sin. de MAMA.

mamata *s.f. Pop.* **1.** Proveito ilícito, ou obtido por meio de ardis, à margem de um negócio ou transação. **2.** Negociata.

mambembe *s.m.* **1.** Lugar, lugarejo afastado, sem recursos nem conforto, desagradável. **2.** Ator ou grupo de atores ambulantes, de poucos recursos. ★ *adj.2g.* De má qualidade, imprestável, ordinário.

mambo *s.m.* Dança de origem cubana, mistura de ritmos da rumba e do suingue.

mameluco *s.m.* (ár. *mamluk,* escravo). Filho de índio com branco.

mamífero *s.m.* Espécime dos mamíferos. ★ *adj.* **1.** Relativo aos mamíferos. **2.** Diz-se do animal que tem mamas.

MAMÍFERO ► Os mamíferos são animais geralmente cobertos de pêlo, o que os ajuda a conservar o calor do corpo. As fêmeas amamentam os filhotes com seu próprio leite. Habitam em quase todas as partes do mundo, desde as geleiras da Antártica até as quentes terras africanas. A maioria dos mamíferos vive em terra firme, mas alguns, como as baleias, vivem na água. Os morcegos são os únicos mamíferos voadores.

As baleias são os maiores mamíferos do mundo.

mamíferos *s.m.pl.* Classe de vertebrados tetrápodes, homeotermos, vivíparos, que apresenta corpo coberto de pêlos, glândulas cutâneas, glândulas mamárias, coração dividido em quatro câmaras, dentes caninos, incisivos, pré-molares e molares.

mamilar *adj.2g.* (lat. *mamillaris*). **1.** Relativo a ou que tem forma de mamilo. **2.** *Tubérculos ou corpos mamilares,* pequenos corpos esféricos localizados na base do cérebro e posteriormente à hipófise.

mamilo *s.m.* (lat. *mamilla,* pequena mama). **1.** Bico da mama; maminha. **2.** Qualquer saliência arredondada que lembre o bico da mama.

maminha *s.f.* **1.** Mamilo. **2.** Parte mais macia da alcatra, formada pelos músculos que recobrem externamente os ossos ilíacos.

mamoeiro *s.m.* Árvore baixa, de caule reto, grosso e oco, de flores brancas e fruto comestível, que fornece látex rico em papaína.

mamografia *s.f.* Exame radiográfico das mamas.

mamona *s.f.* Arbusto originário da África, cujos frutos fornecem o óleo de rícino, de propriedades medicinais, e também utilizado na indústria como lubrificante. (Sin. CARRAPATEIRA, CARRAPATO, CATURRA, MAMONEIRA, RÍCINO.)

mamoneira *s.f.* Sin. de MAMONA.

mamoplastia *s.f.* Recomposição cirúrgica do seio, geralmente com propósitos estéticos.

mamute *s.m.* (russo *mamuot*). Elefante fóssil do período quaternário, extinto há c. 10.000 anos, cujo corpo era coberto de longos pêlos e que vivia nas regiões boreais.

mana *s.f.* Irmã.

maná *s.m.* **1.** Alimento milagroso que Deus enviou do céu aos israelitas no deserto. **2.** Sin. de FREIXO. **3.** Substância açucarada extraída de certas plantas. **4.** *Fig.* Alimento delicioso e abundante.

manacá *s.m.* (tupi *mana'ka*). Nome comum a várias árvores ou arbustos de flores brancas, amarelas ou arroxeadas, cultivados em parques e jardins, como ornamentais.

manada *s.f.* (lat. *manuata,* que tem mãos). **1.** Rebanho de gado grosso. **2.** *Fig.* Corja, súcia.

manancial *s.m.* (esp. *manantial*). **1.** Nascente, olho-d'água. **2.** Fonte perene e abundante. **3.** *Fig.* Princípio, origem, fonte. ★ *adj.2g.* Que mana, que corre sem cessar.

manar *v.t.* (lat. *manare*) [conj. 4]. **1.** Verter incessantemente. **2.** Verter, destilar. **3.** Criar, produzir, originar. **4.** Provir, proceder, emanar. **5.** Irromper, brotar. ★ *v.i.* Correr em abundância; fluir, brotar.

manati *s.m.* **1.** Mamífero aquático, da ordem dos sirênios, herbívoro, que atinge 4 m de comprimento e habita regiões costeiras, rios e estuários. **2.** Sin. de PEIXE-BOI.

manauê *s.m.* Bolo de fubá e mel.

manauense *adj.2g.* Relativo ou pertencente a Manaus, cidade do Amazonas. ★ *s.2g.* O natural ou habitante dessa cidade.

mancada *s.f.* *Gír.* **1.** Erro, falha, lapso, falta. **2.** Atitude inoportuna; gafe.

mancal *s.m.* **1.** Peça de ferro ou de bronze onde giram os eixos de certos maquinismos, possibilitando o mínimo de atrito. **2.** Eixo de porta.

mancar *v.i.* (conj. 12). **1.** Apresentar movimento anormal dos membros locomotores; coxear, manquejar. **2.** *Gír.* Falhar em relação a um compromisso. ★ *v.t.* Aleijar, tornar manco. ★ *v.pr.* *Gír.* Dar-se conta de que se está sendo inconveniente.

mancebia *s.f.* **1.** Estado de quem vive amancebado; concubinato. **2.** Vida dissoluta.

mancebo (ê) *s.m.* **1.** Moço, rapaz, jovem. **2.** Cabide de roupa, formado de uma haste e braços.

mancha *s.f.* **1.** Marca deixada por sujeira; nódoa. **2.** Marca natural na pele do homem ou no pêlo do animal; malha. **3.** *Fig.* Nódoa na reputação; mácula, desdouro. ● **Astron.** Estrutura temporária escura, evolutiva, de forma aproximadamente circular e de diâmetro variável, na fotosfera do Sol. **Ind. Gráf.** A parte impressa de uma página, por oposição às margens. **Med.** Mudança de coloração da pele, sem elevação ou depressão.

manchão *s.m.* (fr. *manchon*). Remendo de borracha que se improvisa na parte interna dos pneumáticos, para proteger a câmara-de-ar.

manchar *v.t.* (conj. 4). **1.** Fazer mancha ou nódoa em; sujar. **2.** *Fig.* Comprometer moralmente; desonrar. ★ *v.pr.* **1.** Sujar-se. **2.** Ficar desonrado.

mancheia *s.f.* **1.** Porção de coisas equivalente ao que uma mão pode segurar; mão-cheia. **2.** *A mancheias,* à farta, prodigamente; a mãos-cheias.

manchete *s.f.* (fr. *manchette*). Título principal, feito com tipos grandes, na primeira página dos jornais.

manco *adj.* (lat. *mancus,* maneta). **1.** Diz-se de pessoa ou animal a que falta algum membro ou que não pode servir-se dele. **2.** Coxo. **3.** Imperfeito, defeituoso, incompleto. ★ *s.m.* Indivíduo coxo, defeituoso.

mancomunação *s.f.* Ato ou efeito de mancomunar(-se).

mancomunar *v.t.* (conj. 4). Ajustar, pôr de acordo, conluiar-se, contratar. ★ *v.pr.* Ligar-se com alguém para a realização de alguma coisa (geralmente má).

mandacaru *s.m.* (tupi *madaka'ru*). Cacto arborescente, de ramos lenhosos, sulcados, com espinhos agrupados e flores brancas, que durante a seca serve de alimento para o gado no Nordeste do Brasil.

mandachuva *s.m.* Pessoa importante ou influente; chefão, maioral.

mandado *s.m.* **1.** Ato ou efeito de mandar. **2.** Incumbência, tarefa. **3.** Ordem por escrito, de autoridade pública, judicial ou administrativa, para fazer cumprir uma diligência ou medida. ★ *adj.* **1.** Diz-se daquele a quem mandaram ou que costuma ser dirigido por outros. **2.** Que foi enviado.

mandala *s.m.* Diagrama ou forma com cores simbólicas e desenhos geométricos concêntricos, para meditação.

mandamento *s.m.* **1.** Ato ou efeito de mandar. **2.** Ordem, mandado. **3.** Voz de comando. **4.** Preceito da Igreja.

mandante *adj.2g.* e *s.2g.* Que ou aquele que manda. ★ *s.2g.* **1.** Aquele que confere mandato a alguém para agir como seu representante. **2.** Pessoa que incita outra a praticar certos atos.

mandão *adj.* e *s.m.* *Fam.* Diz-se de ou pessoa autoritária, que manda secamente.

mandar *v.t.* (lat. *mandare*) [conj. 4]. **1.** Ordenar, determinar, exigir que se faça. **2.** Preceituar, prescrever. **3.** Comandar, governar. **4.** Enviar, remeter, expedir. **5.** Arremessar, atirar. ★ *v.i.* Exercer o poder de mando; dominar. ★ *v.pr.* *Pop.* Fugir.

A B C D E F G H I J K L M N O P Q R S T U V W X Y Z

mandarim *s.m.* (sâns. *mantri,* conselheiro). **1.** Título dado antigamente aos altos funcionários chineses. **2.** *Pej.* Personagem importante e influente. **3.** Forma dialetal do chinês que é a base do chinês padrão.

mandatário *s.m.* (lat. *mandatarius*). **1.** Aquele que recebe mandato ou procuração para agir em nome de outro. **2.** Representante, procurador.

mandato *s.m.* (lat. *mandatum*). **1.** Autorização dada por uma pessoa a outra para agir em seu nome. **2.** Missão, incumbência. **3.** Procuração, delegação. **4.** Poder político outorgado pelo povo a um cidadão, para exercer determinadas funções por período delimitado; esse período.

mandi *s.m.* (tupi-guar. *mani'í*). Peixe de água doce, que apresenta três ferrões rijos, normalmente serrilhados, e quando fora da água emite um som semelhante ao choro.

mandiba *s.f.* Espécie de mandioca.

mandíbula *s.f.* **1.** Maxila inferior do homem e dos vertebrados em geral. **2.** Cada uma das duas partes do bico das aves. **3.** Peça bucal par dos crustáceos, miriápodes e insetos, situada anteriormente aos maxilares, sob o lábio. ● **Mec.** Qualquer peça ou ferramenta articulada à semelhança de um maxilar, como tenazes, torqueses etc.

mandibular *adj.2g.* **1.** Relativo à mandíbula. **2.** *Arco mandibular,* o primeiro dos arcos branquiais dos vertebrados gnatóstomos, que origina a maxila primária.

mandinga *s.f.* (de *Mandinga,* n.pr.). Feitiço, bruxaria, despacho, mau-olhado. ★ *s.2g.* Indivíduo dos mandingas, grupo étnico do Mali, África.

mandioca *s.f.* (tupi *mani'oka*). **1.** Arbusto originário da América do Sul, cujos tubérculos são comestíveis depois de cozidos e utilizados na fabricação de polvilho e farinha. **2.** O tubérculo dessa planta. (Sin. MACAXEIRA, AIPIM.)

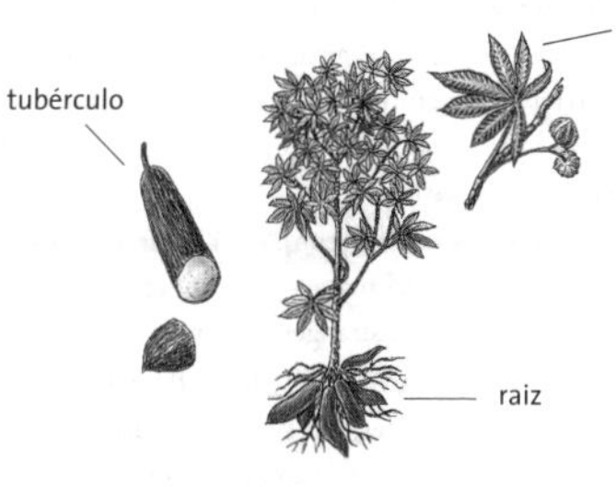

MANDIOCA ▸ A mandioca é uma planta cuja raiz em tubérculo é rica em amido e tem grande importância na alimentação das populações nativas do Brasil, da Indonésia, de Madagascar e da África, que também comem as folhas cozidas em água.

mandioquinha *s.f.* Planta herbácea originária da Europa, de frutos amarelados e raízes comestíveis, cujas folhas são utilizadas na alimentação animal. (Sin. BATATA-BAROA.)

mando *s.m.* **1.** Direito, poder de mandar, autoridade. **2.** Arbítrio. **3.** Ordem, mandado.

mandrágora *s.f.* (gr. *mandrágoros*). Planta herbácea originária da Grécia, de folhas ovais e flores purpúreas, cultivada como ornamental e considerada tóxica.

mandrião *adj.* e *s.m.* **1.** Que ou aquele que é preguiçoso; indolente. **2.** Roupão curto usado em casa por mulheres e crianças.

mandriar *v.i.* (conj. 16). Levar vida de mandrião, viver na ociosidade; vadiar.

mandril[1] *s.m.* (ingl. *mandrill*). Mono africano de cauda curta, cujo macho adulto tem cabeça muito grande e calosidades nas nádegas.

mandril[2] *s.m.* (prov. *mandre,* manivela). **1.** Ferramenta cônica para alargar e alisar furos. **2.** Haste ou barra metálica cilíndrica que serve para dar o diâmetro interior a tubos metálicos. **3.** Haste que serve para introduzir e guiar agulhas e sondas, dando-lhes maior resistência.

mandruvá *s.m.* Nome comum às lagartas dos insetos lepidópteros, que não possuem cerdas urticantes.

manducar *v.t.* e *v.i.* (conj. 12). *Pop.* Comer, mastigar.

manear *v.t.* (esp. *manear*) [conj. 15]. Manejar.

maneável *adj.2g.* Que se pode manejar; manejável.

maneia *s.f.* Correia que prende as patas do cavalo para que não corra.

maneio *s.m.* **1.** Ação de manear; manuseio, manejo. **2.** Trabalho manual. **3.** Administração, gerência.

maneira *s.f.* (lat. *manuaria,* de *manuarius,* relativo à mão). **1.** Modo particular de ser ou de fazer alguma coisa. **2.** Jeito, feição. **3.** Forma exterior, configuração. **4.** Estilo próprio de um escritor, artista ou escola. **5.** Costume, hábito. **6.** Meio, instrumento. ★ *s.f.pl.* **1.** Modos habituais de agir. **2.** Modos corteses, educados, de proceder ou de falar em sociedade; compostura, lhaneza do trato.

maneirismo *s.m.* **1.** Forma de arte do séc. XVI, caracterizada pela sofisticação e refinamento, pelo alongamento do corpo e pela tendência ao fantástico e ao místico. **2.** Tendência literária do século XVII, próxima do barroco, caracterizada pela reação contra o classicismo.

maneirista *adj.2g.* Relativo ou pertencente ao maneirismo. ★ *s.2g.* Adepto do maneirismo. ★ *adj.2g* e *s.2g.* Diz-se de ou pessoa afetada, de modos estudados ou fala rebuscada.

maneiro *adj.* **1.** Fácil de ser manejado; leve, jeitoso. **2.** Diz-se de animal acostumado a vir comer à mão. **3.** Que não exige muito esforço. **4.** *Pop.* Simpático, agradável.

maneiroso (ô) *adj.* **1.** Que tem boas maneiras; amável, delicado. **2.** Afetado, maneirista.

manejar *v.t.* (it. *maneggiare*) [conj. 4]. **1.** Executar algo usando as mãos. **2.** Ter conhecimento de, praticar com facilidade. **3.** Administrar, dirigir, manear. **4.** *Fig.* Dirigir, controlar com eficiência e habilidade.

manejo (ê) *s.m.* **1.** Ato ou efeito de manejar. **2.** Administração, gerência. **3.** Trabalho, lida. **4.** Exercício de equitação. **5.** Lugar onde se exercitam os cavalos. **6.** Conjunto de técnicas para lidar racionalmente com uma criação animal. ★ *s.m.pl.* **1.** Manobras militares. **2.** Artimanhas, ardis.

manequim *s.m.* (fr. *mannequin,* figurino). **1.** Boneco que imita o corpo humano e serve de modelo para artistas, costureiras ou para expor as peças de vestuário nas vitrinas. **2.** Medida para roupas industrializadas. **3.** Profissional que apresenta os novos modelos em desfile de modas ou posa para fotos publicitárias; modelo. **4.** *Fig.* Homem sem caráter, que se pode manejar à vontade.

maneta (ê) *adj.*2g e *s.2g.* Diz-se de ou pessoa a quem falta uma das mãos ou um dos braços.

manga[1] *s.f.* (lat. *manica*). **1.** Parte da roupa que cobre o braço. **2.** Chaminé de candeeiro. **3.** Mangueira[1]. **4.** Instalação dotada de duas cercas convergentes, para facilitar o ingresso de gado no curral. **5.** Filtro em forma de funil para líquidos.

manga[2] *s.f.* (malaiala *mangā*). Fruto da mangueira, redondo ou oblongo, de casca amarela ou amarelo-rosada, que tem polpa geralmente amarela, de cheiro e sabor agradáveis.

mangaba *s.f.* (tupi *ma'naua*). Fruto da mangabeira, baga pequena e doce, com a aparência de maçã, comestível ao natural e aproveitado para compotas, doces, sorvetes e refrigerantes.

mangabeira *s.f.* Árvore ramificada, de flores brancas, frutos comestíveis, que fornece madeira vermelha e látex utilizado na fabricação de borracha.

mangação *s.f.* **1.** Ação de mangar; zombaria, mofa, troça. **2.** Demora, lentidão (na execução de uma tarefa).

manga-d'água *s.f.* Chuva torrencial; aguaceiro.

manga-larga *adj.2g.* e *s.2g.* **1.** Diz-se de ou raça brasileira de cavalos de sela, de boa resistência, utilizados na lida com o gado e para longas caminhadas, cuja principal característica é a marcha trotada. **2.** *Manga-larga marchador,* diz-se de ou raça brasileira de cavalos de sela, de passo longo, ligeiro e compassado.

manganês *s.m.* (lat. *manganexum*). Elemento químico (símb. Mn) de número atômico 25, que constitui um metal de cor branco-acizentada, duro e quebradiço, abundante na natureza.

mangar *v.t.* e *v.i.* (conj. 14). Escarnecer, zombar, fazer mofa. ★ *v.i.* Demorar.

mangual *s.m.* **1.** Instrumento utilizado na debulha de grãos, constituído por um cabo e um batedor de madeira unidos por correias. **2.** Açoite, relho.

mangue *s.m.* (esp. *mangle*). **1.** Formação vegetal que ocorre nos litorais lodosos das regiões tropicais; manguezal. **2.** Terreno pantanoso às margens de lagoas ou de estuários, onde vegeta o mangue; manguezal. **3.** *Pop.* Zona de prostituição.

MANGUE ▸ Todas as espécies de árvores do mangue possuem raízes aéreas ou emergentes que lhes permitem lutar contra a asfixia. Nesse ambiente litorâneo particular vive uma fauna exuberante, formada na maior parte por anfíbios, caranguejos, peixes e insetos.

mangueira[1] *s.f.* **1.** Tubo flexível de borracha, lona ou plástico para condução de água, ar, combustíveis líquidos; manga. **2.** Curral espaçoso, de porteira ampla, próximo à sede da administração da fazenda, para a contenção dos animais.

mangueira[2] *s.f.* Árvore de grande porte, originária da Ásia, de folhas oblongas e pequenas flores verde-amareladas, que produz um fruto de polpa comestível, a manga.

manguezal *s.m.* Mangue.

mangusto *s.m.* Mamífero carnívoro, de focinho alongado, orelhas curtas e pelagem abundante, que se alimenta de pequenos vertebrados, inclusive cobras venenosas.

manha *s.f.* (lat. *mania,* habilidade manual). **1.** Destreza, arte, habilidade, jeito. **2.** Astúcia, malícia, esperteza. **3.** Característica que torna uma coisa difícil de explicar ou de vencer. **4.** Birra, pirraça de criança chorona e teimosa. **5.** Ardil, artimanha.

manhã *s.f.* (lat. *maneana*). Tempo compreendido entre meia-noite e meio-dia e, mais restritamente, a parte do dia situada entre o nascer do sol e o meio-dia.

manhoso (ô) *adj.* **1.** Que tem manha; astuto, malicioso, esperto, ardiloso. **2.** Ressabiado, que tem mau sestro. **3.** Que faz manha; birrento, pirracento. ★ *s.m.* Criança chorona e pirracenta.

mania *s.f.* (gr. *manía,* loucura) **1.** Idéia fixa, obsessão. **2.** Extravagância, excentricidade. **3.** Mau hábito, vício. ● **Psiq.** Estado de superexcitação das funções psíquicas, associado à euforia e à exaltação motora e instintiva.

maníaco *adj.* (gr. *maniakós*). **1.** Relativo a mania. **2.** Excêntrico, extravagante. **3.** Teimoso, obstinado. ★ *s.m.* Indivíduo possuído por uma mania.

maníaco-depressivo *adj.* **1.** Relativo à psicose maníaco-depressiva. **2.** *Psicose maníaco-depressiva,* psicose caracterizada pela sucessão relativamente regular de acessos maníacos e melancólicos. ★ *adj.* e *s.m.* Diz-se de ou sujeito que apresenta psicose maníaco-depressiva.

maniatar *v.t.* (esp. *maniatar*) [conj. 4]. **1.** Atar as mãos de; manietar. **2.** Tolher os movimentos de; prender, manietar. **3.** *Fig.* Tolher a liberdade; constranger, forçar.

maniçoba *s.f.* Árvore de casca avermelhada, flores branco-esverdeadas e sementes grandes, que produzem óleo de cheiro e sabor agradáveis, e de cujo tronco se extrai um látex para produção de borracha de segunda qualidade.

manicômio *s.m.* Hospital de loucos; hospício.

manicuro *s.m.* (fr. *manicure*). Pessoa encarregada de cuidar da boa aparência das mãos.

manietar *v.t.* (conj. 4). Maniatar.

manifestação *s.f.* (lat. *manifestatio*). **1.** Ato ou efeito de manifestar(-se). **2.** Movimento popular destinado a exprimir publicamente um sentimento, uma opinião política. **3.** Homenagem coletiva a uma pessoa eminente.

manifestante *adj.2g.* e *s.2g.* **1.** Que ou aquele que (se) manifesta. **2.** Que ou aquele que participa de uma manifestação.

manifestar *v.t.* (lat. *manifestare*) [conj. 4]. **1.** Dar a conhecer, tornar manifesto. **2.** Declarar, exprimir. **3.** Mostrar, revelar. ★ *v.pr.* **1.** Tornar-se manifesto. **2.** Exprimir-se.

manifesto[1] *adj.* (lat. *manifestus*). Que é de total evidência; claro, notório, público. ● **Psican.** *Conteúdo manifesto,* relato do sonho antes de ter sido submetido à análise e, por extensão, da fantasia ou de qualquer produção do sujeito.

manifesto[2] *s.m.* (lat. *manifestum*). **1.** Declaração pública na qual se dá a conhecer uma opinião ou um objetivo. **2.** Programa político, estético etc.; plataforma. **3.** Inventário completo da carga de um navio. **4.** O documento escrito que contém qualquer manifesto.

manilha *s.f.* (lat. *manicula,* mão pequena). **1.** Tubo de barro cozido ou vidrado, utilizado em escoamento de esgotos. **2.** Estribo metálico em forma de U ou de lira, achatado nas duas extremidades, fechado por um pino e utilizado para ligar cabos etc. **3.** Pulseira larga usada como adorno.

manipresto *adj.* Ligeiro de mãos; destro, prestímano.

manipulação *s.f.* **1.** Ato ou efeito de manipular. **2.** Ação de executar as operações manuais em química, em farmácia etc. **3.** Interferência intencional.

manipulador (ô) *adj.* Que manipula. ★ *s.m.* **1.** O que manipula. **2.** Dispositivo manual ou automatizado que serve para formar um sinal telegráfico ou análogo. **3.** Dispositivo mecânico utilizado para manuseio à distância de materiais radioativos.

manipular *v.t.* (fr. *manipuler,* de *manipule,* manípulo) [conj. 4]. **1.** Preparar, dar forma ou acionar com a mão. **2.** Preparar certas substâncias químicas ou farmacêuticas. **3.** Manobrar, operar com as mãos. **4.** Alterar, modificar, interferindo na autonomia de alguém ou no curso natural do processo.

manípulo *s.m.* (lat. *manipulus*). **1.** Porção, feixe de coisas que a mão pode abranger; punhado. **2.** Faixa de tecido usada no antebraço esquerdo pelo padre. **3.** Divisão da legião romana. **4.** Haste coroada de sinais simbólicos que servia de bandeira às tropas romanas.

maniqueísmo *s.m.* **1.** Doutrina que se funda em dois princípios opostos, o bem e o mal. **2.** *P. ext.* Tendência a dividir o mundo entre bem e mal.

manita *s.f.* **1.** Mãozinha. **2.** Sin. de MANITOL.

manitol *s.m.* Poliálcool de uso medicinal e industrial. (Sin. MANITA.)

manitu *s.m.* Entre alguns povos indígenas da América do Norte, poder sobrenatural inerente a todas as pessoas, coisas ou fenômenos da natureza.

manivela *s.f.* (fr. *manivelle*). **1.** Alavanca em ângulo reto, com a qual se imprime um movimento de rotação contínua ao eixo a que está ligada. **2.** Parte da pedaleira que suporta o pedal.

manjado *adj. Gír.* Muito conhecido.

manjar[1] *v.t.* (conj. 4). **1.** *Ant.* Comer. **2.** *Gír.* Conhecer, saber. **3.** *Gír.* Entender, perceber, compreender.

manjar[2] *s.m.* **1.** Qualquer substância que sirva de alimento. **2.** Iguaria sofisticada, apetitosa. **3.** *Fig.* Tudo o que alimenta, deleita, engrandece o espírito ou a alma.

manjar-branco *s.m.* Iguaria preparada com maisena, leite, açúcar e leite de coco.

manjedoura *s.f.* **1.** Gamela para distribuição de alimentos em estábulos e estrebarias. **2.** Dispositivo instalado em frente a uma gamela ou uma grade, destinado a limitar os movimentos dos animais quando estão sendo alimentados.

manjericão *s.m.* Arbusto originário da Índia e do Egito, de folhas pequenas, utilizadas como condimento, e que fornece óleo essencial de propriedades diuréticas e estimulantes.

manjerona *s.f.* Planta herbácea, originária da região mediterrânea, de folhas pequenas, utilizadas como condimento, e que fornece óleo essencial, usado em perfumaria e na produção de licores e remédios.

manjuba *s.f.* Peixe marinho de grande importância comercial, que efetua migrações em direção aos rios na época da reprodução.

mano *s.m. Fam.* Tratamento entre irmãos e entre cunhados. ★ *adj.* Muito amigo; íntimo, familiar.

manobra *s.f.* (lat. *manuopera*). **1.** Ação de dirigir o funcionamento de uma máquina, aparelho ou veículo. **2.** Movimento de tropas em campanha. **3.** Conjunto de ações para alcançar um objetivo. **4.** *Fig.* Conjunto de meios ardilosos empregados para chegar a um fim desejado; astúcia, artimanha.

manobrar *v.t.* (conj. 4). **1.** Fazer manobra com; dirigir, conduzir. **2.** *Fig.* Orientar, dirigir para atingir um fim. ★ *v.i.* **1.** Executar manobras. **2.** Executar exercícios de instrução militar. **3.** *Fig.* Tomar medidas para ser bem-sucedido.

manobreiro *s.m.* Aquele que tem habilitação para manobrar máquinas, veículos etc.

manobrista *s.2g.* Aquele que manobra veículos em estacionamentos etc.; garagista.

manômetro *s.m.* (do gr. *manos,* pouco denso). Instrumento próprio para medir a pressão de um fluido.

manopla *s.f.* (esp. *manopla*). **1.** Açoite comprido, próprio de cocheiro. **2.** *Pop.* Mão muito grande. **3.** Alavanca de comando manual de certos dispositivos de máquinas.

manqueira *s.f.* **1.** Ação de manquejar. **2.** Epizootia dos bovinos e eqüídeos. **3.** *Fig.* Defeito, falta.

manquejar *v.i.* (conj. 4). Mancar, claudicar, coxear.

manquitola *adj.2g.* Manco, coxo.

mansão *s.f.* (lat. *mansio, mansionis*). Residência luxuosa de grandes proporções.

mansarda *s.f.* (fr. *marsarde,* de *Marsart,* arquiteto francês). **1.** Telhado com águas em duas inclinações, a inferior quase vertical e a superior quase horizontal. **2.** O pavimento compreendido entre essas águas. **3.** *Fig.* Habitação pobre.

mansidão *s.f.* **1.** Qualidade de manso; mansuetude. **2.** Serenidade, tranqüilidade.

manso *adj.* (lat. *mansus*). **1.** Brando de gênio, pacífico de índole; pacato. **2.** Tranqüilo, plácido, sossegado. **3.** Domesticado, amansado. **4.** Cultivado, não silvestre. ★ *s.m.* **1.** Pessoa mansa. **2.** Trecho em que o rio tem águas calmas, parecendo não correr.

mansuetude *s.f.* (lat. *mansuetudo*). Mansidão.

manta *s.f.* (lat. *manta,* de *mantum,* manto). **1.** Cobertor de cama de lã, em geral colorido, enxadrezado e com franja nas pontas. **2.** Tira de seda ou lã que os homens enrolam ao pescoço, servindo-lhes de gravata. **3.** Lenço ou xale que as mulheres põem sobre os ombros ou na cabeça; mantilha. **4.** Grande pedaço de carne ou peixe exposto ao sol. **5.** Camada que se forma ao ser sulcada a terra.

manteiga *s.f.* **1.** Produto alimentar resultante da batedura do creme de leite fresco de vaca. **2.** Substância gordurosa que se extrai de diversos vegetais. **3.** *Manteiga de cacau,* substância gordurosa obtida do cacaueiro e utilizada como ungüento em terapêutica.

manteigueira *s.f.* Recipiente em que se guarda ou se serve manteiga.

mantel *s.m.* (lat. *mantele*). Toalha de mesa ou de altar. ★ *s.m.pl. Desus.* Roupas de mesa.

mantelete (ê) *s.m.* (fr. *mantelet*). **1.** Capa feminina em tecido leve, com capuz e abas compridas na frente e mais curtas atrás. **2.** Manto eclesiástico, sem mangas, usado nas cerimônias religiosas.

mantença *s.f.* (lat. *manutenentia*). **1.** Alimento necessário para a subsistência; mantimento. **2.** Despesas de conservação ou manutenção.

mantenedor (ô) *s.m.* (esp. *mantenedor*). **1.** Aquele que mantém. **2.** O que mantém, sustenta ou defende alguém; defensor, campeão. **3.** O principal cavaleiro das justas e torneios. ★ *adj.* Que mantém, que protege.

manter *v.t.* (lat. *manutenere,* de *manus,* mão e *tenere,* segurar) [conj. 1]. **1.** Sustentar. **2.** Conservar. **3.** Prover do necessário à subsistência de. **4.** Cumprir, observar, respeitar. **5.** Sustentar uma posição. **6.** Defender, ocupar, controlar (um território). ★ *v.pr.* **1.** Sustentar-se. **2.** Prover-se do necessário à subsistência. **3.** Conservar-se, permanecer.

mantilha *s.f.* (esp. *mantilla*). **1.** Manta. **2.** Faixa de renda ou de seda, geralmente negra, com que as mulheres, sobretudo as espanholas, cobrem a cabeça. **3.** *P. ext.* Véu.

mantimento *s.m.* **1.** Ato ou efeito de manter(-se). **2.** Mantença. ★ *s.m.pl.* Víveres, alimento, comida.

mantissa *s.f.* A parte decimal de um número fracionário, escrita à direita da vírgula.

manto *s.m.* **1.** Vestimenta folgada e sem mangas que se usa por cima do vestuário comum. **2.** Capa rodada e com cauda usada por reis e rainhas e por grandes dignitários de certas ordens em cerimônias solenes. **3.** Capa de lã com capuz utilizada às vezes pelo papa. **4.** Hábito de algumas religiosas. **5.** Véu preto, de luto. **6.** *Fig.* O que encobre, oculta ou dissimula algo. ● **Zool.** Dobra da pele dos moluscos que recobre a massa visceral e cuja face externa secreta com freqüência uma concha que não permanece aderida.

mantô *s.m.* (fr. *manteau*). Sobretudo ou casacão feminino, muito amplo.

mantra *s.f.* (do sânscrito). Sílaba ou frase sagrada para invocar divindades, no tantrismo, hinduísmo e budismo.

manual[1] *adj.2g.* (lat. *manualis*). **1.** Relativo a mão. **2.** Que se faz com as mãos. **3.** Que é acionado com as mãos. **4.** Que se pode levar nas mãos.

manual[2] *s.m.* (lat. *manuale*). **1.** Compêndio, livro pequeno que encerra os conhecimentos básicos de uma ciência, uma técnica, um ofício. **2.** Livro de rezas, breviário.

manufator (ô) *adj.* Manufatureiro.

manufatura *s.f.* (lat. *manufactura*). **1.** Trabalho feito à mão. **2.** Estabelecimento industrial em que a técnica ainda é artesanal, mas o trabalho já é feito conjuntamente por um grupo de operários. **3.** Fabricação em grande quantidade de determinados produtos industriais.

manufaturado *adj.* **1.** Diz-se de um produto fabricado à mão. **2.** Produzido em manufatura ou fábrica; transformado industrialmente. ★ *s.m.* Produto manufaturado.

manufaturar *v.t.* (conj. 4). Produzir em oficina, em fábrica.

manufatureiro *adj.* Relativo à manufatura; manufator. ★ *s.m.* Aquele que possui ou trabalha nela.

manuscrito *adj.* (lat. *manuscriptus*). Escrito à mão. ★ *s.m.* **1.** Obra escrita à mão. **2.** Texto de uma obra, destinado à impressão (seja escrito à mão ou datilografado).

manusear *v.t.* (conj. 15). **1.** Passar as mãos; manear. **2.** Virar com as mãos as folhas de um livro etc.

manuseio *s.m.* Ato ou efeito de manusear.

manutenção *s.f.* (lat. *manutentio*). **1.** Ato ou efeito de manter, sustentar ou conservar. **2.** Medidas necessárias à permanência ou conservação de alguma coisa ou situação. **3.** Serviço de conservação, fiscalização em certas empresas, oficinas. **4.** Conjunto das operações que permitem manter (ou restabelecer) um material, um aparelho, um veículo etc., em bom estado ou funcionando regularmente.

mão *s.f.* (lat. *manus*). **1.** A parte distal de cada um dos braços do homem, dotada de cinco dedos e destinada à preensão e ao tato. **2.** Extremidade dos membros superiores dos quadrúmanos e anteriores dos quadrúpedes. **3.** Denominação dada à garra de algumas aves. **4.** Posse, domínio. **5.** Poder, autoridade. **6.** Destreza manual; habilidade, jeito. **7.** O modo particular por que cada um faz as coisas; o estilo, a índole. **8.** Lanço completo num jogo de cartas. **9.** Camada de tinta, cal, verniz etc. **10.** Punhado, porção, feixe de coisas que a mão pode abranger. **11.** Sentido do trânsito em ruas ou estradas. **12.** Extremidade livre do braço das guitarras e instrumentos congêneres, onde se encontra um mecanismo constante das tarraxas e parafusos, destinado a retesar as cordas. **13.** *À mão,* muito perto, em condições de ser facilmente apanhado ou obtido.

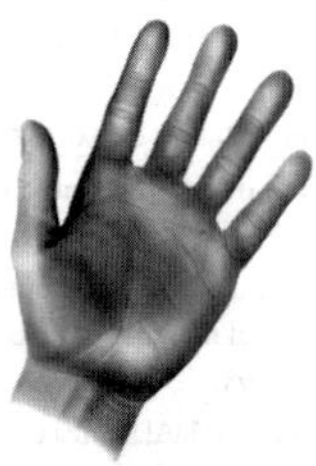

mão-aberta *s.2g.* Pessoa esbanjadora ou generosa, que não tem apego ao dinheiro; mãos-rotas.

mão-cheia *s.f.* **1.** Mancheia. **2.** *De mão-cheia,* ótimo, excelente, perfeito.

mão-de-obra *s.f.* **1.** Trabalho, atividade de um operário na execução de uma obra. **2.** Conjunto de operários necessários à execução de determinada obra. **3.** Custo do trabalho por eles executado.

maogani *s.m.* Sin. de MOGNO-VERDADEIRO.

maoísmo *s.m.* Doutrina marxista desenvolvida por Mao Tsé Tung (1893-1976), estadista chinês, que defende a revolução cultural proletária.

maoísta *adj.2g.* Relativo ou pertencente ao maoísmo. ★ *s.2g.* Adepto dessa doutrina.

maometano *adj.* **1.** Relativo ou pertencente a Maomé (570-632), fundador do islamismo. **2.** Muçulmano. ★ *s.m.* **1.** Adepto do maometismo. **2.** Muçulmano.

maometismo *s.m.* Religião fundada por Maomé; muçulmanismo, islamismo.

mão-pelada *s.m.* Mamífero carnívoro, da família dos canídeos, que vive em florestas, perto de rios, e lava os alimentos antes de comê-los. (Sin. GUAXINIM.)

maori *s.2g.* **1.** Indivíduo dos maoris, povo indígena da Nova Zelândia. **2.** Língua falada por esse povo.

mãos-rotas *s.2g.* Mão-aberta.

mãozada *s.f.* **1.** Aperto forte de mão. **2.** Quantidade de coisas que se podem segurar numa mão.

mapa *s.m.* (lat. *mappa mundi*). **1.** Representação gráfica, sobre um plano, de fenômenos geográficos, geológicos etc., referentes a um espaço determinado; carta. **2.** Gráfico. **3.** Lista, catálogo, relação.

mapa-múndi *s.m.* (lat. *mappa mundi*). Mapa que representa o globo terrestre, dividido em dois hemisférios.

mapeamento *s.m.* **1.** Ato ou efeito de mapear. **2.** Conjunto de operações técnicas executadas com a finalidade de elaborar mapas ou cartas geográficas de qualquer natureza.

mapear *v.t.* (conj. 15). **1.** Elaborar um mapa. **2.** Executar a representação gráfica da dimensão espacial de um dado fenômeno.

mapoteca *s.f.* **1.** Local onde são conservados e classificados os mapas. **2.** Coleção de mapas.

maquete ou **maqueta** (ê) *s.f.* **1.** Representação em três dimensões, em geral em escala reduzida, mas fiel às proporções, de um projeto arquitetônico ou de engenharia. **2.** Esboço do conjunto de um painel decorativo. **3.** Modelo em escala reduzida de uma escultura. **4.** Representação esquemática ou precisa de um impresso ou de uma paginação.

maquiador (ô) *s.m.* Profissional que executa maquiagem; maquilador.

maquiagem *s.f.* (fr. *maquillage*). **1.** Ato ou efeito de maquiar(-se); maquilagem. **2.** Pintura feita sobre o rosto, de finalidade estética ou para caracterizar uma personagem dramática. **3.** O conjunto de cosméticos (batom, sombra etc.) utilizados para maquiar; maquilagem, pintura.

maquiar *v.t.* (fr. *maquiller*) [conj. 16]. **1.** Pintar o rosto com o fim de disfarçar-lhe as imperfeições, pôr em evidência as qualidades estéticas ou caracterizar uma personagem; maquilar. **2.** *Fig.* Mascarar, disfarçar. ★ *v.pr.* Maquiar o próprio rosto; maquilar-se.

maquiavélico *adj.* **1.** Relativo ou pertencente ao maquiavelismo; maquiavelista. **2.** Que tem ou em que há perfídia, dolo, má-fé. **3.** Astuto, velhaco, ardiloso.

maquiavelismo *s.m.* **1.** Sistema político defendido por Niccolò Machiavelli (1469-1527), caracterizado pelo princípio amoralista de que os fins justificam os meios. **2.** Política sem lealdade. **3.** Procedimento astucioso, pérfido, inescrupuloso.

maquilador (ô) *s.m.* Maquiador.

maquilagem *s.f.* Maquiagem.

maquilar *v.t.* e *v.pr.* (conj. 4). Maquiar(-se).

máquina *s.f.* (lat. *machina*). **1.** Aparelho ou instrumento próprio para comunicar movimento ou para aproveitar, pôr em ação ou transformar uma energia ou um agente natural; motor. **2.** Conjunto de peças capaz de efetuar certo trabalho ou desempenhar certa função, seja manejado por um operador, seja de maneira autônoma; maquinismo. **3.** Veículo que comporta um mecanismo ou motor. **4.** Utensílio ou instrumento que permite realizar, de maneira mecânica, automática ou manual, as tarefas ou trabalhos da vida cotidiana. **5.** *Fig.* O que funciona como uma máquina, que produz muito e incessantemente. **6.** *Fig.* Conjunto complexo de meios, recursos etc.

MÁQUINA ▸ Todo aparelho usado para trabalhar é uma máquina. A cunha, a alavanca e o plano inclinado são as máquinas mais antigas e simples que se conhece. Já eram utilizadas na Idade da Pedra, há 100.000 anos, e não se sabe quem as inventou. A roda foi descoberta depois, e só passou a ser empregada regularmente há cerca de 5.000 anos.

maquinação *s.f.* (lat. *machinatio*). Entendimento secreto para realizar um mau desígnio; manobra, intriga, conspiração.

maquinal *adj.2g.* (lat. *machinalis*). **1.** Relativo a máquina. **2.** *Fig.* Inconsciente, automático, mecânico.

maquinar *v.t.* (lat. *machinari*) [conj. 4]. **1.** Preparar maquinação; conspirar. **2.** Preparar (um ardil); tramar, conspirar. **3.** Intentar, planejar, projetar.

maquinaria *s.f.* **1.** Conjunto de máquinas empregadas em um trabalho; maquinário. **2.** Conjunto dos operários que trabalham em máquinas. **3.** Conjunto dos aparelhos (motores, turbinas etc.) que asseguram a propulsão de um navio.

maquinário *s.m.* Maquinaria.

maquineta (ê) *s.f.* **1.** Pequena máquina. **2.** Redoma que contém a imagem de um santo. **3.** Pequeno oratório ou armário envidraçado.

maquinismo *s.m.* **1.** Conjunto de máquinas. **2.** Conjunto das peças de um aparelho; mecanismo. **3.** Arte do maquinista. **4.** Aparelho para fazer executar movimentos.

maquinista *s.2g.* **1.** Ferroviário que opera um veículo motor (locomotiva, automotriz etc.). **2.** Pessoa que manobra o cenário nos urdimentos de um teatro, estúdio ou locação de filmagem.

mar *s.m.* (lat. *mare*). **1.** Conjunto de águas oceânicas que se comunicam entre si e têm o mesmo nível de base. **2.** Uma parte determinada dessa extensão. **3.** Grande massa de água salgada situada no interior de um continente. **4.** *Fig.* Grande

A B C D E F G H I J K L M N O P Q R S T U V W X Y Z

quantidade; imensidão. ● **Astron.** Na superfície da Lua, vasta extensão plana, escura, constituída de rochas basálticas e geralmente rodeada de montanhas.

marabá *s.2g.* (tupi *mara'bá*). **1.** Filho de índia com francês. **2.** Filho de índio com branco; mameluco.

maracá ou **maraca** *s.m.* (tupi *mbra'ká*). Instrumento musical de origem indígena formado de um chocalho de cabaça, utilizado na América Latina.

maracajá *s.m.* Sin. de JAGUATIRICA.

maracanã *s.m.* (tupi *maraka'nã*). Nome comum a aves psitaciformes que ocorrem na América do Sul.

maracatu *s.m.* Dança dramática brasileira.

maracotão *s.m.* (gr. *melon kidoneon*). O fruto do maracoteiro.

maracoteiro *s.m.* Planta de frutos com casca aveludada e polpa aderente ao caroço.

maracujá *s.m.* (tupi *mboruku'ya*). Fruto do maracujazeiro, cuja polpa e sementes, doces, ácidas e aromáticas, podem ser consumidas ao natural ou em refrescos e batidas.

maracujazeiro *s.m.* Trepadeira originária da América, de frutos comestíveis e cujas folhas e raízes contêm substância calmante.

marafona *s.f.* (ár. *mara haina,* mulher que engana). **1.** Boneca de trapos. **2.** Prostituta.

marajá *s.m.* (sâns. *maharaja*). **1.** Título dos reis e imperadores indianos do séc. II. **2.** *Fig.* Aquele que vive em grande fausto e luxo.

marajoara *adj.2g.* **1.** Relativo ou pertencente à ilha de Marajó, na foz do rio Amazonas. **2.** Diz-se de uma das cinco fases conhecidas de cerâmica encontradas nessa ilha. ★ *s.2g.* O natural ou habitante da ilha de Marajó.

maranhense *adj.2g.* Relativo ou pertencente ao Maranhão, Estado brasileiro. ★ *s.2g.* O natural ou habitante do Maranhão.

marasca *s.f.* (it. *marasca*). Planta nativa do norte da Itália e da Iugoslávia, cultivada no Chile, que fornece uma variedade de cereja amarga, usada para fazer o marasquino.

marasmo *s.m.* (gr. *marasmos,* consumpção). **1.** Magreza extrema; caquexia. **2.** Fraqueza, debilidade, extenuação. **3.** Tristeza, melancolia. **4.** Desânimo, apatia, indiferença. **5.** *Fig.* Estagnação, falta de atividade, paralisação.

marasquino *s.m.* (it. *maraschino*). Licor feito com marasca.

maratona *s.f.* **1.** Modalidade olímpica de corrida a pé, de fundo, com 42,195 km. **2.** *P. ext.* Corrida a pé de longa extensão. **3.** *Fig.* Competição ou atividade que exige grande resistência e preparo.

maravalhas *s.f.pl.* **1.** Aparas, lascas de madeira; cavacos. **2.** Aparas, ramos miúdos, gravetos etc., usados como combustível. **3.** *Fig.* Insignificância, ninharia, bagatela.

maravilha[1] *s.f.* **1.** Ato ou fato extraordinário, surpreendente, admirável. **2.** Prodígio, portento. **3.** Pessoa ou coisa extraordinária. **4.** Encanto, beleza, fascínio. **5.** Vermelho vivo, arroxeado e berrante. ★ *adj.2g.2n.* Que é dessa cor.

maravilha[2] *s.f.* Planta herbácea, originária da América Central, de flores brancas ou vermelhas, sementes venenosas e raízes que têm ação purgativa.

maravilhar *v.t.* e *v.i.* (conj. 4). Inspirar grande admiração, assombro, pasmo (em).

maravilhoso (ô) *adj.* **1.** Que provoca admiração, espanto, pasmo, surpresa. **2.** Belo, encantador. **3.** Extraordinário, prodigioso, magnífico. **4.** Fantástico, sobrenatural. ★ *s.m.* Aquilo que acontece por intervenção de forças estranhas.

marca[1] *s.f.* (de or. germ.). **1.** Limite, medida reguladora; padrão, bitola. **2.** Limites territoriais de alguns países.

marca[2] *s.f.* **1.** Ato ou efeito de marcar; marcação. **2.** Impressão que um corpo deixa sobre outro. **3.** Sinal para fazer reconhecer ou distinguir um objeto. **4.** Sinal aposto com sinete ou carimbo. **5.** Nome, desenho, etiqueta ou símbolo que indica uma empresa ou produto. **6.** Firma, registro. **7.** Grau, categoria, qualidade. **8.** Sinal, mancha, acidente natural da pele ou do pêlo que um homem ou um animal apresenta ao nascer. **9.** Insígnia, atributo, distintivo. **10.** Nome dos pontos ou tentos em diversos jogos. **11.** Indicação, pelo diretor de uma peça, das atitudes e movimentos dos atores.

marcação *s.f.* **1.** Ato ou efeito de marcar; marca. **2.** Nos esportes de equipe, rígida vigilância sobre cada jogador adversário ou regiões específicas do campo. **3.** Colocação de marcas em um rebanho para permitir a identificação do animal.

marca-d'água *s.f.* Filigrana.

marcador (ô) *adj.* e *s.m.* Que ou aquele que marca. ★ *s.m.* **1.** Fita estreita presa à lombada ou cartão que se insere entre as folhas de um livro para marcar uma página. **2.** Quadro onde se marcam os pontos de uma partida, jogo etc. ● **Med.** Átomo (ou molécula) caracterizado por propriedades físicas específicas, como fluorescência ou radioatividade, que pode ser identificado no interior de um organismo mesmo em quantidades muito reduzidas.

marcante *adj.2g.* **1.** Que marca, que distingue. **2.** Notável, distinto, que se faz notar.

marcapasso *s.m.* Aparelho elétrico que permite provocar a contração cardíaca quando ela não se efetua mais automaticamente.

marcar *v.t.* (conj. 12). **1.** Colocar marca em. **2.** Indicar, designar. **3.** Deixar traços. **4.** Anotar, inscrever. **5.** Calcular, contar. **6.** *Fig.* Assinalar, patentear, revelar. **7.** Fixar, estabelecer, determinar. **8.** Distinguir-se, fazer-se notar. **9.** Demarcar, delimitar. **10.** Ferir, contundir, machucar. **11.** Impressionar, influir.

marcassita *s.f.* (ár. *markashita*). Sulfeto natural de ferro, ortorrômbico, de cor acinzentada, empregado em jóias de fantasia.

marcela *s.f.* Sin. de MACELA.

marcenaria *s.f.* **1.** Arte ou obra de marceneiro. **2.** Oficina de marceneiro.

marceneiro *s.m.* Aquele que trabalha em obras ou artefatos de madeira, com mais arte que o carpinteiro.

marcescível *adj.2g.* (lat. *marcescibilis*). Que murcha ou pode murchar.

marcha *s.f.* (fr. *marche*). **1.** Ação de marchar. **2.** Modo de caminhar; andadura, passo. **3.** Andada, caminhada. **4.** Movimento combinado que executa uma tropa ao se deslocar de um ponto para outro. **5.** Movimento regular e harmônico de um corpo, de um mecanismo, de um astro. **6.** *Fig.* Seqüência, progressão, sucessão. ● **Esp.** *Marcha atlética*, modalidade olímpica de corrida em que o atleta deve manter sempre um dos pés no chão e não pode flexionar a perna que estiver na frente. **Automóv.** Cada uma das combinações de engrenagens de uma caixa de câmbio ou mudanças e, p. ext., cada uma das relações de multiplicação dessa caixa; velocidade.

marchador (ô) *adj.* **1.** Que marcha. **2.** Diz-se do cavalo de passo largo, ligeiro e compassado. ★ *s.m.* **1.** Aquele que marcha. **2.** *Pop.* Aquele que paga as despesas de outrem; marchante.

marchante *s.m.* (fr. *marchand,* comerciante). **1.** Negociante que vende a carne por atacado aos açougues. **2.** *Pop.* Marchador.

marchar *v.i.* (fr. *marcher*) [conj. 4]. **1.** Andar, caminhar. **2.** Caminhar a passo cadenciado. **3.** Avançar, progredir. **4.** Seguir os devidos trâmites, funcionar normalmente (serviço, mecanismo etc.). **5.** *Pop.* Arcar com as despesas de outras pessoas.

marcheta (ê) *s.f.* **1.** Parte do manto onde se pregam fitas. **2.** Marchete.

marchetado *adj.* **1.** Que se marchetou. **2.** *Fig.* Matizado, adornado. ★ *s.m.* Obra de marchetaria.

marchetar *v.t.* (conj. 4). **1.** Fazer obra de marchetaria. **2.** Colorir, matizar. **3.** Embutir, tauxiar. **4.** *Fig.* Realçar.

marchetaria *s.f.* **1.** Trabalho em madeira que consiste em incrustar, embutir ou aplicar peças recortadas de madeira, marfim, tartaruga, metal ou de outros materiais de diversas cores sobre obra de marcenaria, formando desenhos variados. **2.** A obra assim executada.

marchete (ê) *s.m.* Cada uma das peças que se embutem na madeira para fazer trabalhos de marchetaria; marcheta.

marcheteiro *s.m.* Operário que trabalha em obras de marchetaria.

marcial *adj.2g.* (lat. *Martialis,* de Marte, o deus da guerra). Relativo a lutas ou guerras; bélico. ● **Med.** Relativo ao ferro.

marciano *adj.* Relativo ou pertencente ao planeta Marte. ★ *s.m.* Suposto habitante desse planeta.

marco[1] *s.m.* **1.** Pedra oblonga com que se assinalam os limites territoriais. **2.** Baliza, sinal de demarcação de distâncias. **3.** Pirâmide, cilindro em granito para assinalar o local de um acontecimento. **4.** *Fig.* Fronteira.

marco[2] *s.m.* (al. *Mark*). Antiga unidade monetária da Alemanha, substituída pelo euro em 2002.

março *s.m.* (lat. *martius,* de *Marte,* deus da guerra). O terceiro mês do ano, que possui 31 dias.

maré *s.f.* (fr. *marée*). **1.** Movimento regular e periódico das águas do mar, pelo qual seu nível sobe e desce diariamente em relação a uma referência fixa no solo. **2.** *Fig.* Grande quantidade, multidão agitada. **3.** *Fig.* Fluxo e refluxo dos acontecimentos humanos. **4.** Oportunidade, ensejo, ocasião, época, sazão. **5.** Disposição de espírito; humor. **6.** *Maré alta,* maré-cheia. ▸ *Maré baixa,* baixa-mar. ▸ *Maré vermelha,* fenômeno que ocorre em regiões costeiras, no qual a água superficial se torna vermelha devido à proliferação de microorganismos, cuja toxina pode provocar a morte de peixes e outros organismos.

? VOCÊ SABIA...? As **marés** sobem (preamar) e baixam (baixa-mar) aproximadamente duas vezes a cada 24 horas. São causadas pela gravidade do Sol e da Lua, que atraem para si os oceanos terrestres. Também atraem a terra, mas a água se move mais facilmente e forma uma espécie de onda gigantesca. À medida que a Terra gira, a onda viaja de um lado para outro e produz as marés.

---

mareado *adj.* **1.** Governado, dirigido, manobrado (embarcação). **2.** Enjoado (como em viagem marítima). **3.** Que perdeu o brilho; embaciado, oxidado.

mareagem *s.f.* **1.** Ato ou efeito de mar nhagem. **2.** Rumo seguido pelo navio. mentos que põem o navio em movim mado pela direção da quilha de uma e direção do vento.

marear *v.t.* (conj. 15). **1.** Dirigir ou gove vocar enjôo em. **3.** Fazer perder o brilho; embaciar, oxidar. **4.** *Fig.* Difamar, desonrar. ★ *v.i.* **1.** Andar de navio; navegar. **2.** Sentir enjôo. ★ *v.pr.* **1.** Orientar-se no mar. **2.** Perder o brilho; oxidar-se. **3.** Perturbar-se, zangar-se.

marechal *s.m.* (fr. *maréchal*). **1.** Posto máximo do Exército brasileiro, preenchido apenas em tempos de guerra. **2.** Pessoa que ocupa esse posto.

marechalato ou **marechalado** *s.m.* Cargo ou dignidade de marechal.

marechal-do-ar *s.m.* **1.** Posto máximo da Aeronáutica brasileira, preenchido apenas em tempos de guerra. **2.** Pessoa que ocupa esse posto.

maré-cheia *s.f.* Altura máxima que as águas do mar atingem durante o fenômeno da maré; maré alta, preamar, influxo.

marejar *v.i.* (conj. 4). **1.** Verter, porejar. **2.** Sair em borbulhas; borbulhar, brotar. **3.** Deixar transparecer; patentear. ★ *v.i.* **1.** Ressumar pelos poros. **2.** Borbotar. ★ *v.pr.* Cobrir-se ou encher-se de lágrimas.

maremoto *s.m.* (lat. *mare,* mar, e *motus,* movimento). Grande agitação das águas do mar, provocada por abalos sísmicos submarinos.

maresia *s.f.* **1.** Cheiro característico vindo do mar, por ocasião da vazante. **2.** O movimento das águas do mar; marulhada, marejada. **3.** Ação oxidante das águas do mar. **4.** *Pop.* Forte cheiro de maconha.

mareta (ê) *s.f.* **1.** Pequena onda. **2.** Onda de rio.

marfim *s.m.* **1.** Substância óssea branca, resistente, rica em sais de cálcio, de que são constituídas as presas ou defesas do elefante, muito usada para delicados trabalhos de entalhe. **2.** Objeto ou obra de marfim. **3.** *Fig.* Brancura comparável à do marfim.

marga *s.f.* (lat. *marga,* de or. gaulesa). Rocha sedimentar de textura muito fina, friável, constituída de uma mistura de argila e calcário, utilizada na agricultura como corretivo calcário.

margarida *s.f.* (lat. *margarita,* pérola). **1.** Nome comum de diversas plantas herbáceas ou subarbustos ornamentais, de flores brancas, amarelas ou purpúreas dispostas em capítulos. **2.** Roda que leva na sua periferia os caracteres de impressão, em certas máquinas de escrever e impressoras.

---

margarina *s.f.* (gr. *margaros,* cor de pérola). Produto alimentar constituído de uma emulsão de substâncias gordurosas e água.

ar *v.t.* (conj. 15). **1.** Fazer margens em. **2.** Seguir pela -gem de; ir ao longo ou ao lado de. **3.** Dispor os caracteres do texto deixando uma margem; marginar. **4.** Conduzir, manual ou mecanicamente, a folha a imprimir até a posição correta para o início do processo.

margem *s.f.* (lat. *margo, marginis*). **1.** Talude natural, na borda do leito de um curso d'água; borda, beira, riba. **2.** Litoral, costa. **3.** Orla, fímbria, lateral. **4.** Espaço branco deixado ao redor ou simplesmente de um só lado de um texto manuscrito ou impresso. **5.** *Fig.* O que se situa ou é deixado de lado, apartado ou separado de um todo. **6.** Ensejo, facilidade, tolerância.

marginal *adj.2g.* (lat. *marginalis*). **1.** Relativo ou pertencente a margem. **2.** Que segue a margem, a beira, o litoral. **3.** Feito ou elaborado à margem de alguma coisa. **4.** Que se situa à margem da sociedade. ★ *s.2g.* **1.** Aquele que ocupa uma posição à margem de um sistema social e que se encontra excluído das obrigações e/ ou das vantagens do sistema. **2.** Bandido, fora-da-lei.

marginalidade *s.f.* Condição de indivíduo marginal.

marginalizar *v.t.* e *v.pr.* (conj. 4). Tornar(-se) marginal, colocar(-se) à margem da sociedade ou de um grupo.

marginar *v.t.* (lat. *marginare*) [conj. 4]. Margear.

maria-fumaça *s.f.* Locomotiva movida a vapor, que expele muita fumaça.

marialva *s.m.* Bom cavaleiro.

maria-mole[1] *s.f.* Doce de claras batidas, gelatina e leite, polvilhado com coco ralado.

maria-mole[2] *s.f.* Sin. de BICHO-PAU.

marianismo *s.m.* Promoção do culto à Virgem Maria, na Igreja Católica.

mariano *adj.* Relativo à Virgem Maria ou ao seu culto. ★ *s.m.* Frade da Ordem dos Marianos.

maria-sem-vergonha *s.f.* Sin. de BEIJO[2].

maria-vai-com-as-outras *s.2g.2n.* Indivíduo de personalidade fraca, que se deixa levar pela opinião dos outros.

maricas *adj.2n.* e *s.m.2n.* *Fam.* **1.** Poltrão, covarde. **2.** Efeminado.

maridar *v.t.* e *v.pr.* (conj. 4). **1.** Casar(-se) [uma mulher]. **2.** Unir(-se), juntar(-se).

marido *s.m.* (lat. *maritus*). Homem unido a uma mulher pelo matrimônio; esposo, cônjuge.

marimacho *s.m.* Mulher de aparência e atitudes masculinas; virago.

marimba *s.f.* (quimb. *marimba*). **1.** Instrumento de percussão que consiste em lâminas de madeira ou metal, munidas de ressonadores de bambu, madeira ou cabaça e percutidas com duas baquetas. **2.** *Pej.* Piano ruim ou desafinado.

marimbondo *s.m.* (do quimb.). Inseto himenóptero, provido de ferrão, que alimenta suas larvas com aranhas e outros insetos.

marinha *s.f.* (lat. *marina*). **1.** Conjunto dos navios que constituem a força naval de uma nação; armada. **2.** Uma das três Armas brasileiras. **3.** Pintura, desenho ou página literária em que se representam cenas do mar. **4.** Salina. **5.** Praia, margem, beira-mar.

marinhagem *s.f.* **1.** Arte de navegar; mareagem. **2.** Conjunto de marinheiros de um navio; marinharia, maruja.

marinhar *v.t.* (conj. 4). Prover (navio) de marinheiros. ★ *v.i.* Manobrar (navio).

marinheiro *adj.* **1.** Relativo à marinhagem. **2.** Relativo ou pertencente a marinheiros. **3.** Diz-se da embarcação que, por suas boas qualidades náuticas, é fácil de manobrar em qualquer tempo. ★ *s.m.* **1.** Aquele que trabalha em embarcações; marítimo, marujo, homem do mar. **2.** Recruta da Marinha de Guerra brasileira. **3.** Na marinha mercante, trabalhador de convés. **4.** Grão de cereal que não sofreu processo de beneficiamento.

marinho *adj.* (lat. *marinus*). **1.** Pertencente ou relativo ao mar. **2.** Que vive no mar ou dele provém. ● **Quím.** *Sal marinho,* cloreto de sódio obtido por evaporação da água do mar.

mariola[1] *s.m.* **1.** Rapaz de recados, de fretes. **2.** Tratante, velhaco. ★ *adj.2g.* Que tem mau caráter; patife.

mariola[2] *s.f.* Doce de banana ou de goiaba em tabletes, embrulhado em papel fino.

mariolar *v.i.* (conj. 4). **1.** Fazer serviços de mariola. **2.** Vadiar.

marionete *s.f.* (fr. *marionette*). **1.** Boneco articulado suspenso por fios presos na cabeça, nas mãos, joelhos e pés e manipulados por um especialista em representações dramáticas; títere. **2.** *Fig.* Pessoa frívola, sem personalidade, que se pode manejar à vontade.

marionetes

mariposa (ô) *s.f.* (esp. *mariposa*). **1.** Denominação comum a insetos lepidópteros, de hábitos noturnos ou crepusculares. **2.** Jóia ou qualquer ornamento do feitio de mariposa. **3.** Prostituta, meretriz.

mariscar *v.t.* (conj. 12). **1.** Apanhar (mariscos). **2.** Procurar, buscar, catar. ★ *v.i.* **1.** Apanhar mariscos. **2.** Catar insetos pelo chão; ciscar, colher. **3.** Pescar, caçar.

C D E F G H I J K L M N O P Q R S T U V W X Y Z

marisco *s.m.* (lat. *mariscus*). **1.** Denominação comum a invertebrados marinhos comestíveis, em particular moluscos e crustáceos. **2.** Sin. de MEXILHÃO. **3.** *Gír.* Homem ligado ao mar, profissional ou afetivamente. **4.** Espécie de gato bravo.

marista *adj.2g.* Relativo ou pertencente à congregação religiosa dos maristas. ★ *s.2g.* Religioso de congregações consagradas à Virgem Maria.

maritaca *s.f.* Ave psitaciforme, em extinção, que ocorre em Minas Gerais e São Paulo. (Var. MAITACA.)

marital *adj.2g.* (lat. *maritalis*). **1.** Relativo a marido. **2.** Relativo a matrimônio.

mariticida *s.f.* Esposa que mata o marido.

mariticídio *s.m.* Assassínio do marido pela esposa.

marítimo *adj.* (lat. *maritimus*). **1.** Relativo ao mar ou à navegação pelo mar. **2.** Que está próximo ao mar. **3.** Relativo à marinha. ★ *s.m.* Marinheiro.

marketing *s.m.* (ingl). Conjunto de atividades (estudo de mercado, publicidade, promoção de vendas etc.) que orienta a produção para melhor colocar um produto ou serviço no mercado consumidor.

marmanjo *s.m.* **1.** Homem adulto. **2.** Homem rude, grosseiro. **3.** Moço corpulento, rapagão. **4.** Tratante, velhaco, patife.

marmelada *s.f.* **1.** Doce em pasta, fabricado com a polpa do marmelo. **2.** *Pop.* Negócio inescrupuloso; roubalheira. **3.** Vantagem, pechincha. **4.** *Gír.* Combinação entre adversários para que a vitória caiba a quem convier.

marmeleiro *s.m.* Árvore ou arbusto originário da Pérsia, de folhas ovais, flores brancas ou rosadas e frutos grandes, ácidos e comestíveis.

marmelo *s.m.* (gr. *melimelon,* maçã de mel). O fruto do marmeleiro, levemente ácido e adstringente, de que se faz a marmelada ou compota.

marmita *s.f.* (fr. *marmite,* hipócrita). **1.** Recipiente de metal com tampa. **2.** Conjunto de vasilhas adaptado a um suporte, para transportar refeições. **3.** *P. ext.* A refeição assim transportada. **4.** Vaso prismático, de folha-de-flandres, em que os soldados comem o rancho.

marmiteiro *s.m.* **1.** Entregador de marmitas. **2.** Trabalhador que leva de casa sua comida em marmita.

marmoraria *s.f.* Estabelecimento industrial em que são feitas peças de mármore.

mármore *s.m.* (lat. *marmor, marmoris*). **1.** Pedra calcária dura, de cores variadas, suscetível de polimento, empregada em escultura e arquitetura. **2.** Objeto de mármore. **3.** Monumento, estátua de mármore. **4.** *Fig.* Frieza, insensibilidade, indiferença.

marmóreo *adj.* (lat. *marmoreus*). **1.** Relativo ao mármore. **2.** Que tem a natureza, a cor ou o aspecto do mármore. **3.** *Fig.* Insensível, frio.

marmorista *s.2g.* Pessoa cuja profissão é trabalhar o mármore.

marmorização *s.f.* **1.** Transformação metamórfica do calcário em mármore. **2.** Operação de dar o aspecto ou consistência do mármore a alguma matéria.

marmorizar *v.t.* (conj. 4). **1.** Dar o aspecto de mármore a; transformar em mármore; marmorear. **2.** Imitar pela pintura os veios do mármore.

marmota *s.f.* (fr. *marmotte*). Denominação comum a mamíferos roedores, de cauda curta, que habitam regiões frias e hibernam durante o inverno. ★ *s.2g.* Pessoa feia e mal vestida.

marnel *s.m.* Terreno alagadiço.

marola *s.f.* **1.** Agitação das águas do mar. **2.** Pequena onda provocada pela passagem de uma embarcação.

maroma *s.f.* (ár. *mahrom*). **1.** Corda grossa; cabo. **2.** Corda sobre a qual andam funâmbulos e arlequins.

maromba *s.f.* **1.** Vara com que os funâmbulos se equilibram na maroma. **2.** *Fig.* Situação difícil, mas sustentável com esforço. **3.** *Fig.* Atitude de quem não se define, aguardando a evolução dos acontecimentos para tomar partido. **4.** *Fig.* Astúcia, esperteza, malandragem.

maronita *adj.2g.* (de *Maron,* n.pr.). Relativo ou pertencente à Igreja Maronita, do Líbano. ★ *s.2g.* Membro dessa Igreja.

marosca *s.f.* Logro, ardil, trapaça.

maroto (ô) *adj.* (fr. *maraud*). **1.** Esperto, brejeiro. **2.** Malicioso, impudico. **3.** Tratante, espertalhão, velhaco. ★ *s.m.* Indivíduo maroto.

marquês *s.m.* (prov. *marques*). Título de nobreza superior ao de conde e inferior ao de duque.

marquesa (ê) *s.f.* **1.** Mulher de um marquês. **2.** Espécie de sofá antigo com assento de palhinha.

marquesado *s.m.* **1.** Título de marquês ou marquesa. **2.** Terras que correspondiam ao domínio do marquês ou marquesa.

marquise *s.f.* (fr. *marquise*). Grande laje de concreto armado, em forma de aba, sem colunas de sustentação e com apoio em uma só extremidade, para servir de abrigo.

marra *s.f.* (lat. *marra*). **1.** Pequena enxada para mondar. **2.** Marrão[2]. **3.** Vala que acompanha uma estrada ou caminho. **4.** Clareira nas vinhas ou olivais. **5.** *Pop.* *Na marra,* à força, com luta.

marrada *s.f.* Ação de marrar.

marrão[1] *s.m.* (esp. *marrano*). Porco pequeno desmamado.

marrão[2] *s.m.* Martelo de ferro, grande, usado para quebrar pedras, derrubar paredes etc.; marra.

marrar *v.i.* (conj. 4). **1.** Atacar com os chifres. **2.** *P. ext.* Dar cabeçadas. ★ *v.t.* Encontrar-se frente a frente; deparar-se, defrontar-se.

marreco *s.m.* Denominação comum aos machos de aves anseriformes de pequeno porte. ★ *adj.* Corcovado, giboso.

marrequinha *s.f.* Sin. de JAÇANÃ.

marreta (ê) *s.f.* Pequeno marrão de cabo comprido. ★ *s.m.* Marreteiro.

A cabeça da marreta pode ter diferentes formatos.

marretada *s.f.* **1.** Pancada com marreta. **2.** Cacetada, bordoada. **3.** *Fig.* Crítica, censura.

marretar *v.t.* (conj. 4). **1.** Bater com marreta em. **2.** Espancar, surrar. **3.** *Fig.* Falar mal de; malhar, difamar. ★ *v.i.* **1.** Bater com marreta. **2.** Bater em alguém; espancar.

marreteiro *s.m.* **1.** Operário que maneja a marreta. **2.** *Pop.* Vendedor ambulante, geralmente sem licença; marreta.

marrom *adj.2g.* (fr. *marron*). Castanho. ★ *s.m.* A cor castanha.

marroquim *s.m.* (ár. *marroki,* marroquino). Pele de cabra ou de bode preparada para confecção de bolsas, encadernação, sapataria etc.

marroquino *adj.* Relativo ou pertencente a Marrocos, país da África. ★ *s.m.* O natural ou habitante de Marrocos.

marruá *s.m.* **1.** Boi bravo; touro. **2.** Novilho não domesticado. **3.** Indivíduo inexperiente, que se deixa enganar com facilidade.

marselhês *adj.* Relativo ou pertencente a Marselha, cidade da França. ★ *s.m.* O natural ou habitante de Marselha.

marsupiais *s.m.pl.* Ordem de mamíferos dotados de marsúpio, que engloba os cangurus e gambás.

canguru com sua cria na bolsa materna, o marsúpio

? VOCÊ SABIA...? Entre os **marsupiais** (mamíferos dotados de bolsa) se encontram os cangurus e os gambás. Em todas as espécies as crias nascem numa etapa precoce do desenvolvimento e completam seu crescimento na bolsa materna, o marsúpio. Hoje, os marsupiais só são encontrados na Austrália e nas Américas do Norte e do Sul, embora fósseis indiquem que suas espécies foram muito mais difundidas e provavelmente se propagaram a partir de seu centro original, talvez situado na América do Sul.

marsupial *s.m.* (lat. cient. *marsupialis*). Espécime dos marsupiais. ★ *adj.2g.* **1.** Relativo aos marsupiais. **2.** *Bolsa marsupial,* sin. de MARSÚPIO.

marsúpio *s.m.* (gr. *marsypion*). Bolsa ventral dos mamíferos marsupiais, presente nas fêmeas, que abriga as tetas e onde os filhotes terminam o seu desenvolvimento depois de paridos. (Sin. BOLSA MARSUPIAL*.)

marta *s.f.* **1.** Denominação comum a oito espécies de mamíferos carnívoros, muito caçados devido à beleza e ao valor da pele. **2.** A pele desses animais.

marte *s.m.* (lat. *Mars, Martis,* n.pr.). **1.** O quarto planeta em ordem de afastamento do Sol. **2.** O deus da guerra, entre os antigos romanos.

martelete (ê) *s.m.* **1.** Martelo pequeno para trabalhos delicados. **2.** Espora mourisca. **3.** Peça do tear mecânico.

martelo *s.m.* (lat. *martulus*). **1.** Ferramenta de percussão com uma cabeça de aço temperado e um cabo de madeira. **2.** Qualquer peça que execute um movimento semelhante. **3.** Esfera metálica (7,257 kg), munida de um cabo de aço e de uma alça (punho), que os atletas arremessam à distância. **4.** Medida de capacidade para líquidos equivalente a 0,165 litro. ● **Anat.** Um dos três ossículos do ouvido médio dos mamíferos, que se apóia sobre o tímpano e se articula com a bigorna. **Arm.** Peça do mecanismo da culatra de algumas armas que atua sobre o percussor.

martim-pescador *s.m.* Denominação comum a aves coraciformes, de coloração predominantemente verde, que vivem na beira de rios e se alimentam de peixes. (Sin. ARIRAMBA.)

martinete (ê) *s.m.* (fr. *martinet*). Denominação comum a aves apodiformes, que habitam principalmente regiões do Velho Mundo.

martíni *s.m.* (it. *Martini*) [nome comercial]. Coquetel preparado com vermute seco e gim, servido gelado e com uma azeitona verde.

mártir *s.2g.* (gr. *martyr,* testemunha). **1.** Pessoa que preferiu morrer a renunciar à fé, à sua crença. **2.** Pessoa que passou por grandes sofrimentos físicos ou morais. **3.** Aquele que se sacrifica ou perde a vida por um ideal. **4.** Cristão morto ou torturado por testemunhar sua fé.

martírio *s.m.* (gr. *martyrion,* testemunho). **1.** Sofrimento de mártir. **2.** Tormento, suplício, morte sofrida por uma fé, crença, ideologia ou uma causa qualquer. **3.** Grande sofrimento físico ou moral. **4.** *Fig.* Estado ou situação extremamente penosa.

martirizante *adj.2g.* Que martiriza.

martirizar *v.t.* (conj. 4). **1.** Fazer sofrer o martírio. **2.** Impor grande sofrimento; afligir, atormentar. ★ *v.pr.* Afligir-se, mortificar-se.

maruim *s.m.* (tupi *maru uí*). Nome comum a diversas espécies de insetos dípteros, muito pequenos, hematófagos, encontrados principalmente à beira-mar e ao longo das margens de rios e lagos.

maruja *s.f.* Marinhagem.

marujada *s.f.* **1.** Multidão de marujos. **2.** Gente do mar. **3.** Fandango dançado da Bahia ao sul do país.

marujo *adj.* e *s.m.* Marinheiro.

marulhar *v.i.* (conj. 4). **1.** Formar ondas, produzir marulhos. **2.** Imitar o ruído das ondas.

marulho *s.m.* **1.** Movimento ligeiro das águas do mar, de caráter permanente e regular, que produz um barulho particular. **2.** *Fig.* Tumulto, confusão.

marupá *s.m.* Árvore de grande porte que fornece madeira esbranquiçada ou amarelada, leve e porosa, e cuja casca, de propriedades medicinais, é também utilizada no preparo de bebidas amargas e aperitivos.

marxismo (cs) *s.m.* Doutrina dos filósofos alemães Karl Marx (1818-1883) e Friedrich Engels (1820-1895), baseada no materialismo dialético.

mas *conj.* Expressa idéia de adversidade; porém, contudo, todavia.

mascar *v.t.* (lat. *masticare*) [conj. 12]. **1.** Mastigar continuamente, sem engolir. **2.** Comer, mastigando lentamente; ruminar. **3.** *Fig.* Pronunciar palavras indistintamente; resmungar. **4.** *Fam.* Planejar, meditar. ★ *v.i.* **1.** Mastigar fumo, chiclete etc. sem engolir. **2.** *Fig.* Falar entre dentes; resmungar.

máscara *s.f.* (it. ant. *màscara*). **1.** Falso rosto de papel, tecido etc. colocado sobre a face para caracterizar uma personagem dramática, para se disfarçar, fantasiar etc. **2.** Objeto ou equipamento utilizado para cobrir o rosto ou parte dele, para se proteger. **3.** Pedaço de material que protege, por sobreposição, certas partes de outros materiais. **4.** Creme ou pasta utilizados em aplicação para os cuidados estéticos da face. **5.** *Fig.* Aparência enganosa. ● **Med.** Aparelho que se adapta à face e permite a inalação de gases anestésicos ou oxigênio.

mascarada *s.f.* **1.** Festa de que participa gente mascarada; baile de máscaras. **2.** Conjunto de gente mascarada. **3.** *Fig.* Disfarce, hipocrisia.

mascarado *adj.* e *s.m.* **1.** Que ou aquele que usa máscara. **2.** *Fig.* Que ou aquele que é disfarçado, dissimulado; falso, hipócrita.

mascarar *v.t.* (conj. 4). **1.** Colocar máscara em. **2.** Ocultar, tapar. **3.** Esconder sob falsas aparências; disfarçar, dissimular. ★ *v.pr.* Pôr máscara; disfarçar-se com máscara.

mascate *s.m.* (de *Mascate,* n.pr.). **1.** Indivíduo que percorre as ruas vendendo tecidos, jóias, quinquilharias etc. **2.** A mercadoria por ele vendida. **3.** *Ant.* Designação que os brasileiros olindenses davam aos portugueses recifenses.

mascavo *adj.* Diz-se de açúcar não refinado.

mascote *s.f.* (de *Mascotte,* n.pr.). **1.** Pessoa, animal ou coisa que se crê trazer sorte. **2.** *Fam.* Amuleto, fetiche.

masculinidade *s.f.* Qualidade de masculino ou de másculo; virilidade.

masculinização *s.f.* Ato ou efeito de masculinizar(-se). ● **Med.** Sin. de VIRILIZAÇÃO.

masculinizar *v.t.* (conj. 4). **1.** Tornar masculino. **2.** Atribuir a um nome o gênero masculino. **3.** Dar forma masculina. ● **Med.** Sin. de VIRILIZAR. ★ *v.pr.* Tornar-se masculino ou másculo.

masculino *adj.* (lat. *masculinus*). **1.** Relativo ou pertencente aos machos. **2.** Que é do sexo dos animais machos. **3.** *Fig.* Varonil, enérgico, másculo. ● **Bot.** Diz-se do órgão que fornece o pólen (plantas com sementes) ou os anterozóides (criptógamas); da flor que apresenta apenas estames, e não pistilo; da planta cujas flores possuem apenas estames. ★ *s.m.* Gênero gramatical que se opõe ao feminino numa classificação de dois gêneros.

másculo *adj.* (lat. *masculus*). **1.** Que é do sexo masculino; macho. **2.** *Fig.* Que dá idéia de força, de energia própria do homem; masculino, viril.

masdeísmo *s.m.* Religião dos antigos iranianos (persas e medos).

masdeísta *adj.2g.* Relativo ou pertencente ao masdeísmo. ★ *s.2g.* Adepto do masdeísmo.

masmorra (ô) *s.f.* (ár. *matmura,* calabouço). **1.** Prisão subterrânea, escura e úmida; calabouço, enxovia. **2.** *Fig.* Aposento sombrio, triste, lúgubre.

masoquismo *s.m.* (de *L. S. Masoch,* n.pr.). Perversão sexual na qual o prazer só é alcançado através de sofrimento efetivo e/ou humilhação impostos por outra pessoa.

masoquista *adj.2g.* **1.** Relativo ao masoquismo. **2.** Que é dado ao masoquismo. **3.** *P. ext.* Que se compraz com o próprio sofrimento. ★ *s.2g.* Pessoa masoquista.

massa *s.f.* (lat. *massa*). **1.** Mistura de um farináceo com um líquido, formando pasta. **2.** Mistura de água, areia e cal; argamassa. **3.** Grande volume de um líquido. **4.** Corpo sólido, compacto. **5.** Camada mais numerosa da população, sem definição clara, de classes ou grupos sociais. **6.** Multidão, turba. **7.** Comestível de farinha cru, para ser cozido. **8.** *Em massa,* em grande quantidade. ● **Fís.** Quociente da força aplicada a um corpo pela aceleração que essa força imprime ao movimento desse corpo (*massa de inércia*); grandeza que caracteriza um corpo no que diz respeito à atração que ele experimenta por parte de um outro (*massa gravitacional*). (Unidade no SI: quilograma.).

massacrar *v.t.* (fr. *massacrer*) [conj. 4]. **1.** Matar em massa pessoas indefesas. **2.** Matar cruelmente; chacinar. **3.** Pôr em situação humilhante; oprimir. **4.** Abalar moralmente; arrasar. **5.** Cansar, fatigar.

massacre *s.m.* (fr. *massacre*). **1.** Ato ou efeito de massacrar. **2.** Assassínio de pessoas sem defesa. **3.** Morticínio cruel; carnificina.

massagear *v.t.* (conj. 15). Pressionar, apertar diferentes partes do corpo com as mãos, com fins terapêuticos. ★ *v.i.* Fazer massagem.

massagem *s.f.* (fr. *massage*). **1.** Procedimento terapêutico e higiênico que consiste na prática variada de manipulações da superfície corporal. **2.** *Massagem cardíaca,* em urgência médica, método de reanimação que consiste em exercer sobre o esterno uma pressão de cima para baixo, comprimindo o coração e relaxando bruscamente essa pressão.

EXEMPLOS DE MASSAGEM

nas costas

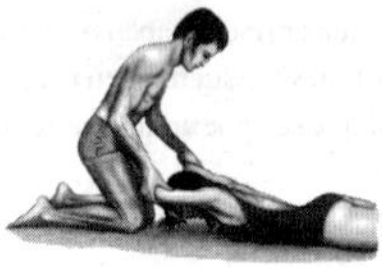

nos braços

massagista *s.2g.* Pessoa habilitada para aplicação da massagem.

massapé ou **massapê** *s.m.* Solo argiloso, geralmente de cor escura, que ocorre particularmente na Zona da Mata nordestina.

masseira *s.f.* Tabuleiro utilizado para a preparação da massa de pão.

masseter (tér) *s.m.* (gr. *masseter,* mastigador). Músculo facial pertencente ao grupo de músculos da mastigação cuja função é elevar o maxilar inferior.

massicote *s.m.* Óxido natural de chumbo. (Sin. CHUMBO* QUEIMADO.)

massudo *adj.* **1.** Que tem aparência de massa. **2.** Volumoso, encorpado. **3.** Compacto, espesso. **4.** Corpulento, grosseiro.

mastaréu *s.m.* (fr. ant. *masterel*). **1.** Pequeno mastro suplementar. **2.** Peça de madeira colocada sobre um mastro para prolongá-lo e aumentar-lhe a guinda.

mastigação *s.f.* (lat. *masticatio*). Ação de mastigar.

mastigado *adj.* **1.** Triturado com os dentes. **2.** *Fig.* Bem planejado. **3.** Quase resolvido; facilitado. **4.** Mal pronunciado.

mastigar *v.t.* (lat. *masticare*) [conj. 14]. **1.** Triturar com os dentes. **2.** Triturar, rasgar, pisar. **3.** *Fig.* Pronunciar indistintamente; resmungar. **4.** *Fam.* Refletir maduramente sobre; examinar, ponderar. ★ *v.i.* **1.** Triturar alimentos com os dentes. **2.** Morder, mascar.

mastigatório *adj.* Relativo à mastigação. ★ *adj.* e *s.m.* Diz-se de ou substância que se mastiga para estimular a secreção das glândulas salivares.

mastim *s.m.* (fr. ant. *mastin*) **1.** Grande cão para guarda de gado. **2.** Cão arruaceiro, barulhento. **3.** *Fig.* e *Pop.* Agente policial; beleguim.

mástique *s.f.* Resina amarelo-pálida empregada como adstringente e na produção de lacas e vernizes.

mastite *s.f.* (do gr. *mastós,* mama). Estado inflamatório da mama ou úbere.

mastócito *s.m.* Célula do tecido conjuntivo, de tamanho volumoso, que apresenta granulações basófilas.

mastodonte *s.m.* **1.** Denominação de um grupo de animais proboscídeos fósseis, que evoluíram rapidamente durante a era terciária e se extinguiram no começo da quaternária. **2.** *Fam.* Pessoa, animal ou coisa de enorme volume.

mastóide *adj.2g.* (gr. *mastoeides*). Que tem a forma de mama; mastóideo. ★ *adj.* e *s.f. Mastóide* ou *apófise mastóide,* apófise óssea do crânio situada atrás do pavilhão auricular e perfurada por pequenas cavidades que se comunicam com o ouvido médio.

mastóideo *adj.* Mastóide.

mastologia *s.f.* Ramo da fisiologia e da patologia que estuda as glândulas mamárias.

mastreação *s.f.* **1.** Ato ou efeito de mastrear. **2.** Conjunto de mastros, vergas e cordame de uma embarcação.

mastrear *v.t.* (conj. 15). Levantar, colocar os mastros (em uma embarcação).

mastro *s.m.* (de or. germ.). **1.** Haste sobre a qual se iça uma bandeira. **2.** Grossa coluna de madeira ou de ferro, mais ou menos cilíndrica, erguida na linha mediana longitudinal de uma embarcação, na qual se içam velas, bandeiras etc.

mastruço ou **mastruz** *s.m.* (lat. *masturtium*). Erva originária da América do Norte, de caule ramificado, fétida, com propriedades excitantes, peitorais e vermífugas. (Sin. MENTRUZ.)

masturbação *s.f.* (lat. *masturbatio*). Excitação manual dos órgãos genitais externos com o objetivo de provocar o prazer sexual.

masturbador (ô) *adj.* Masturbatório. ★ *s.m.* Pessoa que pratica a masturbação; onanista.

masturbar *v.t.* (lat. *masturbare*) [conj. 4]. Excitar os órgãos genitais pelo contato da mão ou de qualquer objeto, com o intuito de obter prazer. ★ *v.pr.* Praticar a masturbação.

mata *s.f.* **1.** Terreno recoberto por formação densa de árvores silvestres; bosque, floresta, selva. **2.** Agrupamento de árvores da mesma espécie. **3.** *Fig.* Grande quantidade; imensidade.

mata-borrão *s.m.* **1.** Papel sem cola, próprio para absorver a tinta de escrever fresca. **2.** *Fig.* Indivíduo que bebe muito; beberrão.

mata-burro *s.m.* Pequena vala com uma ponte de tábuas espaçadas, para evitar a passagem de animais.

matacão *s.m.* **1.** Grande pedra solta, arredondada, originada da decomposição de uma rocha. **2.** *Fig.* Pedaço ou fatia grande; naco. **3.** Barba cortada de modo a deixar o queixo a descoberto.

matador (ô) *s.m.* **1.** Aquele que mata; assassino. **2.** Indivíduo a quem, nas touradas, cabe matar o touro. ★ *adj.* Que mata; mortífero, mortal.

matadouro *s.m.* Organização industrial que, sob fiscalização veterinária, processa o abate bovino e prepara as carcaças para o abastecimento de açougues, supermercados e para exportação; abatedouro.

matagal *s.m.* **1.** Grande mata fechada; brenha. **2.** Terreno onde crescem ervas daninhas.

matalotagem *s.f.* (fr. *matelotage*). **1.** Provisão para a tripulação e passageiros de um navio. **2.** Merenda para viagem; farnel. **3.** *Fig.* Mistura de coisas distintas; amálgama.

matalote *s.m.* **1.** Marinheiro, marujo. **2.** Companheiro de viagem no mar ou de serviço.

matança *s.f.* **1.** Ato ou efeito de matar. **2.** Assassínio de muitas pessoas; carnificina, mortandade, massacre.

mata-pau *s.m.* Árvore pequena, de grandes flores brancas, que vive parte de seu ciclo vegetativo sobre árvores e palmeiras, chegando a matá-las por parasitismo.

mata-piolho *s.m.* *Fam.* O dedo polegar.

matar *v.t.* (conj. 4). **1.** Tirar violentamente a vida a; assassinar. **2.** Destruir, exterminar. **3.** Extinguir, saciar. **4.** *Fig.* Prejudicar a saúde de. **5.** *Fig.* Importunar extremamente; atormentar. **6.** *Fam.* Executar mal e apressadamente. **7.** *Gír.* Não comparecer à aula, ao trabalho; gazetear. **8.** *Pop.* Adivinhar, decifrar. **9.** No futebol, amortecer a bola ★ *v.i.* **1.** Causar morte. **2.** Ser assassino. ★ *v.pr.* **1.** Dar-se morte; suicidar-se. **2.** Cansar-se, afadigar-se.

mata-rato *s.m.* Veneno para matar ratos. ★ *adj.* e *s.m.* *Pop.* Diz-se de ou cigarro, charuto ou vinho barato e de má qualidade.

mataréu *s.m.* Grande mata; mataria.

mataria *s.f.* Mataréu.

mate[1] *s.m.* (quíchua *mati,* cuia). **1.** Sin. de ERVA-MATE. **2.** As folhas dessa planta, secas e pisadas. **3.** Bebida feita com a infusão dessas folhas; chá-mate. (Sin. de ERVA.)

mate[2] *s.m.* Xeque-mate.

mate[3] *adj.2g.* (fr. *mat*). Sem brilho; fosco, embaciado.

mateiro *s.m.* **1.** Aquele que guarda matas ou florestas. **2.** Lenhador que trabalha nas matas. **3.** Explorador que se orienta nas florestas sem auxílio de bússola.

matemática *s.f.* (gr. *mathematiké*). Ciência que estuda, por meio do raciocínio dedutivo, as propriedades dos entes abstratos (números, figuras geométricas, funções, espaços etc.) e as relações que se estabelecem entre eles.

? VOCÊ SABIA...? Veja abaixo algumas curiosidades sobre as ciências **matemáticas**:

- Desde o ano 3000 a.C. os egípcios já utilizavam a geometria para medir pedaços de terra e para a construção;
- Os árabes inventaram a álgebra no século IX;
- Os números negativos, como -1, -2, -3 e assim por diante, ficaram conhecidos na Europa no século XVI, mas os chineses já os utilizavam muito tempo antes;
- Muitos agricultores continuam adotando o acre como medida de terra. Na Idade Média, um acre inglês representava a superfície que um boi conseguia lavrar em um dia: 22 sulcos;
- Pierre de Fermat, um matemático francês do século XVII, descobriu um sistema secreto e quase instantâneo para encontrar os números primos;
- Existe uma quantidade infinita de números primos. Só entre os números 1 e 10.000.000 há mais de 660.000.

---

matemático *adj.* (gr. *mathematikós*). **1.** Relativo à matemática. **2.** Que tem o rigor, a precisão da matemática. ★ *s.m.* Estudioso, pesquisador de matemática.

matéria *s.f.* (lat. *materia*). **1.** Substância constituinte dos corpos físicos. **2.** Toda substância sólida, gasosa ou líquida que ocupa lugar no espaço. **3.** Dejeção do corpo. **4.** Tema de um escrito, de um discurso; assunto. **5.** Causa, motivo. **6.** Disciplina escolar. **7.** Qualquer texto jornalístico que forme uma unidade temática.

material *adj.2g.* (lat. *materialis*). **1.** Relativo a matéria. **2.** Relativo ao corpo (p. opos. a *espiritual*). **3.** Formado de matéria. ★ *s.m.* **1.** O que compõe a substância de uma coisa. **2.** Conjunto dos objetos, dos instrumentos utilizados num serviço, numa atividade.

materialidade *s.f.* **1.** Qualidade do que é material. **2.** Realidade.

materialismo *s.m.* **1.** Doutrina filosófica que considera a matéria como a única realidade e que nega a existência do espírito. **2.** Maneira de viver daqueles que pensam nos prazeres físicos. **3.** Doutrina filosófica que afirma o primado da matéria sobre o espírito.

materialista *adj.2g.* Relativo ao materialismo. ★ *s.2g.* Partidário do materialismo.

materialização *s.f.* **1.** Ato ou efeito de materializar(-se). **2.** No espiritismo, ação de dar a um espírito forma material. **3.** Na filosofia escolástica, o ato pelo qual a matéria recebe forma.

materializar *v.t.* [conj. 4]. **1.** Tornar material, corpóreo, sensível. **2.** Considerar como matéria. **3.** Realizar, concretizar. **4.** Atribuir as qualidades da matéria a. **5.** Fazer manifestar-se o espírito sob forma material. ★ *v.pr.* Manifestar-se (o espírito) sob forma material; corporificar-se.

matéria-prima *s.f.* Substância bruta com que se fabrica alguma coisa.

maternal *adj.2g.* (lat. *maternalis*). Próprio, natural de mãe; materno. ★ *adj.* e *s.m.* Diz-se de ou atividade pedagógica com crianças com menos de 6 anos de idade.

maternidade *s.f.* (lat. *maternitas, maternitatis*). **1.** Estado, qualidade de ser mãe. **2.** Laço de parentesco que liga a mãe aos filhos. **3.** Ação de pôr uma criança no mundo. **4.** Estabelecimento hospitalar onde se fazem partos.

materno *adj.* (lat. *maternus*). **1.** Relativo ou pertencente à mãe. **2.** Carinhoso, afetuoso, maternal.

matilha *s.f.* **1.** Conjunto de cães de caça. **2.** Bando de cães, lobos etc. **3.** *Fig.* Corja, súcia.

matina *s.f.* *Pop.* Manhã.

matinal *adj.2g.* Matutino.

matinê *s.f.* (fr. *matinée*). Espetáculo, festa ou sessão de cinema ou teatro que se realiza à tarde.

matinta-pereira *s.f.* Sin. de SACI-PERERÊ.

matiz *s.m.* **1.** Cada um dos diferentes tons de uma mesma cor. **2.** Gradação sutil de cores.

matização *s.f.* Ato ou efeito de matizar(-se).

matizar *v.t.* (conj. 4). **1.** Fazer passar gradualmente de um matiz a outro. **2.** Dar cores diversas a; colorir. **3.** Adornar, enfeitar, ornar. ★ *v.pr.* Apresentar cores variadas.

mato *s.m.* **1.** Área de terras incultas recobertas por plantas agrestes. **2.** O conjunto dessas plantas. **3.** O campo, a roça.

mato-grossense *adj.2g.* Relativo ou pertencente a Mato Grosso, Estado brasileiro. ★ *s.2g.* O natural de Mato Grosso.

mato-grossense-do-sul *adj.2g.* Relativo ou pertencente a Mato Grosso do Sul, Estado brasileiro. ★ *s.2g.* O natural de Mato Grosso do Sul.

matoso (ô) *adj.* Cheio, coberto de mato.

matraca *s.f.* (ár. *mitraca,* martelo). **1.** Instrumento de percussão constituído por tabuínhas que giram em torno de uma roda dentada produzindo estalidos secos. **2.** *Fig.* Pessoa que fala sem cessar; tagarela.

matracar *v.i.* (conj. 12). Matraquear.

matraquear *v.i.* (conj. 15). **1.** Tocar matraca. **2.** Falar ininterrupta e rapidamente; tagarelar, matracar. **3.** Repetir várias vezes um pedido; insistir. **4.** Amolar, enfadar, aborrecer. ★ *v.t.* **1.** Apupar. **2.** Transmitir experiência a; adestrar.

matreiro *adj.* e *s.m.* (esp. *matrero*). *Gír.* Que ou aquele que é muito experiente, ardiloso, astucioso; velhaco.

matriarcado *s.m.* Organização social e política na qual a mulher desempenha papel preponderante.

matriarcal *adj.2g.* Relativo ao matriarcado.

matricária *s.f.* Sin. de CAMOMILA.

matricida *adj.* e *s.2g.* (lat. *matricida*). Que ou aquele que mata a própria mãe.

matricídio *s.m.* (lat. *matricidium*). Ação de matar a própria mãe.

matrícula *s.f.* (lat. *matricula,* dim. de *matrix*). **1.** Registro de nomes de pessoas obrigadas a algum serviço ou algum dever. **2.** Inscrição de um aluno numa escola. **3.** Taxa que se paga para matricular-se numa escola.

matricular *v.t.* e *v.pr.* (conj. 4). Inscrever(-se) nos registros de matrícula.

matrilinear *adj.2g.* Diz-se do sistema de filiação e de organização social no qual somente a ascendência materna é considerada.

matrimonial *adj.2g.* (lat. *matrimonialis*). Relativo ao matrimônio; conjugal.

matrimônio *s.m.* (lat. *matrimonium*). Contrato legal de união entre um homem e uma mulher; casamento.

mátrio *adj.* Relativo a mãe.

matriz *s.f.* (lat. *matrix*). **1.** Lugar onde alguma coisa se gera ou se cria; fonte, manancial. **2.** Estabelecimento principal de uma instituição pública ou privada. **3.** Molde para reproduzir objetos por pressão, moldagem, fundição etc. **4.** Igreja que tem jurisdição sobre outras igrejas de uma determinada circunscrição; igreja matriz. ● **Anat.** Camada de células responsável pela geração de algumas estruturas, como unhas e dentes. **Mat.** Disposição ordenada de um conjunto de números, sob a forma de um quadro com dupla entrada, em linhas e colunas.

matrona *s.f.* (lat. *matrona*). **1.** Mulher idosa e respeitável. **2.** Mulher madura e corpulenta.

matronal *adj.2g.* (lat. *matronalis*). Relativo a ou próprio de matrona.

matula[1] *s.f.* Bando de vadios; corja, súcia.

matula[2] *s.f.* Farnel.

matulagem *s.f.* Vida de vadios; vadiagem.

matupiri *s.m.* (tupi *matupi'ri*). Peixe teleósteo que ocorre nos rios da Amazônia.

maturação *s.f.* (lat. *maturatio*). **1.** Ato ou efeito de maturar, amadurecer; amadurecimento. **2.** Maturidade. **3.** *Fig.* Desenvolvimento, aperfeiçoamento.

maturar *v.t.* e *v.i.* [conj. 4]. Tornar(-se) maduro; amadurecer.

maturidade *s.f.* (lat. *maturitas*). **1.** Estado das pessoas ou das coisas que atingiram completo desenvolvimento; maturação. **2.** Período de vida compreendido entre a juventude e a velhice; idade madura. **3.** *Fig.* Perfeição, primor. **4.** *Fig.* Firmeza, exatidão. **5.** *Fig.* Circunspecção, prudência.

maturrango *s.m.* Indivíduo que não entende da vida do campo e não sabe lidar com o gado ou cavalos.

matusalém *s.m.* Indivíduo muito velho; ancião, macróbio (por alusão ao patriarca bíblico).

matutar *v.t.* (conj. 4). **1.** Refletir longamente em; cismar, meditar. **2.** Planejar, pretender. ★ *v.i.* Refletir insistentemente; meditar.

matutino *adj.* (lat. *matutinu,* de *Matuta,* a Aurora). **1.** Relativo à manhã; matinal. **2.** Que ocorre ao amanhecer ou durante a madrugada; matinal. ★ *s.m.* Jornal que circula pela manhã.

matuto *adj.* **1.** Que vive no mato; sertanejo. **2.** Relativo a ou próprio do mato, da roça. ★ *s.m.* **1.** Caipira. **2.** Indivíduo ignorante e ingênuo.

mau *adj.* (lat. *malus*). **1.** Que causa mal ou prejuízo. **2.** De qualidade inferior; malfeito. **3.** Que traz infortúnios; funesto. **4.** Que se compraz em fazer sofrer; malvado, perverso. **5.** Que não executa bem suas tarefas. **6.** Inconveniente, inoportuno. ★ *s.m.* **1.** Tudo o que é mau. **2.** Pessoa má.

maué *s.2g.* Indivíduo dos maués, povo indígena tupi que vive no Amazonas.

mau-olhado *s.m.* **1.** Qualidade que se atribui a certas pessoas de transmitirem azar àqueles para quem olham. **2.** O efeito dessa qualidade.

mauriciano *adj.* Relativo ou pertencente à ilha Maurício, país da África. ★ *s.m.* O natural ou habitante dessa ilha.

mauritano *adj.* Relativo ou pertencente à Mauritânia, país da África. ★ *s.m.* O natural ou habitante da Mauritânia.

máuser *s.m.* **1.** Fuzil de guerra alemão, que tem o nome do seu construtor. **2.** Pistola automática, de linhas retas, municionada pela coronha.

mausoléu *s.m.* (gr. *Mausolos,* n.pr.). Monumento funerário suntuoso.

mavioso (ô) *adj.* (lat. *amabilium,* de *amare,* amar). **1.** Terno, afetuoso, carinhoso. **2.** Compassivo, enternecedor, patético. **3.** Doce, suave, harmonioso.

maxidesvalorização (cs) *s.f.* Grande desvalorização sofrida por uma moeda.

maxila (cs) *s.f.* (lat. *maxilla*). **1.** Cada uma das duas formações ósseas da face em que estão inseridos os dentes. **2.** Apêndice cefálico par, dos artrópodes e crustáceos mandibulados, situado atrás da mandíbula; maxilar posterior.

maxilar (cs) *s.m.* (lat. *maxillaris*). Cada um dos ossos constituintes da maxila. ★ *adj.2g.* **1.** Relativo às maxilas. **2.** *Nervo maxilar,* cada um dos dois nervos que, juntamente com o nervo oftálmico, formam os três ramos do nervo trigêmeo.

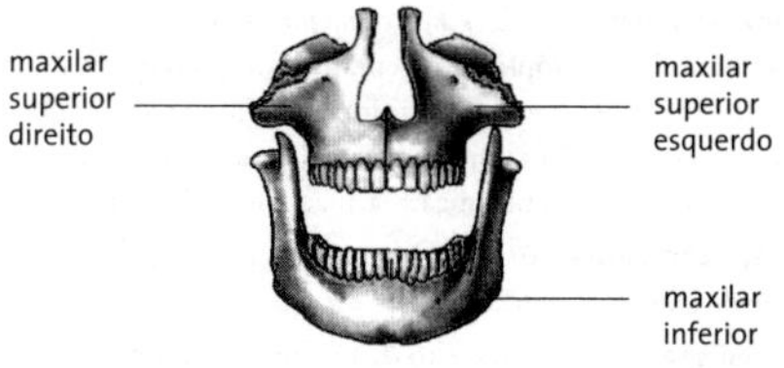

máxima (cs ou ss) *s.f.* (lat. *maxima*). **1.** Princípio geralmente admitido em qualquer arte ou ciência; axioma. **2.** Ditado, provérbio. **3.** Afirmação geralmente feita sob a forma de conceito. **4.** Sentença ou doutrina moral.

máxime (cs) *adv.* (lat. *maxime*). Especialmente, principalmente, sobretudo.

máximo (cs ou ss) *adj.* (lat. *maximus,* superl. de *magnus*). **1.** Maior que todos. **2.** Que está acima de todos. **3.** Absoluto, estrito. ★ *s.m.* **1.** O mais alto grau a que uma quantidade variável pode chegar. **2.** Aquilo que é o maior ou o mais alto. **3.** A maior porção ou grau de. **4.** *Fig.* O limite extremo, o apogeu.

maxixe[1] *s.m.* (quimb. *maxi'xi*). **1.** Fruto do maxixeiro. **2.** Sin. de CHUCHU.

maxixe[2] *s.m.* Dança brasileira de salão, de ritmo binário, surgida no Rio de Janeiro na segunda metade do séc. XIX.

maxixeiro *s.m.* Planta anual de frutos comestíveis, originária da África.

maxuxo *s.m.* Sin. de CHUCHU.

mazela *s.f.* (lat. *macella,* dim. de *macula*). **1.** Chaga, ferida. **2.** *Fam.* Doença, enfermidade. **3.** Infortúnio, desgraça. **4.** *Fig.* Mancha no honra; labéu.

mazelento *adj.* Cheio de mazelas; ferido.

mazurca *s.f.* (pol. *mazurka*). Dança popular polonesa de ritmo ternário.

me *pron. pess.* Forma da 1ª pessoa do sing. (caso oblíquo). Emprega-se como objeto direto ou indireto.

meada *s.f.* **1.** Conjunto de fios dobrados. **2.** *Fig.* Situação complicada; enrascada. **3.** *Fig.* Intriga, mexerico.

meado *adj.* **1.** Que está no meio, ou próximo do meio. **2.** Dividido em duas metades; partido em dois. ★ *s.m.* A parte média; o meio.

mealha *s.f.* **1.** Moeda antiga, de cobre. **2.** *Fig.* Pequena porção de qualquer coisa; migalha, ninharia.

mealheiro *s.m.* **1.** Pequeno cofre para mealhas. **2.** Conjunto de mealhas; as moedas. **3.** Economias, pecúlio. **4.** Caixa fechada e fixa, com uma abertura para receber as ofertas dos fiéis nas igrejas. ★ *adj.* **1.** Que consta de mealhas. **2.** Que dá pouco lucro.

meandro *s.m.* (gr. *Maiandros,* n.pr.). **1.** Sinuosidade descrita por um curso de água. **2.** *Fig.* Complicação, dificuldade. **3.** *Fig.* Intriga, enredo.

meão *adj.* (lat. *medianus*). Mediano. ★ *s.m.* **1.** Peça central do tampo das vasilhas. **2.** Peça central da roda de carro de bois, na qual se encaixa o eixo.

mear *v.t.* (lat. *mediare*) [conj. 15]. **1.** Partir em dois; dividir ao meio. **2.** Levar até a metade; pôr em meio. ★ *v.i.* e *v.pr.* Chegar ao meio.

meato *s.m.* (lat. *meatus,* de *meare,* passar, caminhar). **1.** Canal pequeno. **2.** Orifício do corpo. **3.** Caminho, via.

mecânica *s.f.* (gr. *mechaniké téchne,* a arte de construir engenhos). **1.** Combinação de dispositivos próprios para produzir ou para transmitir os movimentos; mecanismo. **2.** Estudo das máquinas, da sua construção e do seu funcionamento. **3.** Obra que trata da mecânica. **4.** Ciência que tem por objetivo o estudo das forças e dos movimentos. **5.** Aplicação prática dos princípios de uma ciência ou arte. **6.** Atividade relacionada com máquinas. **7.** *Fig.* Mecanismo.

VOCÊ SABIA...? A **mecânica** se divide tradicionalmente em três grandes partes: a estática, que estuda o equilíbrio e a ação das forças sobre os corpos na ausência de qualquer movimento; a cinética, que se ocupa da descrição dos movimentos, independentemente de suas causas; e a dinâmica, que estuda os movimentos sob a ação das forças.

mecanicismo *s.m.* Doutrina filosófica que explica o conjunto dos fenômenos naturais pelas leis da teoria dos movimentos.

mecânico *adj.* (gr. *mechanikós,* relativo a engenho; astucioso). **1.** Relativo à mecânica, às leis do movimento e do equilíbrio. **2.** Que é executado por máquinas. **3.** *Fig.* Maquinal, automático. ★ *s.m.* Profissional que se ocupa do conserto de máquinas e motores.

mecanismo *s.m.* (lat. *mechanismus*). **1.** Combinação de dispositivos que constituem uma máquina; mecânica. **2.** *Fig.* Modo de funcionamento.

mecanização *s.f.* **1.** Ato ou efeito de mecanizar. **2.** Emprego generalizado de máquinas em substituição ao uso de mão-de-obra.

mecanizar *v.t.* (fr. *mécaniser*) [conj. 4]. **1.** Tornar semelhante a uma máquina. **2.** Prover de máquinas e meios mecânicos. **3.** Tornar maquinal ou mecânico.

mecanografia *s.f.* Arte, processo ou técnica de usar máquinas para execução de trabalhos de escritório.

mecanográfico *adj.* Relativo à mecanografia.

mecenas *s.m.2n.* (lat. *Maecenas,* n.pr.). Indivíduo que protege ou patrocina artistas e sábios.

mecênico *adj.* Relativo a ou próprio de mecenas.

mecha *s.f.* (fr. *mèche*). **1.** Tufo de cabelos. **2.** Pequeno feixe de quaisquer filamentos. **3.** Torcida ou pavio de vela, isqueiro ou lampião. **4.** Chumaço de gaze estéril que se introduz numa ferida para impedir que cicatrize, a fim de assegurar a hemostase ou drenar uma supuração. **5.** Saliência que se deixa numa peça de madeira para encaixar em outra. **6.** Supositório. **7.** Estopim, rastilho. **8.** Projétil inflamado que se arremessa contra o inimigo.

mechar *v.t.* (conj. 4). **1.** Pôr mecha em. **2.** Defumar com o fumo da mecha. **3.** Ligar por meio de mecha.

mecônio *s.m.* Primeira matéria fecal do recém-nascido.

A B C D E F G H I J K L M N O P Q R S T U V W X Y Z

meda *s.f.* **1.** Pilha de feixes, de palha, feno ou outras forragens, de forma cilíndrica, para a estocagem temporária ou prolongada desses produtos. **2.** Pilha de esterco, de forma alongada, sobre a qual se desenvolvem fungos. **3.** *Fig.* Acumulação de coisas da mesma espécie; feixe, montão.

medalha *s.f.* **1.** Peça de metal geralmente redonda, com emblema, efígie e inscrição. **2.** Peça de metal concedida como prêmio de um concurso, em recompensa por atos humanitários etc. **3.** Peça de metal em que se representa o objeto de uma devoção. **4.** Condecoração.

medalhão *s.m.* **1.** Medalha grande. **2.** Jóia de forma circular ou oval com duas faces e um fecho, na qual se coloca um retrato, uma mecha de cabelos etc., dotada de pequena argola para pendurar. **3.** *Pej.* Pessoa importante; figurão.

médão *s.m.* Monte de areia ao longo da costa.

média *s.f.* (lat. *media*). **1.** Coisa, estado ou quantidade que ocupa um lugar eqüidistante entre dois extremos. **2.** Nota estipulada como mínima para aprovação escolar. **3.** *Pop.* Xícara grande de café com leite. ● **Mat.** *Média aritmética,* quociente de uma soma pelo número de termos envolvidos. ▸ *Média geométrica,* raiz *n*-ésima do produto de *n* fatores. ▸ *Média harmônica,* inverso da média aritmética dos inversos de um certo número de valores.

mediação *s.f.* (lat. *mediatio*). Ato ou efeito de mediar.

mediador (ô) *adj.* (lat. *mediator*). **1.** Que medeia. **2.** Diz-se de uma célula que secreta uma substância ativa sobre outras células implicadas no processo de imunidade. ★ *adj.* e *s.m.* Que ou aquele que intervém ou é escolhido para conseguir acordo ou conciliação entre partes desavindas; árbitro, medianeiro, intermediário. ★ *s.m. Mediador químico,* sin. de NEUROTRANSMISSOR.

medial *adj.2g.* (lat. *medialis*). Que fica no meio; central, médio. ● **Anat.** Diz-se da estrutura que se encontra mais próxima da linha mediana do corpo.

mediana *s.f.* **1.** Em um triângulo, segmento de reta que une um vértice ao ponto médio do lado oposto. **2.** Em um tetraedro, segmento de reta que une um vértice ao baricentro da face oposta.

medianeiro *adj.* e *s.m.* Mediador.

mediania *s.f.* **1.** Qualidade ou estado de mediano. **2.** Termo médio.

mediano *adj.* (lat. *medianus*). **1.** Que está no meio, entre dois extremos; meão, intermediário, médio. **2.** Que não é bom nem mau; meão, medíocre. ● **Anat.** *Nervo mediano,* nervo de maior importância para a flexão do membro superior, com ação sobre o braço, o antebraço e a mão, e que age pelas suas ramificações terminais sobre os próprios dedos.

mediante *prep.* (lat. *medians*). Por meio de, por intermédio de. ★ *adj.2g.* Que medeia.

mediar *v.t.* (lat. *mediare*) [conj. 17]. **1.** Dividir ao meio; repartir em duas partes iguais. **2.** Tratar ou discutir como mediador ou medianeiro; interceder. **3.** Estar no meio; distar.

mediato *adj.* (lat. *mediatus*). Que se encontra em relação com outras pessoas ou coisas por intermédio de uma terceira.

mediatriz *s.f.* (lat. *mediatrix*). **1.** Reta perpendicular a um segmento e que passa pelo ponto médio deste. **2.** *Mediatriz de um triângulo,* cada uma das mediatrizes dos lados do triângulo.

medicação *s.f.* (lat. *medicatio*). **1.** Ato ou efeito de medicar(-se). **2.** Emprego de agentes terapêuticos para atender a determinada indicação.

medical *adj.2g.* **1.** Relativo a ou próprio de médico. **2.** Medicinal.

medicamento *s.m.* (lat. *medicamentum*). Substância que se apresenta com propriedades curativas ou preventivas frente a enfermidades humanas e animais ou que pode ser administrada para definir um diagnóstico, restabelecer, corrigir ou modificar funções orgânicas; fármaco, remédio, curativo.

medicamentoso (ô) *adj.* Que tem as propriedades de um medicamento; medicativo.

medição *s.f.* **1.** Ato ou efeito de medir. **2.** Conjunto de operações que permitem determinar a medida de uma grandeza; mensuração. **3.** Indicação da posição de uma grandeza mensurável numa escala admitida por convenção, mesmo que não se saiba relacioná-la a uma unidade. ● **Constr.** Descrição geral e detalhada de uma obra, com classificação metódica do tipo, valor e extensão dos diversos trabalhos executados, com vistas ao controle e ao pagamento.

medicar *v.t.* (lat. *medicare*) [conj. 12]. **1.** Dar medicamento a um doente; medicamentar. **2.** Tratar com medicamentos. ★ *v.i.* Prescrever medicamentos; medicamentar. ★ *v.pr.* Tomar remédios; medicamentar-se.

medicina *s.f.* (lat. *medicina*). **1.** Conjunto de atividades técnicas e científicas que tem por fim a prevenção, a cura e o alívio das doenças. **2.** Exercício da prática de curar; profissão do médico. **3.** Cada um dos sistemas empregados para debelar as doenças.

medicinal *adj.2g.* (lat. *medicinalis*). **1.** Relativo à medicina; médico, medical. **2.** Que serve como remédio ou medicamento; terapêutico.

médico *adj.* (lat. *medicus*). Relativo à medicina; medicinal, medical. ★ *s.m.* **1.** Diplomado em medicina. **2.** Profissional que exerce a medicina; clínico, doutor.

médico-hospitalar *adj.2g.* Relativo ao serviço médico e ao atendimento hospitalar.

medida *s.f.* **1.** Medição. **2.** Relação numérica entre uma grandeza e outra, de mesma natureza, tomada como unidade. **3.** Objeto que serve para medir certa quantidade. **4.** Dimensão avaliada. **5.** Regra, limite. **6.** Providências. **7.** Bitola. **8.** Cômputo, cálculo. **9.** Circunspecção, prudência, sensatez. **10.** *Fig.* Precaução, meio.

VOCÊ SABIA...? As civilizações antigas dependiam das "**medidas** corporais" para medir qualquer coisa – e até hoje elas são utilizadas. A menor unidade de comprimento era o "dedo" ou "polegar". Um cotovelo, ou seja, a distância do cotovelo até a ponta dos dedos, era igual a 30 dedos (mais ou menos 50 cm). Atualmente, a largura da mão, que em geral mede 4 polegadas (10 cm), continua sendo a unidade de medida da altura dos cavalos.

---

medidor (ô) *adj.* Que mede. ★ *s.m.* **1.** Aparelho ou instrumento que permite efetuar diversas medidas ou análises. **2.** Funcionário encarregado de efetuar medições.

medieval *adj.2g.* (do lat. cient. *medium aevum,* idade média). Relativo ou pertencente à Idade Média.

medievalismo *s.m.* **1.** Conhecimento, estudo da Idade Média. **2.** Conjunto das idéias, tendências e costumes medievais. **3.** Predileção pelas coisas medievais.

médio *adj.* (lat. *medius*). **1.** Que está entre dois. **2.** Que ocupa ou exprime o meio-termo. **3.** Que se calcula tirando a média. **4.** Diz-se do ensino destinado à formação do adolescente que concluiu o primeiro grau. **5.** Intermediário, central, medial, mediano. ● **Anat.** Diz-se da túnica que constitui a parte intermediária da parede arterial. **Fon.** Diz-se da vogal produzida com o dorso da língua indo em direção à região central do palato. **Mat.** *Termos médios de uma proporção,* o segundo e o terceiro termos da proporção. ★ *s.m.* Dedo mediano da mão.

medíocre *adj.2g.* (lat. *mediocris*). **1.** Que está entre o grande e o pequeno, o bom e o mau. **2.** Sem destaque; comum, ordinário, vulgar, mediano, meão. ★ *s.2g.* **1.** Pessoa medíocre. **2.** Aquele que não tem grande valor intelectual.

mediocridade *s.f.* (lat. *mediocritas*). **1.** Estado ou qualidade de medíocre. **2.** Situação modesta. **3.** Falta de mérito; insignificância, vulgaridade, mediania.

medir *v.t.* (lat. tard. *medire*) [conj. 70]. **1.** Determinar a extensão, a altura ou a grandeza de. **2.** Ter a extensão, a altura ou a grandeza de. **3.** Ajustar, adequar, proporcionar. **4.** *Fig.* Moderar, conter. **5.** *Pop.* Olhar com provocação ou desdém. ★ *v.pr.* **1.** Comparar-se a alguém. **2.** Entrar em luta ou combate.

meditabundo *adj.* (lat. *meditabundus*). **1.** Meditativo. **2.** Triste, macambúzio, sorumbático.

meditação *s.f.* (lat. *meditatio*). **1.** Ato ou efeito de meditar; reflexão. **2.** Escrito que tem como tema um assunto filosófico ou religioso. **3.** Oração mental. **4.** Técnica pela qual a mente fica vazia de pensamentos para que o espírito atinja um estado de harmonia cósmica.

meditar *v.t.* (lat. *meditare*) [conj. 4]. **1.** Submeter a um exame interior, refletir profundamente sobre. **2.** Estudar, ponderar, considerar. **3.** Pensar em executar; projetar. **4.** Cogitar, especular, combinar. ★ *v.i.* **1.** Fazer uma meditação; refletir. **2.** Atingir um estado de eliminação de pensamentos, na busca de maior equilíbrio e harmonia cósmica.

meditativo *adj.* (lat. *meditativus*). **1.** Que medita; meditabundo. **2.** Pensativo, cismático.

mediterrâneo *adj.* (lat. *mediterraneus*). **1.** Situado entre terras, sem limites com o mar; interior. **2.** Mediterrânico.

MEDITERRÂNEO ► Nas águas mediterrâneas, a diferença entre a maré alta e a maré baixa é pequena. As tempestades são breves e as ondas nunca são demasiado altas. Por isso, as rochas sofrem mais a erosão do vento que das ondas. As costas são formadas geralmente por plataformas rochosas cobertas de "corais" – na realidade, algas vermelhas calcificadas – que se alternam com longas praias.

---

mediterrânico *adj.* Relativo ou localizado no mar Mediterrâneo; mediterrâneo.

médium *s.2g.* (lat. *medium,* meio). No espiritismo, pessoa intermediária entre os espíritos e o mundo material.

mediúnico *adj.* Relativo a ou próprio de médium.

mediunidade *s.f.* Qualidade de médium.

medo (ê) *s.m.* (lat. *metus*). **1.** Sentimento de angústia, de apreensão em face de um perigo real ou imaginário. **2.** Apreensão, receio, temor, sobressalto.

medo *adj.* Relativo ou pertencente à Média, região da Ásia na Antiguidade. ★ *s.m.* Indivíduo dos medos, povo que habitava essa região.

medonho *adj.* (lat. *metus,* medo). **1.** Que inspira medo; espantoso, pavoroso. **2.** Muito feio; horrendo. **3.** Funesto, terrível.

medrança *s.f.* **1.** Ato ou efeito de medrar; crescença. **2.** Estado do que está medrando ou crescendo.

medrar[1] *v.i.* (esp. *medrar*) [conj. 4]. **1.** Crescer, vegetando; desenvolver-se. **2.** Aumentar, crescer, prosperar. **3.** Ganhar corpo, vingar, florescer. ★ *v.t.* **1.** Fazer crescer, desenvolver. **2.** Aumentar a fortuna de. **3.** Melhorar (alguma coisa).

medrar[2] *v.i.* (conj. 4). *Gír.* Ter medo.

medroso (ô) *adj.* **1.** Que tem medo; receoso, temeroso. **2.** Tímido, acanhado. **3.** *Fig.* Pouco nítido; fraco. ★ *s.m.* Pessoa medrosa.

medula *s.f.* (lat. *medulla*). **1.** Substância mole e gordurosa que preenche o canal medular e os alvéolos da região esponjosa dos diferentes ossos. (Diz-se também *medula óssea.*) **2.** *Pop.* Sin. de TUTANO. **3.** *Fig.* O que há de mais substancial e mais profundo em qualquer coisa. **4.** *Medula da supra-renal,* parte central da glândula supra-renal. ► *Medula espinhal,* parte do eixo neural contida no interior do canal raquidiano. ● **Bot.** Região axial do cilindro central do caule e da raiz, ocupada geralmente por grandes células que não produzem clorofila.

medular *adj.2g.* (lat. *medullaris*). **1.** Relativo à medula espinhal ou à medula óssea. **2.** Que tem o aspecto ou a natureza da medula. **3.** *Fig.* Essencial, fundamental, principal. **4.** *Canal medular,* canal central que percorre toda a extensão dos ossos longos e que contém a medula óssea.

meduloso (ô) *adj.* **1.** Que tem canal medular. **2.** Que contém medula. **3.** Diz-se do modo de bem pintar ou esculpir um objeto flexível e macio. **4.** Macio, aveludado.

medusa *s.f.* (gr. *Medousa,* n.pr.). **1.** Animal cnidário, de vida livre, de aspecto gelatinoso, cujo corpo apresenta forma de um guarda-chuva, com o lado convexo voltado para cima, margeado por tentáculos. **2.** Sin. de CARAVELA[2]. **3.** Sin. de ÁGUA-VIVA.

medusóide *adj.2g.* Pertencente ou relativo à medusa.

meeiro *adj.* (lat. *mediuns,* médio). **1.** Que pode ser dividido em duas partes iguais. **2.** Que tem direito à metade dos bens. ★ *adj.* e *s.m.* Diz-se de ou lavrador que partilha a metade da colheita com o proprietário das terras.

mefistofélico *adj.* (de *Mefistófeles,* n.pr.). Diabólico, sarcástico, pérfido, infernal.

mefítico *adj.* (lat. *mephiticus*). Que tem cheiro repugnante, pestilencial.

megacariócito *s.m.* Célula gigante que se encontra exclusivamente na medula óssea e em cujo citoplasma, por fragmentação, se originam as plaquetas sanguíneas.

megafone *s.m.* Amplificador de som; porta-voz.

megabyte *s.m.* **Inform.** Múltiplo da unidade de medida de informação, de símbolo MB e equivalente a 2^{20}. (Cf. BYTE.)

mega-hertz *s.m.2n.* Unidade de medida de freqüência equivalente a um milhão de hertz.

megalítico *adj.* Diz-se de construções pré-históricas feitas de grandes blocos de pedra.

megalocéfalo *adj.* Que tem a cabeça excessivamente grande; macrocéfalo.

megalomania *s.f.* (do gr. *megas, megalon,* grande). **1.** Superestimação das próprias capacidades; delírio, mania de grandeza. **2.** Ambição, orgulho desmesurado, preferência pelo que é grande, colossal.

megalomaníaco *adj.* Relativo à megalomania. ★ *adj.* e *s.m.* Megalômano.

megalômano *adj.* e *s.m.* Diz-se de ou indivíduo acometido de megalomania; megalomaníaco.

megatério *s.m.* (gr. *megas,* grande e *therion,* fera). Mamífero fóssil, de grande porte, da ordem dos edentados, que viveu no período quaternário na América do Sul.

megaton *s.m.* Unidade de medida da energia de explosões nucleares, equivalente à energia produzida pela explosão de um milhão de toneladas de trinitrotolueno.

megera *s.f.* (gr. *Mégaira,* n.pr. de uma das três Fúrias). Mulher irritadiça e má.

meia[1] *num. frac.* Fem. de meio; metade de.

meia[2] *num. card.* e *s.m. Pop.* Meia dúzia; seis. (Empregado coloquialmente em números de imóveis, de telefone etc.).

meia[3] *s.f.* **1.** Peça do vestuário em tecido de malha para cobrir o pé e parte da perna. **2.** Um ponto de malha.

meia-água *s.f.* Telhado de um só plano.

meia-calça *s.f.* Meia que, cobrindo os pés e as pernas, vai até à cintura.

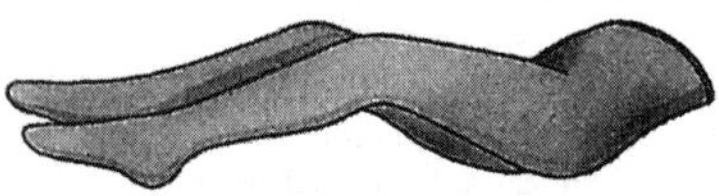

meia-cana *s.f.* **1.** Moldura em forma de semicírculo. **2.** Estria, canelura. **3.** Peça das antigas armaduras que cobria a parte anterior da perna, descendo até o joelho. **4.** Lima que tem uma face plana e outra convexa.

meia-direita *s.2g.* **Esp.** No futebol, jogador que se coloca entre o centro do ataque e o ponta-direita.

meia-esquerda *s.2g.* **Esp.** No futebol, jogador que se coloca entre o centro do ataque e o ponta-esquerda.

meia-estação *s.f.* Estação em que o frio e o calor não são rigorosos; outono ou primavera.

meia-lua *s.f.* **1.** Aspecto semicircular que apresenta a Lua nos quartos crescente e minguante. **2.** Qualquer objeto que tem esse feitio; semicírculo.

meia-noite *s.f.* **1.** A hora que aproximadamente divide a noite em duas, e em que o Sol está no seu ponto mais baixo, o nadir. **2.** O instante que marca 24 horas ou zero hora.

meia-tinta *s.f.* **1.** Tonalidade intermediária entre a sombra e a luz plena. **2.** Gradação de cores; matiz.

meia-vida *s.f.* Tempo necessário para que metade dos núcleos de um elemento químico radioativo se desintegre. (Sin. PERÍODO RADIOATIVO*.)

meigo *adj.* (gr. *magikós,* mágico). **1.** Carinhoso, terno, afetuoso. **2.** Amável, afável, bondoso. **3.** Doce, suave, brando.

meiguice *s.f.* Qualidade de meigo; doçura, brandura, suavidade. ★ *s.f.pl.* Palavras ou atitudes carinhosas.

meio[1] *num. frac.* (lat. *medius*). Que está contido duas vezes num todo; metade de algo. ★ *s.m.* Cada uma das duas partes em que se divide um todo; metade. ★ *adj.* Inacabado, imperfeito. ★ *adv.* De modo imperfeito ou incompleto; quase.

meio[2] *s.m.* (lat. *medium*). **1.** Lugar eqüidistante de todos os pontos de uma circunferência, dos dois extremos de uma extensão; centro. **2.** Posição intermediária entre dois ou mais seres ou coisas. **3.** Lugar ou momento aproximadamente eqüidistante de um começo e de um fim. **4.** O que serve para alcançar algum fim; recurso. **5.** Possibilidade, poder de fazer uma coisa. **6.** Ambiente imediato dos seres vivos. **7.** Entorno de um sistema, em particular dos sistemas sociais. ● **Biol.** *Meio ambiente,* conjunto de fatores exteriores que agem de forma permanente sobre os seres vivos, aos quais os organismos devem se adaptar e com os quais têm de interagir para sobreviver; conjunto de condições termométricas e higrométricas de um local. **Fís.** e **Quím.** Ambiente, corpo ou substância no interior do qual ocorrem fenômenos físicos e/ou químicos, e que se caracteriza por certas propriedades. ★ *s.m.pl.* Bens de fortuna, haveres, recursos pecuniários.

meio-busto *s.m.* Escultura em que se representa somente a cabeça e o pescoço.

meio-corpo *s.m.* A parte superior da figura humana até a cintura.

meio-dia *s.m.* **1.** A hora que aproximadamente divide o dia em duas partes iguais; hora em que o Sol se acha no ponto mais alto de seu curso diurno; zênite. **2.** Conjunto das regiões meridionais (nesse sentido, escreve-se com maiúscula). **3.** *Fig.* O auge, o máximo esplendor.

meio-fio *s.m.* **1.** Arremate, geralmente constituído de uma fileira de paralelepípedos de pedra, colocado na beira de uma calçada, do lado da pista de rolamento. (Sin. GUIA.) **2.** Chanfradura no batente da porta ou em caixilhos.

meiose *s.f.* Processo de divisão celular no qual ocorre a formação de quatro células filhas, cujos núcleos possuem metade do número de cromossomos da célula parental.

meio-tempo *s.m.* **1.** Espaço de tempo decorrido entre um acontecimento e outro; intervalo, ínterim. **2.** Cada um dos dois períodos de igual duração que constituem certos jogos como o futebol, o rúgbi etc. **3.** Tempo de descanso que separa os dois períodos.

meio-termo *s.m.* **1.** Estado do que se afasta igualmente de um e de outro extremo. **2.** *Fig.* Moderação, comedimento.

meiótico *adj.* Relativo à meiose.

meio-tom *s.m.* **1.** Em música, intervalo que vale a metade de um tom. **2.** Nuança, gradação.

meirinho *s.m.* (lat. *majorinus*). **1.** Antigo funcionário judicial correspondente ao atual oficial de diligências. **2.** Funcionário que o rei nomeava para governar, com ampla jurisdição, um território ou comarca.

mel *s.m.* (lat. *mel*). **1.** Substância doce produzida pelas abelhas melíferas a partir do néctar das flores, guardada nos favos das colméias para depois ser fornecida como alimento às larvas das abelhas. **2.** Suco espesso e doce que se extrai de certas plantas. **3.** *Fig.* Doçura, suavidade.

melaço *s.m.* **1.** Xarope muito viscoso, não cristalizável, resultante da fabricação do açúcar da cana ou beterraba, sob a forma de resíduo. **2.** Qualquer substância muito doce.

melado *adj.* **1.** Demasiadamente doce. **2.** Sujo ou lambuzado de mel ou qualquer substância pegajosa. **3.** Da cor do mel. **4.** *Fig.* Excessivamente meigo, doce ou suave. ★ *s.m.* Caldo de cana evaporado e concentrado como xarope não cristalizável e denso.

melancia *s.f.* (port. ant. *balancia,* com infl. de melão). **1.** Planta herbácea originária da África, de caule rasteiro, folhas triangulares e flores amarelas, cujo fruto, grande e verde-amarelado, apresenta polpa avermelhada, aquosa e doce, com sementes negras. **2.** O fruto dessa planta.

melancolia *s.f.* (gr. *melancholía,* de *melanos,* sombrio e *chole,* fel). **1.** Depressão intensa vivenciada através de um sentimento de dor moral e caracterizada por diminuição psicomotora e por idéias de suicídio. **2.** Característica dominante de qualquer coisa que inspira tristeza.

melancólico *adj.* (gr. *melancholikós*). **1.** Que experimenta uma tristeza vaga. **2.** Que transmite ou inspira melancolia; merencório. ★ *s.m.* Acometido de melancolia.

melanésio *adj.* Relativo ou pertencente à Melanésia, conjunto de arquipélagos do oceano Pacífico. ★ *s.m.* **1.** O natural ou habitante da Melanésia. **2.** Grupo de línguas faladas na Melanésia.

melânico *adj.* **1.** Relativo à melanina. **2.** Diz-se de lesões ou tumores caracterizados pela presença de melanina.

melanina *s.f.* (do gr. *melas, melanos,* escuro). Pigmento de cor escura, produzido pela oxidação da tirosina, existente normalmente na pele, nos cabelos e, patologicamente, em certos tumores.

melanotrófico *adj. Hormônio melanotrófico,* hormônio secretado pelo lobo anterior da hipófise, que atua nas células do sistema pigmentar e ativa a sintese da melanina.

melão *s.m.* (gr. *melon,* maçã ou fruto que parece maçã). Fruto do meloeiro, grande, de casca verde ou amarela, polpa verde-amarelada, carnosa e doce.

melar *v.t.* (conj. 4). **1.** Adoçar, untar ou cobrir com mel. **2.** Adoçar em demasia. **3.** Dar cor de mel a. ★ *v.i.* **1.** Ir ao mato procurar mel. **2.** *Fig.* Falhar, gorar, não dar certo, estragar. ★ *v.pr.* Sujar-se, lambuzar-se, emporcalhar-se com mel ou qualquer substância gordurosa.

melatonina *s.f.* Amina biogênica da epífise, que modifica a secreção do hormônio melanotrófico.

meleca *s.f. Pop.* **1.** Muco nasal. **2.** Substância pegajosa ou grudenta. **3.** Coisa ruim, imprestável.

melecar *v.t.* e *v.pr.* (conj. 4). Sujar(-se) com substância pegajosa ou grudenta; lambuzar(-se).

melena *s.f.* (esp. *melena*). **1.** Cabelo comprido, solto e desgrenhado. **2.** Crina ou juba.

melhor *adj.2g.* (lat. *melior*). Comparativo superlativo irregular de *bom*; mais bom. ★ *s.m.* O que é superior a tudo o mais. ★ *adv.* Comparativo superlativo irregular de *bem*; mais bem.

melhora *s.f.* **1.** Ato ou efeito de melhorar; melhoria, melhoramento. **2.** Transição para estado ou condição melhor.

melhorado *adj.* Tornado melhor; corrigido.

melhoramento *s.m.* **1.** Ação de melhorar; melhora. **2.** Mudança, transformação para melhor. **3.** Adiantamento, aumento, progresso. **4.** Benfeitoria, beneficiamento, melhoria. ● **Genét.** *Melhoramento genético,* conjunto de operações que visam ao melhoramento do potencial hereditário dos indivíduos de uma população animal ou vegetal.

melhorar *v.t.* (conj. 4). **1.** Tornar melhor; aperfeiçoar. **2.** Fazer prosperar, progredir. ★ *v.i.* **1.** Tornar-se melhor. **2.** Convalescer, ir adquirindo a saúde perdida. **3.** Serenar, abonançar-se (o tempo).

melhoria *s.f.* **1.** Mudança para estado ou condição melhor; melhora. **2.** Remitência de uma doença; melhora. **3.** Melhoramento material; benfeitoria. **4.** Vantagem, superioridade.

meliante *s.2g.* **1.** Malandro, vadio, vagabundo. **2.** Velhaco, patife, biltre. **3.** Marginal, delinqüente.

mélico *adj.* Relativo a mel.

melífero *adj.* (lat. *mellifer*). **1.** Diz-se de uma planta cujo néctar é procurado pelas abelhas para produzir mel. **2.** Diz-se dos insetos que produzem mel.

melificar *v.t.* (lat. *mellificare*) [conj. 12]. **1.** Converter em mel. **2.** Adoçar com mel. **3.** Tornar doce como e mel. ★ *v.i.* Fabricar mel (as abelhas).

melífluo *adj.* (lat. *mellifluus*). **1.** Que flui ou mana como o mel. **2.** *Fig.* Agradável, suave, harmonioso, brando.

melindrar *v.t.* (conj. 4). **1.** Afetar a suscetibilidade de; suscetibilizar. **2.** Ofender, magoar. **3.** Chocar, escandalizar. ★ *v.pr.* **1.** Ofender-se, magoar-se, amuar-se. **2.** Chocar-se, escandalizar-se.

melindre ou **melindro** *s.m.* (esp. *melindre*). **1.** Delicadeza no trato. **2.** Pudor, recato, decência. **3.** Facilidade em se ofender; suscetibilidade. **4.** Sin. de ASPARGO.

melindroso (ô) *adj.* (esp. *melindroso*). **1.** Que tem melindre; delicado, mimoso. **2.** Muito suscetível. **3.** Delicado, fraco, débil. **4.** Inocente, cândido, puro. **5.** Arriscado, perigoso, precário.

melissa *s.f.* (lat. tard *melissa,* abelha, mel). **1.** Sin. de ERVA-CIDREIRA. **2.** *Água de melissa,* solução alcoólica obtida pela destilação das folhas frescas de melissa, utilizada como antiespasmódico e digestivo.

melissografia *s.f.* Tratado sobre as abelhas, ou a sua descrição.

melodia *s.f.* (gr. *melodia,* canto coral). **1.** Sucessão de sons de alturas e valores diferentes que obedece um sentido lógico musical. **2.** Seqüência harmoniosa de palavras, de frases.

melodiar *v.t.* e *v.i.* (conj. 16). **1.** Modular (a voz ou o canto) com suavidade. **2.** Tornar melodioso. ★ *v.i.* Cantar ou tocar melodiosamente. ★ *v.pr.* Tornar-se melodioso.

melódico *adj.* (lat. *melodicus*). **1.** Relativo a melodia. **2.** Melodioso. ★ *s.m.* Certo piano mecânico.

melodioso (ô) *adj.* **1.** Que tem melodia agradável; melódico. **2.** Agradável, suave, harmonioso.

melodrama *s.m.* (do gr. *melos,* música). **1.** Peça teatral em que se exploram sentimentalismo e outros recursos de entendimento imediato. **2.** *P. ext.* Qualquer atitude ou fato desse teor.

melodramático *adj.* **1.** Relativo ao melodrama. **2.** Que traduz sentimentos de maneira exagerada.

meloeiro *s.m.* Planta herbácea, originária da Ásia e da África, rasteira, de folhas recortadas e frutos grandes, de polpa carnosa e doce.

melomania *s.f.* Paixão exagerada pela música.

melomaníaco *adj.* Melômano.

melômano *adj.* Pessoa que ama a música, mas não necessariamente a pratica; melomaníaco.

melopéia *s.f.* (gr. *melopoiia*). **1.** Conto ritmado que acompanha uma declamação. **2.** Espécie de declamação empregada para as leituras públicas de textos religiosos ou sagrados (Bíblia, Corão). **3.** Arte de fazer acompanhamentos musicais. **4.** Declamação agradável ao ouvido. **5.** Recitativo, canto monótono, música muito monótona e triste.

meloso (ô) *adj.* **1.** Semelhante ao mel. **2.** Doce como mel. **3.** *Fig.* Piegas, baboso.

melro *s.m.* (lat. *merulus*). **1.** Ave passeriforme cujo macho apresenta coloração preta e bico amarelo e a fêmea, coloração parda com malhas brancas no peito. **2.** *Fig.* Homem ardiloso, espertalhão.

melúria *s.f.* (lat. *mel,* mel). **1.** *Pop.* Lamentação astuciosa e habitual. **2.** *(S)* Adulação, bajulação, lisonja. ★ *s.2g.* Pessoa sonsa, fingida.

membrana *s.f.* (lat. *membrana*). **1.** Invólucro macio, seletivamente permeável, que envolve ou forra um órgão, uma célula ou uma organela celular. **2.** Pele fina, delicada. **3.** Superfície de separação entre dois meios químicos. **4.** Material flexível que vibra com facilidade sob o efeito de uma pressão acústica ou que pode produzir, enquanto vibra, uma onda sonora.

VOCÊ SABIA...? Além da pele, as principais **membranas** animais são as mucosas das cavidades digestiva e genital, o epitélio pulmonar, a parede celular e as membranas nuclear e mitocondrial (que encobre as mitocôndrias). A membrana celular desempenha papel essencial no controle de entrada e saída de diversos tipos de moléculas.

---

membranofone *s.m.* Todo instrumento musical que comporta uma ou duas membranas estendidas sobre uma cavidade, uma moldura ou o orifício de um tubo, suscetíveis de vibrar por percussão, fricção ou insuflação de ar.

membranoso (ô) *adj.* **1.** De natureza igual à das membranas; que tem membranas. **2.** Relativo às membranas celulares ou às membranas de separação química. **3.** Diz-se das partes flexíveis e não quitinizadas do tegumento dos artrópodes. **4.** Diz-se das asas que não são quitinizadas, por oposição aos élitros, dos coleópteros.

membro *s.m.* (lat. *membrum*). **1.** Apêndice lateral do tronco do homem e dos vertebrados em geral, que serve para a locomoção e a preensão. **2.** Elemento que faz parte de um todo, de um grupo, comunidade, organização etc. **3.** *Membro genital, membro viril* ou *membro,* órgão copulador masculino; pênis. ● **Mat.** Cada uma das duas expressões situadas à direita e à esquerda de um sinal em uma equação, igualdade ou inequação.

memorando *adj.* (lat. *memorandum*). Memorável, digno de ficar na memória. ★ *s.m.* **1.** Pequeno livro de anotações. **2.** Espécie de nota diplomática que uma nação envia a outra com a exposição sumária do estado de uma questão. **3.** Ligeira nota ou comunicação por escrito que resume etapas anteriores de uma questão ou processo.

memorar *v.t.* (lat. *memorare*) [conj. 4]. **1.** Lembrar, recordar. **2.** Comemorar.

memorável *adj.2g.* (lat. *memorabilis*). Digno de memória, que deve ser lembrado; célebre, notável, memorial.

memória *s.f.* **1.** Atividade biológica e psíquica que permite reter as experiências anteriormente vividas. **2.** Lembrança, recordação. **3.** Vestígio, sinal. ● **Inform.** Dispositivo capaz de armazenar, conservar e restituir dados. ★ *s.f.pl.* **1.** Narração histórica escrita por quem presenciou os fatos; memorial. **2.** Autobiografia.

MEMÓRIA ▸ Quando se trabalha em um computador, a memória RAM (sigla de *Random Access Memory,* ou "memória de acesso aleatório") é responsável por armazenar momentaneamente os programas, instruções ou dados utilizados, assim como as modificações que serão feitas nesses dados durante o trabalho. Esses elementos podem passar da memória RAM para qualquer outro dispositivo de armazenamento (disquete, disco rígido ou CD).

---

memorial *adj.2g.* (lat. *memorialis*). **1.** Relativo à memória. **2.** Memorável. ★ *s.m.* **1.** Petição escrita. **2.** Rascunho de apontamentos. **3.** Dissertação literária ou científica. **4.** Memórias. **5.** Monumento comemorativo.

memorialista *s.2g.* Autor de memórias.

memorizar *v.t.* (conj. 4). Fixar ou reter alguma coisa na memória. ● **Inform.** Conservar uma informação na memória.

menarca *s.f.* A primeira menstruação de uma mulher, que se dá no início da adolescência.

menção *s.f.* (lat. *mentio*). **1.** Breve referência feita incidentemente a uma pessoa ou coisa; alusão. **2.** Gesto de quem se dispõe a praticar um ato; intento. **3.** Registro, comentário.

mencionar *v.t.* (conj. 4). **1.** Fazer menção a; citar, lembrar. **2.** Expor, narrar, referir.

mendaz *adj.2g.* (lat. *mendax*). **1.** Mentiroso, falso, hipócrita. **2.** Desleal, traidor.

mendelévio *s.m.* (de *Mendeleiev,* n.pr.). Elemento químico radioativo (símb. Md) de número atômico 101, obtido artificialmente através de bombardeamento do einstêinio por partículas alfa.

mendicância *s.f.* (lat. *mendicantia*). **1.** Estado ou condição de mendigo; mendicidade. **2.** Miséria, pobreza. **3.** A classe dos mendigos.

mendicante *adj.2g.* (lat. *mendicans*). **1.** Que mendiga, que vive de esmola. **2.** Diz-se das ordens religiosas cuja regra impõe a pobreza. ★ *s.2g.* **1.** Mendigo. **2.** Membro de uma ordem mendicante.

mendicidade *s.f.* Mendicância.

mendigação *s.f.* Ação de mendigar.

mendigar *v.t.* (lat. *mendicare*) [conj. 14]. **1.** Pedir a título de esmola. **2.** Pedir com humildade. **3.** Procurar minuciosamente; esquadrinhar. ★ *v.i.* Pedir ou viver de esmolas.

mendigo *s.m.* (lat. *mendicus*). Aquele que pede esmolas ou vive de esmolas; mendicante, pedinte.

menear *v.t.* (conj. 15). **1.** Mover de um lado para outro. **2.** Mover com desenvoltura (o corpo ou parte dele). **3.** Manejar. **4.** Administrar, gerir. ★ *v.pr.* Oscilar, saracotear-se, bambolear-se.

meneio *s.m.* (esp. *meneo*). **1.** Ação de menear(-se). **2.** Movimento do corpo ou de parte dele; gesto, trejeito. **3.** Controle, direção. **4.** Mão-de-obra, custo. **5.** Emprego, aplicação. **6.** *Fig.* Ardil, astúcia.

menestrel *s.m.* (fr. *ménestrel*). **1.** Na Idade Média, jogral sob a dependência de um senhor. **2.** *P. ext.* Trovador, músico, poeta, cantor. **3.** *Pop.* Cantor popular.

menina *s.f.* **1.** Criança do sexo feminino. **2.** Mulher nova; garota. **3.** Tratamento familiar e afetuoso dado a pessoas do sexo feminino.

meninge *s.f.* (gr. *menigx*, membrana). Cada uma das três membranas que envolvem o cérebro e a medula espinhal.

meningite *s.f.* Inflamação aguda ou subaguda das meninges.

MENINGITE ▸ A meningite é a inflamação das membranas (meninges) que rodeiam o cérebro devido a uma infecção causada por certas bactérias ou vírus. Os sintomas mais freqüentes são:

- febre;
- dores fortes de cabeça (cefaléia);
- intolerância à luz (fotofobia);
- vômitos;
- rigidez da nuca;
- lesões avermelhadas ou arroxeadas na pele.

---

meninice *s.f.* **1.** Fase ou época em que se é menino. **2.** Procedimento de menino; criancice, infantilidade.

menino *s.m.* **1.** Criança do sexo masculino. **2.** Tratamento familiar afetuoso dado a pessoas do sexo masculino.

meninota *s.f.* Garota, mocinha.

meninote *s.m.* Menino, garoto, rapazinho.

menir *s.m.* (fr. *menhir*). Monumento megalítico formado por uma pedra levantada verticalmente.

menisco *s.m.* (gr. *meniskos*, crescente). **1.** Lâmina fibrocartilaginosa situada entre dois ossos, particularmente a que se encontra nos joelhos. **2.** Lente convexa de um lado e côncava do outro. **3.** Superfície côncava ou convexa que se forma na extremidade superior de uma coluna de líquido contida em um tubo, conseqüência das forças capilares.

menopausa *s.f.* (gr. *men, menos*, mênstruo e *pausis*, cessação, repouso). Cessação definitiva da ovulação e da menstruação na mulher; época em que ocorre essa alteração.

menor *adj.2g.* (lat. *minor*). **1.** Diz-se de coisa ou pessoa não tão grande quanto outra; mais pequeno. **2.** Muito pequeno, ínfimo. **3.** De qualidade discutível; de segundo plano. ★ *s.2g.* **1.** Pessoa ou coisa menor. **2.** Pessoa que ainda não atingiu a maioridade.

menoridade *s.f.* **1.** Condição legal do menor, de quem não atingiu a idade legal para ser considerado juridicamente capaz. **2.** Minoria.

menorragia *s.f.* Perda menstrual anormalmente longa e abundante, freqüentemente causada por insuficiência de progesterona, associada comumente ao fibroma uterino.

menorréia *s.f.* Mênstruo, regras.

menos *adv.* (lat. *minus*). **1.** Em número, quantidade ou intensidade menor. **2.** *Ao menos, pelo menos*, no mínimo. ★ *s.m.* **1.** O de menos importância. **2.** Sinal (-) utilizado para representar uma subtração ou para escrever números negativos. ★ *prep.* Exceto, salvo. ★ *pron. indef.* Menor número, quantidade ou intensidade.

menoscabar *v.t.* (esp. *menoscabar*) [conj. 4]. **1.** Tornar imperfeito. **2.** Deixar incompleto. **3.** Fazer pouco de; desprezar. **4.** *Fig.* Desacreditar, desdourar, deslustrar.

menoscabo *s.m.* Ato ou efeito de menoscabar.

menosprezar *v.t.* (conj. 4). Fazer pouco caso de; desdenhar, menoscabar.

menosprezo (ê) *s.m.* Ato ou efeito de menosprezar; desprezo, desdém, menoscabo.

mensageiro *s.m.* **1.** Pessoa encarregada de uma mensagem. **2.** Pessoa encarregada do transporte e entrega de encomendas. ★ *adj.* **1.** Que leva ou traz uma mensagem. **2.** Diz-se do ácido ribonucléico que contém a informação genética para a síntese de proteínas no citoplasma celular.

mensagem *s.f.* (b.-lat. *missaticum*, de *missus*, enviado). **1.** Notícia, comunicação ou informação oral ou escrita. **2.** Significação profunda de uma obra literária ou artística. **3.** Documento escrito que o presidente da República envia ao Congresso Nacional. • **Ling.** Toda seqüência de discurso produzida por um locutor no quadro da comunicação lingüística.

mensal *adj.2g.* (lat. *mensualis*). **1.** Relativo a mês. **2.** Que tem a duração de um mês. **3.** Que se faz ou se repete de mês em mês.

mensalidade *s.f.* Importância paga a cada mês.

mensalista *s.2g.* Aquele que recebe pagamento por mês.

mensário *s.m.* (do lat. *mensis*, mês). Periódico publicado mensalmente.

menstruação *s.f.* **1.** Fenômeno fisiológico caracterizado por uma perda sanguínea periódica desde a puberdade até a menopausa (exceto durante a gravidez), nas mulheres sadias; fluxo menstrual, mênstruo. **2.** Tempo durante o qual se processa o fluxo menstrual.

VOCÊ SABIA...? A **menstruação** é a liberação natural de sangue e partes da mucosa do útero através da vagina. Também denominada "período" ou "regras", dura de três a sete dias, durante os quais a mulher pode perder até 50 ml de sangue.

---

menstrual *adj.2g.* (lat. *menstrualis*). **1.** Relativo à menstruação. **2.** *Ciclo menstrual,* conjunto de modificações hormonais e conseqüente ação no nível dos receptores, que ocorre com regularidade mensal na mulher. ► *Fluxo menstrual,* mênstruo.

menstruar *v.t.* (conj. 4). **1.** Ter o fluxo menstrual. **2.** Ter a primeira menstruação.

mênstruo *s.m.* (lat. *menstruus*). **1.** Fluxo menstrual; menorréia, regras. **2.** Líquido solvente usado para extrair de uma substância os princípios ativos nela contidos.

mensuração *s.f.* (lat. *mensuratio*). Ato ou efeito de medir ou mensurar; medição.

mensurar *v.t.* (lat. *mensurare*) [conj. 4]. **1.** Determinar a medida de; medir. **2.** Ter por medida.

mensurável *adj.2g.* (lat. *mensurabilis*). **1.** Que pode ser medido. **2.** Diz-se de uma grandeza física que pode ser comparada e quantificada em relação a uma unidade apropriada.

menta *s.f.* (lat. *mentha*). Designação comum a diversas plantas herbáceas, originárias da Europa, de folhas ovais e aroma característico, utilizadas em infusões ou como aromatizante.

mental *adj.2g.* **1.** Relativo à mente; que se passa na mente ou no pensamento. **2.** Relativo às funções intelectuais, ao psiquismo; psíquico. **3.** *Doença mental,* alteração acentuada das funções psíquicas. ► *Idade mental,* grau de desenvolvimento intelectual apresentado por um indivíduo.

mentalidade *s.f.* **1.** Qualidade do que é mental. **2.** Capacidade intelectual. **3.** Conjunto de costumes, crenças, hábitos intelectuais e disposições psíquicas de um indivíduo ou de um grupo.

mentalizar *v.t.* (conj. 4). Representar mentalmente; conceber, imaginar.

mente *s.f.* (lat. *mens*). **1.** Sede dos pensamentos e das idéias; intelecto. **2.** Concepção, imaginação. **3.** Intenção, desígnio, disposição.

mentecapto *adj.* e *s.m.* (lat. *mente captus,* privado de inteligência). **1.** Alienado, louco. **2.** Ignorante, néscio.

mentir *v.i.* (lat. *mentiri*) [conj. 56]. **1.** Afirmar aquilo que se sabe ser falso ou negar o que se sabe ser verdadeiro. **2.** Enganar, iludir, ludibriar. **3.** Falhar, faltar, fracassar. **4.** Deixar de ser legítimo; degenerar. ★ *v.t.* Dizer ou escrever, mentindo.

mentira *s.f.* **1.** Ato ou efeito de mentir; balela, lorota. **2.** Falsidade, impostura.

mentiroso (ô) *adj.* e *s.m.* **1.** Que ou aquele que mente; mendaz. **2.** Que ou aquele que tem o hábito de mentir.

mento *s.m.* (lat. *mentum*). **1.** Parte saliente da face, abaixo da cavidade oral; queixo. **2.** Saliência carnuda, situada por baixo do beiço inferior dos animais.

mentol *s.m.* (do lat. *mentha,* menta). Álcool cujo antípoda levogiro é o principal constituinte da essência de hortelã.

mentolado *adj.* Que contém mentol.

mentor (ô) *s.m.* (de *Mentor,* n.pr.). **1.** Guia, orientador ou conselheiro. **2.** Autor intelectual; responsável pela idealização ou pelo planejamento de alguma coisa, para cuja execução influencia o comportamento de outrem.

mentrastro *s.m.* Denominação comum a várias plantas da família das labiadas, utilizadas como condimento ou por suas propriedades medicinais.

mentruz *s.m.* Sin. de MASTRUÇO.

menu *s.m.* **1.** Sin. de CARDÁPIO. **2.** Relação, lista ou conjunto de opções. ● **Inform.** Em um programa de computador, cada um dos vários nomes que agrupam listas de comandos ou opções.

mequetrefe *s.m.* (esp. *mequetrefe*). *Pop.* **1.** Indivíduo que se mete onde não é chamado; intruso, intrometido. **2.** Biltre, finório. **3.** João-ninguém, pobre-diabo.

mercadejar *v.i.* (conj. 4). Trabalhar como mercador; comerciar, mercanciar. ★ *v.t.* **1.** Tirar proveito ou lucro ilícito de; traficar. **2.** Negociar, comerciar, mercanciar.

mercado *s.m.* (lat. *mercatus*). **1.** Lugar público, onde se vendem e se compram mercadorias. **2.** Região que se notabiliza pelo comércio de certos produtos. **3.** Designação dada à oferta e procura de mercadorias. **4.** Capacidade de compra de uma comunidade ou dos compradores de determinada mercadoria. **5.** *Economia de mercado,* sistema de organização econômica no qual o equilíbrio da oferta e da procura é mantido independentemente de qualquer intervenção do Estado ou dos monopólios.

mercadologia *s.f.* Conjunto das técnicas que asseguram uma melhor difusão comercial dos produtos, e se utilizam da estratégia comercial; *marketing.*

mercador (ô) *s.m.* (lat. *mercator*). Indivíduo que compra por atacado para vender a varejo.

mercadoria *s.f.* Tudo o que é suscetível de compra e venda.

mercancia *s.f.* (lat. *mercantia*). **1.** Ação de mercanciar. **2.** Mercadoria.

mercanciar *v.t.* e *v.i.* (conj. 16). Mercadejar.

mercante *adj.2g.* (lat. *mercans*). Relativo ao comércio.

mercantil *adj.2g.* **1.** Relativo aos mercadores ou às mercadorias. **2.** Relativo ao comércio; comercial. **3.** *Fig.* Interesseiro, ambicioso.

mercantilismo *s.m.* **1.** Predomínio do capital comercial que caracteriza o período da história econômica mundial, particularmente européia, do séc. XV ao XVIII. **2.** Propensão a subordinar tudo ao interesse mercantil. **3.** Atitude que leva à prática do comércio com a preocupação dos lucros excessivos.

mercantilista *adj.2g.* Relativo ao mercantilismo. ★ *s.2g.* Aquele que participa do mercantilismo.

mercar *v.t.* (lat. *mercari,* comerciar) [conj. 12]. **1.** Comprar para revender. **2.** Adquirir pela compra. **3.** Obter com esforço; conquistar.

mercê *s.f.* (lat. *merces,* prêmio; salário). **1.** Graça, favor, benefício. **2.** Benignidade, indulgência. **3.** Remissão de culpa; perdão, indulto. **4.** Arbítrio. **5.** *Vossa Mercê,* antigo tratamento de cerimônia (mais ou menos equivalente de Vossa Senhoria). ► *À mercê de,* sujeito a. ► *Mercê de,* graças a.

mercearia *s.f.* Estabelecimento comercial onde se vendem gêneros alimentícios; armazém. ★ *s.f.pl.* Os artigos que se vendem nesses estabelecimentos.

merceeiro *s.m.* Comerciante que vende gêneros de primeira necessidade.

mercenário *adj.* (lat. *mercenarius*). **1.** Que trabalha apenas por estipêndio ou remuneração. **2.** Ávido de ganho, desejoso de lucro; interesseiro. ★ *s.m.* **1.** Indivíduo mercenário. **2.** Soldado que serve, mediante remuneração, a um governo estrangeiro.

merceologia *s.f.* (do lat. *merx,* mercadoria). Parte da ciência comercial que trata principalmente das leis de compra e venda.

mercerização *s.f.* (de *J. Mercer,* n.pr.). **Têxt.** Tratamento em soda cáustica de fios de tecido de algodão, mantidos sob tensão, a fim de obter um aspecto mais brilhante e sedoso do artigo e melhorar sua afinidade tintorial.

mercerizar *v.t.* (conj. 4). Proceder à mercerização de (um fio ou tecido).

merchandising *s.f.* (ingl.). Estratégia de propaganda não declarada feita através da menção ou aparição de um produto, serviço ou marca durante um programa de televisão ou de rádio, filme etc.

mercúrio *s.m.* (lat. *Mercurius,* n.pr.). Elemento químico (símb. Hg) de número atômico 80, que constitui um metal líquido, bastante volátil e tóxico, com grande aplicação industrial.

merda *s.f.* (lat. *merda*). **1.** Excremento, materiais fecais, dejeto. **2.** Imundície. ★ *s.2g. Chul.* Coisa ou pessoa desprezível.

merecer *v.t.* (conj. 25). **1.** Ser digno de, por esforço próprio. **2.** Apresentar as condições requeridas para alcançar determinada coisa. **3.** Ter direito a.

merecido *adj.* Devido, justo, legítimo.

merecimento *s.m.* **1.** Qualidade em função da qual se merece prêmio, apreço, estima, castigo, desprezo etc. **2.** Valor, mérito, importância. **3.** Capacidade, talento, aptidão, competência.

merencório *adj.* Melancólico.

merenda *s.f.* (lat. *merenda*). **1.** Leve refeição entre o almoço e o jantar; lanche. **2.** O que se leva em farnel para comer em viagem ou em passeio. **3.** Aquilo que as crianças levam para comer na escola.

merengue *s.m.* (fr. *meringue*). **1.** Doce composto de dois grandes suspiros unidos entre si por uma camada de creme chantili. **2.** Clara de ovo batida com açúcar, usada em geral para recobrir bolos.

meretrício *adj.* Relativo a ou próprio de meretriz. ★ *s.m.* Profissão de meretriz; prostituição.

meretriz *s.f.* (lat. *meretrix,* de *merere,* ganhar dinheiro). Mulher que pratica o ato sexual por dinheiro; prostituta.

mergulhador (ô) *adj.* e *s.m.* Que ou aquele que mergulha profissionalmente ou por esporte.

mergulhão[1] *s.m.* **1.** Grande mergulho. **2.** Ramo ou caule de uma planta que se enterra para que brote uma nova muda. (Sin. ALPORQUE.)

mergulhão[2] *s.m.* **1.** Denominação comum a aves podicipediformes, que apresentam ampla distribuição geográfica e freqüentam rios e lagos. **2.** Sin. de ATOBÁ.

mergulhar *v.t.* (conj. 4). **1.** Introduzir na água; imergir, submergir. **2.** Cravar profundamente; entranhar. ★ *v.i.* e *v.pr.* **1.** Entrar na água a ponto de ficar coberto por ela; afundar. **2.** Entranhar-se, embrenhar-se. **3.** Esconder-se, encobrir-se.

mergulhia *s.f.* Prática que consiste em deitar os ramos de uma planta em uma fossa pouco profunda a fim de se obter novas mudas enraizadas.

mergulho *s.m.* **1.** Ação de mergulhar. **2.** Descida súbita de um avião, em ângulo acentuado; picada. ● **Geol.** Ângulo que a reta de maior inclinação do plano de uma estrutura geológica (camada, filão, falha etc.) forma com o plano horizontal.

meridiana *s.f.* **1.** Em um relógio solar, linha que indica a hora do meio-dia. **2.** Interseção de uma superfície de revolução e de um semiplano cuja fronteira é o eixo dessa superfície. **3.** *Pop.* Sesta.

meridiano *s.m.* (lat. *meridianus*). Linha imaginária que une pontos de mesma longitude. ★ *adj.* **1.** Diz-se de uma direção, de um eixo norte-sul. **2.** Relativo ao meio-dia.

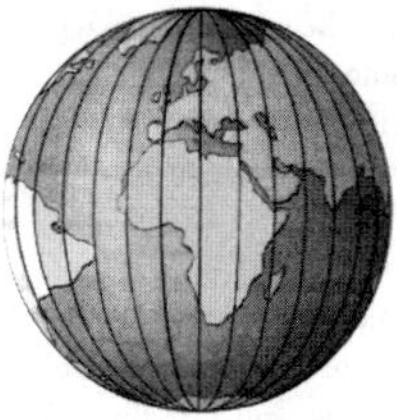

MERIDIANO ▸ Os meridianos percorrem a superfície do globo do pólo Norte ao pólo Sul, e são extremamente úteis para a localização geográfica.

meridional *adj.2g.* (lat. *meridionalis*). **1.** Que se encontra no sul; austral. **2.** Relativo a ou próprio dos habitantes do sul. ★ *s.2g.* Habitantes das regiões do sul.

merino *s.m.* (esp. *merino*). **1.** Raça espanhola de carneiros cuja lã, muito fina, é bastante apreciada. **2.** Lã, normalmente fina, desses carneiros. **3.** Tecido fabricado com essa lã.

meristema *s.m.* Tecido responsável pelo crescimento da planta, que possui capacidade de multiplicar-se por divisão mitótica e originar novos tecidos.

meritíssimo *adj.* (lat. *meritissimus*). De grande mérito, muito digno; digníssimo. ★ *s.m.* Juiz de direito.

mérito *s.m.* (lat. *meritum*). **1.** Aquilo que faz uma pessoa digna de elogio, de recompensa; merecimento. **2.** Valor moral ou intelectual. **3.** Questão de fato ou de direito, que constitui o objeto principal de uma demanda.

meritório *adj.* (lat. *meritorius*). Que tem ou merece mérito; louvável.

merluza *s.f.* Peixe marinho, semelhante ao bacalhau, que atinge 60 cm de comprimento e ocorre no Atlântico.

mero *adj.* (lat. *merus*). **1.** Simples, puro, sem mistura. **2.** Comum, vulgar.

mês *s.m.* (lat. *mensis*). **1.** Cada uma das 12 divisões do ano solar. **2.** Período de 30 dias. ● **Astron.** *Mês lunar* ou *sinódico,* duração da lunação. ▸ *Mês solar,* tempo que o sol gasta, no seu movimento aparente anual, para descrever 30º de longitude.

mesa *s.f.* (lat. *mensa*). **1.** Móvel, em geral de madeira, formado por uma tábua horizontalmente assentada em um ou mais pés, sobre o qual se escreve, come, trabalha etc. **2.** Conjunto de presidentes e secretários de uma assembléia. **3.** *Fig.* Alimentação habitual, diária; passadio. ● **Geol.** Elevação isolada cujo topo forma uma superfície plana, limitada por escarpas acentuadas.

mesada *s.f.* **1.** Quantia fixa que se dá ou se paga mensalmente; mensalidade. **2.** *Fam.* Importância que os filhos recebem mensal ou semanalmente dos pais.

mesa-de-cabeceira *s.f.* Pequena mesa que se coloca ao lado do leito.

mesa-redonda *s.f.* Reunião de pessoas para discussão de determinado assunto.

mesário *s.m.* **1.** Indivíduo que toma parte da mesa de uma associação, irmandade ou confraria. **2.** Membro de mesa eleitoral.

mescal *s.m.* Sin. de PEIOTE.

mescalina *s.f.* Alcalóide alucinógeno extraído do mescal.

mescla *s.f.* **1.** Reunião ou mistura de pessoas ou coisas diferentes. **2.** Mistura de elementos diversos; amálgama. **3.** Tecido feito com fios de vários tons. **4.** Impureza; mistura.

mesclar *v.t.* (lat. tard. *misculare*) [conj. 4]. **1.** Misturar (coisas distintas); amalgamar, unir. **2.** Incorporar, adicionar, acrescentar. ★ *v.pr.* Tomar parte de um grupo; misturar-se.

mesencéfalo *s.m.* Protuberância que constitui o ponto de junção do cérebro, do cerebelo e da medula espinhal.

mesênquima *s.m.* Tecido embrionário, de origem mesodérmica, que se diferencia no adulto em tecido cartilaginoso, conjuntivo, linfático, sangue etc.

mesentério *s.m.* (gr. *mesenterion*). Prega do peritônio que une o segmento jejunoileal à parede posterior do abdome e que contém vasos sanguíneos, linfáticos e nervos que se dirigem para o intestino delgado.

meseta (ê) *s.f.* (esp.). Forma de relevo caracterizada por grandes superfícies de erosão, pouco onduladas ou mesmo planas, delimitadas por escarpas; planalto.

mesmice *s.f.* Ausência de acontecimentos novos e variados; marasmo.

mesmo (ê) *adj.* (lat. vulg. hipot. *metipsimus*). **1.** Igual, idêntico. **2.** Semelhante, parecido. **3.** O próprio, não outro (colocado imediatamente depois de substantivo ou pronome pessoal). **4.** Não diverso, não outro. **5.** Que não manifesta alteração no caráter ou na aparência. **6.** Este, esse, aquele; citado. ★ *s.m.* **1.** A mesma coisa. **2.** Indivíduo cujo caráter ou aparência não sofreram alteração. ★ *adv.* Seguramente, de fato. ★ *pron. dem.* **1.** Tal, próprio. **2.** Semelhante, igual. **3.** Tal coisa. **4.** Coisa semelhante.

mesocarpo *s.m.* **1.** Parte do pericarpo dos frutos, situada entre o epicarpo e o endocarpo, que constitui a parte comestível dos frutos com caroço. **2.** Série inferior dos ossos do carpo.

mesóclise *s.f.* (gr. *mesos,* meio e *klisis,* inclinação). Colocação de pronomes pessoais átonos, ligados por hifens, entre o infinitivo e as desinências de um verbo.

mesoderma *s.m.* Camada média germinativa dos embriões triploblásticos, que se desenvolve em osso, cartilagem, sangue, músculo etc.

mesolítico *adj.* e *s.m.* Diz-se de ou período da pré-história caracterizado pelo começo da economia produtiva.

mesologia *s.f.* Estudo das relações entre os seres vivos e o meio. (A mesologia relaciona-se com a ecologia e a fisiologia.)

mesomeria *s.f.* Caráter dos compostos químicos mesômeros.

mesômero *adj.* e *s.m.* Diz-se de ou composto para o qual pode-se escrever diversas fórmulas, sem que nenhuma delas dê conta das propriedades do composto.

mesomorfo *adj.* Diz-se dos estados da matéria intermediários entre o estado amorfo e o estado cristalino.

méson *s.m.* (do gr. *méson,* intermediário). Classe de partículas atômicas com massa intermediária entre a do elétron e a do próton.

mesopotâmico *adj.* Relativo ou pertencente à Mesopotâmia, região da Ásia antiga, entre os rios Eufrates e Tigre. ★ *s.m.* O natural ou habitante dessa região.

mesosfera *s.f.* **1.** Zona da atmosfera de um planeta situada entre a estratosfera e a termosfera e caracterizada pelo decréscimo da temperatura em função da altitude. **2.** No globo terrestre, zona que se estende de aproximadamente 600-700 km de profundidade (correspondendo ao limite da presença dos sismos mais profundos) até o centro do planeta.

mesozóico *s.m.* Era geológica situada entre o paleozóico e o cenozóico, com duração aproximada de 165 milhões de anos. ★ *adj.* Relativo ou pertencente a essa era.

? VOCÊ SABIA...? Durante o **mesozóico**, o continente primitivo se fragmentou e deu origem aos oceanos Atlântico e Índico. Foi o início da expansão oceânica que ainda continua. O mesozóico foi a era das gimnospermas e dos répteis; as angiospermas, as aves e os mamíferos também surgiram nesse período.

mesquinharia *s.f.* **1.** Caráter de mesquinho[1]; mesquinhez. **2.** Falta de grandeza, de generosidade. **3.** Avareza, sovinice. **4.** Estreiteza, acanhamento. **5.** Infortúnio, infelicidade.

mesquinhez (ê) *s.f.* Mesquinharia.

mesquinho[1] *adj.* (ár. *miskin,* pobre). **1.** Escasso de recursos; pobre, miserável. **2.** Pequeno, insignificante. **3.** Destituído de grandeza, de nobreza. **4.** Avaro, sovina. **5.** Pouco desenvolvido; acanhado. **6.** Desditoso, infeliz. **7.** Ordinário, vulgar. ★ *s.m.* Indivíduo mesquinho.

mesquinho[2] *adj.* **1.** Diz-se do cavalo que não aceita freio. **2.** *Fig.* Diz-se de pessoa arisca, desconfiada.

mesquita *s.f.* (ár. *masjid,* casa de oração). Templo de culto muçulmano.

messe *s.f.* (lat. *messis*). **1.** Campo (na época da ceifa), seara. **2.** Ceifa, colheita. **3.** *Fig.* Aquisição, conquista. **4.** *Fig.* Conversão de almas.

messiânico *adj.* **1.** Relativo a ou próprio de messias. **2.** Relativo ao Messias ou ao messianismo. ★ *s.m.* Membro ou adepto da Igreja Messiânica Mundial do Brasil.

messianismo *s.m.* **1.** Crença na vinda do Messias. **2.** Movimento social apoiado num líder carismático tido como messias.

messias *s.m.2n.* (hebr. *mashiah,* ungido). **1.** No Antigo Testamento, libertador de Israel e instaurador do Reino do Eterno. **2.** No Novo Testamento e na tradição cristã, Jesus

Cristo, filho de Deus, redentor da humanidade decaída. (Nestes últimos dois sentidos, com maiúscula.) **3.** Redentor, libertador. **4.** Líder carismático.

mestiçagem *s.f.* **1.** Ato ou efeito de mestiçar(-se); miscigenação. **2.** Cruzamento entre animais da mesma espécie, mas de raças diferentes, destinado a criar, após algumas gerações, uma raça com características intermediárias.

mestiçar *v.t.* e *v.pr.* (conj. 3). Cruzar(-se) raças diferentes dando origem a mestiços.

mestiço *adj.* e *s.m.* Que, o que ou aquele que provém do cruzamento de raças diferentes.

mesto *adj.* (lat. *moestus*). *Poét.* Que causa tristeza; triste, melancólico.

mestrado *s.m.* **1.** Dignidade, grau ou função de mestre. **2.** O exercício dessa dignidade. **3.** Reunião ou conjunto de mestres. **4.** Curso de pós-graduação para especialização em uma área determinada do ensino superior.

mestre *s.m.* (lat. *magister*). **1.** Aquele que ensina; professor. **2.** Aquele que é perito ou versado numa arte ou ciência. **3.** Homem dotado de grande saber; sábio. **4.** Comandante de pequena embarcação. **5.** Líder ou iniciador de um movimento cultural. **6.** Artífice, em relação aos seus oficiais. **7.** Aquele que concluiu o mestrado. **8.** Professor universitário que possui esse título. ★ *adj.* **1.** Que é superior a. **2.** Principal, fundamental, básico. **3.** Que serve de guia.

mestre-cuca *s.m. Pop.* Cozinheiro experimentado e destro; chefe dos cozinheiros.

mestre-de-armas *s.m.* Aquele que ensina esgrima.

mestre-de-cerimônias *s.m.* **1.** Sacerdote que dirige o cerimonial litúrgico. **2.** Pessoa incumbida, nas recepções oficiais e em outros atos solenes, de introduzir os convidados e anunciar-lhes a presença.

mestre-sala *s.m.* **1.** Funcionário da casa real que dirigia o cerimonial nos atos solenes. **2.** Figurante de destaque nos desfiles carnavalescos, especialmente escolas de samba.

mestria *s.f.* **1.** Qualidade de mestre, grande saber; maestria. **2.** Perícia, habilidade, destreza.

mesura *s.f.* (lat. *mensura*). Cortesia, reverência, cumprimento. ★ *s.f.pl.* Salamaleques.

mesurado *adj.* **1.** Comedido, discreto. **2.** Cumprimentado, reverenciado.

mesurar *v.t.* (conj. 4). Fazer mesuras a; cumprimentar, cortejar. ★ *v.pr.* Portar-se moderadamente; comedir-se; moderar-se.

mesureiro *adj.* **1.** Que vive fazendo mesuras; cumprimentador, cerimonioso. **2.** Cortês, polido. **3.** Adulador, servil.

meta *s.f.* (lat. *meta*). **1.** Alvo, mira. **2.** Objetivo, finalidade. **3.** Limite, fim. **4.** Marco que, numa competição esportiva, assinala o ponto de chegada. **5.** Em futebol, gol.

metábole *s.f.* (gr. *metabole,* mudança). Figura de linguagem que se baseia na repetição da mesma idéia com palavras diferentes.

metabólico *adj.* **1.** Relativo a metábole. **2.** Relativo ao metabolismo. ● **Zool.** Diz-se dos insetos que passam por metamorfose durante seu desenvolvimento.

metabólito *s.m.* **1.** Substância que participa no processo metabólico. **2.** Produto do metabolismo que pode ser uma substância tóxica para o organismo ou uma substância essencial para outras etapas do processo metabólico.

metabolismo *s.m.* Conjunto de fenômenos complexos e incessantes de transformação da matéria em energia por uma célula ou um organismo durante os processos de formação ou degradação orgânica.

METABOLISMO ► É o conjunto de reações químicas que ocorrem dentro de um organismo vivo. A decomposição de moléculas complexas em moléculas mais simples chama-se *catabolismo*; a formação de moléculas complexas a partir de componentes mais simples denomina-se *anabolismo*. Ambos os processos supõem seqüências de reações catalisadas por enzimas, chamadas *vias metabólicas,* nas quais as moléculas iniciais sofrem modificações sucessivas.

---

metacarpo *s.m.* Conjunto dos ossos que formam a palma da mão ou seu homólogo nos vertebrados tetrápodes.

metade *s.f.* (lat. *medietas, medietatis*). **1.** Uma das duas partes iguais de um todo; a meia parte. **2.** *Fig.* Boa parte de.

metáfase *s.f.* **Genét.** Segunda fase da meiose e mitose, na qual ocorre formação completa do fuso e os cromossomos permanecem unidos.

metafísica *s.f.* (lat. tard. *metaphysica*). **1.** Investigação intelectual das causas primeiras e os primeiros princípios do ser. **2.** Reflexão globalizante ou teoria filosófica que tem por objeto o conhecimento do absoluto.

metafísico *adj.* **1.** Que pertence ou diz respeito à metafísica. **2.** Transcendente. **3.** *Fig.* Sutil, nebuloso. ★ *s.m.* O indivíduo entendido ou versado em metafísica.

metáfora *s.f.* (gr. *metaphora,* de *metaphero,* eu transporto). Figura de linguagem que consiste em transpor o significado de um termo para outro em virtude de uma analogia ou de uma comparação subentendida.

metafórico *adj.* **1.** Relativo à metáfora. **2.** Que abunda em metáforas. **3.** Figurado, alegórico.

metagênese *s.f.* Alternância entre uma geração sexuada e outra assexuada, no ciclo de vida de uma planta.

metal *s.m.* (lat. *metallum*). **1.** Elemento químico caracterizado por uma forte condutividade térmica e elétrica, um brilho particular, uma facilidade para a deformação e uma tendência marcada para formar cátions. **2.** Matéria constituída de um desses elementos químicos ou de suas misturas (ligas). **3.** *Metais pesados,* metais de massa atômica elevada. ★ *s.m.pl.* Designação dos instrumentos de sopro feitos de metal (trompa, trompete, trombone, trombeta, tuba).

metálico *adj.* (lat. *metallicus*). **1.** Relativo a ou próprio de metal. **2.** Feito de metal. **3.** *Fig.* Duro e seco como os metais; metalino. **4.** *Ligação metálica,* ligação entre os átomos de um metal. ► *Minério metálico,* minério em que a substância de interesse é um metal ou um composto à base de metal.

metalinguagem *s.f.* **1.** Tipo de linguagem com que se procura interpretar e explicar outra linguagem. **2.** Todo discurso acerca de uma língua. **3.** *P. ext.* Linguagem que um crítico emprega para comentar a estrutura de um trabalho literário.

metalização *s.f.* **1.** Ato ou efeito de metalizar. **2.** Processo de revestimento ou de tratamento superficial que tem por objetivo o depósito de uma camada metálica (metal ou liga).

metalizar *v.t.* (conj. 4). **1.** Tornar um metal puro. **2.** Dar brilho metálico. **3.** Transformar em metal. **4.** Recobrir com uma leve camada de metal. **5.** Dar a aparência de metal.

metalografia *s.f.* (do gr. *métallon*, metal). **1.** Parte da mineralogia que trata especialmente dos metais. **2.** Estudo da estrutura e das propriedades dos metais e de suas ligas.

metalóide *s.m.* Sin. ant. de NÃO-METAL.

metalurgia *s.f.* (gr. *metallourgía*). **1.** Conjunto dos procedimentos e das técnicas de extração, elaboração, formação e tratamento dos metais e de suas ligas. **2.** O estudo dessas técnicas.

metalúrgico *adj.* Relativo a metalurgia. ★ *s.m.* **1.** Aquele que se ocupa com metalurgia. **2.** Operário em metalurgia.

metamorfismo *s.m.* **1.** Faculdade de transformar-se. **2.** Transformação, mudança, metamorfose. **3.** Profunda modificação física e química produzida em uma rocha principalmente por influência de pressão e/ou temperatura.

metamorfose *s.f.* (gr. *metamórphosis*). **1.** Mudança de forma. **2.** Profunda mudança de forma e aparência que ocorre em um animal de um estágio de desenvolvimento para outro, como o de larva para adulto. **3.** *P. ext.* Transformação, mudança profunda.

METAMORFOSE DA BORBOLETA

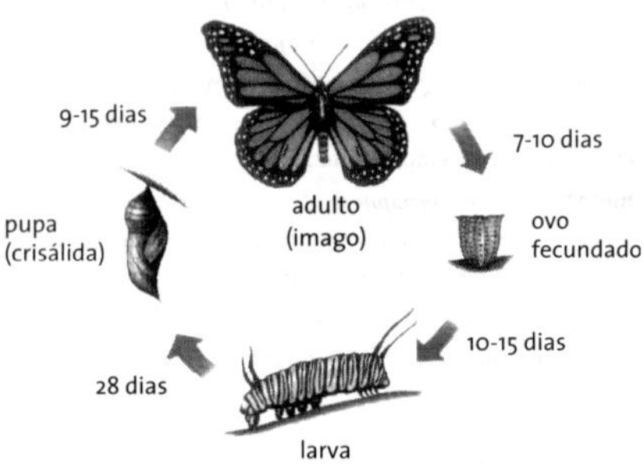

metamorfosear *v.t.* (conj. 15). **1.** Mudar ou trocar a forma de; transformar, alterar. **2.** *Fig.* Mudar o exterior, o gênio, o comportamento ou o caráter. ★ *v.pr.* **1.** Sofrer metamorfose. **2.** Transformar-se, disfarçar-se.

metano *s.m.* Hidrocarboneto saturado, protótipo dos alcanos, que constitui um gás de odor fraco, resultante da decomposição das matérias orgânicas, de grande importância industrial.

metanóico *adj.* Sin. de FÓRMICO.

metanol *s.m.* Álcool protótipo dos álcoois, encontrado nos produtos da destilação da madeira, de vasta aplicação industrial; álcool metílico.

metaplasmo *s.m.* (gr. *metaplasmós*, transformação). Supressão, adição ou permutação de fonemas em uma palavra.

metástase *s.f.* Surgimento, em determinado ponto do organismo, de um fenômeno patológico idêntico a outro já existente em outra localização.

metatarsiano *adj.* Relativo ao metatarso. ★ *s.m.* Cada um dos ossos que compõem o metatarso.

metatarso *s.m.* Conjunto dos ossos que formam a planta do pé ou do seu homólogo, nos vertebrados tetrápodes.

metazoários *s.m.pl.* Sub-reino de animais pluricelulares, com células especializadas organizadas em tecidos, que inclui todos os animais, com exceção dos protozoários e poríferos.

metediço *adj.* Intrometido, enxerido, metido.

metempsicose *s.f.* (gr. *metempsychosis*). Doutrina segundo a qual uma mesma alma pode reencarnar-se em corpos de homens, animais ou vegetais; transmigração da alma.

meteórico *adj.* **1.** Relativo a ou produzido por um ou vários meteoros. **2.** Diz-se de todos os fenômenos que têm origem dentro da atmosfera. **3.** Dependente do estado atmosférico. **4.** *Fig.* Brilhante mas efêmero. **5.** *Cratera meteórica*, depressão circular formada pela queda de um grande meteoro.

meteorismo *s.m.* (gr. *meteorismos*). Presença excessiva de gás no estômago ou nos intestinos.

meteorítica *s.f.* Ciência que estuda os meteoros.

meteorítico *adj.* Relativo a meteorito ou à meteorítica.

meteorito *s.m.* **1.** Fragmento de meteoróide que atinge a superfície de um planeta, em particular a da Terra. **2.** Sin. de METEORÓIDE.

VOCÊ SABIA...? Os **meteoritos** podem ser fragmentos desprendidos de asteróides em conseqüência de colisões, assim como restos de cometas. Enquanto os meteoritos pequeninos se desintegram por completo na atmosfera, os meteoritos de mais de 1 kg caem no solo depois de perder cerca de 4/5 de sua massa ao atravessar a atmosfera. Podem abrir grandes crateras no solo, que vão sendo pouco a pouco preenchidas pela erosão e pela segmentação. Calcula-se que a Terra receba a cada ano cerca de 10.000 toneladas de fragmentos de meteoritos.

meteoro *s.m.* (gr. *meteoros*, elevado na atmosfera). **1.** Qualquer fenômeno óptico ou acústico atmosférico. **2.** Fenômeno luminoso provocado pelo atrito de um meteoróide na atmosfera terrestre. **3.** *Fig.* Pessoa ou coisa que goza de esplendor passageiro.

meteoróide *s.m.* Partícula cósmica com dimensão intermediária entre um asteróide e a poeira cósmica. (Sin. METEORITO.)

meteorologia *s.f.* Estudo dos fenômenos atmosféricos e das suas leis.

meteorológico *adj.* Relativo à meteorologia.

meteorologista *s.2g.* Especialista em meteorologia.

meter *v.t.* (lat. *mittere*) [conj. 5]. **1.** Pôr dentro de, fazer entrar; introduzir. **2.** Pôr, colocar. **3.** Infundir, inspirar, causar. **4.** Fazer admitir. **5.** Incluir, compreender. **6.** Guardar, depositar. **7.** Empregar, aplicar. ★ *v.pr.* **1.** Pôr-se dentro de; introduzir-se. **2.** Intrometer-se. **3.** Aventurar-se, arriscar-se.

meticuloso (ô) *adj.* (lat. *meticulosus*). **1.** Que é muito cuidadoso com as menores particularidades. **2.** Que se preocupa com detalhes e pormenores; minucioso, escrupuloso. **3.** Cauteloso demais. **4.** Medroso, tímido, receoso.

metido *adj.* **1.** Intrometido, abelhudo, metediço. **2.** Que vive em intimidade; familiarizado. **3.** Presumido, petulante.

metila *s.f.* Radical monovalente, derivado do metano, protótipo dos radicais alquilas.

metilamina *s.f.* Composto básico, protótipo das aminas primárias, que constitui um gás obtido por ação do metanol ou do formaldeído sobre a amônia, empregado em síntese orgânica.

metilênico *adj.* Que se relaciona com o metileno.

metileno *s.m.* **1.** Radical bivalente, combinação de um átomo de carbono com dois de hidrogênio. **2.** *Azul de metileno,* corante e desinfetante extraído da hulha.

metílico *adj.* **1.** Diz-se dos derivados do radical metila. **2.** *Álcool metílico,* metanol.

metódico *adj.* (lat. *methodicus*). **1.** Que tem ordem, que tem método. **2.** *Fig.* Comedido, circunspecto.

metodismo *s.m.* **1.** Movimento religioso da Igreja anglicana. **2.** Modo de procedimento metódico.

metodista *adj.2g.* **1.** Relativo a ou adepto do metodismo. **2.** Que é metódico. ★ *s.2g.* **1.** Adepto do metodismo. **2.** Pessoa metódica.

metodizar *v.t.* (conj. 4). Tornar metódico; regularizar, ordenar.

método *s.m.* (gr. *methodos*). **1.** Ordenação de tarefas, procedimentos ou etapas para atingir uma meta, um fim. **2.** Maneira de ensinar, processo de ensino. **3.** Maneira de agir. **4.** Ordem, coordenação, organização. **5.** Programa, processo, técnica. **6.** Obra que reúne de maneira lógica os elementos de uma ciência, de uma arte etc.

metodologia *s.f.* **1.** Estudo científico dos métodos. **2.** A arte de conduzir o espírito na investigação da verdade. **3.** Estudo dos métodos e, em especial, dos métodos das ciências.

metodológico *adj.* Relativo à metodologia.

metonímia *s.f.* (gr. *metonymia,* mudança de nome). Figura de linguagem pela qual um conceito é expresso por um termo a ele ligado por uma relação de causa e efeito, lugar e produto, continente e conteúdo ou parte pelo todo.

metonímico *adj.* Relativo à metonímia.

metragem *s.f.* **1.** Medida em metro. **2.** Comprimento em metros.

metralha *s.f.* (fr. *mitraille*). **1.** Balas miúdas, pedaços de ferro, cacos etc., com que se carregavam, antigamente, os canhões. **2.** Descarga de obus. **3.** Grande porção. **4.** *Fig.* Todos os recursos possíveis para se chegar a um fim.

metralhadora (ô) *s.f.* Arma de fogo capaz de disparar grande número de projéteis em sucessão, com extrema rapidez.

metralhar *v.t.* (conj. 4). **1.** Atirar com metralhadora. **2.** *Fig.* Lançar ou emitir rajadas de projéteis, como uma metralhadora.

métrica *s.f.* **1.** Conjunto de regras relativas à composição de versos, da estrofe e do poema como um todo. **2.** Metrificação. ● **Mat.** Sin. de DISTÂNCIA.

métrico *adj.* **1.** Relativo ao metro ou às medidas a que ele serve de base. **2.** Que pertence ao sistema decimal de pesos e medidas. **3.** Relativo à metrificação ou à métrica.

metrificar *v.t.* (conj. 12). **1.** Compor versos segundo normas preestabelecidas para cada espécie, quanto ao número de sílabas (ou de pés) e quanto à distribuição dos acentos tônicos. **2.** *P. ext.* Compor versos medidos; versejar. **3.** Poetar, rimar, versejar.

metrite *s.f.* (gr. *metra,* útero). Estado infeccioso do útero.

metro *s.m.* (gr. *metron,* medida). **1.** Unidade de comprimento no SI (símb. *m*) igual ao comprimento do trajeto percorrido pela luz no vácuo durante 1/299.792.458 de segundo. **2.** Fita ou ripa graduada, com comprimento de 1 metro ou múltiplo de 1 metro. **3.** Medida, padrão. ● **Liter.** Verso composto de pés ou de sílabas.

metrô *s.m.* (fr. *métro*). Sistema de transporte coletivo urbano, sobre trilhos, de tração elétrica, total ou parcialmente subterrâneo; metropolitano.

metrologia *s.f.* **1.** Ciência das medidas. **2.** Tratado sobre pesos e medida.

metrônomo *s.m.* Aparelho para indicar e regular o andamento em que deve ser executada uma peça musical.

metrópole *s.f.* (gr. *metropolis,* cidade-mãe). **1.** País, considerado em relação às suas colônias ou possessões exteriores. **2.** Cidade principal de um país, de um Estado ou de uma região. **3.** *P. ext.* Cidade grande, importante. **4.** Centro de uma província eclesiástica e sede do arcebispado metropolitano.

metropolitano¹ *adj.* (lat. *metropolitanus*). Relativo ou pertencente a uma metrópole. ★ *s.m.* Prelado de metrópole.

metropolitano² *s.m.* Metrô.

metroviário *adj.* **1.** Relativo ao metrô. **2.** Que se faz pelo metrô. ★ *s.m.* Funcionário do metrô.

meu *pron. poss.* (lat. *meus*). Que me pertence ou diz respeito. ★ *s.m.* O que me pertence. ★ *s.m.pl.* Minha família, meus parentes, meus pares.

mexer *v.t.* (lat. *miscere*) [conj. 5]. **1.** Imprimir movimento a; agitar, revolver. **2.** Pôr a mão em; tocar, bulir. **3.** Implicar, provocar, caçoar de. **4.** Mudar, desviar de posição, alterar. **5.** Negociar, comerciar, trabalhar. ★ *v.pr.* **1.** Agitar-se, mover-se. **2.** Apressar-se.

mexerica *s.f.* (*MG, RJ* e *SP*) Sin. de TANGERINA.

mexericar *v.t.* e *v.i.* (conj. 12). **1.** Fazer intrigas; bisbilhotar. **2.** Contar um segredo com o fim de malquistar alguém ou promover inimizades.

mexerico *s.m.* Ato ou efeito de mexericar; intriga, bisbilhotice.

mexeriqueira *s.f.* (*MG, RJ* e *SP*) Sin. de TANGERINEIRA.

mexeriqueiro *adj.* e *s.m.* Que ou aquele que faz mexericos.

mexicano¹ *adj.* Relativo ou pertencente ao México, país da América do Norte. ★ *s.m.* O natural ou habitante do México.

mexicano² *s.m.* Sin. de LEBISTE.

mexilhão *s.m.* **1.** Denominação comum a moluscos bivalves, comestíveis, que se fixam nas rochas marinhas através do bisso. (Sin. SURURU.). **2.** *Fam.* Pessoa irrequieta ou que tem o hábito de mexer em tudo.

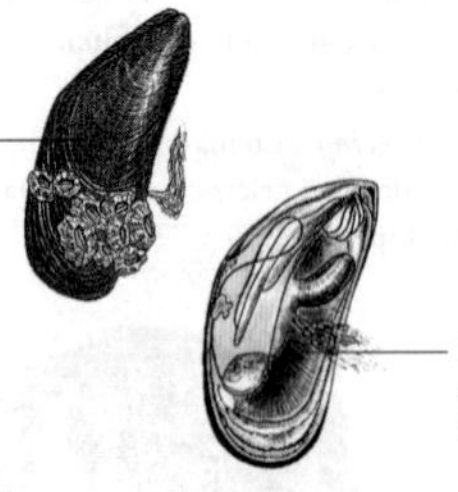

mezanino *s.m.* (it. *mezzanino*). Pavimento intermediário, entre dois pavimentos.

mezinha *s.f.* **1.** Qualquer remédio caseiro. **2.** Líquido para clister.

mezinheiro *s.m.* **1.** Indivíduo que faz ou aplica mezinhas; curandeiro. **2.** Indivíduo que vive tomando remédios. **3.** *Pop.* Médico.

mi *s.m.* **1.** Nota musical. **2.** Terceiro grau da escala de dó. **3.** Sinal que o representa.

miado *s.m.* Voz do gato; mio.

mialgia *s.f.* Dor muscular.

miar *v.t.* (conj. 16). Dar ou emitir miados.

miasma *s.m.* (gr. *miasma*). **1.** Emanação proveniente de substâncias animais ou vegetais em decomposição. **2.** *Fig.* Sufocação, opressão, podridão social.

miastenia *s.f.* Fadiga muscular de desenvolvimento rápido e progressivo, que aparece durante esforços repetidos ou sustentados.

miau *s.m.* Onomatopéia da voz do gato.

mica *s.f.* (lat. *mica*). **1.** Família de minerais monoclínicos, constituídos por potássio, sódio, ferro etc., de condutibilidade térmica e elétrica nula. (Sin. MALACACHETA.) **2.** Poção pequena; bocado.

micado *s.m.* (jap. *mikado*, de *mi*, sublime, e *kado*, porta). Título do imperador do Japão.

miçanga *s.f.* **1.** Conta de vidro ou plástico, miúda e colorida. **2.** Ornato feito com essas contas.

micção *s.f.* (lat. *mictio*). Ação de urinar.

micélio *s.m.* Conjunto de hifas de um fungo.

mico *s.m.* **1.** Primata de pequeno porte, que se caracteriza pela presença de um topete na cabeça e que vive em bandos. **2.** Jogo de cartas para crianças em que o perdedor deve cumprir tarefa ridícula ou penosa. **3.** *P. ext.* Situação ridícula; vexame.

mico-leão *s.m.* Denominação comum a três espécies de mamíferos primatas de pequeno porte (mico-leão-dourado, mico-leão-de-cara-dourada e mico-leão-preto) que ocorrem nas florestas tropicais do Brasil, ameaçadas de extinção.

micologia *s.f.* (do gr. *mykes*, cogumelo). Estudo científico dos fungos.

micológico *adj.* Relativo a micologia.

micose *s.f.* (do gr. *mykes*, cogumelo). **1.** Designação genérica de qualquer afecção produzida no homem, em animais ou em vegetais, pela ação parasitária de um fungo. **2.** *Micose interdigital,* afecção micótica muito freqüente, vulgarmente conhecida por *pé-de-atleta* ou *frieira,* caracterizada pelo intenso prurido, desidrose e cheiro desagradável.

micótico *adj.* Relativo a micose.

micreiro *adj.* Relativo a microcomputador ou computador pessoal. ★ *s.m.* Pessoa que, por prazer ou remuneração, faz manutenção de computador de uso doméstico.

microanálise *s.f.* Análise química de substâncias cujas massas são extremamente pequenas.

microbiano *adj.* Relativo a ou causado por micróbios.

micróbio *s.m.* (gr. *mikros*, pequeno, e *bios*, vida). Denominação comum a organismos microscópicos, particularmente os que promovem fermentação e causam doenças infecciosas; germe, microorganismo.

microbiologia *s.f.* Ciência que estuda os organismos microscópicos e ultramicroscópicos.

microcefalia *s.f.* Redução do perímetro craniano, acompanhada de uma redução do volume do encéfalo (microencefalia), com deficiência intelectual por vezes profunda.

microcéfalo *adj.* e *s.m.* Diz-se de ou indivíduo acometido de microcefalia.

microcomputador (ô) *s.m.* Computador de pequeno porte.

microcosmo *s.m.* (gr. *mikrokosmos*). **1.** Mundo pequeno; miniatura do universo. **2.** O homem, por oposição a macrocosmo, o Universo.

microelemento *s.m.* Elemento necessário aos vegetais em quantidades muito reduzidas (ferro, manganês, zinco, cobre, boro, molibdênio e cloro). (Sin. MICRONUTRIENTE.)

microfilmar *v.t.* (conj. 4). Reproduzir (documentos, livros etc.), em microfilme.

microfilme *s.m.* Reprodução reduzida de documentos, gravuras, livros etc.

microflora *s.f.* Conjunto de vegetais minúsculos, geralmente não clorofilianos, que vivem em meios líquidos ou úmidos.

microfone *s.m.* (ingl. *microphone*). Aparelho eletroacústico que transforma o som recebido em sinal elétrico, cujas variações representam tão fielmente quanto possível as do som recebido.

microfotografia *s.f.* **1.** Fotografia obtida através de microscópio. **2.** Fotografia de dimensões muito pequenas. **3.** Conjunto de técnicas para a realização dessas fotografias.

micrometro *s.m.* Medida de comprimento equivalente a 1/1.000.000 de metro. (Sin. ant. MÍCRON.) [Cf. MICRÔMETRO.]

micrômetro *s.m.* **1.** Instrumento destinado à medição de pequenos objetos ou pequenas imagens. **2.** Instrumento para medir o diâmetro aparente dos astros.

mícron *s.m.* Sin. ant. de MICROMETRO.

micronutriente *s.m.* Sin. de MICROELEMENTO.

microonda *s.f.* Onda eletromagnética de altíssima freqüência, utilizada na transmissão dos sinais de rádio e televisão.

microônibus *s.m.* Veículo de transporte coletivo menor que o ônibus.

microorganismo ou **microrganismo** *s.m.* Micróbio.

microprocessador *s.m.* **Inform.** Unidade de processamento eletrônico constituída por um único *chip*.

microscopia *s.f.* **1.** Exame dos objetos com o auxílio do microscópio. **2.** Conjunto de técnicas para a observação de objetos de reduzidas dimensões.

microscópico *adj.* **1.** Relativo ao microscópio. **2.** Que pertence ao domínio da microfísica. **3.** Que só pode ser percebido com o auxílio do microscópio. **4.** *Fig.* Muito pequeno; minúsculo.

microscópio *s.m.* Instrumento dotado de um sistema de lentes que permite a visualização de objetos ou áreas de pequena dimensão.

DESENHO ESQUEMÁTICO DE UM MICROSCÓPIO

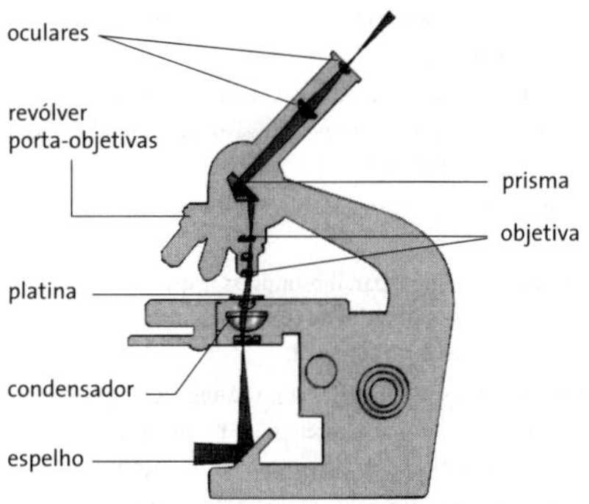

micrótomo *s.m.* Instrumento destinado a cortar fatias finíssimas de tecidos vegetais ou animais, previamente preparadas, para serem estudadas ao microscópio.

microvilosidade *s.f.* Projeção microscópica da superfície das células, que promove o aumento da área de absorção.

mictório *s.m.* Lugar público, dotado de vasos especiais para neles se urinar. ★ *adj.* Que facilita a micção; diurético.

micuim (u-im) *s.m.* (tupi *mokoo'i*). Pequeno carrapato cujas larvas perfuram e irritam a pele do homem e outros animais.

mídia *s.f.* (ingl. *media*). **1.** Conjunto dos meios de informação e de comunicação (imprensa, rádio, televisão, internet etc.). **2.** Cada um desses meios de comunicação. **3.** Cada um dos suportes de informação: livro, publicação periódica, CD-ROM, página de internet, programa de televisão ou rádio etc.

midríase *s.f.* Dilatação da pupila.

mielina *s.f.* Substância lipídica que envolve o axônio das células nervosas.

mielinizado *adj.* Diz-se da fibra nervosa revestida de uma bainha de mielina.

mielite *s.f.* (do gr. *myelos,* medula). Inflamação da medula espinhal, que pode atingir seletivamente a substância cinzenta (poliomielite), a substância branca ou todo o espaço medular.

mielócito *s.m.* Célula medular da linhagem granulocitária.

mielóide *adj.2g.* **1.** Relativo à medula óssea. **2.** Constituído por células provenientes da medula óssea.

mielomalacia *s.f.* Necrose medular espinhal conseqüente à obstrução de uma ou várias artérias espinhais.

migalha *s.f.* **1.** Pequeno pedaço que se solta do pão, dos bolos ou de outro alimento farináceo. **2.** Quantidade diminuta de qualquer coisa. **3.** Fração, fragmento, partícula. ★ *s.f.pl.* **1.** Sobejos, sobras. **2.** Coisas insignificantes, desprezíveis.

migração *s.f.* (lat. *migratio*). **1.** Ato ou efeito de migrar. **2.** Deslocamento da população de uma região para outra ou de um país para outro. **3.** Deslocamento anual de uma população animal. ● **Quím.** Deslocamento de um radical em uma molécula ou de um íon em uma solução eletrolítica.

migrante *adj.2g.* e *s.2g.* (lat. *migrans*). Que ou aquele que migra. ★ *adj.2g.* Diz-se de certas espécies animais que mudam de região de tempos em tempos.

migrar *v.t.* e *v.i.* (lat. *migrare*) [conj. 4]. Mudar-se periodicamente; passar para outra região ou para outro país.

migratório *adj.* (lat. *migratorius*). Relativo à migração.

mijacão *s.m.* Cogumelo que se desenvolve junto a fezes ou urina de animais.

mijada *s.f.* *Pop.* **1.** Ação de mijar. **2.** Volume de urina produzido de uma vez pela micção.

mijão *adj.* e *s.m.* *Pop.* Que ou aquele que urina freqüentemente ou quando dorme.

mijar *v.i, v.t.* e *v.pr.* (lat. *mingere*) [conj. 4]. *Pop.* Urinar.

mijo *s.m.* *Pop.* Urina.

mil *num. card.* (lat. *mille*). **1.** Dez vezes cem. **2.** Milésimo. ★ *s.m.* O algarismo (1.000) que representa esse número.

milagre *s.m.* (lat. *miraculum*). **1.** Fenômeno interpretado como uma intervenção divina; acontecimento, feito ou ocorrência extraordinária, que não se explica pelas leis da natureza. **2.** Acontecimento, feito ou ocorrência que causa admiração, espanto. **3.** Prodígio, portento, maravilha. ● **Liter.** Gênero de obra dramática medieval sobre a vida dos santos ou da Virgem Maria.

milagreiro *adj.* e *s.m.* **1.** Que ou aquele que acredita em milagres. **2.** Diz-se de ou indivíduo que faz milagres, ou se apresenta como capaz de fazê-los.

milagroso (ô) *adj.* **1.** Relativo ou causado por milagre; miraculoso. **2.** Que faz milagres; miraculoso. **3.** Maravilhoso, extraordinário, miraculoso.

milefólio *s.m.* Sin. de MIL-FOLHAS.

milenar *adj.2g.* Que tem um milênio, ou mil anos; milenário.

milenário *adj.* **1.** Relativo ao milhar. **2.** Milenar.

milênio *s.m.* Período de mil anos.

milésimo *num. ord.* (lat. *millesimus*). Correspondente ao número mil numa seqüência. ★ *s.m.* Cada uma das mil partes iguais em que se divide um todo.

mil-folhas *s.f.2n.* Erva originária dos Alpes, florífera, aromática, de gosto amargo, que possui propriedades medicinais e é utilizada em licoraria. (Sin. MILEFÓLIO.)

milha *s.f.* (lat. *milia*). Medida itinerária inglesa e norte-americana equivalente a 1.609metros.

milhão *num. card.* (it. *milione*). **1.** Mil vezes mil. **2.** Milionésimo. ★ *s.m.* O algarismo que representa esse número.

milhar *s.m.* (lat. *milliarius*). **1.** Conjunto, série de mil unidades. **2.** O número mil.

milharal *s.m.* Plantação de milho.

milheiro *s.m.* (lat. *milliarium*). Agrupamento de mil unidades iguais; milhar.

milhete (ê) *s.m.* Sin. de PAINÇO.

milho *s.m.* (lat. *milium*). **1.** Planta originária da América do Sul, de colmos eretos, geralmente úmidos e fortes, espigas com grãos comestíveis, ricos em amido e dispostos em fileiras muito próximas. **2.** O grão dessa planta. **3.** *Pop.* Dinheiro.

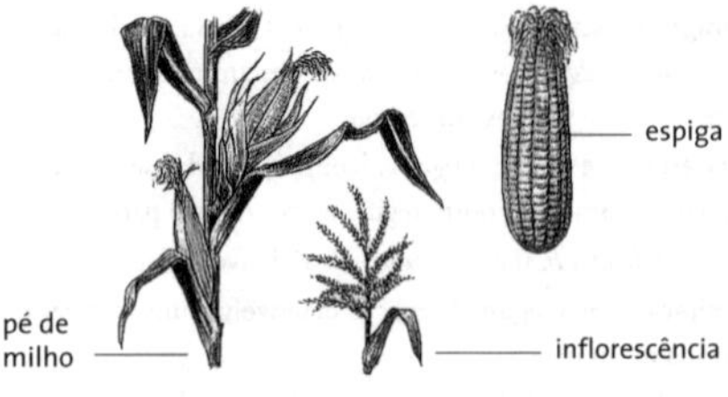

mil-homens *s.m.2n.* Nome comum a diversas plantas ornamentais, robustas, de caule ramificado e flores solitárias, de bojo esverdeado e lábio avermelhado ou amarronzado.

miliar *adj.2g.* Que tem forma semelhante a pequenos grãos de milhete, ou painço.

miliário *adj.* (lat. *miliarius*). **1.** Relativo a milhas. **2.** Diz-se dos marcos colocados à margem das estradas para indicar as distâncias. **3.** *Fig.* Que assinala data ou fato histórico memorável.

milícia *s.f.* (lat. *militia*). **1.** Vida ou disciplina militar. **2.** Organização paramilitar ligada a um partido ou a um regime político.

miliciano *adj.* Relativo a milícia. ★ *s.m.* Aquele que pertence a uma milícia; soldado de milícias.

miligrama *s.m.* Unidade de medida de massa, equivalente à milésima parte do grama (símb. mg).

mililitro *s.m.* A milésima parte do litro (símb. ml).

milímetro *s.m.* Unidade de medida de comprimento, equivalente à milésima parte do metro (símb. mm).

milionário *adj.* e *s.m.* (fr. *millionaire*). Que ou aquele que possui milhões; muito rico, ricaço. ★ *adj.* Que custa, custou ou custará milhões.

milionésimo *num. ord.* Correspondente ao número um milhão numa seqüência. ★ *s.m.* Cada uma das partes iguais contidas um milhão de vezes num todo.

militância *s.f.* Ação de militante.

militante *adj.2g.* (lat. *militans*). **1.** Que milita; combatente. **2.** Que atua; participante. **3.** Que funciona ou está em exercício. ★ *s.2g.* **1.** Partidário de uma organização política, sindical ou social que participa ativamente da vida dessa organização. **2.** Pessoa que trabalha por uma causa.

militar[1] *adj.2g.* (lat. *militaris*, de *miles, milites*, soldado). **1.** Relativo à guerra, às milícias, aos soldados ou às Forças Armadas. **2.** Que possui as características de um exército. ★ *s.m.* **1.** Aquele que serve como soldado. **2.** Aquele que faz carreira nas Forças Armadas e auxiliares.

militar[2] *v.i.* (lat. *militare*) [conj. 4]. **1.** Seguir a carreira das armas; servir no exército. **2.** Fazer guerra; combater. **3.** Pugnar, lutar. **4.** Exercer efetivamente uma atividade profissional. **5.** Ser membro ativo de um partido político.

militarismo *s.m.* **1.** Preponderância excessiva do elemento militar em uma nação. **2.** Sistema político que se apóia no exército. **3.** Sentimento, doutrina dos partidários desta preponderância do exército.

militarizar *v.t.* (fr. *militariser*) [conj. 4]. Dar organização ou estrutura militar a.

milonga *s.f.* (quimb. *milonga*, palavras). **1.** Música popular platina, de estilo dolente, acompanhada por guitarra ou violão. **2.** Dança popular da Argentina. ★ *s.m.pl.* **1.** *Pop.* Intrigas, mexericos. **2.** Dengues, manhas. **3.** Desculpas esfarrapadas.

mil-réis *s.m.2n.* Antiga unidade monetária brasileira.

mim *pron. pess.* (lat. cláss. *mihi*, dativo de *ego*, pelo lat. vulg. *mi*). Forma que assume o pron. pess. *eu*, quando precedido de preposição.

mimado *adj.* **1.** Tratado com carinho, com mimo. **2.** *Pop.* Diz-se de criança tratada com excesso de mimo, à qual se fazem todas as vontades.

mimar *v.t.* (conj. 4). **1.** Tratar com mimo, com carinho; acarinhar. **2.** Tratar com carinho excessivo, satisfazendo todos os caprichos e vontades.

mimeografar *v.t.* (conj. 4). Reproduzir por meio de mimeógrafo.

mimeógrafo *s.m.* Aparelho impressor que reproduz desenhos ou letras perfurados ou registrados numa matriz de papel especial, chamada estêncil.

mimese *s.f.* (gr. *mimesis*). **1.** Figura de linguagem que se baseia no emprego do discurso direto e essencialmente na imitação do gesto, voz e palavras de outrem. **2.** Imitação.

mimetismo *s.m.* (gr. *mimetes*, imitador). **1.** Imitação. **2.** *Fig.* Reprodução maquinal de gestos e de atitudes. ● **Biol.** Adaptação apresentada por certos animais, que consiste na imitação da cor ou forma de outros animais ou do meio, o que lhes permite escapar de predadores.

? VOCÊ SABIA...? Em algumas formas de **mimetismo** o animal se protege ao confundir-se com o ambiente (camuflagem), mas há outras que assustam o predador, como as asas de borboletas que parecem ter dois grandes olhos desenhados nelas.

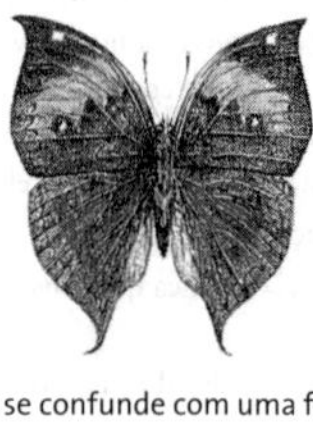

mariposa que se confunde com uma folha de árvore

mímica *s.f.* **1.** Arte de imitar, caracterizar outrem ou de exprimir pensamentos, idéias, sentimentos etc. por meio dos gestos e da expressão fisionômica. **2.** Forma de representação sem palavras, onde o movimento, a expressão e o gesto são os instrumentos principais do ator; pantomima.

mímico *adj.* (gr. *mimikos*). **1.** Relativo à mímica. **2.** Que exprime por meio de gestos. ★ *s.m.* Ator que se expressa por mímica ou pantomima.

mimo *s.m.* **1.** Carinho, afago. **2.** Delicadeza, meiguice. **3.** Presente, prenda, oferenda. **4.** Pessoa ou coisa delicada, graciosa, encantadora.

mimosa *s.f.* **1.** Nome comum a diversos arbustos ou pequenas árvores, floríferos, cultivados como ornamentais. **2.** Arbusto forrageiro que ocorre em terrenos arenosos de quase todo o Brasil.

mimosear *v.t.* (conj. 15). **1.** Tratar com mimo ou carinho; mimar. **2.** Dar mimo ou presente a; presentear. **3.** Obsequiar, favorecer.

mimoso (ô) *adj.* **1.** Que tem mimo; carinhoso, terno, meigo. **2.** Delicado, melindroso, sensível. **3.** Acostumado a mimos. **4.** Gracioso, encantador.

min símbolo do minuto.

mina *s.f.* **1.** Jazida em lavra, de recursos minerais ou fósseis, constituída através de processos geológicos, que pode ser explorada economicamente. **2.** Nascente de água. **3.** Carga explosiva camuflada, colocada no solo ou no mar, detonada por contato direto ou por estímulo a distância. **4.** *Gír.* Menina, garota.

minar *v.t.* (conj. 4). **1.** Colocar minas em. **2.** Perfurar lentamente, para baixo. **3.** Abrir, caiar, escavar. **4.** *Fig.* Corroer pouco a pouco; consumir. ★ *v.i.* **1.** Alastrar-se, expandir-se. **2.** Brotar, fluir, manar.

minarete (ê) *s.m.* (fr. *minaret,* de or. árabe). Torre de uma mesquita, do alto da qual o almuadem chama os muçulmanos para a oração.

minaz *adj.2g.* (lat. *minax*). Ameaçador.

mindinho *adj.* e *s.m. Fam.* Diz-se de ou dedo mínimo; minguinho.

mineiro[1] *adj.* **1.** Relativo a mina. **2.** Em que há mina. ★ *s.m.* **1.** Operário que trabalha em minas. **2.** Proprietário de minas.

mineiro[2] *adj.* Relativo ou pertencente ao Estado de Minas Gerais. ★ *s.m.* O natural ou habitante de Minas Gerais.

mineração *s.f.* **1.** Exploração de minas. **2.** Depuração dos minérios extraídos das minas.

mineral *adj.2g.* (lat. tard. *mineralis*). **1.** Relativo ou pertencente aos minerais. **2.** Inorgânico. **3.** *Sais minerais,* denominação genérica dos sais necessários ao organismo. ★ *s.m.* Corpo inorgânico, sólido sob temperatura ambiente, que constitui as rochas e a crosta terrestre, e que pode ser amorfo ou cristalizado.

mineralização *s.f.* **1.** Transformação de substâncias orgânicas no solo ou em um meio biologicamente ativo e que resulta na liberação de substâncias minerais. **2.** Transformação de um metal em mineral por meio de sua combinação com outras substâncias. ● **Fisiol.** Impregnação de uma membrana celular por substâncias minerais.

mineralizar *v.t.* (conj. 4). **1.** Proceder à mineralização. **2.** Modificar uma substância pela adição de minerais. **3.** Transformar um metal em minério.

mineralogia *s.f.* Ciência que estuda os minerais.

minerar *v.t.* (conj. 4). **1.** Explorar (minas). **2.** Extrair (minérios) da mina. ★ *v.i.* Trabalhar em mineração.

minério *s.m.* Rocha que apresenta uma concentração elevada de minerais úteis, com valor para a exploração econômica.

mingau *s.m.* (tupi *miga'u*). **1.** Papa de farinha de trigo, de mandioca, de milho ou de aveia. **2.** *Fig.* Coisa muito mexida, que ficou mais rala do que se esperava.

míngua *s.f.* **1.** Carência do necessário; escassez, penúria. **2.** Falta, carência. **3.** Diminuição, perda, quebra. **4.** Defeito, imperfeição.

minguado *adj.* **1.** Falto, desprovido, privado. **2.** Que carece do necessário; necessitado. **3.** Pouco desenvolvido; franzino, raquítico. **4.** De pequena duração; curto.

minguante *adj.2g.* **1.** Que míngua; decrescente. **2.** Que está em decadência. ★ *adj.* e *s.m. Quarto minguante* ou *minguante,* fase da Lua posterior ao plenilúnio, visível como um semicírculo com a parte iluminada voltada para o leste.

A parte sombreada da Lua vai aumentando na fase minguante.

minguar *v.i.* (lat. *minuere*) [conj. 4]. **1.** Tornar-se menor, menos abundante; diminuir, decrescer. **2.** Passar (a Lua) de cheia para nova. **3.** Faltar, escassear. **4.** Baixar, cair. **5.** Apoucar, amesquinhar, menoscabar. ★ *v.t.* **1.** Tornar menor; diminuir. **2.** Apoucar, amesquinhar.

minguinho *s.m. Fam.* Mindinho.

minha *pron. poss.* Fem. de *meu.*

minhoca *s.f.* (quimb. *munhoca*). Denominação comum a vermes anelídeos oligoquetas que cavam pequenas galerias no solo, contribuindo para sua aeração e fertilidade.

minhocuçu *s.m.* Verme anelídeo oligoqueta terrestre, que pode atingir 2 m de comprimento.

minhocultura *s.f.* Criação de minhocas.

minhoto (ô) *adj.* Relativo ou pertencente ao Minho, região de Portugal. ★ *s.m.* O natural ou habitante do Minho.

míni *adj.2g.2n.* e *s.2g.* Diz-se de ou vestido ou saia bem curtos, acima do joelho.

miniatura *s.f.* (it. *miniatura,* desenho feito a mínio). **1.** Letra inicial ornada, traçada nos antigos manuscritos. **2.** Pintura de pequenas dimensões, com cenas graciosas ou retratos. **3.** *P. ext.* Qualquer coisa em tamanho reduzido.

miniaturista *adj.2g.* e *s.2g.* Diz-se de ou artista que pinta ou faz miniaturas.

minifundiário *adj.* Relativo ou pertencente a minifúndio. ★ *s.m.* Proprietário de minifúndio.

minifúndio *s.m.* Pequena propriedade rural, p. opos. a *latifúndio.*

minigâncias *s.f.pl. Pop.* Miudezas, bugigangas, ninharias.

mínima *s.f.* A nota musical que vale metade da semibreve.

minimizar *v.t.* (conj. 4). **1.** Reduzir a proporções mínimas. **2.** Apresentar de maneira a reduzir a importância.

mínimo *adj.* (lat. *minimus*). **1.** Menor de todos, em tamanho e grau. **2.** Diz-se da mais pequena porção de qualquer coisa, da menos notável, da mais insignificante. **3.** *Arte mínima,* tendência artística pós-moderna em que as obras apresentam formas geométricas simples, repetidas simetricamente e de grandes proporções. ★ *s.m.* **1.** A menor porção ou grau de. **2.** O menor dedo da mão; mindinho. **3.** *No mínimo,* pelo menos, ao menos. ● **Mat.** O grau ínfimo a que uma grandeza pode ser reduzida.

mínio *s.m.* Sin. de ZARCÃO.

minissaia *s.f.* Saia muito curta.

ministerial *adj.2g.* Relativo ou pertencente a ministro, ou a ministério.

ministério *s.m.* (lat. *ministerium*). **1.** Função de ministro. **2.** Tempo durante o qual essa função é exercida. **3.** Conjunto de ministros num governo. **4.** Local onde têm sede os serviços de um ministro. **5.** *Ministério Público,* corpo de magistrados (promotores ou procuradores-gerais) colocado junto aos juízos e tribunais, para defender os interesses da sociedade.

ministra *s.f.* **1.** Mulher que exerce o cargo de ministro. **2.** Mulher de ministro.

ministrar *v.t.* (lat. *ministrare*) [conj. 4]. **1.** Dar, fornecer, prestar. **2.** Administrar, conferir, aplicar. **3.** Sugerir, inspirar. ★ *v.i.* Servir ou atuar como ministro.

ministro *s.m.* (lat. *minister*). **1.** Homem de Estado encarregado da direção de um conjunto de serviços públicos que constituem um ministério. **2.** Título que se dá aos juízes dos tribunais superiores. **3.** Pastor protestante. **4.** Cargo diplomático, inferior ao de embaixador e superior ao de secretário. **5.** Sacerdote em geral. **6.** Pessoa que executa os desígnios de outrem.

minoração *s.f.* (lat. *minoratio*). **1.** Ato ou efeito de minorar; diminuição. **2.** *Fig.* Abrandamento, alívio, atenuação.

minorar *v.t.* (lat. *minorare*) [conj. 4]. **1.** Diminuir, tornar menor. **2.** Abrandar, suavizar, aliviar, mitigar, atenuar.

minorativo *adj.* Que diminui ou minora. ★ *adj.* e *s.m.* Diz-se do ou purgante que age suavemente; laxante.

minoria *s.f.* **1.** Menor quantidade ou parte de; menoridade. **2.** A parte menos numerosa de um corpo deliberativo.

minoritário *adj.* (fr. *minoritaire*). **1.** Relativo ou pertencente à minoria. **2.** Que constitui minoria ou se apóia na minoria.

minuano *s.m.* Denominação regional, no Rio Grande do Sul, do vento frio e seco, acompanhado de queda de temperatura e da umidade relativa do ar. (Sin. PAMPEIRO.)

minúcia *s.f.* (lat. *minutia*). **1.** Cuidado com as menores particularidades. **2.** Pormenor, particularidade, detalhe, minudência. **3.** Coisa muito miúda; minudência. **4.** Coisa insignificante, de pouca importância e pouco valor; ninharia.

minuciar *v.t.* (conj. 16). Referir minuciosamente; pormenorizar.

minucioso (ô) *adj.* **1.** Que se prende às minúcias, a pequenas particularidades. **2.** Narrado ou descrito nos mínimos pormenores. **3.** Meticuloso, escrupuloso.

minudência *s.f.* **1.** Minúcia. **2.** *Fig.* Observação minuciosa, escrupulosa; exame atento.

minudenciar *v.t.* (conj. 16). Expor minuciosamente, pormenorizar, detalhar, miudear.

minuendo *s.m.* (lat. *minuendus*). Diminuendo.

minueto (ê) *s.m.* (fr. *menuet*). **1.** Antiga dança francesa em compasso ternário. **2.** Composição musical para esta dança.

minúsculo *adj.* (lat. *minusculus*). **1.** Que tem tamanho reduzido; muito pequeno. **2.** *Fig.* Que tem pequeno valor; insignificante. ★ *s.f.* Letra pequena.

minuta[1] *s.f.* (lat. *minuta,* diminuída). **1.** Redação preliminar de um ato oficial; rascunho. **2.** Documento original de um levantamento topográfico.

minuta[2] *s.f.* (fr. *à la minute*). Prato que, nos restaurantes, é preparado no momento, no minuto.

minuto *adj.* (lat. *minutus*). Pequeno, ínfimo, reduzido, diminuto. ★ *s.m.* **1.** Unidade de medida de tempo equivalente a 60 segundos (símb. min). **2.** *Fam.* Pequeno espaço de tempo; momento, instante. ● **Metrol.** Unidade de medida de ângulo ou de arco equivalente à sexagésima parte do grau.

mio *s.m.* Miado.

miocárdio *s.m.* (gr. *mys, myos,* músculo e *kardia,* coração). Músculo do coração.

miocardite *s.f.* Inflamação do miocárdio.

mioceno *s.m.* Época geológica do período terciário, compreendido entre o oligoceno e o plioceno, com duração aproximada de 18 milhões de anos. ★ *adj.* Relativo ou pertencente a essa época.

miografia *s.f.* Técnica de registro dos fenômenos elétricos ou mecânicos da contração muscular.

miolo (ô) *s.m.* **1.** Parte interna do pão. **2.** Parte interna de certos frutos; polpa. **3.** Parte interior de determinados órgãos vegetais. **4.** Medula ou tutano dos animais de corte, de utilização culinária. **5.** Parte interior de. **6.** *Pop.* Cérebro, massa encefálica. **7.** *Fig.* Inteligência, juízo.

miologia *s.f.* (do gr. *mys, myos,* músculo). Parte da anatomia que estuda os músculos.

mioma *s.m.* (gr. *mys, myos,* músculo). Tumor benigno que se desenvolve no tecido muscular.

miométrio *s.m.* Parede muscular do útero.

miopatia *s.f.* Afecção primária e progressiva do sistema muscular, geralmente de caráter hereditário.

míope *adj.2g.* e *s.2g.* **1.** Diz-se de ou pessoa que sofre de miopia. **2.** *Fig.* Diz-se de ou pessoa pouco perspicaz.

miopia *s.f.* (gr. *myopia*). **1.** Defeito visual no qual os raios luminosos paralelos provindos de objetos a distância convergem em um ponto situado à frente da retina; vista curta. **2.** *Fig.* Falta de perspicácia, estreiteza de visão.

MIOPIA ► A miopia ocorre porque a imagem de objetos distantes se forma antes da retina. Esse defeito de visão é corrigido com lentes divergentes.

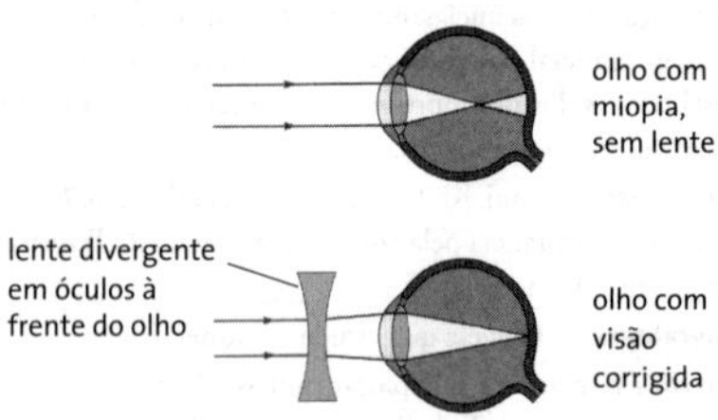

miose *s.f.* Contração da pupila.

miosina *s.f.* Proteína cuja ação enzimática fornece energia para a contração muscular.

miosite *s.f.* Inflamação muscular.

miosótis *s.2g.2n.* (gr. *myosotis*). Erva originária da Europa e Ásia, de caules eretos, flores azuis quando abertas e rosadas quando em botão, cultivada em jardins.

mira[1] *s.f.* **1.** Ação de mirar. **2.** *P. ext.* Pontaria. **3.** *Fig.* Fim, intuito, objetivo.

mira[2] *s.f.* Apêndice das armas de fogo para dirigir a pontaria.

mirabolante *adj.2g.* **1.** Espalhafatoso, ridiculamente vistoso ou pomposo. **2.** Grandioso demais para que chegue a realizar-se. **3.** Surpreendente, espantoso.

miraculoso (ô) *adj.* (lat. *miraculosus*). Milagroso.

miragem *s.f.* **1.** Ilusão de óptica devida à refração dos raios luminosos na atmosfera. **2.** *Fig.* Ilusão sedutora; engano, sonho, quimera.

miramar *s.m.* Mirante que dá para o mar.

mirante *s.m.* **1.** Ponto elevado de onde se descortina um largo horizonte. **2.** Pavilhão construído em lugar montanhoso, para que dele se possam apreciar vistas panorâmicas.

mirar *v.t.* (lat. *mirari,* admirar-se, contemplar) [conj. 4]. **1.** Fixar a vista em, olhar com atenção; fitar. **2.** Apontar para, tomar como alvo. **3.** Espreitar, observar. **4.** Desejar, pretender, aspirar a. **5.** Ter em vista; visar. ★ *v.pr.* **1.** Ver-se, contemplar-se num espelho ou qualquer outra coisa que reflita a imagem dos objetos. **2.** *Fig.* Colher ensinamentos.

miríade ou **miríada** *s.f.* (gr. *myrias, myriados,* dez mil). **1.** Número de dez mil. **2.** *Fig.* Grande número indeterminado.

miriápode *adj.2g.* **1.** Diz-se do animal que tem muitos pés. **2.** Relativo aos miriápodes; miriópode. ★ *s.m.* Espécime dos miriápodes.

miriápodes *s.m.pl.* Antigo grupo de animais artrópodes, que englobava as lacraias e piolhos-de-cobra, atualmente pertencentes às classes dos quilópodes e diplópodes.

miriare *s.m.* Unidade métrica de superfície equivalente a dez mil ares ou um quilômetro quadrado.

mirificar *v.t.* (lat. *mirificare*) [conj. 12]. **1.** Tornar mirífico, admirável. **2.** Infundir admiração, causar espanto.

mirífico *adj.* (lat. *mirificus*). **1.** Admirável, extraordinário, portentoso, maravilhoso. **2.** Excelente, que dá bons resultados.

mirim *adj.2g.* (tupi *mi'ri*). Pequeno, diminuto.

miriópode *adj.2g.* e *s.m.* Miriápode.

miriti *s.m.* Palmeira alta, originária da América Central, de folhas em leque, com segmentos lineares verdes, cultivada como ornamental. (Sin. MIRITIZEIRO.)

miritizeiro *s.m.* Sin. de MIRITI.

mirmecófago *adj.* (do gr. *myrmex, myrmekos,* formiga). Diz-se do animal que se alimenta de formigas.

mirra[1] *s.f.* (lat. *myrrha*). **1.** Denominação comum a duas árvores originárias da África que fornecem resina odorífera e medicinal, usada como incenso e em perfumes. **2.** Essa resina.

mirra[2] *s.2g.* (de *mirrado*). **1.** Magricela. **2.** Avarento, seguro, mesquinho.

mirrado *adj.* **1.** Seco, ressequido, murcho. **2.** Esgotado, exaurido, exausto. **3.** Magro, definhado.

mirrar *v.t.* (conj. 4). **1.** Preparar com mirra. **2.** Tornar seco, definhado; gastar, consumir. **3.** Emagrecer. ★ *v.i.* e *v.pr.* **1.** Perder as forças, o viço, o vigor; definhar. **2.** Humilhar-se, abater-se. **3.** Desaparecer, fugir; esconder-se.

mirtáceas *s.f.pl.* Família de plantas dicotiledôneas, lenhosas, arbustivas ou arbóreas, de flores brancas ou vermelhas, como a goiabeira, a jabuticabeira e a pitangueira.

misantropia *s.f.* **1.** Horror à criatura humana; aversão à sociedade. **2.** Melancolia, hipocondria.

misantropo (ô) *adj.* e *s.m.* (gr. *misanthropos*). **1.** Que ou aquele que tem aversão à sociedade dos homens, a quem aborrece a companhia humana. **2.** Homem melancólico.

miscelânea *s.f.* (lat. *miscellanea*). **1.** Mistura, compilação de peças literárias ou científicas. **2.** Coletânea de estudos sobre determinada especialidade, redigidos por vários autores em homenagem a alguém ou a alguma instituição. **3.** *Fig.* Confusão, amontoamento, mistura.

miscigenação *s.f.* Cruzamento inter-racial; mestiçagem.

miscível *adj.2g.* (lat. *miscibilis*). Que se pode misturar com outra substância para formar um todo homogêneo; misturável.

miserando *adj.* (lat. *miserandus*). Digno de compaixão; deplorável, lastimável.

miserável *adj.2g.* (lat. *miserabilis*). **1.** Digno de piedade; lastimável, miserando. **2.** Que carece de recursos, que vive em extrema pobreza. **3.** Ínfimo, escasso, sem valor, mísero, deplorável. **4.** Malvado, cruel, desprezível. ★ *s.2g.* **1.** Pessoa miserável. **2.** Avarento, sovina.

miséria *s.f.* (lat. *miseria,* infelicidade). **1.** Estado de penúria, de extrema pobreza. **2.** Fraqueza, defeito, imperfeição. **3.** Estado lastimoso, deplorável. **4.** Estado vergonhoso, torpe. **5.** Mesquinharia, sovinice, avareza. **6.** *Fig.* Insignificância, bagatela, ninharia.

misericórdia *s.f.* (lat. *misericordia*). **1.** Piedade, compaixão. **2.** Perdão concedido unicamente por bondade; graça.

misericordioso (ô) *adj.* Inclinado à misericórdia; compassivo, bondoso.

mísero *adj.* (lat. *miser,* infeliz). **1.** Miserável, desgraçado, infeliz. **2.** Mesquinho. **3.** *Fig.* Escasso.

misogamia *s.f.* Horror ao casamento.

misógamo *adj.* Que tem misogamia.

misoneísmo *s.m.* (gr. *misein,* odiar, e *neos,* novo). Aversão, repulsa a tudo o que é novo ou contém novidade.

missa *s.f.* (b.-lat. *missa*). **1.** Na religião católica, ato solene com que a Igreja comemora, diante do altar, o sacrifício de Jesus Cristo, sob a forma do pão e do vinho, na última ceia. **2.** Música composta sobre o texto do ordinário da missa. **3.** Cerimônia religiosa.

missal *s.m.* (lat. *missale*). Livro que contém as orações da missa.

missão *s.f.* (lat. *missio*). **1.** Encargo, poder dado a alguém para fazer alguma coisa. **2.** Função temporária e determinada de que um governo ou organismo encarrega um indivíduo, um grupo. **3.** Conjunto de pessoas que recebeu esta função. **4.** Compromisso, dever inerente a uma função, uma profissão, a uma atividade e ao papel social atribuído a alguém; ofício, ministério. **5.** Organização que visa à propagação da fé.

míssil *s.m.* (lat. *missile,* arma de arremesso). Projétil de propulsão própria e dirigível durante todo o trajeto ou parte dele.

missionário *adj.* Relativo ou pertencente a uma missão religiosa. ★ *s.m.* **1.** Padre, pastor ou voluntário que participa de missão religiosa. **2.** *P. ext.* Aquele que propaga uma idéia.

missioneiro *adj.* **1.** Relativo às antigas missões jesuíticas estabelecidas no Rio Grande do Sul e Uruguai. **2.** Diz-se de quem habitava tais missões.

missiva *s.f.* Carta.

missivista *s.2g.* Pessoa que leva ou escreve missivas.

mister (é) *s.m.* (lat. *ministerium*). **1.** Emprego, ocupação; ofício, serviço, trabalho. **2.** Ministério, comissão. **3.** O que é forçoso ou necessário; urgência, necessidade. **4.** Propósito, intuito.

mistério *s.m.* (gr. *mysterion*, o que está fechado). **1.** O que é incompreensível, oculto, desconhecido. **2.** Questão difícil, obscura. **3.** Dogma, verdade de fé inacessível à razão, cujo conteúdo só pode ser alcançado pela revelação divina. **4.** Para algumas religiões antigas, originárias da Grécia ou do Oriente, conjunto de doutrinas secretas e ritos iniciáticos.

misterioso (ô) *adj.* **1.** Que contém algum mistério; inexplicável, enigmático. **2.** Estranho, anormal. **3.** Dissimulado, dúbio. **4.** Que faz segredo de tudo.

mística *s.f.* **1.** Estudo das coisas divinas e espirituais. **2.** Vida religiosa e contemplativa; misticismo.

misticismo *s.m.* **1.** Crença ou doutrina religiosa segundo a qual o homem pode unir-se ao divino por meio da meditação, intuição, orações, êxtase ou de outras práticas. **2.** Comportamento dominado por sentimentos religiosos ou contemplativos; mística. **3.** Disposição para crer no sobrenatural.

místico *adj.* (gr. *mystikos*). Relativo ou pertencente ao misticismo. ★ *s.m.* **1.** Pessoa mística. **2.** Pessoa inclinada a uma intensa devoção religiosa.

mistificação *s.f.* **1.** Ato ou efeito de mistificar. **2.** Coisa vã, enganadora.

mistificar *v.t.* (fr. *mystifier*) [conj. 12]. Aproveitar-se da credulidade de; enganar, lograr.

mistifório *s.m.* Mistura de coisas ou de pessoas; miscelânea, confusão.

misto *adj.* (lat. *mixtus*). **1.** Formado por elementos de diversas naturezas. **2.** Que representa o meio-termo entre duas coisas. **3.** Que compreende pessoas dos dois sexos ou pertencentes a origens ou a formações diferentes. ● **Neurol.** Diz-se de um nervo simultaneamente sensitivo e motor. **Zootec.** Diz-se das raças de bovinos que são boas produtoras tanto de carne quanto de leite. ★ *s.m.* **1.** União de duas ou mais coisas; conjunto, mistura. **2.** Mistura de duas coisas diferentes, não raro antinômicas.

misto-quente *s.m.* Sanduíche feito na chapa, com recheio de queijo e presunto.

mistura *s.f.* (lat. *mixtura*). **1.** Ação de misturar(-se); resultado dessa ação. **2.** Cruzamento, união. **3.** Medicamento líquido obtido pela adição de várias substâncias. **4.** *Fig.* Reunião íntima de coisas diversas. ● **Quím.** Associação de diversas substâncias, sem reação química.

misturada *s.f.* Miscelânea, mistura.

misturador (ô) *s.m.* **1.** Aparelho que serve para misturar diversas substâncias. **2.** Betoneira. ★ *adj.* Que mistura ou serve para misturar.

misturar *v.t.* (conj. 4). **1.** Juntar coisas diferentes. **2.** Embaralhar, confundir. **3.** Cruzar, unir. ★ *v.pr.* **1.** Reunir-se com, mesclar-se. **2.** Intrometer-se, ingerir-se.

mitene *s.f.* (fr. *mitaine*). Luva que cobre até a falange, deixando as pontas dos dedos livres.

mítico *adj.* (lat. *mythicus*). **1.** Relativo a ou próprio de mitos. **2.** Que não tem existência real.

mitificar *v.t.* (conj. 12). **1.** Converter em mito; tornar mítico. **2.** *Fig.* Encarar alguém ou algo como um mito, superestimando-o.

mitigação *s.f.* **1.** Ato ou efeito de mitigar; atenuação. **2.** Diminuição do mal; alívio.

mitigar *v.t.* (lat. *mitigare*) [conj. 14]. Abrandar, atenuar, diminuir.

mitilicultura *s.f.* Criação de mexilhões.

mito *s.m.* (gr. *mythos*, palavra expressa; fábula). **1.** Relato ou narrativa de origem remota e significação simbólica, que tem como personagens deuses, seres sobrenaturais, fantasmas coletivos etc. **2.** Narrativa de tempos fabulosos ou heróicos; lenda. **3.** Representação de fatos ou personagens reais exagerados pela imaginação popular e tomados como modelo ou exemplo. **4.** *P. ext.* A pessoa ou o fato concebido dessa forma. **5.** *Fig.* Pessoa ou coisa que não existe na realidade; fantasia.

mitocôndria *s.f.* Organela citoplasmática responsável pela síntese de ATP. (Sin. CONDRIOSSOMO.)

mitologia *s.f.* (gr. *mythologia*). **1.** Conjunto de mitos e lendas próprio de um povo, de uma civilização, de uma religião. **2.** Estudo sistemático dos mitos. **3.** Conjunto de mitos criados em torno de um fenômeno social, de um tema, de uma doutrina.

mitológico *adj.* Relativo à mitologia.

mitologista *s.2g.* Mitólogo.

mitólogo *s.m.* Especialista em mitologia; mitologista.

mitomania *s.f.* Tendência patológica de elaborar mentiras e fabulações.

mitomaníaco *adj.* Relativo à mitomania. ★ *s.m.* Indivíduo que apresenta mitomania; mitômano.

mitômano *s.m.* Mitomaníaco.

mitose *s.f.* (gr. *mitos*, filamento). **1.** Divisão celular caracterizada pela duplicação de todos os seus elementos e por sua distribuição nas células-filhas. **2.** *Mitose equacional*, segunda divisão da meiose. ▸ *Mitose reducional*, primeira divisão da meiose.

DIFERENTES FASES DA MITOSE

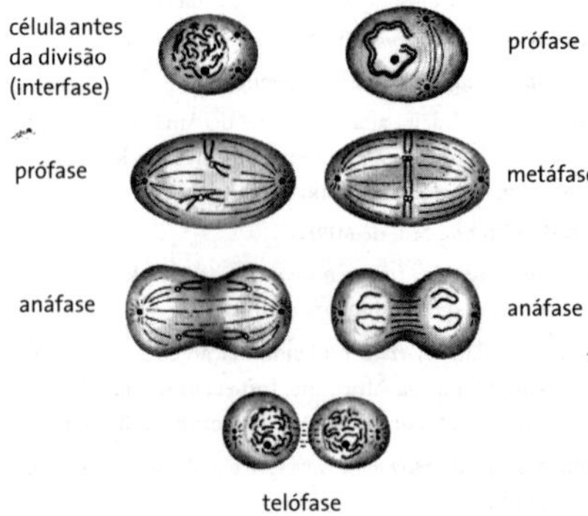

mitótico *adj.* Relativo à mitose.

mitra *s.f.* (gr. *mitra*). **1.** Espécie de chapéu alto e pontudo dos antigos persas. **2.** Coifa ou espécie de chapéu também usado com o casulo ou capa pelos bispos, durante as cerimônias religiosas do catolicismo. **3.** O poder espiritual do papa. **4.** A dignidade, a jurisdição, o patrimônio de um bispo, arcebispo ou patriarca.

mitrado *adj.* **1.** Que usa a mitra. **2.** *Pop.* Esperto, finório.

mitral *adj.2g.* **1.** Que tem forma de mitra. **2.** Relativo à válvula mitral. **3.** *Doença mitral,* afecção de origem reumática caracterizada por insuficiência ou estenose mitral. ▸ *Estenose mitral,* soldadura parcial de duas valvas da válvula mitral. ▸ *Orifício mitral,* orifício que comunica a aurícula esquerda com o ventrículo esquerdo do coração. ▸ *Válvula mitral,* válvula anexa ao orifício mitral que bloqueia o refluxo sanguíneo para a aurícula esquerda, durante as sístoles ventriculares.

mitridatismo *s.m.* (de *Mitridates,* n.pr.). Imunidade contra substâncias tóxicas, minerais ou orgânicas, adquirida pela ingestão de doses sucessivas e progressivamente crescentes de um determinado veneno.

mitridatizar *v.t.* (conj. 4). Acostumar alguém aos venenos; imunizar.

mitriforme *adj.2g.* Que tem forma de mitra; mitral.

miuçalha (i-u) *s.f.* **1.** Conjunto de coisas miúdas e de pouco valor. **2.** Pequena parcela ou fragmentos de qualquer coisa. **3.** Bando de crianças.

miudeza (i-u...ê) *s.f.* **1.** Qualidade de miúdo. **2.** Coisa miúda. **3.** *Fig.* Grande atenção no exame de alguma coisa; rigor de observação. ★ *s.f.pl.* **1.** Minúcias, pormenores, minudências. **2.** Objetos de pouco valor, ou de pequeno tamanho; miuçalhas, bugigangas, quinquilharias. **3.** As pequenas vísceras das aves e outros animais; miúdos.

miúdo *adj.* (lat. *minutus*). **1.** De pequenas dimensões ou volume; pequeno. **2.** De pouca importância. **3.** Amiudado, freqüente. **4.** Minucioso, escrupuloso. **5.** *A miúdo,* amiúde. ★ *s.m.pl.* Vísceras das reses, aves e de outros animais.

mixagem (cs) *s.f.* (ingl. *mixage*). **1.** Ação de mixar. **2.** Processo que combina, numa mesma fita, sinais recebidos de fontes distintas.

mixar (cs) *v.t.* (conj. 4). **1.** Misturar. **2.** Efetivar uma mixagem.

mixaria *s.f.* *Gír.* Coisa insignificante, sem valor; bagatela.

mixe *adj.2g.* **1.** Insignificante, pequeno; mixa, mixuruca. **2.** De má qualidade, de pouco valor; mixuruca.

mixórdia *s.f.* *Pop.* **1.** Misturada, embrulhada, maçarocada. **2.** Comida que apresenta aspecto desagradável ou está malfeita.

mixuruca *adj.2g.* Mixe.

mnésico *adj.* Mnemônico.

mnemônica *s.f.* **1.** Arte de ajudar as operações da memória. **2.** O que é fácil de memorizar e, por associações, possibilita a recordação de coisas mais difíceis de reter.

mnemônico *adj.* (gr. *mnemonikos*). Relativo à memória; mnésico.

Mo símbolo químico do molibdênio.

mó¹ *s.f.* (lat. *mola*). **1.** Pedra redonda, chata, de grande tamanho, utilizada nos moinhos de trigo e milho para triturar grãos e reduzi-los a farinha. **2.** Pedra de afiar.

mó² *s.f.* Grande quantidade.

moagem *s.f.* Ação de moer; moedura.

móbil *adj.2g.* e *s.m.* (lat. *mobilis*). Móvel.

mobilhar *v.t.* (conj. 4). Var. de MOBILIAR.

mobília *s.f.* (lat. *mobilia,* coisas móveis). Conjunto dos móveis de uso ou decoração interior de uma casa ou apartamento; mobiliário.

mobiliar *v.t.* (conj. 16). Guarnecer de móveis. (Var. MOBILHAR.)

mobiliaria *s.f.* Estabelecimento que vende ou fabrica móveis; movelaria.

mobiliário *adj.* **1.** Relativo a mobília ou a bens móveis. **2.** Que tem a natureza de bens móveis. **3.** Que trata de bens móveis. ★ *s.m.* Mobília.

mobilidade *s.f.* (lat. *mobilitas*). **1.** Qualidade ou propriedade do que é móvel ou do que obedece às leis do movimento. **2.** Facilidade de se mover ou ser movido. **3.** Facilidade de modificar a fisionomia, a expressão. **4.** Mudança de função, de grupo ou classe sociais. **5.** *Fig.* Inconstância, instabilidade.

mobilização *s.f.* (fr. *mobilisation*). Ação de mobilizar. ● **Fisiol.** Transformação de reservas nutritivas insolúveis em matéria solúvel e assimilável que pode ser transportada pelo sangue e ser utilizada segundo as necessidades tissulares. **Med.** Procedimento cirúrgico que consiste em liberar um órgão de suas aderências normais ou patológicas.

mobilizar *v.t.* (fr. *mobiliser*) [conj. 14]. **1.** Dar movimento a; movimentar. **2.** *Fam.* Apelar para os serviços de alguém. **3.** Pôr em circulação valores, fundos ou capitais que se encontravam inativos ou sem aplicação. ● **Mil.** Passar do estado de paz para o de guerra.

mobilizável *adj.2g.* Que se pode mobilizar.

moca¹ *s.m.* (de *Moka,* n.pr.). **1.** Variedade de café muito apreciada, originária da Arábia. **2.** *Pop.* Qualquer café. **3.** Grão de café muito pequeno, de baixa qualidade.

moca² *s.f.* **1.** Cacete. **2.** Maça, clava.

moca³ *s.f.* **1.** *Pop.* Zombaria, escárnio. **2.** Tolice. **3.** Mentira.

moça (ô) *s.f.* **1.** Pessoa nova do sexo feminino; rapariga. **2.** Mulher púbere. **3.** Mulher jovem. **4.** Mulher virgem. **5.** Mulher que perdeu a virgindade. **6.** Mulher madura, mas não velha.

moçada *s.f.* Grupo de pessoas jovens; rapaziada.

mocambeiro *s.m.* **1.** Escravo negro fugido que vivia em mocambos. **2.** *P. ext.* Bandido refugiado em mocambo. ★ *adj.* e *s.m.* **1.** Que ou aquele que vive em mocambo, favelado. **2.** Diz-se do ou gado que se esconde no mato.

moçambicano *adj.* Relativo ou pertencente a Moçambique, país da África; moçambiquenho. ★ *s.m.* O natural ou habitante de Moçambique; moçambiquenho.

moçambiquenho *adj.* e *s.m.* Moçambicano.

mocambo *s.m.* (quimb. *mu'kambu,* cumeeira). **1.** Refúgio de escravos nas matas; quilombo. **2.** Choupana, maloca. **3.** (*N*) Cerrado ou moita, em que o gado se esconde.

moção *s.f.* (lat. *motio*). **1.** Ato ou efeito de mover; movimento. **2.** Proposta apresentada em uma assembléia deliberativa por um dos seus membros.

moçárabe *adj.2g.* e *s.2g.* (ár. *mustarib,* arabizado). Diz-se de ou cristãos da península Ibérica, influenciados pela cultura árabe, mas que conservaram sua religião durante a dominação muçulmana.

mocetão *s.m.* Rapagão.

mochila *s.f.* (esp. *mochila*). **1.** Espécie de saco de lona, com pertences de militar, para ser suspenso às costas quando em marcha. **2.** Bolsa de pano, pele ou couro levada às costas ou a tiracolo. **3.** *P. ext.* Qualquer saco de viagem.

mocho (ô) *s.m.* (esp. *mocho*). **1.** Assento de madeira sem braço nem encosto. **2.** Banqueta que se aproxima de uma poltrona para apoio das pernas. ● **Zool.** Denominação comum a aves estrigiformes, de hábitos noturnos. ★ *adj.* **1.** Diz-se do animal de criação destituído de chifres, em comparação com os exemplares que normalmente os apresentam. **2.** Diz-se dos animais que não possuem alguma parte do corpo. **3.** Diz-se das armas de fogo sem cão. **4.** Diz-se de navio que perdeu a mastreação; desmastreado.

mocidade *s.f.* **1.** Período de vida entre a infância e a idade adulta. **2.** *Fig.* Irreflexão, imprudência.

mocinho *s.m.* (dim. de *moço*). **1.** Muito moço. **2.** Herói dos filmes de aventura, sobretudo dos filmes de faroeste.

moço (ô) *adj.* (lat. *musteus,* fresco, recente). **1.** De pouca idade; jovem. **2.** Relativo a ou próprio da mocidade. **3.** *Fig.* Inexperiente. ★ *s.m.* **1.** Rapaz, mancebo. **2.** Serviçal, criado. **3.** Forma cordial de tratamento, usada sobretudo em vocativo, para pessoas desconhecidas que não inspiram cerimônia nem intimidade.

mocó *s.m.* (tupi *mo'ko*). **1.** Variedade de algodão do Nordeste, de fibras compridas e sedosas. **2.** (*N*) Saco de tiracolo feito de peles de animais e usado para pequenas provisões, papéis etc.

mocotó *s.m.* (tupi *mboko'tog*). **1.** Patas de animais bovinos ou suínos, desprovidas do casco, usadas como alimento. **2.** *Pop.* Tornozelo.

moda *s.f.* (fr. *mode,* costume, uso). **1.** Uso passageiro que rege, de acordo com o gosto do momento, a maneira de viver, de vestir etc. **2.** Arte e técnica do vestuário. **3.** Modo ou maneira de executar as coisas. **4.** Cantiga, ária, modinha. **5.** Coisa ou hábito que goza momentaneamente de grande apreço popular; coqueluche. ● **Estat.** Valor de uma caracteristica quantitativa discreta de freqüência mais elevada, ou centro de uma classe que apresenta freqüência mais elevada.

modal *adj.2g.* (lat. tard. *modalis*). **1.** Relativo a modo ou modalidade. **2.** Relativo aos modos da substância. ● **Mús.** Relativo a ou que emprega modo.

modalidade *s.f.* **1.** Forma particular de um ato, de uma reflexão, de uma organização etc. **2.** Variante que pode apresentar uma característica estatística qualitativa.

modelação *s.f.* Sin. de MODELAGEM.

modelado *adj.* Que se modelou. ★ *s.m.* Aspecto que tomam as formas do relevo, determinado pela ação dos agentes morfogenéticos (águas correntes, ventos, geleiras etc.).

modelador (ô) *adj.* **1.** Que modela. **2.** Diz-se de uma espécie de cinta usada pelas senhoras para moldar ou realçar as formas. ★ *s.m.* **1.** Aquele que modela. **2.** Operário que trabalha no preparo de moldes.

modelagem *s.f.* **1.** Ato ou efeito de modelar. **2.** Trabalho em argila, cera ou outro material maleável, que servirá em seguida como molde. (Sin. MODELAÇÃO.) **3.** Reprodução de um objeto, ou prova, feita com a ajuda de um molde assim obtido. **4.** Conjunto de processos e meios levados a cabo para a produção dos modelos e mais geralmente das caixas de machos e das ferramentas destinadas a produzir as peças de fundição.

modelar[1] *v.t.* (conj. 4). **1.** Fazer o modelo ou o molde de uma peça. **2.** Trabalhar a argila, o barro, a cera etc., dando-lhes uma forma particular. **3.** Delinear, regular, traçar intelectualmente. **4.** Assinalar os contornos de; ajustar. ★ *v.pr.* Tomar-se como modelo.

modelar[2] *adj.2g.* Que serve de modelo; exemplar.

modelo (ê) *s.m.* (it. *modello*). **1.** Aquilo que serve de objeto de imitação. **2.** Molde. **3.** Pessoa ou qualquer objeto na reprodução do qual trabalham os artistas. **4.** Representação em escala reduzida de algo que se quer produzir em tamanho grande. **5.** Pessoa que traja vestes para exibi-las à clientela; manequim. **6.** Desenho, projeto de uma peça de vestuário, máquina etc. **7.** Representação de um fenômeno natural ou conjunto de hipóteses levantadas para explicá-lo.

modem *s.m.* (abrev. de *modulador e demodulador*). Aparelho que permite ligar um terminal de computador a outros terminais da mesma rede de telecomunicação.

moderação *s.f.* (lat. *moderatio*). **1.** Ato ou efeito de moderar(-se), de tornar(-se) menor; diminuição, redução. **2.** Capacidade ou virtude de permanecer na exata medida; comedimento.

moderador (ô) *adj.* (lat. *moderator*). **1.** Que modera, atenua, regula. **2.** Sin. de MODULADOR. ★ *s.m.* **1.** O que modera. **2.** O que regula ou atenua. **3.** Presidente do sínodo, em algumas igrejas reformadas. **4.** *Moderador do apetite,* substância anorexígena empregada no tratamento da obesidade.

moderar *v.t.* (lat. *moderari*) [conj. 4]. **1.** Pôr no meio-termo; regular, regrar. **2.** Atenuar, diminuir. **3.** Refrear, reprimir, suster. ★ *v.pr.* Conter-se, controlar-se.

modernice *s.f.* **1.** Apego a coisas modernas, emprego exagerado de coisas novas. **2.** Uso de coisas novas.

modernismo *s.m.* (fr. *modernisme*). **1.** Caráter do que é moderno. **2.** Gosto ou preferência pelo que é moderno. **3.** Movimento literário e artístico brasileiro, surgido em São Paulo em 1922, que buscava uma linguagem autenticamente nacional e o rompimento com as tradições acadêmicas. **4.** Termo que abrange as manifestações artísticas ocorridas do final do séc. XIX até o início dos anos 1960.

modernista *adj.2g.* Pertencente ou relativo ao modernismo. ★ *s.2g.* Partidário do modernismo.

modernizar *v.t.* (conj. 4). Dar um aspecto, uma aparência mais moderna a. ★ *v.pr.* Adaptar-se aos usos e costumes modernos.

moderno *adj.* (lat. tard. *modernus*). Que pertence ao tempo presente ou a uma época relativamente recente; hodierno, atual. ★ *s.m.* Aquilo que é moderno ou de acordo com o gosto moderno.

VOCÊ SABIA...? No século XX, os artistas plásticos começaram a utilizar novos materiais (colagens, técnicas mistas) e maneiras diferentes de criar imagens, o que caracterizou a arte **moderna**. A pintura se tornou abstrata. Picasso e outros pintores cubistas utilizaram formas geométricas para representar a realidade. Mondrian pintou linhas e ângulos retos. Pollock projetou sua pintura sobre grandes telas colocadas ao sol. Warhol aplicou técnicas fotográficas à pintura.

modéstia *s.f.* (lat. *modestia*). **1.** Qualidade de modesto; desambição, despretensão. **2.** Compostura, reserva.

modesto *adj.* (lat. *modestus*). **1.** Que pensa a seu respeito ou fala de si mesmo sem orgulho; despretensioso, humilde. **2.** Moderado, desambicioso. **3.** Simples, pobre.

módico *adj.* (lat. *modicus*). **1.** Exíguo, parco, pequeno. **2.** Moderado, limitado, restrito. **3.** Barato.

modificar *v.t.* (lat. *modificare*) [conj. 12]. **1.** Mudar a forma, a qualidade, o aspecto de. **2.** Alterar, mudar, transformar. ● **Gram.** Falando-se do advérbio em relação ao verbo ou ao adjetivo, ampliar ou restringir o sentido. ★ *v.pr.* **1.** Sofrer modificações. **2.** Restringir-se, moderar-se.

modilhão *s.m.* (it. *modiglione*). Ornato arquitetônico em forma de "S".

modinha *s.f.* **1.** Cantiga ligeira e despretensiosa. **2.** Canção sentimental brasileira, de provável origem erudita portuguesa, muito em voga nos séculos XVIII e XIX.

modismo *s.m.* **1.** Modo de expressar-se aceito pelo uso, mas que parece contrário às normas gramaticais. **2.** Aquilo que está em moda e tem caráter passageiro.

modista *s.2g.* (fr. *modiste*). Pessoa que confecciona roupas para senhoras.

modo *s.m.* (lat. *modus*). **1.** Maneira de ser. **2.** Forma peculiar de que se pode revestir uma coisa. **3.** Jeito, método, feitio. **4.** Meio, maneira. ● **Gram.** Flexão verbal em que se exprime a atitude da pessoa que fala em relação ao enunciado. (Os modos verbais do português são indicativo, subjuntivo e imperativo.) **Mús.** Maneira como os tons e semitons se distribuem entre os graus da escala. ★ *s.m.pl.* Compostura, maneiras.

modorra (ô) *s.f.* (esp. *modorra*). **1.** Estado de torpor, prostração e sonolência; madorna, madorra. **2.** Preguiça, moleza. **3.** *Fig.* Insensibilidade, apatia. ● **Zootec.** Doença do gado ovino.

modulação *s.f.* (lat. *modulatio*). **1.** Ato ou efeito de modular. **2.** Inflexão variada da voz. **3.** Variação delicada das cores de uma pintura. ● **Fís.** Variação, no tempo, de uma característica de um fenômeno (amplitude, freqüência etc.) em função dos valores de uma característica de um outro fenômeno. **Mús.** Passagem de uma tonalidade musical a outra.

modulador (ô) *adj.* (lat. *modulator*). **1.** Que modula. **2.** Diz-se de nervo ou substância que retarda a atividade de um órgão ou de uma função. (Sin. MODERADOR.) ★ *s.m.* Aquilo ou aquele que modula.

modular[1] *adj.2g.* Relativo a módulo.

modular[2] *v.t.* (lat. *modulari*) [conj. 4]. **1.** Cantar com inflexões variadas de voz. **2.** Cantar, recitar, tocar melodiosamente. ★ *v.i.* Passar de uma tonalidade musical a uma outra.

módulo *s.m.* (lat. *modulus*, dim. de *modus*, modo). **1.** Medida adotada para regular as proporções das diversas partes de uma construção. **2.** *P. ext.* Qualquer grandeza tomada como unidade de medida.

moeda *s.f.* (lat. *moneta*). **1.** Peça de metal cunhada por um governo soberano para servir como medida de valor, troca ou poupança; dinheiro. **2.** Todo instrumento legal com essas mesmas funções. **3.** Unidade monetária de um país. **4.** O equivalente ao valor de uma peça de metal ou a um bilhete bancário.

moedeiro *s.m.* **1.** Fabricante de moeda. **2.** Aquele que trabalha na fabricação de moedas.

moedura *s.f.* Ação de moer; moagem.

moela *s.f.* Última bolsa do estômago das aves, de paredes espessas e musculosas, que se destina à trituração dos alimentos.

moenda *s.f.* **1.** Nome genérico dado a todo instrumento que mói; mó, moinho. **2.** Mecanismo destinado a esmagar a cana-de-açúcar nas usinas açucareiras.

moendeiro *s.m.* **1.** Dono de moenda; moleiro. **2.** Trabalhador dos engenhos nordestinos de bangüê, que põe as canas na moenda.

moer *v.t.* (lat. *molere*) [conj. 28]. **1.** Reduzir a pó, pisando ou triturando. **2.** Sujeitar a uma prensa (azeitona, cana-de-açúcar etc.) para extrair o sumo. **3.** Mastigar, ruminar. **4.** *Fig.* Cansar, fatigar por excesso de trabalho. **5.** *Fig.* Importunar, maçar, molestar, atormentar. ★ *v.pr.* Cansar-se, fatigar-se.

mofa *s.f.* Motejo, zombaria, escárnio.

mofar[1] *v.t.* (conj. 4). Cobrir ou encher de mofo. (Sin. EMBOLORAR.) ★ *v.i.* **1.** Criar mofo. **2.** *Pop.* Demorar, perder tempo; sujeitar-se a longa espera.

mofar[2] *v.t.* (conj. 4). Fazer mofa; zombar, escarnecer.

mofino *adj.* e *s.m.* **1.** Infeliz, desgraçado. **2.** Acanhado, tacanho. **3.** Turbulento, importuno. **4.** Avarento, mesquinho. **5.** Covarde. **6.** Indisposto, adoentado.

mofo (ô) *s.m.* Sin. de BOLOR.

mogno *s.m.* Sin. de MOGNO-VERDADEIRO.

mogno-verdadeiro *s.m.* Árvore de casca amarga, adstringente, e fruto oleaginoso, que fornece madeira de lei, vermelho-escura, usada em marcenaria de luxo. (Sin. MOGNO, ACAJU, MAOGANI.)

moído *adj.* **1.** Que se moeu; pisado, triturado; reduzido a pó. **2.** *Fig.* Importunado, maçado. **3.** *Fig.* Cansado, fatigado.

moinha (o-i) *s.f.* **1.** Fragmentos de palha que ficam na eira após a debulha dos cereais. **2.** Pó a que se reduz qualquer substância seca ou triturada.

moinho (o-í) *s.m.* (lat. tard. *molinum*). **1.** Engenho em que se mói cereais, constituído de duas mós, uma das quais é fixa e a outra, movida por um eixo vertical. **2.** Construção em que se acha instalado esse engenho. **3.** Aparelho que realiza a operação de moedura ou moagem.

moinho de vento

moirão *s.m.* Mourão.

moita *s.f.* Grupo espesso de arbustos ramosos.

mol *s.m.* Unidade de medida SI de quantidade de matéria (símb. mol), equivalente à quantidade de matéria de um sistema que contém tantas entidades elementares quantos são os átomos existentes em 0,012 kg de carbono 12.

mola *s.f.* (it. *molla*). **1.** Dispositivo elástico capaz de suportar elevadas deformações e destinado a exercer uma força quando dobrado, tracionado, comprimido ou torcido, força essa que tende a fazê-lo voltar à posição e forma originais. **2.** *Fig.* O que impulsiona ou concorre para um fim; motivo, causa.

molambento *adj.* Vestido com molambos; esfarrapado, roto.

molambo *s.m.* (quimb. *mu'lambu'*, pano). **1.** Trapo de pano velho, roto e sujo; farrapo. **2.** Roupa esfarrapada. **3.** *Fig.* Indivíduo decadente, de caráter fraco.

molar[1] *adj.2g.* Próprio para moer. ★ *adj.* e *s.m.* Diz-se de ou grande dente localizado na parte médio-posterior dos maxilares, que serve para a trituração dos alimentos.

MOLARES DE DIFERENTES MAMÍFEROS

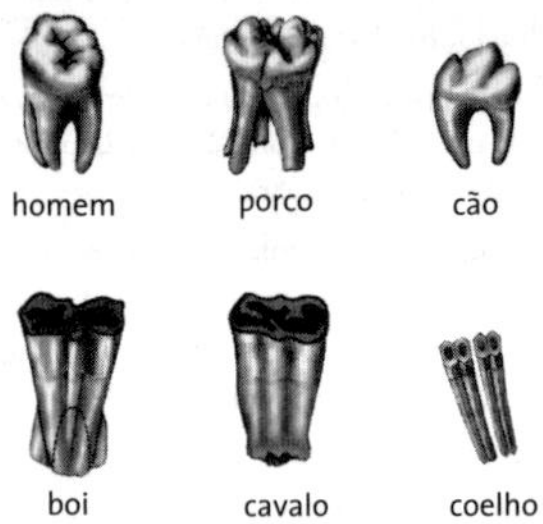

molar[2] *adj.2g.* **1.** Diz-se dos frutos que têm a casca mole e, por isso, fáceis de partir. **2.** Mole, brando.

molar[3] *adj.* Relativo ao mol.

molaridade *s.f.* Concentração molar por volume.

moldagem *s.f.* **1.** Ação de moldar, de encher ou fazer moldes; moldação. **2.** Modelagem. **3.** Procedimento de conformação de um material plástico.

moldar *v.t.* (conj. 4). **1.** Adaptar ao molde; formar o molde de. **2.** Despejar no molde o metal derretido; fundir. **3.** *Fig.* Dar forma e contornos a; modelar. **4.** Afeiçoar, adaptar. ★ *v.pr.* **1.** Acomodar-se. **2.** Regular-se.

molde *s.m.* (lat. *modulus*). **1.** Modelo oco onde se verte matéria pastosa, líquida ou pulverulenta que, ao se solidificar ou se aglomerar, forma um objeto. **2.** Todo instrumento ou peça de metal, madeira, cartão, papel etc., pelo qual se corta, recorta ou modela alguma coisa. **3.** *Fig.* Exemplo, norma. ● **Tip.** Caixa em que se coloca a matriz na fundição de tipos.

moldura *s.f.* **1.** Espécie de enquadramento que contorna ou sustenta uma superfície. **2.** Caixilho de material e formatos variáveis para guarnecer pinturas, desenhos e gravuras. **3.** *Fig.* Ornamento, enfeite.

moldurar *v.t.* (conj. 4). **1.** Encaixar em moldura; emoldurar. **2.** Ornar em moldura.

mole[1] *adj.2g.* (lat. *mollis*). **1.** Que cede facilmente à pressão; brando. **2.** Sem vivacidade. **3.** Preguiçoso, indolente. **4.** *Fig.* Sem energia; fraco, débil. **5.** *Pop.* Que não apresenta dificuldade. ● **Fís.** Diz-se de uma radiação X de grande comprimento de onda e, em conseqüência, de fraca energia, que penetra pouco na matéria.

mole[2] *s.f.* (lat. *moles*, massa). **1.** Volume muito considerável. **2.** Grande quantidade de qualquer coisa. **3.** Construção de proporções gigantescas.

molecada *s.f.* **1.** Bando de moleques. **2.** Molecagem.

molecagem *s.f.* Ação própria de moleque; molecada, molequice.

molécula *s.f.* (lat. cient. *molecula*, dim. de *moles*, massa). **1.** Partícula formada de átomos que representa, para um corpo ou substância pura constituída por ela, a menor porção de matéria que pode existir no estado livre. **2.** A menor parte constitutiva ou elemento de um todo. **3.** *Fig.* Parte pouco importante, insignificante, de um todo.

VOCÊ SABIA...? A **molécula** é a menor parte de um composto que pode intervir em uma reação química. Compõe-se de dois ou mais átomos unidos por ligações químicas.

molecular *adj.2g.* **1.** Relativo a molécula. **2.** *Massa molar molecular,* massa de um mol de substância formada de moléculas.

moleira *s.f.* **1.** Mulher do moleiro. **2.** Mulher que trabalha em moinho. **3.** Parte membranosa do crânio das crianças antes de sua completa ossificação; fontanela.

moleirão *adj.* e *s.m.* Excessivamente mole; molenga.

moleiro *s.m.* (lat. tard. *molinarius*). Aquele que trabalha em moinho.

molejo (ê) *s.m.* **1.** Conjunto das molas de um veículo. **2.** Ação dessas molas.

molenga *adj.2g.* *Fam.* **1.** Muito mole; indolente, preguiçoso. **2.** Pusilânime, fraco. ★ *s.2g.* Pessoa molenga. (Var. MOLENGO.)

molengo *adj.* e *s.m.* Var. de MOLENGA.

moleque *s.m.* (quimb. *mú leke*, menino). **1.** Menino travesso. **2.** Menino de pouca idade. **3.** Indivíduo sem palavra, que não é digno de crédito; canalha, patife. ★ *adj.* Engraçado, divertido, pilhérico.

molestado *adj.* **1.** Atacado de moléstia; doente. **2.** Lesado fisicamente. **3.** Ofendido.

molestar *v.t.* (lat. *molestare*) [conj. 4]. **1.** Causar moléstia a; afetar (falando-se de moléstia ou doença). **2.** Importunar, incomodar. **3.** Maltratar, contundir. **4.** Ofender. **5.** Causar prejuízo a. ★ *v.pr.* Mostrar-se magoado; aborrecer-se.

moléstia *s.f.* (lat. *molestia*). **1.** Doença, afecção, enfermidade. **2.** *Pop.* Hidrofobia, raiva. **3.** Aborrecimento, incômodo; sofrimento moral.

molesto *adj.* (lat. *molestus*). **1.** Que molesta; prejudicial, nefasto. **2.** Que importuna; enfadonho, incômodo. **3.** Trabalhoso, árduo.

moleza (ê) *s.f.* **1.** Qualidade ou estado de mole. **2.** Quebrantamento de forças. **3.** Falta de ânimo, de vigor; apatia. **4.** Tranqüilidade, sossego. **5.** *Fam.* Coisa fácil de fazer ou de conseguir.

molhadela *s.f.* Ação de molhar ligeiramente.

molhado *adj.* **1.** Que se molhou; umedecido com qualquer tipo de líquido. **2.** Embriagado. ★ *s.m.* Lugar umedecido por qualquer líquido. ★ *s.m.pl.* Azeite, vinho e outras substâncias líquidas, vendidas em armazéns e mercearias.

molhar *v.t.* (conj. 4). **1.** Embeber em líquido; banhar. **2.** Irrigar. **3.** *Fam.* Urinar. ★ *v.pr.* **1.** Receber ou deitar líquido sobre si. **2.** *Fam.* Urinar (a criança, nas fraldas).

molhe *s.m.* (do gr. mod. *molos*, pelo cat. *molh*). Paredão que se constrói nos portos de mar em forma de cais, para protegê-los da violência das águas; quebra-mar.

molheira *s.f.* Vasilha usada à mesa para servir molhos.

molho *s.m.* **1.** Feixe, paveia. **2.** Quantidade de objetos reunidos num só grupo.

molho (ô) *s.m.* **1.** Preparação culinária, na forma de caldo com temperos, que se destina a refogar iguarias ou que a elas se junta no ato de serem servidas. **2.** Água ou outro veículo no qual se imerge uma substância para amolecer ou dela extrair um de seus componentes, como, por exemplo, o sal.

molibdênio *s.m.* (lat. *molybdaena*, galena). Elemento químico (símb. Mo) de número atômico 42, que constitui um metal de aplicações específicas por sua elevada resistência ao calor.

molície *s.f.* **1.** Moleza, preguiça. **2.** Sensualidade, voluptuosidade.

molinete (ê) *s.m.* (fr. *moulinet*, pequeno moinho). **1.** Aparelho para medir a velocidade relativa de um curso de água. **2.** Carretilha de vara de pescar.

molinote *s.m.* (lat. tard. *molinum*, moinho). **1.** Pequena moenda de cana-de-açúcar. **2.** Espécie de cabrestante armado nos engenhos de açúcar para movê-los com força animal quando falta água para esse fim.

molóide *adj.2g.* e *s.2g.* Molenga.

molosso (ô) *s.m.* (gr. *molossos*). **1.** Grande cão de fila, que serve para caçar e guardar o gado. **2.** *Fig.* Pessoa vigorosa e de gênio violento; valentão desordeiro.

molusco *s.m.* Espécime dos moluscos. ● **Med.** *Molusco contagioso*, pequeno tumor cutâneo, muito contagioso, causado por um vírus.

MOLUSCO ▸ Os moluscos são um grupo imensamente variado de invertebrados que vão desde pequenas formas dotadas de concha ou carapaça, entre as quais se encontram os caracóis, até predadores ágeis como lulas e polvos. A maioria dos moluscos é marinha; entretanto, alguns caramujos e mariscos vivem em água doce, e as lesmas e caracóis adaptaram-se aos hábitats terrestres.

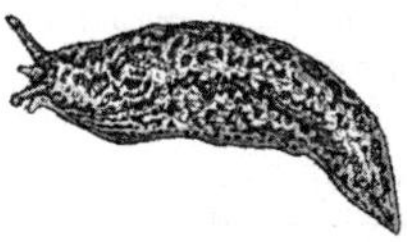

lesma

moluscos *s.m.pl.* Filo de animais invertebrados que apresentam corpo mole, dividido em cabeça, pé muscular e massa visceral recoberta pelo manto, responsável pela secreção da concha em muitas espécies.

momentâneo *adj.* (lat. *momentaneus*). **1.** Que dura apenas um momento; instantâneo, rápido. **2.** Transitório, passageiro, efêmero.

momento *s.m.* (lat. *momentum*). **1.** Pequeno espaço de tempo. **2.** Ocasião, instante. **3.** Circunstância, situação, oportunidade. **4.** Tempo presente. ● **Fís.** *Momento linear*, grandeza expressa pelo produto da massa de um corpo pela sua velocidade. ▸ *Momento de uma força*, produto vetorial do vetor posição de uma força pelo vetor que a representa. ▸ *Momento magnético de um ímã*, produto da distância de seus pólos pela massa magnética de seu pólo norte.

momentoso (ô) *adj.* Grave, importante, ponderoso.

momice *s.f.* Trejeito, careta.

momo *s.m.* (gr. *momos*, representação mímica). **1.** *Ant.* Farsa satírica que ridicularizava os costumes da época. **2.** O ator que representava nessas farsas. **3.** Mímica, pantomima. **4.** Momice. **5.** Escárnio, zombaria.

monacal *adj.2g.* (do gr. *monachos*, solitário). Relativo a ou próprio dos monges ou das monjas; monástico.

monaquismo *s.m.* **1.** Modo de vida governado por uma regra religiosa; monacato. **2.** Instituição monástica; monacato.

monarca *s.m.* (gr. *monarches*, o que governa sozinho). Nome genérico do chefe de uma monarquia.

monarquia *s.f.* (gr. *monarchía*). **1.** Sistema de governo em que o poder político é exercido por um indivíduo. **2.** Estado governado dessa maneira.

monárquico *adj.* Relativo ou pertencente à monarquia ou monarca.

monarquismo *s.m.* Opinião ou sistema político dos partidários da monarquia.

monarquista *adj.2g.* Relativo ao monarquismo. ★ *s.2g.* Partidário do monarquismo ou da monarquia.

monastério *s.m.* Mosteiro.

monástico *adj.* (gr. *monasticós*). Monacal.

monazita *s.f.* (gr. *monazein*, ser só). Mineral monoclínico, amarelado, encontrado em rochas eruptivas ou misturado nas areias.

monção *s.f.* (ár. *mausim*, época fixa). **1.** Sistema de ventos sazonais alternados, que sopram em latitudes tropicais, do mar para o continente no verão e do continente para o mar no inverno. **2.** Tempo ou época do ano favorável à navegação.

monco *s.m.* (lat. *mucus*). **1.** Humor segregado pela mucosa do nariz; ranho. **2.** Carne vermelha e enrugada, pendurada sob o bico do peru.

moncoso (ô) *adj.* **1.** Que segrega muito monco; ranhoso. **2.** *Fig.* Sujo, desprezível.

monda *s.f.* **1.** Ação de mondar; mondadura. **2.** Tempo próprio para mondar.

mondadura *s.f.* **1.** Monda. **2.** Erva mondada.

mondar *v.t.* (lat. *mundare*, limpar) [conj. 4]. **1.** Lavar, separar as impurezas ou as partes inúteis de. **2.** Arrancar a erva daninha que nasce entre as plantas cultivadas. **3.** Cortar os ramos secos ou supérfluos das árvores etc. **4.** *Fig.* Rever minuciosamente, cortando erros e defeitos. ★ *v.i.* Praticar a monda.

mondongo *s.m.* Sin. de CAMUNDONGO.

monegasco *adj.* Relativo ou pertencente a Mônaco, país da Europa. ★ *s.m.* O natural ou habitante de Mônaco.

monetário *adj.* (lat. *monetarius*). Relativo ou pertencente à moeda. ★ *s.m.* Coleção de moedas.

monge *s.m.* (gr. *monachos*, solitário). **1.** Membro de uma ordem religiosa masculina com vida em mosteiro. **2.** *Fig.* Homem que cultiva hábitos de vida isolada e extremamente austera.

mongol *adj.2g.* Relativo ou pertencente à Mongólia, na Ásia, ou aos mongóis; mongólico. ★ *s.2g.* **1.** Indivíduo dos mongóis, grupo étnico da Mongólia. **2.** O natural ou habitante da Mongólia. ★ *s.m.* Grupo de línguas altaicas faladas na Mongólia e em outras regiões da Ásia.

? VOCÊ SABIA...? Gêngis Khan foi líder dos **mongóis**, povo guerreiro das planícies da Ásia central. Um dos maiores conquistadores da história, comandou um grande regimento de cavalaria contra a China em 1211, entrou na Rússia em 1223 e além disso invadiu o leste da Europa. Por meio de suas conquistas, criou o grande Império Mongol. Seu neto Kublai Khan governou a China.

---

mongólico *adj.* Mongol.

mongolismo *s.m.* Síndrome provocada por uma aberração cromossômica, que determina um déficit intelectual profundo associado a modificações morfológicas acentuadas (baixa estatura, fendas palpebrais oblíquas etc).

mongolóide *adj.2g.* **1.** Que apresenta caracteres análogos aos dos mongóis. **2.** Que apresenta caracteres semelhantes aos do mongolismo.

monilíase *s.f.* Sin. de CANDIDÍASE.

monismo *s.m.* Doutrina filosófica e religiosa que propõe a unidade do Universo, à qual todas as coisas e leis estão submetidas.

monitor[1] (ô) *s.m.* (lat. *monitor,* conselheiro). **1.** Indivíduo encarregado de funções acessórias de ensino, sob a supervisão de um professor. **2.** Estudante encarregado de velar pelo comportamento dos outros estudantes da mesma classe e, às vezes, de lhes tomar as lições. **3.** Escoteiro que chefia uma patrulha.

monitor[2] (ô) *s.m.* **1.** Dispositivo de visualização dotado de tela, que pode exibir imagens provenients de computador, receptor de televisão, leitor de DVD etc. **2.** Aparelho de supervisão automática de doentes.

monitorar *v.t.* (conj. 4). Acompanhar, supervisionar por meio de monitor.

monitoria *s.f.* O conjunto de funções de um monitor[1].

monitória *s.f.* (lat. *monitoria*). **1.** Aviso em que se convida o público a prestar esclarecimentos sobre um crime. **2.** Conselho, advertência.

monitório *adj.* (lat. *monitorius*). **1.** Relativo à monitória. **2.** Que adverte, repreende.

monjolo (ô) *s.m.* (quimb.). Engenho rústico, movido por água, usado para pilar milho e descascar café.

mono *s.m.* **1.** Macaco, bugio. **2.** Sin. de MONO-CARVOEIRO. **3.** *Fig.* Sujeito deselegante, estúpido.

---

monoácido *adj.* e *s.m.* Diz-se de ou ácido que libera um único íon de hidrogênio por molécula.

monoamida *s.f.* Composto químico que compreende uma única função amida.

monoamina *s.f.* Composto que apresenta uma única função amina.

monobloco *adj.* Diz-se de um aparelho, de uma peça feitos num só bloco.

monocarpo *adj.* Diz-se do vegetal que só tem um fruto. ★ *s.m.* Fruto resultante de ovário monocarpelar.

mono-carvoeiro *s.m.* Macaco brasileiro, ameaçado de extinção, de hábitos arborícolas, provido de cauda preênsil, que ocorre da Bahia até São Paulo e Minas Gerais. (Sin. MONO, MURUQUI.)

monocelular *adj.2g.* Diz-se do organismo constituído por apenas uma célula.

monocíclico *adj.* **1.** Relativo a um único ciclo de atividade. **2.** Diz-se de um composto químico cuja fórmula contém uma cadeia fechada, como o benzeno. **3.** Diz-se das espécies ou subespécies animais que apresentam apenas um ciclo reprodutivo por ano.

monociclo *s.m.* Velocípede de uma só roda, usado por malabaristas em espetáculos circenses.

monócito *s.m.* (do gr. *monos,* único + *kytos,* célula). Leucócito mononucleado, responsável essencialmente pela fagocitose.

monoclínico *adj.* Em mineralogia, diz-se de um sistema cristalino que tem por forma fundamental um prisma oblíquo, cuja base é um losango.

monocórdio *s.m.* (gr. *monochordon*). Instrumento musical de uma só corda, utilizado como diapasão. ★ *adj.* **1.** De uma só corda. **2.** *Fig.* Monótono.

monocotiledôneas *s.f.pl.* Classe de plantas do grupo das angiospermas, caracterizada por embrião com um só cotilédone, raiz normalmente fasciculada e folhas em geral com nervuras paralelas.

monocromático *adj.* **1.** Que tem uma só cor; monocromo. **2.** Diz-se de uma radiação eletromagnética que tem uma freqüência única.

monocromo *adj.* Monocromático.

monocular *adj.2g.* Diz-se de instrumentos ou sistemas ópticos que apresentam apenas uma lente ocular.

monóculo *s.m.* **1.** Lente corretora para um só olho, que se prende por pressão da arcada superciliar. **2.** Luneta, microscópio ou telescópio de uma só lente.

monocultura *s.f.* Utilização da terra com uma só cultura permanente.

monogamia *s.f.* Sistema social no qual o homem não pode ser simultaneamente marido de mais de uma mulher e a mulher não pode ser esposa de mais de um homem.

monogâmico *adj.* Relativo à monogamia.

monógamo *adj.* e *s.m.* (gr. *monogamos*). **1.** Diz-se de ou indivíduo que tem um só cônjuge. **2.** Diz-se de ou animal que se acasala com uma única fêmea.

monografia *s.f.* Estudo particularizado de um aspecto ou de um grupo de aspectos de determinado assunto.

monograma *s.m.* **1.** Cifra composta de letras ou das principais letras de um nome. **2.** Iniciais combinadas, entrelaçadas ou não, usadas como marca ou assinatura abreviada.

monóico *adj.* Diz-se do vegetal que possui flores masculinas e femininas na mesma planta.

monolítico *adj.* **1.** Relativo a monólito. **2.** *Fig.* Que se comporta como um conjunto rígido, indivisível.

monólito ou **monolito** *s.m.* **1.** Pedra de enormes dimensões. **2.** Monumento formado de uma única pedra.

monologar *v.i.* (conj. 14). **1.** Recitar monólogos. **2.** Falar em voz alta consigo mesmo.

monólogo *s.m.* (gr. *monologos*). **1.** Cena em que apenas um ator interpreta um personagem que fala ao público ou consigo mesmo. **2.** Discurso de alguém que fala consigo mesmo ou sem permitir que seus interlocutores falem.

monômero *s.m.* **1.** Unidade de repetição de uma cadeia macromolecular. **2.** Composto cuja fórmula bruta comporta os menores índices possíveis para cada espécie de átomo. **3.** Molécula que, por sucessivos encadeamentos com outras moléculas, forma uma estrutura polimérica.

monômio *s.m.* Cada um dos termos de um polinômio.

mononucleado *adj.* Diz-se de toda célula que apresenta um só núcleo, como os linfócitos e monócitos sanguíneos.

mononucleose *s.f.* **1.** Aumento do número de leucócitos mononucleados no sangue. **2.** *Mononucleose infecciosa,* doença viral benigna do sistema hematopoiético, que se manifesta por angina, aumento do volume dos gânglios linfáticos e elevação da taxa de leucócitos mononucleados.

monopólio *s.m.* (gr. *monopolion,* venda). **1.** Privilégio exclusivo e freqüentemente arbitrário. **2.** Privilégio, legal ou de fato, que possui um indivíduo, uma companhia ou um Estado de fabricar ou de vender certas coisas, de explorar certos serviços, com exclusividade. **3.** *Fig.* Pretensão de exclusividade.

monopolista *adj.2g.* e *s.2g.* **1.** Que ou aquele que tem ou exerce monopólio. **2.** *Fig.* Açambarcador, abarcador.

monopolizar *v.t.* (conj. 4). **1.** Reduzir a monopólio; fazer monopólio de. **2.** Explorar sem concorrência. **3.** *Fig.* Tomar exclusivamente para si; açambarcar.

monospermo *adj.* Diz-se dos frutos e das divisões de frutos que têm apenas uma semente.

monossacarídeo *s.m.* Nome genérico dos glicídios que só comportam uma cadeia carbônica sem ramificação. (Sin. OSE.)

monossilábico *adj.* **1.** Que tem uma única sílaba; monossílabo. **2.** Formado apenas por monossílabos.

monossílabo *s.m.* Palavra ou verso que tem uma única sílaba. ★ *adj.* Monossilábico.

monoteísmo *s.m.* Doutrina ou religião que prega a existência de um único Deus.

monoteísta *adj.2g.* Relativo ou pertencente ao monoteísmo. ★ *s.2g.* Adepto do monoteísmo.

monoterpeno *s.m.* Nome genérico de uma importante classe de hidrocarbonetos naturais presente nos reinos animal e vegetal, de ampla utilização na indústria alimentícia e de perfumes.

monotonia *s.f.* **1.** Qualidade de monótono. **2.** Ausência de variedade. **3.** Tédio, insipidez.

monótono *adj.* (gr. *monotonos,* tensão de uma corda musical). **1.** De um tom único, uniforme; sem variação. **2.** Aborrecido, tedioso.

monotremados *s.m.pl.* Ordem de mamíferos que se caracterizam por serem ovíparos, pela presença de dentes apenas nos jovens e de bico córneo nos adultos, representada pelos ornitorrincos.

monovalente *adj.2g.* Que possui valência química igual a 1; univalente.

monóxido *s.m.* Óxido que contém um único átomo de oxigênio em sua molécula, como o monóxido de carbono.

monsenhor (ô) *s.m.* (it. *monsignore*). Prelado da corte pontifical. ● **Bot.** Sin. de CRISÂNTEMO.

monstrengo *s.m.* Var. de MOSTRENGO.

monstro *s.m.* (lat. *monstrum*). **1.** Organismo que, no todo ou em algumas de suas partes, se afasta da estrutura ou da conformação natural da sua espécie ou sexo, e cujo estudo pertence à teratologia. **2.** Ser fantástico das lendas mitológicas. **3.** Pessoa cruel, feroz, desumana. **4.** Pessoa muito feia, horrorosa. **5.** *Fig.* Coisa gigantesca e colossal. **6.** *Fam.* Pessoa admirável sob qualquer aspecto. ★ *adj.2g.2n.* Que revela natureza, qualidade ou proporções extraordinárias.

? VOCÊ SABIA...? Quem idealizou o **monstro** do livro *Frankenstein* foi a escritora inglesa Mary Shelley (1797-1851), esposa do poeta Percy Bysshe Shelley e autora da obra. A história, publicada em 1818, trata de um monstro feito de restos humanos que destrói o próprio cientista que o criou. No livro, Frankenstein é na verdade o nome do cientista que cria o monstro.

---

monstruoso (ô) *adj.* (lat. *monstruosus*). **1.** Que tem conformação de monstro. **2.** Prodigioso, extraordinário. **3.** Que é contrário às leis da natureza. **4.** Horrível.

monta *s.f.* **1.** Soma, custo, preço. **2.** Importância, valor. **3.** Acasalamento, nas espécies eqüina, bovina, caprina e suína. (Sin. COBERTURA.) **4.** Época desse acasalamento.

montador (ô) *s.m.* **1.** Operário encarregado de ajustar as diversas peças de um conjunto. **2.** Especialista encarregado da montagem de filmes cinematográficos.

montagem *s.f.* **1.** Ato ou efeito de montar. **2.** Preparo ou disposição das peças de uma máquina para permitir seu correto funcionamento. **3.** Ação de montar ou encenar uma peça teatral; encenação. **4.** Seleção e ordenação dos diversos planos e seqüências de um filme.

montanha *s.f.* (lat. vulg. *montanea*). **1.** Forma de relevo caracterizada pela sua altitude geralmente elevada e, quase sempre, pelo forte desnivelamento entre o cume e os vales que o cercam. **2.** Região de altitudes elevadas. **3.** *Fig.* Amontoado de coisas, grande conjunto de objetos.

montanhês *adj.* **1.** Que habita a montanha ou que é próprio da sua gente. **2.** Montanhoso. ★ *s.m.* Habitante das montanhas.

montanhoso (ô) *adj.* **1.** Que é alteado por montanhas. **2.** Que apresenta notáveis desigualdades na superfície.

montante *s.m.* **1.** Grande espada antiga que se brandia com as duas mãos. **2.** Importância total; monta, soma. **3.** Cada uma das duas peças onde são fixados os degraus de uma escada. **4.** Região superior de um curso de água em relação a certo ponto de referência. **5.** Tora roliça de madeira de grande diâmetro utilizada na sustentação das aberturas subterrâneas; esteio. **6.** A enchente da maré. **7.** Elemento vertical de um conjunto destinado a servir de suporte ou de reforço. **8.** *A montante,* para o lado da nascente de um rio; rio acima. (Antôn. A JUSANTE.) ★ *adj.2g.* Que sobe, que se eleva.

montão *s.m.* **1.** Acumulação desordenada. **2.** *Fig.* Acúmulo, reunião.

montar *v.t.* (lat. *montare*, subir a um monte) [conj. 4]. **1.** Colocar-se sobre um cavalo ou qualquer outro animal; cavalgar. **2.** Reunir as peças que constituem um conjunto. **3.** Dispor as diferentes partes de algo, para colocá-lo em estado de utilização. **4.** Fazer montagens. ● **Zootec.** Fecundar a fêmea, falando-se do macho das espécies eqüina, bovina, caprina e suína. (Sin. COBRIR.) ★ *v.i.* **1.** Colocar-se ou ir sobre um cavalo ou outro animal, ou sobre qualquer coisa como se fosse um cavalo. **2.** Ir ficando mais cheio; encher. **3.** Chegar a importar, atingir determinada soma.

montaria *s.f.* **1.** Animal que pode ser montado; cavalgadura, besta. **2.** Saia comprida usada pelas mulheres para montar.

monte *s.m.* (lat. *mons*). **1.** Elevação do relevo acima do solo. **2.** *Fig.* Quantidade de quaisquer coisas em forma de monte. **3.** Reunião, ajuntamento. **4.** Grande volume. **5.** *Monte de Vênus*, ampla eminência arredondada localizada diante da região púbica da mulher. (Sin. PÚBIS.)

montepio *s.m.* **1.** Instituição em que cada sócio, pagando mensalmente uma quantia, adquire direito a um seguro de vida. **2.** A pensão paga por essa instituição.

montês *adj.* **1.** Dos montes; montanhês. **2.** *Fig.* Rústico, bravio, selvagem.

montículo *s.m.* (lat. *monticulus*). Pequeno monte; cômoro.

montoeira *s.f.* **1.** Aglomerado de pedras soltas que indica antigas catas. **2.** Grande quantidade; montão.

montra *s.f.* (fr. *montre*). Vitrina de casa comercial.

monturo *s.m.* **1.** Grande quantidade de lixo, de imundícies, de esterco. **2.** Lugar onde são jogadas essas dejeções. **3.** *Fig.* Montão, acervo de coisas repugnantes.

monumental *adj.2g.* (lat. *monumentalis*). **1.** Relativo aos monumentos. **2.** Que tem as proporções de um monumento; gigantesco, colossal. **3.** Magnífico, grandioso.

monumento *s.m.* (lat. *monumentum*). **1.** Obra de arquitetura ou de escultura destinada a transmitir para a posteridade a lembrança de um grande vulto ou de um acontecimento. **2.** Mausoléu. **3.** Qualquer obra notável.

moqueado *adj.* **1.** Secado no moquém. **2.** Assado em moquém.

moquear *v.t.* (conj. 15). Assar carne ou peixe no moquém.

moqueca *s.f.* (quimb. *mu'keka*). Guisado de peixe ou de mariscos temperado com azeite-de-dendê, leite de coco e pimenta.

moquém *s.m.* (do tupi). Grelha de varas onde se põe carne ou peixe para assar ou secar.

mor *adj.2g.* Forma sincopata de *maior*, usada principalmente em palavras compostas: capitão-mor etc.

mora *s.f.* (lat. *mora*). **1.** Demora, delonga. **2.** Adiamento de um pagamento.

moráceas *s.f.pl.* Família de plantas dicotiledôneas, arbóreas ou arbustivas, quase sempre com látex, e fruto drupáceo, como a embaúba, a figueira e a jaqueira.

morada *s.f.* Lugar onde se mora; casa, habitação.

moradia *s.f.* **1.** Habitação, morada, casa. **2.** Pensão que se dava aos fidalgos.

morador (ô) *adj.* Que mora. ★ *s.m.* **1.** Aquele que mora; habitante. **2.** Vizinho, inquilino. **3.** Cultivador de pequeno trato de terra nos latifúndios, obrigado ao pagamento de um foro ou a trabalhar alguns dias por semana para o proprietário mediante remuneração exígua.

moral *adj.2g.* (lat. *moralis*). **1.** Que diz respeito às regras de conduta que regem uma sociedade. **2.** Que está de acordo com essas regras. **3.** Relativo ao espírito, ao intelecto, ao pensamento. ★ *s.m.* Estado de espírito, disposição de ânimo. ★ *s.f.* **1.** Conjunto de princípios e valores que regem as normas sociais. **2.** Norma de conduta. **3.** Os princípios da honestidade e do pudor; moralidade. **4.** Ensinamento ou preceito que se pode extrair de um conto, fábula etc.

moralidade *s.f.* (lat. *moralitas*). **1.** Qualidade do que é moral. **2.** Relação da conduta com a moral. **3.** Conduta moral; princípios. **4.** Procedimento moral de um indivíduo.

moralismo *s.m.* (fr. *moralisme*). Adesão inflexível aos valores morais.

moralista *adj.2g.* e *s.2g.* (fr. *moraliste*). **1.** Diz-se de ou pessoa que segue e prega com rigidez os preceitos de retidão moral. **2.** Que ou aquele que se dedica ao estudo da moral.

moralizar *v.t.* (conj. 4). **1.** Tornar conforme aos princípios de uma moral. **2.** Inspirar idéias morais; corrigir os costumes, coibindo desregramentos, abusos, desonestidades. **3.** Pregar moral.

moranga *s.f.* Planta rasteira, de flores amarelas, frutos grandes, de casca rija, que contêm polpa pouco fibrosa, comestível, e sementes vermífugas.

morango *s.m.* Infrutescência do morangueiro, carnosa, aromática e vermelha quando madura, de sabor adocicado e levemente ácido, comestível ao natural ou em compotas, geléias e licores.

morango

morangueiro *s.m.* Erva rasteira originária da Europa, de flores brancas ou rosadas, cultivada pelas infrutescências comestíveis.

morar *v.t.* (lat. *morare*, demorar-se) [conj. 4]. **1.** Viver habitualmente em; residir, habitar. **2.** Encontrar-se, achar-se em. **3.** *Pop.* Freqüentar um lugar com assiduidade. **4.** *Gír.* Entender, compreender. ★ *v.i.* residir, viver.

moratória *s.f.* **1.** Espera, dilação que o credor concede ao devedor além do dia do vencimento da dívida. **2.** Ação de adiar o pagamento das dívidas externas, decretado pelo governo do país devedor que passa por circunstâncias excepcionalmente graves.

moratório *adj.* (lat. *moratorius*). Em que há mora ou dilação.

morbidade *s.f.* Quantidade de indivíduos acometidos por uma doença em uma dada população durante um determinado tempo.

morbidez (ê) *s.f.* **1.** Qualidade ou caráter de mórbido. **2.** Manifestação de tendência para certa anormalidade de sentimentos, certa visão amarga da vida. **3.** *Fig.* Quebrantadura do corpo ou do espírito; moleza, languidez.

mórbido *adj.* (lat. *morbidus,* enfermo). **1.** Relativo a doença. **2.** Que revela tendência para a anormalidade de sentimentos; amargo, entristecido. **3.** Doentio. **4.** Preguiçoso, mole, frouxo.

morbo *s.m.* (lat. *morbus,* doença). Estado patológico; doença.

morcego (ê) *s.m.* (lat. *mus, muris,* rato, e *coecus,* cego). Mamífero quiróptero voador, que possui de dois a cinco dedos longos nos membros anteriores, interligados por uma membrana com função de asa. (Sin. ANDIRÁ, GUANDIRA.)

morcela *s.f.* (talvez do esp. *morcilla*). Produto de salsicharia, embutido com sangue, curado por cocção em água e defumado.

mordaça *s.f.* (lat. *mordacia*). **1.** Pano ou objeto qualquer que se põe na boca de alguém para impedi-lo de gritar ou falar. **2.** Açaimo, focinheira.

mordacidade *s.f.* (lat. *mordacitas*). **1.** Qualidade do que é mordaz ou mordente. **2.** Qualidade corrosiva que têm certos corpos. **3.** Sabor acre, picante. **4.** Espírito satírico; sarcasmo. **5.** Murmuração, maledicência.

mordaz *adj.2g.* (lat. *mordax*). **1.** Que morde. **2.** Corrosivo. **3.** Acre, picante. **4.** Áspero, pungente. **5.** *Fig.* Que revela ironia um tanto cruel; satírico.

mordedor (ô) *adj.* e *s.m.* **1.** Que ou aquele que morde; mordaz, mordente. **2.** *Pop.* Que ou aquele que habitualmente pede dinheiro emprestado; facadista. **3.** Placa de material maleável encaixada em cada mordente de um torno para evitar que a peça se estrague por ocasião do aperto.

mordedura *s.f.* **1.** Ato ou efeito de morder; dentada, mordida. **2.** A ferida ou o sinal que ela deixa. **3.** *Fig.* Impressões dolorosas, injúrias; maldade.

mordente *s.m.* **1.** Substância que serve para fixar certas matérias corantes sobre fibras de origem vegetal. **2.** Cada uma das duas partes de uma morsa utilizada para segurar ou prender um objeto. ★ *adj.2g.* **1.** Que morde. **2.** Que penetra, corroendo. **3.** Diz-se de som incisivo, penetrante. **4.** Provocador, excitante.

morder *v.t.* (lat. *mordere*) [conj. 5]. **1.** Comprimir ou apertar entre os dentes; dar dentadas em. **2.** Afligir, atormentar. **3.** Espicaçar, estimular, incitar. **4.** Corroer, gastar. **5.** *Pop.* Pedir dinheiro emprestado. ★ *v.pr.* Deixar-se possuir por qualquer sentimento condenável (inveja, despeito, raiva etc.).

mordida *s.f.* Mordedura.

mordiscar *v.t.* (conj. 12). **1.** Dar pequenas e repetidas dentadas em; morder ligeiramente. **2.** *Fig.* Picar, pungir, estimular.

mordomia *s.f.* **1.** Função do mordomo. **2.** Benefício concedido por uma empresa ou pelo Estado a altos funcionários, constante de moradia, alimentação, serviços etc.

mordomo *s.m.* (b.-lat. *maior domus,* o maior da casa). **1.** Chefe dos criados de uma grande casa. **2.** Administrador dos bens de um estabelecimento. **3.** Aquele que trata dos negócios de uma irmandade ou confraria e administra seus bens.

moréia *s.f.* (gr. *myraina*). Peixe marinho, serpentiforme, com dentes fortes providos de glândulas de veneno, que vive escondido em fendas durante o dia, e sai para caçar à noite. (Sin. ENGUIA.)

morena *s.f.* **1.** Mulher de cabelos escuros e pele morena. **2.** Eufemisticamente, mulata, cabrocha. ● **Geol.** Material rochoso transportado ou depositado por uma geleira.

moreno *adj.* e *s.m.* (esp. *moreno,* de *moro,* mouro). **1.** Que ou aquele que tem cabelos negros e pele um pouco escura; trigueiro. **2.** Designação eufemística que se dá aos pretos e mulatos.

morféia *s.f.* (it. *morfea*). Lepra.

morfema *s.m.* Unidade mínima de significação que se pode obter pela segmentação da palavra.

morfético *adj.* Relativo à morféia, ou lepra. ★ *s.m.* Leproso.

morfina *s.f.* (lat. *Morpheus,* deus dos sonhos). Poderoso analgésico e psicodisléptico, que constitui o principal alcalóide derivado do ópio.

morfinômano *s.m.* Toxicômano que utiliza a morfina.

morfologia *s.f.* **1.** Estudo científico dos vínculos entre a forma de um animal ou de um vegetal e seu modo de vida. **2.** Estudo da forma e da estrutura do corpo humano. **3.** Estudo das formas de relevo e de sua relação com a estrutura e com a natureza das rochas subjacentes. **4.** Parte da gramática que estuda os problemas relativos à formação das palavras, bem como as variações de suas desinências (flexão e derivação). **5.** Estudo da quantidade, forma, distribuição e distância dos elementos de uma estrutura macro ou micrográfica de um metal.

morfossintaxe (cs ou ss) *s.f.* Disciplina lingüística que descreve as regras de combinação dos morfemas para formar palavras e as suas flexões.

morgadio *adj.* Relativo ou pertencente ao morgado. ★ *s.m.* **1.** Os bens que constituíam um morgado. **2.** A qualidade do morgado.

morgado *s.m.* **1.** Bem vinculado, transmitido ao filho mais velho de uma família. **2.** Filho primogênito ou herdeiro de bens vinculados. **3.** O primogênito ou filho único de qualquer família. **4.** Objeto de atenção ou curiosidade. **5.** *Fig.* Coisa que dá bons rendimentos.

morganático *adj.* (lat. tard. *morganaticus*). **1.** Diz-se do casamento entre um príncipe e uma pessoa de situação inferior, que fica excluída das dignidades da nobreza. **2.** Diz-se da mulher casada nessa situação.

moribundo *adj.* e *s.m.* (lat. *moribundus*). **1.** Diz-se de ou indivíduo que está para morrer; agonizante. **2.** Desfalecido.

morigeração *s.f.* (lat. *morigeratio*). **1.** Ação ou diligência de morigerar(-se). **2.** Moderação no modo de viver; boa educação, bons costumes. **3.** *P. ext.* Moralização.

morigerado *adj.* (lat. *morigeratus*). Que tem morigeração; sóbrio.

morigerar *v.t.* (lat. *morigerare*) [conj. 4]. Moderar os costumes de, inculcar sobriedade de proceder; educar. ★ *v.i.* Produzir, causar morigeração. ★ *v.pr.* Adquirir bons costumes; portar-se comedidamente.

morim *s.m.* (malaico *muri*). Pano branco fino de algodão.

moringa *s.f.* (cafre *muringa*). Vaso poroso onde a água se refresca em virtude da evaporação; bilha.

mormacento *adj.* **1.** Semelhante ao mormaço. **2.** Diz-se do tempo quente, úmido e abafado.

mormaço *s.m.* Tempo quente, úmido e abafado.

mormo (ô) *s.m.* (lat. *morbus,* doença). **1.** Doença infecciosa e contagiosa causada por uma bactéria que atinge as mucosas e os parênquimas dos eqüídeos e que pode ser transmitida a outros animais e ao homem. **2.** Nome dado a diversas afecções dos eqüídeos e dos bovídeos. **3.** Secreção que escorre das narinas.

mórmon *adj.2g.* e *s.2g.* Adepto do mormonismo.

mormonismo *s.m.* Seita religiosa norte-americana que originalmente pregava o cooperativismo social e a poligamia, hoje abandonada.

morno (ô) *adj.* **1.** Pouco quente; tépido. **2.** Sem energia. **3.** *Fig.* Tranqüilo, que não apresenta agitação. **4.** *Fig.* Insípido, monótono.

moroso (ô) *adj.* (lat. *morosus,* impertinente; escrupuloso). **1.** Vagaroso, demorado, lento. **2.** Difícil de fazer. **3.** *Fig.* Sombrio, pesado, que inspira tristeza.

morrão *s.m.* **1.** Extremidade queimada do pavio de uma lamparina. **2.** Pavio de vela.

morredoiro *adj.* (lat. *moriturus*). **1.** Que pode morrer; mortal, morrediço. **2.** Caduco, decrépito. **3.** Transitório, passageiro. ★ *s.m.* Lugar insalubre em que há muitas mortes.

morremorrer *v.i.* (conj. 5). Morrer aos poucos.

morrer *v.i.* (conj. 5). **1.** Cessar de viver, perder todo o movimento vital; falecer, finar-se, perecer. **2.** Extinguir-se, acabar-se. **3.** Afrouxar pouco a pouco. **4.** Esmaecer, perder o brilho. **5.** Cair no esquecimento; perder o sentido. **6.** Ficar suspenso; interromper-se. **7.** Parar (o motor) de funcionar. **8.** *Fig.* Experimentar uma forte sensação (moral ou física) intensamente desagradável ou agradável. **9.** *Gír.* Pagar, ter de entregar. ★ *v.t.* Sofrer, passar, experimentar. ★ *v.pr.* **1.** Cessar de viver; finar-se. **2.** Sofrer intensamente. **3.** Desejar intensamente. ★ *s.m.* Morte.

morrinha *s.f.* **1.** Espécie de sarna que ataca epidemicamente o gado; gafeira. **2.** *P. ext.* Qualquer doença que no gado apresenta caráter epidêmico. **3.** *Pop.* Catinga, fedor. **4.** *Fig.* Prostração, lassidão, preguiça. **5.** *Pop.* Ligeira indisposição física; achaque. ★ *adj.2g.* e *s.2g.* **1.** *Pop.* Diz-se de ou indivíduo vacilante e fraco, incapaz de tomar decisões rápidas. **2.** *Gír.* Maçante, aborrecido. **3.** *Gír.* Avaro. **4.** *Gír.* Preguiçoso, lerdo.

morrinhento *adj.* **1.** Atacado de morrinha, sarnento. **2.** Adoentado . **3.** Que tem morrinha; fedorento. **4.** Lerdo, vagaroso. **5.** Enevoado, triste, chuvoso. **6.** Diz-se de coisa que se prolonga de modo maçante. **7.** *Fig.* Prostrado, alquebrado, melancólico.

morro (ô) *s.m.* **1.** Monte de pequena elevação; colina, outeiro. **2.** Favela.

morsa *s.f.* (eslavo *morz*). **1.** Mamífero pinípede, marinho, de grande porte, que se caracteriza pela presença de dois caninos superiores muito desenvolvidos. **2.** Aparelho constituído de dois mordentes que, quando apertados, permitem manter no lugar as peças ou os objetos a serem trabalhados.

mortadela *s.f.* (it. *mortadella*). Produto de salsicharia, de origem italiana, composto de carne bovina magra e toucinho, com vários temperos.

mortal *adj.2g.* (lat. *mortalis*). **1.** Sujeito à morte. **2.** Que causa, provoca a morte. **3.** Passageiro, transitório, efêmero. **4.** Profundo, entranhado, intenso. **5.** *Fam.* Penoso, insuportável. ★ *s.2g.* O homem, um indivíduo da espécie humana. ★ *s.m.pl.* A espécie humana, os viventes.

mortalha *s.f.* (lat. *mortualia,* vestimentas de luto). **1.** Peça de tecido que recobre o caixão durante as cerimônias fúnebres; sudário. **2.** Lençol com que se cobre um morto. **3.** *P. ext.* Vestidura branca que o penitente leva nas procissões.

mortalidade *s.f.* (lat. *mortalitas*). **1.** A qualidade ou a condição do que é mortal. **2.** O número ou a quantidade de seres que morrem em certa época, idade ou de determinada doença. **3.** Mortandade.

mortandade *s.f.* **1.** Morticínio, matança, massacre, carnificina. **2.** A quantidade de seres que morrem em determinado espaço de tempo por efeito de uma epidemia ou por outra causa qualquer; mortalidade.

morte *s.f.* (lat. *mors, mortis*). **1.** Cessação definitiva da vida. **2.** Falecimento, passamento, óbito. **3.** Maneira de morrer. **4.** *Fig.* Destruição, termo, ruína. **5.** *Fig.* Dor violenta. **6.** *Fig.* Ausência de vivacidade, animação; imobilidade.

morteiro *s.m.* (lat. *mortarium,* almofariz). **1.** Canhão curto, grosso, de boca larga, para lançar bombas. **2.** Almofariz. **3.** Bitácula.

morticínio *s.m.* (lat. *morticinum,* cadáver, carcaça). Mortandade, matança, carnificina.

mortiço *adj.* **1.** Morredouro, morrediço. **2.** Sem brilho, sem colorido; baço. **3.** *Fig.* Quase a apagar-se, a extinguir-se.

mortífero *adj.* (lat. *mortifer*). Que produz a morte; mortal, fatal, letal.

mortificação *s.f.* (lat. *mortificatio*). **1.** Ação de mortificar. **2.** Conjunto de práticas ascéticas destinadas a submeter as tendências do corpo à vontade. **3.** Aflição, sofrimento, tormento. **4.** Estado da carne morta e gangrenada.

mortificar *v.t.* (lat. *mortificare*) [conj. 12]. **1.** Entorpecer, suprimir ou extinguir a vitalidade ou o vigor de alguma parte do corpo. **2.** Castigar ou macerar (o corpo) com penitências. **3.** Fazer sofrer (qualquer parte do corpo); torturar. **4.** Afligir, atormentar. **5.** Suprimir, destruir, desvanecer. ★ *v.pr.* **1.** Castigar o próprio corpo com penitências. **2.** Afligir-se, atormentar-se, inquietar-se. **3.** Afadigar-se, extenuar-se.

morto (ô) *adj.* (lat. *mortuus*). **1.** Que deixou de viver. **2.** Que está extinto; apagado. **3.** Privado de animação, de atividade. **4.** Muito cansado; exausto. **5.** Ávido, sôfrego. **6.** Desvanecido, desmaiado, desbotado. **7.** Esquecido, olvidado. **8.** *Fig.* Completamente tomado por algum sentimento ou emoção. ★ *s.m.* **1.** Aquele que morreu; falecido, finado. **2.** Cadáver humano; defunto.

mortuário *adj.* (lat. *mortuarius*). **1.** Relativo à morte ou aos mortos; fúnebre. **2.** Que diz respeito ao serviço funerário.

morubixaba *s.m.* (tupi *morubi'xawa*). **1.** Chefe temporal de uma tribo de índios brasileiros; cacique. **2.** *Pop.* Chefe, patrão.

mosaico[1] *s.m.* (lat. tard. *musaicus*). **1.** Reunião de pequenas pedras, quase sempre cúbicas, multicoloridas, justapostas de maneira a formar um desenho e incrustadas em cimento. **2.** Arte de executar esse tipo de composição. **3.** Qualquer trabalho manual ou intelectual composto de partes visivelmente distintas; miscelânea. **4.** Virose das plantas, caracterizada pelo aparecimento, na superfície foliar, de zonas de um verde escuro e zonas de um verde mais claro. **5.** Sintoma resultante da deficiência de clorofila em certas áreas do limbo foliar circundadas por tecido normal.

mosaico[2] *adj.* (gr. *mosaikós*) Relativo ou pertencente ao profeta Moisés e às leis que lhe são atribuídas pela tradição.

mosca (ô) *s.f.* (lat. *musca*). **1.** Denominação comum a vários insetos dípteros, cujas larvas crescem em matéria orgânica em decomposição. **2.** Pequeno círculo de tafetá preto que as damas colavam no rosto como adorno. **3.** Pequeno tufo de pêlos no queixo, abaixo do lábio inferior. **4.** Botão de couro fixado à ponta do florete para torná-lo inofensivo. **5.** Círculo preto no centro do alvo. **6.** *Fig.* Pessoa ou coisa incômoda, teimosa, importuna.

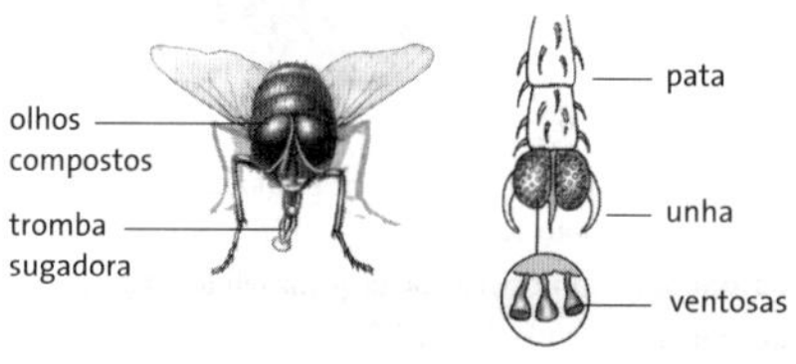

VOCÊ SABIA...? A **mosca** comum, de 6 a 8 mm de comprimento, é um inseto de antenas curtas e olhos grandes. Seu aparato bucal compõe-se de uma tromba sugadora que termina numa massa esponjosa, através da qual ela aspira os alimentos, previamente liquefeitos pela ação da saliva. As moscas estão entre as responsáveis pela propagação de diversas doenças infecciosas humanas e animais: poliomielite, salmonelose, diarréia infantil aguda etc.

mosca-das-frutas *s.f.* Denominação comum a insetos dípteros, cujas larvas se alimentam de frutas silvestres e cultivadas.

moscadeira *s.f.* Sin. de NOZ-MOSCADA.

moscado *adj.* (b.-lat. *muscatus*). Almiscarado, aromático.

mosca-do-berne *s.f.* Inseto díptero com abdome azulado, que põe os ovos em outros insetos hematófagos, os quais contaminam o hospedeiro definitivo, principalmente os bovinos.

mosca-doméstica *s.f.* Inseto díptero vetor de doenças como a febre tifóide, que possui coloração acinzentada e quatro listras paralelas no tórax.

mosca-do-vinagre *s.f.* Sin. de DROSÓFILA.

moscar *v.i.* e *v.pr.* (conj. 12). **1.** *Pop.* Fugir perseguido pelas moscas, como faz o gado. **2.** *Fig.* e *Fam.* Desaparecer, sumir, safar-se.

moscardo *s.m.* Mosca de maiores dimensões.

moscatel *adj.2g.* **1.** Diz-se de grande número de variedades de uva de sabor almiscarado. **2.** Variedade de figo e de maçã muito saborosa. **3.** Variedade de pêra de inverno de sabor almiscarado.

mosca-varejeira *s.f.* Inseto díptero de coloração esverdeada, que põe os ovos nos tecidos superficiais dos animais e, eventualmente, do homem. (Sin. VAREJEIRA.)

moscovita *adj.2g.* Relativo ou pertencente a Moscou, cidade da Rússia (URSS). ★ *s.2g.* O natural ou habitante de Moscou. ★ *s.f.* Hidrossilicato de alumínio e potássio.

mosqueado *adj.* **1.** Que tem pintas escuras como moscas; sarapintado. **2.** Que tem moscas, sinais no rosto. ★ *s.m.* **1.** Manchas ou pintas naturais no corpo de certos animais. **2.** Ornato ou enfeite que se aplica em tecido, pintalgando-o.

mosquear *v.t.* (conj. 15). Salpicar de pequenos pontos, pintas ou manchas; pintalgar.

mosquetão *s.m.* (it. *moschettone*). **1.** Arma de fogo individual, semelhante ao fuzil, porém mais leve e mais curta. **2.** Peça metálica com que se prendem os relógios de algibeira à respectiva cadeia.

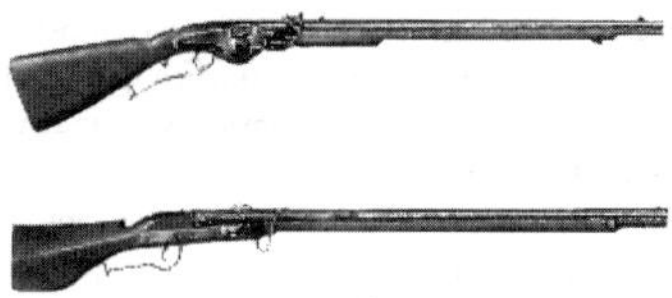

mosquetões do séc. XVII

mosquete (ê) *s.m.* (it. *moschetto*). Arma de fogo portátil, usada nos séculos XVI e XVII.

mosqueteiro *s.m. Ant.* Soldado armado de mosquete.

mosquiteiro *s.m.* Cortina que guarnece um leito, protegendo-o dos mosquitos.

mosquito *s.m.* **1.** Denominação comum a insetos dípteros de pernas alongadas, antenas finas, longas e pilosas e asas escamosas, com extremidades arredondadas. (Sin. CARAPANA, MURIÇOCA, PERNILONGO.) **2.** Diamante miúdo.

mossa *s.f.* (lat. *morsa*, mordida). **1.** Marca proveniente de choque ou pressão. **2.** Corte, talho, cavidade. **3.** Incisão, sinal feito na orelha do gado; entalhe. **4.** *Fig.* Impressão no espírito; comoção, abalo. **5.** *Fig.* Imperfeição moral.

mostarda *s.f.* (fr. ant. *moustarde*). **1.** Semente da mostardeira. **2.** Farinha que se obtém deste grão, para uso culinário ou medicinal. **3.** Condimento em forma de pasta, preparado com sementes moídas de mostardeira em vinagre, água, sal e substâncias aromatizantes. **4.** Sin. de MOSTARDEIRA. **5.** *Fig.* Estímulo, incentivo.

mostarda-branca *s.f.* Sin. de MOSTARDEIRA.

mostarda-preta *s.f.* Sin. de MOSTARDEIRA.

mostardeira *s.f.* **1.** Planta herbácea cujas sementes, de largo emprego medicinal, são utilizadas na confecção de cataplasmas. (Sin. MOSTARDA, MOSTARDA-PRETA.) **2.** Planta rústica, de folhas comestíveis e sementes que fornecem um pó amarelo utilizado na preparação de condimento. (Sin. MOSTARDA, MOSTARDA-BRANCA.)

mosteiro *s.m.* (gr. *monasterion,* pelo lat. *monasterium*). Residência de monges ou de monjas; convento, monastério.

mosto (ô) *s.m.* (lat. *mustum*). **1.** O sumo das uvas ou, por extensão, de qualquer outra fruta que contenha açúcar, no ato da fermentação, e antes de purificado completamente por ela. **2.** Enxame de abelhas.

mostra *s.f.* **1.** Ato ou efeito de mostrar; exibição. **2.** Manifestação, sinal, indício, prova. **3.** Aparência, aspecto, exterioridade. **4.** Exemplo, amostra, exemplar. **5.** Exposição de obras de caráter artístico, literário, histórico, cultural. ★ *s.f.pl.* Atos exteriores; gestos, ares.

mostrador (ô) *adj.* Que mostra, que revela, que manifesta. ★ *s.m.* **1.** Indicador, índex. **2.** A parte exterior ou quadrante do relógio, onde estão marcadas as horas. **3.** Mostruário.

mostrar *v.t.* (lat. *monstrare*) [conj. 4]. **1.** Fazer ver, expor aos olhos; exibir, apresentar. **2.** Indicar com gesto; apontar. **3.** Dar provas de; demonstrar, evidenciar. **4.** Significar, denotar. **5.** Fingir, simular, aparentar. ★ *v.pr.* Revelar-se, manifestar-se; dar provas de, exibir-se.

mostrengo *s.m.* **1.** Pessoa malfeita de corpo, disforme ou deformada. **2.** Pessoa desastrada, que não tem jeito para nada; estafermo. **3.** Entidade fantástica; monstro. (Var. MONSTRENGO.)

mostruário *s.m.* **1.** Balcão, mesa ou qualquer compartimento em que se expõem mercadorias ao público; mostrador, vitrina. **2.** Carteira ou mala que contém amostras de quaisquer objetos que se quer vender.

mote *s.m.* (fr. *mot,* palavra). **1.** Estrofe que funciona como matriz de um vilancete, no qual se expressa um pensamento que é glosado nas voltas. **2.** Dito picante ou satírico; motejo. **3.** Palavra ou grupo de palavras que os antigos cavaleiros tomavam como divisa nas suas empresas; moto. **4.** Frase curta que os autores escrevem no princípio dos seus livros ou de partes deles; epígrafe. **5.** Tema, assunto.

motejar[1] *v.t.* (conj. 4). **1.** Fazer motejos de; escarnecer, zombar, caçoar, ridicularizar. **2.** Criticar, censurar. ★ *v.i.* Fazer troça; gracejar.

motejar[2] *v.i.* (conj. 4). Fazer motes; dar motes para glosas.

motejo (ê) *s.m.* (it. *motteggio*). **1.** Mote. **2.** Mofa, gracejo, zombaria.

motel *s.m.* (ingl. *motel,* de *motorist hotel*). **1.** Hotel ou hospedaria em beira de estrada, especialmente preparado para abrigar automobilistas em trânsito. **2.** Hotel de alta rotatividade.

motete (ê) ou **moteto** (ê) *s.m.* **1.** Dito engraçado ou satírico; gracejo. **2.** Composição musical a uma ou diversas vozes, religiosa ou profana, com ou sem acompanhamento.

motilidade *s.f.* Faculdade de efetuar movimentos espontâneos ou de reação; mobilidade.

motim *s.m.* (fr. ant. *mutin*). **1.** Rebelião, revolta dos subordinados contra a(s) autoridade(s). **2.** Rebelião dos tripulantes de um navio contra os seus superiores. **3.** Sublevação popular, geralmente espontânea e violenta; revolta, tumulto. **4.** Barulho, desordem, alvoroço. **5.** Fragor, ruído.

motivação *s.f.* **1.** Ato ou efeito de motivar. **2.** Exposição de causas ou motivos. **3.** O que motiva, explica ou justifica alguma coisa. **4.** Estímulo, interesse. ● **Psicol.** Fator ou conjunto de fatores, conscientes ou não, que determinam uma ação ou uma atividade psíquica qualquer.

motivar *v.t.* (conj. 4). **1.** Servir de motivo a; causar. **2.** Despertar interesse; estimular. **3.** Expor o motivo de; fundamentar, justificar.

motivo *adj.* (lat. *motivus*). **1.** Que faz mover; motor. **2.** Que causa ou origina alguma coisa. ★ *s.m.* **1.** Razão, causa. **2.** Fim, objetivo. **3.** Explicação, justificativa. **4.** Aquilo que o pintor, o desenhista escolhem como tema, como modelo. **5.** Pequeno elemento característico de uma composição musical, que assegura a sua unidade.

moto[1] *s.m.* (lat. *motus*). **1.** Movimento, giro. **2.** Impulso; idéia espontânea.

moto[2] *s.m.* **1.** Mote. **2.** Palavra ou marca que os artistas põem nas suas obras para autenticá-las.

moto[3] *s.f.* Forma reduzida de motocicleta.

motoca *s.f.* *Gír.* Motocicleta.

motocicleta *s.f.* (fr. *motocyclette*). Veículo de duas rodas com motor de combustão interna. (Forma reduzida: moto.)

motociclismo *s.m.* Esporte de corridas ou provas com motocicletas.

motociclista *s.2g.* **1.** Pessoa que dirige motocicleta. **2.** Pessoa que pratica o motociclismo.

motoneta *s.f.* Motocicleta de pequena cilindrada.

motoqueiro *s.m.* *Gír.* Motociclista.

motor (ô) *adj.* (lat. *motor*). Que produz ou transmite movimento. ● **Anat.** Diz-se dos elementos anatômicos que possibilitam o movimento. ★ *s.m.* **1.** Mecanismo que transforma qualquer espécie de energia em energia mecânica. **2.** Aquilo que imprime movimento. **3.** Causa, motivo, finalidade.

motorista *s.2g.* Pessoa que controla o funcionamento de um motor e, p. ext., a que guia um automóvel ou qualquer outro veículo de tração mecânica; chofer, condutor.

motorizar *v.t.* (conj. 4). Dotar de motor. ★ *v.pr.* *Pop.* Adquirir um automóvel.

motorneiro *s.m.* Condutor de bonde elétrico.

motricidade *s.f.* **1.** Qualidade do que gera movimento. **2.** Propriedade de algumas células nervosas, que determina a contração muscular. **3.** Conjunto de funções biológicas que asseguram a movimentação.

motriz *adj.f.* Que ou coisa que faz mover, que imprime movimento; motor.

mouco *adj.* e *s.m.* Que ou aquele que ouve pouco ou muito mal; surdo.

mountain bike *s.f.* (ingl.) Bicicleta de rodas largas e estrutura resistente, própria para terrenos acidentados. ★ *s.m.* Modalidade de ciclismo em que se utilizam *mountain bikes* em terrenos de *cross-country*, com subidas, descidas e trilhas de lama.

mourão ou **moirão** *s.m.* Esteio ou tronco grosso e forte, para amarrar o gado ou sustentar arames de cercas. ● **Lit.** Estrofe, em geral composta de cinco a sete versos heptassílabos, utilizada pelos cantadores.

mourejar *v.i.* (conj. 4). Trabalhar duramente, incansavelmente.

mourisco *adj.* Mouro. ★ *s.m.* **1.** Variedade de linho egípcio. **2.** Variedade de uva. **3.** Língua dos mouros.

mouro *adj.* **1.** Relativo ou pertencente aos mouros, povos muçulmanos que habitavam o Norte da África; mourisco. **2.** Muçulmano. **3.** Da antiga Mauritânia. **4.** Moreno, trigueiro. **5.** *Fig.* Não batizado. ★ *s.m.* **1.** Indivíduo mouro. **2.** *Fig.* Pessoa que trabalha muito, penosamente.

mouse *s.m.* (ingl.). Dispositivo, usado em computador com *software* gráfico, que transmite o movimento executado sobre uma superfície a áreas sensíveis representadas na tela, nas quais se pode clicar para dar comandos.

movediço *adj.* **1.** Que se move com facilidade. **2.** Instável, pouco firme. **3.** Solto, despegado, que não está fixo. **4.** *Fig.* Inconstante, volúvel. **5.** *Areia movediça,* areia úmida, pouco consistente, capaz de tragar um corpo que por ela transite.

móvel *adj.2g.* (lat. *mobilis*). **1.** Que pode mover-se; móbil. **2.** *Fig.* Inconstante, volúvel. ★ *adj.* e *s.m.* Diz-se de ou qualquer bem que está fixo ou preso ao solo, podendo ser movido ou removido (p. opos. a *imóvel*). ★ *s.m.* **1.** Causa motriz; motor. **2.** Qualquer peça de mobiliário. **3.** Qualquer corpo móvel.

mover *v.t.* (lat. *movere*) [conj. 5]. **1.** Fazer mudar de lugar; remover. **2.** Dar ou comunicar movimento a, pôr em movimento. **3.** Exercer movimento com; mexer. **4.** *Fig.* Ocasionar, suscitar, produzir. ★ *v.pr.* **1.** Exercer movimento de translação, mexer-se de um para outro lado; girar, andar. **2.** Agitar-se, oscilar. **3.** Andar, caminhar.

movimentar *v.t.* (conj. 4). **1.** Imprimir movimento a. **2.** *Fig.* Dar vida a; animar. ★ *v.pr.* Pôr-se em movimento; animar-se.

movimento *s.m.* (lat. *movimentum*). **1.** Ato ou efeito de mover(-se). **2.** Deslocamento de um corpo, mudança de posição no espaço. **3.** Mudança pela qual um corpo está sucessivamente presente em diferentes pontos do espaço. **4.** Ação, animação. **5.** Parte de uma graduação do metrônomo. **6.** Parte de uma peça musical. **7.** Denominação de certos agrupamentos políticos. **8.** A marcha real ou aparente dos corpos celestes. **9.** Circulação, agitação produzida por uma multidão de pessoas ou veículos que se move em diferentes sentidos.

movível *adj.2g.* Que se pode mover.

muamba *s.f.* (quimb. *muhamba,* carga). *Pop.* **1.** Furto de mercadorias de navios ancorados ou de armazéns da alfândega. **2.** Contrabando. **3.** Venda e compra de coisas furtadas. **4.** Velhacaria, fraude, roubo.

muar *adj.2g.* e *s.m.* (lat. *mularis*). Diz-se de ou animal pertencente ao grupo dos muares.

muares *s.m.pl.* Grupo de animais híbridos resultantes do cruzamento de asininos e eqüinos, que compreende os burros e as mulas.

mucama *s.f.* (quimb. *mu'kama,* amásia escrava). Escrava que ajudava nos serviços caseiros, acompanhava pessoas da família do senhor e às vezes era a ama-de-leite.

mucilagem *s.f.* **1.** Substância vegetal translúcida, viscosa, com qualidades nutritivas, contida em quase todas as plantas. **2.** Líquido espesso e pegajoso resultante da dissolução de qualquer matéria gomosa em água. **3.** Preparação aquosa mais ou menos espessa, a base de gomas, que serve às vezes como leve laxativo. **4.** Complemento que se acrescenta às mamadeiras dos lactentes, para dissolver o leite.

mucilaginoso (ô) *adj.* **1.** Diz-se do vegetal que contém mucilagem. **2.** Diz-se do que contém ou apresenta a consistência de mucilagem. **3.** Que é consistente.

muco *s.m.* (lat. *mucus*). **1.** Humor viscoso e semitransparente que lubrifica a superfície das membranas mucosas e constitui a base de muitas secreções, como a saliva, o monco, o fluido lacrimal etc.; mucosidade. **2.** Secreção de glândulas mucosas que tem papel protetor contra microorganismos e agentes químicos agressores. **3.** Nas afecções das vias respiratórias, secreção que escorre pelos orifícios nasais.

mucosa *s.f.* Membrana espessa, formada de epitélio pavimentoso ou cilíndrico e de trama conjuntiva, que reveste certas cavidades orgânicas.

mucosidade *s.f.* Muco.

mucoso (ô) *adj.* (lat. *mucosus*). **1.** Relativo a muco. **2.** Diz-se de uma glândula que secreta muco. **3.** Diz-se de um tecido derivado do tecido conjuntivo embrionário por fixação de células que perderam seu ameboidismo e, por anastomose, seus prolongamentos.

muçulmano *adj.* (ár. *salama,* entregar-se a Deus). Relativo ou pertencente ao Islã ou ao muçulmanismo; maometano. ★ *s.m.* Adepto do islamismo; maometano.

muçum *s.m.* (do tupi). Peixe teleósteo, de corpo serpentiforme, desprovido de escamas, de nadadeiras ventrais e peitorais, que ocorre nos rios da América do Sul.

muçurana *s.f.* (tupi *muçu'rana,* semelhante ao muçum). **1.** Cobra comum em todo o Brasil, que se alimenta, entre outros animais, de cobras venenosas. **2.** Corda com que os índios amarravam pela cintura os prisioneiros que iam ser sacrificados com o tacape.

muda *s.f.* **1.** Ação de mudar-se. **2.** Substituição, em uma cavalgada, dos animais cansados por outros em condição de marcha; esses animais. **3.** Local onde era feita essa troca. **4.** Roupa para ser trocada por outra. **5.** Planta tirada do viveiro para ser plantada definitivamente. **6.** Renovação parcial ou total da pele, dos pêlos ou das plumas de um animal, por influência do crescimento, da idade e das condições do meio ambiente.

mudança *s.f.* **1.** Ato ou efeito de mudar(-se). **2.** Alteração, modificação. **3.** Os móveis e pertences das pessoas que se mudam. ● **Mec.** *Mudança de marcha,* mecanismo pelo qual se faz passar uma correia de uma polia para outra.

mudar *v.t.* (lat. *mutare*) [conj. 4]. **1.** Pôr em outro lugar; deslocar, remover. **2.** Alterar, modificar, transformar. **3.** Trocar, substituir. ★ *v.i.* Transformar-se, alterar-se. ★ *v.i.* e *v.pr.* Ir morar em outro lugar; transferir-se para outra residência ou local.

mudável *adj.2g.* Mutável.

mudez (ê) *s.f.* **1.** Impossibilidade patológica de falar, em conseqüência de lesões dos centros nervosos ou dos órgãos da fonação. **2.** Estado ou condição da pessoa muda. **3.** *Fig.* Ausência de rumor; silêncio, quietude, tranqüilidade.

mudo *adj.* (lat. *mutus*). **1.** Diz-se de um indivíduo que apresenta mudez. **2.** Que fica voluntariamente calado; que deixa de falar. **3.** Diz-se daquele a quem um sentimento qualquer impede de falar. **4.** Que não se manifesta, por gritos, gestos ou palavras. **5.** Silencioso, tranqüilo, que não é perturbado por nenhum rumor. **6.** *Fig.* Sombrio, taciturno. ● **Gram.** Diz-se de uma unidade gráfica não pronunciada (p. ex. o *h* no português: *h*omem, *h*ulha etc.). ★ *s.m.* Indivíduo mudo, que se acha privado do uso da palavra.

muezim *s.m.* Almuadem.

mugido *s.m.* Grito longo e surdo do boi ou da vaca.

mugir *v.i.* (lat. *mugire*) [conj. 52]. **1.** Gritar, falando-se de bovinos e de animais do mesmo gênero. **2.** Soprar fortemente, bramir, fazer grande estrondo (falando-se do mar ou do vento). **3.** *Fig.* Berrar, bramir; gritar despropositadamente.

mui (ú) *adv.* Forma reduzida de *muito.*

muiraquitã *s.m.* Pedra talhada em forma de ser humano ou animal, usada como amuleto por alguns índios do baixo Amazonas.

muito (ui) *pron. indef.* (lat. *multus*). **1.** Numeroso, abundante, intenso. **2.** (*pl.*) Muitas pessoas. ★ *adv.* **1.** Em grande número, quantidade ou intensidade. **2.** Excessivamente, demais. **3.** Intensamente. ★ *s.m.* Grande número de coisas.

mula *s.f.* (lat. *mula*). **1.** Fêmea do mulo. **2.** *Pop.* Adenite inguinal de origem venérea. **3.** Monte de sal em forma de prisma triangular.

mula-sem-cabeça *s.f.* Personagem fantasmagórica de lendas populares, uma mula que lança fogo pelas narinas, apesar de a dizerem sem cabeça.

mulato *adj.* e *s.m.* (esp. *mulato*). **1.** Diz-se de ou descendente de branco e negro. **2.** *P. ext.* Que ou aquele que tem cor escura; moreno, trigueiro. **3.** (*PA*) Cor de pêlo de gado, alaranjado no lombo e preto no resto do corpo.

muleta (ê) *s.f.* (esp. *muleta*). **1.** Bordão comprido, terminado na parte superior por um encosto côncavo, em que os enfermos apóiam as axilas para caminhar. **2.** *Fig.* O que moralmente serve de apoio ou amparo.

mulher *s.f.* (lat. *mulier*). **1.** Ser humano do sexo feminino. **2.** Aquela que atingiu a puberdade. **3.** Esposa. **4.** Ser humano do sexo feminino considerado com suas especificidades. **5.** Amásia, concubina.

mulheraça *s.f.* ou **mulheraço** *s.m.* Mulher alta e corpulenta.

mulherengo *adj.* e *s.m.* Diz-se de ou homem que tem, ou se esforça por ter, muitas aventuras com mulheres, ou que as persegue, fazendo-lhes a corte.

mulheril *adj.2g.* **1.** Relativo ou pertencente a mulheres; feminino, feminil. **2.** Efeminado.

mulherio *s.m. Pop.* **1.** Reunião ou conjunto de mulheres. **2.** As mulheres em geral.

mulo *s.m.* Sin. de BURRO.

multa *s.f.* (lat. *mulcta*). **1.** Ato ou efeito de multar; pena, sanção pecuniária. **2.** *Fig.* Qualquer pena ou condenação.

multar *v.t.* (conj. 4). **1.** Infligir ou aplicar multa a. **2.** *Fig.* Condenar.

multicelular *adj.2g.* Pluricelular.

multicolor (ô) *adj.2g.* Que é composto de muitas cores; policromo, multicor.

multicor (ô) *adj.2g.* Multicolor.

multicultural *adj.2g.* Que é formado por ou que abriga múltiplas culturas.

multidão *s.f.* (lat. *multitudo*). **1.** Ajuntamento de pessoas, animais ou de coisas. **2.** Conjunto de indivíduos anônimos e semelhantes, cujos sentimentos e idéias são orientados numa mesma direção. **3.** O povo, o populacho. **4.** *Fig.* Grande quantidade ou número.

multifário *adj.* (lat. *multifarius*). Que se apresenta sob diversos aspectos; variado, multímodo, multiforme.

multifoliado *adj.* Diz-se do vegetal que possui muitas folhas.

multiforme *adj.2g.* (lat. *multiformis*). **1.** Que tem ou se apresenta sob várias formas. **2.** Multifário.

multilateral *adj.2g.* **1.** Que implica as várias partes contratantes. **2.** Diz-se do comércio efetuado livremente entre muitas nações.

multímetro *s.m.* Equipamento utilizado para medir intensidade de correntes elétricas.

multimídia *adj.2g.* Diz-se de um computador, programa ou obra que utiliza recursos de texto, imagens, sons e animação.

? VOCÊ SABIA...? Os livros eletrônicos têm características adicionais que não existem nos livros impressos. Neles é possível incluir, por exemplo, sons e música, e o usuário pode visualizar breves seqüências animadas ou de vídeo, além de imagens fixas. Essa forma de apresentação, que utiliza diferentes meios, é o que chamamos de **multimídia**.

---

multimilenário *adj.* Que tem vários milênios.

multimilionário *adj.* e *s.m.* Que ou aquele que é muitas vezes milionário.

multinacional *adj.2g.* Relativo ou pertencente a muito países ou nações. ★ *adj.2g.* e *s.f.* Diz-se de ou empresa que atua, através de filiais e subsidiárias, em vários países.

multípara *s.f.* **1.** Mulher multípara. **2.** Fêmea multípara.

multíparo *adj.* **1.** Diz-se de mulher que pariu várias vezes. **2.** Diz-se da ou fêmea que dá cria a vários filhotes na mesma gestação. ● **Bot.** Diz-se da ou cimeira que se ramifica e produz mais de dois pedículos do mesmo nível.

multiplicação *s.f.* (lat. *mutiplicatio*). **1.** Ato ou efeito de multiplicar(-se). **2.** Aumento em número. ● **Biol.** Acréscimo em quantidade de entidades vivas semelhantes, originárias umas das outras (células, plantas, animais), seja qual for o modo de reprodução utilizado. **Mat.** Operação matemática em que um número *m*, dito multiplicando, é somado a ele mesmo *n* vezes, onde *n* é dito multiplicador de *m*. **Mec.** Conexão em que se aumenta o regime de duas engrenagens numa transmissão de movimento, na qual a velocidade de rotação do eixo movimentado é superior à do eixo que movimenta.

multiplicador (ô) *adj.* e *s.m.* Que ou aquele que multiplica. ★ *s.m.* No produto de dois números naturais, fator que desempenha o papel de operador.

multiplicando *s.m.* Número que se multiplica por outro, denominado multiplicador.

multiplicar *v.t.* (lat. *multiplicare*) [conj. 12]. **1.** Aumentar o número, a quantidade, a intensidade de. **2.** Proceder à multiplicação de (um número por um outro). ★ *v.i.* Realizar uma multiplicação. ★ *v.pr.* **1.** Aumentar em número ou quantidade. **2.** Produzir seres da mesma espécie; reproduzir-se.

multiplicativo *adj.* (lat. *multiplicativus*). **1.** Que multiplica. **2.** Relativo à multiplicação. ● **Gram.** Diz-se do numeral que indica aumento proporcional por um múltiplo da unidade.

multíplice *adj.2g.* (lat. *multiplex*). **1.** Que não é único ou que se manifesta de vários modos; complexo, variado. **2.** Copioso, numeroso, múltiplo.

multiplicidade *s.f.* (lat. *multiplicitas*). **1.** Qualidade do que é múltiplo ou multíplice. **2.** Número considerável; abundância, grande variedade.

múltiplo *adj.* (lat. *multiplus*). **1.** Que não é simples. **2.** Que contém muitas coisas; composto. **3.** Que consiste de muitas partes. **4.** Que se repete muitas vezes. ★ *s.m.* Número inteiro que é exatamente divisível por outro, sem deixar resto (ou que contém outro uma porção exata de vezes).

multissecular *adj.2g.* Que tem muitos séculos.

múmia *s.f.* (lat. *mumia*). **1.** Cadáver conservado por meio de substâncias balsâmicas ou de embalsamamento. **2.** Cadáver que se desseca naturalmente, sem entrar em putrefação (na ausência da umidade e de insetos). **3.** *Fig.* Pessoa sem vida, sem vibração. **4.** *Fig.* Pessoa que tem pontos de vista apegados ao passado. ● **Agric.** Fruto atacado por certa doença, que persiste dessecado na árvore.

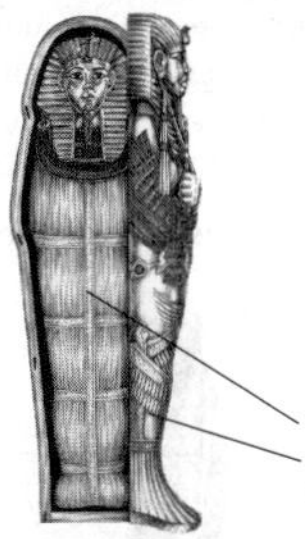

múmia e sarcófago de Tutancâmon

mumificação *s.f.* **1.** Ato ou efeito de mumificar (-se). **2.** Transformação de cadáver humano ou animal em múmia. **3.** Conjunto de fenômenos produzidos no cadáver que se encontra em local onde não há bactérias, responsáveis pela putrefação.

mumificar *v.t.* e *v.pr.* (conj. 12). **1.** Transformar (-se) em múmia. **2.** Atrofiar(-se) intelectualmente.

mundana *s.f.* **1.** Mulher dissoluta, libertina. **2.** Meretriz, prostituta.

mundano *adj.* (lat. *mundanus*). **1.** Relativo ou pertencente ao que é propriamente característico do mundo material (p. opos. a *espiritual*). **2.** Que é dado aos prazeres do mundo, de vida corpórea. **3.** *Fig.* Superficial, frugal. ★ *s.m.* Indivíduo mundano.

mundão *s.m.* **1.** Grande extensão de terra; mundaréu. **2.** Grande quantidade.

mundaréu *s.m.* Mundão.

mundéu[1] *s.m.* (tupi *mu'ndé*, alçapão). **1.** Fojo. **2.** Cercado fixo de redes, usado na pesca fluvial. **3.** *Fig.* Casa ou coisa que ameaça desabar e constitui perigo.

mundéu[2] *s.m.* Grande quantidade.

mundéu[3] *s.m.* Sin. de QUEIXADA.

mundial *adj.2g.* (lat. *mundialis*). **1.** Relativo ou pertencente ao mundo. **2.** Universal, geral.

mundícia *s.f.* (lat. *munditia*). Mundície.

mundície *s.f.* (lat. *mundities*). Asseio, limpeza.

mundo *s.m.* (lat. *mundus*). **1.** Conjunto de tudo o que existe. **2.** Terra, lugar onde vive o homem. **3.** Vida secular, material. **4.** *Fig.* Conjunto de todas as criaturas. **5.** *Fig.* Conjunto das pessoas ou dos seres envolvidos em determinado domínio ou atividade. **6.** *Fig.* Ambiente, estado, condição em que se existe; país. **7.** *Pop.* Grande número, grande quantidade.

munduruku *s.2g.* Indivíduo dos mundurucus, povo indígena tupi que vive no Pará e no Amazonas.

mungir *v.t.* (lat. *mulgere*) [conj. 52]. **1.** Tirar o leite de (vaca, cabra etc.); ordenhar. **2.** *Fig.* Espremer, explorar.

munguzá *s.m.* (quimb. *mu'kunza*). (*N* e *NE*) Sin. de CANJICA.

munheca *s.f.* (esp. *muñeca*). **1.** A parte do corpo em que a mão se liga ao braço; pulso. **2.** *Pop.* Mão. **3.** Sovina, avarento.

munhecar *v.t.* (conj. 12). *Gír.* Lançar a munheca a; filar, agarrar.

munição *s.f.* (lat. *munitio*, defesa). **1.** Termo genérico que designava antigamente todo material de guerra e hoje designa todas as cargas de armas de fogo. **2.** Obra qualquer de fortificação. **3.** *Fig.* Provisão, de modo geral.

municiador (ô) *s.m.* Soldado que municia uma peça.

municiar *v.t.* (conj. 16). Prover ou abastecer de munições; munir, municionar.

municionar *v.t.* (conj. 4). Municiar.

munício *s.m.* **1.** Pão ordinário, parte do rancho dos soldados. **2.** Gado de provisão alimentar da tropa. **3.** Gênero alimentício do tropeiro.

municipal *adj.2g.* Relativo ou pertencente ao município. ★ *s.m.* Teatro pertencente à municipalidade.

municipalidade *s.f.* **1.** O corpo dos conselheiros municipais de uma cidade. **2.** A Câmara municipal. **3.** Jurisdição administrativa de comarca. **4.** A prefeitura. **5.** O conjunto dos cidadãos de um município.

municipalismo *s.m.* **1.** Sistema político e administrativo que visa maior autonomia aos municípios. **2.** Movimento reivindicativo desse sistema.

municipalização *s.f.* Ação de colocar sob administração municipal.

munícipe *adj.2g.* e *s.2g.* (lat. *municeps, municipis*). **1.** Que ou aquele que habita em um município. **2.** Diz-se de ou indivíduo que goza dos direitos do município.

município *s.m.* (lat. *municipium*). **1.** Circunscrição territorial e administrativa em que é dividido um Estado, governada por um prefeito e uma Câmara de vereadores. **2.** O conjunto dos munícipes.

munificência *s.f.* (lat. *munificentia*). Disposição que conduz a prodigalidade, magnanimidade; liberalidade.

munificente *adj.2g.* (lat. *munificens*). Muito liberal, muito generoso; magnânimo.

munir *v.t.* (lat. *munire*) [conj. 6]. **1.** Prover do que é necessário. **2.** Abastecer, prover, fornecer. **3.** Defender. **4.** Acautelar. **5.** Municiar, fortificar. ★ *v.pr.* Prover-se.

múnus *s.m.2n.* (lat. *munus*). Conjunto de funções que são obrigação de um indivíduo; ofício.

muque *s.m.* *Pop.* Músculo, força muscular.

muquirana *s.f.* (tupi *moki'rana*). Sin. de PIOLHO. ★ *s.2g.* *Pop.* Indivíduo avaro, pão-duro.

murado *adj.* Que se fechou com muro.

mural *adj.2g.* (lat. *muralis*). **1.** Relativo a muro, ou a parede; parietal. **2.** Fixado em muro ou numa parede. **3.** *Pintura mural* ou *mural* (*s.m.*), pintura realizada diretamente numa parede ou nela aplicada. ★ *s.m.* **1.** Pintura mural. **2.** Quadro em que são afixados comunicados e anúncios etc. ou fotos, lembretes etc.

muralha *s.f.* **1.** Grande muro. **2.** Obra de alvenaria erguida em torno de um castelo ou cidade ou ao longo de uma fronteira. **3.** Parte externa do casco do cavalo, constituída de material córneo duro.

murar *v.t.* (lat. *murare*) [conj. 4]. **1.** Cercar de muro ou muros. **2.** Fortificar. **3.** Servir de muro a. ★ *v.pr.* **1.** Cercar-se, circundar-se. **2.** Fortificar-se, cobrir-se, abrigar-se.

murça *s.f.* **1.** Espécie de lima com serrilha fina. **2.** Capuz de malha usado pelos cônegos.

murchar *v.t.* (conj. 4). **1.** Tornar murcho, privar do viço, da frescura, do vigor. **2.** *Fig.* Fazer perder a energia; enfraquecer. ★ *v.i.* e *v.pr.* **1.** Ficar murcho. **2.** Perder o brilho, o vigor ou a beleza. **3.** *Fig.* Tornar-se triste.

murcho *adj.* **1.** Que perdeu o frescor e o viço; seco. **2.** Que se esvaziou ou se esvazia. **3.** *Fig.* Que já não tem a força, o vigor ou a alegria que outrora tinha. **4.** *Fig.* Humilhado, derrotado, abatido.

mureta (ê) *s.f.* Muro baixo.

muriático *adj.* (lat. *muriaticus*). *Ácido muriático,* sin. de ÁCIDO CLORÍDRICO*.

murici *s.m.* (tupi *muri'si*). **1.** Designação comum a diversas árvores e arbustos, cujos frutos são drupas arredondadas, comestíveis; muricizeiro. **2.** O fruto dessas plantas.

muriçoca *s.f.* (tupi *muri'soka*). Sin. de MOSQUITO.

murmurar *v.i.* (lat. *murmurare*) [conj. 4]. **1.** Produzir murmúrio; sussurrar. **2.** Lastimar-se. **3.** Falar mal de alguém. ★ *v.t.* **1.** Produzir um som leve. **2.** Dizer em voz baixa; segredar.

murmurejar *v.i.* (Conj. 4). Produzir murmúrio; rumorejar.

murmurinho *s.m.* **1.** Sussurro que fazem muitas pessoas falando ao mesmo tempo e em voz baixa. **2.** Som brando das águas, folhas etc. **3.** Qualquer som confuso; burburinho.

murmúrio *s.m.* (lat. *murmur*). **1.** Som baixo de uma voz; sussurro. **2.** Ruído surdo e confuso de muitas vozes juntas; burburinho. **3.** Ruído das ondas, das águas que correm, das folhas agitadas. **4.** Queixa, lamento.

muro *s.m.* (lat. *murus*). **1.** Obra de alvenaria, taipa etc., destinada a cercar um recinto, a proteger um povoado ou cidade, ou separar um lugar de outro. **2.** Amurada, paredão. **3.** Lugar cerrado para guardar colméias. **4.** *Fig.* Defesa, proteção, auxílio. **5.** *Fig.* Obstáculo intransponível.

murro *s.m.* Pancada dada com a mão fechada; soco.

murta *s.f.* (gr. *myrton*). **1.** Arbusto de folhas aromáticas, com ação adstringente e sudorífera, flores brancas e frutos usados para fazer compota. **2.** O fruto da murta.

murundu ou **murundum** *s.m.* (quimb. *mulun'du*). Montão ou acervo de coisas.

musa *s.f.* (lat. *musa*). **1.** Cada uma das nove divindades gregas que presidiam às artes e às ciências. **2.** *Fig.* Tudo o que pode inspirar um poeta.

musaranho *s.m.* Mamífero de pequeno porte, insetívoro, noturno, de focinho longo e afilado, dentes pontudos, que se alimenta de insetos, pequenos invertebrados e roedores.

musculação *s.f.* **1.** O conjunto das ações musculares. **2.** Conjunto de exercícios e técnicas de educação física para desenvolvimento da força muscular.

MUSCULAÇÃO ▸ Os exercícios de musculação usam o peso do corpo, equipamentos como halteres e aparelhos para trabalhar os músculos. Com cargas menores, os mesmos exercícios são usados em fisioterapia na recuperação de lesões musculares.

muscular *adj.2g.* **1.** Relativo aos músculos. **2.** *Tecido muscular,* tecido formado por fibras contráteis, que constituem os músculos.

musculatura *s.f.* **1.** Conjunto dos músculos de um organismo. **2.** Vigor muscular; musculosidade.

músculo *s.m.* (lat. *musculus,* dim. de *mus,* rato). **1.** Órgão formado de fibras contráteis que produzem o movimento e asseguram resistência às forças externas. **2.** Peça de carne dura de rês, utilizada em cozidos.

MÚSCULO ▸ Nos músculos do braço humano, a contração do bíceps flexiona o cotovelo, enquanto o tríceps permanece relaxado. A contração do tríceps e o relaxamento do bíceps estendem a articulação.

PRINCIPAIS MÚSCULOS DO BRAÇO

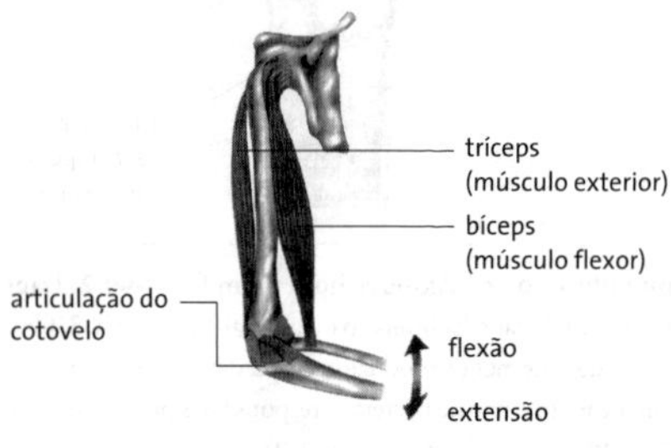

musculoso (ô) *adj.* (lat. *musculosus*). **1.** Diz-se da parte do corpo em que há muitos músculos. **2.** Que tem músculos desenvolvidos. **3.** *Fig.* Robusto, forte.

museologia *s.f.* Ciência da organização, conservação e apresentação dos museus.

museu *s.m.* (gr. *Mouseion,* templo das musas, pelo lat. *museum*). **1.** Local destinado a preservar, estudar e apresentar ao público coleções de obras de arte, de bens culturais, científicos ou técnicos. **2.** Na Antiguidade, santuário consagrado às Musas. **3.** *Fig.* Coleção de objetos antigos e sem uso.

musgo *s.m.* (lat. *muscus*). Planta briófita que ocorre sobre a superfície de rochas, troncos e paredes, formada por um talo filamentoso, provido de rizóides, do qual parte um talo ereto, folhoso.

musgoso (ô) *adj.* **1.** Coberto de musgo. **2.** Semelhante a musgo.

música *s.f.* (lat. *musica*). **1.** Arte e técnica de combinar os sons. **2.** Produção dessa arte. **3.** Ciência que estuda essa arte. **4.** Composição musical. **5.** Execução de uma peça musical. **6.** Qualquer conjunto de sons.

musical *adj.2g.* **1.** Relativo ou pertencente à música. **2.** Que tem receptividade à música. **3.** Harmonioso. **4.** Diz-se de peça teatral ou filme em que predominam músicas. ★ *s.m.* Espetáculo ou filme musical.

musicar *v.i.* (conj. 12). **1.** Tocar instrumento musical. **2.** Cantar. ★ *v.t.* **1.** Converter em música. **2.** Pôr em música. **3.** Compor música para.

musicista *s.2g.* (it. *musicista*). **1.** Que aprecia a música. **2.** Pessoa que compõe ou interpreta música.

músico *adj.* (lat. *musicus*). Musical. ★ *s.m.* **1.** Aquele que conhece a arte da música. **2.** Aquele que compõe ou executa peças musicais. **3.** Aquele que pertence a um grupo musical, banda, orquestra etc.

musicologia *s.f.* Disciplina que estuda a história da música e a teoria musical.

musicomania *s.f.* **1.** Paixão pela música. **2.** Tendência patológica caracterizada por excessiva paixão pela música.

musicômano *adj.* e *s.m.* Que ou aquele que tem musicomania.

musselina *s.f.* (fr. *mousseline,* de *Mossul,* n.pr.). Tecido leve e ligeiramente transparente, para vestuário.

mustelídeos *s.m.pl.* Família de mamíferos carnivoros de pequeno porte, corpo alongado, cauda longa, pernas curtas e orelhas pequenas, que apresentam na região anal glândulas odoríferas que secretam líquido de odor desagradável.

EXEMPLOS DE MUSTELÍDEOS

fuinha

furão

mutação *s.f.* (lat. *mutatio*). **1.** Mudança, transformação. **2.** Inconstância, volubilidade. **3.** Modificação na estrutura dos genes que leva ao surgimento de novas características em um organismo, que serão transmitidas aos descendentes.

mutagênese *s.f.* Processo que dá origem a mutações.

mutagênico *adj.* **1.** Relativo à mutagênese. **2.** Diz-se do agente químico ou físico capaz de provocar mutações.

mutante *adj.2g.* e *s.2g.* Diz-se de ou organismo que possui características muito distintas em relação a seus ascendentes.

mutável *adj.2g.* (lat. *mutabilis*). **1.** Que pode mudar; mudável. **2.** Que muda fácil ou constantemente; instável.

mutilar *v.t.* (lat. *mutilare*) [conj. 4]. **1.** Privar de algum membro ou alguma parte do corpo. **2.** Cortar, destruir parcialmente. **3.** Cortar os ramos de. **4.** Deformar, desfigurar. **5.** *Fig.* Amesquinhar, reduzir. ★ *v.pr.* **1.** Suprimir algum membro ou parte do próprio corpo. **2.** Deformar-se, desfigurar-se.

mutirão *s.m.* (tupi *moti'ro*). Sistema cooperativo alternativo em que os trabalhadores são os beneficiários do produto final (colheitas, plantios, construções etc.).

mutismo *s.m.* (do lat. *mutus,* mudo). **1.** Ausência da fala, voluntária ou não, total ou seletiva, apesar da integridade orgânica dos centros cerebrais da linguagem e dos órgãos fonadores. **2.** Estado de quem não quer exprimir seu pensamento; mudez.

mutualidade *s.f.* Qualidade ou estado do que é mútuo; reciprocidade, troca.

mutualismo *s.m.* **1.** Sistema de solidariedade entre os membros de um grupo, à base de ajuda mútua. **2.** Tipo de associação entre dois organismos que resulta em benefícios bilaterais.

mutuar *v.t.* (lat. *mutuare*) [conj. 4]. **1.** Trocar entre si (falando-se de mais de um indivíduo ou coisa); permutar. **2.** Dar ou tomar de empréstimo. ★ *v.pr.* Trocar entre si.

mutuário *s.m.* (lat. *mutuarius*). Aquele que recebe qualquer coisa por empréstimo.

mutuca *s.f.* (tupi *mu'tuka*). Nome comum a insetos dípteros, cujas fêmeas geralmente são hematófagas, enquanto os machos se alimentam de néctar e pólen. ★ *s.m.* **1.** Remador de baleeira. **2.** *Fig.* Inoportuno, maçador, impertinente. ★ *adj.* **1.** Diz-se do galo de briga medroso empregado para atiçar a combatividade dos outros. **2.** *P. ext.* Covarde.

mutum *s.m.* (tupi *mi'tu*). Denominação comum a aves galiformes, de grande porte, apreciadas pela carne saborosa, que habitam a mata virgem.

mútuo *adj.* (lat. *mutuus*). Que se permuta entre duas ou mais pessoas; recíproco. ★ *s.m.* **1.** Empréstimo oneroso, não gratuito. **2.** Permutação, troca.

muxiba *s.f.* (quimb. *mu'xiba,* nervo, veia). **1.** Carne magra que se dá aos cães. **2.** Carne de má qualidade. **3.** *Pop.* Pele enrugada, flácida.

muxibento *adj.* Cheio de muxibas ou pelancos.

muxinga *s.f.* (quimb. *mu'xinga*). **1.** Açoite, chicote, vergalho. **2.** *Pop.* Pancada, bordoada.

muxoxo (ô) *s.m.* **1.** Beijo, carícia. **2.** Estalo com a língua e com os lábios, acompanhado eventualmente da interjeição "ah", que indica desprezo ou desdém. **3.** Bico que se faz com os lábios, afetando descrédito ou indiferença.

Nn **Nn** *Nn*

n *s.m.* Décima terceira letra do alfabeto português.

N[1] abrev. de NORTE.

N[2] símbolo químico do nitrogênio.

N[3] símbolo do newton.

na comb. da prep. *em* e do pron. dem. fem. *a.*

Na símbolo químico do sódio (lat. *natrium*).

nababesco (ê) *adj.* **1.** Próprio de nababo. **2.** *P. ext.* Ostentoso, luxuoso.

nababo *s.m.* (hindustani *navab*). **1.** Título dado na Índia aos altos dignitários da corte dos sultões e aos governadores de províncias. **2.** Homem rico, que faz alarde de sua opulência.

nabo *s.m.* (lat. *napus*). **1.** Planta herbácea, de folhas oblongas, flores amarelas, cuja raiz, tuberosa, é comestível. **2.** A raiz dessa planta.

nação *s.f.* (lat. *natio*). **1.** Comunidade humana, fixada em sua maioria num mesmo território, cujos membros estão ligados por laços históricos, étnicos, lingüísticos e culturais. **2.** País. **3.** O governo de um país. **4.** Povo ou tribo indígena. ★ *s.f.pl.* Na literatura bíblica, os povos pagãos, p. opos. aos escolhidos.

nácar *s.m.* (persa *nakar*). **1.** Substância dura, irisada, rica em calcário, produzida por alguns moluscos no interior de sua concha, que é utilizada em bijuteria e marchetaria. **2.** Madrepérola.

nacarado *adj.* Que tem o brilho, a aparência do nácar; nacarino.

nacarino *adj.* Nacarado.

nacional *adj.2g.* (fr. *national*). **1.** Relativo ou pertencente a uma nação. **2.** Relativo a todo o país.

nacionalidade *s.f.* **1.** Qualidade de nacional. **2.** Conjunto dos caracteres distintivos de uma nação. **3.** O país de nascimento. **4.** Estado ou condição daquele que é cidadão de um país.

nacionalismo *s.m.* **1.** Preferência determinada pelo que é próprio à nação à qual se pertence. **2.** Patriotismo. **3.** Teoria política que afirma a predominância do interesse nacional em todas as atividades.

nacionalizar *v.t.* (conj. 4). **1.** Tornar nacional. **2.** Naturalizar. **3.** Estatizar. ★ *v.pr.* Naturalizar-se.

nacional-socialismo *s.m.* Sin. de NAZISMO.

nacional-socialista *adj.2g.* e *s.2g.* Sin. de NAZISTA.

naco *s.m.* Pedaço de qualquer coisa.

nada *pron. indef.* (lat. *res nata,* coisa nenhuma). Nenhuma coisa, coisa alguma. ★ *adv.* De nenhum modo. ★ *s.m.* **1.** O não ser; inexistência. **2.** Ausência total; vazio. **3.** O pouco valor de.

nadadeira *s.f.* **1.** Órgão natatório, de locomoção, de animais aquáticos, em geral constituído por expansão cutânea que forma um membro achatado, sustentado por esqueleto ósseo ou cartilaginoso. **2.** Equipamento que, especialmente na caça submarina, facilita a propulsão pelos pés. (Sin. PÉ-DE-PATO.)

NADADEIRAS DE TUBARÃO

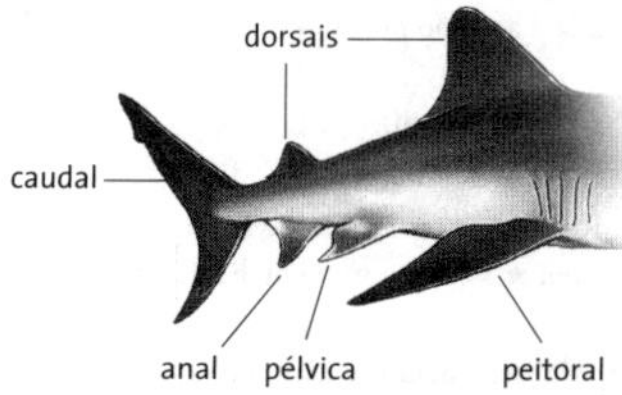

nadador (ô) *s.m.* (lat. *natator*). **1.** Aquele que nada, que sabe nadar. **2.** Aquele que pratica o esporte da natação. ★ *adj.* Que nada, que é conformado para o nado.

A B C D E F G H I J K L M O P Q R S T U V W X Y Z

nadar *v.i.* (lat. *natare*) [conj. 4]. **1.** Manter-se e avançar sobre ou sob a água (animais), seja pelos movimentos dos membros (homem), seja com o auxílio de nadadeiras (peixes), seja pela expulsão da água (polvo), ou pelas ondulações (serpentes aquáticas). **2.** Conhecer a prática de natação. **3.** Flutuar, boiar. ★ *v.t.* **1.** Percorrer (nadando). **2.** Estar num líquido qualquer. **3.** *Fig.* Ter em abundância.

nádega *s.f.* Cada uma das duas partes carnudas que formam a porção superior e posterior das coxas no homem e em certos animais.

nadir *s.m.* (ár. *nadir,* oposto). **1.** Direção paralela à vertical e orientada para o centro da Terra. **2.** Ponto da esfera celeste situado nessa direção.

nado¹ *adj.* (lat. *natus*). Nato, nascido.

nado² *s.m.* **1.** Ação de manter-se sobre a água ou mover-se nela por impulso próprio. **2.** Cada um dos estilos da natação: borboleta, costas, livre e peito. **3.** *Nado sincronizado*, modalidade em que as equipes se apresentam na piscina e são avaliadas pelo júri.

nanômetro *s.m.* Unidade de medida de comprimento usada para grandezas muito pequenas, equivalente a 10^{-9} metro (1 mm = 1 milhão de nanômetros).

nanosegundo *s.m.* Unidade de tempo que equivale a um bilionésimo de segundo.

nafta *s.f.* (ár. *nafṭ*). Produto petrolífero constituído por hidrocarbonetos de baixo ponto de ebulição.

naftaleno *s.m.* Hidrocarboneto aromático formado por dois núcleos benzênicos ligados, muito utilizado pela indústria química.

naftalina *s.f.* Nome comercial do naftaleno impuro, muito usado para repelir insetos.

naftol *s.m.* Fenol derivado do naftaleno.

nagô *s.2g.* (de or. africana). **1.** Indivíduo dos nagôs, povo ioruba. **2.** (*BA*) Molho preparado com pimenta, sal, limão e jilós cozidos. ★ *adj.2g.* Relativo ou pertencente aos nagôs.

náiada ou **náiade** *s.f.* (gr. *naias, naiados*). Ninfa de água doce, de uma fonte, de um riacho ou de um rio. ● **Bot.** Denominação comum a duas plantas aquáticas. **Zool.** Forma imatura, aquática, de insetos hemimetábolos.

náilon *s.m.* Aport. do ingl. NYLON.

naipe *s.m.* (esp. *naipe*). **1.** Cada um dos quatro grupos em que se dividem as cartas do baralho (ouros, copas, paus e espadas). **2.** *Fig.* Condição, qualidade, categoria. ● **Mús.** Cada um dos grupos de instrumentos ou vozes da mesma natureza em que se divide uma orquestra ou um coro.

naja *s.f.* (sâns. *naga*). Réptil ofídio, venenoso, característico da Índia, que dilata a região posterior da cabeça em sinal de irritação.

nambu *s.m.* Var. de INHAMBU.

namibiano *adj.* e *s.m.* Namíbio.

namíbio *adj.* Relativo ou pertencente à Namíbia, país da África; namibiano. ★ *s.m.* O natural ou habitante da Namíbia; namibiano.

namorada *s.f.* Mulher a quem se namora.

namorado¹ *adj.* **1.** Galanteado, requestado. **2.** Amoroso, enamorado, apaixonado. **3.** Meigo, doce. ★ *s.m.* **1.** Aquele que é requestado. **2.** Aquele que mantém com outra pessoa uma relação de namoro.

namorado² *s.m.* Peixe marinho, de carne saborosa, que atinge 1 m de comprimento, provido de lábios grandes, nadadeira dorsal contínua, da nuca ao pedúnculo caudal.

namorador (ô) *adj.* e *s.m.* **1.** Que ou aquele que gosta de namorar, que namora muito. **2.** Galanteador.

namorar *v.t.* (conj. 4). **1.** Procurar inspirar amor a; requestar, cortejar. **2.** Manter relação de namoro com. **3.** Procurar conquistar; paquerar. **4.** *Fam.* Desejar a posse de; cobiçar. ★ *v.i.* **1.** Viver uma relação de namoro. **2.** Trocar beijos, carícias etc. ★ *v.pr.* **1.** Apaixonar-se, enamorar-se. **2.** Agradar-se, ficar encantado.

namoricar *v.t.* (conj. 12). Namorar por pouco tempo. ★ *v.i.* Ter vários namorados.

namorico *s.m.* Namoro breve, superficial; flerte.

namoro (ô) *s.m.* **1.** Ação de namorar; namoração. **2.** Galanteio, corte. **3.** Relação amorosa entre duas pessoas.

nana *s.f. Pop.* Ato de dormir.

nanar *v.i.* (conj. 4). *Pop.* Dormir.

nanico *adj.* e *s.m.* (do lat. *nanus,* anão). Que ou aquele que tem estatura muito baixa; que parece um anão.

naniquice *s.f.* ou **naniquismo** *s.m.* Nanismo.

nanismo *s.m.* **1.** Estado de um indivíduo caracterizado por uma estatura muito pequena, decorrente de uma deficiência do crescimento provocada muitas vezes por alguma insuficiência endócrina. **2.** Redução das dimensões de um órgão vegetal ou da planta.

nanquim *s.m.* **1.** Tinta preta usada em desenho, antigamente trazida da China. **2.** Tecido de algodão, amarelo, que se fabricava originariamente em Nanquim, China. ★ *adj.2g.* Amarelo-claro.

não *adv.* (lat. *non*). Exprime negação, desaprovação, recusa. ★ *s.m.* Negativa, recusa.

não-figurativo *adj. Arte não-figurativa,* arte abstrata.

não-metal *s.m.* **1.** Produto mineral que não apresenta propriedades típicas do metal. **2.** Designação genérica dos elementos químicos que, por suas propriedades, não podem ser classificados como metais; ametal. (Sin. ant. METALÓIDE.)

napalm *s.m.* (ingl. *napalm*). **1.** Substância empregada na fabricação de bombas incendiárias. **2.** Carga incendiária preparada com essa substância.

napolitano *adj.* Relativo ou pertencente a Nápoles, cidade da Itália. ★ *s.m.* **1.** O natural ou habitante de Nápoles. **2.** Dialeto italiano falado em Nápoles.

naquele, naquela ou **naquilo** comb. da prep. *em* com o pron. *aquele, aquela* ou *aquilo.*

narceja (ê) *s.f.* Denominação comum a aves caradriiformes, aquáticas, cosmopolitas.

narcísico *adj.* Relativo ao narcisismo.

narcisismo *s.m.* Admiração de si próprio; atenção exclusiva sobre si mesmo. ● **Psican.** Investimento libidinal do ego, tomado como objeto pela pulsão sexual.

narciso¹ *s.m.* (gr. *Narkissos,* n.pr.). Homem enamorado de si mesmo.

narciso² *s.m.* Planta originária da Europa, bulbosa, de flores amarelas ou brancas, providas de uma espécie de coroa dourada, cultivada como ornamental.

narcose *s.f.* Estado de inconsciência provocado artificialmente por substâncias medicamentosas, tais como os hipnóticos ou barbitúricos.

narcoterrorismo *s.m.* Narcotráfico praticado para financiar atividades terrotistas.

narcótico *adj.* e *s.m.* (gr. *narkotikós,* entorpecedor). **1.** Diz-se de ou substância cuja absorção acarreta redução do nível de vigília, diminuição da sensibilidade e afrouxamento do tônus muscular. **2.** Diz-se de ou droga que altera a consciência, principalmente as de produção, comércio e uso ilegal, como a cocaína.

narcotina *s.f.* Um dos alcalóides do ópio.

narcotismo *s.m.* Conjunto dos efeitos determinados pelos narcóticos.

narcotizar *v.t.* (conj. 4). **1.** Aplicar narcótico a. **2.** Provocar narcose em. **3.** Tornar insensível; entorpecer. **4.** *Fig.* Entediar, enfadar.

narcotráfico *s.m.* Produção, distribuição ou comercialização de cocaína e outras drogas ilegais que alteram a consciência.

narigada *s.f.* Pancada com o nariz.

narigudo *adj.* e *s.m.* Que ou aquele que tem nariz muito grande.

narina *s.f.* (fr. *narine*). **1.** Cada uma das duas aberturas do nariz, do homem e dos mamíferos. **2.** Nos cetáceos, orifício por onde é expelida a água contida na boca, no momento de engolir alimentos.

nariz *s.m.* (lat. *naris*). **1.** Parte saliente do rosto, acima da boca, órgão e sede do olfato. **2.** A parte dianteira de um veículo.

CORTE LONGITUDINAL DO NARIZ

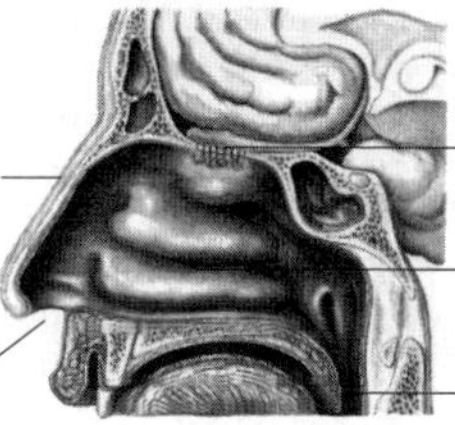

VOCÊ SABIA...? O ar que respiramos pelo **nariz** se aquece a uma temperatura agradável para os pulmões. Além disso, é mais limpo e úmido do que o que aspiramos pela boca. Os pêlos do nariz filtram o pó, e a mucosidade prende a sujeira que entrar. Os pêlos empurram a sujeira para a garganta, onde é engolida. Da mesma forma que o nariz, os condutos respiratórios dos pulmões têm mucosidade e pequenos pêlos, que ajudam a limpar o ar que entra.

nariz-de-cera *s.m.* Preâmbulo vago; lugar-comum. ● **Tip.** Texto de medida menor que a da coluna ou página, o qual em jornal ou revista antecede, a título de introdução, um artigo, reportagem etc.

narração *s.f.* (lat. *narratio*). **1.** Ato ou efeito de narrar. **2.** Exposição escrita ou verbal de um fato. ● **Liter.** Recurso expressivo da prosa de ficção em que se enumeram acontecimentos ou fatos; narrativa. ★ *s.m.* Aquilo que se narrou.

narrador (ô) *s.m.* (lat. *narrator*). **1.** Aquele que narra; contador de histórias. **2.** Aquele que declama um texto em uma obra musical. **3.** Na televisão e no cinema, aquele que explica ou descreve alguma coisa. **4.** No teatro épico, aquele que explica e orienta a ação. ★ *adj.* Que narra.

narrar *v.t.* (lat. *narrare*) [conj. 4]. **1.** Expor as seqüências de um fato ou acontecimento; contar, relatar. **2.** Registrar.

narrativa *s.f.* **1.** Narração. **2.** A maneira de narrar. **3.** Conto, história.

narrativo *adj.* (lat. *narrativus*). Que tem o caráter da narração; expositivo.

narval *s.m.* (al. *Narwal*). Mamífero cetáceo que ocorre na zona ártica do Atlântico, vive em grupos de até 20 indivíduos e alimenta-se de peixes, lulas e crustáceos.

nasal *adj.2g.* (fr. *nasal*). **1.** Relativo ao nariz. **2.** Diz-se de um fonema cuja emissão comporta uma abertura do véu do palato que permite a saída parcial ou total do fluxo de ar pelas fossas nasais. **3.** *Fossas nasais,* as duas cavidades limitadas pelo etmóide e pelo palatino, separadas pelo septo vertical, por onde o ar penetra depois de passar pelas narinas e antes de passar para os pulmões.

nasalação *s.f.* **1.** Modificação da voz, devido ao exagero de permeabilidade nasal que provoca uma ressonância nasal exagerada, deformando os sons. **2.** Som que imita a voz de uma pessoa que nasaliza. **3.** Mudança fonética que consiste na passagem de um fonema oral a nasal; nasalização.

nasalar *v.t.* (conj. 4). **1.** Falar pelo nariz. **2.** Emitir sons nasalados, fanhosos; nasalizar.

nasalizar *v.t.* (conj. 4). Nasalar.

nascedouro *s.m.* **1.** Lugar onde nasce ou se nasce. **2.** *P. ext.* Origem, princípio. **3.** Compartimento da incubadeira no qual se efetua o nascimento dos pintinhos.

nascença *s.f.* **1.** Nascimento. **2.** *De nascença,* que existe desde o nascimento; congênito.

nascente *adj.2g.* (lat. *nascens*). **1.** Que nasce, que começa a aparecer. **2.** *Fig.* Que começa a constituir-se. **3.** *Estado nascente,* estado particularmente ativo das substâncias simples que se desprendem de suas combinações químicas. ★ *s.m.* Ponto do horizonte de onde o sol começa a aparecer; este, leste, levante, oriente. ★ *s.f.* Ponto em que nasce uma corrente de água; fonte.

nascer[1] *s.m.* Movimento de um astro que se eleva no horizonte.

nascer[2] *v.i.* (conj. 25). **1.** Vir ao mundo; vir à luz. **2.** Ter origem ou princípio. **3.** Começar a brotar, a crescer, a desenvolver-se. **4.** Ter talento natural. **5.** Principiar a manifestar-se, aparecer, surgir. **6.** Formar-se, instituir-se.

nascida *s.f.* *Pop.* Abscesso, tumor.

nascimento *s.m.* **1.** Ação de nascer, vinda ao mundo; nascença. **2.** Procedência pelo sangue; estirpe. **3.** *Fig.* Começo, origem.

nascituro *adj.* e *s.m.* (lat. *nasciturus*). Que ou aquele que há de nascer. ● **Dir.** Diz-se do ou o ser concebido, antes de vir à luz.

nasofaringe *s.f.* Parte da faringe situada acima do véu palatal e atrás das fossas nasais.

nastro *s.m.* (it. *nastro*). **1.** Fita estreita de linho, algodão ou outro fio. **2.** Trena.

nata *s.f.* (lat. tard. *matta,* pela var. *natta*). **1.** Película que se forma no leite integral em repouso, composta de glóbulos de gordura, e com a qual se faz a manteiga. **2.** *Fig.* O que há de melhor em alguma coisa, especialmente num grupo social; escol, elite. **3.** *Pop.* Catarro.

natação *s.f.* (lat. *natatio*). **1.** Ação de nadar. **2.** Esporte do nado. **3.** Modo de locomoção dos animais que vivem na água.

VOCÊ SABIA...? A **natação** obteve reconhecimento internacional em 1896, nos Jogos Olímpicos de Atenas. A Federação Internacional de Natação foi fundada em 1908, em Londres. Além dos Jogos Olímpicos, as grandes competições são os campeonatos mundiais. As competições modernas incluem provas em quatro estilos de nado: de peito, livre ou *crawl,* borboleta e de costas.

---

natal *adj.2g.* (lat. *natalis*). **1.** Diz-se do lugar onde alguém nasceu. **2.** Que diz respeito ao nascimento; natalício. ★ *s.m.* **1.** Data da natividade de Jesus Cristo, no dia 25 de dezembro. **2.** Festa que celebrou esse evento.

natalício *adj.* (lat. *natalitius*). Relativo ao dia do nascimento. ★ *s.m.* O dia do nascimento.

natalidade *s.f.* Relação entre os nascimentos ocorridos numa coletividade durante determinado período, e o total de indivíduos dessa coletividade.

natalino *adj.* Relativo ao Natal ou às festas do Natal.

natatório *adj.* (lat. *natatorius*). **1.** Que diz respeito à natação. **2.** Que se presta ao nado. **3.** *Bexiga natatória,* vesícula cheia de ar que constitui, nos peixes, um órgão de função hidrostática.

natimorto (ô) *adj.* e *s.m.* **1.** Que ou aquele que nasce morto. **2.** *Fig.* Que ou aquele que está condenado ao insucesso desde seu aparecimento.

natividade *s.f.* (lat. *nativitas, nativitatis*). **1.** Aniversário do nascimento de Jesus Cristo, da Virgem Maria e de alguns santos. **2.** Festa em que se celebra um desses acontecimentos.

nativismo *s.m.* Excesso de amor à pátria; aversão aos estrangeiros; xenofobia. ● **Filos.** Teoria segundo a qual o espaço e o tempo são dados nas próprias sensações, e não adquiridos por experiência.

nativo *adj.* (lat. *nativus,* nascido, natural). **1.** Próprio do lugar onde nasce. **2.** Não estrangeiro; nacional. **3.** Diz-se de um metal que existe na natureza em estado não combinado. **4.** *Fig.* Trazido pelo nascimento; congênito, nato, natural. ★ *s.m.* Pessoa nascida em determinada região; natural, autóctone.

nato *adj.* (lat. *natus*). **1.** Nascido. **2.** Que é de nascença; congênito. **3.** Que é inerente à natureza ou às funções de um cargo ou entidade.

natura *s.f.* (lat. *natura*). *Poét.* Natureza.

natural *adj.2g.* (lat. *naturalis*). **1.** Relativo ou pertencente à natureza. **2.** Produzido pela natureza ou de acordo com suas leis, sem o trabalho ou a intervenção do homem. **3.** Inato, congênito. **4.** Nascido, originário, procedente. **5.** Espontâneo, simples. **6.** Intuitivo, instintivo. **7.** Conforme aos padrões, aos usos estabelecidos; normal. **8.** Diz-se de produto alimentício ou de higiene sem ingredientes produzidos por química industrial. ● **Mat.** *Número natural,* qualquer um dos números inteiros positivos. **Mús.** *Nota natural,* nota que não tem acidentes. ★ *s.2g.* Originário de um lugar; nativo. ★ *s.m.* **1.** Caráter, índole, inclinações de uma pessoa. **2.** Aquilo que é conforme à natureza. **3.** Número natural.

naturalidade *s.f.* **1.** Qualidade do que é natural, conforme à natureza. **2.** Singeleza, simplicidade. **3.** Origem, nascimento. **4.** A terra onde alguém nasce; nacionalidade.

naturalismo *s.m.* **1.** Escola literária e artística do séc. XIX que buscava reproduzir a realidade com uma objetividade perfeita. **2.** Doutrina filosófica que afirma que a natureza existe por si, sem causa ou princípio exterior a ela. **3.** Conjunto de preceitos alimentares, medicinais etc. que rejeita o uso de substâncias artificiais.

naturalista *s.2g.* **1.** Adepto do naturalismo. **2.** Pessoa que se dedica ao estudo das plantas, dos minerais e dos animais. ★ *adj.* Relativo ao naturalismo.

naturalização *s.f.* **1.** Ação pela qual um estrangeiro pode adquirir a nacionalidade do país onde reside. **2.** Ação de transportar uma palavra, uma expressão de uma língua para outra.

naturalizar *v.t.* (conj. 4). **1.** Dar (a um estrangeiro) a naturalização. **2.** Adaptar uma palavra estrangeira à língua que a recebe. ★ *v.pr.* Adquirir (um estrangeiro) a nacionalidade do país em que reside.

natureza (ê) *s.f.* **1.** Conjunto de todos os seres existentes no universo. **2.** Realidade física. **3.** Conjunto das características fundamentais próprias de um ser ou coisa. **4.** Conjunto de leis que regem o universo e a sucessão dos seres. **5.** Conjunto dos instintos e tendências naturais de um indivíduo. **6.** A paisagem natural.

nau *s.f.* (lat. *navis*). **1.** Antiga embarcação à vela, de alto bordo, com três mastros e numerosas bocas-de-fogo. **2.** *P. ext.* Qualquer navio.

náuatle *s.m.* e *adj.* Língua falada pelos astecas.

naufragar *v.i.* (lat. *naufragare*) [conj. 4]. **1.** Afundar (embarcação) nas águas; soçobrar, submergir. **2.** *Fig.* Malograr, fracassar. ★ *v.t.* Causar naufrágio a, provocar naufrágio.

naufrágio *s.m.* (lat. *naufragium*). **1.** Ato ou efeito de naufragar. **2.** Perda da embarcação. **3.** *Fig.* Ruína completa.

náufrago *adj.* (lat. *naufragus*). **1.** Que naufragou. **2.** Procedente de naufrágio. ★ *s.m.* **1.** Pessoa que naufragou; naufragado. **2.** *Fig.* Pessoa infeliz, decadente, que padeceu ruína.

naupatia *s.f.* Enjôo provocado em viagem marítima.

náusea *s.f.* (gr. *nausia,* de *naus,* navio). **1.** Sensação desagradável, localizada vagamente na região epigástrica e no abdome, que culmina habitualmente no vômito. **2.** Enjôo produzido pelo balanço de uma embarcação. **3.** *Fig.* Asco, repugnância, nojo.

nauseabundo *adj.* (lat. *nauseabundus*). **1.** Que causa náuseas; nauseante. **2.** *Fig.* Nojento, asqueroso, repugnante, repulsivo.

nausear *v.t.* (lat. *nauseare*) [conj. 15]. **1.** Causar náuseas a; enjoar. **2.** Enfastiar, entediar. ★ *v.i.* e *v.pr.* Sentir náuseas.

nauseento *adj.* Que enjoa com facilidade.

nauta *s.m.* (gr. *nautes*). Navegante, navegador, marinheiro, marujo.

náutica *s.f.* Ciência ou arte da navegação.

náutico *adj.* (lat. *nauticus*). **1.** Relativo a ou próprio para navegação. **2.** Relativo a navegante. ★ *s.m.* Entendido em náutica.

náutilo *s.m.* Molusco cefalópode, dos oceanos Índico e Pacífico, que apresenta concha externa, univalve, dividida em compartimentos, e que possui tentáculos desprovidos de ventosas.

naval *adj.2g.* (lat. *navalis*). **1.** Referente a navios, à construção de navios, à navegação. **2.** Relativo à marinha de guerra.

navalha *s.f.* **1.** Instrumento cortante, de lâmina de aço afiada e cabo que protege o fio da lâmina, quando fechado. **2.** *Fig.* Língua maldizente. **3.** *Pop.* Motorista inábil ou imprudente. ★ *s.f.pl.* Dentes de javali.

navalhar *v.t.* (conj. 4). **1.** Golpear com navalha; anavalhar. **2.** *Fig.* Magoar, ferir.

nave *s.f.* (lat. *navis*). **1.** *Ant.* Nau. **2.** Parte interior de uma igreja, que vai da entrada ao santuário. **3.** Templo. **4.** *Nave espacial,* veículo astronáutico interplanetário.

navegabilidade *s.f.* **1.** Qualidade de navegável. **2.** Estado de um curso d'água em que a navegação é possível.

navegação *s.f.* (lat. *navigatio*). **1.** Ato ou efeito de navegar. **2.** Arte de navegar; náutica. **3.** Atividade relativa ao transporte marítimo, aéreo ou espacial.

navegador (ô) *s.m.* (lat. *navigator*). **1.** Aquele que navega ou se dedica à navegação. **2.** Membro da tripulação de um navio ou de um avião encarregado de determinar a rota de navegação. ● **Inform.** Programa para encontrar e exibir páginas da Internet (Sin. ingl. BROWSER.) ★ *adj.* Navegante.

navegante *adj.2g.* e *s.2g.* Que ou aquele que navega, que faz longas viagens no mar; navegador.

navegar *v.i.* (lat. *navigare*) [conj. 14]. **1.** Viajar sobre a água, no ar ou no espaço cósmico. **2.** *Pop.* Viajar, andar. ★ *v.t.* Percorrer, atravessar (a água, o ar, o espaço cósmico). ● **Inform.** Acessar páginas na internet.

navegável *adj.2g.* (lat. *navigabilis*). Que pode ser navegado.

naveta (ê) *s.f.* **1.** Pequena nave. **2.** Lançadeira de máquina de costura ou de tear, de forma semelhante à de uma pequena nave. **3.** Pequena lançadeira para confecção de renda artesanal. **4.** Pequeno recipiente em forma de barco, onde se coloca o incenso para ser queimado.

navicular *adj.2g.* Que tem forma de navio. ● **Anat.** *Fossa navicular,* dilatação da uretra masculina, no interior da glande. ★ *s.m.* Osso radial da primeira fila do carpo dos mamíferos.

navio *s.m.* (lat. *navigium*). Embarcação de grande tonelagem, destinada à navegação em mar alto; paquete.

navio-tanque *s.m.* Navio equipado para o transporte de líquidos a granel.

nazareno *adj.* Relativo ou pertencente a Nazaré, cidade de Israel. ★ *s.m.* **1.** O natural ou habitante de Nazaré. **2.** Nome dado pelos judeus a Jesus e aos primeiros cristãos.

názi *adj.2g.* e *s.2g.* Nazista.

nazismo *s.m.* Doutrina social e política sistematizada por Adolf Hitler (1889-1945), que se apoiava na crença da superioridade da raça germânica, no militarismo e no culto ao chefe. (Sin. NACIONAL-SOCIALISMO.)

nazista *adj.2g.* Relativo ou pertencente ao nazismo; názi. ★ *s.2g.* Adepto do nazismo; názi. (Sin. NACIONAL-SOCIALISTA.)

NE abrev. NORDESTE.

neblina *s.f.* (esp. *neblina*). **1.** Névoa, nevoeiro, cerração. **2.** *Fig.* Trevas, sombras.

nebulização *s.f.* Ato ou efeito de nebulizar; pulverização.

nebulosa *s.f.* **1.** Concentrado, em forma de nuvem, de partículas e gases em suspensão no espaço interestelar. **2.** *Fig.* Conjunto de coisas cujas relações são imprecisas e confusas.

? VOCÊ SABIA...? No espaço sideral há enormes **nebulosas**, ou seja, nuvens formadas por gás e poeira. Algumas são luminosas e é em seu interior que surgem as estrelas, como aconteceu com o Sol. A cada instante, nascem novas estrelas em nebulosas.

---

nebulosidade *s.f.* **1.** Qualidade de nebuloso. **2.** Nuvens tênues ou névoa seca que encobrem o céu. **3.** *Fig.* Falta de clareza; obscuridade.

nebuloso (ô) *adj.* (lat. *nebulosus*). **1.** Obscurecido pelas nuvens; nublado, nevoento. **2.** Sem transparência ou luz; escuro, turvo. **3.** *Fig.* Sombrio, triste. **4.** *Fig.* Indefinido, indistinto. **5.** *Fig.* Ininteligível, obscuro, misterioso, enigmático.

necedade *s.f.* (esp. *necedad*). **1.** Ignorância crassa; inépcia, estupidez. **2.** Disparate, despautério, tolice.

necessário *adj.* (lat. *necessarius*). **1.** Que se necessita; indispensável, essencial. **2.** Que deve ser feito, que se impõe; obrigatório. ★ *s.m.* Conjunto de coisas indispensáveis à vida cotidiana, a uma atividade, a uma ação.

necessidade *s.f.* (lat. *necessitas*). **1.** Caráter ou qualidade de necessário. **2.** Exigência proveniente de um sentimento de privação de qualquer coisa absolutamente necessária à vida. **3.** Estado que resulta da privação do necessário; indigência, míngua, miséria. **4.** Aquilo que constrange ou obriga de maneira absoluta. ★ *s.f.pl.* **1.** Conjunto das coisas indispensáveis à vida. **2.** Interesses superiores de uma coletividade.

necessitado *adj.* e *s.m.* Que ou aquele que padece privação das coisas necessárias à vida; muito pobre, indigente.

necessitar *v.t.* (conj. 4). **1.** Sentir necessidade de; precisar. **2.** Exigir, requerer. **3.** Tornar necessário, indispensável. ★ *v.i.* Sofrer privações.

necrologia *s.f.* **1.** Lista ou registro dos nomes dos mortos, com data de falecimento; obituário. **2.** Necrológio.

necrológio *s.m.* **1.** Elogio, falado ou escrito, de pessoa falecida. **2.** Notícia ou coleção de notícias sobre pessoa falecida; necrologia.

necromancia *s.f.* Prática divinatória pela invocação dos mortos. (Var. NIGROMANCIA.)

necromante *s.2g.* Pessoa que pratica a necromancia. (Var. NIGROMANTE.)

necrópole *s.f.* **1.** Cemitério com monumentos funerários. **2.** *P. ext.* Qualquer cemitério.

necropsia *s.f.* Autópsia.

necrosado *adj.* Diz-se da estrutura orgânica que sofreu necrose.

necrosar *v.t.* (conj. 4). Produzir necrose em. ★ *v.pr.* Ser atingido por necrose.

necrose *s.f.* **1.** Transformação física e química sofrida pela matéria viva e que conduz à morte. **2.** Mortificação tecidual e celular que se produz num tecido, órgão ou em uma região anatômica qualquer, enquanto o resto do organismo permanece vivo.

necrotério *s.m.* Local onde se depositam os cadáveres de identidade desconhecida ou que devem ser submetidos a exame médico-legal.

néctar *s.m.* (gr. *nektar*). **1.** Bebida dos deuses olímpicos. **2.** Bebida deliciosa, delicada. **3.** *Fig.* Delícia, encanto. ● **Bot.** Líquido açucarado, mais ou menos viscoso, rico em glucídios, secretado pelos nectários das plantas para atrair os animais polinizadores.

nectarina *s.f.* Árvore pequena, originária da China, considerada uma variedade natural do pessegueiro, cujo fruto é uma drupa amarelo-avermelhada, carnosa e comestível.

nédio *adj.* (lat. *nitidus*). **1.** Luzidio, brilhante, nítido. **2.** De pele lustrosa. **3.** Lustroso por efeito de gordura.

neerlandês *adj.* e *s.m.* Holandês.

nefando *adj.* (lat. *nefandus*). **1.** Abominável, execrável. **2.** Sacrílego, ímpio. **3.** Odioso, imperdoável. **4.** Depravado, perverso.

nefasto *adj.* (lat. *nefastus*). **1.** Que acarreta a morte, a ruína. **2.** Infausto, de mau agouro. **3.** Funesto, sinistro, trágico. **4.** Nocivo, prejudicial.

nefelibata *adj.2g.* e *s.2g.* **1.** Que ou aquele que vive nas nuvens, cujo espírito vagueia num mundo ideal. **2.** Diz-se de ou literato sonhador que se serve de uma linguagem de conotações imponderáveis, puramente sugestiva.

nefralgia *s.f.* Dor nos rins.

nefrite *s.f.* **1.** Inflamação do rim. **2.** Lesão degenerativa ou proliferativa difusa e progressiva que afeta em proporções variáveis o parênquima renal, o tecido intersticial e o sistema vascular renal.

nefro *s.m.* Néfron.

nefrologia *s.f.* Estudo dos rins, de sua fisiologia e enfermidades.

nefrologista *s.2g.* Especialista em doenças renais.

néfron ou **nefro** *s.m.* (gr. *nephros*, rim). Unidade morfológica e funcional do rim, constituída pelo glomérulo renal, pela cápsula de Bowman, pelos túbulos contornados e pela alça de Henle.

nefropatia *s.f.* Nome genérico das afecções do rim.

nefrose *s.f.* Qualquer doença renal caracterizada essencialmente pela presença de lesões degenerativas dos túbulos renais.

nefrotomia *s.f.* Incisão cirúrgica do rim, realizada, na maioria das vezes, para extração de cálculo.

negaça *s.f.* **1.** Engodo, isca, chamariz. **2.** Sedução, atrativo. **3.** Engano, logro. **4.** Simulação de recusa ou negação. **5.** Técnica de caça que consiste em perseguir a presa sem que esta o perceba, a fim de abatê-la de posição favorável. **6.** Modo de pescar, com anzol iscado ou isca artificial, movimentando a linha de um lado para outro, a fim de atrair o peixe.

negação *s.f.* (lat. *negatio*). **1.** Ato ou efeito de negar. **2.** Ausência, falta, carência. **3.** Inaptidão, incapacidade, falta de vocação. **4.** Rejeição, recusa. ● **Gram.** Estatuto da frase (declarativa, interrogativa ou imperativa) que consiste em negar o predicado; palavra ou grupo de palavras que servem para negar. **Psican.** Denegação.

negacear *v.t.* (conj. 15). **1.** Fazer negaças a, seduzir por meio de negaças; provocar. **2.** Enganar. **3.** Simular recusa ou negação. ★ *v.i.* Fazer negaças.

negar *v.t.* (lat. *negare*) [conj. 14]. **1.** Não admitir a existência ou a veracidade de (alguma coisa). **2.** Repudiar, trair. **3.** Recusar. **4.** Contradizer, desmentir. **5.** Não permitir; proibir. ★ *v.i.* Dizer que não. ★ *v.pr.* Recusar-se, excusar-se.

negativa *s.f.* **1.** Palavra ou frase com que se expressa negação; recusa. **2.** Partícula que exprime negação. **3.** Ato ou efeito de negar; negação.

negativismo *s.m.* Atitude de negação ou recusa sistemática.

negativo *adj.* (lat. *negativus*). **1.** Que contém ou exprime negação. **2.** Que envolve ou implica ausência; abstenção. **3.** Proibitivo, restritivo. **3.** Sem efeito; nulo. **4.** Contraproducente. ● **Fís.** Diz-se de uma carga elétrica que apresenta o mesmo sinal que o da carga de um elétron. **Mat.** Diz-se de um número natural inferior a zero. ★ *s.m.* Imagem fotográfica sobre filme na qual os tons da cena original são representados com o inverso da luminosidade.

negligência *s.f.* (lat. *negligentia*). **1.** Falta de cuidado; descuido, displicência. **2.** Falta de atenção; omissão. **3.** Preguiça.

negligenciar *v.t.* (conj. 16). Não ter cuidado com; desleixar, descuidar.

negligente *adj.2g.* e *s.2g.* Que ou aquele que revela negligência.

nego (ê) *s.m. Pop.* **1.** Homem negro. **2.** Camarada, companheiro.

negociação *s.f.* (lat. *negotiatio*). **1.** Ato ou efeito de negociar. **2.** Negócio, transação. **3.** Entendimento entre governos de duas ou mais nações.

negociante *s.2g.* Pessoa que exerce o comércio; comerciante.

negociar *v.i.* (lat. *negotiari*) [conj. 16]. Fazer negócios, exercer o comércio. ★ *v.t.* Tratar, discutir para chegar a um acordo.

negociata *s.f.* **1.** Negócio em que há trapaça. **2.** Negócio suspeito.

negócio *s.m.* (lat. *negotium*). **1.** Empreendimento comercial, industrial, financeiro. **2.** Transação. **3.** Assunto, fato. **4.** Ajuste, questão. **5.** Combinação. **6.** *Fam.* Qualquer coisa cujo nome não se sabe ou não se quer dizer; troço.

negocista *s.2g.* Especulador, negociante de pouco escrúpulo, que faz negociatas.

negra (ê) *s.f.* **1.** Mulher negra. **2.** *Ant.* Escrava. **3.** Partida de desempate no jogo.

negregado *adj.* (lat. *nigricatus*). **1.** Desgraçado, infausto. **2.** Trabalhoso, custoso, mofino.

negreiro *adj.* **1.** Relativo a negro. **2.** Diz-se do navio que transportava escravos africanos. ★ *s.m.* O traficante de negros.

negrejar *v.i.* (conj. 4). **1.** Tornar-se negro. **2.** Parecer negro. **3.** Escurecer. **4.** *Fig.* Mostrar-se triste. ★ *v.t.* **1.** Tornar negro. **2.** Tornar escuro, sombrio.

negridão *s.f.* Negrura.

negrito *s.m.* (esp. *negrito*). Em tipografia, tipo de traço mais espesso em comparação com o tipo normal da mesma família e do mesmo corpo.

negritude *s.f.* **1.** Condição das pessoas negras. **2.** Conjunto de valores culturais e espirituais dos negros. **3.** Consciência de pertencer a esta cultura específica.

negro (ê) *adj.* (lat. *niger*). **1.** Diz-se da cor mais escura, devido à ausência ou absorção total de raios luminosos, p. opos. ao branco e às outras cores; preto. **2.** Que é dessa cor; preto. **3.** Diz-se de pessoas cuja pele é de pigmentação escura; preto. **4.** Característico ou próprio das etnias que têm essa pigmentação. **5.** *Fig.* Triste, melancólico, funesto. **6.** *Mercado negro,* diz-se de comércio clandestino ou ilegal. ● **Fís.** *Corpo negro,* sistema, mantido à temperatura constante, que absorve integralmente toda a radiação que recebe. ★ *s.m.* **1.** Indivíduo da raça negra; preto. **2.** A cor negra; preto. **3.** *Ant.* Escravo. ● **Metal.** Material pulverulento ou líquido à base de carvão vegetal, hulha e grafita, utilizado em fundição como revestimento das paredes dos moldes com o objetivo de impedir a aderência da areia no metal fundido, dando a este melhor acabamento superficial.

negro-de-fumo *s.m.* Pigmento negro constituído de finas partículas de carbono, obtido pela combustão incompleta de um hidrocarboneto e utilizado na composição de certas tintas e vernizes.

negror (ô) *s.m.* (lat. *nigror*). Negrume.

negrume *s.m.* **1.** Escuridão, sombras, trevas, negror. **2.** Cerração. **3.** *Fig.* Tristeza, melancolia.

nele comb. da prep. *em* com o pron. *ele.*

nelore *adj.2g.* e *s.2g.* (de *Nellore,* n.pr.) Diz-se de ou raça zebuína originária da Índia, que representa a maior parte do rebanho brasileiro.

nem *conj.* (lat. *nec*). **1.** E não, e sem. **2.** *Nem que,* mesmo que. ★ *adv.* Não.

nematelmintes *s.m.pl.* Sin. de NEMATÓDEOS.

nematocisto *s.m.* Aparelho urticante dos cnidários.

nematódeos *s.m.pl.* Filo de vermes de vida livre ou parasitas, que apresentam o corpo cilíndrico, alongado, não segmentado, revestido por cutícula resistente. (Sin. NEMATELMINTES.)

nematóide *s.m.* Sin. de NEMATÓDEO. ★ *adj.2g.* Semelhante ou relativo ao nematódeo.

nenê ou **neném** *s.m.* Criança recém-nascida; bebê.

nenhum *pron.* (lat. *nec uno*). **1.** Nem um. **2.** Nulo. **3.** Ninguém.

nenhures *adv.* Em lugar nenhum, em parte alguma.

nênia *s.f.* (gr. *nenia*). **1.** Canto fúnebre entoado pelos gregos e romanos. **2.** *Fig.* Canto triste, plangente.

nenúfar *s.m.* (ár. *nainufar*). Denominação comum a duas plantas de folhas e flores flutuantes, que ocorrem nos mangues e pântanos da Europa.

neoclassicismo *s.m.* Tendência artística e literária do fim do séc. XVIII e do início do séc. XIX, que se apoiou nos exemplos da Antiguidade clássica ou do classicismo do séc. XVII.

neocolonialismo *s.m.* Domínio econômico e cultural que um país exerce sobre outro indiretamente, sem uso da força.

neocórtex *s.m.* Porção do córtex cerebral dos vertebrados, que se encontra muito desenvolvida nos mamíferos.

neodímio *s.m.* Elemento químico (símb. Nd) de número atômico 60, que constitui um metal branco da série das terras raras, de aplicações industriais específicas.

neofascista *adj.* e *s.2g.* Diz-se de ou pessoa que defende a volta das restrições racistas e nacionalistas que caracterizavam o fascismo, derrotado em 1945.

neófito *s.m.* (gr. *neophytos,* plantado de novo). **1.** Novo adepto de uma doutrina, de um partido; prosélito. **2.** *P. ext.* Principiante, novato.

neolatino *adj.* **1.** Diz-se das nações cuja língua ou civilização procede da latina. **2.** Sin. de ROMÂNICO.

neolítico *s.m.* (gr. *neos,* novo, e *lithos,* pedra). **1.** Período da pré-história compreendido entre o mesolítico e a Idade dos Metais (10000-3600 a.C.). **2.** Ser humano que viveu nessa época. ★ *adj.* Relativo ou pertencente ao neolítico.

NEOLÍTICO ▸ Durante o período neolítico, o homem passou de uma economia de subsistência a uma economia de produção. Os processos pelos quais se produziu essa mudança de vida (chamada de *neolitização*) constituem um fenômeno mundial, extraordinariamente variado em suas formas. Tal fenômeno aparece como uma nova atitude do homem em relação à natureza. Além disso, o homem se transformou fisicamente, assumindo suas formas características atuais. No fim do neolítico, no Oriente Próximo, por volta de 3300 a.C., o homem inventou a escrita, dando início à história.

neologia *s.f.* Processo de formação de novas palavras.

neologismo *s.m.* Palavra de criação recente, empréstimo de uma língua estrangeira ou acepção nova dada a uma palavra já existente na língua.

néon ou **neônio** *s.m.* (do gr. *neos,* novo). Elemento químico (símb. Ne) de número atômico 10, que constitui um gás nobre, dotado de intensa fosforescência quando atravessado por uma corrente elétrica sob pressão.

neonatal *adj.2g.* Relativo ao recém-nascido.

neoplasia *s.f.* Formação de um tecido novo, que pode ser patológica no caso de tumores ou normal quando se trata de uma regeneração.

neoplasma *s.m.* Tecido que resulta de um processo neoplásico.

neo-realismo *s.m.* **1.** Movimento cinematográfico italiano do séc. XX. **2.** Tendência das artes plásticas do séc. XX a retomar a figuração realista.

neozelandense *adj.2g.* e *s.2g.* Neozelandês.

neozelandês *adj.* Relativo ou pertencente à Nova Zelândia, país da Oceania; neozelandense. ★ *s.m.* O natural ou habitante da Nova Zelândia.

nepalense *adj.2g.* e *s.2g.* Nepalês.

nepalês *adj.* Relativo ou pertencente ao Nepal, país da Ásia. ★ *s.m.* **1.** O natural ou habitante do Nepal. **2.** Língua oficial do Nepal.

nepotismo *s.m.* **1.** Política adotada por certos papas que consistia em favorecer sistematicamente suas famílias. **2.** Distribuição de cargos públicos entre os parentes ou amigos. **3.** Favoritismo, proteção escandalosa.

nerd *s.2g.* (ingl.) Pessoa com grande interesse e/ou habilidade em tecnologia e dificuldades de comunicação e/ou relacionamento com outras pessoas.

nervo (ê) *s.m.* (lat. *nervus*). **1.** Estrutura anatômica de condução dos impulsos nervosos. **2.** Força psicológica, vigor. **3.** Fator principal.

nervosismo *s.m.* **1.** Estado de excitação nervosa passageira ou permanente; nervosidade. **2.** Estado de um indivíduo ansioso, que pode apresentar problemas psicossomáticos variados.

nervoso (ô) *adj.* (lat. *nervosus*). **1.** Relativo aos nervos, ao sistema nervoso. **2.** Diz-se do indivíduo facilmente irritável, emotivo, agitado. **3.** *Fig.* Irritado, exaltado, excitado. ● **Bot.** Diz-se do órgão vegetal que possui nervuras. **Neurol.** *Sistema nervoso,* conjunto de nervos, gânglios e centros nervosos que mantêm o comando e a coordenação das funções vitais e a recepção de mensagens sensoriais. ▸ *Sistema nervoso central,* conjunto formado pelo cérebro e pela medula espinhal. ▸ *Sistema nervoso periférico,* conjunto de nervos cranianos e nervos raquidianos cujos núcleos pertencem ao sistema nervoso central. ▸ *Sistema nervoso vegetativo,* subsistema que regula as funções viscerais; sistema nervoso autônomo ou neurovegetativo. ▸ *Via nervosa,* trajeto realizado por fibras nervosas que se relacionam a uma dada função através dos centros nervosos e nervos periféricos. ★ *s.m.* Indivíduo que sofre dos nervos.

nervura *s.f.* **1.** Saliência formada na face inferior dos órgãos foliáceos e por onde é transportada a seiva. **2.** Filete córneo que se ramifica nas asas dos insetos. **3.** Saliência fina, alongada e sinuosa.

néscio *adj.* (lat. *nescius*). Ignorante, ignaro, estúpido. ★ *s.m.* Pessoa inepta.

nesga (ê) *s.f.* (ár. *neçja*). **1.** Pequeno pedaço de terra entre terrenos extensos. **2.** *P. ext.* Pequena porção de qualquer espaço.

nêspera *s.f.* (lat. *nespilum*). Fruto da nespereira, baga amarela de polpa comestível e sabor agradável, levemente ácido.

nespereira *s.f.* Arbusto originário da Ásia, ramoso, espinhoso, de folhas com pêlos e frutos comestíveis.

nesse (ê) comb. da prep. *em* com o pron. *esse.*

neste (ê) comb. da prep. *em* com o pron. *este.*

neta *s.f.* (lat. vulg. *nepta*). Filha de filho ou de filha, em relação ao avô e à avó.

neto *s.m.* Filho de filho ou de filha, em relação ao avô e à avó.

netúnio *s.m.* (de *Netuno,* n.pr.). Elemento químico (símb. Np) de número atômico 93, que constitui um metal branco-prateado muito raro e que pode ser obtido por bombardeamento de urânio.

neural *adj.2g.* **1.** Relativo ao sistema nervoso. **2.** *Cavidade neural* ou *canal neural,* cavidade que contém o sistema nervoso central e, nos vertebrados, os arcos vertebrais e o crânio. ▸ *Tubo neural,* estrutura cilíndrica que se forma com a invaginação do ectoderma embrionário e que origina todo o eixo nervoso cérebro-espinhal.

neuralgia *s.f.* Nevralgia.

neurálgico *adj.* Nevrálgico.

neurastenia *s.f.* **1.** Estado de astenia física e psíquica com múltiplas queixas somáticas. **2.** *Pop.* Mau humor, irritabilidade fácil.

neurite *s.f.* (do gr. *neuron,* nervo). Lesão inflamatória ou degenerativa de um nervo. (Var. NEVRITE.).

neurítico *adj.* Relativo às neurites. ★ *s.m.* Indivíduo acometido de neurite; nevrítico.

neuroanatomia *s.f.* Estudo da anatomia do sistema nervoso central e periférico.

neuroanatômico *adj.* Relativo à neuroanatomia.

neurobiologia *s.f.* Conjunto das disciplinas biológicas que estudam o sistema nervoso.

neurociências *s.f.pl.* Conjunto das disciplinas que tratam do estudo do sistema nervoso.

neurocirurgia *s.f.* Cirurgia do sistema nervoso.

neurodepressor (ô) *adj.* e *s.m.* Diz-se de ou substância que deprime a atividade do sistema nervoso.

neurodermite *s.f.* Eczema de prurido intenso, freqüente na altura da nuca.

neurodistonia *s.f.* Distonia neurovegetativa.

neurodistônico *adj.* Relativo à neurodistonia.

neurofarmacologia *s.f.* Parte da farmacologia que estuda o metabolismo e a ação de medicamentos que alteram as funções do sistema nervoso.

neurofisiologia *s.f.* Disciplina que estuda a função dos elementos nervosos e dos seus conjuntos.

neurogênico *adj.* **1.** Relativo à origem dos nervos. **2.** Que afeta o tecido nervoso.

neuróglia *s.f.* Conjunto de células nervosas que asseguram as diversas funções metabólicas, de estrutura e de isolamento dos axônios e que constitui, junto com os neurônios e seus vasos sanguíneos, o próprio tecido nervoso; glia.

neuroglobulina *s.f.* Globulina ligada a lipídios que se encontra no tecido nervoso.

neuro-histologia *s.f.* Estudo dos tecidos nervosos e de seus prolongamentos.

neuro-hormônio *s.m.* Substância sintetizada pelas células nervosas e secretada na corrente sanguínea para agir a distância nas células-alvo. (Var. NEURORMÔNIO.)

neuroipófise (o-i) *s.f.* Sin. de HIPÓFISE* POSTERIOR.

neuroléptico *adj.* e *s.m.* Diz-se de ou psicotrópico cuja ação sobre o sistema neurovegetativo atenua alguns sintomas psicóticos, mas provoca sérias síndromes extrapiramidais.

neurolingüística *s.f.* Ramo da neuropsicologia que trata das relações entre a linguagem e as estruturas cerebrais.

neurologia *s.f.* **1.** Divisão da medicina que se ocupa das enfermidades do sistema nervoso. **2.** Disciplina que estuda o sistema nervoso em seu conjunto.

neurológico *adj.* Relativo ao sistema nervoso ou à neurologia.

neuroma *s.m.* Tumor circunscrito a um nervo.

neuromuscular *adj.* Relativo simultaneamente a uma fibra nervosa e a um músculo.

neurônio *s.m.* (do gr. *neuron,* nervo). Célula diferenciada pertencente ao sistema nervoso, que compreende um corpo celular e prolongamentos (axônio e dendritos).

PARTES DO NEURÔNIO

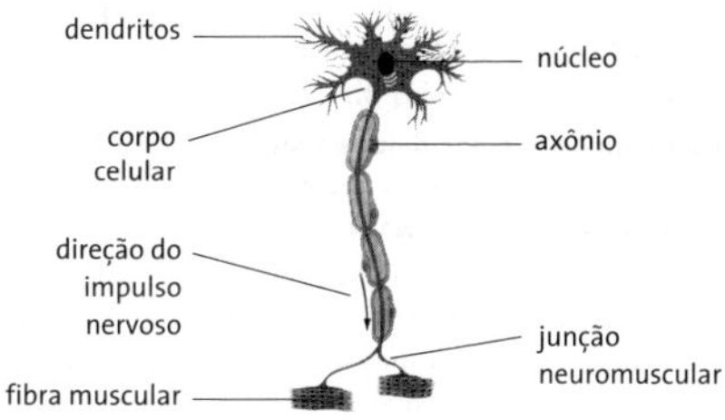

neuropata *adj.2g.* e *s.2g.* Que ou aquele que apresenta neuropatia.

neuropatia *s.f.* **1.** Afecção do sistema nervoso; nevropatia. **2.** Qualquer modo de organização patológica da personalidade que não apresenta os sintomas específicos da neurose ou da psicose.

neuropático *adj.* Relativo à neuropatia.

neuropatologia *s.f.* Disciplina médica que trata do estudo anatômico e histológico das doenças do sistema nervoso.

neuropsicologia *s.f.* Disciplina que trata das relações entre as funções psicológicas superiores e as estruturas cerebrais.

neuropsiquiatra *s.2g.* Especialista médico nas áreas de neurologia e psiquiatria.

neuropsiquiatria *s.f.* Especialidade médica relativa aos distúrbios mentais e às enfermidades do sistema nervoso.

neuroquímica *s.f.* Parte da bioquímica que tem como domínio a química dos elementos nervosos.

neurormônio *s.m.* Var. de NEURO-HORMÔNIO.

neurose *s.f.* (do gr. *neuron,* nervo). **Psican.** Afecção psicógena que resulta da expressão simbólica de um conflito intrapsíquico inconsciente entre tendências que exprimem o desejo inconsciente e aquelas que lhe impõem o recalque. **Psiq.** Afecção psíquica sem lesão do sistema nervoso, caracterizada por conflitos que conduzem a uma inibição das condutas sociais, sem perda do sentido da realidade e com relativa consciência do estado mórbido.

neurossensorial *adj.* Relativo simultaneamente ao sistema nervoso e aos órgãos dos sentidos.

neurótico *adj.* Relativo à neurose. ★ *adj.* e *s.m.* Que ou aquele que sofre de neurose.

neurotoxina *s.f.* Toxina que apresenta afinidade seletiva com o sistema nervoso.

neurotransmissão *s.f.* Transmissão do impulso nervoso pelos mediadores químicos.

neurotransmissor (ô) *adj.* e *s.m.* Diz-se de ou substância química sintetizada e liberada pelo neurônio, que exerce sua ação ao nível do sistema nervoso. (Sin. MEDIADOR QUÍMICO.)

neurotrópico *adj.* Relativo ao neurotropismo; neurótropo.

neurotropismo *s.m.* Afinidade eletiva que possuem certos microorganismos e alguns agentes químicos com o sistema nervoso.

neurótropo *adj.* Neurotrópico.

neurovegetativo *adj.* **1.** Relativo ou pertencente ao sistema nervoso vegetativo. **2.** *Distúrbio neurovegetativo,* conjunto de alterações resultantes de uma distonia do sistema nervoso vegetativo.

newton *s.m.* (de *Newton,* n.pr.). Unidade de medida SI de força (símb. N).

neutral *adj.2g.* (lat. *neutralis*). Neutro, imparcial. ★ *s.2g.* Pessoa que não vota a favor nem contra.

neutralidade *s.f.* **1.** Estado ou qualidade de neutro. **2.** Situação de um país que se coloca à parte de um conflito internacional.

neutralismo *s.m.* **1.** Doutrina política que preconiza a recusa de aderir a um dos grandes blocos políticos ou ideológicos em conflito. **2.** Tipo de interação entre duas espécies biológicas na qual uma população não afeta a outra.

neutralização *s.f.* **1.** Ato ou efeito de neutralizar(-se). **2.** Ação de dar um estatuto de não-beligerância a um território ou a coisas e pessoas que gozam de exterritorialidade, com o objetivo de garantir a sua segurança internacional. ● **Quím.** Tratamento de um ácido por uma base, ou inversamente, até a obtenção de pH igual a 7.

neutralizar *v.t.* (conj. 4). **1.** Tornar neutro. **2.** Declarar neutro (um país, cidade, território etc.). **3.** *Fig.* Impedir de agir, anular por uma ação contrária. ★ *v.pr.* Tornar-se neutro; anular-se.

neutrino *s.m.* Partícula atômica de carga nula e massa extremamente pequena, que se forma na desintegração de um nêutron.

neutro *adj.* (lat. *neuter*). **1.** Que não toma partido entre forças beligerantes, entre pessoas ou nações antagônicas. **2.** Que julga sem favoritismo; imparcial, neutral. **3.** Diz-se de região ou país cuja neutralidade as potências reconhecem, determinando-se a respeitar em caso de guerra. **4.** Não distintamente marcado nem colorido. **5.** Indefinido, vago, indistinto, indeterminado. ● **Fís.** Diz-se do estado de um sistema no qual as quantidades globais de eletricidade negativa e positiva são iguais. **Gram.** Diz-se do gênero gramatical que, em certas línguas, se opõe ao masculino e ao feminino. **Quím.** Diz-se de um meio cujo pH é igual a 7. ★ *adj.* e *s.m.* Fio condutor ligado à terra cujo potencial é constantemente nulo.

neutrófilo *adj.* Que apresenta afinidade por corantes neutros. ★ *s.m.* Leucócito polinuclear que desempenha importante papel no combate às infecções bacterianas.

nêutron *s.m.* (lat. *neutrum,* neutro). **1.** Partícula eletricamente neutra, elemento constitutivo do núcleo atômico e cuja massa é muito próxima da do próton; neutrônio. **2.** *Estrela de nêutrons,* estrela extremamente densa e de pequenas dimensões, constituída principalmente de nêutrons, que representa o último estágio de evolução de uma estrela.

nevada *s.f.* Queda de neve.

nevado *adj.* **1.** Coberto de neve. **2.** Que possui ou que lembra as características da neve. **3.** Frio como a neve; frígido. **4.** *Fig.* Branqueado, alvejado.

nevar *v.i.* (conj. 4). **1.** Cair neve. **2.** *Fig.* Encanecer. ★ *v.t.* **1.** Cobrir de neve. **2.** Tornar branco como a neve.

nevasca *s.f.* Nevada acompanhada de tempestade.

neve *s.f.* (lat. *nix*). **1.** Precipitação de água congelada sob a forma de minúsculos cristais brancos. **2.** Camada desses cristais depositada sobre o solo ou outra superfície. **3.** *Fig.* Frio intenso. **4.** *Fig.* Alvura extrema. **5.** *Fig.* Cabelos brancos; cãs.

? VOCÊ SABIA...? A **neve** é uma precipitação originada pela presença, em uma nuvem, de núcleos de congelamento, que ocorrem quando as camadas baixas da atmosfera têm temperatura inferior a 0° C. Por sua baixa condutividade, a neve protege o solo e as plantações do frio.

---

nevo *s.m.* (lat. *naevus*). **1.** Malformação circunscrita da pele, de aspecto plano ou saliente; pinta, sinal. **2.** Marca ou mancha de pele que as crianças apresentam ao nascer e que a crença popular atribui a um desejo que a mãe teria tido durante a gestação.

névoa *s.f.* (lat. *nebula*). **1.** Turvação provocada pela suspensão de vapor de água ou poeira na atmosfera, que prejudica a visibilidade horizontal a uma distância superior a 1.000 m. **2.** *Fig.* Obscuridade, falta de clareza. **3.** *Fig.* Aquilo que embaça a vista; leve estorvo à visão. ● **Med.** Mácula que se forma na córnea e dificulta a visão.

nevoeiro *s.m.* **1.** Nebulosidade que ocorre na baixa atmosfera, nas camadas próximas ao solo; cerração. **2.** *Fig.* Obscuridade.

nevoento *adj.* **1.** Cheio de névoas; enevoado, anuviado. **2.** Nebuloso. **3.** *Fig.* Pouco compreensível; obscuro.

nevralgia *s.f.* Dor de caráter freqüentemente agudo, que se localiza no trajeto de um nervo, espontânea ou provocada, contínua ou paroxística; neuralgia.

nevrálgico *adj.* **1.** Relativo ou semelhante à nevralgia. **2.** Fig. *Ponto nevrálgico,* parte mais importante de uma questão qualquer.

nevrite *s.f.* Var. de NEURITE.

nevrologia *s.f.* *P. us.* Neurologia.

nevrose *s.f.* *P. us.* Neurose.

nexo (cs) *s.m.* (lat. *nexus*). **1.** Relação de coisas ou de idéias entre si; ligação, vínculo, conexão. **2.** Coerência, relação harmônica, lógica.

nhá *s.f.* *Pop.* Forma reduzida (aferética) de sinhá; senhora, iaiá.

nhambiquara *s.2g.* Indivíduo dos nhambiquaras, povos indígenas que vivem em Rondônia e no Mato Grosso.

nhandu *s.m.* Sin. de EMA.

nheengatu *s.m.* Tupi.

nhenhenhém *s.m.* (onomat.). *Pop.* **1.** Lengalenga, falatório prolongado. **2.** Resmungo.

nhô *s.m.* *Pop.* Forma reduzida (aferética) de sinhô; ioiô.

nhoque *s.m.* (it. *gnocchi*). Prato de origem italiana preparado com massa de farinha de trigo ou sêmola, batata e ovos, enrolada em pequenos pedaços, escaldada em água fervente e servida com molho.

Ni símbolo químico do níquel.

nica *s.f.* **1.** *Fam.* Insignificância, bagatela. **2.** *Pop.* Manha, impertinência, rabugice.

nicaraguano *adj.* e *s.m.* Nicaragüense.

nicaragüense *adj.2g.* Relativo ou pertencente à Nicarágua, país da América Central; nicaraguano. ★ *s.2g.* O natural ou habitante da Nicarágua; nicaraguano.

nicho *s.m.* (esp. *nicho*). **1.** Cavidade feita em uma parede para colocar estátuas, urnas funerárias, imagens de santos etc. **2.** *Nicho ecológico,* papel funcional de um organismo na comunidade, que inclui suas interações com os meios biótico e abiótico.

nicotina *s.f.* (de *Nicot,* n.pr.). Principal alcalóide do tabaco, que, em pequenas doses, constitui um excitante psíquico, mas em doses elevadas torna-se venenoso.

nicotinamida *s.f.* Vitamina B_3.

nicotinamida-adenina-dinucleotídeo *s.m.* Heterósido que desempenha um importante papel nas reações de oxirredução da célula viva (abrev. NAD).

nicotínico *adj.* **1.** Relativo ou semelhante à nicotina ou aos seus efeitos. **2.** Diz-se do ácido, e de seus derivados, precursor da nicotinamida, que constitui um potente vasodilatador dos vasos da parte superior do organismo.

nicotinismo *s.m.* Intoxicação provocada pelo uso abusivo do tabaco; tabagismo.

nictemeral *adj.2g.* **1.** Relativo ao nictêmero. **2.** *Ritmo nictemeral,* retorno cotidiano dos mesmos fenômenos em um ser vivo, sob influência de trocas de luz, temperatura etc., ritmados pelo dia e pela noite.

nictêmero *s.m.* Espaço de tempo que compreende 24 horas ou um dia e uma noite.

nictitante *adj.2g.* Diz-se da membrana transparente, disposta sob a pálpebra de alguns anfíbios, répteis, aves e mamíferos, capaz de se mover sobre o globo ocular.

nidação *s.f.* Implantação do óvulo fertilizado no endométrio do útero dos vertebrados.

nidificar *v.i.* (lat. *nidificare*) [conj. 12]. **1.** Construir ninho. **2.** Aninhar, ninhar.

nidífugo *adj.* Diz-se da ave que nasce em estado bem desenvolvido, capaz de abandonar o ninho após a eclosão do ovo.

nife *s.m.* Camada central da Terra composta de níquel e ferro.

nigeriano *adj.* Relativo ou pertencente à Nigéria, país da África. ★ *s.m.* O natural ou habitante da Nigéria.

nigerino *adj.* Relativo ou pertencente ao Níger, país da África. ★ *s.m.* O natural ou habitante do Níger.

nigromancia *s.f.* Var. de NECROMANCIA.

nigromante *s.2g.* Var. de NECROMANTE.

niilismo *s.m.* (do lat. *nihil,* nada). **1.** Tendência revolucionária russa do séc. XIX, caracterizada pela rejeição radical das estruturas sociais, sem propor nenhuma substituição definitiva. **2.** Atitude de negação dos valores intelectuais e morais comuns a um grupo social, de recusa do ideal coletivo desse grupo.

nimbo *s.m.* (lat. *nimbus*). **1.** Auréola, halo. **2.** *Desus.* Nuvens baixas e escuras, prenunciadoras de chuva.

nímio *adj.* (lat. *nimius*). Demasiado, excessivo.

ninar *v.t.* (conj. 4). Fazer adormecer; acalentar. ★ *v.i.* Adormecer.

ninfa *s.f.* (gr. *nymphe*). **1.** Na mitologia grega, divindade dos rios, das fontes, dos bosques, das montanhas, representada comumente por uma jovem nua. **2.** Forma imatura, terrestre, dos insetos hemimetabólicos, semelhante ao adulto, com exceção das asas e do aparelho reprodutor, que não são desenvolvidos. **3.** *Fig.* Moça bela e bem-feita de corpo.

ninfeáceas *s.f.pl.* Família de plantas dicotiledôneas, herbáceas, aquáticas, de caule rizomatoso e flores grandes e vistosas, como a vitória-régia e o lótus.

ninfomania *s.f.* (do gr. *nymphe,* ninfa). **1.** Aumento considerado anormal da freqüência das relações sexuais da mulher, encontrado em certas neuroses, em estados maníacos ou delirantes e na debilidade mental. **2.** Exagero das necessidades sexuais da fêmea, sobretudo vaca e égua; furor uterino.

ninguém *pron. indef.* Nenhuma pessoa. ★ *s.m.* Pessoa sem posses ou importância.

ninhada *s.f.* **1.** Totalidade dos filhotes que a fêmea do animal tem de uma só vez. **2.** Aves nascidas de ovos chocados juntos. **3.** Ninho. **4.** *Fig.* Prole numerosa; filharada.

ninharia *s.f.* (esp. *niñería,* criancice). Objeto de pouco valor ou sem serventia; miudeza, bagatela, insignificância.

ninho *s.m.* (lat. *nidus*). **1.** Construção que as aves, alguns insetos, alguns peixes e répteis fazem para a postura dos ovos e criação dos filhotes. **2.** Habitação feita por alguns animais. **3.** Esconderijo, abrigo, ninhada. **4.** *Fig.* Habitação, teto, casa, lar.

EXEMPLOS DE NINHOS

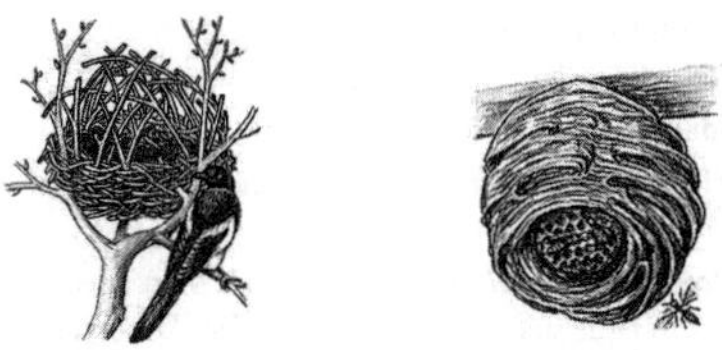

ninho de gravetos

ninho de barro

nióbio *s.m.* (de *Níobe,* n.pr.). Elemento químico (símb. Nb) de número atômico 41, que constitui um sólido branco-brilhante encontrado na natureza.

nipônico *adj.* e *s.m.* Japonês.

níquel *s.m.* (al. *Nickel*). **1.** Elemento químico (símb. Ni) de número atômico 28, que constitui um metal branco de brilho prateado, bastante duro e maleável, bom condutor de calor e energia e de grande aplicação industrial. **2.** Moeda de pouco valor. **3.** *Fig.* Designação genérica das moedas; dinheiro.

niquelar *v.t.* (conj. 4). **1.** Cobrir com uma camada de níquel. **2.** Dar aparência de níquel a.

nirvana *s.m.* (sâns. *nirvana,* extinção). No budismo, estado de consciência caracterizado pela ausência total de sofrimento e pela plenitude da paz.

nissei *adj.2g.* e *s.2g.* (jap. *nisei,* de segunda geração). Diz-se de ou filho de pais japoneses nascido no Brasil.

nisso contr. da prep. *em* com o pron. dem. *isso.*

nisto contr. da prep. *em* com o pron. dem. *isto.*

nitente *adj.2g.* Que resplandece; brilhante.

niteroiense (ói) *adj.2g.* Relativo ou pertencente à cidade de Niterói, Estado do Rio de Janeiro. ★ *s.2g.* O natural ou habitante de Niterói.

nitidez (ê) *s.f.* Qualidade de nítido.

nítido *adj.* (lat. *nitidus*). **1.** Limpo, sem manchas, claro. **2.** Distinto, inconfundível. **3.** Brilhante, refulgente. **4.** Que é inteligível.

nitração *s.f.* Substituição, em uma molécula, de um átomo de hidrogênio por um radical nitrila, que fornece numerosos explosivos.

nitrado *adj.* Que sofreu ou foi obtido por nitração.

nitratação *s.f.* **1.** Transformação do ácido nitroso ou dos nitritos em ácido nítrico ou nitratos. **2.** Segunda fase do processo de nitrificação, posterior à nitrosação.

nitrato *s.m.* (lat. *nitratus*). **1.** Sal do ácido nítrico que constitui um sólido cristalizável, de propriedades oxidantes, utilizado na indústria de explosivos. **2.** *Nitrato de potássio,* salitre.

nitreto *s.m.* Combinação binária do nitrogênio e de um outro elemento, derivado de substituição da amônia.

nítrico *adj.* **1.** Relativo ao ácido nítrico e aos seus derivados. **2.** *Ácido nítrico,* oxiácido forte, derivado do nitrogênio, que constitui um líquido incolor, corrosivo e oxidante; água-forte. ▸ *Óxido nítrico,* monóxido de nitrogênio.

nitrido *s.m.* Ato ou efeito de nitrir; rincho.

nitridor (ô) *adj.* Que nitre ou rincha. ★ *s.m.* Animal que nitre.

nitrificação *s.f.* Transformação do nitrogênio amoniacal da matéria orgânica do solo em nitrogênio nítrico.

nitrificar *v.t.* (conj. 12). **1.** Transformar em nitrato. **2.** Cobrir de salitre. ★ *v.pr.* **1.** Transformar em salitre. **2.** Cobrir-se de salitre.

nitrila *s.f.* Radical monovalente constituído por um átomo de nitrogênio e dois de oxigênio.

nitrilo *s.m.* Nome genérico dos derivados do ácido cianídrico, que constituem excelentes solventes.

nitrir *v.i.* (it. *nitrire*) [conj. 6]. Rinchar, relinchar.

nitrito *s.m.* Sal ou éster do ácido nitroso.

nitro *s.m.* (lat. *nitrum*). Nitrato de potássio.

nitrobenzeno *s.m.* Derivado nitrado do benzeno que constitui um líquido incolor, excelente solvente de compostos orgânicos e importante intermediário industrial.

nitrocelulose *s.f.* Nitrato de celulose, de caráter instável e inflamável, empregado na fabricação de filmes, vernizes e pólvoras.

nitrofenol *s.m.* Derivado nitrado do fenol, utilizado na síntese dos corantes e dos reveladores fotográficos.

nitrogenado *adj.* **1.** Que contém nitrogênio. **2.** Combinado com o nitrogênio; azotado.

nitrogênio *s.m.* Elemento químico (símb. N) de número atômico 7, que constitui um gás incolor e inodoro, extremamente abundante na atmosfera, de grande aplicação.

nitroglicerina *s.f.* Éster trinítrico do glicerol que constitui um líquido viscoso, incolor ou amarelado, de grande poder explosivo.

nitrônio *s.m.* Íon constituído por um átomo de nitrogênio e dois de oxigênio, responsável pelas reações de nitração.

nitrosação *s.f.* **1.** Primeira fase do processo de nitrificação, durante a qual o nitrogênio amoniacal é transformado em nitrogênio nitroso pela ação das bactérias aeróbicas. **2.** Substituição, em uma molécula, de um átomo de hidrogênio por um radical nitrosila.

nitrosila *s.f.* Radical monovalente formado por um átomo de nitrogênio e um de oxigênio.

nitrotolueno *s.m.* Derivado nitrado do tolueno.

nível *s.m.* (lat. *libella,* pequena balança). **1.** Instrumento que serve para medir a horizontalidade de um plano. **2.** Superfície paralela ao plano do horizonte. **3.** Grau de elevação de uma linha ou de um plano em relação a uma superfície horizontal de referência. **4.** Valor relativo numa escala. **5.** Igualdade de plano, de mérito. **6.** Os diferentes graus do ensino.

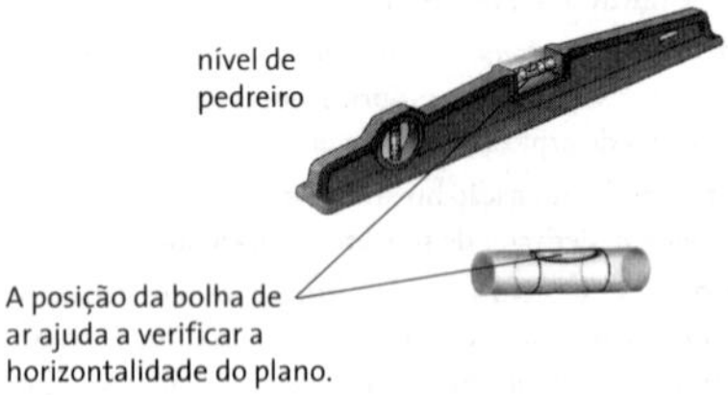

nivelar *v.t.* (conj. 4). **1.** Medir ou verificar com um nível. **2.** Tornar uma superfície plana, horizontal; aplainar. **3.** *Fig.* Tornar igual, colocar no mesmo nível; equiparar. ★ *v.pr.* Igualar-se, equiparar-se.

níveo *adj.* (lat. *niveus*). **1.** Relativo à neve. **2.** Da cor de neve; alvo.

no contr. da prep. *em* com o art. def. *o.*

No símbolo químico do nobélio.

nó *s.m.* (lat. *nodus*). **1.** Laço apertado dado em fios e cordéis. **2.** Articulação das falanges dos dedos. **3.** União, ligação. **4.** Intriga, enredo de um drama, de um romance. **5.** *Fig.* Embaraço, estorvo. **6.** *Fig.* O ponto essencial, difícil. ● **Bot.** Ponto da haste de uma planta onde se encontram órgãos laterais (folhas, ramos). ▸ Excrescência no tronco de algumas árvores em que a madeira, por apresentar veios irregularmente dispostos, é mais dura. **Eletr.** Ponto de um circuito onde a corrente (a tensão) tem valor nulo. **Fís.** Em um sistema de ondas estacionárias, ponto em que uma grandeza característica da vibração tem amplitude nula. **Metrol.** Unidade de velocidade, utilizada em navegação marítima ou aérea.

EXEMPLOS DE NÓS

nó de oito — nó de azelha — volta da fateixa

nobélio *s.m.* (de *Nobel,* n.pr.). Elemento químico transurânico (símb. No) de número atômico 102, obtido artificialmente pelo bombardeamento do elemento cúrio por núcleos de carbono.

nobiliário *adj.* Relativo ou pertencente à nobreza. ★ *s.m.* Nobiliarquia.

nobiliarquia *s.f.* **1.** Estudo ou livro que trata das origens, brasões e tradições da nobreza; nobiliário. **2.** Conjunto de nobres; a nobreza.

nobilitar *v.t.* (lat. *nobilitare*) [conj. 4]. **1.** Dar foros e privilégios de nobreza a; enobrecer. **2.** Exaltar, engrandecer, celebrar. ★ *v.pr.* **1.** Tornar-se nobre. **2.** Engrandecer-se.

nobre *adj.2g.* (lat. *nobilis*). **1.** Que faz parte da nobreza, que possui título nobiliárquico; fidalgo. **2.** Relativo a ou próprio dos fidalgos ou de pessoas de ascendência ilustre. **3.** Ilustre, notável, célebre. **4.** Digno, elevado. **5.** *Metal nobre,* metal, como o ouro e a platina, que se acreditava incapaz de se combinar com o oxigênio. ★ *s.m.* Membro da nobreza.

nobreza (ê) *s.f.* (lat. *nobilis*). **1.** Qualidade ou caráter de nobre. **2.** Classe das pessoas que gozam de certos privilégios ou títulos que as distinguem dos demais cidadãos. **3.** Condição de nobre. **4.** Dignidade, excelência. **5.** Generosidade.

noção *s.f.* (lat. *notio*). **1.** Conhecimento, idéia que se tem de uma coisa. **2.** Notícia, informação. **3.** Conceito, concepção.

nocaute *s.m.* (ingl. *knock-out*). No boxe, derrota do lutador que fica por dez segundos caído no solo. ★ *adj.2g.* Que está inconsciente ou semiconsciente, devido à violência de um golpe recebido.

nocividade *s.f.* Caráter de nocivo.

nocivo *adj.* (lat. *nocivus*). Prejudicial, danoso, pernicioso.

noctâmbulo *adj.* e *s.m.* **1.** Que ou aquele que vagueia, que se diverte à noite; noctívago. **2.** Que ou aquele que se levanta e, sem acordar, começa a andar; sonâmbulo.

noctívago *adj.* e *s.m.* Noctâmbulo.

nodal *adj.2g.* (lat. *nodus*). Relativo a nó.

nó-de-adão *s.m.* Pomo-de-adão.

nódio *s.m.* Metal semelhante ao alumínio, porém mais leve e brilhante.

nódoa *s.f.* (lat. *notula,* pequeno sinal). **1.** Marca deixada por um corpo que suja; mancha, noda. **2.** *Fig.* Afronta, ignomínia. **3.** *Fig.* Mancha moral; mácula, estigma.

nodosidade *s.f.* **1.** Estado ou qualidade de nodoso. **2.** Formação patológica arredondada e dura que pode estar inclusa na pele. **3.** Tumoração formada nas raízes de uma planta.

nodoso (ô) *adj.* (lat. *nodosus*). Que tem nós ou nodosidades.

nodular *adj.2g.* Relativo a nódulo. ● **Med.** Denominação de uma lesão que se assemelha a um nó.

nódulo *s.m.* (lat. *nodulus*). Pequeno nó; núcleo. ● **Anat.** Pequena massa de tecido que pode ser percebida pela palpação. **Med.** Lesão arredondada, circunscrita, palpável, que se localiza na derme e na hipoderme.

noete (ê) *s.m.* Peça onde se reúnem as varetas de um guarda-chuva.

nogado *s.m.* Doce de amêndoas ou nozes com mel ou caramelo.

nogueira *s.f.* Árvore de grande porte, originária da Europa, de casca acinzentada e fruto drupáceo, que contém amêndoa comestível, oleaginosa, e que fornece madeira dura, utilizada em marcenaria.

nogueira-do-havaí *s.f.* Sin. de MACADÂMIA.

nogueira-pecã *s.f.* Árvore de grande porte, originária dos Estados Unidos, de folhas compostas e fruto comestível.

noitada *s.f.* **1.** Espaço de uma noite. **2.** Insônia, vigília. **3.** Divertimento que se estende por uma noite toda ou por grande parte dela; noite. **4.** Noite de trabalho.

noite *s.f.* (lat. *nox*). **1.** Espaço de tempo entre o crepúsculo da tarde e o amanhecer. **2.** Obscuridade que ocorre durante esse tempo; escuridão, trevas. **3.** Noitada. **4.** *Fig.* Cegueira, ignorância. **5.** *Fig.* Tristeza, solidão.

noitibó *s.m.* (lat. *noctivolo*). **1.** Denominação de algumas aves noturnas de pio agoureiro. **2.** *Fig.* Pessoa pouco sociável ou que só aparece à noite.

noivado *s.m.* **1.** Promessa mútua de casamento que celebram os futuros esposos; esponsais. **2.** Tempo compreendido entre essa promessa e o casamento. **3.** O dia em que se celebra essa promessa.

noivar *v.i.* (conj. 4). **1.** Celebrar noivado; formalizar o compromisso de casar-se. **2.** Namorar a pessoa com quem se vai casar.

noivo *s.m.* **1.** Aquele que está para se casar. **2.** Homem recém-casado. ★ *s.m.pl.* O homem e a mulher que acabam de casar-se, ou que têm o casamento combinado.

nojento *adj.* **1.** Que causa nojo; repugnante, repelente. **2.** Que facilmente se enoja.

nojo (ô) *s.m.* **1.** Náusea, enjôo. **2.** Repulsão, asco. **3.** Tristeza, pesar. **4.** Aborrecimento, tédio. **5.** Luto.

nômade *adj.2g.* e *s.2g.* (lat. *nomades*). **1.** Diz-se de ou tribos e grupos humanos errantes, que não têm habitação fixa e se deslocam constantemente em busca de pastagens, alimentos etc. **2.** Que ou aquele que vagueia sem domicílio fixo. **3.** *Fig.* Errante, vagabundo.

nomadismo *s.m.* Gênero de vida nômade.

nome *s.m.* (lat. *nomen*). **1.** Palavra ou conjunto de palavras que servem para designar seres, coisas, idéias; denominação, designação. **2.** Nome próprio de pessoa; prenome. **3.** Designação patronímica da pessoa; sobrenome paterno. **4.** Apelido, cognome, epíteto. **5.** Designação de família; linhagem, dinastia. **6.** Título, dignidade. **7.** Prestígio, reputação. **8.** Nome feio; palavrão. ● **Gram.** Substantivo.

nomeação *s.f.* **1.** Ação de nomear. **2.** Ação pela qual uma autoridade investe um indivíduo em cargo público. **3.** Atribuição de cargo ou função. **4.** Designação, indicação.

nomeada *s.f.* Fama, reputação, renome.

nomear *v.t.* (lat. *nominare*) [conj. 15] **1.** Designar pelo nome; proferir o nome de. **2.** Dar o nome; denunciar. **3.** Instituir, designar. **4.** Escolher, proclamar. **5.** Fazer uma nomeação; designar para emprego ou função. ★ *v.pr.* Proferir o próprio nome.

nomenclatura *s.f.* (lat. *nomenclatura*). **1.** Conjunto das palavras usadas numa ciência, numa arte, ou relativas a um assunto determinado. **2.** Vocabulário de nomes. **3.** Enumeração ou classificação das mercadorias para fins estatísticos ou fiscais, especialmente aduaneiros. **4.** Denominação dos animais e plantas, conforme regras existentes nos códigos de zoologia e botânica.

nominação *s.f.* (lat. *nominatio, nominationis*). Figura que consiste em dar nome expresso a uma coisa que não o tem.

nominal *adj.2g.* (lat. *nominalis*). **1.** Relativo a nome. **2.** Que só existe como nome ou palavra, e não como realidade. ● **Gram.** Diz-se das formas verbais que não podem exprimir por si nem o tempo nem o modo (infinitivo, gerúndio e particípio). ▸ *Predicado nominal*, predicado formado de verbo de ligação e predicativo do sujeito.

nominalismo *s.m.* Doutrina filosófica segundo a qual o conceito é apenas um nome acompanhado de uma imagem individual.

nominata *s.f.* (lat. *nominata*). Lista ou relação de nomes.

nominativo *adj.* (lat. *nominativus*). **1.** Que tem ou expressa nome. **2.** Diz-se do título monetário ou ação que expressa o nome do seu proprietário, p. opos. ao título ao portador. ★ *s.m.* Nas línguas flexionadas, caso que exprime a função gramatical do sujeito.

nomograma *s.m.* Ábaco.

nona¹ *s.f.* Estrofe de nove versos.

nona² *s.f.* (lat. *nona pars*, a nona parte). **1.** Entre os antigos romanos, a quarta parte do dia, isto é, a nona hora (três horas da tarde). **2.** Hora do ofício canônico rezada normalmente às três horas da tarde.

nonada *s.2g.* Ninharia, insignificância, bagatela.

nonagenário *adj.* e *s.m.* (lat. *nonagenarius*). Que ou aquele que tem entre 90 e 100 anos.

nonagésimo *num. ord.* Corresponde ao número noventa numa seqüência. ★ *s.m.* Cada uma das noventa partes iguais em que se divide um todo.

nonilhão *num. card.* Mil octilhões.

noningentésimo ou **nongentésimo** *num. ord.* (lat. *noningentesimus*). Correspondente ao número novecentos numa seqüência. ★ *s.m.* Cada uma das novecentas partes iguais em que se divide um todo.

nono *num. ord.* (lat. *nonus, nonum*). Corresponde ao número nove numa seqüência. ★ *s.m.* Cada uma das nove partes iguais em que se divide um todo.

nônuplo *adj.* Nove vezes maior. ★ *s.m.* Quantidade nove vezes maior que outra. ★ *num.* Multiplicativo de nove.

nora¹ *s.f.* (ár. *naura*). Aparelho utilizado para elevar a água de poços, constituído de pequenos recipientes atados em uma corrente sem fim, movida por uma roda de madeira.

nora² *s.f.* (lat. *nurus*). A mulher do filho, em relação aos pais dele.

noradrenalina *s.f.* Catecolamina precursora da adrenalina, de ação vasoconstritora e hipertensiva, liberada ao nível da medula supra-renal e dos sistemas nervosos central e periférico.

noradrenérgico *adj.* **1.** Relativo à noradrenalina. **2.** Diz-se das estruturas nervosas cujo mediador químico é a noradrenalina.

nordeste *s.m.* **1.** Ponto colateral da rosa-dos-ventos (abrev. NE), situado entre o norte e o leste. **2.** Região situada nesse ponto. **3.** Vento que sopra desse ponto. ★ *adj.* Relativo ao nordeste, ou dele procedente.

nordestino *adj.* **1.** Do nordeste. **2.** Relativo ou pertencente ao nordeste brasileiro. ★ *s.m.* O natural ou habitante dessa região.

nórdico *adj.* **1.** Relativo ou pertencente aos povos do norte da Europa (dinamarqueses, noruegueses, suecos etc.). **2.** Diz-se das línguas germânicas do grupo setentrional (sueco, dinamarquês, norueguês, islandês). (Sin. ESCANDINAVO.) ★ *s.m.* Indivíduo desses povos.

norma *s.f.* (lat. *norma*). **1.** Critério a que todo julgamento se refere. **2.** Princípio, regra, preceito. **3.** Conjunto das regras de conduta impostas a um grupo social. **4.** Modelo, exemplo. ● **Ind.** *Norma técnica,* documento com regras convencionais que visam garantir a qualidade de um produto industrial, a racionalização da produção etc. **Ling.** O que é de uso comum e corrente numa comunidade lingüística.

normal *adj.2g.* (lat. *normalis*). **1.** Que está em conformidade com a norma; regular. **2.** Modelar, exemplar. **3.** Habitual, natural. **4.** *Escola normal* ou *normal* (*s.m.*), antiga escola para a formação de professores de primeiro grau. ● **Geom.** e **Mat.** Perpendicular. **Quím.** Diz-se dos compostos orgânicos cuja cadeia carbônica não compreende nenhuma ramificação. ► *Solução normal,* solução titulada, que serve para as dosagens químicas e que contém um mol de elementos ativos por litro. ★ *s.m.* **1.** O que é normal. **2.** Escola normal. ★ *s.f.* Reta que intercepta perpendicularmente um segmento ou um plano.

normalidade *s.f.* Qualidade ou estado de normal. ● **Quím.** Relação entre a concentração de uma solução titulada e a concentração da solução normal da mesma substância dissolvida.

normalista *adj.2g.* e *s.2g.* Que ou aquele que freqüenta ou tem o curso de uma escola normal.

normalização *s.f.* **1.** Ato ou efeito de normalizar(-se). **2.** Disposição com que se explica e se facilita a execução de leis e decretos.

normalizar *v.t.* (conj. 4). **1.** Tornar normal, fazer voltar à normalidade; regularizar. **2.** Proceder à normalização; padronizar. ★ *v.i.* Retornar à ordem. ★ *v.pr.* Retornar ao estado normal.

normando *adj.* **1.** Relativo à Normandia, região histórica francesa. **2.** Relativo aos normandos, conjunto de povos escandinavos que invadiram a Europa entre os séculos V e IX. (Sin. ingl. VIKING.) ★ *s.m.* **1.** O natural da Normandia. **2.** Indivíduo dos normandos. **3.** O idioma dos normandos.

normativo *adj.* **1.** Que estabelece normas, regras ou preceitos. **2.** Que tem força de norma ou regra. **3.** Diz-se da gramática que prescreve o uso de uma língua segundo modelos considerados prestigiosos.

nor-nordeste *s.m.* **1.** Ponto subcolateral da rosa-dos-ventos (abrev. NNE) situado entre o norte e o nordeste. **2.** Vento que sopra desse ponto.

nor-noroeste *s.m.* **1.** Ponto subcolateral da rosa-dos-ventos (abrev. NNO ou NNW) situado entre o norte e o noroeste. **2.** Vento que sopra desse ponto.

noroeste *s.m.* **1.** Ponto colateral da rosa-dos-ventos (abrev. NO ou NW) situado entre o norte e o oeste. **2.** Vento quente e seco que sopra nas regiões Sudeste e Sul do Brasil. ★ *adj.2g.* **1.** Relativo ao noroeste ou dele procedente. **2.** Situado a noroeste.

nortada *s.f.* Vento frio, cortante, que sopra do norte.

norte *s.m.* (ingl. *north*). **1.** Um dos quatro pontos cardeais (abrev. N), em direção contrária ao sul. **2.** Parte do globo terrestre, de um país, região ou cidade situada, em relação a um sistema de referência, na direção desse ponto; setentrião. **3.** Conjunto dos países desenvolvidos, em oposição ao conjunto dos países em vias de desenvolvimento, identificado como Sul. (Usa-se com maiúscula.) **4.** Vento que sopra do norte. **5.** A estrela polar. **6.** Pólo Norte. **7.** *Fig.* Guia, orientação. ★ *adj.2g.* **1.** Relativo ao norte; setentrional, boreal. **2.** Situado ao norte.

norte-americano *adj.* e *s.m.* Americano.

nortear *v.t.* (conj. 15). **1.** Dirigir para o norte. **2.** Orientar, guiar, conduzir. ★ *v.pr.* Orientar-se, guiar-se.

norte-coreano *adj.* Relativo ou pertencente à Coréia do Norte, país da Ásia. ★ *s.m.* O natural ou habitante da Coréia do Norte.

nortista *adj.2g.* **1.** Do norte. **2.** Da região Norte do Brasil. ★ *s.2g.* O natural dessa região.

norueguês *adj.* Relativo ou pertencente à Noruega, país da Europa. ★ *s.m.* **1.** O natural ou habitante da Noruega. **2.** Língua germânica falada na Noruega.

nos *pron. pess.* Forma da 1ª pessoa do pl. (caso oblíquo), empregada como objeto direto ou indireto.

nós *pron. pess.* Forma da 1ª pessoa do pl. (caso reto), empregada como sujeito.

nosocômio *s.m.* (gr. *nosokomeion*). Hospital.

nosofobia *s.f.* Medo mórbido de adoecer que leva uma pessoa a submeter-se a tratamento e regime contra uma doença imaginária.

nosofóbico *adj.* Relativo à nosofobia.

nosófobo *s.m.* Aquele que sofre de nosofobia.

nosografia *s.f.* **1.** Descrição, classificação das doenças. **2.** Tratado que descreve uma ou várias doenças.

nosologia *s.f.* Parte da medicina que trata da classificação analítica das doenças.

nosomania *s.f.* Hipocondria.

nossa *interj.* (f. reduzida de *Nossa Senhora*). Expressão de espanto.

nosso *pron. poss.* (lat. *noster*). Que nos pertence ou diz respeito.

nostalgia *s.f.* (gr. *nostos,* regresso, e *algos,* dor). **1.** Melancolia, tristeza causada pela saudade da pátria. **2.** Saudade.

nostálgico *adj.* Relativo à nostalgia. ★ *adj.* e *s.m.* Que ou aquele que padece de nostalgia.

nota *s.f.* (lat. *nota*). **1.** Marca para lembrar alguma coisa. **2.** Comentário sucinto; esclarecimento. **3.** Apontamento, anotação. **4.** Avaliação, apreciação sobre o trabalho de alguém. **5.** Julgamento. **6.** Conta relativa a despesa. **7.** Papel-moeda; cédula. **8.** *Pop.* Dinheiro. ● **Mús.** Sílaba, letra ou símbolo que representa um tom musical. ► Esse tom.

notabilidade *s.f.* Qualidade, caráter de notável.

notabilizar *v.t.* (conj. 4). Tornar notável, afamado; celebrizar. ★ *v.pr.* Tornar-se notável; destacar-se, distinguir-se.

notação *s.f.* (lat. *notatio*). **1.** Ato ou efeito de notar. **2.** Ação de indicar, de representar por sinais convencionados. **3.** Conjunto de sinais com que se faz essa indicação ou representação.

notar *v.t.* (lat. *notare*) [conj. 4]. **1.** Pôr nota, marca ou sinal em. **2.** Tomar notas; anotar. **3.** Atentar em, reparar em; observar. **4.** Censurar, tachar. **5.** Escrever, com os caracteres próprios para esse fim, uma peça musical.

notariado *s.m.* **1.** Cargo dos notários; tabelionato. **2.** Conjunto dos notários.

notário *s.m.* (lat. *notarius*). Escrivão público; tabelião.

notável *adj.2g.* (lat. *notabilis*). **1.** Digno de ser notado. **2.** Extraordinário, incomum, singular. **3.** Eminente, ilustre. ★ *s.m.* Pessoa notável.

notícia *s.f.* **1.** Conhecimento, informação. **2.** Nota, observação, apontamento. **3.** Escrito sucinto sobre um acontecimento qualquer. **4.** Memória, lembrança. **5.** Exposição sucinta de um acontecimento; resumo. **6.** Espécie de prefácio com informações sobre um autor.

noticiar *v.t.* (conj. 16). **1.** Dar notícia de; comunicar, anunciar. **2.** Tornar conhecido; divulgar. ★ *v.pr.* Informar-se, notificar-se.

noticiário *s.m.* **1.** Resenha ou coluna de notícias. **2.** Seção de jornais destinada à publicação de notícias.

noticioso (ô) *adj.* **1.** Que sabe dar notícias. **2.** Que encerra grande cópia de notícias.

notificação *s.f.* **1.** Ação de notificar. **2.** Ordem judicial para que uma pessoa faça ou não faça alguma coisa; intimação. **3.** Documento que contém essa ordem.

notificar *v.t.* (lat. *notificare*) [conj. 12]. **1.** Dar notícia ou conhecimento de; comunicar. **2.** Avisar pela forma da lei; intimar. **3.** Dar ciência ou notícia a; inteirar.

notívago *adj.* e *s.m.* (lat. *noctivagus*). Que ou aquele que anda ou vagueia pela noite, que prefere sair à noite.

noto *s.m.* (gr. *notos*). O vento sul.

notocorda *s.f.* Bastão flexível, formado ventralmente ao tubo nervoso dos embriões dos cordados, substituído total ou parcialmente nos vertebrados.

notoriedade *s.f.* **1.** Reputação que se adquire pelo talento, mérito ou saber. **2.** Qualidade, estado de notório.

notório *adj.* (lat. *notorius,* que notifica). **1.** Que tem notoriedade; reputado, famoso. **2.** Conhecido por grande número de pessoas; público, manifesto.

nótula *s.f.* (lat. *notula*). Pequena nota; comentário curto.

noturno *adj.* (lat. *nocturnus*). **1.** Relativo ou pertencente à noite. **2.** Que se faz de noite. **3.** Diz-se do animal que entra em atividade à noite. ★ *s.m.* **1.** Designação genérica dos trens que correm à noite. **2.** Quadro que representa uma paisagem iluminada pela lua e pelas estrelas. ● **Mús.** Peça vocal ou instrumental de caráter melancólico e triste.

noutro contr. da prep. *em* com o pron. indef. *outro.*

nova *s.f.* Anúncio de uma coisa, de um acontecimento recente; novidade, notícia. ● **Astron.** Estrela que, aumentando bruscamente seu brilho, parece constituir uma estrela nova. ★ *s.f.pl.* Informação sobre a situação, a saúde etc., de uma pessoa.

nova-iorquino *adj.* Relativo ou pertencente a Nova Iorque, cidade dos EUA. ★ *s.m.* O natural ou habitante de Nova Iorque.

novato *s.m.* (do lat. *novatus,* feito há pouco). **1.** Estudante novel; aprendiz, noviço. **2.** Estudante do primeiro ano de qualquer faculdade; calouro. **3.** Principiante, novel. ★ *adj.* Ingênuo, inexperiente.

nove *num. card.* (lat. *novem*). **1.** Oito mais um. **2.** Nono. ● **Mat.** *Prova dos nove,* método de controle da exatidão de uma operação aritmética, que utiliza os restos das divisões por nove dos números que nela intervêm. ★ *s.m.* O algarismo (9) que representa esse número.

novecentos *num. card.* **1.** Nove vezes cem. **2.** Noningentésimo. ★ *s.m.* O algarismo (900) que representa esse número.

novela *s.f.* (it. *novella*). **1.** Narrativa do mesmo gênero que o conto, do qual se distingue por ser mais extensa e menos simples. **2.** Filme de televisão ou história radiofônica apresentada em episódios de curta duração. **3.** *Fig.* História cheia de peripécias, geralmente inverossímeis. **4.** *Fig.* Enredo, engano, mentira.

novelesco (ê) *adj.* **1.** Próprio de novela; romanesco. **2.** Que diz respeito a novela.

novelista *s.2g.* Pessoa que escreve novelas. ★ *adj.2g.* Que enreda, que intriga.

novelo (ê) *s.m.* (lat. *globellus,* pequeno globo). **1.** Volume de fio enrolado. **2.** *Fig.* Embrulhada, enredo.

novembro *s.m.* (lat. *november*). O décimo primeiro mês do ano, que possui 30 dias.

novena *s.f.* (lat. *novena*). **1.** Conjunto de nove coisas ou pessoas. **2.** Espaço de nove dias. **3.** *Ant.* Castigo que se infligia aos escravos durante nove dias seguidos. **4.** Orações, atos de devoção realizados durante nove dias, para se obter uma graça particular.

novênio *s.m.* Espaço de nove anos.

noventa *num. card.* (lat. *nonaginta*). **1.** Nove vezes dez. **2.** Nonagésimo. ★ *s.m.* O algarismo (90) que representa esse número.

noviciado *s.m.* **1.** Aprendizado a que se sujeitam as pessoas que entram para uma ordem religiosa. **2.** Duração desse aprendizado. **3.** *Fig.* Aprendizagem em geral.

noviciar *v.i.* (conj. 16). **1.** Praticar o noviciado. **2.** Fazer os primeiros exercícios; estrear-se.

noviço *s.m.* (lat. *novicius*). **1.** Pessoa que tomou o hábito recentemente, num convento, para passar algum tempo em fase de experiência antes de fazer os votos religiosos. **2.** *Fig.* Novato, principiante. ★ *adj.* Novato, inexperiente.

novidade *s.f.* (lat. *novitas*). **1.** Qualidade do que é novo. **2.** Coisa nova. **3.** Informação nova; notícia. **4.** Inovação, originalidade.

novilha *s.f.* Fêmea da espécie bovina que ainda não concebeu; bezerra.

novilho *s.m.* (esp. *novilho*). **1.** Bovino macho jovem, de um a dois anos. **2.** Sin. de BEZERRO.

novilúnio *s.m.* (lat. *novus,* novo, e *luna,* lua). Fase em que a Lua está situada entre o Sol e a Terra e apresenta a face obscurecida; lua nova.

novo (ô) *adj.* (lat. *novus*). **1.** Que existe há pouco tempo. **2.** De pouco tempo; recente. **3.** De pouca idade; moço, jovem. **4.** Que tem pouco uso ou não foi usado. **5.** Que é dito, tratado, visto pela primeira vez. **6.** Recente, moderno. **7.** Original. **8.** Diferente, estranho, desconhecido. **9.** Inexperiente. **10.** *De novo,* novamente, outra vez. ★ *s.m.* **1.** O que é recente. **2.** Pessoa nova; moço.

novo-rico *s.m.* Indivíduo cuja riqueza é recente, que enriqueceu rapidamente, sem lastro cultural e social.

noz *s.f.* (lat. *nux*). **1.** Fruto da nogueira, de casca rugosa e dura, coberta por outra casca verde, que cai assim que o fruto amadurece. **2.** Denominação comum a todos os frutos secos indeiscentes, com uma única semente.

noz-macadâmia *s.f.* Fruto da macadâmia, arredondado, de casca marrom, que contém uma amêndoa, consumida ao natural ou torrada e salgada.

noz-moscada *s.f.* **1.** Árvore ou arbusto originário da Indonésia, de frutos que são bagas carnosas, aromáticas, cuja semente é utilizada como condimento. (Sin. MOSCADEIRA.) **2.** O fruto dessa árvore.

noz-pecã *s.f.* Fruto da nogueira-pecã, alongado, de casca fina.

noz-vômica *s.f.* **1.** Árvore ornamental, originária da Índia, cujo fruto é uma baga amarelo-alaranjada, com sementes que contêm alcalóides tóxicos que, em pequenas doses, são utilizados como tônico. **2.** O fruto dessa árvore.

nu *adj.* (lat. *nudus*). **1.** Que não está vestido. **2.** Descalço. **3.** Sem ornamento ou adorno; simples. **4.** Desfolhado. **5.** Desguarnecido. **6.** Sem vegetação. **7.** Destituído, privado. **8.** Não disfarçado; evidente. ★ *s.m.* **1.** Nudez. **2.** Representação pictórica do corpo humano total ou parcialmente despido.

nuança *s.f.* (fr. *nuance*). **1.** Cada um dos diferentes matizes de uma cor. **2.** Diferença pouco acentuada entre coisas do mesmo gênero. **3.** Grau de intensidade que convém dar aos sons; matiz, nuance.

nuance *s.f.* (fr). Nuança.

nubente *adj.2g.* e *s.2g.* (lat. *nubens*). Que ou aquele que é noivo ou noiva, que está para se casar.

núbil *adj.2g.* (lat. *nubilis*). Que está em idade de casar-se; casadouro.

nublado *adj.* **1.** Coberto de nuvens. **2.** *Fig.* Preocupado, inquieto. **3.** *Fig.* Vago, obscuro. **3.** *Fig.* Triste, sombrio.

nublar *v.t.* (lat. *nubilare*) [conj. 4]. **1.** Cobrir de nuvens; anuviar. **2.** Toldar, escurecer. **3.** *Fig.* Entristecer. ★ *v.pr.* **1.** Cobrir-se de nuvens. **2.** *Fig.* Obscurecer-se, entristecer-se.

nuca *s.f.* (lat. *nucha*). Região posterior do pescoço, atrás do setor cervical da coluna vertebral e constituída essencialmente por músculos.

nucela *s.f.* (lat. *nucella*). **1.** Parte do óvulo das plantas que envolve a bolsa embrionária e é recoberta por tegumentos. **2.** Sin. de NÚCULA.

nuclear *adj.2g.* **1.** Relativo ao núcleo do átomo e à energia que dele se origina, assim como às técnicas que utilizam essa energia. **2.** Que pertence ao núcleo da célula. **3.** *Bomba nuclear,* sin. de BOMBA ATÔMICA*. ▸ *Energia nuclear,* sin. de ENERGIA ATÔMICA*. ▸ *Família nuclear,* família no sentido restrito, compreendendo o pai, a mãe e seus filhos. ▸ *Medicina nuclear,* ramo da medicina que utiliza a radioatividade com fins diagnósticos ou terapêuticos. ▸ *Reação nuclear,* sin. de REAÇÃO ATÔMICA*.

nuclease *s.f.* Enzima que catalisa a cisão dos ácidos nucléicos.

nucléico *adj.* *Ácidos nucléicos,* classe das substâncias complexas, formadas pelo ADN e pelo ARN, que estão entre os constituintes fundamentais do núcleo das células.

núcleo *s.m.* (lat. *nucleus*). **1.** Parte central, principal centro. **2.** Parte central de um objeto, com densidade diferente da densidade da massa. **3.** Ponto essencial. **4.** *Fig.* Primeiros elementos de um grupo. ● **Anat.** Todo agrupamento de corpos celulares neuronais do sistema nervoso central. **Astron.** Corpo sólido que constitui a parte permanente de um cometa e, junto com a cabeleira, forma a cabeça. **Biol.** Corpo esférico relativamente grande, central e vital das células eucarióticas, que contém os cromossomos e controla o metabolismo celular. **Eletr.** Peça magnética em torno da qual ficam dispostos os enrolamentos de um dispositivo. **Fís.** Parte central de um átomo, formada de prótons e nêutrons, na qual está acumulada quase toda a sua massa.

nucléolo *s.m.* Corpúsculo nuclear, responsável pela síntese de ribossomos.

núcleon *s.m.* Partícula atômica elementar formada por um próton e um nêutron.

nucleônica *s.f.* Ramo da física que estuda as partículas elementares, bem como os fenômenos e técnicas relacionados.

nucleoproteído *s.m.* Heteroproteína que resulta da combinação de uma proteína básica com um ácido nucléico.

nucleosídeo *s.m.* Heterosídeo resultante da união de uma base púrica ou piramídica com uma pentose; nucleóside.

nucleossíntese *s.f.* Conjunto dos processos de constituição dos elementos químicos que formam a matéria do Universo.

núcula *s.f.* (lat. *nucula*). Noz pequena. (Sin. NUCELA.)

nudez (ê) *s.f.* **1.** Estado ou condição de nu; nudeza. **2.** Ausência ou falta de vestuário. **3.** Ausência de ornatos, enfeites. **4.** Estado dos vegetais ou dos ramos de que caíram as folhas. **5.** Falta de vegetação. **6.** Carência, privação, falta. **7.** Franqueza, clareza. **8.** Simplicidade, singeleza. **9.** Falta de compostura, de comedimento.

nudismo *s.m.* **1.** Doutrina que aconselha a viver ao ar livre em completa nudez. **2.** A prática dessa doutrina.

nudista *adj.2g.* Relativo ao nudismo. ★ *s.2g.* Aquele que pratica o nudismo.

nuga *s.f.* (lat. *nugae*). Ninharia, nica.

nugá *s.m.* (fr. *nougat*). Doce feito de amêndoas, nozes ou amendoim, torrados, com açúcar ou mel.

nulidade *s.f.* **1.** Qualidade ou caráter de nulo. **2.** Falta total de valor, de talento. **3.** Pessoa ou coisa nula. **4.** Falta de validade.

nulificação *s.f.* Ato ou efeito de nulificar.

A B C D E F G H I J K L M N O P Q R S T U V W X Y Z

nulificar *v.t.* (lat. *nullificare,* aniquilar) [conj. 12]. Tornar nulo; anular.

nulo *adj.* (lat. *nullus*). **1.** Sem efeito ou sem valor; inútil. **2.** Que não tem validade. **3.** Nenhum. **4.** Estéril, inerte. **5.** Inepto, incapaz. **6.** De valor zero. ● **Mat.** Diz-se de uma variável, função ou termo que equivale a zero. Diz-se de uma matriz ou conjunto cujos elementos são iguais a zero.

num comb. da prep. *em* com o art. indef. *um.*

nume *s.m.* (lat. *numen*). **1.** Poder celeste; deidade. **2.** Divindade mitológica. **3.** Espírito sobrenatural; gênio. **4.** Influxo divino; inspiração.

numeração *s.f.* (lat. *numeratio*). **1.** Ato ou efeito de numerar. **2.** Atribuição de um número ou de uma ordem de classificação a alguma coisa. **3.** Ordem de classificação de uma coleção de documentos. **4.** Processo de escrever ou representar os números.

numerado *adj.* **1.** Indicado por número. **2.** Dispostos por ordem numérica.

numerador (ô) *s.m.* (lat. *numerator*). **1.** Aquele que numera. **2.** Aparelho com que se numera. **3.** Carimbo de numerar. ● **Mat.** *Numerador de uma fração* a/b, elemento *a* situado à esquerda do traço (ou sobre ele), e que indica de quantas partes alíquotas da unidade se compõe esta fração. ★ *adj.* Que numera.

numeral *adj.2g.* (lat. *numeralis*). **1.** Relativo a número; numérico. **2.** Diz-se dos símbolos (letras, algarismos etc.) usados na representação de um número em um sistema de numeração. ★ *s.m.* **1.** Representação escrita de um número. **2.** Palavra que designa número de coisas e pessoas. (Classifica-se em cardinal, ordinal, multiplicativo e fracionário.)

numerar *v.t.* (lat. *numerare*) [conj. 4]. **1.** Indicar por números. **2.** Colocar em ordem numérica. **3.** Contar, calcular. **4.** Expor detalhadamente; enumerar.

numerário *adj.* (lat. *numerarius,* guarda-livros). **1.** Diz-se do valor legal das moedas. **2.** Relativo a dinheiro. ★ *s.m.* Qualquer moeda que tenha validade legal; dinheiro.

numerável *adj.2g.* (lat. *numerabilis*). Que pode ser contado, numerado, calculado.

numérico *adj.* **1.** Relativo aos números. **2.** Que consiste no número. ● **Mat.** *Análise numérica,* ramo da matemática interessado na busca de soluções numéricas, exatas ou aproximadas, de problemas matemáticos. ▸ *Cálculo numérico,* cálculo que permite encontrar um resultado exato ou aproximado.

número *s.m.* (lat. *numerus*). **1.** Relação entre qualquer quantidade e outra tomada como termo de comparação e que se chama unidade. **2.** Reunião de várias unidades ou frações de unidade. **3.** Algarismo ou algarismos que indicam o lugar que uma coisa ocupa numa série. **4.** Coleção de coisas; quantidade. **5.** Categoria, classe. **6.** Exemplar de uma obra periódica (jornal, revista etc.). **7.** Cada uma das cenas dos espetáculos de circo, de teatro de variedades. ● **Fís.** *Número atômico,* número que expressa a quantidade de prótons no núcleo de um átomo. **Gram.** Categoria gramatical que permite exprimir a oposição entre o singular e o plural.

numeroso (ô) *adj.* **1.** Em grande número. **2.** Que compreende grande número de elementos.

numismata *s.2g.* Especialista em numismática.

numismática *s.f.* Ciência que trata da descrição e da história das moedas e medalhas.

nunca *adv.* (lat. *nunquam*). **1.** Em tempo algum; jamais. **2.** Não.

nunciativo *adj.* Que encerra participação ou notícia de alguma coisa.

nunciatura *s.f.* **1.** Função, dignidade de um núncio do papa. **2.** Exercício desse cargo. **3.** A residência do núncio apostólico. **4.** O tribunal eclesiástico junto a ele.

núncio *s.m.* (lat. *nuncius,* o que anuncia). **1.** Prelado encarregado de representar, de forma permanente, o papa perante um governo estrangeiro. (Diz-se também *núncio apostólico.*) **2.** Mensageiro, anunciador.

nupcial *adj.2g.* (lat. *nuptialis*). Relativo a núpcias; matrimonial. ● **Zool.** *Vôo nupcial,* vôo da jovem rainha das abelhas, acompanhada pelos zangões, ao fim do qual estará fecundada para a vida toda e irá encerrar-se na colméia apenas para procriar.

núpcias *s.f.pl.* (lat. *nuptiae*). **1.** Realização de um casamento. **2.** Festa com que se celebra o casamento. **3.** Cada um dos casamentos contraídos por uma mesma pessoa.

nutação *s.f.* Movimento da Terra, caracterizado pela variação na orientação de seu eixo.

nutrição *s.f.* (lat. *nutritio*). **1.** Ato ou efeito de nutrir(-se); nutrimento. **2.** Sustento, alimento, nutrimento. **3.** Conjunto de funções orgânicas de introdução, utilização e transformação de substâncias plásticas e energéticas (alimentos, gases respiratórios) por um organismo.

nutricional *adj.2g.* Relativo a nutrição.

nutricionismo *s.m.* Estudo científico dos problemas referentes à nutrição.

nutricionista *s.2g.* **1.** Especialista no estudo racional da alimentação. **2.** Pessoa encarregada de adaptar o regime alimentar às necessidades específicas de um indivíduo; dietista. **3.** Especialista em distúrbios e doenças da nutrição.

nutriente *adj.2g.* (lat. *nutriens*). Que nutre; nutritivo. ★ *s.m.* **Agric.** Qualquer elemento ou composto químico cuja assimilação permite o desenvolvimento normal do vegetal.

nutrimento *s.m.* (lat. *nutrimentum*). **1.** Ato ou efeito de nutrir(-se); nutrição. **2.** Cada um dos elementos nutrientes de um alimento. **3.** *P. ext.* Sustento, alimento.

nutrir *v.t.* (lat. *nutrire*) [conj. 6]. **1.** Fornecer alimento a; alimentar, sustentar. **2.** Engordar, cevar. **3.** Desenvolver, educar, instruir. **4.** Alentar, revigorar. **5.** Entreter, fazer subsistir. **6.** Promover, aumentar. **7.** Revitalizar, restaurar, robustecer. **8.** Favorecer, proteger. **9.** *Fig.* Formar, enriquecer. ★ *v.i.* **1.** Ser nutritivo. **2.** Ganhar corpo; engordar. ★ *v.pr.* **1.** Alimentar-se, sustentar-se. **2.** Fortificar-se, avigorar-se.

nutritivo *adj.* (lat. tard. *nutritivus*). Que nutre; nutriente, nutridor.

nutriz *s.f.* (lat. *nutrix*). Mulher ou fêmea que amamenta; ama-de-leite. ● **Zool.** Operária, das abelhas ou das formigas, que toma conta dos ovos e alimenta as larvas e as ninfas. ★ *adj.* Que nutre, alimenta.

nuvem *s.f.* (lat. *nubes*). **1.** Conjunto de partículas muito finas de água em estado líquido ou sólido (gelo), mantidas em suspensão na atmosfera por movimentos verticais do ar, e cuja saturação pode causar a chuva ou a neve. **2.** *P. ext.* Aglomeração de partículas, fumaça, gases etc., de aparência semelhante. **3.** *Fig.* Tristeza, pesar. **4.** *Fig.* O que turva, perturba a compreensão. **5.** *Fig.* Grande quantidade. ● **Fís.** *Nuvem eletrônica,* distribuição de densidade de probabilidade de um elétron em torno do núcleo de um átomo.

nylon *s.m.* (ingl.) [marca registrada]. **1.** Material sintético, muito resistente aos agentes atmosféricos, desenvolvido a partir de poliamida. **2.** Fio, fibra ou tecido desse material. (Aport. **NÁILON.**)

Oo Oo Oo

o[1] *s.m.* Décima quarta letra do alfabeto português.

o[2] *art. def. masc. sing.* (lat. *illum*). Determina pessoa ou coisa distinta entre as demais da mesma espécie. ★ *pron. pess.* Forma da 3ª pess. masc. sing. (caso oblíquo), empregada como objeto direto. ★ *pron. dem. masc. sing.* Equivale a *este, esse, aquele.* ★ *pron. dem. neutro.* Equivale a *isto, isso, aquilo.*

O[1] abrev. de OESTE.

O[2] símbolo químico do oxigênio.

ó *interj.* Expressão empregada como chamamento, invocação.

oásis *s.m.2n.* (de or. copta). **1.** Nos desertos, pequena zona em que a presença da água permite o crescimento de vegetação e a fixação do homem. **2.** Zona fértil dentro de uma extensão de terras áridas. **3.** *Fig.* Coisa bela, agradável, num conjunto que é o oposto disso. **4.** *Fig.* Recanto que oferece calma, repouso.

oba (ô) *interj.* Opa.

obcecar *v.t.* (lat. *obcaecare*) [conj. 12]. **1.** Tornar cego. **2.** Obscurecer, turvar (o espírito, a inteligência). **3.** Desvairar. **4.** Persistir no erro. **5.** Produzir obsessão; obsedar. **6.** *Fig.* Deslumbrar, encantar. ★ *v.pr.* Deixar-se dominar por uma idéia, por alguma coisa; obstinar-se.

obedecer *v.t.* (conj. 25). **1.** Sujeitar-se à vontade de; cumprir ordens de. **2.** Deixar-se conduzir. **3.** Estar, ficar sob uma força ou influência. **4.** Estar sob a autoridade de. **5.** Ceder, aquiescer. ★ *v.i.* Submeter-se à vontade de outrem na execução de um ato.

obediência *s.f.* **1.** Ato ou efeito de obedecer. **2.** Disposição para obedecer. **3.** Estado daquele que obedece; docilidade.

obediente *adj.2g.* **1.** Que obedece. **2.** Dócil, submisso.

obelisco *s.m.* (gr. *obeliskos*). **1.** Monólito vertical, de base quadrangular, que se afina progressivamente e tem, no ponto culminante, uma pirâmide quadrangular. **2.** Qualquer objeto alto e que tenha tal forma.

obesidade *s.f.* (lat. *obesitas*). Excesso de pes causado por aumento das reservas adiposas.

obeso *adj.* e *s.m.* (lat. *obesus*). Atingido pela obesidade; muito gordo.

óbice *s.m.* (lat. *obex*). Empecilho, obstáculo, dificuldade.

óbito *s.m.* (lat. *obitus*). Falecimento, morte.

obituário *adj.* Relativo a óbito. ★ *s.m.* **1.** Registro dos óbitos ou livro em que se lançam os nomes dos mortos, o dia da morte, do enterro etc. **2.** Relação de mortos.

objeção *s.f.* (lat. *objectio*). **1.** Ato ou efeito de objetar. **2.** O que se opõe a uma proposição, a uma afirmação. **3.** Obstáculo, dificuldade, óbice.

objetal *adj.2g.* Em psicanálise, relativo ao objeto da pulsão.

objetar *v.t.* (lat. *objectare*) [conj. 4]. **1.** Apresentar, ao responder, uma razão contrária; fazer objeção a. **2.** Contrapor. **3.** Ser contrário; opor-se.

objetiva *s.f.* Sistema óptico ou conjunto de lentes de uma luneta, máquina fotográfica, microscópio etc. que está voltado para o objeto que se examina (p. opos. à *ocular,* lente junto à qual se coloca o olho).

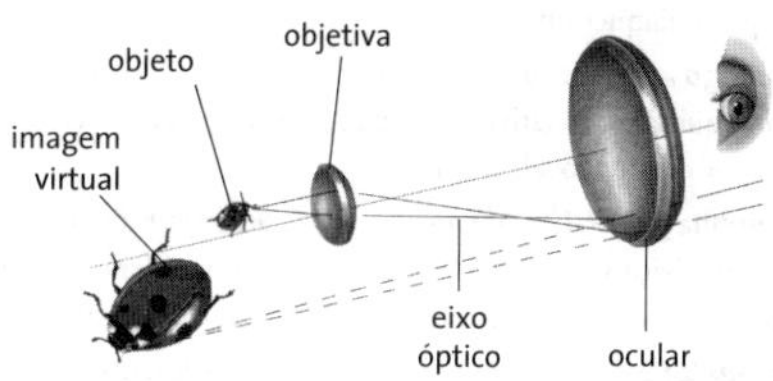

OBJETIVA ► Num microscópio composto, a objetiva é a lente que fica mais próxima do objeto estudado.

objetivar *v.t.* (conj. 4). **1.** Tornar objetivo. **2.** Ter por objetivo, ter como finalidade; pretender, visar a. **3.** Reportar a uma realidade exterior.

objetividade *s.f.* **1.** Qualidade de objetivo. **2.** Ausência de opinião preconcebida. **3.** Eliminação de influências subjetivas.

objetivo *adj.* **1.** Relativo a objeto. **2.** Que se volta de modo absoluto para o objeto em exame, sem interferência pessoal. **3.** Sem rodeios ou circunlóquios; direto, conciso. ● **Gram.** Diz-se do complemento verbal. ★ *s.m.* Alvo, finalidade, propósito, meta.

objeto *s.m.* (lat. tard. *objectum*). **1.** O que se apresenta à vista, o que é apreendido pelo sujeito do conhecimento. **2.** Tudo o que fornece matéria a uma ciência, a uma arte, a uma obra literária. **3.** Tudo o que se apresenta ao espírito, que se oferece ao pensamento. **4.** Aquilo a que se dirigem os sentimentos. **5.** Finalidade, objetivo. **6.** Bem material fabricado para atender a determinado uso. ● **Gram.** Complemento verbal que designa o ser ou a coisa que sofre a ação expressa pelo verbo. **Psican.** O que permite que a pulsão atinja seu objetivo (ou alvo).

oblação *s.f.* (lat. *oblatio*). **1.** Ação pela qual se oferece alguma coisa à divindade. **2.** Ato pelo qual o padre oferece a Deus, durante a missa, o pão e o vinho que deverão ser consagrados. **3.** Oferenda. **4.** Qualquer oferta.

oblíqua *s.f.* Em geometria, diz-se de reta que forma, com outra ou com um plano, ângulos adjacentes desiguais.

obliquar *v.i.* (lat. *obliquare*) [conj. 4]. **1.** Caminhar em linha oblíqua. **2.** Tomar uma direção um pouco diferente da primeira. **3.** *Fig.* Agir com malícia, com dissimulação; tergiversar.

obliqüidade *s.f.* (lat. *obliquitas*). **1.** Posição do que é oblíquo; inclinação de uma linha, de uma superfície em relação a outra. **2.** *Fig.* Procedimento dissimulado; tergiversação.

oblíquo *adj.* (lat. *obliquus*). **1.** Inclinado em relação a uma linha, a um plano. **2.** Enviesado, torto. **3.** *Fig.* Dissimulado, tortuoso, sinuoso. ● **Anat.** Diz-se dos músculos cuja ação se exerce em direções não paralelas ao plano de simetria do corpo. **Geom.** Diz-se do sólido cujo eixo não é perpendicular à base. **Gram.** *Pronomes oblíquos,* pronomes pessoais que servem de complemento.

obliteração *s.f.* (lat. *obliteratio*). **1.** Ato ou efeito de obliterar. **2.** Estado da coisa obliterada. ● **Med.** Estado de um órgão ou de um canal obstruídos.

obliterar *v.t.* (lat. *obliterare*) [conj. 4]. **1.** Apagar, destruir progressivamente com o uso; suprimir. **2.** *Fig.* Fazer esquecer, ficar esquecido. ● **Med.** Obstruir (um vaso, um conduto, uma cavidade); fechar pouco a pouco, por aderência das paredes ou por qualquer outra coisa.

oblongo *adj.* (lat. *oblongus*). De forma alongada, mais comprido que largo (relativo principalmente às superfícies fechadas por curvas); oval, elíptico.

obnubilação *s.f.* (lat. *obnubilatio*). **1.** Ação de obnubilar(-se). **2.** Perturbação da vigília caracterizada por uma lentidão das respostas e uma dificuldade em executar as ordens simples.

obnubilar *v.t.* (lat. *obnubilare*) [conj. 4]. **1.** Obscurecer, toldar, turvar (como se fosse visto através de uma nuvem). **2.** Sofrer de obnubilação. **3.** *P. ext.* Enfraquecer a inteligência. **4.** Obsedar, causar obsessão. ★ *v.pr.* Obscurecer-se, pôr-se em trevas.

oboé *s.m.* (it. *oboe*). **1.** Instrumento de sopro de palheta dupla e tubo ligeiramente cônico. **2.** Oboísta.

oboísta *s.2g.* Músico que toca oboé; oboé.

óbolo *s.m.* (gr. *obolos*). **1.** Esmola. **2.** Donativo de pouco valor.

obra *s.f.* (lat. *opera*). **1.** O resultado da ação ou do trabalho. **2.** Edifício em construção. **3.** Produção intelectual ou artística; escrito, quadro, peça de música, trabalho científico etc. **4.** Conjunto de produções de um escritor, de um artista, de um cientista. **5.** *Pop.* Excremento humano. ★ *s.f.pl.* **1.** Ações humanas julgadas do ponto de vista moral ou religioso, particularmente ações realizadas em vista da salvação. **2.** Reparos de certo vulto, em prédios, viadutos, estradas etc.

obra-de-arte *s.f.* Construção (túnel, ponte etc.) necessária à implantação de vias de comunicação, instalações hidráulicas etc.

obra-prima *s.f.* **1.** Obra que sintetiza toda a produção e a visão de uma época, gênero, estilo ou autor. **2.** Obra perfeita.

obrar *v.t.* (lat. *operare*) [conj. 4]. Converter em obra; realizar, fazer, fabricar. ★ *v.i.* **1.** Haver-se, proceder. **2.** Trabalhar. **3.** *Pop.* Defecar.

obreira *s.f.* Sin. de OPERÁRIA.

obreiro *adj.* e *s.m.* (lat. *operarius*). Que ou aquele que trabalha; operário, trabalhador.

obrigação *s.f.* (lat. *obligatio*). **1.** Imposição, dever, proceito. **2.** Tarefa necessária; encargo, compromisso, dever. **3.** Motivo de reconhecimento; favor, serviço. **4.** Emprego, ofício. ● **Econ.** Título de dívida.

obrigado *adj.* (lat. *obligatus*). **1.** Coagido, forçado. **2.** Agradecido, grato. **3.** *Obrigado, muito obrigado,* fórmula de agradecimento.

obrigar *v.t.* (lat. *obligare*) [conj. 14]. **1.** Impor como dever, obrigação. **2.** Coagir, forçar, compelir. **3.** Incitar, impelir, mover. **4.** Prender alguém através da afeição, do reconhecimento; tornar grato. **5.** Hipotecar, empenhar. ★ *v.pr.* Assumir uma obrigação.

obrigatório *adj.* (lat. *obligatorius*). **1.** Que envolve obrigação. **2.** Imposto por lei social, moral ou religiosa.

ob-rogação *s.f.* (lat. *obrogatio*). Ato ou efeito de ob-rogar.

ob-rogar *v.i.* (lat. *obrogare*) [conj. 14]. Em direito, contrapor-se uma lei a outra; derrogar.

obscenidade *s.f.* (lat. *obscenitas*). **1.** Qualidade, caráter de obsceno. **2.** Palavra, ato, pensamento, imagem obscenos; sujeira.

obsceno *adj.* (lat. *obscenus*). **1.** Que fere o pudor; imoral, sujo. **2.** Que profere ou comete obscenidades.

obscurantismo *s.m.* **1.** Estado de espírito refratário à razão e ao progresso. **2.** Doutrina contrária ao progresso intelectual e material. **3.** Estado completo de ignorância.

obscurecer *v.t.* (conj. 25). **1.** Tornar obscuro. **2.** Apagar, extinguir. **3.** Entristecer, afligir. **4.** Fazer esquecer; avantajar-se a. **5.** Enfraquecer, confundir, baralhar. **6.** *Fig.* Tornar menos inteligível. ★ *v.i.* Apagar, tornar-se obscuro. ★ *v.pr.* **1.** Tornar-se obscuro; apagar-se. **2.** Tornar-se triste. **3.** *Fig.* Perder o brilho.

obscurecimento *s.m.* **1.** Ato ou efeito de obscurecer; estado do que se obscureceu; escuridão; enfraquecimento de luz. **2.** *Fig.* Perda de brilho, de clareza, de evidência.

obscuro *adj.* (lat. *obscurus*). **1.** Que não é iluminado; escuro, sombrio. **2.** Pouco claro, pouco brilhante. **3.** Pouco inteligível, difícil de compreender. **4.** Humilde, desconhecido, sem nobreza. **5.** Vago, indistinto, pouco definido. **6.** *Fig.* Pouco conhecido, escondido.

obsecrar *v.t.* (lat. *obsecrare*) [conj. 4]. Implorar, suplicar, pedir com humildade.

obsedado *adj.* e *s.m.* Que ou aquele que está dominado por uma obsessão.

obsedante *adj.2g.* Que obseda.

obsedar *v.t.* (fr. *obséder*) [conj. 4]. **1.** Importunar com assiduidade excessiva. **2.** Causar obsessão em. **3.** Obcecar, preocupar. **4.** *Fig.* Atormentar, dominar o espírito.

obsequiador (ze...ô) *adj.* e *s.m.* Que ou aquele que obsequia.

obsequiar (ze) *v.t.* (lat. *obsequi*) [conj. 16]. **1.** Prestar serviços a, fazer favores a. **2.** Presentear. **3.** Tratar agradavelmente.

obséquio (zé) *s.m.* (lat. *obsequium*). **1.** Ato de obsequiar. **2.** Benefício, gentileza, favor.

obsequioso (ze...ô) *adj.* (lat. *obsequiosus*). **1.** Que presta obséquios. **2.** Que leva ao excesso as atenções, o respeito; servil. **3.** Delicado, amável, condescendente.

observação *s.f.* (lat. *observatio*). **1.** Ato ou efeito de observar(-se). **2.** Exame, análise. **3.** Nota, reflexão. **4.** Censura leve; advertência. ● **Med.** Vigilância de um paciente durante um tempo dado, a fim de permitir ao médico precisar ou rejeitar um diagnóstico incerto.

observador (ô) *adj.* (lat. *observator*). **1.** Que observa, que presta atenção às coisas. **2.** Que obedece, segue, cumpre (normas, deveres etc.). ★ *s.m.* **1.** Aquele que observa; espectador, testemunha. **2.** Aquele que tem como encargo fazer observações científicas. **3.** Encarregado de estação meteorológica. **4.** Astrônomo. **5.** O indivíduo considerado em relação ao ponto do universo que ocupa e aos fenômenos que ocorrem em torno dele.

observância *s.f.* (lat. *observantia*). Ato ou efeito de observar; execução, cumprimento do que prescreve uma regra, uma lei.

observar *v.t.* (lat. *observare*) [conj. 4]. **1.** Examinar, analisar, verificar. **2.** Cumprir, respeitar, obedecer. **3.** Espiar, vigiar. **4.** Advertir. **5.** Notar, ver. **6.** Objetar, replicar, ponderar. ★ *v.pr.* Vigiar as próprias ações.

observatório *s.m.* **1.** Lugar, ponto elevado, de onde se observa, se vigia. *Observatório astronômico,* estabelecimento com aparelhagem científica destinado a observações astronômicas.

? **VOCÊ SABIA...?** A criação de **observatórios** destinados ao estudo contínuo dos fenômenos celestes remonta à Antiguidade: a torre de Belus, na Babilônia, e a tumba de Osimandias, no Egito, parecem ter tido essa finalidade. Eratóstenes fundou o observatório de Alexandria, que sobreviveu até o século V. Os árabes, os indianos, os chineses e os maias da América pré-colombiana também construíram edifícios desse tipo.

---

observável *adj.2g.* (lat. *observabilis*). Que pode ou merece ser observado.

obsessão *s.f.* (lat. *obsessio*). **1.** Ação de obsedar. **2.** *Pop.* Sentimento, conduta que se impõem repetitivamente a uma pessoa; mania. ● **Psican.** Idéia, afeto ou tendência freqüentemente absurdos e incongruentes que irrompem na consciência e nela se instalam, ainda que o sujeito esteja ciente de seu caráter mórbido e os perceba como estranhos.

obsessivo *adj.* **1.** Relativo à obsessão. **2.** Que se traduz por obsessões. ● **Psican.** *Neurose obsessiva* ou *obsessão,* estrutura neurótica caracterizada por idéias e atos obsessivos e compulsivos, que se expressam em dúvidas, racionalização, hesitação, procrastinação, rituais e precauções. ★ *adj.* e *s.m.* Diz-se de ou sujeito que apresenta obsessão ou neurose obsessiva.

obsesso *adj.* (lat. *obsessus*). Que está dominado por uma obsessão; atormentado. ★ *s.m. Ant.* Indivíduo que se supõe influenciado ou dominado pelo demônio.

obsidiana *s.f.* Rocha vítrea de origem vulcânica, escura e muito quebradiça.

obsoleto *adj.* (lat. *obsoletus*). Fora de uso; desusado, antiquado.

obstáculo *s.m.* (lat. *obstaculum*). **1.** O que impede, que se opõe, que faz parar; estorvo, impedimento, barreira. **2.** Oposição, dificuldade, resistência.

obstante *adj.2g.* (lat. *obstans*). **1.** Que obsta, que impede. **2.** *Não obstante,* apesar de tudo isso, ao contrário do que se esperava. ▸ *Não obstante,* apesar de, a despeito de.

obstar *v.t.* (lat. *obstare*) [conj. 4]. **1.** Causar estorvo ou embaraço, servir de obstáculo. **2.** Opor-se a; impedir.

obstetra *s.2g.* Médico especialista em obstetrícia; tocólogo.

obstetrícia ou **obstétrica** *s.f.* (lat. *ars obstetricia,* arte de facilitar o parto). Disciplina médica relacionada ao acompanhamento da gravidez e à técnica de parto; tocologia.

obstétrico *adj.* Relativo à obstetrícia.

obstinação *s.f.* (lat. *obstinatio*). **1.** Ação de se prender com tenacidade a alguma coisa; teimosia. **2.** Pertinácia, persistência. **3.** Constância, contumácia, firmeza.

obstinado *adj.* (lat. *obstinatus*). **1.** Inflexível, irredutível. **2.** Teimoso, cabeçudo, pertinaz. **3.** Que se faz ou executa com obstinação; constante. ★ *s.m.* Aquele que não cede.

obstinar *v.t.* e *v.pr.* (conj. 4). Tornar(-se) obstinado; teimar, insistir.

obstrução *s.f.* (lat. *obstructio*). **1.** Ato ou efeito de obstruir. **2.** Entupimento de qualquer natureza; obturação. **3.** *Fig.* Manobras táticas empregadas para perturbar uma reunião. ● **Esp.** Nos esportes de equipe, ação de se opor de modo desleal a um adversário. **Med.** Entupimento que se forma nos canais naturais, nos vasos, que impede ou contraria a passagem de seu conteúdo.

obstruir *v.t.* (lat. *obstruere*) [conj. 74]. **1.** Tapar com um obstáculo; fechar, obturar, entupir. **2.** Embaraçar, impedir, estorvar. Criar embaraço ou obstrução a.

obstrutivo *adj.* Que causa obstrução ou que é próprio para obstruir. ● **Med.** Diz-se de uma afecção que provoca uma obstrução, em particular ao nível broncopulmonar.

obtemperar *v.i.* (lat. *obtemperare*) [conj. 4]. Obedecer, aquiescer, submeter-se. ★ *v.t.* Responder com humildade, com modéstia.

obtenção *s.f.* Ato ou efeito de obter; aquisição, conquista, consecução.

obter *v.t.* (lat. *obtinere*) [conj. 1]. **1.** Alcançar, conseguir o que se deseja. **2.** Conquistar, adquirir. **3.** Ganhar, lograr, alcançar, granjear.

obturação *s.f.* (lat. *obturatio*). Ato ou efeito de obturar. ● **Odont.** Operação que consiste em encher as cavidades dos dentes cariados com cimento, amálgama ou substâncias resistentes à ação da saliva, após procedimentos prévios como limpeza e desinfecção; resultado dessa operação; material que o compõe.

obturador (ô) *adj.* (lat. *obturator*). Que serve para obturar. ● **Anat.** Diz-se de vários elementos anatômicos (membranas, canais, músculos, artérias, nervos) que estão relacionados com o orifício ísquio-pubiano, ou orifício obturador do osso ilíaco. ▸ *Orifício obturador,* o buraco oval do osso ilíaco. **Biol.** Diz-se das partes que concorrem para tapar algum orifício. ★ *s.m.* Objeto que serve para obturar. ● **Mec.** Dispositivo que serve para interromper a circulação de um conduto de água, de vapor ou de gás.

obturar *v.t.* (lat. *obturare*) [conj. 4]. Fechar hermeticamente pela introdução ou aplicação de um corpo; obstruir, impedir a passagem de. ● **Odont.** Praticar a obturação de uma cavidade dentária.

obtusângulo *adj.* Diz-se do triângulo que tem um dos ângulos obtuso.

obtuso *adj.* (lat. *obtusus*). **1.** Que não é agudo; arredondado, rombo. **2.** Que não é nítido; pouco claro. **3.** *Fig.* Que compreende lentamente; rude, bronco. ● **Mat.** Diz-se de um ângulo maior que o ângulo reto.

obumbrar *v.t.* (lat. *obumbrare*) [conj. 4]. **1.** Cobrir de sombras; nublar, toldar, escurecer. **2.** Obcecar, cegar. **3.** *Fig.* Tornar pouco acessível; ocultar, disfarçar. ★ *v.pr.* **1.** Cobrir-se de sombras. **2.** Diminuir de intensidade ou brilho; apagar-se. **3.** Cobrir-se, tapar-se.

obus *s.m.* (al. *Haubitze*). **1.** Projétil de forma cilíndrico-ogival, lançado por uma peça de artilharia; bomba, granada, morteiro. **2.** Pequena peça de artilharia com a qual se atiravam granadas, bombas e fogos de artifício.

obuseiro *adj.* Diz-se do canhão ou do navio que pode lançar obuses.

obviar *v.t.* (lat. *obviare*) [conj. 16]. Prevenir, atalhar, remediar. ★ *v.i.* **1.** Opor-se, obstar, estorvar. **2.** Atalhar, desviar.

óbvio *adj.* (lat. *obvius*). **1.** Diz-se daquilo que não requer esclarecimento ou explicação, por ser evidente; manifesto, patente. **2.** Axiomático, incontestável.

oca *s.f.* (tupi *'oka*). Cabana, palhoça de índios.

ocapi *s.m.* Mamífero artiodáctilo, ruminante, ameaçado de extinção, que ocorre nas florestas densas do Zaire.

ocarina *s.f.* (it. *ocarina*). Flauta globular de embocadura, com oito furos.

ocasião *s.f.* (lat. *occasio*). **1.** Circunstância, oportunidade favorável à realização de alguma coisa. **2.** Circunstância, momento, instante. **3.** Causa, motivo, ensejo. **4.** Tempo disponível; lazer. **5.** *De ocasião,* vantajoso.

ocasional *adj.2g.* Que acontece por acaso; eventual, fortuito, acidental.

ocasionar *v.t.* (conj. 4). **1.** Dar ocasião a, ser motivo de; provocar, originar. **2.** Causar, motivar, provocar. **3.** Oferecer, proporcionar.

ocaso *s.m.* (lat. *occasus,* queda). **1.** O pôr-do-sol; poente, ocidente, oeste. **2.** *Fig.* Fase de decadência; queda, ruína. **3.** *Fig.* Termo, fim, final.

occipício *s.m.* (lat. *occipitium*). Parte posterior e inferior da cabeça, formada pelo osso occipital. (Var. OCCIPÚCIO.)

occipital *adj.2g.* (lat. *occipitalis*). **1.** Relativo ou pertencente ao occipício. **2.** *Buraco occipital,* buraco situado na base da caixa craniana, que comunica o canal raquidiano com a caixa craniana. **3.** *Lobo occipital,* a parte posterior dos hemisférios cerebrais. ▸ *Músculo occipital,* parte posterior do músculo cutâneo occipito-frontal. ▸ *Osso occipital* ou *occipital* (*s.m.*), osso que forma a parede posterior e inferior do crânio.

occipúcio *s.m.* Var. de OCCIPÍCIO.

occitânico *s.m.* Sin. de PROVENÇAL. (Var. OCITÂNICO.)

oceânico *adj.* **1.** Relativo ou pertencente ao oceano. **2.** Que vive no oceano. **3.** Relativo ou pertencente à Oceania. ● **Geogr.** Diz-se do conjunto dos fundos marinhos e das águas situados ao largo das margens continentais. ★ *s.m.* O natural ou habitante desse continente.

oceano *s.m.* (gr. *Okeanós,* n.pr.). **1.** Vasta extensão do globo terrestre coberta pela água do mar. **2.** Cada uma das divisões maiores do oceano mundial, constituindo verdadeiras entidades geográficas isoladas em regiões. **3.** *Fig.* Vasta extensão, grande quantidade; imensidão.

oceanografia *s.f.* Ciência que tem por objeto o estudo físico, químico e biológico das águas e dos fundos dos oceanos e mares; oceanologia.

oceanologia *s.f.* Oceanografia.

ocelo *s.m.* (lat. *ocellus,* olhinho). Olho primitivo das hidromedusas, platelmintos e alguns insetos, constituído pelo agrupamento de células fotorreceptoras.

ocidental *adj.2g.* (lat. *occidentalis*). **1.** Relativo ou pertencente ao Ocidente. **2.** Situado no ocidente. **3.** Diz-se do astro que se põe depois do sol. **4.** Relativo aos habitantes dos países do Ocidente. ★ *s.2g.* O natural dos países do Ocidente.

ocidentalizar *v.t.* e *v.pr.* (conj. 4). Dar ou tomar a feição da civilização do Ocidente.

ocidente *s.m.* (lat. *occidens, occidentis*). **1.** Lado do horizonte onde o sol se põe; poente, ocaso, este. **2.** Hemisfério oeste da Terra, em relação ao meridiano de Greenwich. (Usa-se com maiúscula.) **3.** Conjunto dos povos e civilizações originários do oeste da Europa e da Europa mediterrânea. (Usa-se com maiúscula.)

ócio *s.m.* (lat. *otium*). **1.** Descanso do trabalho; folga, repouso. **2.** Tempo de que se pode dispor. **3.** Preguiça, vadiagem.

ocioso (ô) *adj.* (lat. *otiosus*). **1.** Que não tem ocupação; inativo. **2.** Que não faz nada; improdutivo. **3.** Que não serve para nada; inútil, improfícuo. **4.** Desnecessário, supérfluo. ★ *s.m.* Pessoa ociosa.

ocitânico *s.m.* Sin. de PROVENÇAL. Var. de OCCITÂNICO.

oclusão *s.f.* **1.** Ato ou efeito de fechar; fechamento, cerramento. **2.** Estado do que está fechado. **3.** Aprisionamento de substâncias por outras, por meio de mecanismos diversos (absorção, adsorção, combinação etc.). ● **Med.** Obliteração patológica de um conduto natural. **Odont.** Posição que tomam os maxilares superior e inferior quando se serram os dentes.

oclusivo *adj.* **1.** Relativo a ou que produz oclusão. **2.** Relativo à oclusão de um conduto natural. **3.** Diz-se de um curativo estanque. ● **Fon.** *Consoante oclusiva,* consoante cuja articulação é produzida por uma parada brusca do escoamento de ar na fonação.

ocluso *adj.* (lat. *occlusus*). Em que há oclusão; fechado, cerrado.

oco *adj.* (lat. *vacuus,* vazio, vago). **1.** Que não tem miolo ou medula. **2.** Que não tem a substância interna que tinha; vazio, vão, vazado, esvaziado. **3.** *Fig.* Que tem pouca importância ou conteúdo; fútil, vão. ★ *s.m.* Lugar oco; vão, vazio.

ocorrência *s.f.* (lat. *occurrentia*). **1.** O que ocorre, o que acontece; fato, sucesso. **2.** Circunstância fortuita; acaso, eventualidade.

ocorrer *v.i.* (lat. *occurrere*) [conj. 5]. **1.** Acontecer, suceder, dar-se. **2.** Sobrevir, aparecer. ★ *v.t.* Vir à memória, à mente; lembrar-se de, acudir.

ocre *s.m.* (gr. *ochra,* terra amarelada). Variedade de argila colorida pelo óxido de ferro, rica em hematita (*ocre vermelho*) ou em limonita (*ocre amarelo*). ★ *adj.2g.* Diz-se da cor resultante da combinação do amarelo com o vermelho e o preto em proporções adequadas.

octaedro *s.m.* (gr. *oktaedros*). **1.** Poliedro composto por oito faces. **2.** *Octaedro regular,* octaedro cujas faces são triângulos eqüiláteros congruentes.

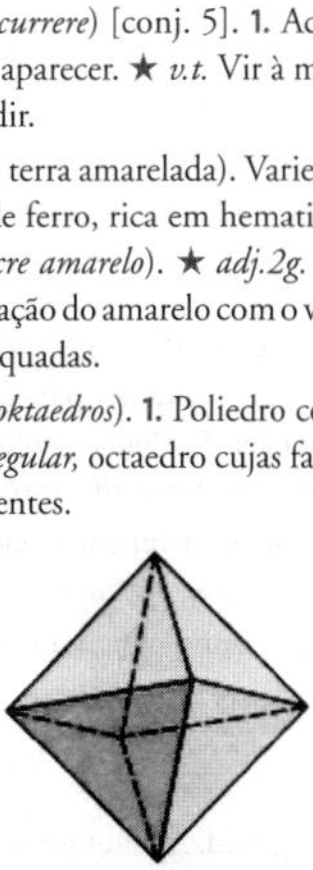

octaedro regular

octangular *adj.2g.* Que tem oito ângulos; octogonal.

octeto *s.m.* Conjunto de oito elétrons que formam a camada exterior de certos átomos e íons.

octilhão *num. card.* Mil setilhões.

octingentésimo *num. ord.* (lat. *octingentesimus*). Correspondente ao número oitocentos numa seqüência. ★ *s.m.* Cada uma das oitocentas partes iguais em que se divide um todo.

octogenário *adj.* e *s.m.* (lat. *octogenarius*). Que ou aquele que tem entre 80 e 90 anos de idade.

octogésimo *num. ord.* (lat. *octogesimus*). Correspondente ao número oitenta numa seqüência. ★ *s.m.* Cada uma das oitenta partes iguais em que se divide um todo.

octogonal *adj.2g.* **1.** Que tem a forma de octógono. **2.** Que tem oito ângulos; octangular. **3.** Que tem por base um octógono.

octógono *adj.* e *s.m.* Diz-se de ou polígono que tem oito ângulos e, conseqüentemente, oito lados.

octossilábico *adj.* Relativo a octossílabo.

octossílabo *adj.* Que tem oito sílabas. ★ *s.m.* Verso de oito sílabas.

óctuplo *adj.* (lat. *octuplus*). Oito vezes maior. ★ *s.m.* Quantidade oito vezes maior que outra. ★ *num.* Multiplicativo de oito.

ocular *adj.2g.* (lat. *ocularis*). **1.** Relativo ou pertencente ao olho. **2.** *Testemunha ocular,* a que viu o fato sobre o qual dá seu testemunho. ★ *s.f.* **Ópt.** Sistema óptico de uma luneta, microscópio, câmara fotográfica ou cinematográfica, que serve para examinar a imagem fornecida pela objetiva.

oculista *adj.2g.* e *s.2g.* **1.** Diz-se de ou médico que trata das doenças de olhos. (Sin. OFTALMOLOGISTA.) **2.** Que ou aquele que fabrica ou vende óculos.

óculo *s.m.* (lat. *oculus,* olho). **1.** Instrumento com lentes que amplificam os objetos distantes do observador e que lhe permitem uma visão nítida dos mesmos. (Cf. ÓCULOS.) **2.** Abertura circular que existe nos navios, por onde passam os canos das peças de artilharia; escotilha. **3.** Abertura, quase sempre circular, na parede de um edifício, para entrada de luz e ar.

oculomotor (ô) *adj.* **1.** Relativo aos movimentos oculares. **2.** *Nervo oculomotor,* nome comum a dois nervos cranianos relacionados à inervação de certos músculos faciais.

óculos *s.m.pl.* Objeto constituído de duas lentes fixadas a uma armação que se apóia sobre o nariz e as orelhas, usado para corrigir a visão ou atenuar a intensidade luminosa. (Cf. ÓCULO.)

ocultação *s.f.* (lat. *occultatio*). **1.** Ato ou efeito de ocultar(-se). **2.** Ação de encobrir uma fonte de luz; resultado dessa ação. ● **Astron.** Desaparecimento momentâneo de um astro em conseqüência da passagem de outro astro diante dele; o momento ou tempo que dura essa passagem.

ocultar *v.t.* (lat. *occultare*) [conj. 4]. **1.** Encobrir, esconder, tapar, não deixar ver. **2.** Sonegar, guardar. **3.** Dissimular, disfarçar, não mostrar. ★ *v.pr.* Esconder-se, encobrir-se.

ocultismo *s.m.* **1.** Conjunto das teorias e das práticas que tratam de fenômenos aparentemente sem explicação pelas leis naturais. **2.** Esoterismo.

ocultista *adj.2g.* Relativo ao ocultismo. ★ *s.2g.* Aquele que estuda ou pratica o ocultismo.

oculto *adj.* (lat. *occultus*). **1.** Escondido, encoberto. **2.** Inexplorado, desconhecido. **3.** Misterioso, secreto. ► *Ciências ocultas,* conhecimentos do mistério, como a alquimia, a magia etc. ● **Gram.** Diz-se do sujeito não expresso na oração, mas que pode ser identificado. ★ *s.m.* Objeto do ocultismo.

ocupação *s.f.* (lat. *occupatio*). **1.** Ato ou efeito de ocupar(-se). **2.** Trabalho ou afazeres com que se ocupa uma pessoa. **3.** Conjunto de atividades que constitui uma situação de trabalho, com ou sem vínculo empregatício, remunerado ou não.

OCUPAÇÃO ► As ocupações do mercado de trabalho brasileiro são descritas, nomeadas e codificadas na Classificação Brasileira de Ocupações (CBO). Esse documento foi elaborado em 2002 e organiza as ocupações em famílias, segundo descrições fornecidas por quem exerce a ocupação. A primeira edição dessa classificação foi elaborada em 1982, já coerente com a classificação realizada pela ONU desde 1968.

ocupacional *adj.2g.* Diz-se da técnica terapêutica que visa a ocupar os doentes mentais por meio de trabalhos (ergoterapia) ou atividades de lazer.

ocupado *adj.* **1.** Que tem muito trabalho a fazer; atarefado. **2.** Absorvido por alguma tarefa ou atividade. **3.** Falando-se de um local, de um lugar, estar tomado ou sendo utilizado por alguém. **4.** Que sofreu ocupação militar.

ocupante *adj.2g.* e *s.2g.* **1.** Que ou aquele que ocupa. **2.** Diz-se do indivíduo que, pela ocupação, toma posse ou se apodera de alguma coisa.

ocupar *v.t.* (lat. *occupare*) [conj. 4]. **1.** Tomar posse de; exercer. **2.** Conquistar, tomar. **3.** Tomar ou encher algum espaço. **4.** Dar trabalho; empregar. **5.** Dedicar, consagrar. **6.** Ser objeto de; atrair. ★ *v.pr.* **1.** Trabalhar, dedicar-se a. **2.** Gastar o tempo com.

odalisca *s.f.* (turco *odalik*). **1.** Escrava a serviço das mulheres do sultão. **2.** Mulher de harém.

ode *s.f.* (gr. *ode,* canto). **1.** Entre os gregos da Antiguidade, poema para ser cantado. **2.** Poema lírico, dividido em estrofes simétricas, destinado a celebrar grandes acontecimentos ou personalidades ilustres (ode heróica), ou a expressar sentimentos mais familiares (odes anacreônticas). **3.** Poema musicado.

odiar *v.t.* (conj. 17). **1.** Ter ódio ou raiva de; detestar, abominar. **2.** Sentir aversão ou repulsa a; desprezar, aborrecer profundamente. **3.** Indispor, intrigar. ★ *v.i.* Sentir ódio.

odiento *adj.* **1.** Que guarda ódio; rancoroso. **2.** Que revela ódio, que traduz paixões e rancores.

ódio *s.m.* (lat. *odium*). **1.** Sentimento de profunda inimizade, paixão que conduz ao mal que se faz ou se deseja a outrem. **2.** Ira contida, rancor violento e duradouro. **3.** Viva repugnância; repulsa, horror. **4.** Aversão instintiva, antipatia.

odioso (ô) *adj.* (lat. *odiosus*). **1.** Digno de ódio; execrável, detestável. **2.** Que inspira profunda aversão; repulsivo. **3.** Inspirado pelo ódio. ★ *s.m.* O que é odioso, o que provoca o ódio.

odisséia *s.f.* (gr. *Odysseía*). **1.** Viagem cheia de aventuras extraordinárias. **2.** Série de acontecimentos e peripécias estranhas e variadas.

odonatos *s.m.pl.* Ordem de insetos hemimetábolos, de grande porte, com olhos grandes, asas membranosas com numerosas nervuras, representada pelas libélulas.

ODONATOS ► Os odonatos adultos são insetos caçadores, de olhos grandes e asas longas, quase sempre transversais, e incapazes de caminhar. Sua larva aquática, que respira por meio de brânquias, captura as presas com a ajuda de um braço articulado.

odontologia *s.f.* Especialidade que estuda os dentes e os tecidos dentários, bem como o seu tratamento.

odontologista *s.2g.* Profissional que exerce a odontologia; odontólogo, dentista.

odontólogo *s.m.* Odontologista.

odor (ô) *s.m.* (lat. *odor*). **1.** Emanação volátil que se desprende de algo e que é percebida pelo aparelho olfativo. **2.** Cheiro, fragrância agradável; aroma, perfume, olor.

odorante *adj.2g.* **1.** Que espalha odor; odorífico. **2.** Aromático, odorífero, fragrante, perfumado.

odorífero *adj.* (lat. *odorifer*). **1.** Odorante. **2.** *Glândula odorífera,* glândula secretora de substância de odor forte, com função de marcação de território, aproximação sexual e defesa, que ocorre em alguns mamíferos.

odorífico *adj.* Odorante.

odre (ô) *s.m.* (lat. *uter*). Pele de bode cosida em forma de saco, para conservar e transportar líquidos.

oés-noroeste *s.m.* **1.** Um dos oito pontos subcolaterais da rosa-dos-ventos (abrev. ONO ou WNW), situado entre o oeste e o noroeste. **2.** Vento que sopra desse ponto.

oés-sudoeste *s.m.* **1.** Um dos oito pontos subcolaterais da rosa-dos-ventos (abrev. OSO ou WSW), situado entre o oeste e o sudoeste. **2.** Vento que sopra desse ponto.

oeste *s.m.* (ingl. *west*). **1.** Ponto do horizonte onde o sol se põe; poente, ocidente. **2.** Um dos quatro pontos cardeais (abrev. O ou W), à esquerda do observador voltado para o norte. **3.** Vento que sopra desse ponto. ★ *adj.2g.* Que está no oeste ou provém deste.

ofegar *v.i.* (lat. *offocare*) [conj. 12]. **1.** Respirar com dificuldade; respirar com constantes perturbações. **2.** Estar ansioso.

ofender *v.t.* (lat. *offendere*) [conj. 5]. **1.** Fazer ofensa, injúria a alguém. **2.** Ferir, lesar. **3.** Atentar contra (regras, preceitos); contrariar. **4.** Desgostar, magoar. **5.** Estuprar. ★ *v.pr.* Sentir-se ofendido.

ofensa *s.f.* (lat. *offensa*). **1.** Palavra, ação que fere alguém na sua dignidade. **2.** Injúria, calúnia, difamação. **3.** Transgressão, violação de regras; falta. **4.** Menosprezo, desconsideração. **5.** O próprio sentimento ou ressentimento causado pela ofensa.

ofensiva *s.f.* Iniciativa, movimento para a frente, com o objetivo de fazer um adversário recuar.

ofensivo *adj.* **1.** Que causa ofensa ou dano; lesivo. **2.** Que ataca; agressivo.

ofensor (ô) *adj.* e *s.m.* (lat. *offensor*). Que ou aquele que ofende.

oferecer *v.t.* (conj. 25). **1.** Apresentar para ser aceito. **2.** Dar como presente. **3.** Propor, dedicar. **4.** Proporcionar, facultar. **5.** Expor, mostrar, apresentar à vista. ● **Relig.** Ofertar.

► Imolar. ★ *v.pr.* **1.** Apresentar-se, mostrar-se. **2.** Ocorrer, sugerir. **3.** Vir, suceder, acontecer. **4.** Proporcionar-se, facultar-se.

oferenda *s.f.* (lat. *offerenda*). Oferta. ● **Relig.** Doação feita a uma divindade ou colocada num templo com intenção religiosa; oblação. ► Cerimônia em que o padre recebe as ofertas dos fiéis.

oferta *s.f.* **1.** Ação de oferecer; oferecimento. **2.** Coisa oferecida; dádiva, oferenda. ● **Econ.** Ação de propor um contrato a outra pessoa. ► Lance proposto numa arrematação ou licitação. ► Quantidade de um bem ou de um serviço que pode ser vendida no mercado por um preço e um período de tempo determinados.

ofertante *adj.2g.* e *s.2g.* Que ou aquele que oferta.

ofertar *v.t.* (conj. 4). Apresentar, dar como oferta; oferecer, presentear. ★ *v.pr.* Oferecer-se, dar-se.

ofertório *s.m.* (lat. *offertorium*). **1.** Parte da missa durante a qual o padre oferece a Deus o pão e o vinho, antes de consagrá-los. **2.** Orações que precedem ou acompanham essa oblação. **3.** Trecho musical composto para essa parte da missa.

office-boy *s.m.* (ingl.). Menino que executa pequenas tarefas em escritórios; contínuo.

off-line *adj.2g.* (ingl.). **Inform.** Que não está conectado a um sistema de computação. ► *P. ext.* Diz-se de processo ou atividade muito lento, que demora a responder a estímulos externos. (Antôn. ON-LINE.)

off-set *s.m.* (ingl.). Processo de impressão em que os elementos a serem impressos estão no mesmo plano que as áreas brancas e as chapas são feitas fotograficamente, em alumínio, aço inoxidável ou papel. ★ *adj.* Diz-se da máquina, do papel utilizados na impressão em *off-set.* (Aport. OFSETE.)

offshore *adj.2g. 2n.*(ingl.) Situado ou realizado na costa marítima.

oficial *adj.2g.* **1.** Anunciado, declarado, ordenado por uma autoridade reconhecida. **2.** Que emana do governo. **3.** Relativo às pessoas que fazem parte do governo ou da administração. **4.** Revestido de formalidades; solene. **5.** Burocrático. ★ *s.m.* **1.** Operário especializado num ofício; artífice. **2.** Nas Forças Armadas, aquele que tem posto igual ou superior ao de segundo-tenente (ou seu equivalente, segundo as armas). ● **Dir.** *Oficial de justiça,* aquele a quem compete efetuar citações, intimações ou outras diligências judiciais.

oficialato *s.m.* **1.** Cargo, dignidade de oficial das Forças Armadas. **2.** Conjunto de oficiais.

oficializar *v.t.* (conj. 4). Tornar oficial; dar caráter oficial a.

oficiante *adj.2g.* Que oficia. ★ *s.2g.* Sacerdote que celebra um ofício religioso; celebrante.

oficiar *v.t.* (conj. 16). **1.** Celebrar uma cerimônia litúrgica; presidir ao ofício. **2.** Fazer um ofício, endereçar ofício a uma autoridade.

oficina *s.f.* (lat. *officina*). **1.** Lugar onde trabalham operários, artesãos etc. **2.** *P. ext.* Qualquer local de trabalho onde se exerce um ofício. **3.** Lugar onde se consertam veículos automóveis.

ofício *s.m.* (lat. *officium*). **1.** Qualquer atividade especializada de trabalho; profissão. **2.** Forma de correspondência no serviço público oficial entre autoridades da mesma categoria ou de inferiores a superiores hierárquicos. **3.** *P. ext.* Correspondência protocolar entre entidades públicas ou particulares. **4.** Conjunto de orações e de cerimônias públicas. **5.** *Santo Ofício,* o Tribunal da Inquisição.

oficioso (ô) *adj.* **1.** Que não tem caráter oficial, embora emane de fonte autorizada. **2.** Obsequioso, prestativo, serviçal. **3.** Gratuito, desinteressado.

ofídico *adj.* Relativo a cobra.

ofídio *adj.* (gr. *ophis,* cobra, e *eidos,* forma). Relativo ou semelhante à cobra. ★ *s.m.* Espécime dos ofídios; cobra, serpente.

ofídios *s.m.pl.* Subordem de répteis desprovidos de pés, de pernas e de abertura do ouvido, dotados de língua bífida, olhos imóveis desprovidos de pálpebras, que engloba todas as espécies de cobras.

ofiúro *adj.* e *s.m.* Ofiuróide.

ofiuróides (i-u) *s.m.pl.* Subclasse de animais equinodermos, cujo corpo é formado por um disco central com cinco braços longos, ramificados ou não, que possuem pés ambulacrários desprovidos de ventosas e pedicelárias.

ofsete *s.m.* Aport. de OFF-SET.

oftálmico *adj.* **1.** Relativo aos olhos. **2.** Relativo à oftalmia. **3.** Diz-se do ramo do nervo trigêmeo que assegura sensibilidade à parte superior da face e da córnea. ★ *adj.* e *s.m.* **1.** Que ou aquele que sofre de oftalmia. **2.** Diz-se de ou remédio para a oftalmia.

oftalmologia *s.f.* Ciência e especialidade médica que se ocupa da estrutura e do funcionamento dos olhos e das moléstias que os atingem.

? VOCÊ SABIA...? Os sinais mais antigos da prática da **oftalmologia** foram encontrados em um papiro egípcio de 1500 a.C. A oftalmologia trata de várias doenças, como inflamação dos olhos e manchas na córnea.

---

oftalmologista *s.2g.* Médico especialista em oftalmologia. (Sin. OCULISTA, OFTALMÓLOGO.)

oftalmólogo *s.m.* Sin. de OFTALMOLOGISTA.

oftalmoscópio *s.m.* Instrumento utilizado para examinar o interior do olho.

ofuscar *v.t.* (lat. *offuscare*) [conj. 12]. **1.** Impedir de ver; ocultar, encobrir, obscurecer. **2.** Turvar, toldar. **3.** Turvar a vista; deslumbrar. **4.** Tornar menos distinto, menos claro. **5.** Fazer esquecer. **6.** *Fig.* Desprestigiar, desvirtuar, empanar. ★ *v.pr.* **1.** Deslumbrar-se. **2.** Perder o brilho, o prestígio, o valor; apagar-se. **3.** Toldar-se, obscurecer-se.

ogiva *s.f.* (fr. *ogive*). Parte anterior de um projétil, de forma cônica ou ogival. ► *Ogiva nuclear,* ogiva de carga nuclear de que podem ser dotados certos mísseis ou projéteis. ● **Arquit.** Arco formado por duas seções circulares, que se encontram na extremidade superior, formando ângulo agudo. **Mat.** Curva plana simétrica composta de dois arcos de circunferência iguais e secantes, limitados por um de seus pontos comuns e pela reta que une seus centros.

oh *interj.* Expressão de surpresa, admiração, súplica, desgosto, repulsa etc.

ohm *s.m.* (de *Ohm,* n.pr.). Unidade de medida SI de resistência elétrica.

oi *interj.* Expressão empregada como saudação.

A B C D E F G H I J K L M N O P Q R S T U V W X Y Z

A B C D E F G H I J K L M N **O** P Q R S T U V W X Y Z

oitante *s.m.* (lat. *octans*). Oitava parte do círculo, arco de 45º. ● **Astron.** Ângulo de 45º entre as retas que ligam o observador a um astro e ao Sol. ► Nome de cada uma das fases da Lua, quando se apresenta a igual distância das sizígias e das quadraturas. **Nav.** Antigo instrumento de astronomia náutica.

oitão *s.m.* **1.** Paredes laterais da casa. **2.** Pedaço de muro alto.

oitava *s.f.* A oitava parte; oitavo. ● **Lit.** Estrofe ou poema de oito versos. **Mús.** Conjunto de notas existentes entre uma nota e sua primeira repetição mais grave ou mais aguda. **Rel.** Período de oito dias em que a Igreja celebra alguma festa solene.

oitavado *adj.* Que tem oito quinas ou faces; octogonal.

oitavo *num. ord.* (lat. *octavus*). Correspondente ao número oito numa seqüência. ★ *s.m.* Cada uma das oito partes iguais em que se divide um todo.

oitenta *num. ord.* (lat. *octoginta*). **1.** Oito vezes dez. **2.** Octogésimo. ★ *s.m.* O algarismo (80) que representa esse número.

oiti *s.m.* (tupi *ui'ti*). **1.** Árvore de grande porte, de copa ampla, pequenas flores brancas e frutos drupáceos, comestíveis, que fornece madeira para construção civil. (Sin. OITIZEIRO.) **2.** O fruto dessa árvore.

oiticica *s.f.* Árvore de grande porte, cujas sementes fornecem óleo secativo, próprio para tintas e vernizes.

oitizeiro *s.m.* Sin. de OITI.

oito *num. card.* (lat. *octo*). **1.** Sete mais um. **2.** Oitavo. ★ *s.m.* O algarismo (8) que representa esse número.

oitocentos *num. card.* **1.** Oito vezes cem. **2.** Octingentésimo. ★ *s.m.* O algarismo (800) que representa esse número.

ojeriza *s.f.* (esp. *ojeriza*, de *ojo*, olho). Antipatia, má vontade, nojo, birra.

ojerizar *v.t.* (conj. 4). Ter ojeriza a.

olá *interj.* Expressão empregada como saudação.

olaria *s.f.* (do lat. *olla*, panela de barro). **1.** Local em que se fabricam tijolos, telhas, manilhas e vasilhames de barro. **2.** Indústria de oleiro.

olé *interj.* Expressão de espanto ou surpresa, empregada também como saudação.

oleáceas *s.f.pl.* Família de plantas dicotiledôneas, lenhosas, arbóreas ou arbustivas, com alguns representantes hemiparasitas, de flores pequenas e frutos que podem ser bagas, drupas ou cápsulas, como a oliveira e o freixo.

oleado *s.m.* (lat. *oleum*, óleo). Lona.

oleaginoso (ô) *adj.* **1.** Da natureza do óleo; oleoso. **2.** Diz-se do fruto que contém ou fornece óleos. **3.** *Planta oleaginosa*, planta cujas sementes, frutos ou ela própria produz óleo.

olear *v.t.* (conj. 15). Untar ou cobrir de óleo; lubrificar.

oleato *s.m.* Sal ou éster do ácido oléico.

olefina *s.f.* Antigo nome dos hidrocarbonetos etilênicos.

oléico *adj.* *Ácido oléico*, ácido orgânico não saturado, resultante da hidrólise da oleína.

oleicultura (e-i) *s.f.* **1.** Cultura da oliveira ou de outras plantas produtoras de óleo. (Sin. OLIVICULTURA.) **2.** Indústria, tratamento e conservação do azeite.

oleína *s.f.* Triglicérido do ácido oléico, que se encontra na maioria das gorduras e dos óleos vegetais e animais.

oleiro *s.m.* **1.** Fabricante de objetos de barro (louças, telhas, tijolos etc.); aquele que trabalha em olaria. **2.** Artesão que fabrica ou vende cerâmicas.

óleo *s.m.* (lat. *oleum*). **1.** Substância gordurosa, líquida à temperatura normal e insolúvel na água, de origem vegetal, animal ou mineral, de usos diversos. **2.** Substância gordurosa utilizada na alimentação para temperar, cozinhar ou conservar os alimentos. **3.** Perfume obtido por maceração de flores em óleo refinado. **4.** Tinta preparada em substância gordurosa. ● **B.-Art.** Tela ou quadro pintado com a técnica que utiliza essa tinta.

oleoduto *s.m.* Duto utilizado para transporte de petróleo bruto e seus derivados.

oleolato *s.m.* Solução oleosa de essências vegetais.

oleoso (ô) *adj.* (lat. *oleosus*). Que tem óleo; gorduroso.

olericultura *s.f.* (do lat. *olera*, legumes). Cultura de legumes.

olfação *s.f.* (lat. *olfactio*). Função de identificação, pelo odor, das moléculas veiculadas pelo ar ou pela água.

olfativo *adj.* **1.** Relativo ao olfato, à olfação; olfatório. **2.** *Aparelho olfativo*, conjunto de estruturas anatômicas que asseguram a olfação. ► *Nervo olfativo*, conjunto formado pelo bulbo olfativo e pelas terminações nervosas da lâmina própria.

olfato *s.m.* (lat. *olfactus*). **1.** Sentido que permite a percepção dos odores, localizado nas fossas nasais e pituitária (entre os vertebrados) e nas antenas (entre os insetos). **2.** Faro (em se tratando especialmente dos cães). **3.** Resultado da olfação; cheiro.

? VOCÊ SABIA...? Quase todas as pessoas são capazes de reconhecer cerca de 4.000 aromas diferentes. Algumas têm o **olfato** muito sensível, como os chefes de cozinha, os provadores de vinho e os fabricantes de perfume, e chegam a detectar 10.000 aromas distintos.

---

olhada *s.f.* Lance de olhos.

olhadela *s.f.* Olhada rápida; espiada.

olhar *v.t.* (conj. 4). **1.** Fitar os olhos em; mirar. **2.** Prestar atenção; ver. **3.** Sondar, examinar, estudar. **4.** Tomar conta de; cuidar, vigiar. **5.** Julgar, considerar. **6.** Estar voltado para. ★ *v.i.* Exercer o sentido da visão. ★ *v.pr.* **1.** Mirar-se, ver a si próprio (ao espelho, p. ex.). **2.** Entreolhar-se. ★ *s.m.* **1.** Ação ou modo de olhar. **2.** A expressão dos olhos.

olheiras *s.f.pl.* Manchas azuladas que circundam os olhos, provenientes de perturbações físicas ou psíquicas.

olheiro *s.m.* **1.** Indivíduo que olha ou vigia a atividade de outros para informá-la a alguém; informante. **2.** (*RJ*) Aquele que pede dinheiro aos que estacionam automóveis nas ruas, a título de vigiar o veículo. **3.** Olho-d'água.

olho (ô) *s.m.* (lat. *oculus*). **1.** Órgão par, em forma de globo, receptor do sentido da visão. **2.** Olhar, percepção operada pelo olho. **3.** Indício ou expressão do caráter, do sentimento; olhar. **4.** Maneira de ver, de compreender, de interpretar. **5.** Botão ou rebento das plantas. **6.** Orifício, furo, buraco. **7.** *Fig.* Atenção, cuidado, perspicácia. ● **Meteor.** *Olho do furacão*, parte central de um ciclone tropical, que constitui uma zona (temporária) de calmaria. **Zool.** *Olho composto,* órgão da visão presente nos artrópodes, formado por várias unidades denominadas omatídeos.

OLHO HUMANO

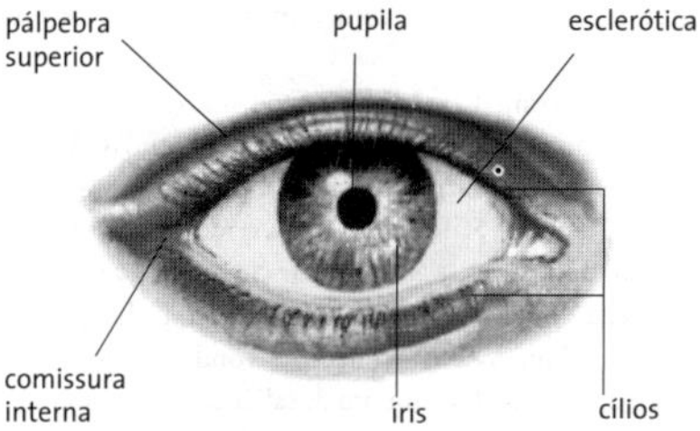

olho-d'água *s.m.* Pequena nascente que brota do solo.

olho-de-boi *s.m.* **1.** Janela redonda ou oval, feita em frontões, tetos ou paredes, para permitir a entrada de luz e ar. **2.** Abertura na parte anterior do navio, por onde passam os cabos. **3.** Nuvem grossa, carregada e quase negra. **4.** Selo postal cujo desenho lembra um olho (primeira emissão feita no Brasil, em 1843).

olho-de-gato *s.m.* Pequena peça que reflete a luz, usada, geralmente, para sinalizar estradas.

olho-mágico *s.m.* Pequena lente introduzida em uma porta para permitir ver, sem ser visto, o que se passa do lado de fora; espia.

olhudo *adj.* e *s.m.* **1.** Que ou aquele que tem olho grande. **2.** *Fig.* e *Pop.* Invejoso.

oligarca *s.2g.* (gr. *oligárches*). **1.** Partidário da oligarquia. **2.** Membro de uma oligarquia.

oligarquia *s.f.* (gr. *oligarchia*). **1.** Sistema político no qual o poder é exercido por um pequeno grupo de indivíduos. **2.** Grupo de pessoas poderosas que dominam uma parte dos interesses de um país. **3.** *Fig.* Autoridade, preponderância ou influência de pequeno número de pessoas.

oligárquico *adj.* Relativo ou pertencente à oligarquia.

oligoceno *s.m.* Época geológica do período terciário compreendida entre o eoceno e o mioceno, com duração aproximada de 18 milhões de anos. ★ *adj.* Relativo ou pertencente a essa época.

oligofrenia *s.f.* (do gr. *oligos,* pouco). Insuficiência mental global.

oligopólio *s.m.* Mercado em que existem poucos vendedores para uma grande quantidade de compradores.

oligoquetos *s.m.pl.* Classe de vermes anelídeos de água doce ou de solo úmido, de corpo segmentado, com poucas cerdas em cada anel e de parapódios ausentes, representada pelas minhocas.

oligospermia *s.f.* Insuficiência do número de espermatozóides produzidos pelos testículos.

oligotrófico *adj.* Diz-se dos rios e lagos de baixa produtividade, com pequena concentração de nutrientes minerais.

oliguria *s.f.* Diminuição da quantidade de urina emitida no período de 24 horas devido a uma obstrução das vias urinárias ou a um distúrbio na secreção renal.

olimpíada *s.f.* (gr. *Olympiás, Olympiádos*). **1.** Período de quatro anos decorridos entre duas celebrações consecutivas dos jogos olímpicos, na Grécia antiga. **2.** Esses jogos. (Cf. OLIMPÍADAS.)

olimpíadas *s.f.pl.* Os jogos olímpicos modernos.

olímpico *adj.* (gr. *olympikós*). **1.** Relativo ou pertencente ao monte Olimpo, habitação das divindades da Grécia antiga. **2.** Relativo ou pertencente aos jogos olímpicos. **3.** *Fig.* Divino, nobre, majestoso. ● **Esp.** *Gol olímpico,* o marcado no futebol por quem cobra um escanteio. ▸ *Jogos olímpicos,* jogos esportivos celebrados a cada quatro anos entre os gregos da Antiguidade, a princípio na cidade de Olímpia; modernamente, jogos esportivos de que participam delegações de diversas nações, realizados a cada quatro anos em um país diferente. ★ *s.m.pl.* Conjunto de deuses do Olimpo.

oliva *s.f.* (lat. *oliva*). **1.** Sin. de AZEITONA. **2.** Sin. de OLIVEIRA. **3.** Cor da azeitona verde. ● **Anat.** *Oliva bulbar,* lâmina arredondada de substância cinzenta situada de cada lado da parte superior do bulbo raquidiano. ★ *s.f.pl.* Ornamentos arquitetônicos de forma oblonga, semelhantes à azeitona.

olival *s.m.* Campo plantado de oliveiras; oliveiral.

oliveira *s.f.* Árvore pequena, originária do Mediterrâneo, de ramos acinzentados, flores brancas e fruto drupáceo, oleaginoso, comestível, utilizado na fabricação do azeite de oliva. (Sin. OLIVA.)

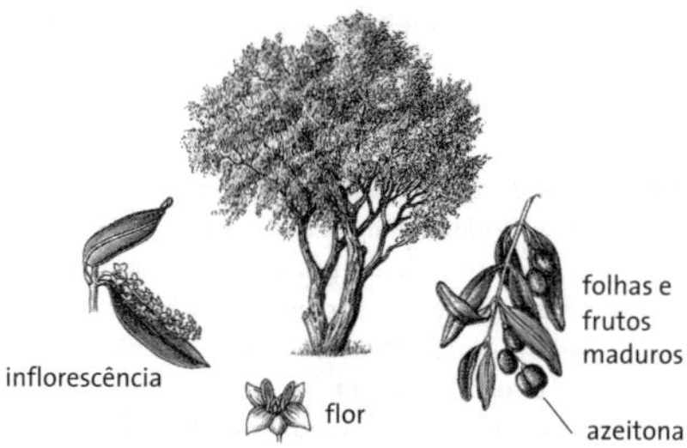

VOCÊ SABIA...? As **oliveiras** são árvores mediterrâneas, raramente encontradas em lugares acima de 400 metros de altitude.

oliveiral *s.m.* Olival.

olivicultura *s.f.* **1.** Cultura de olivais. **2.** Oleicultura.

olivina *s.f.* Mineral ortorrômbico, de cor verde-oliva, comum nos basaltos. (Sin. CRISOLITA.)

olmo *s.m.* (lat. *ulmus*). Denominação comum a diversas árvores que chegam a atingir até 30 m de altura e fornecem madeira sólida e flexível, utilizada em carpintaria e marcenaria; olmeiro, ulmo, ulmeiro.

olor (ô) *s.m.* (lat. *olor*). *Poét.* Odor.

olvidar *v.t.* (conj. 4). Não lembrar, deixar cair no esquecimento; esquecer. ★ *v.pr.* Esquecer-se.

olvido *s.m.* **1.** Ato ou efeito de olvidar; esquecimento. **2.** *Poét.* Descanso, repouso.

omani *adj.2g.* Relativo ou pertencente a Omã, país da Ásia. ★ *s.2g.* O natural ou habitante de Omã.

omaso *s.m.* Terceiro compartimento do estômago dos ruminantes.

ombrear *v.t.* (conj. 15). **1.** Levar ao ombro, pôr ao ombro. **2.** Igualar-se, equiparar-se.

ombreira *s.f.* **1.** Parte do vestuário correspondente ao ombro; peça ou enchimento que se coloca sob esta parte para dar volume. **2.** Peça vertical das portas e janelas que sustenta a parte superior dos marcos ou caixões. **3.** *Fig.* Porta, entrada. **4.** (*NE*) Cabide.

ombro *s.m.* (lat. *umerus*). **1.** A parte mais alta do braço; espádua. **2.** *Fig.* Força, vigor. **3.** Esforço, zelo.

omelete *s.2g.* (fr. *omelette*). Fritada de ovos batidos, a que se podem misturar ervas, queijos etc.

ominoso (ô) *adj.* (lat. *ominosus*). **1.** Agourento, azarento, nefasto. **2.** Detestável, abominável.

omissão *s.f.* **1.** Ato ou efeito de omitir(-se). **2.** Falta, lacuna. **3.** Ausência de ação no cumprimento do dever; desídia, negligência. ● **Dir.** Ato ou efeito de não fazer o que moral ou juridicamente deveria ter sido feito.

omisso *adj.* (lat. *omissus*). **1.** Relativo à omissão. **2.** Que deixou de fazer ou dizer alguma coisa. **3.** Que contém falha ou lacuna. ★ *s.m.* Descuidado, negligente.

omitir *v.t.* (lat. *omissus*) [conj. 6]. **1.** Deixar de fazer o que deveria ser feito. **2.** Falhar numa enumeração; não mencionar. **3.** Deixar de lado, passar em silêncio. ★ *v.pr.* Deixar de se manifestar ou de se pronunciar.

omoplata *s.f.* (gr. *omoplate*). Osso chato, grande, fino e triangular, situado na parte posterior e superior do tórax, que forma, junto com a clavícula, a cintura escapular. (Sin. ESCÁPULA.)

onanismo *s.m.* No homem, ação de masturbar-se solitariamente.

onça[1] *s.f.* (lat. *luncia*). **1.** Mamífero carnívoro, da família dos felídeos, desprovido de unhas retráteis, com muitas manchas negras e pequenas espalhadas pelo corpo, que ocorre na Ásia e África. **2.** Denominação comum a felídeos brasileiros de grande porte. **3.** Sin. de ONÇA-PINTADA. **4.** *Fig.* Pessoa muito feia. **5.** *Fig.* Pessoa muito valente. ★ *adj.2g.* **1.** Diz-se de pessoa valente, invencível, forte. **2.** Enfurecido, zangado, raivoso.

onça[2] *s.f.* (fr. *once*). **1.** Medida de peso utilizada especialmente na Grã-Bretanha e no Canadá, que equivale a 28,35 g. **2.** Unidade de capacidade anglo-saxã (símb. oz) equivalente a 29,572 ml (EUA) ou 28,412 ml (Reino Unido). **3.** Antiga moeda de ouro brasileira.

onça-parda *s.f.* Sin. de SUÇUARANA.

onça-pintada *s.f.* Felídeo de hábitos noturnos, ameaçado de extinção, que vive em matas dos EUA, Argentina e Brasil. (Sin. CANGUÇU, JAGUAR, JAGUARETÊ, ONÇA.)

oncologia *s.f.* (do gr. *onkos,* tumor). Estudo dos tumores, particularmente dos tumores malignos.

oncovírus *s.m.* Nome comum aos vírus que contêm ADN e podem induzir tumores em animais.

onda *s.f.* (lat. *unda*). **1.** Elevação na superfície de grandes massas de água, resultante da ação do vento; vaga. **2.** Mar, oceano. **3.** Grande quantidade ou afluxo; torrente. **4.** Movimento, grande agitação. **5.** Ondulação; efeito ondulado. **6.** *Fig.* Intensidade, exuberância (de sentimentos). **7.** *Gír.* Simulação, fingimento. ● **Fís.** Deformação de um meio elástico ou variação de um campo energético, devido à passagem de um pulso de energia, com período, freqüência e comprimento definidos.

onde *adv.* (lat. *unde*). Em que lugar, no lugar em que. ★ *pron. rel.* Em que.

ondear *v.i.* (conj. 15). **1.** Elevar-se e abaixar-se alternativamente como as ondas; fazer ondulações, ondas. **2.** Fazer curvas; serpear, ondular. **3.** Tremular. **4.** Propagar-se, transmitir-se em ondas. **5.** Tornar sinuoso, ondeado. **6.** Frisar, encaracolar, ondular. ★ *v.pr.* Mover-se em ondulações; flutuar.

ondulação *s.f.* **1.** Movimento oscilatório produzido pela agitação de um líquido. **2.** Movimento das ondas. **3.** Movimento como o das ondas. **4.** Conjunto de saliências e de depressões.

ondular *v.i.* (lat. *undulare*) [conj. 4]. **1.** Ondear. **2.** Tornar ondulado. **3.** Agitar-se.

ondulatório *adj.* **1.** Em forma de ondas. **2.** Que apresenta ou faz ondulação. **3.** Que se propaga por meio de ondas. ● **Fís.** *Mecânica ondulatória,* sin. de MECÂNICA QUÂNTICA*.

onduloso (ô) *adj.* Ondeante.

onerar *v.t.* (lat. *onerare*) [conj. 4]. **1.** Impor ônus ou obrigação a. **2.** Impor pesados tributos a. **3.** Oprimir, vexar. **4.** Carregar, sobrecarregar. ★ *v.pr.* **1.** Sujeitar-se a ônus. **2.** Sobrecarregar-se.

onerosidade *s.f.* **1.** Qualidade de oneroso. **2.** Encargo, ônus.

oneroso (ô) *adj.* (lat. *onerosus*). **1.** Que implica ônus, despesas, gastos. **2.** Dispendioso, custoso. **3.** Vexatório, incômodo. **4.** Penoso, opressor.

ônibus *s.m.* (lat. *omnibus,* para todos). **1.** Grande veículo de transporte coletivo (urbano e interurbano) de passageiros, com itinerário preestabelecido. ● **Astronáut.** *Ônibus espacial,* veículo espacial recuperável, concebido para efetuar diversas viagens entre a Terra e uma órbita circunterrestre.

DIAGRAMA DA TRAJETÓRIA DE UM ÔNIBUS ESPACIAL

ÔNIBUS ESPACIAL ► Um dos acontecimentos mais importantes do século XX ocorreu em 12 de abril de 1981. Em Cabo Canaveral, na Flórida, o ônibus espacial *Columbia* foi lançado na órbita terrestre. No dia seguinte, às 20h20, aterrissou sem problemas na base de Edwards, na Califórnia.

onicofagia *s.f.* (do gr. *onyx, onychos,* unha). Hábito de roer as unhas.

onipotência *s.f.* (lat. *omnipotentia*). **1.** Qualidade de onipotente; poder absoluto, infinito. **2.** Poder infinito de Deus.

onipotente *adj.2g.* e *s.m.* (lat. *omnipotens*). Que ou aquele que tem poder ilimitado, absoluto; todo-poderoso. ★ *s.m.* Deus. (Usa-se com maiúscula.)

onipresença *s.f.* Qualidade de onipotente; ubiqüidade.

onipresente *adj.2g.* Presente em todos os lugares ao mesmo tempo; ubíquo.

onírico *adj.* (do gr. *oneiros,* sonho). Relativo aos sonhos.

onirismo *s.m.* Delírio agudo, semelhante aos sonhos, que ocorre em um estado de confusão mental.

onisciência *s.f.* (lat. *omniscientia*). Saber absoluto; ciência universal (um dos atributos de Deus nas religiões monoteístas).

onisciente *adj.2g.* Dotado de onisciência; que tudo sabe ou conhece.

onívoro *adj.* (lat. *omnivorus*). Diz-se do animal que se alimenta tanto de substâncias animais como vegetais.

ônix (cs) *s.m.2n.* (lat. *onyx,* unha). **1.** Variedade de calcedônia em que a cor se distribui em faixas paralelas. **2.** Espécie de mármore, um pouco translúcido, de cor amarelada ou esbranquiçada.

on-line *adj.2g.* (ingl.) **Inform.** Que está conectado a um sistema de comunicação virtual. ► *P. ext.* Diz-se de processo ou atividade muito ágil, que pode responder com rapidez a estímulos externos. (Antôn. OFF-LINE.)

ONO Abrev. de OÉS-NOROESTE.

onomástica *s.f.* (gr. *onomastike téchne,* a arte de dar nomes). Lista de nomes próprios; onomástico. ● **Ling.** Ramo da lingüística que estuda a origem dos nomes próprios.

onomástico *adj.* (gr. *onomastikós*). **1.** Relativo à onomástica. **2.** Relativo a nomes próprios; em que há nomes próprios. ★ *s.m.* Onomástica.

onomatopaico ou **onomatopéico** *adj.* Relativo à onomatopéia.

onomatopéia *s.f.* (gr. *onomatopoiia,* criação de palavras). **1.** Processo que permite a criação de palavras pela imitação dos sons emitidos por seres animados ou objetos. **2.** Palavra formada por este processo. **3.** Figura de retórica que consiste na sugestão da imagem auditiva de um objeto por meio da orquestração dos sons vocais.

ontem *adv.* (lat. *ad noctem*). **1.** No dia imediatamente anterior ao de hoje. **2.** Em tempo passado. **3.** Antigamente. **4.** *Antes de ontem,* anteontem.

ontogênese *s.f.* Sin. de ONTOGENIA.

ontogenia *s.f.* História do desenvolvimento de um organismo ao longo de sua vida, desde a fecundação. (Sin. ONTOGÊNESE.)

ontologia *s.f.* (do gr. *on, ontos,* ser). Parte da filosofia que se ocupa do ser enquanto ser, isto é, independentemente de suas determinações particulares.

ontológico *adj.* Relativo à ontologia.

ônus *s.m.2n.* (lat. *onus*). **1.** Carga, peso além do normal. **2.** Imposto ou encargo pesado. **3.** *Fig.* Tarefa, obrigação, dever de difícil cumprimento.

onze *num. card.* (lat. *undecim*). **1.** Dez mais um. **2.** Décimo primeiro. ★ *s.m.* **1.** O algarismo (11) que representa esse número. **2.** O time de futebol.

onze-horas *s.f.2n.* Planta herbácea, bulbosa, de caule ramificado, e flores de cálice campanulado, violáceas e brilhantes, que se abrem quando o sol está quase a pino. (Sin. AMOR-CRESCIDO.)

oócito *s.m.* (do gr. *oon,* ovo). Célula formada a partir do oogônio, que sofre intenso crescimento antes e durante a meiose, dando origem ao óvulo. (Var. OVÓCITO.)

oogamia *s.f.* Fecundação de um gameta feminino, grande, imóvel, provido de reservas nutritivas, por um gameta masculino, pequeno e móvel.

oogênese *s.f.* Origem e desenvolvimento do ovo. (Var. OVOGÊNESE.)

oosfera *s.f.* Célula sexual feminina, imóvel, esférica, com reservas nutritivas, que ocorre em vegetais.

oósporo *s.m.* Oosfera fecundada, que se desenvolve em um esporo.

opa *interj.* Expressão de espanto, surpresa, satisfação; oba.

opaco *adj.* (lat. *opacus*). **1.** Que obstrui a passagem da luz; que não é transparente. **2.** Sombrio, escuro. **3.** Toldado, turvo. **4.** *Fig.* Impenetrável, insondável.

opala *s.f.* (fr. *opale*). Pedra dura de reflexos irisados, variedade de silício hidratado, utilizada em joalheria. ● **Têxt.** Espécie de tecido de algodão.

opalescência *s.f.* **1.** Propriedade de certas pedras preciosas que apresentam um aspecto leitoso que parece provir do seu interior, como é característico da opala. **2.** Reflexo ou cor opalina.

opalescente *adj.2g.* **1.** Que apresenta a propriedade da opalescência. **2.** Opalino.

opalino *adj.* **1.** Que tem a cor leitosa e irisada da opala; opalescente. **2.** Material translúcido cuja estrutura interna cristalina provoca o espalhamento da luz incidente. **3.** Diz-se de um vidro ou de um cristal tornado opaco pela junção de óxido de estanho ou levemente opalescente pela presença de cinzas de osso ou de chifre.

op-art *s.m.* (abrev. do ingl. *optical art,* arte óptica). Tendência das artes plásticas surgida na década de 1960, que privilegia os efeitos geradores de ilusão de movimento.

opção *s.f.* (lat. *optio*). **1.** Faculdade, ação de optar, de escolher entre duas ou várias coisas. **2.** Livre escolha. **3.** Aquilo por que se opta.

opcional *adj.2g.* **1.** Que possibilita uma escolha ou opção. **2.** Que se pode fazer ou não, preencher ou não.

ópera *s.f.* (it. *opera*). **1.** Composição dramática composta de uma abertura orquestral, áreas, duetos, trios, coros, recitativos e peças sinfônicas. **2.** Teatro em que se encena esse tipo de obra.

VOCÊ SABIA...? Por volta de 1600, as obras de teatro ganharam acompanhamento musical. A primeira obra de teatro com música e personagens que cantavam foi produzida em 1597, mas essa música se perdeu. Na Itália, em 1600, encenaram-se as duas primeiras **óperas** que até hoje se conservam. Monteverdi foi o primeiro grande compositor de ópera; sua obra *Orfeu* estreou em 1607.

---

operação *s.f.* (lat. *operatio*). **1.** Ato ou efeito de operar. **2.** Ação de um poder, de uma faculdade, de um agente que produz um efeito. **3.** Conjunto complexo de meios, ações e medidas que se combinam para a obtenção de um resultado. **4.** Transação comercial. **5.** Processo do espírito que consiste em combinar raciocínios. **6.** Funcionamento, atuação. ● **Mat.** Combinação efetuada nos objetos matemáticos, segundo regras estabelecidas, e que admite um resultado matemático bem determinado. ▸ Cálculo matemático. ▸ *Operações aritméticas fundamentais,* a adição, a subtração, a multiplicação e a divisão. **Med.** Intervenção cirúrgica.

operacional *adj.2g.* **1.** Relativo à operação. **2.** Pronto a entrar em atividade, em funcionamento, a efetuar satisfatoriamente uma operação.

operador (ô) *adj.* (lat. *operator*). Que opera, executa. ★ *s.m.* **1.** O que está encarregado de operar. **2.** Pessoa encarregada, a bordo de um navio ou avião, de estabelecer as comunicações pelo rádio. **3.** Técnico que comanda o funcionamento de um aparelho, que executa uma operação técnica determinada. **4.** Médico cirurgião. ● **Lóg.** Símbolo de uma operação lógica ou matemática a ser efetuada sobre o ente matemático (número, função, vetor etc.) ou sobre um grupo de proposições.

operadora *s.f.* Empresa que oferece serviços de telefonia ou outra forma de telecomunicação.

operante *adj.2g.* Que opera; operoso, ativo.

operar *v.t.* (lat. *operare*) [conj. 4]. **1.** Realizar (uma ação); executar, obrar. **2.** Produzir um efeito, um resultado. ● **Med.** Proceder a uma intervenção cirúrgica em. ★ *v.i.* **1.** Agir, obrar. **2.** Fazer efeito, atuar. **3.** Estar em atividade, em função. ★ *v.pr.* Suceder, realizar-se.

operária *s.f.* Indivíduo do sexo feminino, estéril, que ocorre entre os insetos sociais, como as abelhas, formigas e térmitas, responsável pela construção do ninho, cuidados com as larvas e com a sociedade. (Sin. OBREIRA.)

operariado *s.m.* A classe operária.

operário *s.m.* (lat. *operarius*). **1.** Trabalhador assalariado que exerce ocupação manual. **2.** Trabalhador manual ou mecânico das indústrias. **3.** Trabalhador, artífice, artesão. ★ *adj.* Relativo ou pertencente a, ou constituído por operários.

operário ajusta máquina industrial

operatório *adj.* (lat. *operatorius*). **1.** Relativo a operações. **2.** Que permite realizar uma operação sem valor de teoria. **3.** Relativo às operações mentais. ● **Psicol.** Diz-se de uma estrutura lógica que aparece na criança em um determinado momento de seu desenvolvimento intelectual.

opereta (ê) *s.f.* (it. *operetta*). Gênero musical semelhante à ópera, que inclui em seu desenvolvimento canções e danças populares e cujo argumento traz temas alegres e ligeiros.

? VOCÊ SABIA...? Derivada da ópera bufa, que tem caráter ligeiro (diferente da grande ópera), a **opereta** nasceu e se desenvolveu no século XIX. F. Hervé (*O pequeno Fausto*) e J. Offenbach (*Orfeu no inferno, A bela Helena, A vida parisiense*) são considerados os pais da opereta moderna. Em Viena, F. Lehar (*A viúva alegre, O país do sorriso*) e os Strauss (*Vida de artista, O morcego*) obtiveram grande êxito com suas operetas, graças ao encanto das valsas vienenses.

operoso (ô) *adj.* (lat. *operosus*). **1.** Que opera; diligente, produtivo. **2.** Laborioso, trabalhoso.

opilação *s.f.* (lat. *oppilatio*). Ato ou efeito de opilar(-se); obstrução, oclusão. ● **Med.** Ancilostomíase, amarelão.

opilar *v.t.* (lat. *oppilare*) [conj. 4]. Causar opilação a (fígado ou outros órgãos); obstruir, congestionar. ★ *v.pr.* Adoecer de ancilostomíase.

opilião *s.m.* Animal artrópode, aracnídeo, de corpo ovóide, pernas longas e finas, que exala odor desagradável e ocorre em locais úmidos, entre pedras e folhagens. (Sin. BODUM.)

opinar *v.t.* e *v.i.* (lat. *opinare*) [conj. 4]. **1.** Expressar julgamento sobre, dar o seu parecer. **2.** Manifestar opinião. **3.** Entender, julgar, achar.

opinativo *adj.* **1.** Que tem por base a opinião, que depende de opinião. **2.** Sujeito a opinião; discutível, provável. **3.** Arbitrário, incerto.

opinião *s.f.* (lat. *opinio*). **1.** Juízo, idéia, que se expressa sobre determinado assunto. **2.** Maneira de pensar particular sobre um assunto. **3.** Parecer, conceito favorável ou não sobre uma pessoa, um assunto, ou algo. **4.** Asserção sem fundamento, presunção. **5.** Capricho, birra, teimosia. **6.** *Opinião pública,* conceito geral dos cidadãos sobre questões de interesse coletivo.

ópio *s.m.* (gr. *opion*). **1.** Substância extraída das cápsulas de algumas papoulas, cuja ingestão provoca euforia seguida de um sono onírico. **2.** *Fig.* O que causa embotamento ou entorpecimento moral.

opiomania *s.f.* Toxicomania do ópio.

opiomaníaco *adj.* e *s.m.* Opiômano.

opiômano *adj.* e *s.m.* Diz-se de ou indivíduo viciado em ópio; opiomaníaco.

oponente *adj.2g.* e *s.2g.* (lat. *opponens*). **1.** Que ou aquele que se opõe; opositor, opoente. **2.** Adversário, contendor. ★ *s.m.* **Anat.** Nome de três pequenos músculos do corpo.

opor (ô) *v.t.* (lat. *opponere*) [conj. 45]. **1.** Pôr defronte de. **2.** Pôr como obstáculo a. **3.** Pôr em contraste, em paralelo. **4.** Objetar, contrapor. ★ *v.pr.* **1.** Pôr-se defronte de. **2.** Ser contrário a. **3.** Resistir. **4.** Surgir como empecilho.

oportunidade *s.f.* (lat. *opportunitas*). **1.** Qualidade do que é oportuno. **2.** Ocasião favorável, momento propício; ensejo. **3.** Conveniência.

oportunismo *s.m.* **1.** Atitude daqueles que preferem contemporizar, para atingir um fim, aproveitando-se das circunstâncias oportunas. **2.** Sistema ou prática política, que consiste em aproveitar-se das circunstâncias ou a elas acomodar-se para tirar proveito.

oportunista *adj.2g.* e *s.2g.* Que ou aquele que tira proveito das circunstâncias em benefício de seus interesses. ● **Patol.** Diz-se de ou germe que só manifesta sua virulência sobre um organismo imunodeprimido.

oportuno *adj.* (lat. *opportunus*). **1.** Que vem a tempo, a propósito. **2.** Conveniente, favorável, apropriado. **3.** Cômodo, propício.

oposição *s.f.* **1.** Ato ou efeito de opor(-se). **2.** Situação de coisas que se dispõem uma diante da outra; efeito resultante da aproximação, da coexistência de coisas opostas; contraste, antítese. **3.** Resistência a alguém ou a alguma coisa; desaprovação, obstrução, recusa. **4.** Hostilidade, aversão. **5.** Vontade contrária. **6.** Ação empreendida contra um governo. ● **Astron.** Situação de dois corpos celestes cujas longitudes geocêntricas diferem de 180º. **Fisiol.** Movimento pelo qual a parte interna da ponta do polegar toca a parte interna da ponta dos outros dedos.

oposicionismo *s.m.* Sistema de opor-se a tudo.

oposicionista *adj.2g.* e *s.2g.* **1.** Que ou aquele que faz oposição a. **2.** Que ou aquele que combate ou contesta o governo.

opositor (ô) *adj.* e *s.m.* **1.** Que ou aquele que se opõe, que faz oposição; adversário. **2.** Concorrente, candidato.

oposto (ô) *adj.* (lat. *oppositus*). **1.** Colocado defronte a. **2.** Contraposto, contrário. **3.** Posto como obstáculo. **4.** Antagônico, discordante. **5.** Que está em contradição. ● **Bot.** Diz-se de folhas inseridas aos pares no mesmo nó, como na urtiga. **Geom.** Diz-se de dois lados de um quadrilátero convexo que não são adjacentes. ► Diz-se de dois vértices de um quadrilátero convexo que não são extremidades de um mesmo lado. ★ *s.m.* O contrário, o inverso.

opressão *s.f.* (lat. *opressio*). **1.** Ato ou efeito de oprimir. **2.** Estado daquele que se encontra oprimido. **3.** Dificuldade de respirar. **4.** *Fig.* Violência por abuso de autoridade; humilhação.

opressivo *adj.* **1.** Que oprime, subjuga, domina. **2.** *Fig.* Que subjuga, humilha.

opresso *adj.* (lat. *oppressus*). Oprimido.

opressor (ô) *adj.* e *s.m.* (lat. *opressor*). Que ou aquele que oprime, que submete a opressão.

oprimente *adj.2g.* Opressor.

oprimido *adj.* e *s.m.* **1.** Que ou aquele que é vítima de opressão. **2.** *Fig.* Dominado, humilhado.

oprimir *v.t.* (lat. *opprimere*) [conj. 6]. **1.** Causar opressão a. **2.** Exercer violência, por abuso de autoridade; tiranizar. **3.** Forçar, coagir, violentar. **4.** *Fig.* Esmagar, desfazer, aniquilar. **5.** *Fig.* Afligir, vexar, humilhar.

opróbrio *s.m.* (lat. *opprobrium*). **1.** Vergonha, ignomínia, desonra. **2.** Abjeção, estado abjeto. **3.** Afronta, injúria, impropério.

optar *v.i.* (lat. *optare*) [conj. 4]. **1.** Escolher uma coisa entre outras. **2.** Decidir-se por algo, preferir.

optativo *adj.* (lat. *optativus*). Que indica ou traduz opção.

óptica *s.f.* **1.** Parte da física que trata das propriedades da luz e da visão. **2.** Enfoque, ponto de vista. **3.** Loja onde se fabricam ou vendem óculos. (Var. ÓTICA.) **4.** *Fig.* Perspectiva, aspecto dos objetos avistados. **5.** *Ilusão de óptica,* percepção de elementos visuais que fornece conclusões diferentes da realidade objetiva em relação a forma, distância, dimensão, cor, orientação etc.

óptico *adj.* (gr. *optikós*). **1.** Relativo à óptica. **2.** Relativo ao olho ou à visão. (Var. ÓTICO.) **3.** Relativo à luz. ● **Cristal.** *Eixo óptico,* direção segundo a qual não se observa dupla refração em um cristal. ★ *s.m.* Pessoa que vende ou fabrica instrumentos de óptica, principalmente lentes corretoras para a vista. ● **Med.** *Canal óptico,* conduto ósseo que faz a comunicação entre o crânio e a órbita ocular. ► *Nervo óptico,* nervo craniano que parte da retina, forma o quiasma óptico e os tratos ópticos que transmitem a imagem retiniana ao córtex visual. ► *Vias ópticas,* conjunto das fibras nervosas que encaminham as impressões visuais da retina ao córtex occipital. **Quím.** *Antípoda óptico,* sin. de ENANTIÔMERO.

opulência *s.f.* (lat. *opulentia*). **1.** Abundância de bens; grande riqueza. **2.** Fausto, magnificência. **3.** *Fig.* Corpulência, grande desenvolvimento de formas.

opulento *adj.* (lat. *opulentus*). **1.** Que está na opulência; muito rico, abastado. **2.** *Fig.* Abundante, farto, copioso. **3.** *Fig.* Soberbo, magnífico, grande. ★ *s.m.* O que vive na opulência.

opúsculo *s.m.* (lat. *opusculum*). **1.** Pequena obra de ciência ou literatura, arte etc. **2.** Folheto.

ora *adv.* (lat. *hora*). **1.** Agora, no presente momento. **2.** *Por ora,* por enquanto, no momento. ★ *conj.* **1.** Mas, porém. **2.** Pois bem, com efeito. ★ *interj.* Expressão de impaciência, surpresa, dúvida, ironia.

orabutã *s.m.* Sin. de PAU-BRASIL.

oração *s.f.* (lat. *oratio*). **1.** Súplica dirigida a Deus ou a qualquer entidade sobrenatural. **2.** Ação de orar; invocação, reza, prece. **3.** Peça de oratória; discurso. ● **Gram.** Unidade sintática que exprime um pensamento completo constituída de sujeito e predicado (ou somente de predicado).

oracional *adj.2g.* Relativo a oração.

oráculo *s.m.* (lat. *oraculum*). **1.** Resposta de uma divindade a quem a consultou. **2.** A divindade que dá esta resposta. **3.** O santuário onde ela é dada. **4.** *Fig.* Decisão proveniente de pessoas de grande autoridade, de grande saber; essas mesmas pessoas. **5.** *Fig.* Decisão infalível.

orador (ô) *s.m.* (lat. *orator*). **1.** Pessoa que pronuncia um discurso diante do público. **2.** Homem eloqüente, que fala bem e fluentemente. **3.** *Orador sacro,* aquele que pronuncia sermões; pregador.

orago *s.m.* (lat. *oraculum*). **1.** O santo que dá nome a uma capela, a um templo ou a uma freguesia. **2.** Invocação. **3.** *Fig.* Aquele que profetiza a respeito da marcha dos acontecimentos futuros; oráculo.

oral *adj.2g.* (do lat. *os, oris,* boca). **1.** Relativo ou pertencente à boca. **2.** Enunciado pela voz; falado. **3.** Que se transmite de indivíduo a indivíduo pela palavra falada; verbal, vocal. ● **Psican.** Relativo à fase oral. ► *Fase oral,* primeira fase da evolução libidinal infantil, na qual a satisfação pulsional está relacionada à zona oral e aos alimentos, e cujo modo de relação de objeto é a incorporação.

oralidade *s.f.* **1.** Qualidade do que é oral. **2.** Conjunto das características da fase oral.

orangotango *s.m.* (malaio *orangutan*). Mamífero primata arborícola, originário de Sumatra e Bornéu, que apresenta coloração castanho-avermelhada e braços longos utilizados para apoiar o corpo durante a locomoção em terra.

orar *v.i.* (lat. *orare*) [conj. 4]. **1.** Fazer oração; rezar. **2.** Pronunciar um discurso, falar em tom oratório. ★ *v.t.* Pedir, rogar em oração, em prece.

oratória *s.f.* (lat. *oratoria*). Arte de falar em público; eloqüência, retórica.

oratório[1] *adj.* (lat. *oratorius*). Relativo à oratória; que concerne ao orador.

oratório[2] *s.m.* (lat. ecles. *oratorium*). **1.** Capela de pequenas dimensões, geralmente situada em uma casa particular. **2.** Nicho ou pequeno armário de madeira ou outro material, onde ficam santos e imagens. ● **Mús.** Composição dramático-musical, de assunto religioso ou profano, para solistas vocais, coro e orquestra.

orbe *s.m.* (lat. *orbis*). **1.** Globo, mundo, esfera. **2.** Corpo celeste. **3.** Superfície circunscrita pela órbita de um corpo celeste.

orbicular *adj.2g.* (lat. *orbicularis*). **1.** Que descreve uma circunferência ou orbe; circular. **2.** Redondo, globular. ● **Anat.** *Músculo orbicular* ou *orbicular* (*s.m.*), denominação de vários músculos cutâneos situados em torno de orifícios naturais da face, aos quais proporcionam fechamento (pálpebras, lábios etc.). **Geol.** Diz-se da textura de uma rocha magmática que apresenta formas ovóides com estrutura radial ou concêntrica.

órbita *s.f.* (lat. *orbita*). Cavidade que encerra o globo ocular e seus anexos. ● **Astron.** Trajetória descrita por um astro em torno do centro de gravidade do sistema a que pertence. **Quím.** Cada um dos níveis de energia de um elétron. *Fig.* Esfera de ação; campo, área.

orbital *adj.2g.* **1.** Relativo a órbita. **2.** Orbitário. ★ *s.m.* **1.** O osso lacrimal. **2.** *Orbital atômico* ou *molecular*, distribuição espacial de um elétron em um átomo, dos elétrons de ligação em uma molécula.

orbitário *adj.* Que pertence à órbita do olho; orbital. ● **Anat.** *Apófises orbitárias* ou *orbitais*, extremidades da arcada da órbita. ► *Arcada orbitária* ou *orbital*, rebordo saliente da parede superior da órbita, que pertence ao osso frontal. ► *Fossas* ou *cavidades orbitárias*, órbitas dos olhos.

orca *s.f.* Mamífero cetáceo, voraz, que apresenta dorso preto e região ventral branca, nadadeira dorsal alta e pontuda, de águas frias e costeiras.

orçamentário *adj.* Relativo a orçamento.

orçamento *s.m.* **1.** Previsão da receita e despesa de um indivíduo, de uma empresa, de um organismo. **2.** Descrição pormenorizada dos materiais e das operações necessárias para realizar uma obra, com a estimativa de preços. **3.** Cálculo da receita e da despesa de um governo para o exercício financeiro.

orçar *v.t.* (it. *orzare*) [conj. 13]. **1.** Calcular, avaliar, fazer a estimativa ou orçamento de. **2.** Andar por cerca de, aproximar-se. **3.** Chegar a, atingir.

ordeiro *adj.* **1.** Que é amigo da ordem; disciplinado, bem-comportado. **2.** Pacífico.

ordem *s.f.* (lat. *ordo*). **1.** Disposição, organização de elementos num conjunto; distribuição. **2.** Disposição organizada, estruturada segundo certos princípios; ordenação. **3.** Estado de um conjunto, de um lugar etc., onde todos os elementos estão em seu devido lugar seguindo regularidade ou organização. **4.** Categoria segundo a qual se classificam as coisas, pessoas, segundo sua natureza, estrutura, lugar etc. numa série; espécie, classe. **5.** Sistema de leis, regras e instituições sociais; conformidade a essas normas. **6.** Mando, comando. **7.** Natureza, modo de ser, maneira. **8.** Órgão que congrega certas classes de profissionais liberais, a fim de defender seus direitos e assegurar a disciplina da profissão. ● **Biol.** Categoria taxonômica, utilizada na classificação dos seres vivos, que reúne uma ou mais famílias semelhantes ou relacionadas. **Gram.** Disposição dos termos de uma oração. **Metal.** Distribuição regular dos átomos de natureza diferente em reticulado cristalino. **Relig.** Sacramento que confere o poder de exercer, na Igreja, o ministério apostólico.

ordenação *s.f.* (lat. *ordinatio*). **1.** Ato ou efeito de ordenar; ordenamento. **2.** Arrumação, arranjo, disposição. **3.** Codificação de leis e preceitos legais. **4.** Regulamento. ● **Relig.** Rito sacramental através do qual um cristão recebe das mãos de um bispo o sacramento da ordem.

ordenada *s.f.* Uma das coordenadas de um ponto que se posiciona de acordo com um sistema de eixos coordenados cartesianos.

ordenado *adj.* **1.** Que está em ordem; classificado, numerado. **2.** *Fig.* Que respeita a ordem, disciplinado; metódico. ● **Relig.** Que tomou ordens sacras. ★ *s.m.* Salário de um trabalhador regular.

ordenança *s.f.* (lat. *ordinantia*). Ordem, lei, regulamento militar. ★ *s.2g.* Soldado às ordens de uma autoridade militar.

ordenar *v.t.* (lat. *ordinare*) [conj. 4]. **1.** Arrumar, dispor, colocar em ordem. **2.** Determinar, dar uma ordem. **3.** Na religião católica, conferir ordens sacras. ● **Mat.** *Ordenar um polinômio,* escrever seus termos em uma forma tal que as potências de uma letra particular fiquem em uma ordem crescente ou decrescente. ★ *v.pr.* Na religião católica, tomar ordens sacras.

ordenha *s.f.* Ato ou efeito de ordenhar, mungir um animal; ordenhação.

ordenhadeira *s.f.* Máquina para ordenhar vacas.

ordenhador (ô) *s.m.* Pessoa que faz a ordenha. ★ *adj.* Diz-se do que serve para a ordenha.

ordenhar *v.t.* (lat. *ordinari*) [conj. 4]. Tirar o leite das tetas de (um mamífero doméstico).

ordinal *adj.2g.* (lat. *ordinalis*). Diz-se de um numeral que exprime ordem ou a posição de um elemento em relação ao todo.

ordinando *adj.* e *s.m.* (lat. *ordinandus*). **1.** Que ou o que se apresenta para a ordenação. **2.** Que ou aquele que está designado para tomar as ordens sacras; ordenando.

ordinária *s.f.* **1.** Pensão, gratificação. **2.** Gasto diário, mensal ou anual.

ordinário *adj.* (lat. *ordinarius*). **1.** Que se faz comumente; habitual, comum. **2.** Que ocorre a cada instante; freqüente. **3.** De qualidade média ou inferior. **4.** Reles, vulgar. **5.** Grosseiro, mal-educado, de baixa condição. ★ *s.m.* **1.** O que se tem o costume de fazer; o que é habitual. **2.** A alimentação cotidiana, o trivial.

ordoviciano *s.m.* Período geológico da era paleozóica, compreendido entre o cambriano e o siluriano, com duração aproximada de 65 milhões de anos. ★ *adj.* Relativo ou pertencente a esse período.

orégano ou **orégão** *s.m.* (gr. *oríganon*). Planta herbácea, aromática, originária da Europa, de folhas ovais, verde-escuras ou levemente acinzentadas, que apresenta propriedades medicinais, mas é usada principalmente como condimento.

orelha (ê) *s.f.* (lat. *auricula*). **1.** Nos mamíferos, porção externa do ouvido ou órgão da audição, situada em cada lado da cabeça e de forma variável segundo a espécie; pavilhão auditivo. **2.** A parte fendida do martelo, oposta à cabeça, que serve para endireitar ou tirar pregos. **3.** Cada uma das duas abas da capa ou sobrecapa do livro, que ficam dobradas para dentro, em que se escreve alguma informação ou crítica sobre o livro ou sobre o autor. **4.** Alça do cano da bota, que serve para ajudar a calçá-la.

Alguns animais, como esta raposa-do-saara, têm orelhas particularmente desenvolvidas.

orelha-de-pau *s.f.* Fungo saprófito, basidiomiceto, que vive sobre a madeira, cuja forma lembra a de uma orelha.

orelhão *s.m.* **1.** Orelha grande. **2.** Puxão de orelhas. **3.** *Pop.* Aparelho telefônico recoberto por uma grande concha acústica, instalado nas ruas para uso do público. ● **Med.** Inflamação do tecido celular que cerca a glândula parótida; caxumba, trasorelho.

orelhudo *adj.* **1.** Que tem orelhas grandes. **2.** Diz-se do animal que tem as orelhas longas, baixas, pendentes. **3.** *Fig.* Estúpido, teimoso, cabeçudo. ★ *s.m.* Burro, jumento.

orfanato *s.m.* **1.** Estabelecimento onde se educam órfãos; asilo para órfãos. **2.** *Fig.* Desamparo, abandono.

orfandade *s.f.* **1.** Estado de órfão; os órfãos. **2.** *Fig.* Desamparo, abandono.

órfão *adj.* (gr. *orphanos*). **1.** Que perdeu os pais ou um deles. **2.** *Fig.* Desamparado, desvalido. **3.** *Fig.* Desprovido, privado. ● **Zool.** Diz-se da colméia privada de sua rainha. ★ *s.m.* Aquele que ficou órfão.

orfeão *s.m.* (fr. *orpheon*). **1.** Sociedade consagrada ao canto coral. **2.** Coro. **3.** Pequeno instrumento musical de teclas e cordas.

orfeônico *adj.* **1.** Relativo a orfeão. **2.** Próprio para orfeão.

organdi *s.m.* (fr. *organdi*). Musselina leve e transparente, com um preparo especial que lhe dá certa consistência.

organicismo *s.m.* Doutrina filosófica segundo a qual a vida resulta da composição e coordenação dos órgãos que compõem os seres vivos. ● **Med.** Doutrina que afirma que toda doença é causada pela lesão de um órgão. **Sociol.** Doutrina que assimila a sociedade aos seres vivos e tende a aplicar aos fatos sociais as leis e teorias biológicas.

orgânico *adj.* (gr. *organikós*). **1.** Que diz respeito aos órgãos, à organização, a seres organizados. **2.** Inerente, profundamente arraigado. **3.** Relativo a ou próprio do organismo. **4.** Que tem um desenvolvimento natural, não calculado. **5.** Diz-se de alimentos produzidos de acordo com os princípios ecológicos, ou seja, sem o uso de fertilizantes ou pesticidas sintéticos. ● **Med.** Diz-se de uma doença provocada por uma lesão dos órgãos, por oposição a *funcional.* **Pedol.** *Matéria orgânica,* nos solos, conjunto de compostos químicos de origem animal ou vegetal, formado principalmente a partir de galhos, folhas e outros detritos em decomposição. **Quím.** Diz-se dos compostos que dependem ou que pertencem à química orgânica. ▸ *Química orgânica,* parte da química consagrada ao estudo do carbono e de suas combinações.

organismo *s.m.* (fr. *organisme*). **1.** Conjunto de órgãos que constitui um ser vivo. **2.** Ser vivo (animal ou vegetal) organizado. **3.** O corpo humano. **4.** Compleição, constituição. **5.** Corpo organizado que tem ou pode ter uma existência separada. **6.** *Fig.* Conjunto de órgãos administrativos encarregados da gestão de um serviço público, de um partido etc. **7.** Reunião de partes que concorrem para um certo fim. **8.** Sistema ou estrutura organizada.

organista *s.2g.* Músico que toca órgão.

organização *s.f.* **1.** Ato ou efeito de organizar (-se). **2.** Estado ou forma do que se acha organizado, constituído. **3.** Modo pelo qual as partes que compõem um ser vivo estão dispostas para cumprir certas funções. **4.** Preparação. **5.** Associação, instituição.

organizar *v.t.* (do gr. *organon*) [conj. 4]. **1.** Pôr em ordem, arrumar. **2.** Dispor para funcionar. **3.** Constituir em organismo. **4.** Preparar. ★ *v.pr.* Tomar forma regular; constituir-se, formar-se.

organogênese *s.f.* Atribuição a uma causa orgânica de uma manifestação patológica qualquer (p. opos. a PSICOGÊNESE).

organograma *s.m.* (do gr. *organon*). Gráfico que representa os elementos da estrutura hierárquica de uma organização e suas relações.

organoléptico *adj.* Diz-se de substâncias capazes de impressionar um receptor sensorial.

órgão *s.m.* (gr. *organon*). **1.** Parte do corpo de um ser vivo nitidamente delimitada e que exerce funções particulares. **2.** Instituição que tem o encargo de aplicar uma legislação. **3.** *Fig.* O que serve de instrumento ou meio para que alguma coisa seja conseguida ou para expressar a vontade de um indivíduo ou grupo (jornal, rádio etc.). ● **Mús.** Instrumento musical no qual o ar é soprado através de tubos de comprimento e largura diferentes, produzindo uma escala de notas.

EXEMPLOS DE ÓRGÃOS HUMANOS

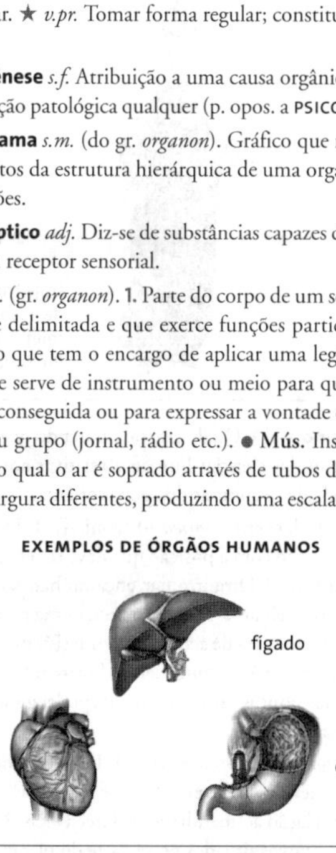

A B C D E F G H I J K L M N O P Q R S T U V W X Y Z

orgasmo *s.m.* (gr. *orgasmos*). Estado de máxima excitação e prazer sexuais, seguido por um relaxamento das tensões sexuais e dos músculos corporais.

orgástico *adj.* Relativo ao orgasmo.

orgia *s.f.* (gr. *orgia*). **1.** Festim licencioso; bacanal. **2.** *Fig.* Excesso, superabundância, profusão. **3.** Anarquia, desordem.

orgíaco *adj.* Relativo a orgia.

orgiástico *adj.* Relativo a orgia; que tem caráter de orgia.

orgulhar *v.t.* (conj. 4). Causar orgulho; ufanar. ★ *v.pr.* Sentir orgulho; ufanar-se, envaidecer-se.

orgulho *s.m.* (cat. *orgull*). **1.** Sentimento de dignidade própria, de valor próprio; brio, amor-próprio. **2.** Elevado conceito que alguém faz de si próprio. **3.** Arrogância, soberba. **4.** Apreço, consideração.

orientação *s.f.* (lat. *oriens, orientis,* oriente). **1.** Ação de determinar, do lugar onde se encontra o observador, a direção dos pontos cardeais. **2.** Posição de um objeto em relação aos pontos cardeais. **3.** *Fig.* Direção, impulso. ● **Topogr.** Ângulo de direção tomado a partir do norte magnético, considerado no sentido inverso ao da agulha imantada.

orientador (ô) *adj.* e *s.m.* Que ou aquele que orienta; diretor, guia.

oriental *adj.2g.* (lat. *orientalis*). **1.** Relativo ou situado a oriente ou ao Oriente. **2.** Pertencente ao Oriente ou aos orientais. ● **Astron.** Diz-se do planeta que nasce antes do Sol e é visível, pela manhã, do lado do Oriente. ★ *s.2g.* O natural ou habitante do Oriente. ★ *s.m.pl.* Os povos do Oriente, especialmente os da Ásia.

traje tradicional de autoridade militar do Oriente Próximo

orientalismo *s.m.* **1.** Qualidade ou caráter do que é oriental. **2.** Conjunto das ciências humanas relativas aos costumes, idéias, tradições e culturas dos povos orientais.

orientar *v.t.* (lat. *oriens, orientis*) [conj. 4]. **1.** Dispor (uma coisa) de acordo com a posição que deve ter em relação aos pontos cardeais. **2.** Dirigir, guiar, encaminhar. **3.** *Fig.* Sugerir direções, aconselhar. ● **Mat.** Posicionar uma reta, um vetor ou figura geométrica de acordo com um sistema de eixos de referência. ★ *v.pr.* **1.** Reconhecer, do lugar onde se encontra, a direção dos pontos cardeais, a fim de poder guiar-se. **2.** Dirigir-se para.

oriente *s.m.* (lat. *oriens, orientis*). **1.** Lado do horizonte em que o sol se levanta; nascente, levante. **2.** Hemisfério leste da Terra, em relação ao meridiano de Greenwich. **3.** Conjunto dos países e povos situados nessa parte do planeta. **4.** Ponto do horizonte em que o sol surge por ocasião dos equinócios; leste, este. **5.** Área que, em relação a um ponto de referência, está do lado em que o sol nasce.

orifício *s.m.* (lat. *orificium*). Pequena abertura, em regra de forma redonda, que dá entrada para uma cavidade; furo, buraco.

origem *s.f.* (lat. *origo, originis*). **1.** Primeira manifestação; começo, princípio. **2.** Nascimento, ascendência. **3.** Causa, motivo. **4.** Proveniência. **5.** Etimologia. ● **Mat.** Ponto pelo qual passam todos os eixos de coordenadas e cujas coordenadas são todas iguais a zero.

original *adj.2g.* (lat. *originalis*). **1.** Relativo a ou que remonta à origem; primitivo. **2.** Que parece produzir-se pela primeira vez; não copiado, não imitado. **3.** Extraordinário, singular. **4.** Extravagante, excêntrico, singular. **5.** Diz-se da primeira redação de um texto, preparada pelo autor, ou da primeira edição de uma obra impressa. ★ *s.m.* **1.** Pessoa excêntrica. **2.** Texto original. **3.** Obra de arte produzida por um artista. **4.** Modelo primitivo.

originalidade *s.f.* **1.** Qualidade, caráter de original. **2.** Caráter singular, extravagante, excêntrico.

originar *v.t.* (lat. *origo, originis*) [conj. 4]. Dar origem a; causar, motivar. ★ *v.pr.* Ser proveniente, oriundo.

originário *adj.* (lat. *originarius*). **1.** Que tem origem em; que deve sua origem a. **2.** Proveniente, oriundo, procedente. **3.** Primitivo.

oriundo *adj.* (lat. *oriundus*). Originário, proveniente, natural de.

orixá *s.m.* Cada uma das divindades dos cultos afro-brasileiros, que personificam aspectos da natureza e/ou atividades humanas. (Sin. SANTO.)

ORIXÁ ▸ Os orixás também representam aspectos da personalidade humana. No Brasil, em Cuba e no Haiti, cada orixá é associado a um santo católico. Acima deles está Olorum, o deus supremo. As aventuras dos orixás femininos e masculinos, seus casamentos e conflitos, formam uma rica mitologia.

orizicultura *s.f.* (do lat. *oryza,* arroz). Cultura de arroz; rizicultura.

orla *s.f.* **1.** Borda, bordo, rebordo. **2.** Margem, faixa, beira. **3.** Barra de saias ou vestidos. ● **Arquit.** Filete executado sob o ornato oval de um capitel.

orlar *v.t.* (conj. 4). **1.** Ornar em redor, pôr orla em. **2.** Estar situado à orla ou margem de. **3.** Debruar, embainhar. **4.** Envolver, aureolar.

ornamentação *s.f.* (lat. *ornare,* ornar). **1.** Ato ou efeito de ornamentar(-se). **2.** Arte ou processo de distribuir ou dispor os ornamentos. **3.** Ornato, enfeite, ornamento.

ornamental *adj.2g.* **1.** Relativo a ornamentos. **2.** Que serve ou pode servir de ornamento; decorativo.

ornamentar *v.t.* (conj. 4). **1.** Guarnecer com ornamentos; ornar, adornar, decorar. **2.** Realçar, abrilhantar. ★ *v.pr.* Adornar-se, enfeitar-se.

ornamentista *adj.2g.* e *s.2g.* Diz-se de ou pessoa especializada na produção de ornamentos desenhados ou gravados, especialmente em obras de arquitetura.

A B C D E F G H I J K L M N O P Q R S T U V W X Y Z

ornamento *s.m.* (lat. *ornamentum*). **1.** Ato ou efeito de ornamentar(-se). **2.** Tudo o que orna ou serve para ornar; ornato, adorno. **3.** *Fig.* Qualidade de expressão. **4.** O que dá lustre ou glória. ● **Mús.** Grupo de notas, improvisadas ou escritas, destinadas a embelezar ou variar uma melodia vocal ou instrumental.

ornar *v.t.* (lat. *ornare*) [conj. 4]. **1.** Guarnecer com ornatos; enfeitar, adornar, ornamentar, decorar. **2.** Aprimorar, embelezar. **3.** *Fig.* Aprimorar com ornatos de estilo; enriquecer. **4.** *Fig.* Ilustrar, engrandecer, glorificar. ★ *v.pr.* Enfeitar-se, embelezar-se, adornar-se.

ornato *s.m.* (lat. *ornatus*). **1.** Adorno, ornamento, enfeite. **2.** Qualquer elemento não utilitário, destinado à decoração em arquitetura, mobiliário, ourivesaria; ornamento.

ornear *v.i.* (conj. 15). Zurrar.

ornejar *v.i.* (conj. 4). Zurrar.

ornejo (ê) *s.m.* Zurro.

ornitina *s.f.* Aminoácido básico, importante para a ureogênese.

ornitologia *s.f.* Ramo da zoologia que estuda as aves.

ornitorrinco *s.m.* (do gr. *ornis, ornithos,* ave, e *rhynkhos,* bico). Mamífero monotremado, ovíparo, adaptado à vida aquática, provido de bico córneo, pés com palmoura e rabo achatado, que ocorre na Austrália e Tasmânia.

orogênese ou **orogenia** *s.f.* (do gr. *oros,* montanha). Conjunto dos processos geodinâmicos pelos quais se formam as cadeias de montanhas.

orografia *s.f.* Descrição do relevo terrestre.

orquestra *s.f.* (gr. *orkhestra*). **1.** Conjunto de instrumentistas reunidos para a execução de uma obra musical. **2.** Parte da sala teatral onde ficam os instrumentistas, próxima ao palco.

orquestração *s.f.* **1.** Arte de instrumentar uma partitura musical. **2.** Adaptação de uma peça musical para orquestra. **3.** *Fig.* Combinação harmoniosa e conciliadora.

orquestral *adj.2g.* Relativo a ou executado por orquestra.

orquestrar *v.t.* (conj. 4). **1.** Instrumentar uma partitura musical. **2.** Adaptar uma peça musical para orquestra. ★ *v.t.* e *v.pr.* Combinar(-se), harmonizar(-se).

orquidáceas *s.f.pl.* Família de plantas monocotiledôneas, herbáceas, terrestres ou epífitas, algumas vezes trepadeiras, ornamentais, como a orquídea, e de uso comercial, como a baunilha.

orquidário *s.m.* Lugar onde as orquídeas são cultivadas ou colecionadas.

orquídea *s.f.* (gr. *orkhis,* testículo). Nome comum a diversas espécies de plantas terrestres ou epífitas, herbáceas, de raízes adventícias e flores de múltiplas cores e formato característico.

orquite *s.f.* Inflamação do testículo.

órtese *s.f.* Peça ou aparelho colocado na parte externa de um membro com deficiência, para fins de reabilitação ou melhora no funcionamento. (Cf. PRÓTESE.)

ortocentro *s.m.* Ponto de intersecção das mediatrizes de um triângulo.

ortodontia *s.f.* Parte da odontologia que previne e corrige as incorreções nas posições dentárias.

ortodoxia (cs) *s.f.* **1.** Qualidade de ortodoxo. **2.** Conjunto de doutrinas da Igreja Ortodoxa. **3.** Intransigência com relação a tudo o que é novo.

ortodoxo (cs) *adj.* (gr. *orthodoxos,* que tem a opinião certa). **1.** Que se conforma estritamente à doutrina de uma religião. **2.** *P. ext.* Que segue os princípios tradicionais de uma doutrina, costumes antigos etc. ● **Relig.** Relativo à Igreja Ortodoxa, igreja cristã oriental, separada de Roma após 1054. ★ *s.m.* **Relig.** Pessoa ortodoxa. Membro de qualquer ramo da Igreja Ortodoxa.

ortoépia *s.f.* (gr. *orthoepeia,* palavra pronunciada corretamente). Ciência que define a pronúncia correta de um fonema ou de uma palavra.

ortogonal *adj.2g.* Que forma um ângulo reto. ● **Mat.** Diz-se de dois vetores cujo produto escalar é nulo.

ortografar *v.t.* (conj. 4). **1.** Escrever segundo as regras ortográficas; aplicar a ortografia a. **2.** Grafar. ★ *v.i.* Escrever corretamente.

ortografia *s.f.* (gr. *orthographia,* escrita correta). **1.** Conjunto de regras e de usos definidos como norma que se prestam para escrever as palavras de uma dada língua. **2.** Habilidade, conhecimento dessas regras e usos. **3.** Modo de se escrever as palavras. **4.** Grafia correta de uma palavra. ● **Geom.** Perfil ou corte perpendicular.

ortográfico *adj.* **1.** Relativo à ortografia. **2.** *Sinais ortográficos,* sinais que indicam a pronúncia correta e integram a ortografia das palavras (acentos, trema etc.).

ortógrafo *s.m.* Aquele que é versado nas leis ortográficas da língua.

ortopedia *s.f.* Parte da medicina e da cirurgia que tem por objetivo o estudo e o tratamento das afecções do esqueleto, como lesões e fraturas.

ortopédico *adj.* **1.** Relativo à ortopedia. **2.** *Cirurgia ortopédica,* especialidade médica que agrupa todos os tratamentos relacionados aos ossos e às articulações.

ortopedista *adj.2g.* e *s.2g.* **1.** Que ou aquele que pratica a ortopedia. **2.** Especialista em ortopedia.

ortópteros *s.m.pl.* Ordem de insetos hemimetábolos, com peças bucais mastigadoras, asas anteriores coriáceas e posteriores membranosas, que se abrem como leque sob as anteriores, que engloba os grilos e as baratas.

ortorrômbico *adj.* Diz-se de um sistema cristalino cuja simetria do retículo é a de um paralelepípedo retângulo ou a de um prisma reto de base losangular.

orvalhar *v.t.* (conj. 4). **1.** Molhar ou umedecer com orvalho. **2.** Borrifar ou aspergir com gotas de qualquer líquido. **3.** Molhar. ★ *v.i.* **1.** Cair orvalho. **2.** *Fig.* Chuviscar, garoar. ★ *v.pr.* **1.** Cobrir-se de orvalho. **2.** Umedecer-se, molhar-se.

A B C D E F G H I J K L M N **O** P Q R S T U V W X Y Z

orvalho *s.m.* **1.** Gotículas muito finas de vapor de água condensado que se precipitam da atmosfera durante a noite e pela manhã. **2.** Chuva miúda; garoa.

Os símbolo químico do ósmio.

oscilação *s.f.* (lat. *oscillatio, oscillationis*). **1.** Ato ou efeito de oscilar. **2.** Movimento de um corpo que passa e torna a passar alternadamente pelas mesmas posições. **3.** Movimento de vaivém; balanço. **4.** *Fig.* Estado de incerteza, dúvida, indecisão.

oscilar *v.i.* (lat. *oscillare*) [conj. 4]. **1.** Deslocar-se alternadamente de um lado para outro, em sentidos opostos. **2.** Abalar-se, tremer. **3.** Hesitar, vacilar. ★ *v.t.* **1.** Alternar, variar. **2.** Mover de um lado para o outro.

oscilatório *adj.* **1.** Que é da natureza da oscilação; oscilante. **2.** *Fig.* Indeciso, incerto.

osciloscópio *s.m.* Aparelho utilizado para o estudo de fenômenos físicos oscilatórios.

oscitação *s.f.* Bocejo.

oscitar *v.i.* (conj. 4). Bocejar.

oscular *v.t.* (lat. *osculari*) [conj. 4]. Dar ósculos em; beijar.

ósculo ou **osculo** *s.m.* (lat. *osculum,* beijo, pequena boca). Beijo. ● **Zool.** Orifício de saída da água de uma esponja.

ose *s.f.* Sin. de MONOSSACARÍDEO.

osga *s.f.* (ár. *usga*). *Pop.* Má vontade, ódio, aversão. ● **Zool.** Réptil escamado, originário da África, de hábitos crepusculares, que ocorre no Amazonas, Pará e Maranhão.

ósmio *s.m.* (gr. *osme,* cheiro). Elemento químico (símb. Os) de número atômico 76, que constitui um metal branco-azulado, encontrado na natureza.

osmorregulação *s.f.* Processo pelo qual um animal mantém a concentração da água, sais e íons do corpo a um nível estável e tolerável.

osmose *s.f.* (gr. *osmos,* impulso). *Fig.* Penetração, influência recíproca. ● **Fisiol.** Fenômeno de difusão entre duas soluções de concentração diferente, através de uma membrana permeável.

osmótico *adj.* **1.** Relativo à osmose. **2.** *Pressão osmótica,* diferença de pressão existente entre dois compartimentos que contêm soluções de diferentes concentrações do mesmo soluto no mesmo solvente e separado por uma membrana semipermeável que só deixa passar as moléculas do solvente.

OSO abrev. de OÉS-SUDOESTE.

ossada *s.f.* **1.** Grande quantidade de ossos. **2.** Ossos de homens ou de animais descarnados e secos. **3.** Ossos de um cadáver. **4.** *Fig.* Restos, destroços. **5.** Estrutura, armação, esqueleto.

ossatura *s.f.* **1.** Conjunto de ossos; esqueleto de um homem ou de um animal. **2.** Armação, carcaça que sustém um todo.

osseína *s.f.* Constituinte nitrogenado do tecido celular subcutâneo, da cartilagem e dos ossos; osteína.

ósseo *adj.* (lat. *osseus*). **1.** Que tem a natureza do osso. **2.** Relativo ou pertencente ao osso. **3.** *Sistema ósseo,* conjunto de ossos que compõem o arcabouço do corpo. ► *Tecido ósseo,* tecido orgânico que constitui a parte dura dos ossos.

ossículo *s.m.* (lat. *ossiculum*). Osso pequeno. ● **Anat.** *Ossículos auditivos,* nome dado a três elementos do ouvido médio (martelo, bigorna e estribo), que transmitem as vibrações da membrana timpânica para a janela oval.

ossificação *s.f.* **1.** Conjunto de fenômenos tissulares e bioquímicos que, pela precipitação de sais de cálcio, levam à formação de um tecido ósseo a partir de um tecido frouxo. **2.** *Ponto de ossificação,* zona a partir da qual se desenvolve a ossificação.

ossificar *v.t.* e *v.pr.* (conj. 12). Transformar(-se) em osso.

osso (ô) *s.m.* (lat. *os, ossis*). **1.** Parte dura e sólida que forma o esqueleto do corpo do homem e dos animais vertebrados. **2.** *Fig.* Dificuldade. ● **Zool.** *Osso pneumático,* osso das aves, provido de cavidades aéreas, que diminui a densidade do animal e facilita o vôo.

ossuário *s.m.* (b.-lat. *ossuarium*). **1.** Local onde se depositam ossos do cemitério. **2.** Vala ou sepulcro com muitos cadáveres.

ossudo *adj.* Que tem os ossos muito salientes ou grandes.

osteína *s.f.* Osseína.

osteíte *s.f.* (do gr. *osteon,* osso). Afecção inflamatória do tecido ósseo.

ostensivo *adj.* (do lat. *ostendere,* estender diante, expor). **1.** Que se quer mostrar ou ostentar. **2.** Aparente, evidente, patente.

ostensório *s.m.* Peça para apresentar ou expor aos fiéis a hóstia consagrada.

ostentação *s.f.* (lat. *ostentatio, ostentationis*). **1.** Ato ou efeito de ostentar(-se). **2.** Afetação na maneira de exibir riquezas ou dotes; exibicionismo. **3.** Alarde de ações ou qualidades. **4.** Riqueza, fausto, luxo.

ostentar *v.t.* (lat. *ostentare*) [conj. 4]. **1.** Exibir ou mostrar com aparato. **2.** Revelar com orgulho, estadear, alardear. ★ *v.pr.* Mostrar-se com ostentação.

ostentoso (ô) *adj.* **1.** Que é feito com ostentação; que manifesta ostentação. **2.** Pomposo, aparatoso, vaidoso.

osteoarticular *adj.2g.* Relativo aos ossos e às articulações.

osteoblasto *s.m.* Célula jovem da medula óssea que elabora osseína.

osteócito *s.m.* Célula óssea adulta.

osteófito *s.m.* Produção óssea nas proximidades de uma articulação. (Sin. BICO-DE-PAPAGAIO.)

osteogênese ou **osteogenia** *s.f.* Parte da embriologia que estuda a origem e a formação do tecido ósseo.

osteogênico *adj.* **1.** Relativo à osteogênese. **2.** *Camada osteogênica,* parte interna do periósteo, relacionada à formação dos ossos.

osteologia *s.f.* Parte da anatomia que estuda os ossos.

osteomielite *s.f.* Inflamação dos ossos e da medula óssea.

osteopatia *s.f.* Nome genérico das doenças que afetam os ossos.

osteoplastia *s.f.* Restauração cirúrgica de um osso a partir de fragmentos ósseos retirados das vizinhanças da falha óssea ou de local mais distante.

osteoplástico *adj.* Relativo à osteoplastia.

osteoporose *s.f.* Desmineralização generalizada do esqueleto provocada por rarefação da trama protéica do osso.

osteotrópico *adj.* Diz-se de uma substância que se fixa eletivamente sobre os ossos.

óstio *s.m.* **1.** Cada um dos poros pelos quais a água entra no corpo das esponjas. **2.** Abertura presente nos septos das anêmonas-do-mar, que permite a circulação de água entre os compartimentos internos. **3.** Pequena abertura do coração dos artrópodes, que serve de entrada para o sangue.

ostíolo *s.m.* Nome genérico dado a qualquer abertura de um órgão vegetal, em especial ao orifício do estômato pelo qual se realiza a troca gasosa.

ostra (ô) *s.f.* (gr. *ostreon*). Nome comum a moluscos bivalves, marinhos, comestíveis, que vivem em colônias fixas às rochas, com algumas espécies produtoras de pérolas. (Sin. GUERIRI.)

ostracismo *s.m.* (gr. *ostrakismos*). **1.** Julgamento do povo de Atenas pelo qual se bania por dez anos um cidadão cujo poder ou ambição eram temidos; exílio, desterro. **2.** Ato ou efeito de excluir alguém de um grupo, partido ou do poder; marginalização.

ostreicultor (ô) *s.m.* Pessoa que pratica a ostreicultura.

ostreicultura *s.f.* (do gr. *ostrea*). Cultura de ostras; ostricultura.

ostrogodo (ô) *adj.* Relativo ou pertencente aos ostrogodos, povo godo. ★ *s.m.* Indivíduo dos ostrogodos.

otalgia *s.f.* (do gr. *ous, otos,* ouvido). Dor de ouvido.

otário *adj.* e *s.m.* (esp. *otario,* gír. argentina). *Gír.* Que ou aquele que se deixa enganar facilmente; bobo.

ótica *s.f.* Var. de ÓPTICA.

ótico[1] *adj.* e *s.m.* Var. de ÓPTICO.

ótico[2] *adj.* (gr. *ous, otos,* ouvido). Relativo ao ouvido.

otimismo *s.m.* **1.** Crença segundo a qual o bem prevalece sobre o mal no mundo. **2.** Disposição de espírito que inclina a tomar ou ver as coisas pelo lado bom. **3.** Atitude dos que esperam sempre que as coisas melhorem.

otimista *adj.2g.* Relativo a ou que dá mostras de otimismo. ★ *s.2g.* **1.** Partidário do otimismo. **2.** Pessoa otimista.

otimizar *v.t.* (conj. 4). Criar condições favoráveis para fornecer a algum processo, empresa, máquina etc. o rendimento máximo possível.

ótimo *adj.* (lat. *optimus*). **1.** Superlativo de bom. **2.** Muito bom, magnífico. **3.** Diz-se do estado considerado o mais favorável. ★ *s.m.* Estado, grau de desenvolvimento de algo considerado o mais favorável com relação às circunstâncias dadas.

otite *s.f.* (do gr. *ous, otos*). Inflamação do ouvido.

otologia *s.f.* Parte da anatomia, da fisiologia e da patologia que se relaciona com o ouvido.

otomano *adj.* e *s.m.* Turco.

otorrino *s.m.* Forma reduzida de otorrinolaringologista.

otorrinolaringologia *s.f.* Especialidade médica que estuda a anatomia, a fisiologia e as doenças do ouvido, do nariz e das cavidades sinusais, da faringo-laringe e das regiões vizinhas.

otorrinolaringologista *s.2g.* Médico especialista em otorrinolaringologia.

ou *conj.* (lat. *aut*). **1.** Introduz orações coordenadas alternativas. Ex.: *Decida* ou *esqueça.* **2.** Introduz orações coordenadas explicativas: Ex.: *Resignar-se,* ou *engolir a ofensa, era a única opção.* **3.** *Ou seja,* isto é.

ourela *s.f.* **1.** Orla, borda. **2.** Margem, beira, costa. ● **Têxt.** Tira de fios de urdimento de cores diferentes nas duas bordas de uma peça de fazenda.

ouriçar *v.t.* (conj. 13). **1.** Eriçar, tornar semelhante ao ouriço. **2.** Tornar áspero; encrespar. ★ *v.pr.* **1.** Pôr-se a prumo, encrespar-se. **2.** Agitar-se, excitar-se.

ouriço *s.m.* (lat. *ericius*). **1.** Sin. de OURIÇO-CACHEIRO. **2.** Invólucro ou casca espinhosa de alguns frutos, tais como a castanha. ● **Fisiol.** Cristalização do oxalato de cálcio no interior de células vegetais.

ouriço-cacheiro *s.m.* Mamífero roedor noturno que se caracteriza pela presença de espinhos no corpo e pela capacidade de se enrolar como uma bola. (Sin. OURIÇO, PORCO-ESPINHO.)

ouriço-do-mar *s.m.* Equinodermo marinho da classe dos equinóides, desprovido de braços, que apresenta simetria radial e tegumento coberto por espinhos. (Sin. PINDÁ.)

ourives *s.m.2n.* (lat. *aurifex, aurificis*). Artesão ou comerciante de trabalhos em ouro e em prata.

ourivesaria *s.f.* **1.** Arte de fabricar objetos com metais preciosos, principalmente prata e ouro. **2.** Obra do ourives. **3.** Estabelecimento onde se fabricam ou se vendem jóias.

ouro *s.m.* (lat. *aurum*). **1.** Elemento químico (símb. Au) de número atômico 79, que constitui um metal precioso de brilho dourado intenso, muito denso e maleável, bastante resistente à corrosão e ao ataque de ácidos. **2.** Moeda de ouro. **3.** Cor amarela e brilhante desse metal. **4.** *Fig.* Riqueza, opulência. **5.** *Fig.* Coisa preciosa, de grande valor. ● **Miner.** *Ouro branco,* liga de ouro, paládio e cobre. ▸ *Ouro falso,* ouropel. ▸ *Ouro vermelho,* liga de ouro e cobre. ★ *s.m.pl.* Um dos naipes do baralho, simbolizado por um losango vermelho.

ouropel *s.m.* (fr. *oripel*). **1.** Liga de prata, cobre e zinco, usada para imitar o ouro; ouro falso. **2.** Tudo o que tem falso brilho.

ousadia *s.f.* **1.** Qualidade de ousado; coragem, galhardia. **2.** Audácia, atrevimento. **3.** Temeridade, imprudência.

ousado *adj.* **1.** Audaz, destemido, corajoso. **2.** Atrevido, audacioso. **3.** Imprudente.

ousar *v.t.* (conj. 4). **1.** Ser bastante corajoso para; atrever-se a. **2.** Decidir-se a; empreender. **3.** Tentar com audácia.

outdoor *s.m.* (ingl.) Grande painel publicitário colocado ao ar livre.

outeiro *s.m.* Pequena eminência de terra firme; pequeno monte.

outonal *adj.2g.* (lat. *autumnalis*). Relativo ao ou próprio do outono.

outono *s.m.* (lat. *autumnum*). **1.** Estação do ano que sucede ao verão e precede o inverno e que, no hemisfério Sul, vai de 20 ou 21 de março a 21 ou 22 de junho. **2.** O tempo da colheita. **3.** *Fig.* Decadência, ocaso.

outorga *s.f.* Ato ou efeito de outorgar.

outorgar *v.t.* (conj. 14). **1.** Consentir em; aprovar. **2.** Conceder, conferir, facultar. **3.** Conceder em escritura pública. ★ *v.pr.* Reconhecer-se, confessar-se.

output *s.m.* (ingl.). Sin. de SAÍDA.

outrem *pron. indef.* (lat. *alteri*). O outro, o próximo.

outro *pron. indef.* (lat. *alter*). **1.** Distinto, diferente. **2.** Um segundo, mais um. **3.** Seguinte, ulterior. ★ *adj.* Novo.

outrora *adv.* Em outro tempo; antigamente.

outrossim *adv.* Também, igualmente.

outubro *s.m.* (lat. *october*). O décimo mês do ano, que possui 31 dias.

ouvido *s.m.* Faculdade de ouvir, de perceber os sons; audição. ● **Anat.** Órgão par da audição e do equilíbrio. **Arm.** Orifício por onde se comunica fogo às cargas das armas ou peças de artilharia. **Mús.** Abertura no tampo dos instrumentos de cordas, ou orifício nos instrumentos de palheta. ► Facilidade de fixar na memória peças musicais ou de distinguir qualquer falta de afinação.

ouvidor (ô) *s.m.* **1.** Aquele que ouve; ouvinte. **2.** *Ant.* Juiz que os donatários coloniais punham em suas terras; mais tarde, magistrado com funções semelhantes às do atual juiz de direito.

ouvinte *s.2g.* **1.** Pessoa que escuta um discurso, um programa radiofônico etc.; ouvidor. **2.** Aluno que segue informalmente um curso de um estabelecimento de ensino, sem obrigação de preencher os requisitos e aprovação e sem direito às vantagens legais do diploma. **3.** Indivíduo que recebe enunciados produzidos por um falante; receptor.

ouvir *v.t.* (lat. *audire*) [conj. 71]. **1.** Entender, perceber os sons pelo sentido do ouvido, da audição. **2.** Dar atenção, considerar, atender. **3.** Escutar os conselhos, as razões de. **4.** Receber o depoimento; inquirir.

ova *s.f.* (lat. *ova*, pl. de *ovum*, ovo). Ovário dos peixes, com os respectivos ovos.

ovação *s.f.* (lat. *ovatio, ovationis*). Aclamação, honras prestadas a alguém por uma assembléia ou pela multidão.

ovacionar *v.t.* (conj. 4). Fazer ovação a; aclamar.

oval *adj.2g.* (lat. *ovalis*). **1.** Que tem mais ou menos a forma de um ovo. **2.** Diz-se de toda curva que tem o traçado geral de uma elipse. **3.** Diz-se de um sólido de revolução que tem o traçado geral de um elipsóide de revolução plana. **4.** Diz-se de um plano limitado por uma curva desse gênero. ★ *s.f.* **1.** Figura plana ou sólida em forma de ovo. **2.** Curva fechada composta de quatro arcos de círculo que se encontram, iguais dois a dois. **3.** A curva ou a superfície oval.

ovante *adj.2g.* (lat. *ovans, ovantis*). Que recebe ovação; triunfante, jubiloso.

ovar *v.t.* (conj. 4). **1.** Pôr ovos. **2.** Criar ovos ou ovas.

ovário *s.m.* Glândula genital feminina, par e simétrica, situada de cada lado do útero, produtora dos gametas femininos. ● **Bot.** Parte do pistilo da flor das angiospermas que contém os óvulos e que, após a fecundação, transforma-se geralmente no fruto.

ovaríolo *s.m.* Cada um dos tubos afilados que em conjunto constituem o ovário das fêmeas dos insetos.

ovelha (ê) *s.f.* (lat. *ovicula*, pequena ovelha). **1.** Fêmea do carneiro. **2.** *Fig.* O fiel, o cristão, em relação ao sacerdote, seu pastor espiritual. **3.** *Fig.* Pessoa pacífica, muito cordata.

ovelhum *adj.2g.* Relativo à ovelha; ovino.

overdose *s.f.* (ingl.). Dose muito forte de uma droga pesada que provoca acidentes graves (coma, morte); superdose.

overloque *s.m.* (ingl. *overlock*). **1.** Dispositivo de uma máquina de costura industrial que executa o chuleado. **2.** O chuleado assim obtido.

overnight *s.m.* (ingl.). Operação financeira do mercado aberto que ocorre num prazo de 24 horas; *over.*

oviário *s.m.* **1.** Rebanho de ovelhas. **2.** Ovil.

ovígero *adj.* **1.** Que contém ovos ou corpúsculos reprodutores. **2.** *Disco ovígero*, disco prolígero.

ovil *s.m.* (lat. *ovilis*). Curral de ovelhas; aprisco, redil, oviário.

ovino *adj.* (lat. *ovinus*). Relativo às ovelhas, aos carneiros. ★ *s.m.* Ovelha ou carneiro.

ovinocultor (ô) *s.m.* Criador de ovelhas.

ovinocultura *s.f.* Criação de ovelhas.

oviparidade *s.f.* Modo de reprodução animal, no qual a fêmea põe os ovos e o embrião se desenvolve externamente ao corpo materno.

ovíparo *adj.* (lat. *oviparus*). Diz-se do animal que se reproduz por meio de ovos.

ovo (ô) *s.m.* (lat. *ovum*). **1.** Célula que resulta da fusão de um gameta masculino e de um gameta feminino e que, por divisão, dará um novo ser, animal ou vegetal. **2.** Corpo orgânico que contém uma célula-ovo ou um embrião e que é posto pela fêmea de muitos animais. **3.** O ovo das aves, especialmente o da galinha. **4.** *Fig.* Germe, princípio.

OUVIDO ► A maioria dos mamíferos terrestres tem pavilhões auriculares. Trata-se de expansões exteriores do ouvido (ou orelha), que canalizam as ondas sonoras, ajudando a distinguir a direção dos sons. O ouvido interno (ou orelha interna), por sua vez, tem duas funções principais nos seres humanos: detectar e transmitir ao cérebro as vibrações do ar, percebidas como som, e fornecer informações sobre a posição da cabeça, essencial para manter o equilíbrio.

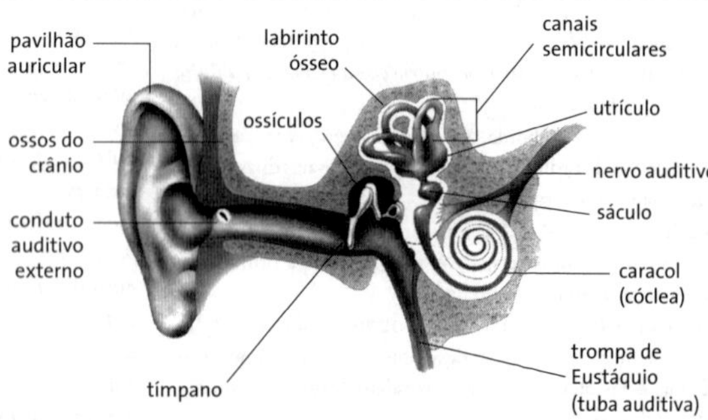

ovócito *s.m.* Var. de OÓCITO.

ovogênese *s.f.* Var. de OOGÊNESE.

ovóide *adj.2g.* (do lat. *ovum,* ovo). Que tem a forma de ovo.

ovoviviparidade *s.f.* Modo de reprodução animal no qual o ovo é mantido dentro do organismo materno até o desenvolvimento do embrião, que se alimenta exclusivamente das reservas nutritivas do ovo.

ovovivíparo *adj.* e *s.m.* Diz-se de ou animal que se reproduz por ovoviviparidade.

ovulação *s.f.* Função exócrina do ovário, que leva à liberação periódica de um óvulo.

ovular *adj.2g.* **1.** Relativo ao óvulo. **2.** Que apresenta a forma de um ovo de galinha.

óvulo *s.m.* (lat. *ovulum,* pequeno ovo). Gameta feminino destinado a ser fecundado. ● **Bot.** Pequeno órgão contido no ovário das flores, que encerra a célula-ovo, ou oosfera, de onde sairá a semente após a fecundação pelo pólen. **Med.** Pequeno sólido ovóide que contém substância medicamentosa destinada à aplicação vaginal.

oxácido (cs) *s.m.* Var. de OXIÁCIDO.

oxalá (ár. *wa xa illah,* queira Deus) *interj.* Expressão do desejo de que certa coisa suceda; tomara, queira Deus.

oxalidáceas (cs) *s.f.pl.* Família de plantas dicotiledôneas, em geral herbáceas, bulbosas e de flores pequenas, como a caramboleira e a azedinha.

oxiácido (cs) *s.m.* Ácido cuja fórmula encerra oxigênio. (Var. OXÁCIDO.)

oxidação (cs) *s.f.* Ato ou efeito de oxidar(-se). ● **Quím.** Reação química, freqüentemente provocada pelo oxigênio, pela qual se retiram elétrons de um átomo ou de uma molécula. ▸ Estado do que é oxidado.

oxidado (cs) *adj.* Alterado pela ação do oxigênio; enferrujado. ● **Quím.** Diz-se do elemento químico que sofreu oxirredução.

oxidante (cs) *adj.2g.* e *s.m.* Que ou o que tem a propriedade de oxidar; agente da oxidação.

oxidar (cs) *v.t.* (conj. 4). **1.** Converter em óxido. **2.** Combinar com o oxigênio; enferrujar. ★ *v.pr.* Passar ao estado de óxido; enferrujar-se.

oxidase (cs) *s.f.* Enzima que catalisa especificamente a fixação do oxigênio molecular ao hidrogênio de um substrato.

oxidável (cs) *adj.2g.* Suscetível de se oxidar.

óxido (cs) *s.m.* Composto resultante da combinação de um elemento ou de um radical com o oxigênio.

oxidrase (cs) *s.f.* Enzima que catalisa a desidrogenação de um substrato, com formação de água oxigenada.

oxídrico (cs) *adj.* Diz-se de uma mistura gasosa de hidrogênio e oxigênio.

oxiemoglobina (cs) *s.f.* Var. de OXI-HEMOGLOBINA.

oxigenação (cs) *s.f.* Ação de oxigenar. ● **Med.** *Oxigenação do sangue,* fixação do oxigênio pela hemoglobina. Oxigenoterapia.

oxigenado (cs) *adj.* **1.** Que contém oxigênio. **2.** Descolorido pelo oxigênio. ● **Quím.** *Água oxigenada,* solução aquosa de peróxido de hidrogênio.

oxigenar (cs) *v.t.* (conj. 4). **1.** Elaborar a combinação ou a mistura de uma substância com o oxigênio. **2.** Praticar uma oxigenoterapia. **3.** Descolorir com água oxigenada.

oxigênio (cs) *s.m.* (do gr. *oxys,* azedo). **1.** Elemento químico (símb. O) de número atômico 8, que constitui um gás incolor e inodoro, abundante na natureza, de grande importância à vida. **2.** *P. ext.* Ar puro, não poluído.

oxigenoterapia (cs) *s.f.* Tratamento médico pelo oxigênio; oxigenação.

oxi-hemoglobina (cs) *s.f.* Combinação instável de hemoglobina e de oxigênio, forma pela qual o oxigênio atinge os tecidos do organismo. (Var. OXIEMOGLOBINA.)

oxirredução (cs) *s.f.* Ação química de uma substância oxidante sobre uma substância redutora, com uma oxidação do redutor simultânea a uma redução do oxidante.

oxirredutase (cs) *s.f.* Enzima catalisadora das reações de oxidação e de redução no organismo.

oxítono (cs) *adj.* e *s.m.* (gr. *oxytonos,* que tem acento agudo). Diz-se de ou palavra cujo acento de intensidade recai na última sílaba.

oxiuríase (csi-u) *s.f.* Parasitose freqüente nas crianças, devido à presença de oxiúros no intestino. (Sin. OXIUROSE.)

oxiúro (cs) *s.m.* (do gr. *oxys,* agudo, e *oura,* cauda). Verme nematóide parasita do intestino do homem.

oxiurose (csi-u) *s.f.* Sin. de OXIURÍASE.

oxônio (cs) *s.m.* Cátion monovalente composto de um átomo de oxigênio e três de hidrogênio; hidroxônio, hidrônio.

ozona *s.f.* Var. de OZÔNIO.

ozônio *s.m.* (gr. *ozein,* ter mau cheiro). Substância gasosa simples, composta de três átomos de oxigênio, que constitui uma variedade alotrópica do oxigênio encontrada na atmosfera. (Var. OZONA.)

ozonização *s.f.* **1.** Ação de ozonizar. **2.** Transformação em ozônio. **3.** Esterilização da água pelo ozônio.

ozonizar *v.t.* (conj. 4). Fazer o ozônio agir sobre um corpo (em particular, a água), a fim de esterilizá-lo ou transformá-lo.

ozonosfera *s.f.* Camada da atmosfera terrestre compreendida entre 15 e 40 km de altitude, que contém quase todo o ozônio atmosférico.

Pp Pp Pp

p *s.m.* Décima quinta letra do alfabeto português.

P símbolo químico do fósforo.

Pa símbolo do pascal.

pá *s.f.* (lat. *pala*). **1.** Ferramenta formada de uma chapa de ferro ou madeira mais ou menos côncava, ajustada a um cabo e destinada a remover terra ou detritos. **2.** Elemento constitutivo de uma hélice de avião, navio, ventilador etc. **3.** Parte mais larga e carnuda da perna das reses. **4.** Parte achatada de um remo, que se mergulha na água para impulsionar a embarcação. **5.** Superfície metálica, fixa ou móvel, que serve para canalizar um fluido numa máquina turbo.

paca *s.f.* (tupi *paka,* desperta, vigilante, sempre atenta). Denominação comum a mamíferos roedores de pernas curtas e cauda rudimentar que vivem em regiões próximas de água e cuja carne é muito apreciada como alimento.

pacato *adj.* (lat. *pacatus*). **1.** Que evita situações de disputa; pacífico, sossegado, tranqüilo. **2.** Em que há paz e serenidade; sem perturbação. ★ *s.m.* Indivíduo pacato.

pachola *s.2g.* **1.** Preguiçoso, madraço. **2.** Farsola, farsante. **3.** Mulherengo. ★ *adj.2g.* **1.** Cheio de si; pedante, vaidoso. **2.** Apurado no trajar; elegante.

pachorra (ô) *s.f.* (esp. *pachorra*). **1.** Vagar, lentidão. **2.** Paciência.

paciência *s.f.* (lat. *patientia*). **1.** Virtude que consiste em suportar dores, infortúnios, amolações com resignação. **2.** Perseverança. **3.** Jogo de cartas para uma só pessoa.

paciente *adj.2g.* e *s.2g.* (lat. *patiens, patientis*). Que ou o que recebe uma ação (p. opos. a *agente*). ★ *adj.2g.* **1.** Que tem paciência; conformado, resignado. **2.** Tranqüilo, sereno. **3.** Que persevera na execução de uma tarefa difícil e lenta. ★ *s.2g.* **1.** Pessoa que está sob os cuidados de um médico, psicólogo etc. **2.** Doente. ★ *s.m.* **Filos.** Aquilo sobre o que a causa opera. **Gram.** Aquele que recebe a ação praticada por um agente.

pacificação *s.f.* (lat. *pacificatio, pacificationis*). **1.** Ato ou efeito de pacificar(-se). **2.** Restabelecimento da paz e da ordem em um país, em uma sociedade etc. **3.** *Fig.* Apaziguamento.

pacificar *v.t.* (lat. *pacificare*) [conj. 12]. **1.** Restituir a paz; apaziguar. **2.** *Fig.* Restabelecer a calma; acalmar, abrandar. ★ *v.pr.* Voltar à paz; serenar-se, acalmar-se.

pacífico *adj.* (lat. *pacificus*). **1.** Amigo da paz; tranqüilo, sereno. **2.** Que é aceito sem controvérsia ou oposição; indiscutível.

pacifismo *s.m.* (fr. *pacifisme*). **1.** Doutrina daqueles que descartam qualquer tipo de violência como meio de resolver os conflitos. **2.** Sistema dos que defendem a paz universal e o desarmamento mundial.

paco *s.m.* *Gír.* Pacote, maço.

paço *s.m.* (lat. *palatium*). **1.** Residência de reis, bispos ou nobres. (Atualmente o termo se estende também às prefeituras.) **2.** *Fig.* A corte, os cortesãos, as pessoas que habitavam os palácios.

paçoca *s.f.* (tupi *pa'soka*). **1.** Amendoim torrado e moído, adoçado, normalmente sob a forma de tablete. **2.** Carne assada, magra e desfiada, pilada com farinha de mandioca ou de milho. **3.** *Fig.* Confusão, misturada.

pacote *s.m.* **1.** Conjunto de vários objetos amarrados ou embrulhados simultaneamente. **2.** Objeto embrulhado e amarrado para ser mais facilmente transportado. **3.** *Fig.* Logro, embuste. **4.** *Pop.* Série de decretos expedidos de uma só vez.

pacova *s.f.* (tupi *pá'kowa,* folha de enrolar). Espécie de banana grande. ★ *adj.2g.* e *s.2g.* Moleirão, palerma.

pacová *s.f.* Planta herbácea cujo caule atinge 3 m de altura, de flores amarelas, fruto preto, que fornece tinta, sementes aromáticas e rizomas de propriedades medicinais; cana-do-mato, pacová-catinga.

pacto *s.m.* (lat. *pactum*). Acordo, combinação, ajuste. ● **Dir.** Convenção ou acordo entre Estados ou particulares; tratado.

pactuar *v.t.* (conj. 21). **1.** Contratar, combinar, estipular. **2.** Convencionar. ★ *v.i.* Ceder, compactuar.

pacu *s.m.* (tupi *pa'ku*). Peixe teleósteo, onívoro, de carne saborosa, que ocorre nos rios da América do Sul.

pacuera *s.f.* (tupi *piaku'er,* entranhas já tiradas). As maiores vísceras de boi, porco ou carneiro.

padaria *s.f.* Estabelecimento comercial onde se fabrica e vende pães, bolos, biscoitos etc. (Sin. PANIFICADORA.)

padecer *v.t.* (lat. *patescere*) [conj. 25]. **1.** Ser atormentado, martirizado, afligido por; sofrer. **2.** Agüentar, suportar. **3.** Admitir, consentir, permitir. ★ *v.i.* **1.** Ser vítima de violências físicas. **2.** Sentir dores físicas ou morais. **3.** Ser ou estar doente.

padeiro *s.m.* **1.** Proprietário de padaria. **2.** Profissional que fabrica pão. **3.** Vendedor que entrega pão em domicílio.

padieira *s.f.* Verga de porta ou de janela, que firma as duas ombreiras.

padiola *s.f.* (lat. *paleola*). **1.** Tabuleiro com varais usado para transporte de material de construção (areia, pedra etc.). **2.** Armação de madeira ou de metal recoberta por tecido ou borracha que serve para transportar feridos e doentes. (Cf. MACA.)

padrão *s.m.* (lat. *patronus*). **1.** Modelo oficial de pesos e medidas. **2.** *P. ext.* O que serve de base ou referência para avaliação de quantidade ou de qualidade; medida. **3.** Tipo, modelo. **4.** Qualidade, nível. **5.** Desenho decorativo de estamparia e de outros tipos de superfície (azulejo etc.).

padrasto *s.m.* (lat. *padrastus*). O marido com relação aos filhos do matrimônio anterior da esposa.

padre *s.m.* (lat. *pater, patris,* pai). Aquele que já recebeu ordenação sacerdotal; sacerdote.

padrear *v.i.* (conj. 15). Procriar, reproduzir-se (especialmente cavalo ou jumento).

padre-nosso *s.m.* Pai-nosso.

padrinho *s.m.* (lat. *patrinus*). **1.** Aquele que é testemunha no batismo e no sacramento da crisma ou ainda em atos solenes, como colação de grau, casamentos etc. **2.** Patrono, paraninfo. **3.** *Fig.* Protetor.

padroado *s.m.* (lat. *patronatus*). **1.** Direito de servir de protetor, adquirido por quem funda, erige ou dota uma igreja. **2.** Direito de conferir benefícios eclesiásticos.

padroeiro *s.m.* Santo protetor de um território determinado, de uma congregação religiosa ou de uma corporação profissional.

padronização *s.f.* (lat. *patronus,* padrão). **1.** Ato ou efeito de padronizar. **2.** Processo de formação de padrões sociais; estandardização. **3.** Unificação, simplificação. **4.** Uniformização do comportamento dos indivíduos.

padronizado *adj.* **1.** Feito segundo determinado modelo ou padrão; estereotipado. **2.** Diz-se de peça disponível por catálogo e utilizável imediatamente sem modificações; estandardizado, uniformizado. **3.** Comum, vulgar.

padronizar *v.t.* (conj. 4). **1.** Estabelecer o padrão de; estandardizar. **2.** Submeter à padronização. ★ *v.i.* Estabelecer padrões, normas ou modelos.

paga *s.f.* **1.** Pagamento. **2.** Reconhecimento, gratidão que se dá em troca de um favor.

pagamento *s.m.* **1.** Ato ou efeito de pagar, de saldar; paga. **2.** Aquilo que se dá em troco de um serviço; remuneração. **3.** Prestação, cota. **4.** Salário. ● **Dir.** Cumprimento de uma obrigação.

paganismo *s.m.* (lat. *paganismus*). **1.** Religião dos que adoram vários deuses. **2.** Nome dado pelos cristãos às religiões politeístas. **3.** O conjunto dos pagãos.

paganizar *v.t.* (lat. *paganus,* habitante de aldeia) [conj. 4]. **1.** Tornar pagão; descristianizar. **2.** Revestir de um caráter pagão.

pagante *adj.2g.* e *s.2g.* Que ou aquele que paga algo.

pagão *adj.* (lat. *paganus*). **1.** Diz-se do indivíduo não batizado. **2.** Diz-se dos povos politeístas. ★ *s.m.* **1.** Adepto do paganismo. **2.** Indivíduo que não foi batizado.

pagar *v.t.* (lat. *pacare*) [conj. 4]. **1.** Quitar um débito, um imposto. **2.** Remunerar. **3.** Recompensar, retribuir. **4.** Cumprir com uma obrigacão moral. **5.** Reembolsar. **6.** Padecer, expiar.

página *s.f.* **1.** Cada um dos lados de uma folha de papel, avulsas ou inseridas num livro, caderno ou álbum. **2.** O conteúdo do que está escrito ou impresso na página. **3.** Obra ou trecho de obra literária. ● **Inform.** Conjunto de textos, ilustrações etc. contidos em um mesmo arquivo em hipertexto e que pode ser exibido por um programa navegador. (Um *site* na internet é formado por uma ou mais páginas.) **Ind. Gráf.** *Página de rosto,* página em que se faz a apresentação do livro.

paginação *s.f.* **1.** Ação de paginar. **2.** A ordem numérica das páginas de um livro, de um processo etc. **3.** Diagramação de livro ou revista.

paginar *v.t.* (conj. 4). Organizar e numerar as páginas de um livro, registro etc. ★ *v.i.* Dispor tecnicamente o texto composto e as ilustrações de uma página de livro, revista, jornal; diagramar.

pago *adj.* **1.** Que se pagou. **2.** Recompensado, remunerado, assalariado. **3.** *Fig.* Vingado, desforrado.

pagode *s.m.* **1.** Templo de algumas religiões asiáticas. **2.** Brincadeira, pândega, divertimento. **3.** Baile ou festa em que se executam sambas, batucadas etc.

PAGODE ► O pagode característico consiste em uma base quadrada de pedra, colocada em um pedestal baixo; sobre a base, erguem-se diversas estruturas. Os pagodes de três andares são os mais comuns, mas há alguns com até treze andares.

pai *s.m.* (lat. *pater, patris*). **1.** Homem que tem um ou mais filhos. **2.** *P. ext.* Aquele que exerce as funções de pai. **3.** Animal do sexo masculino que gerou outro. **4.** Deus, no sentido bíblico. (Usa-se com maiúscula.) **5.** Criador, inventor, fundador. **6.** Protetor. ● **Teol.** A primeira pessoa da Trindade. ★ *s.m.pl.* O pai e a mãe; os antepassados.

pai-de-santo *s.m.* Chefe masculino de terreiro de candomblé ou de umbanda; babalorixá.

pai-dos-burros *s.m. Pop.* Dicionário.

paina (ãi) *s.f.* (malaiala *panni*). Fibras sedosas, semelhantes ao algodão, que cobrem as sementes de algumas plantas, de aplicação industrial.

paina-de-seda *s.f.* Sin. de PAINEIRA.

painço (a-ín) *s.m.* **1.** Planta de colmo ereto, forrageira, cujas sementes são utilizadas para alimentação de aves. (Sin. MILHO-MIÚDO, MILHETE.) **2.** Planta de flores dispostas em espigas, que fornece grãos ricos em proteínas.

paineira *s.f.* Árvore de grande porte, armada de espinhos, com grandes flores vermelhas ou rosadas, frutos que fornecem a paina, e cuja madeira é própria para a confecção de papel. (Sin. BARRIGUDA, PAINA-DE-SEDA.)

paineira-do-campo *s.f.* Sin. de IMBIRAÇU.

painel *s.m.* (esp. *painel*). **1.** Quadro, pintura. **2.** Cada uma das partes de um retábulo pintado ou esculpido. **3.** Placa de madeira ou metal plana e retangular que serve para fechar um vão. **4.** Quadro onde são fixados os instrumentos de controle de um veículo, maquinismo etc; o conjunto destes aparelhos.

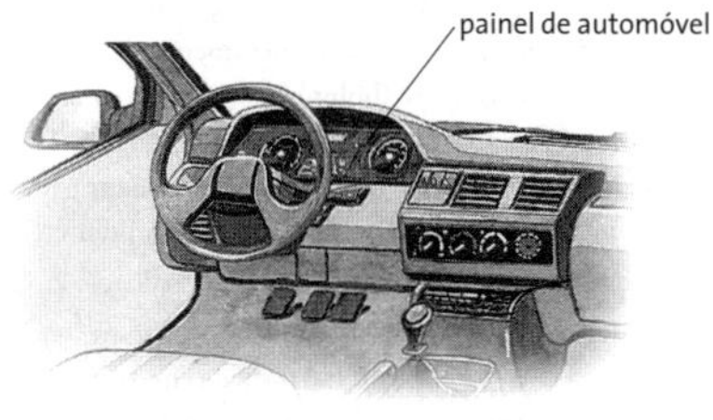

pai-nosso *s.m.* Oração católica dirigida a Deus; padre-nosso.

paio *s.m.* (de *Payo*, n.pr.). Carne de porco acondicionada em tripa de intestino grosso. ★ *adj.* e *s.m. (S)* Toleirão, crédulo, ingênuo.

paiol *s.m.* (cat. *pallol*). **1.** Depósito de pólvora e outros petrechos bélicos. **2.** Casa ou depósito onde se recolhem gêneros agrícolas. **3.** *(MG e SP)* Monte de milho.

pairar *v.i.* (conj. 4). **1.** Esvoaçar sem sair do local; flutuar. **2.** Estar iminente; ameaçar. **3.** Estar irresoluto; hesitar, vacilar. **4.** Estar sobre, no alto.

país *s.m.* (do lat. *pagus*, pequena povoação). **1.** Território política e geograficamente delimitado; nação. **2.** Terra, região. **3.** Conjunto dos habitantes de um país. **4.** Pátria. **5.** *Fig.* Mundo.

paisagem *s.f.* (fr. *paysage*). **1.** Extensão de território que se abrange num lance de vista; panorama, vista. **2.** Pintura, gravura ou desenho cujo tema principal é a representação de um sítio natural, rural ou urbano.

paisagista *adj.2g.* (fr. *paysagiste*). Relativo ao paisagismo. ★ *s.2g.* **1.** Profissional especializado na concepção de jardins e áreas verdes. **2.** Artista que desenha ou pinta paisagens.

paisana *s.f. À paisana*, em traje civil (um militar).

paisano *adj.* e *s.m.* (fr. *paysan*). Que ou aquele que não é militar.

paixão *s.f.* (lat. *passio, passionis*). **1.** Movimento violento e impetuoso do ser para o que ele deseja; afeto excessivo. **2.** Atração muito viva. **3.** Objeto dessa afeição. **4.** Predisposição para ou contra alguém ou algo. **5.** Arrebatamento, cólera. **6.** Amor, atração sexual e afetiva muito forte. **7.** Sofrimento, padecimento prolongado. ● **Relig.** As provações de Cristo e dos mártires. (Usa-se com maiúscula.)

pajé *s.m.* (tupi *pa'ié*). **1.** Chefe espiritual indígena, com funções de médico e feiticeiro. **2.** Curandeiro.

pajear *v.t.* (conj. 15). **1.** Cuidar de (crianças) como pajem. **2.** Tomar conta de, vigiar.

pajelança *s.f.* **1.** Ritual do pajés. **2.** Crença mágico-religiosa popular na Amazônia; curandeirismo.

pajem *s.m.* **1.** Na Idade Média, jovem nobre a serviço de um rei, príncipe ou senhor. **2.** Menino que forma o cortejo da noiva. ★ *s.2g.* Pessoa que toma conta de crianças profissionalmente.

pala[1] *s.f.* (lat. *pala*). **1.** Peça que guarnece a parte dianteira do boné e serve para proteger os olhos. **2.** A parte do vestuário que guarnece a gola.

pala[2] *s.m.* Poncho leve de brim, vicunha ou seda, que apresenta franjas nas pontas.

palacete (ê) *s.m.* Palácio pequeno; mansão.

palaciano *adj.* **1.** Relativo ou pertencente a palácio; palatino. **2.** Próprio de quem vive na corte. ★ *s.m.* Cortesão.

palácio *s.m.* (lat. *palatium*). **1.** Residência de um rei, nobre ou chefe de Estado. **2.** *P. ext.* Residência grande e suntuosa. **3.** Sede dos tribunais ou das câmaras.

paladar *s.m.* (lat. *palatare*). **1.** Palato. **2.** No homem e nos animais, identificação química do que se põe na boca ou se encosta na língua, com a ajuda de receptores sensoriais especializados. **3.** *Fig.* Sentido do gosto. **4.** Sabor.

PALADAR ► A língua é salpicada de papilas gustativas, órgãos da percepção dotados de células sensoriais que, ao ser estimuladas pelos alimentos, transmitem ao cérebro quatro sabores distintos: salgado, doce, ácido e amargo. Todas as demais sensações gustativas (o "sabor" dos alimentos) são olfativas, ou seja, percebidas pelo nariz. Por isso é que as comidas condimentadas nos parecem mais saborosas que as cozidas sem tempero.

paladino *s.m.* (lat. *palatinus*). **1.** Senhor do séquito de Carlos Magno. **2.** *Fig.* Homem que defende com ardor as grandes causas; corajoso, destemido.

paládio *s.m.* Elemento químico (símb. Pd) de número atômico 46, que constitui um metal branco, brilhante e maleável, encontrado na natureza.

palafita *s.f.* (it. *palafitta*). **1.** Estaca que sustenta habitações lacustres. **2.** *P. ext.* Essas habitações. ★ *s.f.pl.* Ruínas de habitações lacustres pré-históricas do neolítico.

palanque *s.m.* (lat. *palangae*). **1.** Estrado de madeira com ou sem degraus, construído para os espectadores ou para os protagonistas de um evento ao ar livre; tablado. **2.** *(S)* Tronco ou esteio grosso ao qual se prende o cavalo para domá-lo ou tratá-lo.

palanquim *s.m.* **1.** *Ant.* Liteira usada na Índia e na China. **2.** Guarita colocada no dorso dos camelos e elefantes, para o transporte de pessoas.

palatal *adj.2g.* (lat. *palatalis*). **1.** Palatino[2]. **2.** Diz-se do fonema cuja articulação depende do palato.

palatino[1] *adj.* (do lat. *palatium,* palácio). Palaciano.

palatino[2] *adj.* (lat. *palatum,* palato). **1.** Relativo à parte interna e superior da boca; palatal. **2.** *Fenda palatina,* malformação congênita, freqüentemente associada ao lábio leporino, que deixa uma comunicação anormal entre a boca e as fossas nasais. ▸ *Véu palatino,* parte anterior, óssea, do paladar.

palato *s.m.* (lat. *palatum*). Porção superior da cavidade bucal; céu da boca, paladar.

palavra *s.f.* (gr. *parabole*). **1.** Fonema ou seqüência de fonemas dotados de significação e que constituem, dentro da estrutura da frase, uma entidade autônoma. **2.** Sua representação gráfica. **3.** Som articulado provido de significação. **4.** Meio de expressão oral ou escrita. **5.** Faculdade de exprimir-se pela língua articulada. **6.** Oração, discurso, fala. **7.** Permissão ou direito de falar. **8.** Promessa verbal pela qual alguém se obriga a alguma coisa. **9.** Vocábulo, termo.

palavra-chave *s.m.* **1.** Palavra que expressa conceito central para a compreensão de um texto ou discurso. **2.** Nome de uma categoria ou grupo de elementos em um catálogo, banco de dados etc.

palavrão *s.m.* **1.** Palavra obscena, grosseira, pornográfica. **2.** Palavra grande e de pronúncia difícil.

palavreado *s.m.* **1.** Reunião de palavras sem muito nexo ou importância. **2.** Lábia, loquacidade, palavrório.

palavrear *v.i.* (conj. 15). Falar muito e com pouco siso; tagarelar.

palavrório *s.m.* Palavreado.

palavroso (ô) *adj.* **1.** Que tem muita palavra. **2.** Prolixo, loquaz.

palco *s.m.* (it. *palco*). **1.** Tablado de madeira onde se apresentam atores, músicos etc. **2.** Estrado, tablado. **3.** *Fig.* A arte teatral. **4.** *Fig.* Lugar onde se passa algum fato imponente ou trágico.

paleoceno *s.m.* Época geológica do período terciário, com início no fim do cretáceo e duração aproximada de 10 milhões de anos. ★ *adj.* Relativo ou pertencente a essa época.

paleografia *s.f.* **1.** Ciência das escritas antigas. **2.** Arte de decifrar escritos antigos.

paleolítico *s.m.* O período mais antigo dos tempos pré-históricos, situado em sua maior parte na época das glaciações. ★ *adj.* Relativo ou pertencente a esse período.

paleologia *s.f.* O estudo das línguas antigas.

paleólogo *adj.* e *s.m.* Que ou aquele que conhece as línguas antigas.

paleontologia *s.f.* Ciência que estuda os animais e vegetais fósseis, principalmente através dos traços deixados nos sedimentos geológicos.

PALEONTOLOGIA ▸ Devido ao crescente interesse pela paleontologia, desde o final do século XVIII foram organizadas expedições com a finalidade de descobrir restos de animais e plantas fossilizados para estudo e exposição pública. A paleontologia ajudou a criar uma consciência cada vez maior da diversidade de formas de vida, tanto atuais como extintas.

paleozóico *s.m.* Era geológica compreendida entre o pré-cambriano e o mesozóico, com duração aproximada de 340 milhões de anos. ★ *adj.* Relativo ou pertencente a essa era.

palerma *adj.2g.* e *s.2g.* **1.** Diz-se de ou pessoa tola, parva, estúpida. **2.** Diz-se de ou pessoa muito lenta; moleirão.

palestino *adj.* Relativo ou pertencente à Palestina, região do Oriente Médio. ★ *s.m.* O natural ou habitante da Palestina.

palestra *s.f.* (gr. *palaistra*). **1.** Conversa sobre coisas de somenos importância. **2.** Conferência breve sobre assunto científico ou literário.

palestrar *v.i.* (conj. 4). **1.** Estar de palestra; conversar, palestrear. **2.** Acompanhar uma refeição, passeio etc. com palestra; palestrear.

paleta (ê) *s.f.* (it. *paletta*). Carne da espádua de bovino, suíno ou ovino. ● **B.-Art.** Peça oval ou retangular com um orifício para enfiar o polegar, na qual o artista dispõe e mistura as tintas.

palete *s.m.* Plataforma de madeira usada para transporte, em bloco, de grande quantidade de material.

paletó *s.m.* (fr. *paletot*). Casaco ou jaqueta reta, com bolsos externos, usado por cima de outras vestimentas.

palha *s.f.* (lat. *palea*). **1.** Haste seca de cereais ou outras gramíneas, sem grãos, usada como enchimento de embalagens, cobertura do solo de estábulos etc. **2.** Qualquer substância seca como a palha. **3.** Tira vegetal seca, delgada e flexível, com que se fabricam chapéus, cestos etc. **4.** *Palha de aço,* massa de aparas metálicas em forma de fio, para lixar, polir etc.

palhaçada *s.f.* **1.** Dito ou ato próprio de palhaço. **2.** Grupo de palhaços. **3.** Cena ridícula e burlesca.

palhaço *s.m.* (it. *pagliaccio*). **1.** Artista de circo que provoca o riso; bufão, saltimbanco, arlequim. **2.** *Pop.* Pessoa que diz tolices ou faz papéis ridículos. ★ *adj.* Próprio de palhaço; cômico, ridículo.

palheiro *s.m.* (lat. *palearium*). Celeiro que serve para abrigar a palha.

palheta (ê) *s.f.* **1.** Lâmina, placa com finalidade específica. **2.** Chapéu de palha. **3.** Cada uma das lâminas de madeira que formam as venezianas e que permitem a ventilação. **4.** Peça em forma de placa que movimenta ou é movida por um fluido. ● **Mús.** Lingüeta de madeira ou metal utilizada na embocadura de vários instrumentos de sopro e cujas vibrações produzem o som. ▸ Pequena lâmina utilizada para fazer vibrar as cordas do bandolim, cítara etc. (Sin. PLECTRO.)

palhinha *s.f.* Tira delgada e flexível de junco com que se trançam encostos e assentos de móveis.

palhoça *s.f.* **1.** Cabana com cobertura de palha comum nas regiões de clima tropical. **2.** Casa rústica, pobre; choça.

paliar *v.t.* (lat. *palliare*) [conj. 16]. **1.** Solucionar de forma incompleta ou temporária; atenuar, aliviar. **2.** Dissimular, encobrir. ● **Med.** Tratar com paliativo. ★ *v.i.* Usar de delongas, adiar.

paliativo *adj.* **1.** Que serve para paliar. **2.** Que serve para acalmar, aliviar temporariamente. ● **Med.** Diz-se de um tratamento ou medicamento que age momentaneamente sobre os sintomas de uma doença sem atacar sua causa. ★ *s.m.* Recurso empregado para atenuar ou adiar a solução de um caso; delonga, adiamento.

paliçada *s.f.* (esp. *palizada*). **1.** Série de varas ou troncos fincados no solo, ligados entre si, para servir de defesa. **2.** Liça. **3.** Forma dada a uma fileira de árvores de forma a constituir uma cerca-viva.

pálido *adj.* (lat. *pallidus*). **1.** Diz-se da pele e mucosas visíveis descoradas, especialmente do rosto. **2.** De cor pouco viva; descorado. **3.** Fraco, tênue. **4.** *Fig.* Pouco expressivo.

palimpsesto *s.m.* (gr. *palimpsestos*). Manuscrito em pergaminho que, após ser raspado e polido, era novamente aproveitado para a escrita de outros textos.

palíndromo *adj.* e *s.m.* (gr. *palindromos*). Diz-se de ou palavra, verso ou frase que pode ser lido indiferentemente da esquerda para a direita ou vice-versa.

pálio *s.m.* (lat. *pallium,* manto). **1.** Ornamento de lã branca com que o papa distingue os patriarcas, arcebispos e, às vezes, os bispos. **2.** Cobertura suspensa sobre o sacerdote ou sobre a imagem venerada nas procissões.

palitar *v.t.* (conj. 4). Limpar com palito.

paliteiro *s.m.* **1.** Estojo ou recipiente de palitos. **2.** Fabricante ou vendedor de palitos.

palito *s.m.* (lat. *palus*). **1.** Haste fina de madeira. **2.** Pequena haste fina e pontiaguda, geralmente de madeira, que serve para esgaravatar os dentes. **3.** *Fig.* Pessoa muito magra.

palma *s.f.* (lat. *palma*). **1.** Ramo da palmeira. **2.** Sin. de PALMEIRA. **3.** *Fig.* Vitória. **4.** *Palma da mão,* face anterior da mão, entre o punho e a raiz dos dedos. ★ *s.f.pl.* Ação de bater a palma das mãos uma contra a outra, em sinal de aplauso, elogio, satisfação ou chamamento.

palmáceas *s.f.pl.* Família de plantas monocotiledôneas, arbóreas ou arbustivas, de caule do tipo estipe, não ramificado, de folhas terminais e fruto seco ou carnoso, como o coqueiro-da-baía, o babaçu, a carnaúba e a palmeira.

palmada *s.f.* Pancada com a palma da mão.

palma-de-santa-rita *s.f.* Planta originária da região mediterrânea e da África, herbácea, ornamental, de flores agrupadas em espigas. (Sin. GLADÍOLO.)

palmar *adj.2g.* (lat. *palmaris*). **1.** Pertencente ou relativo à palma da mão. **2.** *Fig.* Visível, manifesto, evidente. **3.** Que tem comprimento de um palmo. **4.** *Fig.* Palpável. ★ *s.m.* Palmeiral.

palmares *s.m.pl.* Região geobotânica do Norte do Brasil, na qual predomina a vegetação de palmeiras (babaçu, carnaúba etc.).

palmatória *s.f.* (lat. *palmatoria*). **1.** Peça de madeira com que antigamente se castigavam os alunos, batendo-lhes com ela na palma da mão; férula. **2.** Castiçal baixo e portátil, provido de prato e cabo ou asa.

palmear *v.t.* (conj. 15). **1.** Aplaudir batendo palmas. **2.** Impelir uma pequena embarcação com a mão. **3.** Percorrer palmo a palmo; trilhar. **4.** Empunhar, pegar. ★ *v.i.* Bater palmas, aplaudindo.

palmeira *s.f.* Nome comum a diversas árvores ornamentais, de caule liso, folhas terminais, com muitas espécies fornecedoras de produtos alimentícios, tâmaras, coco, óleo e palmito. (Sin. PALMA.)

palmeiral *s.m.* **1.** Terreno plantado com palmeiras. **2.** Quantidade considerável de palmeiras; palmar.

palmilha *s.f.* (esp. *palmilla*). **1.** Revestimento interior da sola do calçado. **2.** Placa colocada no interior do calçado com finalidade ortopédica ou estética. **3.** Parte inferior da meia, onde assenta o pé.

palmilhar *v.t.* (conj. 4). **1.** Percorrer a pé. **2.** Pôr palmilhas em. ★ *v.i.* Andar a pé.

palmípede *adj.2g.* (lat. *palmipes*). Diz-se do animal que tem os dedos dos pés ligados por uma membrana, como o pato.

palmital *s.m.* Conjunto de palmeiras que produzem palmito comestível.

palmítico *adj.* Diz-se de um ácido graxo saturado e de seus derivados, encontrado em todas as substâncias graxas.

palmito *s.m.* (lat. *palma*). Parte terminal do caule das palmeiras, cujo miolo, recoberto pelas bainhas das folhas, é alimento de sabor agradável em certas espécies, como a juçara.

palmo *s.m.* (lat. *palmus*). Distância compreendida entre a extremidade do polegar e a do dedo mínimo, estando a mão bem aberta (de 22 a 24 cm).

palmoura *s.m.* Membrana que une os dedos dos pés de algumas aves aquáticas.

palpar *v.t.* (lat. *palpare*) [conj. 4]. Tatear com a mão para procurar ou examinar alguma coisa; apalpar.

palpável *adj.2g.* (lat. *palpabilis*). **1.** Que se pode palpar, tocar; tangível, real. **2.** *Fig.* Evidente, manifesto.

pálpebra *s.f.* (lat. *palpebra*). Cada uma das pregas móveis, duas de cada lado, uma superior e outra inferior, formadas pelos véus músculo-membranosos, que recobrem e protegem o globo ocular.

palpitação *s.f.* (lat. *palpitatio, palpitationis*). **1.** Movimento desordenado, agitação. **2.** Movimento precipitado, desigual, em alguma parte do corpo. ★ *s.f.pl.* Batimentos cardíacos percebidos pelo indivíduo, mais freqüentes ou irregulares, em relação ao estado normal.

palpitante *adj.2g.* (lat. *palpitans, palpitantis*). **1.** Que palpita. **2.** Que ainda palpita; arfante. **3.** *Fig.* Emocionante, interessante.

palpitar *v.i.* (lat. *palpitare*) [conj. 4]. **1.** Bater, pulsar. **2.** Ter palpitações, agitação convulsiva. **3.** Comover-se, emocionar-se. **4.** *Pop.* Dar palpite, intrometer-se.

palpite *s.m.* **1.** Pressentimento, intuição, particularmente no jogo. **2.** *Fam.* Opinião, sugestão de intrometido.

palpiteiro *adj.* e *s.m.* Que ou aquele que gosta de dar palpites; intrometido.

palpo *s.m.* **1.** Cada um dos apêndices articulados móveis, situados ao lado da boca dos insetos. **2.** Denominação do segundo par de apêndices dos aracnídeos.

palrar *v.i.* (conj. 4). **1.** Articular sons sem perfeição nem sentido. **2.** Falar muito; tagarelar. **3.** Conversar, palestrar.

palude *s.m.* (lat. *palus, paludis*). **1.** Terra encharcada, pântano. **2.** Lagoa.

paludismo *s.m.* Sin. de MALÁRIA.

paludoso (ô) *adj.* (lat. *paludosus*). **1.** Cheio de paludes; palustre, pantanoso. **2.** *Febre paludosa,* antigo nome da febre intermitente da malária, que se acreditava ser produzida pelas emanações dos pântanos.

palustre *adj.2g.* (lat. *paluster, palustris*). **1.** Paludoso. **2.** Diz-se do ser que vive ou cresce nos pântanos. **3.** Relativo ao impaludismo. **4.** *Febre palustre,* sin. ant. de MALÁRIA.

pamonha *s.f.* (tupi *pamu'na*). Bolo de milho verde e leite de coco, cozido em embrulhos de folhas do próprio milho ou de bananeira. ★ *s.2g.* Indivíduo mole, preguiçoso, toleirão, inerte.

pampa *s.m.* Região de planícies da América do Sul caracterizada pela cobertura vegetal do tipo herbáceo (pradaria). ★ *adj.2g.* **1.** Diz-se da pelagem do cavalo onde o branco, em grandes manchas, se justapõe a extensas manchas de outra cor, que pode ser o vermelho, o rosilho ou o preto; malhado, remendado. **2.** Diz-se do animal que tem a cara branca. (Var. PAMPO.)

pampeiro *s.m.* **1.** Sin. de MINUANO. **2.** *Gír.* Confusão, briga, discussão.

pampiano *adj.* Relativo ao pampa, à região dos Pampas.

pampo *adj.* Var. de PAMPA.

panacéia *s.f.* (gr. *panakeia*). Remédio pretensamente eficaz na cura de todos os males.

panamá *s.m.* (de *Panamá,* n.pr.). Chapéu muito leve fabricado com palha de uma palmeira da América Central e norte da América do Sul. ● **Têxt.** Tecido em tela de algodão, estriado ou quadriculado, utilizado em camisaria, toalhas de mesa etc.

panamenho *adj.* Relativo ou pertencente ao Panamá, país da América Central; panamense. ★ *s.m.* O natural ou habitante do Panamá; panamense.

panamense *adj.2g.* e *s.2g.* Panamenho.

pan-americanismo *s.m.* Política tendente à melhoria e desenvolvimento das relações entre as repúblicas das Américas.

pan-americano *adj.* **1.** Relativo aos países das Américas. **2.** Relativo ao continente americano por inteiro.

panarício *s.m.* (gr. *paronykhion*). Infecção aguda de um dedo; panariz, paroníquia.

panariz *s.m.* Panarício.

panca *s.f.* (lat. *palanga*). **1.** Placa suspensa no teto, movida por cordas, usada nos países quentes do Oriente como ventilador. **2.** Alavanca de madeira. **3.** *Gír.* Pose, afetação.

pança *s.f. Pop.* **1.** Estômago de ruminante. **2.** Barriga grande; barriga.

pancada *s.f.* (lat. *palanga*). **1.** Golpe dado com a mão ou com arma contundente. **2.** Choque, baque. **3.** Chuva forte e passageira. **4.** Surra. ★ *adj.2g. Fig.* Diz-se de indivíduo amalucado, estouvado.

pancadaria *s.f.* **1.** Muitas pancadas; surra. **2.** Desordem, confusão em que há pancadas.

pâncreas *s.m.* (gr. *pankreas*). Glândula digestiva de secreção interna e externa, situada atrás do estômago e na frente das primeiras vértebras lombares.

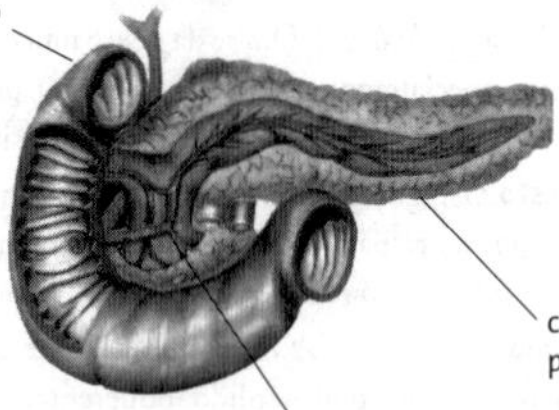

PÂNCREAS ► O pâncreas está situado na primeira prega do intestino delgado e consta de grupos de células secretoras dispostas ao redor de cavidades que desembocam em condutos. Essas células segregam as enzimas digestivas do suco pancreático, enquanto as células dos condutos segregam bicarbonato de sódio. Existem outras células dispersas, nas quais se encontram o hormônio glucagon e a insulina.

pancreático *adj.* **1.** Relativo ao pâncreas. **2.** *Suco pancreático,* líquido alcalino secretado pelo pâncreas, que é lançado no duodeno e constitui um importante agente da digestão.

pancreozima *s.f.* Var. de PANCREOZIMINA.

pancreozimina *s.f.* Hormônio da mucosa duodenal, que excita a secreção do suco pancreático. (Var. PANCREOZIMA.)

panda *s.m.* (ingl. *panda*). Mamífero do Tibete e da China, de coloração branca com círculo em torno do olho, ombros e membros pretos, pertencente à ordem dos carnívoros e que, não obstante, se alimenta de bambus.

pandarecos *s.m.pl. Fam.* Pedaços, estilhas, cacos, frangalhos.

pândega *s.f.* (lat. *pantex, pantices,* tripas, abdome, pança). Festa alegre e ruidosa; estroinice, farra.

pândego *adj.* e *s.m.* Que ou aquele que gosta de pândegas, brincadeiras; estróina.

pandeiro *s.m.* (gr. *pandourion*). Instrumento de percussão constituído por um aro de madeira, com ou sem guizos, provido de uma pele esticada na parte central.

pandemia *s.f.* (gr. e lat. *pandemia*). Epidemia que se propaga por todo um continente, às vezes pelo mundo inteiro.

pandemônio *s.m.* (ingl. *pandemonium*). **1.** Capital imaginária do reino dos Infernos. **2.** Reunião de indivíduos para a prática do mal ou promoção de desordens. **3.** *Fig.* Assembléia tumultuosa. **4.** Lugar onde reina a confusão e onde ninguém se entende; balbúrdia.

pando *adj.* (lat. *pandus*). **1.** Cheio, largo, bojudo; enfunado. **2.** Aberto e encurvado.

pandorga ou **pandorca** *s.f.* (esp. *pandorga*). **1.** Música ruidosa, desafinada e sem compasso. **2.** Mulher obesa. **3.** Papagaio. ★ *s.m.* **1.** Homem obeso. **2.** Tolo.

pandulho *s.m.* **1.** Lastro das redes de pesca. **2.** Pedra que serve de âncora a pequenas embarcações. **3.** Barriga, estômago; bandulho.

pane *s.f.* (fr. *panne*). Interrupção, por defeito, do funcionamento de um motor ou outro dispositivo.

panegírico *s.m.* (gr. *panegyrikos*). **1.** Discurso em louvor de alguém. **2.** Elogio em geral. ★ *adj.* Laudatório, encomiástico.

panela *s.f.* (lat. *pannella*). **1.** Recipiente para cozer alimentos. **2.** Cavidade profunda circular em leito de rio ou arroio, originada pelo movimento de redemoinho das águas; sorvedouro. **3.** *Gír.* Panelinha.

panelinha *s.f.* **1.** Panela pequena. **2.** *Gír.* Grupo social fechado. **3.** *Gír.* Grupo cujos membros repartem apenas entre si oportunidades de trabalho, favores políticos etc.

panfletário *adj.* **1.** Relativo a panfleto. **2.** Violento no dizer. ★ *s.m.* Autor de panfletos; panfletista.

panfletista *s.2g.* Panfletário.

panfleto (ê) *s.m.* (ingl. *pamphlet*). **1.** Escrito satírico ou violento, geralmente político. **2.** Folheto.

pangaré *s.m.* Cavalo ordinário ou manhoso.

pango *s.m.* Sin. de CHIMPANZÉ.

pânico *adj.* (gr. *panikos*). **1.** Relativo ao deus Pã. **2.** Que assusta, súbita e violentamente, sem motivo. **3.** Que suscita medo e que foge a um controle racional. ★ *s.m.* **1.** Medo, susto, pavor. **2.** Terror.

panificação *s.f.* Fabricação de pães.

panificadora (ô) *s.f.* Sin. de PADARIA.

pano *s.m.* (lat. *pannus*). **1.** Tecido de algodão, linho, lã, seda etc.; fazenda. **2.** Qualquer pedaço de pano utilizado para fins domésticos. **3.** Vela de embarcação. **4.** *Pano verde,* a mesa de jogo e, *p. ext.*, qualquer jogo de azar. ● **Med.** Afecção da córnea caracterizada pelo desenvolvimento de pequenos vasos que atingem a conjuntiva. ► Tecido inflamatório que recobre a cartilagem das articulações durante algumas artrites e na poliartrite reumatóide. **Teat.** Sin. de CORTINA.

panorama *s.m.* (ingl. *panorama*). **1.** Vista, paisagem. **2.** Grande pintura circular, que dá a ilusão de realidade através de efeitos de perspectiva e de ilusão de óptica.

panqueca *s.f.* (ingl. *pancake*). **1.** Disco de massa fina e flexível de farinha de trigo, leite etc. com recheio doce ou salgado, enrolada em tubo ou servida aberta. **2.** *Fig.* Ociosidade, vadiação.

pantagruélico *adj.* (de *Pantagruel*, n.pr.). **1.** Que ama a boa mesa e o bom vinho. **2.** Abundante em comidas e bebidas.

pantalonas *s.f.pl.* (it. *pantaloni*). Calças com as pernas largas.

pantanal *s.m.* Grande pântano.

pântano *s.m.* (it. *pantano*). **1.** Região baixa em que se acumula água estagnada, formando um lençol de pequena espessura, que favorece o desenvolvimento de uma vegetação peculiar. **2.** Terra alagadiça; brejo.

? VOCÊ SABIA...? Quando um rio avança lentamente, passando por terras baixas, pode formar um **pântano**. Os pântanos têm mais plantas lenhosas que os alagadiços. Perto do mar, a água salgada e a água doce freqüentemente se misturam nos pântanos, que estão sempre inundados. Os alagadiços só ficam cobertos de água parte do tempo, por causa das marés que entram por eles.

panteão *s.m.* (gr. *pantheion*). **1.** Templo consagrado pelos gregos e romanos a todos os deuses. **2.** Monumento onde são guardados os restos mortais de homens ilustres.

panteísmo *s.m.* **1.** Doutrina ou crença segundo a qual tudo o que existe é identificado com Deus. **2.** Forma de sensibilidade que vê Deus manifesto em toda a natureza.

panteístico *adj.* Panteísta.

pantera *s.f.* (gr. *panthera*). Denominação comum a várias espécies de felídeos de grande porte, ágeis, de hábitos crepusculares ou noturnos, que ocorrem na Ásia, África e Américas.

pantográfico *adj.* **1.** Relativo ao pantógrafo. **2.** Feito ou executado pelo pantógrafo. **3.** Diz-se de uma porta feita de grade de tiras metálicas articuladas que se movimentam sobre um trilho.

pantógrafo *s.m.* Aparelho que permite redesenhar uma imagem em uma escala diferente.

pantomima *s.f.* (gr. *pantomimos*). **1.** Arte de expressão por meio de gestos. **2.** Representação teatral que se utiliza essencialmente da mímica.

pantomímico *adj.* Relativo à pantomima.

pantotênico *adj.* Diz-se de um ácido carboxílico complexo que constitui um fator de crescimento presente em diversas substâncias vegetais e animais; vitamina B_5.

pantufa *s.f.* (lat. *pantofola*). Chinelo leve, confortável, adequado para interiores.

panturrilha *s.f.* (esp. *pantorrilla*). Saliência que fazem os músculos da parte posterior da perna; barriga da perna.

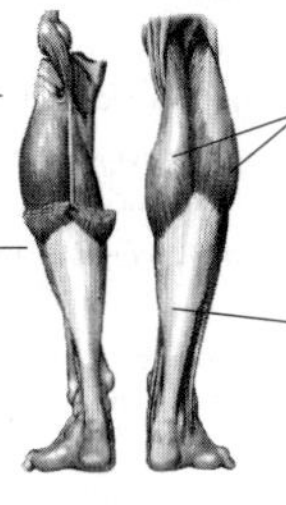

pão *s.m.* (lat. *panis*). **1.** Alimento feito de farinha amassada com água, geralmente fermentada, e assada. **2.** *Fig.* Meio de vida, alimento, sustento. **3.** A hóstia. **4.** *Pop.* Homem bonito.

pão-de-ló *s.m.* Bolo muito fofo e leve, feito de farinha de trigo, ovos e açúcar.

pão-de-pobre *s.m.* Sin. de MANDIOCA.

pão-duro *s.m.* *Fam.* Avarento.

papa[1] *s.m.* (gr. *pappas*). **1.** Bispo de Roma e chefe da Igreja Católica Romana, eleito por um conclave. **2.** *Fig.* Indivíduo de grande autoridade e influência em seu meio, ou cuja competência é tida por infalível.

papa[2] *s.f.* (lat. *pappa*) **1.** Farinha cozida no leite ou na água até adquirir consistência de pasta mais ou menos espessa. **2.** Qualquer alimento pastoso; mingau.

papa-capim *s.m.* Ave passeriforme que vive nos campos de cultura e capinzais, da Bahia ao Rio Grande do Sul.

papada *s.f.* **1.** Papeira. **2.** Bócio.

papado *s.m.* (lat. *papatus*). **1.** Dignidade do papa. **2.** Administração, governo de um papa.

papa-formigas *s.m.2n.* **1.** Denominação comum a várias aves passeriformes que ocorrem do México ao norte da Argentina. **2.** Sin. de TAMANDUÁ.

papagaiar *v.t.* e *v.i.* (conj. 4). **1.** Falar como papagaio, sem nexo; papaguear. **2.** Repetir, falar copiosamente; papaguear.

papagaio *s.m.* (ár. *babaca*). **1.** Armação de fasquias de bambu ou madeira leve, coberta de papel em geral colorido, que se solta ao vento presa por um cordel, que a criança retém nas mãos; pandorga, pipa, quadrado. **2.** *Fig.* Pessoa que repete alguma coisa de cor, sem compreender o que diz; pessoa que fala copiosamente. ● **Zool.** Ave psitaciforme, trepadora, que apresenta bico espesso e recurvado, patas preênseis, cauda longa e plumagem colorida, capaz de imitar a voz humana. (Sin. JERU, LOURO.) ▸ Peixe ósseo marinho, colorido, muito apreciado por aquariofilistas.

papaguear *v.t.* e *v.i.* (conj. 15). Papagaiar.

papai *s.m.* Pai, na linguagem íntima dos filhos.

papaia *s.f.* (esp. *papaya*). Variedade de mamão.

papaína *s.f.* Enzima não específica que catalisa a hidrólise das ligações peptídicas da maioria das proteínas.

papal *adj.2g.* (lat. tard. *papalis*). Relativo ao papa ou ao papado.

papão *s.m.* Bicho-papão.

papa-ovo *s.f.* Réptil ofídio, arborícola, que ocorre em todo o Brasil.

papar *v.t.* e *v.i.* (lat. *pappare*) [conj. 4]. *Fam.* **1.** Comer. **2.** Conseguir, lograr.

paparicar *v.t.* e *v.i.* (conj. 12). **1.** Comer a miúdo e aos poucos, lambiscar. **2.** Tratar (alguém) com paparicos, com excesso de zelo e de cuidados.

paparicos *s.m.pl.* **1.** Mimos, meiguices, afagos com que se tratam doentes ou entes queridos. **2.** Gulodices.

papável *adj.2g.* (lat. ecles. *papabilis*). Diz-se do cardeal com probabilidades de ser eleito papa.

papaveráceas *s.f.pl.* Família de plantas dicotiledôneas, herbáceas, lactescentes e de flores vistosas, como a papoula.

papear *v.i.* (conj. 15). **1.** Falar muito, tagarelar. **2.** Gorjear, chilrear. ★ *v.t.* Bater papo, conversar.

papeira *s.f.* **1.** Bócio. **2.** Inflamação da parótida; trasorelho. **3.** Saliência adiposa debaixo do queixo; papada.

papel *s.m.* (gr. *papyros*). **1.** Folha seca e fina preparada a partir de uma pasta de matéria fibrosa vegetal, utilizada para escrever, imprimir, embrulhar, desenhar etc. **2.** Folha de papel escrita. **3.** Personagem representado por um ator ou dançarino. **4.** Qualquer documento, certificado etc. **5.** Título que representa dinheiro corrente, como ação, letra de câmbio, apólice etc. **6.** Atuação, desempenho. **7.** Emprego, função, cargo.

papelada *s.f.* Grande quantidade de papéis.

papelão *s.m.* **1.** Papel muito grosso e forte, usado em encadernação, confecção de caixas etc. **2.** *Fig.* Conduta ridícula ou vergonhosa; fiasco.

papelaria *s.f.* **1.** Estabelecimento comercial ou seção em loja onde se vendem artigos de papel e objetos para escrita. **2.** Essa categoria de artigos e produtos.

papeleta (ê) *s.f.* **1.** Papel avulso. **2.** Papel, cartaz ou edital que se afixa em algum lugar, com notas ou informações.

papel-moeda *s.m.* Papel estampado com valor representativo e de curso forçado, emitido com controle do governo e que serve de dinheiro.

papelotes *s.m.pl.* Pedaços de papel para enrolar os cabelos a fim de os encrespar.

papila *s.f.* (lat. *papilla*, bico do peito). **1.** Nome de pequena saliência cônica formada à superfície da pele das membranas mucosas, principalmente da língua. **2.** *P. ext.* Qualquer pequena estrutura saliente e cônica. **3.** Pequeno tumor formado por hemorróidas antigas que sofreram transformação fibrosa. ● **Bot.** Saliência microscópica da parede das células epidérmicas vegetais.

papilar *adj.2g.* Formado por papilas; relativo à papila.

papiloma *s.m.* Tumor benigno em forma de papila, que se desenvolve na pele ou nas mucosas.

papiro *s.m.* **1.** Planta herbácea de grande porte de cujas hastes se obtém um material utilizado na Antiguidade como folha para escrever; periperiaçu. **2.** Manuscrito em hastes dessa planta.

PAPIRO ▸ A medula da planta de papiro era utilizada para produzir folhas finas com tiras entrecruzadas e unidas. A escrita era feita na face interna da folha. O papiro era um suporte leve e maleável, ideal para escrever textos administrativos, cartas ou textos jurídicos e médicos. Gregos e romanos utilizaram o papiro egípcio.

papista *adj.2g.* e *s.2g.* **1.** Nome dado pelos protestantes aos católicos romanos. **2.** Partidário da supremacia do papa.

papo *s.m.* **1.** Porção dilatada, de paredes finas, do trato digestivo dos anelídeos, insetos e aves, com função de armazenagem de alimento. **2.** Aumento do volume da região submandibular e tireoidiana, decorrente de deposição de adiposidade, hipertrofia da tireóide, tumoração etc. **3.** Qualquer protuberância semelhante; prega. **4.** *Pop.* Estômago, barriga. **5.** *Pop.* Conversa. **6.** *Pop.* Conversa sem importância ou mentirosa.

papoula *s.f.* (lat. *papaver*). **1.** Planta herbácea originária da Europa, de grandes folhas vermelhas, cultivada como ornamental. **2.** Planta herbácea originária da Europa e África, de grandes flores vermelhas, de cujas sementes extrai-se o ópio.

papua *adj.2g.* (malaio *puah-puah,* crespo). Relativo ou pertencente aos papuas, negros da Oceania. ★ *s.2g.* Indivíduo dos papuas.

papudo *adj.* **1.** Que tem grande papo. **2.** Que tem papos, pregas; empapuçado. **3.** *Fig.* Arredondado, cheio, proeminente. ★ *adj.* e *s.m.* **1.** Que ou aquele que tem bom papo. **2.** Que ou aquele que é jactancioso, bravateiro.

paquerar *v.t.* (conj. 4). *Gír.* Tentar aproximar-se de alguém com intenção de namoro ou conquista amorosa; cortejar. ★ *v.i.* Procurar aventura amorosa.

paquete (ê) (fr. *paquete*) *s.m.* **1.** Navio a vapor para transporte de passageiros. **2.** *Ant.* Embarcação ligeira. **3.** *Pop.* Menstruação.

paquiderme *adj.2g.* (gr. *pakhydermos*). Diz-se do animal que tem a pele espessa. ★ *s.m.* **1.** Espécime dos paquidermes. **2.** *Fig.* Indivíduo gordo, pesado.

PAQUIDERME ▸ Alguns paquidermes, como hipopótamos e elefantes, banham-se nas regiões pantanosas para refrescar-se e, com o barro, livrar a pele de parasitas.

elefante africano

hipopótamo

paquidermes *s.m.pl.* Denominação antiga dos mamíferos de pele espessa, como os elefantes, rinocerontes e hipopótamos.

paquimeninge *s.f.* Sin. de DURA-MÁTER.

paquímetro *s.m.* Instrumento de precisão para medir espessura ou um diâmetro.

paquistanês *adj.* Relativo ou pertencente ao Paquistão, país da Ásia. ★ *adj.* e *s.m.* O natural ou habitante desse país.

paquítono *s.m.* Estágio da prófase da primeira divisão da meiose, no qual cada cromossomo consiste de duas cromátides.

par *adj.2g.* (lat. *par*). **1.** Semelhante, parelho. **2.** Diz-se de coisas que se dispõem simetricamente duas a duas. ● **Anat.** *Órgãos pares,* os que se apresentam dois a dois, como os rins, os pulmões, os seios etc. **Mat.** Diz-se de um número natural divisível por 2. ★ *s.m.* **1.** Conjunto de duas pessoas; dupla. **2.** Conjunto de duas coisas. **3.** Casal. **4.** O macho e a fêmea de um casal de animais. **5.** Pessoa igual a outra em posição social ou hierarquia. **6.** Cada uma das pessoas, na dança a dois.

para *prep.* (latim *per ad*). Estabelece relações de direção, destino, fim, intuito, relação, proporcionalidade.

parabenizar *v.t.* (conj. 4). Dar parabéns a; felicitar.

parabéns *s.m.pl.* Felicitações, congratulações.

parábola[1] *s.f.* (gr. *parabole*). **1.** Narrativa curta, de estrutura dramática, que encerra um conteúdo moral explícito ou implícito. **2.** Alegoria que encobre de véu uma verdade.

parábola[2] *s.f.* Curva aberta, da família das cônicas, que tem um foco e um eixo de simetria.

parabólico[1] *adj.* (gr. *parabolikos*). Relativo a ou em forma de parábola[1]; alegórico.

parabólico[2] *adj.* **1.** Relativo a ou em forma de parábola[2]. **2.** Diz-se de um cilindro ou de qualquer outra superfície em que certas secções são parábolas.

pára-brisa *s.m.* Placa de vidro ou matéria transparente colocada na parte frontal da cabine de um veículo, como proteção contra o vento.

pára-choque *s.m.* Dispositivo ou peça destinado a aparar e amortecer choques, empregado em veículos, locais de manobra etc.

parada *s.f.* **1.** Ato ou efeito de parar. **2.** Lugar onde pára regularmente um veículo. **3.** Pausa, interrupção. **4.** Desfile de tropas em dias festivos. **5.** Quantia ou objeto que se aposta em uma jogada. **6.** *Fig.* Situação difícil. **7.** *Parada cardíaca,* cessação das contrações do coração que leva à insuficiência circulatória e à ausência de pressão arterial. **8.** *Parada de mão,* posição de ginástica ou atletismo com as mãos apoiadas no chão ou aparelho e os pés para cima.

paradeiro *s.m.* Lugar, sítio onde uma pessoa ou coisa está, vai parar ou permanece.

paradesportivo *adj.* Relativo a paradesporto.

paradesporto *s.m.* Esporte praticado por pessoa portadora de deficiência.

PARADESPORTO ▸ Os Jogos Brasileiros Paradesportivos ocorrem desde 1995, quando foi criado o Comitê Paraolímpico Brasileiro.

paradidático *adj.* Diz-se de livro ou texto que expõe temas de interesse didático em narrativas de ficção, adequando o conteúdo literário à faixa etária e ao currículo da série ou séries a que se destina.

paradigma *s.m.* (gr. *paradeigma*). Modelo, padrão, norma; exemplo. ● **Gram.** Conjunto das formas flexionadas de uma palavra, tomado como modelo.

paradisíaco *adj.* (lat. *paradisiacus*). Relativo, pertencente ou semelhante ao paraíso.

paradoxal (cs) *adj.2g.* **1.** Relativo a paradoxo. **2.** Que contém paradoxo. **3.** Contraditório, disparatado. ● **Med.** Diz-se de um fenômeno patológico que parece estar em contradição com os outros sinais observados no paciente. ▸ *Sono paradoxal,* designação do período do sono caracterizado por atividade elétrica cerebral semelhante à da vigília, movimentos rápidos dos olhos e ocorrência de sonhos. (Sin. SONO REM*.)

paradoxo (cs) *s.m.* (gr. *paradoxon*). **1.** Contradição, pelo menos aparente. **2.** Opinião contrária à opinião comum.

paraense *adj.2g.* Relativo ou pertencente ao Pará, Estado brasileiro. ★ *s.2g.* O natural ou habitante do Pará.

paraestatal *adj.2g.* Var. de PARESTATAL.

parafernália *s.f.* (lat. tard. *paraphernalia*). **1.** Objetos de uso pessoal. **2.** O que é necessário a uma atividade humana. **3.** Pertences, tralha.

A B C D E F G H I J K L M N O P Q R S T U V W X Y Z

parafina *s.f.* (fr. *paraffine*). **1.** Sin. de ALCANO. **2.** Mistura de hidrocarbonetos saturados sólidos que se caracteriza pela indiferença em relação aos agentes químicos; cera fóssil, cera mineral. **3.** *Parafina refinada,* parafina branca e translúcida, inodora e untuosa, utilizada na fabricacão de velas.

paráfrase *s.f.* (gr. *paraphrasis*). **1.** Interpretação de um texto com palavras próprias, conservando as idéias originais. **2.** Tradução livre e em geral desenvolvida.

parafrasear *v.t.* (conj. 15). **1.** Interpretar por meio de paráfrase. **2.** Reproduzir as idéias de um texto, dando-lhe redação pessoal.

parafusar *v.t.* (conj. 4). Fixar ou apertar com parafuso; aparafusar. ★ *v.t.* e *v.i.* *Fig.* Pensar muito; meditar, matutar.

parafuso *s.m.* **1.** Peça cilíndrica filetada em hélice, que se embute fazendo-a girar sobre seu eixo longitudinal, seja em outra peça (a porca), seja num meio resistente, para fixação de elementos. **2.** Acrobacia em que o avião descreve uma espiral muito fechada em torno do eixo de descida.

paragem *s.f.* **1.** Ato de parar. **2.** Parte do mar propícia à navegação. **3.** Região nas cercanias do lugar onde se está.

parágrafo *s.m.* (gr. *paragraphos,* escrito ao lado, pelo lat. med. *paragraphus*). **1.** Unidade de um texto que desenvolve uma idéia de sentido completo constituída por um ou mais períodos. **2.** Sinal tipográfico (§) que indica o início do parágrafo.

paraguaio *adj.* Relativo ou pertencente ao Paraguai, país da América do Sul. ★ *s.m.* O natural ou habitante do Paraguai.

VOCÊ SABIA...? Na Guerra da Tríplice Aliança (1865-1870), na qual uma aliança entre Brasil, Argentina e Uruguai enfrentou o Paraguai, estima-se que a população **paraguaia** ficou reduzida a menos da metade: o país perdeu a maioria dos homens adultos, além de considerável porção do território. O conflito teve claros motivos regionais: o problema da navegação dos rios, especialmente o Paraná, e o problema dos limites territoriais de cada nova república não resolvido depois da independência.

---

paraibano (a-i) *adj.* Relativo ou pertencente à Paraíba, Estado brasileiro. ★ *s.m.* O natural ou habitante da Paraíba.

paraíso *s.m.* (persa *pairidaeza,* através do gr. *paradeisos,* pelo lat. *paradisus*). **1.** Em muitas religiões, morada dos bem-aventurados depois da morte. **2.** Lugar particularmente encantador, aprazível. **3.** Lugar muito propício para determinada atividade.

pára-lama *s.m.* Anteparo de metal colocado sobre as rodas de um veículo, para protegê-lo dos salpicos de lama.

paralaxe (cs) *s.f.* **1.** Deslocamento da posição aparente de um objeto devido à mudança de posição do observador. **2.** *Paralaxe de um astro,* ângulo sob o qual um observador veria, desse astro, um comprimento convencionalmente escolhido.

paralela *s.f.* Reta paralela a outra reta ou a um plano.

paralelepípedo *s.m.* (gr. *parallelepipedon*). **1.** Sólido geométrico cujas bases são paralelogramos. **2.** Elemento cúbico de rocha, utilizado como revestimento de pavimentos.

paralelismo *s.m.* **1.** Propriedade das retas, curvas e planos paralelos. **2.** Correspondência entre duas coisas ou situações. ● **Liter.** Recurso lírico que consiste em repetir a idéia de uma estrofe ao longo do poema.

paralelo *adj.* (gr. *parallelos*). **1.** Diz-se das retas ou planos que não se interceptam e que apresentam uma distância constante entre si, em qualquer ponto de sua extensão. **2.** *Fig.* Diz-se de duas ou mais coisas que marcham lado a lado ou progridem na mesma proporção. **3.** *Fig.* Semelhante, análogo, correlato. ● **Eletrotéc.** *Ligação em paralelo,* ligação de diversos dispositivos de forma que todos fiquem submetidos a uma mesma tensão. ★ *s.m.* **1.** Cada um dos círculos imaginários que secionam o globo terrestre em planos paralelos ao equador, unindo os pontos de mesma latitude. **2.** *Fig.* Confronto, cotejo, comparação.

paralelogramo *s.m.* (gr. *parallelogrammon*). **1.** Quadrilátero plano cujos lados opostos são paralelos. **2.** Superfície interior limitada por tal quadrilátero.

paralisação *s.f.* **1.** Ato ou efeito de paralisar (-se). **2.** Suspensão, interrupção de movimento, de atividade. **3.** Entorpecimento.

paralisar *v.t.* (conj. 4). **1.** Impedir a movimentação de, tornar paralítico. **2.** Fazer parar; interromper. **3.** *Fig.* Neutralizar, impedir de agir. ★ *v.pr.* **1.** Tornar-se paralítico. **2.** Ficar inativo; estacionar.

paralisia *s.f.* (gr. *paralysis,* relaxação). **1.** Diminuição ou abolição da motricidade, provocada por lesões das vias nervosas motoras ou por lesões musculares. **2.** *Fig.* Impossibilidade de agir, de operar; entorpecimento, estagnação. **3.** *Paralisia infantil,* denominação corrente da poliomielite.

paramagnetismo *s.m.* Magnetismo induzido em um corpo devido à proximidade de um campo magnético.

paramédico *adj.* Que tem relação com a ciência ou a prática da medicina. ★ *s.m.* Profissional cujas atividades estão relacionadas com a saúde, como os fisioterapeutas, fonoaudiólogos etc.

paramentar *v.t.* (conj. 4). **1.** Adornar, enfeitar. **2.** Cobrir de paramento. **3.** Vestir com paramentos. ★ *v.pr.* Vestir-se com paramentos.

paramento *s.m.* (lat. tard. *paramentum*). Adorno, enfeite, ornato. ★ *s.m.pl.* Vestes do sacerdote nas cerimônias religiosas católicas.

parâmetro *s.m.* **1.** Grandeza mensurável que permite apresentar de maneira mais simples e mais geral as principais características de um conjunto estatístico. **2.** Escala, padrão, paradigma. **3.** Diretriz, orientação. **4.** Valores para funcionamento de um comando ou programa de computador. **5.** *Parâmetros Curriculares Nacionais,* série de documentos com referências para a elaboração dos currículos de ensino fundamental e médio, pelas instituições municipais e estaduais. ● **Mat.** Nome dado a certos coeficientes, a certas quantidades, diferentes da variável ou da incógnita, em função das quais se pode exprimir uma proposição ou a solução de um problema.

paramilitar *adj.2g.* Diz-se de uma organização não militar que imita a estrutura e a disciplina do Exército.

páramo *s.m.* (esp. *páramo*). **1.** Paisagem típica dos Andes tropicais. **2.** Planície solitária; deserto. **3.** *Fig.* O firmamento, a abóbada celeste. **4.** O ponto culminante.

paraná *s.m.* (tupi *para ná,* semelhante ao mar). Braço de rio ou canal entre uma ou mais ilhas fluviais e a margem do rio.

paranaense *adj.2g.* Relativo ou pertencente ao Paraná, Estado brasileiro. ★ *s.2g.* O natural ou habitante do Paraná.

paraninfar *v.t.* (conj. 4). Servir como paraninfo em.

paraninfo *s.m.* (gr. *paranymphos*). **1.** Padrinho ou testemunha de casamento, batismo, colação de grau etc. **2.** Patrono, protetor.

paranóia *s.f.* (gr. *paranoia*). **1.** Psicose crônica caracterizada por idéias delirantes sistematizadas e permanentes, constituídas, a partir de interpretações, por temas persecutórios. **2.** *Pop.* Sentimento de perseguição.

paranóico *adj.* Relativo à paranóia. ★ *adj.* e *s.m.* Diz-se de ou sujeito que apresenta paranóia.

paranóide *adj.2g.* **1.** Que tende à paranóia. **2.** Diz-se de um delírio crônico mal sistematizado e de caráter incoerente, presente em certas formas clínicas de esquizofrenia.

paranormal *adj.2g.* Diz-se dos fenômenos supostamente não inscritos no quadro das leis científicas atualmente estabelecidas ★ *adj.* e *s.m.* Diz-se de ou sujeito capaz de produzir ou sofrer tais fenômenos.

paraolímpico *adj.* **1.** Relativo a competições olímpicas para pessoas com deficiência física. **2.** Atleta paraolímpico, atleta paradesportivo que participa dessas competições.

parapeito *s.m.* **1.** Parede ou mureta que se eleva mais ou menos à altura do peito. **2.** Peitoril.

paraplegia *s.f.* (gr. *paraplegia*). **1.** Paralisia de partes simétricas do corpo. **2.** Paralisia dos dois membros inferiores, normalmente ocasionada por uma lesão na medula espinhal.

paraplégico *adj.* Relativo à paraplegia. ★ *adj.* e *s.m.* Que ou aquele que sofre de paraplegia.

parapódio *s.m.* Apêndice lateral, carnoso, que se projeta do corpo dos poliquetos, com função de locomoção e, eventualmente, de respiração.

parapsicologia *s.f.* Disciplina que estuda as experiências que parecem transcender as leis da natureza.

pára-quedas *s.m.2n.* Equipamento para amortecer a queda de uma pessoa ou de uma carga na atmosfera.

VOCÊ SABIA...? A idéia do **pára-quedas** nasceu provavelmente por volta de 1400; desenhos dessa época mostram pessoas suspensas sob toldos em forma de cone.

pára-quedismo *s.m.* Prática sistemática dos que saltam de pára-quedas com fins militares, esportivos ou em operações de salvamento.

parar *v.i.* (lat. *parare*) [conj. 4]. **1.** Cessar de andar, de mover-se. **2.** Suspender uma ação. **3.** Acabar. **4.** Morar, residir, conservar-se. **5.** Reduzir-se. ★ *v.t.* **1.** Impedir de andar ou de mover-se. **2.** Aparar, receber.

pára-raios *s.m.2n.* Dispositivo inserido entre os condutores de energia elétrica ou de telecomunicações para proteger as pessoas e equipamentos contra os efeitos dos raios.

parasita *s.2g.* ou **parasito** *s.m.* (gr. *parasitos*). **1.** Organismo animal ou vegetal que se alimenta estritamente às custas de um organismo hospedeiro de uma espécie diferente, de modo permanente ou durante uma fase de seu ciclo vital. **2.** *Fig.* Pessoa que vive às expensas de outrem. ★ *adj.2g.* **1.** Que nasce, cresce ou vive em outros corpos organizados, em outros seres vivos. **2.** *Fig.* Que vive às custas de outros.

parasitar *v.t.* (conj. 4). **1.** Viver como parasita, em se falando de animal ou planta. **2.** *Fig.* Viver à custa de outro.

parasitário *adj.* **1.** Relativo ao parasita. **2.** Que se comporta como parasita. **3.** Causado pela presença de parasitas.

parasitismo *s.m.* **1.** Modo de vida de um ser animal ou vegetal, denominado *parasita,* que se nutre exclusivamente às expensas de um ser vivo de outra espécie, denominado *hospedeiro.* **2.** Infestação por parasitos. **3.** *Fig.* Estado do que vive às custas de outrem.

parasito *adj.2g.* e *s.m.* Parasita.

parasitologia *s.f.* Estudo dos parasitas do homem, dos animais e das plantas.

parasitólogo *s.m.* Especialista em parasitologia.

parasitose *s.f.* Infecção ou infestação por parasitas, que pode ser clinicamente sintomática ou inaparente.

parassimpático *adj.* e *s.m.* Diz-se de ou sistema nervoso vegetativo constituído por fibras unicamente motoras ou secretoras, cujo mediador químico é a acetilcolina e que é antagonizado pelo sistema nervoso simpático.

parassimpaticolítico *adj.* Diz-se de uma substância que inibe o sistema nervoso parassimpático.

parassimpaticomimético *adj.* Diz-se de uma substância que reforça os efeitos do sistema nervoso parassimpático.

paratireóide *s.f.* Cada uma das glândulas endócrinas, em geral em número de quatro, situadas nas vizinhanças da glândula tireóide, que desempenham um papel importante no metabolismo do cálcio e do fósforo. ★ *adj.2g.* Relativo a essas glândulas.

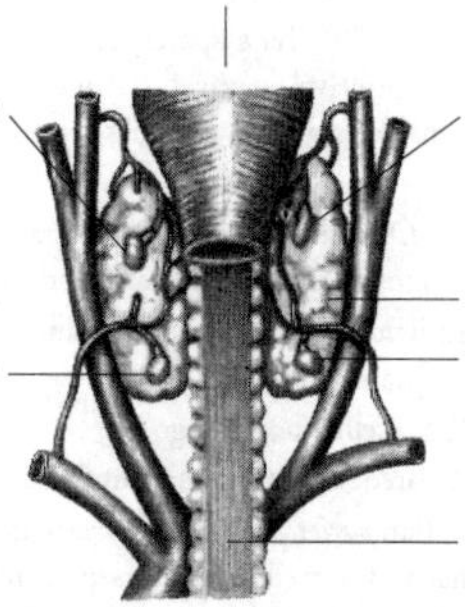

paratireoidiano *adj.* **1.** Relativo às glândulas paratireóides. **2.** *Hormônio paratireoidiano,* sin. de PARATORMÔNIO.

paratormônio *s.m.* Hormônio secretado pelas glândulas paratireóides, que regula a taxa de cálcio e de fósforo no organismo. (Sin. HORMÔNIO PARATIREOIDIANO*.)

parazoários *s.m.pl.* Grupo de animais desprovidos de tecidos verdadeiros, de órgãos e de cavidade digestiva, que apresenta um único filo, o dos poríferos, representado pelas esponjas.

parceiro *s.m.* (lat. *partiarius*). **1.** Pessoa com quem se está associado em jogo, exercício, empresa etc. **2.** Associado em geral; companheiro. **3.** Comparsa. ★ *adj.* Semelhante, igual, par.

parcela *s.f.* (fr. *parcelle*). Pequena parte, pedaço, fração. ● **Agric.** Extensão de terra lavrável destinada a uma certa cultura durante um período da rotação. **Mat.** Cada um dos números de uma operação aritmética.

parcelar *v.t.* (conj. 4). Dividir em parcelas.

parceria *s.f.* **1.** Reunião de indivíduos, ditos parceiros, para certo fim com interesse comum. **2.** Sociedade, companhia.

parcial *adj.2g.* (b.-lat. *partialis*). **1.** Que faz parte de um todo. **2.** Que ocorre apenas em parte. **3.** Favorável a uma das partes em litígio por não julgar ou decidir com inteira isenção, com absoluto senso de justiça. **4.** Que se realiza por partes.

parcimônia *s.f.* (lat. *parcimonia*). Economia minuciosa de pequenas coisas.

parco *adj.* (lat. *parcus*). **1.** Que poupa, economiza. **2.** Moderado, simples, frugal. **3.** Escasso, minguado.

pardacento *adj.* Tirante a pardo ou cinzento.

pardal *s.m.* Ave passeriforme de coloração geral parda, muito comum nas cidades, que se alimenta de grãos e sementes.

pardieiro *s.m.* (lat. *parietinarius*). **1.** Casa de pouco valor ou mal conservada. **2.** Edifício velho, em ruínas.

pardo *adj.* (lat. *pardus*). **1.** De cor escura, entre o branco e o preto. **2.** De cor pouco brilhante, entre o amarelo e o castanho. ★ *s.m.* **1.** A cor parda. **2.** Mulato.

parecença *s.f.* Qualidade de parecido; semelhança.

parecer[1] *v.t.* (conj. 25). Ter a aparência de; semelhar. ★ *v.i.* **1.** Ser verossímil, provável ou crível. **2.** Afigurar-se (a alguém). ★ *v.pr.* Ter semelhança com, ser quase igual, lembrar pela aparência.

parecer[2] *s.m.* **1.** Opinião expressa em resposta a uma consulta. **2.** Juízo técnico sobre questão jurídica ou administrativa.

pareci *s.2g.* Indivíduo dos parecis, povos indígenas aruaques que vivem em Mato Grosso.

parecido *adj.* Semelhante, análogo.

paredão *s.m.* Parede alta e grossa; muralha.

parede (ê) *s.f.* (lat. *paries, parietis*). **1.** Maciço de alvenaria que forma as fachadas de um edifício, que separa uma peça de outra ou forma divisões internas. **2.** Tudo o que fecha ou divide um espaço. **3.** Muro, tapume, tabique. **4.** Superfície lateral de um recipiente, de um tubo. ● **Anat.** Toda estrutura que limita uma cavidade corpórea ou um órgão. **Bot.** Camada, geralmente celulósica, que envolve a célula vegetal.

paregórico *adj.* (gr. *paregorikos*). Que suaviza ou acalma dores.

parelha (ê) *s.f.* Um par, falando de alguns animais, especialmente cavalos e muares.

parelheiro *s.m.* (*S, SE*) **1.** Cavalo de boa raça, tratado para a disputa de corridas. **2.** Cavalo ensinado a andar em parelhas.

parelho (ê) *adj.* Semelhante ou igual aos de sua espécie.

parênquima *s.m.* **1.** Tecido formado por células diferenciadas e dotado de função fisiológica específica. **2.** Tecido formado por células vivas, de paredes finas, que possui função vegetativa e forma os tecidos de sustentação das plantas. **3.** Tecido formado por células e fibras, mergulhadas em uma substância gelatinosa, que preenche espaços entre órgãos internos do corpo de alguns invertebrados.

parental *s.2g.* Relativo ao pai e à mãe.

parente *s.2g.* (lat. *parens, parentis*). **1.** Pessoa descendente de um ancestral comum. **2.** Pessoa ligada a outra por laços de consangüinidade ou de aliança (parente por afinidade).

parentela *s.f.* (lat. *parentela*). Os parentes considerados coletivamente.

parenteral *adj.2g.* Diz-se da administração de um medicamento no organismo por uma via que não a digestiva (subcutânea, intravenosa etc.).

parentesco (ê) *s.m.* **1.** Qualidade de parente. **2.** Laço de sangue. **3.** Laço jurídico que une duas pessoas, sendo uma descendente da outra, ou tendo uma e outra ancestral comum. **4.** *Fig.* Afinidade, analogia, similitude.

parêntese *s.m.* ou **parêntesis** *s.m.2n.* (gr. *parenthesis*). **1.** Frase que forma sentido distinto e separado do sentido do período em que se intercala. **2.** Cada um dos sinais, (e), que encerram frases dessa espécie. **3.** Digressão.

parentético *adj.* (b.-lat. *parentheticus*). Relativo a parêntese.

páreo *s.m.* **1.** Cada uma das corridas disputadas numa reunião turfística. **2.** *Fig.* Disputa, emulação, competição.

parestatal *adj.2g.* Diz-se de empresa ou instituição criada pelo Estado, mas de administração autárquica e autonomia limitada às atribuições especificamente declaradas no ato que a criou. (Var. PARAESTATAL.)

parestesia *s.f.* Distúrbio subjetivo da sensibilidade que se manifesta por sensações não dolorosas anormais.

pária *s.m.* **1.** Na Índia, indivíduo pertencente às castas indianas mais baixas, sem direitos políticos ou sociais. **2.** Pobre, miserável. **3.** *Fig.* Homem desprezado, repudiado pelos demais.

parição *s.f.* **1.** Ato de parir. **2.** (*N* e *NE*) Reprodução anual do gado.

paridade *s.f.* (lat. *paritas, paritatis*). **1.** Qualidade de par. **2.** Igualdade perfeita, conformidade. **3.** Valor pelo qual se estabelece a taxa de câmbio entre moedas, com base nos respectivos títulos e pesos.

parietal *adj.2g.* (lat. tard. *parietalis*). Relativo a parede. ● **Anat.** Diz-se dos diversos órgãos que estão em relação com a parede de uma cavidade. ▸ Relativo ao osso parietal ou ao lobo parietal. ▸ *Lobo parietal,* região do cérebro limitada pelos sulcos de Sylvius e Rolando, constituída de três circunvoluções. ► *Osso parietal* ou *parietal* (*s.m.*), osso plano, par, quadrangular, que constitui a parte média da abóbada craniana.

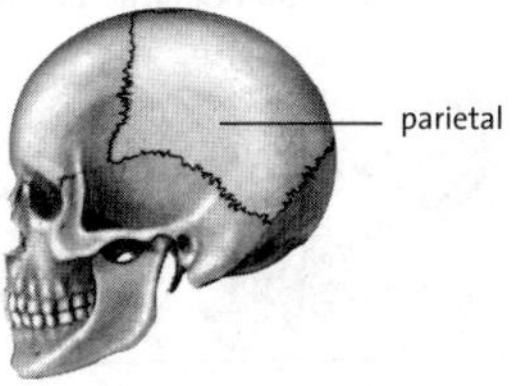

PARIETAL ► Os ossos parietais formam a maior parte da estrutura denominada *caixa craniana*, cuja função é proteger o cérebro.

parintintim *s.2g.* Indivíduo dos parintintins, povo indígena tupi-guarani que vive no Amazonas.

parir *v.t.* (lat. *parere*) [conj. 6]. **1.** Dar à luz (falando-se da fêmea vivípara quando expele do útero o ser que gerou). **2.** *Fig.* Produzir. **3.** *Pej.* Criar, gerar.

parisiense *adj.2g.* Relativo ou pertencente a Paris, capital da França. ★ *s.2g.* O natural ou habitante de Paris.

parlamentar[1] *adj.2g.* **1.** Relativo a parlamento. ● **Pol.** *Imunidade parlamentar,* privilégio que subordina qualquer processo contra um membro de um parlamento, em matéria criminal ou correcional, à autorização da câmara a que ele pertence. ★ *s.2g.* **1.** Membro de um parlamento. **2.** Pessoa autorizada por um dos beligerantes a entrar em negociações com o outro.

parlamentar[2] *v.i.* (conj. 4). **1.** Fazer ou ouvir propostas para a rendição de uma praça, conclusão de um armistício etc. **2.** Entrar em negociação; discutir.

parlamentarismo *s.m.* Regime político em que o gabinete de ministros é responsável perante o parlamento, podendo por ele ser dissolvido.

parlamentarista *adj.2g.* Relativo ou pertencente ao parlamentarismo. ★ *s.2g.* Partidário do parlamentarismo.

parlamento *s.m.* (fr. *parlement*). **1.** Assembléia deliberativa ou conjunto de assembléias deliberativas encarregadas principalmente de votar o orçamento e as leis. **2.** Congresso Nacional. **3.** Assembléia política e judiciária na época da monarquia francesa. **4.** Assembléia política da monarquia inglesa.

parmesão *adj.* e *s.m.* (it. *parmigiano,* de Parma, Itália). Diz-se de ou certo queijo de massa dura, cozida e não fermentada.

parnasianismo *s.m.* Movimento literário surgido na França no século XIX que enfatizava o apuro formal do poema.

pároco *s.m.* (gr. *parokhos*). **1.** Sacerdote encarregado da direção espiritual e da administração de uma paróquia. **2.** Vigário, cura, prior.

paródia *s.f.* (gr. *parodia*). **1.** Composição literária que imita cômica ou satiricamente uma obra séria. **2.** Imitação burlesca.

parônimo *adj.* e *s.m.* (gr. *paronymon*). Diz-se de ou palavra cuja forma se parece à de outra (descrição e discrição etc.).

paronomásia *s.f.* (gr. *paronomasia*). Figura de linguagem que consiste em aproximar as palavras de formas semelhantes e sentidos diferentes (ex. "quem casa quer casa").

paróquia *s.f.* (gr. *paroikia*). **1.** Divisão territorial eclesiástica, subdivisão da diocese, confiada a um pároco. **2.** Comunidade cristã dirigida por um pároco. **3.** Comunidade cristã protestante, organizada e tendo a forma legal de uma associação cultual.

paroquial *adj.2g.* (lat. ecles. *parochialis*). Relativo ou pertencente ao pároco ou à paróquia.

paroquiano *s.m.* (b.-lat. *parochianus*). Membro de paróquia.

parótida *s.f.* (gr. *parotis, parotidos*). **1.** Glândula salivar par, situada sob o conduto auditivo externo, atrás do ramo ascendente do maxilar inferior. **2.** Glândula de certos anfíbios que produz um veneno cujo contato tem um efeito dissuasivo num confronto com os predadores.

parotidite *s.f.* Inflamação das parótidas.

paroxismo (cs) *s.m.* (gr. *paroxysmos*). **1.** Período de uma doença ou de uma dor durante o qual os sinais atingem sua máxima intensidade. **2.** *Fig.* Extrema intensidade, culminância de uma sensação ou sentimento.

paroxítono (cs) *adj.* e *s.m.* (gr. *paroxytonos*). Diz-se de ou vocábulo cuja tonicidade recai na penúltima sílaba.

parque *s.m.* (b.-lat. *parricum*). **1.** Lugar arborizado ou ajardinado, de relativo tamanho, público ou particular, para recreação, passeio ou ornamentação. **2.** Local de guarda de material militar. **3.** *Parque industrial,* conjunto das instalações fabris.

parquímetro *s.m.* Aparelho para medir automaticamente o tempo de estacionamento autorizado de um automóvel em via pública.

parra *s.f.* Folha de videira.

parreira *s.f.* **1.** Denominação comum a plantas trepadeiras, especialmente a videira. **2.** Videira, pé de uva.

parricida *s.2g.* (lat. *parricida*). Pessoa que mata pai, mãe ou qualquer outro ascendente direto. ★ *adj.2g.* Relativo a ou próprio desse crime.

parricídio *s.m.* (lat. *parricidium*). Homicídio do pai ou da mãe (legítimos, naturais ou adotivos).

parte *s.f.* (lat. *pars, partis*). **1.** Porção de um todo. **2.** Porção de um todo dividido; quinhão, fração. **3.** Certa quantidade de. **4.** Banda, lado, lugar. **5.** Cada uma das seções de uma obra. **6.** Assunto, matéria em questão. **7.** *À parte,* em separado, isoladamente; diferente, excepcional. ● **Dir.** Cada uma das pessoas que se opõem em litígio ou que celebram contrato.

parteira *s.f.* Mulher cuja profissão é assistir os partos, ajudar as parturientes; obstetriz, comadre.

parteiro *adj.* e *s.m.* Diz-se de ou médico ou cirurgião especializado em obstetrícia.

partejar *v.t.* (conj. 4). **1.** Ajudar uma mulher a ter um filho (uma parteira, um médico). **2.** *(NE)* Adular, bajular. **3.** Parir.

partenogênese *s.f.* Reprodução que ocorre a partir de um óvulo ou oosfera não fecundada que se desenvolve em um novo indivíduo, geneticamente idêntico ao indivíduo parental.

PARTENOGÊNESE ► A partenogênese é muito comum entre os insetos e bem conhecida entre os crustáceos (*Artemia salina*). Entre os lagartos, existem diferentes espécies compostas unicamente de fêmeas com essa característica (*Chamdophorus*). A partenogênese é excepcional entre os mamíferos, pois o embrião jamais supera os primeiros estágios de seu desenvolvimento.

A B C D E F G H I J K L M N O P Q R S T U V W X Y Z

participar *v.t.* (lat. *participare*) [conj. 4]. **1.** Fazer saber, comunicar, anunciar. **2.** Tomar parte em. **3.** Associar-se pelo sentimento, pelo pensamento; solidarizar-se com. **4.** Ter natureza semelhante ou qualidades comuns a alguém ou a algo.

participial *adj.2g.* (lat. *participialis*). Relativo ou pertencente ao particípio.

particípio *s.m.* (lat. *participium*). Forma nominal do verbo que apresenta o resultado do processo verbal, permitindo a formação dos tempos compostos, e que pode ser empregada como adjetivo.

partícula *s.f.* (lat. *particula*). **1.** Pequena parte. **2.** Corpo material de dimensões muito pequenas. ● **Fís.** Constituinte de um sistema físico considerado como elementar em relação às propriedades estudadas. ► *Física das partículas,* ramo da física que estuda os constituintes da matéria em nível subatômico. **Gram.** Palavra gramatical normalmente átona, como pronome, preposição e conjunção.

particular *adj.2g.* (lat. *particularis*). **1.** Que é peculiar a uma pessoa ou coisa. **2.** Próprio, específico. **3.** Que não é de uso público. **4.** Extraordinário, especial. **5.** Reservado, íntimo. ● **Fís.** Formado de partículas. ► Relativo à física das partículas. ★ *s.m.* **1.** Aquilo que é particular. **2.** Circunstância especial. **3.** Um indivíduo qualquer. ★ *s.m.pl.* Pormenores, detalhes.

particularizar *v.t.* (conj. 4). **1.** Referir circunstanciadamente, com todas as minúcias. **2.** Fazer menção especial a; nomear. **3.** Especificar, individualizar. ★ *v.pr.* Distinguir-se, singularizar-se, sobressair-se.

partida *s.f.* **1.** Ato ou efeito de partir; saída. **2.** Porção de mercadorias recebidas ou expedidas para comércio. **3.** Lançamento de uma operação mercantil no livro diário. **4.** Jogo, competição esportiva. ● **Automóv.** Sistema que permite pôr em movimento um motor de combustão.

partidário *adj.* **1.** De, pertencente ou relativo a partido. **2.** Inspirado pelo espírito de partido. ★ *s.m.* Pessoa ligada a um partido ou facção.

partidarismo *s.m.* Paixão partidária; proselitismo.

partido *adj.* Dividido em partes; quebrado. ★ *s.m.* **1.** Grupo de pessoas unidas pela mesma opinião, mesmo interesse. **2.** Organização estruturada cujos membros exercem atividade coletiva na sociedade a fim de realizar um programa político. **3.** Determinação, resolução. **4.** Vantagem, lucro, ganho. **5.** Pessoa para se casar.

partilha *s.f.* (lat. *particula*). **1.** Ato ou efeito de dividir uma coisa em porções, em partes. **2.** Divisão de um bem ou de uma massa de bens entre várias pessoas. **3.** Participação, posse simultânea.

partilhar *v.t.* (conj. 4). **1.** Fazer partilha de. **2.** Dividir em várias partes. **3.** Possuir com outros, compartilhar. **4.** *Fig.* Participar, tomar parte em.

partir *v.t.* (lat. *partire*) [conj. 6]. **1.** Dividir em partes; repartir. **2.** Fazer em pedaços; quebrar. **3.** Dividir, separar. **4.** Distribuir, compartilhar. **5.** Ter como ponto de partida, como base. ★ *v.i.* **1.** Pôr-se a caminho, ir embora. **2.** Ter seu começo, sua origem. **3.** Emanar, prover. **4.** Tomar por ponto de partida. ★ *v.pr.* Quebrar-se, espedaçar-se.

partitivo *adj.* (fr. *partitif*). Que reparte.

partitura *s.f.* (it. *partitura*). Página ou compilação de música que representa a totalidade de uma obra.

parto *s.m.* (lat. *partus*). **1.** Ação de expelir do útero, dar à luz um filho, uma cria. **2.** *Fig.* Invenção, obra, produto. **3.** *Trabalho de parto,* estado de uma mulher que está em vias de dar à luz.

ETAPAS DO TRABALHO DE PARTO

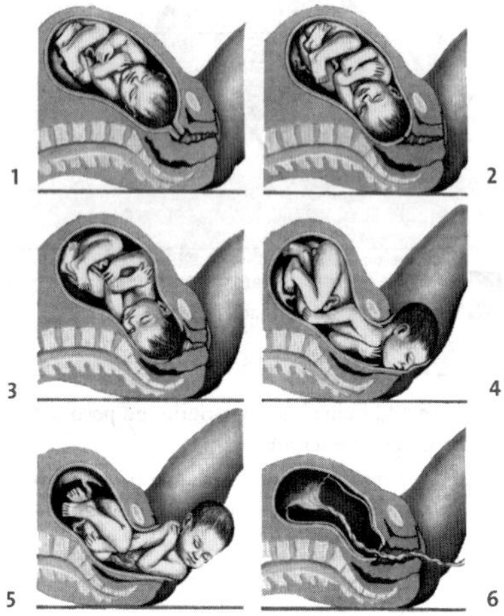

1. colo do útero antes da dilatação
2. dilatação do colo uterino
3. início da expulsão
4. saída, deflexão da cabeça
5. desprendimento dos ombros
6. expulsão da placenta

PARTO ► No fim da gravidez, o colo do útero se dilata para permitir a passagem do bebê. Em seguida, começam as contrações que empurram o bebê para fora. No caso dos seres humanos, quando o parto ocorre ao fim de 9 meses (280 dias), diz-se que houve um parto a termo. Entre os 6 e os 9 meses, trata-se de um parto prematuro.

parturiente *adj.* e *s.f.* (lat. *parturiens, parturientis*). Diz-se de ou mulher que está em vias de dar à luz, ou deu à luz há pouco.

parvo *adj.* (lat. *parvus*). **1.** Pequeno. **2.** Tolo, idiota. ★ *s.m.* Indivíduo atoleimado, idiota.

parvoíce *s.f.* **1.** Ação ou dito de parvo. **2.** Qualidade ou estado de parvo.

pascal[1] *adj.2g.* (lat. *paschalis*). Que se refere à Páscoa judaica ou à festa cristã da Páscoa. (Sin. PASCOAL.)

pascal[2] *s.m.* (de *Pascal,* n.pr.). Unidade de medida SI de pressão (símb. Pa).

pascer *v.t.*, *v.i.* e *v.pr.* (lat. *pascere*) [conj. 25]. Pastar.

páscoa *s.f.* (hebr. *pessach*). **1.** Na liturgia cristã, festa móvel anual, celebrada em memória da Ressurreição de Cristo. **2.** Na liturgia judaica, festa que comemora anualmente a saída do Egito.

pascoal *adj.2g.* Sin. de PASCAL.

pasmaceira *s.f.* **1.** Marasmo. **2.** Pasmo imbecil, embasbacamento.

pasmar *v.t.* e *v.i.* (conj. 4). **1.** Causar pasmo ou admiração a. **2.** Ficar estupefato.

pasmo *s.m.* (gr. *spasmos*). Espanto, admiração, assombro. ★ *adj.* Pasmado.

paspalhão *adj.* e *s.m.* Grande paspalho.

paspalho *s.m.* **1.** Pessoa estúpida e inútil. **2.** Tolo, parvo. **3.** Espantalho.

pasquim *s.m.* (it. *pasquino*). **1.** Jornal difamador. **2.** Sátira, panfleto, libelo.

passa *s.f.* (lat. *passa,* uva estendida). Fruta curada ou seca ao sol, especialmente a uva.

passada *s.f.* **1.** Passo. **2.** Ida a algum lugar, em geral por pouco tempo. **3.** Ação de passar, mover. ★ *s.f.pl.* Diligências, esforços.

passadeira *s.f.* **1.** Pessoa que passa a ferro as roupas de uso. **2.** Tapete estreito de corredor ou ante-sala. **3.** Tábua ou objeto semelhante colocada sobre o solo para se caminhar sobre ela. **4.** Alça ou argola pela qual passa um tecido, corrente etc.

passadiço *s.m.* **1.** Passagem. **2.** Calçada. **3.** Superestrutura que abriga os aparelhos de comando e de radiocomunicação de um navio e onde fica o pessoal encarregado da navegação. ★ *adj.* Passageiro.

passadio *s.m.* Alimentação diária.

passadismo *s.m.* Culto do passado.

passado *adj.* (Part. de *passar*) **1.** Que passou; pretérito. **2.** Que se passou. **3.** Decorrido, atravessado. **4.** Findo, anterior. **5.** Diz-se de fruta ou legume que amadureceu demais ou começou a apodrecer. **6.** Antiquado. **7.** Que foi passado a ferro. **8.** Que se passou na grelha ou fogo. ★ *s.m.* **1.** O tempo de outrora. **2.** Os acontecimentos passados. ● **Gram.** Pretérito.

passador (ô) *s.m.* **1.** Tira ou anel de couro por onde passa a ponta de uma correia, cinto etc. **2.** Anel de pano costurado na parte superior das calças, por dentro do qual passa o cinto. **3.** Filtro, coador. ★ *adj.* e *s.m.* **1.** Que ou o que passa ou faz passar, trespassa ou fura. **2.** Que ou o que leva ou transporta.

passageiro *adj.* (fr. *passager*). **1.** Que passa; transitório, efêmero, passadiço. **2.** Diz-se do local por onde transita grande número de pessoas ou veículos. **3.** De reduzida importância; leve. ★ *s.m.* Pessoa que utiliza um meio de transporte sem comandar a sua marcha; viajante.

passagem *s.f.* **1.** Ato ou efeito de passar. **2.** Lugar por onde se passa; passadiço. **3.** O momento em que se passa. **4.** Transição, mudança. **5.** Travessia. **6.** Quantia que se paga por uma viagem em qualquer veículo; bilhete ou comprovante desse pagamento. **7.** Trecho de um autor ou de uma obra citada; passo. **8.** Via de ligação, de acesso. **9.** Fato, acontecimento, episódio. **10.** *Passagem de nível,* trecho de rodovia ou estrada que corta uma via férrea ao mesmo nível desta. ● **Astron.** Travessia de um objetivo celeste em movimento através de um plano ou de uma curva da esfera celeste.

passamanaria *s.f.* **1.** Arte de fabricar passamanes. **2.** Comércio, fábrica de passamanes.

passamanes *s.m.pl.* (fr. *passements*). Galões, fitas, franjas etc. com que se ornam os móveis, tapeçarias, roupas etc.

passaporte *s.m.* (fr. *passeport*). Documento concedido aos viajantes por uma autoridade administrativa nacional a fim de certificar sua identidade perante autoridades estrangeiras. (Cf. SALVO-CONDUTO.)

passar *v.t.* (lat. hip. *passare*) [conj. 4]. **1.** Ir de um lugar a outro. **2.** Ir através de; transpor. **3.** Mover (um objeto, uma parte do corpo) sobre outro, colocando-os em contato ou não. **4.** Ir a determinado lugar por tempo breve; dirigir-se, apresentar-se. **5.** Transferir, transmitir. **6.** Coar, filtrar. **7.** Entrar, introduzir-se. **8.** Desfrutar, gozar. **9.** Alisar (roupa, tecido) com ferro quente; passar a ferro. **10.** Ser apresentado ou exibido (peça de teatro, filme cinematográfico etc.). **11.** Ser aprovado (em exame, prova). **12.** Pôr e manter (alimento) sobre grelha ou fogo. **13.** *Fig.* Afastar-se, cessar, desaparecer. ★ *v.i.* **1.** Transitar. **2.** Correr, deslizar. **3.** Desaparecer, acabar. **4.** Abster-se de jogar em um lance (em jogos de carta). **5.** Ser aprovado em exames. **6.** Decorrer, transcorrer. **7.** Alisar roupa com ferro. ★ *v.pr.* **1.** Escoar-se (tempo, prazo). **2.** Ocorrer, acontecer.

passarada *s.f.* Grande quantidade de pássaros.

passarela *s.f.* (fr. *passerelle*). **1.** Pequena ponte utilizada somente por pedestres, para travessia de avenidas e estradas. **2.** Passagem plana entre duas plataformas de estação. **3.** Pista para desfiles de moda, concursos de beleza etc.

passarinhar *v.i.* (conj. 4). **1.** Caçar pássaros. **2.** Vadiar. **3.** Espantar-se, assustar-se (cavalgadura).

passarinheiro *s.m.* **1.** Caçador de pássaros. **2.** Pessoa que cria e vende passarinhos. ★ *adj.* e *s.m.* Diz-se de ou cavalo espantadiço, inquieto.

passarinho *s.m.* Sin. de PÁSSARO.

pássaro *s.m.* (lat. *passer, passeris,* pardal). **1.** Ave pequena, de pescoço curto, freqüentemente canora e construtora de ninho. (Sin. PASSARINHO.) **2.** Espécime dos passeriformes.

pássaro-preto *s.m.* Ave passeriforme de coloração preta, com brilho azulado, que ocorre em fazendas de criação e campos de cultura. (Sin. ARUMARÁ.)

passatempo *s.m.* Ocupação ligeira e agradável; divertimento, entretenimento.

passável *adj.2g.* **1.** Que é de qualidade mais ou menos aceitável. **2.** Razoável, admissível.

passe *s.m.* (fr. *passe*). **1.** Autorização, permissão. **2.** O documento que contém essa autorização; licença. **3.** No futebol e em outros esportes, ação pela qual um jogador passa a bola a outro. **4.** *Passe de mágica,* lance de prestidigitação que, com rapidez e perícia, faz aparecer ou desaparecer objetos. ● **Relig.** No espiritismo, ato de uma pessoa (médium) passar as mãos próximo ao corpo de outra, com o propósito de emitir-lhe vibrações benéficas.

passear *v.i.* (lat. *passus,* passo) [conj. 15]. **1.** Andar a passo, ir a algum lugar. **2.** Desligar, fluir. **3.** Sair para divertir-se. ★ *v.t.* **1.** Levar a passeio. **2.** Percorrer em passeios. **3.** Exibir, ostentar. **4.** Espalhar, difundir. **5.** Dirigir vagarosamente, ora para um, ora para outro lado (o olhar, o pensamento).

passeata *s.f.* **1.** Pequeno passeio. **2.** Marcha coletiva realizada como manifestação pública de alegria ou reivindicação.

passeio *s.m.* (esp. *paseo*). **1.** Ato ou efeito de passear. **2.** Lugar onde se passeia; praça, jardim etc. destinado ao passeio. **3.** Calçada.

passeriformes *s.m.pl.* Ordem de aves de pequeno e médio porte, que apresentam pés com três artelhos voltados para frente e um para trás, adaptados para empoleirar.

passifloráceas *s.f.pl.* Família de plantas dicotiledôneas, herbáceas ou lenhosas, em geral trepadeiras, de flores grandes, vistosas, e fruto que pode ser cápsula ou baga, como o maracujazeiro.

passional *adj.2g.* (lat. *passionalis*). **1.** Relativo ou pertencente às paixões. **2.** Que é inspirado particularmente pela paixão amorosa. **3.** *Fig.* Ciumento, violento.

passista *s.2g.* Pessoa que dança samba muito bem, com passos admiráveis.

passível *adj.2g.* (lat. *passibilis*). **1.** Que está sujeito a experimentar acusações ou sofrer penas. **2.** Sujeito a experimentar sensações.

passividade *s.f.* (lat. *passivitas, passivitatis*). **1.** Qualidade, natureza, estado de passivo. **2.** Propriedade de um metal cuja corrosão eletroquímica é impedida pela formação de um filme superficial protetor.

passivo *adj.* (lat. *passivus*). **1.** Que sofre ou recebe uma ação. **2.** Não atuante, inerte. **3.** Que não participa, que não toma parte ativa. **4.** Indiferente, apático. ● **Dir.** *Dívidas passivas,* quantias das quais se é devedor. **Eletr.** Diz-se de um circuito ou de um elemento de circuito que não comporta nenhuma fonte de energia. **Gram.** *Voz passiva* ou *passiva* (*s.f.*), diz-se de ou forma verbal que apresenta o sujeito como paciente e não como agente da ação. **Quím.** Diz-se dos metais dotados de passividade. ★ *s.m.* **1.** Conjunto das dívidas e encargos, avaliados em dinheiro, que oneram um patrimônio. **2.** Aquilo que, num balanço, apresenta as dívidas de uma sociedade com relação aos associados, a terceiros.

passo *s.m.* (lat. *passus*). **1.** Movimento que faz um homem ou animal, para frente, para trás ou para os lados, deslocando o apoio do corpo de um pé para outro; passada. **2.** Espaço percorrido a cada um desses movimentos. **3.** Qualquer movimento que o dançarino executa com os pés. **4.** A andadura mais lenta do cavalo. **5.** Passagem. **6.** Pegada. **7.** *Fig.* Ato, atitude, ação. **8.** *Ao passo que,* à medida que, enquanto. ● **Geogr.** Desfiladeiro. **Mil.** Designação dos vários modos usados por uma tropa para marchar.

pasta *s.f.* (gr. *paste*). **1.** Substância de consistência semi-sólida, plástica e untuosa ao tato, obtida pela mistura de matérias sólidas e líquidas. **2.** Pomada, creme. **3.** Bolsa achatada onde se carregam livros, papéis, documentos. **4.** Invólucro retangular para arquivar documentos. **5.** Conjunto das atribuições de um ministro de Estado; o próprio cargo de ministro.

pastagem *s.f.* **1.** Ação de fazer o gado pastar. **2.** Erva própria para alimentar o gado; pasto. **3.** Prado permanente ou temporário que serve de alimento para o gado.

pastar *v.i.* (lat. *pastare*) [conj. 4]. **1.** Comer (animais) a erva de um pasto, colhendo-a diretamente; pascer. **2.** *Fig.* Passar por momentos difíceis. ★ *v.t.* **1.** Comer a erva que existe em; pascer. **2.** Dar pasto a; alimentar. **3.** Levar ao pasto. **4.** Sentir muito prazer em, deliciar-se com; pascer.

pastel¹ *s.m.* (lat. *pastellus*). **1.** Massa de farinha de trigo cortada em pequenas porções e dobrada com recheio salgado ou doce, servida frita, assada ou cozida. **2.** Empastelamento.

pastel² *s.m.* (it. *pastello*). Tipo de lápis de cor em bastão, em geral constituído por uma pasta aquosa de carbonato de cálcio.

pastelaria *s.f.* **1.** Arte do pasteleiro. **2.** Pasta ou massa trabalhada, ornamentada de formas diversas, e assada. **3.** Loja, mercadoria do pasteleiro.

pasteleiro *s.m.* Aquele que faz ou vende pastéis¹.

pasteurização *s.f.* (de *Pasteur,* n.pr.). Processo de esterilização aplicado ao leite e a outras substâncias alimentícias em que se processa a elevação da temperatura para aproximadamente 70° C e em seguida seu resfriamento.

pasteurizar *v.t.* (conj. 4). **1.** Proceder à pasteurização. **2.** Esterilizar pelo calor.

pasticho *s.m.* (fr. *pastiche*). **1.** Obra literária ou artística em que se imita grosseiramente o estilo de outros escritores, pintores, músicos etc. **2.** Espetáculo teatral composto de fragmentos de diversas peças.

pastifício *s.m.* (it. *pastificio*). Fábrica de massas alimentícias.

pastilha *s.f.* (esp. *pastilla,* pequena *pasta*). **1.** Pequeno disco ou rodela de substâncias medicamentosas com açúcar. **2.** Pasta de açúcar aromatizado, chocolate etc., de formato geralmente redondo. **3.** Pequena peça de cimento e areia para revestir paredes. ● **Automóv.** Elemento metálico que, por atrito contra um disco de aço solidário com o eixo da roda, freia um veículo.

pasto *s.m.* (lat. *pastus*). **1.** Terreno em que se cultivam basicamente gramíneas destinadas à alimentação do gado em sistema extensivo; pastagem. **2.** Erva para alimento do gado. **3.** Comida, alimento. **4.** Assunto. **5.** Casa de pasto, restaurante barato.

pastor (ô) *s.m.* (lat. *pastor, pastoris*). **1.** Guardador de rebanho. **2.** (*RS*) Garanhão, cavalo reprodutor. **3.** Ministro da religião protestante. **4.** *Fig.* Mentor espiritual. ★ *adj.* Que pastoreia. ★ *adj.* e *s.m.* **1.** Diz-se de ou raça de cães usados na guarda de rebanhos. **2.** *Pastor alemão,* cão utilizado para guarda, defesa e policiamento, de corpo alongado, robusto e musculoso.

pastoral *adj.2g.* (lat. *pastoralis*). **1.** Relativo a pastores, a campos; pastoril. **2.** Próprio dos pastores, dos ministros do culto e, em particular, dos bispos. **3.** Relativo aos clérigos católicos, em particular aos bispos. ★ *s.f.* **1.** Obra literária, musical ou pictórica onde os personagens são pastores e pastoras. **2.** Carta circular dirigida por um bispo aos padres e fiéis de sua diocese.

pastorar *v.t.* (conj. 4). Pastorear.

pastorear *v.t.* (conj. 15). **1.** Conduzir o rebanho ao pasto e vigiá-lo; pastorar, apascentar. **2.** Dirigir, guiar, pastorar.

pastoreiro *s.m.* **1.** Indústria pastoril. **2.** (*RS*) Lugar onde se pastoreia o gado. **3.** O gado que se pastoreia.

pastoril *adj.2g.* **1.** Pastoral. **2.** *Fig.* Rústico, campesino, bucólico. ★ *s.m.* Folguedo popular nordestino com, entre outros, figuras femininas que dançam, as pastorinhas.

pastoso (ô) *adj.* **1.** Que se encontra em estado ou tem consistência de pasta. **2.** Viscoso, xaroposo. **3.** *Voz pastosa,* voz arrastada e pouco clara, como se a boca estivesse cheia de saliva espessa.

pata¹ *s.f.* A fêmea do pato.

pata² *s.f.* Pé de animal; membro posterior das aves.

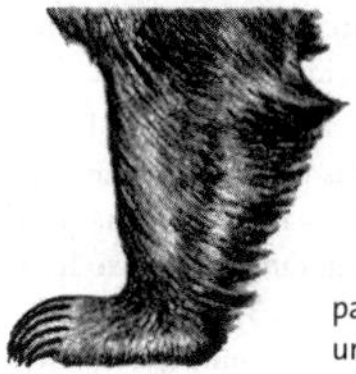
pata de urso

PATA ▸ Ao contrário da asa, a finalidade da pata é fazer contato, seja com o solo, com fins de locomoção, seja com diversos objetos sólidos, com fins de preensão. Diferentemente do tentáculo, a pata é formada por uma série de segmentos rígidos articulados entre si e pode ser ramificada (em dedos ou outras formas).

pataca *s.f.* **1.** Moeda antiga de prata. **2.** *De meia pataca,* de pouco valor, sem importância.

patacoada *s.f.* **1.** Jactância ridícula, tolice, disparate. **2.** Mentira.

patada *s.f.* **1.** Pancada dada com a pata. **2.** *Fig.* Grosseria, indelicadeza.

patagão *adj.* Patagônio.

patagônio *adj.* Relativo à Patagônia, região da Argentina; patagão.

patamar *s.m.* **1.** Espaço mais ou menos largo no topo de uma escada. **2.** Espaço entre os diferentes lanços de uma escadaria. **3.** *Fig.* O mais alto grau.

patativa *s.f.* (tupi). **1.** Ave passeriforme, canora, muito procurada para criação em gaiolas e viveiros. **2.** *Fig.* Cantor de voz maviosa. **3.** *Fig.* Indivíduo falador.

patavina *s.f.* (do lat. *patavium,* paduano, dialeto incompreensível para os não nascidos em Pádua, na Itália). *Pop.* Coisa nenhuma, nada.

pataxó *s.2g.* Indivíduo dos pataxós, povo indígena jê que vive na Bahia.

patchuli *s.m.* **1.** Planta herbácea, originária da Índia, cujas folhas encerram um óleo volátil, utilizado em perfumaria. **2.** O perfume extraído dessa planta.

patê *s.m.* (fr. *pâte,* pasta). Preparado culinário pastoso e de sabor marcante, feito com fígado, queijo etc., para ser passado sobre torrada, pão ou bolacha.

patear *v.i.* (conj. 15). **1.** Bater com as patas. **2.** Manifestar reprovação, batendo com os pés no chão.

patela *s.f.* Rótula.

patelar *adj.2g.* Relativo à patela ou rótula.

pátena ou **patena** *s.f.* (lat. *patena*). Vaso sagrado, geralmente em forma de prato, para cobrir o cálice e receber a hóstia.

patente *adj.2g.* (lat. *patens, patentis*). **1.** Aberto, acessível, franco. **2.** Evidente, claro. ★ *s.f.* **1.** Documento de concessão de um título, posto ou privilégio. **2.** Posto militar.

patentear *v.t.* (conj. 15). **1.** Franquear, abrir, dar acesso a. **2.** Tornar claro, manifesto; evidenciar. **3.** Proteger uma invenção, um projeto, com uma patente. ★ *v.pr.* Tornar-se claro, evidente.

paternal *adj.2g.* (lat. *paternalis*). **1.** Relativo ou pertencente ao pai; paterno, pátrio. **2.** Próprio de pai.

paternalismo *s.m.* **1.** Regime fundado na autoridade paterna. **2.** Concepção segundo a qual as relações entre patrões e operários devem ser regidas pelas regras da vida familiar, caracterizadas pela afeição recíproca, autoridade e respeito. **3.** Tendência para a proteção, para a tolerância; favoritismo, nepotismo.

paternidade *s.f.* (lat. *paternitas, paternitatis*). **1.** Estado, qualidade de pai. **2.** Vínculo jurídico entre pai e filho. **3.** *Fig.* Criação, autoria.

paterno *adj.* (lat. *paternus*). Paternal.

pateta *adj.2g.* e *s.2g.* Tolo, bobo, paspalhão.

patético *adj.* (gr. *pathétikos*). **1.** Que desperta compaixão ou tristeza; comovedor, tocante. **2.** Que revela forte emoção. **3.** Trágico, sinistro. ● **Anat.** *Nervo patético* ou *patético* (*s.m.*), cada um dos nervos que compõem o quarto par de nervos cranianos, responsáveis pela inervação de um músculo do olho. (Sin. TROCLEAR.)

patibular *adj.2g.* **1.** Relativo a patíbulo. **2.** Com aspecto de criminoso, de malfeitor.

patíbulo *s.m.* (lat. *patibulum*). **1.** Cadafalso. **2.** Pena de morte por enforcamento.

patifaria *s.f.* Ação de patife.

patife *adj.2g.* e *s.2g.* **1.** Que ou aquele que tem procedimento desonesto e aproveitador; biltre, bandido, mau-caráter. **2.** Fraco, covarde.

patim *s.m.* (fr. *patin*). **1.** Pequeno patamar de escada. **2.** Calçado com uma lâmina metálica perpendicular à sola, próprio para deslizar no gelo, ou com pequenas rodas na sola, para locomoção rápida em pavimentos regulares. **3.** *P. ext.* Parte de uma peça de máquina ou mecanismo destinada a deslizar sobre uma superfície.

pátina *s.f.* (lat. *patina*). **1.** Concreção que se forma na superfície dos metais, do mármore, madeira etc., após longa exposição às intempéries. **2.** Oxidação das tintas pela ação do tempo e sua gradual transformação pela luz. **3.** *Fig.* Envelhecimento.

patinação *s.f.* **1.** Ação de deslizar sobre patins; patinagem. **2.** Modalidade de esporte olímpico que utiliza patins.

patinar *v.i.* (conj. 4). **1.** Deslizar sobre patins. **2.** Girar (roda) sem avançar, por falta de aderência; patinhar.

patinhar *v.i.* (conj. 4). **1.** Bater na água com os pés ou com as mãos, simulando o nado dos patos. **2.** Caminhar em água lodosa. **3.** Patinar. **4.** *P. ext.* Escorregar.

pátio *s.m.* (lat. *patium*). **1.** Recinto descoberto ao lado ou no interior dos edifícios. **2.** Recinto descoberto rodeado por edifícios. **3.** Vestíbulo. **4.** Local para manobra de trens, ônibus etc.

patioba *s.f.* **1.** Palmeira alta, de sementes comestíveis e folhas brilhantes, utilizadas na confecção de balaios e cestos. **2.** Palmeira de caule ereto, folhas verde-escuras e fruto que é uma baga ovóide, roxo-escura.

pato *s.m.* **1.** Denominação comum a aves anseriformes, aquáticas, palmípedes, que apresentam pescoço e pernas curtas, e bico achatado utilizado para filtrar o alimento da água. **2.** *Fig.* Indivíduo que, por ingenuidade, se deixa explorar; tolo.

patogenesia *s.f.* Patogenia.

patogenia *s.f.* (gr. *pathos,* doença, e *genean,* origem). Exame e pesquisa da maneira pela qual os agentes mórbidos provocam as doenças; patogênese, patogenesia.

patogênico *adj.* Que provoca doenças; patógeno.

patógeno *adj.* Patogênico.

patologia *s.f.* **1.** Parte da medicina que estuda as origens, sintomas e natureza das doenças. **2.** Conjunto de sinais mórbidos característicos de uma doença ou de um grupo de doenças.

patológico *adj.* **1.** Relativo à patologia. **2.** Doentio, mórbido.

patologista *s.2g.* Especialista em anatomia patológica.

patota *s.f.* *Gír.* Grupo, bando, turma.

patranha *s.f.* (esp. *patraña*). **1.** Mentira manifesta, embuste. **2.** História ou narração mentirosa.

patrão *s.m.* (lat. *patronus*). **1.** Proprietário ou dirigente de uma empresa, em relação a seus empregados ou trabalhadores. **2.** O empregador. **3.** Amo, senhor. **4.** Patrono, protetor. **5.** Sin. TIMONEIRO.

pátria *s.f.* (lat. *patria*). **1.** País em que se nasceu ou a que se pertence como cidadão. **2.** Estado, província ou cidade onde se nasceu. **3.** Comunidade, nação à qual se tem o sentimento de pertencer. **4.** Conjunto das pessoas que formam uma nação, seja esta organizada ou não em Estado independente.

patriarca *s.m.* (gr. *patriarches*). **1.** Nome dado aos grandes ancestrais da humanidade e da história do povo hebreu, segundo a Bíblia. **2.** *Fig.* Velho que tem numerosos descendentes. **3.** Chefe da família. **4.** Mentor de um idéia ou de uma causa. **5.** Título honorífico dado aos bispos de algumas dioceses importantes ou antigas na Igreja latina.

patriarcado *s.m.* (lat. *patriarchatus*). Dignidade, função do patriarca; território sob a jurisdição de um patriarca. ● **Sociol.** Forma de organização social onde o homem exerce domínio político, econômico, religioso, e detém o papel dominante na família, em relação à mulher.

patriarcal *adj.2g.* (lat. *patriarchalis*). **1.** Relativo a patriarca ou patriarcado. **2.** *P. ext.* Venerando, respeitável, bondoso. **3.** Diz-se de uma organização social em que o pai ou patriarca concentra a autoridade absoluta.

patriciado *s.m.* (lat. *patriciatus*). **1.** Em Roma, dignidade de patrício; classe das famílias patrícias; conjunto de patrícios. **2.** Alta dignidade, não hereditária, que os imperadores romanos concediam, durante o Baixo Império, a cidadãos ou mesmo a reis bárbaros. **3.** Na Baixa Idade Média, a aristocracia dos centros urbanos europeus, representada por poderosas famílias de mercadores.

patrício *s.m.* (lat. *patricius*). **1.** Membro do patriciado da antiga Roma. **2.** Alta dignidade em uso no Império Romano a partir de Constantino. **3.** Pessoa que fazia parte da aristocracia, da classe privilegiada. **4.** Aquele que tem a mesma pátria que outrem; compatriota, conterrâneo. ★ *adj.* Nobre, elegante, distinto.

PATRÍCIO ► Os patrícios romanos eram membros de certos clãs privilegiados. Entre seus privilégios, estavam a organização dos principais serviços religiosos e a ratificação das decisões tomadas pelas assembléias. Embora a maioria dos cônsules fosse de origem patrícia, sabe-se que o patriciado obteve o monopólio do poder político apenas até meados do século V a.C.

---

patrimonial *adj.2g.* (lat. *patrimonialis*). **1.** Relativo ao patrimônio. **2.** Que é do patrimônio; que tem valor econômico. **3.** Que surge do patrimônio.

patrimônio *s.m.* (lat. *patrimonium*). **1.** Herança paterna; bens de família. **2.** Conjunto dos bens, direitos e obrigações de uma pessoa física ou jurídica. **3.** *Fig.* O que é considerado como herança comum.

pátrio *adj.* (lat. *patrius*). **1.** Pertencente ou relativo à pátria. **2.** Relativo ou pertencente ao pai ou aos pais. **3.** Paternal.

patriota *adj.2g.* e *s.2g.* (gr. *patriotes*). Que ou aquele que ama sua pátria, que se esforça por ser-lhe útil.

patriotada *s.f.* **1.** *Pej.* Alarde de patriotismo; patriotice. **2.** Rebelião infrutífera. **3.** Grande número de patriotas.

patriotice *s.f.* *Pej.* **1.** Patriotada. **2.** Falso patriotismo.

patriótico *adj.* (lat. *patrioticus*). **1.** Relativo ao patriotismo. **2.** Relativo a ou próprio de patriota.

patriotismo *s.m.* **1.** Amor à pátria. **2.** Orgulho nacional; ufanismo.

patroa *s.f.* (lat. *patrona*). **1.** Mulher do patrão. **2.** Dona de casa. **3.** Empregadora (em relação aos empregados). **4.** *Pop.* Esposa.

patrocinador (ô) *adj.* e *s.m.* **1.** Que ou aquele que patrocina. **2.** Diz-se de ou pessoa ou empresa que custeia programas de televisão, espetáculos, disputas desportivas etc., para propaganda de seus produtos.

patrocinar *v.t.* (lat. *patrocinari*) [conj. 4]. **1.** Dar proteção ou apoio a. **2.** Dar patrocínio; beneficiar, favorecer. **3.** Financiar uma empresa, espetáculo, esportista etc., para fazer publicidade.

patrocínio *s.m.* (lat. *patrocinium*). **1.** Proteção, auxílio, apoio, amparo; patronato. **2.** Custeio de um programa de rádio, televisão etc. ou disputa desportiva, para fins de propaganda.

? VOCÊ SABIA...? O **patrocínio** surgiu durante o Baixo Império Romano (século III). Os pequenos proprietários rurais buscaram a proteção do exército e da administração civil. Em troca, entregaram suas terras, que podiam continuar cultivando desde que pagassem um imposto que garantia a proteção.

patronal *adj.2g.* (lat. *patronalis*). Relativo a ou próprio de patrão.

patronato *s.m.* (lat. *patronatus*). **1.** Patrocínio. **2.** Conjunto dos patrões. **3.** Autoridade de patrão. **4.** Pensionato.

patronear *v.t.* (conj. 4). **1.** Servir como patrono. **2.** Dirigir como patrão. **3.** Proteger, patrocinar. ★ *v.i.* Tomar ares de ou agir como patrão.

patronímico *adj.* (lat. *patronymicus*). Relativo ao pai, especialmente ao nome do pai ou a nomes de família. ● **Gram.** Diz-se de um substantivo derivado de um nome próprio, comum aos descendentes de uma mesma pessoa. ★ *s.m.* **1.** Sobrenome derivado do nome do pai. **2.** Designação de cada um dos nomes que exprimem filiação ou descendência.

patrono *s.m.* (lat. *patronus*). **1.** Padroeiro. **2.** Protetor, defensor.

patrulha *s.f.* (fr. *patrouille*). **1.** Circulação de pequenas unidades militares em uma zona onde se presume a presença de elementos inimigos; patrulhamento. **2.** A própria formação militar.

patrulhar *v.i.* (fr. *patrouiller*) [conj. 4]. **1.** Desempenhar a missão de patrulha. **2.** Rondar em patrulha; vigiar.

patrulheiro *adj.* e *s.m.* Que ou aquele que faz parte de uma patrulha.

patuá *s.m.* (tupi *patauá*). **1.** Cesto de palha; balaio. **2.** Pequeno amuleto.

paturé *s.m.* Var. de PATURI.

paturi *s.m.* (tupi *patu'ri*). Ave anseriforme de pequeno porte, cujo macho apresenta cabeça preta e bico azulado, enquanto a da fêmea é de coloração branca e preta. (Var. PATURÉ.)

patuscada *s.f.* **1.** *Pop.* Reunião festiva onde se come e bebe alegremente. **2.** Folgança, festança, pândega.

patusco *adj.* e *s.m.* **1.** Que ou aquele que gosta de patuscada; pândego, brincalhão. **2.** Excêntrico, extravagante.

pau *s.m.* (lat. *palus, pali*). **1.** Madeira. **2.** Qualquer pedaço de madeira; vara, lenha, ripa. **3.** Qualquer árvore cujo nome se desconhece. **4.** Castigo corporal. **5.** *Pop.* Briga, pancadaria. ★ *adj. Pop.* Maçante, enfadonho. ★ *s.m.pl.* Um dos naipes do baralho, representado por um trevo negro.

pau-a-pique *s.m.* **1.** Engradamento de varas perpendiculares e eqüidistantes, usado como cerca, divisória ou suporte para parede de taipa. **2.** *P. ext.* Taipa.

pau-bálsamo *s.m.* Sin. de CABRIÚVA.

pau-brasil *s.m.* Árvore de tronco e ramos armados de espinhos, de flores amarelas, que fornece madeira pesada, dura, vermelho-alaranjada quando fresca. (Sin. IBIRAPITANGA, ORABUTÁ, PAU-DE-TINTA.)

pau-d'água *s.2g. Pop.* Indivíduo que anda habitualmente embriagado; beberrão.

pau-d'alho *s.m.* Sin. de GUARAREMA.

pau-d'arco *s.m.* Sin. de IPÊ.

pau-de-arara *s.m.* **1.** Pau em que se transportam araras e outras aves penduradas pelos pés. **2.** Método de tortura em que a vítima, com os pulsos amarrados aos tornozelos, é suspensa por uma vara que passa sob o joelho. **3.** Caminhão com varas longitudinais cobertas com lona na carroceria, que era utilizado no transporte de emigrantes nordestinos. ★ *s.2g.* **1.** O que viaja nesses caminhões. **2.** *P. ext. Pej.* Nordestino.

pau-de-sebo *s.m.* Mastro comprido e untado de sebo, que se ergue em festas de arraial, com prêmios no topo, para os que conseguirem escalá-lo. ● **Bot.** Árvore de pequeno porte originária da China, cujos frutos fornecem gordura e as sementes, óleos com propriedades tóxicas.

pau-de-tinta *s.m.* Sin. de PAU-BRASIL.

pau-ferro *s.m.* Árvore alta, de tronco liso com manchas brancas, de flores amarelas e frutos ricos em tanino, que fornece madeira vermelha, resistente, própria para construção civil e marcenaria. (Sin. JUCÁ.)

paul (a-ú) *s.m.* (lat. *palus, paludis*). Pântano.

paulada *s.f.* Pancada com pau; cacetada, bordoada.

paulatino *adj.* (lat. *paulatim* ou *paullatim*). **1.** Que é feito devagar, pouco a pouco. **2.** Vagaroso, lento.

paulista *adj.2g.* Relativo ou pertencente a São Paulo, Estado brasileiro. ★ *s.2g.* O natural ou habitante desse Estado.

paulistano *adj.* Relativo ou pertencente a São Paulo, capital do Estado de mesmo nome. ★ *s.m.* O natural ou habitante de São Paulo.

pauperismo *s.m.* (do lat. *pauper*, pobre). **1.** Miséria, pobreza extrema. **2.** Fenômeno social caracterizado por estado de pobreza endêmico de uma parte da população.

pau-rosa *s.m.* Sin. de FLAMBOIÃ.

pausa *s.f.* (gr. *pausis*). **1.** Suspensão momentânea de uma ação. **2.** Interrupção de um som ou movimento. **3.** Lentidão, vagar. ● **Liter.** *Pausa rítmica*, silêncio que se estabelece no interior de um verso ou no fim do mesmo (também dito, nesse caso, *pausa métrica*), ou ainda em prosa, e cuja recorrência periódica cria o ritmo. **Mús.** Interrupção mais ou menos longa do som; sinal que indica essa interrupção.

pau-santo *s.m.* Sin. de CANJARANA.

pausar *v.t.* (lat. *pausare*) [conj. 4]. Tornar lento, vagaroso. ★ *v.i.* **1.** Fazer pausa. **2.** Descansar, repousar.

pauta *s.f.* (lat. *pacta*). **1.** Conjunto das linhas horizontais e paralelas impressas em papel em que se vai escrever. **2.** Lista, relação. **3.** Programação dos assuntos e acontecimentos a serem cobertos numa edição de um periódico. ● **Mús.** Sistema de linhas horizontais, paralelas e eqüidistantes, sobre ou entre as quais são colocadas as notas; pentagrama.

pautado *adj.* **1.** Riscado em pauta. **2.** Posto em pauta, relacionado. **3.** Moderado, metódico. **4.** Guiado, regulado.

pautar *v.t.* (conj. 4). **1.** Traçar, riscar em pautas. **2.** Modelar, regular. **3.** Pôr em pauta ou rol; relacionar.

pavão *s.m.* (lat. *pavo, pavonis*). **1.** Ave galiforme de penas coloridas, cujo macho apresenta cauda alongada, de plumagens ornamentais, que se abre em forma de leque durante a parada nupcial. **2.** Nome comum a diversas borboletas que têm ocelos nas asas. **3.** Denominação dada a diversos peixes vivamente coloridos. **4.** *Fig.* Homem vaidoso, orgulhoso.

pavê (do fr. *pavé*) *s.m.* Doce feito de biscoitos embebidos em licor e dispostos em camadas entremeadas de um creme.

paveia *s.f.* **1.** Feixe, molho de ervas; gavela. **2.** Montículo de mato roçado, palha.

pávido *adj.* (lat. *pavidus*). **1.** Cheio de pavor; assustado, assombrado. **2.** Medroso, receoso.

pavilhão *s.m.* (lat. *papilio, papilionis*). **1.** Parte da construção situada na extremidade ou no centro de um edifício, do qual se distingue. **2.** Tenda, barroca, toldo. **3.** Sala ampla em que se organizam exposições, concertos etc. **4.** Estofo com que se recobre o cibório ou o tabernáculo. **5.** Bandeira. ● **Anat.** Lâmina cartilaginosa recoberta de pele (pregueada e fixa no homem, móvel entre muitos mamíferos), onde se abre o conduto auditivo. **Nav.** Insígnia da nacionalidade de um navio.

pavimentação *s.f.* **1.** Ato ou efeito de pavimentar. **2.** Revestimento do chão de uma estrada ou rua; pavimento.

pavimentar *v.t.* (conj. 4). Cobrir de revestimento o solo de uma rua, de uma estrada etc.

pavimento *s.m.* (lat. *pavimentum*). **1.** Parte de uma rua ou estrada de rodagem destinada ao tráfego. **2.** Superfície constituída de paralelepípedos ou de blocos de concreto pré-moldados e articulados. **3.** O chão. **4.** Cada um dos andares de um edifício. **5.** Pavimentação.

pavio *s.m.* (gr. *papyros*). Fio ou mecha de algodão envolvido em cera (das velas) ou embebido em líquido combustível (dos lampiões), a que se ateia fogo para iluminação.

pavonear *v.i.* (conj. 15). Adotar, ao caminhar, ares de soberba (como o pavão com a cauda aberta em leque). ★ *v.t.* **1.** Ostentar, exibir vaidosamente. **2.** Enfeitar, ornar em excesso. ★ *v.pr.* **1.** Enfeitar-se, adornar-se. **2.** Vangloriar-se.

pavor (ô) *s.m.* (lat. *pavor*). **1.** Sensação provocada por medo violento; terror. **2.** Grande susto; assombro.

pavoroso (ô) *adj.* **1.** Que apavora; medonho. **2.** Horroroso, repulsivo. **3.** Horrível, monstruoso.

paxá *s.m.* (turco *pasha*). **1.** No Império Otomano, título hereditário inicialmente reservado a governadores de províncias e titulares do grau de vizir, mais tarde extensivo aos titulares de outros graus da hierarquia civil e militar. **2.** *Fam.* Indivíduo que leva vida faustosa, poderoso e rico.

paz *s.f.* (lat. *pax*). **1.** Estado tranqüilo de um povo ou nação que não tem inimigos a combater. **2.** Harmonia, concórdia. **3.** Sossego, tranqüilidade; ausência de lutas ou violência. **4.** Calma, repouso.

pé *s.m.* (lat. *pes*). **1.** Parte terminal dos membros inferiores do homem, que pode repousar horizontalmente sobre o solo. **2.** Pata. **3.** Base, parte inferior de diversos objetos, que sobre ele descansam o seu peso. **4.** Parte do tronco ou do caule de um vegetal que mais se aproxima do solo; o próprio vegetal. **5.** Parte da cama oposta à cabeceira. **6.** Cada uma das unidades que compõem um par de sapatos, de meias. **7.** *Ao pé da letra,* à risca, literalmente. ● **Liter.** Unidade rítmica e melódica do verso composta de um grupo de sílabas métricas. **Med.** *Pé chato,* condição patológica caracterizada por achatamento do arco plantar. **Metrol.** Unidade de comprimento anglo-saxônica, divisível em 12 polegadas, de extensão variável conforme o país. (No Brasil, atribui-se ao pé a dimensão de 32,48 cm.) **Zool.** Expansão ventral dos moluscos, sobre a qual eles podem se locomover.

peanha *s.f.* (lat. *pedanea*). Pequeno pedestal de base redonda ou quadrada, que serve de suporte a um busto, imagem, cruz etc.

peão *s.m.* (lat. *pedo, pedonis*). **1.** Pessoa que anda a pé. **2.** Trabalhador rural que executa serviços ligados especialmente ao pastoreio; amansador de cavalos e bestas. **3.** Condutor de tropas. **4.** Peça de menor valor no jogo de xadrez, em número de oito para cada cor. **5.** Operário, em especial da construção civil. ● **Hist.** Na Idade Média, o combatente a pé, armado de lança.

pear *v.t.* (conj. 15). **1.** Prender com peias. **2.** *Fig.* Pôr obstáculos; embaraçar, tolher.

peça *s.f.* (b.-lat. *petia,* pedaço de terra). **1.** Cada um dos elementos cuja montagem forma um objeto construído. **2.** Parte ou pedaço que integra um conjunto. **3.** Objeto considerado por unidade. **4.** Porção de pano tecido de uma vez. **5.** Cada um dos cômodos de uma residência. **6.** Trabalho literário ou artístico. **7.** Obra dramática. **8.** Composição musical, de um ou mais trechos, que pode ser executada por uma ou mais vozes ou por instrumentos. **9.** Cada uma das figuras de jogos de tabuleiro (xadrez, damas, gamão). **10.** Documento escrito que faz parte de um processo judicial. **11.** *Fig.* Ludíbrio, logro.

pecado *s.m.* (lat. *peccatum*). **1.** Transgressão consciente e voluntária da lei divina. **2.** Falta contra quaisquer regras ou normas. **3.** Estado que resulta para o pecador em conseqüência de falta cometida.

pecar *v.i.* (lat. *paccare*) [conj. 12]. **1.** Cometer pecado, transgredir os preceitos da Igreja. **2.** Faltar a uma regra moral, a um dever social.

pecha *s.f.* (esp. *pecha*). Vício, defeito, falha.

pechincha *s.f.* **1.** Vantagem. **2.** Lucro inesperado, ganho. **3.** Coisa que se compra por preço ínfimo. **4.** Bom negócio.

pechinchar *v.t.* (conj. 4). **1.** Lucrar, obter algo inesperada ou imerecidamente. **2.** Regatear. ★ *v.i.* **1.** Obter vantagem com que não se conta. **2.** *Fam.* Pedir insistentemente redução de preço; regatear.

pechisbeque *s.m.* (de *Pinchbeck,* n.pr.). **1.** Objeto de ouro falso. **2.** *Fig.* Coisa de pouco valor.

pecilotermo *adj.* e *s.m.* Sin. de HETEROTERMO.

peciolado *adj.* **1.** Diz-se do órgão vegetal provido de pecíolo. **2.** *Abdome peciolado,* abdome unido ao tórax por uma parte muito estreita, como nos insetos himenópteros.

pecíolo *s.m.* (lat. *petiolus*). Parte estreita que liga o limbo de uma folha ao caule.

peco (ê) *s.m.* Doença que ataca os vegetais e os faz definhar. ★ *adj.* **1.** Que foi ou está acometido pelo peco; definhado, mofino. **2.** *Fig.* Tolo, falto de inteligência ou de iniciativa.

peçonha *s.f.* (lat. *petionea*). **1.** Secreção venenosa ou corrosiva de certos animais e de alguns insetos, usada geralmente como arma de defesa; veneno. **2.** *Fig.* Maldade, malícia.

pectina *s.f.* Substância orgânica que compõe as paredes celulares vegetais.

pectinase *s.f.* Enzima presente nos vegetais, utilizada pela indústria por hidrolizar as pectinas.

pecuária *s.f.* (lat. *pecuaria*). Arte e indústria da criação animal, que compreende alimentação, seleção, reprodução e higiene, com objetivo de obter certos produtos destinados principalmente ao consumo humano.

pecuário *adj.* (lat. *pecuarius*). Relativo ao gado. ★ *s.m.* Criador de gado; pecuarista.

pecuarista *s.2g.* **1.** Criador de gado; pecuário. **2.** Aquele que entende de gado em geral.

peculatário *s.m.* Aquele que pratica ou praticou peculato.

peculato *s.m.* (lat. *peculatus*). Furto ou apropriação de bens ou valores públicos.

peculiar *adj.2g.* (lat. *peculiaris*). **1.** Relativo a pecúlio. **2.** Que é próprio de um ser; característico, particular.

peculiaridade *s.f.* Qualidade do que é peculiar; particularidade.

pecúlio *s.m.* (lat. *peculium*). **1.** Dinheiro acumulado por economia. **2.** Bens, propriedades.

pecúnia *s.f.* (lat. *pecunia*). Dinheiro.

pecuniário *adj.* (lat. *pecuniarius*). Relativo a dinheiro.

pedaço *s.m.* (gr. *pittakion*). **1.** Parte separada de um todo; porção. **2.** Fragmento, fração, naco.

pedágio *s.m.* (lat. *pedaticum*). **1.** Taxa que se paga para transitar em uma estrada, ponte etc. **2.** Posto fiscal encarregado de cobrar essa taxa.

pedagogia *s.f.* (gr. *paidagogia*). **1.** Ciência da educação; conjunto dos métodos utilizados para educar as crianças e os adolescentes. **2.** Prática educativa em um domínio determinado; método de ensino. **3.** Aptidão para bem ensinar.

pedagógico *adj.* (gr. *paidagogikos*). **1.** Relativo ou pertencente à pedagogia. **2.** Conforme às regras da pedagogia.

pedagogo (ô) *s.m.* (gr. *paidagogos*). **1.** Profissional ou especialista em pedagogia; educador. **2.** Na Antiguidade, escravo que levava as crianças à escola.

pé-d'água *s.m.* Chuva forte e inesperada; aguaceiro.

pedal *s.m.* (lat. *pedalis*). **1.** Placa que oscila ao redor de um eixo horizontal, movida pelo pé, acoplada a um dispositivo que transforma esse movimento em um movimento contínuo de rotação (máquina de costura etc.) ou em um movimento de translação em vaivém (órgão, p. ex.). **2.** Alavanca destinada a receber a ação do pé sobre um comando de uma máquina ou instrumento.

pedalar *v.t.* (conj. 4). Fazer mover os pedais de. ★ *v.i.* Andar de bicicleta.

pedaleira *s.f.* **1.** Dispositivo da bicicleta que compreende um eixo, um ou dois pratos dentados para engrenamento da corrente e dois braços de manivela que suportam, nas extremidades, os pedais. **2.** Conjunto de teclas colocado embaixo do órgão, que se abaixa com o pé para emitir sons graves.

pedante *adj.2g.* e *s.2g.* (it. *pedante*). Que ou aquele que alardeia conhecimentos ou qualidades superiores aos que possui; pretensioso, pernóstico.

pé-de-atleta *s.m.* Dermatose micótica muito freqüente dos artelhos e dos pés; frieira.

pé-de-boi *s.m.* **1.** *Pop.* Pessoa aferrada a alguma coisa ou alguma idéia. **2.** Indivíduo muito trabalhador, cumpridor de suas obrigações.

pé-de-cabra *s.m.* Alavanca de ferro com uma extremidade fendida como um pé de cabra.

pé-de-elefante *s.m.* Sin. de PEPINO-DO-MAR.

pé-de-galinha *s.m.* **1.** *Pop.* Denominação das rugas da face, principalmente das que se localizam nos cantos dos olhos. **2.** Nome comum a várias gramíneas, que apresentam inflorescência semelhante a um pé de galinha.

pé-de-meia *s.m.* Pecúlio, economia.

pé-de-moleque *s.m.* Doce de açúcar preto ou rapadura e pedaços de amendoim torrado.

pé-de-pato *s.m.* Sin. de NADADEIRA.

pederasta *s.2g.* (gr. *paiderastes*). Pessoa que pratica a pederastia.

pederastia *s.f.* (gr. *paiderasteia*). **1.** Para um homem, escolha de um menino adolescente como parceiro sexual. **2.** Homossexualismo entre homens.

pederneira *s.f.* **1.** Pedra muito dura, que produz faíscas quando ferida com fragmento de peça metálica. **2.** Fragmento dessa pedra que, percutido pelo fuzil, produzia fogo que se comunicava à pólvora nas armas antigas.

pedestal *s.m.* (it. *pedestallo*). **1.** Peça que sustenta uma estátua, busto ou coluna. **2.** *Fig.* O que serve para elevar, para dignificar.

pedestre *adj.2g.* (lat. *pedester, pedestris*). **1.** Que anda ou está a pé. **2.** Diz-se da estátua que representa alguém de pé. **3.** *Fig.* Rústico, rude. **4.** *Fig.* Humilde, modesto. ★ *s.2g.* Pessoa que anda a pé.

pedestrianismo *s.m.* (ingl. *pedestrian*). Exercício ou esporte que consiste em fazer grandes marchas a pé.

pé-de-vento *s.m.* **1.** Ventania súbita. **2.** Vento forte; tufão.

pediatra *s.2g.* Médico especialista em doenças infantis.

pediatria *s.f.* Ramo da medicina consagrado à prevenção, diagnóstico e tratamento das doenças infantis.

? VOCÊ SABIA...? A **pediatria** é o ramo da medicina especializado no cuidado e nas doenças da criança desde o nascimento. O pediatra avalia a evolução e os progressos do bebê, aconselhando os pais sobre a saúde e o desenvolvimento do filho. O diagnóstico de qualquer problema é de vital importância, sobretudo durante os primeiros anos de vida, porque permite estabelecer medidas oportunas para corrigir dificuldades no desenvolvimento da criança. Esse controle evolutivo se estabelece imediatamente depois do nascimento e se concentra nos primeiros anos de vida.

---

pedicelo *s.m.* Haste que suporta uma flor e, posteriormente, o fruto.

pedicuro *s.m.* (fr. *pédicure*). Calista.

pedido *s.m.* **1.** Ato ou efeito de pedir; solicitação. **2.** Objeto ou assunto de uma petição; rogo.

pedigree *s.m.* (ingl.). **1.** Genealogia de um animal de raça. **2.** Documento no qual está consignada a genealogia de um animal.

pedinchar *v.t.* e *v.i.* (conj. 4). Pedir muito, com freqüência, de modo importuno.

pedinte *adj.2g.* Que pede. ★ *adj.2g.* e *s.2g.* Mendigo.

pedipalpo *s.m.* Apêndice par dos aracnídeos, que constitui as pinças dos escorpiões e, nos machos das aranhas, é modificado em órgão copulatório.

pedir *v.t.* (lat. *petere*) [conj. 70]. **1.** Rogar, solicitar. **2.** Implorar, suplicar. **3.** Exigir, reclamar. **4.** Requerer, demandar.

pedofauna *s.f.* A fauna que vive dentro do solo.

pedoflora *s.f.* A flora que vive dentro do solo.

pedogênese *s.f.* Processo de maturação sexual em organismos que se encontram na fase larval ou pré-adulta.

pedra *s.f.* (lat. *petra*). **1.** Matéria mineral dura, sólida, da natureza da rocha. **2.** Qualquer pedaço dessa matéria; calhau, seixo. **3.** *P. ext.* Pedaço de matéria solidificada e endurecida. **4.** Granizo. **5.** Peça dos jogos de tabuleiro. **6.** *Idade da Pedra,* a pré-história. ► *Idade da Pedra Lascada,* o paleolítico. ► *Idade da Pedra Polida,* o neolítico. ► *Pedra angular* ou *pedra fundamental,* marco inicial de uma construção; *fig.* base, fundamento. ► *Pedra preciosa,* mineral duro, transparente ou translúcido (diamante, esmeralda, rubi etc.), raro e de alto valor, usado em joalheria e indústria. ► *Pedra de toque,* quartzo negro polido, basalto ou jaspe negro, utilizado para verificar o teor de ouro de uma liga metálica. ● **Med.** Concreção que se forma em certos órgãos do corpo (bexiga, rins, vesícula biliar etc.); cálculos, litíase.

PEDRA ► No corpo humano, o tamanho das pedras ou cálculos varia de um minúsculo grão de areia ao de uma noz ou de um punho. Podem conter sais do ácido úrico, fosfatos, cálcio ou lipídios (colesterol). As mais freqüentes são as que acometem a vesícula biliar (origem das cólicas hepáticas) e o sistema urinário (origem das cólicas da nefrite). Também costumam ser encontradas nas glândulas salivares ou em seus condutos excretores.

---

pedrada *s.f.* **1.** Ato de arremessar uma pedra. **2.** Pancada ou agressão com pedra. **3.** *Fig.* Dito insultuoso; ofensa.

pedra-ferro *s.f.* Sin. de BASALTO.

pedra-pomes *s.f.* Rocha vulcânica porosa, leve, muito dura, para polir objetos e amaciar a pele.

pedraria *s.f.* **1.** Pedras preciosas e pedras finas utilizadas em joalheria. **2.** Pedras que imitam pedras preciosas.

pedra-sabão *s.f.* Mineral macio, variedade da esteatita, empregado na confecção de objetos e escultura.

pedra-ume *s.f.* **1.** Alume. **2.** Arbusto que produz frutos comestíveis e madeira para esteios e carvão.

pedregoso (ô) *adj.* Em que há muitas pedras.

pedregulho *s.m.* **1.** Pedra muito grande; penedo. **2.** Grande quantidade de pedras miúdas. **3.** Seixo, calhau.

pedreira *s.f.* Escavação em rocha a céu aberto, para extração de pedras.

pedreiro *s.m.* Operário especializado que executa serviços de construção de pedra, areia, cal, tijolo etc.

pedreiro-livre *s.m.* Maçom.

pedrês *adj.2g.* (lat. *petrensis*). Que pelo seu aspecto salpicado de preto e branco lembra a cor da pedra. (Diz-se principalmente dos galináceos que apresentam essa coloração.)

pedrisco *s.m.* Material de menor diâmetro, proveniente da britagem de rochas.

peduncular *adj.2g.* Relativo aos pedúnculos.

pedúnculo *s.m.* (lat. *pedunculus*). **1.** Haste que sustenta uma inflorescência. **2.** Estrutura que funciona como suporte de um órgão animal qualquer. ● **Anat.** Cordão delgado que termina em um órgão. ► *Pedúnculo cerebral,* feixe de substância branca, situado na porção anterior do tronco cerebral, que liga a protuberância anular ao cérebro.

pega *s.f.* **1.** Ato ou efeito de pegar. **2.** Ação de pegar o touro com as mãos nas touradas. **3.** Endurecimento da argamassa ou do concreto. ★ *s.m.* **1.** Discussão acalorada, conflito, desavença. **2.** Descompostura, pito.

pega[1] (ê) *s.f.* (lat. *pica*). Nome comum a aves passeriformes de plumagem preta e branca, com longa cauda de reflexos metálicos, que possuem o hábito de catar objetos brilhantes e escondê-los.

pega[2] (ê) *s.f.* **1.** Peça de bronze que se apóia sobre a moenda. **2.** Peça chata de madeira que cobre a cabeça do mastro.

pegada[1] *s.f.* (lat. *pedicata*). **1.** Vestígio de pé deixado no solo; rastro, passo. **2.** Sinal, vestígio, pista.

pegada[2] *s.f.* **1.** Ação de pegar. **2.** Ação do goleiro apanhar a bola com as mãos.

pegado *adj.* **1.** Que está unido, colado a. **2.** Junto, próximo, contíguo.

pegajoso (ô) *adj.* **1.** Que pega ou adere facilmente; viscoso. **2.** *Fig.* Maçador, importuno, pegadiço.

pega-pega *s.m.* **1.** Briga, conflito, contenda. **2.** Folguedo que consiste em uma criança tentar pegar as demais, que saem correndo; pegador.

pegar *v.t.* (lat. *picare*) [conj. 14]. **1.** Agarrar, segurar. **2.** Fazer aderir; colar, grudar. **3.** Contrair, adquirir (doença). **4.** Apanhar, buscar. **5.** Conseguir, obter. **6.** *Pop.* Perceber, compreender. ★ *v.i.* **1.** Lançar raízes; vingar (planta). **2.** Comunicar-se (doença, hábito etc.) por contágio ou contato; transmitir-se. **3.** *Fam.* Aderir-se, grudar. **4.** Ir por, seguir (direção). **5.** Pegar fogo, incendiar-se ★ *v.pr.* **1.** Pedir auxílio, proteção; apegar-se. **2.** Altercar, brigar, atracar-se.

pega-rapaz *s.m.* *Pop.* Mecha de cabelos colocada na testa em forma de vírgula.

pego *s.m.* (gr. *pelagos*). Pélago.

peia *s.f.* (lat. *pedica*). **1.** Correia ou corda com presilha ou anel, para limitar os movimentos dos membros de um animal. **2.** *Fig.* Obstáculo, estorvo, impedimento. **3.** Correia, chicote. ★ *s.f.pl.* (*NE*) Espécie de ligas de couro postas aos pés para subir em coqueiros.

peiote *s.m.* Planta nativa do México, acinzentada, que fornece substância alucinógena, a mescalina, utilizada em cerimônias religiosas. (Sin. MESCAL.)

PEIOTE ▸ O peiote é uma espécie de cacto *(Lophophora williamsii)* que apresenta flores solitárias, de cor rosada. Cresce no México e no Texas, onde era considerado uma planta sagrada: no fim de sua colheita, realizavam-se grandes festas. A embriaguez causada pela ingestão de 0,50 a 0,70 g de extrato de peiote produz alucinações e se caracteriza por fenômenos semelhantes aos produzidos pelo haxixe ou, do ponto de vista psíquico, pela esquizofrenia.

peita *s.f.* (lat. *pactum*). **1.** *Ant.* Tributo a que estavam sujeitos os que não eram fidalgos. **2.** Suborno.

peitada *s.f.* Pancada dada no peito, ou com o peito.

peitar *v.t.* (conj. 4). **1.** *Ant.* Render tributos a; pagar. **2.** Procurar corromper com peitas; subornar. **3.** *Fig.* Enfrentar.

peitilho *s.m.* Peça ou parte do vestuário que cobre ou reveste o peito.

peito *s.m.* (lat. *pectus*). **1.** Parte do tronco entre o pescoço e o abdome, que contém os pulmões e o coração; tórax. **2.** Seio da mulher. **3.** Órgãos respiratórios; pulmões. **4.** Fig. Ânimo, valor, coragem. **5.** Fig. Alma, coração. **6.** Peito do pé, a região dorsal do pé. **7.** Parte inferior do tórax de animais abatidos e industrializados em matadouro. **8.** Parte anterior do tórax das aves, de carne macia e abundante.

peitoral *adj.2g.* (lat. *pectorale*). **1.** Relativo ao peito. **2.** *Nadadeira peitoral,* nadadeira par anterior dos peixes, que assegura os movimentos lentos e o equilíbrio ou a freagem no curso da locomoção. ★ *s.m.* **1.** Adorno ou proteção usado sobre o peito. **2.** Correia que cinge o peito do cavalo.

peitoril *s.m.* (lat. *pectorilis*). Parte inferior de uma janela, sobre a qual se pode debruçar; parapeito.

peitudo *adj.* **1.** Que tem peitos salientes. **2.** *Pop.* Valente.

peixada *s.f.* **1.** Prato feito com abundância de peixe e produtos do mar temperados. **2.** Grande quantidade de peixe cozido.

peixaria *s.f.* Estabelecimento onde se vendem peixes e frutos do mar.

peixe *s.m.* (lat. *piscis*). Denominação comum a vertebrados aquáticos, de água doce ou salgada. ★ *s.m.pl.* Grupo de vertebrados aquáticos que apresentam geralmente nadadeiras em número par, corpo coberto por escamas e respiração branquial.

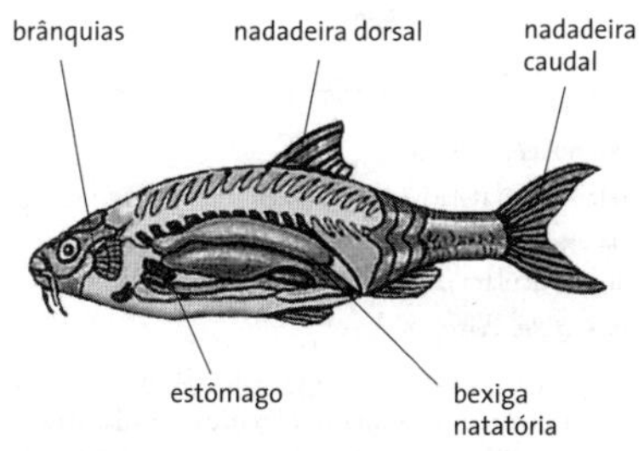

peixe-agulha *s.m.* Denominação comum a peixes ósseos marinhos, de corpo alongado, cuja cabeça termina em focinho comprido. (Sin. AGULHA.)

peixe-boi *s.m.* Mamífero aquático da ordem dos sirênios, que atinge 4m de comprimento, ocorre na Amazônia e está ameaçado de extinção. (Sin. GUARABÁ, MANATI.)

peixe-elétrico *s.m.* Sin. de PORAQUÊ.

peixe-espada *s.m.* **1.** Peixe carnívoro do Atlântico, que apresenta o corpo comprimido lateralmente, semelhante a uma espada. **2.** Sin. de ESPADARTE.

peixeira *s.f.* **1.** Mulher que vende peixe. **2.** *(NE)* Faca para cortar peixe. **3.** *P. ext.* Faca comprida e afiada, que serve de arma.

peixeiro *s.m.* Vendedor de peixe.

peixe-voador *s.m.* Peixe das costas do Atlântico que possui nadadeiras ventrais e peitorais longas, que lhe permitem planar sobre a superfície da água.

peixe-zebra *s.m.* Sin. de BANDEIRA-PAULISTA.

pejar *v.t.* (conj. 4). Encher, estorvar, embaraçar; ocupar totalmente sem deixar espaço. ★ *v.i.* **1.** Engravidar. **2.** Parar (engenho ou moinho) de moer. ★ *v.pr.* **1.** Embaraçar-se, perturbar-se. **2.** Corar de pejo, de vergonha.

pejo (ê) *s.m.* **1.** Pudor, vergonha. **2.** Acanhamento, embaraço.

pejorativo *adj.* (lat. *pejorare*). Diz-se do vocábulo a que se dá um sentido depreciativo.

pela comb. da prep. *por* com o art. def. *a.*

péla *s.f.* (lat. *pila*). **1.** Bola, em particular de borracha, para brincar ou jogar. **2.** Pelota.

pelada[1] *s.f.* **1.** Região sem pêlos. **2.** Campo de serra.

pelada[2] *s.f.* **1.** Jogo de futebol amador em campo improvisado. **2.** *P. ext.* Qualquer jogo de futebol pobre de técnica.

pelado *adj.* **1.** Diz-se do animal sem pêlos ou penas. **2.** Calvo, glabro. **3.** A que tiraram a pele. **4.** *Fig.* Nu, despido, sem roupas. **5.** *Fig.* Pobre, sem dinheiro.

pelagem *s.f.* **1.** Conjunto de pêlos dos animais mamíferos; pelame. **2.** Ato de pelar, de tirar o pêlo; tosquia.

pelágico *adj.* (gr. *pelagikós*). **1.** Relativo ao mar. **2.** Que ocorre nos mares. **3.** *Região pelágica,* diz-se das águas e dos fundos oceânicos situados entre 2.000 e 5.000 m de profundidade.

pélago *s.m.* (gr. *pélagos*). **1.** Mar profundo, longe das costas. **2.** Parte profunda de um rio ou lago, onde não se pode tomar pé; perau, pego. **3.** Abismo, profundeza, pego. **4.** *Fig.* Imensidade, profundidade.

pelagra *s.f.* Doença caracterizada por erupções eritematosas da pele em suas partes expostas ao sol, distúrbios nervosos e gastrintestinais, provocada por carência de vitamina B_6.

pelame *s.m.* **1.** Pelagem. **2.** Operação em que se mergulham as peles em água e cal para lhes tirar o pêlo. **3.** Coleção de peles.

pelanca *s.f.* **1.** Pele flácida e pendente. **2.** Carne bovina de má qualidade, com enervações e sebos.

pelar *v.t.* (conj. 4). **1.** Tirar o pêlo a. **2.** Tirar a pele a. **3.** Descascar (fruta, legume). **4.** *Fig.* Tirar os haveres a alguém, deixando-o sem nada. **5.** Depenar. **6.** *Pop.* Atingir alta temperatura que, ao simples contato, pode tirar a pele. ★ *v.i.* Atingir alta temperatura, estar muito quente. ★ *v.pr.* **1.** Ficar sem pele. **2.** Despir-se. **3.** *Fig.* Gostar muito.

pelaria *s.f.* **1.** Coleção de peles, pelame. **2.** Loja onde se vendem peles; peletaria.

pele *s.f.* (lat. *pellis*). **1.** Tecido que constitui o revestimento exterior do corpo do homem e de muitos animais. **2.** Camada superficial deste tecido. **3.** Couro. **4.** A própria vida ou situação. **5.** Casca fina (epicarpo), flexível e destacável, de certos frutos e legumes. **6.** Pele de certos animais, com pêlos finos, macios e bastos, usada na confecção de casacos etc. ● **Agropec.** Aponevrose que recobre certos músculos e órgãos de animais de abate.

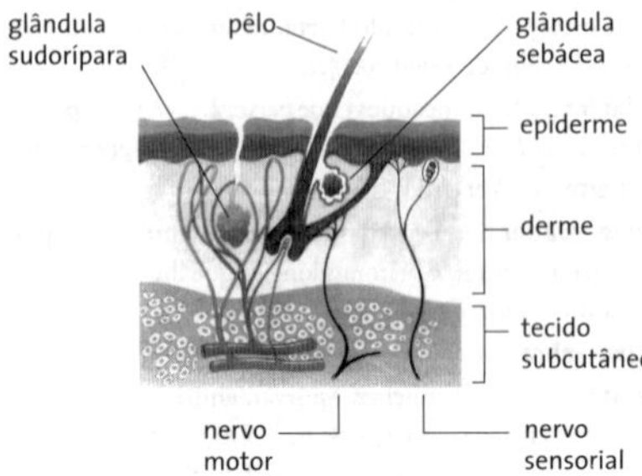

PELE ► A pele humana forma uma camada externa protetora para o corpo, muito sensível, e desempenha um papel vital na regulação da temperatura corporal. Num adulto, a pele tem em média cerca de 2 m^2 de superfície e sua espessura varia entre 3 e 5 mm. As regiões constantemente submetidas a pressão, como as plantas dos pés, têm a pele mais grossa.

pelego (ê) *s.m.* (esp. *pellejo*). **1.** Pele de carneiro a que se deixa ainda aderente a lã, para tapete, ornamentação etc. **2.** *Pop.* e *Pej.* Denominação dada a sindicalistas que atuam em conformidade com interesses de patrões, governantes etc. **3.** *Fig.* Pessoa servil, dominada por outra.

peleja (ê) *s.f.* **1.** Luta, combate. **2.** Trabalho, lida. **3.** Desafio, na literatura de cordel.

pelejar *v.i.* (conj. 4). **1.** Entrar em combate; lutar. **2.** *Fig.* Lutar por uma idéia, doutrina, princípio. **3.** Entrar em desacordo com alguém; opor-se. **4.** Insistir, teimar. **5.** *Pop.* Trabalhar afanosamente.

pelerine *s.f.* (fr. *pèlerine*). **1.** Pequeno manto feminino que cobre apenas as costas e o peito. **2.** Capa longa, em geral godê e com fendas para os braços, que se põe sobre os ombros.

peleteria *s.f.* (fr. *pelleterie*). **1.** Arte de preparar as peles com seu pêlo, para fazer peliças. **2.** As próprias peles preparadas. **3.** Comércio de peles; pelaria.

pelica *s.f.* Pele de animais como carneiro e cabrito, que se torna fina depois de preparada e curtida, para o preparo de botas, luvas e bolsas.

peliça *s.f.* (lat. *pellicia*). Peça de vestuário forrada ou guarnecida de peles finas e macias.

pelicaniforme *s.m.* Espécime dos pelicaniformes. ★ *adj.2g.* Relativo aos pelicaniformes.

pelicaniformes *s.m.pl.* Ordem de aves aquáticas providas de pés com palmouras, que engloba os biguás, os pelicanos e os atobás.

pelicano *s.m.* (gr. *pelekan, pelekanos*). Ave pelicaniforme de regiões quentes, que apresenta bico longo e uma bolsa extensível e membranosa na região do pescoço, onde armazena os peixes capturados.

película *s.f.* (lat. *pellicula*). **1.** Pele ou camada muito delgada. **2.** Pele delgada que se destaca da pele. **3.** Filme.

pelicular *adj.2g.* Relativo a película.

pelintra *s.2g.* Pessoa pobre e mal trajada, com pretensão a exibir-se e desejo de ostentação. ★ *adj.2g.* **1.** Mal trajado e pretensioso. **2.** Avaro. **3.** Safado, descarado.

pelo comb. da *prep. por* com o art. def. *o.*

pêlo *s.m.* (gr. *pilos*). **1.** Fio delgado que cresce na pele de certos animais e do homem. **2.** Coletivamente, todos os pêlos de um animal; pelagem. ● **Bot.** Filamento cilíndrico presente em alguns órgãos vegetais.

pelota *s.f.* (esp. *pelota*). **1.** Bola ou péla pequena. **2.** Jogo em que se atira, com a mão ou com raqueta, essa bola ao muro; péla. **3.** Bola de futebol.

pelotão *s.m.* (fr. *peloton*). **1.** Pequena unidade elementar constitutiva das organizações militares. **2.** *Fig.* Multidão.

pelourinho *s.m.* (lat. *pilorium*). Poste, em praça pública, onde eram amarrados os condenados.

pelouro *s.m.* (lat. *pilorium*). Bala de metal com que se carregavam muitas das antigas armas de fogo.

pelúcia *s.f.* (it. *peluzzo*). Tecido com um lado liso e o outro felpudo, que apresenta pêlos mais longos e ralos que o veludo.

peludo *adj.* Coberto de pêlos.

pelve *s.f.* ou **pélvis** *s.f.2n.* (lat. *pelvis*). **1.** Parte da bacia limitada anteriormente e lateralmente pelos dois ossos ilíacos e posteriormente pelo sacro e pelo cóccix. **2.** *Pelve renal,* bacinete.

DIFERENTES TIPOS DE PELVE

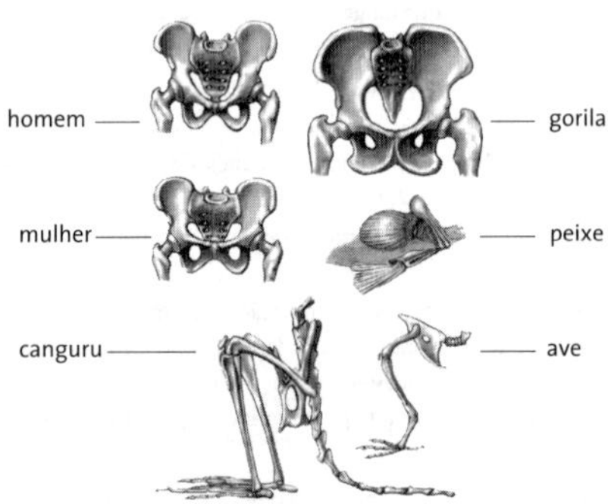

pelviano *adj.* Pélvico.

pélvico *adj.* **1.** Relativo à bacia; pelviano. **2.** *Cintura pélvica,* bacia óssea formada pelos ossos ilíacos e pelo sacro, sobre a qual se articulam os membros posteriores.

pélvis *s.f.2n.* Pelve.

pena[1] *s.f.* (lat. *penna*). **1.** Cada uma das estruturas epidérmicas, flexíveis e resistentes que recobrem o corpo das aves, compostas de uma haste oca e de barbas (plumas). **2.** Tubo córneo da pena de algumas aves, usado para escrever. **3.** Pequena peça de metal que se adapta à ponta da caneta para escrever. **4.** *P. ext.* A própria caneta. **5.** *Fig.* O trabalho de escrita. **6.** *Fig.* Maneira de escrever. **7.** Parte do corpo do martelo oposta à parte plana. **8.** Parte espalmada da bigorna. **9.** Concha reduzida e interna, que ocorre em lulas e sibas.

pena² *s.f.* (gr. *poine*). **1.** Punição, sanção aplicada a uma falta ou infração cometida. **2.** Sofrimento moral, aflição, pesar. **3.** Esforço, empenho. **4.** Dó, compaixão, piedade. **5.** Mágoa, desgosto.

penacho *s.m.* **1.** Conjunto de penas em ramo com que se ornam chapéus, capacetes etc. **2.** Crista, poupa.

penada *s.f.* **1.** A quantidade de tinta que a pena traz consigo, cada vez que é mergulhada no tinteiro. **2.** Risco efetuado com uma pena. **3.** Opinião, parecer.

penado¹ *adj.* Que tem penas. ● **Bot.** Diz-se do órgão foliáceo composto em que os folíolos se inserem ao longo do pecíolo, e que lembra uma pena de ave.

penado² *adj.* Que pena, padece.

penal *adj.2g.* (lat. *poenalis*). **1.** Quem está sujeito a uma pena. **2.** Relativo às contravenções, delitos ou crimes e às sanções em que podem incorrer seus autores. **3.** *Direito penal,* conjunto das leis que sancionam os crimes e delitos e seus autores.

penalidade *s.f.* (lat. *poenalitas, poenalitatis*). **1.** Conjunto de punições impostas pela lei. **2.** Sanção, pena, castigo. ● **Esp.** Sanção aplicada por uma falta à regra durante um jogo, uma competição. ▸ *Penalidade máxima,* pênalti.

penalista *s.2g.* Especialista em Direito penal; criminalista.

penalizar *v.t.* (conj. 4). Causar pena ou desgosto a. ★ *v.pr.* Sentir pena.

pênalti *s.m.* (ingl. *penalty,* penalidade). Sanção aplicada a uma equipe de futebol por falta cometida dentro da grande área próxima ao gol, que consiste em chute livre direto da marca de pênalti ao gol, ficando na defesa apenas o goleiro; penalidade máxima.

penar *v.i.* (conj. 4). **1.** Sofrer pena, dor ou aflição; padecer. **2.** Expiar, purgar. **3.** Afligir-se, entristecer-se. ★ *v.t.* Causar dor, sofrimento ou pena a. ★ *v.pr.* Afligir-se, contristar-se.

penca *s.f.* **1.** Agrupamento de frutos e folhas. **2.** *Pop.* Grande quantidade, porção.

pendão *s.m.* (esp. *pendon*). **1.** Bandeira, estandarte, lábaro. **2.** Inflorescência masculina do milho.

pendência *s.f.* (it. *pendenza*). **1.** Qualidade ou condição de pendente. **2.** Litígio, briga, desentendimento. **3.** Período durante o qual uma causa ou um recurso está correndo.

pendente *adj.2g.* (lat. *pendens, pendentis*). **1.** Que pende, que está pendurado ou suspenso. **2.** Inclinado. **3.** Que está por decidir. ★ *adj.2g.* e *s.m.* Pingente.

pender *v.t.* e *v.i.* (lat. *pendere*) [conj. 5]. **1.** Estar suspenso ou pendurado. **2.** Inclinar-se, descair. **3.** Ter propensão, dar preferência.

pendor (ô) *s.m.* (lat. *pendere,* pender). **1.** Inclinação, declive, rampa. **2.** Gosto acentuado por alguma coisa; vocação. **3.** Propensão, tendência.

pendular¹ *adj.2g.* **1.** Relativo a pêndulo. **2.** Que oscila como um pêndulo. **3.** Oscilante.

pendular² *v.i.* (conj. 4). Oscilar como pêndulo; pendulear.

pêndulo *s.m.* (lat. *pendulus*). Sólido que, pendente da extremidade inferior de um fio, pode servir como prumo ou executar um movimento periódico de oscilação.

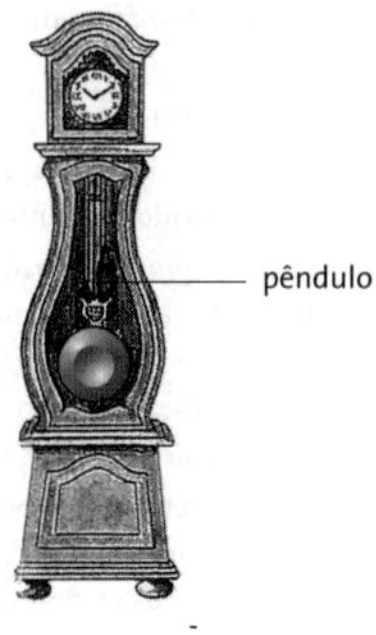

VOCÊ SABIA...? O cientista italiano Galileu Galilei (1564-1642) fez muitas descobertas. Uma delas foi a de que o tempo que um **pêndulo** leva para oscilar (a isso se chama período) não depende de seu peso, mas de seu comprimento.

pendurar *v.t.* (lat. *pendulare*) [conj. 4]. **1.** Suspender, prender de modo que não toque no chão; dependurar. **2.** *Pop.* Não pagar (conta); empenhar.

penduricalho *s.m.* **1.** Enfeite ou adorno que fica pendurado ou pendente. **2.** Berloque.

penedia *s.f.* (lat. *pinna*). **1.** Aglomeração de penedos. **2.** Rochedos.

penedo (ê) *s.m.* (lat. *pinna,* pena, do celt. *penn,* cabeça, cabeço). Penhasco.

peneira *s.f.* (lat. *panaria*). **1.** Tela de arame, náilon etc. esticada em uma armação circular ou quadrada, para separar sólidos de determinada dimensão de outros menores ou de um líquido. **2.** Crivo, joeira.

peneirar *v.t.* (conj. 4). **1.** Passar pela peneira, para separar os constituintes sólidos de determinada dimensão. **2.** Joeirar.

peneplano *s.m.* Superfície plana ou ligeiramente ondulada, na qual podem sobressair formas de relevo residual, resultante do trabalho de erosão.

penetra *s.2g.* *Gír.* Aquele que entra numa festa ou num baile sem ser convidado.

penetração *s.f.* (lat. *penetratio, penetrationis*). **1.** Ato ou efeito de penetrar. **2.** Entrada, invasão. **3.** Inserção, introdução. **4.** *Fig.* Elevado grau de inteligência; sagacidade, perspicácia, acuidade. **5.** Introdução do pênis na vagina. **6.** *Ensaio de penetração,* determinação da dureza ou consistência de um material.

penetrante *adj.2g.* (lat. *penetrans, penetrantis*). **1.** Que penetra. **2.** Perspicaz, sagaz. **3.** Muito intenso. **4.** *Fig.* Pungente, intenso, agudo, doloroso.

penetrar *v.t.* (lat. *penetrare*) [conj. 4]. **1.** Introduzir-se, entrar em. **2.** Invadir, transpor, adentrar. **3.** Compreender, inteligir. **3.** Introduzir-se num meio, fazer-se admitir. **4.** Exercer influência no pensamento de. ★ *v.pr.* Convencer-se intimamente, compenetrar-se.

penetrável *adj.2g.* (lat. *penetrabile*). Que pode ser penetrado.

pênfigo *s.m.* (gr. *pemphix, pemphigos,* bolha). **1.** Dermatose grave caracterizada pela aparição de bolhas sobre a pele e as mucosas. **2.** *Pênfigo foliáceo,* dermatose infecciosa e contagiosa, endêmica no Brasil. (Sin. FOGO-SELVAGEM.)

penha *s.f.* Rochedo, penedo.

penhasco *s.m.* (esp. *peñasco*). **1.** Penha ou rochedo alto, elevado. **2.** Rochedo escarpado e extenso; penedo.

penhor (ô) *s.m.* (lat. *pignus, pignoris*). **1.** Direito real sobre bem móvel dado como garantia a uma dívida. **2.** O próprio bem que é dado como garantia. **3.** *Fig.* Garantia, segurança. **4.** *Casa de penhor,* estabelecimento onde se empresta dinheiro, mediante depósito de jóias e outros objetos; prego.

penhora *s.f.* **1.** Ato ou efeito de penhorar. **2.** Apreensão, por um oficial de justiça, de um ou mais bens do patrimônio do devedor, para pagar aos seus credores.

penhorar *v.t.* (lat. *pignorare*) [conj. 4]. **1.** Dar em penhor. **2.** Efetuar a penhora de. **3.** *Fig.* Dar motivo à gratidão. ★ *v.pr.* Mostrar-se grato, reconhecido.

penicilina *s.f.* (lat. cient. *penicillina*). **1.** Substância de propriedades antibióticas produzida por um fungo. **2.** Nome genérico dos antibióticos produzidos a partir dessa substância.

VOCÊ SABIA...? O descobrimento da **penicilina** ocorreu em 1928 graças às observações de Fleming sobre as culturas do fungo *Penicillium notatum*. Em 1943, a técnica de congelamento permitiu o emprego terapêutico e a preparação industrial da substância.

penico *s.m.* (esp. *perico*). *Pop.* Urinol.

península *s.f.* (lat. *peninsula*). Porção de terra de extensão variada cercada de água que se projeta da linha de costa ou da margem de um lago, ligada ao continente por apenas um dos lados.

peninsular *adj.2g.* Relativo ou pertencente a uma península. ★ *s.2g.* O natural ou habitante de uma península.

pênis *s.m.2n.* (lat. *penis*). Órgão copulador masculino; falo.

penitência *s.f.* (lat. *poenitentia*). **1.** Arrependimento, remorso de haver ofendido a Deus. **2.** Um dos sete sacramentos da Igreja Católica, pelo qual o sacerdote perdoa os pecados daqueles que os confessam e deles se arrependem. **3.** Pena que o confessor impõe ao penitente. **4.** Jejuns, mortificações que alguém impõe a si mesmo. **5.** Punição, castigo infligido por alguma falta.

penitenciar *v.t.* (conj. 16). **1.** Impor penitência a. **2.** Pagar, expiar. ★ *v.pr.* **1.** Aceitar ou impor-se castigo por falta cometida. **2.** Desculpar-se, mostrar arrependimento.

penitenciária *s.f.* Estabelecimento oficial destinado à prisão de pessoas condenadas à pena de reclusão.

penitenciário *adj.* **1.** Penitencial. **2.** Relativo a penitenciária ou ao sistema carcerário. ★ *s.m.* **1.** Aquele que impõe penitência. **2.** Indivíduo preso em penitenciária.

penitente *adj.2g.* e *s.2g.* (lat. *poenitens, poenitentis*). **1.** Que ou aquele que faz ou cumpre penitência. **2.** Que ou aquele que se apresenta ao padre para confessar seus pecados e receber o sacramento da penitência.

penosa *s.f.* *Gír.* Galinha.

penoso (ô) *adj.* **1.** Que causa pena. **2.** Difícil de suportar; cansativo, fatigante. **3.** Que causa dor; doloroso.

pensador[1] (ô) *adj.* Que pensa. ★ *s.m.* **1.** Pessoa que reflete, que pensa profundamente. **2.** Filósofo.

pensador[2] (ô) *adj.* e *s.m.* Que ou o que pensa ou faz penso.

pensamento *s.m.* **1.** Ato ou faculdade de pensar. **2.** O que se pensa; idéia, reflexão. **3.** Conjunto de idéias próprias de alguém, de um grupo etc.; doutrina. **4.** Maneira de pensar ou julgar; ponto de vista, opinião. **5.** Reflexão breve, sentença, máxima. ● **Filos.** Conjunto dos fenômenos cognitivos.

pensante *adj.2g.* Que pensa, que raciocina.

pensão *s.f.* (lat. *pensio, pensionis*). **1.** Quantia em dinheiro paga periodicamente e por tempo convencionado a alguém. **2.** Casa que recebe hóspedes ou fornece refeições.

pensar[1] *v.i.* (lat. *pensare*) [conj. 4]. **1.** Formar no espírito pensamento ou idéias. **2.** Refletir, raciocinar. ★ *v.t.* **1.** Julgar, imaginar. **2.** Cogitar. **3.** Preocupar-se com. **4.** Refletir, meditar. **5.** Conjeturar, julgar.

pensar[2] *v.t.* (conj. 4). Pôr penso a.

pensativo *adj.* Profundamente ocupado com um pensamento; absorto, meditativo.

pênsil *adj.2g.* (lat. *pensilis*). **1.** Que está suspenso. **2.** Sustentado ou construído sobre colunas. **3.** *Ponte pênsil,* ponte cujo tabuleiro se apóia em pilares só pelas extremidades, suspensa por meio de cabos de aço; ponte suspensa.

pensionato *s.m.* (fr. *pensionnat*). **1.** Internato. **2.** Casa que recebe pensionistas. **3.** Organização destinada a zelar pela infância abandonada; patronato.

pensionista *adj.2g.* e *s.2g.* (lat. *pensio, pensionis*). Diz-se de ou pessoa beneficiária de uma pensão, especialmente do governo. ★ *s.2g.* **1.** Pessoa que mora em pensão. **2.** Pessoa que paga pensão em um hotel, casa particular etc. **3.** Aluno de colégio interno.

penso[1] *adj.* (lat. *pendere,* pender). Inclinado, suspenso.

penso[2] *s.m.* (lat. *pensum*). **1.** Curativo. **2.** Tratamento relativo ao sustento, asseio, curativo etc. de crianças ou animais.

pentacampeão *adj.* e *s.m.* Que ou aquele que se tornou cinco vezes campeão.

pentacampeonato *s.m.* Campeonato conquistado pela quinta vez.

pentadáctilo ou **pentadátilo** *adj.* **1.** Diz-se do animal que tem cinco dedos. **2.** Diz-se da folha que possui cinco divisões.

pentaedro *s.m.* Sólido que tem cinco faces.

pentagonal *adj.2g.* **1.** Relativo ao pentágono. **2.** Que tem por base um pentágono.

pentágono *s.m.* (gr. *pentagonos*). Polígono que tem cinco lados.

pentagrama *s.m.* **1.** Pauta musical. **2.** Pentágono regular estrelado, usado como distintivo pelos pitagóricos.

pentano *s.m.* Nome genérico dos hidrocarbonetos saturados, presentes nas frações leves de petróleo.

pentassílabo *adj.* e *s.m.* (gr. *pentasyllabos*). Diz-se de ou palavra ou verso com cinco sílabas.

pentateuco *s.m.* Os cinco primeiros livros do Velho Testamento, atribuídos a Moisés. (Usa-se com maiúscula.)

pentatlo *s.m.* Modalidade esportiva integrada por provas de tiro, esgrima, natação, hipismo e corrida, disputadas todas no mesmo dia.

pentavalente *adj.2g.* Que apresenta valência química cinco.

pente *s.m.* (lat. *pecten*). **1.** Instrumento formado de numerosos dentes mais ou menos finos e longos ligados a uma barra, que serve para desembaraçar ou ajeitar cabelos. **2.** Qualquer peça semelhante a esse objeto, para desembaraçar fios. **3.** Peça onde se encaixam os projéteis das armas automáticas de pequeno calibre.

penteadeira *s.f.* Pequena mesa utilizada para os cuidados com beleza, munida de um espelho e de gavetas ou compartimentos.

penteado *adj.* **1.** Que tem os cabelos arranjados. **2.** Alisado, desemaranhado. ★ *s.m.* Arranjo, disposição do cabelo.

pentear *v.t.* (conj. 15). Alisar, desembaraçar, compor (os cabelos) com o pente. ★ *v.pr.* Alisar, desembaraçar, compor os próprios cabelos.

pentecostal *adj.2g.* Relativo ou pertencente a Pentecostes; pentecostalista. ★ *s.2g.* Pentecostalista.

pentecostalismo *s.m.* Pentecostismo.

pentecostalista *adj.2g.* Pentecostal. ★ *s.2g.* Adepto do pentecostismo; pentecostal.

pentecostismo *s.m.* Conjunto de seitas protestantes surgido nos EUA, no início do séc. XX; pentecostalismo.

pentecostes *s.m.2n.* (gr. *pentekostes*). **1.** Festa judaica, celebrada 50 dias após a Páscoa, que comemora a entrega das Tábuas da Lei a Moisés no monte Sinai. **2.** Festa cristã que celebra, 50 dias após a Páscoa, a descida do Espírito Santo sobre os apóstolos reunidos no cenáculo.

pentelhar *v.t.* (conj. 4). *Chul.* Chatear, aborrecer.

pentelho (ê) *s.m. Chul.* **1.** Cada um dos pêlos que cobrem o púbis. **2.** O conjunto desses pêlos. **3.** O que é inconveniente, chato.

pentose *s.f.* Nome genérico das oses derivadas do pentano.

penugem *s.f.* **1.** Conjunto de penas pequenas e leves que constituem a única plumagem dos pássaros jovens, e que subsiste na região ventral e sob as penas dos pássaros adultos. **2.** Conjunto de pêlos muito finos, macios e cerrados, da pelagem dos mamíferos, que assegura proteção contra o frio. **3.** Pêlo macio e mais ou menos fino que recobre toda a superfície do corpo humano com exceção da face palmar dos membros e que pode ser aparente no rosto das pessoas jovens. ● **Bot.** Pêlos finos e muito curtos, de aparência esponjosa, que crescem sobre certos vegetais (casca do pêssego).

penúltimo *adj.* e *s.m.* (lat. *paenultimus*). Que ou o que se encontra imediatamente antes do último.

penumbra *s.f.* **1.** Sombra incompleta, produzida por um corpo que não intercepta inteiramente os raios luminosos; meia-luz, luminosidade frouxa. **2.** *Fig.* Ausência de notoriedade, de brilho. ● **Astron.** Zona em torno do cone de sombra de um astro do sistema solar, de onde apenas uma parte do disco solar é visível.

penúria *s.f.* (lat. *penuria*). **1.** Extrema pobreza. **2.** Escassez, falta.

peônia *s.f.* (gr. *paionia*). Denominação comum a duas plantas herbáceas, bulbosas, ornamentais, vivazes, de grandes flores, originárias da Ásia.

pepineiro *s.m.* Planta originária da Ásia, de talos longos e rastejantes, flores amarelas, cultivada pelo fruto. (Sin. PEPINO.)

pepino *s.m.* (gr. *pepon, peponos*). **1.** Fruto do pepineiro, alongado, de polpa firme, aquosa e refrescante, comestível ao natural ou em conserva. **2.** Sin. de PEPINEIRO. **3.** *Pop.* Embaraço, problema.

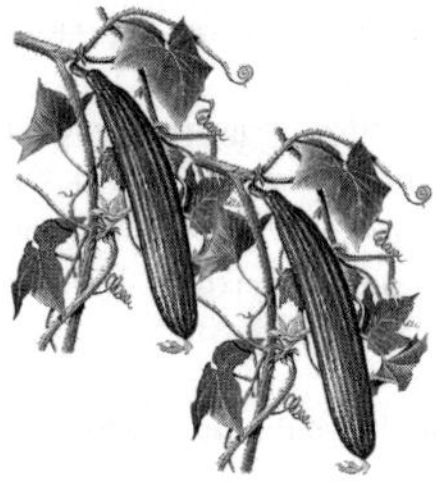

pepino-do-mar *s.m.* Animal equinodermo, holoturóide, marinho, com corpo alongado, semelhante a um pepino, boca rodeada por tentáculos, que expele o intestino pelo ânus quando ameaçado. (Sin. PÉ-DE-ELEFANTE.)

pepita *s.f.* (esp. *pepita*). Massa de metal, principalmente de ouro, em estado natural.

pepsina *s.f.* (fr. *pepsine*). Enzima digestiva, presente no suco gástrico, que transforma as proteínas alimentares em elementos absorvíveis e assimiláveis pelo organismo.

péptico *adj.* **1.** Relativo à digestão. **2.** Diz-se da substância que favorece a digestão. **3.** *Úlcera péptica,* designação dada às úlceras estomacais ou duodenais.

peptídico *adj.* **1.** Relativo aos peptídios. **2.** *Ligação peptídica,* ligação química entre dois aminoácidos através do grupo carboxila do primeiro e do grupo amina do segundo, com eliminação de uma molécula de água.

pequenez (ê) *s.f.* **1.** Qualidade ou estado de pequeno. **2.** Meninice, infância. **3.** *Fig.* Mesquinhez, insignificância.

pequeno *adj.* **1.** De reduzido tamanho. **2.** De pouca extensão; limitado. **3.** De baixa estatura; franzino. **4.** De pouca idade; que ainda está na infância. **5.** *Fig.* Que tem pouca importância pelo número, quantidade, intensidade, valor etc. **6.** Que é feito em limitada escala. **7.** Mesquinho, miserável. **8.** *Pequena área,* no futebol, área de meta. ★ *s.m.* Menino, rapaz.

pequerrucho *adj.* e *s.m.* **1.** Muito pequeno. **2.** *Fam.* Criança.

pequi *s.m.* (tupi *peki*). Fruto do pequizeiro, aromático, oleaginoso, de polpa macia e amarela, utilizado como condimento no preparo de licor e na indústria de sabão. (Sin. PEQUIZEIRO, PIQUIÁ-BRAVO.)

pequinês *adj.* Relativo ou pertencente a Pequim, cidade da China. ★ *s.m.* **1.** O natural ou habitante de Pequim. **2.** Cão de companhia de pequeno porte, com focinho bem curto, olhos proeminentes e orelhas caídas.

pequizeiro *s.m.* **1.** Arbusto ou árvore de folhas compostas, flores brancas ou esverdeadas e frutos oleaginosos, que fornece madeira clara, pesada e dura, própria para xilogravura e marcenaria de luxo. **2.** Sin. de PEQUI.

per *prep. Ant.* **1.** Por. **2.** *De per si,* só, por si só.

A B C D E F G H I J K L M N O P Q R S T U V W X Y Z

pêra *s.f.* (lat. *pirum,* pêro). **1.** Fruto da pereira, uma drupa esverdeada de casca lisa e fina, polpa branco-esverdeada, doce, comestível ao natural ou utilizado na produção de doces, compotas e na fabricação de vinho. **2.** Peça oblonga que encerra um interruptor elétrico.

peralta *adj.2g.* e *s.2g.* **1.** Diz-se de ou pessoa afetada nas maneiras ou no vestir. **2.** Diz-se de ou criança travessa, traquinas.

perambeira *s.f.* Abismo, precipício, despenhadeiro. (Var. PIRAMBEIRA.)

perambulação *s.f.* Ato ou efeito de perambular.

perambular *v.i.* (lat. *perambulare*) [conj. 4]. Vaguear, passear.

perante *prep.* (lat. *per* e *ante*). Na presença de, diante de, ante.

perca *s.f.* Peixe teleósteo de água doce, de carne saborosa, que apresenta duas nadadeiras dorsais, sendo a primeira espinhosa.

percal *s.m.* Tecido de algodão, liso e muito fechado, mais fino que o algodão.

percalço *s.m.* **1.** Provento, lucro. **2.** Vantagem fortuita; proveito. **3.** Contratempo, transtorno. **4.** Dificuldade inerente a uma atividade, estado etc.

percalina *s.f.* (fr. *percaline*). Tecido de algodão leve e brilhante, para forro e encadernação de livros.

perceber *v.t.* (lat. *percipere*) [conj. 5]. **1.** Conceber pelos sentidos; apreender. **2.** Formar idéia de; notar. **3.** Compreender bem, atinar com. **4.** Distinguir (som, imagem etc.). **5.** Receber (honorários etc.).

percentagem *s.f.* (lat. *percentum*). **1.** Parte proporcional calculada sobre uma quantidade composta de 100 unidades; percentualidade, porcentagem. **2.** Taxa ou razão do juro, de comissão etc.; percentual.

percentil *s.m.* Cada uma das cem divisões de uma distribuição de freqüências.

percentual *adj.2g.* Relativo a percentagem. ★ *s.m.* Percentagem.

percepção *s.f.* (lat. *perceptio, perceptionis*). **1.** Ato ou efeito de perceber pelos órgãos dos sentidos. **2.** Idéia, compreensão de algo. **3.** Cobrança. **4.** Recebimento (de ordenado, honorário etc.). ● **Psicol.** Processo cognitivo no qual um estímulo ou objeto é representado por um sujeito por meio de sua atividade psicológica. ► Função psicológica que assegura as percepções.

perceptibilidade *s.f.* (lat. *perceptibilis*). Qualidade, caráter de perceptível.

perceptível *adj.2g.* (lat. *perceptibilis*). **1.** Que pode ser percebido. **2.** Visível, observável. **3.** Que pode ser cobrado ou recebido; cobrável.

perceptivo *adj.* (lat. *perceptus*). **1.** Relativo à percepção. **2.** Que tem a faculdade de perceber.

percevejão *s.m.* Sin. de BARBEIRO[2].

percevejo (ê) *s.m.* **1.** Denominação comum a insetos hemípteros, fitófagos, hematófagos ou predadores, que apresentam aparelho bucal picador e sugador. **2.** Prego pequeno de cabeça larga ou redonda, para fixar papel, tecido etc.

percorrer *v.t.* (lat. *percurrere*) [conj. 5]. **1.** Seguir em toda a extensão ou sentido. **2.** Passar ao longo de. **3.** Explorar, investigar. **4.** *Fig.* Examinar rapidamente.

percuciente *adj.2g.* (lat. *percutiens, percutientis*). **1.** Que produz percussão. **2.** *Fig.* Profundo, penetrante.

percurso *s.m.* (lat. *percursus*). **1.** Ato ou efeito de percorrer. **2.** Trajeto, itinerário. **3.** Caminho, curso.

percussão *s.f.* (lat. *percussio, percussionis*). **1.** Ato ou efeito de percutir. **2.** Choque resultante da ação brusca de um corpo sobre outro. ● **Arm.** Operação elementar de funcionamento de uma arma de fogo, no qual o percussor provoca a detonação. **Med.** Método de investigação clínica que consiste em escutar o ruído produzido ao bater em uma parte do corpo do paciente, diretamente ou interpondo um corpo estranho (geralmente o dedo). **Mús.** *Instrumento de percussão,* instrumento musical de que se tira o som batendo (tímpanos, triângulo, xilofone, bateria etc.).

tímpanos

percussionista *s.2g.* Músico que toca instrumentos de percussão.

percussor (ô) *s.m.* (lat. *percussor, percussoris*). **1.** O que percute; percutidor. **2.** Peça metálica terminada em ponta, que, sob a ação de uma mola, deflagra a espoleta, que inflama a carga explosiva de um cartucho, obus, mina etc. (Sin. AGULHA.)

percutir *v.t.* (lat. *percutere*) [conj. 6]. **1.** Dar uma batida em. **2.** Repercutir. ● **Med.** Explorar por meio de pequenas batidas. **Mús.** Produzir som em um instrumento de percussão, usando as mãos ou as baquetas; bater.

percutível *adj.2g.* Que se pode percutir.

perda (ê) *s.f.* (lat. *perdita*). **1.** Ato ou efeito de perder. **2.** Diminuição no volume, peso, valor etc. de. **3.** Prejuízo financeiro. **4.** Derrota. **5.** Destruição, ruína, aniquilamento. **6.** Privação, temporária ou permanente, da presença de. **7.** Desperdício. **8.** Morte, falecimento.

perdão *s.m.* (lat. *perdonare,* perdoar). **1.** Remissão de uma falta ou ofensa; desculpa, indulto. **2.** Fórmula de polidez empregada para se desculpar.

perder *v.t.* (lat. *perdere*) [conj. 44]. **1.** Ficar privado de, deixar de ter (algo que se possuía). **2.** Extraviar, desencaminhar (um objeto). **3.** Arruinar, desgraçar. **4.** Deixar de presenciar ou usufruir. **5.** Ficar privado de. **6.** Ser derrotado em. **7.** Desperdiçar. **8.** Não chegar a dar à luz; abortar. ★ *v.i.* Não vencer, ser derrotado. ★ *v.pr.* **1.** Errar o caminho; extraviar-se. **2.** Deixar de ser visto ou ouvido. **3.** Desaparecer, esvaecer. **4.** Danar-se. **5.** Prostituir-se, vender-se. **6.** Concentrar-se, mergulhar.

perdição *s.f.* (lat. *perditio, perditionis*). **1.** Ato ou efeito de perder(-se). **2.** Desgraça, ruína, estrago. **3.** *Fig.* Ruína moral; desonra.

perdido *adj.* **1.** Que se perdeu. **2.** Sumido, desaparecido. **3.** Extraviado, desencaminhado. **4.** Difuso, disperso. **5.** Desperdiçado, inútil. **6.** Libertino, imoral, devasso. **7.** Em que a morte ou o fim é iminente. ★ *s.m.* Qualquer objeto perdido.

perdigão *s.m.* (esp. *perdigon*). Macho de perdiz.

perdigoto (ô) *s.m.* (lat. *perdicottus,* pequena perdiz). **1.** Filhote de perdiz. **2.** *Pop.* Salpico de saliva lançado ao falar.

perdigueiro *adj.* Que caça perdizes. ★ *s.m.* Cão próprio para a caça de perdizes.

perdiz *s.m.* (lat. *perdix*). **1.** Ave galiforme, européia, introduzida com sucesso nas pradarias dos Estados Unidos e Canadá. **2.** Denominação comum a aves tinamiformes que levam esse nome por analogia às perdizes européias.

perdoar *v.t.* (lat. *perdonare*) [conj. 20]. **1.** Desculpar, absolver, remitir. **2.** Conceder perdão, renunciar a, punir; absolver. **3.** Admitir, tolerar.

perdoável *adj.2g.* **1.** Que se pode perdoar. **2.** Compreensível, admissível, tolerável.

perdulário *adj.* e *s.m.* Que ou aquele que gasta desregradamente; gastador, dissipador, estróina.

perduração *s.f.* (lat. *perduratio, perdurationis*). Grande duração.

perdurar *v.i.* (lat. *perdurare*) [conj. 4]. **1.** Durar muito tempo. **2.** Continuar a existir; permanecer, persistir.

perdurável *adj.2g.* (lat. *perdurabilis*). **1.** Que pode durar muito; duradouro. **2.** Eterno.

pereba *s.f.* (tupi *pereb,* ferida com casca). Ferida, inflamação cutânea; bereba.

perecer *v.i.* (lat. *perescere*) [conj. 25]. **1.** Ter fim, deixar de existir; extinguir-se. **2.** Morrer. **3.** Alterar-se, deteriorar-se.

perecível *adj.2g.* **1.** Sujeito a perecer. **2.** Diz-se de mercadoria (frutas, legumes) que exige consumo imediato, devido à sua rápida deterioração.

peregrinação *s.f.* (lat. *peregrinatio, peregrinationis*). **1.** Viagem feita a um lugar de devoção; romaria. **2.** Viagem a terras distantes. **3.** *Fig.* Penosa movimentação por vários lugares, imposta por trabalhos e obrigações.

PEREGRINAÇÃO ▸ Muitas religiões possuem lugares santos para onde seus fiéis se dirigem em peregrinação. Os gregos tinham os oráculos de Delfos, Epidauro e Dodona; os egípcios, o Templo de Amon; os muçulmanos, Meca; os judeus, Jerusalém; os hindus, Benares. Os cristãos também têm muitos lugares de peregrinação. Duas épocas assistiram a um crescimento maior dessa atividade religiosa: a Idade Média, sobretudo, com Jerusalém e Santiago de Compostela, e a era contemporânea (séculos XIX e XX), com Roma, Lurdes, Fátima, a Terra Santa, Aparecida etc.

peregrinar *v.i.* (lat. *peregrinare*) [conj. 4]. **1.** Andar em peregrinação, ir em romaria. **2.** Viajar, andar longamente por lugares vários e distantes. ★ *v.t.* **1.** Andar em peregrinação por. **2.** Percorrer viajando.

peregrino *adj.* (lat. *peregrinus*). **1.** Que peregrina. **2.** Estrangeiro, estranho. **3.** Extraordinário, excepcional, raro. ★ *s.m.* **1.** Pessoa que visita um local sagrado com finalidade essencialmente religiosa; romeiro. **2.** Viajante.

pereira *s.f.* (lat. *pirum,* pêro). Árvore originária do hemisfério Norte, de folhas ovais, flores brancas, cultivada para obtenção dos frutos, e que fornece madeira dura, própria para xilogravura.

peremptório *adj.* (lat. *peremptorius*). **1.** Que perime. **2.** Decisivo, dogmático, categórico. **3.** Terminante.

perene *adj.2g.* (lat. *perennis*). **1.** Que dura muitos anos. **2.** Que não acaba; perpétuo. **3.** Diz-se do rio, de fonte que não seca durante a estiagem. **4.** Incessante, contínuo, ininterrupto. ● **Bot.** Diz-se das formações vegetais em que predominam as espécies de folhas sempre verdes.

perenizar *v.t.* (conj. 4). Tornar perene.

perereca *s.f.* (do tupi *pere'reg,* ir aos saltos). Anfíbio anuro de 5 a 14 cm, com dedos providos de ventosas, que lhe permitem escalar árvores, rochas e superfícies lisas.

perfazer *v.t.* (lat. *perficere*) [conj. 31]. **1.** Completar o número ou o valor; atingir. **2.** Levar a cabo; cumprir, alcançar. **3.** Executar, fazer.

perfeccionismo *s.m.* (do lat. *perfectio,* perfeição). Tendência exagerada a querer fazer tudo com perfeição.

perfectibilidade *s.f.* Qualidade, caráter de perfectível.

perfectível *adj.2g.* (lat. *perfectibilis*). Suscetível de aperfeiçoamento ou de perfeição.

perfectivo *adj.* (lat. tard. *perfectivus*). **1.** Que atinge a perfeição. **2.** Que perfaz ou termina alguma coisa.

perfeição *s.f.* (lat. *perfectio, perfectionis*). **1.** Estado do que é exato, correto, impecável. **2.** Ausência de quaisquer defeitos. **3.** Execução perfeita; primor, mestria. **4.** O mais alto grau de excelência, de aprimoramento.

perfeito *adj.* (lat. *perfectus*). **1.** Que reúne todas as qualidades, que não tem defeitos; ideal, impecável. **2.** Completo, acabado. **3.** Que atingiu o mais alto grau. **4.** Que não deixa margem a dúvidas; rigoroso. **5.** Excelente, ótimo, irrepreensível. ● **Gram.** Diz-se dos tempos pretéritos cujo aspecto denota uma ação já concluída. **Mat.** *Número perfeito,* número igual à soma de todos os seus divisores.

perfídia *s.f.* (lat. *perfidia*). Deslealdade, traição, infidelidade.

pérfido *adj.* (lat. *perfidus*). **1.** Que falta à fé jurada; traidor, infiel, desleal. **2.** Que denota ou envolve perfídia; falso, enganador.

perfil *s.m.* (esp. *perfil*). **1.** Conjunto dos traços do rosto de uma pessoa visto de lado. **2.** Aspecto, representação de um objeto visto de lado. **3.** Silhueta, contorno. **4.** Corte no desenho de um corpo, peça, edifício etc.; a forma exterior do corte. **5.** *De perfil,* de lado. ● **Metal.** Sin. de PERFILADO.

perfilado *adj.* **1.** Posto de perfil. **2.** Que se perfilou; alinhado, aprumado. ★ *s.m.* Produto metalúrgico de grande comprimento e seção constante, obtido por laminação a quente ou estiramento a frio. (Sin. PERFIL.)

perfilamento *s.m.* Operação que visa dar a uma peça, durante a usinagem, o perfil imposto pelo projeto.

perfilar *v.t.* (conj. 4). **1.** Traçar o perfil de. **2.** Alinhar, aprumar. **3.** Dar a um produto metálico não plano um perfil especial. ● **Metal.** Esboçar e usinar materiais metálicos por deformação, sob o efeito da pressão exercida por roletes muito duros, em rotação. ★ *v.pr.* Pôr-se firme; endireitar-se.

perfilhar *v.t.* (conj. 4). **1.** Adotar, receber legalmente como filho; filiar. **2.** Seguir, adotar (doutrina, princípio). **3.** Emitir (a planta) rebentos.

performance *s.f.* (ingl). **1.** Resultado obtido, em cada uma de suas exibições em público, por um artista, por um atleta etc. **2.** Conjunto de resultados obtidos em um teste; desempenho. **3.** Proeza esportiva. **4.** Conjunto de características ou parâmetros que definem o funcionamento de um equipamento (velocidade, produção, consumo etc.). ● **B.-Art.** Seqüência de gestos, atos e atitudes, geralmente mudos, cujo desenvolvimento constitui a obra do artista.

perfumar *v.t.* (conj. 4). **1.** Encher, impregnar de aroma agradável, de perfume. **2.** Tornar odorífero; aromatizar.

perfumaria *s.f.* **1.** Comércio, loja onde se vendem perfumes. **2.** Os próprios perfumes. **3.** Coisa sem importância, desnecessária.

perfume *s.m.* **1.** Cheiro, odor agradável. **2.** Preparação feita com essências aromáticas, usada para perfumar a pele, roupas etc. **3.** *Fig.* Agrado, deleite. **4.** *Fig.* Suavidade, doçura.

perfumista *s.2g.* Pessoa que fabrica ou vende perfumes.

perfunctório ou **perfuntório** *adj.* (lat. *perfunctorius*). **1.** Que se faz só para constar e não porque seja necessário; superficial, ligeiro. **2.** Pouco duradouro; efêmero.

perfuração *s.f.* **1.** Ato ou efeito de perfurar. **2.** Furo, orifício, buraco. **3.** Abertura acidental ou patológica de um órgão oco. **4.** Conjunto de técnicas para escavação de um poço até profundidades elevadas.

PLATAFORMA MARÍTIMA DE PERFURAÇÃO

perfuradora (ô) *s.f.* Sin. de PERFURATRIZ.

perfurante *adj.2g.* **1.** Que perfura; terebrante. **2.** Perfurador. **3.** Diz-se de certo número de artérias e de nervos, em virtude de seu trajeto. **4.** Diz-se de uma dor profunda que dá a impressão de haver um objeto cortante sendo enterrado nos tecidos; terebrante.

perfurar *v.t.* (lat. *perforare*) [conj. 4]. Fazer furo ou furos em; penetrar, furar.

perfuratriz *s.f.* **1.** Máquina de perfurar cartões. (Sin. PERFURADORA.) **2.** Ferramenta rotativa para abrir buracos de mina.

pergaminho *s.m.* (lat. m. *pergamena*). **1.** Pele de ovino ou caprino, curtida e preparada para se escrever, forrar livros etc. **2.** *Fig.* Diploma universitário.

pérgula *s.f.* (it. *pergola*). Estrutura para apoio de plantas trepadeiras formada por duas filas paralelas de colunas que suportam traves transversais.

pergunta *s.f.* **1.** Indagação, interrogação que se dirige a alguém a propósito de qualquer coisa. **2.** Quesito, questão, inquirição.

perguntar *v.t.* (lat. *percontari*) [conj. 4]. **1.** Fazer perguntas; indagar. **2.** Procurar saber; interrogar, inquirir. ★ *v.i.* **1.** Solicitar informação; indagar. **2.** Fazer perguntas; buscar esclarecimentos. ★ *v.pr.* Indagar a si próprio.

perianto *s.m.* Conjunto dos envoltórios florais, ou seja, o cálice e a corola.

periastro *s.m.* Ponto da órbita de um astro que gravita em torno de outro em que a distância entre os dois é mínima.

pericárdico *adj.* **1.** Relativo ao pericárdio. **2.** *Estalido pericárdico,* ruído ouvido na auscultação do coração no decorrer das pericardites.

pericárdio *s.m.* (gr. *perikardion*). Saco fibroso que envolve o coração.

pericarpo *s.m.* (gr. *perikarpion*). Parede do fruto que envolve a semente ou a amêndoa, constituída pelo epicarpo, mesocarpo e endocarpo.

perícia *s.f.* (lat. *peritia*). **1.** Qualidade de perito; habilidade, destreza. **2.** Exame feito por um perito. **3.** Conjunto de peritos que faz esse exame. **4.** Conhecimento, ciência.

periclitante *adj.2g.* (lat. *periclitans*). Que está em perigo, que periclita.

periclitar *v.i.* (lat. *periclitari*) [conj. 4]. **1.** Estar em perigo; perigar. **2.** Correr o risco de não chegar a termo, de não se efetuar. **3.** Entrar em decadência, caminhar para a ruína.

periculosidade *s.f.* Estado ou qualidade daquele ou daquilo que oferece perigo.

peridural *adj.2g.* **1.** Epidural. **2.** *Anestesia peridural,* sin. de ANESTESIA EPIDURAL.

perieco *s.m.* (gr. *perioikoi*). **1.** Diz-se do indivíduo que habita no mesmo paralelo que outro, mas em meridiano oposto. **2.** Habitante de uma cidade grega que não gozava dos direitos de cidadania.

periélio *s.m.* Ponto da órbita de um corpo celeste em que a distância deste ao Sol é mínima (p. opos. a *afélio*).

periferia *s.f.* (gr. *periphereia*). **1.** Contorno ou linha que limita uma superfície curvilínea; circunferência. **2.** O que fica nos arredores ou na parte exterior de. **3.** O conjunto dos bairros mais afastados da zona central de uma cidade; arrabalde, subúrbio.

periférico *adj.* (fr. *péripherique*). **1.** Relativo à periferia. **2.** Situado na periferia. ● **Anat.** Relativo aos nervos cranianos e raquidianos, p. opos. a *central.* ★ *s.m.* Qualquer equipamento (impressora etc.) conectado à unidade central de processamento.

perífrase *s.f.* (gr. *periphrasis*). **1.** Recurso verbal que exprime analiticamente, por meio de várias palavras, o que poderia ser expresso por um termo próprio e único. **2.** Rodeio, circunlóquio.

perigar *v.i.* (conj. 14). Estar em situação perigosa; periclitar.

perigeu *s.m.* (gr. *perigeion*). Ponto da órbita de um corpo celeste em que a distância deste corpo à Terra é mínima.

perigo *s.m.* (lat. *periculum*). **1.** Estado, situação de uma pessoa que corre grandes riscos. **2.** O que provoca tal estado. **3.** Situação que inspira cuidado.

perigoso (ô) *adj.* (lat. *periculosus*). **1.** Que oferece perigo. **2.** Prejudicial, pernicioso. **3.** Arriscado.

perimétrico *adj.* Relativo ao perímetro.

perímetro *s.m.* (gr. *perimetros*). **1.** Comprimento da linha que delimita os contornos de uma superfície. **2.** Zona definida, determinada, reservada para alguém ou para alguma coisa. ● **Geom.** Linha de contorno de uma figura geométrica. ► Soma da medida dos lados de um polígono ou o comprimento de um arco retificado fechado. **Med.** Aparelho destinado a medir o campo visual.

perinatal *adj.2g.* Relativo ao período que precede ou que se segue imediatamente ao nascimento.

períneo *s.m.* (gr. *perineos*). Região compreendida entre o ânus e os órgãos genitais externos.

periodicidade *s.f.* **1.** Qualidade, estado do que é periódico. **2.** Propriedade de uma função periódica.

periódico *adj.* **1.** Relativo a período. **2.** Que acontece em períodos, que se repete a intervalos regulares. **3.** Que é publicado com regularidade. ● **Quím.** Diz-se de uma reação durante a qual as concentrações dos reagentes são funções periódicas do tempo e, por vezes, do espaço. ► *Tabela periódica*, classificação dos elementos químicos segundo a ordem de crescimento de seus números atômicos e as semelhanças de suas propriedades físicas ou químicas. ★ *s.m.* Jornal, revista, boletim etc., que se publica em datas determinadas.

período *s.m.* (gr. *periodos*). **1.** Espaço de tempo compreendido entre dois momentos ou acontecimentos. **2.** Qualquer espaço de tempo, mesmo sem limites demarcados. **3.** Época, fase, momento. **4.** Série de anos com que se marcam os acontecimentos históricos em determinado país. **5.** Ciclo. ● **Fís.** Intervalo de tempo constante após o qual, na evolução de um fenômeno periódico, uma grandeza retoma sempre o mesmo valor. **Geol.** Na escala geológica, divisão das eras, que se subdivide em épocas. **Gram.** Frase organizada em uma ou mais orações. **Mat.** Em uma dízima, conjunto de números que, no desenvolvimento dessa dízima, se reproduzem indefinidamente a partir da vírgula ou de um certo decimal. **Patol.** Cada uma das fases de uma doença aguda, ou cada um dos estágios de evolução de uma doença crônica. **Quím.** Conjunto dos elementos que figuram, na classificação periódica, entre dois gases raros sucessivos.

periodonto *s.m.* Conjunto dos tecidos de revestimento que envolvem o dente.

periósteo *s.m.* Membrana que recobre o osso, com exceção da articulação.

peripécia *s.f.* (gr. *peripeteia*, incidente). **1.** Circunstância ocasional que intercorre inesperadamente em alguma situação; incidente, episódio, aventura. **2.** Mudança repentina do comportamento do herói num discurso ou ação dramática.

périplo *s.m.* (gr. *periplous*). **1.** Na Antiguidade, navegação em torno de um mar, de um país, de uma parte do mundo. **2.** Obra que relata uma dessas viagens.

periquito *s.m.* (esp. *periquito*). Denominação comum a aves psitaciformes, cuja coloração varia de acordo com a espécie, normalmente, com predomínio do verde, azul ou amarelo.

periscópio *s.m.* **1.** Aparelho óptico formado de lentes de prismas de reflexão total que permite ver por sobre um obstáculo. **2.** Tubo metálico equipado com um sistema óptico que permite a um submarino submerso observar acima da superfície.

PERISCÓPIO ► Os periscópios dos submarinos são formados por tubos de diferentes diâmetros que deslizam hidraulicamente uns dentro dos outros, acionados por um motor, e compreendem dois prismas, um na extremidade e outro na base, para refletir os raios no olho do observador e assegurar um campo de visão de cerca de 45°.

---

perisperma *s.m.* Tecido nutritivo de certas sementes, originado na nucela do ovário, com função de reserva.

perissodáctilos *s.m.pl.* Ordem de mamíferos ungulados, de grande porte, que apresentam pernas longas, dedos ímpares envolvidos por um casco córneo, e estômago simples.

peristáltico *adj.* Relativo ao movimento vermicular de contrações que fazem progredir as matérias contidas no tubo digestivo.

peristaltismo *s.m.* **1.** Realização dos movimentos peristálticos no tubo digestivo. **2.** Movimento vermicular pelo qual o canal alimentar ou outros órgãos tubulares providos de fibras musculares circulares e longitudinais impele para a frente o seu conteúdo.

peristilo *s.m.* (gr. *peristylon*). **1.** Galeria de colunas isoladas, em torno de um edifício ou de um pátio. **2.** Conjunto das colunas da fachada de um edifício.

peristômio *s.m.* **1.** Conjunto de dentes que envolve o orifício da cápsula de um fungo e regula a saída de esporos. **2.** Região ao redor da boca de alguns invertebrados.

perito *adj.* e *s.m.* (lat. *peritus*). **1.** Que ou aquele que, pela experiência, adquiriu conhecimentos especializados sobre determinado assunto. **2.** Diz-se de ou pessoa habilitada a dar parecer sobre determinada questão. **3.** Conhecedor, prático.

peritônio *s.m.* (gr. *peritonaion*). Membrana serosa que reveste a cavidade do abdome (peritônio parietal) e os órgãos que nele se encontram (peritônio visceral).

peritonite *s.f.* Inflamação do peritônio.

perjurar *v.t.* (lat. *perjurare*) [conj. 4]. **1.** Jurar falso. **2.** Abjurar. ★ *v.i.* Quebrar um juramento, cometer perjúrio.

perjúrio *s.m.* (lat. *perjurium*). **1.** Juramento falso. **2.** Violação de juramento.

perjuro *adj.* e *s.m.* (lat. *perjurus*). **1.** Que ou aquele que comete perjúrio. **2.** Desleal, infiel.

perlongar *v.t.* (conj. 14). **1.** Ir ao longo de; costear, percorrer. **2.** Demorar, dilatar, adiar.

perlustrar *v.t.* (lat. *perlustrare*) [conj. 4]. **1.** Percorrer com a vista observando e examinando. **2.** Percorrer, correr.

permanecer *v.lig.* (lat. *permanere*) [conj. 25]. Continuar, persistir, ficar. ★ *v.t.* Persistir. ★ *v.i.* **1.** Conservar-se, ficar. **2.** Demorar-se, durar. **3.** Continuar existindo, restar.

permanência *s.f.* (lat. tard. *permanentia*). **1.** Ação de permanecer. **2.** Tempo pelo qual se permanece. **3.** Qualidade, estado de permanente.

permanente *adj.2g.* (lat. *permanens, permanentis*). **1.** Que permanece; contínuo. **2.** Que dura sem intermitência nem mudança; duradouro. **3.** Constante, ininterrupto. ● **Agric.** *Cultura permanente,* lavoura que utiliza plantas com ciclo vegetativo longo, sem a necessidade de novo plantio (café, cacau e frutas cítricas). ★ *s.m.* Cartão ou senha que dá direito a ingressar gratuitamente em casa de diversões ou viajar gratuitamente em viaturas de determinada empresa. ★ *s.f.* Tratamento dado aos cabelos para deixá-los ondulados por um longo período de tempo.

permanganato *s.m.* **1.** Sal do ácido permangânico. **2.** *Permanganato de potássio,* composto de propriedades antisséptica e oxidante, utilizado em ginecologia e dermatologia.

permeabilidade *s.f.* Qualidade, estado de permeável.

permeância *s.f.* Em um circuito magnético, o inverso da relutância.

permear *v.t.* (conj. 15). **1.** Penetrar, atravessar. **2.** Fazer passar pelo meio; furar. ★ *v.i.* **1.** Sobrevir, vir. **2.** Estar de permeio.

permeável *adj.2g.* (lat. *permeabilis*). **1.** Que se deixa atravessar ou penetrar por outros corpos ou fluidos. **2.** *Fig.* Que se deixa influenciar.

permeio *adv.* **1.** Em meio. **2.** *De permeio,* no meio de, entre.

permiano *s.m.* Período geológico do paleozóico, que sucedeu ao carbonífero, com duração aproximada de 50 milhões de anos. ★ *adj.* Relativo ou pertencente a esse período.

permissão *s.f.* (lat. *permissio, permissionis*). **1.** Ato ou efeito de permitir; autorização, licença, consentimento, vênia. **2.** Faculdade, liberdade, de fazer ou não fazer.

permissível *adj.2g.* (lat. med. *permissibilis*). **1.** Que pode ser permitido. **2.** Que é aceitável, admissível, lícito.

permissivo *adj.* (lat. *permissivus*). **1.** Que permite, que dá autorização. **2.** Tolerante, indulgente.

permitir *v.t.* (lat. *permittere*) [conj. 6]. **1.** Dar a liberdade, o poder de fazer, de dizer. **2.** Autorizar, consentir. **3.** Tolerar, admitir. **4.** Possibilitar a execução ou existência de. ★ *v.pr.* Tomar a liberdade, a licença de.

permuta *s.f.* **1.** Troca, permutação. **2.** Comunicação recíproca. ● **Biol.** Troca de pedaços entre cromossomos homólogos durante a meiose; permutação.

permutação *s.f.* (lat. *permutatio, permutationis*). **1.** Ato ou efeito de permutar; permuta; troca. **2.** Transposição das partes de um todo para obter um novo arranjo. **3.** Substituição. ● **Biol.** Permuta. **Mat.** Aplicação de um conjunto sobre si mesmo, ou rearranjo de seus elementos de acordo com determinada lei.

permutar *v.t.* (lat. *permutare*) [conj. 4]. Dar uma coisa em troca de outra; trocar.

permutável *adj.2g.* (lat. tard. *permutabilis*). Suscetível de permutação. ● **Mat.** Diz-se de dois fatores ou de dois operadores que podem ser trocados sem prejuízo do resultado.

perna *s.f.* (lat. *perna*). **1.** Parte do membro inferior compreendida entre o joelho e o tornozelo. **2.** Cada um dos membros locomotores dos animais. **3.** O suporte de determinados móveis ou objetos. **4.** Haste de um objeto (tesoura, compasso etc.) bifurcado. **5.** Haste de uma letra.

pernada *s.f.* **1.** Ato de transpor com uma passada muito larga. **2.** Espaço assim transposto. **3.** Caminhada longa ou fatigante. **4.** *Fam.* Pontapé, coice.

pernaltas *s.f.pl.* Antiga ordem de aves com pernas compridas, com o tarso e a parte inferior desprovidos de penas, hoje dividida nas ordens dos ciconiformes, dos caradriiformes e dos gruiformes.

pernambucano *adj.* Relativo ou pertencente a Pernambuco, Estado brasileiro. ★ *s.m.* O natural ou habitante de Pernambuco.

perneta (ê) *s.f.* Perna pequena. ★ *s.2g.* Pessoa que só tem uma perna ou que tem uma perna defeituosa.

pernicioso (ô) *adj.* (lat. *perniciosus*). Nocivo, mau, danoso. ● **Med.** Diz-se do sintoma ou da doença particularmente grave. ▸ *Anemia perniciosa,* anemia grave provocada por uma falha na absorção da vitamina B_{12}.

pernil *s.m.* **1.** A parte mais delgada da perna de um animal, especialmente do porco. **2.** Perna magra e delgada.

pernilongo *adj.* Que tem as pernas longas. ★ *s.m.* **1.** Ave caradriiforme que vive em lagoas e áreas alagadiças do Chile, Argentina, Paraguai, Uruguai e em quase todo o Brasil. **2.** Sin. de MOSQUITO.

pernoitar *v.i.* (lat. *pernoctare*) [conj. 4]. Passar a noite; dormir.

pernoite *s.m.* **1.** Ato ou efeito de pernoitar. **2.** Trabalho durante a noite. **3.** Plantão noturno.

pernóstico *adj.* **1.** Afetado, pretensioso, presumido, pedante. **2.** Diz-se do indivíduo que emprega termos cujo sentido, em geral, desconhece. ★ *s.m.* Indivíduo pedante, presumido.

peroba *s.f.* (tupi *ipé rob,* casca amargosa). Nome comum a diversas árvores que fornecem madeira de boa qualidade.

pérola *s.f.* (it. *perla*). **1.** Concreção esférica ou de outra forma que se cria em torno de corpos estranhos, entre o manto e a concha de certos moluscos bivalves, muito valorizada na confecção de objetos de adorno. **2.** A cor leitosa e levemente brilhante dessa concreção. **3.** *Fig.* Pessoa ou coisa de qualidades muito apreciáveis. **4.** Gota de líquido límpida. ● **Bot.** Principal variedade de abacaxizeiro cultivada no Brasil. ★ *adj.2g.2n.* Que tem a cor da pérola.

perônio *s.m.* (gr. *peronion,* pequena cravelha). Osso longo, delgado, situado na parte externa da perna. (Sin. FÍBULA.)

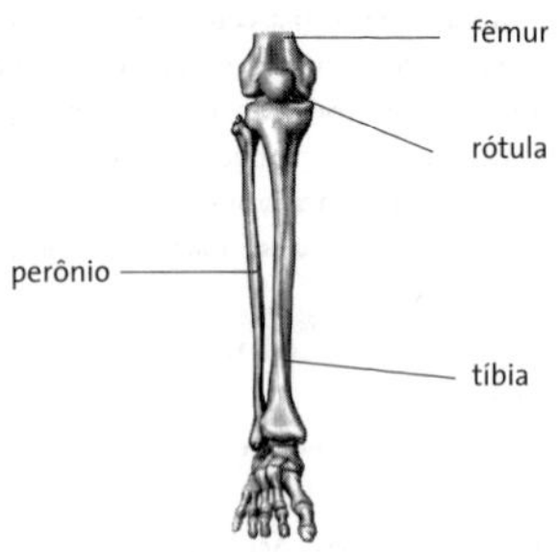

peroração *s.f.* (lat. *peroratio, perorationis*). **1.** Parte final, conclusão de um discurso, geralmente enfática; epílogo. **2.** Pequeno discurso.

perorar *v.i.* (lat. *perorare*) [conj. 4]. **1.** Terminar um discurso, estar na parte final dele. **2.** Discorrer longamente e com ênfase.

peroxiácido (cs) *s.m.* Nome genérico dos oxiácidos que apresentam um radical composto por um átomo de hidrogênio e dois de oxigênio.

peroxidase (cs) *s.f.* Enzima que catalisa as reações de oxidação.

peróxido (cs) *s.m.* **1.** Nome genérico dos óxidos que contêm mais oxigênio do que os correspondentes óxidos normais. **2.** Nome genérico dos derivados da água oxigenada.

perpassar *v.t.* (conj. 4). **1.** Passar junto ou ao longo de. **2.** Passar além de. **3.** Fazer correr ou roçar. **4.** Mover repetidamente através ou ao longo de. **5.** Postergar, preterir. ★ *v.i.* Decorrer, passar (tempo).

perpendicular *adj.2g.* (do lat. *perpendiculum,* fio de prumo). **1.** Que faz ângulo reto com. **2.** Diz-se de uma reta que é ortogonal e secante a uma outra. ★ *s.f.* Reta perpendicular a outra reta ou a um plano.

perpetrar *v.t.* (lat. *perpetrare*) [conj. 4]. **1.** Cometer, praticar (crime ou ato condenável). **2.** Perfazer, realizar.

perpetuar *v.t.* (lat. *perpetuare*) [conj. 4]. **1.** Fazer durar sempre. **2.** Conservar, manter para sempre. **3.** Propagar, multiplicar. **4.** Imortalizar, eternizar. ★ *v.pr.* **1.** Multiplicar-se, reproduzir-se. **2.** Sobreviver, continuar, eternizar-se.

perpétuo *adj.* (lat. *perpetuus*). Que dura sempre, indefinidamente; eterno. **2.** Que dura toda a vida; vitalício. **3.** Que se renova constantemente; contínuo, incessante.

perplexo (cs) *adj.* (lat. *perplexus*). **1.** Que hesita numa situação confusa; indeciso, irresoluto. **2.** Espantado, boquiaberto, atônito, embasbacado.

perquirição *s.f.* Ato ou efeito de perquirir; perquisição.

perquirir *v.t.* (lat. *perquirere*) [conj. 6]. Inquirir, indagar, investigar com minúcia.

perquisição *s.f.* (lat. *perquisitio, perquisitionis*). Perquirição.

perrengue *adj.2g.* e *s.2g.* (esp. *perrengue*). **1.** Covarde, frouxo, imprestável. **2.** Capenga, manco. **3.** Adoentado, fraco.

perro (ê) *adj.* (esp. *perro*). **1.** Difícil de abrir ou fechar. **2.** *Fig.* Obstinado, teimoso, pertinaz. ★ *s.m.* **1.** Cão. **2.** *Depr.* Homem vil, patife, canalha.

persa *adj.2g.* (lat. *persa*). **1.** Relativo ou pertencente à Pérsia, atual Irã; pérsio, pérsico, persiano, iraniano. **2.** *Cavalo persa,* raça de cavalos para sela e montaria, originária da Pérsia. ► *Gato persa,* raça de gatos resultante do cruzamento do gato da Índia com o gato afegão, de cor cinza, preta ou branca. ★ *s.2g.* O natural ou habitante da Pérsia; pérsio, persiano, iraniano. ★ *s.m.* Língua indo-européia falada no Irã, no Afeganistão e no Paquistão; iraniano.

PERSA ► Os persas construíram um vasto e próspero império entre os séculos VI e IV a.C. Sob Dario I (que reinou de 521 a 486), Susa e Persépolis foram as cidades mais importantes. Dario construiu estradas para unir todo o império e fortaleceu o comércio ao introduzir uma moeda única.

---

perscrutar *v.t.* (lat. *perscrutari*) [conj. 4]. **1.** Indagar, investigar, perquirir. **2.** Averiguar minuciosamente. **3.** Sondar, pesquisar, escrutar.

persecução *s.f.* (lat. *persecutio, persecutionis*). Perseguição.

persecutório *adj.* Da natureza da perseguição. ● **Psiq.** *Delírio persecutório,* delírio no qual o sujeito tem a convicção de que alguém o persegue ou tenta prejudicá-lo; delírio de perseguição.

perseguir *v.t.* (lat. *persequi*) [conj. 55]. **1.** Ir ao encalço de; acossar. **2.** Incomodar, importunar. **3.** Submeter a tratamento cruel ou injusto. **4.** Atormentar, torturar.

perseverança *s.f.* (lat. *perseverantia*). **1.** Ação ou efeito de perseverar. **2.** Qualidade do que persevera; persistência. **3.** Constância, tenacidade, obstinação, pertinácia.

perseverante *adj.2g.* (lat. *perseverans, perseverantis*). Que persevera, que tem perseverança.

perseverar *v.t.* (lat. *perseverare*) [conj. 4]. **1.** Permanecer firme e constante em um sentimento, uma resolução; persistir. **2.** Permanecer, ficar. **3.** Resistir, suportar.

persiana *s.f.* (fr. *persienne*). Dispositivo composto de lâminas móveis, verticais ou horizontais, colocado internamente, como opção às cortinas.

persiano *adj.* e *s.m.* Persa.

pérsico *adj.* (gr. *persikos*). Persa.

persignação *s.f.* Ato de persignar-se.

persignar-se *v.pr.* (lat. *persignare*) [conj. 7]. Benzer-se, fazendo com o polegar direito uma cruz na testa, na boca e outra no peito.

pérsio *adj.* e *s.m.* Persa.

persistência *s.f.* **1.** Ato ou efeito de persistir. **2.** Permanência, continuidade. **3.** Obstinação, teimosia. **4.** Perseverança, constância.

persistente *adj.2g.* (lat. *persistens, persistentis*). Que dura ou se mantém inalterável; perseverante, constante.

persistir *v.t.* (lat. *persistere*) [conj. 6]. Perseverar, ser constante. ★ *v.i.* Perdurar, durar.

personagem *s.2g.* (fr. *personnage*). **1.** Figura dramática. **2.** Intérprete, protagonista. **3.** Personalidade. **4.** Qualquer pessoa considerada em seu valor pessoal.

personal *adj.* (ingl.) *Personal trainer,* pessoa que estabelece um programa de exercícios personalizado e acompanha sua execução, corrigindo e incentivando seu aluno.

personalidade *s.f.* (lat. *personalis,* pessoal). **1.** Qualidade, caráter de pessoal. **2.** Conjunto dos elementos psíquicos e comportamentais que constituem a singularidade de um sujeito. **3.** Pessoa de certa importância social, ilustre; personagem.

VOCÊ SABIA...? A **personalidade** descreve as características dos indivíduos. Revela, por exemplo, se eles são inquietos ou tranqüilos, sérios ou alegres. Às vezes, avalia-se a personalidade de uma pessoa como extrovertida ou introvertida. Entretanto, quase todos temos um pouco das duas coisas.

---

personalismo *s.m.* (lat. *personalis,* pessoal). **1.** Qualidade do que é subjetivo. **2.** Doutrina segundo a qual o centro de toda reflexão filosófica deve situar-se na unidade, identidade e liberdade da pessoa. **3.** Característica dos meios políticos ou partidários cuja unidade depende do prestígio de um líder carismático.

personalista *adj.2g.* Relativo a ou que denota personalismo.

personalizar *v.t.* (lat. *personalis,* pessoal) [conj. 4]. **1.** Tornar pessoal. **2.** Fazer uma marca que individualiza algo produzido em série. **3.** Elaborar, criar ou produzir algo especialmente para uma pessoa. **4.** Personificar.

personificação *s.f.* **1.** Ato ou efeito de personificar. **2.** O que personifica algo; pessoa que representa com perfeição uma idéia ou condição. **3.** Tipo, modelo. ● **Liter.** Sin. de PROSOPOPÉIA.

personificar *v.t.* (conj. 12). **1.** Atribuir a ser inanimado ou a idéia abstrata a figura, os sentimentos, a linguagem de uma pessoa; personalizar. **2.** Encarnar algo de maneira perfeita; ser o modelo de.

perspectiva *s.f.* (lat. *perspectiva*). **1.** Representação, num plano, dos objetos como se apresentam à vista. **2.** *P. ext.* Aspecto dos objetos vistos de longe; panorama. **3.** Conjunto de regras que permitem essa representação. **4.** Recuo, distanciamento do observador em face do objeto. **5.** *Fig.* Esperança ou crença numa coisa provável ou desejada, embora distante.

perspicácia *s.f.* (lat. *perspicacia*). Penetração, agudeza de espírito; sagacidade.

perspicaz *adj.2g.* (lat. *perspicax, perspicacis*). Que tem perspicácia; sagaz, penetrante, perspícuo.

perspícuo *adj.* (lat. *perspicuus*). **1.** Claro, inteligível, manifesto, fácil de compreender. **2.** Perspicaz.

perspiração *s.f.* Ato ou efeito de perspirar.

perspirar *v.i.* (conj. 4). Transpirar por toda a superfície.

persuadir *v.t.* (lat. *persuadere*) [conj. 6]. Levar a crer ou a aceitar; aconselhar, induzir. ★ *v.pr.* Convencer-se, decidir-se.

persuasão *s.f.* (lat. *persuasio, persuasionis*). **1.** Ato ou efeito de persuadir(-se). **2.** Convicção, crença.

persuasivo *adj.* (lat. *persuasus,* convencido, persuadido). Que tem o poder, o dom de persuadir.

pertence *s.m.* **1.** Aquilo que faz parte de; acessório. **2.** Aquilo que é propriedade de alguém.

pertencente *adj.2g.* **1.** Que pertence a alguém ou a alguma coisa. **2.** Que faz parte de alguma coisa ou é inerente a ela. **3.** Relativo, concernente.

pertencer *v.i.* (lat. *pertinere*) [conj. 25]. **1.** Ser propriedade de. **2.** Fazer parte de. **3.** Dizer respeito a; concernir. **4.** Ser merecido, caber. **5.** Ser da competência ou atribuição de alguém.

pertinácia *s.f.* (lat. *pertinacia*). Qualidade ou ação de pertinaz; obstinação, persistência, tenacidade.

pertinaz *adj.2g.* (lat. *pertinax, pertinacis*). Que não desiste nem desanima facilmente; obstinado, teimoso, persistente, constante.

pertinência *s.f.* (lat. *pertinentia*). Qualidade, caráter de pertinente.

pertinente *adj.2g.* (lat. *pertinens, pertinentis*). **1.** Pertencente, concernente. **2.** Conveniente, apropriado. **3.** Relativo, referente. **4.** Próprio, que vem a propósito.

perto *adv.* **1.** A pouca distância; próximo. **2.** Em breve. **3.** *Perto de,* próximo de, ante, diante de. ★ *adj.* Próximo, vizinho.

perturbação *s.f.* (lat. *perturbatio, perturbationis*). **1.** Ato ou efeito de perturbar(-se). **2.** Distúrbio, tumulto. **3.** Agitação física e psíquica produzida pela emoção. **4.** Alteração das condições físicas normais de qualquer meio ou ambiente. ● **Meteor.** Estado da atmosfera caracterizado por ventos violentos e precipitações.

perturbar *v.t.* (lat. *perturbare*) [conj. 4]. **1.** Causar alteração ou transtorno. **2.** Confundir, embaraçar, atrapalhar. **3.** Causar vergonha, embaraço. ★ *v.pr.* **1.** Alterar-se, agitar-se. **2.** Atarantar-se, embaraçar-se. **3.** Intimidar-se, envergonhar-se.

peru *s.m.* **1.** Ave galiforme originária da América do Norte, criada a nível industrial para a produção de carnes e ovos. **2.** Prato preparado com esta ave.

perua *s.f.* **1.** Fêmea do peru. **2.** Veículo de passageiros, menor que o ônibus. **3.** *Chul.* Prostituta. **4.** *Pop.* Mulher de modos e vestes exagerados, que chama a atenção.

peruano *adj.* Relativo ou pertencente ao Peru, país da América Latina. ★ *s.m.* O natural ou habitante do Peru.

peruar *v.i.* (conj. 4). **1.** Ficar ao lado de uma mesa de jogo dando palpites. **2.** Observar, sondar, bisbilhotar.

peruca *s.f.* (it. *parrucca*). Cabeleira postiça; chinó.

pervagar *v.t.* (lat. *pervagari*) [conj. 14]. **1.** Percorrer em várias direções; atravessar. **2.** Andar ao acaso, sem destino; vagar.

perversão *s.f.* (lat. ecles. *perversio, perversionis*). **1.** Ato ou efeito de perverter(-se). **2.** Depravação, corrupção. **3.** Anomalia, transtorno. ● **Psican.** Comportamento sexual em que as pulsões encontram satisfação através de um objeto inadequado à relação sexual.

perverso *adj.* (lat. *perversus*). **1.** Relativo à perversão. **2.** Que pratica ou apresenta perversão. **3.** Maligno. **4.** Depravado. ★ *s.m.* Indivíduo perverso. ● **Psican.** Indivíduo que apresenta perversão.

perversor (ô) *adj.* e *s.m.* (lat. *perversus,* perverso). Que ou aquele que perverte.

perverter *v.t.* (lat. *pervertere*) [conj. 5]. **1.** Tornar perverso. **2.** Corromper, depravar. **3.** Opor às leis da natureza e da vida moral. ★ *v.pr.* Corromper-se, depravar-se.

pervertido *adj.* **1.** Que se perverteu. **2.** Depravado, devasso.

pesadelo (ê) *s.m.* **1.** Sono perturbado por sonhos aflitivos. **2.** Sonho agitado, com sensação de opressão. **3.** *Fig.* Fato penoso ou condição particularmente desagradável.

pesado *adj.* **1.** Que tem peso. **2.** Que tem grande peso. **3.** Cuja densidade é elevada; denso. **4.** Cheio, carregado. **5.** Importante, grave. **6.** Desgracioso, deselegante. **7.** Grosseiro, ofensivo. **8.** Sem agilidade, lento. **9.** Difícil, trabalhoso, incômodo. **10.** Diz-se de alimento de digestão difícil. **11.** Que envolve meios técnicos e financeiros importantes, vultosos. ● **Quím.** Diz-se dos elementos de massa atômica elevada. ► *Água pesada,* óxido de deutério. ★ *s.m.* **1.** O que é pesado. **2.** *Fam.* Trabalho que exige esforço, difícil.

pesagem *s.f.* **1.** Ato de pesar. **2.** Local nos hipódromos onde os jóqueis e os cavalos são pesados.

pêsames *s.m.pl.* Manifestação de pesar pela morte de alguém ou por algum infortúnio de que alguém seja vítima; condolências.

pesar[1] *s.m.* **1.** Dor moral, sentimento, desgosto, mágoa. **2.** Arrependimento, remorso.

pesar[2] *v.t.* (lat. *pensare*) [conj. 4]. **1.** Determinar o peso de, por meio de balança. **2.**Avaliar, aproximar o peso de; sopesar. **3.** Fazer carga, recair. **4.** *Fig.* Cotejar, ponderar. **5.** Importunar, fatigar, desgostar. **6.** Influenciar, influir. **7.** Causar arrependimento, remorso. ★ *v.i.* Ter o peso de.

pesaroso (ô) *adj.* **1.** Que tem ou apresenta pesar. **2.** Desgostoso, magoado. **3.** Arrependido, contrito.

pesca *s.f.* **1.** Ato ou efeito de pescar, de apanhar peixes com anzol, redes etc.; pescaria. **2.** Indústria pesqueira.

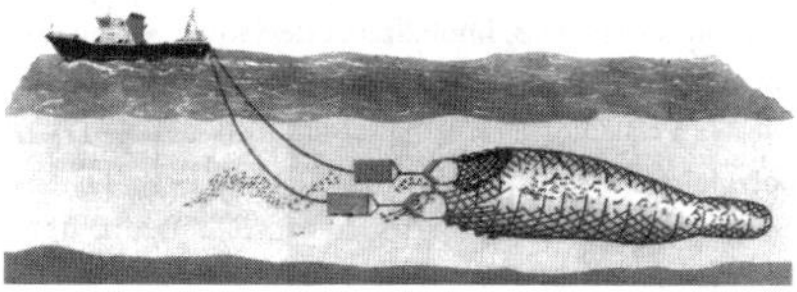

pescada *s.f.* Denominação comum a peixes teleósteos, muito comuns na costa brasileira, que apresentam coloração prateada com dorso escuro.

pescadinha *s.f.* Denominação comum a peixes teleósteos que ocorrem nas costas brasileiras.

pescado *s.m.* **1.** O produto de uma pesca. **2.** Qualquer peixe.

pescador (ô) *adj.* e *s.m.* (lat. *piscator*). Que ou aquele que pesca.

pescar *v.t.* (lat. *piscare*) [conj. 12]. **1.** Apanhar peixe. **2.** Retirar da água. **3.** *Fig.* Apanhar, pegar, alcançar. **4.** *Gír.* Apreender de relance e ocasionalmente uma informação esparsa.

pescaria *s.f.* (lat. *piscaria*). Pesca.

pescoção *s.m. Pop.* **1.** Pancada com a mão, no pescoço. **2.** Sopapo, bofetada.

pescoço (ô) *s.m.* **1.** Parte do corpo do homem e de certos animais vertebrados que une a cabeça ao tronco. **2.** Colo, garganta. **3.** *P. ext.* Gargalo.

peseta (ê) *s.f.* (esp. *peseta*). Antiga unidade monetária da Espanha, substituída pelo euro em 2002.

pesista *s.2g.* (ingl.). Atleta que se dedica ao levantamento de peso.

peso[1] (ê) *s.m.* (lat. *pensum*). **1.** Força exercida por um campo gravitacional sobre um objeto material dotado de massa. **2.** Sólido de metal de um peso determinado que serve de contrapeso para pesar outros corpos. **3.** *Pop.* Massa. **4.** A medida da massa de um corpo. **5.** *Fig.* Tudo o que fatiga, oprime, atormenta. **6.** Força, importância, autoridade. **7.** *Em peso,* na totalidade. ● **Esp.** Em atletismo, aparelho esférico de metal. **Fís.** *Peso específico* ou *volumétrico de um corpo,* quociente do peso de um corpo por seu volume.

peso[2] (ê) *s.m.* (esp. *peso*). Unidade monetária do Chile, Colômbia, Cuba, Filipinas, Guiné-Bissau, México, República Dominicana e Uruguai.

pespegar *v.t.* (conj. 4). **1.** Impingir, pregar, assentar. **2.** Colocar, pôr.

pespontar *v.t.* (conj. 4). **1.** Aplicar pespontos em; pespontear. **2.** *Fig.* Presumir.

pesponto *s.m.* Ponto da costura em que a agulha torna sucessivamente a entrar um pouco atrás do lugar em que saiu o ponto anterior.

pesqueiro *s.m.* Lugar que serve de viveiro, abrigo ou comedouro de peixes. ★ *adj.* Relativo à pesca.

pesquisa *s.f.* (esp. *pesquisa*). **1.** Ato ou efeito de pesquisar. **2.** Busca, investigação, recolhimento de dados. **3.** Conjunto de atividades que têm por finalidade a descoberta de conhecimentos novos no domínio científico, artístico, literário etc.

pesquisar *v.t.* (conj. 4). **1.** Buscar, investigar, inquirir. **2.** Investigar para descobrir conhecimentos novos. **3.** Recolher elementos para o estudo de. **4.** Indagar, devassar. ★ *v.i.* Fazer pesquisas.

pessário *s.m.* **1.** Aparelho que serve para manter no lugar um certo órgão interno. **2.** Anel de borracha que se coloca na vagina para manter o útero na posição normal em caso de prolapso ou de retroversão.

pessegada *s.f.* Doce de pêssego.

pêssego *s.m.* (lat. *persicus*). Fruto do pessegueiro, drupa de casca e polpa amarelada, doce, comestível ao natural e utilizado na produção de doces e compotas.

pessegueiro *s.m.* Árvore pequena originária da Ásia, de flores rosadas, cultivada pelos frutos drupáceos, comestíveis.

pessimismo *s.m.* **1.** Estado de espírito dos que pensam que tudo caminha para o pior. **2.** Crença segundo a qual o mal prevalece sobre o bem no mundo.

péssimo *adj.* Muito mau.

pessoa (ô) *s.f.* (lat. *persona*). **1.** Ser humano, indivíduo. **2.** Indivíduo enquanto ser particular, físico e moral. ● **Dir.** Indivíduo (*pessoa física*) ou uma entidade coletiva (*pessoa jurídica*) capaz de gozar de direitos e de contrair obrigações. **Gram.** Flexão verbal relacionada com o sujeito da ação: quem fala (1ª pessoa), a quem se fala (2ª pessoa) e de quem se fala (3ª pessoa). **Relig.** Princípio divino e eterno de criação. (Na teologia católica oficial existem três pessoas em um só Deus.)

pessoal *adj.2g.* (lat. tard. *personalis*). **1.** Que pertence a ou é próprio de uma pessoa. **2.** Particular, individual. **3.** Relativo à pessoa em geral. **4.** Que tem a marca da personalidade de alguém; original. ● **Gram.** *Infinitivo pessoal,* forma do infinitivo que tem sujeito próprio e pode flexionar-se. ▸ *Pronome pessoal,* pronome que denota a pessoa gramatical. ★ *s.m.* **1.** Conjunto das pessoas que trabalham num estabelecimento. **2.** Conjunto de pessoas que atuam na mesma área. **3.** Os companheiros, os amigos.

pestana *s.f.* Pêlo que nasce nas bordas das pálpebras; cílio, celha. ● **Mús.** Apoio do dedo indicador sobre diversas ou todas as cordas, perpendicularmente à direção do braço de um instrumento de cordas.

pestanejar *v.i.* (conj. 4). **1.** Mover as pestanas e as pálpebras rapidamente; piscar. **2.** *Fig.* Tremeluzir.

peste *s.f.* (lat. *pestis*). **1.** Doença contagiosa muito grave. **2.** Epidemia caracterizada por grande mortandade. **3.** Doença infecciosa devida a um bacilo, que pode provocar o desenvolvimento de bujões ou tumefações ganglionares (*peste bubônica*), ou caracterizar-se por manifestações pulmonares (*peste pulmonar*). **4.** *Fig.* Coisa perniciosa. **5.** *Fig.* Indivíduo muito perverso. **6.** *Peste aviária,* doença infecciosa e contagiosa das aves domésticas, causada por um vírus, com sintomas de alterações respiratórias e nervosas. ▸ *Peste bovina,* doença muito contagiosa, que atinge os bovinos e os bufalinos, causada por um vírus que ocorre em forma enzoótica na África e na Ásia. ▸ *Peste negra,* epidemia grave de peste oriunda da Ásia no séc. XIV e caracterizada por hemorragias cutâneas e mucosas. ▸ *Peste suína,* doença infecciosa e altamente contagiosa, produzida por vírus e geralmente mortífera para os suínos.

pestear *v.t.* e *v.pr.* (conj. 15). Empestear.

pesticida *adj.2g.* e *s.m.* Sin. de AGROTÓXICO.

pestilência *s.f.* (lat. *pestilentia*). **1.** Qualidade, estado de pestilento. **2.** Doença contagiosa. **3.** Mau cheiro.

pestilento *adj.* (lat. *pestilentus*). **1.** Que tem as características da peste. **2.** Contaminado pela peste. **3.** Infecto, pútrido.

peta (ê) *s.f.* Mentira, engodo, logro.

pétala *s.f.* (gr. *petalon,* pelo lat. *petalum*). Cada uma das peças florais, comumente coloridas e sedosas, cujo conjunto forma a corola das flores, e que envolvem imediatamente os estames.

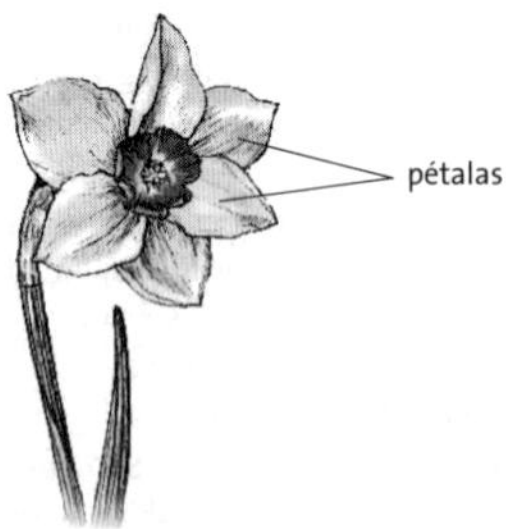

VOCÊ SABIA...? Em geral, as **pétalas** são de cores vivas e muito maiores que as outras partes da flor, e freqüentemente caem assim que a flor se abre. A função principal das pétalas é atrair, por sua cor e seu perfume, os insetos que realizam a polinização.

petardo *s.m.* (fr. *pétard*). Engenho portátil para destruir algo por explosão; bomba.

peteca *s.f.* (do tupi *pé teg,* bater). **1.** Pequena peça de pano ou de couro com um chumaço de penas, que os jogadores lançam ao ar, uns para os outros, com a palma da mão. **2.** *Fig.* Joguete, motivo de escárnio.

peteleco *s.m.* Piparote na orelha.

petição *s.f.* (lat. *petitio, petitionis*). **1.** Ato ou efeito de pedir. **2.** Requerimento. **3.** Solicitação por escrito para obter justiça, pedir um favor.

petiço *s.m.* (esp. *petizo*). (S) **1.** Cavalo pequeno, baixo. **2.** *P. ext.* Pessoa baixa.

petiscar *v.t.* e *v.i.* (conj. 12). **1.** Comer pouco; beliscar. **2.** Comer lentamente, saboreando a comida.

petisco *s.m.* **1.** Comida bem preparada e saborosa; guloseima, acepipe, petisqueira. **2.** Iguaria servida como aperitivo; acepipe. **3.** *Fig.* Coisa boa.

petisqueira *s.f.* **1.** Petisco. **2.** *Pop.* Coisa boa; aquilo que se petisca. **3.** (*NE*) Guarda-comida. **4.** *Pop.* Restaurante, casa de pasto.

petiz *s.m.* (fr. *petit,* pequeno). Criança pequena; menino, garoto.

petizada *s.f.* **1.** Grupo de petizes. **2.** Ajuntamento de crianças; criançada.

petrechar *v.t.* (esp. *petrechar*) [conj. 4]. Apetrechar.

petrechos (ê) *s.m.pl.* (esp. *petrechos*). Apetrechos.

pétreo *adj.* (lat. *petraeus*). **1.** Relativo a pedra. **2.** Constituído de pedra. **3.** Que tem o aspecto ou as características da pedra. **4.** *Fig.* Frio, desumano.

petrificação *s.f.* **1.** Ato ou efeito de petrificar (-se). **2.** Transformação da substância de um corpo orgânico em uma substância pedregosa.

petrificar *v.t.* (conj. 12). **1.** Mudar em pedra. **2.** *Fig.* Endurecer, empedernir, insensibilizar. **3.** Assombrar, aterrar. ★ *v.pr.* **1.** Converter-se em pedra. **2.** Tornar-se duro como pedra; empedernir-se. **3.** Imobilizar-se devido a medo ou susto.

petrografia *s.f.* Ramo da geologia que tem por objetivo a descrição e a classificação sistemática das rochas.

petroleiro *adj.* Relativo ao petróleo. ★ *adj.* e *s.m.* Diz-se de ou navio especialmente construído para o transporte de cargas líquidas inflamáveis, sobretudo petróleo.

petróleo *s.m.* Óleo mineral natural, de cor muito escura, composto basicamente de hidrocarbonetos, resultante da lenta degradação bacteriológica de organismos aquáticos.

petrolífero *adj.* **1.** Que contém ou produz petróleo. **2.** *Produto petrolífero,* líquido, sólido ou gás derivado do petróleo bruto.

petrologia *s.f.* Estudo dos mecanismos de formação das rochas (distribuição, estrutura, constituição, propriedades físicas e químicas).

petroquímica *s.f.* Conjunto dos métodos industriais de obtenção dos produtos químicos orgânicos derivados do petróleo.

petroquímico *adj.* Relativo à petroquímica. ★ *s.m.* Especialista em petroquímica.

petshop *s.m.* (ingl.). Loja de animais de estimação, como cães, gatos, algumas espécies de aves e roedores como a cobaia e o hamster.

petulância *s.f.* (lat. *petulantia*). Qualidade de petulante; ousadia, atrevimento.

petulante *adj.2g.* (lat. *petulans, petulantis*). **1.** Que manifesta um ardor exuberante; vivo, impetuoso. **2.** Atrevido, arrogante, insolente.

petúnia *s.f.* (lat. cient. *petunia*). Nome comum a diversas espécies de plantas herbáceas, ornamentais, de flores de cores variadas, que geralmente são venenosas e têm propriedades narcóticas.

peúga *s.f.* Coturno.

peugada (e-u) *s.f.* Rastro, pegada.

peúva *s.f.* Sin. de IPÊ.

pevide *s.f.* **1.** Nome pouco usado para designar sementes de certos frutos carnosos. **2.** Parte carbonizada do pavio. ● **Med.** Distúrbio da fala caracterizado por uma dificuldade na articulação do /r/.

pexote *s.2g.* (ch. *pe xot,* não sei). **1.** Indivíduo que joga mal. **2.** Principiante, inexperiente. **3.** Garoto novo, criança.

pH (abrev. de *p*otencial de *H, h*idrogênio). Coeficiente que caracteriza a acidez ou a basicidade de uma solução.

pi *s.m.* Décima sexta letra do alfabeto grego, equivalente à consoante *p*. ● **Mat.** Número real indicado por essa letra, que é a razão entre o comprimento de uma circunferência e o de seu diâmetro, equivalente a 3,1415...

pia *s.f.* (lat. *pila,* almofariz). **1.** Recipiente côncavo que serve de vaso. **2.** Bacia fixa na parede, em geral com água encanada, para lavar objetos ou fazer soluções. **3.** Lavatório, lavabo.

piá *s.m.* Índio ou caboclo jovem.

piaba *s.m.* (tupi *pi waba,* pele manchada). **1.** Denominação comum a peixes teleósteos fluviais que possuem boca pequena, dentição forte e se alimentam de vegetais e animais em decomposição. (Var. PIAVA; sin. PIAU.) **2.** (*NE*) Sin. de LAMBARI.

piaçaba *s.f.* Fibra produzida por diversas palmeiras da América, utilizada na fabricação de escovas e vassouras. (Var. PIAÇAVA.)

piaçabeira *s.f.* Nome comum a duas palmeiras, cujas fibras que cobrem as bainhas são usadas na indústria de vassouras.

piaçava *s.f.* Var. de PIAÇABA.

piada *s.f.* **1.** Piado. **2.** Dito espirituoso e picante; anedota. **3.** Pilhéria. **4.** Mentira, lorota, conversa fiada.

piadista *adj.2g.* e *s.2g.* Que ou aquele que costuma dizer piadas.

piado *s.m.* **1.** Ato ou efeito de piar; piada. **2.** Pio[2].

pia-máter *s.f.* A mais interna das meninges que revestem o encéfalo e a medula espinhal.

pianíssimo *adv.* (it. *pianissimo*). Termo de interpretação musical que indica uma grande diminuição da intensidade sonora.

pianista *s.2g.* (it. *pianista*). Músico que toca piano.

piano[1] *s.m.* (do it. *pianoforte*). **1.** Instrumento musical de cordas percutidas, provido de teclado. **2.** *Piano de armário,* piano cujas cordas e a caixa de ressonância são verticais. ▸ *Piano de cauda,* piano cujas cordas e a caixa de ressonância são horizontais.

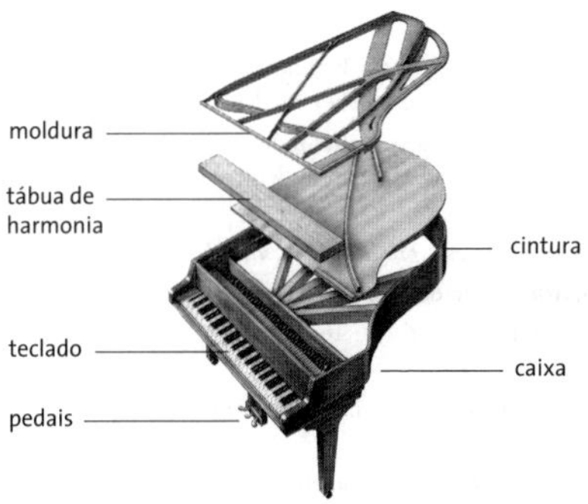

piano[2] *adv.* (it. *piano,* brando, baixo). Termo de interpretação musical que indica diminuição da intensidade sonora, suavização.

pianola *s.f.* (ingl. amer. *pianola*). Piano que se toca mecanicamente.

pião *s.m.* (lat. *pinea,* pinha). Brinquedo de forma aproximadamente cônica, provido de uma ponta de ferro, que se faz girar por meio de um cordel que nele se enrola, ou por efeito de pressão sobre uma mola.

piapara *s.f.* Peixe teleósteo fluvial cujo corpo apresenta faixas escuras, em forma de X e Y.

piar *v.i.* (conj. 16). Dar pios. ★ *v.t.* **1.** Soltar, emitir, piando. **2.** *Fig.* Falar, conversar; protestar.

piau *s.m.* (*NE*) Sin. de PIABA.

piauiense (au-i) *adj.2g.* Relativo ou pertencente ao Piauí, Estado brasileiro. ★ *s.2g.* O natural ou habitante do Piauí.

piava *s.f.* Var. de PIABA.

pica *s.f.* **1.** Lança antiga. **2.** *Chul.* Pênis.

picada *s.f.* **1.** Ato ou efeito de picar. **2.** Ferida perfurante produzida por espinho ou outro objeto terminado em ponta aguçada. **3.** Mordedura de cobra ou de inseto. **4.** Atalho ou caminho estreito aberto a facão através do mato. **5.** Introdução no organismo de uma agulha maciça (acupuntura) ou oca (injeção, punção) com fins terapêuticos. **6.** Mergulho de avião em ângulo a pique. **7.** *Fig.* Desgosto, sofrimento moral.

picadeiro *s.m.* **1.** Superfície circular na qual os artistas de circo realizam as suas exibições; pista, arena. **2.** Local onde se adestram cavalos, se realizam exercícios ou se ministram ensinamentos de equitação. ● **Nav.** Cada um dos suportes sobre os quais descansam as embarcações em construção ou em reparo.

picadinho *s.m.* **1.** Guisado de carne picada. **2.** Qualquer prato de carne cortada em pedaços pequenos.

picado *adj.* **1.** Que se picou. **2.** Coberto de picadas. **3.** Salpicado, pontuado. **4.** *Fig.* Tocado, ferido; melindrado, ofendido. **5.** Diz-se do mar agitado, com pequenas ondas. **6.** *Vôo picado,* mergulho do avião. ★ *s.m.* **1.** Aspereza de uma superfície picada. **2.** Serrilha de lima. **3.** Iguaria de carne ou peixe cortados em pequenos pedaços.

picador (ô) *adj.* e *s.m.* Que ou o que pica. ★ *s.m.* **1.** Mestre de equitação. **2.** Amestrador de cavalos. **3.** Aquele que abre picadas ou atalhos. **4.** Picotador.

picadura *s.f.* Ato ou efeito de picar, perfurar.

picanha *s.f.* (esp. *picaña*). Carne da parte posterior da região lombar do bovino, muito apreciada para churrasco.

picante *adj.2g.* **1.** Que pica. **2.** Penetrante, intenso. **3.** Apimentado ou com forte sabor ácido. **4.** *Fig.* Malicioso, satírico, provocante. ★ *s.m.* O que estimula ou provoca o apetite.

picão[1] *s.m.* **1.** Artefato pré-histórico de rocha dura lascada em ponta, para lavrar pedra. **2.** Picareta. **3.** Ferrão de aguilhada.

picão[2] *s.m.* Planta de caule ereto, folhas opostas, denteadas, e flores amarelas, originária do Velho Mundo, que foi introduzida no Brasil e tornou-se subespontânea em todas as regiões. (Sin. DOISAMORES.)

pica-pau *s.m.* Denominação comum a aves piciformes que apresentam bico reto, usado para localizar larvas de insetos e perfurar troncos de árvores.

picar *v.t.* (conj. 12). **1.** Ferir com objeto pontudo; furar, perfurar. **2.** Ferir ligeiramente. **3.** Morder, ferir, perfurar com o ferrão (falando de insetos). **4.** Ferir com o bico (falando de aves); bicar. **5.** Reduzir a fragmentos, cortar em pequenos pedaços. **6.** Produzir sensação de aspereza em; irritar. **7.** Abrir pequenos orifícios em. **8.** Excitar, estimular. ★ *v.i.* **1.** Ferir, perfurar com ferrão. **2.** Dar de esporas. **3.** Mergulhar (aeronave). ★ *v.pr.* **1.** Melindrar-se. **2.** Aborrecer-se, zangar-se.

picardia *s.f.* **1.** Maldade, velhacaria. **2.** Desfeita, pirraça, desconsideração.

picaresco (ê) *adj.* **1.** Ridículo, pícaro. **2.** Burlesco, cômico. **3.** Diz-se de romances e peças de teatro cujo herói (um aventureiro ou vadio) vive uma série de situações que constituem uma oportunidade para contestar a ordem social estabelecida.

picareta (ê) *s.f.* Instrumento para picar pedras ou escavar terra, constituído por duas extremidades metálicas achatadas ou pontiagudas e cabo; picão. ★ *adj.2g.* e *s.2g. Pop.* Que ou aquele que usa de expedientes ilícitos ou embustes para levar vantagem ou se beneficiar em detrimento de outrem.

picaretagem *s.f. Pop.* Ato, negócio próprio de picareta.

picaretar *v.i.* (conj. 4). *Pop.* Agir como picareta, fazer picaretagens.

pícaro *adj.* e *s.m.* (esp. *pícaro*). **1.** Aventureiro, velhaco, astuto. **2.** Ridículo.

piçarra *s.f.* (esp. *pizarra*). **1.** Mistura de terra, areia e pedra; cascalho. **2.** Última parte dos terrenos de mineração diamantífera.

pichação *s.f.* **1.** Ato ou efeito de pichar. **2.** Dizeres, em geral de caráter político, escritos em muros ou paredes.

pichar *v.t.* (conj. 4). **1.** Aplicar piche em, untar com piche. **2.** Escrever (dizeres políticos ou outros) em muros ou paredes. **3.** *Gír.* Falar mal de; criticar negativamente.

piche *s.m.* (ingl. *pitch*). **1.** Substância negra, mole e pegajosa, à base de resinas e de alcatrão vegetal, obtida por destilação incompleta de madeira resinosa e de terebintina, utilizada para impermeabilizar pisos etc. **2.** Sin. pop. de ASFALTO.

picles *s.m.pl.* (ingl. *pickles*). Legumes e/ou verduras condimentados conservados em vinagre.

pico *s.m.* **1.** Ponta aguda; bico. **2.** Espinho, acúleo. **3.** Montanha cujo cimo termina em ponta; agulha, cume. **4.** *Pop.* Injeção de droga, picada. ● **Fís.** Valor máximo que pode atingir uma grandeza periódica, um sinal elétrico ou acústico.

picolé *s.m.* Sorvete solidificado, preso na extremidade de um palito.

picotar *v.t.* (conj. 4). **1.** Fazer picotes em. **2.** Marcar, perfurar com o picotador. **3.** Picar em pequenos pedaços.

picote *s.m.* **1.** Recorte denteado dos selos postais. **2.** Linha de perfurações em blocos ou folha de papel, para que se destaque uma parte do conjunto. **3.** Pequenas perfurações, quebras e irregularidades em superfície de pedra, cimento etc.

pictográfico *adj.* Relativo a pictograma.

pictograma *s.m.* Desenho que reproduz o conteúdo de uma mensagem sem se referir a sua forma lingüística.

EXEMPLOS DE PICTOGRAMAS

pictórico *adj.* Relativo à pintura.

picuá *s.m.* Cesto, balaio. ★ *s.m.pl.* Trastes, trens.

picuinha *s.f.* **1.** O primeiro pio da ave. **2.** Remoque, caçoada. **3.** Coisa que se faz por implicância ou para aborrecer alguém; implicância.

picumã *s.2g.* (tupi *apeku mã*). **1.** Fuligem. **2.** Teia de aranha, suja e empoeirada.

pidão *adj.* e *s.m.* Pedinchão.

piedade *s.f.* (lat. *pietas, pietatis*). **1.** Compaixão, dó, pena, comiseração. **2.** Devoção, afeição e respeito pelas coisas religiosas.

piedoso (ô) *adj.* **1.** Que tem piedade. **2.** Que tem acentuados sentimentos religiosos. **3.** Que experimenta um amor permeado de respeito ou inspirado por esse sentimento.

piegas *adj.2g.* e *s.2g.2n.* Que ou aquele que é excessivamente sentimental, beirando o ridículo.

pieguice *s.f.* **1.** Qualidade, ato de piegas. **2.** Afetação exagerada e às vezes ridícula de sentimentos.

pielite *s.f.* Infecção do bacinete renal.

piemia *s.f.* Conjunto de alterações mórbidas causadas pela passagem no sangue de micróbios patogênicos que provocam supurações múltiplas.

piemontês *adj.* Relativo ou pertencente ao Piemonte, região da Itália. ★ *s.m.* O natural ou habitante do Piemonte.

pierrô *s.m.* (fr. *Pierrot*). **1.** Personagem da comédia italiana, assimilado pelo teatro francês. **2.** Fantasia de carnaval que é a reprodução dessa personagem. **3.** Pessoa com essa fantasia.

piezometria *s.f.* Ramo da física que estuda o efeito da pressão nos meios fluidos.

piezométrico *adj.* Relativo à piezometria.

pífano *s.m.* Pífaro.

pifar *v.i.* (conj. 4). *Pop.* **1.** Enguiçar, estragar, avariar-se. **2.** Falhar, quebrar. ★ *v.t.* **1.** Beber em demasia. **2.** Furtar, roubar.

pífaro *s.m.* **1.** Pequena flauta transversal de seis orifícios, de som agudo e timbre penetrante; pífano. **2.** Pessoa que toca esse instrumento.

pífio *adj.* (do esp. *pifiar*). Baixo, vil, reles, grosseiro.

pigarra *s.f.* Sin. de GOGO.

pigarrear *v.i.* (conj. 15). Tossir com pigarro, para expelir o catarro etc.

pigarro *s.m.* Embaraço na garganta produzido por catarro, fumo etc.

pigmentação *s.f.* **1.** Ato ou efeito de pigmentar. **2.** Cor, coloração. **3.** Conjunto dos pigmentos de uma tinta, pintura etc. ● **Med.** Acúmulo de pigmento em certas partes do organismo, como a pele.

VOCÊ SABIA...? A **pigmentação** da pele é uma das características mais variáveis na população humana. Em escala mundial, existe uma correlação entre intensidade da radiação solar e pigmentação. Uma exceção ocorre em alguns ameríndios, que recebem uma irradiação solar comparável à dos africanos tropicais e no entanto apresentam coloração e pigmentação notavelmente diferentes.

pigmentar¹ *adj.2g.* **1.** Relativo a pigmento. **2.** Que se constitui de pigmento.

pigmentar² *v.t.* (conj. 4). Colorir com pigmento; dar cor a.

pigmento *s.m.* (lat. *pigmentum*). **1.** Substância que dá coloração aos tecidos vegetais ou animais que as contêm, como, p. ex., a clorofila e a melanina. **2.** Substância constituída por pequenas partículas, insolúvel nos meios de suspensão usuais, utilizada na preparação de tintas.

pigmeu *adj.* e *s.m.* (gr. *pygmaios*). **1.** Diz-se de ou indivíduo pertencente a etnias de estatura inferior a 1,50 m. **2.** Diz-se de ou homem muito pequeno; anão.

pignoratício *adj.* Relativo a penhor.

pijama *s.2g.* (hindi *paejamah*). Casaco e calças folgadas e leves, para dormir.

pilantra *adj.2g.* e *s.2g.* **1.** *Gír.* Que ou aquele que se apresenta bem e não tem fonte de renda legal. **2.** Mau caráter, desonesto.

pilão *s.m.* (lat. *pilare,* pilar). **1.** Peça, geralmente de madeira, de extremidade rombuda ou arredondada, que serve para socar, esmagar ou triturar grãos etc. num gral ou almofariz. **2.** O próprio almofariz ou gral.

pilar[1] *s.m.* **1.** Estrutura vertical de concreto armado ou metal que serve de suporte a uma construção; coluna. **2.** Poste, estaca, esteio, pilastra. **3.** *Fig.* Sustentáculo moral.

pilar[2] *v.t.* (lat. *pilare*) [conj. 4]. Pisar, moer, socar ou triturar com pilão.

pilastra *s.f.* (it. *pilastro*). Saliência retangular presa a uma edificação ou parede com a mesma disposição da coluna.

píleo *s.m.* Parte superior do corpo de frutificação de certos fungos, conhecido popularmente como chapéu.

pileque *s.m. Pop.* Embriaguez, bebedeira.

pilha[1] *s.f.* (lat. *pila*). **1.** Amontoado de coisas colocadas umas sobre as outras. **2.** Aparelho que transforma diretamente em energia elétrica a energia liberada numa reação química. **3.** *Pej.* Pessoa nervosa, irritadiça.

pilha[2] *s.f.* Pilhagem.

pilhagem *s.f.* **1.** Ato ou efeito de pilhar; saque, pilha[2]. **2.** Saque praticado por soldados que conquistam uma cidade ou por multidões amotinadas.

pilhar *v.t.* (it. *pigliare*) [conj. 4]. **1.** Saquear uma cidade conquistada pela força. **2.** Roubar, furtar. **3.** Apanhar, agarrar, surpreender. **4.** Obter, alcançar.

pilhéria *s.f.* **1.** Dito humorístico; gracejo, chiste, piada. **2.** Dito zombeteiro e picante, às vezes ofensivo; chalaça. **3.** Zombaria, chiste, galhofa.

pilheriar *v.i.* (conj. 16). Dizer pilhérias; gracejar, galhofar, troçar.

pilífero *adj.* Piloso.

pilórico *adj.* Relativo ao piloro.

piloro *s.m.* (gr. *pylorós*). Orifício do estômago que dá passagem para o duodeno.

VOCÊ SABIA...? A função do **piloro** é regular a passagem do conteúdo gástrico para o intestino. Para isso, ele se abre e se fecha periodicamente durante a digestão, graças ao fato de ter nervos próprios, a cargo do sistema nervoso vegetativo, e à influência dos movimentos peristálticos da digestão, originados na porção horizontal do estômago.

---

pilosidade *s.f.* Qualidade de piloso. ● **Anat.** Revestimento piloso do tegumento; disposição dos pêlos sobre o tegumento.

piloso (ô) *adj.* (lat. *pilosus*). **1.** Relativo aos pêlos, aos cabelos; pilífero. **2.** Que tem pêlos; pilífero.

pilotagem *s.f.* **1.** Ação de pilotar. **2.** Profissão ou serviços de piloto.

pilotar *v.t.* (conj. 4). **1.** Conduzir, dirigir (navio, avião, automóvel de corrida etc.). **2.** *Fig.* Servir de guia a alguém. ★ *v.i.* Exercer as funções de piloto.

piloti *s.m.* (fr. *pilotis*). Cada uma das pilastras ou colunas que sustentam edifícios, a fim de deixar área livre de circulação no pavimento térreo.

piloto (ô) *s.m.* **1.** Aquele que manobra, dirige ou conduz um navio, uma aeronave, um automóvel de corrida etc. **2.** *Fig.* Guia, condutor. **3.** Bico que, ao ser acendido, serve para a propagação da chama aos demais bicos de fogão, aquecedor a gás etc. ● **Aeron.** *Piloto automático,* dispositivo que possibilita a manobra e a navegação de uma aeronave sem intervenção da tripulação ou que mantém uma embarcação no mesmo rumo sem intervenção humana. ★ *adj.* Que serve de modelo e como experiência.

pílula *s.f.* (lat. *pilula*). **1.** Preparação farmacêutica sólida, de forma esférica, destinada à via oral. **2.** *Fig.* Coisa desagradável. **3.** *Pop.* Logro, engano, burla. **4.** *Pílula anticoncepcional,* contraceptivo oral de natureza hormonal.

pimenta *s.f.* (lat. *pigmenta*). **1.** Nome comum a diferentes espécies de plantas cujos frutos ou sementes são utilizados como condimento. (Sin. PIMENTEIRA; v.tb. MALAGUETA, PIMENTA-DO-REINO.) **2.** O fruto ou a semente dessas plantas. **3.** *Fig.* Maldade ou malícia no falar. **4.** *Fig.* Erotismo. **5.** *Pop.* Pessoa muito viva, irrequieta.

pimenta-do-reino *s.f.* **1.** Trepadeira originária da Índia, de folhas ovais, flores dispostas em espigas, cultivada pelos frutos que, secos, fornecem a pimenta utilizada como tempero e em perfumaria. **2.** O fruto dessa planta quando seco ou moído.

pimenta-malagueta *s.f.* Sin. de MALAGUETA.

pimentão *s.m.* **1.** Planta herbácea cujos frutos, verdes, vermelhos ou amarelos, de sabor picante ou doce, são comestíveis, e, em pó, servem como condimento. **2.** O fruto dessa planta.

pimenteira *s.f.* **1.** Sin. de PIMENTA. **2.** Pequeno recipiente em que se leva a pimenta à mesa.

pimpão *adj.* e *s.m.* **1.** Fanfarrão. **2.** Vaidoso, jactancioso. **3.** Que veste com elegância; garrido, janota.

pimpolho (ô) *s.m.* (esp. *pimpollo*). **1.** Rebento de videira; sarmento, vergôntea. **2.** *Fig.* Criança saudável e bem desenvolvida; petiz, guri.

pináceas *s.f.pl.* (do lat. *pinus,* pinheiro). Família de plantas gimnospermas, arbóreas ou arbustivas lenhosas, com espécies utilizadas como ornamentais ou para reflorestamento, como o pinheiro.

pinacoteca *s.f.* (gr. *pinakotheke*). **1.** Museu de pintura. **2.** Qualquer coleção de obras de pintura.

pináculo *s.m.* (lat. *pinnaculum*). **1.** A parte mais elevada de um edifício. **2.** Cume, píncaro. **3.** *Fig.* O mais alto grau; auge, apogeu.

pinça *s.f.* Instrumento com braços articulados, semelhante a uma pequena tenaz, cujas extremidades servem para segurar pequenos objetos. ● **Med.** Instrumento cirúrgico, metálico, geralmente de duas hastes, usado para apertar, segurar ou aproximar tecidos. **Zool.** Apêndice articulado preênsil dos artrópodes.

pinçar *v.t.* (conj. 13). Segurar, prender ou apertar com pinça, ou como uma pinça.

píncaro *s.m.* Pináculo, cume, pico.

pincel *s.m.* (lat. *penicillus*). **1.** Instrumento formado por um tufo de pêlos preso à extremidade de um cabo, com o qual se aplica um líquido ou pasta (tinta etc.) sobre uma superfície. **2.** *Fig.* Maneira de pintar. **3.** O próprio pintor.

pinchar *v.t.* (esp. *pinchar*) [conj. 4]. **1.** Jogar, fazendo dar saltos; empurrar. **2.** *Fam.* Atirar longe; jogar fora. ★ *v.i. Fam.* Pular, saltar, dar pinchos. ★ *v.pr.* Lançar-se.

pincho *s.m.* (esp. *pinchar*). **1.** Pulo, salto, cabriola. **2.** Pequeno pé-de-cabra. **3.** Lingüeta de ferro que levanta a tranqueta da aldraba.

pindá *s.m.* Sin. de OURIÇO-DO-MAR.

pindaíba *s.f.* (tupi *pi'da,* anzol, e *uva,* vara). **1.** Corda feita com fio de palha de coqueiro. **2.** *Fam.* Penúria, falta de dinheiro.

pindorama *s.m.* (do tupi *pi'dob,* palmeira). **1.** A região das palmeiras. **2.** Designação dada ao Brasil pelos naturais das regiões andinas.

pineal *adj.2g.* Que tem forma de pinha. ● **Anat.** *Glândula pineal,* sin. de EPÍFISE. **Zool.** *Olho pineal,* tipo de olho, formado por cristalino e retina, presente no topo da cabeça das lampreias e em certos invertebrados inferiores.

pinga *s.f.* **1.** Gota. **2.** *Pop.* Bebida alcoólica. **3.** Pequena quantidade de líquido. **4.** Cachaça.

pingadeira *s.f.* **1.** Utensílio colocado sob o espeto ou a grelha para recolher o molho e a gordura dos assados. **2.** Sucessão de pingos. **3.** *Pop.* Negócio que rende pouco mas continuamente. **4.** Parte saliente de uma cornija cujo fim é fazer com que a água da chuva caia a certa distância da base da parede.

pingado *adj.* Cheio de pingos; que caiu gota a gota. ★ *adj.* e *s.m. Pop.* Diz-se de ou café em que se adiciona um pouco de leite, ou vice-versa.

pingar *v.t.* (conj. 14). **1.** Deitar pingos em; borrifar. **2.** Verter aos pingos; gotejar. ★ *v.i.* **1.** Deixar cair um líquido aos pingos; gotejar. **2.** Começar a chover; chover levemente. **3.** *Pop.* Receber dinheiro aos poucos.

pingente *s.m.* (esp. *pinjante*). **1.** Jóia ou pedra preciosa que pende em forma de gota e que fica presa em outra; pendente, berloque. **2.** Pedaço de cristal em facetas, suspenso em lustre ou candelabro. **3.** *Pop.* Passageiro que viaja pendurado à porta de um trem ou ônibus.

pingo *s.m.* **1.** Pequena porção de qualquer líquido; gota. **2.** Porção muito pequena. **3.** Sinal ortográfico posto sobre as letras *i* e *j*. **4.** *P. ext.* Qualquer diacrítico semelhante. **5.** *(RS)* Cavalo de sela, bom e bonito.

pinguço *adj.* e *s.m.* Diz-se de ou indivíduo dado à pinga; cachaceiro.

pinguela *s.f.* **1.** Gancho ou pequeno pau com que se armam ratoeiras, armadilhas, arapucas. **2.** Peça de madeira atravessada sobre um leito de água para servir de ponte.

pingue-pongue *s.m.* (ingl. *ping-pong*). Modalidade de tênis de mesa.

pingüim *s.m.* (fr. *pingouin*). Denominação comum a aves esfenisciformes, marinhas, que apresentam membros anteriores semelhantes a remos, pés com palmouras, e que ocorrem no hemisfério austral.

pinha *s.f.* (lat. *pinea*). **1.** Conjunto das sementes do pinheiro e de outras plantas gimnospermas. **2.** Sin. de FRUTA-DO-CONDE. **3.** Objeto ou ornato semelhante à pinha.

pinhal *s.m.* Pinheiral.

pinhão *s.m.* (esp. *piñón*). **1.** Cada uma das sementes contidas na pinha do pinheiro-do-paraná, comestíveis depois de cozidas e cujo sabor se assemelha ao da castanha. **2.** Semente de pinheiro. ● **Mec.** A menor das rodas dentadas de uma engrenagem cilíndrica ou cônica.

pinheira *s.f.* Árvore originária das Antilhas e do México, de folhas verde-escuras, com propriedades medicinais, flores branco-esverdeadas, e fruto de polpa doce, comestível. (Sin. ATEIRA, PINHA, FRUTA-DO-CONDE.)

pinheiral *s.m.* Terreno plantado de pinheiros; pinhal.

pinheirinho *s.m.* Árvore de pequeno porte, de folhas alternas, que fornece madeira clara, leve e macia, empregada em carpintaria e em compensados; pinheiro-bravo.

pinheiro *s.m.* (do lat. *pinus*). Nome comum a diversas árvores gimnospermas, resinosas, ornamentais, utilizadas para reflorestamento e fornecimento de madeira. (Sin. PINHO.)

pinheiro-do-brasil *s.m.* Sin. de PINHEIRO-DO-PARANÁ.

PINHEIRO ► Os pinheiros podem alcançar até 40 m de altura. Têm um ápice cônico, galhos horizontais com ramos menores, que por sua vez suportam ramos muito curtos, providos de agulhas, geralmente reunidas em grupos de dois, três ou cinco. Seu fruto é a pinha.

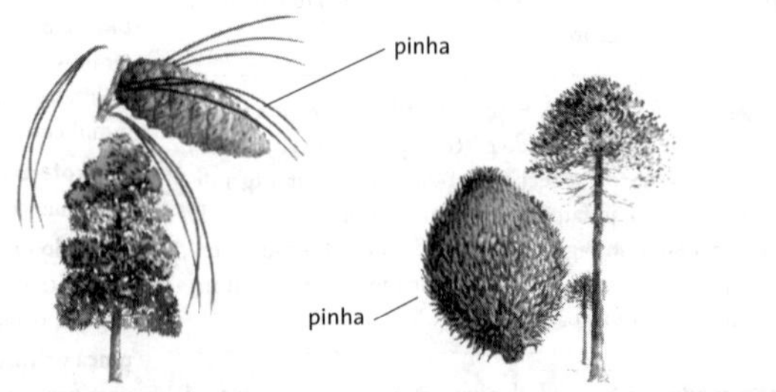

pinheiro americano — pinheiro chileno

A B C D E F G H I J K L M N O P Q R S T U V W X Y Z

pinheiro-do-paraná *s.m.* Árvore de tronco reto, alto, de copa característica e semente comestível, que fornece madeira branca, macia, utilizada para diversos fins. (Sin. ARAUCÁRIA, PINHEIRO-DO-BRASIL.)

pinho *s.m.* (lat. *pinus*). **1.** Madeira do pinheiro. **2.** Sin. de PINHEIRO. **3.** *Pop.* Violão, viola.

pinicar *v.t.* (conj. 12). **1.** Picar com o bico, como fazem as aves. **2.** Beliscar. **3.** Produzir comichão ou ligeira ardência; picar.

pinípedes *s.m.pl.* Ordem de mamíferos de corpo fusiforme, membros adaptados para a natação, dedos envolvidos por membrana natatória, comum nas regiões polares, que engloba as focas, morsas, leões-marinhos e elefantes-marinhos.

pino *s.m.* (lat. *pinus*). **1.** Haste cilíndrica e alongada que se introduz em orifícios de duas ou mais peças para as ligar ou lhes permitir a articulação. **2.** Haste que junta as duas asas de uma dobradiça e lhes serve de eixo. **3.** Pequeno prego de madeira ou borracha na sola de alguns calçados. ● **Eletr.** Peça condutora inserida em um borne para que seja efetuado um contato elétrico. **Mec.** Haste de válvula em motor de explosão. **Med.** e **Odont.** Pequena haste metálica utilizada para fixar ossos fraturados ou próteses dentárias.

pinóia *s.f.* (lat. *pinus*). *Chul.* **1.** Mulher libertina e enfeitada. **2.** Coisa sem valor. **3.** Mau negócio. **4.** Aborrecimento.

pinote *s.m.* (lat. *pinus*). **1.** Salto, pirueta de cavalgadura. **2.** Pulo, pirueta. **3.** *Gír.* Fuga.

pinotear *v.i.* (conj. 15). Dar pinotes.

pinta *s.f.* **1.** Pequeno sinal na pele. **2.** *Pop.* Aparência, aspecto pessoal. **3.** *Gír.* Sinal, indício.

pintado[1] *adj.* **1.** Que se pintou. **2.** Coberto de pintas. **3.** Colorido. **4.** Representado por meio de pintura. **5.** *Fig.* Descrito com fidelidade, com exatidão; narrado.

pintado[2] *s.m.* Sin. de SURUBIM.

pintainho (a-í) *s.m.* Pinto muito novo.

pintalgar *v.t.* (conj. 14). Diversificar por cores e desenhos variados; variegar, matizar.

pintar *v.t.* (lat. *pinctare*) [conj. 4]. **1.** Reproduzir por linhas e/ou por cores. **2.** Colorir. **3.** Recobrir de tinta. **4.** *Fig.* Descrever, representar verbalmente, de maneira fiel; retratar. ★ *v.i.* **1.** Mudar de cor. **2.** Surgir, despontar. **3.** *Gír.* Comparecer a algum lugar; aparecer. ★ *v.pr.* **1.** Maquilar-se. **2.** Tornar-se evidente, estampar-se.

pintarroxo (ô) *s.m.* (esp. *pintarrojo*). Pássaro de coloração castanha, com manchas vermelhas presentes nos machos, que vive nas regiões boreais.

pintassilgo *s.m.* **1.** Ave passeriforme de 11 a 13 cm, conhecida como pássaro de gaiola de canto muito apreciado, que ocorre no Chile, Argentina, Paraguai e Brasil. (Sin. PINTASSILVA.) **2.** Ave passeriforme que habita matas, capoeiras e pomares, muito comum na Amazônia.

pintassilva *s.f.* Sin. de PINTASSILGO.

pinto *s.m.* **1.** Filhote de galinha durante as primeiras semanas após a eclosão do ovo. **2.** *Gír.* Criança. **3.** *Pop.* Pênis, especialmente de meninos. **4.** *Pop.* Coisa fácil.

pintor (ô) *s.m.* (lat. *pictor, pictoris*). **1.** Pessoa que exerce a arte da pintura. **2.** Indivíduo que tem por profissão pintar.

pintura *s.f.* (lat. *pictura*). **1.** Ato ou efeito de pintar. **2.** Revestimento de superfícies por uma matéria colorida. **3.** Obra de representação ou de invenção (quadro, afresco etc.), feita de cores aplicadas sobre uma superfície preparada para esse fim. **4.** Arte do pintor; conjunto de obras de um pintor, de um país, de uma época. **5.** Maquiagem. **6.** *Fig.* Descrição, narração.

pio[1] *adj.* **1.** Piedoso, caritativo. **2.** Devoto.

pio[2] *s.m.* **1.** Voz característica de certas aves; piado. **2.** Apito usado por caçadores para atrair pássaros.

piodermite *s.f.* Qualquer infecção aguda e purulenta da pele.

piogênico *adj.* Que faz supurar, que gera pus.

piolheira *s.f.* **1.** Piolheira. **2.** *Fig.* Habitação imunda. **3.** *Fig.* Porcaria, imundície. **4.** *Pop.* Negócio que rende pouco; coisa de nenhum valor.

piolhento *adj.* **1.** Que tem piolhos. **2.** Sujo, imundo.

piolho *s.m.* (lat. *peduculus*). Denominação comum a insetos anopluros, ectoparasitas do homem e outros mamíferos, sugadores, que apresentam corpo achatado, desprovido de asas. (Sin. MUQUIRANA.)

PIOLHO ► Os piolhos são chatos, e em sua boca formam-se estiletes com os quais atravessam a pele de seu hospedeiro para alimentar-se de sangue. Não passam por metamorfose, e fixam-se à pele do hospedeiro. Seus ovos, ou lêndeas, fixam-se na base dos pêlos graças a uma substância pegajosa. O piolho transmite o tifo.

---

piolho-das-virilhas *s.m.* Sin. de CHATO.

piolho-de-cobra *s.m.* Animal artrópode, diplópode, que apresenta um par de antenas, corpo cilíndrico e segmentado, com dois pares de patas por segmento. (Sin. EMBUÁ, GONGOLÔ.)

piolho-de-planta *s.m.* Sin. de PULGÃO.

pioneiro *s.m.* (fr. *pionnier*). **1.** Aquele que primeiro abre ou descobre caminhos através de regiões desconhecidas. **2.** Precursor. ★ *adj.* **1.** Que se antecipa a outros similares. **2.** *P. ext.* Diz-se de habitantes de regiões recém-desbravadas.

pior *adj.2g.* (lat. *pejor*). Comparativo irregular de *mau*; mais mau. ★ *s.2g.* O mais mau. ★ *adv.* Comparativo superlativo irregular de *mal*; mais mal.

piora *s.f.* **1.** Ato ou efeito de piorar. **2.** Agravamento.

piorar *v.t.* (lat. *pejorare*) [conj. 4]. Tornar pior, agravar. ★ *v.i.* e *v.pr.* Tornar(-se) pior.

piorréia *s.f.* **1.** Derramamento de pus. **2.** Processo inflamatório purulento do periósteo dentário, acompanhado de necrose alveolar evolutiva e amolecimento dos dentes.

pipa *s.f.* (fr. *pipe*). **1.** Vasilha de madeira, bojuda, com aduelas fixadas por arcos metálicos, para acondicionar vinho e outros líquidos. **2.** *Pop.* Beberrão. **3.** Papagaio de papel. **4.** *Pop.* Pessoa baixa e gorda, de formas cheias e pesadas.

piparote *s.m.* (esp. *papirote*). Pequena pancada com a ponta do dedo médio ou do indicador, que, momentaneamente apoiados ao polegar, dele se soltam com força.

piperáceas *s.f.pl.* Família de plantas dicotiledôneas, herbáceas, arbustivas ou trepadeiras, de folhas inteiras, flores pequenas e fruto drupáceo, como a pimenta-do-reino.

piperidina *s.f.* Substância derivada da piperina, que constitui uma base forte empregada em síntese orgânica.

piperina *s.f.* Princípio picante da pimenta.

pipeta (ê) *s.f.* (fr. *pipette*). Tubo de vidro, geralmente graduado, destinado a tomar pequenas amostras de um líquido.

pipi *s.m.* (fr. *pipî*). **1.** Pênis ou vagina, na linguagem das crianças. **2.** Urina.

pipiar ou **pipilar** *v.i.* (lat. *pipiare*) [conj. 16]. **1.** Piar (as aves). **2.** Produzir som semelhante ao das aves.

pipio ou **pipilo** *s.m.* Ato ou efeito de pipiar ou pipilar.

pipoca *s.f.* (tupi *pi'poka,* estalando a pele). **1.** Grão de milho arrebentado ao calor do fogo para se comer. **2.** *Fig.* Pequeno grão ou caroço na pele. **3.** Sin. de CISTICERCO.

pipocar *v.t.* e *v.i.* (conj. 12). **1.** Arrebentar, explodir, estalar. **2.** Ferver em borbotões. **3.** Surgir ou aparecer repentinamente.

pipoqueiro *s.m.* Vendedor de pipoca.

pique *s.m.* **1.** Pequeno corte ou picote. **2.** Sabor acre ou picante de alimentos e bebidas; acidez. **3.** Brinquedo infantil em que uma criança deve pegar outras, antes que esta se recolha a certo local (o *pique*). **4.** *Pop.* Disposição, ânimo, entusiasmo. **5.** *A pique,* verticalmente ou quase. ► *Ir a pique,* afundar, submergir (embarcação).

piquenique *s.m.* (ingl. *picnic*). Passeio com refeição ao ar livre; convescote.

piquete (ê) *s.m.* (fr. *piquet*). **1.** Pequena área próxima das habitações, onde se deixam os animais destinados a serviços diários. **2.** Cavalo que, numa estância, está sempre preparado para qualquer serviço. **3.** Terreno não cultivado, de baixa produção vegetal, utilizado como pastagem. **4.** Pequena estaca cravada no solo para marcar um alinhamento, demarcar um terreno etc. **5.** Bloqueio na entrada de fábrica, empresa etc., para impedir que trabalhadores entrem durante a greve.

piquiá-bravo *s.m.* Sin. de PEQUI.

pira *s.f.* (gr. e lat. *pyra*). **1.** Fogueira onde os gregos e romanos queimavam cadáveres. **2.** *Fig.* Crisol, prova.

piracema *s.f.* (tupi *pira'sema,* sair peixe). **1.** *(AM)* Movimento migratório de peixes, no sentido das nascentes dos rios, com fins de reprodução. **2.** Época em que ocorre essa migração. **3.** Cardume de peixes. **4.** *(SP)* O rumor que fazem os peixes ao subir para a nascente na época da desova.

pirambeira *s.f.* Var. de PERAMBEIRA.

pirambóia *s.f.* Peixe pulmonado, serpentiforme, que em períodos de seca constrói ninhos na lama, onde permanece até o clima se tornar favorável. (Sin. BOIÚNA, COBRA-D'ÁGUA.)

piramidal *adj.2g.* (lat. *pyramidalis*). **1.** Que tem forma de pirâmide. **2.** *Fig.* Colossal, notável, monumental. ● **Anat.** Relativo a uma via corticoespinhal. ► *Célula piramidal,* célula nervosa característica do córtex cerebral. ► *Feixe* ou *sistema piramidal* ou *via piramidal,* sin. de VIA CORTICOESPINHAL*. ► *Osso piramidal,* o terceiro osso da primeira fila do carpo. **Mat.** Diz-se de uma superfície cônica cuja diretriz é um polígono.

pirâmide *s.f.* (gr. *pyramis, pyramidos*). **1.** Grande construção de base quadrangular e quatro faces triangulares, terminada em ponta, que servia de monumento funerário no Egito faraônico. **2.** *Fig.* Amontoado de objetos em forma de pirâmide. ● **Anat.** Designação genérica de vários elementos anatômicos. ► *Pirâmides de Malpighi* ou *pirâmides renais,* zonas cônicas que o parênquima renal apresenta em corte, que constituem a substância medular do rim e contêm os túbulos coletores. **Mat.** Poliedro formado por um polígono convexo plano e por triângulos cujas bases são lados do polígono e cujos vértices opostos à base se encontram em um ponto comum.

piranha *s.f.* (tupi *pi'rai,* corta a pele). **1.** Peixe ósseo de água doce, carnívoro, que apresenta numerosos dentes cortantes e é atraído pelo sangue de animais feridos. (Sin. CACHORRA.) **2.** *Gír.* Mulher, não necessariamente prostituta, que leva vida considerada licenciosa. **3.** Prendedor de cabelos denteado.

pirão *s.m.* (tupi *midipi'rõ,* ensopado). **1.** Papa grossa de farinha de mandioca e água ou caldo. **2.** *Pop.* Coisa boa; pitéu.

pirar *v.i.* (conj. 4). *Gír.* **1.** Safar-se, fugir. **2.** Ficar fora de si; enlouquecer, endoidar.

pirarucu *s.m.* (tupi *pi'ra urucu,* peixe vermelho). Peixe ósseo de água doce com região caudal predominantemente vermelha, cuja língua, repleta de protuberâncias, é usada na Amazônia como ralador ou grosa.

pirata *s.m.* (gr. *peirates*). **1.** Bandido que cruzava os mares com o intuito de roubar; corsário. **2.** Ladrão. **3.** Indivíduo que comete um ato de pirataria. ★ *adj.2g.* **1.** Pertencente ou relativo a pirata. **2.** Que é feito sem autorização legal.

pirataria *s.f.* **1.** Ato, ação de pirata. **2.** Roubo, extorsão.

piratear *v.i.* (conj. 15). **1.** Fazer pirataria. **2.** Roubar como os piratas.

piratinga *s.f.* Sin. de PIRAÍBA.

pireneu *adj.* (latim *pirynaeu*). Relativo ou pertencente aos Pireneus, região da Europa. ★ *s.m.* O natural ou habitante dos Pireneus.

pires *s.m.2n.* **1.** Pratinho sobre o qual se coloca xícara. **2.** Pratinho para colher esmolas.

pirético *adj.* Relativo a ou que provoca febre; febril.

pirexia (cs) *s.f.* (gr. *pyrexis*). Estado febril mais ou menos intenso.

pírico *adj.* Relativo à pira ou ao fogo.

PIRÂMIDE ► As pirâmides foram construídas com ferramentas simples, mas o trabalho era rigorosamente organizado. Cada pirâmide, edificada sobre uma meseta rochosa que dominava o Nilo, consistia em uma acumulação de enormes blocos de pedra que ocultavam uma complicada rede de passadiços (capaz de desorientar os ladrões que lá iam em busca de tesouros).

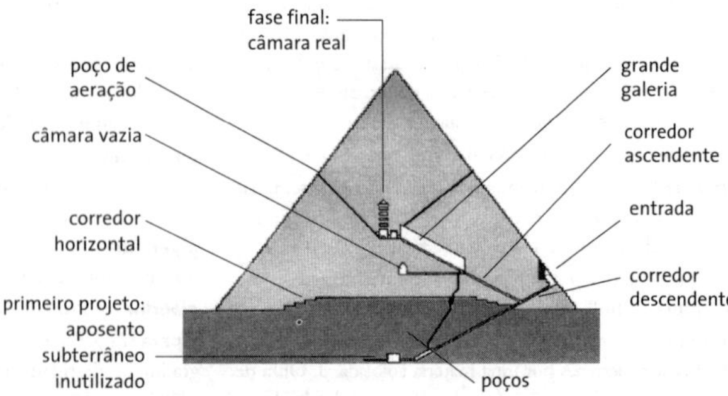

piridina *s.f.* **1.** Composto heterocíclico aromático, que constitui uma base fraca utilizada como solvente e em síntese orgânica. **2.** Nome dado aos derivados deste composto.

piridoxina (cs) *s.f.* Vitamina B_6.

piriforme *adj.2g.* Que tem forma de pêra.

pirilampo *s.m.* (gr. *pyrilampis*). Sin. de VAGALUME.

piririca *adj.2g.* **1.** Pequena corredeira. **2.** Ondulação produzida por peixes à superfície da água.

pirita *s.f.* (gr. e lat. *pyrites*). Sulfeto de ferro que forma cristais com reflexos dourados, utilizado como minério de ferro e na fabricação do ácido sulfúrico.

pirofobia *s.f.* Horror doentio ao fogo.

pirofosfato *s.m.* Sal do ácido pirofosfórico.

pirofosfórico *adj.* Diz-se do ácido derivado do ácido fosfórico normal por aquecimento.

pirofosforoso (ô) *adj.* Diz-se do ácido obtido por desidratação parcial do ácido fosforoso.

piroga *s.f.* Embarcação leve, estreita e veloz, muitas vezes cavada em um tronco de árvore, usada pelos índios.

pirogenação *s.f.* Reação química produzida por intenso aquecimento de uma substância.

pirógrafo *s.m.* Aparelho com uma ponta incandescente, para gravar desenhos em couro, madeira etc.

pirogravura *s.f.* Processo de gravação por meio de uma ponta metálica incandescente.

pirólise *s.f.* Decomposição química obtida por aquecimento.

piromagnetismo *s.m.* Magnetismo que se manifesta apenas sob altas temperaturas.

pirose *s.f.* Dor cáustica ao longo do esôfago, desde o epigastro até a faringe; azia.

pirotecnia *s.f.* **1.** Ciência das matérias explosivas. **2.** Arte de manipular as matérias explosivas e as composições pirotécnicas. **3.** Fabricação e manipulação de fogos de artifício.

PIROTECNIA ► A pirotecnia era usada na Índia e na China desde tempos remotos. Os gregos conheceram os fogos de artifício no século VII, e os árabes, no século XIII. Pouco depois, seu uso se estendeu para o Ocidente. No princípio, a pirotecnia era empregada na guerra, em projéteis incendiários e fogos ruidosos que espantavam os cavalos do inimigo. Hoje, foguetes e outros artefatos de pólvora são usados sobretudo para diversão e em espetáculos.

---

pirotécnico *adj.* **1.** Relativo à pirotecnia. **2.** *Composições pirotécnicas,* misturas ou combinações que servem para produzir efeitos especiais com fogos de artifício. ★ *s.m.* **1.** Especialista em pirotecnia. **2.** Fogueteiro.

piroxênio (cs) *s.m.* Silicato natural de composição variável, constituinte importante das rochas eruptivas e metamórficas.

pirraça *s.f.* Coisa feita de propósito com intuito de contrariar; desfeita, acinte.

pirralho *s.m.* **1.** Criança. **2.** Indivíduo de baixa estatura.

pirrol *s.m.* Composto heterocíclico pentagonal, presente em diversos produtos naturais e empregado em síntese orgânica.

piruá *s.m.* (tupi *piru'á*, empola). Grão de milho que não rebenta ao ser preparada a pipoca.

pirueta (ê) *s.f.* (esp. *pirueta*). **1.** Salto acrobático; cabriola. **2.** Evolução arrojada feita por aviões. **3.** Giro completo que o dançarino executa em torno de si mesmo.

pirulito *s.m.* (esp. *pirlito*). **1.** Bala presa a um palito, por onde se pega para que possa ser chupada. **2.** *Pop.* Pessoa muito magra. **3.** *Fam.* Pênis de menino.

pirúvico *adj.* *Ácido pirúvico,* denominação corrente do ácido propanóico, que constitui um importante intermediário do metabolismo dos glicídios, lipídios e protídios.

pisa *s.f.* **1.** Pisada. **2.** Maceração da uva com os pés. **3.** *(NE)* Sova, surra, tunda.

pisada *s.f.* **1.** Ato ou efeito de pisar; pisa. **2.** Pegada, rastro. **3.** *(NE)* Andadura. **4.** Andadura de cavalo.

pisadura *s.f.* **1.** Contusão que deixa marca azulada. **2.** Mancha em uma fruta que foi apertada.

pisão *s.m.* **1.** Máquina com que se bate no tecido para dar-lhe maior consistência. **2.** Pisada forte.

pisar *v.t.* (lat. *pisare,* de *pinsare*) [conj. 4]. **1.** Pôr os pés sobre. **2.** Calcar, esmagar com os pés. **3.** Esmagar, achatar. **4.** Moer com pilão; triturar. **5.** Causar pisadura; contundir. **6.** Tratar com desprezo; magoar, humilhar. ★ *v.i.* Andar, caminhar.

pisca-pisca *s.m.* Dispositivo provido de uma lâmpada que acende e apaga alternadamente, para sinalizar as mudanças de direção do automóvel.

piscar *v.t.* e *v.i.* (it. *pizzicare*) [conj. 12]. **1.** Fechar e abrir rapidamente os olhos. **2.** *Fig.* Acender e apagar (luz); tremeluzir. **3.** Olhar para alguém piscando os olhos, ou dar-lhe sinal por esse modo. ★ *s.m.* Ato de piscar.

piscatório *adj.* (lat. *piscatorius*). Relativo à pesca ou aos pescadores.

pisciano *adj.* e *s.m.* Diz-se de ou indivíduo nascido sob o signo de Peixes (de 20 de fevereiro a 20 de março).

REPRESENTAÇÕES GRÁFICAS DO SIGNO ASTROLÓGICO DE PEIXES

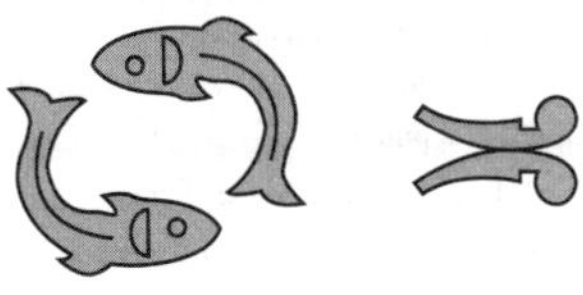

---

piscicultura *s.f.* Conjunto de técnicas e procedimentos adequados para a criação de peixes.

pisciforme *adj.2g.* (lat. cient. *pisciformis*). Que tem forma de peixe.

piscina *s.f.* (lat. *piscina,* tanque de peixes). Grande tanque com instalações próprias para a prática de natação e de outros esportes aquáticos.

piscívoro *adj.* Que se alimenta de peixes.

piscoso (ô) *adj.* (lat. *piscosus*). Que é abundante em peixe.

piso *s.m.* **1.** Modo de andar ou de pisar. **2.** Chão, terreno no qual se caminha. **3.** Pavimento, soalho. **4.** Parte do degrau de escada, em posição horizontal, onde se coloca o pé. ● **Econ.** *Piso salarial,* o menor salário de uma classe trabalhadora.

pisotear *v.t.* (esp. *pisotear*) [conj. 15]. **1.** Calcar com os pés; pisar. **2.** *Fig.* Humilhar, rebaixar, maltratar, espezinhar.

pisoteio *s.m.* (esp. *pisoteo*). Ato ou efeito de pisotear.

pista *s.f.* (lat. *pista scilicet via,* caminho calcado pelos pés, pelo it. *pista*). **1.** Sinal deixado por pessoa ou animal nos locais por onde passa; rastro, vestígio. **2.** *P. ext.* Encalço, procura. **3.** Indicação, dica. **4.** Via, caminho ou espaço reservado a determinado trânsito ou ocupação (automóveis, bicicletas, aeronaves etc.). **5.** Percurso ou espaço previamente delimitado para a prática de certos esportes ou disputa de corridas. ● **Eletrôn.** Região na superfície de um suporte magnético (disco ou fita) reservada à gravação dos sinais; banda.

pistache *s.m.* (gr. *pistakion*). **1.** Denominação comum a diversas espécies de árvores frutíferas que produzem semente utilizada em confeitaria, no preparo de sorvetes e como condimento. **2.** A semente dessa árvore.

pistão *s.m.* (fr. *piston*). **1.** Êmbolo. **2.** Mecanismo que abre ou fecha um tubo ajustado ao corpo principal de certos instrumentos de sopro em metal, para modificar o comprimento e permitir a emissão de todos os graus da escala cromática. **3.** Trompete ou cornetim com esse dispositivo.

pistilado *adj.* Diz-se do órgão vegetal provido de pistilo.

pistilo *s.m.* (lat. *pistillum*). Sin. de GINECEU.

pistola *s.f.* **1.** Arma de fogo leve, de cano curto, que se dispara com uma só mão. **2.** Aparelho eletrostático ou a ar comprimido que permite aspergir ou pulverizar a tinta ou o verniz sobre a superfície a pintar.

pistolão[1] *s.m.* Espécie de fogo de artifício.

pistolão[2] *s.m.* (lat. *epistolam,* carta, epístola). Pessoa influente que intervém em favor de outra; cartucho.

pistoleiro *s.m.* **1.** *Ant.* Soldado que era armado com uma ou duas pistolas de pederneira. **2.** Bandido. **3.** Assassino profissional.

pita *s.f.* (quíchua *pita,* fio delgado). Material têxtil de origem vegetal com o qual se fazem cordas.

pitada *s.f.* **1.** Porção de algumas substâncias que se pode apanhar com dois dedos. **2.** Porção de rapé que se toma entre o polegar e o indicador para cheirar. **3.** Pequena porção de alguma coisa.

pitanga *s.f.* (tupi *pi'tig,* de casca vermelha). Fruto da pitangueira, baga avermelhada, doce, levemente ácida, comestível ao natural ou utilizada na confecção de geléias, sucos, sorvetes e licores.

pitangueira *s.f.* Árvore pequena, de folhas aromáticas, flores brancas, e frutos avermelhados, comestíveis.

pitar *v.t.* e *v.i.* (conj. 4). *Pop.* Fumar, cachimbar.

pitecantropo (ô) *s.m.* (gr. *pithekos,* macaco, e *anthropos,* homem). Primata fóssil do pleistoceno, encontrado em 1891 em Java, um dos ancestrais da espécie humana atual.

piteira *s.f.* **1.** Tubo de plástico ou metal no qual se ajusta o cigarro para o ato de fumar; boquilha. **2.** Planta herbácea de grande porte, originária da América Central, cujas folhas fornecem pita ou fibra.

pitéu *s.m.* *Fam.* **1.** Petisco, manjar saboroso. **2.** Coisa boa, agradável.

pitiríase *s.f.* Dermatose caracterizada por uma fina descamação.

pito[1] *s.m.* *Fam.* Censura, repreensão.

pito[2] *s.m.* **1.** (*NE*) Cachimbo rústico, composto de um pau furado encaixado em um pequeno fornilho de barro. **2.** (*S*) Cigarro. **3.** Tubo de borracha por onde se enche a bola de futebol, com auxílio de uma bomba.

pitomba *s.f.* (tupi *pito'mba*). Fruto da pitombeira, drupa globosa, de casca amarelada, polpa doce, branca, de caroço alongado.

pitonisa *s.f.* **1.** Sacerdotisa que lia o oráculo no templo de Apolo em Delfos. **2.** Adivinha, profetisa.

pitoresco (ê) *adj.* (it. *pittoresco*). **1.** Que chama atenção pela beleza, pela originalidade. **2.** Relativo à pintura. **3.** Digno de pintar-se.

pitu *s.m.* (tupi *pi'tu,* casca escura). Denominação comum a vários camarões de água doce, de carne muito saborosa. (Sin. CAMARÃO-DE-ÁGUA-DOCE.)

pituíta *s.f.* (lat. *pituita*). Um dos quatro humores da medicina antiga.

pituitária (u-i) *s.f.* Sin. de HIPÓFISE.

pituitário (u-i) *adj.* **1.** Relativo à pituíta. **2.** Relativo à hipófise ou à mucosa das fossas nasais. **3.** *Glândula pituitária,* sin. de HIPÓFISE.

pium (i-úm) *s.m.* (tupi *pi'u,* o que come a pele). Sin. de BORRACHUDO.

pivete *s.m.* (esp. *pebete*). **1.** Rolo de substâncias aromáticas que se queima para perfumar. **2.** Criança ladina com ares de adulto. **3.** *Gír.* Menino que rouba ou auxilia ladrões.

pivô *s.m.* (fr. *pivot*). **1.** Haste metálica que serve para sustentar coroas nas raízes ou incrustações dos dentes. **2.** Mancal de eixo vertical, destinado a suportar uma carga vertical. **3.** *Fig.* Sustentáculo, suporte. **4.** *Fig.* Causa principal, motivo. **5.** No basquete, posição do jogador encarregado de receber os passes de ataque e pegar os rebotes.

pixaim (a-ím) *s.m.* (tupi *apixa'i*). Carapinha. ★ *adj.2g.* Diz-se de cabelo encarapinhado.

pixídio (cs) *s.m.* Fruto seco que se abre transversalmente, na parte superior.

pixote *s.m.* Pexote.

pizza (tsa) *s.f.* (it). Prato de origem italiana feito com massa aberta em forma de disco coberta com mussarela, tomates e orégano etc. e assada ao forno.

pizzaria (tsa) *s.f.* Local em que se fabricam e vendem ou servem pizzas.

placa *s.f.* (hol. *placke*). **1.** Folha de metal mais ou menos espessa; chapa, lâmina. **2.** Chapa ou lâmina de material mais ou menos resistente. **3.** Barra de metal, pedra etc. de tamanho variado, com uma inscrição. **4.** Chapa de metal que identifica os veículos automóveis e que contém o número da licença. **5.** Suporte com um circuito eletrônico e função específica. ● **Eletrôn.** Um dos eletrodos de um tubo eletrônico. ► Anodo de uma válvula eletrônica. **Eletrotéc.** Cada um dos eletrodos de um acumulador. **Geol.** *Placa (litosférica)*, unidade estrutural rígida, cerca de 100 km de espessura, que constitui, juntamente com outras unidades semelhantes, a camada externa da Terra. **Med.** Zona da pele onde está localizada uma erupção, mancha, descamação etc. **Neurol.** *Placa motora,* diferenciação morfológica e funcional da fibra muscular esquelética além da qual se encontra a junção neuromuscular. **Odont.** *Placa dentária* ou *placa bacteriana*, camada que recobre o esmalte dos dentes, formada por bactérias e células da mucosa bucal, que pode evoluir para a formação de cáries.

placar *s.m.* (fr. *placard*). **1.** Condecoração. **2.** Tabuleta onde se inscrevem os resultados de competições esportivas, eleições etc. **3.** O próprio resultado dessas competições.

placebo *s.m.* **1.** Substância inativa e inofensiva que substitui um medicamento com vistas a distinguir a ação psicológica e a ação farmacológica do medicamento. **2.** *Efeito placebo,* efeito produzido por uma substância ou procedimento que agem apenas por sugestão.

placenta *s.f.* (lat. *placenta,* bolo). Órgão localizado no útero da fêmea dos mamíferos, que estabelece comunicação através do cordão umbilical entre a mãe e o filho durante a gestação. ● **Bot.** Parte da superfície de um carpelo sobre a qual são inseridos os óvulos.

O ÚTERO

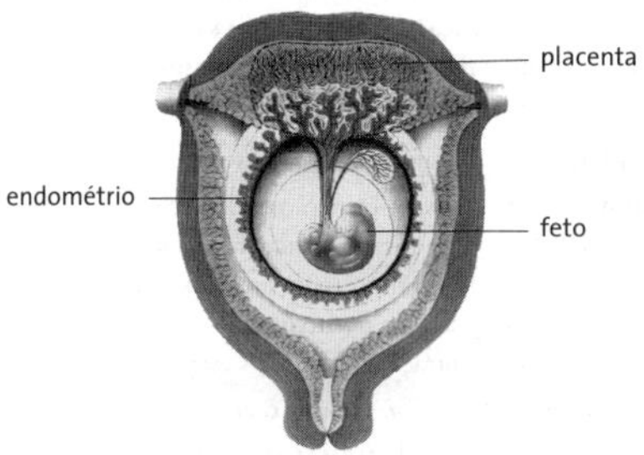

plácido *adj.* (lat. *placidus*). **1.** Calmo, tranqüilo, sereno, sossegado. **2.** Pacato, pacífico, manso.

plaga *s.f.* (lat. *plaga*). País, região.

plagiador (ô) *s.m.* Plagiário.

plagiar *v.t.* (conj. 16). **1.** Copiar obras alheias, apresentando-as como de sua própria autoria. **2.** Imitar trabalho alheio.

plagiário *s.m.* (lat. *plagiarius*). Autor que apresenta como de sua autoria o que copiou de outrem; plagiador.

plágio *s.m.* (lat. *plagium*). **1.** Ação de plagiar. **2.** Cópia de obra alheia.

plagioclásio *s.m.* Mineral constituído de cálcio e sódio, variedade de feldspato encontrada na maioria das rochas metamórficas e vulcânicas.

plaina (â) *s.f.* **1.** Ferramenta constituída por uma peça de madeira ou metal com uma lâmina de aço afiada embutida, para desbastar ou alisar madeira. **2.** Implemento ligado a um trator e utilizado na movimentação de terra para aterro, abertura de estradas etc.

planador (ô) *adj.* Que plana ou paira. ★ *s.m.* Avião sem motor que voa no ar utilizando as correntes atmosféricas.

planalto *s.m.* Superfície mais ou menos plana, situada em altitudes variadas, cortada por vales. (Sin. ALTIPLANO.)

planar *v.i.* (fr. *planer*) [conj. 4]. **1.** Voar (ave) com as asas estendidas e aparentemente imóveis. **2.** Voar (avião) sem o uso de motor, valendo-se apenas do seu peso e das forças aerodinâmicas. **3.** Flutuar no ar; pairar.

planária *s.f.* Verme platelminto aquático que apresenta a boca no meio da superfície ventral, faringe tubular extensível e grande capacidade de regeneração.

plâncton ou **plancto** *s.m.* Conjunto de organismos aquáticos, animais ou vegetais, que flutuam passivamente na água ou possuem pequeno poder de natação.

planear *v.t.* (conj. 15). Planejar.

planejamento *s.m.* **1.** Ato ou efeito de planejar. **2.** Função ou serviço de preparação do trabalho.

planejar *v.t.* (conj. 4). **1.** Traçar ou fazer o plano de. **2.** Organizar segundo um plano; planificar. **3.** Projetar, programar, planificar.

planeta (ê) *s.m.* (gr. *planetes,* errante). **1.** Corpo celeste que não emite luz própria e que gravita em torno do Sol ou, eventualmente, em torno de outras estrelas. **2.** A Terra.

planetário *adj.* (lat. tard. *planetarius*). **1.** Relativo a planeta. **2.** Relativo à Terra inteira. **3.** *Sistema planetário,* conjunto de planetas que giram em torno do Sol ou de outra estrela. ★ *s.m.* **1.** Dispositivo mecânico que permite representar o movimento dos planetas em torno do Sol. **2.** Aparelho de projeção que permite representar os astros sobre uma abóbada hemisférica.

planetóide *s.m.* Sin. de ASTERÓIDE.

COMPARAÇÃO DA DIMENSÃO DO SOL COM AS DOS PRINCIPAIS PLANETAS DO SISTEMA SOLAR

planetologia *s.f.* Ciência que estuda os planetas e seus satélites.

planeza (ê) *s.f.* Qualidade do que é plano.

plangência *s.f.* Qualidade de plangente.

plangente *adj.2g.* (lat. *plangens, plangentis*). **1.** Que chora, que pranteia. **2.** Lastimoso, triste, lamentoso.

planger *v.i.* (lat. *plangere*) [conj. 26]. **1.** Chorar, lamentar. **2.** Soar tristemente. ★ *v.t.* Anunciar tristemente.

planície *s.f.* (lat. *planities*). Grande extensão de terreno de natureza sedimentar (geralmente recente), de topografia pouco diferenciada ou mesmo plana; plano.

planificação *s.f.* **1.** Ato ou efeito de planificar. **2.** Planejamento.

planificar *v.t.* (conj. 12). **1.** Organizar, dirigir, seguindo determinado plano. **2.** Planejar.

planilha *s.f.* **1.** Formulário em papel ou meio eletrônico, forma de tabela, em geral para dados numéricos. **2.** Programa para criação de tabelas, elaboração de fórmulas e execução de cálculos com fórmulas lógicas e matemáticas.

planisfério *s.m.* Mapa que representa em projeção plana os dois hemisférios celestes ou os dois hemisférios de um astro, em particular da Terra.

plano *adj.* (lat. *planus*). **1.** Raso, chato, liso, sem diferenças de nível. **2.** Relativo ao plano. **3.** Diz-se de qualquer figura contida totalmente em um plano. **4.** *Fig.* Fácil, acessível, claro. ★ *s.m.* **1.** Superfície plana limitada. **2.** Superfície que contém exatamente qualquer reta que passe por dois de seus pontos. **3.** Planície. **4.** Planta, mapa, esquema. **5.** Organização dos diferentes constituintes de um texto, de uma obra etc. **6.** Seqüência ordenada de operações previstas para alcançar um objetivo; projeto assim elaborado. **7.** *Fig.* Projeto, programa. **8.** *Fig.* Intriga, embuste.

planta *s.f.* (lat. *planta*). **1.** Ser vivo do reino vegetal. **2.** Desenho que representa esquematicamente a organização no espaço dos diversos elementos de um todo; plano. **3.** Projeção horizontal de edifício, cidade ou máquina representada por desenho. **4.** *Planta do pé,* face inferior do pé.

plantação *s.f.* **1.** Ato ou efeito de plantar. **2.** Terreno plantado; disposição segundo a qual se faz o plantio. **3.** Estabelecimento agrícola que explora intensiva ou extensivamente uma espécie vegetal de valor comercial.

plantado *adj.* **1.** Que se plantou. **2.** *Fig.* Parado, imóvel, fixo no solo.

plantador (ô) *s.m.* Aquele que planta.

plantão *s.m.* (fr. *planton*). **1.** Serviço para o qual é nomeado diariamente um soldado, como responsável por uma bateria, companhia ou posto de vigilância. **2.** Soldado que está nesse serviço. **3.** Continuidade de um serviço médico, hospitalar, operário etc. durante a noite ou em feriados.

plantar *v.t.* (lat. *plantare*) [conj. 4]. **1.** Introduzir (um vegetal) na terra para criar raízes. **2.** Cultivar, amanhar, semear. **3.** *Fig.* Fundar, estabelecer. **4.** Implantar, estabelecer. **5.** Incutir no ânimo, insinuar. **6.** Fazer fixar, estacionar. ★ *v.pr.* Conservar-se imóvel, fixo, parado.

plantel *s.m.* (esp. *plantel,* viveiro de plantas). **1.** Lote de animais de boa raça, especialmente bovinos e eqüinos, reservados para a reprodução. **2.** Grupo de animais selecionados. **3.** *Fig.* Equipe esportiva, time.

plantígrado *adj.* e *s.m.* **1.** Que ou aquele que anda sobre as plantas dos pés. **2.** Diz-se de ou mamífero que anda sobre as plantas dos pés e as palmas das mãos, como os ursos e os primatas.

plantio *s.m.* Ato ou efeito de plantar; plantação.

plantonista *s.2g.* Indivíduo encarregado de um plantão.

plântula *s.f.* (lat. tard. *plantula*). **1.** Embrião dormente contido na semente madura das espermatófitas antes da germinação. **2.** Planta jovem, desenvolvida, que se nutre ainda às custas das reservas da semente ou dos cotilédones.

planura *s.f.* Local plano, planície, planalto.

plaquê *s.m.* (fr. *plaqué*). **1.** Folha metálica delgada, amarela ou dourada, com que se revestem objetos de metal ordinário. **2.** Metal ordinário com que se fabricam objetos de adorno, à imitação do ouro.

plaqueta (ê) *s.f.* (fr. *plaquette*). Pequena placa de largura maior do que a espessura. ● **Anat.** Elemento figurado do sangue, de dimensões reduzidas e desprovido de núcleo, que desempenha um papel fundamental na hemostasia e na coagulação. (Sin. TROMBÓCITO.)

PLAQUETA ▸ As plaquetas são células especiais em forma de disco, com diâmetro de 2 a 4 mícrons. Formam-se na medula óssea e não possuem núcleo. Têm um período de vida de 5 a 9 dias e atuam no processo de coagulação, que fecha as feridas, impedindo a perda excessiva de sangue e a entrada de agentes causadores de infecção. Além disso, liberam uma substância, a serotonina, que provoca uma constrição local dos vasos sanguíneos, diminuindo assim o fluxo de sangue até os vasos danificados.

plaquetário *adj.* Relativo às plaquetas sanguíneas.

plasma *s.m.* (gr. *plasma,* formação, modelação). **1.** Componente líquido do sangue no qual as células encontram-se em suspensão. **2.** Fluido composto de moléculas gasosas, eletricamente neutras, de íons positivos e de elétrons negativos, presente em concentração elevada nas estrelas.

plasmador (ô) *adj.* e *s.m.* Que ou o que plasma.

plasmalema *s.m.* Sin. de MEMBRANA PLASMÁTICA*.

plasmar *v.t.* (lat. *plasmiare*) [conj. 4]. **1.** Formar ou modelar em gesso, barro etc. **2.** Dar forma a.

plasmático *adj.* **1.** Relativo ou pertencente ao plasma. **2.** *Membrana plasmática,* membrana semipermeável que limita o protoplasma celular. (Sin. PLASMALEMA.)

plasmídio *s.m.* Molécula circular de ADN extracromossômico, capaz de auto-replicação, que ocorre em algumas bactérias.

plasmócito *s.m.* Célula secretora de imunoglobulinas, presente no tecido linfático, normalmente ausente no sangue circulante.

plasmódio *s.m.* **1.** Massa citoplasmática provida de vários núcleos, que representa a fase vegetativa de certos fungos e, em algumas algas, resulta da união de vários indivíduos unicelulares. **2.** Protozoário parasita, agente etiológico da malária.

plasmogamia *s.f.* União do protoplasma de duas ou mais células, na reprodução sexuada, que precede a fusão dos núcleos.

plasmólise *s.f.* Perda de água por osmose de uma célula viva em um meio hipertônico, que provoca uma retração do citoplasma em torno do núcleo.

plasmopausa *s.f.* Limite de plasmosfera, caracterizado por uma diminuição na concentração de íons.

plasmosfera *s.f.* Camada interna da magnetosfera, onde a concentração de íons é mais elevada.

plástica *s.f.* **1.** Arte de plasmar, modelar, dar forma. **2.** *P. ext.* A conformação, os contornos do corpo humano. **3.** Cirurgia plástica.

plasticidade *s.f.* **1.** Estado ou qualidade de plástico. **2.** Qualidade das matérias que podem ser moldadas. **3.** Expressão formal de uma obra de arte. ● **Fís.** Propriedade de um sólido no campo das deformações permanentes.

plástico *adj.* (gr. *plastikos*). **1.** Passível de ser moldado ou modelado. **2.** Relativo à plástica, à forma sensível. **3.** Relativo às características puramente formais de uma obra, no campo das artes plásticas (linhas, formas, cores). **4.** Relativo a ou formado de plástico. **5.** *Artes plásticas,* artes que produzem ou reproduzem volumes ou formas, principalmente escultura e pintura. ● **Med.** *Cirurgia plástica,* ramo da medicina que tem por objetivo a restauração das formas normais do corpo em caso de malformações ou acidentes, e a modificação anatômica com finalidade estética; cirurgia reparadora, plástica. ► *Cirurgião plástico,* especialista em cirurgia plástica. ★ *s.m.* **1.** Material que pode ser moldado. **2.** Material sólido cujo constituinte fundamental é um polímero e que em alguma fase de sua produção foi transformado em fluido e moldado por ação do calor e/ou pressão.

plastificação *s.f.* Ato ou efeito de plastificar.

plastificado *adj.* Que se plastificou.

plastificar *v.t.* (conj. 12). **1.** Converter em plástico. **2.** Revestir com matéria plástica, com película de plástico.

plastrão *s.m.* Escudo ósseo ventral da carapaça dos quelônios.

plataforma *s.f.* (fr. *plate-forme*). **1.** Estrutura ou construção plana e mais ou menos elevada. **2.** Calçada ao longo das vias de estações ferroviárias, rodoviárias ou de metrô que permite a circulação e o acesso aos carros. **3.** Conjunto das idéias que constituem a base de um programa político. ● **Geogr.** *Plataforma continental,* zona marítima que se segue ao litoral e corresponde à parte imersa dos blocos continentais ou das ilhas.

plátano *s.m.* (gr. *platanos*). Árvore originária da Europa Oriental, de grande porte, copa arredondada, folhas grandes, lobadas, flores agrupadas em inflorescências e fruto felpudo, muito utilizada na arborização de ruas e parques.

platéia *s.f.* (fr. *platée*). **1.** Parte de um teatro ou auditório onde ficam os espectadores. **2.** *P. ext.* Os espectadores de uma sala de espetáculos. **3.** O público em geral.

platelminte *adj.2g.* e *s.m.* Var. de PLATELMINTO.

platelmintes *s.m.pl.* Var. de PLATELMINTOS.

platelminto *s.m.* Espécime dos platelmintos. ★ *adj.* Relativo aos platelmintos. (Var. PLATELMINTES.)

platelmintos *s.m.pl.* Filo de vermes acelomados, geralmente achatados, que engloba as tênias, as planárias e os trematódeos. (Var. PLATELMINTES.)

platibanda *s.f.* (fr. *plate-bande*). **1.** Parede larga e vertical que circunda um terraço ou contorna e camufla um telhado. **2.** Terreno estreito ao redor de um canteiro de jardim ou na borda de uma parede, trabalhado e destinado a receber flores etc.

platina[1] *s.f.* (do esp. *plata,* prata). Elemento químico (símb. Pt) de número atômico 78, que constitui um metal precioso de cor cinza-prateada, bastante denso e maleável, de vasta aplicação industrial.

platina[2] *s.f.* (fr. *platine*). **1.** Presilha mais ou menos rígida dos ombros de certos uniformes militares. **2.** Plaqueta revestida de platina empregada em diversos aparelhos conectados à corrente elétrica. **3.** Peça do microscópio sobre a qual assenta a lâmina com o material que deve ser examinado. **4.** Em um gravador, dispositivo de arrasto da fita magnética.

platinado *adj.* **1.** Que contém platina. **2.** Recoberto de platina. **3.** Da cor da platina. **4.** Diz-se do cabelo loiro muito pálido, quase branco. ★ *s.m.* Dispositivo que interrompe a corrente elétrica na bobina de ignição de certos motores e origina uma faísca na vela.

platinar *v.t.* (conj. 4). **1.** Recobrir de platina. **2.** Dar o tom ou o brilho da platina a. **3.** Dar ao cabelo um tom loiro muito pálido.

platino *adj.* Relativo à região do rio da Prata (Argentina).

platônico *adj.* (gr. *platonikos*). **1.** Relativo a Platão e à sua filosofia. **2.** Que é puramente ideal, que não se traduz ou manifesta em atos. **3.** Puro, casto. ★ *s.m.* **1.** Adepto do platonismo. **2.** Indivíduo platônico.

platonismo *s.m.* (gr. *platonisme*). **1.** Filosofia de Platão e de seus discípulos. **2.** Qualidade do que é platônico.

plausibilidade *s.f.* Qualidade de plausível.

plausível *adj.2g.* (lat. *plausibilis*). **1.** Aceitável, razoável, admissível. **2.** O que é digno de aplauso ou de aprovação.

plebe *s.f.* (lat. *plebes, plebis*). **1.** Categoria mais numerosa da sociedade romana. **2.** O povo, p. opos. à nobreza. **3.** As classes pobres.

VOCÊ SABIA...? Em sua origem, a **plebe** foi um grupo étnico à margem da sociedade, ou um grupo de estrangeiros que não pertenciam a nenhuma classe na Itália antiga e estavam sob o domínio dos nobres. Depois da queda da monarquia etrusca, com a ameaça de secessão, os plebeus obtiveram uma melhora progressiva de sua condição. Seus chefes, os *tribunos da plebe,* tiveram papel político importante (século V a.C.).

---

plebeísmo *s.m.* Modos, usos e maneiras de plebeu.

plebeu *adj.* (lat. *plebeius*). **1.** Próprio ou relativo à plebe. **2.** Que não é nobre. **3.** Prosaico, popular, comum. ★ *s.m.* Homem da plebe; homem do povo, ruão.

plebiscitário *adj.* Relativo a plebiscito.

plebiscito *s.m.* (lat. *plebiscitum*). **1.** Resolução submetida à apreciação do povo. **2.** Voto do povo, por sim ou por não, sobre uma proposta, lei ou resolução que lhe seja submetida.

plectro *s.m.* (gr. *plektron*). Sin. de PALHETA.

plêiade *s.f.* (gr. *Pleiades*). **1.** Cada estrela da constelação das Plêiades. **2.** *P. ext.* Reunião de poetas, de homens ilustres.

pleistoceno *s.m.* Época geológica do período quaternário, anterior ao atual holoceno, com duração aproximada de 2 milhões de anos. ★ *adj.* Relativo ou pertencente a essa época.

pleiotropia *s.f.* Fenômeno pelo qual um gene condiciona o aparecimento de duas ou mais características do fenótipo aparentemente não relacionadas.

pleiteador (ô) *adj.* e *s.m.* Pleiteante.

pleiteante *adj.2g.* e *s.2g.* **1.** Que ou aquele que pleiteia; pleiteador. **2.** Pessoa que é parte num processo judicial ou administrativo.

pleitear *v.i.* (conj. 15). **1.** Litigar, demandar, contestar na justiça. **2.** Defender a própria causa ou a de uma parte em juízo. ★ *v.t.* **1.** Discutir, disputar. **2.** Defender em juízo. **3.** Candidatar-se a.

pleito *s.m.* (esp. *pleito*). **1.** Questão judicial, demanda, litígio. **2.** Debate, discussão. **3.** Eleição.

plenário *adj.* (lat. *plenarius*). Pleno, completo. ★ *s.m.* **1.** Assembléia ou tribunal que reúne seus membros em sessão. **2.** *P. ext.* O local onde ocorre essa sessão.

plenilúnio *s.m.* (lat. *plenilunim*). Fase da Lua em que todo o disco é visível; lua cheia.

plenipotência *s.f.* Poder pleno, absoluto.

plenipotenciário *adj.* Que tem plenos poderes. ★ *s.m.* Agente diplomático munido de plenos poderes.

plenitude *s.f.* (lat. *plenitudo*). **1.** Estado ou qualidade de pleno. **2.** Totalidade.

pleno *adj.* (lat. *plenus*). **1.** Cheio, inteiro. **2.** Cabal, completo, absoluto.

pleonasmo *s.m.* (gr. *pleonasmos*). Repetição, em um enunciado, de palavras que têm o mesmo sentido.

pleonástico *adj.* (gr. *pleonastikos*). **1.** Relativo a ou que contém pleonasmo. **2.** Redundante, repetitivo.

pletora *s.f.* (gr. *pletora*, superabundância). **1.** Na medicina antiga, designação de excesso de humores, em geral, e de sangue, em particular. **2.** *Fig.* Exuberância, plenitude.

pletórico *adj.* **1.** Relativo à pletora. **2.** Superabundante.

pleura *s.f.* (gr. *pleura*, flanco). Cada uma das membranas serosas que revestem a parede interna do tórax e envolvem os pulmões.

pleural *adj.2g.* Relativo à pleura.

pleuris *s.m.* Pleurisia.

pleurisia *s.f.* (lat. tard. *pleurisia*). Inflamação da pleura com derrame de líquido na cavidade pleural; pleuris.

pleurite *s.f.* (gr. *pleuritis*). Inflamação da pleura sem derrame de líquido.

pleurítico *adj.* (gr. *pleuritikos*). Relativo a ou provocado pela pleurisia. ★ *adj.* e *s.m.* Que ou aquele que sofre de pleurisia.

plexo (cs) *s.m.* Rede de cordões vasculares ou nervosos, interligados e entrelaçados.

plioceno *s.m.* Última época geológica do período terciário, com duração aproximada de 3 milhões de anos. ★ *adj.* Relativo ou pertencente a essa época.

plissado *adj.* (fr. *plissé*). **1.** Diz-se do tecido ou peça do vestuário em que se fez plissê. **2.** Que tem dobras; franzido, pregueado. ★ *s.m.* Plissê.

plissar *v.t.* (conj. 4). Fazer plissê ou pregas em; preguear.

plissê *s.m.* (fr. *plissé*). Série de pregas regulares em tecido ou roupa; plissado.

plugue *s.m.* (ingl. *plug*). Peça fixada a um condutor, que se insere num contato fêmea a fim de estabelecer uma ligação elétrica.

pluma *s.f.* (lat. *pluma*). **1.** Cada uma das unidades da plumagem que algumas aves têm ao romper o ovo. **2.** Pena de ave especialmente preparada para adorno. **3.** Pena de escrever.

plumagem *s.f.* **1.** Conjunto de penas que cobrem uma ave. **2.** Penas para adorno. **3.** *Fig.* Aparência, aspecto vistoso.

plumbato *s.m.* Nome genérico de diversos compostos à base de chumbo.

plúmbeo *adj.* (lat. *plumbeus*). **1.** De chumbo. **2.** Da cor do chumbo. **3.** *Fig.* Tristonho, pesado.

plúmbico *adj.* **1.** Relativo ao chumbo. **2.** Diz-se dos compostos do chumbo tetravalente.

plumboso (ô) *adj.* **1.** Que contém chumbo. **2.** Diz-se dos compostos do chumbo bivalente.

plúmula *s.f.* Pena pequena. ● **Bot.** Gema apical do embrião, que dá origem à parte aérea da planta.

plural *adj.2g.* (lat. *pluralis*). Diz-se do número gramatical que indica ou se refere a mais de uma unidade. ★ *s.m.* Flexão nominal ou verbal que diz respeito a mais de uma coisa ou pessoa.

pluralidade *s.f.* (lat. *pluralitas, pluralitatis*). **1.** O maior número, o geral, a maioria. **2.** Multiplicidade, grande número. **3.** Qualidade atribuída a mais de uma pessoa ou coisa.

pluralismo *s.m.* **1.** Doutrina filosófica que só admite a existência de seres múltiplos e individuais. **2.** Diversidade de opiniões e tendências.

pluricelular *adj.2g.* Diz-se dos seres vivos que, durante a maior parte do ciclo reprodutivo, são formados por várias células.

plurilíngüe *adj.2g.* **1.** Relativo a várias línguas. **2.** Que fala diversas línguas; poliglota.

pluripartidário *adj.* **1.** Relativo a mais de um partido. **2.** Pluripartidarista.

pluripartidarismo *s.m.* Regime político que admite a existência de vários partidos.

plutocracia *s.f.* (gr. *ploutokratia*). Governo em que o poder pertence às classes ricas.

plutocrata *s.2g.* Pessoa poderosa por sua fortuna.

plutônio *s.m.* (lat. *plutonium*). Elemento químico transurânico (símb. Pu) de número atômico 94, que constitui um metal branco-prateado, obtido pelo bombardeamento do urânio.

pluvial *adj.2g.* (lat. *pluvialis*). **1.** Relativo a chuva. **2.** *Águas pluviais*, águas da chuva. **3.** *Regime pluvial*, variação do caudal de um curso de água cuja alimentação depende principalmente das águas das chuvas, o que provoca cheias nos períodos de maior pluviosidade.

pluviometria *s.f.* Ramo da climatologia que estuda a repartição das chuvas no tempo e no espaço.

pluviômetro *s.m.* Aparelho que mede a quantidade de chuva que cai em determinado lugar, durante certo período.

pluviosidade *s.f.* **1.** Estado chuvoso. **2.** Quantidade de chuva caída em certo lugar durante um período determinado, expressa pelo índice pluviométrico ou pelo número de dias de chuva.

pneu *s.m.* Forma abreviada de pneumático.

pneumático *adj.* (gr. *pneumatikos*). **1.** Relativo ou pertencente ao ar. **2.** Diz-se de máquinas, ferramentas e aparelhos que funcionam por meio de ar comprimido. ● **Relig.** Relativo à ação do Espírito Santo e suas manifestações. **Zool.** *Osso* *pneumático,* osso das aves, cuja parte medular é ocupada por um saco aéreo, em comunicação com os pulmões. ★ *s.m.* Revestimento de borracha, geralmente cheio de ar, colocado no aro das rodas dos veículos; pneu.

EXEMPLOS DE PNEUMÁTICOS

pneu de automóvel (corte)

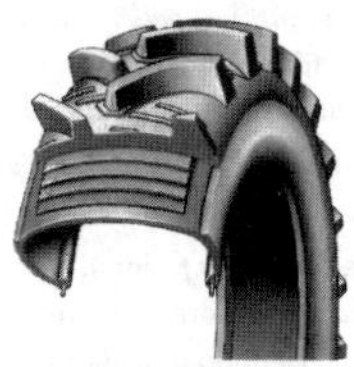

pneu de trator (corte)

pneumococo *s.m.* Bactéria que constitui o agente patogênico mais freqüente da pneumonia.

pneumologia *s.f.* Estudo das afecções dos pulmões e dos brônquios.

pneumonia *s.f.* (gr. *pneumonia*). Inflamação microbiana do parênquima pulmonar.

pneumotórax (cs) *s.m.2n.* Derrame de gás na cavidade pleural.

pó *s.m.* (lat. *pulvis*). **1.** Partículas muito tênues e leves de terra seca que pairam no ar ou se depositam na superfície do solo, dos objetos; poeira, polvilho. **2.** Qualquer substância sólida e seca pulverizada. **3.** Medicamento seco e moído. **4.** Pó-de-arroz. **5.** *Gír.* Cocaína em pó.

pobre *adj.2g.* (lat. *pauper, pauperis*). **1.** Desprovido do necessário à vida, que não tem recursos próprios. **2.** De poucas posses. **3.** Que possui poucos dons ou qualidades; medíocre. **4.** Pouco produtivo, estéril. **5.** Que inspira piedade; desgraçado. ● **Liter.** Diz-se da rima feita entre palavras terminadas com o mesmo sufixo. ★ *s.2g.* Indivíduo pobre.

pobretão *s.m.* **1.** Aquele que é muito pobre. **2.** Pessoa pobre, mas que procura não aparentar essa condição. **3.** Pessoa que se finge de pobre e pede sem necessidade legítima.

poça (ô ou ó) *s.f.* Concavidade rasa no solo, preenchida com água.

poção *s.f.* (lat. *potio, potionis*). **1.** Preparação aquosa com uma ou mais substâncias medicamentosas, para uso interno. **2.** Qualquer bebida.

pocilga *s.f.* **1.** Instalação destinada a alojar os porcos; chiqueiro. **2.** Casa ou lugar imundo, muito sujo.

poço (ô) *s.m.* (lat. *puteus*). **1.** Cavidade mais ou menos funda feita no solo para atingir um lençol de água subterrâneo ou para acumular água potável. **2.** Escavação vertical realizada em solo ou rocha para extração de minério, gás, petróleo etc. **3.** *Poço artesiano,* poço natural ou artificial em que a água é impelida naturalmente até a superfície, sem a necessidade de bombas.

poda *s.f.* **1.** Ato ou efeito de podar; podadura. **2.** Os galhos cortados. **3.** Época de podar. **4.** *Poda de frutificação,* poda cujo objetivo é provocar a frutificação.

podão *s.m.* **1.** Instrumento de lâmina recurvada, maior que o cabo, para cortar madeira, podar árvores etc. **2.** Podadeira. **3.** *Fig.* Pessoa desajeitada, sem habilidade.

podar *v.t.* (lat. *putare*) [conj. 4]. **1.** Suprimir, entre duas safras, os rebentos que brotaram em uma árvore. **2.** Cortar metodicamente uma parte dos galhos, dos rebentos de uma árvore, arbusto, cerca-viva etc., a fim de impor uma forma determinada às plantas, controlar sua frutificação ou provocar o aparecimento de rebentos mais vigorosos; desramar. **3.** *Fig.* Eliminar os excessos; aparar, desbastar. **4.** Conter, reprimir.

poder[1] *v.t.* (conj. 36). **1.** Ter a faculdade de. **2.** Ter permissão para. **3.** Ser capaz de. **4.** Ter força para. **5.** Ter o direito, o motivo, a razão de. ★ *v.i.* Ter força, influência, autoridade.

poder[2] *s.m.* **1.** Faculdade, capacidade de produzir determinados efeitos. **2.** Direito de deliberar, agir e mandar. **3.** Vigor, potência. **4.** Domínio, influência, força. **5.** Aptidão, competência, eficácia. **6.** Recursos, meios. **7.** Autoridade, soberania, poderio. **8.** O governo de um Estado.

poderio *s.m.* **1.** Grande poder. **2.** Autoridade, poder.

poderoso (ô) *adj.* Que tem muito poder.

pododáctilo *s.m.* Sin. de ARTELHO.

podre (ô) *adj.2g.* (lat. *putris*). **1.** Estragado, em decomposição, deteriorado. **2.** Fétido. **3.** *Fig.* Corrompido, degenerado. **4.** *Fig.* Cheio de alguma coisa.

podridão *s.f.* **1.** Estado ou qualidade de podre. **2.** *Fig.* Degradação, degeneração. ● **Agric.** Designação genérica de várias moléstias causadas por fungos e bactérias que atacam diferentes plantas.

poedeira (o-e) *adj.* e *s.f.* Diz-se de ou galinha que põe muitos ovos.

poedouro (o-e) *s.m.* Lugar onde as galinhas põem os ovos.

poeira *s.f.* **1.** Terra ou qualquer outra matéria reduzida a pó. **2.** Pó.

poejo (ê) *s.m.* (lat. *pulegium*). Planta originária do hemisfério setentrional, herbácea, vivaz, de flores rosadas e pequenas folhas ricas em mentol.

poema *s.m.* (gr. *poiema*). **1.** Obra literária em versos. **2.** Obra em prosa análoga a um poema por sua inspiração, sentido, estrutura e estilo. **3.** O que suscita uma emoção comparável à que provoca a poesia. **4.** *Poema sinfônico,* composição para orquestra motivada por um tema de inspiração extramusical, literária ou pictórica.

poente *adj.2g.* (lat. med. *ponens, ponentis*). **1.** Que se põe. **2.** Diz-se do sol quando está no ocaso. ★ *s.m.* **1.** O ocidente. **2.** O pôr-do-sol.

poesia *s.f.* (gr. *poiesis,* criação). **1.** Forma de expressão lingüística destinada a evocar sensações, impressões e emoções por meio da união de sons, ritmos e harmonia, geralmente em versos. **2.** Característica do que toca, eleva, encanta.

poeta *s.2g.* (gr. *poietes*). **1.** Aquele que escreve poesia. **2.** Aquele que tem faculdades poéticas. **3.** Aquele que devaneia ou tem caráter idealista. **4.** *Fig.* Homem sonhador, visionário.

poetar *v.t.* (lat. *poetare*) [conj. 4]. Cantar em versos. ★ *v.i.* Fazer versos; versejar.

poética *s.f.* **1.** Arte de fazer versos ou elaborar composições poéticas. **2.** Tratado de versificação e de poesia.

poético *adj.* (gr. *poietikos*). **1.** Relativo à poesia. **2.** Que inspira poesia.

poetisa *s.f.* Mulher que faz versos; poeta.

pois *conj.* (lat. *post,* depois, detrás). **1.** Por conseguinte; portanto, logo. **2.** Mas, porém, entretanto. **3.** Porque, porquanto. **4.** Nesse caso; então, ora. **5.** *Pois que,* pois.

pojar *v.t.* (conj. 4). Elevar, levantar. ★ *v.i.* Intumescer, inchar.

polaco *adj.* e *s.m.* (pol. *polak*). Polonês.

polaina *s.f.* (fr. *polaine,* de *polain,* polaco). Peça do vestuário que protege a parte inferior da perna e superior do pé.

polar *adj.2g.* (lat. *polaris*). **1.** Relativo ou pertencente aos pólos. **2.** *Círculo polar,* círculo imaginário paralelo ao equador, que marca os limites das zonas polares. ● **Biol.** *Corpúsculo* ou *glóbulo polar,* célula pequena, não funcional, de citoplasma reduzido, que resulta das duas divisões da meiose durante a ovogênese. **Mat.** *Coordenada polar,* cada uma das coordenadas de um sistema de dois eixos, que posicionam um ponto no plano. ► *Eixo polar,* no sistema de coordenadas polares, cada uma das semi-retas que partem dos pólos. **Quím.** Diz-se das moléculas cujos elétrons de ligação estão situados próximos ao átomo de maior número atômico. ► Diz-se das substâncias formadas por tais moléculas.

ASPECTO DA REGIÃO POLAR

polaridade *s.f.* Qualidade, condição ou estado do que possui pólos ou sentidos opostos. ● **Biol.** Diferença de propriedades biológicas entre as duas extremidades de uma célula, de um órgão ou de um organismo inteiro. **Eletr.** Qualidade que permite distinguir os pólos de um gerador elétrico. ► Qualidade ligada aos pólos de um ímã e à direção da indução magnética exterior. .

polarização *s.f.* **1.** Estabelecimento de uma diferença de potencial entre dois condutores. **2.** *Fig.* Ato ou efeito de concentrar atenção, atividades, sentimentos sobre um mesmo ponto. ● **Eletrotéc.** Produção de uma força eletromotriz de sentido oposto à de uma cuba eletrolítica, de uma pilha ou acumulador. **Fís.** Ação de modificar a propagação de uma onda luminosa e torná-la unidirecional. ► Ação de criar pólos de orientação de um campo de forças em torno de um corpo.

polarizar *v.t.* (conj. 4). **1.** Causar polarização. **2.** *Fig.* Concentrar, fazer convergir ou atrair a atenção para um ponto determinado.

polca *s.f.* (tcheco *pulka,* metade). **1.** Dança de origem tcheca, para casais, de compasso 2/4. **2.** Música para essa dança.

poldro (ô) *s.m.* (do lat. *pulletrum*). Potro.

polegada *s.f.* **1.** Antiga medida de comprimento equivalente a 1/12 do pé, ou c. 27,07 mm. **2.** Medida anglo-saxã de comprimento equivalente a 25,4 mm.

polegar *s.m.* (do lat. *pollex*). **1.** Dedo mais curto e grosso, situado na parte extremo-radial da mão, caracterizado pela presença de apenas duas falanges. **2.** O dedo mais grosso do pé.

poleiro *s.m.* (lat. *pullarius,* de *pullus,* pôlo). Vara em que as aves pousam e dormem, em gaiola, galinheiro ou capoeira.

polêmica *s.f.* **1.** Discussão oral; controvérsia, questão. **2.** Disputa por escrito.

polêmico *adj.* (gr. *polemikós*). Relativo a ou que causa polêmica; controverso.

pólen *s.m.* (lat. *pollen*). Conjunto de grãos microscópicos (gametófitos) formados nos estames e que são os elementos masculinos de reprodução dos vegetais com flores.

polenta *s.f.* (it. *polenta*). Papa de farinha de milho com água e sal, cozida ao fogo.

pole position *s.f.* (ingl). O primeiro lugar na ordem de largada de uma corrida de automóveis, atribuído ao veículo que tenha realizado o melhor tempo nos treinos.

polia *s.f.* (fr. *polie*). Roda que gira em torno de um eixo e cujo aro é projetado para receber um elemento flexível (cabo, cordame, correia, corrente etc.), a fim de permitir a transmissão de um movimento.

EXEMPLOS DE POLIA

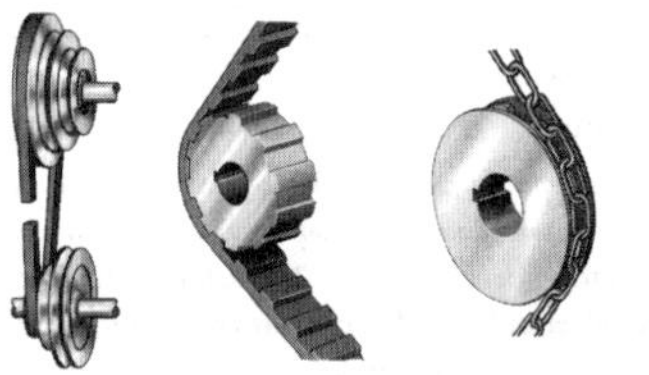

múltipla — para correia dentada — para corrente

POLIA ► As polias são instrumentos úteis para mudar a direção de uma força. Por exemplo, pode-se levantar uma carga puxando a corda de uma polia. Quando se juntam várias polias por meio de uma corda, obtém-se maior força mecânica e pode-se levantar uma carga maior com o mesmo esforço.

poliácido *s.m.* Composto químico que apresenta diversas funções ácido.

poliálcool *s.m.* Composto químico que apresenta várias funções álcool; poliol.

poliamida *s.f.* Polímero que resulta da condensação de aminoácidos ou de um diácido com uma diamina.

poliamina *s.f.* Composto químico que possui várias funções amina.

policarpo *adj.* Diz-se do vegetal que possui muitos frutos.

polichinelo *s.m.* (de *Pulcinella,* n.pr.). **1.** Personagem cômico do teatro de marionetes. **2.** *Pop.* Indivíduo palhaço, sem vontade própria.

polícia *s.f.* (gr. *politeia*). **1.** Ordem ou segurança públicas. **2.** Conjunto de leis, regulamentos e disposições que servem de garantia à segurança pública. **3.** Administração encarregada de manter essas leis e disposições. **4.** Conjunto de agentes dessa administração. ★ *s.2g.* Policial.

policial *adj.2g.* Relativo ou pertencente à polícia. ★ *s.2g.* Guarda policial; polícia. ★ *s.m.* Cão pastor alemão.

policiar *v.t.* (conj. 16). **1.** Guardar, vigiar com o auxílio da polícia ou conforme os regulamentos policiais. **2.** Vigiar com cuidado e interesse. **3.** Conter, refrear, reprimir. **4.** Civilizar (comportamentos) pelas instituições, pela cultura. ★ *v.pr.* **1.** Vigiar-se, guardar-se. **2.** Conter-se, dominar-se.

policístico *adj.* Que apresenta numerosos cistos.

policlínica *s.f.* **1.** Estabelecimento hospitalar onde se tratam doenças de diversas especialidades. **2.** Estabelecimento ou parte de um hospital destinado a dar consultas a pacientes não hospitalizados.

policondensação *s.f.* **1.** Conjunto de reações pelas quais várias substâncias se unem para produzir um composto de massa molecular elevada. **2.** Síntese macromolecular que envolve várias entidades monoméricas, por oposição à polimerização.

policromia *s.f.* **1.** Estado, qualidade de um corpo com diversas cores. **2.** Obra em que se empregam várias cores. **3.** Estampa impressa por processo que utiliza mais de três cores.

policromo *adj.* (gr. *polykhromos,* muitas cores). De diversas cores; multicor.

policultura *s.f.* Cultura de várias espécies vegetais em uma mesma propriedade ou em uma mesma região agrícola.

polidez (ê) *s.f.* **1.** Qualidade ou estado de polido. **2.** Delicadeza, civilidade, cortesia.

polido *adj.* **1.** Liso, alisado. **2.** Lustroso, brunido, envernizado. **3.** Que observa as conveniências sociais; educado, civilizado, delicado, cortês.

poliédrico *adj.* Que tem a forma de um poliedro.

poliedro *adj.* e *s.m.* (gr. *polyedros*). Diz-se do ou sólido geométrico formado por três ou mais faces.

poliéster *s.m.* Nome genérico dos polímeros cuja cadeia é formada pela associação de estruturas interligadas por funções ésteres.

poliestireno *s.m.* Polímero do estireno.

polifonia *s.f.* (gr. *polyphonia*). **1.** Multiplicidade de sons. **2.** Arte de escrever música a diversas vozes, obedecendo às regras do contraponto.

polifônico *adj.* (fr. *polyphonique*). Relativo a ou que apresenta polifonia.

poligamia *s.f.* (gr. *polygamia*). **1.** Sistema social que admite legalmente o casamento de um homem com várias mulheres ou de uma mulher com vários homens. **2.** Estado de polígamo.

poligâmico *adj.* Relativo à poligamia.

polígamo *adj.* e *s.m.* (gr. *polygamos*). Que ou aquele que tem mais de um cônjuge ao mesmo tempo.

poliglota *adj.2g.* e *s.2g.* (gr. *polyglottos*). Diz-se de ou pessoa que escreve ou fala várias línguas; plurilíngüe.

poligonal *adj.2g.* **1.** Diz-se de um sólido cuja base é um polígono. **2.** Que tem vários ângulos e, portanto, vários lados. **3.** Relativo ao polígono. **4.** Que tem a forma de um polígono. **5.** *Linha poligonal,* reunião de segmentos de retas tais que dois segmentos consecutivos não tenham o mesmo suporte.

polígono *s.m.* (gr. *polygonos,* com muitos ângulos). Figura geométrica plana formada por uma linha poligonal fechada.

polígrafo *s.m.* (gr. *polygraphos*). Autor que escreve sobre vários assuntos.

polimento *s.m.* **1.** Ato ou efeito de polir. **2.** *Fig.* Educação, finura no trato. **3.** Operação de acabamento ou tratamento que visa diminuir ao máximo as irregularidades de uma superfície.

polimerização *s.f.* União de várias moléculas idênticas para formar uma nova molécula mais pesada.

polímero *adj.* e *s.m.* Diz-se de ou elemento químico formado por polimerização. ★ *s.m.* Material orgânico ou inorgânico, natural ou sintético, de alto peso molecular, cuja estrutura molecular consiste na repetição de pequenas unidades, chamadas meros.

polimórfico *adj.* Que apresenta polimorfismo.

polimorfismo *s.m.* Qualidade de polimorfo. ● **Biol.** Diversidade de aspecto apresentada, em certas espécies, por indivíduos de sexo, idade e variedade idênticas. **Genét.** Coexistência, em uma população, de genomas com diferentes alelos que determinam a ocorrência de vários tipos fenotípicos com freqüência característica. **Quím.** Propriedade que tem uma substância de assumir diversas formas cristalinas sem alterar a sua composição química.

polimorfo *adj.* (gr. *polymorphos*). **1.** Que é sujeito a mudar de forma. **2.** Que se apresenta sob diversas formas. ● **Quím.** Diz-se das substâncias cristalinas suscetíveis de polimorfismo.

polinésio *adj.* Relativo ou pertencente à Polinésia, região da Oceania. ★ *s.m.* **1.** O natural ou habitante da Polinésia. **2.** Grupo de línguas faladas na Polinésia.

polínico *adj.* (lat. *pollen, pollinis,* pólen). **1.** Relativo a ou que contém pólen. **2.** *Sacos polínicos,* sacos das anteras, nos quais se formam os grãos de pólen. ▸ *Tubo polínico,* prótalo masculino unicelular que resulta da germinação do grão de pólen.

polinização *s.f.* Transporte do pólen da antera para o pistilo, cuja superfície, papilosa e viscosa, o retém.

polinizar *v.t.* (conj. 4). Realizar a polinização.

polinômio *s.m.* Equação formada por diversos termos, cada qual elevado a uma potência diferente, onde a maior potência determina o grau do polinômio.

polinuclear *s.m.* Sin. de GRANULÓCITO.

pólio *s.f.* Forma reduzida de POLIOMIELITE.

poliol *s.m.* Poliálcool.

poliomielite *s.f.* Doença infecciosa devida a um vírus que é transmitido pela contaminação alimentar e afeta os cornos anteriores da medula espinhal. (Forma reduzida PÓLIO.)

polipeiro *s.m.* Esqueleto secretado pelos pólipos, solitários ou coloniais, de um grande número de cnidários.

polipeptídio *s.m.* Protídio formado pela combinação em cadeia de diversos aminoácidos.

pólipo *s.m.* (gr. *polypous,* polvo, pólipo). **1.** Tumor mole carnoso ou fibroso, geralmente pediculado e piriforme, que se desenvolve nas cavidades revestidas por uma mucosa. **2.** Forma sedentária dos cnidários, formada por um corpo tubular, com a parte oral rodeada por tentáculos.

poliquetos *s.m.pl.* Classe de vermes anelídeos, geralmente marinhos, que apresentam cabeça provida de apêndices sensitivos, corpo com cerdas e parapódios laterais.

polir *v.t.* (lat. *polire*) [conj. 60]. **1.** Tornar luzidio, dar lustro, brunir. **2.** Efetuar um polimento. **3.** Retocar, corrigir, aperfeiçoar. **4.** *Fig.* Iniciar alguém nas regras da civilidade; educar. ★ *v.pr.* Tornar-se polido; civilizar-se, educar-se.

polissacarídio *s.m.* Glicídio formado pela união de várias oses; poliosídeo.

polissemia *s.f.* Propriedade da palavra que possui vários sentidos.

polissilábico *adj.* (fr. *polysyllabique*). Que tem várias sílabas.

polissílabo *adj.* e *s.m.* (gr. *polysyllabos*). Diz-se de ou palavra composta de várias sílabas.

polissíndeto *s.m.* (gr. *polysyndeton*). Figura de construção que consiste em repetir uma conjunção ou uma preposição mais vezes do que a ordem gramatical exige.

polissulfeto (ê) *s.m.* Sal ou ácido que apresenta mais átomos de enxofre que os sulfetos normais.

politécnico *adj.* (gr. *polytekhnos*). Relativo a várias técnicas ou ciências.

politeísmo *s.m.* Concepção filosófica e/ou religiosa que admite uma pluralidade de divindades.

política *s.f.* (gr. *politike*). **1.** Ciência do governo dos povos. **2.** Direção de um Estado e determinação das formas de sua organização. **3.** Conjunto dos negócios de Estado; maneira de os conduzir. **4.** *Fig.* Maneira de agir, conduzir relações; astúcia, esperteza.

politicagem *s.f.* Política reles e mesquinha de interesses pessoais; politicalha.

político *adj.* (gr. *politikos*). **1.** Relativo a ou próprio da política. **2.** Relativo à organização e ao governo dos negócios públicos. **3.** Relativo a uma concepção particular quanto ao governo dos negócios públicos. **4.** Diz-se das atitudes em exercício do poder. **5.** *Fig.* Astuto, esperto, hábil. **6.** *Ciência política,* ramo das ciências sociais que trata do governo e da organização dos Estados. ▸ *Direitos políticos,* direitos atribuídos a alguém na qualidade de cidadão (votar, exercer cargo ou função pública, ser votado etc.). ★ *s.m.* **1.** Pessoa que se ocupa dos negócios públicos, do governo de um Estado. **2.** *Fig.* Pessoa hábil, astuta.

politiqueiro *adj.* e *s.m.* *Pej.* Diz-se de ou indivíduo que pratica política baixa e vil, usando de processos pouco corretos.

politização *s.f.* Ato ou efeito de politizar.

politizar *v.t.* (it. *politizzare*) [conj. 4]. **1.** Dar um caráter político ou perceber o caráter político. **2.** Educar politicamente, conscientizando o indivíduo dos direitos e deveres do cidadão.

polivalente *adj.2g.* **1.** Que é eficaz em vários casos diferentes. **2.** Que apresenta vários valores; que oferece várias possibilidades de emprego. ● **Med.** *Vacina polivalente,* vacina constituída por uma mistura de antígenos de vários tipos de micróbios ou de diferentes tipos de um mesmo micróbio. **Quím.** Que tem mais de uma valência; plurivalente.

pólo[1] *s.m.* (lat. *polus*). **1.** Cada um dos dois pontos da superfície terrestre situados no eixo de rotação da Terra (pólo Norte e pólo Sul). **2.** *P. ext.* Cada um dos dois pontos da superfície de um astro situados no eixo de rotação desse astro. **3.** *Fig.* Extremos que não se encontram. **4.** *Fig.* O que dirige; norte, guia. ● **Anat.** Cada uma das partes extremas de um órgão que apresenta duas extremidades. **Astron.** *Pólo magnético,* cada um dos dois pontos de intersecção do eixo magnético de um astro com sua superfície. **Eletr.** Sin. (não recomendável) de TERMINAL. **Fís.** Cada uma das partes de um ímã pelas quais saem (*pólo norte*) ou entram (*pólo sul*) as linhas de indução magnética exteriores. **Mat.** Ponto do plano escolhido como referencial em um sistema de coordenadas polares.

pólo[2] *s.m.* **1.** Jogo disputado por duas equipes de quatro cavaleiros que movimentam uma bola com tacos flexíveis, procurando fazê-la entrar no gol do adversário. **2.** *Pólo aquático,* jogo disputado em piscina entre duas equipes de sete nadadores que procuram conduzir com as mãos uma bola ao gol do adversário.

? VOCÊ SABIA...? O **pólo** é um dos esportes hípicos mais antigos: os chineses já jogavam algo similar no século VII a.C. A partida é disputada entre equipes de quatro cavaleiros e se divide em quatro, cinco, seis ou oito tempos de 7 minutos e meio. O objetivo é colocar a bola, feita de bambu ou de madeira de álamo, entre as traves situadas no fundo do terreno adversário. A equipe que marca mais gols ganha a partida.

---

polografia *s.f.* Estudo descritivo do céu.

polóide *adj.2g.* e *s.f.* Diz-se de ou curva formada pelas diversas posições do pólo em função das variações no eixo de rotação da Terra.

polonês *adj.* Relativo ou pertencente à Polônia, país da Europa; polaco. ★ *s.m.* **1.** O natural ou habitante da Polônia. **2.** Língua eslava falada principalmente na Polônia.

polônio *s.m.* (de *Polônia,* n.pr.). Elemento químico (símb. Po) de número atômico 84, que constitui um semimetal raro e radioativo, que pode ser obtido pelo bombardeamento do bismuto.

polpa *s.f.* (lat. *pulpa*). **1.** Extremidade carnuda dos dedos. **2.** Matéria sólida residual resultante dos processos industriais de extração de açúcar, óleo, fécula etc. ● **Anat.** Tecido conjuntivo embrionário contido na cavidade dentária. **Bot.** Mesocarpo carnudo, geralmente açucarado quando maduro, que constitui a quase totalidade de certos frutos.

polpudo *adj.* **1.** Polposo. **2.** *Fig.* Diz-se de negócio rendoso. **3.** Vultoso, considerável.

poltrão *adj.* e *s.m.* (esp. *poltrón*). Diz-se de ou indivíduo medroso, covarde.

poltrona *s.f.* **1.** Cadeira de braços, larga e estofada. **2.** Nos teatros e cinemas, cadeira na platéia.

polução *s.f.* (lat. *pollutio, pollutionis*). **1.** Poluição. **2.** Profanação, mácula. **3.** *Polução noturna,* emissão involuntária de esperma, em geral durante o sono.

poluente *adj.2g.* e *s.m.* Que ou o que polui.

poluição (u-i) *s.f.* (lat. *pollutio, pollutionis*). **1.** Ato ou efeito de poluir, de degradar um determinado meio natural; polução. **2.** Presença de substâncias de natureza diversa no meio, em concentrações anormais ou prejudiciais à saúde e ao meio ambiente.

poluir *v.t.* (lat. *polluere*) [conj. 74]. **1.** Sujar, tornando prejudicial à vida. **2.** Profanar, macular a honra ou a dignidade de. ★ *v.pr.* Cometer ação infame; corromper-se.

poluto *adj.* Sujo, poluído.

polvarinho *s.m.* Var. de POLVORINHO.

polvilhar *v.t.* (conj. 4). **1.** Cobrir de pó, de polvilho; empoar. **2.** Cobrir ou salpicar de (sal, farinha, açúcar etc.).

polvilho *s.m.* (do esp. *polvo,* pó). **1.** Pó muito fino. **2.** Farinha muito fina que se obtém da mandioca. **3.** Tapioca ou goma.

polvo (ô) *s.m.* (gr. *polypous*, de muitos pés). Molusco cefalópode que possui oito tentáculos providos de ventosas e, em situações de perigo, elimina uma tinta escura na água, para confundir o predador.

POLVO ▸ O polvo pertence ao gênero *Octopus*, sendo comum no Brasil o *Octopus tehuelchus*, que se alimenta de caranguejos e mariscos. Captura-os com os tentáculos, paralisa-os com veneno secretado por glândulas especiais. Apresenta corpo ovóide, desprovido de concha. Sua carne é comestível e muito apreciada.

pólvora *s.f.* **1.** Substância explosiva sólida, utilizada no lançamento de um projétil a partir de uma arma de fogo ou na propulsão de um engenho. **2.** *P. ext.* Qualquer explosivo utilizado para carregar armas de fogo.

polvorinho *s.m.* Recipiente para guardar a pólvora, que constituía, com o saco de balas e o escorvador, o equipamento ou fornimento de um soldado. (Var. POLVARINHO.)

polvorosa *s.f.* (esp. *polvorosa*). **1.** Grande atividade; agitação. **2.** Rebuliço, tumulto.

pomada *s.f.* (it. *pomata*). Medicação de aplicação tópica na pele ou mucosas com um ou mais princípios ativos.

pomar *s.m.* (lat. *pomarium*). Conjunto de árvores frutíferas.

pomba *s.f.* (lat. *palumba*). **1.** Denominação comum a aves columbiformes que apresentam bico curto e papo grande onde produzem um líquido utilizado para alimentar os filhotes. **2.** Fêmea do pombo. **3.** Vasilha de cobre, usada nos engenhos de açúcar, para onde se passa o caldo limpo da cana. **4.** *Pop.* Região púbica da mulher. **5.** *Pop.* Pênis.

POMBA ▸ As pombas selvagens medem até 34 cm de comprimento. A plumagem dos machos é densa e suave, de um colorido em que predomina o cinza; o pescoço, o colo e o peito apresentam reflexos metálicos verdes e purpúreos, que as fêmeas não possuem; as asas são marcadas por duas faixas pretas.

pomba-de-bando *s.f.* Sin. de AVOANTE.

pomba-gira *s.f.* Entidade feminina da umbanda e do candomblé.

pombal *s.m.* Instalação ou local utilizado para o alojamento e criação de pombos.

pombo *s.m.* (lat. *palumbus*). Ave columbiforme, introduzida no Brasil no século XVI, adaptada a viver em cidades e que pode ser agente transmissor de doenças. (Sin. POMBO-DOMÉSTICO.)

pombo-correio *s.m.* **1.** Variedade de pombo que pode ser adestrado para entrega de comunicações e correspondência. **2.** *Fig.* Pessoa intermediária nas negociações ou entendimentos entre duas partes.

pomelo *s.m.* Sin. de GRAPEFRUIT.

pomicultor (ô) *s.m.* Aquele que se dedica à cultura das árvores pomíferas ou de frutos; fruticultor.

pomicultura *s.f.* Cultura de árvores frutíferas.

pomo *s.m.* (lat. *pomum*). **1.** Fruto carnudo, indeiscente, de forma mais ou menos esférica, derivado do ovário ínfero e do receptáculo, como a maçã e a pêra. **2.** Qualquer fruto. **3.** Pômulo. **4.** Pequena bola na extremidade de um objeto. **5.** *Fig.* Seio de mulher. **6.** *Fig.* Coisa agradável, tentadora mas interdita.

pomo-de-adão *s.m.* Saliência que se encontra na parte anterior do pescoço e que é formada pela cartilagem tireóide.

pompa *s.f.* (gr. *pompe*). **1.** Cerimonial suntuoso. **2.** Gala, magnificência, luxo. **3.** Vaidade, ostentação.

pompear *v.t.* (conj. 15). Exibir com orgulho; ostentar. ★ *v.i.* **1.** Ostentar pompa ou luxo; apresentar riqueza. **2.** *Fig.* Refulgir, brilhar.

pompom *s.m.* (fr. *pompon*). **1.** Tufo de lã, seda etc. usado como ornamento. **2.** Objeto semelhante utilizado para aplicar pó-de-arroz.

pomposo (ô) *adj.* (lat. *pomposus*). Que é feito com pompa.

pômulo *s.m.* (lat. *pomulum*). Maçã do rosto; pomo.

poncã *s.m.* Variedade de tangerina, de casca grossa e frouxa, de dimensões maiores que a espécie original. (Var. PONKAN.)

ponche *s.m.* (ingl. *punch*). **1.** Bebida alcoólica, tipo coquetel, diluída em água mineral e contendo frutas picadas, açúcar e outros ingredientes. **2.** Poncho.

poncho *s.m.* (esp. *poncho*). Capa grossa constituída de um retângulo de fazenda, em cujo centro há uma abertura por onde passa a cabeça; ponche.

ponderação *s.f.* (lat. *ponderatio, ponderationis*). **1.** Ato ou efeito de ponderar. **2.** Reflexão, meditação. **3.** Moderação. **4.** Tino, prudência, juízo.

ponderar *v.t.* (lat. *ponderare*) [conj. 4]. **1.** Apreciar atenta e cuidadosamente. **2.** Medir, pesar. **3.** Avaliar, examinar. ★ *v.i.* Meditar, refletir.

ponderável *adj.2g.* (lat. *ponderabilis*). **1.** Que se deve ponderar, digno de ponderação. **2.** Que pode ser pesado; cujo peso é avaliável.

pônei *s.m.* (ingl. *pony*). Cavalo de pequeno porte e pêlo longo, originário da Escócia e da Irlanda.

PÔNEI ▸ A característica essencial do pônei é sua pequena estatura, que, conforme a raça, chega a 1,45 m, embora alguns não cheguem sequer a 1 m. Em geral, tem cabeça pequena e pescoço forte, adornado por crinas espessas. Possui muito vigor e grande coragem.

ponkan *s.m.* Var. de PONCÃ.

ponta *s.f.* (lat. *puncta*). **1.** Extremidade aguda e perfurante. **2.** Extremidade que se vai gradualmente adelgaçando. **3.** Vértice. **4.** Qualquer extremidade de um objeto. **5.** Pequena quantidade de alguma coisa. **6.** Pequeno papel num espetáculo de teatro, cinema ou televisão. **7.** Parte restante de um cigarro ou charuto já fumado. **8.** Pequeno cabo, ou parte de um cabo que se estreita à medida que avança para o mar. ★ *s.f.pl.* Posição da dançarina treinada em equilíbrio sobre as extremidades das sapatilhas.

pontada *s.f.* Dor aguda e rápida.

ponta-direita *s.2g.* Jogador que, no futebol, progride pelo setor direito da linha de ataque; extrema-direita.

ponta-esquerda *s.2g.* Jogador que, no futebol, progride pelo setor esquerdo da linha de ataque; extrema-esquerda.

pontal *s.m.* **1.** Altura do navio da quilha à primeira coberta. **2.** Ponta de terra que avança pelo mar ou pelo rio. **3.** Pontalete do lenho serrado longitudinalmente.

pontalete (ê) *s.m.* **1.** Peça de madeira destinada a escorar lajes em consolidação etc. **2.** Espeque, escora de madeira. **3.** Forquilha em que descansa o braço do andor nas procissões.

pontapé *s.m.* **1.** Golpe com a ponta do pé; chute. **2.** *Fig.* Ofensa, desfeita.

pontaria *s.f.* **1.** Ação de apontar uma arma ou qualquer projétil em direção a um alvo. **2.** Habilidade de acertar em um alvo.

ponte *s.f.* (lat. *pons, pontis*). **1.** Construção que possibilita a travessia de um curso de água, depressão ou vale. **2.** *Fig.* Tudo o que serve de ligação ou comunicação. ● **Aeron.** *Ponte aérea,* serviço aéreo comercial muito intenso entre duas cidades. **Eletr.** Circuito utilizado para medir resistências ou impedâncias elétricas. **Med.** Reunião de dois canais ou vasos sanguíneos por meio de um enxerto (trecho de veia) ou de um tubo de plástico, empregada em cirurgia cardíaca para substituir um segmento arterial obstruído. **Nav.** Prancha que fecha a cavidade do casco de um navio; coberta de navio. ► *Ponte de navegação,* trecho de convés elevado onde se executam as tarefas de navegação e comando do navio. **Odont.** Aparelho de prótese fixa em forma de ponte com um ou mais vãos contendo dentes falsos que substituem os dentes naturais ausentes.

pontear *v.t.* (conj. 15). **1.** Pontilhar. **2.** Marcar com pontos a costura; alinhavar. **3.** Colocar os dedos sobre as cordas de um instrumento musical para produzir som.

ponteio *s.m.* **1.** Ação ou efeito de pontear. **2.** Composição musical livre, baseada no ponteio dos instrumentos de corda.

ponteira *s.f.* **1.** Peça de metal ou de outro material que se aplica como reforço à extremidade inferior de uma bengala, de um guarda-chuva ou bainha de espada. **2.** Haste de aço terminada em ponta e adaptável a uma ferramenta (martelete, britadeira etc.) para utilização contra materiais duros e resistentes. **3.** Extremidade de uma seringa hipodérmica sobre a qual se encaixa a agulha.

ponteiro *s.m.* **1.** Qualquer agulha ou haste móvel destinada a indicar valores num instrumento de medição. **2.** Pequena haste usada para apontar nos livros, quadros etc. **3.** Instrumento de que se servem os canteiros e escultores para desbastar a pedra. **4.** Ferramenta pontiaguda de seção quadrada ou cilíndrica que serve para marcar e começar o furo de um parafuso, na madeira ou metal. ★ *adj.* Que vem pela ponta.

pontiagudo *adj.* **1.** Aguçado na ponta. **2.** Que termina em ponta.

pontificado *s.m.* (lat. *pontificatus*). **1.** Dignidade de pontífice ou de sumo pontífice. **2.** Período durante o qual se exerce o poder de um papa. **3.** A própria função papal.

pontifical *adj.2g.* (lat. *pontificalis*). **1.** Relativo a pontífice ou pontificado; pontifício, episcopal, papal. ★ *s.m.* Livro que contém a ordem das cerimônias papais ou episcopais.

pontificar *v.i.* (fr. *pontifier*) [conj. 12]. **1.** Celebrar um ofício pontifical. **2.** Afirmar categórica ou enfaticamente; asseverar.

pontífice *s.m.* (lat. *pontifex, pontificis*). **1.** Título dado aos bispos católicos e, em particular, ao papa. **2.** Na Roma antiga, título sacerdotal. **3.** *Sumo pontífice,* o papa.

pontifício *adj.* (lat. *pontificius*). Pontifical.

pontilhão *s.m.* Pequena ponte.

pontilhar *v.t.* (conj. 4). Marcar, desenhar ou perfurar com sucessivos pontos; pontear.

pontilhismo *s.m.* Sin. de DIVISIONISMO.

ponto *s.m.* (lat. *punctum*). **1.** Interseção de duas linhas. **2.** A menor marca ou sinal. **3.** Sinal de pontuação com que se encerra um período; ponto-final. **4.** Sinal gráfico sobre o i e o j; pingo. **5.** Sinal que indica uma abreviação. **6.** Lugar determinado. **7.** Questão, assunto. **8.** Grau, momento, passagem. **9.** Local de parada de coletivos. **10.** Cada furo de agulha feito num tecido com linha, retrós etc., para coser. **11.** Pedaço de linha compreendido entre os dois furos que marcam a entrada e saída da agulha numa costura. **12.** Centésima parte de um quilate. **13.** A unidade, nos sistemas de avaliação do desempenho de um examinando. **14.** A unidade, na contagem que determina o resultado em vários esportes e jogos. **15.** Livro onde os funcionários de uma empresa fazem registro de presença. **16.** Grau de consistência que se dá à calda de açúcar. **17.** *A ponto de,* quase, prestes. ► *Em ponto,* exatamente, precisamente. ● **Automóv.** *Ponto morto,* posição de comando da caixa de mudança que interrompe a transmissão de energia, deixando o movimento previamente iniciado continuar apenas por inércia. **Geogr.** *Pontos cardeais,* o norte, o sul, o leste e o oeste. ► *Pontos colaterais,* o nordeste, o sudeste, o sudoeste e o noroeste. ► *Pontos subcolaterais,* o nor-nordeste, és-nordeste, és-sudeste, su-sudeste, su-sudoeste, oés-noroeste e nor-noroeste. **Gram.** Ponto-final. **Mat.** Figura geométrica sem dimensão; interseção de duas retas. **Mús.** Sinal de duração ou de interpretação.

ponto-de-exclamação *s.m.* Sinal de pontuação (!) colocado depois de uma exclamação ou uma interjeição; exclamação.

ponto-de-interrogação *s.m.* Sinal de pontuação (?) que marca uma interrogação; interrogação.

ponto-e-vírgula *s.m.* Sinal de pontuação (;) que se coloca no fim de uma oração para indicar uma pausa mais alongada, sem que se encerre o período.

ponto-final *s.m.* Sinal de pontuação (.) que indica uma pausa bastante acentuada, marcando o final de uma oração ou de um período; ponto.

pontuação *s.f.* (fr. *ponctuation*). **1.** Ato ou efeito de pontuar. **2.** Parte da ortografia que trata do uso dos sinais ortográficos destinados a marcar as pausas, a melodia e a entonação da frase. ● **Zootec.** Operação que consiste em avaliar e dar nota a um animal em relação a um modelo ideal da raça considerada. ► Total das notas obtidas por este animal.

pontual *adj.2g.* (lat. *punctualis*). **1.** Relativo a ponto. **2.** Que chega à hora marcada. **3.** Feito com exatidão ou no tempo preciso em que foi estabelecido. **4.** Exato no cumprimento dos deveres.

pontualidade *s.f.* **1.** Qualidade do que é pontual. **2.** Exatidão, regularidade.

pontuar *v.t.* (conj. 4). Marcar com pontuação; pôr os sinais ortográficos. ● **Zootec.** Julgar o valor de um animal pelo método da pontuação.

pontudo *adj.* **1.** Que termina em ponta. **2.** Bicudo, aguçado. **3.** *Fig.* Agressivo, ofensivo, áspero.

poodle *s.m.* (ingl.) Cão de estimação muito popular, com pêlo encaracolado.

pool *s.m.* (ingl.). **1.** Associação ou sindicato de produtores. **2.** Consórcio entre empresas concorrentes para monopolizar o mercado. **3.** Concentração, aglomeração, associação.

pop *adj.* e *s.2g.* (ingl., abreviação de *popular*). **1.** Cultura popular, especialmente de língua inglesa, difundida pela comunicação de massa, e ger. destinada ao público jovem. **2.** Diz-se de artista que cria e/ou reproduz esse tipo de cultura (p. ex., um diretor *pop*). **3.** Relativo à *pop art,* no que se refere à temática e à técnica. ★ *s.f.* **1.** Música *pop* ou *pop music* (ingl.), estilo musical originado nos anos 1960, caracterizado principalmente pelo uso de instrumentos elétricos e/ou eletrônicos; canção nesse estilo. ► *Pop art* (ingl.), corrente artística essencialmente anglo-americana, surgida na Inglaterra em torno de 1954-1955.

VOCÊ SABIA...? Elvis Presley, cantor de *rock*, foi um dos primeiros astros *pop*. Nasceu em 1935 no Tennessee, EUA, e morreu em 1979; ficou famoso em meados dos anos 1950, com canções como *Heartbreak Hotel* e *Jailhouse Rock*. Também gravou canções tradicionais e de amor, como *Love Me Tender*. Suas canções ainda hoje são muito populares.

---

popa (ô) *s.f.* (lat. *puppis*). Parte posterior do navio, oposta à proa.

popelina *s.f.* (fr. *popeline*). Tecido de algodão, usado na confecção de roupas femininas, camisas etc.

poplíteo *adj.* Relativo à parte posterior do joelho.

populaça *s.f.* (it. *popolaccio*). O povo das classes baixas; plebe, ralé, populacho.

população *s.f.* (lat. *populatio, populationis*). **1.** Totalidade dos habitantes de um país, de uma região, de uma cidade etc. **2.** Conjunto de indivíduos com características comuns. ● **Astron.** *População estelar,* conjunto de estrelas de uma galáxia que possuem certas propriedades intrínsecas comuns (idade, composição química etc.). **Biol.** Conjunto de indivíduos que se entrecruzam livremente, trocando material genético entre si. **Estat.** Conjunto de indivíduos (seres humanos, seres vivos, objetos inanimados) submetidos a um estudo estatístico. (Sin. UNIVERSO.)

populacho *s.m.* Populaça, ralé.

populacional *adj.2g.* **1.** Relativo a população. **2.** Demográfico.

popular *adj.2g.* (lat. *popularis*). **1.** Relativo ou pertencente ao povo. **2.** Simples, singelo. **3.** Muito conhecido. **4.** Amplamente aceito ou aprovado. **5.** Acessível; barato. **6.** Democrático. ★ *s.m.* Homem do povo.

popularizar *v.t.* (fr. *populariser*) [conj. 4]. Tornar popular; vulgarizar, propagar. ★ *v.pr.* Ganhar popularidade, notoriedade.

populismo *s.m.* Regime ou tendência política fundado no aliciamento dos setores mais pobres da população, cujos interesses promete defender.

populoso (ô) *adj.* (lat. *populosus*). Que possui muitos habitantes.

pôquer *s.m.* (ingl. *poker*). Jogo de cartas de origem norte-americana.

por *prep.* **1.** Estabelece, entre outras relações, as de meio, causa, lugar, finalidade, tempo, qualidade, modo, estado, preço etc. **2.** *Por entre,* através de.

pôr *v.t.* (lat. *ponere*) [conj. 45]. **1.** Colocar (em algum lugar); depor, depositar. **2.** Apoiar, firmar. **3.** Infundir, incutir, instilar. **4.** Meter, guardar. **5.** Atribuir, aplicar, imputar. **6.** Fazer entrar, introduzir. **7.** Deitar. **8.** Exibir, expor. **9.** Estabelecer, determinar. **10.** Acomodar, arranjar. **11.** Acrescentar, incluir. **12.** Opor. **13.** Converter, transformar. **14.** Empregar, usar. ★ *v.i.* Desovar. ★ *v.pr.* **1.** Postar-se. **2.** Desaparecer (o sol) no ocaso. **3.** Começar, principiar.

porão *s.m.* (lat. *planus*). **1.** A parte mais baixa do interior de um navio. **2.** Parte da habitação entre o chão e o assoalho do pavimento térreo.

poraquê *s.m.* (tupi *pura'ke*). Peixe ósseo, de água doce, que possui órgãos elétricos capazes de paralisar e matar grandes animais. (Sin. PEIXE-ELÉTRICO.)

porca *s.f.* (lat. *porca*). **1.** Fêmea do porco. **2.** Peça de metal ou madeira, geralmente sextavada ou quadrada e provida de um furo rosqueado, que se atarraxa num parafuso.

porcalhão *adj.* e *s.m.* (esp. *porcallón*). *Pop.* Que ou aquele que faz porcaria.

porção *s.f.* (lat. *porcio, porcionis*). **1.** Parte de um todo. **2.** Quantidade de pão, de carne etc., dada a cada um; a parte de cada um. **3.** Grande quantidade.

porcaria *s.f.* **1.** Imundície, sujeira. **2.** Coisa malfeita. **3.** Objeto em mau estado ou sem valor. **4.** Obscenidade.

porcelana *s.f.* (do it. *porcella,* porca). **1.** Produto cerâmico de pasta fina, compacta, geralmente branca, vitrificado e revestido, a maior parte, por uma cobertura brilhante e transparente. **2.** Louça fina. **3.** Objeto feito com essa louça.

porcentagem *s.f.* Percentagem.

porcino *adj.* (lat. *porcinus*). Suíno.

porciúncula *s.f.* (lat. *portiuncula*). **1.** Porção diminuta. **2.** Jubileu dos frades franciscanos.

porco (ô) *s.m.* (lat. *porcus*). **1.** Mamífero artiodáctilo, suiforme, criado para o aproveitamento da carne, gordura, vísceras, sangue, couro, casco, ossos e esterco. **2.** *Fig.* Pessoa suja, imunda; vil. ★ *adj.* **1.** Sujo, imundo. **2.** *Fig.* Obsceno, indecente. **3.** *Fig.* Que faz tudo sem apuro nem perfeição; atabalhoado.

porco-bravo *s.m.* Sin. de JAVALI.

porco-do-mato *s.m.* Denominação comum a mamíferos artiodáctilos, suiformes, que ocorrem da Patagônia ao sul dos Estados Unidos.

porco-espinho *s.m.* **1.** Mamífero roedor, que apresenta pêlos transformados em espinhos, e ocorre na Europa e África. **2.** Sin. de OURIÇO-CACHEIRO.

---

porco-montês *s.m.* Sin. de JAVALI.

A B C D E F G H I J K L M N O P Q R S T U V W X Y Z

A B C D E F G H I J K L M N O P Q R S T U V W X Y Z

pôr-do-sol *s.m.* Desaparecimento do sol no ocaso.

porejar *v.t.* (conj. 4). **1.** Verter pelos poros; suar. **2.** Deixar cair gota a gota; ressumar, destilar. ★ *v.i.* Sair pelos poros.

porém *conj.* (lat. *proinde*). Mas, contudo, todavia. ★ *s.m.* Dificuldade, obstáculo, inconveniente.

porfia *s.f.* (lat. *perfidia*). **1.** Disputa com palavras, discussão, contenda. **2.** Perseverança, pertinácia, obstinação. **3.** Disputa, competição, rivalidade.

porfiar *v.i.* (conj. 16). Discutir obstinadamente; altercar. ★ *v.t.* **1.** Insistir, teimar. **2.** Competir, disputar, lutar por.

porfinobilinogênio *s.m.* Aminoácido precursor dos pigmentos biliares.

porfioso (ô) *adj.* (lat. *perfidia*). **1.** Em que há porfia. **2.** Teimoso, insistente, obstinado. **3.** Contínuo, constante, ininterrupto.

poríferos *s.m.pl.* Filo de invertebrados desprovidos de tecidos ou órgãos verdadeiros, que apresentam estrutura corpórea porosa e esqueleto interno formado por espículas, representado pelas esponjas. (Sin. ESPONGIÁRIOS.)

pormenor *s.m.* Minúcia, particularidade.

pornochanchada *s.f.* Gênero brasileiro de filme erótico, derivado da chanchada.

pornografia *s.f.* Descrição ou representação artística, literária, cinematográfica etc. de temas considerados obscenos.

poro *s.m.* (gr. *poros*, passagem). **1.** Cada um dos orifícios microscópicos existentes no interior de material sólido aparentemente compacto. **2.** Orifício de pequeno tamanho ou microscópico na superfície de um tegumento ou de uma mucosa.

? VOCÊ SABIA...? Os **poros** da pele são minúsculos orifícios que servem para eliminar água e sais (o suor) e regular a temperatura do corpo. Milhares de poros estão contidos em 1 cm^2 de pele. A cada dia, eliminamos 1 litro de suor.

---

porongo *s.m.* (esp. *porongo*). Planta trepadeira originária da África que produz grandes frutos ocos de casca dura, utilizados na confecção de cuias e cabaças.

pororoca *s.f.* (do tupi *poro'rog*, estrondar). Onda que atinge vários metros de altura e que se produz principalmente na foz do rio Amazonas, por ocasião das grandes marés, quando se rompe o equilíbrio entre as águas oceânicas que se elevam e a massa de água doce que desce do grande rio.

poroso (ô) *adj.* (lat. *porosus*). **1.** Que tem poros. **2.** Que apresenta porosidade.

porquanto *conj.* Porque, visto que.

porque *conj.* **1.** Pelo motivo de que, já que, visto que, porquanto. **2.** Para que, a fim de que.

porquê *s.m.* Razão, motivo, causa.

porqueira *s.f.* **1.** Curral de porcos; pocilga. **2.** Sujeira, imundície, porcaria.

porquinho-da-índia *s.m.* Sin. de COBAIA.

porrada *s.f.* **1.** Cacetada, pancada; sova de pau. **2.** *Fig.* Revés.

porre *s.m.* *Pop.* Estado de embriaguez; bebedeira.

porrete (ê) *s.m.* **1.** Cacete com uma saliência arredondada numa das extremidades. **2.** Recurso decisivo em certa conjuntura. **3.** Remédio heróico.

porro (ô) *s.m.* (lat. *porrum*). Calo que se forma no lugar de uma fratura. ● **Bot.** Sin. de ALHO-PORRO.

porta[1] *s.f.* (lat. *porta*). **1.** Abertura feita em parede, muro ou muralha, rasgada até o nível do solo ou a pequena altura deste, para dar entrada ou saída. **2.** Peça de madeira ou metal, que gira sobre gonzos, destinada a fechar essa abertura. **3.** Peça de madeira ou metal, móvel ou giratória, destinada a fechar qualquer coisa à maneira de porta. **4.** *P. ext.* Casa, habitação, morada. **5.** Acesso principal a um edifício, a um estabelecimento, a um lugar qualquer; entrada. **6.** *Fig.* O que estabelece comunicação ou transição para outro; portal. ● **Eletrôn.** Circuito de uma ou várias entradas, cuja saída é uma função lógica das entradas.

porta[2] *adj.2g.* **1.** Diz-se do conjunto de vasos sanguíneos entre dois sistemas arteriais ou dois sistemas venosos. **2.** *Sistema porta*, conjunto de veias que drenam o sangue do sistema digestivo para a veia porta. **3.** *Veia porta*, veia que conduz o sangue proveniente do trato digestivo para o fígado.

porta-aviões *s.m.2n.* Navio de guerra cujo principal armamento são os aviões que transporta no convés.

---

porta-bagagem *s.m.* **1.** Porta-malas. **2.** Dispositivo que se adapta a um veículo (carro, bicicleta etc.) para transportar bagagem; xalmas.

porta-bandeira *s.2g.* **1.** Pessoa que conduz uma bandeira em solenidade ou desfile. **2.** Porta-estandarte. ★ *s.m.* Oficial que leva a bandeira do país, a insígnia da unidade militar.

porta-cava ou **porto-cava** *adj.* Pertencente tanto ao sistema porta quanto ao sistema cava.

porta-chaves *s.m.2n.* Chaveiro.

portador (ô) *adj.* e *s.m.* Que ou aquele que porta, conduz ou carrega consigo alguma coisa. ★ *s.m.* Pessoa beneficiária de um título imobiliário. ● **Eletrôn.** Elétron ou lacuna que, em um semi-condutor, transporta carga elétrica. **Med.** Indivíduo que carrega os germes de uma infecção. ★ *adj.* Que carrega ou conduz alguma coisa.

porta-estandarte *s.2g.* **1.** Pessoa que leva o estandarte. **2.** Mulher que nos desfiles de escolas de samba conduz o estandarte; porta-bandeira.

porta-jóias *s.m.2n.* Pequena caixa ou cofre onde se guardam jóias; guarda-jóias.

portal[1] *s.m.* (fr. *portail*). **1.** Porta principal de um edifício, geralmente ornamentada; pórtico. **2.** Ombreira da porta ou portão.

portal[2] *adj.2g.* Relativo ao sistema da veia porta.

porta-malas *s.m.2n.* Parte do veículo de transporte ou do automóvel de passeio em que se acondiciona a bagagem; porta-bagagem.

porta-níqueis *s.m.2n.* Bolsinha para carregar moedas.

portante *adj.2g.* Que porta, leva, carrega. ★ *s.m.* Cada uma das partes (parede, pilastra, viga, laje etc.) que compõe a estrutura de uma construção.

portanto *conj.* Logo, por conseguinte, conseqüentemente.

portão *s.m.* **1.** Porta grande. **2.** Porta de jardim, quintal, pátio, geralmente gradeada e aberta em cerca ou muro; cancela. **3.** *Por ext.* Entrada.

portar *v.t.* (conj. 4). Levar, conduzir, carregar consigo. ★ *v.pr.* Agir, comportar-se, proceder.

portaria *s.f.* **1.** Compartimento na entrada de um edifício ocupado pelo porteiro. **2.** O posto do porteiro. **3.** Vestíbulo, átrio. **4.** Documento oficial de ato administrativo, baixado por autoridade pública e destinado a dar instruções ou fazer determinações de várias ordens.

porta-seios *s.m.2n.* Sutiã.

portátil *adj.2g.* (lat. tard. *portatilis*). **1.** Que se pode transportar com facilidade. **2.** De pequeno volume e peso.

porta-voz *s.2g.* **1.** Pessoa que fala em nome de outrem. **2.** Representante de um governo, de uma autoridade etc. encarregada de falar em seu nome.

porte *s.m.* (lat. *portare,* portar). **1.** Ato de levar, trazer, carregar. **2.** Carga, transporte, condução, frete. **3.** Taxa que se paga pelo transporte de alguma coisa ou franquia de correspondência. **4.** Comportamento, modo de proceder, de apresentar. **5.** Consideração, importância; valor, preço, estimação. **6.** Postura. **7.** Capacidade de carga. **8.** Tamanho, grandeza, dimensão, volume. **9.** *Fig.* Importância, vulto.

porteira *s.f.* **1.** Funcionária encarregada de uma portaria. **2.** Portão móvel que fecha a entrada de uma propriedade rural. **3.** Cancela.

porteiro *s.m.* (lat. *portarius*). **1.** Pessoa encarregada do atendimento ou da vigilância na entrada de um edifício. **2.** *Porteiro eletrônico,* dispositivo com teclado, colocado na entrada de um edifício a fim de permitir a comunicação interfônica com um morador, que pode abrir a porta a distância.

portenho *adj.* Relativo ou pertencente a Buenos Aires, capital da Argentina. ★ *s.m.* O natural ou habitante de Buenos Aires.

portento *s.m.* (lat. *portentum*). **1.** Coisa ou evento maravilhoso; prodígio. **2.** Pessoa de inteligência incomum.

portentoso (ô) *adj.* (lat. *portentosus*). **1.** Que tem caráter de portento. **2.** Raro, extraordinário, insólito. **3.** Extraordinariamente talentoso, culto ou inteligente.

pórtico *s.m.* (lat. *porticus*). **1.** Portal. **2.** Espaço coberto cuja abóbada é sustentada por colunas e que serve de entrada ou vestíbulo. **3.** *Pórtico de elevação,* dispositivo de elevação, geralmente utilizado em grupos de quatro unidades, que permite erguer cargas pesadas como vagões, locomotivas etc. ● **Eletrotéc.** Suporte metálico para cabos elétricos aéreos, fixado num apoio sobre um muro.

portinhola *s.f.* **1.** Pequena porta, especialmente de automóvel ou de trem. **2.** Postigo.

porto (ô) *s.m.* (lat. *portus*). **1.** Abrigo natural ou artificial para embarcações de vários tamanhos, provido de instalações necessárias para o embarque e desembarque de cargas e passageiros. **2.** Cidade dotada de um porto fluvial ou marítimo. **3.** *Fig.* Lugar de repouso, abrigo. ▸ *Chegar a porto e salvamento,* ser bem sucedido. ▸ *Naufragar no porto,* falhar no momento do êxito.

porto-alegrense *adj.2g.* Relativo ou pertencente a Porto Alegre, cidade brasileira. ★ *s.2g.* O natural ou habitante dessa cidade.

porto-riquenho *adj.2g.* Relativo ou pertencente a Porto Rico, país das Antilhas; porto-riquense. ★ *s.m.* O natural ou habitante de Porto Rico; porto-riquense.

porto-riquense *adj.* e *s.2g.* Porto-riquenho.

portuário *adj.* Relativo a porto. ★ *s.m.* Indivíduo ou funcionário que trabalha no porto.

português *adj.* Relativo ou pertencente a Portugal, país da Europa. ★ *s.m.* **1.** Natural ou habitante de Portugal. **2.** Língua românica falada principalmente em Portugal e no Brasil, e também em alguns pontos da África e da Ásia.

portuguesismo *s.m.* **1.** Modo de pensar ou de sentir próprio do português. **2.** Caráter distintivo do português e/ou de Portugal. **3.** Lusitanismo.

porventura *adv.* Acaso, por acaso, talvez.

porvir *s.m.* O tempo que está por vir; futuro.

posar *v.i.* (fr. *poser*). [conj. 4]. **1.** Fazer pose. **2.** Servir de modelo. **3.** Assumir modos afetados para fazer-se notar.

pose (ô) *s.f.* (fr. *pose*). **1.** Ato ou efeito de posar. **2.** Postura, atitude do corpo. **3.** Postura afetada, pretensiosa, artificial.

pós-escrito *adj.* Escrito depois ou no fim. ★ *s.m.* O que se acrescenta a uma carta depois da assinatura.

pós-graduação *s.f.* Formação acadêmica e profissional posterior à graduação, com os cursos de mestrado e doutorado, que constituem a *pós-graduação stricto sensu,* e os de especialização e aperfeiçoamento, de *pós-graduação lato sensu.*

posição *s.f.* (lat. *positio, positionis*). **1.** Lugar onde uma pessoa ou coisa se situa. **2.** Maneira de colocar o corpo ou parte do corpo; postura. **3.** Circunstância, situação, condição. **4.** Condição social e econômica. **5.** Convicção a respeito de um problema; opinião. ● **Med.** Relação da apresentação fetal com a bacia materna no momento do parto. **Mil.** Objetivo a conquistar.

AS CINCO POSIÇÕES DO BALÉ CLÁSSICO

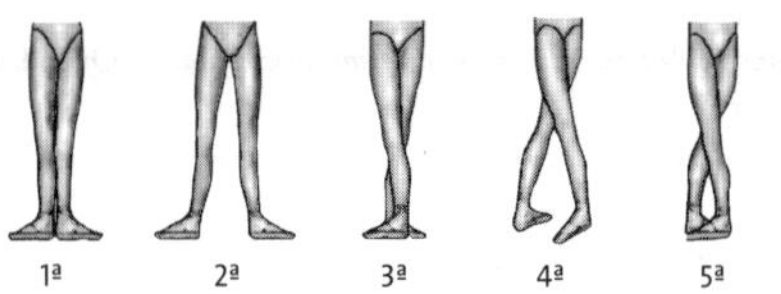

1ª 2ª 3ª 4ª 5ª

posicional *adj.2g.* Relativo a posição.

posicionar *v.t.* (conj. 4). Pôr em posição. **2.** Localizar, situar.

positivar *v.t.* (conj. 4). Tornar positivo.

positivismo *s.m.* (fr. *positivisme*). Doutrina segundo a qual toda a atividade filosófica e científica deve efetuar-se somente no quadro da análise dos fatos verificados pela experiência, rejeitando toda atitude metafísica.

positivo *adj.* (lat. *positivus*). **1.** Que repousa sobre algo seguro, cuja realidade não pode ser posta em dúvida. **2.** Que se apóia nas evidências, nos fatos, na experiência. **3.** Afirmativo. **4.** Concreto, real. **5.** Certo, irrefutável. **6.** Que ordena ou consente. **7.** Que resulta de ato voluntário (p. opos. a *natural*). **8.** Favorável, vantajoso, bom. **9.** Confiante, seguro. ● **Fís.** *Carga elétrica positiva,* carga de natureza oposta àquela que se observa no elétron. **Mat.** Diz-se de um número real maior do que zero. ★ *s.m.* Pessoa incumbida de determinada missão. ● **Fot.** Cópia tirada a partir de um negativo.

pós-meridiano *adj.* Posterior ao meio-dia.

pós-moderno *adj.* Que apresenta idéias, valores estéticos e filosóficos etc. que caracterizam uma ruptura com o modernismo, surgidos nas últimas décadas do séc. XX.

posologia *s.f.* (fr. *posologie*). **1.** Estudo da dosagem e das modalidades de administração dos medicamentos. **2.** Indicação da administração de um medicamento (quantidade e freqüência).

pós-operatório *adj.* e *s.m.* Que ocorre após uma intervenção cirúrgica. ★ *s.m.* O próprio período que sucede uma cirurgia.

pós-parto *s.m.* Puerpério.

pospor (ô) *v.t.* (conj. 45). **1.** Pôr depois. **2.** Delongar, adiar, postergar. **3.** Ter em menos conta; não preferir.

posposição *s.f.* **1.** Ação ou efeito de pospor. **2.** Posição de um elemento após um outro.

posposto (ô) *adj.* Que se pospôs.

possança *s.f.* Potência, vigor, força.

possante *adj.2g.* (Da r. lat. *posse,* poder). Que tem possança ou potência.

posse *s.f.* (lat. *posse*). **1.** Ato ou efeito de possuir. **2.** Domínio de fato exercido sobre um bem, correspondente ou não ao direito de propriedade. **3.** A solenidade da investidura em cargo público. ★ *s.f.pl.* **1.** Haveres, bens. **2.** Capacidade, aptidão; meios, forças, alcance. **3.** *(MG)* Área equivalente a uma légua quadrada.

posseiro *s.m.* **1.** Aquele que tem a posse legal de imóvel indiviso. **2.** O que está ilegitimamente de posse de uma terra particular ou devoluta, como se dono fosse.

possessão *s.f.* (lat. *possessio, possessionis*). **1.** Posse. **2.** Território que um Estado possui; domínio, colônia.

possessivo *adj.* e *s.m.* (lat. *possessivus*). **1.** Diz-se de ou indivíduo que exprime necessidade de posse. **2.** Diz-se de ou pronome que exprime posse, dependência, referência pessoal.

possesso *adj.* (lat. *possessus*). **1.** Possuído pelo demônio; endemoninhado. **2.** Tomado de ira, cólera. ★ *s.m.* Indivíduo possuído pelo demônio.

possibilidade *s.f.* (lat. *possibilitas, possibilitatis*). Qualidade do que é possível. ★ *s.f.pl.* Posses, recursos, meios.

possibilitar *v.t.* (conj. 4). **1.** Tornar possível. **2.** Apresentar como possível.

possível *adj.2g.* (lat. *possibilis*). Que pode ser, cumprir-se ou realizar-se. ★ *s.m.* **1.** O que é possível ou realizável. **2.** O que está dentro das possibilidades ou da capacidade de alguém.

possuir *v.t.* (lat. *possidere*) [conj. 74]. **1.** Ter a posse ou o domínio de; ter em seu poder. **2.** Ter como propriedade. **3.** Ser dotado de. **4.** Encerrar, conter. **5.** Desfrutar, dispor de. **6.** *Fig.* Tomar completamente; dominar. **7.** *Fig.* Copular com (uma mulher). ★ *v.pr.* Compenetrar-se, imbuir-se.

posta *s.f.* (it. *posta,* do lat. *positus,* posto). **1.** Pedaço ou talhada de peixe e, p. ext., de carne, toucinho etc.; naco. **2.** Outrora, empresa de diligências utilizada no transporte de passageiros e de bagagens. **3.** Administração pública para o transporte das cartas; correio.

postal *adj.2g.* (fr. *postal*). **1.** Relativo à posta ou ao correio. **2.** *Arte postal,* expressão artística contemporânea que utiliza o sistema postal e seu material. ★ *s.m.* Cartão-postal.

postalista *s.2g.* Funcionário dos correios.

postar[1] *v.t.* (conj. 4). Colocar num posto; dispor. ★ *v.pr.* Pôr-se, colocar-se.

postar[2] *v.t.* (conj. 4). Pôr no correio.

posta-restante *s.f.* **1.** Indicação que se põe no sobrescrito de uma carta para advertir que ela deve ficar no posto do correio até que seja reclamada. **2.** Lugar onde ficam tais cartas.

poste *s.m.* (lat. *postis*). **1.** Peça fincada verticalmente no solo. **2.** Pilar de madeira ou concreto destinado a sustentar os fios telegráficos, telefônicos ou elétricos. **3.** Coluna de portada de um edifício. **4.** Suporte destinado a sustentar uma ou mais luminárias sobre uma via pública.

pôster *s.m.* (ingl. *poster*). Cartaz impresso que reproduz ilustrações de gosto popular para servir como decoração.

postergar *v.t.* (lat. *postergare*) [conj. 14]. **1.** Deixar atrás ou em atraso, preterir. **2.** Pospor, adiar, transferir. **3.** Desdenhar, desprezar.

posteridade *s.f.* (lat. *posteritas, posteritatis*). **1.** Descendência, progenitura. **2.** Conjunto dos indivíduos que virão depois de nós. **3.** Tempo futuro.

posterior (ô) *adj.2g.* (lat. *posterior*). **1.** Que vem depois. **2.** Que está atrás. ● **Fon.** Diz-se de um fonema cujo ponto de articulação se situa na parte posterior do conduto vocal. (Sin. VELAR.)

póstero *adj.* (lat. *posterus*). Que há de vir depois de nós; porvindouro, futuro. ★ *s.m.pl.* Posteridade, as gerações futuras.

póstero-exterior *adj.2g.* Que está atrás e por fora.

póstero-inferior *adj.2g.* Que está atrás e por baixo.

póstero-interior *adj.2g.* Que está atrás e por dentro.

póstero-superior *adj.2g.* Que está atrás e por cima.

postiço *adj.* (lat. *appositicius*). **1.** Acrescentado depois de pronta a obra. **2.** Que se pode pôr ou tirar. **3.** Que não é natural; falso, artificial. **4.** Que não é legítimo.

postigo *s.m.* (lat. *postis*). **1.** Abertura feita em porta ou janela e através da qual se pode olhar sem necessidade de abrir a peça maior; portinhola. **2.** Porta de ventilação, aberta em outra de maiores dimensões, para reduzir o débito de ar nas galerias de uma mina.

posto[1] (ô) *adj.* (lat. *postus*). Colocado, disposto.

posto[2] (ô) *s.m.* **1.** Lugar ocupado por pessoa ou coisa com certa permanência. **2.** Nome dado a certas repartições ou estabelecimentos subordinados a outros. **3.** Local ou instalação com finalidade específica. **4.** Qualquer lugar, fortificado ou não, onde um corpo de tropas está alojado. **5.** Emprego, cargo, dignidade. **6.** O local onde se exerce esse cargo.

postônico *adj.* Diz-se do fonema ou sílaba que se coloca após uma sílaba acentuada.

postulado *s.m.* (lat. *postulatum*). **1.** Proposição não evidente, nem demonstrável, que se admite como verdadeira para proceder a um raciocínio. **2.** Período preparatório para o noviciado religioso.

postulante *adj.2g.* e *s.2g.* (lat. *postulans, postulantis*). **1.** Que ou aquele que postula ou pede com insistência. **2.** Candidato. **3.** Aspirante ao noviciado religioso.

postular *v.t.* (conj. 4). **1.** Demandar, solicitar; rogar, implorar. **2.** Colocar uma proposição, uma afirmação, como postulado. ● **Dir.** Requerer em juízo apresentando a documentação necessária para a instrução de um processo.

póstumo *adj.* **1.** Posterior à morte de alguém. **2.** Publicado ou divulgado após a morte do autor.

postura *s.f.* **1.** Determinada posição do corpo. **2.** Aspecto físico; porte. **3.** Atitude, comportamento, maneira. **4.** Ato ou efeito de pôr os ovos, por uma mesma fêmea. **5.** Os ovos que as aves põem durante certo número de dias. **6.** A época da postura.

postural *adj.2g.* Relativo à postura.

potabilidade *s.f.* Qualidade de potável.

potassa *s.f.* (al. *Pottasche,* cinza de panela). **1.** Hidróxido de potássio. **2.** Nome genérico dos carbonatos de potássio.

potássio *s.m.* (ingl. *potassium*). Elemento químico (símb. K) de número atômico 19, do grupo dos alcalinos, que constitui um sólido branco-prateado, bastante maleável e cujos compostos têm grande aplicação como fertilizantes.

potássico *adj.* Que contém potássio ou potassa.

potável *adj.2g.* (lat. tard. *potabilis*). Diz-se da água própria para ser bebida.

POTÁVEL ► Diferentes técnicas podem ser empregadas para tornar a água potável. A purificação em grande escala usualmente compreende as seguintes etapas:

- *Floculação*: produtos químicos, como o sulfato de alumínio, são adicionados para separar as partículas orgânicas suspensas, inclusive bactérias e vírus, que são extraídas posteriormente.
- *Filtragem*: a água passa através de filtros de areia ou de terra e de carvão para separar as substâncias sólidas residuais.
- *Desinfecção*: adiciona-se cloro para eliminar os vírus e bactérias presentes. Os cistos de protozoários, alguns esporos bacterianos e alguns vírus não são afetados. Os filtros domésticos, que geralmente contêm grãos de carvão ativado, alumina etc., podem separar e eliminar de maneira eficaz substâncias sólidas e agentes patogênicos, inclusive os cistos de protozoários. Ferver a água é uma medida útil e segura.

---

pote *s.m.* (lat. *pottus*). **1.** Vaso de barro para líquidos. **2.** Pequeno recipiente de uso doméstico e industrial. **3.** O conteúdo desse recipiente. **4.** Antiga medida para líquidos, correspondente a cerca de 8,400 litros.

potência *s.f.* **1.** Qualidade de potente; poder. **2.** Possibilidade, virtualidade. **3.** Poder, força, vigor. **4.** Autoridade, mando. **5.** Estado soberano com poderio. **6.** Vigor sexual. **7.** *Fig.* Pessoa influente. ● **Filos.** Possibilidade. **Fís.** Quociente da energia trocada por dois sistemas físicos pelo tempo que dura esta troca. **Mat.** Operação matemática na qual um número multiplica ele mesmo um certo número de vezes. **Ópt.** Relação entre o ângulo sob o qual é vista a imagem de um objeto produzida por um instrumento óptico e o comprimento deste objeto.

potenciação *s.f.* Ato de elevar um número real a uma potência dada.

potencial *adj.2g.* **1.** Relativo a potência. **2.** Que exprime possibilidade; virtual. ● **Fís.** *Energia potencial,* energia mecânica acumulada disponível, que pode gerar movimento. ★ *s.m.* **1.** Força ou poder de que se pode dispor. **2.** *Fig.* Capacidade de realização. ● **Fís.** *Potencial elétrico,* relação entre a energia potencial de um ponto e a carga elétrica, em um campo elétrico. **Neurol.** *Potencial de ação,* diferença de potencial elétrico que corresponde a uma corrente elétrica observável de um lado e do outro da membrana de uma fibra nervosa quando o sinal nervoso é emitido.

POTENCIAL ► Em física, costuma-se dizer que existem dois tipos de energia mecânica: a cinética e a potencial. A primeira é o trabalho que se pode realizar devido ao movimento. A segunda é a que se obtém da posição e do estado em que se encontra um corpo. Uma mola comprimida tem energia potencial; no momento em que ela abandonar seu estado de compressão, essa energia será liberada. Pode-se dizer que a energia potencial consiste na energia acumulada de um corpo.

---

potencializar *v.t.* (conj. 4). **1.** Tornar potente. **2.** Reforçar os efeitos de um medicamento pela administração de outro medicamento.

potenciômetro *s.m.* Dispositivo utilizado para medir diferenças de potencial entre partes do circuito de um aparelho.

potentado *s.m.* (lat. *potentatus*). **1.** Soberano de poder absoluto; potestade. **2.** *Fig.* Homem muito poderoso; potestade.

potente *adj.2g.* (lat. *potens, potentis*). **1.** Que pode. **2.** Capaz de produzir um grande efeito. **3.** Que tem grande força ou influência. **4.** Eficaz. **5.** Violento, rude.

potestade *s.f.* (lat. *potestas, potestatis*). **1.** Poder, potência, força. **2.** Potentado. **3.** *P. ext.* A divindade. ★ *s.f.pl.* Os anjos da sexta hierarquia.

potiguar *adj.2g.* e *s.2g.* Rio-grandense-do-norte.

potiguara *s.2g.* Indivíduo dos potiguaras, povo indígena tupi-guarani que vive na Paraíba.

potoca *s.f.* *Pop.* Mentira.

potra (ô) *s.f.* **1.** Égua que ainda não atingiu a maturidade sexual. **2.** Hérnia intestinal; quebradura. **3.** Doença dos vegetais caracterizada por saliências nodosas na haste, na raiz etc.

potranco *s.m.* Potro novo.

potreiro *s.m.* **1.** Negociante de potros e, em geral, de animais para cavalaria e tiro. **2.** Alpendre ou pátio em que se guardam potros para adestrar. **3.** Pequeno campo cercado, próximo de uma estância, no qual se recolhem os animais utilizados nos trabalhos cotidianos ou que estão sendo tratados.

potro (ô) *s.m.* Cavalo novo; poldro.

pouca-vergonha *s.f.* **1.** Ato vergonhoso e imoral; patifaria. **2.** Falta de vergonha.

pouco *adv.* (lat. *paucus*). **1.** Em pequena quantidade. **2.** *Pouco a pouco* ou *pouco e pouco,* gradualmente. ★ *pron. indef.* **1.** Escasso, reduzido. **2.** (no *pl.*) Não muitas pessoas. ★ *s.m.* Pequena quantidade.

pouco-caso *s.m.* Desprezo, descaso, desdém.

poupa *s.f.* **1.** Ave coraciforme, de plumagem vermelha, marcada de preto e branco, com um tufo de penas na cabeça. **2.** Ramalhete de penas eretas, bem diferentes do restante da plumagem, que certas aves portam na cabeça. **3.** *Pop.* Nó de cabelo feito no alto da cabeça.

poupança *s.f.* **1.** Ato pelo qual se deixa de consumir ou de gastar um bem (mais freqüentemente uma quantia de dinheiro); economia. **2.** Despesa moderada, economia. **3.** *Fam.* Sovinice, mesquinhez.

poupar *v.t.* (lat. *palpare,* apalpar, acariciar) [conj. 4]. **1.** Gastar com reserva, não desperdiçar; economizar. **2.** Evitar despender. **3.** *Fig.* Empregar com cautela. **4.** Pôr a salvo, garantir. **5.** Tratar com consideração, respeitar.

pousada *s.f.* **1.** Ato ou efeito de pousar. **2.** Local onde se pousa durante uma jornada; albergaria, hospedaria, estalagem. **3.** Parada numa casa, a fim de descansar, quando em viagem. **4.** Residência, morada, choupana. **5.** Abrigo, agasalho, acolhimento. **6.** Pernoite.

pousar *v.t.* (lat. *pausare*) [conj. 4]. Pôr, colocar, assentar, apoiar. ★ *v.t.* e *v.i.* **1.** Descer, baixar, cessar o vôo. **2.** Aterrissar, aterrar, amerissar. **3.** Abrigar-se, recolher-se, pernoitar.

pouso *s.m.* **1.** Ato ou efeito de pousar. **2.** Lugar ou sítio onde uma ave descansa de voar. **3.** Lugar onde alguém descansa temporariamente; pousada. **4.** Telheiro ou choça à beira dos caminhos para o abrigo de viandantes; rancho.

povaréu *s.m.* **1.** Multidão. **2.** Populaça, ralé.

povo (ô) *s.m.* (lat. *populus*). **1.** Conjunto de indivíduos que constituem uma nação. **2.** Conjunto de indivíduos de uma mesma região, cidade, vila ou aldeia. **3.** Lugarejo, aldeia, vila, pequena povoação. **4.** O público, considerado em seu conjunto. **5.** Multidão. **6.** *Fam.* Família, a gente da casa. **7.** Grande número; quantidade.

povoação *s.f.* **1.** Ato ou efeito de povoar; povoamento. **2.** Habitantes de uma cidade, aldeia ou região. **3.** Lugar povoado.

povoado *s.m.* Pequena localidade habitada; povoação, lugarejo. ★ *adj.* **1.** Que tem população densa. **2.** Diz-se do que se povoou.

povoar *v.t.* (conj. 20). **1.** Fixar-se (o ser humano, em número considerável) em lugar antes desabitado. **2.** Tornar habitado, prover de habitantes. **3.** Dotar, prover.

praça *s.f.* (gr. *plateia*). **1.** Lugar público numa cidade ou vila, amplo, rodeado de edifícios e geralmente ajardinado; largo. **2.** Feira, mercado. **3.** Comunidade comercial e financeira de determinada cidade. **4.** Freguesia, clientela. **5.** Hasta pública, arrematação. **6.** Lugar povoado, cidade. ★ *s.m.* Militar de baixa patente, de recruta até primeiro-sargento; militar que não tem patente de oficial.

pracinha *s.m.* Soldado da Força Expedicionária Brasileira, na II Guerra Mundial.

pradaria *s.f.* **1.** Série de prados. **2.** Grande extensão de terrenos planos. **3.** Formação vegetal herbácea, com predomínio de gramíneas.

prado *s.m.* (lat. *pratum*). **1.** Terreno coberto de plantas herbáceas para a pastagem dos animais. **2.** Hipódromo.

praga *s.f.* (lat. *plaga*). **1.** Grande calamidade; desgraça. **2.** Mal imprecado contra alguém. **3.** A própria imprecação de um mal. **4.** Pessoa ou coisa que aflige. **5.** Grande quantidade de coisas importunas. **6.** Designação comum de insetos e doenças que atacam plantas e animais.

pragmática *s.f.* (lat. *pragmatica*). **1.** Coleção de regras ou de fórmulas que regulam os atos e cerimônias da corte e da Igreja. **2.** *P. ext.* Formalidade de cortesia ou de etiqueta. **3.** *Ant.* Toda e qualquer lei que não fosse decreto ou ordenança real. ● **Ling.** Ramo da lingüística que propõe integrar ao estudo da linguagem o papel dos usuários, bem como as situações em que a linguagem é utilizada.

pragmático *adj.* (gr. *pragmatikós*). **1.** Que se fundamenta nos fatos. **2.** Que só considera os acontecimentos práticos. **3.** Relativo ao pragmatismo; pragmatista. ★ *s.m.* Adepto do pragmatismo; pragmatista.

pragmatismo *s.m.* (ingl. *pragmatism*). Sistema filosófico que propõe a prática como critério de verdade.

praguejar *v.i.* (conj. 4). **1.** Soltar pragas ou imprecações; amaldiçoar, vociferar. **2.** Encher-se de pragas ou vegetais daninhos. **3.** Existir em grande quantidade.

praguicida *adj.2g.* e *s.m.* Sin. de AGROTÓXICO.

praia *s.f.* (lat. *plagia*). **1.** Porção do litoral compreendida entre as mais altas e as mais baixas marés, geralmente coberta de areia ou cascalho. **2.** Parte do leito de um rio, recoberta da areia, que fica a descoberto quando as águas baixam.

praiano *adj.* **1.** Relativo a praia. **2.** Situado na praia. ★ *s.m.* Habitante do litoral.

praieiro *adj.* e *s.m.* Praiano. ★ *s.m.* Rebelde da Revolução Praieira.

prancha *s.f.* (lat. *planca*). **1.** Tábua grossa e larga. **2.** Tábua larga que serve para dar passagem de uma embarcação para a terra. **3.** Canoa ou embarcação fluvial em algumas regiões do Brasil. **4.** Vagão ferroviário aberto de todos os lados. **5.** Gravura, estampa. **6.** *Pop.* Recusa a pedido de casamento; tábua. **7.** Tábua comprida e estreita de madeira ou de plástico com que deslizam nas ondas os surfistas. **8.** *De prancha,* com a folha da espada ou do sabre.

prancheta (ê) *s.f.* (fr. *planchette*). **1.** Pequena prancha. **2.** Apoio destinado a fixar o papel para escritura, desenho ou pintura.

prantear *v.t.* (conj. 15). Derramar pranto por; lamentar, lastimar. ★ *v.i.* Verter lágrimas; chorar. ★ *v.pr.* Lastimar-se.

pranto *s.m.* (lat. *planctus,* queixa). **1.** Choro, lágrimas. **2.** Lamúrias, lamentações. **3.** *Gír.* Cantiga, serenata.

praseodímio *s.m.* Elemento químico (símb. Pr) de número atômico 59, do grupo das terras-raras, que constitui um metal branco prateado bastante maleável.

prata *s.f.* **1.** Elemento químico (símb. Ag) de número atômico 47, que constitui um metal precioso de cor branca e brilho intenso, condutor de energia e de grande importância econômica. **2.** Liga deste metal com certa quantidade de cobre. **3.** Moeda ou baixela feita desse metal. **4.** *Pop.* Dinheiro.

VOCÊ SABIA...? Pela facilidade com que pode ser trabalhada, a **prata** foi um dos metais usados em objetos de luxo e artísticos nas civilizações do mundo antigo. Foi também um dos primeiros metais usados para a cunhagem de moedas, já que permitia reduzir o peso e o tamanho das grandes peças de cobre ou bronze. O metal era extraído em minas européias e jazidas do Oriente Próximo.

prataria *s.f.* Conjunto de peças (baixela, talheres, enfeites e acessórios) de prata ou metal prateado.

prateado *adj.* **1.** Revestido de prata ou de uma solução de prata; argenteado. **2.** *Fig.* Com aspecto de prata. ★ *s.m.* **1.** A cor da prata. **2.** O que tem camada de prata; a própria camada.

pratear *v.t.* (conj. 15). **1.** Recobrir (um objeto qualquer) com uma folha fina ou camada de prata. **2.** *Poét.* Dar o brilho, a alvura da prata.

prateleira *s.f.* (port. arc. *pratel,* dim. de *prato*). **1.** Tábua disposta horizontalmente, na qual se colocam livros, papéis e outros objetos. **2.** Cada uma das tábuas internas horizontais de uma estante ou armário.

prática *s.f.* (gr. *praktiké*). **1.** Execução concreta de uma ação. **2.** Aplicação na realidade dos conceitos formulados no espírito. **3.** Comportamento usual, costume. **4.** Experiência, vivência. ● **Filos.** O que diz respeito à ação e que, portanto, se opõe à teoria.

praticante *adj.2g.* e *s.2g.* **1.** Que ou aquele que observa as práticas de uma religião. **2.** Que ou aquele que se está exercitando numa profissão.

praticar *v.t.* (lat. *practicare*) [conj. 12]. **1.** Pôr em prática. **2.** Exercer, desempenhar, cumprir. **3.** Pôr em ação, executar. **4.** Proferir, dizer. **5.** Professar, adotar. **6.** Freqüentar. **7.** Tratar com intimidade ou amizade. ★ *v.i.* Adquirir prática ou experiência.

praticável *adj.2g.* **1.** Que se pode praticar. **2.** Que pode dar passagem; transitável.

prático *adj.* (gr. *praktikós*). **1.** Que se verifica na prática. **2.** Dirigido para a ação e não para a teoria. **3.** De fácil aplicação ou uso. **4.** Que tem o senso da realidade. ★ *s.m.* Profissional que exerce a profissão liberal sem diploma legal.

prato *s.m.* (gr. *platys,* plano, chato). **1.** Recipiente plano, comumente circular, de porcelana, cerâmica, metal etc. em que se serve comida. **2.** *P. ext.* Conteúdo de um prato; pratada. **3.** Cada uma das iguarias servidas numa refeição. **4.** Cada uma das conchas da balança ordinária onde são postos pesos e os objetos a pesar. **5.** Címbalo. **6.** Queijo de origem brasileira, de massa dura, meio cozida, não fermentada, de coloração amarelo-ouro. **7.** Num toca-discos, parte que suporta o disco durante a leitura.

praxe *s.f.* (gr. *praxis,* ação). **1.** Procedimento normal. **2.** Uso, costume. **3.** Conjunto de normas e solenidades que devem ser observadas no curso de uma ação legal.

práxis (cs) *s.f.2n.* (gr.). Segundo o marxismo, conjunto das atividades humanas que promovem a transformação da organização social.

prazenteiro *adj.* **1.** Jovial, afável, alegre. **2.** Agradável, prazeroso.

prazer[1] *s.m.* **1.** Contentamento, alegria, jovialidade. **2.** Satisfação, deleite, delícia. **3.** Boa vontade, agrado. **4.** Distração, divertimento. **5.** Satisfação sexual; gozo. ● **Psican.** *Princípio de prazer,* princípio que rege, juntamente com o princípio de realidade, o funcionamento psíquico, e que se caracteriza por impor a satisfação imediata das pulsões.

prazer[2] *v.i.* (lat. *placere*) [conj. 49]. Causar satisfação ou prazer a; agradar, comprazer, aprazer.

prazeroso (ô) *adj.* Em que há prazer; prazenteiro.

prazo *s.m.* (lat. *placitus,* de *placitus dies,* dia consentido). **1.** Tempo para fazer alguma coisa. **2.** Tempo fixo e determinado. **3.** Prorrogação de uma data marcada para o cumprimento de alguma coisa. **4.** Fim de determinado período de tempo.

pré *s.m.* (fr. *prêt*). Vencimento diário dos militares que não têm patente de oficial.

preá *s.2g.* (tupi *apere'a*). Denominação comum a mamíferos roedores que ocorrem no Brasil, Paraguai, Uruguai e Argentina.

preamar *s.f.* (lat. *plena mare*). Maré cheia, maré alta.

preâmbulo *s.m.* (lat. *preambulum*). **1.** Exórdio, prefácio de um livro, uma narração, um discurso etc. **2.** Relatório que precede uma lei, um decreto uma portaria etc. **3.** O que precede; preliminar.

preanunciar *v.t.* (conj. 16). Prenunciar.

prebenda *s.f.* (lat. med. *præbenda*). **1.** Parte de bens tirada de uma igreja e dada a um clérigo para sua subsistência, em função de seu ministério. **2.** Título ao qual está ligada uma prebenda. **3.** *Fig.* Ocupação rendosa, que exige pouco trabalho; sinecura.

pré-cambriano *s.m.* Era geológica compreendida entre o início da formação do planeta e o paleozóico, com duração aproximada de 4 bilhões de anos. ★ *adj.* Relativo ou pertencente a essa época.

PRÉ-CAMBRIANO ► O pré-cambriano representa um período muito longo, desde a formação do globo (há 4,6 bilhões de anos) até 570 milhões de anos atrás, ou seja, durou cerca de 4 bilhões de anos. Subdivide-se em arqueano (da origem até 2,5 bilhões de anos atrás) e proterozóico (de 2 bilhões até 570 milhões de anos atrás). Os primeiros sinais de vida datam de 3,8 bilhões de anos e se apresentaram na forma de bactérias associadas com algas azuis.

---

precariedade *s.f.* Qualidade ou estado do que é precário.

precário *adj.* (lat. *precarius*). **1.** Que tem pouca estabilidade ou duração; incerto, provisório. **2.** Frágil, débil. **3.** Escasso, insuficiente.

precatado *adj.* Que tem ou denota precaução; precavido, acautelado.

precatar *v.t.* (conj. 4). Pôr de sobreaviso; acautelar, prevenir. ★ *v.pr.* **1.** Acautelar-se, precaver-se. **2.** Perceber, dar-se conta de alguma coisa. **3.** Preparar-se, dispor-se.

precatório *adj.* **1.** Em que se pede algo; rogatório. ● **Dir.** *Carta precatória* ou *precatória* (*s.f.*), solicitação feita por um órgão judicial a outro para que pratique ato processual relativo exclusivamente à sua jurisdição.

precaução *s.f.* (lat. *præcautio, præcautionis*). **1.** Cautela antecipada; prevenção. **2.** Cuidado, prudência.

precaver *v.t.* (lat. *præcavere*) [conj. 50]. Prevenir, acautelar, precatar. ★ *v.pr.* Acautelar-se, proteger-se.

precavido *adj.* Prevenido, acautelado, prudente.

prece *s.f.* (lat. *preces*). **1.** Ato religioso pelo qual os homens dirigem súplicas, agradecimentos ou louvores a Deus; reza, oração. **2.** Pedido insistente; súplica.

precedência *s.f.* (lat. *præcedentia*). **1.** Qualidade de precedente; precessão. **2.** Antecedência no tempo, na ordem ou no lugar. **3.** Direito de preceder; preferência. **4.** Posição de autoridades na hierarquia oficial, tal como notavelmente se manifesta quando das cerimônias públicas.

precedente *adj.2g.* (lat. *præcedens, præcedentis*). Que precede; antecedente. ★ *s.m.* **1.** Fato pregresso. **2.** Acontecimento do passado que guarda analogia com uma situação atual.

preceder *v.t.* (lat. *præcedere*) [conj. 5]. **1.** Estar adiante de; anteceder. **2.** Chegar antes de. **3.** Existir antes de. **4.** Suceder ou ocorrer antes de; anteceder. ★ *v.i.* Vir antes; anteceder.

preceito *s.m.* (lat. *præceptum*). **1.** Regra de conduta; norma. **2.** Ensinamento, doutrina. **3.** Mandamento, prescrição.

preceituário *s.m.* Coleção ou conjunto de preceitos ou normas.

preceptor (ô) *s.m.* (lat. *præceptor*). **1.** Aquele que ministra preceitos ou instruções; mestre, mentor. **2.** Pessoa incumbida de acompanhar e orientar a educação de uma criança ou de um adolescente.

precessão *s.f.* Ato ou efeito de preceder. ● **Astron.** Para uma órbita que corta um plano horizontal de referência, variação da posição dos pontos de interceptação. ▸ *Precessão dos equinócios,* variação da posição dos equinócios sobre a eclíptica.

preciosismo *s.m.* (lat. *pretiositas, pretiositatis*). Tendência ao refinamento na expressão literária, que se manifestou na França no século XVII.

precioso (ô) *adj.* (lat. *pretiosus*). **1.** Que tem alto preço. **2.** *Fig.* Que é de grande apreço ou estimação. **3.** Magnífico, suntuoso, rico. **4.** Presumido, afetado, amaneirado.

precipício *s.m.* (lat. *præcipitum*). **1.** Lugar escarpado e muito profundo; abismo, despenhadeiro. **2.** *Fig.* Grave perigo. **3.** *Fig.* Grande desgraça; ruína, perdição.

precipitação *s.f.* (lat. *præcipitatio, præcipitationis*). **1.** Ato ou efeito de precipitar(-se). **2.** Pressa irrefletida. **3.** Irreflexão, inconsideração. ● **Meteor.** Quantidade de água, neve, granizo, que se precipita da atmosfera para o solo, em determinado período. **Quím.** Fenômeno no qual uma substância em solução se separa de seu solvente e se deposita no fundo do recipiente.

precipitado *adj.* **1.** Que procede de maneira inconsiderada ou impensada; irrefletido, imprudente. **2.** Arrebatado, apressado. ★ *s.m.* Indivíduo que procede sem refletir. ● **Quím.** Depósito formado em um líquido por uma precipitação química.

precipitar *v.t.* (lat. *præcipitare*) [conj. 4]. **1.** Impelir de cima para baixo; despenhar. **2.** Lançar, arremessar, atirar. **3.** Levar, arrastar a. **4.** Apressar, antecipar. ● **Quím.** Provocar a precipitação de uma substância química. ★ *v.pr.* **1.** Lançar-se de cima para baixo; abismar-se. **2.** Correr vertiginosamente. **3.** Lançar-se com ímpeto; arrojar-se, atirar-se. **4.** Apressar-se. ● **Quím.** Falando-se de uma substância química, passar pela precipitação.

precípite *adj.2g.* (lat. *præceps, præcipitis*). **1.** Que está prestes a precipitar-se; precipitoso. **2.** Rápido, veloz.

precípuo *adj.* (lat. *præcipuus*). **1.** Principal, essencial. **2.** Específico, próprio.

precisão *s.f.* (lat. *præcisio, præcisionis*). **1.** Qualidade do que é exato, definido, preciso. **2.** Carência do que é necessário.

precisar *v.t.* e *v.i.* (conj. 4). **1.** Determinar, indicar com exatidão. **2.** Ter necessidade de; carecer. ★ *v.i.* **1.** Ser pobre, passar necessidades. **2.** Ser necessário.

preciso *adj.* (lat. *præcisus*). **1.** Necessário, urgente. **2.** Exato, certo. **3.** Determinado, definido. **4.** Justo, categórico. **5.** Nítido, claro. **6.** Rigorosamente dentro das especificações.

preclaro *adj.* (lat. *præclarus*). **1.** Famoso, ilustre, notável. **2.** Belo, formoso.

preço (ê) *s.m.* (lat. *pretium*). **1.** Valor de uma mercadoria ou de um trabalho expresso em dinheiro. **2.** Recompensa, prêmio. **3.** Castigo, punição. **4.** Valor, importância, quilate.

precoce *adj.2g.* (lat. *præcox, præcocis*). **1.** Prematuro. **2.** Desenvolvido ou formado antes do tempo normal.

preconceber *v.t.* (conj. 5). **1.** Conceber antecipadamente. **2.** Conceber sem exame nem reflexão prévia; prejulgar.

preconcebido *adj.* **1.** Concebido antecipadamente; premeditado. **2.** Concebido irrefletidamente.

preconceito *s.m.* **1.** Opinião adotada sem exame nem conhecimento prévio; prejuízo. **2.** Superstição, crendice.

preconceituoso (ô) *adj.* Que tem preconceitos.

preconização *s.f.* Ato ou efeito de preconizar.

preconizar *v.t.* (lat. *præconizare*) [conj. 4]. **1.** Anunciar publicamente. **2.** Apregoar, pregar. **3.** Divulgar, propagar. **4.** Elogiar, louvar.

pré-consciente *adj.2g.* Relativo ou pertencente ao pré-consciente. ★ *s.m.* Instância do aparelho psíquico cujos conteúdos não sofreram recalque e são susceptíveis de se tornarem conscientes.

precordial *adj.2g.* Diz-se da região torácica anterior ao coração.

precursor (ô) *adj.* e *s.m.* (lat. *præcursor*). **1.** Que ou aquele que precede ou se antecipa. **2.** Que ou aquele que anuncia, prepara ou propicia o advento de algo ou alguém.

predação *s.f.* Modo de nutrição, comum no reino animal, que consiste na captura e morte da presa pelo predador.

predador (ô) *adj.* (lat. *prædator*). **1.** Que preda. **2.** Diz-se dos animais que se alimentam de presas vivas. ★ *s.m.* **1.** Animal que pratica a predação. **2.** Homem pré-histórico que obtinha sua alimentação por meio da predação.

O gavião é um predador que caça ratos, cobras e coelhos.

predar *v.t.* (conj. 4). **1.** Roubar ou subtrair com violência; rapinar. **2.** Saquear. **3.** Viver de saques, à maneira de piratas e corsários. **4.** Capturar pela caça ou pela rapina.

pré-datado *adj.* Datado antecipadamente.

pré-datar *v.t.* (conj. 4). Colocar data antecipada em.

predatório *adj.* (lat. *prædatorius*). Relativo a predação.

predecessor (ô) *s.m.* (lat. *prædecessor*). Antecessor.

predestinar *v.t.* (lat. *prædestinare*) [conj. 4]. **1.** Destinar de antemão. **2.** Determinar (Deus) os desígnios da vida humana.

predeterminar *v.t.* (conj. 4). Determinar antecipadamente.

predial *adj.2g.* Relativo a prédio.

pré-diastólico *adj.* Que precede a diástole, o relaxamento cardíaco.

prédica *s.f.* Prática, sermão, pregação, homilia, predicação.

predicação *s.f.* (lat. *prædicatio, prædicationis*). **1.** Ação de predicar. **2.** Prédica. **3.** Relação estabelecida entre o sujeito e o predicado. ● **Gram.** Atribuição de propriedades aos seres ou aos objetos por meio de um predicado.

predicado *s.m.* (lat. *prædicatum*). **1.** Atributo ou propriedade característica de uma coisa. **2.** Dote, virtude, qualidade. ● **Gram.** Termo da oração no qual se enuncia um fato ou se diz alguma coisa do sujeito. **Lóg.** O que se afirma de um sujeito ou que se diz que lhe pertence.

predicante *adj.2g.* (lat. *prædicans, prædicantis*). Que predica. ★ *s.2g.* **1.** Aquele que predica. **2.** Pregador protestante.

predição *s.f.* (lat. *prædictio, prædictionis*). **1.** Ato ou efeito de anunciar por antecipação, de prever o que há de vir. **2.** Discurso ou escrito anunciando acontecimentos futuros. **3.** Anúncio de acontecimentos futuros através do conhecimento que se tem das suas causas.

predicar *v.t.* e *v.i.* (lat. *prædicare*) [conj. 12]. Pregar, aconselhar; fazer sermão ou prédica. ● **Gram.** Acrescentar um predicado ao sujeito.

predicativo *adj.* (lat. *prædicativus*). **1.** Relativo a predicado. **2.** Diz-se da oração subordinada substantiva que exerce a função de predicativo. **3.** *Verbo predicativo*, verbo de ligação. ★ *s.m.* Termo da oração que integra um predicado nominal ou verbo-nominal, encerrando a definição, um estado ou a qualificação do sujeito.

pré-digestão *s.f.* **1.** Conjunto das operações que precedem e preparam a digestão. **2.** Digestão externa, anterior à ingestão. **3.** Transformação que se aplica a certos alimentos fornecidos a pacientes, a fim de diminuir o trabalho digestivo.

predileção *s.f.* (fr. *prédilection*). Preferência acentuada por alguma coisa ou alguém.

predileto *adj.* (lat. *prædilectus*). Querido com predileção; preferido. ★ *s.m.* Indivíduo predileto.

prédio *s.m.* (lat. *prædium*). **1.** Propriedade imóvel. **2.** Construção para habitação ou para atividades comerciais, industriais etc. **3.** Casa, edifício, moradia.

predispor *v.t.* (fr. *prédisposer*) [conj. 45]. **1.** Dispor antecipadamente. **2.** Preparar de antemão. ★ *v.pr.* **1.** Preparar-se, aparelhar-se. **2.** Tender, inclinar-se.

predisposição *s.f.* Ato ou efeito de predispor(-se).

predizer *v.t.* (lat. *prædicere*) [conj. 29]. Dizer antecipadamente; prognosticar, profetizar, vaticinar.

predominância *s.f.* (fr. *prédominance*). **1.** Qualidade de predominante. **2.** Ação predominante. **3.** Influência preponderante. **4.** Papel principal.

predominar *v.i.* (fr. *prédominer*) [conj. 4]. **1.** Ter o maior domínio ou influência. **2.** Prevalecer, sobressair. ★ *v.t.* Exercer domínio ou influência sobre.

predomínio *s.m.* (lat. *prædominium*). **1.** Superioridade, preponderância. **2.** Influência.

pré-eleitoral *adj.2g.* Anterior à eleição.

preeminência *s.f.* (lat. *præminentia*). **1.** Qualidade de preeminente. **2.** Excelência, distinção. **3.** Superioridade, primazia.

preeminente *adj.2g.* (lat. *præminens, præminentis*). **1.** Que ocupa posição mais elevada. **2.** Superior, distinto.

preencher *v.t.* (conj. 5). **1.** Encher, completar, ocupar. **2.** Desempenhar, exercer. **3.** Ocupar certo espaço de tempo. **4.** Cumprir, satisfazer. **5.** Escrever em, lançar nas lacunas os dados requeridos.

preensão *s.f.* (lat. *prehensio, prehensionis*). Ato de apanhar, agarrar.

preênsil *adj.2g.* Que tem a faculdade da preensão; que pode segurar.

pré-escolar *adj.2g.* Anterior à idade ou ao período escolar.

preestabelecer *v.t.* (conj. 25). Estabelecer previamente; predispor, predeterminar.

pré-excitação *s.f.* Distúrbio de condução intracardíaca, que pode causar taquicardia paroxística.

preexistência (z) *s.f.* Existência anterior.

preexistir (z) *v.i.* (conj. 6). Existir anteriormente. ★ *v.t.* Anteceder, preceder.

pré-fabricado *adj.* Diz-se do edifício cujas partes, industrialmente fabricadas, são apenas montadas no local da construção.

PRÉ-FABRICADO ▸ A indústria de construções pré-fabricadas inclui elementos de cimento armado, cuja moldagem é feita em série em uma fábrica. Postes, vigas, esquadrias de janelas, degraus de escadas podem ser pré-fabricados e montados no local definitivo.

---

prefaciar *v.t.* (conj. 16). **1.** Escrever um prefácio, um texto introdutório de apresentação de uma obra. **2.** Servir de prefácio.

prefácio *s.m.* (lat. *præfatio*). **1.** Texto preliminar no início de uma obra, destinado a explicá-la ou recomendá-la aos leitores. **2.** Parte da missa que inicia a oração eucarística.

prefeito *s.m.* (lat. *præfectus*). **1.** Chefe de administração municipal. **2.** Em Roma, título concedido a um número muito grande de funcionários, sob a República e sob o Império.

prefeitura *s.f.* (lat. *præfectura*). **1.** Sede administrativa de um município. **2.** Função do prefeito; duração de seu mandato. **3.** Conjunto dos serviços da administração municipal. **4.** Edifício onde se encontra essa administração. **5.** No Império Romano, a função de prefeito.

preferência *s.f.* (lat. *præferentia*). **1.** Ação ou efeito de preferir. **2.** Privilégio, precedência, vantagem ou primazia. **3.** Manifestação de afeição ou de atenção prestada a alguém ou alguma coisa, em relação a outra(s) pessoa(s) ou a outra(s) coisa(s); predileção.

preferencial *adj.2g.* **1.** Que tem preferência. **2.** Diz-se da via pública em que os veículos têm preferência de passagem sobre os que procedem das ruas que com ela se cruzam.

preferir *v.t.* (lat. *præferre*) [conj. 57]. **1.** Escolher uma pessoa ou uma coisa entre outras; determinar-se por. **2.** Gostar mais de; ter predileção por. **3.** Antepor, prepor, achar melhor.

preferível *adj.2g.* **1.** Que deve ou pode ser preferido. **2.** Mais vantajoso.

prefigurar *v.t.* (lat. tard. *præfigurare*) [conj. 4]. **1.** Figurar ou representar antecipadamente. **2.** Conjeturar, pressupor. ★ *v.pr.* Afigurar-se, parecer.

prefixação (cs) *s.f.* Ato ou efeito de prefixar.

prefixar (cs) *v.t.* (conj. 4). **1.** Fixar previamente, prefinir. **2.** Fixar, determinar; prescrever.

prefixo (cs) *adj.* (lat. *præfixus*). **1.** Fixado antecipadamente. **2.** Exato, preciso. ★ *s.m.* **Gram.** Afixo que se coloca diante de uma palavra base para formar por derivação uma nova palavra.

prega *s.f.* (lat. *plica*). **1.** Dobra feita deliberadamente num tecido e mantida por costura. **2.** Dobra, marca que fica em alguma roupa ou objeto por ter sido dobrado. **3.** O que se assemelha às pregas de uma fazenda; ruga. ● **Anat.** Cada uma das rugas formadas pela pele ao nível das articulações. ▸ Cada uma das rugas do ânus.

pregação *s.f.* (lat. *prædicatio, prædicationis*). **1.** Sermão. **2.** Evangelização. **3.** Repressão, censura.

pregador[1] (ô) *adj.* e *s.m.* **1.** Que ou aquilo que segura com pregos. **2.** Que ou aquilo que abotoa. **3.** *Pregador de roupa,* pinça de madeira ou matéria plástica, utilizada para pendurar a roupa que se põe a secar.

pregador[2] (ô) *s.m.* (lat. *prædicator*). **1.** Aquele que faz pregações. **2.** *Pop.* Aquele que ralha, censura, admoesta.

pregão *s.m.* (lat. *præco, præconis*). **1.** Ação de apregoar. **2.** Proclamação pública. **3.** Divulgação feita por corretores de Bolsas ou leiloeiros, das peças ou coisas a serem negociadas, com os lanços feitos. **4.** Reclamo ou reclame.

pregar[1] *v.t.* (conj. 14). **1.** Fixar, segurar com prego. **2.** Unir, juntar. **3.** Firmar, cravar. **4.** Dar com força; assentar, pespegar. **5.** Produzir, causar. **6.** Aplicar, infligir. ★ *v.i. Pop.* Esfalfar-se, cansar-se. ★ *v.pr.* Conservar-se por muito tempo no mesmo lugar.

pregar[2] *v.t.* (lat. *prædicare*) [conj. 14]. **1.** Pronunciar, dizer. **2.** Difundir, propagar. **3.** Proclamar. **4.** Aconselhar, recomendar. **5.** Exaltar, preconizar. ★ *v.i.* **1.** Pronunciar sermões. **2.** Evangelizar.

prego *s.m.* **1.** Peça de metal, pontiaguda e com cabeça, que serve para fixar ou suspender qualquer coisa. **2.** Alfinete com cabeça grande para toucar. **3.** Casa de penhor. **4.** Mentira, peta.

pregoar *v.t.* (lat. *præconari*) [conj. 20]. **1.** Apregoar. **2.** Divulgar. **3.** Elogiar publicamente; louvar. **4.** Preconizar, aconselhar.

pregoeiro *s.m.* O que divulga alguma coisa, o que lança pregão; leiloeiro.

pregresso *adj.* (lat. *praegressus*). Decorrido anteriormente.

preguear *v.t.* (conj. 15). Fazer pregas em; franzir, plissar.

preguiça[1] *s.f.* (lat. *pigritia*). **1.** Pouca disposição para o trabalho; inação. **2.** Aversão a qualquer tipo de atividade. **3.** Morosidade na realização de algo; moleza, indolência, mandriice.

preguiça[2] *s.f.* Mamífero edentado, arborícola, provido de pés com garras longas e curvas, que pula de galho em galho com agilidade, mas se locomove com grande lentidão no solo. (Sin. CABELUDA, AÍ[1]).

PREGUIÇA ▸ As preguiças são animais de movimentos muito lentos. Alimentam-se de folhas de árvores, em cujos galhos se penduram, de cabeça para baixo, graças às patas dotadas de garras. Algumas espécies são acometidas por algas verde-azuladas, que aderem à sua pelagem, formando estrias de tons verdes, azuis e amarelos. A coloração assim adquirida serve de camuflagem para o animal.

preguiça-de-coleira *s.f.* Mamífero edentado, ameaçado de extinção, que apresenta uma faixa preta nos ombros e na nuca.

preguiçosa *s.f.* Cadeira de armar, com assento e encosto de pano; espreguiçadeira.

preguiçoso (ô) *adj.* **1.** Que não gosta de trabalhar, que tem aversão a qualquer esforço; indolente, mandrião. **2.** Que sugere preguiça. ★ *s.m.* Indivíduo preguiçoso.

pregustar *v.i.* (lat. *praegustare*) [conj. 4]. Provar comida ou bebida.

pré-história *s.f.* Período histórico que termina com o aparecimento da escrita, aproximadamente em 3500 a.C.

pré-histórico *adj.* **1.** Relativo ou pertencente à pré-história. **2.** *Fig.* Antiquado, muito antigo.

preitear *v.t.* (conj. 15). Render preito; homenagear.

preito *s.m.* (lat. *placitum*). **1.** *Ant.* Ajuste, pacto, promessa. **2.** Vassalagem; dependência, sujeição. **3.** Homenagem.

prejudicar *v.t.* (lat. *praejudicare*) [conj. 12]. **1.** Causar prejuízo, transtorno. **2.** Fazer mal. **3.** Diminuir o valor. **4.** Anular, tornar sem efeito. **5.** Danificar, lesar. ★ *v.pr.* Sofrer prejuízo.

prejudicial *adj.2g.* Que prejudica; nocivo, danoso, lesivo, molesto. ● **Dir.** Preliminar ao julgamento.

prejuízo *s.m.* (lat. *praejudicium*). **1.** Juízo antecipado e irrefletido. **2.** Preconceito. **3.** Dano. **4.** Perda financeira resultante de despesas maiores que a receita. ● **Dir.** Dano, mal ou ofensa causados aos direitos, aos interesses, ao bem-estar de alguém, pela ação de um terceiro.

prejulgado *s.m.* Pronunciamento prévio do tribunal sobre a interpretação de norma jurídica, para evitar divergências entre suas câmaras ou turmas.

prejulgar *v.t.* (conj. 14). **1.** Julgar antecipadamente. **2.** Conjeturar, supor. ● **Dir.** Interpretar uma norma em prejulgado.

prelado *s.m.* (lat. *praelatus*). Dignitário eclesiástico.

prelazia *s.f.* **1.** Dignidade de prelado. **2.** Diocese.

preleção *s.f.* (lat. *praelectio, praelectionis*). **1.** Exposição de uma matéria perante um auditório; conferência. **2.** Discurso didático; lição.

prelecionar *v.t.* e *v.i.* (conj. 4). Fazer preleções.

prelibação *s.f.* Ato ou efeito de prelibar.

prelibar *v.t.* (lat. *praelibare*) [conj. 4]. Antegostar, antegozar, provar.

preliminar *adj.2g.* (fr. *pré-liminaire*). Inicial, introdutório, preparatório. ★ *s.2g.* **1.** Pré-condição. **2.** Intróito, introdução, preâmbulo. ★ *s.f.* Jogo, particularmente de futebol, disputado antes da partida principal.

prélio *s.m.* (lat. *proelium*). **1.** Batalha, luta, peleja. **2.** Disputa esportiva.

prelo *s.m.* (lat. *prelum*). Máquina de impressão tipográfica; prensa.

preludiar *v.t.* e *v.i.* (conj. 16). **1.** Fazer prelúdio a. **2.** Prefaciar. **3.** Preparar com antecedência; predispor. **4.** Iniciar, estrear. ★ *v.i.* Ensaiar a voz ou o instrumento antes de começar a tocar ou cantar.

prelúdio *s.m.* (lat. *praeludium,* pelo fr. *prélude*). **1.** O que precede ou anuncia; prenúncio. **2.** Peça musical, sem forma determinada, precedendo uma obra instrumental, teatral ou uma cerimônia litúrgica. **3.** Peça musical isolada, de forma livre. **4.** Prólogo, prefácio, preâmbulo.

prematuro *adj.* (lat. *praematuras*). **1.** Que amadureceu antes do tempo; temporão. **2.** Que aparece ou se manifesta antes do tempo; precoce. **3.** Que ocorre antes do tempo em que naturalmente teria de ocorrer. ● **Med.** Diz-se de um parto que ocorreu antes do termo. ★ *adj.* e *s.m.* Diz-se de ou bebê nascido antes da 37ª semana de idade gestacional.

pré-medicação *s.f.* Conjunto de cuidados e medicações administrados a um paciente antes de uma intervenção cirúrgica.

premeditação *s.f.* (lat. *praemeditatio, praemeditationis*). **1.** Ação de premeditar. **2.** Decisão consciente que precede a execução do ato.

premeditar *v.t.* (lat. *praemeditari*) [conj. 4]. Decidir antecipada e conscientemente; planejar.

premência *s.f.* Qualidade, ação de premente; pressão, urgência.

pré-menstrual *adj.2g.* **1.** Que precede a menstruação. **2.** *Síndrome pré-menstrual,* conjunto de manifestações que precedem a menstruação (dor nas mamas, dor abdominal, irritabilidade, dor de cabeça).

premente *adj.2g.* (lat. *premens, prementis*). **1.** Que preme ou comprime. **2.** Urgente.

premer *v.t.* (lat. *premere*) [conj. 5]. **1.** Fazer pressão sobre; calcar, comprimir, premir. **2.** Oprimir. **3.** Apertar.

premiar *v.t.* (lat. *praemiari*) [conj. 16]. **1.** Dar prêmio a; laurear. **2.** Recompensar.

prêmio *s.m.* (lat. *praemium*). **1.** Galardão, distinção conferida a quem se destaca por méritos, feitos ou trabalhos. **2.** *P. ext.* Objeto de valor simbólico ou real, quantia em dinheiro ou qualquer dotação feita a título de distinção. **3.** Recompensa aos expoentes de uma atividade pelo desempenho num determinado período. **4.** Quantia em dinheiro, bens imóveis ou móveis ou quaisquer outros valores materiais pagos aos ganhadores de loterias, rifas, tômbolas, concursos etc. **5.** Qualquer soma paga acima de um valor prefixado. **6.** Soma que o segurado paga ao segurador.

premir *v.t.* (conj. 6). Premer.

premissa *s.f.* (lat. *praemissa*). **1.** Cada uma das duas proposições, a maior e a menor, de um silogismo (emprega-se principalmente no plural, para exprimir o conjunto destas duas proposições). **2.** Proposição ou fato do qual decorre uma conseqüência.

pré-molar *adj.2g.* e *s.m.* Diz-se do ou dente situado entre o canino e os molares.

PRÉ-MOLARES DO HOMEM

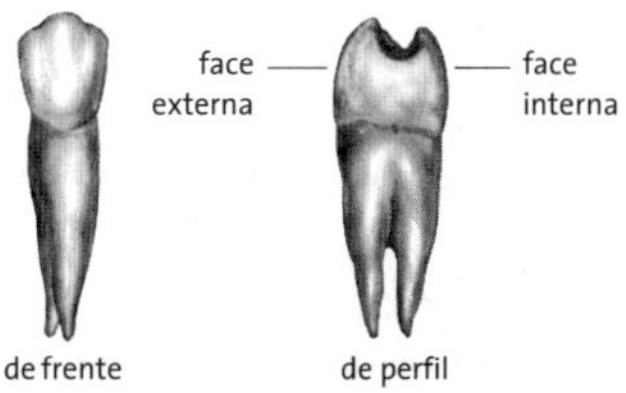

? VOCÊ SABIA...? Os dentes da mastigação, os **pré-molares** e molares, estão mais sujeitos a cáries que os dentes cortantes (incisivos e caninos), devido aos sulcos e fissuras que favorecem o acúmulo de resíduos.

premonição *s.f.* (lat. *praemonitio, praemonitionis*). **1.** Sensação, pressentimento do que vai suceder. **2.** Imagem ou sonho profético. **3.** Presságio.

premonitório *adj.* (lat. *praemonitorius*). Em que há premonição.

premunição *s.f.* Ação ou efeito de premunir.

premunir *v.t.* (lat. *praemunire*) [conj. 6]. **1.** Evitar por antecipação; prevenir, precatar. **2.** Munir, guarnecer com antecipação. ★ *v.pr.* Precaver-se, acautelar-se, prevenir-se.

pré-natal *adj.2g.* **1.** Relativo ao período anterior ao nascimento. **2.** Diz-se do conjunto de exames e acompanhamento da gestante durante este período.

prenda *s.f.* (esp. *prenda*). **1.** Algo oferecido a outrem. **2.** Presente, dádiva, mimo. **3.** Prêmio. **4.** Predicado, qualidade. **5.** Habilidade, aptidão. **6.** *Prendas domésticas,* designação oficial da atividade das mulheres que, não exercendo funções remuneradas, se ocupam do lar.

prender *v.t.* (do lat. *prehendere*) [conj. 5.]. **1.** Privar de liberdade. **2.** Atar, ligar, fixar. **3.** Impedir, embaraçar. **4.** *Fig.* Atrair. **5.** Unir moral ou afetivamente. **6.** Seduzir. ★ *v.pr.* **1.** Ficar preso, seguro. **2.** Deixar-se cativar. **3.** Embaraçar-se. **4.** *Fam.* Comprometer-se a casar.

prenha *adj. Pop.* Prenhe.

prenhe *adj.2g.* Diz-se da fêmea grávida; prenha.

prenome *s.m.* (lat. *praenomen*). Nome que precede o nome de família.

prensa *s.f.* **1.** Máquina composta basicamente de duas placas que podem ser aproximadas por comando mecânico ou hidráulico a fim de comprimir o que estiver colocado entre elas. **2.** Prelo. **3.** Caixilho de impressão.

prensar *v.t.* (lat. *pressare*) [conj. 4]. **1.** Comprimir ou apertar na prensa. **2.** *P. ext.* Achatar, esmagar, espremer.

prenunciar *v.t.* (lat. *praenuntiare*) [conj. 16]. Anunciar com antecedência; predizer, profetizar.

prenúncio *s.m.* (lat. *praenuntius*). Anúncio de coisa futura; prognóstico.

pré-nupcial *adj.2g.* **1.** Que precede o casamento. **2.** *Exame pré-nupcial,* exame físico, complementado por testes de laboratório, feito alguns dias ou semanas antes do casamento, para avaliar a saúde dos noivos e eventuais incompatibilidades genéticas.

preocupação *s.f.* (lat. *praeoccupatio, praeoccupationis*). **1.** Ato ou efeito de preocupar(-se). **2.** Perda da tranqüilidade de espírito, devida ao interesse que se tem por certas pessoas ou coisas. **3.** Atenção exclusiva dirigida a alguma coisa. **4.** Inquietude, cuidado.

preocupado *adj.* Absorto, apreensivo, inquieto.

preocupar *v.t.* (lat. *praeoccupare*) [conj. 4]. **1.** Ocupar o espírito. **2.** Causar cuidados, inquietar. ★ *v.pr.* **1.** Absorver-se em pensamentos. **2.** Inquietar-se, afligir-se.

pré-operatório *adj.* Relativo ao período que antecede uma intervenção cirúrgica.

pré-pago *adj.* Pago antecipadamente.

preparação *s.f.* (lat. *praeparatio, praeparationis*). **1.** Ação, efeito ou modo de preparar(-se); preparo. **2.** Fabricação. **3.** Preparado.

preparado *adj.* **1.** Arranjado, disposto com antecedência. **2.** Que tem preparo, que tem certo conhecimento. **3.** Que está pronto para alguma coisa. ★ *s.m.* Produto químico ou farmacêutico; preparação.

preparar *v.t.* (lat. *praeparare*) [conj. 4]. **1.** Aprontar, arranjar, dispor com antecedência. **2.** Predispor. **3.** Premeditar, planejar. **4.** Arquitetar, maquinar, tramar. **5.** Dar preparo a; aparelhar, aprontar. **6.** Obter por composição ou decomposição. ★ *v.pr.* **1.** Aparelhar-se, apetrechar-se. **2.** Vestir-se convenientemente ; enfeitar-se, ataviar-se. **3.** Instruir-se.

preparativo *adj.* Preparatório. ★ *s.m.* Disposição preliminar para a realização de algo.

preparatório *adj.* (lat. *praeparatorius*). **1.** Que prepara ou serve para preparar. **2.** Preliminar, prévio.

preparo *s.m.* **1.** Preparação. **2.** Condição, recurso, meio. **3.** Instrução, cultura, ilustração. ● **Agric.** Conjunto de práticas que visam a obtenção de condições físicas e químicas adequadas de um terreno para seu aproveitamento agrícola. ★ *s.m.pl.* Aviamentos ou miudezas necessários para o acabamento de uma peça de vestuário.

preponderância *s.f.* Qualidade preponderante; supremacia, predomínio.

preponderante *adj.2g.* (lat. *praeponderans, praeponderantis*). Que tem mais peso, força ou importância em relação a algo; predominante.

preponderar *v.i.* (lat. *praeponderare*) [conj. 4]. Ter mais peso, força, influência, importância; prevalecer. ★ *v.t.* Soprepujar, exceder.

prepor *v.t.* (lat. *praeponere*) [conj. 45]. **1.** Pôr ou colocar antes; antepor. **2.** Preferir. **3.** Nomear, designar.

preposição *s.f.* (lat. *praepositio, praepositionis*). Ação de prepor. ● **Gram.** Palavra invariável que estabelece relação entre dois termos de uma oração.

prepositivo *adj.* (lat. tard. *praepositivus*). Que se põe adiante ou em primeiro lugar. ● **Gram.** Relativo a ou que tem valor de preposição.

preposto (ô) *s.m.* **1.** Indivíduo que executa um ato ou dirige um serviço por delegação de outra pessoa. **2.** Delegado, representante. ★ *adj.* Anteposto.

prepotência *s.f.* (lat. *praepotentia*). Qualidade de prepotente.

prepotente *adj.2g.* (lat. *praepotens, praepotentis*). **1.** Que sobressai pela força. **2.** Que só se submete à própria vontade. **3.** Opressor, déspota.

prepúcio *s.m.* (lat. *praeputium*). Dobra cutânea que recobre a glande do pênis.

prerrogativa *s.f.* (lat. *praerogativa*, de *praerogativus*, que vota primeiro). **1.** Privilégio especial; regalia, apanágio. **2.** Atributo peculiar.

presa (ê) *s.f.* (lat. *praeda*). **1.** Coisa ou pessoa que se prendeu. **2.** Ser vivo capturado por um animal (denominado *predador*) para seu sustento. **3.** O que se apreendeu com violência. **4.** Saque feito ao inimigo; butim. **5.** Garra de ave de rapina. **6.** Dente canino que, em alguns mamíferos, é bem maior e mais pontudo que os demais. **7.** Dente das cobras venenosas.

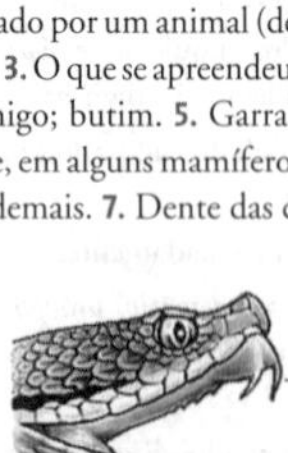

presas

presbita *adj.* e *s.2g.* Afetado por presbiopia.

presbiterato ou **presbiterado** *s.m.* (lat. ecles. *presbyteratus*). Condição, dignidade ou cargo de presbítero.

presbiterianismo *s.m.* (fr. *presbyterianisme*). Doutrina das igrejas protestantes de origem calvinista em que a autoridade é exercida por presbíteros e não por bispos (episcopalismo).

presbiteriano *adj.* (fr. *presbytérien*). Relativo ou pertencente ao presbiterianismo ou ao presbitério. ★ *s.m.* Adepto do presbiterianismo.

presbitério *s.m.* (gr. *presbytereion*). **1.** Grupo de padres ligados a determinada igreja ou diocese. **2.** Corpo misto formado por leigos e sacerdotes que constitui o governo de uma congregação, ou comunidade, nas igrejas presbiterianas. **3.** Residência do pároco.

presbítero *s.m.* (gr. *presbyteros*). **1.** Padre, sacerdote. **2.** Ministro nas igrejas presbiterianas.

presbitismo *s.m.* Presbiopia.

presciência *s.f.* (lat. *praescientia*). **1.** Conhecimento do futuro. **2.** Ciência inata, anterior ao estudo. **3.** Previsão, pressentimento.

presciente *adj.2g.* (lat. *praesciens, praescientis*). **1.** Que tem ciência antecipada do porvir. **2.** Previdente, acautelado, prudente.

prescindir *v.t.* (lat. tard. *praescindere*) [conj. 6]. **1.** Separar mentalmente; abstrair. **2.** Abrir mão de; dispensar, renunciar. **3.** Não precisar de.

prescindível *adj.2g.* De que se pode prescindir.

prescrever *v.t.* (lat. *praescribere*) [conj. 6]. **1.** Ordenar de antemão. **2.** Estabelecer, determinar. **3.** Fixar, marcar. **4.** Indicar, receitar. ★ *v.i.* **1.** Ficar sem efeito por prescrição legal. **2.** Cair em desuso.

prescrição *s.f.* (lat. *praescriptio, praescriptionis*). **1.** Ato ou efeito de prescrever(-se). **2.** Ordem formal e detalhada. **3.** Indicação, disposição, preceito. **4.** Receita médica. ● **Dir.** Extinção de um direito ou obrigação por ter decorrido o prazo de exercício ou cumprimento legal.

prescrito *adj.* (lat. *praescriptum*). **1.** Estabelecido, ordenado, regulado. **2.** Que deixou de vigorar por motivo de prescrição. **3.** Indicado.

presença *s.f.* (lat. *praesentia*). **1.** Fato ou condição de estar presente. **2.** Apresentação, comparecimento. **3.** Assiduidade, freqüência. **4.** Existência. **5.** Figura, aspecto, porte.

presenciar *v.t.* (conj. 16). **1.** Estar presente a; assistir a, ver. **2.** Verificar, observar.

presente *adj.2g.* (lat. *praesens, praesentis*). **1.** Que existe ou acontece neste momento ou lugar; atual. **2.** Que está à vista ou à mão. **3.** Manifesto, evidente. **4.** Que se apresenta ou comparece. **5.** Assíduo, freqüente. ★ *s.m.* **1.** Tempo atual. **2.** Indivíduo que comparece em dado lugar. **3.** Objeto que se oferece com a intenção de agradar; oferta, dádiva, mimo. ● **Gram.** Tempo verbal que exprime uma ação que se passa no momento em que se fala.

presentear *v.t.* (conj. 15). Dar presente, brindar, obsequiar.

presépio *s.m.* (lat. *praesaepium*). **1.** Lugar onde se recolhe o gado; curral, estábulo, presepe. **2.** Pequeno edifício ou maquete que representa o estábulo de Belém e as cenas que se seguiram ao nascimento de Jesus; presepe.

preservação *s.f.* (lat. tard. *praeservatio, praeservationis*). Ato ou efeito de preservar(-se); conservação, precaução.

preservacionismo *s.m.* Conjunto de atividades voltadas para a preservação e a proteção da natureza.

preservar *v.t.* (lat. tard. *praeservare*) [conj. 4]. Proteger de algum dano futuro; defender, resguardar, conservar.

preservativo *adj.* (lat. tard. *praeservativus*). Que preserva ou é próprio para preservar; preservador. ★ *s.m.* Dispositivo de borracha aplicado sobre o pênis (condom, camisinha, camisa-de-vênus) ou sobre o colo do útero (diafragma, capuz, condom feminino etc.), utilizado durante uma relação sexual com objetivo contraceptivo ou profilático.

presidência *s.f.* **1.** Ato ou efeito de presidir. **2.** Ofício ou cargo de presidente. **3.** Direção, comando, superintendência. **4.** O Poder Executivo, nos países onde o chefe de Estado tem o título de presidente. **5.** Palácio ou gabinete do presidente.

presidencial *adj.2g.* Relativo ou pertencente ao presidente ou à presidência.

presidencialismo *s.m.* Regime político em que a chefia do governo cabe ao presidente da República, mantendo-se a independência e a harmonia entre os três poderes (Executivo, Legislativo e Judiciário).

presidente *adj.2g.* (lat. *praesidens, praesidentis*). Que preside. ★ *s.m.* **1.** Pessoa que dirige as deliberações de uma assembléia, de um tribunal etc. **2.** Chefe de Estado no regime presidencialista. **3.** O principal dirigente de uma associação ou empresa.

presidiário *adj.* (lat. tard. *praesidiarius*). Relativo a presídio. ★ *s.m.* Aquele que está condenado a cumprir pena em presídio.

presídio *s.m.* (lat. *praesidium*). **1.** Estabelecimento público destinado a receber prisioneiros; prisão, cárcere, cadeia. **2.** Guarnição de um forte ou uma praça de guerra. **3.** Praça de guerra. **4.** Pena de prisão que deve ser cumprida em praça de guerra.

presidir *v.t.* (lat. *praesidere*) [conj. 6]. **1.** Dirigir como presidente. **2.** Coordenar, superintender, orientar.

presilha *s.f.* (esp. *presilla*). **1.** Cordão ou tira de tecido, couro etc., para prender ou apertar. **2.** Peça que assegura a fixação de outras.

pré-sináptico *adj.* Relativo a uma estrutura ou a um fenômeno localizado anteriormente a uma sinapse.

preso (ê) *adj.* (lat. *prehensus*). **1.** Amarrado, atado, manietado. **2.** Capturado, detido. **3.** Recluso em cárcere. **4.** Sem liberdade de ação. **5.** Dominado, subjugado, manietado. **6.** Impedido, tolhido. **7.** *Pop.* Casado. ★ *s.m.* Indivíduo encarcerado.

pressa *s.f.* **1.** Rapidez, ligeireza, celeridade. **2.** Urgência, premência. **3.** Impaciência, precipitação. **4.** Necessidade súbita, grande precisão. **5.** Grande atividade, azáfama. **6.** *Às pressas,* apressadamente.

pressagiar *v.t.* (lat. *praesagiare*) [conj. 16]. **1.** Anunciar por presságios; agourar. **2.** Prever, prognosticar, predizer, adivinhar.

presságio *s.m.* (lat. *praesagium*). **1.** Sinal premonitório; agouro. **2.** Prenúncio, pressentimento, previsão.

pressago *adj.* (lat. *praesagus*). **1.** Que anuncia ou prevê o futuro. **2.** Pressagioso.

pressão *s.f.* (lat. *pressio, pressionis*). **1.** Ato ou efeito de premir, comprimir, pressionar. **2.** Quociente da intensidade da força que se exerce uniformemente sobre uma superfície, e perpendicularmente a esta, pela área dessa superfície. **3.** Coação, constrangimento. ● **Fisiol.** *Pressão arterial,* pressão exercida sobre a parede das artérias pelo sangue que nelas se encontra. ► *Pressão arterial máxima,* pressão exercida pelas paredes das artérias durante a sístole cardíaca. ► *Pressão arterial mínima,* pressão exercida pelas paredes das artérias durante a diástole cardíaca. ► *Pressão ocular,* pressão existente no interior do globo ocular.

VOCÊ SABIA...? A **pressão arterial** é a força com que o coração bombeia o sangue. Os médicos medem a pressão arterial com um aparelho especial, o esfigmomanômetro. A primeira leitura fornece a pressão do sangue durante os batimentos do coração; a segunda mostra a pressão existente entre esses batimentos.

---

pressentimento *s.m.* Sentimento premonitório de algo que está por vir.

pressentir *v.t.* (lat. *praesentire*) [conj. 56]. Ter o pressentimento de; pressagiar, prever.

pressionar *v.t.* (conj. 4). **1.** Fazer pressão sobre. **2.** *Fig.* Coagir, constranger.

pressupor *v.t.* (lat. tard. *praesupponere*) [conj. 45]. **1.** Supor previamente; conjeturar. **2.** Subentender, implicar.

pressuposição *s.f.* (lat. tard. *praesuppositio, praesuppositionis*). Ato ou efeito de pressupor; pressuposto.

pressuposto (ô) *adj.* Que se pressupõe. ★ *s.m.* **1.** Conjetura, pressuposição. **2.** Pretexto. **3.** Desígnio, propósito. **4.** Plano, projeto.

pressurizar *v.t.* (conj. 4). Produzir e manter no interior de um ambiente pressão atmosférica superior à externa.

pressuroso (ô) *adj.* **1.** Apressado. **2.** Irrequieto, impaciente. **3.** Diligente, zeloso.

prestação *s.f.* (lat. tard. *praestatio, praestationis*). **1.** Ato ou efeito de prestar. **2.** Cada uma das cotas em que se divide uma dívida a ser paga parceladamente. **3.** Pagamento a prazo.

prestamista *s.2g.* **1.** Pessoa que empresta dinheiro a juros. **2.** Pessoa que possui títulos da dívida pública. **3.** Quem paga prestações.

prestar *v.t.* (lat. *praestare*) [conj. 4]. **1.** Dar com presteza; dispensar. **2.** Conceder, conferir. **3.** Dar ou fazer segundo certas condições. **4.** Exibir. **5.** Dedicar, render. **6.** Cumprir obrigação legal ou contratual. ★ *v.i.* Ser útil, ter préstimo. ★ *v.pr.* **1.** Ter préstimo, utilidade. **2.** Dispor-se, condescender.

prestativo *adj.* Que está disposto a servir; obsequioso.

prestes *adj.2g.2n.* **1.** Pronto, preparado, disposto. **2.** Próximo, iminente. **3.** Rápido, ligeiro. ★ *adv.* Prontamente, depressa.

presteza (ê) *s.f.* **1.** Rapidez, agilidade. **2.** Prontidão, ligeireza.

prestidigitação *s.f.* (fr. *prestidigitation*). **1.** Ilusão produzida por agilidade manual. **2.** Ilusionismo.

prestidigitador (ô) *s.m.* (fr. *prestidigitateur*). Aquele que pratica prestidigitação; ilusionista.

prestigiar *v.t.* (lat. *praestigiare*) [conj. 16]. Dar prestígio a.

prestígio *s.m.* (lat. tard. *praestigium*). **1.** Boa reputação perante o público. **2.** Autoridade, influência. **3.** Poder de atração, sedução.

préstimo *s.m.* Qualidade do que presta; utilidade, serventia.

préstito *s.m.* (lat. *praestitus*). **1.** Procissão, cortejo, marcha solene. **2.** Funeral, saimento.

presto *adv.* (it). Indica um tempo musical rápido.

presumido *adj.* **1.** Conjeturado, suposto. **2.** Presunçoso, vaidoso.

presumir *v.t.* (lat. *praesumere*) [conj. 6]. **1.** Acreditar com base em fatos não conclusivos; conjeturar. **2.** Supor, suspeitar. ★ *v.pr.* **1.** Ter-se na conta de. **2.** Vangloriar-se, jactar-se.

presumível *adj.2g.* Que se pode presumir; presuntivo.

presunção *s.f.* (lat. *praesumptio, praesumptionis*). **1.** Ato ou efeito de presumir(-se). **2.** Opinião elevada de si mesmo; fatuidade, vaidade, afetação.

presunçoso (ô) *adj.* e *s.m.* (lat. *praesumptiosus*). Que ou aquele que tem opinião muito elevada de si mesmo; vaidoso, pretensioso.

presuntivo *adj.* (lat. tard. *praesumptivus*). **1.** Presumível, pressuposto. **2.** Diz-se do herdeiro designado de antemão pelo parentesco ou pela ordem de nascimento.

presunto *s.m.* **1.** Produto de salsicharia obtido a partir da anca e da coxa do porco, industrializado pela salga e defumação. **2.** *Pop.* Defunto.

pretejar *v.i.* (conj. 4). Ficar preto; enegrecer, escurecer.

pretendente *adj.2g.* (lat. *praetendens, praetendentis*). Que pretende alguma coisa, requerente. ★ *s.2g.* **1.** O que pretende ou postula alguma coisa. **2.** Quem pede uma mulher em casamento.

pretender *v.t.* (lat. *praetendere*) [conj. 5]. **1.** Reclamar como um direito. **2.** Ter a intenção de. **3.** Aspirar a; desejar. **4.** Sustentar, afirmar. ★ *v.pr.* Julgar-se, ter-se na conta de.

pretensão *s.f.* (lat. tard. *praetensio, praetensionis*). **1.** Ato ou efeito de pretender. **2.** Exigência, aspiração. **3.** Prepotência, arrogância.

pretensioso (ô) *adj.* Que tem pretensões, presunção ou vaidade. ★ *s.m.* Indivíduo pretensioso.

pretenso *adj.* (lat. *praetensus*). **1.** Pretendido. **2.** Suposto, imaginado, hipotético.

preterição *s.f.* (lat. *praeteritio, praeteritionis*). **1.** Ato ou efeito de preterir. **2.** Figura de retórica pela qual se declara não querer falar de um assunto, mas se vai dele falando.

preterir *v.t.* (lat. *praeterire*) [conj. 57]. **1.** Dispensar, prescindir. **2.** Desconsiderar, desprezar. **3.** Ir além, ultrapassar. **4.** Omitir.

pretérito *adj.* (lat. *praeteritus*). Que passou; passado. ★ *s.m.* Tempo verbal que exprime uma ação anterior ao momento em que se fala.

pretextar *v.t.* (conj. 4). Tomar por pretexto; alegar.

pretexto (ê) *s.m.* (lat. *praetextum*). **1.** Desculpa para justificar um erro ou encobrir um fato. **2.** Oportunidade, motivo.

preto (ê) *adj.* **1.** Negro. **2.** Sujo, encardido. **3.** Sombrio, escuro. **4.** *Fig.* Difícil, perigoso. ★ *s.m.* **1.** A cor negra. **2.** O indivíduo de raça negra.

pretônico *adj.* Diz-se do fonema ou sílaba que se coloca antes de uma sílaba acentuada.

pretor (ô) *s.m.* (lat. *praetor*). **1.** Magistrado do Império Romano, encarregado da distribuição da justiça ou do governo de uma província. **2.** *Ant.* Magistrado de alçada inferior ao juiz de direito.

pretoria *s.f.* **1.** Jurisdição do pretor. **2.** Sala, nos conventos, onde se julgavam os pleitos.

pretório *s.m.* (lat. *praetorium*). Tribunal do pretor e de outros magistrados em Roma.

pretume *s.m.* Negrume, negror; escuridão.

prevalecente *adj.2g.* (lat. *praevalescens, praevalescentis*). Que prevalece.

prevalecer *v.i.* (lat. *praevalescere*) [conj. 25]. **1.** Predominar, preponderar. **2.** Ter primazia sobre. **3.** Vencer. ★ *v.pr.* Tirar partido de, servir-se de, aproveitar-se de.

prevalência *s.f.* (lat. *praevalentia*). Qualidade do que prevalece; prevalecimento.

prevaricar *v.i.* (lat. *praevaricari*) [conj. 12]. **1.** Faltar ao cumprimento do dever. **2.** Abusar do poder visando a consecução de benefícios pessoais. **3.** Trair a justiça. **4.** Perpetrar adultério.

prevenção *s.f.* (lat. *praeventio, praeventionis*). **1.** Ato ou efeito de prevenir(-se). **2.** Predisposição, preconceito.

PREVENÇÃO ▸ *Conjunto de métodos para a prevenção de doenças sexualmente transmissíveis*

O risco de adquirir uma doença sexualmente transmissível pode ser enormemente reduzido com simples precauções:

- manter sempre o(a) mesmo(a) parceiro(a) sexual;
- utilizar sempre preservativos no caso de ter uma relação sexual de qualquer tipo com um(a) parceiro(a) cuja história sexual se desconhece;
- evitar danificar ou rasgar o preservativo;
- ao utilizar lubrificantes, evitar produtos oleosos, que danificam o preservativo;
- usar cremes espermicidas com ação antimicrobiana;
- evitar atividades que possam ferir as mucosas da vagina ou do ânus.

---

prevenir *v.i.* (lat. *praevenire*) [conj. 58]. **1.** Dispor previamente; preparar. **2.** Adiantar-se, antecipar-se a. **3.** Dispor de modo que se evite dano, malogro ou erro. **4.** Proibir, vedar. **5.** Avisar com antecedência. ★ *v.pr.* **1.** Precaver-se, acautelar-se, armar-se. **2.** Premunir-se, preparar-se.

preventivo *adj.* (fr. *préventif*). **1.** Que serve para prevenir. **2.** *Medicina preventiva,* ramo da medicina que tem por objetivo a prevenção e a detecção das doenças tanto no plano individual como no coletivo. ★ *s.m.* Aquilo que previne.

preventório *s.m.* (fr. *préventorium*). Estabelecimento onde são tratadas preventivamente pessoas predispostas a certas doenças, como a tuberculose.

prever *v.t.* (lat. *praevidere*) [conj. 40]. **1.** Ver antecipadamente; adivinhar. **2.** Conjeturar, supor. **3.** Subentender, pressupor. **4.** Profetizar, predizer. **5.** Calcular.

pré-vertebral *adj.2g.* Situado na frente das vértebras.

previdência *s.f.* (lat. *praevidentia*). **1.** Qualidade de previdente; prudência. **2.** *Previdência social,* conjunto de medidas e instituições para atender ao cidadão em seus direitos na doença, na velhice, no desemprego etc.

previdenciário *adj.* Relativo a previdência. ★ *s.m.* Funcionário de instituto de previdência.

previdente *adj.2g.* (lat. *praevidens, praevidentis*). **1.** Que prevê. **2.** Precavido, prudente, sensato.

prévio *adj.* (lat. *praevius*). **1.** Preliminar, precedente. **2.** *Aviso prévio,* comunicação do empregador ao empregado, ou vice-versa, da rescisão do contrato de trabalho em um prazo determinado.

previsível *adj.2g.* (fr. *prévisible*). O que pode ser previsto.

A B C D E F G H I J K L M N O P Q R S T U V W X Y Z

previsto *adj.* **1.** Conjeturado, suposto. **2.** Prenunciado, pressentido, antevisto.

prezado *adj.* Querido, estimado.

prezar *v.t.* (lat. *pretiare*) [conj. 4]. **1.** Estimar muito. **2.** Ter em alta consideração. **3.** Reverenciar, respeitar. **4.** Querer bem. ★ *v.pr.* **1.** Dar-se ao respeito. **2.** Orgulhar-se, jactar-se.

priapesco (ê) *adj.* **1.** Relativo ao priapismo. **2.** Acometido de priapismo.

priapismo *s.m.* Estado patológico com ereções freqüentes, geralmente dolorosas e duradouras, não relacionadas à função sexual.

prima *s.f.* (it. *prima,* primeira). A primeira e a mais aguda das cordas de certos instrumentos.

primacial *adj.2g.* **1.** Relativo a primaz ou a primazia. **2.** Em que há primazia.

primado *s.m.* (lat. *primatus*). Preeminência, primazia, supremacia.

prima-dona *s.f.* (it. *prima donna,* primeira dama). Cantora principal de uma ópera.

primar *v.t.* (fr. *primer*) [conj. 4]. **1.** Ser o primeiro; ter a primazia. **2.** Ser primoroso. **3.** Distinguir-se, sobressair.

primário *adj.* (lat. *primarius*). **1.** Que precede outro. **2.** Fundamental, principal. **3.** Medíocre, limitado. **4.** Rude, elementar, primitivo. **5.** Diz-se do réu sem antecedentes criminais. **6.** *Curso primário,* antigo nome das quatro primeiras séries do ensino fundamental. ● **Econ.** *Setor primário*, conjunto das atividades econômicas produtoras de matérias-primas (agricultura e indústrias mineiras). **Geol.** *Era primária* ou *primário,* paleozóico. **Med.** Diz-se dos primeiros sintomas ou da primeira fase de uma doença. **Quím.** Diz-se de um átomo de carbono saturado que traz dois átomos de hidrogênio. **Psican.** *Processo primário,* modalidade de funcionamento do inconsciente que busca satisfação imediata por meio da alucinação do desejo, tendo como principais mecanismos o deslocamento e a condensação. ★ *s.m.* **1.** Curso primário. **2.** O paleozóico.

primata *s.2g.* (lat. *primate*). Espécime dos primatas. ★ *adj.2g.* Pertencente ou relativo aos primatas.

primatas *s.m.pl.* Ordem dos mamíferos que apresentam cérebro desenvolvido, visão binocular, cinco dedos com garras ou unhas achatadas, representada pelos macacos, pelos lêmures e pelo homem.

EXEMPLOS DE PRIMATAS

PRIMATA ▸ Entre os primatas estão alguns dos mamíferos mais sociáveis e inteligentes, como os lêmures, os macacos e os seres humanos. Os primatas são essencialmente adaptados a uma existência arborícola, embora alguns, entre os quais os seres humanos, tenham se adaptado à vida no solo.

primavera *s.f.* (lat. *primo vere,* no começo do verão). **1.** Estação do ano que precede o verão e sucede ao inverno e que, no hemisfério Sul, vai de 21 de setembro a 21 de dezembro. **2.** *Fig.* Época primeira, tempo primordial; aurora. **3.** *Fig.* Juventude. **4.** *Poét.* Ano de vida. ● **Bot.** Trepadeira arbustiva, de ramos pendentes e flores de cores variadas, protegidas por brácteas vermelhas e lilases. (Sin. BUGANVÍLIA, TRÊS-MARIAS.)

primaveril *adj.2g.* Relativo, próprio ou pertencente à primavera.

primaz *adj.2g.* Que ocupa o primeiro lugar. ★ *s.m.* Prelado que ocupa posição superior à dos bispos e arcebispos ou que ocupa a mais antiga ou mais importante sé episcopal de um país.

primazia *s.f.* (lat. tard. *primatia*). **1.** Dignidade de primaz. **2.** Preeminência, superioridade, excelência.

primeira *s.f.* **1.** A primeira classe em veículo de transporte. **2.** *De primeira,* de primeira classe, bom; diz-se de hortaliça ou outro produto de boa qualidade e bem desenvolvido (logo abaixo de extra).

primeiro *num. ord.* (lat. *primarius*). Correspondente ao número um numa seqüência. ★ *adj.* **1.** Que precede no tempo, no lugar ou em dignidade todos os outros da mesma espécie. **2.** Que é mais importante, principal. **3.** Essencial, fundamental. **4.** Primitivo, rudimentar. ★ *s.m.* O mais importante ou influente. ★ *adv.* Primeiramente.

primeiro-sargento *s.m.* **1.** Posto das Forças Armadas, imediatamente superior a segundo-sargento. **2.** Pessoa que ocupa esse posto.

primeiro-tenente *s.m.* **1.** Posto das Forças Armadas, imediatamente inferior a capitão e superior a segunto-tenente. **2.** Pessoa que ocupa esse posto.

primevo *adj.* (lat. *primaevus*). Relativo aos primeiros tempos; antigo, primitivo.

primícias *s.f.pl.* (lat. *primitiae*). **1.** Primeiros frutos da estação. **2.** *Fig.* Primeiros trabalhos ou obras. **3.** Primeiros sentimentos ou prazeres. **4.** Começos, prelúdios.

primigesta *adj.* e *s.f.* Diz-se de ou mulher que está grávida pela primeira vez.

primípara *adj.* e *s.f.* (lat. *primipara*). Diz-se da ou fêmea que dá à luz pela primeira vez.

primitivismo *s.m.* **1.** Qualidade ou estado do que é primitivo. **2.** Cultivo dos valores, da arte ou do modo de vida dos povos primitivos.

primitivo *adj.* (lat. tard. *primitivus*). **1.** Que foi o primeiro. **2.** Dos primeiros tempos. **3.** Que provém de uma época anterior. **4.** *Fig.* Simples, rudimentar. **5.** Pré-histórico. **6.** Diz-se das sociedades humanas consideradas socioeconomicamente arcaicas. ● **B.-Art.** Diz-se dos pintores europeus da Idade Média, em oposição aos do Renascimento. **Gram.** Diz-se da palavra que serve de base para a formação de outras palavras por derivação.

primo[1] *adj.* (lat. *primus*). Primeiro. ● **Mat.** Diz-se de um número natural cujos únicos divisores são ele próprio e 1, ou de um número inteiro cujos únicos divisores são ele próprio, seu oposto, 1 e -1.

primo[2] *s.m.* Filho de tio ou tia.

primogênito *adj.* e *s.m.* (lat. tard. *primogenitus*). **1.** Que ou aquele que nasceu primeiro. **2.** Diz-se do ou o filho mais velho.

primor (ô) *s.m.* (lat. *primor,* o que está em primeiro lugar). **1.** Superioridade, excelência. **2.** Perfeição, esmero. **3.** Beleza, delicadeza, encanto.

primordial *adj.2g.* (lat. *primordialis*). **1.** Relativo a primórdio. **2.** Primeiro, básico, fundamental. ● **Bot.** *Folhas primordiais,* primeiras folhas já existentes na gêmula do embrião vegetal.

primórdio *s.m.* (lat. *primordium*). Princípio, origem, fonte. ★ *s.m.pl.* As origens, os primeiros tempos.

prímula *s.f.* (lat. *primula*). Planta originária da Europa e Ásia, ornamental, que apresenta propriedades medicinais.

principado *s.m.* **1.** Dignidade de príncipe. **2.** Estado governado por um príncipe.

principal *adj.2g.* (lat. *principalis*). **1.** Que é primeiro em grau, importância, autoridade. **2.** Fundamental, essencial, primordial. ● **Gram.** Diz-se da oração de que dependem outras num período composto por subordinação. ★ *s.m.* **1.** O mais importante. **2.** Prelado superior de um colégio ou comunidade religiosa. **3.** Capital de uma dívida, em contraposição aos juros.

príncipe *s.m.* (lat. *princeps, principis,* primeiro). **1.** Filho primogênito do rei. **2.** Chefe de um principado. **3.** Filho ou membro de família soberana. **4.** Título mais elevado de nobreza. **5.** O primeiro, o mais notável. **6.** *Fig.* Homem de maneiras finas, aristocráticas.

? VOCÊ SABIA...? O título de **príncipe** surgiu na Roma antiga (vem da palavra latina *princeps*) e começou a ser usado na Idade Média. O príncipe ocupava o segundo lugar na escala hierárquica da sociedade feudal, pois seu posto era imediatamente inferior ao do rei. Foi na Inglaterra (1301) que se começou a chamar de *príncipe* o herdeiro da coroa, nesse caso, o príncipe de Gales.

---

principiante *adj.2g.* e *s.2g.* Que ou aquele que principia, que começa a exercitar-se em alguma atividade; iniciante, novato, aprendiz.

principiar *v.t.* e *v.i.* (lat. tard. *principiare*) [conj. 16]. **1.** Iniciar, começar. **2.** Ter início.

princípio *s.m.* (lat. *principium*). **1.** Início, começo. **2.** Origem, causa. **3.** Momento inicial. **4.** Conceito fundamental de uma doutrina ou lei. **5.** Lei física de caráter geral que rege um conjunto de fenômenos verificados pela exatidão de suas conseqüências. **6.** Norma de conduta. **7.** Regra, lei, preceito.

prior (ô) *s.m.* (lat. *prior*). Superior de certas casas religiosas.

priorato *s.m.* (lat. *prioratus*). **1.** Casa religiosa dirigida por um prior ou prioresa. **2.** Dignidade de prior ou de prioresa.

prioridade *s.f.* (lat. tard. *prioritas, prioritatis*). Precedência atribuída a alguma coisa sobre outras no tempo; preferência, urgência.

prioritário *adj.* Que requer prioridade; urgente.

prisão *s.f.* (lat. *prehensio, prehensionis*). **1.** Ato ou efeito de prender; captura. **2.** Local em que se recolhem prisioneiros; cadeia, cárcere. **3.** Pena de detenção em cadeia. **4.** Local caracterizado pela ausência de liberdade. **5.** Laço, vínculo. **6.** *Prisão de ventre,* constipação intestinal.

prisco *adj.* (lat. *priscus*). Antigo, velho; prístino.

prisioneiro *s.m.* (fr. *prisonnier*). **1.** Indivíduo encarcerado ou privado de liberdade. **2.** Parafuso com rosca em ambas as extremidades, usado para fixar cabeçotes, tampas etc.

prisma *s.m.* (gr. *prisma*). **1.** Poliedro formado por duas bases paralelas perpendiculares a três ou mais faces, das quais pelo menos duas são inclinadas. **2.** Forma que assumem as camadas de solo cortadas pelo arado. **3.** *Fig.* Ponto de vista. ● **Ópt.** Cristal em forma de prisma que tem a propriedade de decompor a luz.

EXEMPLOS DE PRISMAS

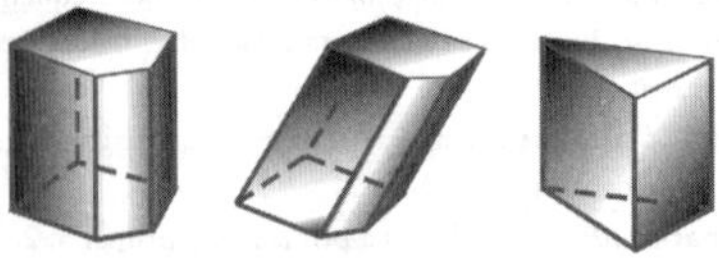

---

prístino *adj.* (lat. *pristinus*). *Poét.* Prisco.

privação *s.f.* (lat. *privatio, privationis*). **1.** Ato ou efeito de privar(-se). **2.** Estado de quem foi privado de alguma coisa. **3.** Carência do que é necessário. ● **Med.** *Estado de privação,* condição de um organismo que não consome alimento há um certo tempo. ► *Síndrome de privação,* estado de um indivíduo fisicamente dependente de uma droga e que se encontra subitamente privado dessa droga ou de um substituto dela.

privacidade *s.f.* Vida privada; intimidade.

privada *s.f.* Vaso sanitário; latrina.

privado *adj.* (lat. *privatus*). **1.** Que se privou de; desprovido. **2.** Que pertence a uma ou mais pessoas e não ao Estado; que se pode usar mediante contrato entre as partes (não estando elas o Estado); particular. **3.** Pessoal, íntimo. **4.** *Direito privado,* conjunto de regras que regem as relações dos indivíduos entre si ou pessoas jurídicas de direito público, quando agem como particulares.

privança *s.f.* Familiaridade, amizade.

privar *v.t.* (lat. *privare*) [conj. 4]. **1.** Desapossar, despojar. **2.** Impedir de fruir. **3.** Ser íntimo, conviver. ★ *v.pr.* Abster-se, furtar-se.

privativo *adj.* (lat. tard. *privativus*). **1.** Que priva, desapossa de. **2.** Particular, exclusivo, próprio.

privilegiar *v.t.* (conj. 16). Conceder privilégio a.

privilégio *s.m.* (lat. *privilegium*). **1.** Vantagem especial concedida a alguém em detrimento de outrem. **2.** Característica especial. **3.** Grande honra.

pró *prep.* (lat. *pro*). A favor de. ★ *adv.* Favoravelmente. ★ *s.m.* Vantagem, conveniência.

proa (ô) *s.f.* (lat. *prora*). **1.** Parte dianteira de um navio, por opos. a *popa.* **2.** *Fig.* Parte anterior de qualquer coisa. **3.** *Fam.* Soberba, presunção, orgulho.

proativo *adj.* Que atua, decide, escolhe conforme princípios e valores previamente elaborados, evitando reações automáticas ou irrefletidas.

probabilidade *s.f.* (lat. *probabilitas, probabilitatis*). **1.** Qualidade do que é provável. **2.** Raciocínio pelo qual se julga a possibilidade ou não de um fato vir a acontecer. ● **Mat.** Razão entre o número de casos favoráveis pelo número de casos possíveis para um evento qualquer, onde os casos possíveis têm supostamente o mesmo grau de possibilidade.

probabilismo *s.m.* (fr. *probabilisme*). Doutrina filosófica que não admite a existência de proposições verdadeiras, mas apenas de opiniões mais ou menos prováveis.

probatório *adj.* (lat. *probatorius*). **1.** Relativo a prova. **2.** Que serve de prova.

probidade s.f. (lat. *probitas, probitatis*). Qualidade de probo; integridade; retidão de caráter, honradez.

problema *s.m.* (gr. *problema*). **1.** Questão proposta para discussão e resolução. **2.** Qualquer coisa difícil de resolver ou de explicar; dilema, mistério, enigma. **3.** Situação complicada, embaraçosa.

problemática *s.f.* Conjunto de problemas que envolvem uma questão.

problemático *adj.* (gr. *problematikós*). **1.** Relativo a problema. **2.** Difícil de entender ou de explicar.

probo *adj.* (lat. *probus*). Honesto, honrado, íntegro.

probóscide *s.f.* **1.** Órgão tubular extensível, com funções diversas, localizado na região oral de alguns insetos e outros invertebrados. **2.** A tromba do elefante.

proboscídeos *s.m.pl.* Ordem de mamíferos de grande porte, que apresentam cabeça grande, orelhas largas e achatadas, pescoço curto, pele grossa, duas presas, probóscide muscular longa e flexível, representada pelos elefantes.

elefantes asiáticos

PROBOSCÍDEOS ▸ Os proboscídeos são animais grandes e pesados, com patas de cinco dedos e lábio superior alargado e preênsil. Os incisivos superiores são bem desenvolvidos, mas faltam-lhes os demais incisivos e os caninos. Os molares são compostos por numerosas lâminas de marfim transversais paralelas. A evolução dos proboscídeos ocorreu durante a era terciária.

procaína *s.f.* Anestésico local sintético, menos tóxico que a cocaína, para infiltração, anestesia regional, peridural e raquidiana.

procarionte *s.2g.* ou **procarioto** *(ô) s.m.* Organismo vivo formado por uma célula única, desprovida de membrana nuclear.

procaz *adj.2g.* (lat. *procax*). Descarado, licencioso.

procedência *s.f.* **1.** Ato ou efeito de proceder. **2.** Proveniência, origem. **3.** Lugar de onde alguém ou alguma coisa provém. **4.** Razão, fundamento.

procedente *adj.2g.* (lat. *procedens, procedentis*). **1.** Que procede de; proveniente, oriundo. **2.** Conseqüente, lógico, concludente.

proceder *v.t.* (lat. *procedere*) [conj. 5]. **1.** Originar-se, provir, descender. **2.** Fazer, realizar, executar. **3.** Instaurar processo. ★ *v.i.* **1.** Agir, portar-se, comportar-se. **2.** Ter fundamento.

procedimento *s.m.* **1.** Ato ou efeito de proceder. **2.** Maneira de agir, comportamento, conduta. **3.** Processo seguido para conduzir uma experiência. **4.** Sucessão de operações a serem executadas para realizar uma tarefa determinada.

procela *s.f.* (lat. *procella*). **1.** Tormenta no mar; tempestade. **2.** *Fig.* Grande agitação.

prócer ou **prócere** *s.m.* (lat. *procer*). Homem importante de uma nação, de um partido, de uma classe etc.

processador (ô) *adj.* e *s.m.* Que ou aquele que processa. ★ *s.m.* Unidade destinada, num computador, ou outro equipamento eletrônico, a interpretar e executar as instruções.

processamento *s.m.* **1.** Ato ou efeito de processar. **2.** *Processamento de dados,* conjunto de operações que concernem à coleta, gravação, elaboração, edição de dados, assim como sua exploração. ▸ *Processamento de imagens,* conjunto de técnicas que permitem a entrada, a transformação e a transmissão de arquivos de imagens. ▸ *Processamento de textos,* técnica de entrada, armazenamento sobre meio magnético e visualização para correção, atualização e disposição de textos digitados.

processar *v.t.* (conj. 4). **1.** Instaurar processo contra. **2.** Submeter a determinado processo ou tratamento.

processo *s.m.* (lat. *processus,* ação de avançar, de ir para a frente). **1.** Ato ou efeito de proceder. **2.** Seqüência de fatos conexos entre si; desenvolvimento, andamento. **3.** Sucessão de operações com vistas a um resultado definido; sistema, método. **4.** Conjunto de documentos relativos a um negócio. ● **Anat.** Nome dado a prolongamentos anatômicos ligados a uma parte principal. **Dir.** Os autos e todos os documentos apresentados numa ação judicial.

processual *adj.2g.* Relativo a processo.

procidência *s.f.* **1.** Deslocamento de parte mole do corpo; prolapso. **2.** *Procidência do cordão,* saída do cordão umbilical antes do feto, podendo levar ao óbito fetal por compressão do cordão.

procissão *s.f.* (lat. *processio, processionis,* ação de ir para diante). **1.** Cortejo solene, de caráter religioso, acompanhado de cantos e orações. **2.** *P. ext.* Qualquer cortejo.

proclama *s.m.* Notificação pública; proclamação.

proclamação *s.f.* (lat. *proclamatio, proclamationis*). **1.** Ato ou efeito de proclamar. **2.** Proclama.

proclamar *v.t.* (lat. *proclamare*) [conj. 4]. **1.** Pronunciar-se publicamente em alta voz e com solenidade. **2.** Eleger, aclamar. **3.** Reconhecer solenemente. **4.** Comunicar solenemente. **5.** Decretar, publicar ou promulgar uma lei. ★ *v.pr.* Intitular-se, nomear-se, arrogar-se.

próclise *s.f.* (lat. cient. *proclisis*). **1.** Fenômeno pelo qual uma palavra átona se apóia na palavra tônica seguinte, com ela formando uma unidade fonética. **2.** Anteposição de um pronome átono a um verbo.

proclítico *adj.* (lat. *procliticus*). Diz-se do vocábulo ou palavra que sofre próclise.

procrastinação *s.f.* (lat. *procrastinatio, procrastinationis*). Ato ou efeito de procrastinar. ● **Psican.** e **Psiq.** Tendência de adiar, prorrogar uma decisão ou um ato, característica da neurose obsessiva.

procrastinar *v.t.* e *v.i.* (lat. *procrastinare*) [conj. 4]. **1.** Adiar, demorar, delongar. **2.** Usar de delongas.

procriar *v.t.* (lat. *procreare*) [conj. 16]. Gerar, dar origem a. ★ *v.i.* Multiplicar-se, reproduzir-se.

proctologia *s.f.* Especialidade médica que trata das doenças do ânus e do reto.

procura *s.f.* Ato ou efeito de procurar. ● **Econ.** Quantidade de um bem ou serviço requerida pelos consumidores por determinado preço; demanda.

procuração *s.f.* (lat. *procuratio, procurationis*). Instrumento, público ou particular, de mandato, através do qual uma pessoa outorga a outra poderes para praticar determinados atos em seu nome.

procurador (ô) *adj.* (lat. *procurator*). Que procura. ★ *s.m.* **1.** Pessoa a quem se outorgam poderes, através de uma procuração, para atuar, em juízo ou não, em nome do outorgante. **2.** *Procurador da República,* aquele que representa a União perante o poder judiciário. ► *Procurador do Estado,* aquele que representa o Estado perante a justiça.

procuradoria *s.f.* **1.** Ofício ou cargo de procurador. **2.** Departamento público onde os procuradores exercem seus cargos.

procurar *v.t.* (lat. *procurare*) [conj. 4]. **1.** Empenhar-se por achar, encontrar, conseguir. **2.** Ir em busca ou ao encontro de. **3.** Esforçar-se por. **4.** Investigar, sonhar. **5.** Solicitar, requerer. **6.** Ir ao encontro de. **7.** Tentar. ★ *v.i.* Exercer cargo de procurador.

prodigalizar *v.t.* (conj. 4). **1.** Gastar em demasia; dissipar, dilapidar. **2.** Dar em grande quantidade. **3.** Expor a perigos; arriscar.

prodígio *s.m.* (lat. *prodigium*). **1.** Acontecimento que é ou parece estar em contradição com as leis da natureza. **2.** Pessoa ou coisa extraordinária; maravilha, milagre.

prodigioso (ô) *adj.* (lat. *prodigiosus*). Em que há prodígio.

pródigo *adj.* e *s.m.* (lat. *prodigus*). **1.** Que ou aquele que dissipa seus bens; gastador, esbanjador, perdulário. **2.** Generoso, liberal. **3.** Que produz em abundância.

pródromo *s.m.* (gr. *prodromos,* que precede). **1.** Primeiros indícios de alguma coisa. **2.** Sintoma que precede uma doença. **3.** Preâmbulo, preliminar. ★ *s.m.pl.* As primícias de um escritor.

produção *s.f.* (lat. *productio, productionis*). **1.** Ato ou efeito de produzir. **2.** O bem produzido. **3.** Fabricação. **4.** Realização, obra. **5.** Manifestação de um fenômeno fisiológico. ● **Cin.** e **Teatr.** Organização que fornece capital, contrata os diretores e assegura a realização de um filme ou peça. **Técn.** Conjunto das técnicas relativas à exploração de uma jazida de petróleo.

produtividade *s.f.* **1.** Caráter do que é produtivo. **2.** Capacidade de produzir. **3.** Rendimento. ● **Agric.** Volume de uma colheita relacionado com a unidade de superfície, freqüentemente expresso em toneladas por hectare; rendimento.

produtivo *adj.* (lat. *productivus*). **1.** Producente. **2.** Que produz com abundância. **3.** Lucrativo, rendoso.

produto *s.m.* (lat. *productus*). **1.** Resultado de produção; coisa produzida. **2.** Resultado, fruto. **3.** Rendimento, lucro, proveito. **4.** Resultado de qualquer atividade humana. **5.** Conseqüência, efeito. ● **Fisiol.** Substância resultante de uma elaboração. ► *Produto da concepção,* o embrião. **Mat.** O resultado de uma multiplicação. **Técn.** *Produto petrolífero,* líquido, sólido ou gás derivado do petróleo bruto.

PRODUTO ► Chamam-se *produtos de primeira necessidade* os necessários para o sustento do ser humano, como por exemplo pão, ovos, leite, feijão, milho, trigo. Na maioria dos países, as autoridades se esforçam para que não haja escassez deles. Por outro lado, os *produtos básicos* são as matérias-primas (madeira, borracha, hidrocarbonetos etc.) e os produtos agrícolas (frutas, certos grãos) que, embora não sejam considerados de primeira necessidade, são muito importantes para a economia dos países. O intercâmbio de produtos é a base do comércio internacional.

---

produtor (ô) *adj.* (lat. *productor*). Que produz. ★ *s.m.* **1.** Aquele que produz. **2.** Autor. ● **Ecol.** Organismo autótrofo de um ecossistema, que ocupa o primeiro nível trófico de uma cadeia alimentar.

produzir *v.t.* (lat. *producere*) [conj. 72]. **1.** Gerar, criar, fazer existir. **2.** Dar lugar ao aparecimento de. **3.** Ser o berço de. **4.** Compor, criar pela imaginação. **5.** Causar, ocasionar. **6.** Fabricar. ★ *v.i.* Ser fértil.

proeminência *s.f.* Qualidade de proeminente.

proeminente *adj.2g.* (lat. *proeminens, proeminentis*). **1.** Que se eleva acima do que o cerca. **2.** Saliente. **3.** Notável, superior.

proêmio *s.m.* (gr. *prooimion*). Exórdio, prefácio, prólogo.

proenzima *s.f.* Substância protéica que ao ser ativada transforma-se em enzima.

proeza (ê) *s.f.* (fr. *prouesse*). Feito marcante; façanha.

profanação *s.f.* (lat. *profanatio, profanationis*). Ato ou efeito de profanar.

profanar *v.t.* (lat. *profanare*) [conj. 4]. **1.** Desrespeitar o caráter sagrado de. **2.** Ofender, macular, aviltar. **3.** Transgredir, infringir, violar. **4.** Fazer mau uso de; degradar. **5.** Tornar impuro; desonrar.

profano *adj.* (lat. *profanus*). **1.** Que é estranho ou não pertence à religião. **2.** Não sagrado. **3.** Não iniciado nas coisas sagradas; secular, leigo. **4.** Que não respeita as coisas sagradas; irreverente.

prófase *s.f.* Primeira fase da divisão celular.

profecia *s.f.* (gr. *propheteia,* pelo lat. eclesiástico *prophetia*). **1.** Predição por inspiração divina. **2.** Previsão, vaticínio.

proferição *s.f.* Ação de proferir; proferimento.

proferir *v.t.* (lat. *proferre*) [conj. 57]. **1.** Pronunciar, dizer em voz alta. **2.** Exarar, decretar, publicar.

professar *v.t.* (conj. 4). **1.** Declarar, reconhecer ou confessar publicamente. **2.** Preconizar. **3.** Exercer, praticar. **4.** Adotar, seguir. ★ *v.i.* Ligar-se a uma ordem religiosa.

professo *adj.* e *s.m.* (lat. *professus*). **1.** Que ou aquele que fez votos religiosos. **2.** *Fig.* Perito, adestrado.

professor (ô) *s.m.* (lat. *professor*). **1.** Aquele que ensina; mestre. **2.** Pessoa que professa a doutrina de uma religião.

professorado *s.m.* **1.** Função de professor; magistério. **2.** O conjunto de professores.

professoral *adj.2g.* **1.** Relativo ou pertencente a professor. **2.** Que ostenta ou procura ostentar autoridade de professor.

profeta *s.m.* (gr. *prophetes*). **1.** Pessoa que proclama a palavra divina, que anuncia os desígnios divinos. **2.** Pessoa que anuncia um acontecimento futuro.

profético *adj.* (lat. *propheticus*). **1.** Que pertence ou é relativo a profeta ou profecia. **2.** Que tem o dom de prever o futuro.

profetizar *v.t.* (lat. *prophetizare*) [conj. 4]. **1.** Predizer o futuro por inspiração divina. **2.** Prever, vaticinar.

proficiência *s.f.* **1.** Competência, capacidade. **2.** Proveito, utilidade, vantagem, proficuidade.

proficiente *adj.2g.* (lat. *proficiens, proficientis*). **1.** Que faz coisas com proficiência; hábil, capaz. **2.** Profícuo.

proficuidade (u-i) *s.f.* **1.** Caráter do que é profícuo. **2.** Proficiência.

profícuo *adj.* (lat. *proficuus*). Útil, vantajoso, proficiente.

profilático ou **profiláctico** *adj.* (gr. *prophilaktikos,* usado por cautela). Relativo à profilaxia.

profilaxia (cs) *s.f.* (gr. *prophylaxis,* cautela). Conjunto de medidas destinadas a impedir o aparecimento ou a propagação de uma ou várias doenças.

profissão *s.f.* (lat. *professio, professionis*). **1.** Ato de professar. **2.** Atividade especializada. **3.** Emprego, trabalho, ofício. **4.** Declaração ou confissão pública. **5.** Carreira.

profissional *adj.2g.* **1.** Relativo a profissão. **2.** *Doença profissional,* doença provocada pelo exercício de certas atividades profissionais e que constitui objeto de proteção legal. ★ *s.2g.* Pessoa que exerce uma profissão.

profissionalização *s.f.* Ato ou efeito de profissionalizar(-se).

profissionalizar *v.t.* (conj. 4). Dar caráter profissional a. ★ *v.pr.* Tornar-se profissional.

profligar *v.t.* (lat. *profligare*) [conj. 4]. **1.** Arruinar, destruir, derrotar. **2.** Verberar. **3.** Tentar destruir com argumentos.

prófugo *adj.* (lat. *profugus*). **1.** Fugitivo, desertor. **2.** Vagabundo, vadio.

profundidade *s.f.* (lat. *profunditas, profunditatis*). **1.** Caráter ou qualidade daquilo que é profundo. **2.** Distância do fundo à superfície. **3.** Uma das três dimensões de um sólido.

profundo *adj.* (lat. *profundus*). **1.** Muito fundo. **2.** Que penetra muito adentro. **3.** Difícil de entender; complexo. **4.** Perspicaz, penetrante. **5.** Interno, íntimo. **6.** Infinito, imenso. **7.** Intenso. ● **Med.** Qualificação de certos músculos, vasos e nervos do organismo, devido à sua localização. ▸ *Sono profundo,* fase do sono durante a qual o eletroencefalograma apresenta ondas lentas, ao contrário do *sono paradoxal.*

profusão *s.f.* (lat. *profusio, profusionis*). Grande quantidade; abundância, exuberância.

profuso *adj.* (lat. *profusus*). **1.** Que espalha ou dá com profusão; pródigo, dissipador. **2.** Exuberante, copioso. **3.** Qualificação das secreções produzidas em abundância ou de uma erupção cutânea generalizada e disseminada.

progênie *s.f.* (lat. *progenies*). **1.** Ascendência, origem. **2.** Descendência, a prole.

progenitor (ô) *s.m.* (lat. *progenitor*). **1.** O que procria antes do pai; ascendente, antepassado. **2.** Pai.

progestagênico *adj.* e *s.m.* Diz-se de ou substância capaz de produzir efeitos semelhantes aos da progesterona.

progesterona *s.f.* Hormônio esteróide secretado pelo corpo amarelo do ovário que torna a mucosa uterina apta à nidação, à manutenção e ao desenvolvimento do óvulo fecundado.

proglótide *s.f.* (gr. *proglottis*). Cada um dos segmentos de um verme cestóide.

prognata *adj.2g.* e *s.2g.* Que ou aquele que tem as maxilas alongadas e proeminentes. (Var. PRÓGNATO.)

prognatismo *s.m.* **1.** Caráter de prognata. **2.** Saliência para a frente dos ossos maxilares.

prógnato *adj.* e *s.m.* Var. menos usada de PROGNATA.

prognose *s.f.* Prognóstico.

prognosticar *v.t.* e *v.i.* (conj. 12). **1.** Predizer, prever. **2.** Agourar, pressagiar. ● **Med.** Estabelecer o prognóstico.

prognóstico *s.m.* (lat. *prognosticum*). Ato ou efeito de prognosticar; prognose. ● **Med.** Parecer do médico a respeito da evolução provável de uma doença.

programa *s.m.* (gr. *programma*). **1.** Plano de execução; projeto. **2.** Cronograma. **3.** Folheto distribuído nos teatros e salas de concerto contendo informações sobre o espetáculo. **4.** Pop. Ato sexual praticado mediante remuneração e de modo consensual; prostituição. ● **Cibern.** Descrição da seqüência, do ciclo, das operações que uma máquina qualquer deve efetuar. **Inform.** Conjunto de instruções e de dados que representam um algoritmo e podem ser executados por um computador.

programação *s.f.* **1.** Ato ou efeito de programar. **2.** Conjunto de atividades previamente planejadas. **3.** A escolha dos espetáculos, exposições ou atividades de um espaço cultural. ● **Inform.** Conjunto de atividades ligadas à definição escrita, preparação e execução de programas de computadores. **Art. Gráf.** Programação visual, sin. de DESIGN.

programador (ô) *adj.* e *s.m.* Que ou aquele que programa ou faz programação. ★ *s.m.* **1.** Especialista encarregado de elaborar programas de computador. **2.** *Programador visual,* profissional especializado em programação visual; *designer gráfico.*

programar *v.t.* (conj. 4). **1.** Fazer o programa de; planejar. **2.** Prover de programa.

programático *adj.* Relativo ou pertencente a programa.

programável *adj.2g.* Diz-se do que pode ser programado.

progredir *v.i.* (lat. *progredi,* ir para diante) [conj. 58]. **1.** Caminhar para a frente; avançar. **2.** Melhorar, aperfeiçoar-se, desenvolver-se. **3.** Prosperar, desenvolver-se.

progressão *s.f.* (lat. *progressio, progressionis*). **1.** Ação de progredir. **2.** Avanço regular e contínuo. ● **Mat.** Seqüência aritmética ou geométrica relativa a um intervalo finito do conjunto dos números naturais.

progressista *adj.2g.* e *s.2g.* (fr. *progressiste*). Que ou aquele que tem idéias políticas e sociais inovadoras.

progressivo *adj.* **1.** Que progride. **2.** Que avança por progressão.

progresso *s.m.* (lat. *progressus*). **1.** Ato ou efeito de progredir. **2.** Movimento para a frente. **3.** Aumento, desenvolvimento para melhor ou para pior. **4.** Desenvolvimento de um país, de uma região, da civilização etc. **5.** Expansão.

proibição (o-i) *s.f.* (lat. *prohibitio, prohibitionis*). Ato ou efeito de proibir; interdição.

proibir (o-i) *v.t.* (lat. *prohibere*) [conj. 77]. **1.** Impedir que se faça. **2.** Vedar, impedir, obstar, opor-se a.

proibitivo ou **proibitório** (o-i) *adj.* (fr. *prohibitif*). Que proíbe ou impede; impeditivo.

projeção *s.f.* (lat. *projectio, projectionis*). **1.** Ato ou efeito de projetar(-se). **2.** Lanço, arremesso. **3.** Imagem iluminada refletida num plano. **4.** Proeminência. **5.** *Fig.* Importância, valor. ● **Constr.** Técnica de colocação de materiais de construção (argamassa, concreto e gesso) lançados sob pressão no suporte a ser revestido. **Mat.** Operação que, a um ponto ou a um vetor de um espaço vetorial, faz corresponder um ponto ou um vetor de um subespaço. **Ópt.** Conjunto dos raios projetados por uma fonte de luz. ▸ Imagem iluminada, formada sobre um anteparo. **Psican.** Mecanismo pelo qual o sujeito atribui inconscientemente a outra pessoa ou coisa seus próprios desejos e sentimentos, desconhecidos ou recusados.

projetar *v.t.* (conj. 4). **1.** Atirar à distância; arremessar, arrojar. **2.** Fazer um projeto ou uma planta de. **3.** Planejar. **4.** Efetuar a projeção de (filmes, slides, gravuras etc.) num aparelho que estampa tais imagens numa tela. **5.** Recobrir, revestir com argamassa, concreto etc. ● **Geom.** Determinar a imagem de uma figura por meio de uma projeção. ★ *v.pr.* **1.** Arremessar-se, atirar-se, lançar-se. **2.** Prolongar-se em sentido horizontal ou oblíquo.

projétil *s.m.* (fr. *projectile*). **1.** Corpo ao qual, em conseqüência de um impulso, pode ser comunicada velocidade e dada determinada direção. **2.** Corpo arremessado por arma de fogo. ★ *adj.2g.* Que pode ser projetado.

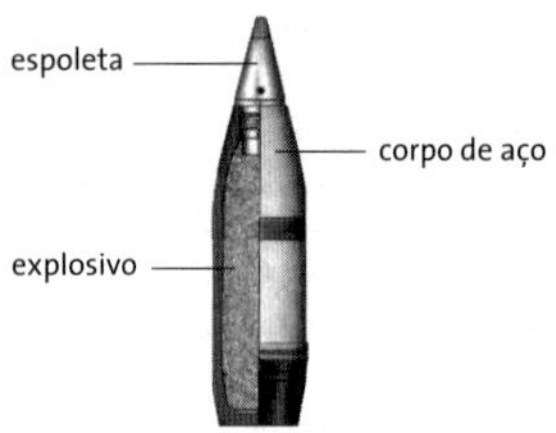

O obus é um tipo de projétil.

projetista *s.2g.* Profissional que desenha plantas ou faz projetos de engenharia.

projeto *s.m.* (lat. *projectus*). **1.** O que se tem a intenção de fazer; desígnio, intento. **2.** Planta de construção. **3.** Plano, estudo, pesquisa. **4.** Desenho, esboço. **5.** Redação provisória de lei. **6.** Trabalho com início e objetivos delimitados, dotado de características próprias e únicas.

projetor (ô) *s.m.* (lat. *projector*). **1.** Aquele que projeta. **2.** Aparelho destinado a projetar ao longe um feixe luminoso; farol, holofote. **3.** Aparelho para a projeção de imagens sobre uma tela.

prol *s.m.* (lat. *prodest*). Vantagem, proveito, lucro.

prolação *s.f.* (lat. *prolatio, prolationis*). **1.** Ato ou efeito de proferir, de pronunciar. **2.** Adiamento, procrastinação, delonga. ● **Mús.** Prolongação do som.

prolactina *s.f.* Hormônio da secreção láctea secretado pelo lobo anterior da hipófise; hormônio luteotrófico.

prole *s.f.* (lat. *proles*). **1.** Descendência, progênie. **2.** Os filhos. **3.** *Fig.* Sucessão.

proletariado *s.m.* A classe social dos proletários; operariado.

PROLETARIADO ▸ O desenvolvimento do capitalismo trouxe consigo o surgimento do proletariado. As transformações econômicas ocorridas durante os séculos XVI a XVIII culminaram na Revolução Industrial e impuseram a decadência do artesão, a expropriação das terras de parte dos camponeses e, com ela, o afastamento dos produtores de seus meios de produção. Criaram assim uma classe de proletários que não podia subsistir a não ser vendendo sua força de trabalho aos donos do capital.

proletário *s.m.* (lat. *proletarius*). **1.** Indivíduo que recebe um salário em troca da sua força de trabalho; operário. **2.** Na Roma antiga, cidadão da última classe do povo. ★ *adj.* Relativo, pertencente ou próprio de proletário.

proliferação *s.f.* (fr. *prolifération*). Ato ou efeito de proliferar. ● **Biol.** Multiplicação do número de células pela divisão.

proliferar *v.t.* (conj. 4). **1.** Multiplicar-se rapidamente. **2.** Ter prole; reproduzir-se. **3.** Crescer em número.

prolífero *adj.* (lat. tard. *prolifer*). **1.** Que se multiplica por proliferação; prolífico. **2.** Diz-se das flores cujo pedicelo continua a crescer acima do pistilo.

prolífico *adj.* (lat. tard. *prolificus*). Prolífero.

prolígero *adj.* **1.** Que contém germes. **2.** *Disco prolígero* ou *disco ovígero,* parte espessada na membrana granulosa do folículo ovariano que contém o óvulo. **3.** *Membrana prolígera,* parede interna do cisto hidático.

prolina *s.f.* Aminoácido não essencial constituinte de muitas proteínas.

prolixo (cs) *adj.* (lat. *prolixus*). **1.** Que se prolonga em palavras; verboso. **2.** Demorado, extenso, enfadonho.

prólogo *s.m.* (gr. *prologos*). **1.** Introdução, prefácio, preâmbulo, proêmio. **2.** Discurso que introduz, em certas peças teatrais, o tema que será representado.

prolongar *v.t.* (lat. tard. *prolongare*) [conj. 14]. **1.** Aumentar o comprimento ou a duração de. **2.** Retardar, adiar. ★ *v.pr.* **1.** Continuar, estender-se. **2.** Demorar-se, alongar-se.

prolóquio *s.m.* (lat. *proloquium*). Provérbio, adágio.

promanar *v.i.* (conj. 4). Brotar, provir, dimanar.

promécio *s.m.* (lat. cient. *promethium*). Elemento químico (símb. Pm) de número atômico 61, do grupo das terras-raras, produzido artificialmente na fissão do urânio.

promessa *s.f.* (lat. tard. *promissa*). **1.** Ato ou efeito de prometer. **2.** Compromisso verbal ou escrito de fazer ou não fazer alguma coisa. **3.** Coisa prometida. **4.** Juramento, voto.

prometer *v.t.* (lat. *promittere*) [conj. 5]. **1.** Obrigar-se a; comprometer-se. **2.** Assegurar, garantir. **3.** Prenunciar, pressagiar. ★ *v.i.* **1.** Fazer promessa. **2.** Dar esperança ou indício de bons resultados.

prometida *s.f.* Noiva.

promiscuidade (u-i) *s.f.* Qualidade de promíscuo.

promíscuo *adj.* (lat. *promiscuus*). **1.** Amontoado, misturado sem critério de seleção ou ordenação. **2.** Diz-se de quem tem relações sexuais com muitos parceiros. **3.** Relativo a ou próprio de pessoa promíscua.

promissivo *adj.* (lat. *promissivus*). **1.** Relativo a promessa. **2.** Que encerra promessa; promissório.

promissor (ô) *adj.* (lat. *promissor*). **1.** Que promete. **2.** Auspicioso, propício.

promissório *adj.* **1.** Promissivo. **2.** *Nota promissória* ou *promissória* (*s.f.*), título passado por pessoa física ou jurídica, que se compromete a pagar, em tempo e lugar determinados, uma quantia em dinheiro.

promitente *adj.2g.* e *s.2g.* (lat. *promittens, promittentis*). Que ou aquele que promete; prometedor.

promoção[1] *s.f.* (lat. *promotio, promotionis*). Ato ou efeito de promover.

promoção[2] *s.f.* (ingl. *promotion*). **1.** Atividade que visa propiciar o sucesso comercial de um produto. **2.** *P. ext.* Publicidade.

promocional *adj.2g.* Relativo a, ou que tem caráter de promoção.

promontório *s.m.* (lat. *promontorium*). Ponta de terra, com relevo escarpado, que avança pelo mar. ● **Med.** Pequena saliência situada na parte central da parede interna da caixa do tímpano. ► Saliência que a articulação lombossacral forma na bacia.

promotor (ô) *adj.* e *s.m.* (lat. *promotor*). Que ou aquele que promove, que dá o principal impulso a alguma coisa; promovedor. ★ *s.m. Promotor público,* representante de ministério público, encarregado da acusação nos processos criminais.

promotoria *s.f.* **1.** Cargo ou ofício de promotor. **2.** Repartição de um promotor.

promover[1] *v.t.* (lat. *promovere*) [conj. 5]. **1.** Elevar a uma dignidade, a uma função, a uma categoria ou a um grau superior. **2.** Dar impulso a; pôr em execução. **3.** Ser a causa de; originar, provocar. **4.** Requerer, solicitar.

promover[2] *v.t.* (ingl. *promove*) [conj. 5]. Fazer promoção ou propaganda de um produto.

promulgação *s.f.* (lat. *promulgatio, promulgationis*). Ato ou efeito de promulgar.

promulgar *v.t.* (lat. *promulgare*) [conj. 14]. **1.** Declarar, proclamar. **2.** Ordenar a publicação de (lei, decreto etc.).

pronação *s.f.* **1.** Rotação do antebraço que leva a palma da mão para baixo. **2.** Posição da mão com a palma voltada para baixo.

pronador (ô) *adj.* e *s.m.* Diz-se de ou um dos músculos que executam a pronação, especialmente os do antebraço.

pronome *s.m.* (lat. *pronomen*). Palavra que desempenha na oração a função de um nome, representando um substantivo (pronome substantivo) ou acompanhando-o para determinar-lhe a extensão do significado (pronome adjetivo).

PRONOME ► Os pronomes compõem uma classe de palavras que, na oração, representam (*pronome substantivo*) ou acompanham (*pronome adjetivo*) os nomes. Tradicionalmente distinguem-se as seguintes espécies de pronomes: pessoais, possessivos, demonstrativos, relativos, interrogativos e indefinidos.

---

pronominal *adj.2g.* (lat. *pronominalis*). **1.** Relativo a ou próprio do pronome. **2.** *Verbo pronominal,* verbo que se conjuga com pronome oblíquo.

prontidão *s.f.* (lat. *promptitudo*). **1.** Qualidade do que é pronto; presteza. **2.** Facilidade de compreensão ou de execução de alguma coisa. **3.** Estado de alerta em uma unidade militar. **4.** *De prontidão,* pronto a agir, a entrar em ação. ★ *s.m.* Soldado em serviço de guarda.

prontificar *v.t.* (conj. 12). **1.** Mostrar pronto; aprontar. **2.** Oferecer, ministrar. ★ *v.pr.* Mostrar-se disposto a.

pronto *adj.* (lat. *promptus*). **1.** Que não se demora; rápido, ligeiro. **2.** Pronto, preparado, prestes. **3.** Concluído, terminado. **4.** *Pop.* Sem dinheiro; teso.

pronto-socorro *s.m.* Estabelecimento hospitalar destinado ao atendimento de casos de emergência.

prontuário *s.m.* (lat. *promptuarium*). **1.** Lugar onde se arrecada qualquer coisa de que se venha a precisar. **2.** Livro que traz a matéria resumida e de modo que facilmente se pode consultar; manual. **3.** Ficha médica, policial etc., com os antecedentes de uma pessoa. **4.** Os próprios antecedentes.

pronúncia *s.f.* **1.** Ato ou efeito de pronunciar; pronunciação. **2.** Maneira de pronunciar. ● **Dir.** Despacho em que se indicia alguém como réu.

pronunciamento *s.m.* **1.** Ato ou efeito de pronunciar. **2.** Insurreição, levante. **3.** Declaração pública.

pronunciar *v.t.* (lat. *pronuntiare*) [conj. 16]. **1.** Exprimir verbalmente, articular. **2.** Enunciar, dizer. **3.** Proferir, recitar. **4.** Dar despacho de pronúncia contra. **5.** Declarar publicamente, decretar. ★ *v.pr.* **1.** Declarar-se, manifestar-se. **2.** Rebelar-se, insurgir-se.

propagação *s.f.* (lat. *propagatio, propagationis*). Ato ou efeito de propagar(-se). ● **Fís.** Deslocamento progressivo de energia em um meio sob a forma de ondas eletromagnéticas, acústicas etc.

propaganda *s.f.* (fr. *propagande*). **1.** Divulgação de idéias ou informações cujo conhecimento público interesse ao divulgador. **2.** Idéias, fatos, ou informações divulgadas com esse propósito.

propagandista *adj.2g.* e *s.2g.* Que ou aquele que faz propaganda.

propagar *v.t.* (lat. *propagare*) [conj. 14]. **1.** Multiplicar por meio da reprodução. **2.** Tornar público, divulgar, propalar. ★ *v.pr.* **1.** Multiplicar-se, reproduzir-se. **2.** Difundir-se por contágio. **3.** Espalhar-se, alastrar-se; propalar-se. **4.** Transmitir-se.

propalar *v.t.* (lat. *propalare*) [conj. 4]. Difundir, divulgar, propagar. ★ *v.pr.* Propagar-se.

propano *s.m.* Hidrocarboneto saturado, presente nos gases natural e refinado, utilizado como combustível.

propanol *s.m.* Álcool derivado do propano, empregado como solvente.

proparoxítono (cs) *adj.* e *s.m.* (gr. *proparoxytonos*). Diz-se do ou o vocábulo com acento tônico na antepenútima sílaba.

propedêutica *s.f.* Conjunto das noções preliminares necessárias para o estudo de uma ciência.

propedêutico *adj.* Que serve de introdução; preliminar.

propelir *v.t.* (lat. *propellere*) [conj. 57]. Impelir para a frente; arremessar.

propender *v.i.* (lat. *propendere*) [conj. 5]. **1.** Inclinar-se, pender para algum lado; pender. **2.** Ter tendência para.

propensão *s.f.* (lat. *propensio, propensionis*). **1.** Ato ou efeito de propender. **2.** Inclinação, tendência.

propenso *adj.* (lat. *propensus*). **1.** Disposto, inclinado. **2.** Que mostra tendência para alguma coisa.

propergol *s.m.* Composto formado de ergóis, utilizado como propulsor em foguetes.

propiciar *v.t.* (lat. *propitiare*) [conj. 16]. **1.** Tornar propício. **2.** Proporcionar.

propício *adj.* (lat. *propitius*). **1.** Favorável, benigno. **2.** Adequado, oportuno.

propileno *s.m.* Hidrocarboneto etilênico derivado do petróleo, de grande aplicação industrial.

propina *s.f.* (lat. tard. *propina*). Gratificação dada a alguém por serviços prestados; gorjeta.

propinar *v.t.* (lat. *propinare*) [conj. 4]. Oferecer, dar a beber, ministrar.

propinqüidade *s.f.* (lat. *propinquitas, propinquitatis*). **1.** Proximidade, vizinhança. **2.** Afinidade, parentesco.

propínquo *adj.* (lat. *propinquus*). Próximo, vizinho. ★ *s.m.pl.* Parentes.

própole *s.2g.* ou **própolis** *s.2g.2n.* (gr. *propolis*). Substância resinosa retirada pelas abelhas do broto de certas plantas e por elas usada para vedar ou envernizar os favos.

proponente *adj.2g.* e *s.2g.* (lat. *proponens, proponentis*). Que ou aquele que apresenta uma proposta.

propor *v.t.* (lat. *proponere*) [conj. 45]. **1.** Submeter à apreciação. **2.** Sugerir, indicar. **3.** Apresentar, expor. **4.** Fazer uma oferta. ★ *v.pr.* Dispor-se a, tencionar, planejar.

proporção *s.f.* (lat. *proportio, proportionis*). **1.** Correspondência de relações. **2.** Simetria entre as partes de um todo ou de cada parte em relação ao todo. **3.** Dimensão, extensão. **4.** Harmonia, simetria. ● **Arquit.** e **B.-Art.** Em uma construção ou em uma obra de arte, relação e equilíbrio entre as várias partes, ou entre uma parte e o todo. **Mat.** Igualdade de duas frações. ★ *s.f.pl.* **1.** Dimensões. **2.** Intensidade, importância.

proporcional *adj.2g.* (lat. *proportionalis*). Que está em proporção. ● **Mat.** *Grandezas proporcionais,* grandezas tais que uma é obtida da outra por uma função linear.

proporcionar *v.t.* (conj. 4). **1.** Pôr em proporção. **2.** Dar, oferecer, ensejar.

proposição *s.f.* (lat. *propositio, propositionis*). **1.** Proposta. **2.** Expressão verbal de um juízo; asserção. ● **Gram.** Oração. **Liter.** Parte de um discurso, de um poema épico, na qual se apresenta o tema a ser desenvolvido.

propositado *adj.* Em que há propósito; intencional, proposital.

proposital *adj.2g.* Propositado.

propósito *s.m.* (lat. *propositum*). **1.** Deliberação, resolução, decisão. **2.** Desígnio, tenção, intento, projeto. **3.** *A propósito,* a respeito. ► *De propósito,* propositadamente, intencionalmente.

proposta *s.f.* **1.** Ato ou efeito de propor; proposição. **2.** Declaração verbal ou escrita com a qual se visa obter uma concessão, realizar uma obra, estabelecer um contrato etc. **3.** Proposição, sugestão.

propriedade *s.f.* (lat. *proprietas, proprietatis*). **1.** Qualidade do que é próprio. **2.** Característica particular. **3.** Direito de dispor da posse de um bem. **4.** Aquilo que se possui. **5.** Qualidade intrínseca. **6.** Precisão de significado.

proprietário *adj.* e *s.m.* (lat. tard. *proprietarius*). Que ou o que tem a posse de um bem.

próprio *adj.* (lat. *proprius*). **1.** De propriedade exclusiva; particular. **2.** Característico, peculiar. **3.** Apropriado, adequado. **4.** Conveniente, oportuno. **5.** Exato, preciso. **6.** Autêntico. **7.** Antecedendo substantivo, substitui às vezes pronome possessivo. ● **Gram.** Diz-se do substantivo que representa um ser ou objeto individual (p. opos. a *comum*). ★ *s.m.* Característica peculiar; traço particular.

propriocepção *s.f.* Sensibilidade relativa ao equilíbrio, posição no espaço e movimentos.

proprioceptivo *adj.* Relativo à propriocepção.

proprioceptor (ô) *s.m.* Receptor nervoso periférico para a sensibilidade e informação da posição de ossos, músculos, tendões e articulações.

propugnar *v.t.* (lat. *propugnare*) [conj. 4]. **1.** Defender com luta. **2.** Sustentar luta física ou moral.

propulsão *s.f.* Ato ou efeito de propulsar.

propulsar *v.t.* (lat. *propulsare*) [conj. 4]. Impelir para a frente; propelir.

propulsor (ô) *adj.* e *s.m.* (lat. *propulsor*). Que ou o que produz propulsão; que impele para a frente. ★ *s.m.* Dispositivo, máquina ou motor destinados a assegurar o deslocamento de um engenho móvel, particularmente de uma embarcação.

prorrogação *s.f.* **1.** Ato ou efeito de prorrogar; duração além do estabelecido. **2.** Em vários esportes, tempo suplementar de jogo para desempatar a partida.

PRORROGAÇÃO ► No futebol, decide-se um empate em jogo eliminatório através da prorrogação: em dois tempos de 15 minutos, vence quem fizer mais gols. Em 1993, a FIFA, órgão máximo do esporte, mudou o sistema criando a *morte súbita*, prorrogação na qual o time que marca primeiro (com o *gol de ouro*) é o ganhador. Após dez anos de polêmicas, a entidade aboliu a nova regra, que levou o Brasil à derrota em duas Olimpíadas (1996 e 2000).

---

prorrogar *v.t.* (lat. *prorogare*) [conj. 14]. **1.** Fazer durar além do tempo estabelecido. **2.** Adiar. **3.** Prolongar a duração de.

prorromper *v.i.* (lat. *prorumpere*) [conj. 5]. **1.** Sair com ímpeto. **2.** Manifestar-se subitamente.

prosa *s.f.* (lat. *prosa*). **1.** Forma ordinária do discurso escrito ou falado, não submetido às regras do ritmo e da musicalidade próprias da poesia. **2.** Conversa informal. **3.** *Fig.* Lábia, bazófia, prosápia. ★ *adj.* Diz-se de indivíduo que conta vantagens.

prosaico *adj.* (lat. tard. *prosaico*). **1.** Relativo à prosa. **2.** *Fig.* Sem poesia ou sentimento. **3.** *Fig.* Vulgar, comum, trivial.

prosápia *s.f.* (lat. *prosapia*). **1.** Progênie, linhagem, estirpe. **2.** Orgulho, jactância, vaidade.

prosar *v.i.* (conj. 4). **1.** Escrever em prosa. **2.** Conversar.

proscênio *s.m.* (gr. *proskenion,* pelo lat. *proscaenium*). Parte mais avançada do palco, entre a cortina e a platéia; ribalta.

proscrever *v.t.* (lat. *proscribere*) [conj. 5]. **1.** Banir, exilar, desterrar, degredar. **2.** Expulsar. **3.** Abolir, extinguir, proibir.

proscrição *s.f.* (lat. *proscriptio, proscriptionis*). Ato ou efeito de proscrever.

proscrito *adj.* e *s.m.* (lat. *proscriptus*). Que ou aquele que foi condenado à proscrição; degredado, desterrado, exilado, banido.

prosear *v.i.* (conj. 15). **1.** Conversar. **2.** Falar muito. **3.** Jactar-se.

proselitismo *s.m.* (fr. *prosélytisme*). Diligência em fazer prosélitos.

prosélito *s.m.* (gr. *proselytos*). Indivíduo recém-convertido a uma religião ou doutrina.

prosencéfalo *s.m.* Primeira vesícula cerebral, embrionária, que dá origem ao telencéfalo e ao diencéfalo.

prosódia *s.f.* (lat. *prosodia*). Parte da gramática tradicional que ensina a pronúncia e a acentuação corretas. ● **Liter.** Estudo das particularidades dos sons que afetam a métrica, fundamentalmente os acentos e a duração. **Mús.** Conjunto de regras que permitem estabelecer uma correspondência justa entre as sílabas acentuadas ou átonas das palavras e os tempos fortes ou fracos da música.

VOCÊ SABIA...? Na Antiguidade clássica, **prosódia** designava o estudo de textos poéticos que abordava, além da pronúncia ou acento das palavras, aspectos da métrica, como metro, ritmo, rima, cesura e escansão. Atualmente, a lingüística moderna considera também os textos em prosa, estudando os fatos fônicos: as sílabas e as palavras, o timbre, a altura, a intensidade, a duração e a entonação.

---

prosopopéia *s.f.* (gr. *prosopopoia*). **1.** Figura de linguagem que dá forma humana, ficticiamente, a animais e coisas inanimadas. (Sin. PERSONIFICAÇÃO.) **2.** *Fig.* Discurso empolado.

prospecção *s.f.* (lat. tard. *prospectio*). **1.** Pesquisa, sondagem para descobrir os filões ou jazidas de uma mina. **2.** Conjunto dos trabalhos de exploração de caráter muito geral efetuados com o fim de determinar o interesse petrolífero de uma região.

prospectivo *adj.* (lat. *prospectivus*). **1.** Relativo a prospecção. **2.** Que faz ver adiante no tempo ou ao longe.

prospecto *s.m.* (lat. *prospectus*). **1.** Aspecto frontal de um objeto. **2.** Plano, traçado. **3.** Impresso difundido gratuitamente com finalidade informativa ou publicitária.

prosperar *v.i.* (lat. *prosperare*) [conj. 4]. **1.** Melhorar de condição; progredir. **2.** Medrar, crescer, desenvolver-se. **3.** Enriquecer.

próspero *adj.* (lat. *prosperus*). **1.** Abundante, farto. **2.** Favorável, propício. **3.** Afortunado, rico.

prosseguir *v.t.* (conj. 55). Dar seguimento a. ★ *v.i.* **1.** Seguir avante. **2.** Continuar falando.

prostaglandina *s.f.* Hormônio presente em diversos tecidos que atua sobre a musculatura lisa, a secreção glandular, a reação inflamatória etc.

próstata *s.f.* (gr. *prostates*). Glândula do aparelho genital masculino, situada ao redor da uretra inicial, na saída da bexiga, que secreta um dos componentes líquidos do esperma.

APARELHO GENITAL MASCULINO

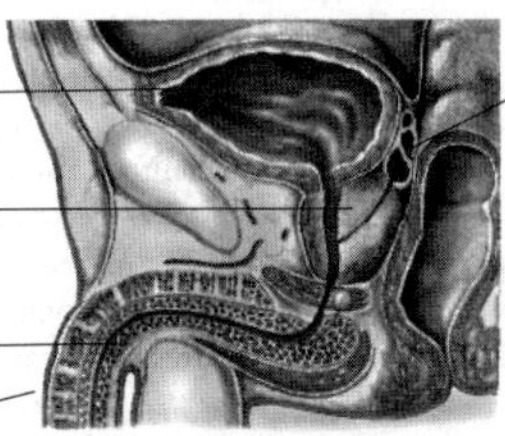

PRÓSTATA ► A próstata tem a forma de uma castanha cuja base se orienta em direção à bexiga; ela rodeia a parte inicial da uretra até o colo da bexiga. Só alcança seu pleno desenvolvimento na puberdade. A próstata segrega um líquido espesso, de cor esbranquiçada, que é um dos elementos do esperma. As afecções que a acometem são inflamatórias ou tumorais, sendo que os tumores benignos (adenomas) são mais freqüentes que os cancerosos.

---

prostático *adj.* Relativo à próstata.

prosternar *v.t.* (lat. *prosternare*) [conj. 4]. Prostrar(-se).

prostíbulo *s.m.* (lat. *prostibulum*). Casa de prostituição; bordel, lupanar.

prostituição (u-i) *s.f.* (lat. *prostitutio, prostitutionis*). **1.** Ato ou efeito de prostituir(-se). **2.** A atividade de quem ganha dinheiro com práticas sexuais.

prostituir *v.t.* (lat. *prostituere*) [conj. 74]. **1.** Levar uma pessoa a praticar ato sexual por dinheiro. **2.** Degradar, corromper, aviltar, desonrar. ★ *v.pr.* **1.** Praticar ato sexual em troca de dinheiro ou outra remuneração. **2.** *Fig.* Fazer algo conflitante com os próprios valores por dinheiro; degradar-se, aviltar-se.

prostituta *s.f.* (lat. *prostituta*). Mulher que se prostitui; meretriz, marafona.

prostituto *adj.* Que se prostitui; prostituído. ★ *s.m. P. us.* Homem que se prostitui.

prostração *s.f.* (lat. *prostratio, prostrationis*). **1.** Ato ou efeito de prostrar(-se). **2.** Estado de profundo abatimento, proveniente de doença ou cansaço.

prostrar *v.t.* (lat. tard. *prostrare*) [conj. 4]. **1.** Fazer cair; derrubar. **2.** Humilhar, submeter, abater. **3.** *Fig.* Enfraquecer, extenuar. ★ *v.pr.* **1.** Lançar-se ao chão em postura de súplica ou de adoração. **2.** *Fig.* Abater-se, curvar-se; humilhar-se.

protactínio *s.m.* Elemento químico (símb. Pa) de número atômico 91, da série dos actinídios, que constitui um metal radioativo e raro.

protagonista *s.2g.* (gr. *protagonistes,* que combate na primeira linha). **1.** Personagem principal de uma representação dramática. **2.** Ator que interpreta esse papel. **3.** *Fig.* Pessoa imprescindível em alguma atividade.

protease *s.f.* Enzima que hidrolisa as proteínas.

proteção *s.f.* (lat. *protectio, protectionis*). **1.** Ato ou efeito de proteger. **2.** Apoio, amparo. **3.** Auxílio, ajuda.

protecionismo *s.m.* (fr. *protectionnisme*). **1.** Política econômica que consiste em proteger a produção nacional contra a concorrência estrangeira. **2.** Favorecimento ilícito. **3.** Preservacionismo.

proteger *v.t.* (lat. *protegere*) [conj. 26]. **1.** Amparar, resguardar. **2.** Apoiar, defender. **3.** Auxiliar, ajudar.

protegido *adj.* e *s.m.* **1.** Diz-se de ou indivíduo que recebe proteção ou apoio de alguém; valido. **2.** Favorito, afilhado.

protéico *adj.* **1.** Relativo às proteínas. **2.** Que contém ou é da natureza das proteínas.

proteína *s.f.* (gr. *proteios,* primeiro, em primeiro lugar). **1.** Macromolécula constituída pela associação de aminoácidos unidos entre si por ligação peptídica. **2.** Sin. de PROTÍDIO.

proteínico *adj.* Relativo às proteínas.

protelar *v.t.* (lat. *protelare*) [conj. 4]. Adiar, procrastinar, prorrogar.

proterozóico *s.m.* Subdivisão do éon no tempo geológico, com duração aproximada de 2,5 bilhões de anos, correspondentes à última metade do pré-cambriano. ★ *adj.* Relativo ou pertencente a essa subdivisão.

protérvia *s.f.* (lat. *protervia*). Desaforo, insolência, impudência, descaramento.

prótese *s.f.* (gr. e lat. *prothexis*). **1.** Conjunto das técnicas que têm por objetivo substituir parcial ou totalmente um membro ou um órgão. **2.** Peça ou aparelho que substitui um órgão ou um membro amputado ou malformado. (Cf. ÓRTESE.). **3.** *Prótese dentária,* prótese que tem como objetivo a restauração individual dos dentes, a substituição de dentes ausentes e, em ortodontia, a correção dos dentes na arcada.

protestante *adj.2g.* e *s.2g.* (lat. *protestans, protestantis*). Que ou o que protesta. ★ *adj.2g.* Relativo ou pertencente ao protestantismo. ★ *s.2g.* Adepto do protestantismo.

protestantismo *s.m.* (fr. *protestantisme*). Conjunto das doutrinas religiosas cristãs derivadas da reforma luterana.

? VOCÊ SABIA...? O **protestantismo** teve origem no século XVI, quando Lutero e Calvino se opuseram ao papa. Caracteriza-se por ter a Bíblia como autoridade em matéria de fé e pela fidelidade literal ao Evangelho. O protestantismo compreende vários grupos, como os anglicanos, os evangélicos, os reformistas, os metodistas e os batistas.

---

protestar *v.t.* e *v.i.* (lat. *protestari*) [conj. 4]. **1.** Afirmar, declarar formalmente. **2.** Levar a protesto título de crédito. **3.** Prometer solenemente. ★ *v.i.* Manifestar-se contra; reclamar, insurgir-se.

protesto *s.m.* **1.** Ato ou efeito de protestar; protestação. **2.** Declaração formal; voto. **3.** Manifestação de oposição; contestação. **4.** Reclamação, queixa. ● **Dir.** Ato jurídico pelo qual se denuncia o não pagamento de um título de crédito.

protético *adj.* (gr. *prothetikos*). Relativo a prótese. ★ *s.m.* Profissional que se dedica à prótese dentária.

protetor (ô) *adj.* e *s.m.* (lat. *protector*). Que ou aquele que protege.

protetorado *s.m.* (fr. *protectorat*). **1.** Situação de um Estado posto sob a tutela internacional de outro. **2.** O Estado posto nessa condição.

protídico *adj.* Relativo às proteínas.

protídio *s.m.* Molécula orgânica formada pela união de um grande número de aminoácidos. (Sin. PROTEÍNA.)

protista *s.m.* Organismo unicelular.

protocolar[1] *adj.2g.* (fr. *protocolaire*). Relativo a protocolo; cerimonioso, formal.

protocolar[2] *v.t.* (conj. 4). Registrar em protocolo.

protocolo *s.m.* (gr. *protokollon*). **1.** Registro de atos públicos. **2.** Formulário que regula os atos públicos. **3.** Deliberação diplomática. **4.** Conjunto das disposições de um tratado entre nações. **5.** Conjunto de normas de comportamento para cerimônias oficiais; cerimonial. **6.** *Fig.* Formalidade, etiqueta. **7.** Cada um dos vários conjunto de especificações técnicas para comunicação ou transmissão de dados entre computadores.

proto-estrela *s.f.* Matéria interestelar em fase de condensação que dará origem a uma estrela.

protogalático *adj.* Relativo a protogaláxia.

protogaláxia (cs) *s.f.* Nuvem de gás a partir da qual se forma uma galáxia.

proto-história *s.f.* Período compreendido entre a pré-história e a história marcado pelo aparecimento da metalurgia.

protolítico *adj.* Diz-se de uma reação química que consiste em uma troca de íons de hidrogênio, ou prótons, entre duas substâncias.

próton *s.m.* (do gr. *protos,* primeiro). Partícula atômica portadora de uma carga elementar positiva.

PRINCIPAIS PARTÍCULAS ATÔMICAS

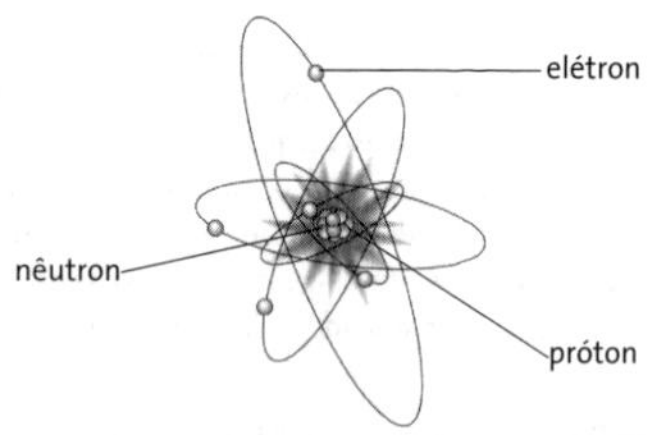

---

protoplaneta (ê) *s.m.* Planeta em vias de formação.

protoplasma *s.m.* (lat. cient. *protoplasma*). Conjunto dos elementos que constituem a estrutura de uma célula viva.

protoplásmico *adj.* Relativo ao protoplasma.

protótipo *s.m.* (gr. e lat. *prototypos*). **1.** Primeiro exemplar; modelo. **2.** *Fig.* O exemplar perfeito.

protozoário *adj.* e *s.m.* Espécime dos protozoários. ★ *adj.* Relativo aos protozoários.

protozoários *s.m.pl.* Grupo de organismos unicelulares, eucariontes, solitários ou coloniais, geralmente móveis e heterótrofos que se locomovem por meio de cílios, flagelos ou pseudópodes.

protrusão *s.f.* **1.** Deslocamento de um órgão para a frente. **2.** *Protrusão acetabular,* deslocamento da cabeça do fêmur para a bacia.

protruso *adj.* (lat. *protrusus*). Diz-se de um órgão que parece ter sido empurrado para a frente.

protuberância *s.f.* (fr. *protubérance*). Saliência, excrescência. ● **Anat.** *Protuberância anular,* formação nervosa situada no tronco cerebral de onde partem as raízes motoras e sensitivas do nervo trigêmeo.

protuberante *adj.2g.* (lat. *protuberans, protuberantis*). Que tem protuberância.

prova *s.f.* (lat. *proba*). **1.** Qualquer evidência que ateste a veracidade de um fato ou a autenticidade de uma informação. **2.** Demonstração que confirma essa veracidade ou autenticidade. **3.** Testemunho, documento. **4.** Sinal, indício. **5.** Teste, ensaio. **6.** Exame, concurso. **7.** Degustação. **8.** Competição esportiva. **9.** Provação. ● **Fot.** A primeira revelação de um negativo. **Mat.** Operação pela qual se confirma a exatidão de um cálculo. **Tip.** Impressão preliminar para teste.

provação *s.f.* (lat. *probatio, probationis*). **1.** Ato ou efeito de provar. **2.** Aflição, sofrimento, prova.

provado *adj.* **1.** Que provou ou demonstrou. **2.** Conhecido, reconhecido, comprovado. **3.** Experimentado, verificado.

provar *v.t.* (lat. *probare*) [conj. 4]. **1.** Demonstrar com provas. **2.** Dar testemunho ou prova de. **3.** Submeter a prova; testar, examinar. **4.** Conhecer por experiência própria; experimentar, sofrer, padecer. **5.** Experimentar, verificar. **6.** Degustar.

provável *adj.2g.* (lat. *probabilis*). **1.** Que se pode provar. **2.** Que pode acontecer; possível. **3.** Que tem aparência de verdadeiro; verossímil.

provecto *adj.* (lat. *provectus*). **1.** Que tem progredido, adiantado. **2.** Avançado em anos. **3.** *Fig.* Experimentado, vivido.

provedor (ô) *s.m.* **1.** Aquele que provê ou que fornece o que é necessário. **2.** Chefe de certas entidades, especialmente caritativas.

proveito *s.m.* (lat. *profectus*). **1.** Vantagem que se tira de alguma coisa. **2.** Ganho, lucro, utilidade, benefício.

provençal *adj.2g.* Relativo ou pertencente à Provença, região da França. ★ *s.2g.* O natural ou habitante da Provença. ★ *s.m.* Língua românica falada na Provença. (Sin. OCCITÂNICO.)

proveniência *s.f.* (lat. *provenientia*). Origem, procedência.

proveniente *adj.2g.* (lat. *proveniens, provenientis*). Que provém; derivado, oriundo, procedente.

provento *s.m.* (lat. *proventus*). Ganho, lucro, rendimento.

prover (ê) *v.t.* (lat. *providere*) [conj. 41]. **1.** Tomar providências acerca de; regular, dispor, providenciar. **2.** Abastecer, munir. **3.** Efetivar a ocupação de um cargo. **4.** Nomear, investir. **5.** Acudir, atender, remediar. ★ *v.pr.* Abastecer-se, munir-se.

proverbial *adj.2g.* (lat. *proverbialis*). **1.** Relativo a provérbio. **2.** *Fig.* Notório, conhecido, célebre.

provérbio *s.m.* (lat. *proverbium*). **1.** Máxima breve de origem popular; anexim, ditado. **2.** Comédia curta que desenvolve ou ilustra um provérbio.

proveta (ê) *s.f.* (fr. *éprouvette*). Vaso de vidro fechado em uma das extremidades usado em laboratórios; tubo de ensaio.

? VOCÊ SABIA...? O primeiro bebê de **proveta** nasceu na Inglaterra a 25 de julho de 1978. Os bebês que nascem por este método são chamados bebês de proveta, embora não se desenvolvam nela. Os óvulos da mãe são retirados e misturados ao sêmen do pai no pequeno tubo de cristal. Após a fecundação, os embriões resultantes se mantêm vivos durante alguns dias antes de serem colocados no útero da mãe. Esse tratamento ajuda as pessoas que não podem ter filhos naturalmente.

---

providência *s.f.* (lat. *providentia*). **1.** Ação de prover, especialmente as necessidades de outrem. **2.** Acontecimento feliz, oportuno. **3.** Expediente, prevenção, previdência. **4.** Assistência divina. **5.** A própria divindade. ● **Teol.** Ação pela qual a sabedoria divina conduz os destinos da criatura.

providencial *adj.2g.* **1.** Que constitui providência; provida. **2.** Conveniente, oportuno.

providenciar *v.t.* (conj. 16). **1.** Encaminhar com medidas. **2.** Prover. ★ *v.i.* Tomar providências.

providente *adj.2g.* (lat. *providens, providentis*). **1.** Que provê; próvido. **2.** Cauteloso, prudente. **3.** Providencial.

provido *adj.* **1.** Que possui tudo o que é necessário. **2.** Diz-se do recurso a que se deu provimento. **3.** Que foi nomeado para uma função pública.

próvido *adj.* Providente, cauteloso.

provimento *s.m.* **1.** Ato ou efeito de prover; provisão. **2.** Despacho de um requerimento. **3.** Determinações administrativas baixadas por um corregedor. ● **Dir.** Acolhimento de um recurso jurídico.

província *s.f.* (lat. *provincia*). **1.** Divisão territorial e administrativa de um país colocada sob a autoridade de um delegado do poder central. **2.** O interior de um país ou de um Estado. **3.** Grupo de dioceses que dependem de um mesmo arcebispo ou de uma mesma metrópole.

provincial *adj.2g.* (lat. *provincialis*). Relativo ou pertencente a província. ★ *s.m.* O superior de certo número de casas religiosas.

provincialismo ou **provincianismo** *s.m.* **1.** Estado ou condição de provinciano. **2.** Conduta ou mentalidade provinciana. **3.** Particularidade da língua falada numa região específica.

provinciano *adj.* Relativo a, ou próprio da província. ★ *adj.* e *s.m.* **1.** Que ou aquele que é da província. **2.** Interiorano. **3.** *Pej.* Atrasado, ultrapassado.

provir *v.t.* (lat. *provenire*) [conj. 67]. **1.** Vir de algum lugar. **2.** Proceder, derivar. **3.** Resultar, advir. **4.** Proceder por geração; descender, originar-se.

provisão *s.f.* (lat. *provisio, provisionis*). **1.** Provimento. **2.** Abastecimento de coisas necessárias ou úteis; sortimento. **3.** Mantimentos, víveres. **4.** Suprimento, reserva. **5.** Abundância, exuberância. **6.** Prescrição, ordem, disposição, providência.

provisional *adj.2g.* **1.** Relativo a provisão. **2.** Provisório.

provisório *adj.* (lat. *provisorius*). **1.** Que é feito por provisão; provisional. **2.** Transitório, interino, temporário; provisional.

provocação *s.f.* (lat. *provacatio, provocationis*). Ato ou efeito de provocar.

provocador (ô) *adj.* (lat. *provocator*). Provocante. ★ *s.m.* Aquele que faz provocações.

provocante *adj.2g.* (lat. *provocante*). Que provoca; provocador, provocativo.

provocar *v.t.* (lat. *provocare*) [conj. 12]. **1.** Incitar, estimular. **2.** Desafiar. **3.** Promover, produzir, ocasionar. **4.** Exercer atração sobre; seduzir. **5.** Caçoar, espicaçar. **6.** Insultar, ofender. ★ *v.i.* Dirigir provocações.

provocativo *adj.* Provocante.

proxeneta (cs...ê) *s.2g.* (gr. *proxenetes*). Pessoa que ganha dinheiro explorando a prostituição; rufião, cáften.

proximidade (ss) *s.f.* (lat. *proximitas, proximitatis*). **1.** Condição ou estado do que está próximo. **2.** Vizinhança, adjacência. ★ *s.f.pl.* Arredores, cercanias.

próximo (ss) *adj.* (lat. *proximus*). **1.** Que está perto; vizinho, contíguo. **2.** Que está prestes a ocorrer; iminente. **3.** Imediato, seguinte. ★ *s.m.* Para o cristianismo, cada ser humano; o semelhante. ★ *adv.* Perto.

prudência *s.f.* (lat. *prudentia*). **1.** Qualidade da pessoa que age com moderação, comedimento, de forma a evitar tudo o que possa causar danos; moderação. **2.** Cautela, precaução. **3.** Circunspecção, serenidade de espírito.

prudente *adj.2g.* (lat. *prudens, prudentis*). **1.** Que tem prudência; moderado. **2.** Cauteloso, precavido. **3.** Circunspecto.

pruído *s.m.* Prurido.

prumo *s.m.* (lat. *plumbum*, chumbo). **1.** Instrumento formado de uma peça metálica, presa à extremidade de um fio metálico ou não, que serve para determinar a direção vertical. **2.** O peso que se ata a esse fio. **3.** A direção indicada por esse instrumento; a vertical. **4.** Régua de metal ou qualquer outro dispositivo destinado a medir a altura de um líquido num tanque, num porão etc. **5.** *Fig.* Prudência, tino, cautela. **6.** *A prumo*, verticalmente, a pino. ● **Agric.** Garfo de enxerto.

prurido *s.m.* (lat. *pruritus*). **1.** Sensação desagradável, percebida ao nível da pele ou das mucosas, que conduz ao desejo de se coçar; comichão, coceira, pruído. **2.** *Fig.* Impaciência, inquietação. **3.** *Fig.* Desejo forte; tentação.

prurigem *s.f.* (lat. *prurigo, pruriginis*). Prurigo.

prurigo *s.m.* Dermatose caracterizada por pápulas, às vezes com nódulos ou lesões urticarianas, sempre acompanhada de prurido; prurigem.

pseudônimo *s.m.* (gr. *pseudonymos,* que usa nome falso). Nome falso ou suposto com que um autor assina algumas ou todas as suas obras.

pseudópode *s.m.* Expansão protoplasmática apresentada por algumas células e protozoários com função de locomoção e de alimentação.

psicanálise *s.f.* (al. *Psychoanalyse*). **1.** Método de investigação psicológica que visa elucidar, ao nível da fala, a significação inconsciente das condutas, desejos e sentimentos, fundamentado principalmente nas teorias freudianas. **2.** Tratamento baseado nessa investigação; análise. **3.** Conjunto das teorias, das técnicas e das práticas que utilizam este método.

VOCÊ SABIA...? Em 1890, o médico austríaco Sigmund Freud desenvolveu o método da **psicanálise.** Explorou as enfermidades de seus pacientes por meio da técnica da livre associação e descobriu que em muitos deles estavam arraigados desejos e conflitos reprimidos, freqüentemente de natureza sexual, originados na infância. A publicação de suas idéias suscitou grandes controvérsias, mas também conseguiu eliminar muitos tabus e preconceitos.

---

psicoanaléptico *s.m.* Classe de psicotrópicos que estimula a vigília e aumenta o rendimento intelectual.

psicoativo *adj.* Diz-se do medicamento cuja ação se exerce no sistema nervoso central.

psicodélico *adj.* **1.** Relativo ao estado de psicodelismo. **2.** Diz-se das drogas que provocam este estado. **3.** Diz-se do que se assemelha aos efeitos visuais multicoloridos produzidos pelo uso dessas drogas.

psicodelismo *s.m.* Estado psíquico caracterizado por alucinações e pela alternância acentuada de humor, provocado pelo uso de alucinógenos como o LSD, a mescalina etc.

psicodiagnóstico *s.m.* Conjunto de técnicas e testes que permitem determinar a natureza de um distúrbio de personalidade, de aprendizagem etc.

psicodisléptico *adj.* Diz-se de um grupo de psicotrópicos que provocam distúrbios semelhantes aos das psicoses, formado pelos alucinógenos, pelos estupefacientes e pelas substâncias embriagadoras. ★ *s.m.* Substância psicodisléptica.

psicofármaco *adj.* e *s.m.* Diz-se de ou medicamento que atua no psiquismo.

psicofarmacologia *s.f.* Ramo da farmacologia que estuda o metabolismo e os efeitos dos medicamentos sobre o sistema nervoso e o psiquismo.

psicofísico *adj.* Relativo às funções psíquicas e somáticas.

psicofisiologia *s.f.* Estudo da relação entre a atividade mental e os processos fisiológicos.

psicogênese *s.f.* Estudo das causas de ordem psíquica susceptíveis de explicar um comportamento, uma modificação orgânica ou um distúrbio mental (p. opos. a *organogênese*).

psicogenética *s.f.* Estudo da aquisição das formas de pensamento pela criança.

psicogenético *adj.* Relativo à psicogênese ou à psicogenética.

psicógeno *adj.* Diz-se de uma manifestação cuja origem se encontra no funcionamento psíquico.

psicografar *v.t.* (conj. 4). Fazer uma psicografia de.

psicografia *s.f.* No espiritismo, registro mediúnico de um texto cuja autoria é atribuída a um espírito.

psicolingüística *s.f.* Estudo científico das atividades psicológicas que permitem a produção e a compreensão da linguagem.

psicologia *s.f.* **1.** Disciplina que visa ao conhecimento das atividades mentais e dos comportamentos em função do meio. **2.** Caráter. **3.** Intuição.

psicológico *adj.* Relativo à psicologia.

psicólogo *s.m.* Especialista em psicologia.

psicometria *s.f.* Parte da psicologia dedicada aos métodos de medida dos fenômenos psicológicos, em especial aos testes psicológicos.

psicomotor (ô) *adj.* **1.** Relativo à psicomotricidade. **2.** Diz-se dos distúrbios da motilidade que não apresentam causa orgânica.

psicomotricidade *s.f.* Conjunto das realizações motoras consideradas a partir de suas relações com o psiquismo.

psicopata *adj.2g.* e *s.2g.* Diz-se de ou sujeito que apresenta psicopatia.

psicopatia *s.f.* Distúrbio da personalidade caracterizado por condutas anti-sociais variadas, com uma aparente ausência de sentimento de culpa.

psicopatologia *s.f.* Parte da psicologia dedicada ao estudo comparado dos processos psíquicos normais e patológicos.

psicopedagogia *s.f.* Pedagogia fundamentada sobre os aspectos psicológicos do desenvolvimento infantil.

psicose *s.f.* (gr. *psykhosis*). Alteração global da personalidade de um sujeito que perturba suas relações com os códigos instituídos pela realidade objetiva.

psicossocial *adj.2g.* Diz-se do que possui uma determinação psicológica e social simultâneas.

psicossomático *adj.* **1.** Relativo, simultaneamente, aos domínios psíquico e somático. **2.** *Distúrbio psicossomático,* doença orgânica cujo determinismo e cuja evolução estão submetidos prioritariamente a fatores de ordem psíquica.

psicotécnica *s.f.* Conjunto dos testes que permitem medir e avaliar as reações psicológicas e fisiológicas de um sujeito.

psicoterapeuta *s.2g.* Especialista em psicoterapia. (Sin. TERAPEUTA.)

psicoterapia *s.f.* Conjunto de técnicas psicológicas que visam corrigir os distúrbios resultantes de um conflito psíquico. (Sin. TERAPIA.)

psicoterapêutico *adj.* Relativo à psicoterapia; psicoterápico.

psicoterápico *adj.* Psicoterapêutico.

psicótico *adj.* Relativo à psicose. ★ *adj.* e *s.m.* Que ou aquele que apresenta uma psicose.

psicotônico *adj.* e *s.m.* Diz-se de ou substância dotada de ação estimulante do psiquismo.

psicotrópico *adj.* e *s.m.* Diz-se de ou substância que age sobre o psiquismo.

psilocibina *s.f.* Substância extraída de um cogumelo com propriedades alucinógenas.

psique *s.f.* Psiquismo.

psiquiatra *s.2g.* Médico especialista em psiquiatria.

psiquiatria *s.f.* Ramo da medicina dedicado ao estudo e tratamento das doenças e distúrbios mentais.

psiquiátrico *adj.* Relativo à psiquiatria.

psíquico *adj.* (gr. *psykhikos*). **1.** Relativo à psique. **2.** Relativo à vida mental nos seus aspectos conscientes ou inconscientes; psicológico, mental.

psiquismo *s.m.* O conjunto de estruturas e fenômenos psicológicos que, formando um todo unitário, constituem a vida mental de um indivíduo; psique.

psitaciformes *s.m.pl.* Ordem de aves trepadoras, de bico forte com extremidade curva e plumagem colorida, que vivem em florestas tropicais e subtropicais, representada pelos papagaios, araras e periquitos.

psitacismo *s.m.* (gr. *psittakos,* papagaio). **1.** Perturbação psíquica que consiste em repetir as palavras sem ter em mente as idéias por elas representadas. **2.** *P. ext.* Palavreado inútil; verborréia. **3.** Processo de aprendizagem por memorização apenas.

psoas (ô) *s.2g.2n.* (gr. *psoa,* lombo). Nome de dois músculos pares, situados ao lado das vértebras lombares, que contribuem para a flexão da coxa junto ao tronco.

psoríase *s.f.* Dermatose crônica, de causa desconhecida, caracterizada por espessa camada de escamas brancas sobre base vermelha, freqüentemente relacionada a estados psíquicos como stress.

pteridófitas *s.f.pl.* Grupo de plantas criptógamas vasculares que se reproduzem sem flores nem sementes, como as avencas, as samambaias etc.

PTERIDÓFITAS ► São uma classe de plantas que apresentam vasos lenhosos e circulação de seiva, mas não têm flores nem sementes, como as samambaias e as avencas.

pterigotos *s.m.pl.* Subclasse (*Pterygota*) de insetos que sofrem metamorfose.

pterodáctilo ou **pterodátilo** *s.m.* Réptil voador fóssil do jurássico, sem dentes e com um bico córneo.

pterossauro *s.m.* Réptil fóssil que viveu do jurássico ao cretáceo, capaz de voar graças a uma larga membrana presa ao quinto dedo da mão, bastante alongado.

ptialina *s.f.* (gr. *ptyalon,* saliva). Enzima salivar que intervém na digestão do amido.

pua *s.f.* (do lat. *pungere,* picar). **1.** Ponta aguda; bico, espigão. **2.** Espigão da espora em cuja extremidade está a roseta. **3.** Parte aguçada da verruma. **4.** Ferramenta constituída por uma haste de aço, estriada ou helicoidal, com a qual se fura a madeira mediante movimento rotatório; broca. **5.** Arco ou peça provida de manivela e roda denteada que faz girar uma haste a cuja extremidade se adapta a broca ou pua. **6.** Intervalo entre os dentes do pente do tear.

puba *s.f.* (tupi *puba,* fermentado). **1.** Mandioca amolecida e fermentada na água (ou enterrada na lama), a fim de perder a substância venenosa que contém. **2.** Terreno úmido, coberto de capim. **3.** Apuro exagerado no trajar; brejeirice. ★ *adj.2g.* Mole, molenga.

puberdade *s.f.* (lat. *pubertas, pubertatis*). **1.** Conjunto de transformações morfológicas, funcionais e psicológicas que traduzem a passagem progressiva da segunda infância para a adolescência. **2.** Período da vida marcado por esse conjunto de transformações; pubescência. **3.** Estado ou qualidade de púbere; pubescência.

púbere *adj.2g.* (lat. *puber, puberis*). Que atingiu a puberdade; pubescente.

pubescência *s.f.* Puberdade.

pubescente *adj.2g.* Púbere.

pubiano *adj.* Relativo ao púbis; púbico.

púbico *adj.* Pubiano.

púbis *s.2g.2n.* (lat. *pubes*). **1.** Parte ínfero-mediana da região hipogástrica que forma uma eminência triangular e que se cobre de pêlos na puberdade; monte de Vênus. **2.** Parte ínfero-anterior de cada um dos ossos ilíacos.

publicação *s.f.* (lat. *publicatio, publicationis*). **1.** Ato ou efeito de publicar. **2.** Obra publicada.

publicar *v.t.* (conj. 12). **1.** Levar ao conhecimento do público. **2.** Divulgar, propagar. **3.** Afirmar publicamente; proclamar. **4.** Editar.

publicidade *s.f.* (fr. *publicité*). **1.** Qualidade do que é público. **2.** Caráter do que é feito em presença do público. **3.** Notoriedade pública. **4.** Conjunto de meios empregados para tornar conhecido um bem, um serviço etc. visando o seu sucesso comercial. **5.** Atividade profissional que se dedica a esse fim. **6.** Cartaz, anúncio.

publicitário *adj.* Relativo à propaganda comercial. ★ *s.m.* O profissional que trabalha em publicidade.

público *adj.* (lat. *publicus*). **1.** Relativo ou pertencente ao povo, à coletividade. **2.** Relativo ou pertencente ao Estado. **3.** Manifesto, conhecido por todos. **4.** Que é aberto a quaisquer pessoas. **5.** *Poderes públicos,* os três poderes do Estado estabelecidos pela constituição. **6.** *Direito público,* conjunto de leis que regulam os interesses de ordem coletiva. ★ *s.m.* **1.** O povo em geral. **2.** Número indeterminado de pessoas reunidas em torno de um interesse comum.

puçá *s.m.* (tupi *pi'sá*). **1.** Fruto do puçazeiro. **2.** Borlas de algodão com que se enfeitam as redes, no Ceará. **3.** Peneira de malhas para apanhar peixes, camarões, siris etc.

púcaro *s.m.* Vaso provido de uma asa, metálico ou de barro, para líquidos.

puçazeiro *s.m.* Árvore de pequeno porte, de frutos comestíveis, que ocorre de Minas Gerais ao Piauí.

pudendo *adj.* (lat. *pudendus*). **1.** Que causa vergonha; vergonhoso. **2.** Casto, pudico. **3.** Diz-se de diversos elementos anatômicos (artérias, plexos) relacionados aos órgãos genitais. **4.** *Doença pudenda,* doença venérea.

pudente *adj.2g.* (lat. *pudens, pudentis*). Que tem pudor; pudico.

pudera *interj.* Exprime ironia, desaprovação, certeza.

pudicícia *s.f.* (lat. *pudicitia*). Qualidade das pessoas pudicas; pudor, pundonor.

pudico *adj.* (lat. *pudicus*). Casto, recatado, pudente, pudendo.

pudim *s.m.* (ingl. *pudding*). Iguaria de consistência cremosa feita com leite, ovos e ingredientes variados e cozida em banho-maria.

pudor (ô) *s.m.* (lat. *pudor*). **1.** Sentimento de mal-estar que impede que se diga ou se faça algo que ofenda a decência, a honestidade, a modéstia; pejo, vergonha. **2.** Discrição, recato.

puerícia *s.f.* (lat. *pueritia*). Infância.

puericultura *s.f.* Conjunto de medidas que visam assegurar às crianças um desenvolvimento físico e psíquico normal, desde o nascimento até a puberdade.

pueril *adj.2g.* (lat. *puerilis*). **1.** Relativo a infância. **2.** Próprio de criança. **3.** *Fig.* Ingênuo, fútil.

puérpera *s.f.* (lat. *puerpera*). Mulher que acabou de dar à luz; parturiente.

puerperal *adj.2g.* **1.** Relativo ao puerpério. **2.** *Febre puerperal,* doença contraída pela puérpera após o parto, geralmente por estreptococo, rara hoje em dia graças à antissepsia e à antibioticoterapia.

puerpério *s.m.* (lat. *puerperium*). **1.** Período de aproximadamente seis semanas após o parto, em que os órgãos genitais e o estado geral da mulher retornam à normalidade. **2.** O conjunto de fenômenos que ocorre neste período.

pugilato *s.m.* (lat. *pugilatus*). **1.** Luta, briga a socos. **2.** *P. ext.* Qualquer luta; pugna, peleja, batalha. **3.** *Fig.* Discussão exaltada.

pugilismo *s.m.* Boxe.

pugilista *s.2g.* (ingl. *pugilist*). Boxeador.

pugilo *s.m.* (lat. *pugillus,* punho, punhado). **1.** Porção de alguma coisa que se pode pegar com o polegar, o indicador e o dedo médio. **2.** Magote, grupo.

pugna *s.f.* (lat. *pugna*). Ação de pugnar; luta, peleja, combate.

pugnar *v.t.* e *v.i.* (lat. *pugnare*) [conj. 4]. **1.** Pelejar, lutar, combater. **2.** Tomar a defesa de, defender.

pugnaz *adj.2g.* (lat. *pugnax*). Que pugna; valente, lutador, pertinaz.

puir *v.t.* (lat. *polire*) [conj. 74]. **1.** Desgastar por fricção; roçar. **2.** Polir, alisar um objeto áspero ou duro.

pujança *s.f.* (esp. *pujanza*). Qualidade de pujante.

pujante *adj.2g.* (esp. *pujante*). **1.** Poderoso, possante. **2.** Que tem poderio; grandioso. **3.** Altaneiro, sobranceiro.

pular *v.i.* (lat. *pullare*) [conj. 4]. **1.** Saltar. **2.** Andar depressa e aos saltos. **3.** *Fig.* Pulsar com veemência. **4.** Agitar-se; manifestar grande alegria. ★ *v.t.* **1.** Galgar, transpor. **2.** Soltar, jorrar. **3.** Aumentar depressa, em bens, fortuna, honra etc.

pulcro *adj.* (lat. *pulcher, pulchra, pulchrum*). *Poét.* Formoso, belo, gentil.

pule *s.f.* (ingl. *pool,* pelo fr. *poule*). Bilhete de aposta em corrida de cavalos.

pulga *s.f.* (lat. *pulex*). Inseto sifonáptero, saltador, desprovido de asas, que se alimenta do sangue de aves e mamíferos.

pulgão *s.m.* Denominação comum a insetos homópteros, que vivem nos vegetais, dos quais sugam a seiva. (Sin. PIOLHO-DE-PLANTA.)

pulguedo (ê) *s.m.* Pulgueiro.

pulgueiro *s.m.* Lugar em que há muita pulga; pulguedo.

pulguento *adj.* Cheio de pulgas.

pulha *s.f.* (esp. *pulla*). **1.** Gracejo caviloso. **2.** Peta, mentira. **3.** Dito chulo. **4.** Ignomínia, vergonha. ★ *s.2g.* Indivíduo sem dignidade, sem brio; patife. ★ *adj.2g.* Relaxado, desmazelado.

pulmão *s.m.* (lat. *pulmo, pulmonis*). **1.** Órgão par do aparelho respiratório, contido na cavidade torácica, de forma aproximadamente cônica, e cuja base repousa sobre o diafragma. **2.** Órgão respiratório dos aracnídeos, que consiste na invaginação da parede ventral do abdome, formando várias lamelas.

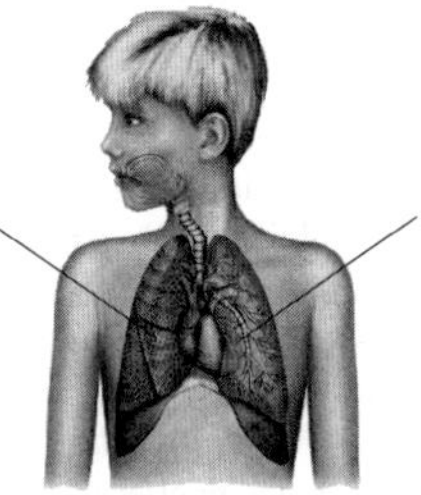

pulmão-de-marinheiro *s.m.* Sin. de CARAVELA[2].

pulmonar *adj.2g.* (lat. tard. *pulmonaris*). Relativo ao pulmão.

pulo *s.m.* Ação de pular.

pulôver *s.m.* (ingl. *pull-over*). Agasalho de malha de lã, com ou sem mangas, que se veste pela cabeça.

púlpito *s.m.* (lat. *pulpitum*). **1.** Tribuna onde os sacerdotes pregam, nos templos. **2.** *Fig.* A eloqüência sagrada.

pulsação *s.f.* (lat. *pulsatio, pulsationis*). **1.** Ato ou efeito de pulsar. **2.** Batimento do coração, das artérias; palpitação, pulso. **3.** Batimento que se observa em certos tumores que se comunicam com as artérias. **4.** Variação periódica do volume de certas estrelas, que se traduz por flutuações regulares da luminosidade. ● **Fís.** Grandeza proporcional à freqüência de um corpo que está em movimento harmônico.

pulsar[1] *v.t.* (lat. *pulsare*) [conj. 4]. **1.** Impelir por meio de impulso. **2.** Fazer palpitar, bater. **3.** Tocar, tanger. ★ *v.i.* **1.** Palpitar, latejar. **2.** Arquejar, anelar, ofegar.

pulsar[2] *s.m.* (ingl. *pulsating star,* estrela ou astro que pulsa). Tipo de estrela que emite radiação eletromagnética intermitente.

pulsátil *adj.2g.* Que apresenta pulsação.

pulseira *s.f.* **1.** Ornato circular para os pulsos; bracelete. **2.** *Gír.* Algema.

pulsional *adj.2g.* Relativo a pulsão.

pulso¹ *s.m.* (lat. *pulsus*). **1.** Transmissão da onda de pressão da contração cardíaca para a artéria, que pode ser percebida nas artérias mais superficiais como uma sensação de elevação intermitente. **2.** Articulação que une a mão ao braço. **3.** *Fig.* Energia demonstrada no exercício da autoridade.

pulso² *s.m.* Sinal eletromagnético emitido por um pulsar em intervalos muito regulares.

pululante *adj.2g.* Que pulula.

pulular *v.i.* (lat. *pullulare*) [conj. 4]. **1.** Germinar, brotar rápida e abundantemente. **2.** Espalhar-se profusamente; aparecer em grande quantidade. **3.** Multiplicar-se rapidamente e em grande quantidade. **4.** Arder, ferver.

pulverizador *s.m.* **1.** Instrumento com o qual se lançam líquidos em tênues gotículas. **2.** Em agricultura, máquina utilizada para espalhar produtos líquidos como inseticidas ou fertilizantes.

pulverizar *v.t.* (lat. tard. *pulverizare*) [conj. 4]. **1.** Reduzir a pó; polvilhar. **2.** Espalhar pó. **3.** Espargir (líquido) com pulverizador. **4.** *Fig.* Destruir, arrasar, aniquilar. ★ *v.pr.* Transformar-se em pó, desfazer-se em pó.

pulverulento *adj.* (lat. *pulverulentus*). **1.** Que se reduz a pó. **2.** Que se apresenta em estado de pó fino. **3.** Coberto de pó.

puma *s.m.* (quíchua *púma,* pelo esp. *puma*). Sin. de SUÇUARANA.

punção *s.f.* (lat. *punctio, punctionis*). Ato ou efeito de puncionar ou pungir. ● **Med.** Operação que consiste em introduzir um instrumento perfurante em um órgão ou uma cavidade natural ou patológica para explorar ou para evacuar um líquido. ★ *s.m.* **1.** Ferramenta pontiaguda para fazer furos, ou cilíndrica ou cônica, para brocar e recortar chapas, estampar peças metálicas etc. **2.** Instrumento cirúrgico, espécie de agulha ou estilete com cabo. **3.** Instrumento de aço temperado usado para marcar os objetos de ouro, prata, estanho etc.

PUNÇÃO ► Na punção, insere-se uma agulha em algum órgão do corpo para retirar parte do líquido que ele contém. As punções costumam ser feitas para obter amostras de líquido cefalorraquidiano (da medula espinhal) ou para drenar feridas infectadas.

---

puncionar *v.t.* (conj. 4). Marcar ou furar com punção. ● **Med.** Praticar uma punção.

punctura *s.f.* (lat. *punctura*). **1.** Picada feita com punção ou objeto análogo. **2.** Em acupuntura, picada efetuada com fim terapêutico. ● **Ind. Gráf.** Chapa de ferro, com ganchos de ferro nas margens, onde os impressores prendem as folhas de papel a fim de marginá-las corretamente.

pundonor (ô) *s.m.* (esp. *pundonor,* forma contraída de *punto de honor,* ponto de honra). **1.** Brio, honra, altivez. **2.** Cavalheirismo. **3.** Pudicícia.

punga¹ *s.m.* (esp. *punga*). *Gír.* **1.** Punguista. **2.** Ação de punguear. **3.** O fruto dessa ação.

punga² *adj.2g.* **1.** Ruim, imprestável, ordinário. **2.** Moleirão, preguiçoso. ★ *s.m.* **1.** Indivíduo tolo, moleirão, inepto, imprestável. **2.** Cavalo de má qualidade.

pungente *adj.2g.* (lat. *pungens, pungentis*). **1.** Que punge. **2.** Doloroso, aflitivo, lancinante.

pungir *v.t.* (lat. *pungere*) [conj. 78]. **1.** Picar. **2.** Estimular, incitar. **3.** Causar grande dor moral; magoar, afligir. **4.** Fazer sair, apertando. ★ *v.i.* Começar a apontar (a vegetação).

punguear *v.t.* (conj. 15). Furtar das pessoas (dinheiro, carteira), sem que estas percebam, nos lugares de ajuntamento.

punguista *s.2g.* O que pungueia.

punhado *s.m.* **1.** Quantidade de matéria contida numa mão. **2.** *Fig.* Pequeno número.

punhal *s.m.* Arma branca, constituída de um cabo e uma lâmina comprida e perfurante.

punhalada *s.f.* **1.** Ferimento feito com punhal. **2.** *Fig.* Ofensa grave.

punho *s.m.* (lat. *pugnus*). **1.** Região do membro superior correspondente à articulação do antebraço com a mão. **2.** *P. ext.* A mão fechada. **3.** Parte de uma espada ou de outra arma branca por onde é sustentada. **4.** Parte por onde se empunham alguns instrumentos; cabo. **5.** Extremidade de uma manga de roupa.

punição *s.f.* (lat. *punitio, punitionis*). **1.** Ato ou efeito de punir. **2.** Castigo aplicado; pena.

púnico *adj.* (lat. *punicus*). **1.** Relativo ou pertencente a Cartago ou aos cartagineses; cartaginês. **2.** *Fig.* Traidor, desleal. ★ *s.m.* O natural ou habitante de Cartago; cartaginês.

punir *v.t.* (lat. *punire*) [conj. 6]. Infligir pena ou castigo a.

punitivo *adj.* Que tem por fim punir.

pupa *s.f.* (lat. cient. *pupa*). Na metamorfose dos insetos holometabólicos, estágio intermediário entre a larva e a imago.

pupila *s.f.* (lat. *pupilla*). Abertura no centro da íris; menina dos olhos.

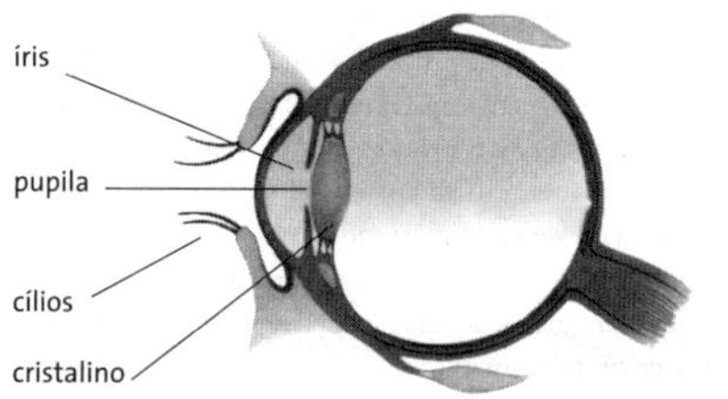

---

pupilar *adj.2g.* (lat. *pupillaris*). **1.** Relativo à pupila. **2.** Relativo a pupilo.

pupilo *s.m.* (lat. *pupillus*). **1.** Criança menor colocada sob um regime de tutela. **2.** Estudante. **3.** *Fig.* Protegido, valido.

pupu *s.m.* Sin. de JURITI.

pupunha *s.f.* (tupi *pu'puña*). Fruto da pupunheira, constituído por cone amarelo-alaranjado, de casca fina e polpa de sabor delicado que lembra o da castanha, comestível ao natural ou em compotas e geléias.

pupunheira *s.f.* Palmeira nativa da floresta amazônica, de folhas compridas, que produz frutos comestíveis de grande importância alimentar, e cujo tronco fornece palmito.

purê *s.m.* (fr. *purée*). Preparação culinária de legumes, batata, maçã etc., que consiste em amassá-los ou passá-los na peneira acrescentando leite, manteiga, sal.

pureza (ê) *s.f.* Qualidade de puro.

purga *s.f.* **1.** Purgação. **2.** Denominação comum a plantas de propriedades laxativas ou purgativas.

purgação *s.f.* (lat. *purgatio, purgationis*). **1.** Ato ou efeito de purgar(-se); purificação, purga. **2.** Evacuação produzida por um purgante. **3.** *Pop.* Supuração, em particular do ouvido. **4.** Catarse.

purgante *adj.2g.* Que tem a virtude de purgar. ★ *adj.2g.* e *s.m.* Diz-se de ou o medicamento que causa evacuação intestinal; laxante, laxativo, purgativo. ★ *s.m. Fam.* Pessoa ou coisa tediosa, enfadonha.

purgar *v.t.* (lat. *purgare*) [conj. 14]. **1.** Livrar de impurezas; purificar, limpar. **2.** Livrar, desembaraçar. **3.** Ministrar purgante. **4.** Expiar (culpa, pecado). **5.** Pagar. ★ *v.i.* Deitar maus humores, emitir pus.

purgativo *adj.* e *s.m.* (lat. *purgativus*). Purgante.

purgatório *s.m.* (lat. tard. *purgatorium*). **1.** Na teologia católica, lugar de purificação para os que morreram sem pecados mortais mas que ainda não atingiram a perfeição exigida para a bem-aventurança. **2.** Qualquer lugar onde se sofre por algum tempo. **3.** Expiação.

purificação *s.f.* (lat. *purificatio, purificationis*). **1.** Ato ou efeito de purificar(-se). **2.** Festa celebrada em 2 de fevereiro em honra de Nossa Senhora e de sua purificação no templo após o nascimento de Jesus. **3.** Gesto da missa que se segue às abluções e que consiste em limpar o cálice.

purificar *v.t.* (lat. *purificare*) [conj. 12]. **1.** Tornar puro; depurar, sanear. **2.** Livrar de impurezas; purgar. ★ *v.pr.* Tornar-se puro, limpo, imaculado.

puriforme *adj.2g.* Que tem a aparência de pus.

purismo *s.m.* Atitude segundo a qual a utilização da língua deve se conformar a uma norma ideal que visa a privilegiar um uso dito "puro", sem empréstimo de outras línguas.

purista *adj.2g.* Que é próprio do purismo; que se caracteriza pelo purismo. ★ *s.2g.* Partidário do purismo; castiço.

puritanismo *s.m.* (fr. *puritanisme*). **1.** Doutrina protestante dos séculos XVI e XVII que só admitia a Bíblia como fonte e pregava o retorno ao cristianismo primitivo. **2.** Excessiva austeridade de princípios; moralismo.

puritano *adj.* e *s.m.* (ingl. *puritan*). **1.** Adepto do puritanismo. **2.** Que ou aquele que defende uma exagerada austeridade moral; moralista.

puro *adj.* (lat. *purus*). **1.** Não misturado a substância alguma. **2.** Livre de impurezas. **3.** Limpo, límpido, transparente. **4.** Isento de ruídos. **5.** Imaculado, incorrupto. **6.** Casto. **7.** Simples, mero. **8.** Absoluto, completo. **9.** Ingênuo, cândido. **10.** Vernáculo. **11.** Não abstrato, teórico.

puro-sangue *adj.2g.* e *s.2g.* **1.** Diz-se de ou cavalo de raça pura. **2.** Diz-se de ou raça de cavalo de corrida.

púrpura *s.f.* (gr. *porphyra*). **1.** Corante de um vermelho escuro. **2.** Cor vermelha. **3.** Estofo tinto com essa cor. **4.** Vestimenta régia. **5.** *Fig.* A dignidade real. **6.** *Fig.* A dignidade cardinalícia. ● **Med.** Síndrome hemorrágica caracterizada por uma erupção de manchas vermelhas na pele, com formas e dimensões variáveis, que aparecem espontaneamente e não somem pela pressão.

purpúreo *adj.* Da cor da púrpura.

purpurina *s.f.* Substância natural ou sintética empregada na produção de corantes ácidos.

púrpuro *adj.* Purpúreo.

purulento *adj.* (lat. *purulentus*). **1.** Que tem o aspecto ou a natureza do pus. **2.** Misturado com pus. **3.** Que produz pus.

pururuca *s.f.* Coco ainda tenro. ★ *adj.2g.* **1.** *Pop.* Duro, quebradiço. **2.** Diz-se do couro do porco frito e seco.

pus *s.m.* (lat. *pus*). Exsudato inflamatório líquido, de aspecto opaco, constituído por soro, leucócitos, células dos tecidos vizinhos, hemácias e micróbios.

pusilânime *adj.2g.* e *s.2g.* (lat. tard. *pusillanimis*). Que ou aquele que demonstra fraqueza ou covardia; covarde, poltrão.

pusilanimidade *s.f.* (lat. *pusillanimitastis*). Caráter de pusilânime; covardia, frouxidão.

pústula *s.f.* (lat. *pustula*). **1.** Pequena bolha inflamatória da pele que se torna purulenta. **2.** *Fig.* Indivíduo infame; mau-caráter. **3.** *Pústula maligna,* sin. de CARBÚNCULO.

pustuloso (ô) *adj.* (lat. *pustulosus*). **1.** Pustulento. **2.** Diz-se de afecção caracterizada pela erupção de pústulas.

putativo *adj.* (do lat. *putare,* julgar). O que se supõe ter uma existência legal.

putrefação *s.f.* (lat. *putrefactio, putrefactionis*). **1.** Decomposição das matérias orgânicas nitrogenadas por microrganismos, com formação de gases fétidos. **2.** *Fig.* Corrupção, deterioração, apodrecimento.

PUTREFAÇÃO ▸ Os processos de putrefação se devem à ação de bactérias e fungos que atuam decompondo materiais orgânicos, que em sua maioria são ricos em proteínas (por exemplo, carne ou queijo). A putrefação é o tipo de fermentação que produz os odores mais desagradáveis, devido às substâncias contidas nas proteínas que os decompositores digerem.

---

putrefato *adj.* (lat. *putrefactus*). Que se putrefez; putrefeito.

putrefazer *v.t.* (lat. *putrefacere*) [conj. 31]. Tornar podre; putrificar. ★ *v.pr.* Tornar-se podre; apodrecer.

putrefeito *adj.* Putrefato.

putrescência *s.f.* (lat. *putrescentia*). Processo de putrefação.

putrescente *adj.2g.* (lat. *putrescens, putrescentis*). Em estado de putrescência, de putrefação.

pútrido *adj.* (lat. *putridus*). **1.** Putrefato, podre. **2.** Que apresenta os fenômenos da putrefação.

putrificar *v.t.* e *v.i.* (conj. 12). Putrefazer.

puxa[1] *s.2g. Pop.* Bajulador, puxa-saco. ★ *s.f. (NE)* Certa dança popular.

puxa[2] *interj.* Exprime surpresa, espanto, decepção, impaciência.

puxada *s.f.* **1.** Ação de puxar. **2.** A carta que um parceiro puxa ou joga de mão. **3.** Puxado. **4.** Viagem longa; caminhada penosa.

puxado *adj.* **1.** Que se puxou. **2.** *Pop.* Dispendioso, caro. **3.** *Pop.* Trabalhoso, difícil. ★ *s.m.* Prolongamento de uma casa; puxada.

puxador (ô) *adj.* e *s.m.* Que ou o que puxa ou serve para puxar.

puxão *s.m.* (lat. *pulsio, pulsionis*). Ato ou efeito de puxar com violência; repelão.

puxa-puxa *s.m.* **1.** Ponto da calda de açúcar quando adquire consistência elástica. **2.** Doce com essa consistência; quebra-queixo.

puxar *v.t.* (lat. *pulsare*) [conj. 4]. **1.** Trazer para si. **2.** Mover pela força; arrastar. **3.** Mover para fora. **4.** Arrancar, extrair. **5.** Esticar, estirar. **6.** Tirar, sacar. **7.** Remover, transferir. **8.** Incitar, instigar, estimular. **9.** Iniciar, começar. **10.** Impulsionar, propelir. **11.** Parecer-se com; sair a. **12.** Tender, inclinar-se. ★ *v.i.* Custar caro.

puxa-saco *s.2g.* *Pop.* Adulador, bajulador.

puxo *s.m.* (lat. *pulsus*). **1.** Sensação dolorosa na região do ânus, a qual precede ou acompanha uma evacuação difícil; tenesmo. **2.** Esforço que a mulher realiza no momento em que dá à luz.

Qq Qq Qq

q *s.m.* Décima sexta letra do alfabeto português.

Q.I. *s.m.* (abrev. de *Quociente de Inteligência*). Relação entre a idade mental, determinada por testes psicológicos específicos, e a idade cronológica de um sujeito, expressa por um número multiplicado por 100.

quadra *s.f.* (lat. *quadra*). **1.** Quarteirão. **2.** Divisão de terreno com a forma aproximada de um quadrilátero. **3.** Campo para esportes disputados em ginásios. **4.** *Fig.* Fase, época. ● **Lit.** Estrofe de quatro versos; quarteto. **Metrol.** Medida agrária equivalente ao alqueire mineiro (48.400 m^2). ► *Quadra de sesmaria,* a que equivale a 50 quadras quadradas. ► *Quadra quadrada,* medida de superfície equivalente a 17.424 m^2.

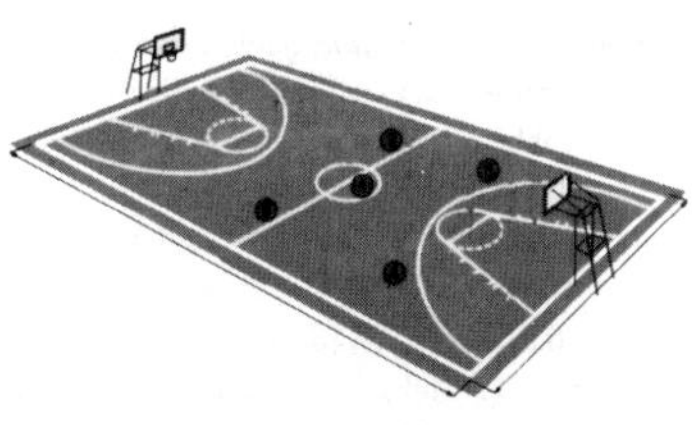

quadra de basquetebol

quadrado *adj.* (lat. *quadratus*). **1.** Que tem quatro lados iguais e quatro ângulos retos. **2.** *Fig.* Perfeito, completo, acabado. **3.** *Pop.* Retrógrado, ultrapassado. ● **Mat.** *Raiz quadrada de um número,* número que multiplicado por si mesmo resulta num número dado. **Metrol.** Diz-se de uma unidade de comprimento multiplicada por si mesma para o cálculo de medida de superfície. ★ *s.m.* **1.** Figura plana com quatro ângulos retos. **2.** Produto de um número multiplicado por ele mesmo. **3.** Papagaio. ● **Anat.** Nome dado a diversos músculos do corpo humano em razão de sua forma. **Zool.** Osso sobre o qual se articula a mandíbula de todos os vertebrados, exceto os mamíferos.

quadragenário *adj.* e *s.m.* (lat. *quadragenarius*). **1.** Que ou aquele que tem de 40 a 49 anos de idade; quarentão. **2.** Que ou o que contém 40 unidades.

quadragésimo *num. ord.* (lat. *quadragesimus*). Correspondente ao número quarenta numa seqüência. ★ *s.m.* Cada uma das quarenta partes iguais em que se divide um todo.

quadrangular *adj.2g.* (lat. *quadrangularis*). Que tem quatro ângulos; quadrangulado.

quadrante *s.m.* (lat. *quadrans, quadrantis*). **1.** Setor angular que mede 90 graus. **2.** A quarta parte do círculo. **3.** Círculo ou porção de círculo com divisões que faz parte de aparelhos de medida; mostrador. **4.** Cada um dos quatro setores de 90° da rosa-dos-ventos. **5.** *Quadrante solar,* relógio de sol.

quadrar *v.t.* (lat. *quadrare*) [conj. 4]. **1.** Dar forma de quadrado. **2.** Multiplicar (um número) por si mesmo; elevar ao quadrado. **3.** Ser condizente com; ajustar-se, adaptar-se. **4.** Ser próprio de, vir a calhar.

quadratura *s.f.* (lat. *quadratura*). Determinação de um quadrado equivalente a uma figura dada. ● **Astron.** Posição de dois astros em relação à Terra quando suas direções formam um ângulo reto. **Mat.** Cálculo de uma integral definida ou determinação de uma área.

quadríceps *s.m.2n.* Músculo da face anterior da coxa, com quatro feixes musculares que se inserem por um tendão comum na base da rótula e na tuberosidade anterior da tíbia.

quadriculado *adj.* Disposto, dividido em quadros.

quadricular *v.t.* (conj. 4). Dividir em quadrículos ou quadrinhos.

quadrículo *s.m.* Pequeno quadrado.

quadrienal ou **quatrienal** *adj.2g.* (lat. *quadriennalis*). **1.** Que dura quatro anos. **2.** Que ocorre de quatro em quatro anos.

quadriênio ou **quatriênio** *s.m.* (lat. *quadriennium*). Período de quatro anos.

quadriga *s.f.* (lat. *quadrigae*). Carro antigo de duas rodas, atrelado a quatro cavalos emparelhados.

quadrigêmeo *adj.* (lat. *quadrigeminus*). Diz-se de quatro tubérculos arredondados, situados na parte superior do tronco cerebral. ★ *s.m.pl.* Quádruplos.

quadril *s.m.* **1.** Região anatômica correspondente à articulação de um membro inferior com a bacia. **2.** Essa articulação. **3.** Anca, alcatra (no gado).

quadrilátero *adj.* (lat. *quadrilaterus*). Quadrilateral. ★ *s.m.* **1.** Polígono que tem quatro lados. **2.** Superfície interior a tal polígono, se ele não é cruzado.

quadrilha *s.f.* (esp. *cuadrilla,* reunião de quatro pessoas). **1.** Dança de origem francesa (fins do séc. XVIII) proveniente das antigas contradanças. **2.** Conjunto de casais de dançarinos, em número par, que executam essa dança. **3.** Peça musical própria para essa dança. **4.** Grupo de malfeitores, assaltantes, criminosos.

quadrimestral *adj.2g.* **1.** Relativo a quadrimestre. **2.** Que ocorre a cada quatro meses.

quadrimestre *s.m.* (lat. *quadrimestris*). Período de quatro meses.

quadrimotor (ô) *adj.* Que tem quatro motores. ★ *s.m.* Aeronave provida de quatro motores.

quadringentésimo *num. ord.* (lat. *quadringentesimus*). Correspondente ao número quatrocentos numa seqüência. ★ *s.m.* Cada uma das quatrocentas partes iguais em que se divide um todo.

quadrinhos *s.m.pl.* Gênero ou peça de ficção em que a narração se dá por uma seqüência de desenhos, acompanhados ou não de legendas.

quadrinômio *s.m.* Expressão algébrica constituída de quatro termos.

quadrissílabo *adj.* (lat. cient. *quadrisyllabus*). Que tem quatro sílabas; tetrassilábico. ★ *s.m.* Palavra ou verso de quatro sílabas.

quadro *s.m.* (lat. *quadrum*). **1.** Objeto quadrado. **2.** Pintura, gravura ou desenho emoldurados. **3.** Quadro-negro. **4.** Lista ou conjunto dos membros de uma corporação, sociedade, empresa, repartição etc. **5.** Equipe, time. **6.** Relação metódica de uma matéria. **7.** Descrição de um fato ou acontecimento; resenha. **8.** Cada uma das partes de um espetáculo de variedades; número. **9.** Conjunto de tubos que formam a estrutura principal de uma bicicleta ou de uma motocicleta. **10.** *Quadro clínico,* conjunto de sinais e sintomas observados num paciente. ● **Cin.** Cada fotografia que integra um filme cinematográfico.

quadro-negro *s.m.* Painel originalmente de fundo negro usado em salas de aula para explicações do professor ou exercícios dos alunos; lousa, quadro.

quadrúmano *adj.* e *s.m.* (lat. *quadrumanus*). Diz-se de ou animal que tem quatro mãos, p. ex., os macacos.

quadrúpede *adj.2g.* e *s.m.* (lat. *quadrupes, quadrupedis*). Diz-se de ou animal que tem quatro pés ou patas. ★ *s.2g.* *Fig.* Indivíduo grosseiro, estúpido, bruto.

QUADRÚPEDE ▸ A maioria dos mamíferos é quadrúpede, ou seja, caminha sobre quatro patas. Os mamíferos, ao contrário dos répteis, têm as patas situadas embaixo, e não dos lados, do corpo e, por isso, podem erguê-las do chão. Essa característica lhes permite uma locomoção mais rápida, que depende da superfície da pata que entra em contato com o solo.

Os caprinos são quadrúpedes.

quadruplicar *v.t.* (lat. *quadruplicare*) [conj. 12]. Multiplicar por quatro. ★ *v.i.* e *v.pr.* Tornar-se quatro vezes maior.

quádruplo *adj.* (lat. *quadruplus*). Quatro vezes maior. ★ *s.m.* Quantidade quatro vezes maior do que outra. ★ *num.* Multiplicativo de quatro. ★ *s.m.pl.* Quatro crianças nascidas gêmeas; quadrigêmeos.

quaker *s.m.* (ingl.). Membro de uma seita protestante do séc. XVII que se difundiu principalmente nos Estados Unidos e que postulava um culto desprovido de ritos.

qual *pron. interrogativo* (lat. *qualis*). **1.** Que pessoa, quem. **2.** Que coisa, que. ★ *pron. rel.* Quando precedido de art. def. ★ *conj.* Como, assim como, tal qual. ★ *interj.* Expressa dúvida, negação, espanto, admiração.

qualidade *s.f.* (lat. *qualitas, qualitatis*). **1.** Característica peculiar; particularidade. **2.** Atributo, predicado. **3.** Espécie, gênero. **4.** Virtude, mérito. **5.** Superioridade, excelência.

qualificação *s.f.* (lat. *qualificatio, qualificationis*). **1.** Ato ou efeito de qualificar(-se). **2.** Qualidade requerida; condição. **3.** Conjunto de conhecimentos teóricos e práticos que habilitam uma pessoa para a execução de uma tarefa ou para o ingresso em um curso. **4.** Exame, prova ou documento que atesta essa situação.

qualificar *v.t.* (lat. *qualificare*) [conj. 12]. **1.** Atribuir qualidade a; classificar. **2.** Avaliar, julgar, segundo qualidades específicas; caracterizar. **3.** Considerar apto, idôneo. ★ *v.pr.* **1.** Atribuir-se determinada qualidade; considerar-se. **2.** Reunir as condições necessárias para.

qualificativo *adj.* e *s.m.* Que ou o que exprime qualidade.

qualitativo *adj.* (lat. *qualitas, qualitatis*). **1.** Relativo a qualidade. **2.** Que exprime ou determina qualidades. **3.** *Análise qualitativa,* análise que tem por objetivo a determinação da natureza das substâncias químicas e não a sua quantidade.

qualquer *pron. indef.* (*pl. quaisquer*). **1.** Pessoa ou coisa indeterminada. **2.** Um, algum, alguém. **3.** Alguma coisa, algo. **4.** Todo, cada.

quando *adv.* (lat. *quando*). **1.** Em que tempo, em que oportunidade. **2.** *De quando em quando,* vez por outra. ► *Quando menos,* pelo menos. ► *Quando muito,* no máximo. ► *Quando não,* do contrário. ► *Quando de,* por ocasião de. ★ *conj.* **1.** No tempo em que, assim que. **2.** Apesar de que. **3.** Enquanto, ao passo que. **4.** Mas. ★ *s.m.* A ocasião.

quantia *s.f.* Quantidade, porção, soma, especialmente de dinheiro; importância.

quântico *adj.* **1.** Relativo a *quantum.* **2.** *Energia quântica,* energia de um quantum de luz, equivalente a um fóton. ► *Mecânica quântica,* ramo da física que estuda os fenômenos relacionados à propagação e ao comportamento das partículas atômicas e subatômicas. (Sin. MECÂNICA ONDULATÓRIA*.)

quantidade *s.f.* (lat. *quantitas, quantitatis*). **1.** Propriedade do que pode ser medido ou contado, do que é suscetível de acréscimo ou diminuição. **2.** Peso, volume ou número que determina uma porção de matéria, um conjunto de objetos. **3.** Um grande número, de pessoas ou de coisas. ● **Liter.** Duração relativa de uma sílaba métrica. (Distinguem-se longas e breves.)

quantificar *v.t.* (conj. 12). **1.** Determinar a quantidade de. **2.** Em lógica, atribuir uma quantidade a um símbolo, a uma proposição. ● **Fís.** Aplicar a uma grandeza uma variação descontínua em quantidades distintas e múltiplas de um mesmo valor elementar.

quantitativo *adj.* **1.** Relativo a quantidade. **2.** *Análise quantitativa,* análise que determina, em massa ou em volume, os componentes de uma combinação ou de uma mistura.

quanto *pron. interrog.* (lat. *quantus*). Que quantidade de, que número de, que quantia, quão. ★ *pron. rel.* Que, tudo (todo, todos), que. ★ *adv.* **1.** Com que intensidade, freqüência ou demora; até que ponto. **2.** Muito. **3.** *Quanto a,* com referência a, em relação a.

quantum *s.m.* Quantidade unitária de energia ou de matéria, definida como sua menor porção.

quão *adv.* (lat. *quam*). Quanto, como.

quarar *v.t.* (conj. 4). Corar.

quarenta *num. card.* (lat. *quadraginta*). **1.** Quatro vezes dez. **2.** Quadragésimo. ★ *s.m.* O algarismo (40) que representa esse número.

quarentão *adj.* e *s.m.* Quadragenário.

quarentena *s.f.* (it. *quarentena*). **1.** Número exato ou aproximado de 40. **2.** Período de 40 dias. ● **Med.** Período de isolamento a que submetem os portadores ou supostos portadores de doenças contagiosas.

QUARENTENA ► A idéia das quarentenas data da Idade Média e remonta à aparição da peste, vinda do Oriente, que atingiu grande parte da população. Os cadáveres infectados chegavam a ser arremessados contra inimigos durante as guerras, causando-lhes verdadeiro terror. A Organização Mundial de Saúde limita a quarentena a seis doenças: peste, cólera, febre amarela, varíola, tifo exantemático e febre recorrente. Todos os países, em especial os serviços sanitários dos portos e aeroportos, devem ser informados da existência dessas epidemias.

---

quaresma *s.f.* (lat. *quadragesima*). **1.** Para os católicos, período de 40 dias de penitência, que vai da quarta-feira de cinzas até o domingo de Páscoa. **2.** Seqüência de sermões extraordinários pronunciados durante a quaresma.

quaresmal *adj.2g.* Relativo a quaresma.

quaresmeira *s.f.* Nome comum a diversas árvores ou arbustos ornamentais, de flores que variam em tons de roxo, e cuja floração ocorre na época da quaresma. (Sin. FLOR-DA-QUARESMA.)

quark *s.m.* A menor partícula atômica, conhecida como *quantum* da matéria, que dá origem aos hádrons.

quarta[1] *s.f.* Intervalo de quatro graus na escala diatônica.

quarta[2] *s.f.* (do lat. *quarta pars,* a quarta parte). **1.** Proporção que cabe ao parceiro na partilha da produção de um estabelecimento agrícola. **2.** Rês destinada ao vaqueiro, a título de remuneração, em cada lote de quatro crias. **3.** Quartinha. **4.** (*N*) Medida equivalente a 40 litros. **5.** (*PI*) Medida para cereais equivalente a 72 litros.

quarta[3] *s.f.* (ingl. *quart*). **1.** Unidade inglesa de capacidade (símb. qt), equivalente a 1,136 litro. **2.** Unidade norte-americana de capacidade (para líquidos, símb. líq. qt), equivalente a 0,946 litro. **3.** Unidade norte-americana de capacidade (para secos, símb. qt), e equivalente a 1,101 litro.

quarta[4] *s.f.* Forma reduzida de *quarta-feira.*

quartã *adj.* e *s.f.* (do lat. *quartana febris*). Diz-se de ou febre intermitente, que recidiva após dois dias de apirexia, característica de uma das formas de malária.

quarta-doença *s.f.* **1.** Febre eruptiva da infância, com amigdalite e infartamento ganglionar, de etiologia viral. **2.** *Quarta-doença venérea,* doença sexualmente transmissível que provoca inflamação, ulceração e às vezes gangrena do pênis.

quarta-feira *s.f.* O quarto dia da semana. (Forma reduzida *quarta.*)

quarteirão *s.m.* **1.** Quarta parte de 100. **2.** Conjunto de edificações que formam um quadrilátero limitado por quatro ruas; quadra. **3.** Antigo imposto.

quartel[1] *s.m.* (esp. *cuartel*). **1.** Quarta parte de um todo; quarto. **2.** *Fig.* Espaço de tempo; período, época.

quartel[2] *s.m.* (fr. *quartier*). Edifício destinado ao alojamento de soldados; caserna.

quartela *s.f.* Região dos membros anteriores e posteriores nos quadrúpedes, situada entre o boleto e a coroa.

quartel-general *s.m.* **1.** Posto de comando de um oficial-general e seu estado-maior. **2.** A repartição ocupada por esses oficiais.

quarteto (ê) *s.m.* (it. *quartetto*). **1.** Composição musical escrita para quatro partes vocais ou instrumentais. **2.** Conjunto de executantes desse tipo de composição. **3.** Conjunto de quatro pessoas. ● **Lit.** Quadra.

quartil *s.m.* Distância correspondente a um arco de 90° entre dois astros, em quadratura em relação a um terceiro.

quartinha *s.f.* Espécie de bilha de barro para guardar a água fresca; moringa, quarta.

quarto[1] *num. ord.* (lat. *quartus, quartum*). Correspondente ao número quatro numa seqüência. ★ *s.m.* **1.** Cada uma das quatro partes iguais em que se divide um todo; quartel. **2.** Parte superior das pernas dos quadrúpedes.

quarto² *s.m.* **1.** Compartimento de uso específico em uma casa. **2.** Dormitório (numa casa, num hotel).

quartzo *s.m.* (al. *Quartz*). Sílica cristalizada que se encontra em numerosas rochas, geralmente incolor.

quarup *s.m.* Ritual funerário em forma de dança, de alguns povos indígenas da região do rio Xingu.

quasar *s.m.* Radiofonte cósmica com aspecto visual de estrela, de emissão superior à de qualquer galáxia.

quase *adv.* (lat. *quasi*). **1.** Aproximadamente, cerca de. **2.** Pouco mais ou menos. **3.** Perto de. **4.** Por pouco.

quaternário *adj.* (lat. *quaternarius*). **1.** Relativo a quatro e a quarto. **2.** Composto de quatro unidades ou elementos. **3.** Divisível por quatro. **4.** Diz-se de um átomo de carbono ou de nitrogênio ligado a quatro outros átomos de carbono. **5.** Relativo ou pertencente ao quaternário. **6.** *Eixo quaternário,* eixo de simetria de ordem 4. ► *Numeração quaternária,* sistema de numeração de base 4. ★ *s.m.* Período geológico da era cenozóica, com duração aproximada de 3 milhões de anos.

quati *s.m.* (tupi *akwa'ti,* nariz pontudo). Denominação comum a mamíferos carnívoros e arborícolas da América do Sul, que possuem focinho alongado e cauda comprida, anelada.

quatipuru *s.m.* Sin. de CAXINGUELÊ.

quatorze (ô) ou **catorze** *num. card.* (lat. *quattordecim*). **1.** Dez mais quatro. **2.** Décimo quarto. ★ *s.m.* O algarismo (14) que representa esse número.

quatrienal *adj.2g.* Quadrienal.

quatriênio *s.m.* Quadriênio.

quatrilhão *num. card.* Mil trilhões.

que¹ *pron. interrogativo.* (lat. *quid*). Qual, quais, qual coisa, quais coisas. ★ *adv.* Quanto, quão.

que² *pron. rel.* (lat. *quem*). O qual, a qual, os quais, as quais.

que³ *conj.* (lat. *quid*). Introduz orações subordinadas comparativas: *Somos mais felizes que eles.*

que⁴ *conj.* subordinativa (lat. tard. *que*). Introduz: **1.** orações subordinadas substantivas: *Convém que chova*; causais: *Corra, que está atrasado*; concessivas: *Brigará, que seja, por uns trocados*; consecutivas: *Ri tanto que chorei*; finais: *Fez sinal que nos levantássemos*; temporais: *Há uma semana que não a vejo.* **2.** orações coordenadas aditivas: *Mexe que remexe e não descobre nada de novo*; alternativas: *Um que outro turista passava por ali.*

quê *s.m.* **1.** Alguma coisa, algo. ★ *interj.* Expressa surpresa, espanto, admiração.

quebra *s.f.* **1.** Ato ou efeito de quebrar(-se). **2.** Quantidade perdida de mercadorias vendidas ou manufaturadas; perda. **3.** Falência. **4.** Interrupção. **5.** O que se dá além do combinado. **6.** (*NE*) Desconto que se faz no peso ou na venda de alguma mercadoria.

quebra-cabeça *s.m.* **1.** Qualquer jogo de raciocínio ou adivinhação. **2.** Problema, enigma. **3.** Tarefa complicada.

quebrada *s.f.* **1.** Declive, ladeira. **2.** Recôncavo feito pela água. **3.** Depressão do terreno. **4.** Volta do mato ralo ou dos capões. **5.** (*S*) Volta da estrada. **6.** (*SP*) Região ou bairro mal urbanizado de uma cidade.

quebradeira *s.f. Pop.* **1.** Falta de dinheiro; pindaíba. **2.** Cansaço físico.

quebradiço *adj.* Que se quebra com facilidade; frágil, tênue.

quebrado *adj.* **1.** Que se quebrou; partido, fragmentado, fraturado. *Pop.* **2.** Alquebrado, abatido, cansado. *Pop.* **3.** Sem dinheiro, arruinado, falido. **4.** Lânguido, voluptuoso. **5.** Diz-se de uma linha formada por segmentos de reta sucessivos que não têm a mesma direção. ★ *s.m.pl.* Dinheiro miúdo; trocado.

quebra-gelos *s.m.2n.* Navio equipado para romper superfícies congeladas no mar.

quebra-luz *s.m.* Tela translúcida ou opaca que serve para colocar a luz das lâmpadas fora da visão direta e desviá-la segundo um ângulo determinado; abajur.

quebra-mar *s.m.* Obra maciça, geralmente de seção transversal trapezoidal, executada longitudinalmente à costa para protegê-la contra a ação das ondas. (Sin. TALHA-MAR.)

quebra-nozes *s.m.2n.* **1.** Instrumento em forma de pinça ou alicate para quebrar a casca de nozes, amêndoas etc. **2.** Ave de bico forte, que nidifica nas coníferas da floresta siberiana e, às vezes, nas montanhas da França.

quebrantar *v.t.* (conj. 4). **1.** Quebrar, abater, arrasar. **2.** Enfraquecer, alquebrar, debilitar. **3.** *Fig.* Vencer, dobrar, domar. **4.** *Fig.* Infringir, violar, transgredir. ★ *v.t.* e *v.i.* **1.** Suavizar, abrandar, acalmar. **2.** Sofrer a ação de quebranto. ★ *v.pr.* Enfraquecer-se.

quebranto *s.m.* **1.** Abatimento, enfraquecimento, prostração, fraqueza, morbidez. **2.** Estado mórbido atribuído pela crendice popular ao mau-olhado.

quebra-pedra *s.f.* Erva de caule amarronzado, utilizada como diurético, para dissolver cálculos renais e contra afecções do aparelho urinário; erva-pombinha.

quebra-quebra *s.m.* **1.** Balbúrdia, desordem popular em que há depredações. **2.** Sequilho delicado. ● **Zool.** Sin. de COBRA-DE-VIDRO.

quebra-queixo *s.m.* Puxa-puxa.

quebrar *v.t.* (lat. *crepare,* estalar, fender-se) [conj. 4]. **1.** Reduzir a pedaços, por efeito de choque ou golpe. **2.** Partir, romper, fragmentar. **3.** Fraturar. **4.** Enfraquecer, debilitar. **5.** Destruir, arruinar, destroçar. **6.** Anular, invalidar. **7.** Abalar, comover. **8.** Interromper, cessar. **9.** Ultrapassar, vencer. **10.**

Transgredir. **11.** Levar à falência, arruinar. ★ *v.i.* **1.** Romper-se, partir-se. **2.** Falir. **3.** Dobrar, virar. ★ *v.pr.* **1.** Romper-se, rachar, partir-se. **2.** Cessar, desfazer-se.

quéchua *s.m.* Var. de QUÍCHUA.

queda *s.f.* **1.** Ato ou efeito de cair. **2.** Tombo. **3.** Desabamento. **4.** Inclinação, declive. **5.** Falência, ruína. **6.** Erro, pecado. **7.** Decadência, declínio. **8.** Queda-d'água, cachoeira. ● **Med.** *Queda de um órgão,* ptose (do estômago, do rim, do fígado etc.) ou prolapso (do útero, da bexiga, do reto).

queda-d'água *s.f.* Cachoeira.

quedar *v.i.* e *v.pr.* (lat. *quietare*) [conj. 4]. Deter-se, ficar ou demorar-se em um lugar; parar. ★ *v. lig.* Permanecer.

quedo (ê) *adj.* (lat. *quietus*). **1.** Quieto, imóvel, parado. **2.** Tranqüilo, calmo, sereno. **3.** Vagaroso, demorado.

quefazeres (ê) *s.m.pl.* Ocupações, afazeres.

queijadinha *s.f.* **1.** Pequena queijada. **2.** Doce confeccionado em forminhas forradas com massa, recheado com queijo parmesão e coco ralados, gema de ovos e leite.

queijaria *s.f.* Lugar onde se fabrica, se guarda ou se vende queijo; queijeira.

queijeira *s.f.* **1.** Queijaria. **2.** Prato para a guarda de queijo, dotado de campânula de proteção. **3.** Recipiente furado, destinado ao escorrimento do soro do queijo fresco.

queijeiro *s.m.* Aquele que fabrica ou comercializa queijos.

queijo *s.m.* (lat. *caseus*). Produto de maturação da coalhada que se obtém pela coagulação enzimática ou ácida do leite integral ou desnatado, com ou sem adição de corante ou sal, e praticamente libertado do soro.

queima *s.f.* **1.** Ação de queimar. **2.** Combustão. **3.** *Fig.* Venda a preços baixos; liquidação. ● **Agric.** Sintoma de doença caracterizado pela coloração pardacenta que lembra o chamuscamento pelo fogo de folhas, ramos ou frutos.

queimada *s.f.* **1.** Destruição do mato pelo fogo. **2.** Local em que se queimou mato.

queimadura *s.f.* **1.** Lesão tissular provocada pelo calor ou por outros agentes físicos ou químicos. **2.** Sensação semelhante à de uma queimadura; ardor, ardência. **3.** *Queimadura por frio,* lesão resultante da ação do frio sobre um órgão, uma parte do corpo.

QUEIMADURA ▸ A gravidade das queimaduras é determinada pela profundidade das lesões (de primeiro grau, simples vermelhidão; de segundo grau, presença de bolhas; de terceiro grau, as que afetam totalmente a pele) e sua extensão. As queimaduras são consideradas leves quando atingem menos de 15% da superfície do corpo; graves, se entre 15 e 60% dele está afetado; e muito graves quando afetam 60% ou mais da superfície corporal.

---

queimar *v.t.* (lat. *cremare*) [conj. 4]. **1.** Destruir pelo fogo. **2.** Pôr fogo a; incendiar. **3.** Transformar pela ação do calor ou do fogo. **4.** Aquecer intensamente; escaldar. **5.** Escurecer pela ação do sol; crestar. **6.** Cozer. **7.** Causar queimadura ou sensação semelhante. **8.** Usar como combustível. **9.** Vender por preço baixo. **10.** Usar com pouco ou nenhum proveito; desperdiçar. **11.** Perder, anular. ★ *v.i.* **1.** Incendiar-se. **2.** Abrasar, arder. **3.** Arder em febre. ★ *v.pr.* **1.** Sofrer queimadura. **2.** Incendiar-se. **3.** Bronzear-se. **4.** Zangar-se, ofender-se, irritar-se.

queima-roupa *s.f.* *À queima-roupa,* de muito perto.

queixa *s.f.* **1.** Ato ou efeito de queixar-se. **2.** Motivo de desgosto, ressentimento, mágoa. **3.** Denúncia à autoridade competente etc., por ofensas ou danos recebidos. **4.** Reclamação, protesto. **5.** Lamentação, lamúria.

queixada[1] *s.f.* **1.** Mandíbula. **2.** Queixo muito avantajado.

queixada[2] *s.m.* Mamífero artiodáctilo, semelhante ao caititu, que apresenta uma faixa branca ao redor do pescoço e mancha branca na região da mandíbula. (Sin. MUNDÉU.)

queixar-se *v.pr.* (conj. 7). **1.** Demonstrar descontentamento; reclamar. **2.** Lamentar-se, lamuriar-se. **3.** Denunciar o mal ou ofensa que se recebeu.

queixo *s.m.* Parte saliente da maxila inferior, abaixo da boca; mento. ★ *s.m.pl. Pop.* Cara.

queixoso (ô) *adj.* e *s.m.* **1.** Que ou aquele que se queixa. **2.** Ressentido, agravado. **3.** Que ou aquele que dá queixa na polícia ou entra com queixa na justiça; querelante.

queixudo *adj.* **1.** Que tem grandes queixos. **2.** Que apresenta maxila inferior proeminente.

queixume *s.m.* Queixa, lamento, gemido.

quejando *pron. indef.* Da mesma natureza, semelhante, que tal.

quela *s.f.* Apêndice modificado dos artrópodes, em forma de pinça.

quelação *s.f.* Tratamento de uma intoxicação ou de um excesso de determinado íon metálico por um quelante. ● **Quím.** Transformação em complexo de um íon ou de um átomo metálico, por um radical, que resulta em um quelato.

quelador (ô) *adj.* Quelante.

quelante *adj.2g.* e *s.m.* Que ou o que é próprio para causar o fenômeno da quelação; quelador. ★ *s.m.* Substância que forma metabólitos não tóxicos com metais pesados tóxicos elimináveis pela urina.

quelar *v.t.* e *v.i.* (conj. 4). Submeter à quelação, provocar a quelação; quelatar.

quelípodo *s.m.* Pata com extremidade em forma de pinça.

quelóide *s.m.* Cicatriz cutânea hipertrofiada, com aspecto tumoral.

quelônio *s.m.* Espécime dos quelônios. ★ *adj.* Relativo aos quelônios.

quelônios *s.m.pl.* Ordem de répteis desprovidos de dentes, que apresentam carapaça dorsal arredondada e plastrão plano, representada pelas tartarugas, cágados e jabutis.

quem *pron. inter.* (lat. *quem*). Que pessoa. ★ *pron. rel.* O qual, o que.

quenga *s.f.* (*NE*). **1.** Vasilha feita de casca de coco; quengo. **2.** *Chul.* Meretriz, prostituta.

quengo *s.m.* (*NE*). **1.** Quenga. **2.** Cabeça.

queniano *adj.* Relativo ou pertencente ao Quênia, país da África. ★ *s.m.* O natural ou habitante do Quênia.

quentão *s.m.* Bebida feita de cachaça com gengibre, cravo, canela, açúcar e água, servida quente, tradicionalmente, nas festas juninas.

quente *adj.2g.* (lat. *calens, calentis*). **1.** De temperatura elevada. **2.** Que conserva, gera ou transmite calor. **3.** Que produz sensação de calor. **4.** Abrasivo, escaldante, ardente. **5.** *Fig.* Diz-se do alimento muito apimentado ou temperado. **6.** *Fig.* Vivo, animado, acalorado. **7.** *Fig.* Sensual, voluptuoso.

A B C D E F G H I J K L M N O P Q R S T U V W X Y Z

quentura *s.f.* Qualidade ou estado do que é quente.

quepe *s.m.* (fr. *képi*). **1.** Certo tipo de boné militar. **2.** Qualquer boné.

quer *conj.* Ou.

queratina *s.f.* Var. de CERATINA.

querela *s.f.* (lat. *querela*). **1.** Denúncia apresentada em juízo; demanda, litígio. **2.** Discussão, debate. **3.** Disputa, contenda.

querelante *adj.2g.* e *s.2g.* Que ou aquele que querela.

querelar *v.i.* (conj. 4). **1.** Apresentar denúncia em juízo. **2.** Debater, discutir. **3.** Disputar.

querença *s.f.* Ato ou efeito de querer(-se).

querência *s.f.* (esp. *querencia*). (*RS*). **1.** Lugar onde o gado foi criado ou onde habitualmente pasta. **2.** *P. ext.* Local de nascimento ou residência.

querente *adj.2g.* Que quer alguma coisa.

querer *v.t.* (lat. *quaerere*) [conj. 38]. **1.** Ter vontade de; desejar. **2.** Ter intenção de; tencionar. **3.** Desejar possuir ou obter. **4.** Exigir, ordenar. **5.** Consentir, permitir. **6.** Aspirar a; desejar, pretender. **7.** Precisar de. **8.** Reclamar, requerer, pedir. **9.** Ter afeto ou amizade a; amar. ★ *v.pr.* Ter amor recíproco; amar-se. ★ *s.m.* **1.** Vontade, desejo. **2.** Amor.

querido *adj.* A que ou a quem se quer muito; amado. ★ *s.m.* **1.** Pessoa amada. **2.** Tratamento carinhoso e íntimo dirigido a uma pessoa a quem se estima ou ama.

quermesse *s.f.* (flam. *kerkmisse,* missa da igreja). **1.** Festa de caridade, realizada ao ar livre. **2.** Feira paroquial. **3.** Bazar ao ar livre, com leilão de prendas.

quero-quero *s.m.* Ave caradriiforme da América do Sul que vive em banhados e pastagens, que apresenta característico topete na nuca.

querosene *s.m.* (gr. *keros,* cera). Líquido incolor ou levemente amarelado, extraído do petróleo bruto, com ponto de ebulição entre 150° C e 300° C e que, por composição, se situa entre o óleo diesel e a gasolina.

querubim *s.m.* (hebr. *kerubim*). **1.** Anjo da primeira hierarquia. **2.** *Fam.* Criança mimosa e gentil.

quesito *s.m.* (lat. *quaesitum*). **1.** Questão, problema. **2.** Condição, requisito.

questão *s.f.* (lat. *quaestio, quaestionis*). **1.** Interrogação, pergunta. **2.** Assunto, matéria. **3.** Dissidência, pendência, disputa. **4.** Demanda judicial. **5.** Problema, situação difícil de resolver.

questionar *v.t.* (conj. 4). **1.** Interpelar, perguntar a, interrogar. **2.** Colocar em questão; duvidar, controverter. **3.** Contestar em juízo; demandar. ★ *v.i.* Discutir, altercar.

questionário *s.m.* **1.** Série de questões ou perguntas. **2.** Seqüência de interrogações feitas com o fim de servir de guia a uma investigação, a uma entrevista etc.

questiúncula *s.f.* (lat. *quaestiuncula*). **1.** Pequena questão. **2.** Questão fútil e sem proveito.

quiabeiro *s.m.* Planta herbácea lenhosa, originária da África, de folhas denteadas, flores amarelas e frutos compridos, comestíveis.

quiabo *s.m.* Fruto do quiabeiro, que constitui uma cápsula alongada com a ponta afilada, comestível enquanto verde.

quiáltera *s.f.* (lat. *sesquialtera*). Grupo de notas que não obedecem à divisão normal do compasso ou à subdivisão normal de seus tempos.

quiasma *s.m.* Cruzamento de dois feixes nervosos ou de dois tendões. ● **Anat.** *Quiasma óptico,* cruzamento parcial dos nervos ópticos, que permite a visão binocular e a apreciação de distância. **Genét.** Na meiose, configuração dos cromossomos homólogos durante a permuta.

quibe *s.m.* (ár. *kubbah*). Prato de origem síria composto por carne moída, trigo integral, hortelã-pimenta e outros condimentos, que pode ser comido cru, frito ou assado.

quibebe (ê ou é) *s.m.* (quimb. *kibebe*). Prato salgado de origem africana feito com abóbora madura cozida até se tornar uma papa. ★ *adj.2g.* Que tem a mesma consistência dessa papa.

quiçá *adv.* (esp. *quizá*). Talvez, quem sabe, porventura.

quicar *v.i.* (conj. 12). *Bras.* **1.** Bater e voltar (p.ex., a bola); repicar. **2.** Bater uma na outra, ger. a bola de gude. ★ *v.t.* Fazer pular; fazer com que bata e volte.

quíchua *adj.2g.* (esp. *quichua*). Relativo ou pertencente aos quíchuas, povo indígena que habitava a América do Sul. ★ *s.2g.* Indivíduo desse povo. ★ *s.m.* Língua falada por esse povo. (Var. QUÉCHUA.)

? VOCÊ SABIA...? O **quíchua** é falado por cerca de 6 milhões de pessoas em uma área que abrange principalmente o Peru e a Bolívia, mas se estende até o Chile e o Equador, o que o torna a língua indígena mais difundida da América.

---

quietar *v.t.* (conj. 4). Aquietar. ★ *v.pr.* Imobilizar-se, ficar quieto.

quieto *adj.* (lat. *quietus*). **1.** Que não se movimenta; imóvel, inerte, parado. **2.** Tranqüilo, sossegado, pacato. **3.** *Fig.* Em que não há agitação; calmo, sereno.

quietude *s.f.* (b.-lat. *quietudo*). **1.** Qualidade de quieto. **2.** Quietação.

quilalgia *s.f.* (gr. *kheilos,* lábio). Dor localizada nos lábios.

quilate *s.m.* (gr. *keration*). **1.** Quantidade de ouro fino contida numa liga desse metal, expressa em 24 avos da massa total. **2.** *Fig.* Boa qualidade, excelência, perfeição. **3.** *Quilate métrico,* unidade de massa usada no comércio de pedras preciosas.

quilha *s.f.* Peça longitudinal inferior da estrutura das embarcações.

quilo[1] *s.m.* Forma reduzida de *quilograma.*

quilo[2] *s.m.* (gr. *khylos,* suco). Linfa proveniente do intestino e carregada de gotículas gordurosas resultantes do aporte lipídico alimentar.

quilobyte *s.m.* **Inform.** Múltiplo da unidade de medida de informação, de símbolo KB e equivalente a 2^{10} bytes (1.024 bytes). (Cf. BYTE.)

quilograma *s.m.* (fr. *kilogramme*). Unidade de medida SI de massa (símb. *kg*). (Forma reduzida quilo.)

quilohertz *s.m.* Unidade de medida de freqüência, equivalente a 1.000 hertz.

quilolitro *s.m.* Medida de capacidade equivalente a 1.000 litros.

quilombo *s.m.* (quimb. *kilombo,* povoação, união). Acampamento fortificado de escravos fugitivos, geralmente distante das povoações dos brancos ou em locais de difícil acesso.

quilombola *s.2g.* Escravo fugitivo habitante de um quilombo.

quilometragem *s.f.* **1.** Ato ou efeito de quilometrar. **2.** Número de quilômetros percorridos.

quilometrar *v.t.* (conj. 4). Medir em quilômetros.

quilométrico *adj.* **1.** Relativo a quilômetro. **2.** Que marca a distância de um quilômetro. **3.** Diz-se das ondas de rádio cujo comprimento de onda está compreendido entre 1 e 10 km. **4.** *P. ext.* Grande demais, por demais longo.

quilômetro *s.m.* Unidade de distância (símb. *km*) equivalente a 1.000 metros.

quilovate ou **quilowatt** *s.m.* (fr. *kilowatt*). Unidade de força (símb. *kW*) equivalente a 1.000 watts.

quimbanda *s.m.* Culto afro-brasileiro que utiliza a magia negra.

quimbundo *s.2g.* Indivíduo dos quimbundos, povo banto da região de Angola. ★ *s.m.* Língua desse povo.

quimera *s.f.* (gr. *khimaira*). **1.** Monstro fabuloso, com cabeça de leão, corpo de cabra e cauda de dragão. **2.** Produto da imaginação, idéia falsa, utopia. ● **Zool.** Peixe cartilaginoso que vive em águas oceânicas frias do Pacífico Norte.

quimérico *adj.* **1.** Relativo a quimera. **2.** Que não tem existência real; fictício. **3.** Sem fundamento; ilusório; utópico.

química *s.f.* **1.** Ciência que estuda a constituição atômica e molecular da matéria e as transformações de seus constituintes. **2.** Composição química.

? VOCÊ SABIA...? Desde a Antiguidade, a **química** foi praticada como técnica antes de ser reconhecida como ciência. Os alquimistas da Idade Média herdaram conhecimentos antigos, mas foi preciso esperar o século XVII (Van Helmont, Robert Boyle), e sobretudo o século XVIII (Cavendish, Lavoisier), para que a química moderna tivesse início.

---

químico *adj.* (fr. *chimique*, de *chimie*). **1.** Relativo à química. **2.** *Arma química,* arma que emprega substâncias químicas para obter efeitos tóxicos sobre o homem, os animais ou as plantas. ▸ *Indústria química,* setor da indústria que opera a transformação de matérias-primas a partir de processos químicos, e que geralmente fornece insumos para os setores de bens de consumo. ★ *s.m.* Aquele que é versado ou especializado em química.

químico-física *s.f.* Sin. de FÍSICO-QUÍMICA.

quimiopreceptor (ô) *adj.* e *s.m.* Diz-se de ou órgão ou células sensíveis a estímulo químico, e que reagem por uma mensagem sensitiva ou reflexo regulador.

quimioprofilaxia (cs) *s.f.* Ação preventiva obtida graças à utilização de certas substâncias químicas.

quimioterapia *s.f.* Tratamento por meio de substância química, em casos de infecção, neoplasias e distúrbios psiquiátricos.

quimo *s.m.* (gr. *khymos,* suco). Resultado da transformação das substâncias alimentares pelo suco gástrico.

quimono *s.m.* (jap. *kimono*). **1.** Túnica longa, trespassada na frente, de amplas mangas, usada no Japão por pessoas dos dois sexos. **2.** Espécie de túnica usada pelos praticantes de certas lutas marciais.

quina[1] *s.f.* (lat. *quini*). **1.** Conjunto de cinco objetos, geralmente iguais. **2.** Carta de jogar ou pedra de dominó com o valor de cinco. **3.** Série de cinco números colados, no jogo de loto, na mesma fila horizontal do cartão.

quina[2] *s.f.* **1.** Nome comum a numerosas plantas de casca amarga, originárias da América do Sul, que fornecem o quinino, de propriedades medicinais. **2.** A casca dessas plantas.

---

quina[3] *s.f.* **1.** Ângulo, aresta. **2.** Esquina.

quinado[1] *adj.* Disposto em grupos de cinco.

quinado[2] *adj.* Que tem quina[2]; preparado com quina.

quinau *s.m.* (esp. *quinao*). **1.** Ato ou efeito de corrigir um erro; correção, emenda. **2.** Sinal com que se marca o erro cometido na lição. **3.** Tento.

quindim *s.m.* **1.** Requebro, dengue, donaire. **2.** Graça petulante, meiguice. **3.** *Pop.* Cachaça. **4.** Doce feito com calda de açúcar, gemas de ovos, manteiga e coco ralado.

qüingentésimo *num. ord.* (lat. *quingentesimus*). Correspondente ao número quinhentos numa seqüência. ★ *s.m.* Cada uma das quinhentas partes iguais em que se divide um todo.

quinhão *s.m.* **1.** Parte que cabe a cada um, proveniente de repartição ou divisão de um todo; porção, cota. **2.** *Fig.* Destino, sorte, fortuna.

quinhentos *num. card.* (lat. *quingentos*). **1.** Cinco vezes cem. **2.** Qüingentésimo. ★ *s.m.* O algarismo (500) que representa esse número.

quinina *s.f.* Principal alcalóide extraído da casca das quinas, de ampla utilização medicinal, principalmente contra a malária.

quinino *s.m.* Nome comum do sulfato de quinina.

qüinquagenário *adj.* e *s.m.* (lat. *quinquagenarius*). Que ou aquele que tem entre 50 e 59 anos.

qüinquagésimo *num. ord.* (lat. *quinquagesimus*). Correspondente ao número cinqüenta numa seqüência. ★ *s.m.* Cada uma das cinqüenta partes iguais em que se divide um todo.

qüinqüenal *adj.2g.* (lat. *quinquennalis*). **1.** Que ocorre de cinco em cinco anos. **2.** Que se estende por cinco anos.

qüinqüênio *s.m.* (lat. *quinquennium*). Espaço de cinco anos; lustro.

qüinqüídio *s.m.* Espaço de cinco dias.

quinquilharia *s.f.* (fr. *quincaillerie*). **1.** Artefato metálico de pequeno valor, geralmente de uso doméstico. **2.** Bagatela. ★ *s.f.pl.* **1.** Brinquedos de crianças. **2.** Bagatelas, bugigangas, miudezas.

quinta[1] *s.f.* Intervalo de cinco graus na escala diatônica.

quinta[2] *s.f.* (esp. *quinta*). Pequena propriedade rural; granja, sítio.

quinta[3] *s.f.* Forma reduzida de *quinta-feira.*

quintã *adj.* (lat. *quintana*). *Febre quintã,* febre que se produz a cada cinco dias.

quinta-coluna *s.m.* Pessoa que, vivendo num país em guerra, colabora clandestinamente com o inimigo. ★ *s.f.* O conjunto dos quinta-colunas.

quinta-essência ou **quintessência** *s.f.* **1.** Para os alquimistas, a parte mais pura de uma substância, obtida depois de cinco destilações. **2.** *P.ext.* A própria essência; o fundamento. **3.** *Fig.* O que há de mais puro ou perfeito.

quinta-feira *s.f.* O quinto dia da semana. (Forma reduzida *quinta.*)

quintal *s.m.* **1.** Pequena quinta. **2.** Terreno atrás de uma casa de habitação ou junto a ela.

quinteto (ê) *s.m.* (it. *quintetto*). **1.** Peça musical escrita para cinco partes vocais ou instrumentais. **2.** Grupo de cinco cantores ou instrumentistas. **3.** *P. ext.* Grupo de cinco pessoas ou coisas. **4.** Quintilha.

quintilha *s.f.* (esp. *quintilla*). Composição métrica de cinco versos, em geral heptassílabos; quinteto.

quintilhão *num. card.* Mil quatrilhões.

quinto *num. ord.* (lat. *quintus, quintum*). Correspondente ao número cinco numa seqüência. ★ *s.m.* **1.** Cada uma das cinco partes iguais em que se divide um todo. **2.** No Brasil colonial, imposto de 20% que era cobrado pelo erário português das minas de ouro.

quintuplicar *v.t.* (lat. *quintuplicare*) [conj. 12]. Multiplicar por cinco. ★ *v.i.* Tornar-se cinco vezes maior.

quíntuplo *adj.* Cinco vezes maior. ★ *s.m.* Quantidade cinco vezes maior que outra. ★ *s.m.pl.* Cinco crianças nascidas gêmeas.

quinze *num. card.* (lat. *quindecim*). **1.** Dez mais cinco. **2.** Décimo quinto. ★ *s.m.* O algarismo (15) que representa esse número.

quinzena *s.f.* **1.** Série ou grupo de quinze. **2.** Quinze ou cerca de quinze. **3.** Pagamento feito pelo trabalho de quinze dias.

quinzenal *adj.2g.* **1.** Relativo a quinzena. **2.** Que ocorre de quinze em quinze dias.

quiosque *s.m.* (turco *kioshki*). **1.** Pavilhão completamente aberto, que decora áreas e jardins. **2.** Abrigo montado para a venda de jornais, flores e outros objetos na via pública.

qüiproquó *s.m.* (lat. *quid pro quo*). **1.** Erro que consiste em tomar-se uma coisa por outra, ou um dito que, com a troca de uma idéia por outra, resulta em um jogo de palavras. **2.** Situação cômica que resulta de um ou mais equívocos.

quirera ou **quirela** *s.f.* (tupi *ki'rera*). **1.** Fragmento mais grosso de qualquer substância pulverizada ou arenosa que não passa pelas malhas da peneira. **2.** Milho quebrado usado para a alimentação de animais. **3.** *Fig.* e *Pop.* Dinheiro miúdo.

quiromancia *s.f.* (gr. *kheiromanteia*). Processo de adivinhação baseado no estudo da mão (forma, linhas etc.).

quiromante *s.2g.* Pessoa que pratica a quiromancia.

quiroprático *adj.* Relativo à quiropraxia. ★ *adj.* e *s.m.* Diz-se de ou médico que pratica a quiropraxia.

quiropraxia (cs) *s.f.* Método terapêutico que consiste em manipulações vertebrais, baseado na suposição de que as doenças são provocadas por mau funcionamento do sistema nervoso.

quiróptero *s.m.* Espécime dos quirópteros. ★ *adj.* Relativo aos quirópteros.

quirópteros *s.m.pl.* Ordem de mamíferos voadores, geralmente noturnos, providos de membrana que une os membros anteriores aos posteriores e, em algumas espécies, inclui a cauda, representada pelos morcegos.

quisto *s.m.* **1.** Cisto. **2.** Forma de resistência assumida por diversos seres vivos (amebas, algas, cogumelos) quando as condições externas se tornam desfavoráveis.

quitação *s.f.* **1.** Ato ou efeito de quitar. **2.** Ato pelo qual alguém salda uma dívida ou dela se desobriga. **3.** Reconhecimento escrito de um pagamento; recibo. **4.** Em sentido amplo, reconhecimento da liquidação de um negócio.

quitanda *s.f.* **1.** Local ou estabelecimento onde se vendem legumes, frutas, ovos, cereais etc. **2.** Pequena mercearia; tenda, venda. **3.** Tabuleiro em que o quitandeiro leva suas mercadorias.

quitandeiro *s.m.* **1.** Dono de quitanda. **2.** Ambulante que vende legumes, frutas, verduras etc.

quitar *v.t.* e *v.pr.* (fr. *quitter*) [conj. 4]. Tornar(-se) quite; desobrigar(-se).

quite *adj.2g.* **1.** Livre de dívida, obrigação ou compromisso. **2.** Com as contas ajustadas.

quitina *s.f.* (gr. *khiton,* túnica). Substância insolúvel que constitui o exoesqueleto dos artrópodes e a parede celular de muitos fungos.

quitute *s.m.* (quimb. *ki'tutu,* indigestão). Comida refinada; iguaria, acepipe, manjar.

quituteiro *s.m.* Aquele que faz quitutes.

quivi *s.m.* Ave dinornitiforme, da Nova Zelândia, terrestre, que apresenta bico longo e delgado, asas degeneradas e corpo recoberto por penugem.

quixotada *s.f.* (de *Quixote,* n.pr.). **1.** Ato quixotesco; quixotice. **2.** Fanfarronada, bravata.

quixote *s.m.* **1.** Aquele que age de modo quixotesco. **2.** Pessoa sonhadora, ingênua, romântica.

quixotesco (ê) *adj.* **1.** Relativo a ou próprio de Dom Quixote de la Mancha, personagem criado por Miguel de Cervantes (1547-1616), herói romanesco, idealista. **2.** Irrealizável na prática; quimérico, utópico.

quixotice *s.f.* Quixotada.

quixotismo *s.m.* Comportamento quixotesco.

quizila *s.f.* (quimb. *kijila,* preceito). **1.** Antipatia, inimizade, zanga. **2.** Aborrecimento, impaciência, mal-estar. **3.** Rixa, pendência.

quizilar *v.t.* (conj. 4). Causar quizila a; zangar, incomodar, enquizilar. ★ *v.i.* e *v.pr.* Zangar(-se), aborrecer(-se), enraivecer(-se).

quociente *s.m.* (lat. *quotiens, quotientis*). Resultado da divisão. (Var. COCIENTE.)

quórum *s.m.* (lat. *quorum*). **1.** Número de membros presentes exigido em uma assembléia deliberante para que o voto seja válido. **2.** Número de votantes necessário para que uma eleição seja válida.

quota *s.f.* Var. de COTA.

quota-parte *s.f.* Var. de COTA-PARTE.

quotidiano *adj.* Var. de COTIDIANO.

quotista *adj.2g.* e *s.2g.* Var. de COTISTA.

quotizar *v.t.* (conj. 4). Var. de COTIZAR.

Rr **Rr** *Rr*

r *s.m.* Décima sétima letra do alfabeto português.

Ra símbolo químico do rádio.

rã *s.f.* (lat. *rana*). Denominação comum a anfíbios anuros, aquáticos, que possuem dentes, membros posteriores mais longos que os dos sapos, adaptados para o salto.

rabada *s.f.* **1.** Rabo da vaca, do boi etc., e o prato que com ele se prepara. **2.** Rabadela. **3.** *Fig.* e *Fam.* Rabeira.

rabadela ou **rabadilha** *s.f.* **1.** Parte posterior do tronco das aves onde se implantam as penas da cauda. **2.** A cauda do peixe; rabada. **3.** A parte do corpo dos mamíferos onde a cauda se insere no tronco.

rabanada[1] *s.f.* (esp. *rabanada*). Fatia de pão embebida em leite e passada por ovos batidos, frita em manteiga e polvilhada de açúcar e canela.

rabanada[2] *s.f.* **1.** Rajada de vento violenta, súbita e de pouca duração. **2.** *Gír.* Golpe com o pé para fazer cair o adversário; rasteira. **3.** *Pop.* Meneio de quadris; saracoteio.

rabanete (ê) *s.m.* **1.** Planta herbácea, de folhas denteadas, flores amarelas e raiz carnosa, arredondada ou comprida, comestível crua. **2.** A raiz dessa planta.

rábano *s.m.* (gr. *rhaphanos*). Denominação comum a várias plantas da família das crucíferas, originárias da Europa, utilizadas como forragem para animais domésticos.

rabear *v.i.* (conj. 15). **1.** Mexer o rabo ou cauda. **2.** Derrapar (o automóvel) com as rodas traseiras. ★ *v.t.* **1.** Agradar servilmente, adular. **2.** Esguelhar.

rabeca *s.f.* (ár. *rabab*). **1.** Instrumento musical de três cordas, tocadas com arco, precursor das violas. **2.** Antiga designação do violino; rebeca. **3.** Taco com uma cruz das extremidades, sobre o qual apóia o taco um jogador de sinuca quando a bola está distante.

rabecão *s.m.* **1.** Instrumento musical análogo à rabeca, mas de dimensões muito maiores. **2.** Contrabaixo. **3.** Carro que leva os cadáveres para o necrotério ou o cemitério.

rabeira *s.f.* **1.** Rastro, pegada. **2.** *Fig.* Os últimos lugares, o fim da fila; rabada. **3.** Traseira do carro.

rabi *s.m.* (hebr. *rabbi,* meu mestre). Rabino.

rabiça *s.f.* **1.** Cada um dos dois varais de um arado, destinado a dirigi-lo ou manejá-lo. **2.** Parte posterior e saliente das albardas.

rabicho *s.m.* **1.** Pequena trança de cabelo pendente da nuca. **2.** Arame ou cabo de aço que dá mais firmeza a um poste ou mourão, ligando a sua extremidade superior à ponta de uma pequena estaca fincada obliquamente no solo. **3.** Peça dos arreios que passa sobre a garupa do cavalo; retranca. **4.** *Pop.* Namoro. **5.** *Pop.* Tentação, logro.

rabicó *adj.2g.* e *s.m.* Diz-se de ou animal que não tem rabo ou tem apenas o coto do rabo.

rábico *adj.* (lat. *rabies,* raiva). **1.** Relativo à raiva. **2.** Que causa a raiva.

rábido *adj.* (lat. *rabidus*). Que tem raiva; enraivecido, raivoso, furioso.

rabínico *adj.* Relativo ou pertencente aos rabinos ou ao rabinismo.

rabino *s.m.* (hebr. *rabbi*). Chefe religioso, guia espiritual e ministro do culto de uma comunidade judaica; rabi.

rabiscar *v.t.* (conj. 12). **1.** Fazer rabiscos. **2.** *Fig.* Escrever rapidamente e com má letra. ★ *v.i.* **1.** Fazer rabiscos. **2.** Escrever ou desenhar mal, escrevinhar.

rabisco *s.m.* **1.** Risco tortuoso e que nada representa, feito com pena, lápis etc.; garatuja. **2.** *Fig.* Esboço rápido de um desenho. ★ *s.m.pl.* **1.** Caligrafia ilegível. **2.** Desenho ou manuscrito imprestáveis.

rabo *s.m.* (lat. *rapum*). **1.** Prolongamento da coluna vertebral de vários animais; cauda. **2.** Grupo de penas em forma de leque, com cortes e tamanhos diversos, que nasce do uropígio das aves e que serve para as dirigir em vôo. **3.** A parte que, no corpo dos peixes, serpentes e mamíferos housepisciformes e outros animais de forma análoga, se alonga além do ânus. **4.** A parte de trás de qualquer objeto. **5.** *Chul.* As nádegas, o ânus.

rabo-de-arraia *s.m.* Golpe de capoeira que consiste em apoiar as mãos no chão e, girando sobre uma das pernas, bater com a outra no adversário para derrubá-lo.

rabo-de-galo *s.m.* **1.** Coquetel feito com aguardente e vermute em partes iguais. **2.** Espiga que não criou grãos. **3.** *Pop.* Nome dado às nuvens do tipo cirros.

rabudo *adj.* e *s.m. Pop.* **1.** Que ou o que tem rabo grande. **2.** Que ou aquele que tem muita sorte. ★ *s.m.* O diabo.

rabugem *s.f.* Rabugice.

rabugento *adj.* Ranzinza, mal-humorado.

rabugice *s.f.* **1.** Qualidade de rabugento; rabugem. **2.** Mau humor constante. **3.** Impertinência de pessoa rabugenta.

rábula *s.2g.* (lat. *rabula*). **1.** O que advoga sem ser diplomado. **2.** *Pej.* Advogado de pouca cultura.

raça *s.f.* (it. *razza*). **1.** Subdivisão de uma espécie. **2.** Sucessão de ascendentes e descendentes de uma família, um povo; geração. **3.** Categoria, espécie, classe. **4.** Boa origem. ● **Pec.** *Raça de corte,* gado bovino aprimorado para a produção de carne. ► *Raça leiteira,* gado bovino aprimorado para a produção leiteira. **Zootec.** População animal que resulta, seja por isolamento geográfico, seja por seleção, da subdivisão de uma mesma espécie, e que possui um certo número de caracteres comuns transmissíveis de uma geração para outra.

RAÇA ► Os cães domésticos modernos descendem do lobo, mas o controle de sua reprodução pelo ser humano, com a seleção de determinados traços, alterou radicalmente suas características originais, levando à criação de diferentes raças. Enquanto o lobo irlandês (de 81 a 86 cm de altura) é parecido com seu antepassado, o *chihuahua* (de 16 a 20 cm de altura) é uma raça "anã" muito diferente, altamente selecionada.

---

ração *s.f.* (lat. *ratio, rationis*). **1.** Quantidade de alimentos ou outro bem que se destina a cada um sob condições de racionamento. **2.** Porção de alimentos suficiente para determinado período ou número de refeições. **3.** A porção de grãos ou de forragem que se dá aos animais.

racemo *s.m.* (lat. *racemus*). Grande inflorescência em forma de cacho, muitas vezes contida em uma espata geral, ou constituída de um eixo indefinido com flores pedunculadas. (Var. RACIMO.)

racha *s.f.* Rachadura. ★ *s.m. Pop.* Contenda, competição.

rachadura *s.f.* **1.** Ato ou efeito de rachar(-se). **2.** Abertura longitudinal, resultante de fratura ou ruptura; racha, fenda, greta. ● **Ind.** Defeito interno dos queijos, quase sempre decorrente de acidez elevada do leite. **Med.** Sulco linear da pele e das mucosas.

rachar *v.t.* (conj. 4). **1.** Abrir fenda em; trincar. **2.** Estilhaçar, lascar. **3.** Partir em dois. **4.** Dividir proporcionalmente; mear (despesa ou lucros).

racial *adj.2g.* Relativo a raça.

racimo *s.m.* Var. de RACEMO.

raciocinar *v.i.* (lat. *ratiocinari*) [conj. 4]. **1.** Usar a faculdade de razão para refletir ou argumentar. **2.** Pensar, refletir, meditar. **3.** Pensar judiciosamente; ponderar. **4.** Discutir, argumentar. **5.** Calcular.

raciocínio *s.m.* (lat. *ratiocinium*). **1.** Ação ou modo de raciocinar. **2.** Operação intelectual pela qual se deduz uma conclusão de uma ou de várias premissas dadas. **3.** Argumentação.

racional *adj.2g.* (lat. *rationalis*). **1.** Dotado de razão. **2.** Que se concebe segundo a razão. **3.** Fundado em procedimento científico. **4.** Funcional, prático. ● **Mat.** *Número racional* ou *racional* (*s.m.*), número que pode ser escrito como inteiro ou como uma fração de inteiro.

racionalismo *s.m.* **1.** Doutrina que toma a razão como independente da experiência. **2.** Crença na autoridade da razão.

racionalização *s.f.* Ato ou efeito de racionalizar. ● **Psicol.** Justificação lógica e consciente de uma conduta referente a motivações inconscientes.

racionalizar *v.t.* (conj. 4). **1.** Tornar racional. **2.** Determinar, organizar segundo cálculos ou raciocínios. **3.** Tornar mais eficaz e menos dispendioso um processo de produção. ● **Psicol.** Proceder à racionalização.

racionamento *s.m.* **1.** Ato ou efeito de racionar. **2.** Distribuição de ração ou qualquer outra coisa por peso, conta ou medida. **3.** Medida tomada pelas autoridades públicas com o fim de assegurar uma distribuição eqüitativa de um bem de que uma sociedade só dispõe em quantidade limitada, entre os consumidores ou usuários.

racionar *v.t.* (conj. 4). **1.** Distribuir em rações. **2.** Atribuir a cada consumidor uma quantidade limitada de um produto. **3.** Limitar o consumo de certos produtos.

racismo *s.m.* **1.** Doutrina ou crença que prega a superioridade de certas raças sobre outras. **2.** Ação ou sentimento de indivíduo racista. (Cf. SEGREGACIONISMO.)

rad símbolo do radiano.

radar *s.m.* (abrev. do ingl. *radio detection and ranging,* detecção e telemetria pelo rádio). Aparelho que permite determinar a posição e a distância de um objeto através da emissão de ondas radioelétricas e da detecção das ondas refletidas pela superfície de tais objetos.

radiação *s.f.* (lat. *radiatio*). Ato ou efeito de radiar. ● **Astron.** *Radiação cosmológica de fundo,* radiação eletromagnética proveniente de todas as direções do espaço e análoga à de um corpo negro de temperatura 3K. **Fís.** Emissão de partículas ou de luz monocromática; estas mesmas partículas ou esta luz; irradiação. ▸ Transporte de energia sob forma de ondas, eventualmente com as partículas associadas, a partir de uma fonte.

radiado *adj.* **1.** Disposto em forma de raios. **2.** Ornado de raios.

radiador (ô) *s.m.* **1.** Dispositivo que aumenta a superfície de irradiação de um aparelho de aquecimento ou refrigeração. **2.** Corpo de aquecimento que transmite, sobretudo por irradiação, o calor que recebe de um fluido quente ou de um fluido em combustão. **3.** Aparelho de resfriamento do motor de um veículo no qual a água aquecida pelo motor cede suas calorias à corrente de ar que atravessa o radiador.

RADIADOR DE AUTOMÓVEL

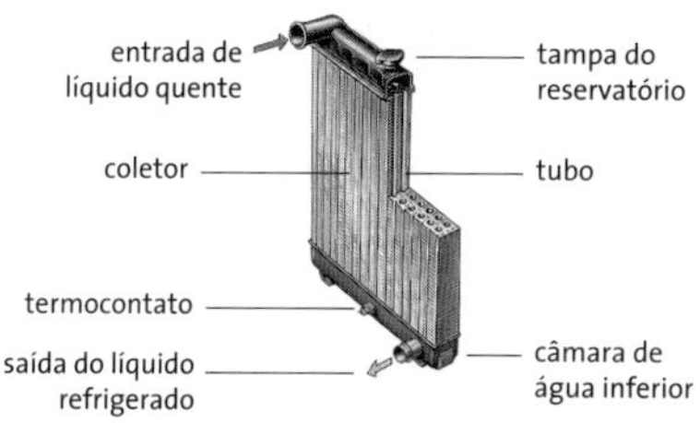

radial *adj.2g.* **1.** Que emite raios. **2.** Disposto em raios. **3.** Diz-se do que brilha. **4.** Referente ao raio do círculo. **5.** Diz-se do guindaste capaz de dar uma volta completa em torno de seu eixo. ● **Anat.** Relativo ao rádio, osso do antebraço. ★ *s.f.* Via de circulação de uma aglomeração urbana que se dirige do centro para a periferia.

radialista *s.2g.* Profissional de rádio.

radiano *s.m.* **1.** Unidade de medida SI de ângulo (símb. rad), equivalente ao ângulo que tem o vértice no centro de uma circunferência e intercepta nela um arco de comprimento igual ao do raio. **2.** Arco de circunferência de comprimento igual ao do raio.

radiante *adj.2g.* (lat. *radians, radiantis*). **1.** Que emite raios ou radiação; que irradia. **2.** Brilhante, fulgurante. **3.** *Fig.* Transbordante. **4.** Que se propaga por meio de radiação. ● **Astron.** Ponto do céu de onde parecem emanar as estrelas cadentes.

radiar *v.t.* (lat. *radiare*) [conj. 16]. **1.** Emitir raios de luz ou calor; irradiar. ★ *v.i.* Lançar raios, resplandecer, refulgir.

radiatividade *s.f.* Var. de RADIOATIVIDADE.

radiativo *adj.* Var. de RADIOATIVO.

radicação *s.f.* Ato ou efeito de radicar(-se).

radical *adj.2g.* **1.** Relativo a raiz. **2.** Fundamental, essencial. **3.** Que implica radicalismo. **4.** Relativo ao radicalismo. ● **Bot.** Sin. de RADICULAR. ★ *s.2g.* Indivíduo que prega ou age com radicalismo. ● **Gram.** Morfema lexical de uma palavra ao qual se acrescentam afixos nos processos de formação por flexão e derivação. **Mat.** Símbolo utilizado na notação das raízes quadradas ou das raízes *n*-ésimas. **Quím.** Grupo de átomos que pode existir em estado livre ou que permanece inalterado após uma série de reações químicas.

radicalismo *s.m.* **1.** Atitude de espírito e doutrina dos que pretendem uma ruptura completa com o passado institucional. **2.** Qualquer doutrina ou atitude que provoca antagonismos devido à inflexibilidade política.

radicalizar *v.t.* (conj. 4). Tornar radical.

radicando *s.m.* Número ou expressão matemática posta sob radical.

radicar *v.t.* (lat. *radicari*) [conj. 12]. **1.** Enraizar, arraigar. **2.** *Fig.* Tornar mais forte, firmar. ★ *v.pr.* Fixar-se, firmar-se, estabelecer-se.

radícula *s.f.* (lat. *radicula*). **1.** Pequena raiz. **2.** Nas plantas vasculares, raiz secundária, oriunda da raiz principal. **3.** Parte do embrião que se transformará em raiz.

radicular *adj.2g.* Relativo ou pertencente a raiz ou radícula; radical. ● **Med.** Relativo à raiz de um dente. ▸ Relativo às raízes dos nervos cranianos ou raquidianos.

rádio[1] *s.m.* (lat. cient. *radium*). Elemento químico (símb. Ra) de número atômico 88, do grupo dos alcalino-terrosos, que constitui um metal branco prateado fortemente radioativo.

rádio[2] *s.f.* **1.** Radiodifusão. **2.** Qualquer transmissão que utiliza ondas de rádio. **3.** Estação de radiodifusão sonora. **4.** Aparelho receptor de radiodifusão. **5.** *Onda de rádio,* radiação eletromagnética de comprimento de onda superior a 1 milímetro.

RÁDIO ▸ Graças à radiotelegrafia sem fio de Marconi, o rádio foi utilizado em 1910, quando um concerto do tenor Enrico Caruso em Nova York foi transmitido à cidade vizinha de Nova Jersey.

---

rádio[3] *s.m.* (lat. *radius*). **1.** Osso longo que forma a parte externa do esqueleto do antebraço. **2.** Osso anterior do antebraço dos vertebrados tetrápodes que suporta o essencial do peso do corpo. **3.** Terceira nervura da asa dos insetos.

radioamador (ô) *s.m.* Aquele que opera estação receptora e transmissora, em ondas curtas, de rádio particular, de caráter não comercial.

radioamadorismo *s.m.* Atividade de radioamador.

radioastrônomo *s.m.* Especialista em radioastronomia.

radioatividade *s.f.* Propriedade dos nuclídeos instáveis de perder espontaneamente sua massa pela emissão de partículas ou radiações eletromagnéticas. (Sin. ATIVIDADE; var. RADIATIVIDADE.)

radioativo *adj.* Dotado de radioatividade. (Sin. ATIVO; var. RADIATIVO.) ● **Quím.** *Período radioativo,* sin. de MEIA-VIDA.

radiobiologia *s.f.* Estudo da ação das radiações sobre os tecidos vivos, em particular dos raios X.

radiocomunicação *s.f.* Telecomunicação realizada com o auxílio de ondas radioelétricas.

radiodiagnóstico *s.m.* Aplicação de raios X ao diagnóstico médico.

radiodifusão *s.f.* **1.** Radiocomunicação cujas emissões são recebidas diretamente pelo público e que comportam programas sonoros ou programas de televisão. **2.** Difusão de programas unicamente sonoros. (Forma reduzida de *rádio.*)

radiodifusora (ô) *s.f.* **1.** Estação de radiodifusão. **2.** Emissora de rádio; radioemissora.

radioeletricidade *s.f.* Conjunto de técnicas que tratam das propriedades e aplicações das oscilações elétricas de alta freqüência e das ondas eletromagnéticas correspondentes, principalmente no campo das radiocomunicações.

radioelétrico *adj.* **1.** Relativo à radioeletricidade; hertziano. **2.** Relativo às ondas de rádio.

radioemissora (ô) *s.f.* Estação transmissora destinada a programações com fins recreativos e culturais; radiodifusora.

radiofonia *s.f.* Transmissão da voz e de outros sons através de ondas radioelétricas, especialmente para radiodifusão.

radiofônico *adj.* **1.** Relativo à radiofonia. **2.** Que se divulga por meio da radiofonia.

radiofreqüência *s.f.* Freqüência de uma onda hertziana utilizada em radiocomunicação.

radiografar *v.t.* e *v.i.* (conj. 4). **1.** Transmitir mensagem pela radiotelegrafia; radiotelegrafar. **2.** Efetuar uma radiografia.

radiografia *s.f.* **1.** Técnica de imagem por impressão de uma película sensível aos raios X; roentgenfotografia, röntgenfotografia. **2.** Imagem obtida por esse meio.

radioisótopo (o-i) *s.m.* Isótopo radioativo cuja radiação tem ampla aplicação nos métodos e técnicas da física nuclear.

radiola *s.f.* Aparelho conjugado de rádio e eletrola.

radiologia *s.f.* Parte da medicina que utiliza, tanto para fins diagnósticos como para fins terapêuticos, os raios X, os isótopos radioativos e as radiações não-ionizantes, como os ultra-sons.

radiopaco *adj.* Diz-se do que não se deixa penetrar pelos raios X ou por outra forma de radiação.

radiopatrulha *s.f.* **1.** Serviço de vigilância da polícia que, constituído por viaturas equipadas com sistema de rádio, recebe ordens de uma estação central. **2.** O veículo assim equipado, e com sua respectiva guarnição de pessoal.

radioscopia *s.f.* Exame dinâmico de um objeto, de um órgão, pelos raios X, com a ajuda de uma tela, graças a um amplificador de brilho.

radioso (ô) *adj.* (lat. *radiosus*). **1.** Que irradia luz; brilhante, cintilante. **2.** *Fig.* Radiante.

radiossensibilidade *s.f.* Sensibilidade dos tecidos vivos às radiações, em particular dos raios X.

radiotelefonia *s.f.* Transmissão telefônica por meio de ondas eletromagnéticas; radiofonia.

radiotelegrafia *s.f.* Transmissão de mensagem telegráfica por meio de ondas eletromagnéticas.

radiotelescópio *s.m.* Instrumento utilizado para a captação de radiações eletromagnéticas de origem cósmica.

radioterapia *s.f.* Método terapêutico que utiliza as radiações ionizantes no tratamento do câncer.

radiouvinte *s.2g.* Pessoa que ouve uma transmissão radiofônica.

radônio *s.m.* Elemento químico (símb. Rn) de número atômico 86, do grupo dos gases nobres, que constitui um gás fortemente radioativo, emitido por isótopos do rádio.

rafe *s.f.* (gr. *raphe,* costura). Nome dado a certas linhas salientes da pele ou de outros órgãos que se assemelham a uma costura. ● **Bot.** Tipo de cicatriz existente em algumas sementes, decorrente da soldadura do funículo com o tegumento do óvulo. ▸ Sulco mediano, presente nas valvas das diatomáceas.

ráfia *s.f.* (lat. cient. *raphia*). **1.** Palmeira cujas folhas fornecem uma fibra muito forte, utilizada na fabricação de tecidos e em industrialização. **2.** Essa fibra.

rágade ou **rágada** *s.f.* (gr. *rhagades,* pl. de *rhagas,* fenda). Ferida ou fissura que se observam nas comissuras (narinas, lábios e ânus) e nas partes da pele sujeitas a atritos freqüentes.

raia[1] *s.f.* **1.** Mancha, em forma de listra, existente na madeira etc. **2.** Linha, risca, traço, estria. **3.** Linha ou sulco da palma da mão. **4.** Fronteira, limite. **5.** Divisa, baliza, faixa de pista de corrida ou de trânsito. **6.** Cada uma das faixas delimitadas em uma piscina para prática de natação. ● **Arm.** Sin. de ESTRIA. **Fís.** Parte de uma curva que representa um espectro, em forma de pico ou de vale de pequena largura. ▸ *Raia de emissão,* linha brilhante que forma com outras um espectro de emissão. ▸ *Raia de absorção,* linha escura que interrompe um espectro contínuo.

raia[2] *s.f.* (lat. *raia*). Denominação comum a peixes condríctes, que apresentam o corpo achatado, cauda longa e afilada, nadadeiras peitorais muito desenvolvidas, boca e fendas branquiais na região ventral. (Var. ARRAIA.)

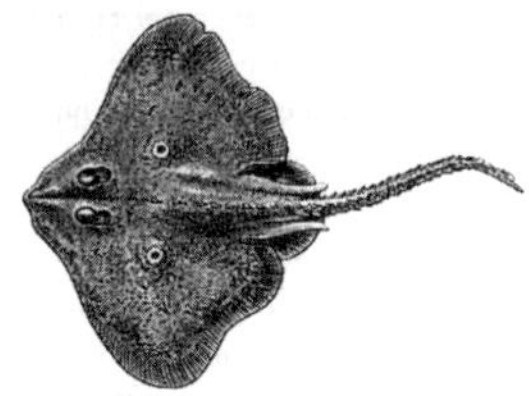

raiar[1] *v.i.* (lat. *radiare*) [conj. 4]. **1.** Emitir raios luminosos; brilhar, cintilar. **2.** Surgir no horizonte.

raiar[2] *v.t.* (conj. 4). **1.** Cobrir de riscas; riscar, estriar. **2.** Tocar as raias ou limites de; aproximar-se.

rainha *s.f.* (lat. *regina*). **1.** Esposa de um rei. **2.** Soberana de um reino. **3.** *Fig.* A primeira, a principal. **4.** A segunda peça mais importante do jogo de xadrez. ● **Zool.** Fêmea fecunda, entre os insetos sociais (abelhas, formigas, cupins).

raio *s.m.* (lat. *radius*). **1.** Cada um dos traços de luz divergentes que parecem partir de um astro ou de um foco luminoso. **2.** Luz intensa e viva; claridade. **3.** Descarga elétrica aérea que produz um clarão fulgurante, acompanhada de estrondo (trovão), entre duas nuvens (relâmpago) ou entre uma nuvem e a terra. **4.** Segmento que vai do centro à circunferência de um círculo, ou do centro à superfície de uma esfera; o comprimento desse segmento. **5.** Haste metálica, de diâmetro muito pequeno, que trabalha sob tração, unindo o aro ao cubo de uma roda. **6.** *Fig.* Calamidade, desgraça. **7.** *Fig.* Vislumbre, sinal. ● **Fís.** Nome genérico de determinadas radiações eletromagnéticas de comprimentos de onda muito pequenos (raios X, raios gama) ou de determinadas partículas emitidas pelos átomos (raios catódicos) ou pelos núcleos (raios alfa, raios beta). **Zool.** Cada uma das peças esqueléticas que sustentam as nadadeiras dos peixes.

raiva *s.f.* (lat. vulg. *rabia*). **1.** Doença infecciosa causada por um vírus, cujo contágio se dá por meio da saliva do animal infectado (mordida de um cão ou morcego contaminados). (Sin. HIDROFOBIA.) **2.** Irritação violenta; cólera, furor. **3.** Ódio, ira, rancor. **4.** Grande aversão; horror.

raiz *s.f.* (lat. *radix*). **1.** Órgão dos vegetais, geralmente subterrâneo, com função de fixação, de absorção de água e de sais minerais. **2.** Parte de um órgão por meio da qual ele é implantado em um tecido. **3.** Base de um objeto, geralmente enterrada no chão. **4.** *Fig.* Princípio, origem. **5.** *Fig.* Algo que prende; vínculo, elo. ● **Gram.** Morfema lexical de uma palavra desprovido de todos os morfemas gramaticais de flexão e de derivação. **Mat.** *Raiz de um número real A,* número real B cuja potência *n*-ésima é igual a A.

raizame (a-i) *s.m.* **1.** O conjunto das raízes de uma planta. **2.** Grande quantidade de raízes.

raiz-do-brasil *s.f.* Sin. de IPECACUANHA.

raiz-forte *s.f.* Planta herbácea, originária da Europa, cultivada pela raiz carnosa, de cor branco-amarelada, sabor forte e apimentado, utilizada como condimento.

rajá *s.m.* (sâns. *rajan,* rei). **1.** Príncipe ou soberano indiano. **2.** Título extensivo a outros homens de posto elevado.

rajada *s.f.* **1.** Aumento súbito e breve da velocidade do vento. **2.** *Fig.* Sucessão contínua e rápida. **3.** Conjunto dos tiros disparados ininterruptamente por uma arma automática. **4.** Refrega de vento da terra, nas proximidades das montanhas.

rajar *v.t.* (esp. *rayar*) [conj. 4]. **1.** Fazer raias ou faixas em; estriar, raiar. **2.** *Fig.* Entremear, intercalar.

ralador (ô) *adj.* e *s.m.* Que ou aquele que rala, que amofina, inquieta, chateia. ★ *s.m.* Utensílio doméstico provido de uma superfície crivada de pequenos orifícios cortantes, usado para reduzir certas substâncias (queijo, coco, mandioca etc.) a partículas; ralo.

ralar *v.t.* (conj. 4). **1.** Passar pelo ralador; moer, triturar. **2.** Ferir de leve; arranhar. **3.** *Fig.* Atormentar, afligir, maçar. ★ *v.pr.* Atormentar-se, afligir-se.

ralé *s.f.* (ár. *rahhalin,* nômades beduínos). Camada inferior da sociedade; arraia-miúda, plebe, escória.

ralear *v.t.* (conj. 15). Tornar ralo ou menos espesso. ★ *v.i.* e *v.pr.* **1.** Tornar(-se) menos compacto. **2.** Tornar(-se) ralo, menos denso.

ralhar *v.i.* (conj. 4). **1.** Repreender em voz alta. **2.** Gritar repreendendo. **3.** Admoestar; zangar-se.

ralho *s.m.* Ato ou efeito de ralhar.

ralo[1] *s.m.* (lat. *rallum,* raspador). **1.** Grade colocada ao nível do solo, para escoamento da água. **2.** Placa metálica com vários orifícios na entrada de uma canalização para impedir a passagem de detritos. **3.** Crivo. **4.** Ralador.

ralo[2] *adj.* (lat. *rarus,* raro). **1.** Pouco denso, pouco espesso. **2.** Escasso, raro.

ralo[3] *s.m.* (fr. *râle*). Ruído anormal produzido pela passagem de ar nos brônquios, em conseqüência de bronquite ou pneumonia.

rama *s.f.* **1.** Galhos e folhagem das árvores. **2.** As primeiras folhas que brotam na primavera; ramada. **3.** *Pop.* Cana, cachaça. **4.** *Em rama,* diz-se da matéria-prima em estado bruto.

ramada *s.f.* (b.-lat. *ramata*). **1.** Rama. **2.** Molho de ramos. **3.** Ornamento feito com ramos; ramagem.

ramadã *s.m.* **1.** O nono mês do calendário muçulmano, considerado sagrado. **2.** O jejum observado durante esse mês.

? VOCÊ SABIA...? O **ramadã** é o mês em que os muçulmanos fazem um rigoroso jejum do nascer ao pôr do sol. O fim do ramadã é marcado por um dia chamado *aid*, em que os fiéis vão à mesquita para proferir rezas especiais de agradecimento e, nas casas, são realizadas refeições festivas com familiares e amigos.

---

ramagem *s.f.* **1.** Conjunto dos ramos de uma planta; rama, ramada. **2.** Desenho de ramos, folhas, flores etc., em um tecido.

ramal *s.m.* **1.** Conjunto de fios para fazer cordas. **2.** Ramificação. **3.** Circuito secundário que desemboca numa canalização principal. **4.** Linha ferroviária secundária; ramificação. **5.** Cada uma das ramificações internas de uma rede telefônica.

ramalhar *v.t.* (conj. 4). Fazer sussurrar os ramos de. ★ *v.i.* **1.** Fazer bulha ou sussurro nos ramos das árvores. **2.** Sussurrar, murmurar (os ramos) com o vento.

ramalhete (ê) *s.m.* **1.** Pequeno molho de flores. **2.** Última divisão dos ramos. **3.** Pequeno ramo. **4.** Conjunto de coisas bem escolhidas. **5.** *Fig.* Conjunto de trechos literários ou musicais selecionados.

ramalho *s.m.* Grande ramo, geralmente cortado, de árvore.

rameira *s.f.* *Pop.* Meretriz.

ramela *s.f.* Var. de REMELA.

ramerrão *s.m.* **1.** Ruído sucessivo e monótono. **2.** Repetição fastidiosa; rotina.

rami *s.m.* Nome comum a duas ervas altas, com pequenas flores brancas, e cujo caule, pouco ramificado, fornece fibras têxteis parecidas com o linho. (Sin. RANU.)

ramificação *s.f.* **1.** Ato ou efeito de ramificar (-se). **2.** Divisão, subdivisão, ramal. **3.** Divisão do tronco de uma árvore em vários ramos. **4.** Parte de um todo que se divide; ramo. **5.** Ramal.

ramificado *adj.* Que ramificou.

ramificar *v.t.* e *v.pr.* (conj. 12). **1.** Dividir(-se) em ramos ou ramais. **2.** Dividir(-se) ou subdividir(-se). **3.** Dispersar(-se), espalhar(-se).

ramo *s.m.* (lat. *ramus*). **1.** Pequeno galho de árvore, de planta. **2.** Divisão ou subdivisão do caule. **3.** Ramalhete. **4.** Ramificação. **5.** Subdivisão de uma artéria, de uma veia, de um nervo. **6.** Subdivisão de uma árvore genealógica. **7.** Especialidade em uma categoria profissional ou atividade. ● **Biol.** Grande grupo de animais ou de plantas descendentes de ancestrais comuns. **Eletr.** Setor de uma rede elétrica, considerado como um bipolo, constituído por uma combinação de elementos de circuito.

rampa *s.f.* (fr. *rampe*). **1.** Inclinação, trecho em declive de uma rua, estrada ou ferrovia. **2.** Plano inclinado, ladeira. ● **Anat.** *Rampa timpânica, vestibular,* cada uma das duas partes do caracol (cóclea) do ouvido interno, separadas por uma lâmina espiral e pelo labirinto membranoso.

A B C D E F G H I J K L M N O P Q R S T U V W X Y Z

ranário *s.m.* (lat. *rana,* rã). Conjunto de instalações destinadas à criação de rãs.

rançar *v.i.* (conj. 13). Criar ranço, tornar-se rançoso.

rancharia *s.f.* **1.** Conjunto de ranchos. **2.** Povoado pobre.

rancheira *s.f.* (esp. argentino *ranchera*). **1.** Dança popular oriunda da Argentina e muito comum no Rio Grande do Sul. **2.** Música adequada para essa dança.

rancheiro *s.m.* **1.** Aquele que prepara o rancho (comida) nos quartéis. **2.** Habitante, proprietário ou encarregado de um rancho. ★ *adj. P. ext.* Relativo a rancho.

rancho *s.m.* (esp. *rancho*). **1.** Grupo de pessoas reunidas para determinado fim, especialmente em jornada. **2.** Grupo de soldados ou marinheiros que comem em comum. **3.** *P. ext.* A alimentação que lhes é distribuída. **4.** Abrigo à beira da estrada. **5.** Habitação pobre. **6.** Propriedade rural, geralmente dedicada à criação de gado. **7.** Bloco carnavalesco.

ranço *s.m.* (do lat. *rancidus,* rançoso). **1.** Alteração das superfícies de substâncias gordurosas em contato com o ar, caracterizada por cheiro forte e sabor azedo. **2.** Mofo, bafio. **3.** *Fig.* Caráter obsoleto, antiquado, ultrapassado.

rancor (ô) *s.m.* (lat. *rancor*). **1.** Ressentimento profundo e reservado decorrente de mágoa que se sofreu sem protesto. **2.** Ódio oculto e reservado.

rançoso (ô) *adj.* **1.** Que tem ranço. **2.** Nauseabundo. **3.** *Fig.* Antiquado, obsoleto.

randômico *adj.* Aleatório.

ranger *v.i.* (lat. *ringere,* resmungar) [conj. 26]. **1.** Produzir ruído áspero como o de um objeto duro que roça contra outro. **2.** Dar pequenos estalidos ou chiados, breves e intermitentes. ★ *v.t.* Roçar (os dentes) uns nos outros, produzindo certo ruído, por efeito de cólera ou de dor.

rangido *s.m.* **1.** Ação de ranger. **2.** Ruído desagradável produzido por objetos que rangem.

ranheta (ê) *adj.2g.* e *s.2g.* Diz-se de ou pessoa rabugenta, impertinente, manhosa.

ranho *s.m.* Substância viscosa que corre das narinas; muco.

ranhura *s.f.* (fr. *rainure*). **Constr.** Escavação longa e estreita feita em uma peça de madeira ou de metal. ▸ Entalhe realizado em peça para nela encaixar o ressalto de outra peça, móvel ou fixa. **Eletrotéc.** Reentrância presente numa armadura magnética onde são alojados os condutores de um enrolamento. **Mec.** Canaleta por onde escorre o óleo das máquinas.

rani *s.f.* (sâns. *rajnī*). Esposa de um rajá.

ranicultura *s.f.* Criação de rãs.

ranilha *s.f.* (esp. *ranilla*). Parte mole, situada na porção inferior do casco do cavalo.

ranu *s.m.* Sin. de RAMI.

ranzinza *adj.2g.* **1.** Rabugento, impertinente, implicante. **2.** Birrento, mal-humorado, teimoso. ★ *s.2g.* Pessoa ranzinza.

ranzinzar *v.i.* (conj. 4). Tornar-se ranzinza, birrento, impertinente.

rap *s.m.* (ingl., da sigla de *rhythm and poetry*). Estilo musical com letras elaboradas ou improvisadas, privilegiando o cotidiano de jovens urbanos.

rapace *adj.2g.* (lat. *rapax, rapacis*). **1.** Que rouba; rapinante, rapaz. **2.** *Fig.* Ávido de lucro.

rapadura *s.f.* **1.** Ato ou efeito de rapar. **2.** Bloco de melado de cana-de-açúcar cristalizado, sem qualquer processo de refinação artesanal ou industrial.

rapagão *s.m.* (esp. *rapagón*). Aumentativo de rapaz.

rapapé *s.m.* **1.** Ação de arrastar os pés para trás, ao cumprimentar. **2.** Cumprimento exagerado; mesura. **3.** Bajulação, adulação, lisonja.

rapar *v.t.* (conj. 4). **1.** Raspar. **2.** Cortar rente à pele. **3.** Limpar uma superfície por meio de fricção; raspar. **4.** Rapinar, roubar.

rapariga *s.f.* **1.** Mulher entre a infância e a adolescência. **2.** Menina, moça. **3.** Moça do campo. **4.** *Pop.* Meretriz, prostituta.

rapaz[1] *adj.2g.* Rapace.

rapaz[2] *s.m.* **1.** Homem no período compreendido entre a adolescência e a maturidade; moço, jovem. **2.** Filho varão. **3.** Homem solteiro.

rapaziada *s.f.* **1.** Grupo ou turma de rapazes; rapazio. **2.** Ato ou dito de rapaz. **3.** Imprudência, estroinice.

rapazola *s.m.* **1.** Rapaz já crescido. **2.** Homem que pensa ou age como rapaz.

rapé *s.m.* (fr. *râpé*). Tabaco especialmente preparado em pó torrado para ser aspirado pelas narinas.

rápido *adj.* (lat. *rapidus*). **1.** Que se desloca com velocidade; ligeiro, veloz, célere. **2.** Breve, efêmero. **3.** Que faz muito em pouco tempo. **4.** Que se faz em pouco tempo. **5.** Que age em pouco tempo. **6.** Imediato, instantâneo. ★ *adv.* Rapidamente.

rapina *s.f.* (lat. *rapina*). **1.** Ato ou efeito de rapinar; rapinagem. **2.** Fruto de roubo. **3.** *Fig.* Pilhagem, extorsão. ● **Zool.** *Ave de rapina,* ave que captura outros vertebrados para sua alimentação, como os gaviões.

EXEMPLOS DE AVES DE RAPINA

RAPINA ▸ Aves de rapina são aquelas que se adaptaram ao regime carnívoro. Compreendem dois grupos: as diurnas e as noturnas. As primeiras são geralmente aves de grande porte, e a maioria só se alimenta de presas vivas. Entretanto, várias delas não desprezam cadáveres; algumas, como os abutres, alimentam-se exclusivamente deles. As aves de rapina noturnas se nutrem de presas vivas – em geral pequenos mamíferos e insetos.

rapinagem *s.f.* **1.** Rapina. **2.** Conjunto das coisas roubadas.

rapinante *adj.2g.* e *s.2g.* Que ou aquele que rapina; rapinador.

rapinar *v.t.* e *v.i.* (lat. *rapinare*) [conj. 4]. **1.** Tirar com violência, roubar arresbatando, apresar. **2.** *P. ext.* Furtar.

raposa (ô) *s.f.* (esp. *raposa*). **1.** Mamífero carnívoro semelhante ao cão, de pelagem considerada valiosa, que se alimenta de roedores e aves. **2.** A pele desse animal. **3.** *Fig.* Indivíduo astuto. **4.** Engenho de tirar água. **5.** Cesto alto e arredondado com tampa.

raposice *s.f.* Astúcia, manha, malícia típica de raposa.

rapsódia *s.f.* (gr. *rhapsodia*). **1.** Arte do rapsodo. **2.** Trecho de poesia épica recitado em público. **3.** Composição musical baseada em temas de inspiração folclórica.

rapsódico *adj.* **1.** Relativo aos rapsodos ou à rapsódia. **2.** Que tem caráter de rapsódia.

rapsodo (ó ou ô) *s.m.* (gr. *rhapsodos*). **1.** Poeta popular ou cantor da Grécia antiga, que ia de cidade em cidade recitando poemas épicos. **2.** *Fig.* Cantor, poeta, aedo.

raptar *v.t.* (lat. *raptare*) [conj. 4]. **1.** Cometer rapto. **2.** Tirar, roubar.

rapto *s.m.* (lat. *raptus*). **1.** Retirada ou arrebatamento violento de uma pessoa, contra sua vontade, de seu domicílio ou outro local onde se encontre, para extorsão ou para outros fins. **2.** Roubo, rapina. **3.** *Fig.* Enlevo, exaltação do espírito.

raque *s.f.* ou **ráquis** *s.f.2n.* (gr. *rhachis*). **1.** Coluna vertebral ou espinha dorsal. **2.** Eixo principal de uma inflorescência. **3.** Pecíolo principal de uma folha composta. **4.** Eixo da pena das aves.

raquete ou **raqueta** (ê) *s.f.* (fr. *raquette*). **1.** Moldura oval, encordoada com uma rede tecida com tripa de cordeiro ou fibra sintética, prolongada por um cabo, para jogar tênis etc. **2.** Placa de madeira oval, prolongada por um cabo, para jogar tênis de mesa ou pingue-pongue.

EXEMPLOS DE RAQUETES

raquianestesia *s.f.* Anestesia praticada no canal medular, que atinge os membros inferiores até determinada altura do tronco.

raquiano *adj.* Var. de RAQUIDIANO.

raquidiano *adj.* **1.** Relativo à raque, à coluna vertebral. (Var. RAQUIANO.) **2.** *Injeção raquidiana,* sin. de INJEÇÃO EPIDURAL. **3.** *Nervo raquidiano,* nervo que sai da coluna vertebral e que se divide para formar os diferentes nervos periféricos sensitivos e motores. (Sin. NERVO ESPINHAL.)

ráquis *s.f.2n.* Raque.

raquítico *adj.* **1.** Relativo ao raquitismo. **2.** *Pop.* Muito magro, franzino. **3.** *Fig.* Limitado. ★ *s.m.* Indivíduo atingido de raquitismo ósseo.

raquitismo *s.m.* Doença carencial infantil caracterizada pela insuficiente calcificação de ossos por hipovitaminose D e associada a retardo de crescimento e hipotonia muscular.

rarear *v.t.* (conj. 15). Tornar raro ou menos denso. ★ *v.i.* Tornar-se mais raro, menos freqüente.

rarefazer *v.t.* e *v.pr.* (lat. *rarefacere*) [conj. 31]. Tornar(-se) menos denso, menos espesso, menos compacto ou menos numeroso.

rarefeito *adj.* (lat. *rarefactus*). Que se rarefez.

raridade *s.f.* (lat. *raritas*). **1.** Estado ou qualidade do que é raro. **2.** Algo que não acontece freqüentemente. **3.** Objeto original.

raro *adj.* (lat. *rarus*). **1.** Que é pouco comum ou freqüente; invulgar. **2.** Pouco abundante; escasso. **3.** Extraordinário, excepcional, singular. ● **Quím.** *Gás raro,* nome genérico dos elementos da coluna encabeçada pelo hélio na classificação periódica dos elementos. (Sin. ant. GÁS* NOBRE.) ★ *adv.* Raramente.

rasadura *s.f.* Ato ou efeito de rasar.

rasante *adj.2g.* **1.** De pouca elevação ou profundidade; raso. **2.** Rente ao solo.

rasar *v.t.* (conj. 4). **1.** Encher até as bordas. **2.** Arrasar. **3.** Igualar, nivelar. **4.** Tocar de leve. **5.** Passar rente.

rasca *s.f.* **1.** Rede de arrastar. **2.** Pequena embarcação de duas velas. **3.** *Pop.* Quinhão, parte do lucro. **4.** *Pop.* Bebedeira.

rascar *v.t.* (conj. 12). **1.** Raspar, rapar. **2.** Arranhar, ferir. **3.** Desbastar, lascar. **4.** Perturbar, incomodar. **5.** *Ant.* Gritar, clamar.

rascunhar *v.t.* (esp. *rascuñar*) [conj. 4]. Fazer o rascunho de; esboçar.

rascunho *s.m.* (esp. *rascuño*). Minuta, esboço, trabalho primeiro em que se fazem as correções necessárias, antes de dar-lhe a forma definitiva.

rasgado *adj.* **1.** Despedaçado. **2.** Vasto, amplo, espaçoso. **3.** Franco, liberal, aberto, desembaraçado. **4.** *Fig.* Aflito, cortado, magoado. ★ *s.m.* **1.** Forma de acompanhamento peculiar às violas, que consiste em passar as unhas, sucessiva e rapidamente, sobre todas as cordas do instrumento, sem as pontear. **2.** Dança ao som desse toque.

rasgão *s.m.* **1.** Fenda ocasionada pelo rompimento de tecidos; rasgo, rasgamento. **2.** Garganta (de serras).

rasgar *v.t.* (conj. 14). **1.** Abrir rasgão em; fender, romper. **2.** Ferir, lacerar, golpear. **3.** Abrir, furar. **4.** Sulcar, cortar, atravessar. **5.** Alargar, ampliar, estender. **6.** Magoar, compungir. **7.** Agravar, avivar. **8.** Assomar, despontar. **9.** Separar, cindir-se. ★ *v.pr.* **1.** Dividir-se em pedaços; romper-se. **2.** Abrir-se, expandir-se. **3.** Revelar-se, ir aparecendo. **4.** Afligir-se, atormentar-se. **5.** *Fig.* Alargar-se, estender-se.

rasgo *s.m.* **1.** Ato ou efeito de rasgar; rasgadura, rasgamento. **2.** Rasgão. **3.** Proeza, façanha. **4.** Ímpeto, arroubo, lampejo.

raso *adj.* (lat. *rasus*). **1.** Pouco profundo. **2.** Não áspero; liso, plano. **3.** Que tem pouca fundura ou profundidade; rente, rasteiro, baixo. **4.** Diz-se de soldado sem patente. **5.** Diz-se de recipiente cheio até a borda. ● **Geom.** Diz-se de um setor angular ou de um diedro que mede 180°. ▸ Diz-se do ângulo entre duas semi-retas paralelas e opostas. ★ *s.m.* **1.** Campo, planície, chão. **2.** Campo com vegetação arbustiva, que forma um emaranhado inextricável. **3.** Local em que a água tem pouca profundidade.

rasoura *s.f.* Instrumento usado pelo gravador para retirar as rebarbas da chapa de metal.

rasourar *v.t.* (conj. 4). Desbastar com rasoura.

raspa *s.f.* **1.** Raspagem. **2.** Resíduo ou lasca que resulta de raspagem.

raspadeira *s.f.* Nome de diversos instrumentos que servem para raspar ou limpar; raspador. ● **Med.** Instrumento cirúrgico que serve para raspar os ossos, isolando-os do periósteo e das partes moles.

raspança *s.f.* Repreensão.

raspão *s.m.* **1.** Ferimento leve causado por atrito de relance; arranhão. **2.** *De raspão,* de leve, superficialmente.

raspar *v.t.* (conj. 4). **1.** Tirar com instrumento adequado parte da superfície de; rapar. **2.** Apagar, extinguir. **3.** Tocar ou ferir de raspão; arranhar. **4.** Desbastar, alisar. **5.** Limpar esfregando. **6.** Roçar. ★ *v.pr. Pop.* Fugir, debandar.

rastear *v.t.* e *v.i.* (conj. 15). Rastrear.

rasteira *s.f.* **1.** Golpe em que se mete o pé entre as pernas do adversário para fazê-lo cair; cambapé. **2.** *Fig.* Ato desleal.

rasteiro *adj.* **1.** O que rasteja ou pouco se eleva do chão. **2.** *Fig.* Humilde, simplório. **3.** *Fig.* Reles, insignificante, vulgar.

rastejar *v.i.* (conj. 4). **1.** Arrastar-se pelo chão. **2.** Estar em posição de inferioridade. **3.** *Fig.* Humilhar-se. **4.** *Fig.* Ser subserviente. ★ *v.t.* Rastrear.

rastelar *v.t.* (conj. 4). **1.** Puxar, pegar com o rastelo. **2.** Limpar, nivelar ou amontoar com um ancinho ou rastelo (palha, grama).

rastelo (ê) *s.m.* (lat. *rastellus*). **Agric.** Instrumento de agricultura e de jardinagem constituído de uma grade de dentes com cabo adaptado, próprio para aplanar e afofar a terra; rastrilho. (Var. RESTELO.) **Têxt.** Fileira de dentes de ferro por onde passa o linho para se lhe tirar a estopa.

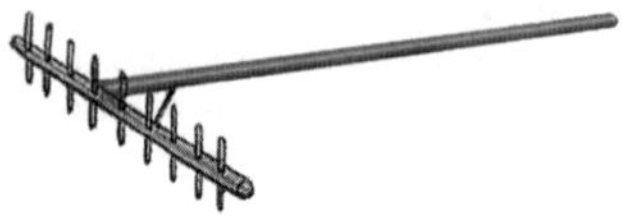

rastilho *s.m.* (esp. *rastillo*). **1.** Fio embebido em pólvora ou outra substância para comunicar fogo a alguma coisa. **2.** Sulco cheio de pólvora para o mesmo fim.

rasto *s.m.* Rastro.

rastreamento *s.m.* **1.** Ato ou efeito de rastrear; rastreio. **2.** Procura sistemática, exame minucioso; investigação. **3.** Acompanhamento de um satélite, um míssil ou uma nave espacial por meio de radar, rádio ou fotografia.

rastrear *v.t.* e *v.i.* (conj. 15). **1.** Seguir o rastro de; rastear, rastejar. **2.** Proceder ao rastreamento de.

rastreio *s.m.* Rastreamento.

rastrilho *s.m.* Rastelo.

rastro *s.m.* (lat. *rastrum*). Vestígio que denuncia a passagem de algum animal; pegada, rasto.

rasura *s.f.* (lat. *rasura*). Ato ou efeito de rasurar.

rasurar *v.t.* (conj. 4). Emendar polutamente a escrita.

rata *s.f.* Ato desastrado, fiasco, malogro.

ratão-d'água *s.m.* Sin. de RATÃO-DO-BANHADO.

ratão-do-banhado *s.m.* Mamífero roedor, de hábitos semiaquáticos, que atinge 60 cm de comprimento. (Sin. RATÃO-D'ÁGUA.)

rataplã *s.m.* Onomatopéia do rufar do tambor.

ratazana *s.f.* **1.** Fêmea do rato. **2.** Rato grande. **3.** Mamífero roedor, de corpo robusto, orelhas pequenas, que prefere locais úmidos como esgotos e galerias subterrâneas etc. **4.** *Fig.* Mulher velha e pernóstica. ★ *s.2g.* **1.** *Pop.* Diz-se de indivíduo ridículo que desperta zombaria. **2.** *Gír.* Ladrão.

ratear *v.t.* (conj. 15). Fazer rateio de.

rateio *s.m.* Divisão ou distribuição proporcional.

raticida *adj.2g.* e *s.m.* Diz-se de ou produto que mata ratos.

ratificação *s.f.* Ato ou efeito de ratificar.

ratificar *v.t.* (lat. tard. *ratificare*) [conj. 12]. **1.** Autenticar formalmente um ato ou compromisso. **2.** Certificar, confirmar, corroborar.

ratificável *adj.2g.* Que pode ser ratificado.

rato *s.m.* **1.** Denominação comum a mamíferos roedores, cosmopolitas e prolíficos, que habitam locais quentes e são, muitas vezes, agentes transmissores de doenças. (Sin. RATO-DE-PAIOL, RATO-PRETO.) **2.** *P. ext.* Pessoa desprezível, sem moral. **3.** Pedra com arestas que corta as amarras dos navios. **4.** *Fig.* Ladrão. **5.** *Gír.* Policial.

rato-de-paiol *s.m.* Sin. de RATO.

ratoeira *s.f.* **1.** Pequena armadilha destinada à captura de ratos. **2.** *Fig.* Cilada, traição.

rato-preto *s.m.* Sin. de RATO.

ravina *s.f.* (fr. *ravine*). **1.** Torrente de água que cai de um lugar elevado. **2.** Depressão alongada e profunda escavada por essa torrente.

raviôli *s.m.* (it. *ravioli*). Pequeno pastel de massa de farinha de trigo, com recheio de carne, ricota etc., cozido em água fervente e coberto por molho.

razão *s.f.* (lat. *ratio, rationis*). **1.** Faculdade de compreender, conhecer e julgar; discernimento. **2.** Faculdade intelectual, considerada como norma da ação humana. **3.** Bom senso, sabedoria. **4.** Argumentação, raciocínio. **5.** Motivo que legitima uma ação. **6.** Causa, motivo. **7.** Direito, justiça. **8.** Medida, proporção. **9.** Juro, percentagem. **10.** Livro em que se lançam os créditos e os débitos. ● **Dir.** *Razão de Estado,* medida que, embora discutível do ponto de vista jurídico, justifica-se em nome do interesse público. ► *Razão social,* denominação sob a qual uma sociedade comercial desempenha sua atividade. **Mat.** Parâmetro que expressa a taxa de crescimento de uma seqüência de números. ► Sin. de FRAÇÃO.

razoável *adj.2g.* **1.** Conforme a razão, o direito ou a eqüidade. **2.** Módico, comedido, não excessivo. **3.** Digno de nota; considerável. **4.** Sensato, ponderado.

Rb símbolo químico do rubídio.

Re símbolo químico do rênio.

ré[1] *s.f.* (lat. *retro,* atrás, por trás). **1.** O espaço compreendido entre o mastro grande e a popa do navio; popa. **2.** *Marcha à ré,* movimento que faz um veículo recuar.

ré[2] *s.m.* **1.** Nota musical. **2.** Segundo grau da escala de dó. **3.** Sinal que o representa.

ré[3] *s.f.* (lat. *rea*). Mulher ou entidade acusada ou demandada em juízo.

reabastecer *v.t.* (conj. 25). Tornar a abastecer. ★ *v.pr.* Abastecer-se de novo.

reabilitar *v.t.* (conj. 4). **1.** Recuperar a capacidade física ou psicológica. **2.** Restituir a uma pessoa seus direitos, capacidade, situação jurídica que havia perdido. **3.** *P. ext.* Fazer recobrar a estima, a consideração pública. ★ *v.pr.* **1.** Regenerar-se. **2.** Conseguir reabilitação. **3.** Recobrar a saúde.

reabrir *v.t.* (conj. 6). Tornar a abrir. ★ *v.i.* e *v.pr.* Abrir-se novamente. ★ *v.pr.* **1.** Abrir-se outra vez. **2.** Voltar a funcionar.

reabsorção *s.f.* Ato ou efeito de reabsorver. ● **Med.** Desaparecimento, por absorção ou atrofia progressivas, de uma coleção patológica, de um tumor, de um corpo estranho, existente em um órgão. ► Difusão no organismo e penetração na circulação geral de uma substância que foi introduzida através de um revestimento epitelial ou mucoso.

reabsorver *v.t.* (conj. 5). **1.** Tornar a absorver. **2.** Operar (o organismo) a reabsorção de substâncias. **3.** Fazer desaparecer por reabsorção um tumor, um derrame etc.

reação *s.f.* **1.** Ato ou efeito de reagir. **2.** Força exercida por um corpo quando submetido à ação de outro corpo. **3.** Resposta do organismo a um estímulo. **4.** Oposição, resistência. ● **Fís.** *Reação nuclear,* interação entre um núcleo e uma partícula com energia suficiente para provocar a formação de um novo núcleo ou a emissão de uma outra partícula. **Quím.** Transformação que se produz quando diversas espécies químicas são colocadas em contato, ou quando uma única espécie química recebe uma contribuição exterior de energia, e que se traduz pelo aparecimento de espécies químicas novas.

reacender *v.t.* (conj. 5). **1.** Acender de novo. **2.** *Fig.* Dar novo impulso, ativar. **3.** Renovar. **4.** Desenvolver.

reacionário *adj.* Relativo a ou próprio da reação. ★ *s.m.* Indivíduo que resiste a qualquer mudança política ou social.

readaptar *v.t.* e *v.pr.* (conj. 4). Adaptar(-se) de novo.

readmissão *s.f.* **1.** Ato ou efeito de readmitir. **2.** Reingresso, sem indenização, de funcionário demitido ou exonerado, uma vez verificada a insubsistência dos motivos que determinaram seu afastamento.

readmitir *v.t.* (conj. 6). Admitir novamente.

readquirir *v.t.* (conj. 6). Voltar a adquirir.

reafirmar *v.t.* (conj. 4). Afirmar de novo e de maneira mais categórica.

reagente *s.m.* Qualquer substância que participa de uma reação química; reativo. ★ *adj.2g.* Que reage.

reagir *v.i.* (conj. 52). **1.** Exercer reação. **2.** Opor a uma ação outra que lhe é contrária. **3.** Opor-se, resistir, protestar. ● **Quím.** Entrar em reação.

reajustamento *s.m.* Ato ou efeito de reajustar; reajuste.

reajustar *v.t.* (conj. 4). **1.** Tornar a ajustar. **2.** Recolocar no lugar conveniente. **3.** *Fig.* Modificar, elevar proporcionalmente.

reajuste *s.m.* **1.** Reajustamento. **2.** Quantia em dinheiro do reajuste.

real[1] *adj.2g.* (lat. *regalis*). Relativo ou pertencente ao rei ou à realeza.

real[2] *adj.2g.* (lat. *realis*). **1.** Relativo à realidade. **2.** Que efetivamente existe. **3.** Que existe ou acontece em átomos, por oposição ao que existe ou acontece como informação armazenada em bits, ou virtual. ● **Mat.** Diz-se do conjunto dos números existentes (inteiros, racionais e irracionais), com exceção dos números imaginários. ★ *s.m.* **1.** Realidade. **2.** Unidade monetária brasileira a partir de 1994.

realçar *v.t.* (conj. 13). **1.** Dar realce a. **2.** Pôr em relevo.

realce *s.m.* Distinção, relevo, maior brilho, destaque.

realejo (ê) *s.m.* (esp. *realejo*). Instrumento musical mecânico que executa uma melodia quando é girado um cilindro com pinos que ativa uma série de tubos de órgão.

realeza (ê) *s.f.* **1.** A dignidade real. **2.** Designação abrangente de uma série de reis. **3.** *Fig.* Magnificência, grandeza, sublimidade. **4.** Partido monárquico.

realidade *s.f.* (b.-lat. *realitas, realitatis*). **1.** Qualidade de real. **2.** O que efetivamente existe. ● **Inform.** *Realidade virtual,* simulação de ambientes e situações com imagens tridimensionais, sons, inclinações do assento e outros. **Psican.** *Princípio de realidade,* princípio que completa e modifica o princípio de prazer, e que adapta as pulsões aos limites do mundo exterior.

realimentação *s.f.* Sin. de FEEDBACK.

realismo[1] *s.m.* **1.** Qualquer doutrina filosófica que concebe a realidade como independente do conhecimento que dela possa ter o sujeito. **2.** Tendência de encarar objetivamente a realidade; senso prático. ● **Liter.** Tendência literária e artística da segunda metade do séc. XIX, que privilegiava a representação exata, não idealizada, da natureza e dos homens.

realismo[2] *s.m.* **1.** Sistema político em que o chefe de Estado é um rei; monarquia. **2.** Ideologia ou doutrina que defende ou prega a monarquia.

realista[1] *adj.2g.* Relativo ao realismo. ★ *adj.2g.* e *s.2g.* Adepto do realismo[1].

realista[2] *adj.2g.* e *s.2g.* Que ou aquele que defende a monarquia.

realizar *v.t.* (conj. 4). **1.** Tornar real ou concreto; concretizar. **2.** Pôr em prática; efetuar, executar. **3.** Conceber de maneira nítida, perceber como realidade. **4.** Descontar um título comercial. **5.** Acontecer, ocorrer. ★ *v.pr.* **1.** Efetuar-se, verificar-se. **2.** Atingir o objetivo.

reanimação *s.f.* Ato ou efeito de reanimar(-se). ● **Med.** Conjunto de meios físicos, químicos, biológicos e mecânicos próprios para restabelecer e manter o equilíbrio das funções vitais normais, durante agressões patológicas ou intervenções cirúrgicas.

REANIMAÇÃO ► As técnicas de reanimação devem ser utilizadas o mais rapidamente possível em pessoas afogadas, sufocadas, eletrocutadas, intoxicadas por dióxido de carbono e, regra geral, em todos os casos de morte aparente. Na eventualidade de parada cardíaca, devem ser acompanhadas de massagem no tórax.

---

reanimar *v.t.* (conj. 4). **1.** Dar novo alento. **2.** Tonificar, fortificar. **3.** Restituir à vida. ★ *v.pr.* Readquirir força, energia, animação.

reaparecer *v.i.* (conj. 25). Aparecer de novo, ressurgir.

reaproximar (ss) *v.t.* e *v.pr.* (conj. 4). Aproximar(-se) de novo.

reascender *v.t.* (conj. 5). Tornar a ascender.

reassumir *v.t.* (lat. *reassumere*) [conj. 6]. Tornar a assumir; tomar posse novamente de.

reatância *s.f.* Medida que corresponde à parte da impedância de um circuito elétrico, que expressa a resistência deste circuito à passagem de energia elétrica.

reatar *v.t.* (conj. 4). **1.** Atar de novo. **2.** Recomeçar, retomar. **3.** *Fig.* Restabelecer. **4.** Atar bem, com muitas voltas.

reativação *s.f.* Ato ou efeito de reativar(-se). ● **Med.** Procedimento que consiste em fazer reaparecer propriedades ou fenômenos fisiológicos desaparecidos.

reativar *v.t.* e *v.pr.* (conj. 4). Ativar(-se) de novo. ● **Med.** Proceder à reativação.

reativo *adj.* **1.** Que reage. **2.** Que faz reagir, que provoca reação. **3.** Referente a uma reação psicológica. ★ *s.m.* **1.** Substância empregada para identificar a natureza dos corpos, em face das reações que produz. **2.** Reagente.

reator (ô) *adj.* Que reage. ★ *s.m.* Nome genérico dos aparelhos nos quais se efetua uma reação química. ● **Eng. Nucl.** *Reator nuclear,* sistema no qual é possível produzir e controlar uma reação nuclear de fissão ou de fusão.

REATOR ► Cinco linhas de reatores nucleares equipam a quase totalidade das centrais termonucleares instaladas no mundo. Elas são geralmente designadas pelo nome do refrigerante ou pelo do moderador: água leve sob pressão; água leve fervente; gás carbônico e grafite; água pesada sob pressão; água leve fervente e grafite. As duas primeiras fornecem energia para cerca de 70% das usinas nucleares. A pesquisa fundamental e aplicada utiliza amplamente o reator tipo piscina, constituído por um arranjo de elementos combustíveis e de elementos de controle correspondentes, instalados no fundo de um tanque aberto, cheio de água. A água cumpre as funções de moderador e de refrigerante e constitui um anteparo que protege os pesquisadores das radiações.

---

reaver *v.t.* (conj. 51). Tornar a haver; recuperar, recobrar.

reavisar *v.t.* (conj. 4). Tornar a avisar.

reavivar *v.t.* (conj. 4). **1.** Tornar a avivar. **2.** *Fig.* Estimular a lembrança (a memória) de; relembrar. **3.** Tornar vivo, fazer reviver.

rebaixar *v.t.* (conj. 4). **1.** Tornar mais baixo. **2.** *Fig.* Depreciar. **3.** Menoscabar, humilhar. **4.** Aviltar. ★ *v.pr.* Aviltar-se, humilhar-se.

rebanho *s.m.* **1.** Porção de gado lanígero. **2.** *P. ext.* Conjunto de animais de uma mesma espécie doméstica ou de ruminantes selvagens que vivem juntos. **3.** *Fig.* Conjunto de fiéis em relação a seu pastor ou sacerdote. **4.** *Fig.* Multidão indiferenciada.

rebarba *s.f.* **1.** Aspereza produzida pelo buril no ato de traçar o metal quando se grava. **2.** Saliência, aresta. **3.** Intervalo entre duas linhas regulares.

rebarbativo *adj.* **1.** Em que há rebarbas ou arestas. **2.** Penoso, árduo. **3.** Irritante, desagradável.

rebate *s.m.* **1.** Ação de rebater; rebatimento, rebatida. **2.** Ataque imprevisto. **3.** Grito com que se acusa a aproximação do inimigo. **4.** Sinal com que se anuncia um acontecimento inesperado. **5.** Refutação. **6.** Prenúncio, anúncio.

rebater *v.t.* (conj. 5). **1.** Bater de novo. **2.** Repelir com violência. **3.** Refutar. **4.** Descontar. **5.** Arrebitar. **6.** Repetir insistentemente. **7.** Combater, debelar. **8.** Refrear, reprimir.

rebeca *s.f.* Rabeca.

rebelar *v.t.* (lat. *rebellare*) [conj. 4]. Incitar à rebeldia. ★ *v.pr.* **1.** Recusar-se a obedecer a autoridade legítima. **2.** *Fig.* Revoltar-se, insurgir-se.

rebelde *adj.2g.* (lat. *rebellis*). **1.** Que se rebela. **2.** Que se levanta contra a autoridade legítima ou constituída. **3.** Que não cede. **4.** Pertinaz, recalcitrante. ★ *s.2g.* Indivíduo rebelde; revel.

rebeldia *s.f.* Qualidade ou atitude de rebelde.

rebelião *s.f.* (lat. *rebellio, rebellionis*). **1.** Ato ou efeito de rebelar(-se). **2.** Levante, insurreição, sublevação.

rebenque *s.m.* (esp. plat. *rebenque*). Pequeno chicote de couro, geralmente em forma de bengala.

rebentação *s.f.* **1.** Ação de rebentar. **2.** Quebra ou desabamento da crista de uma onda oceânica; arrebentação.

rebentão *s.m.* **1.** Broto que nasce na raiz ou na base do tronco e que pode separar-se dela, dando origem a nova planta. **2.** Arbusto de terrenos incultos. **3.** *Pop.* Abscesso. **4.** *Fig.* Descendente. **5.** (*NE*) Seca prolongada.

rebentar *v.t.* (conj. 4). **1.** Arrebentar. **2.** Estourar. **3.** Manifestar-se com violência. **4.** Fazer(-se) em pedaços. **5.** Desabrochar, nascer, surgir.

rebento *s.m.* **1.** Pequeno broto de uma planta; renovo, vergôntea, gomo, botão. **2.** Germinação de uma semente. **3.** Galho jovem destinado ao enxerto. **4.** *Fig.* Fruto, produto. **5.** *Fig.* Filho.

rebitar *v.t.* (conj. 4). Unir por meio de rebites.

rebite *s.m.* Dobra que se faz na ponta de prego ou pino para que não saia do lugar onde foi cravado. ● **Constr.** Elemento de união de peças planas, formado por uma haste cilíndrica provida de cabeça numa extremidade, sendo que a outra extremidade é amassada depois de penetrar em furo efetuado nas peças a serem unidas.

reboar *v.i.* (lat. *reboare*) [conj. 20]. Ecoar, repercutir, retumbar, ressoar.

rebocador[1] (ô) *s.m.* **1.** Embarcação motorizada utilizada para empurrar um comboio fluvial. **2.** Veículo empregado para remover outros que estejam privados de movimento; guincho, reboque.

rebocador[2] (ô) *adj.* e *s.m.* Que ou aquele que reboca, que reveste paredes com reboco ou argamassa; emboçador.

rebocar[1] *v.t.* (lat. *revocare*) [conj. 12]. Revestir de reboco (uma superfície).

rebocar[2] *v.t.* (conj. 12). **1.** Puxar (um veículo, um barco) com outro. **2.** Movimentar uma embarcação com um rebocador.

reboco (ô) *s.m.* **1.** Rebocadura. **2.** Argamassa ou simples massa de cal que se estende na parede, após o emboço, a fim de torná-la lisa para receber a caiação ou a pintura; reboque. **3.** Em fundição, revestimento aplicado na superfície de um material refratário.

rebojo (ô) *s.m.* **1.** Curva formada pela queda das cachoeiras. **2.** Sorvedouro. **3.** Redemoinho do vento quando muda repentinamente de direção.

rebolado *s.m.* Bamboleio, saracoteio; movimento de quadris, em certas danças.

rebolar *v.t.* (conj. 4). Remexer com exagero; bambolear. ★ *v.i.* e *v.pr.* **1.** Rolar sobre si mesmo. **2.** Saracotear, bambolear.

reboliço *adj.* Que rebola.

rebolo (ô) *s.m.* **1.** Pedra redonda que gira em torno de um eixo e serve para afiar instrumentos de corte. **2.** (*NE*) Pedaço de pedra ou tijolo usado como projétil. **3.** Pedaço de cana com dois ou mais brotos, usado no plantio. **4.** *Pop.* Cilindro.

rebôo *s.m.* Ação de reboar.

reboque[1] *s.m.* Reboco.

reboque[2] *s.m.* **1.** Ato ou efeito de rebocar. **2.** Tração de um veículo por outro. **3.** O veículo assim conduzido. **4.** Veículo próprio para rebocar; rebocador, guincho.

rebordo (ô) *s.m.* Borda revirada ou voltada para fora.

rebordosa *s.f.* **1.** Situação complicada; confusão. **2.** Repreensão exaltada. **3.** Doença grave.

rebotalho *s.m.* **1.** Sobra imprestável; resto, refugo. **2.** *Fig.* Escória da sociedade; ralé.

rebote *s.m.* **1.** Jogo de pelota praticado pelos bascos. **2.** Segundo salto da pelota ou da péla. **3.** Volta de bola rebatida ou arremessada por outro jogador.

rebrilhar *v.i.* (conj. 4). **1.** Voltar a brilhar. **2.** Brilhar muito, com mais força e intensidade; resplandecer.

rebrilho *s.m.* **1.** Ato ou efeito de rebrilhar. **2.** Brilho muito forte, intenso.

rebuçado *adj.* Que se rebuçou. ★ *s.m.* Bala feita de açúcar em ponto, misturado com frutas ou ovos e solidificado; doce caramelado.

rebuçar *v.t.* (conj. 13). **1.** Cobrir com rebuço. **2.** Encobrir, ocultar. ★ *v.pr.* **1.** Cobrir-se com rebuço. **2.** Esconder-se, ocultar-se.

rebuço *s.m.* **1.** Parte da capa destinada a cobrir o rosto. **2.** *Fig.* Disfarce, dissimulação.

rebuliço *s.m.* Agitação, confusão, desordem, bulha.

rebusca *s.f.* Rebuscamento, rebusco.

rebuscado *adj.* **1.** Que se rebuscou. **2.** Excessivamente esmerado; precioso.

rebuscamento *s.m.* **1.** Ato ou efeito de rebuscar; rebusca. **2.** Qualidade do que é rebuscado, excessivamente apurado. **3.** Pesquisa paciente, perseverante.

rebuscar *v.t.* (conj. 12). **1.** Procurar insistentemente; tornar a buscar. **2.** Coligir, catar. **3.** *Fig.* Aprimorar, requintar.

rebusco *s.m.* Rebusca, rebuscamento.

recado *s.m.* **1.** Aviso, mensagem, comunicação (verbal ou escrita) de caráter breve. **2.** *Fam.* Repreensão, censura, ralho. **3.** *Fig.* Obrigação, responsabilidade. ★ *s.m.*pl. Recomendações, cumprimentos, lembranças.

recaída *s.f.* **1.** Ato ou efeito de recair; recaimento. **2.** Reaparecimento ou recrudescimento dos sintomas de uma doença.

recair *v.i.* (conj. 68). **1.** Tornar a cair. **2.** Voltar a um estado anterior que se havia deixado. **3.** Ser de novo atacado por uma doença, ter uma recaída. ★ *v.t.* **1.** Reincidir, tornar a cair (em culpa ou erro). **2.** Pesar, incidir. **3.** Incidir, cair.

recalcado *adj.* **1.** Bem calcado. **2.** Repetido, repisado. **3.** *Fig.* Concentrado, reprimido. ● **Psican.** Diz-se da lembrança ou da representação que foi submetida ao recalque.

recalcar *v.t.* (conj. 12). **1.** Calcar outra vez. **2.** Opor-se à expansão de; reprimir. **3.** Introduzir com força. **4.** Insistir em. ● **Psican.** Submeter ao recalque. **Técn.** Impelir um fluido numa tubulação por meio de uma bomba ou compressor, assegurando uma velocidade e uma pressão mais elevadas.

recalcificação *s.f.* **1.** Ato ou efeito de recalcificar. **2.** Ação de aumentar a fixação do cálcio nos tecidos do corpo humano (utilizam-se sais de cálcio associados à vitamina D).

recalcificar *v.t.* (conj. 12). Calcificar de novo.

recalcitração *s.f.* Ato ou efeito de recalcitrar; recalcitrância.

recalcitrância *s.f.* Qualidade de recalcitrante; desobediência, obstinação; recalcitração.

recalcitrante *adj.2g.* e *s.2g.* Que ou aquele que recalcitra.

recalcitrar *v.i.* (lat. *recalcitrare*) [conj. 4]. **1.** Resistir desobedecendo. **2.** Teimar, obstinar-se. **3.** Revoltar-se. ★ *v.t.* Replicar de modo descortês.

recalque *s.m.* Ato ou efeito de recalcar; recalcamento. ● **Constr.** Deslocamento vertical do solo de uma edificação, provocado pelos esforços atuantes. **Metal.** Operação de conformação que consiste em comprimir uma peça no sentido do comprimento. **Psican.** Processo inconsciente pelo qual uma representação, idéia ou desejo é excluído da consciência e mantido no inconsciente.

recamar *v.t.* (conj. 4). Fazer recamo em; bordar em relevo. ★ *v.pr.* Adornar-se, enfeitar-se.

recambiar *v.t.* (conj. 16). **1.** Mandar de volta; reenviar. **2.** Devolver (uma letra não paga ou não aceita).

recâmbio *s.m.* **1.** Ato ou efeito de recambiar. **2.** Direito que assiste ao portador de um título protestado e não resgatado de reaver a soma cambial do título originário.

recamo *s.m.* **1.** Bordado em relevo, sobre tecido. **2.** *Fig.* Embelezamento, ornato, adorno.

recantar *v.t.* e *v.i.* (conj. 4). **1.** Cantar novamente. **2.** Escusar-se, desculpar-se.

recanto *s.m.* **1.** Canto mais afastado, menos à vista. **2.** Recesso. **3.** *Fig.* O que há de mais recôndito. **4.** Lugar agradável.

recapear *v.t.* (conj. 15). **1.** Capear de novo; revestir. **2.** Restaurar o piso de uma rua, de uma estrada asfaltada. **3.** Recuperar ou realizar a manutenção de um pavimento, revestindo-o com alcatrão etc.

recapitulação *s.f.* (lat. *recapitulatio*). **1.** Ato ou efeito de recapitular. **2.** Epítome, sinopse, síntese.

recapitular *v.t.* (lat. *recapitulare*) [conj. 4]. **1.** Recordar. **2.** Repetir resumidamente o que se disse ou escreveu; resumir. **3.** Compendiar. **4.** Relembrar, rememorar.

recapturar *v.t.* (conj. 4). Capturar novamente.

recarga *s.f.* **1.** Nova carga. **2.** Nova investida ou ataque.

recatado *adj.* Que tem recato.

recatar *v.t.* (conj. 4). **1.** Guardar com recato; resguardar, acautelar. **2.** Defender, resguardar. ★ *v.pr.* **1.** Resguardar-se, acautelar-se. **2.** *Fig.* Ocultar-se.

recato *s.m.* **1.** Cautela, resguardo, prudência. **2.** Honestidade, pudor. **3.** Mistério, segredo. **4.** Recolhimento. **5.** Recanto, esconderijo. **6.** Modéstia, simplicidade.

recauchutar *v.t.* (fr. *caoutchouter*) [conj. 4]. Reconstituir a banda desgastada de (um pneu) aplicando uma nova banda de rolamento.

recear *v.t.* (conj. 15). Ter medo de; temer. ★ *v.i.* e *v.pr.* Ter receio ou medo; preocupar-se.

recebedor (ô) *adj.* Que recebe. ★ *s.m.* **1.** Pessoa a quem compete receber algo. **2.** Funcionário encarregado da arrecadação de impostos.

recebedoria *s.f.* **1.** Cargo de recebedor. **2.** Repartição onde se recebem impostos; coletoria.

receber *v.t.* (lat. *recipere*) [conj. 5]. **1.** Aceitar (o que é oferecido ou enviado). **2.** Entrar na posse de. **3.** Arrecadar. **4.** Cobrar. **5.** Acolher como visita ou como hóspede. **6.** Obter por remessa. **7.** Obter como recompensa ou favor. **8.** Sofrer, suportar. **9.** Recepcionar. **10.** Admitir, aceitar. **11.** Submeter-se a; obedecer a.

receio *s.m.* **1.** Ato ou efeito de recear. **2.** Sentimento de apreensão em face do que se julga perigoso. **3.** Incerteza, acompanhada de certo medo, a respeito dos resultados ou conseqüências de algo que aconteceu ou pode acontecer. **4.** Apreensão, medo, temor.

receita *s.f.* (lat. *recepta*). **1.** Valor que é recebido, arrecadado ou apurado. **2.** Conjunto dos rendimentos de um Estado, de uma sociedade, de um indivíduo. **3.** Cômputo do que se há de receber. **4.** Impresso no qual o médico escreve o nome do medicamento, ou sua fórmula, para que o paciente o adquira na farmácia. **5.** Fórmula para a preparação de produtos industriais. **6.** Fórmula para preparar iguarias. **7.** *Fig.* Indicação relativa ao modo de proceder; paradigma, modelo.

receitar *v.t.* (conj. 4). **1.** Fazer receita de; prescrever como médico. **2.** Recomendar, aconselhar. ★ *v.i.* Formular receita.

receituário *s.m.* **1.** Conjunto de receitas prescritas pelo médico no decurso de uma doença. **2.** Formulário dos médicos. **3.** Coleção de receitas em geral.

recém-casado *adj.* e *s.m.* Que ou aquele que se casou há pouco.

recém-nascido *adj.* e *s.m.* Que ou aquele que nasceu há pouco tempo.

recender *v.t.* (conj. 5). **1.** Exalar cheiro forte e penetrante. **2.** Cheirar agradavelmente.

recensão *s.f.* (lat. *recensio, recensionis*). **1.** Notícia crítica resumida, publicada em revistas técnicas, do conteúdo de um livro ou de um artigo. **2.** Confronto de um texto com o original para assegurar-lhe a autenticidade. **3.** Apreciação de uma obra escrita; resenha. **4.** Lista, catálogo.

recenseamento *s.m.* **1.** Ato ou efeito de recensear. **2.** Censo.

recensear *v.t.* (conj. 15). **1.** Fazer o recenseamento ou censo de. **2.** Incluir no recenseamento ou censo; arrolar. **3.** Apreciar, considerar.

recente *adj.2g.* (lat. *recens, recentis*). Feito ou acontecido há pouco tempo; novo, fresco.

recepar *v.t.* (conj. 4). **1.** Cortar (uma planta) rente ao chão. **2.** Cortar as pontas das estacas, numa paliçada, a fim de igualá-las.

recepção *s.f.* (lat. *receptio*). **1.** Ato ou efeito de receber. **2.** Maneira de receber; acolhida. **3.** Acolhimento, aceitação, admissão. **4.** Cerimônia pela qual se ingressa numa associação. **5.** Serviço de um estabelecimento encarregado de receber os clientes. **6.** Serviço de uma empresa encarregado de receber os produtos entregues pelos fornecedores. **7.** Reunião social.

recepcionar *v.t.* (conj. 4). Receber formalmente (um visitante). ★ *v.i.* Dar recepção.

recepcionista *s.2g.* Encarregado da recepção (em um hotel, hospital, empresa etc).

receptação *s.f.* (lat. *receptatio*). Ato ou efeito de receptar.

receptáculo *s.m.* (lat. *receptaculum*). **1.** Lugar onde entra ou se recolhe alguma coisa; recipiente. **2.** Abrigo, refúgio, valhacouto. **3.** Qualquer vasilha. **4.** Ponto de confluência. ● **Bot.** Extremidade mais ou menos dilatada do pedúnculo de uma flor, na qual se fixam as diferentes peças florais.

receptador (ô) *adj.* e *s.m.* (lat. *receptator*). Que ou aquele que recepta.

receptar *v.t.* (lat. *receptare*) [conj. 4]. Guardar ou esconder coisa furtada por outrem. ● **Dir.** Comprar, guardar ou ocultar, culposa ou dolosamente, para proveito próprio ou de terceiro, coisa obtida por meio fraudulento, ou induzir alguém a fazê-lo de boa-fé.

receptibilidade *s.f.* **1.** Capacidade de receber. **2.** *Fig.* Qualidade de receptivo.

receptivo *adj.* (lat. *receptivus*). **1.** Suscetível de receber impressões. **2.** Acolhedor, compreensivo. **3.** Sujeito a contrair moléstias contagiosas.

receptor (ô) *adj.* (lat. *receptor*). **1.** Que recebe; receptador. **2.** Diz-se de um sistema que recebe energia, um sinal, uma onda, um fluido etc. ★ *s.m.* **1.** Aparelho no qual a energia elétrica produz um efeito energético mecânico, químico etc. **2.** Máquina que recebe energia elétrica e a transforma em energia mecânica. **3.** Aparelho que transforma as ondas elétricas em ondas acústicas. ● **Med.** Paciente que recebe sangue ou um de seus componentes por via endovenosa. ► Indivíduo no qual se enxertou um tecido ou transplantou um órgão retirado de um doador. **Neurol.** Parte de um órgão sensorial que assegura a transdução entre o estímulo e a mensagem nervosa. ► Molécula presente em um neurônio, concentrada ao nível

A B C D E F G H I J K L M N O P Q **R** S T U V W X Y Z

da membrana possináptica e que possui afinidade específica para um neurotransmissor. **Quím.** Átomo ou grupo de átomos que atrai os elétrons de ligação.

VOCÊ SABIA...? Um **receptor** de rádio amplifica e modifica os sinais transmitidos, o que permite que o som seja reproduzido em alto volume. O receptor seleciona a onda desejada por meio de um circuito ressonante, dotado de uma antena receptora, que pode ser sintonizado na freqüência da onda portadora.

PARTES DE UM RECEPTOR DE RÁDIO

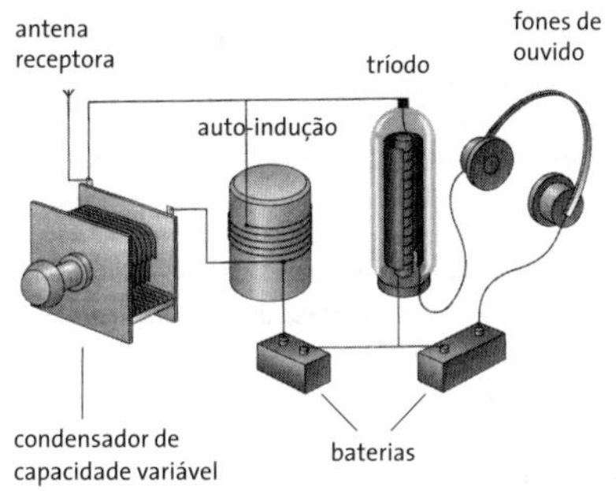

recessão *s.f.* (lat. *recessio, recessionis*). **1.** Ato ou efeito de retroceder; recuo. **2.** Diminuição da atividade; retraimento. • **Econ.** Conjuntura de declínio da atividade econômica nos países capitalistas.

recessivo *adj.* **1.** Que provoca recessão. **2.** Que subsiste em estado latente. • **Genét.** Diz-se do gene cuja expressão fenotípica é suprimida pela presença de um alelo dominante, e que só se manifesta em homozigotos recessivos, para uma determinada característica.

recesso *s.m.* (lat. *recessus*). **1.** Lugar afastado; recanto, retiro. **2.** Período de férias ou de suspensão temporária das atividades de um órgão legislativo ou judiciário. • **Anat.** Fossa, ventrículo, cavidade. **Astron.** O afastamento de um astro.

rechaçar *v.t.* (fr. *rechasser*) [conj. 13]. **1.** Fazer retirar ou retroceder, opondo resistência; repelir. **2.** *Fig.* Rebater, contestar. **3.** Interromper com gesto repentino ou má resposta.

rechear *v.t.* (conj. 15). **1.** Encher bem. **2.** Encher com recheio. **3.** Guarnecer com abundância. ★ *v.pr. Fig.* Enriquecer-se, locupletar-se.

recheio *s.m.* **1.** Que recheia; conteúdo. **2.** Substâncias salgadas ou doces que recheiam tortas, pastéis, pastelões, bolos, aves etc. **3.** Tudo o que ocupa e enche um vão. **4.** Sortimento, abundância. **5.** *Fig.* Trecho desnecessário utilizado para aumentar uma obra escrita.

rechinar *v.i.* (conj. 4). **1.** Produzir som estrídulo e áspero; ranger, chiar, silvar. **2.** Produzir som como o do ferro em brasa sobre a carne.

rechonchudo *adj.* Diz-se de uma pessoa muito gorda, especialmente criança.

recibo *s.m.* **1.** Declaração escrita e assinada por pessoa que afirma ter recebido de outra determinada soma em dinheiro ou coisa certa e especificada; quitação. **2.** *Fam.* Reação, revide, desforra.

reciclagem *s.f.* (fr. *recyclage*). **1.** Conjunto das técnicas que têm por finalidade aproveitar os detritos e reintroduzi-los no ciclo de produção de que saíram. **2.** Operação que consiste em reciclar o papel com a ajuda de trituradores ou de desintegradores. **3.** Atualização pedagógica, administrativa etc.

reciclar *v.t.* (conj. 4). Proceder à reciclagem. ★ *v.pr.* Atualizar-se profissionalmente.

recidiva *s.f.* **1.** Reincidência na mesma falta, no mesmo crime. **2.** Reaparecimento de uma doença após um período de cura mais ou menos longo.

recidivo *adj.* Que recidiva.

recife *s.m.* (ár. *rasif*). **1.** Rochedo ou série de rochedos à flor da água, nas proximidades das costas. **2.** *Recife coralino,* recife construído pela atividade de animais cnidários, em águas rasas, claras e com temperatura maior que 20° C.

recifense *adj.2g.* Relativo ou pertencente a Recife, capital do Estado de Pernambuco. ★ *s.2g.* O natural ou habitante de Recife.

recinto *s.m.* (lat. *recinctus*). Espaço delimitado por paredes; sala, cômodo.

recipiente *adj.2g.* (lat. *recipiens*). Que recebe. ★ *s.m.* Qualquer objeto que pode conter alguma coisa; receptáculo. • **Ind.** Vaso em que se recolhem os produtos da destilação ou de qualquer operação química, à medida que se vão formando.

reciprocidade *s.f.* (lat. tard. *reciprocitas*). **1.** Estado ou qualidade do que é recíproco. **2.** Correspondência mútua de palavras, atos etc.

recíproco *adj.* (lat. *reciprocus*). Que implica permuta, troca; mútuo.

récita *s.f.* **1.** Recitativo. **2.** Representação teatral. **3.** Concerto.

recitação *s.f.* Ato ou efeito de recitar.

recital *s.m.* (ingl. *recital*). **1.** Audição de música vocal ou instrumental dada geralmente por um solista. **2.** Audição dos alunos de um professor de música.

recitar *v.t.* (lat. *recitare*) [conj. 4]. **1.** Ler em voz alta. **2.** Dizer o que se aprendeu de cor. **3.** Declamar. • **Mús.** Cantar ou executar um recitativo.

recitativo *s.m.* Ária de ópera para ser declamado com acompanhamento musical; récita. ★ *adj.* Que é próprio para se recitar.

reclamação *s.f.* (lat. *reclamatio*). Ato ou efeito de reclamar.

reclamante *s.2g.* Aquele que interpõe uma reclamação judicial.

reclamar *v.t.* (lat. *reclamare*) [conj. 4]. **1.** Pedir com insistência uma coisa devida ou justa; reivindicar. **2.** Implorar. **3.** Exigir, requerer. ★ *v.i.* **1.** Protestar. **2.** Queixar-se, lamentar.

reclame *s.m.* (fr. *réclame*). Propaganda, publicidade, reclamo.

reclamo *s.m.* **1.** Reclamação, clamor. **2.** Instrumento que imita o canto dos pássaros para os atrair; pio, chamariz. **3.** Reclame. **4.** Ato de chamar a atenção.

reclinar *v.t.* (conj. 4). **1.** Afastar da posição perpendicular; inclinar. **2.** Encostar, recostar, pousar. ★ *v.pr.* Encostar-se, inclinar-se, recostar-se.

reclinável *adj.2g.* Que pode ser reclinado.

reclusão *s.f.* (lat. *reclusio, reclusionis*). **1.** Ato ou efeito de enclausurar-se; enclausuramento. **2.** Estado do indivíduo recluso. **3.** Prisão, cárcere. • **Dir.** Pena que consiste na privação da liberdade de locomoção do condenado, por prazo variável segundo a natureza da infração cometida.

recluso *adj.* (lat. *reclusus*). **1.** Recolhido a convento. **2.** Encarcerado, preso. ★ *s.m.* Aquele que vive em clausura ou foi condenado à pena de prisão.

recobrar *v.t.* (lat. *recuperare*) [conj. 4]. Cobrar o que se tinha perdido; recuperar, retomar. ★ *v.pr.* **1.** Recuperar-se, restabelecer-se. **2.** Reanimar-se.

recobrir *v.t.* e *v.pr.* (conj. 59). **1.** Tornar a cobrir (-se). **2.** Cobrir(-se) completamente.

recolher *v.t.* (lat. *recolligere*) [conj. 5]. **1.** Pôr ao abrigo; guardar. **2.** Fazer a colheita de. **3.** Arrecadar, cobrar. **4.** Abrigar, receber. **5.** Retrair, encolher. **6.** Puxar para si; encurtar. **7.** Obter, conseguir. **8.** Reunir, coligir. **9.** Tirar de circulação. ★ *v.i.* **1.** Voltar para casa. **2.** *Fam.* Desaparecer aparentemente (doença) e atacar outros órgãos. ★ *v.pr.* **1.** Voltar para casa ou à pátria. **2.** Ensimesmar-se, refletir. **3.** Ir para a cama ou para o quarto.

recolhimento *s.m.* **1.** Ato ou efeito de recolher (-se). **2.** Lugar onde se recolhe alguém ou alguma coisa. **3.** Afastamento da vida mundana. **4.** Estado daquele que se recolheu. **5.** Concentração espiritual; meditação. **6.** Retiro, refúgio, abrigo. **7.** Recato, modéstia. **8.** Cobrança, recebimento (de impostos, dívidas etc.)

recombinação *s.f.* **1.** Ato ou efeito de recombinar(-se). **2.** Nova combinação, novo arranjo. ● **Genét.** Troca de material genético entre cromossomos homólogos, durante a meiose, que resulta em um zigoto com uma combinação de genes diferente daquela presente na geração parental. **Quím.** Formação de uma entidade química (átomo, molécula, íon, radical) a partir dos fragmentos que resultam de uma dissociação.

recomeçar *v.t.* (conj. 13). **1.** Começar de novo, dar novo começo a. **2.** Tornar a fazer algo que se tinha interrompido. ★ *v.i.* Começar de novo.

recomendação *s.f.* **1.** Ato ou efeito de recomendar. **2.** Resolução procedente de uma organização internacional e que, em princípio, não tem nenhum poder obrigatório com relação aos Estados-membros. ★ *s.f.pl.* Cumprimentos, saudações, congratulações.

recomendar *v.t.* (conj. 4). **1.** Dar incumbência ou ordem. **2.** Aconselhar. **3.** Pedir proteção ou benevolência para. **4.** Indicar. **5.** Transmitir cumprimentos. ★ *v.pr.* **1.** Pedir proteção, favor, benevolência. **2.** Tornar-se digno de respeito, distinção, privilégio.

recomendável *adj.2g.* **1.** Que se recomenda. **2.** Digno de recomendação, consideração, apreço.

recompensa *s.f.* **1.** Ato ou efeito de recompensar. **2.** Retribuição, prêmio. **3.** Pagamento, remuneração.

recompensar *v.t.* (conj. 4). **1.** Dar gratificação ou prêmio, em reconhecimento de serviços prestados. **2.** Premiar. **3.** Retribuir, corresponder. **4.** Compensar, remunerar, indenizar.

recompor (ô) *v.t.* (lat. *recomponere*) [conj. 45]. **1.** Compor de novo o que se descompôs; reconstituir. **2.** Reordenar. **3.** Reconciliar. **4.** Restabelecer, recuperar. **5.** Reorganizar. ★ *v.pr.* **1.** Compor-se de novo; reconstituir-se. **2.** Recuperar-se.

recôncavo *s.m.* **1.** Cavidade funda, enseada. **2.** Gruta, antro, cavidade entre rochedos.

reconcentrar *v.t.* (conj. 4). **1.** Tornar a concentrar. **2.** Fazer convergir para um centro comum. ★ *v.pr.* **1.** Reforçar-se, aumentar-se, intensificar-se. **2.** Isolar-se, afastar-se.

reconciliação *s.f.* (lat. *reconciliatio*). **1.** Ato ou efeito de reconciliar(-se). **2.** Solenidade de consagração de uma igreja que foi profanada.

reconciliar *v.t.* (lat. *reconciliare*) [conj. 16]. **1.** Pôr de acordo (pessoas ou partes desavindas). **2.** Restabelecer boas relações. **3.** Harmonizar. ★ *v.pr.* Pôr-se bem com alguém; fazer as pazes.

recondicionar *v.t.* (conj. 4). Restituir à primitiva condição; restaurar.

recôndito *adj.* (lat. *reconditus*). Escondido, encoberto, oculto, retirado. ★ *s.m.* **1.** Parte oculta; escaninho. **2.** Íntimo, âmago.

reconduzir *v.t.* (lat. *reconducere*) [conj. 72]. **1.** Conduzir de novo; devolver. **2.** Acompanhar de volta. **3.** Reeleger. **4.** No serviço público, renovar (nomeação, contrato, comissão, mandato).

reconfortante *adj.2g.* Que reconforta.

reconfortar *v.t.* (conj. 4). **1.** Confortar muito. **2.** Consolar. ★ *v.pr.* Recobrar as forças.

reconhecer *v.t.* (lat. *recognoscere*) [conj. 25]. **1.** Relembrar coisa ou pessoa. **2.** Lembrar a partir de certas características. **3.** Admitir como legítimo ou verdadeiro. **4.** Declarar, confessar. **5.** Mostrar gratidão por. ★ *v.pr.* Declarar-se, confessar-se.

reconquista *s.f.* **1.** Ato ou efeito de reconquistar. **2.** Aquilo que se reconquistou.

reconquistar *v.t.* (conj. 4). Obter ou conquistar de volta; reaver, recuperar.

reconsiderar *v.t.* (conj. 4). Reexaminar, repensar. ★ *v.i.* Recuar de decisão ou atitude tomada.

reconstituinte (u-in) *adj.2g.* e *s.m.* **1.** Que ou aquele que reconstitui. **2.** Diz-se de ou medicamento, alimento etc. que auxilia o organismo fatigado a retornar ao estado normal.

reconstituir *v.t.* (conj. 74). **1.** Constituir de novo; reorganizar. **2.** Restaurar, restabelecer. **3.** Devolver à forma original; reformar.

reconstruir *v.t.* (conj. 74). Construir de novo; reconstituir, reformar.

recontar *v.t.* (conj. 4). **1.** Contar de novo. **2.** Narrar de novo.

recopilar *v.t.* (conj. 4). **1.** Resumir, compendiar. **2.** Reunir em compêndio (extratos de diversas fontes e autores).

recordação *s.f.* (lat. *recordatio*). **1.** Ato de recordar(-se). **2.** Lembrança, memória.

recordar *v.t.* (lat. *recordare*) [conj. 4]. **1.** Fazer voltar à memória; lembrar. **2.** Ter semelhança com, fazer lembrar. **3.** Rever, repassar matéria lecionada. ★ *v.pr.* Lembrar-se.

recorde *s.m.* (ingl. *record*). **1.** Façanha esportiva que consiste em superar os limites de realizações anteriores. **2.** Resultado notável que excede em qualquer gênero de atividade os marcos anteriores; primazia. ★ *adj.2g.2n.* Inédito, inusitado.

reco-reco *s.m.* (onomat.). Instrumento musical feito de um gomo de bambu seco com entalhes transversais, sobre os quais se esfrega uma vareta, produzindo som rítmico.

recorrência *s.f.* (lat. *recurrentia*). **1.** Ação de recorrer. **2.** Caráter do que é recorrente.

recorrente *adj.2g.* (lat. *recurrens*). **1.** Que recorre. **2.** Que se repete com as mesmas características. ● **Anat.** Diz-se de certas artérias e nervos, em virtude de seu trajeto. **Med.** *Febre recorrente,* designação de diferentes moléstias causadas por espiroquetas, caracterizadas por pelo menos dois acessos febris separados por um intervalo livre de vários dias, transmitidas por piolhos e carrapatos. ★ *adj.2g.* e *s.2g.* Que ou aquele que recorre de decisão judicial.

recorrer *v.t.* (lat. *recurrere*) [conj. 5]. **1.** Percorrer de novo. **2.** Dirigir-se a alguém para pedir auxílio. **3.** Valer-se de, lançar mão de. **4.** Interpor recurso judicial. ● **Tip.** Passar uma composição de uma medida para outra ou certo número de caracteres de uma linha para outra.

recorrível *adj.2g.* De que há recurso, de que é possível recorrer.

recortar *v.t.* (conj. 4). **1.** Cortar em pedaços. **2.** Cortar formando figuras.

recorte *s.m.* **1.** Ato ou efeito de recortar. **2.** Qualquer artigo que se recorta de uma publicação. **3.** Trabalho que se faz recortando.

recoser *v.t.* (conj. 5). **1.** Coser, costurar novamente. **2.** Coser o que está descosido ou rasgado. **3.** Juntar, reunir. (Cf. RECOZER.)

recostar *v.t.* (conj. 4). Encostar, inclinar, apoiar. ★ *v.pr.* Deitar-se parcialmente; reclinar-se, encostar-se.

recosto (ô) *s.m.* **1.** Ato ou efeito de recostar(-se). **2.** Parte de um assento em que as pessoas se recostam.

recozer *v.t.* (conj. 5). **1.** Tornar a cozer, a cozinhar. **2.** Cozer muito ou demasiadamente. **3.** Melhorar as qualidades de um metal, pelo recozimento. (Cf. RECOSER.)

recreação *s.f.* (lat. *recreatio, recreationis*). **1.** Ato ou efeito de recrear(-se). **2.** Interrupção do trabalho para repouso ou distração; recreio.

recrear *v.t.* (lat. *recreare*) [conj. 15]. Proporcionar recreio a; divertir, distrair. ★ *v.pr.* Brincar, divertir-se.

recreativo *adj.* **1.** Que recreia ou diverte. **2.** Próprio para recrear.

recreio *s.m.* **1.** Recreação. **2.** Tempo que, nas escolas, se concede às crianças para brincar ou descansar entre as aulas. **3.** Local destinado a essas atividades.

recriar *v.t.* (conj. 16). **1.** Tornar a criar. **2.** Reconstituir.

recriminar *v.t.* (conj. 4). **1.** Responder ao acusador com acusações; redargüir. **2.** Censurar, criticar, repreender.

recrudescência *s.f.* Recrudescimento. ● **Med.** Exacerbação dos sintomas de uma doença, dos efeitos de uma epidemia etc., após uma remissão temporária.

recrudescer *v.i.* (lat. *recrudescere*) [conj. 25]. Aumentar, agravar-se, tornar-se mais intenso, exacerbar.

recruta *s.m.* Soldado novo em início de instrução militar. ★ *s.f.* **1.** Grupo de recrutas. **2.** Instrução dada aos recrutas.

recrutar *v.t.* (fr. *recruter*) [conj. 4]. **1.** Alistar para o serviço militar. **2.** Associar, arrolar, arregimentar. **3.** Arrebanhar.

récua *s.f.* **1.** Tropa de bestas de carga que vão presas umas nas outras. **2.** Manada de cavalgaduras. **3.** Carga transportada pelas bestas. **4.** *Pej.* Grupo de indivíduos desprezíveis; caterva, súcia.

recuado *adj.* **1.** Que está atrás. **2.** Distante, longínquo. **3.** Remoto.

recuar *v.i.* (conj. 4). **1.** Andar para trás; retroceder. **2.** Perder ou ceder terreno; retirar-se (tropas em campanha). **3.** Desistir de um propósito, mudar de idéia. **4.** Fugir a um compromisso. **5.** Renunciar a uma opinião, voltar atrás. **6.** Fugir, debandar. ★ *v.t.* Fazer retroceder, impelir para trás.

recúbito *s.m.* (lat. *recubitus*). Posição de quem se encontra recostado.

recuo *s.m.* **1.** Ato ou efeito de recuar; recuada. **2.** Repuxo no disparo de uma arma de fogo.

recuperação *s.f.* (lat. *recuperatio*). Ato ou efeito de recuperar(-se).

recuperar *v.t.* (lat. *recuperare*) [conj. 4]. **1.** Reentrar na posse, no gozo de. **2.** Recobrar, reaver o que se tinha perdido. **3.** Consertar, reparar, restaurar. **4.** Restabelecer, reabilitar. ★ *v.pr.* **1.** Restabelecer-se. **2.** Reabilitar-se.

recurso *s.m.* (lat. *recursus*). **1.** Ato ou efeito de recorrer. **2.** Meio, expediente. **3.** Ajuda, proteção, auxílio. **4.** Elemento necessário para a execução de uma atividade ou trabalho. ● **Dir.** Ato pelo qual se recorre, na mesma instância ou instância superior, de uma sentença que se pretende modificar. ★ *s.m.pl.* **1.** Faculdades, dotes. **2.** Bens pecuniários, posses. **3.** *Recursos humanos*, conjunto de pessoas envolvidas em um trabalho. ▸ *Recursos naturais*, elementos como água, florestas, petróleo, minérios etc., que podem gerar riquezas.

RECURSO ▸ A extração de recursos naturais pode esgotar suas fontes, sendo assim de importância vital planejar seu consumo. A água é considerada um recurso natural renovável até certo ponto, porque pode ser reutilizada após tratamento. Já a água mineral é potável somente quando as fontes estão em regiões livres de contaminação do solo.

---

recurvar *v.t.* (lat. *recurvare*) [conj. 4]. **1.** Curvar de novo. **2.** Vergar pela extremidade; inclinar.

recusa *s.f.* **1.** Ato ou efeito de recusar(-se). **2.** Resposta negativa.

recusar *v.t.* (lat. *recusare*) [conj. 4]. **1.** Não aceitar uma coisa oferecida; repelir. **2.** Não conceder o que é pedido; negar. **3.** Resistir a, não aceder. **4.** Desaceitar, não admitir. **5.** Fugir a, evitar. ★ *v.pr.* Negar-se a.

redação *s.f.* (lat. *redactio*). **1.** Ato de redigir. **2.** Aquilo que se redigiu. **3.** Atividade do redator. **4.** Local onde os redatores exercem sua atividade.

redargüir *v.t.* (lat. *redarguere*) [conj. 75]. **1.** Replicar argumentando, responder argüindo. **2.** Acusar respondendo a outra acusação; recriminar.

redator (ô) *s.m.* (lat. *redactor*). **1.** Pessoa que redige. **2.** Profissional que escreve para jornal.

redatorial *adj.2g.* Relativo a redator ou a redação.

rede (ê) *s.f.* (lat. *rete*). **1.** Tecido de malhas mais ou menos largas, utilizado na pesca e na caça de aves e aplicado também em armadilhas para apanhar animais selvagens. **2.** Conjunto de estradas, vias navegáveis, linhas aéreas ou férreas que ligam várias regiões entre si, pertencentes geralmente a uma mesma empresa. **3.** Espécie de touca de malha fina usada para manter um penteado e não embaraçar os cabelos. **4.** Peça de tecido pendurada pelas duas extremidades, utilizada para dormir, repousar etc. **5.** Sistema de canalização de água, gás, esgotos, cabos elétricos etc., que serve uma localidade. **6.** Conjunto de estações de rádio ou televisão; cadeia. ● **Anat.** Entrelaçamento de vasos sangüíneos, de fibras musculares, de nervos. **Cristal.** Infinidade triplamente periódica de pontos que se deduzem uns dos outros por translações e onde estão dispostos os átomos que constituem os cristais. **Esp.** No tênis, tênis de mesa, vôlei etc., encordoamento de fios estendidos no meio da quadra ou da mesa e por cima do qual se deve fazer passar a bola. ▸ No futebol e outros esportes, dispositivo composto de um tecido de malha aplicado nas traves para reter a trajetória da bola arremessada à meta; a própria meta. **Inform.** Conjunto de computadores interconectados por ligações digitais. ▸ *Rede local,* rede que permite a conexão de vários computadores e terminais, no mesmo local, sem empregar ligações telefônicas da rede pública. **Quím.** Estrutura macromolecular tridimensional na qual as cadeias são interligadas por ligações na maioria das vezes covalentes.

VOCÊ SABIA...? Desde sua origem, em 1969, restrita ao uso militar, a internet, **rede** mundial de computadores, evolui incessantemente. Quanto ao aspecto tecnológico, tendo em vista uma nova geração de equipamentos que permitem acesso residencial de alta velocidade via satélite, são previstas para breve novas aplicações, como o telefone e a tevê via internet. O que não se pode prever, no entanto, é como será gerenciada a evolução da rede, dado o grande número de grupos interessados em conduzir os seus rumos.

---

rédea *s.f.* **1.** Correia presa aos dois anéis do freio, que se segura nas mãos para conduzir um animal de montaria ou de tiro. **2.** *Fig.* Direção, comando, governo.

redemoinhar ou **remoinhar** (o-i) *v.i.* (conj. 4). **1.** Fazer redemoinho. **2.** Dar voltas; revolutear.

redemoinho ou **remoinho** (o-i) *s.m.* **1.** Movimento rotativo da água, do vento etc.; rodamoinho. **2.** Movimento em espiral. **3.** Voragem, sorvedouro. **4.** Agitação da água à ré de um barco em movimento. **5.** Disposição de cabelos em espiral.

redenção *s.f.* (lat. *redemptio*). **1.** Ato ou efeito de redimir, de remir. **2.** No cristianismo, resgate da humanidade pela morte de Jesus Cristo.

redentor (ô) *adj.* e *s.m.* (lat. *redemptor*). Que ou aquele que redime. ★ *s.m.* Jesus Cristo, que, segundo a doutrina cristã, morreu para redimir a humanidade.

redescobrir *v.t.* (conj. 59). **1.** Tornar a descobrir. **2.** Ver como se fosse novidade.

redesconto *s.m.* Ato pelo qual um estabelecimento bancário desconta em outro um título de crédito que ele mesmo adquiriu por desconto, visando com isso a lucrar a diferença entre a taxa que cobrará ao cliente e a que agora pagará.

redigir *v.t.* (lat. *redigere*) [conj. 52]. Escrever com ordem e método. ★ *v.i.* Exprimir-se por escrito.

redil *s.m.* **1.** Curral destinado ao recolhimento de gado ovino ou caprino. **2.** O próprio rebanho.

redimir *v.t.* (lat. *redimere*) [conj. 6]. Remir.

redingote *s.m.* (ingl. *riding-coat,* pelo fr. *redingote*). **1.** Sobrecasaca. **2.** Casaco masculino, longo e cintado, que se usava para cavalgar. **3.** Casaco feminino comprido, acinturado e abotoado na frente.

redistribuir *v.t.* (conj. 74). Distribuir de novo.

rédito *s.m.* (lat. *reditus*). **1.** Regresso, retorno. **2.** Rendimento, lucro, ganho.

redivivo *adj.* (lat. *redivivus*). **1.** Que voltou à vida; ressuscitado. **2.** Rejuvenescido, remoçado. **3.** Que se manifestou de novo.

redizer *v.t.* (lat. *redicere*) [conj. 29]. **1.** Voltar a dizer. **2.** Repetir o que já se disse. **3.** Repetir o que outro disse; recontar. **4.** Dizer várias vezes.

redobrar *v.t.* (conj. 4). **1.** Tornar a dobrar, dobrar de novo. **2.** Reduplicar. **3.** Aumentar, intensificar. **4.** Repetir. **5.** Fazer soar novamente. ★ *v.i.* **1.** Aumentar consideravelmente, intensificar. **2.** Gorjear, trinar.

redobre *adj.2g.* **1.** Redobrado. **2.** *Fig.* Astuto, falso, velhaco. ★ *s.m.* **1.** Toque repetido de sinos ou instrumentos musicais. **2.** *Fig.* Dolo, doblez, velhacaria.

redobro (ô) *s.m.* **1.** Redobramento. **2.** Duas vezes o dobro; reduplicação, redobramento.

redoma *s.f.* Manga de vidro em forma abobadada para resguardar do ar e da poeira objetos delicados.

redomão *adj.* e *s.m.* (esp. plat. *redomón*). (*S*) **1.** Diz-se de ou cavalo recém-domado, ainda não completamente amansado. **2.** *Fig.* Peça de vestuário nova que causa incômodo.

redondeza (ê) *s.f.* Qualidade de redondo. ★ *s.f.pl.* Conjunto de lugares próximos, circunvizinhos; cercanias, arrabaldes.

redondilha *s.f.* Verso de cinco (redondilha menor) ou de sete sílabas (redondilha maior).

REDONDILHA ▸ Uma das vertentes da poesia do século XVI tem o mesmo caráter popular e folclórico das cantigas de amigo, e se expressa em redondilhas, nome genérico dos poemas de versos em *redondilha* maior e *redondilha* menor. Essa forma tradicional da poesia medieval, também chamada de *medida velha*, pode ser bem exemplificada pela lírica de Luís de Camões (1524?-1580), que se vale de antíteses e paradoxos e supera as limitações formais do gênero.

---

redondo *adj.* (lat. *rotundus*). **1.** Que tem configuração esférica ou circular. **2.** Arredondado, curvo, cilíndrico. **3.** Completo, inteiro. **4.** Claro, categórico, rotundo. ● **Anat.** Diz-se de alguns músculos e ligamentos, devido à sua forma. ★ *s.m.* **Anat.** Músculo redondo. **Tip.** Tipo de letra sem inclinação.

redor *s.m.* **1.** Contorno, roda, volta. **2.** *Em redor de, ao redor de,* em torno de, em volta de.

redução *s.f.* (lat. *reductio*). **1.** Ato ou efeito de reduzir. **2.** Diminuição de número ou quantidade. **3.** Ação de restituir às condições primitivas. **4.** Sumário, resumo. **5.** Desconto, abatimento. ● **Biol.** *Redução cromática,* efeito principal da meiose, que consiste em produzir as quatro primeiras células haplóides do ciclo reprodutivo. **Mat.** Operação que consiste em decompor um polinômio em fatores irredutíveis, um número natural em fatores primos, ou em pesquisar um denominador comum às frações; o resultado dessas operações. **Med.** Operação que tem por finalidade recolocar em posição normal um órgão deslocado, um osso fraturado; coaptação. **Quím.** Reação química por meio da qual são fornecidos elétrons a um átomo, íon ou molécula; desoxidação.

reducional *adj.2g.* Relativo a redução. ● **Biol.** *Mitose reducional,* nome dado à primeira das duas divisões celulares que constituem a meiose.

redundância *s.f.* (lat. *reduntantia*). **1.** Qualidade de redundante. **2.** Pleonasmo.

redundante *adj.2g.* **1.** Que contém mais palavras do que é necessário. **2.** Pleonástico. **3.** Supérfluo.

redundar *v.i.* (lat. *redundare*) [conj. 4]. Ser excessivo; sobejar, sobrar. ★ *v.t.* **1.** Acontecer, advir. **2.** Converter-se em, reverter em, ter como resultado. **3.** Recair, incidir.

reduplicar *v.t.* (conj. 12). **1.** Duplicar de novo; redobrar, quadruplicar. **2.** Multiplicar, aumentar em quantidade, grandeza ou intensidade.

redutível *adj.2g.* (lat. *reductibilis*). **1.** Que pode ser reduzido; reduzível. **2.** Que pode ser diminuído. ● **Mat.** Diz-se de uma equação cujo grau pode ser diminuído. ▸ *Fração redutível,* fração cujos numerador e denominador não são primos entre si. **Med.** Que pode ser reposto no lugar. **Quím.** Que pode ser levado a um menor grau de oxidação.

reduto *s.m.* (lat. *reductus*). **1.** Obra fortificada no interior de outra, com a finalidade de servir para a última resistência. **2.** *Fig.* Recinto isolado. **3.** *Fig.* Ponto de concentração.

redutor (ô) *adj.* e *s.m.* Que ou o que reduz. ★ *s.m.* **1.** Substância química suscetível de fixar o oxigênio e, mais particularmente, ceder elétrons. **2.** Aparelho que permite reproduzir desenhos, gravuras etc. em tamanho reduzido.

reduzida *s.f.* Marcha de um veículo utilitário com maior potência de tração que a primeira.

reduzido *adj.* Que sofreu redução. ● **Gram.** Diz-se da oração subordinada que tem o verbo numa das formas nominais (infinitivo, gerúndio ou particípio).

reduzir *v.t.* (lat. *reducere*) [conj. 72]. **1.** Tornar menor; diminuir. **2.** Resumir. **3.** Transformar, mudar, converter. **4.** Restringir, limitar. ● **Mat.** Transformar, simplificar. ▸ *Reduzir frações ao mesmo denominador,* encontrar frações equivalentes às frações dadas que tenham todas o mesmo denominador. **Med.** Praticar uma redução. **Quím.** Efetuar a redução; desoxidar. ★ *v.pr.* **1.** Resumir-se, limitar-se. **2.** Converter-se, transformar-se.

reedificar *v.t.* (conj. 12). **1.** Edificar de novo; reconstruir. **2.** Restaurar, reformar.

reedição *s.f.* Nova edição.

reeditar *v.t.* (conj. 4). Editar de novo.

reeducação *s.f.* **1.** Ato ou efeito de reeducar(-se). **2.** Método que permite a certos convalescentes a recuperação dos membros lesados ou das faculdades prejudicadas.

reeducar *v.t.* (conj. 12). Educar novamente. ★ *v.i.* e *v.pr.* Adquirir hábitos básicos de alimentação, higiene, atividades físicas etc. saudáveis ou mais saudáveis.

reelegível *adj.2g.* Que se pode reeleger.

reeleger *v.t.* e *v.pr.* (conj. 26). Eleger(-se) novamente.

reembolsar *v.t.* (conj. 4). **1.** Tornar a embolsar. **2.** Devolver (a outrem) o dinheiro gasto. **3.** Indenizar. ★ *v.pr.* Recuperar a posse de.

reembolso (ô) *s.m.* **1.** Ato ou efeito de reembolsar(-se). **2.** Pagamento, restituição de importância emprestada. **3.** *Reembolso postal,* sistema de venda em que a mercadoria é remetida pelo correio e o pagamento de seu valor, porte etc. é efetuado no ato da entrega.

reempossar *v.t.* (conj. 4). Tornar a empossar.

reencarnação *s.f.* Em certas religiões, migração da alma, que, algum tempo após a morte, renasce em outro corpo, num processo de aperfeiçoamento gradual.

? VOCÊ SABIA...? Segundo algumas religiões, quando alguém morre, sua alma ou espírito renasce em outro corpo, humano ou animal. A isso se chama **reencarnação**. Os budistas e hinduístas pensam que sua conduta nesta vida determina a forma como renascerão. Alguns acreditam ser possível reencarnar muitas vezes, até que a alma esteja pronta para se livrar do ciclo de reencarnações.

---

reencarnar *v.i.* e *v.pr.* (conj. 4). Assumir (a alma) um novo corpo, segundo a crença na reencarnação.

reencontrar *v.t.* (conj. 4). Tornar a encontrar; reaver, recobrar. ★ *v.pr.* Tornar a encontrar-se.

reentrância *s.f.* **1.** Qualidade de reentrante. **2.** Curva ou ângulo para dentro; cavidade, sulco.

reentrante *adj.2g.* **1.** Que reentra. **2.** Que forma curva ou ângulo para dentro.

reentrar *v.i.* (conj. 4). **1.** Tornar a entrar. **2.** Formar cavidade ou sulco.

reenviar *v.t.* (conj. 16). **1.** Enviar de novo. **2.** Restituir, devolver.

reerguer *v.t.* (conj. 27). Tornar a erguer.

reescrever *v.t.* (conj. 5). Escrever outra vez.

reestruturar *v.t.* (conj. 4). **1.** Dar nova estrutura a. **2.** Reorganizar.

reexaminar (z) *v.t.* (conj. 4). Examinar de novo e mais minuciosamente.

refazer *v.t.* (conj. 31). **1.** Fazer de novo. **2.** Restituir ao estado primitivo; reparar. **3.** Reformar. **4.** Reorganizar. **5.** Emendar, corrigir. **6.** Dar novas forças; nutrir, recompor. ★ *v.pr.* **1.** Restabelecer-se. **2.** Folgar, descansar.

refego (ê) *s.m.* **1.** Dobra, prega no vestuário. **2.** Dobra na pele das pessoas obesas.

refeição *s.f.* (lat. *refectio, refectionis*). **1.** Alimento que se toma diariamente, em horas regulares. **2.** Alimento que se ingere a qualquer hora.

refeito *adj.* (lat. *refectus*). **1.** Restaurado, restabelecido, reparado. **2.** Corrigido, emendado.

refeitório *s.m.* (lat. ecles. *refectorium*). Lugar em que se tomam refeições em comum.

refém *s.2g.* **1.** Pessoa tomada ou entregue como uma espécie de garantia da execução de um tratado. **2.** Pessoa que é seqüestrada e detida para obrigar outrem a ceder às exigências dos que a seqüestraram.

referência *s.f.* (lat. *referentia*). **1.** Ato ou efeito de referir(-se); referimento. **2.** Relação, analogia. **3.** Aquilo que se refere. **4.** Recomendação, apresentação. **5.** *Obra de referência,* obra para consulta. ▸ *Ponto de referência,* qualquer indicação que facilite o reconhecimento de alguma coisa. ▸ *Referência* ou *valor de referência,* valor prescrito para uma grandeza em um dispositivo de comando; valor que serve como base para ajuste ou calibração de instrumentos, aparelhos, máquinas. ★ *s.f.pl.* Informações de pessoas idôneas em favor de um candidato a emprego etc.; recomendação.

referencial *adj.2g.* **1.** Que concerne à referência. **2.** Que contém, constitui referência. ★ *s.m.* Aquilo que constitui uma referência; parâmetro. ● **Fís.** Sistema de coordenadas que permite situar a posição de um evento no espaço e no tempo.

referendar *v.t.* (conj. 4). **1.** Assinar um documento em seguida a outrem, para que produza efeitos legais. **2.** Assinar (o ministro), por baixo da assinatura do chefe de Estado, um documento legal, como condição para que este seja publicado e executado. **3.** Aceitar a responsabilidade de alguma coisa já aprovada por outrem, concorrendo assim para que ela se realize ou se cumpra.

referendum *s.m.* (lat.). Direito dos cidadãos de se pronunciar diretamente sobre questões de interesse geral.

referente *adj.2g.* (lat. *referens*). Que se refere ou é relativo a; que diz respeito a.

referir *v.t.* (lat. *referre*) [conj. 57]. **1.** Contar, narrar, relatar. **2.** Citar, aludir. **3.** Atribuir, imputar. ★ *v.pr.* **1.** Aludir. **2.** Dizer respeito a.

referver *v.i.* (conj. 5). **1.** Tornar a ferver. **2.** Ferver muito. **3.** Tumultuar, borbulhar. **4.** *Fig.* Fremir, vibrar.

refestelar-se *v.pr.* (conj. 7). **1.** Regozijar-se, alegrar-se. **2.** Acomodar-se, estirar-se, recostar-se.

refilar *v.t.* (conj. 4). Cortar as margens de um livro para igualar a dimensão das folhas. ● **Ind.** Retirar de uma pele as partes inutilizáveis. **Mec.** No acabamento de peças mecânicas, principalmente engrenagens, retirar uma camada superficial por meio de uma ferramenta especial.

refinação *s.f.* **1.** Ato ou efeito de refinar(-se); refinamento. **2.** Refinaria. **3.** Tratamento físico, químico ou mecânico a que são submetidos determinados produtos ou substâncias (açúcar bruto, petróleo etc.) para obtenção dos produtos comercializáveis.

refinamento *s.m.* **1.** Refinação. **2.** Sutileza extrema, apuro excessivo. **3.** Diligência fria e calculada.

refinar *v.t.* (conj. 4). **1.** Tornar fino, puro. **2.** Submeter um produto bruto (metal, petróleo etc.) à refinação, com fins comerciais. ★ *v.pr. Fig.* Requintar-se, esmerar-se.

refinaria *s.f.* **1.** Lugar ou usina onde se refinam certas substâncias (açúcar, petróleo, metais etc.); refinação. **2.** Conjunto das técnicas de refinação.

REFINARIA ▸ Em uma refinaria, o petróleo cru é separado por destilação em uma grande coluna vertical com perfurações em diversas alturas. Os produtos do petróleo são extraídos da coluna em diferentes pontos, dependendo de seu ponto de ebulição.

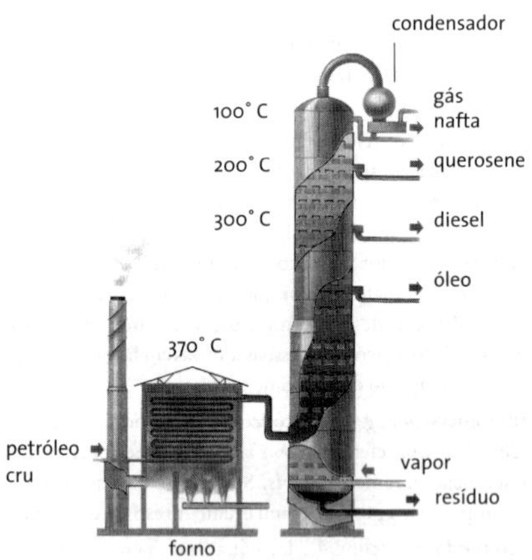

refle *s.m.* **1.** Espingarda curta, espécie de bacamarte. **2.** Sabre usado por policiais.

refletir *v.t.* (lat. *reflectere*) [conj. 65]. **1.** Reenviar em direção diferente (luz, calor, som etc.). **2.** Reproduzir a imagem de; espelhar. **3.** Transmitir, mostrar, deixar transparecer. ★ *v.i.* Pensar, considerar, meditar. ★ *v.pr.* **1.** Espelhar-se, reproduzir-se. **2.** Repercutir.

refletivo *adj.* Que reflete; refletor.

refletor (ô) *adj.* Refletivo. ★ *s.m.* **1.** Aparelho para refletir a luz, o calor, as ondas. **2.** Dispositivo que, associado a uma lâmpada, permite focalizar e dirigir a luz numa certa direção.

reflexão (cs) *s.f.* (lat. tard. *reflexio*). **1.** Ato ou efeito de refletir(-se). **2.** Atividade do espírito que reflete, que examina e compara os pensamentos. **3.** Juízo, pensamento resultante dessa atividade. ● **Fís.** Fenômeno pelo qual ondas, partículas ou vibrações se refletem em uma superfície. ▸ Retorno de uma radiação para o meio de origem, provocado por uma superfície, sem mudança de freqüência das radiações monocromáticas que a compõem.

reflexibilidade (cs) *s.f.* Propriedade daquilo que é reflexível.

reflexível (cs) *adj.2g.* (lat. *reflexibilis*). Que pode ser refletido.

reflexivo (cs) *adj.* (lat. *reflexivus*). **1.** Relativo à reflexão. **2.** Que reflete, que procede com reflexão; ponderado, sereno. **3.** Reflexo. ● **Gram.** Diz-se do pronome pessoal que, como complemento, acompanha um verbo na voz reflexiva. ▸ *Voz reflexiva,* aquela em que o sujeito pratica e sofre a ação. **Mat.** *Relação reflexiva,* relação binária em um conjunto tal que todo elemento do conjunto está em relação consigo mesmo.

reflexo (cs) *s.m.* (lat. *reflexus*). **1.** Ato ou efeito de refletir(-se). **2.** *Fig.* Reprodução atenuada; imitação. **3.** Resposta motora inconsciente ou involuntária provocada por uma estimulação sensorial. **4.** Reação pronta em face de um acontecimento súbito. ● **Fisiol.** *Reflexo condicionado,* reflexo adquirido pela substituição de um estímulo novo, ligado durante algum tempo ao estímulo habitual. ▸ *Reflexo incondicionado,* o que o ser vivo possui desde o nascimento. ★ *adj.* **1.** Que se produz por reflexão; reflexivo. **2.** Refletido. ● **Fisiol.** Relativo ao reflexo. ▸ *Ação reflexa,* movimento consecutivo a uma excitação exterior.

reflorescer *v.i.* (conj. 25). **1.** Tornar a florescer; reflorir. **2.** *Fig.* Renascer, reviver. **3.** Revigorar-se. ★ *v.t.* Fazer florescer.

reflorestamento *s.m.* Atividade agronômica que visa estabelecer uma cultura intensiva de plantas de grande porte, para recompor o revestimento florestal perdido ou para estabelecer uma produção de matéria-prima florestal.

reflorestar *v.t.* (conj. 4). Praticar o reflorestamento em.

reflorir *v.i.* (conj. 79). Reflorescer.

refluir *v.i.* (lat. *refluere*) [conj. 74]. **1.** Correr (um líquido) para trás, voltando para o local de onde viera. **2.** Vir, aparecer em grande quantidade. **3.** *Fig.* Retroceder, retornar.

refluxo (cs) *s.m.* (lat. *refluxus*). **1.** Ato ou efeito de refluir. **2.** Corrente ou movimento que se opõe a outro. **3.** Movimento da maré descendente; vazante. **4.** *Fig.* Retrocesso. ● **Fisiol.** Retorno de um líquido orgânico no sentido oposto ao seu sentido fisiológico.

refocilar *v.t.* (lat. *refocillare*) [conj. 4]. **1.** Reforçar, restaurar, refazer. **2.** Descansar, recrear. ★ *v.pr.* **1.** Distrair-se do trabalho. **2.** Refestelar-se.

refogado *s.m.* Mistura de vários temperos (alho, cebola, tomate etc.), fritos em óleo, à qual se acrescentam carnes, peixes, aves, legumes ou verduras para cozimento rápido. ★ *adj.* Que se refogou.

refogar *v.t.* (conj. 14). **1.** Passar os temperos (cebola, alho, tomate etc.) por gordura fervente. **2.** Guisar.

refolhar *v.t.* e *v.pr.* (conj. 4). Guarnecer-se de refolhos.

refolho (ô) *s.m.* **1.** Folho sobreposto a outro; refolhamento, dobra, prega. **2.** *Fig.* Fingimento, dissimulação.

reforçar *v.t.* (conj. 13). **1.** Tornar mais forte, mais sólido, mais resistente. **2.** Dar mais intensidade a. **3.** Dar ênfase a. **4.** Aumentar. ★ *v.pr.* Tornar-se mais forte; revigorar-se.

reforço (ô) *s.m.* **1.** Ato ou efeito de reforçar(-se). **2.** Peça ou material aplicado sobre qualquer coisa para torná-la mais rígida ou mais resistente. **3.** Aumento do efetivo de uma tropa ou de uma equipe; auxílio. ● **Med.** Aplicação de nova dose de vacina para prolongar a imunidade conferida anteriormente. **Psicol.** Evento que torna mais forte a capacidade de um estímulo em suscitar uma reação condicionada.

reforma *s.f.* **1.** Ato ou efeito de reformar(-se); reformação. **2.** Nova organização, nova forma. **3.** Restauração, reparo. **4.** Obra de restauração. **5.** Afastamento definitivo do serviço, concedido ou imposto aos militares. **6.** Movimento religioso do séc. XVI, que separou-se da Igreja Católica dando origem a outras igrejas cristãs. (Usa-se com maiúscula.)

reformado *adj.* **1.** Que sofreu reforma. **2.** *Religião reformada,* a religião protestante, mais particularmente a calvinista. ★ *adj.* e *s.m.* **1.** Diz-se de ou militar que obteve reforma. **2.** Que ou aquele que segue a religião reformada.

reformar *v.t.* (conj. 4). **1.** Formar novamente. **2.** Reconstruir, recompor. **3.** Recuperar, restaurar. **4.** Renovar. **5.** Conceder a reforma (a um militar). ★ *v.pr.* Corrigir-se, emendar-se.

reformatório *adj.* Que reforma. ★ *s.m.* Estabelecimento a que são recolhidos menores delinqüentes.

reformismo *s.m.* Doutrina dos que postulam mudanças econômicas, sociais e políticas pelas vias legais.

reformular *v.t.* (conj. 4). Dar nova formulação a.

refração *s.f.* (lat. *refractio, refractionis*). **1.** Mudança da direção de propagação de uma onda electromagnética ou acústica ao passar de um meio para outro. **2.** *Índice de refração absoluto,* índice de um meio em relação ao vácuo.

ESQUEMA DE REFRAÇÃO DE UM RAIO LUMINOSO

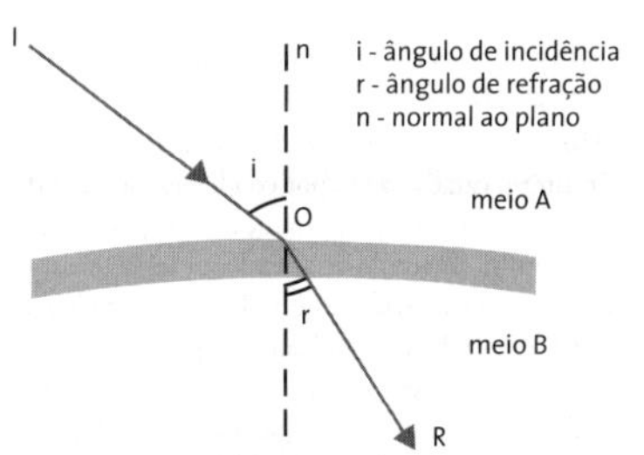

refranger *v.t.* (conj. 26). Refratar.

refrangível *adj.2g.* (lat. *refrangibilis*). Suscetível de sofrer refração; refratável.

refrão *s.m.* (prov. *refranh,* estribilho). **1.** Frase vocal ou instrumental de tamanho e forma determinados, que se repete a intervalos regulares nas canções e composições estróficas; estribilho. **2.** Adágio, provérbio, máxima.

refratar *v.t.* (conj. 4). Produzir refração; refranger, quebrar. ★ *v.pr.* Desviar-se (a luz, o calor, o som) de sua primitiva direção.

refratário *adj.* (lat. *refractarius*). **1.** Diz-se de material que resiste a altas temperaturas. **2.** Que resiste a certas influências físicas ou químicas. **3.** Rebelde, insubmisso, desobediente. ● **Med.** Diz-se do ser vivo que resiste a uma infecção microbiana. **Metal.** Diz-se de metal com ponto de fusão extremamente alto, como o tungstênio, o molibdênio, o cromo, o vanádio etc. ★ *s.m.* **1.** Substância refratária. **2.** Aquele que não se apresenta ao alistamento militar.

refratável *adj.2g.* Refrangível.

refrear *v.t.* (lat. *refrenare*) [conj. 15]. **1.** Conter com freio; frear. **2.** Pôr freio a; reprimir, conter. **3.** Subjugar, dominar, moderar. ★ *v.pr.* Conter-se, comedir-se.

refreável *adj.2g.* Que se pode refrear.

refrega *s.f.* **1.** Luta entre forças inimigas. **2.** Luta, peleja. **3.** Trabalho, lida.

refrescante *adj.2g.* Que refresca.

refrescar *v.t.* (conj. 12). **1.** Tornar fresco; refrigerar. **2.** Reanimar, restabelecer. ★ *v.i.* Baixar a temperatura. ★ *v.pr.* Tornar-se ou fazer-se mais fresco.

refresco (ê) *s.m.* **1.** Aquilo que serve para refrescar. **2.** Bebida que refresca; refrigerante. **3.** Refrigério.

refrigeração *s.f.* **1.** Abaixamento artificial da temperatura. **2.** Produção de frio.

refrigerador (ô) *s.m.* **1.** Recinto isolado termicamente cuja temperatura é abaixada e regulada por meio de uma máquina frigorífica. **2.** Geladeira.

refrigerante *adj.2g.* (lat. *refrigerans*). Que refrigera, que faz baixar a temperatura. ★ *s.m.* Bebida não alcoólica, geralmente gaseificada, que se costuma ingerir gelada; refresco. ● **Técn.** Fluido que realiza o resfriamento; trocador de calor utilizado para resfriar um líquido ou um gás com a ajuda de um fluido mais frio.

refrigerar *v.t.* (lat. *refrigerare*) [conj. 4]. **1.** Refrescar. **2.** Submeter a refrigeração.

refrigério *s.m.* (lat. *refrigerium*). **1.** Sensação agradável produzida pela frescura. **2.** *Fig.* Consolo ou alívio de qualquer natureza; refresco.

refringência *s.f.* Propriedade do meio refringente.

refringente *adj.2g.* Diz-se do meio que altera a direção de propagação da onda ou da radiação que o atravessa.

refugar *v.t.* (lat. *refugare*) [conj. 14]. **1.** Pôr de parte, considerar inútil, não aceitar, rejeitar. **2.** (*S*) Separar o gado. ★ *v.i.* **1.** (*S*) Negar-se (o gado) a entrar no curral. **2.** (*S*) Negar-se (o cavalo, o boi etc.) a executar o trabalho que lhe é pedido ou uma ordem do cavaleiro.

refugiado *adj.* e *s.m.* Que ou aquele que se refugiou.

REFUGIADO ▸ Durante o século XX, o crescimento populacional, as guerras em escala mundial e o aumento das revoluções agravaram o problema dos refugiados. Em estatuto jurídico (definido em uma convenção da ONU de 1951 e em seu protocolo de 1967) são estipuladas medidas preventivas contra devolver refugiados e obrigar uma pessoa a voltar a um país onde haja a possibilidade de ela ser perseguida. Outros direitos reconhecidos dos refugiados dizem respeito ao trabalho e à educação pública no país que os receber, com base no princípio de tratamento igual ao dispensado aos cidadãos nacionais.

refugiar-se *v.pr.* (conj. 16). **1.** Retirar-se para um lugar em que haja segurança. **2.** Abrigar-se, resguardar-se, proteger-se.

refúgio *s.m.* (lat. *refugium*). **1.** Lugar para onde se foge, a fim de escapar a um perigo; asilo, retiro. **2.** *Fig.* Amparo, proteção.

refugo *s.m.* (lat. *refugus*). **1.** Coisa desprezada, considerada inútil; rebotalho. **2.** Sobra, resto. **3.** (*S*) Ação de refugar.

refulgência *s.f.* Qualidade de refulgente.

refulgente *adj.2g.* (lat. *refulgens*). **1.** Resplandecente, brilhante, esplêndido. **2.** *Fig.* Realçado, distinto, glorioso.

refulgir *v.i.* (lat. *refulgere*) [conj. 52]. **1.** Brilhar, resplandecer. **2.** *Fig.* Distinguir-se muito, sobressair pelo mérito.

refundir *v.t.* (lat. *refundere*) [conj. 6]. **1.** Fundir de novo. **2.** *Fig.* Refazer inteiramente.

refutação *s.f.* (lat. *refutatio*). **1.** Ato ou efeito de refutar. **2.** Prova que destrói uma alegação.

refutar *v.t.* (lat. *refutare*) [conj. 4]. **1.** Destruir com argumentos incontestáveis as afirmações de outrem. **2.** Contradizer, desmentir, contraditar.

rega *s.f.* **1.** Ato ou efeito de regar; regadura. **2.** *Pop.* Chuva.

rega-bofe *s.m.* **1.** Festa em que são servidas grandes quantidades de bebida e comida. **2.** Festa agitada, com muitas pessoas; folia.

regaçar *v.t.* (conj. 13). Arregaçar.

regaço *s.m.* (esp. *regazo*). **1.** Parte do corpo que vai da cintura aos joelhos de alguém que está sentado; colo. **2.** Concavidade formada pela saia ou avental que se suspende para nela colocar alguma coisa. **3.** *Fig.* Meio, interior. **4.** *Fig.* Lugar de repouso; abrigo.

regador (ô) *s.m.* **1.** Pessoa que rega. **2.** Utensílio que serve para regar.

regalar *v.t.* (conj. 4). **1.** Proporcionar prazer a alguém e, de modo especial, oferecer-lhe boa refeição. **2.** Alegrar, recrear. **3.** Presentear. ★ *v.pr.* **1.** Tratar-se bem, sobretudo comendo à farta. **2.** Alegrar-se, recrear-se, divertir-se.

regalia *s.f.* (do lat. *regalis*, real). **1.** Privilégio, vantagem, prerrogativa. **2.** *Ant.* Direitos particulares do soberano.

regalo *s.m.* **1.** Prazer resultante de bom tratamento (especialmente os prazeres da boa mesa); satisfação, alegria. **2.** Presente, mimo. **3.** Agasalho em forma de rolo, no qual se envolvem as mãos para protegê-las do frio. **4.** Espécie de rede de arrastar.

regar *v.t.* (lat. *rigare*) [conj. 14]. **1.** Molhar por irrigação ou por aspersão; aguar. **2.** *Fig.* Umedecer. **3.** Encharcar, ensopar, inundar. **4.** Acompanhar com bebida.

regata *s.f.* (it. dial. *regata*). Competição de barcos a vela, a remo ou a motor em percurso preestabelecido.

regatão *adj.* e *s.m.* Regateador. ★ *s.m.* **1.** Aquele que compra por atacado para vender a retalho. **2.** Mercador que percorre o interior da Amazônia pelos rios, parando de lugar em lugar.

regatar *v.t.* (conj. 4). Comprar por atacado e vender a retalho.

regateador (ô) *adj.* e *s.m.* Que ou aquele que regata ou regateia; regatão.

regatear *v.t.* e *v.i.* (conj. 15). Questionar ou insistir para obter preço melhor e mais baixo; pechinchar. ★ *v.i.* Argüir, discutir com malcriação e grosseria.

regateio *s.m.* Ação de regatear.

regateira *s.f.* **1.** Mulher que regata pescado, hortaliça, fruta ou quaisquer outros víveres. **2.** *Fig.* Mulher que se serve de expressões baixas e desbragadas. **3.** Mulher palradeira, assanhada.

regato *s.m.* (do lat. *rigatus*, de *rigare*, regar). Corrente de água pouco considerável, pequeno ribeiro; riacho, córrego, arroio.

regelar *v.t.* e *v.i.* (conj. 4). Gelar novamente, submeter a regelo.

regelo (ê) *s.m.* **1.** Nova congelação, após um degelo; regelação. **2.** *Fig.* Frieza de ânimo; insensibilidade.

regência *s.f.* **1.** Ato ou efeito de reger. **2.** Governo de uma monarquia estabelecida durante a menoridade, ausência ou incapacidade do soberano. **3.** Função do regente; duração dessa função. **4.** Comissão, junta ou corporação encarregada do governo interino de um Estado. ● **Gram.** Relação de subordinação entre as palavras de uma oração; regime. **Mús.** Arte de dirigir uma orquestra ou coral com o objetivo de coordenar os naipes e sua integração.

regencial *adj.2g.* Relativo ou pertencente à regência.

regeneração *s.f.* (lat. *regeneratio*). **1.** Ato ou efeito de regenerar(-se). **2.** Restituição de partes lesadas do corpo, comum em plantas e em alguns invertebrados. ● **Eng. Nucl.** Formação de material físsil quando uma substância físsil é consumida por fissão. **Quím.** Restabelecimento da atividade de uma substância (catalisador, resina etc.).

regenerar *v.t.* (lat. *regenerare*) [conj. 4]. **1.** Gerar ou produzir novamente. **2.** Dar nova vida; revivificar. **3.** Reabilitar, recuperar, corrigir. **4.** Reorganizar, reformar, melhorar. **5.** Devolver as propriedades originais a. ★ *v.pr.* **1.** Formar-se de novo. **2.** *Fig.* Corrigir-se, reabilitar-se.

regenerativo *adj.* Que regenera.

regente *adj.2g.* e *s.2g.* (lat. *regens*). **1.** Que ou aquele que rege. **2.** Diz-se de ou chefe do governo durante a menoridade ou a falta do soberano. **3.** Diz-se de ou professor que rege uma cadeira. **4.** Que ou aquele que conduz uma orquestra ou coral; maestro.

reger *v.t.* (lat. *regere*) [conj. 26]. **1.** Governar, administrar, dirigir. **2.** Lecionar disciplina pertencente a uma cadeira, a um curso, a uma classe. **3.** Dirigir uma orquestra ou coral. ★ *v.pr.* Dirigir, governar os próprios atos.

região *s.f.* (lat. *regio, regionis*). **1.** Grande extensão territorial. **2.** Território caracterizado por condições especiais de clima, aspecto físico, população, produção, posição geográfica etc. **3.** Circunscrição administrativa bastante extensa, que não constitui uma coletividade de âmbito local. ● **Geogr.** *Região natural*, aquela definida unicamente por suas características físicas, tais como relevo, solo, clima, vegetação. **Med.** Cada uma das partes ou seções em que se divide o corpo para classificação ou estudo. **Meteor.** Cada uma das partes em que se divide teoricamente a atmosfera.

regicida *s.2g.* (lat. *regicida*). Pessoa que assassina um rei ou rainha.

regicídio *s.m.* Assassínio de um rei ou rainha.

regime *s.m.* (lat. *regimen*). **1.** Modo de reger. **2.** Conjunto de instituições, práticas e procedimentos que caracterizam um modo de organização e de exercício do poder; sistema. **3.** Norma que disciplina um instituto jurídico. **4.** Norma, regra, regulamento. **5.** Comportamento que caracteriza um fenômeno durante determinado período. **6.** Dieta. ● **Eletr.** Seqüência das condições de funcionamento às quais é submetido um componente, dispositivo ou equipamento elétrico. **Gram.** Regência. **Mec.** Velocidade de rotação de um motor.

regimental *adj.2g.* Relativo ou pertencente a regimento; regimentar.

regimentar *adj.2g.* Regimental.

regimento *s.m.* (lat. tard. *regimentum*). **1.** Ato ou efeito de reger; direção, regência, governo. **2.** Norma, estatuto, regulamento. **3.** Administração, polícia, ordem. **4.** Regime, disciplina. **5.** Unidade militar comandada por um coronel.

régio *adj.* (lat. *regius*). **1.** Relativo ou pertencente ao rei; real. **2.** *Fig.* Suntuoso, magnífico.

regional *adj.2g.* (lat. *regionalis*). Relativo ou pertencente a uma região.

regionalismo *s.m.* **1.** Sistema ou partido político dos que defendem interesses regionais. **2.** Sentimento relativo a uma região. **3.** Expressão própria de uma região; provincianismo.

regionalista *adj.2g.* Relativo ou pertencente ao regionalismo. ★ *adj.2g.* e *s.2g.* Que ou aquele que cultiva o regionalismo.

registrar *v.t.* (conj. 4). **1.** Inscrever, anotar em livro ou outro meio de registro. **2.** Inscrever um ato nos registros públicos, para lhe dar autenticidade. **3.** *P. ext.* Consignar por escrito ou outro meio de representação; documentar. **4.** Pôr na memória; historiar. **5.** Assinalar, mencionar. **6.** Enviar correspondência postal sob responsabilidade dos correios, consignada em documento próprio.

registro *s.m.* (lat. tard. *registrum*). **1.** Livro, caderno ou arquivo destinado à transcrição de documentos ou dados. **2.** O ato de consignar informações para armazenamento. **3.** Repartição onde, mediante uma taxa, se faz assentamento oficial de certos atos. **4.** Peça de instalação hidráulica destinada a vedar ou franquear a circulação da água. **5.** Diagrama dado por aparelho registrador. **6.** Seguro de correspondência postal. **7.** *Fam.* Certidão de nascimento. **8.** Cada uma das inscrições ou entradas em um catálogo ou banco de dados, constituída por um ou mais campos. ● **Mús.** Aparelho que move os abafadores de um piano. ► Puxador, botão ou tecla que faz soar os diferentes tubos do órgão.

rego (ê) *s.m.* **1.** Sulco, abertura que deixa na terra o ferro do arado ou de outro instrumento. **2.** Pequena vala que se abre na terra para escoamento das águas. **3.** Sulco aberto na terra pelas rodas de um carro. **4.** Comissura, ruga entre as dobras da pele. **5.** *Chul.* Sulco entre as nádegas.

regorjear *v.i.* (conj. 15). **1.** Dobrar o gorjeio. **2.** Emitir sucessivos gorjeios.

regorjeio *s.m.* Trinado, gorjeio.

regougar *v.i.* (conj. 14). **1.** Emitir a voz da raposa. **2.** *Fig.* Falar em tom áspero e gutural, semelhante ao gritar da raposa. **3.** *Fig.* Resmungar.

regougo *s.m.* **1.** Voz da raposa ou qualquer som semelhante. **2.** Ronco, roncadura.

regozijar *v.t.* (conj. 4). Encher de regozijo; alegrar. ★ *v.pr.* Alegrar-se, contentar-se, congratular-se.

regozijo *s.m.* (esp. *regocijo*). Manifestação de contentamento; prazer, alegria.

regra *s.f.* (lat. *regula*). **1.** Princípio, norma, preceito. **2.** Ordem, disciplina. **3.** Exemplo, modelo. **4.** Estatuto de uma ordem religiosa. **5.** Moderação, economia. **6.** Prudência, cautela. **7.** Prescrição que emana de um uso, de uma autoridade. **8.** Princípio, fórmula que dirige o estudo de uma ciência ou a prática de uma arte. **9.** Convenção própria a um jogo, a um esporte. **10.** Rotina, praxe. **11.** Cada uma das linhas do papel pautado. ● **Mat.** Nome dado a certos teoremas ou enunciados. ★ *s.f.pl. Pop.* Mênstruo.

regrado *adj.* **1.** Submetido a regra; disciplinado, moderado. **2.** Regular, uniforme.

regrar *v.t.* (lat. *regulare*) [conj. 4]. **1.** Impor regras a. **2.** Moderar, regular. **3.** Dirigir, governar. **4.** Tornar uniforme; uniformizar. ★ *v.pr.* Moderar-se, regular-se.

regredir *v.i.* (conj. 57). **1.** Retroceder, recuar. **2.** Diminuir, atenuar-se.

regressão *s.f.* (lat. *regressio*). **1.** Ato ou efeito de regressar. **2.** Ato ou efeito de regredir; retrocesso. **3.** Diminuição, redução. ● **Estat.** Determinação aproximada da grandeza que caracteriza um fenômeno, de tal modo que esta aproximação corresponda à grandeza, tida como exata, que caracteriza um outro fenômeno. **Psican.** Retorno, devido a frustrações intoleráveis, a um estágio anterior da organização libidinal, na busca de uma satisfação fantasmática.

REGRESSÃO ► Em psicologia, chama-se regressão ao fenômeno pelo qual o indivíduo regressa a modos de pensar e agir infantis. Em geral, esse comportamento se deve a alguma forte pressão a que ele possa estar sujeito. Em alguns casos, utiliza-se a hipnose para provocar regressão em pacientes que mostram algum transtorno e, dessa maneira, investigar quando e por que esse transtorno começou.

---

regressar *v.i.* (conj. 4). Tornar ao ponto de partida; voltar, retornar.

regressivo *adj.* **1.** Relativo a regressão. **2.** Que anda para trás; retrógrado, retroativo. **3.** Diz-se do imposto cuja percentagem diminui conforme o rendimento em que recai. ● **Psican.** Diz-se de alguém em estado de regressão.

regresso *s.m.* Ato ou efeito de regressar, retorno, volta.

régua *s.f.* (lat. *regula*). Instrumento utilizado para traçar linhas retas e medir comprimentos, quando graduado. ● **Mat.** *Régua de cálculo,* instrumento composto de duas réguas graduadas logaritmicamente que permite efetuar cálculos rápidos.

regulação *s.f.* Ato ou efeito de regular(-se); regulagem. ● **Biol.** Conjunto de funções que asseguram a constância das características do meio interior apesar das variações incessantes do meio exterior. **Cibern.** Modo de funcionamento que, comparando os valores simultâneos de uma grandeza regulada e de uma grandeza de referência, obriga a grandeza regulada a aproximar-se do valor de referência.

regulador (ô) *adj.* **1.** Que regula; regularizador. **2.** Diz-se de uma peça ou aparelho que se aplica a uma máquina para uniformizar-lhe o movimento. ● **Genét.** *Gene regulador,* gene que controla o operon, este último responsável pela síntese de uma molécula protéica. ★ *s.m.* **1.** Aparelho destinado a compensar uma diferença ou uma variação de comprimento, de esforço etc. **2.** Especialista capaz de assegurar a regulagem de um aparelho ou de um instrumento. ● **Automóv.** Dispositivo que regula a tensão ou a corrente fornecida por um dínamo ou por um alternador. **Técn.** Aparelho montado numa instalação de vapor, água ou gás, que tem por finalidade manter constante a pressão a jusante para todo valor superior à pressão a montante.

regulagem *s.f.* **1.** Regulação. **2.** Modo de ajustar o funcionamento de um aparelho, um mecanismo etc.

regulamentar[1] *adj.2g.* **1.** Que diz respeito ao regulamento. **2.** Que consta do regulamento. **3.** Conforme ao regulamento. **4.** Conferido pelo regulamento.

regulamentar[2] *v.t.* (conj. 4). Submeter ao regulamento; regular, regularizar.

regulamento *s.m.* **1.** Ato ou efeito de regular (-se). **2.** Norma, regra, prescrição. **3.** Conjunto de regras para qualquer instituição ou corpo coletivo.

regular[1] *adj.2g.* (lat. *regularis*). **1.** Relativo a regra. **2.** Conforme às regras, às leis, à praxe, à natureza. **3.** Exato, pontual. **4.** Conforme aos deveres da moral. **5.** Bem-proporcionado, harmonioso. **6.** Mediano, médio. **7.** Sujeito a regras, normas, disciplina; regulamentar. **8.** Constante, contínuo. **9.** Diz-se do religioso que vive em comunidade (p. opos. a *secular*). ● **Mat.** Diz-se de um poliedro cujas faces são polígonos regulares e cujos ângulos poliédricos dos vértices são isométricos. ▸ Diz-se de um polígono cujos lados apresentam o mesmo comprimento e cujos ângulos possuem a mesma medida.

regular[2] *v.t.* (lat. *regulare*) [conj. 4]. **1.** Dirigir de conformidade com as leis, com as regras estabelecidas. **2.** Estabelecer regras para; regularizar. **3.** Estabelecer ordem, economia, moderação; comedir. **4.** Acertar o movimento de. **5.** Sujeitar a certas regras; regrar. ★ *v.i.* **1.** Servir de norma, de regra. **2.** Funcionar regularmente, com precisão, com regularidade. **3.** Valer mais ou menos. ★ *v.pr.* Dirigir-se, guiar-se, orientar-se.

regularidade *s.f.* **1.** Qualidade ou estado de regular. **2.** Conformidade com as leis, com as normas. **3.** Justa proporção, harmonia. **4.** Pontualidade. **5.** Exata observância dos deveres. **6.** Ordem, método.

regularizar *v.t.* (conj. 4). **1.** Tornar regular; regulamentar. **2.** Pôr em ordem, pôr em dia; normalizar. ★ *v.pr.* Normalizar-se.

regurgitação *s.f.* Volta para a boca do conteúdo estomacal ou esofagiano, sem náusea ou esforço para vomitar; regurgitamento.

regurgitamento *s.m.* Regurgitação.

regurgitar *v.t.* (lat. *regurgitare*) [conj. 4]. Expelir o excedente (especialmente o conteúdo gástrico); vomitar. ★ *v.i.* Estar repleto, muito cheio; transbordar.

rei *s.m.* (lat. *rex, regis*). **1.** Detentor do poder executivo em um Estado monárquico; monarca, soberano. **2.** Aquele que detém poder absoluto. **3.** *Fig.* O que se destaca entre os que pertencem ao mesmo grupo ou classe. **4.** *Fig.* O maior produtor. **5.** Carta do baralho marcada com um senhor coroado. **6.** Principal peça no jogo de xadrez. **7.** *Dia de Reis,* comemoração da adoração do Menino Jesus pelos Reis Magos. (Usa-se com maiúscula.)

reiformes (e-i) *s.m.pl.* Ordem de aves terrestres, de grande porte, que apresentam a cabeça e o pescoço parcialmente cobertos com penas, representada pelas emas.

reimplante (e-im) *s.m.* Colocação de um dente natural num alvéolo dentário.

reimpressão (e-im) *s.f.* Ato ou efeito de reimprimir.

reimprimir (e-im). *v.t.* (conj. 6). **1.** Imprimir de novo. **2.** Efetuar uma nova tiragem (livro, gravura etc.).

reinação *s.f.* **1.** *Pop.* Brincadeira, pândega. **2.** Travessura, traquinagem.

reinado *s.m.* **1.** Espaço de tempo em que reina um monarca. **2.** *P. ext.* Período em que vigora alguma coisa. **3.** Autoridade moral, influência. **4.** Supremacia, domínio. **5.** Reino.

reinador (ô) *adj.* e *s.m.* Que ou aquele que faz reinações.

reinante *adj.2g.* **1.** Que reina. **2.** Que tem supremacia; dominante. **3.** *Fig.* Que está em moda. ★ *s.2g.* Pessoa que reina; o rei ou a rainha.

reinar *v.i.* (lat. *regnare*) [conj. 4]. **1.** Governar um Estado como rei. **2.** *Fig.* Predominar, prevalecer. **3.** Grassar. **4.** *Pop.* Fazer travessuras; brincar, folgar. ★ *v.i.* Exercer influência, ter poder.

reincidência (e-in) *s.f.* Ato ou efeito de reincidir.

reincidir (e-in) *v.i.* (conj. 6). **1.** Tornar a incidir; recair. **2.** Tornar a praticar (erro, delito).

reincorporar (e-in) *v.t.* e *v.pr.* (conj. 4). Incorporar(-se) de novo.

reingressar (e-in) *v.t.* (conj. 4). Ingressar de novo.

reiniciar (e-i) *v.t.* (conj. 16). Iniciar de novo; recomeçar, retomar.

reino *s.m.* (lat. *regnum*). **1.** Nação ou Estado governado por um soberano que é rei ou rainha. **2.** Os súditos do reino. **3.** *Fig.* Âmbito, domínio. **4.** Cada um dos domínios estudados pelas ciências naturais. ● **Biol.** Categoria taxonômica, que separa os grandes grupos de organismos.

reinol *adj.2g.* **1.** Próprio do reino. **2.** Natural do reino. **3.** Português, em relação ao Brasil. ★ *s.2g.* Indivíduo natural do reino.

reinscrever (e-in) *v.t.* (conj. 5). Inscrever novamente.

reinstituir (e-in) *v.t.* (conj. 74). Tornar a instituir.

reintegrar (e-in) *v.t.* (lat. *reintegrare*) [conj. 4]. **1.** Tornar a integrar. **2.** Restabelecer (alguém) na posse de um bem etc. **3.** Repor no mesmo lugar; reconduzir. ★ *v.pr.* Restabelecer-se na posse de.

reinvestir (e-in) *v.t.* (conj. 54). Tornar a investir.

reisado *s.m.* Festa popular que se realiza no dia de Reis.

reiterar (e-i) *v.t.* (lat. *reiterare*) [conj. 4]. Insistir, repetir, renovar.

reitor (ô) *s.m.* (lat. *rector*). **1.** Aquele que rege, governa, administra ou dirige. **2.** Diretor de universidade. **3.** Por tradição, título de certos párocos e do prior de algumas freguesias. **4.** Superior de um colégio de jesuítas.

reitorado *s.m.* **1.** Reitoria. **2.** Tempo durante o qual se exerce esse cargo.

reitoria *s.f.* **1.** Cargo de reitor; reitorado. **2.** Repartição de que é chefe o reitor. **3.** Gabinete ou prédio onde o reitor exerce sua função.

reiúno *adj.* (esp. plat. *reyuno*). **1.** Fornecido pelo Estado, especialmente pelo Exército, para uso dos soldados (farda, botas etc.). **2.** *Fig.* Ruim, ordinário, de baixa qualidade ou condição.

reivindicação *s.f.* Ato ou efeito de reivindicar.

reivindicar *v.t.* (conj. 12). **1.** Solicitar algo que se pode legitimamente pretender. **2.** Tomar para si; assumir. **3.** Exigir, requerer. **4.** Readquirir, recuperar.

rejeição *s.f.* (lat. *rejectio*). **1.** Ato ou efeito de rejeitar. **2.** Fenômeno pelo qual um organismo receptor se defende contra um enxerto proveniente de outro indivíduo e torna este enxerto inapto a desempenhar sua função.

rejeitar *v.t.* (lat. *rejectare*) [conj. 4]. **1.** Atirar, arremessar, lançar fora. **2.** Não admitir, recusar. **3.** Opor-se a. **4.** Lançar de si; expelir. **5.** Não aceitar, repelir. **6.** Desaprovar, reprovar.

rejeitável *adj.2g.* Que se pode rejeitar.

rejubilar *v.t.* (conj. 4). Encher de júbilo; alegrar. ★ *v.i.* e *v.pr.* Ter grande júbilo, folgar, alegrar-se muito.

rejúbilo *s.m.* Grande júbilo; rejubilação.

rejuntar *v.t.* (conj. 4). Refazer as juntas de (tijolos, pedras etc.), com nova aplicação de argamassa.

rejuvenescer *v.t.* (lat. *rejuvenescere*) [conj. 25]. Tornar mais jovem. ★ *v.i.* e *v.pr.* Tomar a aparência de jovem; remoçar.

relação *s.f.* (lat. *relatio, relationis*). **1.** Ação de relatar; relato, relatório. **2.** Caráter, estado de duas ou mais coisas que mantêm entre si uma conexão. **3.** Elo de ligação; vínculo de dependência, de interação, de analogia etc. **4.** Rol, lista. **5.** Ligação que se estabelece com alguém; relacionamento. ★ *s.f.pl.* **1.** Conjunto de vínculos recíprocos entre pessoas de um mesmo círculo. **2.** As próprias pessoas com quem se mantêm relações. **3.** Conjunto das ligações ou associações oficiais entre grupos ou países. **4.** *Relações públicas,* atividades profissionais que visam informar a opinião pública sobre as realizações de uma organização ou de uma coletividade, a fim de promover o bom relacionamento com o público em geral. ► *Relações sexuais,* a cópula humana.

relacionamento *s.m.* **1.** Ato ou efeito de relacionar(-se). **2.** Capacidade de conviver com os seus semelhantes. **3.** Ligação afetiva, profissional, de amizade etc., condicionada por uma série de atitudes recíprocas; relação.

relacionar *v.t.* (conj. 4). **1.** Referir, narrar. **2.** Estabelecer relação ou analogia entre coisas diferentes; confrontar. **3.** Pôr em lista; arrolar, relatar. **4.** Fazer relações. ★ *v.pr.* **1.** Travar conhecimento com pessoas; manter relações. **2.** Ligar-se, ter relação ou analogia.

relâmpago *s.m.* **1.** Clarão intenso, de curta duração, resultante de descarga elétrica que se produz entre duas nuvens ou entre uma nuvem e a terra durante uma tempestade, em geral seguido pelo ruído do trovão. **2.** *Fig.* Luz súbita e breve. **3.** *Fig.* Qualquer coisa que brilha de repente e logo desaparece. ★ *adj.* Rápido como um relâmpago.

relampaguear *v.i.* (conj. 24). **1.** Produzir-se uma sucessão de relâmpagos; relampejar, relampear. **2.** Brilhar de repente; cintilar, faiscar. **3.** Dirigir, volver para, com a rapidez do relâmpago.

relançar *v.t.* (conj. 13). **1.** Lançar de novo. **2.** Relancear.

relance *s.m.* **1.** Ato ou efeito de relancear. **2.** *De relance,* rapidamente, momentaneamente.

relancear *v.t.* (conj. 15). **1.** Dirigir rapidamente o olhar. **2.** Olhar rispidamente, apressadamente; relançar.

relapso *adj.* e *s.m.* (lat. *relapsus*). **1.** Que ou aquele que é negligente no cumprimento de suas obrigações; relaxado, displicente. **2.** Que ou aquele que reincide em erro.

relar *v.t.* (conj. 4). Tocar de leve; roçar.

relatar *v.t.* (conj. 4). **1.** Narrar, expor. **2.** Apresentar relatório. **3.** Fazer lista; relacionar.

relatividade *s.f.* **1.** Qualidade ou estado do que é relativo; relativismo. **2.** *Teorias da relatividade,* conjunto das teorias formuladas por Albert Einstein (1879-1955), que afirmam a existência de referenciais equivalentes para a descrição dos fenômenos e consideram o espaço e o tempo como noções indissociáveis.

RELATIVIDADE ► Os fundamentos da mecânica clássica permaneceram inquestionáveis por um longo tempo. Contudo, no início do século XX, um novo princípio, postulado por Albert Einstein, conduziu à formulação da teoria da relatividade restrita, que provocou uma revisão desses fundamentos. Em seguida, formulando a relatividade geral, Einstein sintetiza mecânica e gravitação, revolucionando a física moderna.

---

relativo *adj.* (lat. tard. *relativus*). **1.** Que se refere a; referente, concernente, respeitante. **2.** Que não existe a não ser em relação a outra coisa; independente. **3.** Que não tem valor ou significado em si mesmo mas só com relação a outra coisa (p. opos. a *absoluto*). ● **Gram.** Diz-se do pronome que se refere a um termo anterior, chamado antecedente. **Mat.** *Número relativo* ou *relativo* (*s.m.*), qualquer número inteiro positivo ou negativo. **Metrol.** Diz-se de uma medida ou de um instrumento de medida que compara uma grandeza com outra de mesma natureza, independentemente da referência a uma unidade.

relato *s.m.* (lat. *relatum*). **1.** Ato ou efeito de relatar, relação. **2.** Narração, notícia, informação, relatório.

relator (ô) *s.m.* (lat. *relator*). **1.** Aquele que relata. **2.** Aquele que escreve um relatório. **3.** Aquele que narra; narrador.

relatório *s.m.* **1.** Exposição escrita ou oral pela qual se apresenta, de maneira detalhada, aquilo que se viu, ouviu, observou; relato, relação, testemunho. **2.** Exposição, descrição de trabalho realizado ou observado pelo autor.

relaxado *adj.* **1.** Não contraído; distendido, frouxo. **2.** *Fig.* Descuidado em relação aos deveres; negligente, desidioso, relapso. **3.** *Fig.* Dissoluto, devasso. **4.** *Fig.* Desmazelado, desalinhado. ★ *s.m.* Indivíduo desidioso, relapso.

relaxamento *s.m.* **1.** Relaxação. **2.** Perturbação das funções intestinais; diarréia. **3.** Perda de interesse, de zelo, de entusiasmo ou de seriedade; negligência, desídia. **4.** Desleixo, desalinho, desmazelo. ● **Med.** Método que permite o controle do estado de tensão da musculatura estriada e do modo de reação emocional em função das circunstâncias. ► *Relaxamento muscular,* estado no qual o músculo conserva apenas a contração mínima necessária à manutenção de seu tono.

relaxante *adj.2g.* e *s.m.* Que ou o que relaxa; relaxador.

relaxar *v.t.* (lat. *relaxare*) [conj. 4]. **1.** Diminuir a tensão de; afrouxar. **2.** Atenuar, abrandar. **3.** Dispensar de uma obrigação. **4.** Tornar sem efeito. **5.** Tornar menos severo, mais frouxo. **6.** Perverter, depravar. ★ *v.i.* Enfraquecer, afrouxar. ★ *v.pr.* **1.** Enfraquecer-se, afrouxar-se. **2.** Desmazelar-se. **3.** Tornar-se vicioso, dissoluto.

relé *s.m.* (fr. *relais*). **1.** Dispositivo destinado a produzir modificações súbitas e predeterminadas em um ou mais circuitos elétricos de saída, quando certas condições são preenchidas nos circuitos elétricos de entrada dos quais ele sofre a ação. **2.** Dispositivo amplificador de potência interposto entre um sinal de comando e um sinal comandado.

relegar *v.t.* (lat. *relegare*) [conj. 14]. **1.** Desterrar em lugar determinado. **2.** Afastar de um lugar para outro; banir, expatriar. **3.** Afastar com desdém; repelir, rejeitar, desprezar.

A B C D E F G H I J K L M N O P Q R S T U V W X Y Z

relembrar *v.t.* e *v.i.* (conj. 4). Tornar a lembrar.

relento *s.m.* **1.** A umidade da noite; orvalho. **2.** Moleza produzida pela umidade da noite. **3.** *Fig.* Desamparo, desabrigo.

reler *v.t.* (conj. 42). **1.** Ler de novo. **2.** Rever o que se escreveu para corrigir, se necessário.

reles *adj.2g.2n.* **1.** Ordinário, grosseiro, desprezível. **2.** Baixo, vil. **3.** Sem valor.

relevância *s.f.* **1.** Qualidade, caráter de relevante. **2.** Saliência, relevo. **3.** Grau de valor; importância.

relevante *adj.2g.* **1.** Que releva. **2.** Que sobressai; destacado, importante. ★ *s.m.* O essencial, o indispensável.

relevar *v.t.* (lat. *relevare*) [conj. 4]. **1.** Dar relevo a; tornar saliente. **2.** Atenuar, consolar. **3.** Perdoar, desculpar. **4.** Consentir, permitir. **5.** *Fig.* Realçar. ★ *v.i.* Ser conveniente; convir, importar. ★ *v.pr.* Sobressair, distinguir-se.

relevo (ê) *s.m.* **1.** O que sobressai numa superfície relativamente plana. **2.** Conjunto de todos os desníveis, saliências e depressões da superfície do globo terrestre. **3.** Escultura, gravura trabalhada de modo a adquirir relevo. **4.** *Fig.* Realce, ênfase, destaque. **5.** Qualidade do que foge ao trivial. ● **Ópt.** Representação de saliências e reentrâncias que produz a ilusão de uma imagem tridimensional em pintura, desenho e fotografia.

relha (ê) *s.f.* (lat. *regula,* barra de ferro). **1.** Parte do arado que abre o sulco na terra. **2.** Peça de ferro que reforça externamente as rodas dos carros de bois.

relho (ê) *s.m.* Açoite feito de couro torcido.

relicário *s.m.* (lat. *reliquiarium*). **1.** Cofre, urna, lugar próprio para conter as relíquias de um santo. **2.** Bolsinha ou medalha com relíquias que algumas pessoas trazem ao pescoço por devoção.

religar *v.t.* (conj. 14). Tornar a ligar.

religião *s.f.* (lat. *religio, religionis*). **1.** Conjunto determinado de crenças, de dogmas que definem a relação do homem com o sagrado. **2.** Conjunto de práticas e ritos específicos, próprios a cada uma dessas crenças. **3.** Instituição social caracterizada pela existência de uma comunidade de indivíduos unidos pela mesma crença religiosa. **4.** Crença, devoção, piedade. **5.** Vida religiosa.

VOCÊ SABIA...? Costuma-se atribuir a origem do termo **religião** à idéia de ligação, tanto no que se refere aos ritos quanto à união entre a humanidade e o sagrado. A partir do século XIX pratica-se uma história comparada das religiões, que busca analisar seus elementos comuns a fim de precisar-lhes a origem.

---

religiosa *s.f.* Mulher ligada à religião por votos monásticos.

religioso (ô) *adj.* (lat. *religiosus*). **1.** Relativo ou pertencente a religião. **2.** Que pertence a uma instituição religiosa. **3.** Que pratica sua religião com piedade e fé. ★ *s.m.* Pessoa que fez votos e segue os preceitos determinados por sua religião.

relinchar *v.i.* (conj. 4). Rinchar.

relincho *s.m.* Rincho.

relíquia *s.f.* (lat. *reliquiae,* os restos). **1.** Objeto que pertenceu a um santo ou que teve contato com seu corpo. **2.** O que resta do corpo dos santos. **3.** Coisa preciosa e antiga, à qual se dedica grande estima.

relógio *s.m.* (gr. *horologion*). **1.** Instrumento ou mecanismo que serve para marcar as divisões do tempo e indicar as horas. **2.** Qualquer dispositivo que emite sinais sincronizadores. **3.** Aparelho destinado a registrar o consumo de eletricidade, gás, ou água. **4.** *Fam.* e *Fig.* O que trabalha com muita regularidade. **5.** *Relógio de água,* clepsidra. ► *Relógio de sol,* instrumento que indica as horas pela posição da sombra de uma haste numa superfície; quadrante.

relojoaria *s.f.* **1.** Técnica de fabricação ou de conserto de relógios. **2.** Comércio de relógios; loja do relojoeiro. **3.** Mecanismo dos relógios.

relojoeiro *adj.* Relativo a relojoaria ou a relógios. ★ *s.m.* Aquele que fabrica, conserta ou vende relógios.

relutância *s.f.* **1.** Ato ou efeito de relutar. **2.** Resistência, oposição. **3.** Teimosia. **4.** Vacilação, indecisão, hesitação. ● **Fís.** Em um circuito magnético, quociente da força magnetomotriz pelo fluxo de indução associado.

relutar *v.i.* (lat. *reluctare*) [conj. 4]. **1.** Opor resistência, resistir. **2.** Hesitar.

reluzente *adj.2g.* Que reluz.

reluzir *v.i.* (conj. 72). **1.** Luzir muito, brilhar, refletir luz. **2.** Resplandecer. **3.** Manifestar-se de modo brilhante. **4.** Tornar-se atraente pelo brilho.

relva *s.f.* **1.** Conjunto de ervas rasteiras que juncam um terreno; gramado. **2.** Vegetação coberta por essas ervas. **3.** Relvado.

relvado *s.m.* Terreno coberto de relva ou de grama; gramado, relva.

relvoso (ô) *adj.* **1.** Em que há relva. **2.** Diz-se de vegetação em pequenas moitas, que se espalha sobre o solo por meio de caules rasteiros numerosos.

rem *s.m.* (do ingl. *roentgen equivalent man,* radiação equivalente no homem). **Med.** Unidade que serve para avaliar o efeito biológico de uma radiação radioativa. ► Dose de radiações que produzem, no homem, os mesmos efeitos que 1 rad de raios X.

REM (abrev. do ingl. *rapid eye moviment,* movimento rápido dos olhos). **Med.** *Sono REM,* sin. de SONO PARADOXAL*.

remada *s.f.* **1.** Ato ou efeito de remar; voga, remadura. **2.** Impulso com remo.

remanchar *v.i.* (conj. 4). **1.** Tardar em fazer alguma coisa; demorar-se. **2.** Andar devagar. ★ *v.pr.* Ser pachorrento.

remanejar *v.t.* (conj. 4). **1.** Manejar novamente. **2.** Mudar, modificar através de um novo trabalho.

remanescente *adj.2g.* Que remanesce. ★ *s.2g.* O que resta depois de ser retirada uma parte; sobra.

remanescer *v.i.* (conj. 25). Sobrar, sobejar, restar.

remanso *s.m.* (do lat. *remansus* parado). **1.** Cessação de ação; suspensão, parada, pausa, repouso. **2.** Descanso, sossego, paz. **3.** Retiro, recolhimento, pouso. **4.** Porção de água estagnada. **5.** Trecho de rio em que não há corrente apreciável.

remansoso (ô) *adj.* **1.** Lento, vagaroso. **2.** Quieto, silencioso, tranqüilo.

remar *v.i.* (conj. 4). **1.** Manobrar os remos para fazer avançar uma embarcação. **2.** Nadar, sobrenadar. **3.** Voar, voejar. **4.** *Fig.* Lutar, lidar.

remarcar *v.t.* (conj. 12). **1.** Marcar de novo. **2.** Fixar novo preço.

rematado *adj.* **1.** Acabado, concluído, pronto. **2.** Total, inteiro, perfeito.

rematar *v.t.* (conj. 4). **1.** Fazer o acabamento de, aperfeiçoar. **2.** Completar, concluir, terminar. **3.** Dar os últimos pontos numa costura; arrematar. ★ *v.i.* Findar, terminar. ★ *v.pr.* Ter fim, acabar(-se).

remate *s.m.* **1.** Ato ou efeito de rematar; conclusão, acabamento, fim. **2.** Última operação destinada a tornar uma obra perfeita. **3.** Resultado, sucesso. **4.** Ornato, embelezamento que finaliza uma peça de arquitetura ou qualquer obra. **5.** Arremate. **6.** *Fig.* O auge, o cúmulo, o extremo.

remedar *v.t.* (conj. 4). Arremedar.

remediar *v.t.* (lat. *remediare*) [conj. 17]. **1.** Dar remédio ou solução a. **2.** Atenuar, minorar. **3.** Corrigir, emendar. ★ *v.pr.* Arranjar-se.

remédio *s.m.* (lat. *remedium*). **1.** Tudo aquilo que pode servir para prevenir ou combater uma doença; medicamento. **2.** O que serve para aplacar os sofrimentos morais, para atenuar os males da vida. **3.** Tudo o que elimina uma inconveniência, um mal. **4.** Retificação, emenda. **5.** Solução.

remedo (ê) *s.m.* Arremedo.

remeiro *adj.* e *s.m.* Remador.

remela *s.f.* Substância pegajosa e amarelada que se acumula nas bordas das pálpebras. (Var. RAMELA.)

remelexo (ê) *s.m.* *Pop.* Requebro, rebolado, bamboleio do corpo.

rememorar *v.t.* (lat. *rememorari*) [conj. 4]. Relembrar, recordar.

remendão *adj.* Que faz remendos; remendeiro. ★ *s.m.* **1.** Aquele que faz remendos; remendeiro. **2.** Sapateiro que conserta o sapato, sem fabricá-lo. **3.** Artesão pouco habilidoso.

remendar *v.t.* (conj. 4). **1.** Pôr remendos em; consertar. **2.** *Fam.* Desfazer um equívoco, uma inconveniência; emendar, retificar. **3.** Mesclar (a linguagem) de estrangeirismos ou de termos impróprios.

remendo *s.m.* **1.** Pedaço de fazenda com que se conserta uma parte rota do vestuário. **2.** *P. ext.* Qualquer conserto feito com qualquer matéria; emenda. **3.** Malha, lista, no couro de alguns animais.

remessa[1] *s.f.* (lat. *remissa,* perdão). **1.** Ação de remeter, de enviar. **2.** Coisa remetida.

remessa[2] *s.f.* Ato de remessar.

remessar *v.t.* (conj. 4). Arremessar.

remetente *adj.2g.* e *s.2g.* (lat. *remittens*). Que ou quem remete.

remeter *v.t.* (lat. *remittere*) [conj. 5]. **1.** Dirigir, enviar, mandar. **2.** Confiar a. **3.** Adiar, dilatar. **4.** Investir contra; atacar. ★ *v.i.* Arremessar-se, arremeter. ★ *v.pr.* **1.** Anuir, aquiescer. **2.** Reportar-se.

remexer *v.t.* (conj. 5). **1.** Mexer de novo. **2.** Mexer continuamente, revolver. **3.** Tocar, bulir. **4.** Agitar, sacudir. **5.** Rebolar, saracotear. ★ *v.pr.* Mover-se, agitar-se.

remição *s.f.* **1.** Ato ou efeito de remir. **2.** Quitação, resgate. (Cf. REMISSÃO.)

remido *adj.* Quitado, desobrigado de qualquer prestação.

rêmige *s.f.* Pena alongada, apropriada ao vôo, presente nas asas das aves.

reminiscência *s.f.* (lat. *reminiscentia*). **1.** Recordação imprecisa de acontecimentos remotos quase que completamente esquecidos. **2.** Vestígio de uma composição musical ou literária presente em alguma obra que lhe sucedeu.

remir *v.t.* (lat. *redimere*) [conj. 80]. **1.** Isentar, livrar, redimir. **2.** Resgatar do cativeiro. **3.** Expiar. **4.** Compensar, reparar. ★ *v.pr.* **1.** Desobrigar-se. **2.** Livrar-se. **3.** Reabilitar-se.

remirar *v.t.* (conj. 4). **1.** Tornar a mirar. **2.** Observar com atenção. ★ *v.pr.* Mirar-se repetidamente.

remissão *s.f.* (lat. *remissio*). **1.** Ato ou efeito de remitir; perdão. **2.** Alívio, consolo. **3.** Ato ou efeito de remeter(-se); remessa, envio. ● **Dir.** Perdão de um ônus ou de uma dívida. **Med.** Atenuação ou desaparecimento momentâneo dos sintomas de uma doença aguda ou crônica; remitência. (Cf. REMIÇÃO.)

remissível *adj.2g.* (lat. *remissibilis*). Que pode ser remetido.

remissivo *adj.* (lat. *remissivus*). **1.** Que remete para outro ponto. **2.** Que contém referências. **3.** *Indice remissivo,* índice alfabético que remete aos nomes próprios ou aos tópicos mais importantes constantes no interior de uma publicação.

remisso *adj.* (lat. *remissus*). **1.** Que tarda em fazer ou dizer alguma coisa. **2.** Negligente, descuidado. **3.** Indolente, frouxo. **4.** Pouco intenso.

remitência *s.f.* Remissão.

remitente *adj.2g.* Que apresenta remitência.

remitir *v.t.* (lat. *remittere*) [conj. 6]. **1.** Perdoar. **2.** Dar por pago. **3.** Ceder. **4.** Atenuar. ★ *v.i.* Perder a intensidade.

remível *adj.2g.* Que se pode remir.

remo *s.m.* (lat. *remus*). **1.** Haste de madeira que se alarga e achata até terminar em pá numa das extremidades, utilizada para manobrar ou fazer avançar na água uma embarcação. **2.** Esporte náutico praticado na superfície aquática, em que uma embarcação é propulsionada com a ajuda de remos.

DISPOSIÇÃO DOS REMADORES SEGUNDO AS CATEGORIAS DE BARCOS SEM TIMONEIRO

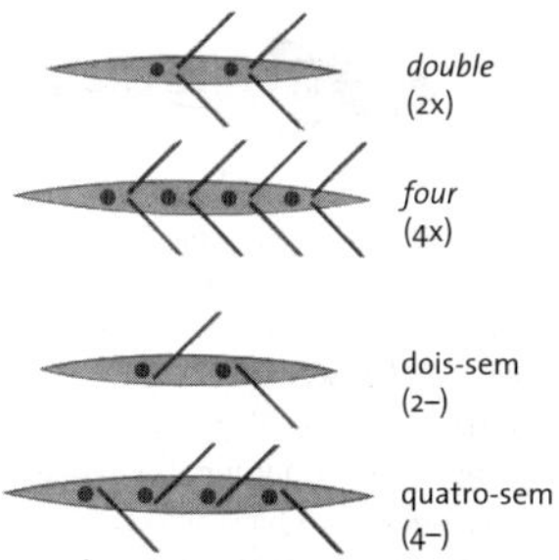

REMO ► Antes da vela, o remo foi o primeiro meio de navegação. Desde a Antiguidade, eram organizadas competições aquáticas em embarcações leves. A versão moderna do remo se originou em 1829, com a primeira corrida em que competiram, em botes de oito remadores e numa distância de 6.838 metros, estudantes das universidades de Oxford e Cambridge. É a mais antiga das competições atuais.

remoção *s.f.* (lat. *remotio*). Ato ou efeito de remover ou de ser removido.

remoçar *v.t.* (conj. 13). **1.** Tornar mais moço; rejuvenescer. **2.** Dar aparência de moço. **3.** Atribuir menos idade a. ★ *v.i.* Tomar aparência de moço; rejuvenescer. ★ *v.pr.* Robustecer-se, readquirir vigor.

remodelar *v.t.* (conj. 4). **1.** Modelar de novo; refazer. **2.** Introduzir profundas modificações.

remoer *v.t.* (conj. 28). **1.** Moer de novo. **2.** Remastigar, remascar. **3.** Pensar muito; ruminar. **4.** Importunar. ★ *v.pr.* **1.** Afligir-se, preocupar-se, amofinar-se. **2.** Deixar-se possuir por sentimento surdo e obsessivo.

remoinhar (o-i) *v.i.* (conj. 4). Redemoinhar.

remoinho (o-i) *s.m.* Redemoinho.

remonta *s.f.* **1.** Ação de fornecer os cavalos a uma tropa. **2.** Conjunto dos cavalos ou muares adquiridos para substituir os que se inutilizaram em um corpo de tropa.

remontar *v.t.* (conj. 4). **1.** Elevar, levantar muito. **2.** Colocar remonte em; consertar. **3.** Fazer remonta de animais. ★ *v.i.* **1.** Subir novamente ao lugar de onde se desceu. **2.** Ir em direção à nascente de um curso de água. **3.** Levantar-se, fazer movimento de baixo para cima. **4.** Tornar a montar em. **5.** *Fig.* Ir buscar a origem, a data.

remoque *s.m.* (esp. *remoque*). **1.** Dito malicioso ou picante que encerra intenção repreensiva ou ofensiva. **2.** Insinuação maliciosa.

remoquear *v.i.* (conj. 15). Dizer remoques.

rêmora *s.f.* (lat. *remora*). Peixe marinho que apresenta a primeira nadadeira dorsal modificada em um disco adesivo, com o qual se fixa a outros peixes e tartarugas.

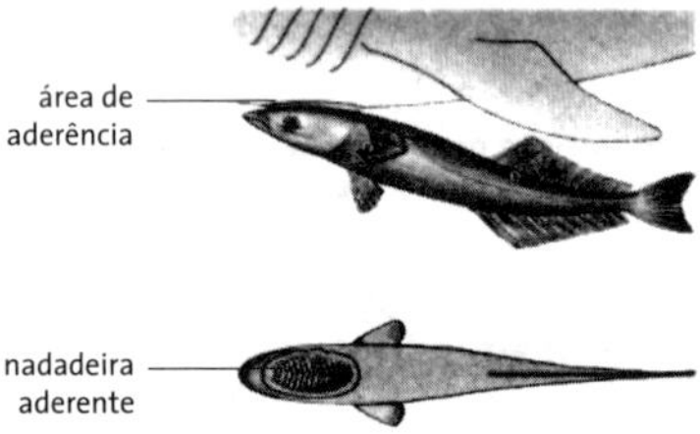

remorder *v.t.* (conj. 5). **1.** Tornar a morder. **2.** Morder repetidamente. **3.** Diminuir, falando mal. **4.** Afligir, atormentar. **5.** Pensar demoradamente em. **6.** Cismar, ruminar. ★ *v.pr.* **1.** Morder-se muito. **2.** Irar-se, enraivecer-se.

remorso *s.m.* (lat. *remorsus*). Reprovação proveniente da consciência de se haver cometido uma falta; arrependimento.

remoto *adj.* (lat. *remotus*). **1.** Que aconteceu há muito tempo; longínquo. **2.** Distante no espaço; distanciado.

removedor (ô) *s.m.* Preparado que se usa para tirar manchas de roupas, soalhos, sapatos etc., ou ainda para retirar restos de tinta, verniz ou esmalte.

remover *v.t.* (lat. *removere*) [conj. 5]. **1.** Tornar a mover. **2.** Mudar de um lugar a outro. **3.** Transferir. **4.** Afastar, separar. **5.** Fazer desaparecer. **6.** Demitir, destituir.

remuneração *s.f.* (lat. *remuneratio*). **1.** Gratificação em dinheiro ou bens em contrapartida a serviços prestados; salário, ordenado, honorários. **2.** Prêmio, recompensa.

remunerar *v.t.* (lat. *remunerare*) [conj. 4]. **1.** Dar remuneração a; retribuir, pagar. **2.** Premiar, recompensar. **3.** Pagar salários, honorários etc.

rena *s.f.* (fr. *renne*). Mamífero artiodáctilo de regiões frias do hemisfério Norte, utilizado pelos lapões como animal de carga e como fonte de leite, carne, couro e osso.

renal *adj.2g.* (lat. *renalis*). **1.** Que se refere aos rins. **2.** Que existe nos rins. ● **Anat.** *Artéria renal,* cada um dos dois ramos da aorta, um direito e outro esquerdo, que irrigam os rins. ► *Veias renais,* cada um dos dois ramos da veia cava inferior, um direito e outro esquerdo, que coletam o sangue venoso dos rins. **Med.** *Insuficiência renal,* diminuição parcial ou total da função depurativa dos rins.

renascença *s.f.* **1.** Ato ou efeito de renascer, de ressurgir, de reaparecer; renascimento. **2.** Renovação, restauração, retorno. **3.** Nova vida, novo vigor. **4.** Movimento de renovação cultural e artística dos séculos XV e XVI na Europa que se caracterizou pela imitação da antiguidade greco-romana. (Usa-se com maiúscula.) **5.** Época em que se deu esse movimento.

renascente *adj.2g.* Que renasce.

renascentista *adj.2g.* Relativo ou pertencente à época ou ao estilo da Renascença.

renascer *v.i.* (conj. 25). **1.** Nascer de novo. **2.** Crescer de novo, rebrotar. **3.** Recuperar forças, revigorar. **4.** Reabilitar-se; recuperar-se. **5.** Rejuvenescer. **6.** Ressurgir.

renascido *adj.* Que renasceu.

renascimento *s.m.* **1.** Renascença. **2.** Época de renovação cultural e artística que sucede um período pobre ou assim considerado; renascença (Usa-se com maiúscula.)

RENASCIMENTO ► A partir do século XV, os europeus começaram a redescobrir os conhecimentos da Antiguidade grega e romana. O Renascimento foi uma época de idéias e descobrimentos impressionantes. Artistas como Leonardo da Vinci e Michelangelo Buonarroti criaram pinturas e esculturas magníficas. Cientistas como Galileu e Copérnico apresentaram idéias novas sobre o Universo, e exploradores como Colombo descobriram novas terras.

renda[1] *s.f.* (esp. *randa*) [conj. 14]. **1.** Tecido de malhas abertas, fino e delicado, formando desenhos variados com entrelaçamentos de fios, usado como guarnição de peças de vestuário, paramentos, roupa de cama e mesa, alfaias etc. **2.** Qualquer coisa entrelaçada e recortada em forma de renda; rendado.

renda² *s.f.* **1.** O que uma pessoa ou uma coletividade recebe, a título de produto (em espécie ou não) de seus bens imóveis, de remuneração periódica do capital ou de bens de produção; rendimento. **2.** Importância que alguém recebe, regularmente em dinheiro; rendimento. **3.** Lucro líquido, depois de descontadas todas as despesas materiais.

rendado *adj.* Guarnecido de rendas ou feito de rendas. ★ *s.m.* O conjunto das rendas que guarnecem roupas; renda.

rendar¹ *v.t.* (conj. 4). **1.** Guarnecer com rendas. **2.** Tecer em forma de renda.

rendar² *v.i.* (conj. 4). Pagar renda; arrendar.

rendaria *s.f.* Arte de fazer rendas; indústria das rendas.

rendeiro¹ *s.m.* Fabricante ou vendedor de rendas.

rendeiro² *s.m.* **1.** O que tem terras em arrendamento. **2.** O que desfruta de uma propriedade pagando o preço do arrendamento. **3.** Cobrador de rendas.

render *v.t.* (lat. *reddere*) [conj. 5]. **1.** Obrigar a ceder; dominar, vencer. **2.** Substituir, trocar. **3.** Prestar, oferecer. **4.** Dar, conceder. **5.** Mover à piedade. **6.** Produzir como renda². ★ *v.i.* **1.** Ceder ao peso; rachar. **2.** Dar bom resultado, boa produção. ★ *v.pr.* **1.** Depor as armas, reconhecer derrota militar. **2.** Entregar-se, submeter-se. **3.** Ficar agradecido.

rendição *s.f.* (lat. cláss. *reddere,* render). **1.** Ato ou efeito de render(-se); rendimento, capitulação. **2.** Substituição (de guarda etc.).

rendido *adj.* **1.** Que não tem vontade própria; vencido, dominado. **2.** Parado, extático. **3.** Lasso, frouxo. **4.** Dócil, obediente.

rendilha *s.f.* Certo tipo de renda muito delicada.

rendilhado *adj.* **1.** Que tem rendilhas. **2.** *Fig.* Que é delicadamente trabalhado com lavores semelhantes à rendilha.

rendilhar *v.t.* (conj. 4). **1.** Ornar com rendilhas ou com lavores delicados. **2.** *Fig.* Entremear, ornar de formas delicadas e caprichosas.

rendimento *s.m.* **1.** Rendição. **2.** Produção. **3.** Resultado satisfatório obtido por um trabalho manual ou intelectual. **4.** Renda². **5.** Percentagem do produto obtido em relação à matéria-prima. ● **Fís.** Relação entre a energia fornecida por um sistema gerador de trabalho e a energia por ele consumida. **Quím.** Durante uma reação química, percentagem das moléculas de uma espécie química submetidas a uma transformação que conduziu a um dado produto.

rendoso (ô) *adj.* **1.** Que rende muito. **2.** Que dá bons lucros; lucrativo.

renegado *adj.* e *s.m.* **1.** Que ou aquele que abandona a sua religião ou o seu partido; apóstata. **2.** *Fig.* Execrado, odiado. **3.** Desprezado, rejeitado.

renegar *v.t.* (conj. 14). **1.** Abjurar, abandonar (religião, partido). **2.** Desmentir, negar. **3.** Recusar-se a reconhecer; repelir. **4.** Odiar, execrar. **5.** Não considerar; dispensar, prescindir.

renhido *adj.* **1.** Disputado encarniçadamente; porfiado. **2.** *Fig.* Sangrento, cruento.

renhir *v.t.* (esp. *reñir*) [conj. 79]. **1.** Disputar, pleitear. **2.** Combater, contender. **3.** Porfiar, discutir, combater. **4.** Travar, desencadear, pelejar. ★ *v.i.* Travar contenda, combater furiosamente. ★ *v.pr.* Tornar-se renhido.

rênio *s.m.* (de *Reno,* rio da Europa). Elemento químico (símb. Re) de número atômico 75, que constitui um metal branco brilhante, extremamente denso, com aplicações específicas por sua elevada resistência ao calor.

renitência *s.f.* Qualidade, caráter de renitente; obstinação, persistência, teimosia. ● **Med.** Propriedade de um órgão ou tecido renitente.

renitente *adj.2g.* (lat. *renitens, renitentis*). **1.** Obstinado, intransigente, teimoso. **2.** Persistente, contumaz. ● **Med.** Diz-se de certos tecidos, abscessos ou tumores de aspecto denso, que resistem à pressão do dedo sem que apresentem flutuação.

renitir *v.t.* e *v.i.* (conj. 6). **1.** Mostrar renitência; resistir. **2.** Persistir na execução de uma tarefa; obstinar-se, insistir. **3.** Mostrar-se teimoso, contumaz.

renomado *adj.* **1.** Que tem renome; afamado. **2.** Que tem boa reputação.

renome *s.m.* **1.** Fama, celebridade. **2.** Bom conceito resultante de feitos ou virtudes invulgares; boa reputação.

renovação *s.f.* (lat. *renovatio, renovationis*). **1.** Ato ou efeito de renovar(-se). **2.** Atualização, modernização. **3.** Restauração, reforma. **4.** Evolução, mudança. **5.** Celebração de novo compromisso ou ato jurídico para substituir o anterior. **6.** Rejuvenescimento.

renovar *v.t.* (lat. *renovare*) [conj. 4]. **1.** Tornar novo, dar aspecto ou feição de novo. **2.** Dar nova aparência a. **3.** Restaurar, reformar. **4.** Substituir por algo ou alguém mais novo. **5.** Dar novas forças; revigorar. **6.** Realizar novo contrato em substituição ao que acaba de expirar. **7.** Reafirmar, confirmar. **8.** Transformar, modificar. ★ *v.i.* **1.** Rebentar, desabrochar de novo. **2.** Vir em seguida; suceder-se. ★ *v.pr.* **1.** Rejuvenescer, revigorar-se. **2.** Pôr-se a par das coisas novas; atualizar-se.

renovo (ô) *s.m.* **1.** Ramo novo que sai do pé de uma árvore ou arbusto podados; rebento. **2.** *Fig.* Descendência.

renque *s.2g.* (cat. *renc*). Série de objetos dispostos numa mesma linha.

rentabilidade *s.f.* (ingl. *rentability*). **1.** Característica do que é rentável. **2.** Faculdade de um capital aplicado ou investido render dividendos ou ganho em dinheiro; lucro.

rentável *adj.2g.* (ingl. *rentable*). Que dá um bom lucro.

rente *adj.2g.* (lat. *radens, radentis,* que raspa). **1.** Raso, cérceo. **2.** Muito próximo. ★ *adv.* Pela raiz, cerce.

renúncia *s.f.* **1.** Ato ou efeito de renunciar. **2.** Recusa.

renunciante *adj.2g.* e *s.2g.* (lat. *renuntians*). Que ou aquele que renuncia.

renunciar *v.t.* e *v.i.* (lat. *renuntiare*) [conj. 16]. **1.** Desistir da posse de, deixar voluntariamente (cargo, direito). **2.** Rejeitar, recusar. **3.** Renegar, abjurar, abandonar.

renunciatário *adj.* e *s.m.* Que ou aquele em favor de quem se faz uma renúncia.

reocupar *v.t.* (conj. 4). Ocupar novamente; retomar, reconquistar.

reordenar *v.t.* (conj. 4). **1.** Ordenar outra vez, voltar a pôr em ordem. **2.** Conferir nova ordem a; rearranjar.

reorganizar *v.t.* (conj. 4). **1.** Organizar novamente, introduzindo melhoramentos e inovações; reestruturar. **2.** Reformar.

reostato *s.m.* (ingl. *rheostat*). Aparelho utilizado como resistor variável, que permite modificar a corrente de um circuito.

reparação *s.f.* (lat. tard. *reparatio, reparationis*). **1.** Ato ou efeito de reparar(-se); reparo. **2.** Restauração, conserto. **3.** Retratação de atos injustos ou ofensivos. **4.** Indenização, ressarcimento de um prejuízo pela pessoa responsável. ● **Genét.** Conjunto de mecanismos que permitem que a célula reconstitua um segmento lesado da dupla hélice do ADN.

reparar *v.t.* (lat. *reparare*) [conj. 4]. **1.** Pôr em bom estado de funcionamento o que se havia estragado; restaurar, consertar. **2.** Restaurar, revigorar. **3.** Compensar, ressarcir, indenizar. **4.** Notar, observar, perceber. ★ *v.pr.* Recuperar-se, ressarcir-se.

reparo *s.m.* **1.** Ato ou efeito de reparar; reparação. **2.** Reforma, conserto. **3.** Exame atento; análise, observação. **4.** Comentário em que se aponta falha, defeito. **5.** Censura leve; advertência. **6.** Ajuda, socorro, auxílio.

repartição *s.f.* **1.** Ato ou efeito de repartir(-se). **2.** Seção, divisão ou serviço de um estabelecimento destinado a interesses coletivos. **3.** O local onde funcionam estas seções ou o estabelecimento.

repartimento *s.m.* **1.** Ato ou efeito de repartir; divisão, repartição, separação. **2.** Lugar separado de outros.

repartir *v.t.* (conj. 6). **1.** Dividir, separar em partes. **2.** Compartilhar, distribuir. **3.** Dividir em grupos. **4.** Partir de novo, tornar a partir. **5.** Utilizar, aproveitar, racionalizar. ★ *v.pr.* **1.** Ramificar-se, dividir-se. **2.** Dispersar-se. **3.** Dividir a atenção entre várias coisas.

repassar *v.t.* (conj. 4). **1.** Atravessar, passar por de novo. **2.** Transportar novamente. **3.** Executar de novo, repetir para certificar-se dos efeitos. **4.** Rememorar, lembrar, recapitular. **5.** Transferir cota de crédito. ★ *v.i.* **1.** Passar de novo; voltar. **2.** Deixar-se embeber. ★ *v.pr.* **1.** Embeber-se, ensopar-se. **2.** Encher-se.

repasse *s.m.* Ato ou efeito de repassar(-se).

repasto *s.m.* **1.** Abundância de pasto. **2.** Alimento que se toma geralmente em horas certas. **3.** Banquete.

repatriar *v.t.* (b.-lat. *repatriare*) [conj. 16]. Fazer voltar à pátria. ★ *v.pr.* Regressar à pátria.

repelão *s.m.* **1.** Choque violento; encontrão, empuxão. **2.** Investida, assalto.

repelente *adj.2g.* (lat. *repellens, repellentis*). **1.** Que repele. **2.** *Fig.* Asqueroso, nojento, repugnante. ★ *s.m.* Substância ou produto utilizado para afugentar insetos.

repelir *v.t.* (lat. *repellere*) [conj. 57]. **1.** Rejeitar com energia; recusar. **2.** Impelir para longe. **3.** Lançar fora; expelir.

repenicado *s.m.* Ato ou efeito de repenicar; repenique.

repenicar *v.t.* e *v.i.* (conj. 12). Produzir sons muito agudos e metálicos; repicar.

repenique *s.m.* Repenicado.

repensar *v.t.* e *v.i.* (conj. 4). **1.** Pensar maduramente; ponderar. **2.** Reexaminar, reconsiderar.

repente *s.m.* (lat. *repens, repentis*). **1.** Ato ou dito repentino e impensado. **2.** Qualquer improviso ou verso improvisado. **3.** *De repente,* subitamente, rapidamente, de supetão.

repentino *adj.* (lat. *repentinus*). Súbito, momentâneo, rápido, inopinado, inesperado.

repentista *adj.2g.* Que faz ou diz coisas no momento, de improviso. ★ *adj.2g.* e *s.2g.* Que ou aquele que faz versos de improviso.

repercussão *s.f.* (lat. *repercussio, repercussionis*) [conj. 6]. **1.** Ato ou efeito de repercutir. **2.** *Fig.* Bom êxito caracterizado por prestígio alcançado.

repercutir *v.t.* (lat. *repercutere*) [conj. 6]. Refletir, reproduzir (sons). ★ *v.i.* *Fig.* Causar impressão generalizada.

repertório *s.m.* (lat. tard. *repertorium*). **1.** Conjunto de assuntos, elementos ou itens colocados em ordem para facilitar a procura. **2.** Compilação, coleção. **3.** Conjunto de obras teatrais ou musicais de uma escola, de uma época ou de um autor. **4.** Conjunto de obras interpretadas por um artista, por uma companhia teatral. **5.** *Fig.* Conjunto de conhecimentos.

repetência *s.f.* Condição de repetente.

repetente *adj.2g.* (lat. *repetens, repetentis*). Repetidor. ★ *adj.2g.* e *s.2g.* Diz-se de ou aluno que, reprovado em exame, volta a freqüentar as aulas e estudar as mesmas matérias que já estudou.

repetição *s.f.* (lat. *repetitio, repetitionis*). **1.** Ato ou efeito de repetir. **2.** Enunciação das mesmas palavras, das mesmas idéias. **3.** Reiteração de um ato. ● **Arm.** *Arma de repetição,* a que pode disparar seguidamente vários tiros. **Psican.** *Compulsão à repetição,* pensamento ou comportamento inconscientes e incoercíveis cuja não realização gera um aumento de angústia.

repetir *v.t.* (lat. *repetere*) [conj. 57]. **1.** Redizer o que se disse. **2.** Executar outra vez; refazer. **3.** Refletir, espelhar, reproduzir. ★ *v.pr.* Redizer ou refazer muitas vezes o que já se disse ou fez.

repicar *v.t.* (conj. 12). **1.** Tornar a picar ou cortar; reduzir a pedaços. **2.** Produzir sons agudos e repetidos. ● **Agric.** Transportar uma muda de um lugar para outro. ★ *v.i.* Tocar repetidas vezes, dar repique.

repimpar *v.t.* (conj. 4). Encher, abarrotar, fartar (a barriga). ★ *v.pr.* **1.** Refestelar-se, empanturrar-se. **2.** Locupletar-se. **3.** Fartar-se.

repique *s.m.* **1.** Ato ou efeito de repicar; repicagem. **2.** Redução a porções muito pequenas. **3.** Toque festivo dos sinos. **4.** *Fig.* Alarme, rebate.

repisar *v.t.* (conj. 4). **1.** Tornar a pisar, calcar várias vezes. **2.** Tratar, dizer ou fazer de novo; repetir. **3.** Insistir sobre determinado tema até tornar-se enfadonho.

replantar *v.t.* (conj. 4). Plantar novamente.

replay *s.m.* (ingl.). Repetição de uma cena durante uma transmissão ao vivo.

repleto *adj.* (lat. *repletus*). **1.** Cheio, apinhado, abarrotado. **2.** Farto, empanturrado.

réplica *s.f.* **1.** Ato ou efeito de replicar; replicação. **2.** Resposta incisiva, breve ou peremptória a um dito ou escrito. **3.** Argumento com que se refuta outro argumento; contestação, objeção. **4.** Cópia, imitação.

replicação *s.f.* Réplica. ● **Genét.** Produção de novas moléculas de ADN e ARN por cópia de uma molécula preexistente. ▸ *Replicação viral,* produção de novas partículas virais a partir do genoma viral original inserido na célula hospedeira infectada.

replicar *v.t.* (lat. *replicare*) [conj. 12]. **1.** Dizer como réplica. **2.** Responder contestando. ★ *v.i.* **1.** Responder às objeções; redargüir, retorquir. **2.** Responder com impertinências, em vez de calar. **3.** Acusar em réplica.

repolho (ô) *s.m.* (esp. *repollo*). Planta hortícola que constitui uma variedade de couve, cujas folhas, verdes ou roxas e crespas ou lisas, adquirem o formato de uma bola.

repolhudo *adj.* **1.** Enovelado como o repolho; que tem a forma de repolho. **2.** *Fig.* Gordo, rechonchudo, roliço.

repontar *v.i.* (conj. 4). **1.** Surgir novamente. **2.** Começar a surgir; despontar. **3.** Amanhecer, raiar (o dia). **4.** Acometer, atacar voltando-se para trás. ★ *v.t.* Responder asperamente a alguém.

repor *v.t.* (lat. *reponere*) [conj. 45]. **1.** Tornar a pôr. **2.** Restituir, devolver.

reportagem *s.f.* (fr. *reportage*). **1.** Levantamento e coleta de informações para elaboração de matéria jornalística, executado pelo repórter. **2.** O artigo de jornal, revista, rádio ou televisão resultante da edição dessas informações. **3.** Conjunto de informações sobre determinado assunto divulgadas pelo rádio, pela televisão, jornais etc. **4.** Conjunto de repórteres.

reportar *v.t.* (lat. *reportare*) [conj. 4]. **1.** Voltar para trás; retroceder. **2.** Referir, atribuir. **3.** Conter, moderar. **4.** Alcançar, atingir. ★ *v.pr.* **1.** Conter-se, moderar-se, sofrear-se. **2.** Referir-se, aludir a.

repórter *s.2g.* (ingl. *reporter*). **1.** Jornalista que colhe informações ou notícias. **2.** Jornalista que faz reportagens. **3.** *Repórter fotográfico,* jornalista encarregado das fotos de uma reportagem.

reposição *s.f.* (lat. *repositio, repositionis*). **1.** Ato ou efeito de repor; restituição. **2.** Substituição, troca de elementos ou artigos gastos ou vendidos por outros semelhantes.

repositório *s.m.* (lat. *repositorium*). Lugar próprio para guardar algo; depósito.

reposteiro *s.m.* Pano ou peça de estofo que, a modo de cortina, cobre as portas interiores dos palácios, de igrejas etc.

repousar *v.t.* (lat. tard. *repausare*) [conj. 4]. **1.** Aliviar a fadiga de; descansar. **2.** Proporcionar sossego, alívio; tranqüilizar. ★ *v.i.* **1.** Recuperar-se de fadiga; descansar. **2.** Dormir. **3.** Ficar em repouso, em inatividade. **4.** Estar apoiado, ser sustentado por. **5.** Ter como base ou fundamento.

repouso *s.m.* **1.** Ato ou efeito de repousar; descanso. **2.** Ausência de movimento, relaxamento parcial. **3.** Pausa no trabalho; folga, descanso. **4.** Serenidade, tranqüilidade. **5.** *Clínica de repouso,* local para acolher idosos ou pacientes em restabelecimento. ● **Fís.** Estado de um corpo imóvel em relação a um referencial particular.

repovoar *v.t.* (conj. 20). **1.** Povoar novamente. **2.** Reconstituir a vegetação de um bosque, floresta etc.; reflorestar. **3.** Colocar novos peixes num tanque de criação, novos animais num parque de caça etc. ★ *v.pr.* Povoar-se novamente.

repreender *v.t.* (lat. *reprehendere*) [conj. 5]. Censurar, advertir energicamente.

repreensão *s.f.* (lat. *reprehensio, reprehensionis*). **1.** Ato ou efeito de repreender; reprimenda, censura. **2.** Descompostura feita a alguém por mau procedimento.

represa (ê) *s.f.* Obra que represa as águas; açude, dique, barragem.

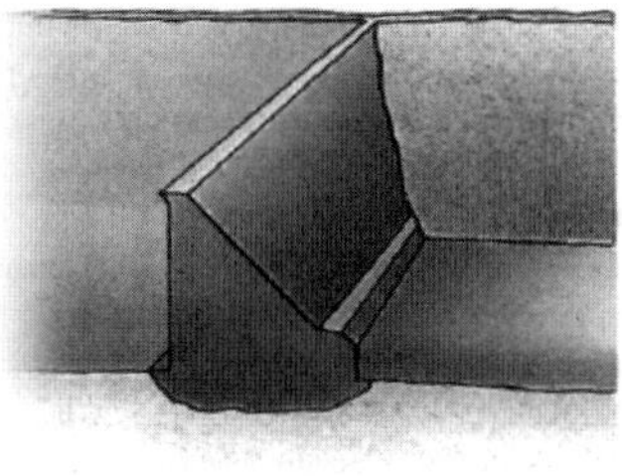

represália *s.f.* (it. ant. *ripresaglia*). Ato praticado contra alguém para vingar-se de ofensa ou para se indenizar de um dano sofrido; vindita, vingança.

represamento *s.m.* Ação de represar.

represar *v.t.* (conj. 4). **1.** Conter (massa líquida) por meio de diques ou barragens. **2.** Deter o curso de (águas). **3.** *Fig.* Opor obstáculo; conter, refrear.

representação *s.f.* (lat. *repraesentatio*). **1.** Ato ou efeito de representar(-se). **2.** Exposição, exibição. **3.** Imagem mental de um objeto. **4.** Ação de dar um espetáculo diante de um público, em particular no teatro; o próprio espetáculo. **5.** Ato de representar através da arte; obra artística que representa alguém, alguma coisa. **6.** Trabalho desempenhado em nome de uma firma, de uma empresa. **7.** Conjunto de representantes, delegação. **8.** *Fig.* Fingimento, dissimulação. ● **Filos.** Conhecimento fornecido ao espírito pelos sentidos e pela memória. **Psicol.** Percepção, imagem mental etc., cujo conteúdo se refere a um objeto, a uma situação, a uma cena etc. do mundo em que vive o sujeito.

representante *adj.2g.* Que representa. ★ *s.2g.* Pessoa física ou jurídica que tem mandato para representar outra.

representar *v.t.* (lat. *repraesentare*) [conj. 4]. **1.** Mostrar claramente; evidenciar, patentear. **2.** Reproduzir a imagem de; retratar, refletir. **3.** Significar. **4.** Expor verbalmente ou por escrito. **5.** Ser procurador de. **6.** Ser embaixador de. **7.** Atuar em um espetáculo diante do público, desempenhar um papel. ★ *v.i.* **1.** Desempenhar funções de ator; atuar. **2.** *Fig.* Fingir, dissimular. ★ *v.pr.* **1.** Oferecer-se ao espírito, apresentar-se. **2.** Aparecer sob outra forma.

representatividade *s.f.* Qualidade de representativo.

representativo *adj.* (lat. tard. *repraesentativus*). **1.** Que representa. **2.** Relativo à representação. **3.** Diz-se de pessoa ou organismo a que se reconhece o direito de representar uma comunidade, uma nação.

repressão *s.f.* (lat. tard. *repressio, repressionis*). Ato ou efeito de reprimir, coibição, refreamento. ● **Med.** Parada da síntese de um metabólito, por interrupção na síntese das enzimas implicadas em sua formação. **Psican.** Processo psíquico através do qual idéias, percepções ou afetos, desagradáveis ou inaceitáveis, são eliminados da consciência.

repressivo *adj.* Que reprime, que tem o objetivo de reprimir.

A B C D E F G H I J K L M N O P Q **R** S T U V W X Y Z

repressor (ô) *adj.* (lat. *repressor*). Que reprime. ★ *s.m.* O que reprime. ● **Genét.** Gene regulador que inibe a atividade de outro gene.

reprimenda *s.f.* Reprovação, censura feita a uma pessoa por omissão ou falta; repreensão.

reprimir *v.t.* (lat. *reprimere*) [conj. 6]. **1.** Conter, reter, sopitar. **2.** Impedir a ação ou o movimento de; coibir. **3.** Impedir por meio de punições severas. **4.** Violentar, tiranizar, oprimir. **5.** Disfarçar, dissimular. ● **Psican.** Rejeitar idéias, percepções ou afetos desagradáveis ou inaceitáveis.

reprimível *adj.2g.* Que se deve reprimir.

reprisar *v.t.* (conj. 4). Exibir novamente (filme cinematográfico, espetáculos etc.).

reprise *s.f.* Ato ou efeito de reprisar.

réprobo *adj.* (lat. *reprobus*). **1.** Condenado. **2.** Banido da sociedade. **3.** Malvado, detestado, infame.

reprochar *v.t.* (fr. *reprocher*) [conj. 4]. Censurar, exprobar.

reproche *s.m.* (fr. *reproche*). Censura, exprobação.

reprodução *s.f.* **1.** Ato ou efeito de reproduzir(-se). **2.** Imitação, cópia fiel. ● **Art. Gráf.** Obra obtida por meio de uma matriz, como a estampa da chapa, na gravura, ou o positivo do negativo, na fotografia etc. **Biol.** Propriedade característica das estruturas vivas que consiste em formar, em todas as escalas de observação (macromolécula, célula, organismo), estruturas vivas idênticas ou quase idênticas a ela mesma.

VOCÊ SABIA...? A **reprodução** das plantas ocorre de muitas formas: por meio de brotos que geram novas células, de esporos (como nas samambaias) ou por propagação vegetativa, como acontece com os morangos, cuja planta tem um talo longo e rasteiro de onde saem as raízes. Quando se corta esse talo rasteiro, a parte dotada de raízes produz uma planta nova. Da mesma forma, quando o olho ou broto de uma batata é cortado e plantado, brotam raízes das quais nasce uma nova planta de batata.

reprodutível *adj.2g.* Reproduzível.

reprodutivo *adj.* **1.** Que se reproduz. **2.** Relativo à reprodução.

reprodutor (ô) *adj.* **1.** Que serve à reprodução. **2.** Diz-se de qualquer instrumento que reproduz sinais, sons etc. ★ *s.m.* Aquele que reproduz. ● **Zootec.** Animal selecionado ou escolhido como genitor.

reproduzir *v.t.* (conj. 72). **1.** Produzir de novo. **2.** Imitar, copiar. **3.** Mostrar novamente; refletir, repetir ou traduzir com fidelidade. **4.** Copiar, transcrever. ★ *v.pr.* **1.** Perpetuar-se pela geração; procriar. **2.** Acontecer novamente; repetir-se.

reproduzível *adj.2g.* Que se pode reproduzir; reprodutível.

reprovação *s.f.* (lat. *reprobatio, reprobationis*). **1.** Ato ou efeito de reprovar. **2.** Censura, repreensão. **3.** Rejeição, condenação. **4.** Desprezo, desconsideração.

reprovado *adj.* **1.** Não aprovado; rejeitado, condenado. **2.** Censurado, repreendido. ★ *s.m.* Aquele que foi inabilitado em um exame ou seleção.

reprovar *v.t.* (lat. *reprobare*) [conj. 4]. **1.** Não aprovar; rejeitar. **2.** Censurar, repreender. **3.** Julgar inabilitado (um candidato, um aluno). **4.** Censurar com severidade; condenar.

reprovável *adj.2g.* (lat. *reprobabilis*). Que é digno de reprovação.

reptação[1] *s.f.* Ato ou efeito de reptar[1]; repto, oposição, desafio.

reptação[2] *s.f.* (lat. *reptatio, reptationis*). Modo de locomoção animal em que o corpo progride, sem o auxílio de membros, sobre uma superfície sólida ou no chão.

reptante[1] *adj.2g.* e *s.2g.* Que ou aquele que repta, desafia.

reptante[2] *adj.2g.* e *s.2g.* (lat. *reptans, reptantis*). Que ou aquele que anda de rastos, que se arrasta.

reptar[1] *v.t.* (lat. *reputare*) [conj. 4]. **1.** Desafiar, provocar. **2.** Opor-se a.

reptar[2] *v.i.* (lat. *reptare*) [conj. 4]. Andar de rastos, arrastar-se pelo chão, como os répteis.

répteis *s.m.pl.* Classe de vertebrados que apresentam pele cornificada, normalmente com escamas ou placas, desprovida de glândulas, que compreende os lagartos, as tartarugas, as cobras e os jacarés.

réptil *adj.2g.* (lat. *reptilis*). Que se arrasta. ★ *s.m.* **1.** Espécime dos répteis. **2.** *Fig.* Pessoa desprezível.

RÉPTIL ► Os répteis são animais de sangue frio, ou seja, absorvem calor do meio ambiente. São mais ativos em climas quentes, onde podem encontrar as plantas e os animais de que se alimentam o ano todo. Não há dúvida de que podem passar longos períodos sem comer, porque necessitam pouca energia para manter-se vivos. Quando faz frio, sua temperatura corporal baixa e eles se tornam muito lentos.

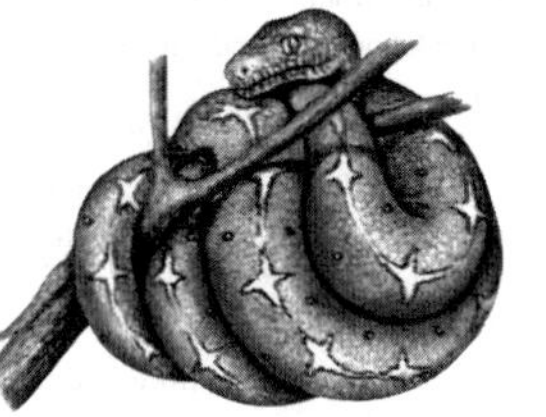

As serpentes são répteis.

repto *s.m.* Ato ou efeito de reptar[1]; desafio.

república *s.f.* (lat. *res publica*). **1.** Forma de governo em que um ou vários indivíduos são eleitos pelo povo para exercerem o poder por tempo determinado. **2.** Estado, país que tem essa forma de organização. **3.** O interesse comum; a comunidade. **4.** *Fam.* Habitação de estudantes.

republicanismo *s.m.* Sentimentos, opiniões, doutrina dos republicanos.

republicano *adj.* Relativo ou pertencente à república. ★ *adj.* e *s.m.* **1.** Que ou aquele que é partidário da república, ligado aos princípios da república. **2.** Que ou aquele que é membro ou eleitor de um partido republicano.

republicar *v.t.* (conj. 12). Publicar novamente.

repudiar *v.t.* (lat. *repudiare*) [conj. 16]. **1.** Rejeitar (a esposa) legalmente. **2.** Rejeitar, recusar, reprovar. **3.** Abandonar, desamparar.

repúdio *s.m.* (lat. *repudium*). Ato ou efeito de repudiar; rejeição.

repugnância *s.f.* (lat. *repugnantia*). **1.** Qualidade de repugnante. **2.** Aversão, repulsa, nojo. **3.** Escrúpulo, relutância.

repugnante *adj.2g.* (lat. *repugnans, repugnantis*). **1.** Que repugna. **2.** Que causa aversão ou náusea; nojento, asqueroso. **3.** Repulsivo, repelente. **4.** *Fig.* Que suscita indignação moral.

repugnar *v.t.* (lat. *repugnare*) [conj. 4]. **1.** Recusar, não aceitar, reagir contra. **2.** Não admitir, não adotar. **3.** Causar náusea, asco. **4.** Causar aversão. **5.** Ser incompatível. **6.** Opor-se, resistir. ★ *v.i.* Causar repulsa, aversão; inspirar antipatia.

repulsa *s.f.* (lat. *repulsa*). **1.** Ato ou efeito de repelir; repulsão. **2.** Repugnância, aversão.

repulsão *s.f.* (lat. *repulsio, repulsionis*). Repulsa. ● **Fís.** *Força de repulsão,* força em virtude da qual se repelem dois corpos. (Antôn. ATRAÇÃO.)

repulsar *v.t.* (lat. *repulsare*) [conj. 4]. **1.** Repelir, expulsar. **2.** Afastar, empurrar para fora ou para longe. **3.** Recusar, rejeitar. **4.** Repercutir, reenviar.

repulsivo *adj.* (lat. *repulsus*). **1.** Que inspira repulsa; repelente, repugnante. **2.** Que exerce repulsão.

reputação *s.f.* (lat. *reputatio, reputationis*). **1.** Ato ou efeito de reputar. **2.** Conceito de que goza uma pessoa por parte do público, da sociedade em que vive. **3.** Renome, estima, prestígio.

reputar *v.t.* (lat. *reputare*) [conj. 4]. **1.** Julgar, considerar, ter em conta. **2.** Dar reputação ou bom nome a. **3.** Estimar, avaliar. ★ *v.pr.* Considerar-se, julgar-se.

repuxar *v.t.* (conj. 4). **1.** Puxar de novo. **2.** Puxar para trás. **3.** Esticar, retesar. **4.** Apurar, refogar. **5.** Escorar, reforçar. ★ *v.i.* Formar jato.

repuxo *s.m.* **1.** Ato ou efeito de repuxar. **2.** Construção própria para conduzir a água de modo que ela se eleve em jato contínuo. **3.** Obra de suporte nas minas. **4.** Movimento de recuo; coice. **5.** *Fam.* Encargo pesado, tensão.

requebrar *v.t.* (conj. 4). **1.** Mover o corpo com meneios lânguidos; saracotear, gingar. **2.** Mover com languidez.

requebro (ê) *s.m.* **1.** Ato ou efeito de requebrar. **2.** Expressão amorosa dos olhos, da voz, do corpo. **3.** Gesto ou meneio amoroso.

requeijão *s.m.* **1.** Queijo artesanal fabricado a partir da coagulação espontânea do leite e subseqüente cocção da coalhada. **2.** Queijo fresco industrial, pastoso e de aspecto homogêneo, comercializado em potes.

requeimar *v.t.* (conj. 4). **1.** Queimar de novo ou em excesso. **2.** Ressecar pela ação do fogo ou do sol. **3.** Torrar. **4.** Ter sabor picante; arder. ★ *v.pr.* Magoar-se, ressentir-se, melindrar-se.

requentado *adj.* **1.** Diz-se do alimento que se tornou a aquecer. **2.** *Fig.* Diz-se de notícia de fato já conhecido, que se quer dar como novo.

requentar *v.t.* (conj. 4). **1.** Aquecer pela segunda vez, tornar a aquecer. **2.** Submeter por tempo longo à ação do calor.

requerente *adj.2g.* e *s.2g.* **1.** Que ou aquele que requer, pede em juízo, solicita alguma coisa a uma autoridade etc. **2.** Pretendente.

requerer *v.t.* (lat. *requaerere*) [conj. 38]. **1.** Pedir em juízo. **2.** Pretender. **3.** Exigir, demandar, precisar. **4.** Pedir, solicitar, rogar. **5.** Cortejar, namorar. **6.** Merecer. ★ *v.i.* Fazer ou dirigir petições a alguém.

requerimento *s.m.* **1.** Ato ou efeito de requerer. **2.** Petição por escrito feita com as formalidades legais. **3.** *P. ext.* Qualquer petição verbal ou por escrito.

reqüestador (ô) *adj.* e *s.m.* Que ou aquele que reqüesta.

reqüestar *v.t.* (conj. 4). **1.** Solicitar, instar, suplicar. **2.** Diligenciar para possuir. **3.** Pretender (o amor, as atenções de alguém); namorar, cortejar, galantear.

réquiem *s.m.* (lat. *requiem*, descanso). Composição musical sobre o texto litúrgico da missa dos defuntos.

RÉQUIEM ▸ A palavra *réquiem* começou a ser usada como uma espécie de abreviatura da frase que é o intróito, ou introdução, da oração que se reza em missas fúnebres e que em latim diz: *Requiem æternam dona eis, Domine* (Dá-lhes eterno descanso, Senhor). Mais tarde, também se usou a palavra para designar a música que acompanha os textos litúrgicos nos ofícios fúnebres católicos e que acabou se convertendo em um gênero de composição musical muito comum a partir do século XVI.

---

requintar *v.t.* (conj. 4). **1.** Elevar, levar ao auge, aprimorar, apurar. **2.** Dar a máxima perfeição a. ★ *v.i.* Ter afetação. ★ *v.pr.* Aprimorar-se, esmerar-se.

requinte *s.m.* **1.** Ato ou efeito de requintar(-se); apuro extremo. **2.** Exagero de perfeição, excesso no aperfeiçoamento de uma obra.

requisição *s.f.* (lat. *requisitio, requisitionis*). **1.** Ato ou efeito de requisitar, pedido, exigência legal. **2.** Solicitação ou ordem, por escrito.

requisitar *v.t.* (lat. *requaesitare*) [conj. 4]. **1.** Pedir ou exigir legalmente, para serviço público. **2.** Chamar, convocar. **3.** Pedir, solicitar.

requisito *s.m.* (lat. *requisitum*). Condição necessária a um determinado fim, à realização de um objetivo; quesito. ★ *adj.* Que se requisitou ou requereu.

requisitório *adj.* Que requisita; precatório, rogatório. ★ *s.m.* Requisição elaborada pelo procurador da República ou o representante do ministério público ao juiz para aplicar a lei a um incriminado.

rés *adj.2g.* (lat. *rasus*). Rente, raso. ★ *adv.* Rente, cerce, pela raiz.

rês *s.f.* (ár. *ras.* cabeça). Qualquer animal quadrúpede que se abate para a alimentação do homem.

rescaldar *v.t.* (conj. 4). **1.** Escaldar novamente. **2.** Escaldar ou aquecer em excesso.

rescaldo *s.m.* **1.** Calor refletido de uma fogueira, de uma fornalha etc. **2.** Cinzas quentes dos vulcões. **3.** Operação para impedir a recrudescência de um incêndio. **4.** Borralho. **5.** Vasilha que se enche de água fervente e sobre a qual se colocam pratos de comida para aquecer.

rescindir *v.t.* (lat. *rescindere*) [conj. 6]. **1.** Dissolver, invalidar (contrato). **2.** Romper, desfazer. ● **Dir.** Cassar, anular, invalidar.

rescindível *adj.2g.* Que se pode rescindir.

rescisão *s.f.* (lat. *rescisio, rescisionis*). Ato ou efeito de rescindir.

rescisório *adj.* (lat. *rescisorius*). **1.** Que dá ensejo a rescisão. **2.** Que tem por objeto a rescisão.

rés-do-chão *s.m.2n.* Pavimento de uma casa ou edifício que fica no nível do solo; andar térreo de uma casa.

resedá *s.m.* **1.** Erva originária da África, de folhas oblongas e flores amarelas, que possui propriedades sedativas e é também cultivada como ornamental. **2.** Sin. de HENA.

resenha *s.f.* **1.** Relação minuciosa. **2.** Enumeração por partes. **3.** Pequeno sumário crítico de uma obra, publicado na imprensa.

resenhar *v.t.* (lat. *resignare*) [conj. 4]. **1.** Fazer resenha de. **2.** Enumerar, sumariar.

reserva *s.f.* (lat. *reservare*, reservar). **1.** Ato ou efeito de reservar(-se). **2.** Aquilo que se reserva. **3.** Restrição, ressalva. **4.** *Fig.* Discrição, retraimento, cautela. ● **Ecol.** Mata que se deixa intocada em propriedade particular ou do Estado. **Esp.** Em certas modalidades esportivas, jogador que está na suplência do titular ou que o substitui quando este, por qualquer motivo, não pode jogar. **Mil.** Conjunto dos cidadãos sujeitos às obrigações militares legais e que não se acham em serviço ativo. ▸ Tropa que se mantém disponível para ser enviada como reforço, caso necessário. ★ *s.f.pl.* **Biol.** *Reservas nutritivas*, substâncias que o organismo animal ou vegetal não utiliza imediatamente após a ingestão e a digestão e que são acumuladas tal e qual ou polimerizadas em diferentes tecidos.

VOCÊ SABIA...? Muitos países têm delimitado áreas naturais (parques e **reservas**) onde a fauna e a flora são protegidas. Nessas áreas, as atividades humanas são restringidas: é proibido construir, salvo com prévia autorização administrativa; em geral, estão proibidas a caça, a pesca e a coleta de plantas. Em algumas áreas, não são admitidos visitantes, para não perturbar os animais nem causar danos à vegetação.

reservado *adj.* **1.** Que se reservou. **2.** Discreto, circunspecto. **3.** Oculto, íntimo. **4.** Cauteloso, prudente. ★ *s.m.* **1.** Privada, latrina. **2.** Peça, cubículo, em certos restaurantes, destinado aos fregueses que não desejam servir-se do salão comum.

reservar *v.t.* (lat. *reservare*) [conj. 4]. **1.** Pôr à parte para uso posterior; guardar. **2.** Limitar, excluir, restringir. **3.** Destinar algo exclusivamente para um fim, para uma pessoa, para uma ocasião. **4.** Encomendar, pagar antecipadamente acomodações em hotéis, passagens etc. **5.** Fazer segredo de; ocultar. ★ *v.pr.* **1.** Ficar de reserva. **2.** Guardar para si.

reservatório *adj.* Próprio para reservar. ★ *s.m.* **1.** Lugar apropriado para ter alguma coisa em reserva. **2.** Despensa, celeiro. **3.** Recipiente para produtos líquidos ou gasosos. **4.** Recipiente dimensionado para armazenar e distribuir água tratada para a população. **5.** Organismo no qual se encontra um agente infeccioso (vírus, bactéria ou parasita) que pode ser transmitido a um outro organismo.

reservista *adj.2g.* e *s.2g.* Que ou aquele que pertence à reserva das forças armadas.

resfolegar *v.i.* (conj. 14). **1.** Respirar, tomar o ar ou o fôlego. **2.** Repousar, descansar. **3.** Expelir, golfar.

resfriado *adj.* **1.** Que se resfriou. **2.** Que sofreu resfriamento; muito frio. ★ *s.m.* Indisposição física causada freqüentemente por infecção viral que tem como conseqüência a formação de catarro, coriza, tosse etc.

resfriamento *s.m.* Ato ou efeito de resfriar (-se). ● **Mec.** Operação que tem por finalidade evitar o superaquecimento das superfícies metálicas por meio da retirada de calor produzido pela combustão de uma mistura gasosa nos cilindros do motor; arrefecimento.

resfriar *v.t.* (conj. 16). **1.** Tornar a esfriar. **2.** Submeter a abaixamento de temperatura ou a um intenso frio artificial; refrigerar. **3.** *Fig.* Desanimar, desalentar. ★ *v.i.* Tornar-se frio; arrefecer(-se), esfriar(-se) ★ *v.pr.* Apanhar um resfriado; gripar-se.

resgatar *v.t.* (lat. *reexcaptare*) [conj. 4]. **1.** Recuperar por dinheiro algo cedido a outrem. **2.** Livrar de cativeiro a troco de dinheiro ou concessões. **3.** Tirar de situação perigosa; salvar. **4.** Tirar do esquecimento, livrar da ruína. **5.** Apagar, expiar. **6.** Cumprir, executar. **7.** Retomar. ★ *v.pr.* Fazer-se perdoar, remir-se, reabilitar-se.

resgate *s.m.* **1.** Ato ou efeito de resgatar(-se). **2.** O preço da pessoa ou coisa resgatada. **3.** Libertação de prisioneiro mediante compensação. **4.** Extinção de um débito em conseqüência de pagamento. **5.** Salvamento. **6.** Perdão de uma falta. **7.** Aquisição, por uma sociedade, das ações constitutivas de seu próprio capital social ou das obrigações emitidas.

Helicópteros são cada vez mais utilizados em operações de salvamento ou resgate.

resguardar *v.t.* (conj. 4). **1.** Abrigar, defender, guardar com cuidado. **2.** Acobertar, cobrir, servir de anteparo a. **3.** Proteger do frio, da chuva etc. **4.** Olhar ou estar defrontando para; defrontar com. **5.** Pôr a salvo. **6.** Observar, cumprir. **7.** Vigiar, atentar em. ★ *v.pr.* Defender-se, acautelar-se.

resguardo *s.m.* **1.** Ato ou efeito de resguardar (-se). **2.** Dieta, regime de alimentação, repouso. **3.** Decoro, pudor. **4.** Cuidado, preocupação. **5.** Defesa. **6.** Mistério, segredo. **7.** Período após o parto, em que a mulher fica acamada ou em repouso.

residência *s.f.* (lat. *residentia*). **1.** Morada habitual em determinado lugar; domicílio. **2.** Permanência obrigatória no lugar em que se exerce uma função. **3.** Casa de habitação; domicílio, lar, morada. ● **Med.** Tempo durante o qual um médico recém-formado recebe, em um determinado serviço hospitalar credenciado, orientação teórica e prática que lhe permitirá tornar-se especialista em algum ramo da medicina.

residencial *adj.2g.* **1.** Relativo a residência. **2.** Reservado a habitações particulares.

residente *adj.2g.* (lat. *resideus, residentis*). Que reside. ● **Inform.** *Programa residente*, parte do sistema operacional que está constantemente disponível na memória central e pode ser executada a qualquer momento. ★ *adj.2g.* e *s.2g.* **1.** Que ou aquele que reside no local em que trabalha. **2.** Morador. ● **Med.** Diz-se do ou médico recém-formado que exerce sua prática profissional em regime de residência.

residir *v.i.* (lat. *residere*) [conj. 6]. **1.** Morar, estar estabelecido em. **2.** Consistir em. **3.** *Fig.* Ter seu fundamento, basear-se.

residual *adj.2g.* **1.** Relativo a resíduo. **2.** Que provém de um resto. ● **Geogr.** *Relevo residual,* forma de relevo resultante da erosão diferencial que preservou camadas de rochas mais resistentes ou localizadas sobre um divisor de águas. **Med.** *Ar residual,* quantidade de ar que resta nos pulmões depois de uma expiração forçada.

resíduo *s.m.* (lat. *residuum*). Material que sobra ou resta depois de uma operação física ou química, de uma fabricação, particularmente após a extração dos produtos de valor maior. ● **Med.** Depósito formado no fundo de um recipiente pelos elementos contidos em um líquido (urina, sangue), depois de sedimentação ou centrifugação. ▸ Fração não digerível dos alimentos, que dá volume às matérias fecais e facilita o trânsito intestinal. ▸ Quantidade de urina que resta na bexiga depois da micção, nos doentes que sofrem de retenção urinária.

resignação *s.f.* (lat. *resignatio, resignationis*). **1.** Ato ou efeito de resignar(-se). **2.** Submissão (à vontade de alguém, ao destino etc.). **3.** Demissão voluntária de um cargo. **4.** Renúncia a um direito, a um cargo, em favor de alguém.

resignado *adj.* **1.** Que se submete pacientemente a uma força superior; submisso. **2.** Que suporta um mal sem se revoltar; conformado.

resignar *v.t.* (lat. *resignare*) [conj. 4]. Renunciar voluntariamente a; demitir-se de. ★ *v.pr.* Submeter-se sem revolta a; conformar-se.

resignatário *adj.* e *s.m.* Que ou aquele que resigna, que renuncia a cargo ou dignidade.

resiliência *s.f.* Propriedade dos corpos sólidos que determina sua resistência ao impacto de choques mecânicos.

resina *s.f.* (lat. *resina*). **1.** Substância odorífera, viscosa, combustível, insolúvel em água, secretada pelos vegetais. **2.** *Resina sintética,* produto artificial, dotado de propriedades análogas às da resina natural.

resinado *adj.* (lat. *resinatus*). Resinoso.

resinífero *adj.* Resinoso.

resinoso (ô) *adj.* (lat. *resinosus*). **1.** Diz-se do vegetal que é coberto por resina ou que produz resina; resinado, resinífero. **2.** Que tem as propriedades, a aparência ou a consistência da resina.

resipiscência *s.f.* (lat. *resipiscentia*). Reconhecimento de falta cometida, com propósito de emenda.

resistência *s.f.* (lat. *resistentia*). **1.** Ato ou efeito de resistir. **2.** Força que se opõe a ou anula os efeitos de outra. **3.** Capacidade de resistir às fadigas físicas ou aos infortúnios morais. **4.** Defesa contra um ataque. **5.** Oposição, reação, recusa de submissão. **6.** Força que se opõe ao movimento; inércia. **7.** Força que se opõe ao movimento de um corpo em contato com uma superfície ou em um meio fluido. **8.** *Fig.* Embaraço, empecilho. ● **Biol.** Propriedade, natural ou adquirida, de certas bactérias e outros seres vivos para resistir à ação de agentes químicos, físicos ou biológicos. **Eletr.** Propriedade apresentada por um condutor de opor-se à passagem de corrente elétrica. ▸ Quociente da tensão nos terminais de um resistor pela corrente que o percorre. ▸ Sin. impróprio de RESISTOR. **Eletrotéc.** Condutor elétrico cuja finalidade é o aquecimento através do efeito Joule. **Eng.** *Resistência dos materiais,* parte da mecânica aplicada cujo objetivo é avaliar tensões e deformações sofridas por uma estrutura sob a ação de esforços externos. **Psican.** Manifestação da recusa do sujeito em reconhecer um material inconsciente.

resistente *adj.2g.* (lat. *resistens, resistentis*). **1.** Que resiste, que tem resistência. **2.** Sólido, consistente, duro. **3.** Teimoso, obstinado. **4.** Que resiste ao tempo, ao desgaste. **5.** Que é dotado de uma resistência elétrica.

resistir *v.t.* e *v.i.* (lat. *resistere*) [conj. 6]. **1.** Não ceder; oferecer resistência. **2.** Não ceder ao choque de outro corpo. **3.** Opor força à força; defender-se. **4.** Durar, subsistir, conservar-se. **5.** Recusar-se, negar-se.

resistível *adj.2g.* A que se pode resistir.

resistor (ô) *s.m.* Componente de um circuito elétrico utilizado para impedir ou dificultar a passagem de corrente elétrica. (Sin. impróprio RESISTÊNCIA.)

resma (ê) *s.f.* (ár. *rizma*). Modo de apresentação de 500 folhas idênticas de papel.

resmungão *adj.* e *s.m.* Que ou aquele que resmunga; ranzinza, ranheta, rabugento.

resmungar *v.t.* (conj. 14). Pronunciar confusamente, por entre dentes e com mau humor. ★ *v.i.* Falar baixo, geralmente com rabugice; rezingar.

resmungo *s.m.* Ato ou efeito de resmungar.

resolução *s.f.* (lat. *resolutio, resolutionis*). **1.** Ato ou efeito de resolver(-se). **2.** Decisão, deliberação, desígnio. **3.** Solução, esclarecimento. **4.** Decisão de caráter; firmeza, determinação. ● **Fisiol.** *Resolução dos membros,* estado de relaxamento muscular. **Mat.** *Resolução de uma equação,* determinação das raízes dessa equação. **Med.** Desaparecimento de um tumor, que arrebenta sem necessidade de intervenção cirúrgica. **Metrol.** Menor divisão da escala no ponto em que está sendo feita a leitura. **Ópt.** *Poder de resolução,* capacidade que tem um instrumento de óptica de permitir a visão distinta de dois pontos próximos.

resoluto *adj.* (lat. *resolutus*). **1.** Que é firme em seus projetos, em seus desígnios; determinado, decidido. **2.** *Fig.* Intrépido, audaz.

resolver *v.t.* (lat. *resolvere*) [conj. 5]. **1.** Decompor um corpo em seus elementos constituintes. **2.** Desaparecer (inflamação, lesão) pouco a pouco. **3.** Achar a solução de (problema); solucionar. **4.** *Fig.* Tomar uma determinação; decidir. **5.** Desfazer, rescindir, anular. **6.** Reduzir, transformar, converter. ● **Mat.** Determinar o conjunto de soluções de uma equação, de um sistema de equações. ★ *v.pr.* Transformar-se.

respaldar *v.t.* (lat. *spathula,* espádua) [conj. 4]. **1.** Aplanar, alisar. **2.** *Fam.* Dar apoio a.

respaldo *s.m.* **1.** Ato ou efeito de respaldar. **2.** O encosto das cadeiras; espaldar. **3.** Encosto de qualquer assento. **4.** Banqueta de trás do altar. **5.** *Fam.* Apoio, base.

respectivo *adj.* (lat. *respecto*). **1.** Que concerne a cada pessoa, cada coisa, em relação às outras. **2.** Devido, próprio, pertencente.

respeitante *adj.2g.* Que diz respeito a.

respeitar *v.t.* (lat. *respectare*) [conj. 4]. **1.** Ter deferência por, mostrar consideração ou respeito a. **2.** Ter cuidado com; não causar dano ou perturbação a. **3.** Cumprir, observar, acatar. **4.** Temer, recear. **5.** Dizer respeito a; concernir. **6.** Reconhecer como válido; admirar. ★ *v.pr.* Guardar o decoro que convém à própria situação ou dignidade.

respeitável *adj.2g.* **1.** Digno de respeito; venerável. **2.** Considerável, importante, bastante grande. **3.** Formidável, extraordinário.

respeito *s.m.* (lat. *respectus*). **1.** Ato ou efeito de respeitar. **2.** Sentimento que leva a tratar algo ou alguém com deferência, consideração, reverência. **3.** Obediência, acatamento, submissão. **4.** Razão, motivo, causa. **5.** *Dizer respeito a,* pertencer ou referir-se a, ter relação com.

respeitoso (ô) *adj.* **1.** Que manifesta respeito. **2.** Cortês, atencioso, reverente.

respiga *s.f.* **1.** Ato ou efeito de respigar. **2.** Porção de espigas que os ceifadores deixam nos campos e que é apanhada após a colheita.

respigar *v.i.* (conj. 14). **1.** Apanhar no campo as espigas que aí ficaram após a colheita. **2.** Catar de novo; rebuscar. **3.** *Fig.* Recolher daqui e dali o que outros disseram ou fizeram; compilar, coligir.

respingar[1] *v.i.* (conj. 14). **1.** Lançar borrifos ou pingos. **2.** Deitar faíscas; crepitar. ★ *v.t.* Molhar ou sujar com respingos.

respingar[2] *v.i.* (esp. *respingar*) [conj. 14]. **1.** Responder com maus modos; recalcitrar, rezingar. **2.** Dar coices.

respingo *s.m.* Ato ou efeito de respingar.

respiração *s.f.* (lat. *respiratio, respirationis*). **1.** Ato ou efeito de respirar; respiramento, respiro. **2.** Conjunto dos fenômenos que permitem a absorção do oxigênio e a expulsão do gás carbônico pelos seres vivos. **3.** *Respiração artificial,* conjunto das manobras destinadas a suplementar a respiração natural, quando esta é insuficiente ou ineficaz, para assegurar uma hematose satisfatória.

OS DOIS MOVIMENTOS DA RESPIRAÇÃO

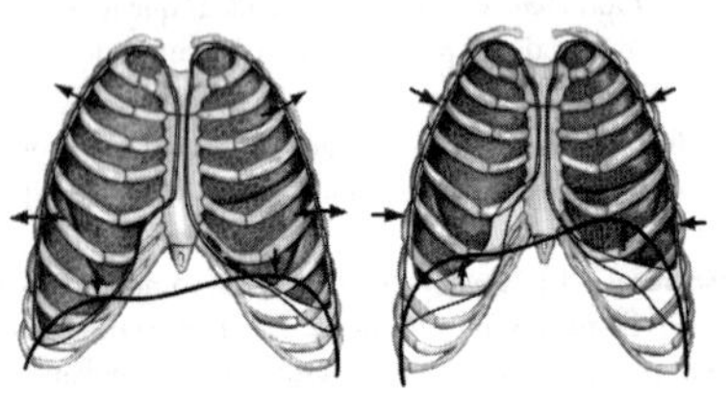

inspiração — expiração

respirador (ô) *adj.* Que serve para a respiração. ★ *s.m.* Aparelho destinado a assegurar uma ventilação pulmonar eficiente.

respiradouro *s.m.* **1.** Orifício de ventilação. **2.** Abertura ou dispositivo que permite a circulação do ar no interior de um edifício; respiro.

respirar *v.i.* (lat. *respirare*) [conj. 4]. **1.** Absorver o oxigênio do ar e expelir o gás carbônico. **2.** *Fig.* Estar vivo; viver. ★ *v.t.* **1.** Absorver e expelir (o ar). **2.** Exalar (cheiro), cheirar. **3.** *Fig.* Exprimir, manifestar, revelar.

respiratório *adj.* **1.** Relativo à respiração. **2.** Que serve para se respirar. ● **Med.** Diz-se dos músculos que concorrem para a inspiração do ar pelos pulmões. ► *Aparelho respiratório,* conjunto de estruturas anatômicas relacionadas à respiração (pulmões, brônquios, traquéia e vias aéreas superiores).

respirável *adj.2g.* Que se pode respirar, adequado à respiração.

respiro *s.m.* **1.** Respiração. **2.** Abertura ou orifício em recinto, recipiente etc., para permitir a circulação de ar, gases ou líquidos. **3.** Respiradouro. **4.** *Fig.* Descanso, repouso, folga.

resplandecência ou **resplendecência** *s.f.* **1.** Ato ou efeito de resplandecer ou resplendecer. **2.** Claridade, brilho, fulgor.

resplandecente ou **resplendecente** *adj.2g.* Que resplandece ou resplendece; brilhante, esplendente, esplandecente, resplendente.

resplandecer ou **resplendecer** *v.i.* (lat. *resplendescere*) [conj. 25]. **1.** Luzir, brilhar intensamente; resplender, esplandecer, esplender. **2.** *Fig.* Tornar-se notável; sobressair, engrandecer-se.

resplender *v.i.* (lat. *resplendere*) [conj. 5]. Resplandecer.

resplendor (ô) *s.m.* (lat. *resplendor*). **1.** Claridade, brilho intenso; resplandecência, resplendecência. **2.** Auréola, coroa. **3.** *Fig.* Glória, celebridade.

respondão *adj.* e *s.m.* **1.** Que ou aquele que tem o hábito de responder a tudo; respondedor. **2.** Que ou aquele que replica às admoestações, que responde mal, com grosseria.

responder *v.t.* (lat. *respondere*) [conj. 5]. **1.** Dar resposta ao que é dito, escrito ou perguntado; ripostar. **2.** Replicar, retorquir, retrucar. **3.** Agir ou fazer algo em reação a; retribuir. **4.** Responsabilizar-se. **5.** *Fig.* Faltar ao respeito devido a outras pessoas. ★ *v.i.* **1.** Dar resposta. **2.** Questionar, insubordinar-se. **3.** Repetir o som; ecoar. **4.** Fazer-se sentir por repercussão.

respondível *adj.2g.* Que se pode responder.

responsabilidade *s.f.* (lat. *responsabilitatis*). **1.** Caráter ou estado de responsável. **2.** Obrigação geral de responder pelas conseqüências dos próprios atos ou pelos de outros. ● **Dir.** *Responsabilidade civil,* obrigação legal de reparar dano causado a outrem, seja pela inexecução de obrigação nascida de um contrato, seja por ato danoso praticado com culpa ou dolo, ou ainda pelo fato ocasionado por um terceiro ou por um animal.

responsabilizar *v.t.* (lat. *responsabilis*) [conj. 4]. **1.** Chamar à responsabilidade. **2.** Tornar, considerar responsável. ★ *v.pr.* Tornar-se responsável por.

responsável *adj.2g.* e *s.2g.* (do lat. *respondere*). **1.** Que ou aquele que responde pelos seus atos ou pelos de outrem. **2.** Que ou aquele que deve prestar contas perante certas autoridades. **3.** *P. ext.* Autor, causador.

responso *s.m.* (lat. *responsum*). **1.** Conjunto de versículos católicos cantados ou rezados alternadamente por uma ou mais vozes e pelo coro. **2.** *Fam.* Descompostura, ralho. **3.** *Pop.* Oração que se dirige a Santo Antônio, para recuperar objetos desaparecidos.

responsório *s.m.* Canto executado alternadamente pelo coro e por um solista, nos ofícios da Igreja Católica; série de responsos.

resposta *s.f.* **1.** Ato ou efeito de responder. **2.** Palavras ou gestos com que se responde a uma pergunta. **3.** Solução de questão. **4.** Carta com que se responde a outra carta. **5.** Réplica.

resquício *s.m.* (esp. *resquício*). **1.** Fragmento, pedaço. **2.** Resíduo, vestígio. **3.** Racha, fisgo, fenda.

ressabiado *adj.* **1.** Desconfiado, espantado. **2.** Melindrado, ofendido, magoado. **3.** Que tem ressaibo; rançoso.

ressabiar *v.i.* (conj. 16). **1.** Tomar ressaibo. **2.** Ter manhas; ser espantadiço (falando-se de animais). **3.** Ofender, magoar. ★ *v.pr.* Desgostar-se, melindrar-se, magoar-se.

ressaca *s.f.* (esp. *resaca*). **1.** Agitação excepcional das águas do mar junto à costa, com ondas violentas, resultantes de uma tempestade ou de ventos fortes. **2.** Fluxo e refluxo. **3.** *Fam.* Mal-estar causado por uma bebedeira.

ressaibo *s.m.* **1.** Mau sabor; ranço. **2.** Vestígio, sinal, indício. **3.** Desagrado, ressentimento. **4.** Manha (da besta).

ressaltar *v.i.* (conj. 4). **1.** Dar saltos contínuos. **2.** Distinguir-se, destacar-se, ressair. ★ *v.t.* Fazer sobressair, tornar saliente; destacar.

ressalto *s.m.* **1.** Ato ou efeito de ressaltar. **2.** Saliência, proeminência, relevo. ● **Mec.** Saliência que limita o movimento de uma peça.

ressalva *s.f.* **1.** Nota, observação escrita para emendar ou validar rasuras e emendas em documentos. **2.** Restrição, exceção, reserva. **3.** Cláusula que modifica termos de contrato.

ressalvar *v.t.* (conj. 4). **1.** Prevenir com ressalva; fazer ressalva. **2.** Pôr a salvo; acautelar. **3.** Livrar de responsabilidade ou culpa, de perigo ou dano; eximir. **4.** Fazer restrição; excetuar. **5.** Corrigir, emendar. **6.** Desculpar-se, justificar-se.

ressarcimento *s.m.* Ato ou efeito de ressarcir; indenização, reparação.

ressarcir *v.t.* (lat. *resarcire*) [conj. 79]. **1.** Indenizar, compensar. **2.** Abastecer, prover.

ressecar *v.t.* (conj. 12). Tornar seco ou muito seco.

ressecção *s.f.* Cirurgia de retirada de parte de um órgão, tentando-se manter sua continuidade e função.

ressegurar *v.t.* (conj. 4). Pôr novamente no seguro.

ressentido *adj.* **1.** Melindrado, magoado, ofendido. **2.** Que sofreu abalo, dano ou moléstia. **3.** *Pop.* Diz-se de fruto que começa a apodrecer.

ressentimento *s.m.* Mágoa que se guarda de uma ofensa; rancor.

ressentir *v.t.* (conj. 56). Tornar a sentir. ★ *v.pr.* **1.** Ofender-se, magoar-se, melindrar-se. **2.** Sentir efeitos danosos de alguma coisa.

ressequido *adj.* **1.** Desprovido de umidade; seco. **2.** Magro, mirrado.

ressequir *v.i.* (conj. 79). Tirar a umidade a; secar muito.

ressoante *adj.2g.* (lat. *resonans, resonantis*). **1.** Que ressoa. **2.** Ressonante.

ressoar *v.i.* (lat. *resonare*) [conj. 20]. Soar com estrépito; retumbar, ecoar. ★ *v.t.* **1.** Cantar, entoar. **2.** Emitir som prolongado; ser sonoro.

ressonância *s.f.* (lat. *resonantia*). **1.** Ato ou efeito de ressonar, de repercutir. **2.** Propriedade de aumentar a duração ou a intensidade do som. **3.** Modo de transmissão das ondas sonoras por um corpo. **4.** Ruído confuso resultante do prolongamento ou reflexão de um som. **5.** *Fig.* Repercussão, reação. ● **Fís.** Aumento da amplitude de oscilação de um sistema, sob a influência de impulsos regulares de freqüência próxima da freqüência própria do sistema. **Med.** *Ressonância magnética nuclear* (RMN), método de reconstituição das imagens anatômicas, que utiliza a propriedade de certos núcleos atômicos de se comportarem simultaneamente como pequenos ímãs e como giroscópios.

ressonante *adj.2g.* (lat. *resonans, resonantis*). **1.** Que ressoa; ressoante. **2.** Suscetível de entrar em ressonância.

ressonar *v.t.* (lat. *resonare*) [conj. 4]. **1.** Fazer soar; ressoar. **2.** Respirar com ruído durante o sono. **3.** Repousar no sono; dormir.

ressudar *v.t.* (lat. *resudare*) [conj. 4]. Deixar passar (um líquido); destilar, ressumar. ★ *v.i.* Suar de novo; transpirar, transudar.

ressumação *s.f.* Ato ou efeito de ressumar, mantendo-se constantemente úmido.

ressumar *v.t.* e *v.i.* (conj. 4). **1.** Ressudar, gotejar, destilar. **2.** Dar passagem a líquidos; coar-se. **3.** *Fig.* Transparecer, manifestar-se, revelar-se.

ressupinar *v.t.* (conj. 4). Voltar, virar para cima.

ressupino *adj.* (lat. *resupinus*). Voltado para cima.

ressurgimento *s.m.* Ato ou efeito de ressurgir; ressurreição.

ressurgir *v.i.* (lat. *resurgere*) [conj. 52]. **1.** Surgir de novo; reaparecer. **2.** Ressuscitar, reviver, renascer.

ressurreição *s.f.* (lat. *resurrectio, resurrectionis*). **1.** Ato ou efeito de ressuscitar. **2.** Festa em que a Igreja Católica celebra a ressurreição de Jesus Cristo (Páscoa).

? VOCÊ SABIA...? O domingo de Páscoa é o dia mais glorioso e importante do calendário cristão. A crença na morte e na **ressurreição** de Cristo se difundiu entre vários judeus da Palestina, entre os povos do Mediterrâneo oriental (graças à obra missionária do apóstolo Paulo) e posteriormente por todo o mundo.

---

ressuscitador (ô) *adj.* e *s.m.* **1.** Que ou o que ressuscita. **2.** Que ou aquele que renova ou restaura.

ressuscitar *v.t.* (lat. *ressuscitare*) [conj. 4]. **1.** Trazer um ser da morte à vida. **2.** *Fig.* Despertar, rejuvenescer. **3.** Fazer voltar à lembrança. ★ *v.i.* **1.** Voltar à vida. **2.** Reaparecer, ressurgir. **3.** *Fig.* Escapar indene a grande perigo; curar-se de moléstia grave.

restabelecer *v.t.* (conj. 25). **1.** Estabelecer de novo; repor no antigo estado ou condição. **2.** Restaurar, reparar, recuperar. **3.** Restituir à forma original exata; reconstituir. ★ *v.pr.* Recuperar a saúde.

restabelecimento *s.m.* **1.** Ato ou efeito de restabelecer(-se). **2.** Reconquista das forças ou saúde perdidas.

restante *adj.2g.* (lat. *restans, restantis*). Que resta, que sobeja; remanescente. ★ *s.m.* Resto, sobra.

restar *v.i.* (lat. *restare*) [conj. 4]. **1.** Ficar, existir depois de destruição, supressão ou dispersão dos demais. **2.** Sobrar, sobejar. **3.** Ficar, subsistir como resto ou remanescente.

restauração *s.f.* (lat. *restauratis, restaurationis*). **1.** Ato ou efeito de restaurar(-se). **2.** Reparo, conserto. **3.** Reconstituição de forças depois de doença ou fadiga.

restaurador (ô) *adj.* e *s.m.* (lat. *restaurator*). Que ou o que restaura.

restaurante *adj.2g.* Que restaura. ★ *s.m.* **1.** Estabelecimento comercial que prepara e serve comidas; casa de pasto. **2.** Refeitório.

restaurar *v.t.* (lat. *restaurare*) [conj. 4]. **1.** Reparar, recuperar, consertar. **2.** Instituir novamente; restabelecer. **3.** Recobrar as forças ou a saúde; recuperar-se, restabelecer-se. ★ *v.pr.* Restabelecer-se, reanimar-se.

restaurável *adj.2g.* Que se pode restaurar.

restelo (ê) *s.m.* Var. de RASTELO.

réstia *s.f.* (lat. *restis*). **1.** Trança de caules ou juncos secos. **2.** Feixe de luz que passa através de um orifício ou abertura estreita.

restilar *v.t.* (conj. 4). Destilar outra vez.

restinga *s.f.* **Geogr.** Língua de areia depositada pelo mar, paralelamente à costa e a ela ligada por uma das extremidades, podendo isolar uma laguna; cordão litorâneo. ► Faixa de mato à margem de um rio ou igarapé.

restituição (u-i) *s.f.* (lat. *restitutio, restitutionis*). **1.** Ato ou efeito de restituir. **2.** Coisa restituída. **3.** Pagamento de dinheiro tomado por empréstimo.

restituir *v.t.* (lat. *restituere*) [conj. 74]. **1.** Entregar o que se possuía indevidamente ou por empréstimo; devolver. **2.** Fazer voltar ou retornar. **3.** Restabelecer, reconstituir. **4.** Pagar, indenizar.

restituível *adj.2g.* Que se pode ou deve restituir.

resto *s.m.* **1.** O que fica do que se gastou ou usou; o restante. **2.** Sobra, resíduo. **3.** *De resto,* quanto ao mais; aliás. ● **Mat.** Numa divisão aritmética, a diferença entre o dividendo e o produto do divisor pelo quociente. ★ *s.m.pl.* **1.** Destroços, ruínas. **2.** *Restos mortais,* ossada, cadáver ou cinzas de uma pessoa.

restolho (ô) *s.m.* **1.** Palha que fica no campo após a colheita. **2.** Parte do caule das gramíneas que fica enraizada após a ceifa.

restrição *s.f.* (lat. *restrictio, restrictionis*). **1.** Ato ou efeito de restringir(-se). **2.** Cláusula, condição que restringe.

restringente *adj.2g.* (lat. *restringens, restringentis*). Restritivo.

restringir *v.t.* (lat. *restringere*) [conj. 52]. Reduzir a limites mais estritos; limitar, diminuir. ★ *v.pr.* Limitar-se, coibir-se, refrear-se.

restrito *adj.* (lat. *restrictus*). **1.** Que tem extensão ou tamanho diminuído ou limitado; reduzido. **2.** Que não ultrapassa os limites precisos.

resultado *s.m.* **1.** Ato ou efeito de resultar. **2.** Conseqüência, efeito. **3.** Produto ou solução de uma operação matemática. **4.** Deliberação, decisão. **5.** Saldo da conta de lucros e perdas.

resultante *adj.2g.* (lat. *resultans, resultantis*). Que resulta; conseqüente, derivado. ★ *s.f.* O que resulta da ação conjugada de diferentes fatores; efeito, conseqüência. ● **Fís.** Força que resulta da soma vetorial de todas as forças que atuam sobre um corpo.

resultar *v.t.* (lat. *resultare*) [conj. 4]. **1.** Ser a conseqüência, o efeito, a conclusão lógica de. **2.** Redundar, provir, proceder. **3.** Tornar-se, reverter.

resumido *adj.* Conciso, breve.

resumir *v.t.* (lat. *resumere*) [conj. 6]. **1.** Condensar em poucas palavras (o que foi dito ou escrito mais extensamente); sintetizar. **2.** Simbolizar, representar (em ponto ou escala menor). **3.** Limitar, reduzir, restringir. **4.** Converter, transformar. **5.** Reduzir a menores proporções. ★ *v.pr.* Consistir.

resumo *s.m.* **1.** Ato ou efeito de resumir; síntese, sinopse. **2.** Texto pequeno que resume todo um trabalho científico, e que é colocado no início deste.

resvalar *v.t.* e *v.i.* (esp. *resbalar*) [conj. 4]. **1.** Fazer escorregar ou cair. **2.** Cair ou descer escorregando ou deslizando. **3.** *Fig.* Incidir em erro, falta ou crime.

resvalo *s.m.* **1.** Ato ou efeito de resvalar. **2.** Lugar por onde se resvala; declive.

reta *s.f.* **1.** Linha que pode ser representada por um fio estendido ou por um fio de prumo. **2.** Porção de estrada ou pista em linha reta. ● **Mat.** Alinhamento de infinitos pontos, cujas posições em relação a um referencial são determinadas por uma equação, dita equação de reta.

retábulo *s.m.* (esp. *retablo*). Obra pintada ou entalhada em madeira, mármore ou outro material, geralmente colocada sobre um altar ou atrás deste.

retaco *adj.* (esp. *retaco*). (*S*) Diz-se de pessoa ou animal de pequena estatura; atarracado, retacado.

retaguarda *s.f.* **1.** A parte posterior de. **2.** A parte oposta à vanguarda.

retal *adj.2g.* **1.** Relativo ao reto. **2.** *Ampola retal,* parte superior e dilatada do reto.

retalhação *s.f.* Ato ou efeito de retalhar. (Cf. RETALIAÇÃO.)

retalhar *v.t.* (conj. 4). **1.** Cortar em pedaços, reduzir a retalhos. **2.** Fazer talho em; cortar, ferir. **3.** *Fig.* Dividir, separar. fragmentar. **4.** Lavrar, sulcar. **5.** Vender a varejo, a retalho. (Cf. RETALIAR.)

retalhista *adj.2g.* e *s.2g.* Que ou aquele que vende a retalho. ★ *adj.2g.* Relativo ao comércio a retalho.

retalho *s.m.* **1.** Parte que se tira, se corta de uma coisa (especialmente de tecido); pedaço, fragmento. **2.** *A retalho,* por miúdo, a varejo.

retaliação *s.f.* **1.** Ato ou efeito de retaliar. **2.** Represália, vingança, desforra. (Cf. RETALHAÇÃO.)

retaliar *v.t.* (lat. tard. *retaliare*) [conj. 16]. **1.** Aplicar a pena de Talião a, isto é, castigar com pena ou mal semelhante à ofensa recebida. **2.** Desagravar, vingar. **3.** Reagir violentamente a um ataque. (Cf. RETALHAÇÃO.)

retangular *adj.2g.* **1.** Que tem a forma de retângulo. **2.** Diz-se, às vezes, dos eixos de coordenadas quando são ortogonais dois a dois.

retângulo *s.m.* (lat. tard. *rectangulum*). **1.** Quadrilátero plano que tem quatro ângulos retos; superfície limitada por esse quadrilátero. **2.** Por oposição ao quadrado, esse mesmo quadrilátero quando tem dois lados consecutivos desiguais (o comprimento e a largura). ★ *adj.* **1.** Que tem um ângulo reto. **2.** *Triângulo retângulo,* triângulo que tem um ângulo reto.

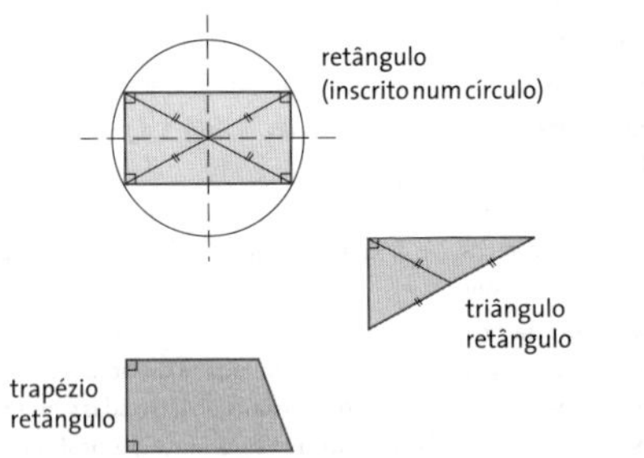

retardado *adj.* Que se retardou; atrasado, tardio. ★ *adj.* e *s.m.* Diz-se de ou indivíduo cujo desenvolvimento mental está aquém do índice normal para sua idade.

retardamento *s.m.* **1.** Ato ou efeito de retardar; retardo, retardação. **2.** Atraso, adiamento, procrastinação. ● **Psicol.** *Retardamento mental* ou *intelectual,* insuficiência grave e precoce do desenvolvimento mental, marcada por um déficit intelectual agudo.

retardar *v.t.* (lat. *retardare*) [conj. 4]. **1.** Fazer chegar mais tarde; tornar tardio, atrasar. **2.** Protelar, adiar, procrastinar. ★ *v.pr.* Chegar mais tarde; demorar-se.

retardatário *adj.* e *s.m.* Que ou aquele que chega fora de tempo, que está em atraso; atrasado.

retardo *s.m.* Retardamento. ● **Fís.** Defasagem negativa de uma grandeza senoidal em relação a uma outra de mesma freqüência. **Mús.** Prolongamento do som de uma nota musical no acorde seguinte àquele a que efetivamente pertence.

retemperar *v.t.* (conj. 4). **1.** Tornar a temperar, dar nova têmpera a. **2.** *Fig.* Fortificar, revigorar, revitalizar. ★ *v.pr.* Criar novas forças; revigorar-se.

retenção *s.f.* (lat. *retentio, retentionis*). **1.** Ato ou efeito de reter. **2.** Demora, delonga, detenção. **3.** Cárcere, prisão, detenção. **4.** Acúmulo excessivo no organismo de produtos que normalmente devem ser eliminados.

retentor (ô) *adj.* e *s.m.* (lat. *retentor*). Que ou o que retém. ★ *s.m.* Peça que retém o movimento de outra peça, de um mecanismo ou o fluxo de óleo, água, gás etc.

reter *v.t.* (lat. *retinere*) [conj. 1]. **1.** Ter firme, não deixar escapar das mãos; segurar. **2.** Guardar, conservar, manter. **3.** Não deixar que se vá; manter consigo. **4.** Conter, refrear, moderar. **5.** Deter, suspender, sustar. **6.** Guardar na memória; ter de cor.

retesar *v.t.* (conj. 4). **1.** Tornar tenso; entesar, esticar. **2.** Tornar teso ou rijo; enrijar, endurecer. ● **Nav.** Amarrar (uma vela) dobrada sobre a verga. ★ *v.pr.* Tornar-se tenso; enrijar.

reticência *s.f.* (lat. *reticentia*). **1.** Supressão ou omissão voluntária de uma coisa que poderia ou deveria ter sido dita. **2.** A própria coisa emitida. ★ *s.f.pl.* Sinal de pontuação (...) com que se marca uma interrupção da frase.

reticenciar *v.t.* (conj. 16). Colocar reticências em.

reticente *adj.2g.* (lat. *reticens, reticentis*). **1.** Em que há ou que manifesta reticência. **2.** Reservado, retraído.

rético *adj.* (lat. *raethicus*). Relativo à antiga Récia (Suíça oriental). ★ *s.m.* Língua românica falada na Suíça.

retícula *s.f.* Rede fina; retículo. ● **Fís.** Rede de difração formada por um grande número de traços finos sobre o vidro, com diversos empregos em óptica.

EXEMPLOS DE RETÍCULAS

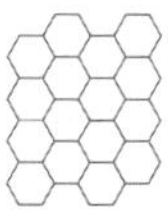

de hexágonos

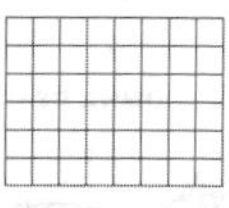

de quadrados

reticulado *adj.* (lat. *reticulatus*). **1.** Que tem linhas e nervuras entrecortadas como uma rede; reticular. **2.** Provido de retículo.

reticular *adj.2g.* (lat. *reticularis*). Que tem a forma de rede; reticulado. ● **Anat.** *Formação reticular,* estrutura situada na região médio-ventral do bulbo raquidiano e do mesencéfalo.

retículo *s.m.* (Do lat. *reticulum.*) Rede fina; retícula. ● **Bot.** Conjunto de filamentos, de nervuras, com estrutura de pequena rede, presente em certos órgãos vegetais. **Cristal.** *Retículo cristalino,* sistemas de pontos considerados como os centros de gravidade das partículas materiais, dispostos de maneira que constituam uma rede de três dimensões e de malhas paralelepipedais. **Fisiol.** *Retículo endoplasmático,* rede intracelular de canais intercomunicantes. ▸ *Retículo fibrinoso,* rede formada pela fibrina por ocasião da coagulação. **Zool.** Segunda cavidade do estômago dos ruminantes.

retidão *s.f.* (lat. *rectitudo*). **1.** Qualidade de reto. **2.** *Fig.* Conformidade com a justiça, com a lei, com o dever; lisura, probidade. **3.** Legalidade, legitimidade.

retífica *s.f.* Oficina em que se retificam motores de automóveis.

retificação *s.f.* **1.** Ato ou efeito de retificar(-se). **2.** Processo industrial de redestilação de um líquido para torná-lo mais puro. **3.** Operação que visa colocar em pleno funcionamento um motor já desgastado pelo uso. ● **Eletrotéc.** Transformação de uma corrente alternada em corrente contínua. **Mat.** Determinar, quando possível, o comprimento de um arco.

retificar *v.t.* (lat. *rectificare*) [conj. 12]. **1.** Tornar reto; alinhar. **2.** Tornar exato, preciso. **3.** Corrigir, emendar. **4.** Proceder à retificação de um motor. ● **Eletrotéc.** Transformar uma corrente alternada em contínua. **Mat.** Determinar o comprimento de um arco, quando isso é possível. **Quím.** Submeter à retificação; purificar por meio de destilação.

retilíneo *adj.* (lat. *rectilineus*). **1.** Que está em linha reta. **2.** Que tem a forma de uma reta ou de seguimento de reta; reto. **3.** Formado unicamente de linhas retas. ● **Fís.** *Movimento retilíneo,* movimento de um ponto cuja trajetória é uma reta.

retina *s.f.* (lat. tard. *retina*). Membrana do fundo do olho, formada por células nervosas relacionadas com as fibras do nervo óptico e sensível à luz.

retinir *v.i.* (lat. *retinnire*) [conj. 6]. **1.** Tornar a tinir. **2.** Produzir som forte, metálico, agudo e repetido. **3.** Soar, ecoar.

retinol *s.m.* Vitamina A.

retinopatia *s.f.* Afecção da retina.

retinto *adj.* (lat. *retinctus*). **1.** Tinto novamente. **2.** Que tem cor carregada. ★ *s.m.* Cor escura e carregada.

retirada *s.f.* **1.** Ato ou efeito de retirar(-se). **2.** Recuo de tropas impossibilitadas de conservar sua posição. **3.** Importância em dinheiro que o sócio de uma firma retira mensalmente a título de pagamento por seu trabalho. **4.** Saque sobre fundos depositados por meio de cheque ou outro documento hábil. **5.** (*NE*) Emigração dos sertanejos que abandonam as regiões assoladas pela seca, procurando trabalho e condições de vida em outras regiões do país.

retirado *adj.* **1.** Que se retirou. **2.** Afastado, recolhido, isolado. **3.** Ermo, isolado, pouco freqüentado.

retirante *adj.2g.* e *s.2g.* **1.** Que ou aquele que se retira. **2.** Diz-se de ou sertanejo nordestino que emigra fugindo das secas.

retirar *v.t.* (conj. 4). **1.** Tirar para trás ou para si; retrair. **2.** Tirar do lugar em que estava; fazer sair. **3.** Subtrair, tirar. **4.** Privar de; confiscar, tomar. **5.** Obter, auferir como resultado ou lucro; tirar. **6.** Desdizer. ★ *v.pr.* **1.** Partir, ir-se, sair. **2.** Afastar-se, sair. **3.** Apartar-se, isolar-se, recolher-se. **4.** Recuar, retroceder.

retiro *s.m.* **1.** Lugar solitário, afastado. **2.** Local onde é feito um retiro. **3.** *fig.* Refúgio, abrigo.

reto *adj.* (lat. *rectus*). **1.** Que não tem curvatura; direito. **2.** Que vai sempre na mesma direção. **3.** *Fig.* Justo, íntegro, honesto, probo. ● **Anat.** *Músculo reto,* nome dado a 12 músculos pares do corpo humano. ▸ *Músculos retos oculares,* músculos que permitem os movimentos do globo ocular. **Geom.** *Ângulo reto,* ângulo formado pela intersecção de duas linhas perpendiculares. **Gram.** *Pronomes retos,* pronomes pessoais que exercem a função sintática de sujeito. ★ *s.m.* O justo, o verdadeiro. ● **Anat.** Porção terminal do cólon, que finaliza no ânus. ★ *adv. Pop.* De modo reto; direito.

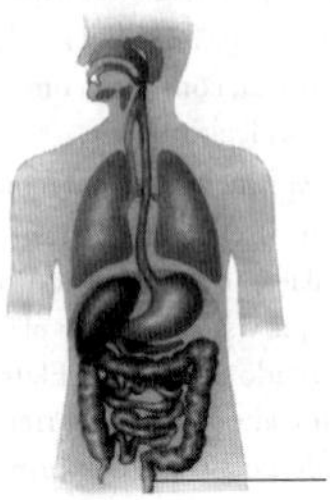

RETO ► Os tumores benignos do reto são freqüentes e por isso devem ser extirpados para evitar que degenerem. O câncer do reto se manifesta por hemorragia, urgência em evacuar e sensação de não ter se aliviado por completo, mas pode permanecer latente durante muito tempo.

retocar *v.t.* (conj. 12). **1.** Tocar de novo. **2.** Aperfeiçoar, ajeitar. **3.** Corrigir, emendar.

retomar *v.t.* (conj. 4). **1.** Tornar a tomar; recuperar, reocupar. **2.** Reconquistar. **3.** Continuar uma coisa interrompida.

retoque *s.m.* **1.** Ato ou efeito de retocar. **2.** Última demão com que se corrige ou aperfeiçoa uma obra; toque. **3.** Correção de imperfeições sobre a superfície de um quadro ou escultura.

retor (ô) *s.m.* Retórico.

retorcer *v.t.* e *v.pr.* (conj. 25). **1.** Tornar a torcer(-se); torcer(-se) muitas vezes. **2.** Contrair(-se), enrugar(-se).

retórica *s.f.* (do gr. *rhetorike tekhne*). **1.** Arte de bem falar (ou escrever), com o propósito de convencer, persuadir; eloqüência, oratória. **2.** Teoria ou conjunto de normas e regras relativas a essa arte. **3.** Livro que encerra essas regras. **4.** *Pej.* Afetação de eloqüência.

VOCÊ SABIA...? A **retórica** nasceu nas democracias gregas da Antiguidade; elaborada empiricamente pela análise de obras de oratória, foi criada pelos sicilianos Córax e Tísias no século V a.C. e desenvolvida pelos sofistas Protágoras e Górgias, desejosos de dar à palavra uma eficácia prática. Platão, na obra *Fedro*, e Aristóteles, em sua *Retórica*, deram-lhe fundamento filosófico com base no conhecimento das paixões. Durante a época helenística, a retórica floresceu. Em Roma, essa ciência só se desenvolveu a partir do século I a.C. e atingiu seu apogeu no século I d.C., com Sêneca, o Retórico.

retórico *adj.* (gr. *rhetorikos*). **1.** Relativo à retórica. **2.** *Fig.* Empolado, prolixo. ★ *s.m.* **1.** Aquele que sabe ou ensina retórica; retor. **2.** *Fig.* Orador afetado.

retornar *v.t.* (conj. 4). **1.** Ir novamente; voltar, regressar. **2.** Devolver, restituir. ★ *v.i.* **1.** Chegar de volta; regressar. **2.** Ocorrer novamente, acontecer de novo.

retorno (ô) *s.m.* **1.** Ato ou efeito de retornar; regresso, volta. **2.** Nova ocorrência; repetição. **3.** Devolução, restituição. **4.** Via ou caminho próprio para mudar de sentido em uma rodovia etc. ● **Med.** Segunda consulta feita ao médico para verificar a evolução de um problema cujo tratamento foi iniciado em uma primeira visita.

retorquir *v.t.* e *v.i.* (lat. *retorquere*) [conj. 78]. **1.** Replicar, contrapor. **2.** Retrucar, responder. **3.** Opor argumento a argumento; responder, retrucar.

retorta *s.f.* (b.-lat. *retorta*). **1.** Vaso de gargalo estreito e curvo, para destilação. **2.** A curva do báculo.

retração *s.f.* (lat. *retractio, retractionis*). Ato ou efeito de retrair(-se); retraimento, contração, encolhimento. ● **Fís.** Diminuição do volume de um corpo por efeito de resfriamento, calcinação, solidificação etc. **Med.** Encurtamento apresentado por certos tecidos ou órgãos.

retraído *adj.* **1.** Que se retraiu. **2.** Que procede reservadamente; acanhado, tímido.

retrair *v.t.* (lat. *retrahere*) [conj. 68]. **1.** Puxar para si; contrair, encolher. **2.** Não manifestar; reprimir. **3.** Recolher no mais íntimo; esconder, ocultar. ★ *v.pr.* **1.** Recolher-se em si mesmo; concentrar-se. **2.** Não manifestar o que pensa ou sente, agir com reserva. **3.** Retirar-se, alhear-se, afastar-se.

retranca *s.f.* **1.** Correia que segura a sela à cauda das bestas; rabicho. **2.** Tranca de porta ou de janela. **3.** *Fam.* Economia, limite nas despesas. **4.** *Fig.* Tática defensiva no futebol.

retransmissor (ô) *adj.* e *s.m.* **1.** Que ou o que retransmite. **2.** Diz-se de ou aparelho que, em telecomunicações, retransmite automaticamente os sinais recebidos.

retransmitir *v.t.* (conj. 6). **1.** Tornar a transmitir. **2.** Transmitir a outrem uma mensagem recebida; repetir. **3.** Reenviar um sinal de radiodifusão sonora ou de televisão.

retrasado *adj.* **1.** Diz-se da data imediatamente anterior. **2.** Anterior ao passado, ao atrasado.

retrasar *v.t.* e *v.pr.* (conj. 4). Atrasar.

retratação *s.f.* (lat. *retractatio, retractationis*). **1.** Ato ou efeito de retratar(-se). **2.** Declaração contrária a outra anteriormente feita; desmentido. **3.** Confissão de erro.

retratar[1] *v.t.* (conj. 4). **1.** Reproduzir a imagem de; refletir. **2.** Fazer, tirar o retrato de. **3.** Descrever (uma paisagem, uma pessoa). **4.** Expressar, exprimir.

retratar[2] *v.t.* (lat. *retractare*) [conj. 7]. Retirar (o que se disse), desdizer, voltar atrás. ★ *v.pr.* **1.** Desdizer-se; retirar o que disse. **2.** Confessar, admitir um erro.

retrátil *adj.2g.* (lat. cient. *retractilis*). Que possui a faculdade de retrair(-se).

UNHA DE GATO

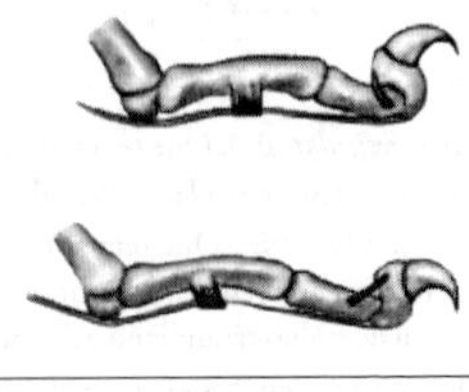

retratista *s.2g.* **1.** Pessoa que faz ou que tira retratos. **2.** Ficcionista perito na descrição de personagens.

retrato *s.m.* (it. *ritratto*). **1.** Representação da imagem de uma pessoa real pela pintura, desenho, gravura ou fotografia. **2.** Descrição de um caráter. **3.** Descrição exata de uma coisa qualquer. **4.** *Retrato falado,* retrato de um indivíduo feito segundo descrições de testemunhas, geralmente para facilitar a sua localização pela polícia.

retreta (ê) *s.f.* (fr. *retraite,* retirada). Apresentação de banda de música em praça pública.

retribuição (u-i) *s.f.* (lat. *retributio, retributionis*). **1.** Ato ou efeito de retribuir. **2.** Remuneração, paga. **3.** Recompensa, prêmio.

retribuir *v.t.* (lat. *retribuere*) [conj. 74]. **1.** Recompensar, gratificar, premiar. **2.** Corresponder, compensar com.

retribuível *adj.2g.* Que se pode ou deve retribuir.

retriz *s.f.* (lat. *rectrix*). Pena da cauda das aves, que serve para dirigir o vôo.

retro *adv.* (lat. *retro*). Atrás, para trás.

retroação *s.f.* Ato ou efeito de retroagir. ● **Cibern.** Processo desencadeado automaticamente após uma perturbação, com o objetivo de provocar uma ação corretiva em sentido contrário; *feedback.*

retroagir *v.i.* (lat. *retroagere*) [conj. 52]. **1.** Ter efeito sobre o passado; fazer valer para o passado os efeitos de uma lei, de um julgamento. **2.** Modificar o que está feito.

retroalimentação *s.f.* Sin. de FEEDBACK.

retroatividade *s.f.* Qualidade do que é retroativo.

retroativo *adj.* Que retroage.

retroceder *v.i.* (lat. *retrocedere*) [conj. 5]. **1.** Voltar para trás; recuar. **2.** Desviar-se, fugir. **3.** Desistir, voltar atrás.

retrocesso *s.m.* (lat. *retrocessus*). **1.** Ato ou efeito de retroceder; retrocessão. **2.** Retorno a posição ou estado anterior; reversão. **3.** Retirada, recuo. ● **Cin.** Efeito cinematográfico que consiste em fazer o filme ser lido no sentido inverso, de tal modo que todos os movimentos se processem ao contrário. **Med.** Desaparecimento de certos sinais de uma doença, sem que esta necessariamente tenha evoluído para a cura.

retroflexão (cs) *s.f.* Estado do que é retrofletido.

retroflexo (cs) *adj.* (lat. *retroflexus*). Que se dobra para trás; retrofletido.

retrogradar *v.i.* (lat. *retrogradare*) [conj. 4]. **1.** Retroceder, recuar. **2.** Marchar contra o progresso. **3.** Ter uma longitude geocêntrica decrescente, em se tratando de um planeta. ★ *v.t.* **1.** Fazer voltar para trás. **2.** Fazer marchar contra o progresso.

retrógrado *adj.* e *s.m.* (lat. *retrogradus*). **1.** Que retrograda ou faz retrogradar. **2.** Contrário ao progresso. **3.** Ultrapassado, obscurantista. ● **Astron.** Diz-se de um movimento que se efetua em sentido inverso ao do movimento direto. **Neurol.** Diz-se da amnésia na qual a perda da lembrança se refere aos acontecimentos que precedem o acidente causal. ★ *s.m.* Indivíduo infenso ao progresso.

retrós *s.m.* (fr. *retors*). **1.** Fio de costura, torcido, feito de seda ou algodão mercerizado. **2.** *P. ext.* Cilindro de plástico, papel etc., enrolado com este fio.

retrospecção *s.f.* Retrospecto.

retrospectiva *s.f.* Retrospecto.

retrospectivo *adj.* (fr. *rétrospectif*). **1.** Relativo a fatos passados. **2.** Que se volta ao passado.

retrospecto *s.m.* (lat. *retrospectus*). **1.** Vista ou análise de fato passado; retrospectiva, retrospecção. **2.** Relato de uma série de acontecimentos decorridos durante certo período; retrospectiva. **3.** Processo pelo qual as seqüências de uma narrativa relativas a fatos anteriores são intercaladas na ação presente.

retroversão *s.f.* **1.** Ato ou efeito de inclinar para trás; retração, recuo. **2.** Versão para a língua original do que já estava traduzido. ● **Med.** Versão de um órgão para trás.

retroverter *v.t.* (conj. 5). Virar ou inclinar para trás.

retrovisor (ô) *adj.* e *s.m.* (fr. *rétroviseur*). Diz-se de ou pequeno espelho posicionado para permitir ao motorista de um veículo ver o que se passa atrás dele.

retrovírus *s.m.* **Med.** Denominação comum aos vírus que possuem ARN, como o vírus da aids.

retrucar *v.i.* (conj. 12). **1.** Responder, replicar, redargüir. **2.** Responder à altura da ofensa.

retruque *s.m.* **1.** Ato ou efeito de retrucar. **2.** Resposta imediata; réplica. **3.** Represália, retaliação, vingança.

retumbante *adj.2g.* Que retumba.

retumbar *v.t.* e *v.i.* (esp. *retumbar*) [conj. 4]. Ressoar, ecoar, estrondear, ribombar.

returno *s.m.* **Esp.** Nos campeonatos esportivos, segunda série de partidas que se disputam contra os mesmos adversários do turno anterior.

réu *s.m.* (lat. *reus*). **Dir.** Aquele contra quem se instaurou processo judicial.

reuma *s.f.* (gr. *rheuma*). Fluxo de humor catarral ou aquoso.

reumático *adj.* (gr. *rheumatikos*). **1.** Relativo à reuma. **2.** Relativo a reumatismo. **3.** Que padece de reumatismo. ● **Med.** *Febre reumática,* doença inflamatória sistêmica, decorrente de complicação de uma infecção estreptocócica das vias aéreas superiores, que pode provocar afecções cardíacas graves. ★ *s.m.* Aquele que sofre de reumatismo.

reumatismo *s.m.* (gr. *rheumatismos,* pelo lat. tard. *rheumatismus*). **1.** Grupo de doenças articulares, caracterizadas por dor e incapacidade funcional, de origem infecciosa, de natureza degenerativa, metabólica, inflamatória, endócrina etc. **2.** *Reumatismo articular agudo,* complicação de infecção estreptocócica das vias aéreas superiores, com poliartrite migratória de grandes articulações, freqüente em crianças entre 5 e 15 anos.

REUMATISMO ► Dá-se o nome de reumatismo a uma série de afecções diferentes que atingem particularmente o aparelho locomotor (ossos e articulações), mas também os músculos e os tendões, da mesma forma que certos elementos próximos a eles, como os nervos sensitivos ou motores, e que acarretam dor e transtornos funcionais.

---

reumatologia *s.f.* Parte da medicina que estuda os diversos tipos de reumatismo e, p. ext., as afecções do aparelho locomotor (ossos, articulações, músculos).

reunião (e-u) *s.f.* **1.** Ato ou efeito de reunir(-se). **2.** Agrupamento de pessoas no mesmo local; congregação, conglomeração. **3.** Conjunto, coleção, coletânea.

reunificação *s.f.* Ação de reunificar(-se).

reunificar (e-u) *v.t.* e *v.pr.* (conj. 12). Tornar a unificar(-se).

A B C D E F G H I J K L M N O P Q R S T U V W X Y Z

reunir (e-u) *v.t.* (conj. 6). **1.** Tornar a unir o que estava separado. **2.** Juntar o que se espargiu. **3.** Estabelecer comunicação entre; ligar. **4.** Agrupar, agregar, conglomerar. **5.** Conciliar, harmonizar. **6.** Combinar, aliar. ★ *v.pr.* **1.** Juntar-se, unir-se, ligar-se. **2.** Incorporar-se, integrar-se.

revacinar *v.t.* (conj. 4). Tornar a vacinar um indivíduo já vacinado contra uma enfermidade a fim de reforçar ou restabelecer a imunidade. ★ *v.pr.* Tornar a vacinar-se.

revalidação *s.f.* Ato ou efeito de revalidar.

revalidar *v.t.* (conj. 4). **1.** Validar, legitimar de novo. **2.** Confirmar a validade de.

revalorização *s.f.* Ato ou efeito de revalorizar(-se).

revalorizar *v.t.* (conj. 4). Tornar a valorizar, valorizar de novo.

revanche *s.f.* (fr. *revanche*). **1.** Desforra, vingança. **2.** Prova ou partida que se torna a disputar, a pedido do perdedor e com a aquiescência do vencedor.

revanchismo *s.m.* Atitude animada por um espírito de revanche, de desforra, em particular após uma derrota.

revel *adj.2g.* e *s.2g.* (lat. *rebellis*). Rebelde, insurgente. ● **Dir.** Diz-se de ou réu que não comparece em juízo, ainda que citado para esse fim.

revelação *s.f.* (lat. *revelatio, revelationis*). **1.** Ato ou efeito de revelar(-se). **2.** Divulgação de um fato ou informação desconhecida ou até então oculta. **3.** Conhecimento obtido por vias sobrenaturais. ● **Fot.** Processo químico que transforma a imagem latente da fotografia em imagem visível. **Relig.** Ato pelo qual Deus apresenta aos homens seu desígnio de salvação e dá-se a conhecer por eles. ▸ Aquilo que foi revelado.

revelador (ô) *adj.* (lat. *revelator*). **1.** Que revela, manifesta, denuncia. **2.** Diz-se do banho que transforma a imagem fotográfica latente em imagem visível. ★ *s.m.* **1.** Aquele que revela. **2.** Líquido usado no banho revelador.

revelar *v.t.* (lat. *revelare*) [conj. 4]. **1.** Tirar o véu; desvelar. **2.** Dar a conhecer; declarar. **3.** Tornar público; divulgar. **4.** Manifestar, indicar, dar indício de. **5.** Dar a conhecer por manifestação sobrenatural. ● **Fot.** Efetuar uma revelação. ★ *v.pr.* Dar-se a conhecer; mostrar-se, manifestar-se.

revelia *s.f.* Qualidade de revel. (Cf. CONTUMÁCIA.)

revenda *s.f.* **1.** Ato ou efeito de revender. **2.** Loja revendedora.

revendedor (ô) *s.m.* **1.** Aquele que revende. **2.** Comerciante que pratica a revenda. ★ *adj.* Que revende.

revender *v.t.* (lat. *revendere*) [conj. 5]. Tornar a vender; vender o que já se tinha comprado.

rever[1] *v.t.* (conj. 40). **1.** Tornar a ver, ver outra vez. **2.** Reexaminar cuidadosamente com intuito de aprimorar; emendar, corrigir, revisar. ★ *v.pr.* Contemplar-se, mirar-se, espelhar-se.

rever[2] *v.t.* (lat. *repere*) [conj. 40]. **1.** Ressumar, verter. **2.** Demonstrar, indicar. ★ *v.i.* **1.** Transudar, transpirar. **2.** Tornar-se público; divulgar-se.

reverberação *s.f.* (lat. *reverberatio, reverberationis*). **1.** Ato ou efeito de reverberar, revérbero. **2.** Fenômeno resultante da soma de ecos multidirecionais em um recinto fechado.

reverberar *v.t.* (lat. *reverberare*) [conj. 4]. Refletir, repercutir (luz, som ou calor). ★ *v.i.* **1.** Produzir reverberação. **2.** Brilhar, cintilar.

revérbero *s.m.* **1.** Reverberação. **2.** Reflexo luminoso, sonoro ou calorífico. **3.** Lâmina refletora que aumenta ou concentra os raios luminosos. **4.** *Fig.* Brilho, esplendor.

reverdecer *v.t.* (conj. 25). **1.** Tornar verde (a vegetação). **2.** *Fig.* Dar nova força ou vigor; revigorar. **3.** *Fig.* Juvenescer, revitalizar. ★ *v.i.* **1.** Tornar-se verde; verdejar. **2.** *Fig.* Revigorar-se, fortalacer-se. **3.** Rejuvenescer, renovar-se.

reverdecimento *s.m.* Ato ou efeito de reverdecer.

reverdejar *v.i.* (conj. 4). Mostrar-se muito verde; verdejar intensamente.

reverência *s.f.* (lat. *reverentia*). **1.** Respeito profundo; deferência, consideração. **2.** Veneração ou respeito às coisas sagradas. **3.** Cumprimento ou saudação respeitosa, acompanhada de inclinação do tronco para a frente ou de flexão dos joelhos; mesura.

reverenciar *v.t.* (conj. 16). **1.** Prestar reverência a. **2.** Cultuar, adorar. **3.** *Fig.* Acatar, respeitar.

reverendo *adj.* (lat. *reverendus*). **1.** Digno de ser reverenciado. **2.** Diz-se, como tratamento de cortesia, de prelados e sacerdotes. ★ *s.m.* Padre, cura, pastor.

reverente *adj.2g.* (lat. *reverens, reverentis*). Que reverencia.

reversão *s.f.* (lat. *reversio, reversionis*). **1.** Ato ou efeito de reverter. **2.** Restituição ao dono anterior; devolução. **3.** Regresso ao estado primitivo. **4.** Mudança de direção dos ventos e marés. **5.** Repetição, numa mesma oração, de palavra com sentidos diferentes.

reversível *adj.2g.* **1.** Que pode reverter, passível de reversão; revertível. **2.** Que pode retornar; revertível. **3.** A que se pode inverter o sentido, o lado, a direção, a finalidade. ● **Fís.** e **Quím.** Diz-se de uma transformação física ou química que pode, em um instante qualquer, mudar de sentido sob influência de uma modificação nas condições de produção do fenômeno.

? VOCÊ SABIA...? Segundo os postulados da física, uma máquina **reversível** é aquela capaz de funcionar de duas maneiras inversas. Pode, por exemplo, transformar energia elétrica ou calorífica em trabalho mecânico, ou realizar o processo inverso. Um exemplo típico de máquina reversível é a máquina dinamoelétrica, que pode funcionar como gerador ou como motor.

---

reverso *adj.* (lat. *reversus*). **1.** Que se virou muitas vezes; revirado. **2.** Que está em posição oposta à de onde se olha ou à posição normal; revesso. **3.** Que se voltou para o outro lado; adverso. ★ *s.m.* **1.** O lado oposto ao direito; avesso, revés, revesso. **2.** Face de uma moeda ou de uma medalha oposta à que se tem como principal (anverso).

reverter *v.t.* (lat. *revertire*) [conj. 5]. **1.** Voltar, retornar, retroceder. **2.** Voltar (para a posse de alguém). **3.** Converter, transformar. **4.** Redundar, converter-se, tornar-se.

revertível *adj.2g.* Reversível.

revés *s.m.* (lat. *reversus*, revirado). **1.** O que é contrário, oposto. **2.** Pancada com as costas da mão. **3.** Golpe ou cutelada desferida obliquamente. **4.** Vicissitude, contratempo. **5.** Fatalidade, desgraça, infortúnio.

revesso (ê) *adj.* **1.** Reverso. **2.** *Fig.* Distorcido, tortuoso. ★ *s.m.* Reverso.

revestimento *s.m.* **1.** Ato ou efeito de revestir (-se). **2.** Aquilo que cobre uma superfície, para protegê-la, reforçá-la ou adorná-la.

revestir *v.t.* (lat. *revestire*) [conj. 54]. **1.** Vestir novamente. **2.** Vestir paramentando-se (traje de cerimônia, insígnias). **3.** Recobrir, guarnecer uma superfície para protegê-la ou decorá-la. **4.** Cobrir, tapar, envolver, recobrir. **5.** *Fig.* Dar certa aparência a; disfarçar, encobrir. **6.** Tomar, atribuir a si os caracteres de. ★ *v.pr.* **1.** Paramentar-se, vestir os hábitos próprios das solenidades. **2.** Aparentar, afetar, imitar. **3.** Armar-se, prover-se.

revezado *adj.* **1.** Que se revezou; substituído por turno; alternado. **2.** Mútuo, recíproco.

revezamento *s.f.* Ato ou efeito de revezar(-se). ● **Esp.** Competição de corrida ou natação em que os atletas se revezam durante a prova.

revezar *v.t.* (conj. 4). Trocar de posição, substituir alternadamente. ★ *v.i.* e *v.pr.* **1.** Substituir-se alternadamente. **2.** Substituir-se por outrem alternadamente, descansar enquanto outrem faz as suas vezes.

revidar *v.t.* (conj. 4). Vingar ofensa ou agressão com outra maior. ★ *v.i.* Replicar, objetar, contradizer.

revide *s.m.* Ato ou efeito de revidar; resposta, réplica, objeção.

revigorar *v.t.* (conj. 4). Dar nova força, novo vigor, fortalecer, fortificar. ★ *v.pr.* Recobrar o vigor, a força, o ânimo.

revirar *v.t.* (conj. 4). **1.** Virar outra vez; voltar ao avesso. **2.** Torcer, mudar. **3.** Virar muitas vezes; revolver. ★ *v.i.* Voltar, regressar, tornar. ★ *v.pr.* **1.** Tornar a virar-se. **2.** Insurgir-se, revoltar-se.

reviravolta *s.f.* **1.** Ato ou efeito de desfazer a volta. **2.** Giro ou volta sobre si mesmo; pirueta. **3.** *Fig.* Mudança, alteração brusca.

revisão *s.f.* (lat. *revisio, revisionis*). **1.** Ato ou efeito de rever ou revisar. **2.** Nova leitura, novo exame. ● **Ind. Gráf.** Operação em que se busca corrigir erros tipográficos, gramaticais etc. em uma prova de texto. ► Conjunto de revisores. ► Local ou sala onde se revisam textos. **Mec.** Inspeção para corrigir ou prevenir falhas em uma máquina, motor etc.

revisar *v.t.* (lat. *revisere*, rever) [conj. 4]. **1.** Ver, examinar novamente. **2.** Rever, corrigir, emendar. ● **Ind. Gráf.** Procurar e corrigir os erros tipográficos, gramaticais etc. em prova de texto. **Mec.** Verificar periodicamente o funcionamento de uma máquina ou instalação.

revisionismo *s.m.* Comportamento, doutrina que propõe a revisão de uma teoria, de uma constituição, de crenças etc.

revisionista *adj.2g.* Relativo ao revisionismo. ★ *s.2g.* Adepto do revisionismo.

revisor (ô) *adj.* e *s.m.* Que ou aquele que revê. ● **Ind. Gráf.** Que ou aquele que faz revisão de textos; corretor. ★ *s.m.* **Dir.** Desembargador encarregado de rever o relatório de um processo a ser julgado em grau de recurso.

revista[1] *s.f.* **1.** Ato ou efeito de revistar. **2.** Exame detalhado; inspeção. **3.** Busca. ● **Teat.** Espetáculo teatral híbrido que reúne números falados, musicais coreográficos, humorismos e atrações circenses.

revista[2] *s.f.* (ingl. *review*). Publicação periódica, quase sempre ilustrada, que aborda os mais variados assuntos.

revistar *v.t.* (conj. 4). **1.** Examinar, inspecionar. **2.** Examinar buscando.

revisteiro *s.m.* Local para guardar revistas.

reviver *v.t.* (lat. *revivere*) [conj. 5]. **1.** Fazer viver novamente; revivificar, ressuscitar. **2.** Revigorar, fortalecer. **3.** Relembrar, recordar. **4.** Pôr de novo em uso. ★ *v.i.* **1.** Voltar à vida; ressuscitar. **2.** Tomar novo alento; revigorar-se.

revivificar *v.t.* (lat. *revivificare*) [conj. 12]. **1.** Vivificar de novo; dar nova vida ou vigor a. **2.** Revigorar, revitalizar, reanimar.

revivo *adj.* **1.** Que voltou à vida; redivivo. **2.** Que tem muita vida.

revoada *s.f.* **1.** Ato ou efeito de revoar. **2.** Bando de aves em vôo.

revoar *v.i.* (conj. 20). **1.** Tornar a voar. **2.** Voar (a ave) de volta ao sítio de onde partira. **3.** Voejar, esvoaçar.

revocação *s.f.* Ato ou efeito de revocar.

revocar *v.t.* (lat. *revocare*) [conj. 12]. **1.** Chamar de volta, pedir que volte. **2.** Evocar, relembrar. **3.** Fazer voltar; restituir. **4.** Revogar.

revocatório *adj.* Revogatório.

revogação *s.f.* (lat. *revocatio, revocationis*). **1.** Ato ou efeito de revogar. **2.** Anulação, extinção, invalidação.

revogante *adj.2g.* Que revoga; revogador, revogatório.

revogar *v.t.* (lat. *revocare*) [conj. 14]. Tornar sem efeito; anular, invalidar, revocar.

revogatório *adj.* (lat. *revocatorius*). **1.** Revogante. **2.** Relativo à revogação; revocatório. **3.** Que contém revogação; revocatório.

revogável *adj.2g.* (lat. *revocabilis*). Que se pode revogar.

revolta *s.f.* **1.** Ato ou efeito de revoltar(-se). **2.** Manifestação contra a autoridade estabelecida; rebelião, insurreição. **3.** Rebeldia, insubmissão. **4.** Alvoroço, tumulto, desordem. **5.** Indignação, repulsa.

REVOLTA ► Embora tenham se desenrolado em épocas e em locais diferentes do mundo, as revoltas operárias e camponesas foram uma constante durante a segunda metade do século XIX e a primeira metade do século XX. Muitas delas levaram a verdadeiras revoluções, como a ocorrida na Rússia em 1917 e a da China, de 1949, que provocaram grandes mudanças sociais.

---

revoltado *adj.* **1.** Que se revoltou; rebelde, insurreto, revoltoso. **2.** Insubmisso, rebelde. **3.** Indignado, repugnado. **4.** Diz-se de pessoa amarga, inconformada com sua condição. ★ *s.m.* Indivíduo revoltado; revoltoso.

revoltante *adj.2g.* **1.** Que revolta. **2.** *Fig.* Que indigna; repugnante.

revoltar *v.t.* (conj. 4). **1.** Incitar à revolta; sublevar. **2.** Perturbar, agitar. **3.** Causar repulsa; indignar. ★ *v.i.* Causar indignação. ★ *v.pr.* **1.** Sublevar-se, amotinar-se. **2.** Agitar-se, perturbar-se. **3.** Indignar-se.

revolto (ô) *adj.* (lat. *revoltu*). **1.** Revolvido, revirado. **2.** Embrulhado, envolto. **3.** Conturbado, tumultuoso. **4.** Revoltado, irado. **5.** Desalinhado, desarrumado.

revoltoso (ô) *adj.* e *s.m.* Revoltado.

revolução *s.f.* (lat. *revolutio, revolutionis*). **1.** Ato ou efeito de revolucionar ou revolver(-se). **2.** Sublevação, rebelião, revolta, insurreição. **3.** Mudança profunda ou completa de uma estrutura política, econômica e social. **4.** Transformação radical de conceitos artísticos e científicos. **5.** Perturbação, agitação. ● **Astron.** Movimento orbital periódico de um corpo celeste, particularmente de um planeta ou de um satélite, em torno de um outro de massa preponderante; período desse movimento, também chamado *período de revolução.* **Fís.** Movimento de um objeto em torno de um ponto central ou de um eixo que o conduz periodicamente à mesma posição relativa. **Geom.** *Sólido de revolução,* sólido gerado pela rotação completa de uma figura plana em torno de um eixo. ▸ *Superfície de revolução,* superfície gerada pelo movimento de uma reta ou curva em torno de um eixo.

revolucionar *v.t.* (lat. *revolutio, revolutionis*) [conj. 4]. **1.** Revoltar, sublevar, incitar à revolução. **2.** Mexer de baixo para cima; revolver. **3.** Mudar muito, transformar radicalmente. **4.** Agitar, perturbar, convulsionar.

revolucionário *adj.* (fr. *révolutionnaire*). **1.** Relativo ou pertencente à revolução. **2.** Que é adepto da revolução. **3.** Progressista, inovador. ★ *s.m.* **1.** Indivíduo que prega ou toma parte em uma revolução. **2.** Indivíduo partidário de mudanças profundas na sociedade.

revolutear *v.i.* (conj. 15). **1.** Agitar-se em vários sentidos, dando voltas; revolver-se. **2.** Esvoaçar. **3.** Abalar, agitar.

revoluto *adj.* (lat. *revolutus*). **1.** Revolvido, revirado, remexido. **2.** Diz-se do órgão vegetal virado ou enrolado para fora.

revolver *v.t.* (lat. *revolvere*) [conj. 5]. **1.** Volver muito; agitar, remexer. **2.** Revirar, retorcer. ★ *v.pr.* **1.** Agitar-se, mover-se. **2.** Voltar-se, revirar-se.

revólver *s.m.* (ingl. *revolver*). **Arm.** Arma de fogo manual, de repetição, cujo depósito de cartuchos é constituído por um tambor giratório. **Ópt.** Peça giratória dos microscópios ópticos que permite colocar lentes de aumento diferentes no eixo óptico das objetivas.

revulsivo *adj.* Diz-se de medicamento que produz vômitos.

reza *s.f.* **1.** Ato ou efeito de rezar. **2.** Prece, oração. **3.** Súplica à divindade.

rezador (ô) *adj.* e *s.m.* **1.** Que ou aquele que reza. **2.** *Pop.* Curandeiro, benzedeiro.

rezar *v.t.* (lat. *recitare*) [conj. 4]. **1.** Proferir, dizer (oração ou súplicas religiosas); fazer preces. **2.** Ler (oração escrita). **3.** Dirigir súplicas (à divindade); orar. **4.** Prescrever, determinar. **5.** Tratar, falar, relatar. **6.** Celebrar, oficiar (uma missa). **7.** *Fig.* Resmungar, murmurar. ★ *v.i.* Fazer oração a uma divindade.

rezingão *adj.* e *s.m.* Que ou aquele que está sempre a rezingar; resmungão, ranzinza.

rezingar *v.i.* (conj. 14). **1.** Resmungar. **2.** Altercar, discutir. **3.** Recalcitrar.

Rf símbolo químico do rutherfórdio.

RG (sigla de *registro geral*). **1.** Registro obrigatório de cada indivíduo ou pessoa física no Ministério da Justiça. **2.** Esse número, que consta na carteira de identidade.

Rh símbolo químico do ródio.

riacho *s.m.* Pequeno rio; ribeiro, regato.

riba *s.f.* (lat. *ripa*). **1.** Margem elevada de um rio ou lago, ou colina sobranceira a um rio; ribanceira. **2.** *Pop.* A parte mais alta.

ribalta *s.f.* (it. *ribalta*). **1.** Fileira de refletores colocados no nível do piso do palco, na parte anterior do proscênio. **2.** *P. ext.* Proscênio. **3.** *Fig.* A arte teatral, o palco.

ribanceira *s.f.* **1.** Riba. **2.** Barranco. **3.** Despenhadeiro, precipício.

ribeira *s.f.* **1.** Curso de água, navegável ou não, mais estreito que um rio. **2.** Terreno banhado por um rio.

ribeirão *s.m.* **1.** Curso de água maior do que um regato, mas menor que um rio. **2.** Terreno próprio para a lavra de minas de diamante.

ribeirinho *adj.* **1.** Que anda ou vive pelos rios. **2.** Que se encontra ou mora próximo de um rio. ★ *s.m.* **1.** Pequeno ribeiro. **2.** Moço de recados. **3.** Indivíduo que transporta areia ou entulho.

ribeiro *s.m.* Riacho.

riboflavina *s.f.* Vitamina B_2.

ribombar *v.i.* (conj. 4). **1.** Produzir barulho surdo, ressoar fortemente; estrondear. **2.** Retumbar.

ribombo *s.m.* Barulho surdo e prolongado.

ribonucléico *adj.* *Ácido ribonucléico,* ARN.

ribose *s.f.* (ingl. *ribose*). Aldose constituinte de numerosos nucleotídeos.

ribossomo *s.m.* Organela citoplasmática, constituída de ARN e de proteína, onde ocorre a síntese da cadeia polipeptídica.

ricaço *adj.* e *s.m.* *Pop.* e *Pej.* Que ou aquele que é muito rico; milionário.

rícino *s.m.* (lat. *ricinus*). **1.** Sin. de MAMONA. **2.** *Óleo de rícino,* óleo retirado das sementes da mamona, utilizado como purgativo.

semente de rícino

rickéttsia *s.f.* Var. de RIQUÉTSIA.

rico *adj.* **1.** Que possui muitos bens ou muitas coisas de valor; opulento. **2.** Provido abundantemente ; cheio, farto, abundante. **3.** Precioso, valioso, caro. **4.** Fecundo, fértil. **5.** Magnificente, luxuoso, faustoso. **6.** *Fig.* Bom, favorável. ● **Liter.** Diz-se da rima feita entre palavras raras ou de categorias gramaticais diferentes. ★ *s.m.* Pessoa rica, que possui muitos bens ou muito dinheiro.

riço *adj.* Eriçado, crespo. ★ *s.m.* **1.** Tufo emaranhado de lã ou de cabelos usado como base para um penteado. **2.** Tecido de lã de fio curto e encrespado, empregado em estofamento. **3.** *Fig.* Complicação, embrulhada.

ricochete (ê) *s.m.* (fr. *ricochet*). **1.** Salto ou reflexo de um corpo ou de um projétil qualquer, depois de um choque ou de tocar no chão. **2.** *Fig.* Ação reflexa que responde a outra ação; resposta. **3.** *De ricochete,* depois de bater num obstáculo.

ricochetear *v.i.* (conj. 15). Saltar de ricochete.

ricota *s.f.* (it. *ricotta,* recozida). Queijo de origem italiana produzido a partir do soro do leite coalhado.

ricto ou **rictus** *s.m.* (lat. *rictus*). **1.** Abertura da boca. **2.** Trejeito, contração que dá à boca o ar de riso.

ridicularia *s.f.* **1.** Ato ou dito ridículo. **2.** Quantia ou coisa mínima, de pouco valor ou sem importância; insignificância, bagatela.

ridicularizar *v.t.* (conj. 4). Rir maldosamente de; escarnecer, zombar. ★ *v.t.* e *v.pr.* Tornar(-se) ridículo.

ridículo *adj.* (lat. *ridiculus*). **1.** Digno de riso, escárnio ou zombaria. **2.** Que se presta à exploração do lado cômico, risível. **3.** Que tem pouco valor; insignificante, irrisório. ★ *s.m.* **1.** Pessoa ridícula. **2.** O que há de ridículo numa pessoa, coisa ou situação. **3.** Maneira insólita, risível de ser ou proceder.

rifa *s.f.* (esp. *rifa*). Sorteio de um ou mais objetos por bilhetes numerados e vendidos ou distribuídos a diferentes pessoas.

rifão *s.m.* Adágio vulgar, geralmente de forma grosseira ou chula; provérbio, anexim.

rifar *v.t.* (conj. 4). Fazer rifa de; sortear por meio de bilhetes numerados.

rifle *s.m.* (ingl. *rifle*). Carabina de cano longo; espingarda, fuzil.

rigidez (ê) *s.f.* **1.** Qualidade ou caráter de rígido; dureza, rijeza. **2.** Imobilidade, impassibilidade. **3.** *Fig.* Intransigência, inflexibilidade. **4.** *Fig.* Severidade, rudeza.

rígido *adj.* (lat. *rigidus*). **1.** Rijo, hirto, duro, teso. **2.** Que resiste aos efeitos de torção, de cisalhamento; inflexível. **3.** *Fig.* Intransigente, rigoroso, austero. **4.** *Fig.* Áspero, duro.

rigor (ô) *s.m.* (lat. *rigor*). **1.** Grande severidade (de princípios, de moral, de atitude etc.); dureza. **2.** Ausência de qualquer desvio; precisão, exatidão. **3.** Vigor, força. **4.** Inflexibilidade, rigidez. **5.** Qualidade daquilo que é difícil de suportar, penoso.

rigoroso (ô) *adj.* **1.** Que mostra ou dá provas de rigor. **2.** Exato, preciso. **3.** Severo, intransigente, rígido. **4.** *Fig.* Duro, inflexível, rude. **5.** *Fig.* Difícil de suportar; penoso.

rijeza (ê) *s.f.* Caráter ou qualidade de rijo; rigidez, rigor.

rijo *adj.* (lat. *rigidus*). **1.** Rígido, duro, forte, resistente. **2.** *Fig.* Robusto, vigoroso, musculoso. **3.** *Fig.* Rude, áspero.

rilhar *v.t.* (conj. 4). **1.** Roer (objeto duro). **2.** Comer roendo; trincar. **3.** Ranger os dentes; ringir.

rim *s.m.* (lat. *renes,* rins). **1.** Cada um dos dois órgãos situados nas fossas lombares, cuja função principal é a depuração sanguínea e a secreção da urina. **2.** *Rim artificial,* aparelho ligado a um circuito de circulação sanguínea extracorpórea que permite suprir a função deficiente dos rins.

rima *s.f.* (gr. *rhythmos*). **1.** Igualdade ou concordância de sons, a partir da sílaba tônica da palavra final de dois ou mais versos. **2.** Repetição, no meio de um verso, de som que termina o verso anterior. **3.** Palavra que rima com outra. ★ *s.f.pl.* Versos, poemas.

rimar *v.t.* (conj. 4). **1.** Formar (uma palavra) rima com (outra). **2.** *Fig.* Combinar, condizer. **3.** Escrever em versos rimados. ★ *v.i.* **1.** Formar rima. **2.** Fazer versos; versejar.

rimário *s.m.* Conjunto de rimas.

rincão *s.m.* (esp. *rincón*). **1.** Lugar afastado, sítio longínquo; recanto. **2.** Canto ou ângulo interior formado por duas paredes. **3.** Lugar muito abrigado, cercado de matos ou rios. ● **Constr.** Calha formada pela convergência de dois planos de telhado, destinada a escoar a água da chuva.

rinchar *v.i.* (conj. 4). **1.** Emitir (cavalo) rincho; relinchar. **2.** Emitir um ruído semelhante ao rincho. **3.** Ranger, gemer, chiar.

rincho *s.m.* A voz do cavalo; relincho.

ringir *v.t.* (lat. *ringere*) [conj. 52]. **1.** Ranger (os dentes). **2.** Rinchar, chiar.

ringue *s.m.* (ingl. *ring*). Tablado quadrado circundado por três cordas, em que se disputam os combates de boxe, luta-livre etc.

rinha *s.f.* (esp. *riña*). **1.** Briga de galo. **2.** Local onde são realizadas essas brigas.

rinite *s.f.* (lat. cient. *rhinitis*). Inflamação da mucosa do nariz.

rinoceronte *s.m.* Mamífero herbívoro perissodáctilo, que apresenta um ou dois cornos no focinho e habita regiões quentes da África.

rinofaringe *s.f.* Parte da faringe situada atrás das fossas nasais e acima do véu palatino.

rinoplastia *s.f.* Cirurgia plástica de reconstrução ou de modelagem do nariz.

rinque *s.m.* (ingl. *rink*). Pista de patinação.

rio *s.m.* (lat. *rivus*). **1.** Curso de água natural, mais ou menos caudaloso, que deságua em outro, no mar ou em um lago. **2.** *Fig.* Quantidade considerável de líquido. ★ *s.m.pl. Fig.* Grande quantidade; montão.

rio-grandense-do-norte *adj.2g.* Relativo ou pertencente ao Rio Grande do Norte, Estado brasileiro. ★ *s.2g.* O natural ou habitante do Rio Grande do Norte; potiguar.

rio-grandense-do-sul *adj.2g.* e *s.2g.* Gaúcho.

riômetro *s.m.* Instrumento utilizado para medir radiações cósmicas de alta freqüência.

ripa *s.f.* Pedaço de madeira estreito e comprido; sarrafo, verga, fasquia.

ripada *s.f.* **1.** Pancada com ripa. **2.** *P. ext.* Bordoada, cacetada. **3.** *Fig.* Descompostura. **4.** *Pop.* Gole de cachaça.

ripado *s.m.* **1.** Conjunto de ripas pregadas em suportes, a que se aplica um revestimento. **2.** Cobertura feita de ripas pregadas a pequena distância umas das outras, para sombrear certas plantas, como orquídeas, antúrios, begônias etc.

ripar *v.t.* (conj. 4). **1.** Cortar em ripas; fasquiar. **2.** Construir ou revestir com ripas; fasquiar. **3.** Bater com ripa em. **4.** *Fig.* Criticar, censurar.

ripostar *v.i.* (fr. *riposter*) [conj. 4]. Rebater a estocada (no jogo de esgrima). ★ *v.t.* Redargüir, retrucar, replicar.

riquétsia ou **rickéttsia** *s.f.* Parasita intracelular obrigatório, semelhante à bactéria.

riquetsiose *s.f.* Doença causada por uma riquétsia, caracterizada por acessos febris, erupções e dores articulares, freqüentemente transmitida por piolhos e pulgas.

riqueza (ê) *s.f.* **1.** Qualidade ou condição de rico. **2.** Abundância, fartura. **3.** Fecundidade, fertilidade. **4.** Conjunto de bens materiais, morais ou intelectuais.

rir *v.i.* e *v.pr.* (lat. *ridere*) [conj. 69]. **1.** Contrair os músculos faciais em conseqüência de uma impressão alegre ou cômica. **2.** Assumir expressão alegre. ★ *v.t.* **1.** Ridicularizar, zombar de. **2.** Não considerar, não levar a sério.

risada *s.f.* **1.** Riso. **2.** Riso em voz alta; gargalhada. **3.** Riso simultâneo de muita gente.

risca *s.f.* **1.** Risco, linha. **2.** Linha ou sulco pouco profundo; raia, estria, risco. **3.** Carreira aberta com o pente por entre os cabelos; repartido. **4.** *À risca,* exatamente, literalmente.

riscado *adj.* **1.** Que se riscou, que tem riscas ou riscos. **2.** Marcado com riscas, para fins de realce ou de exclusão. **3.** Listrado (tecido). ★ *s.m.* Tecido barato de algodão com riscas coloridas.

riscar *v.t.* (lat. *resecare,* cortar separando) [conj. 12]. **1.** Fazer traços ou riscas em. **2.** Marcar, indicar. **3.** Apagar, suprimir (algo escrito). **4.** Cancelar, anular. **5.** Rabiscar, desenhar. **6.** Friccionar, atritar. ★ *v.pr.* Apagar-se, desvanecer-se.

risco[1] *s.m.* **1.** Delineamento, traço feito a pena, a lápis ou com instrumento agudo. **2.** Traçado, esboço. **3.** Representação da trama ou do desenho de um tecido ou bordado num papel quadriculado.

risco[2] *s.m.* (b.-lat. *risicu, riscu*). **1.** Possibilidade de perigo. **2.** Acontecimento eventual, incerto, cuja ocorrência não depende da vontade dos interessados.

risível *adj.2g.* (lat. *risilis*). **1.** Que causa riso; cômico, engraçado. **2.** Digno de escárnio ou riso; ridículo, grotesco.

riso *s.m.* (lat. *risus*). **1.** Ato ou efeito de rir; risada. **2.** *Fig.* Contentamento, satisfação, alegria.

risonho *adj.* (esp. *risueño*). **1.** Que tem ar de riso; sorridente. **2.** Alegre, satisfeito, deleitoso. **3.** Aprazível, simpático, esperançoso.

risório *adj.* e *s.m.* (lat. *risorius*). Diz-se de ou pequeno músculo da face situado nas proximidades dos lábios.

risota *s.f.* **1.** Riso de escárnio, mofa ou menosprezo. **2.** Escárnio, ridículo, motivo de riso. **3.** Galhofa, hilaridade.

risoto (ô) *s.m.* (it. *risotto*). **1.** Prato de origem italiana feito de arroz com açafrão e queijo parmesão ralado. **2.** Prato constituído de arroz com variados ingredientes, como legumes, crustáceos ou carnes etc.

ríspido *adj.* **1.** Grosseiro no trato; rude, intratável. **2.** Severo, rígido. **3.** Que tem um som áspero, cortante.

riste *s.m.* (esp. *ristre*). **1.** Suporte metálico em que os cavaleiros medievais firmavam a lança para atacar. **2.** *Em riste,* em posição erguida; apontado, erguido.

ritmar *v.t.* (conj. 4). **1.** Dar ritmo a; cadenciar. **2.** Marcar o ritmo de.

rítmica *s.f.* Ciência dos ritmos aplicada à prosa, à música e, principalmente, à poesia. ● **Liter.** Parte da antiga gramática que estudava o ritmo dos versos gregos e latinos. **Mús.** Parte da teoria musical que se ocupa da expressão musical nas suas relações com o tempo.

rítmico *adj.* (gr. *rhythmikós*). **1.** Relativo ao ritmo. **2.** Que ocorre com ritmo.

ritmo *s.m.* (gr. *rhythmos*). **1.** Retorno, a intervalos de tempo regulares, de um fato, de um fenômeno. **2.** Elemento temporal da música, constituído pela sucessão e pela relação de valores de duração. **3.** Seqüência regular de movimentos, fenômenos etc. que se repetem periodicamente; cadência. ● **Biol.** *Ritmo biológico,* série de fenômenos biológicos que ocorrem com periodicidade, a intervalos regulares. **Liter.** Em um verso ou poema, distribuição dos sons de modo que se repitam a intervalos regulares, ou a espaços sensíveis, quanto à duração e à acentuação.

rito *s.m.* (lat. *ritus*). **1.** Conjunto de regras e de cerimônias que se praticam em uma determinada religião. **2.** Cada uma dessas cerimônias; ritual. **3.** Culto, seita.

RITO ▸ Os ritos se dividem em três tipos, segundo o seu caráter: de *purificação* (para separar o sagrado do profano), *mágico* (para apropriar-se do sagrado) e de *consagração* (para aproximar o humano do sagrado). Segundo a função, os ritos podem ser: de *iniciação* (para ingressar num grupo), de *trânsito* ou *passagem* (para certos momentos-chave da vida, como o nascimento ou o casamento) e de *identificação* (para momentos especiais, como em épocas de caça, colheita ou surgimento de epidemias).

---

ritual *adj.2g.* (lat. *ritualis*). Relativo a rito; conforme ao rito. ★ *s.m.* **1.** Livro que enumera as cerimônias e ritos que devem ser observados na prática de uma religião. **2.** Conjunto desses atos e práticas; rito, cerimônia. **3.** Conjunto de práticas e normas que se deve observar sem alteração em ocasiões determinadas; cerimonial.

ritualismo *s.m.* **1.** Conjunto de ritos; sistema litúrgico. **2.** Respeito estrito aos rituais, com tendência à exageração e ao formalismo. **3.** Movimento religioso dentro da Igreja Anglicana.

ritualista *adj.2g.* Relativo ou pertencente ao ritualismo. ★ *s.2g.* **1.** Autor que escreve sobre ritos, sobre cerimônias religiosas. **2.** Aquele que insiste na importância dos ritos e a eles se apega. **3.** Na Inglaterra, partidário do ritualismo.

rival *adj.2g.* e *s.2g.* (do lat. *rivus,* rio). **1.** Que ou aquele que rivaliza. **2.** Que ou aquele que aspira às mesmas vantagens que outrem. **3.** Êmulo, competidor, concorrente.

rivalidade *s.f.* (lat. *rivalitas, rivalitatis*). **1.** Concorrência de pessoas que pretendem a mesma coisa. **2.** Emulação, concorrência, competição.

rivalizar *v.t.* (conj. 4). **1.** Mostrar-se ou querer mostrar-se igual ou melhor; competir, disputar, concorrer. **2.** Competir em qualidade. **3.** Parecer igualar, aproximar-se das qualidades de outro; emular. ★ *v.pr.* Rivalizar reciprocamente.

rixa *s.f.* (lat. *rixa*). **1.** Querela, disputa que provoca confusão e tumulto. **2.** Contenda ruidosa, com ameaças e brigas. **3.** Desavença, discórdia. **4.** Disputa.

rixar *v.i.* (conj. 4). Entrar em rixa.

rixento *adj.* **1.** Que gosta de provocar rixas. **2.** Briguento, brigão, desordeiro.

rizícola *adj.2g.* Relativo à rizicultura.

rizicultor (ô) *s.m.* Pessoa que cultiva o arroz; orizicultor.

rizicultura *s.f.* Cultura do arroz; orizicultura.

rizoma *s.m.* (gr. e lat. *rhizoma*). **1.** Caule normalmente subterrâneo, horizontal, rico em reservas nutritivas, que apresenta nós, gemas e escamas. **2.** Tintura de arnica.

rizomatoso (ô) *adj.* **1.** Semelhante ao rizoma. **2.** Diz-se das plantas que possuem um rizoma.

rizotônico *adj.* Diz-se da palavra cujo acento tônico recai na raiz ou no radical.

Rn símbolo químico do radônio.

RNA (abrev. do ingl. *ribonucleic acid*). ARN.

roaz *adj.2g.* **1.** Que rói; roedor. **2.** Destruidor, devastador.

robalo *s.m.* (cat. *llobarro,* grande lobo). Peixe teleósteo que atinge até 1,20 m de comprimento e possui carne de ótima qualidade. (Sin. CAMURIPEBA.)

robô *s.m.* (fr. *robot*). **1.** Aparelho automático capaz de manipular objetos ou de executar operações segundo um programa fixo, modificável ou adaptável. **2.** *Fig.* Pessoa que trabalha ou procede mecanicamente.

robótica *s.f.* Ciência e técnica da concepção e construção dos robôs e da sua utilização em linhas de produção.

robótico *adj.* **1.** Relativo a robô. **2.** Relativo à robótica.

robustecer *v.t.* (conj. 25). **1.** Tornar robusto; fortalecer, revigorar. **2.** Corroborar, confirmar. **3.** *Fig.* Engrandecer, glorificar. ★ *v.i.* e *v.pr.* Tornar-se robusto.

robusto *adj.* (lat. *robustus*). **1.** Que é muito forte, vigoroso e sadio. **2.** Firme, resistente, rijo.

roca *s.f.* **1.** Antigo instrumento de fiar, constituído por uma roda movida por um pedal e um bastão de madeira com um bojo numa das extremidades, onde se coloca a fibra ou pêlo a ser transformado em fio; roda. **2.** A fibra ou pêlo enrolado na roca. **3.** Armação de madeira de certas imagens de santos. ● Nav. Cada uma das peças de madeira com que se entala um mastro fendido.

roça *s.f.* **1.** Ato ou efeito de roçar; roçadura. **2.** Terra onde se roça mato; terra cheia de mato. **3.** Sementeira plantada entre o mato. **4.** Terreno utilizado para a lavoura. **5.** A zona rural. **6.** (*BA*) Nos arredores de Salvador, chácara onde se cultivam hortaliças e frutas. **7.** (*BA*) Aldeia.

roçadeira *s.f.* **1.** Facão para abrir caminho no mato. **2.** Dispositivo acoplado a um trator, destinado a cortar e esmagar o mato.

roçado *s.m.* **1.** Clareira no mato. **2.** (*NE*) Roça de mandioca. **3.** (*CE*) Terreno plantado com culturas próprias ao inverno. ★ *adj.* Diz-se do terreno que foi limpo, que está pronto para ser cultivado.

rocambole *s.m.* (fr. *rocambole*). Bolo doce ou salgado, assado, recheado e enrolado em forma cilíndrica.

rocambolesco (ê) *adj.* (fr. *rocambolesque*). Que abunda em aventuras inverossímeis; enredado, cheio de peripécias.

roçar *v.t.* e *v.i.* (conj. 13). **1.** Deitar abaixo; cortar, derrubar (mato, vegetação). **2.** Gastar com o atrito. **3.** Esfregar, friccionar. **4.** Passar junto de; resvalar. **5.** *Fig.* Tocar levemente.

roceira *s.f.* Sin. de SAÚVA.

roceiro *adj.* **1.** Relativo a roça ou roçado. **2.** Diz-se do animal que penetra nas roças e as devasta. ★ *s.m.* **1.** Indivíduo que roça. **2.** Homem que planta roçados; pequeno lavrador. **3.** Indivíduo que mora na roça ou tem seus hábitos; caipira, matuto.

rocha *s.f.* (fr. *roche*). **1.** Massa compacta de um mineral ou de um conjunto de minerais, que é parte constitutiva da litosfera e que apresenta estrutura e composição homogêneas, e uma mesma origem. **2.** Rochedo, penhasco, penha. **3.** *Fig.* Pessoa insensível, inabalável.

rochedo (ê) *s.m.* **1.** Grande massa de rocha escarpada; penha, penhasco. **2.** Penhasco lavado pelo mar ou à beira-mar; penedo. ● **Anat.** Parte inferior do osso temporal, em formato de pirâmide deitada horizontalmente, que contém o ouvido interno.

rochoso (ô) *adj.* Formado de ou em que há rochas; pedregoso.

rociar *v.t.* (lat. *roscidare*) [conj. 16]. **1.** Cobrir de rocio ou orvalho; orvalhar. **2.** Aspergir, borrifar. **3.** Cobrir de umidade. ★ *v.i.* Cair rocio ou orvalho.

rocim *s.m.* Cavalo de pequena estatura, fraco ou magro.

rocio *s.m.* Orvalho, orvalhada.

rock ou **rock-and-roll** *s.m.* (ingl.). Roque.

VOCÊ SABIA...? O ano de 1955 tem um significado mítico na história da música popular, já que foi o do nascimento do ***rock-and-roll*** nos Estados Unidos. Esse estilo não só traria uma nova fusão musical, como também representaria um desafio à ideologia contemporânea: o *rock-and-roll* – mistura de música *country* dos brancos, executada com instrumentos eletrificados, *gospel* (canção de fundo religioso) e *rhythm and blues* (música negra de ritmo mais rápido) – foi denunciado à época como uma influência corruptora e um retorno a costumes selvagens do passado.

---

rococó *s.m.* (francês *rocaille*). Estilo artístico do séc. XVIII, inspirado no barroco italiano e na tendência decorativa francesa que acentuava as composições assimétricas, as formas com muitos contornos e sinuosas. ★ *adj.2g.* **1.** Relativo ao rococó. **2.** *Fig.* Rebuscado, de mau gosto, fora de moda.

roda *s.f.* (lat. *rota*). **1.** Utensílio de forma circular que se move em torno de seu centro ou de um eixo. **2.** Objeto circular, círculo. **3.** Grupo de pessoas ou coisas dispostas em círculo. **4.** *P. ext.* As pessoas que vivem habitualmente em torno de alguém; círculo. **5.** Dança coletiva, na qual os dançarinos ficam de mãos dadas, girando em círculo. **6.** Armário cilíndrico e giratório, encaixado na parede de convento, orfanato etc. para se depositar o que se quer passar de fora para o interior ou deste para fora. **7.** Roca. **8.** Ampliação da parte inferior da saia. **9.** *Roda hidráulica,* roda-d'água. ● **Mec.** Dispositivo de forma circular que permite transmitir um movimento, por meio dos dentes situados em sua periferia (roda dentada) ou por meio de um elemento flexível, que passa sobre sua periferia (polia).

rodada *s.f.* **1.** Movimento completo de uma roda; giro. **2.** Cada uma das vezes que se serve bebida a uma roda de pessoas. **3.** Em um campeonato, ciclo de jogos de uma mesma fase.

roda-da-fortuna *s.f.* Sin. de FORTUNA².

roda-d'água *s.f.* Maquinismo de madeira movido por um filete de água desviado de córregos, para acionar moinhos, pilões etc.; roda hidráulica.

rodado *adj.* **1.** Que tem roda. **2.** Que se rodou; percorrido.

rodagem *s.f.* **1.** Ato ou efeito de rodar. **2.** Conjunto das rodas de uma máquina ou de quaisquer mecanismos. **3.** Raio da roda de automóvel, que serve como medida de pneumáticos. **4.** *Estrada de rodagem,* rodovia.

rodamoinho (o-i) *s.m.* Redemoinho.

rodapé *s.m.* **1.** Barra de madeira, mármore etc. colocada ao longo das paredes, na junção com o piso, para proteger a pintura ou decorar o ambiente. **2.** *P. ext.* A parte inferior das paredes. **3.** Faixa de madeira colocada ao longo da parte inferior das grades de uma janela de sacada. **4.** A parte inferior de uma página impressa. **5.** Artigo, crônica etc. inserido nesse espaço.

rodar *v.t.* (lat. *rotare*) [conj. 4]. **1.** Fazer andar à volta; fazer girar em roda. **2.** Rodear, contornar. **3.** Percorrer. **4.** Imprimir. **5.** Filmar. ★ *v.i.* **1.** Fazer movimento de rotação; descrever órbita. **2.** Mover-se em volta de um eixo ou centro; girar. **3.** Mover-se sobre rodas; rolar. **4.** Andar sem destino; vaguear. **5.** Andar de carro. **6.** *Pop.* Ser expulso ou excluído.

roda-viva *s.f.* **1.** Movimento incessante. **2.** Barafunda, inquietação.

rodear *v.t.* (conj. 15). **1.** Andar em roda ou à volta de. **2.** Colocar, dispor em volta de; cingir, circundar. **3.** Fazer rodeios. ★ *v.pr.* Colocar em volta de si.

rodeio *s.m.* **1.** Giro, volta em redor de alguma coisa. **2.** Curva que se descreve, afastando-se do caminho. **3.** Argumento capcioso de que se lança mão para fugir da questão principal; evasiva, subterfúgio. **4.** Modo indireto e calculado no procedimento para conseguir indiretamente alguma coisa. **5.** Esporte de montaria com várias provas cronometradas (montar animais não amansados, laçar bezerros etc.).

rodela *s.f.* (lat. *rotella*). **1.** Pequeno objeto de forma circular. **2.** Fatia de fruta, legume etc. cortada em forma de roda.

rodilha *s.f.* **1.** Pano ou trapo que serve para fazer limpeza nas cozinhas; rodilho. **2.** Rosca de pano colocada na cabeça para apoiar uma carga pesada.

rodilhar *v.t.* (conj. 4). Enrodilhar.

rodilho *s.m.* **1.** Rodilha. **2.** Farrapo, trapo. **3.** *Fam.* Indivíduo que se presta a todos os serviços e é visto com desprezo.

ródio *s.m.* (gr. *rhodon,* rosa). Elemento químico (símb. Rh) de número atômico 45, que constitui um metal branco brilhante, quebradiço, bastante denso e resistente ao calor.

rodízio *s.m.* **1.** Haste de madeira grossa e cônica que movimenta a roda do moinho. **2.** Revezamento alternativo em certas funções ou atividades. **3.** Pequena roda metálica que se fixa aos pés dos móveis ou de outras cargas para que possam ser movidos com facilidade. **4.** Conluio, conchavo, cambalacho. **5.** Borboleta. **6.** Sistema de serviço oferecido em certos restaurantes em que vários pratos são oferecidos à vontade do freguês.

rodo (ô) *s.m.* (lat. *rutrum*). **1.** Utensílio com uma lâmina flexível, geralmente de borracha, na extremidade de um cabo longo, para puxar água do chão, limpá-lo com um pano etc. **2.** Utensílio agrícola constituído por uma régua, transversal ao sentido de tração, fixa a um cabo longo, para juntar ou movimentar grãos. **3.** Qualquer utensílio semelhante.

rododendro *s.m.* (gr. *rhododendron*). Arbusto originário do Japão, muito cultivado pela beleza das grandes flores purpúreas ou alvas.

rodopiar *v.i.* (conj. 16). **1.** Girar em torno de si mesmo, descrevendo círculos sobre círculos. **2.** Redemoinhar.

rodopio *s.m.* **1.** Ato ou efeito de rodopiar. **2.** Série contínua de giros ou de voltas. **3.** Vertigem causada por se andar à roda. **4.** Pêlos de animais cuja direção é diferente da normal, formando grupos de forma arredondada.

rodovalho *s.m.* Sin. de LINGUADO.

rodovia *s.f.* Estrada, geralmente pavimentada, destinada principalmente ao tráfego de veículos automotores; estrada de rodagem.

rodoviária *s.f.* Local de embarque e desembarque de passageiros de linhas de ônibus.

rodoviário *adj.* Relativo ou pertencente a rodovia ou transporte executado em rodovia.

roedor (ô) *adj.* (do lat. *rodere,* roer). Que rói. ★ *s.m.* Espécime dos roedores.

ROEDOR ▸ Vários grupos de mamíferos desenvolveram dentes incisivos especializados em roer. Entre eles encontram-se os ratos, os esquilos e as cobaias. A maior parte das 1.500 espécies de roedores é bastante pequena e pesa menos de 1 kg, embora a capivara, da América do Sul, chegue a pesar mais de 50 kg. Os roedores possuem um par de grandes incisivos em forma de cinzel na parte anterior de cada mandíbula, que utilizam para roer. Tais incisivos, juntamente com os molares, dentes próprios para triturar, permitem-lhes mastigar eficientemente uma grande variedade de material vegetal, como talos, frutas secas e sementes.

---

roedores *s.m.pl.* Ordem de mamíferos caracterizados pela presença de incisivos grandes, cortantes, de crescimento contínuo, representada pelos esquilos, castores, ratos etc.

roentgenfotografia ou **röntgenfotografia** (rêntguen). *s.f.* Radiografia.

roer *v.t.* (lat. *rodere*) [conj. 28]. **1.** Cortar ou desgastar com os dentes. **2.** Devorar aos bocadinhos, de modo contínuo. **3.** Corroer, desgastar, consumir. **4.** *Fig.* Pungir, atormentar.

rogar *v.t.* e *v.i.* (lat. *rogare*) [conj. 14]. Pedir com insistência e humildade; suplicar, implorar.

rogatório *adj.* Relativo a ou que contém rogo ou súplica.

rogo (ô) *s.m.* **1.** Ato ou efeito de rogar, de interceder ou de pedir; súplica. **2.** Prece.

rojão *s.m.* **1.** Ato ou efeito de rojar(-se); rojo. **2.** Artefato pirotécnico de rasto luminoso; foguete. **3.** Trabalho exaustivo. **4.** Marcha mais ou menos forçada.

rojar *v.t.* (conj. 4). **1.** Trazer ou levar de rastos; arrastar. **2.** Atirar, arrojar, lançar. ★ *v.i.* e *v.pr.* **1.** Arrastar-se pelo chão. **2.** Rastejar.

rojo (ô) *s.m.* **1.** Rojão. **2.** O som produzido pelo que roja ou se roja.

rol *s.m.* (lat. *rotulus*). **1.** Enumeração ou seqüência de itens; lista, inventário. **2.** *Fig.* Classe, categoria, tipo.

rola (ô) *s.f.* Denominação comum a várias espécies de aves columbiformes.

rola-bosta *s.m.* Sin. de ESCARAVELHO.

rolagem *s.f.* Rolamento. ● **Agric.** Ato de esmiuçar os torrões que a grade do arado não partiu e aconchegar o terreno para conservar a umidade e facilitar a germinação das sementes.

rolamento *s.m.* **1.** Ato ou efeito de rolar; rotação, rolagem. **2.** Deslocamento de um corpo que gira em contato com outro sem deslizar. ● **Mec.** Dispositivo interposto entre os mancais e as árvores dos sistemas mecânicos em rotação, destinado a substituir o movimento de deslizamento por um movimento de rolamento.

rolante *adj.2g.* **1.** Que rola, gira ou volteia sobre si mesmo. **2.** Diz-se de escadas, esteiras etc. que se movem sobre rodas ou carretilha, ao longo de trilhos.

rolar *v.t.* (lat. *rotulare*) [conj. 4]. **1.** Fazer andar em roda; fazer girar. **2.** Movimentar (uma coisa) obrigando-a a dar voltas sobre si mesma. **3.** Cortar em rolos ou toras. ★ *v.i.* **1.** Avançar girando sobre si mesmo. **2.** Rodar. **3.** Cair dando voltas sobre si. ★ *v.pr.* Encapelar-se, enrolar-se.

roldana *s.f.* (lat. *rolutana*). Disco circular girante com uma ranhura na sua periferia, sobre a qual passa uma corda ou uma corrente.

roldão *s.m.* (fr. *randon*). **1.** Confusão, baralhada, barafunda. **2.** Precipitação, agitação.

roleta (ê) *s.f.* (fr. *roulette*). **1.** Pequena polia cilíndrica, geralmente de madeira. **2.** Borboleta. **3.** Roda horizontal com pequenos escaninhos numerados e coloridos de vermelho e preto, na qual se faz girar uma pequena bola que, ao parar, se encaixa em um dos escaninhos. **4.** Jogo de azar com essa peça, em que o vencedor é aquele que apostar no número ou na cor indicada pela parada da bola.

rolete (ê) *s.m.* **1.** Pequeno rolo. **2.** Cada uma das peças de madeira cilíndricas sobre as quais se coloca um objeto pesado para facilitar seu deslocamento. **3.** Entrenó de cana. **4.** Rodela de cana descascada, pronta para se chupar. ● **Mec.** Pequena roda cilíndrica ou cônica que serve de guia ou apoio a uma peça mecânica móvel.

rolha (ô) *s.f.* Peça cilíndrica de material elástico, em geral cortiça, que serve para fechar recipientes com gargalo.

roliço *adj.* **1.** Que tem forma de rolo; redondo, cilíndrico. **2.** De formas arredondadas; gordo, gorducho.

rolo (ô) *s.m.* (lat. *rotulus*). **1.** Cilindro sólido. **2.** Qualquer objeto cilíndrico. **3.** Embrulho ou fardo de coisas enroladas. **4.** Manuscrito antigo em papiro, pergaminho ou pele, que se enrolava num pau de forma cilíndrica. **5.** Cilindro de madeira usado para dar forma à massa. **6.** *Pop.* Desordem, bagunça, baderna. **7.** *Pop.* Transação comercial em que as partes entram não apenas com dinheiro. **8.** *Pop.* Engano, logro. **9.** *Rolo compressor,* equipamento de pavimentação e terraplenagem, utilizado para comprimir os revestimentos das estradas ou para compactar solos. ● **Agric.** Instrumento constituído de um ou mais cilindros, utilizado para quebrar os torrões e para nivelar o solo.

romã *s.f.* (lat. *mala,* maçã romana). Fruto da romãzeira, arredondado, de casca amarelo-avermelhada, que possui numerosos grãos de sabor agradável e cuja casca encerra um alcalóide de uso medicinal.

romance *s.m.* (lat. *romanice*). **1.** Forma de latim alterado que, durante a Idade Média, se firmou como língua popular de diversos países europeus. **2.** Originariamente, obra narrativa escrita em língua românica, em verso ou em prosa. **3.** Narrativa em prosa, mais ou menos longa, na qual se relatam fatos imaginários e cujo centro de interesse pode estar no relato de aventuras, no estudo de costumes ou tipos psicológicos ou na crítica social. **4.** *P. ext.* Descrição exagerada ou fantasiosa. **5.** *Pop.* Relação amorosa; namoro.

romancear *v.t.* (conj. 15). **1.** Narrar ou descrever em forma de romance. **2.** Dar forma agradável e pitoresca a. ★ *v.i.* **1.** Inventar histórias; escrever romances. **2.** *Fig.* Contar fatos inverossímeis.

romanceiro *s.m.* (esp. *romancero*). Compilação poética integral ou antológica de composições épicas ou líricas de origem popular.

romancista *s.2g.* Aquele que escreve romances.

romanesco (ê) *adj.* (fr. *romanesque*). **1.** Relativo a romance. **2.** Semelhante a um romance; fabuloso. **3.** Que mistura realidade e fantasia; sonhador, romântico.

românico *adj.* (lat. *romanicus*). **1.** Diz-se das línguas modernas que se formaram do latim vulgar. (Sin. NEOLATINO.) **2.** Relativo ou pertencente a essas línguas. **3.** Diz-se da arte que se desenvolveu na Europa ocidental nos séculos XI e XII.

romanista *adj.2g.* Relativo ao romanismo. ★ *s.2g.* **1.** Lingüista ou filólogo que se dedica ao estudo das línguas e literaturas românicas. **2.** Pessoa que estuda o direito, a história e as instituições da Roma antiga. **3.** Diz-se dos pintores flamengos que, no séc. XVI, inspiraram-se nos mestres do Renascimento italiano.

romanizar *v.t.* (conj. 4). **1.** Impor a civilização dos antigos romanos e a língua latina a uma população, a um país. **2.** Dar características semelhantes às das línguas românicas. **3.** Transcrever com alfabeto latino uma língua que não tinha escrita ou utilizava outro sistema de escrita.

romano *adj.* (lat. *romanus*). **1.** Relativo ou pertencente a Roma ou ao império constituído por Roma na Antiguidade. **2.** Relativo à Igreja Católica latina, cuja sede está em Roma. **3.** *Algarismos romanos,* as letras I, V, X, L, C, D, M, que valem respectivamente 1, 5, 10, 50, 100, 500 e 1.000, e que multiplamente combinadas serviam aos romanos para formar os números. *Direito romano,* conjunto das regras de direito em vigor sob a República e o Império romanos. ★ *s.m.* O natural ou habitante de Roma ou da Roma antiga.

ROMANO ▸ A vestimenta romana por excelência foi a *toga*, branca para os cidadãos adultos e bordada de púrpura para os jovens. Havia roupas de abrigo, como os mantos de chuva ou viagem, e os mantos de guerra. A *túnica*, espécie de camisola que para as mulheres devia ser dupla, era uma roupa interna, sobre a qual se usava a *estola*. No final da República, foi introduzida a seda.

romântico *adj.* (fr. *romantique*). **1.** Relativo a ou próprio do romance ou do romantismo. **2.** Que evoca o estado de alma e as emoções próprias do romantismo; apaixonado, arrebatado. **3.** *Fig.* Lírico, poético. **4.** *Pej.* Sentimental, piegas, meloso. ★ *s.m.* **1.** Seguidor do romantismo. **2.** Pessoa de caráter romântico. **3.** O gênero romântico.

romantismo *s.m.* (fr. *romantisme*). Conjunto dos movimentos intelectuais e artísticos que, a partir do final do séc. XVIII, fizeram prevalecer o sentimento sobre a razão, a imaginação sobre a análise crítica e exaltaram os valores e sentimentos do indivíduo.

romantizar *v.t.* (conj. 4). **1.** Tornar romântico. **2.** Descrever, contar, fantasiar. **3.** Narrar a guisa de romance. ★ *v.i.* **1.** Idear romances. **2.** Assumir ares de romântico.

romaria *s.f.* (de *Roma,* n.pr.). **1.** Viagem ou peregrinação religiosa. **2.** Festa popular celebrada no dia do santo padroeiro das cidades do interior. **3.** *Fig.* Grande número de pessoas que afluem a um lugar.

romãzeira *s.f.* Árvore ou arbusto ramificado, de casca avermelhada, flores vermelhas e fruto arredondado, comestível, que possui variedades cultivadas como ornamentais.

rombencéfalo *s.m.* Terceira vesícula cerebral embrionária de onde se originam o mielencéfalo e o metencéfalo.

rômbico *adj.* (gr. *rhómbos*). Que tem forma de rombo, de losango.

rombo[1] *s.m.* (gr. *rhombos*). Losango. ★ *adj.* **1.** Que não é aguçado, que não tem ponta, que não perfura. **2.** *Fig.* Estúpido, tolo, obtuso.

rombo[2] *s.m.* **1.** Grande furo, buraco ou rasgo. **2.** Desvio ou extravio de verba; desfalque.

romboedro *s.m.* (lat. cient. *rhombohedron*). Poliedro cujas seis faces são losangos iguais.

rombóide *adj.2g.* Semelhante a rombo, ou losango. ★ *adj.* e *s.m.* Diz-se de ou músculo largo e fino da região dorsal e que tem forma de um losango.

rombudo *adj.* **1.** Muito rombo; mal aguçado ou mal aparado. **2.** *Fig.* Estúpido, rude, grosseiro. **3.** *Fig.* Carrancudo.

romeiro *s.m.* (de *Roma,* n.pr.). **1.** Aquele que participa de romaria; peregrino. **2.** Viandante. **3.** *Fig.* Apóstolo, defensor de novas idéias.

romênio *adj.* Romeno.

romeno *adj.* Relativo ou pertencente à Romênia, país da Europa; romênio. ★ *s.m.* **1.** O natural ou habitante da Romênia. **2.** Língua românica falada principalmente nesse país.

rompante *adj.2g.* Que denota orgulho ou altivez. ★ *s.m.* **1.** Arrogância, orgulho. **2.** Ímpeto, impulso.

romper *v.t.* (lat. *rumpere,* romper) [conj. 5]. **1.** Abrir à força; arrombar. **2.** Atravessar, transpor abrindo caminho à força; cortar. **3.** Cortar, quebrar, partir (laços ou ligações). **4.** Despedaçar, quebrar, destroçar. **5.** Infringir, violar. **6.** Irromper, iniciar. ★ *v.i.* **1.** Começar, iniciar. **2.** Despontar-se, mostrar-se. **3.** Sair com ímpeto; estourar, irromper. ★ *v.pr.* **1.** Quebrar-se, partir-se, destruir-se. **2.** Fender-se, abrir-se.

rompimento *s.m.* **1.** Ato ou efeito de romper(-se). **2.** Rasgão. **3.** Quebra. **4.** Suspensão, interrupção, cessação. **5.** Interrupção de relações individuais ou internacionais.

ronca *s.f.* **1.** Ato ou efeito de roncar; ronco. **2.** *Fig.* Bravata, fanfarronada.

roncar *v.i.* (gr. *rhonkhiao*) [conj. 12]. **1.** Respirar ruidosamente durante o sono; ressonar. **2.** Produzir barulho surdo e contínuo, semelhante ao ronco. **3.** Produzir fragor ou estrondo; estrondear. ★ *v.t. Pop.* Blasonar, bravatear.

ronceiro *adj.* (esp. *roncero*). **1.** Lento, vagaroso, lerdo. **2.** Que se nega a andar, que só se move à custa de pancada e lentamente. **3.** Indolente, preguiçoso.

ronco *s.m.* (gr. *rhonkos*). **1.** Ato ou efeito de roncar; ronca. **2.** Som cavernoso e áspero produzido pelo indivíduo que dorme respirando ruidosamente. **3.** Barulho de movimento contínuo, semelhante ao ronco. **4.** Barulho forte e áspero; fragor, estrondo. **5.** *Pop.* Fanfarronice, bravata. **6.** *Pop.* Trovão. **7.** Ronrom. ● **Med.** Estertor forte, sonoro, de tonalidade grave, percebido na auscultação do tórax durante as bronquites.

VOCÊ SABIA...? As pessoas roncam quando, durante o sono profundo, os tecidos da garganta obstruem parcialmente a passagem do ar que entra e sai dos pulmões. Com isso, são produzidas as vibrações que causam o **ronco**.

ronda *s.f.* (esp. *ronda*). **1.** Percurso feito por uma sentinela ou vigilante. **2.** Serviço de vigilância noturna nas cidades. **3.** Percurso feito por um oficial com a finalidade de verificar o cumprimento das ordens e instruções. **4.** Grupo de indivíduos encarregado dessas tarefas. **5.** Inspeção, vistoria.

rondar *v.t.* (conj. 4). **1.** Fazer ronda a, andar vigiando. **2.** Andar à volta de; rodear. **3.** Vigiar, espreitar. ★ *v.i.* **1.** Passar observando. **2.** Andar à volta.

rondó *s.m.* (fr. *rondeau*). **Liter.** Poema lírico de forma fixa com versos ou estrofes recorrentes. **Mús.** Peça instrumental ou vocal caracterizada pela alternância de um refrão ou de estrofes.

ronha *s.f.* (it. *rogna*). **1.** Espécie de sarna que ataca os animais (cavalos, ovelhas etc.). **2.** Doença que ataca certos vegetais, como a videira. **3.** *Pop.* Malícia, solércia, velhacaria.

ronqueira *s.f.* **1.** Ruído provocado por respiração difícil decorrente de afecção das vias respiratórias. **2.** Barulho característico, anormal, que acompanha a respiração de certos animais, principalmente os bovinos e os cavalos, que sofrem de uma afecção da laringe, pulmões ou dos órgãos vizinhos.

ronrom *s.m.* (onomat). **1.** Ruído que o gato, ao descansar, faz com a garganta; ronco. **2.** Ruído surdo e contínuo; ronco.

ronronar *v.i.* (conj. 4). Fazer ronrom.

roque *s.m.* (ingl. *rock*). **1.** Dança em dois ou quatro tempos em ritmo acelerado. **2.** Estilo musical com predominância vocal e ritmo acentuado, nascido do encontro da música popular negra norte-americana com elementos do folclore dos brancos.

roqueira *s.f.* Antiga máquina de guerra que lançava projéteis (séculos XIV e XV).

roqueiro[1] *adj.* Relativo a rocha ou que tem a constituição desta.

roqueiro[2] *adj.* Relativo a roca. ★ *s.m.* Aquele que faz roca.

roqueiro[3] *s.m.* Músico ou cantor de roque.

roquete (ê) *s.m.* (prov. *roquet*). **1.** Sobrepeliz estreita de mangas, com rendas e pregas miúdas, usada geralmente por bispos. **2.** Aparelho que imprime rotação a uma broca.

rorejar *v.t.* (do lat. *ros, roris,* orvalho) [conj. 4]. **1.** Orvalhar. **2.** Banhar em gotas à maneira de orvalho. ★ *v.i.* Brotar em gotas; porejar.

rosa *s.f.* (lat. *rosa*). **1.** A flor da roseira, muito odorífera, de cores diversas. **2.** Cor semelhante à da rosa comum, de um vermelho desmaiado; cor-de-rosa. ★ *adj.2g.2n.* **1.** Diz-se dessa cor. **2.** Que é dessa cor; cor-de-rosa, róseo.

rosácea *s.f.* (lat. *rosacea*). Figura simétrica e em forma de circunferência, semelhante à rosa. ● **Constr.** Grande abertura circular em uma parede, com intersecções decorativas dispostas como os raios de uma roda e geralmente guarnecida de vitrais. **Med.** Afecção cutânea da face, caracterizada por uma coloração viva, determinada por dilatação vascular.

rosáceas *s.f.pl.* Família de plantas dicotiledôneas, herbáceas, arbustivas, arbóreas ou trepadeiras, de flores vistosas, como a roseira, a macieira e a cerejeira.

rosáceo *adj.* (lat. *rosaceus*). **1.** Relativo à rosa. **2.** Relativo à família das rosáceas. **3.** Róseo.

rosa-cruz *adj.2g.* Relativo ou pertencente à Rosa-Cruz, associação mística de âmbito internacional. ★ *s.2g.* Membro dessa organização.

rosado *adj.* (lat. *rosatus*). **1.** Que tem a cor da rosa; róseo, cor-de-rosa, rosa. **2.** Diz-se do vinho obtido a partir da mistura de vinhos tinto e branco. **3.** Diz-se de uma preparação farmacêutica que contém essência ou pétalas de rosa.

rosa-do-japão *s.f.* **1.** Sin. de HORTÊNSIA. **2.** Sin. de CAMÉLIA.

rosa-dos-ventos *s.f.* Estrela de 32 pontas que corresponde às 32 direções dos ventos em relação à bússola.

rosal *s.m.* Roseiral.

rosário *s.m.* (lat. ecles. *rosarium*). **1.** Grande colar com 15 dezenas de contas que se vão passando pelos dedos para contar orações feitas. **2.** Conjunto de orações rezadas por esse processo. **3.** *Fig.* Série, enfiada, fieira.

rosbife *s.m.* (do ingl. *roast beef,* carne assada). Carne bovina de primeira qualidade levemente tostada por fora e quase crua por dentro, servida em fatias finas.

rosca (ô) *s.f.* **1.** Ranhura helicoidal de um parafuso, de uma porca. **2.** Linha espiral. **3.** Pão ou biscoito feito de farinha, em forma de argola retorcida.

roscar *v.i.* (conj. 12). Rosquear.

roseira *s.f.* (lat. *rosaria*). Nome comum a diversos arbustos ou trepadeiras, originários do Oriente, cultivados pelas flores, de numerosas variedades.

roseiral *s.m.* Extensão de terra plantada de roseiras; rosal.

róseo *adj.* **1.** Relativo a ou próprio da rosa; rosáceo. **2.** Perfumado como a rosa. **3.** Cor-de-rosa, rosado.

roséola *s.f.* Erupção cutânea de manchas vermelhas.

roseta[1] (ê) *s.f.* (fr. *rosette*). **1.** Parte móvel da espora, em forma de roda estrelada, que serve para picar o cavalo. **2.** Pequena roda presa a um cabo, para gravar corpos de resistência moderada (couro, p. ex.). ● **Arquit.** Ornato em forma de flor aberta, composto de um botão em torno do qual se agrupam pétalas ou folhas inscritas em um círculo.

roseta[2] (ê) *s.f.* Diminuição notável dos entrenós das plantas, causada por um vírus (no trigo e no lírio) ou por uma carência de zinco (na macieira).

rosetar *v.t.* (conj. 4). Esporear (a montaria) com a roseta. ★ *v.i.* **1.** Divertir-se muito; folgar. **2.** *Gír.* Divertir-se com pessoa do sexo oposto.

rosilho *adj.* (esp. *rosillo*). Diz-se do eqüídeo que possui pêlos avermelhados e brancos, com aparência de pelagem rosada.

rosmaninho *s.m.* Erva pequena, de folhas oblongas e flores azuis, aromáticas, utilizadas como condimento.

rosnar *v.t.* e *v.i.* (onomat) [conj. 4]. **1.** Emitir (o cão, o lobo) som surdo, diferente do latido, geralmente em sinal de ameaça. **2.** *Fig.* Proferir em voz baixa e entre dentes; murmurar. ★ *s.m.* **1.** Voz surda do cão. **2.** Ato de rosnar.

rosquear *v.t.* (conj. 15). **1.** Apertar ou fixar com rosca; roscar. **2.** Fazer rosca em; roscar.

rosto (ô) *s.m.* (lat. *rostrum*). **1.** Parte anterior da cabeça, limitada pelos cabelos, orelhas e parte inferior do queixo; face, cara. **2.** Fisionomia, semblante. **3.** Frente, fronte, dianteira. **4.** A parte da medalha oposta ao anverso. **5.** A primeira página do livro, onde estão o título e o nome do autor; frontispício.

rostro *s.m.* (lat. *rostrum*). **1.** Esporão colocado na proa dos navios antigos para perfurar o casco dos outros, nas batalhas. **2.** Tribuna dos oradores romanos, ornada com proas de navios conquistados aos inimigos. ● **Bot.** Prolongamento pontiagudo de diversos órgãos vegetais. **Zool.** Prolongamento rígido, localizado na região frontal de diversos animais. ► Conjunto de peças compridas e estreitas que forma o aparelho sugador dos insetos hemípteros.

rota *s.f.* (lat. *rupta*). **1.** Itinerário que se percorre para ir de um lugar a outro; caminho, trajetória. **2.** Direção, rumo.

rotação *s.f.* (lat. *rotatio, rotationis*). Movimento giratório de um corpo em torno de um eixo fixo, material ou não; revolução, giro. ● **Agric.** Sucessão, ao longo de alguns anos, de um dado número de culturas segundo uma ordem determinada, sobre um mesmo terreno. **Metrol.** *Rotação por minuto* (símb. rpm), unidade de velocidade angular; unidade de medida dos movimentos circulares.

rotariano *adj.* Relativo ou pertencente ao Rotary Clube, associação filantrópica internacional. ★ *s.m.* Membro dessa associação.

rotativa *s.f.* Máquina de imprimir de forma cilíndrica cujo movimento rotativo contínuo permite grande velocidade de impressão, própria para publicações de grande tiragem.

rotatividade *s.f.* **1.** Qualidade de rotativo. **2.** Alternância de pessoas ou coisas; rodízio. **3.** *Rotatividade de pessoal,* porcentagem do pessoal substituído, em uma empresa, durante um ano.

rotativo *adj.* **1.** Que faz rotação, que atua ou funciona girando. **2.** Que se transmite em rodízio (cargos, responsabilidades etc.).

rotatório *adj.* (lat. *rotator*). **1.** Que gira em torno de um eixo; rotativo, giratório. **2.** Relativo à rotação.

roteiro *s.m.* **1.** Itinerário de viagem ou sua descrição pormenorizada. **2.** Itinerário ou descrição dos pontos e acidentes (contorno da costa, correntes, baixios, escolhos) que se precisam conhecer para fazer uma viagem marítima. **3.** Indicação e localização das ruas, praças etc., de uma grande cidade. **4.** Relação dos tópicos que devem ser abordados em um trabalho escrito, em uma discussão. **5.** *Fig.* Regulamento, norma, regra. ● **Cin.** Texto que resulta do desenvolvimento do argumento de um filme, já dividido em planos, seqüências e cenas, e com todos os diálogos.

rotina *s.f.* (fr. *routine*). **1.** Caminho utilizado normalmente, itinerário habitual. **2.** Conjunto de atos ou procedimentos que se segue normalmente, regularmente. **3.** *Fig.* Repetição monótona e mecânica de atos, procedimentos etc.

rotineiro *adj.* **1.** Que tem o caráter de rotina. **2.** Costumeiro, habitual, quotidiano.

roto (ô) *adj.* (lat. *ruptus*). **1.** Rasgado, esfarrapado, rompido. **2.** Estragado, danificado, destruído. **3.** Quebrado, violado, transgredido. **4.** *Fig.* Disperso, espalhado, interrompido. ★ *s.m.* Pessoa que veste roupa esfarrapada; maltrapilho, mendigo.

rotor (ô) *s.m.* Componente giratório em forma de eixo, em máquinas ou motores.

rótula *s.f.* (lat. *rotula*). **1.** Peça esférica utilizada como articulação em dispositivos que se orientam em todas as direções (principalmente em mecânica). **2.** Gelosia. ● **Anat.** Osso arredondado, móvel, situado um pouco acima da articulação do fêmur com a tíbia, na face anterior do joelho; patela.

rotular *v.t.* (conj. 4). Colocar rótulo ou etiqueta em.

rótulo *s.m.* (lat. *rotulus*). **1.** Peça geralmente de papel com informações sobre o objeto em que é fixada; letreiro, etiqueta. **2.** Papel fixado sobre garrafas ou frascos para identificar o produto e enaltecer seus predicados. **3.** Ralo ou pequena grade das janelas ou portas, dos confessionários e das rodas nos conventos. **4.** *Fig.* Qualificação simplista.

rotunda *s.f.* (lat. *rotundus*). **Arquit.** Edifício, pequeno pavilhão ou grande salão sustentado por colunas, de forma circular, geralmente encimado por uma cúpula. ▸ Praça circular onde desembocam várias ruas ou avenidas. **Teat.** Pano de fundo, em geral de tecido consistente, disposto em semicírculo ou em linha reta ao fundo do palco.

rotundo *adj.* (lat. *rotundus*). **1.** Redondo, esférico, circular. **2.** *Fig.* Gordo, corpulento, ancho.

roubalheira *s.f.* **1.** Roubo grande e escandaloso. **2.** Roubo de bens que pertencem ao Estado, a qualquer organização ou empresa.

roubar *v.t.* (germ. *raubon*) [conj. 4]. **1.** Apropriar-se de bem pertencente a outrem mediante violência ou ameaça. **2.** Despojar de dinheiro ou valores; furtar. **3.** Apropriar-se fraudulentamente de. **4.** Raptar, seqüestrar. **5.** Burlar ou violar as regras de (jogo), favorecendo um competidor. **6.** *Fig.* Consumir, gastar. ★ *v.i.* Praticar roubo. ★ *v.pr.* Furtar-se, fugir, esquivar-se.

roubo *s.m.* **1.** Ato ou efeito de roubar. **2.** Produto do roubo. **3.** *Fig.* Preço excessivo.

rouco *adj.* (lat. *raucus*). Que apresenta rouquidão; roufenho.

roufenho *adj.* (onomat.). **1.** Diz-se daquele que fala pelo nariz; fanhoso, anasalado, rouquenho. **2.** Rouco. **3.** Que tem som áspero.

round *s.m.* (ingl.). **Esp.** Sin. de ASSALTO.

roupa *s.f.* **1.** Designação genérica das peças de vestuário; vestes, vestimenta, indumentária, traje. **2.** Peça de pano de uso doméstico, em cama, mesa ou banho. **3.** *Roupa de baixo,* conjunto das peças interiores ou íntimas do vestuário masculino e feminino.

roupagem *s.f.* **1.** Conjunto ou quantidade de roupas; rouparia, veste, vestimenta. **2.** *Fig.* Aspecto exterior; aparência. **3.** Representação artística de roupas ou indumentárias.

roupão *s.m.* **1.** Indumentária larga e comprida, para usar em casa; chambre. **2.** *Roupão de banho,* o que é feito de tecido atoalhado, para ser vestido depois do banho.

rouparia *s.f.* **1.** Quantidade considerável de roupas. **2.** Cômodo ou armário onde se guarda a roupa.

roupeiro *s.m.* **1.** Pessoa encarregada da rouparia de um hospital, internato etc. **2.** Indivíduo que faz roupas. **3.** Móvel utilizado para guardar roupa, especialmente a que serve ao arranjo da casa.

rouquejar *v.t.* (conj. 4). Emitir com sons roucos. ★ *v.i.* **1.** Emitir sons roucos; ter rouqueira. **2.** Bramir, rugir.

rouquenho *adj.* Que apresenta rouquidão; roufenho.

rouquidão *s.f.* Alteração de timbre, de tonalidade e de altura da voz, geralmente provocada por inflamação da laringe.

rouxinol *s.m.* (lat. *lusciniola*). **1.** Ave passeriforme, de canto melodioso, que se alimenta de insetos, vermes e frutos, e que ocorre na Europa, Ásia e África. **2.** Sin. de CORRUPIÃO.

roxo (ô) *adj.* (lat. *rubeus*). **1.** Que tem a cor entre o rubro e o violáceo; purpúreo. **2.** *Pop.* Diz-se de adepto convicto, exacerbado, de um time de futebol, partido político etc. ★ *s.m.* A cor que resulta da combinação de vermelho e azul.

rpm abrev. de rotação por minuto.

Ru símbolo químico do rutênio.

rua *s.f.* (lat. *ruga,* sulco). **1.** Via pública urbana, ladeada de casas, prédios, muros ou jardins. **2.** As casas que margeiam essa via. **3.** Espaço livre entre canteiros de jardins e hortas, por onde se circula. **4.** Espaço que separa duas fileiras de cepas de videira.

rubéola *s.f.* (esp. *rubéola*). Moléstia eruptiva viral, muito contagiosa, que pode provocar graves malformações no feto quando acomete a mãe no primeiro trimestre de gestação.

rubi *s.m.* (do lat. *ruber,* vermelho). Pedra preciosa transparente, de um vermelho vivo, com matizes rosados ou púrpura, constituída por uma variedade de coríndon.

rubiácea *s.f.* Espécie das rubiáceas.

rubiáceas *s.f.pl.* (lat. cient. *rubiaceae*). Família de plantas dicotiledôneas, herbáceas, subarbustivas, arbustivas, arbóreas ou trepadeiras, como o café, o jenipapeiro e a gardênia.

rubicundo *adj.* (lat. *rubicundus*). Vermelho, rubro, da cor do rubi.

rubídio *s.m.* (lat. cient. *rubidium*). Elemento químico (símb. Rb) de número atômico 37, que constitui um sólido branco, semelhante ao potássio, pouco denso e pouco resistente ao calor.

rúbido *adj.* (lat. *rubidus*). *Poét.* Que tem cor vermelha ou rubra; afogueado, rubro.

rublo *s.m.* (do russo *rubit,* cortar). Unidade monetária da Rússia, Tadjiquistão e Belarus, que se divide em 100 copeques.

rubor (ô) *s.m.* (lat. *rubor*). **1.** Qualidade de rubro. **2.** A cor vermelha com todas as suas variantes. **3.** Vermelhidão no rosto causada por fadiga ou vergonha; enrubescimento. **4.** *Fig.* Pudor, modéstia, vergonha.

ruborizar *v.t.* (conj. 4). **1.** Cobrir de rubor, tornar vermelho; enrubescer, corar. **2.** Fazer corar; envergonhar. ★ *v.pr.* Corar, envergonhar-se, ter pudor.

rubrica *s.f.* (lat. *rubrica*). **1.** Título que constitui indicação geral do assunto de um conjunto de elementos. **2.** Nota, lembrete. **3.** Assinatura abreviada. **4.** Artigo de orçamento.

rubricar *v.t.* (lat. *rubricare*) [conj. 12]. **1.** Firmar, apor rubrica em documento. **2.** Assinar abreviadamente.

rubro *adj.* (lat. *rubrus*). **1.** Vermelho intenso. **2.** Diz-se dessa cor. **3.** Corado, afogueado. ● **Anat.** *Núcleo rubro,* estrutura nervosa situada na base do cérebro, que constitui um ponto de contato e cruzamento dos impulsos nervosos nas vias motoras extrapiramidais. ★ *s.m.* A cor rubra.

ruço *adj.* (lat. *roscidus,* orvalhado). **1.** Pardacento, pardo claro. **2.** Que tem cabelos brancos e pretos misturados; grisalho. **3.** De cor escura e desbotada pelo uso. **4.** Diz-se do cavalo de pelagem preta encabelada de branco e com crinas grisalhas. **5.** Que tem cabelos castanhos muito claros. **6.** *Gír.* Complicado, difícil. ★ *s.m.* **1.** Cavalo de cor ruça. **2.** Nevoeiro rápido e espesso que sobe uma serra espalhando-se em massa compacta. **3.** Indivíduo que tem cabelos castanhos muito claros.

rúcula *s.f.* Planta hortícola, originária da Europa, de talo aveludado, folhas espessas, de sabor picante, consumidas como salada, e flores brancas ou amareladas.

rude *adj.2g.* (lat. *rudis*). **1.** Não cultivado; tosco, inculto. **2.** Que trata os outros de maneira áspera; grosseiro, incivil, descortês. **3.** Ignorante, estúpido. **4.** Rigoroso, áspero. **5.** Desastrado, desajeitado.

rudeza (ê) *s.f.* **1.** Qualidade de rude; rudez, aspereza, dureza. **2.** Rispidez, incivilidade, grosseria. **3.** Estupidez, ignorância. **4.** Crueldade, maldade.

rudimentar *adj.2g.* **1.** Relativo aos rudimentos; elementar. **2.** Básico, fundamental. **3.** Que não se aperfeiçoou.

rudimento *s.m.* (lat. *rudimentum*). **1.** Conhecimento ou prática que constitui os princípios, ou a base de; elemento. **2.** Esboço, forma embrionária ou juvenil de um órgão. **3.** Órgão que atinge, mesmo no adulto, apenas um ligeiro desenvolvimento. ★ *s.m.pl.* Primeiras noções, princípios de uma ciência, língua ou arte.

rueiro *adj.* **1.** Que gosta de sair freqüentemente, de andar pelas ruas. **2.** Relativo a rua. ★ *s.m.* Indivíduo rueiro.

ruela *s.f.* Pequena rua; viela, beco.

rufar *v.t.* (conj. 4). Tocar dando rufos em. ★ *v.i.* Produzir rufos.

rufião *s.m.* **1.** Indivíduo que explora uma prostituta, a quem dá alguma assistência ou simula proteger; gigolô, proxeneta. **2.** Alcoviteiro. ● **Zootec.** Macho utilizado para detectar o cio das fêmeas nas espécies onde este é difícil de perceber (égua, ovelha).

rufiar *v.i.* (conj. 16). Agir como rufião.

rufiona *s.f.* **1.** Mulher que vive às expensas de uma prostituta, a quem dá alguma assistência ou simula proteger. **2.** Nos centros de inseminação artificial, fêmea utilizada para provocar a ejaculação dos reprodutores (touros, carneiros, bodes etc.).

ruflar *v.t.* (onomat.) [conj. 4]. **1.** Encrespar as asas para levantar vôo. **2.** Agitar, fazer tremular. ★ *v.i.* Agitar-se, produzindo rumor.

rufo[1] *s.m.* **1.** Toque de tambor. **2.** *P. ext.* Som semelhante ao do tambor.

rufo[2] *s.m.* (ingl. *ruff*). Enfeite ou guarnição de pregas ou franzidos.

ruga *s.f.* (lat. *ruga*). **1.** Prega cutânea provocada pela idade, por emagrecimento etc.; gelha. **2.** Prega ou dobra que se forma em uma superfície; enrugamento.

rúgbi *s.m.* Aportug. de RUGBY.

rugby *s.m.* (ingl.). Esporte de equipe em que uma bola oval, jogada com os pés ou com as mãos, deve ser conduzida ao gol adversário. (Forma aportug. RÚGBI.)

ruge *s.m.* (fr. *rouge,* vermelho). Cosmético em pó ou pasta, usado para colorir as faces.

ruge-ruge *s.m.* (onomat). **1.** O som de objeto que vai rojando pelo chão; rangido. **2.** Confusão, atropelo, desordem.

rugido *s.m.* (lat. *rugitus*). **1.** A voz própria ou o urro do leão, tigre e outros felinos. **2.** *Fig.* Grito estridente e prolongado; frêmito. **3.** Som áspero e cavernoso.

rugir *v.i.* (lat. *rugire*) [conj. 52]. **1.** Soltar ou emitir rugidos; bramir, urrar, fremir. **2.** *Fig.* Produzir sons semelhantes a rugidos. **3.** Sussurrar brandamente. ★ *v.t.* **1.** Roçar, farfalhar. **2.** *Fig.* Bradar, proferir em tom furioso.

rugoso (ô) *adj.* (lat. *rugosus*). Que tem rugas; engelhado, estriado.

ruibarbo *s.m.* (lat. *rheubarbarum*). Planta herbácea, originária da China, de folhas ásperas e raiz amarga, de propriedades medicinais, utilizada também na fabricação de bebidas.

ruído *s.m.* (lat. *rugitus,* rugido). **1.** Barulho causado pela queda de um corpo ou pelo choque entre dois ou mais corpos. **2.** Som indistinto, contínuo. **3.** Estrondo, estrépito. **4.** Rumor, boato. **5.** Alvoroço, agitação. ● **Telecom.** Conjunto de perturbações de qualquer natureza e de qualquer origem que venha a se superpor a um sinal útil em um ponto qualquer do espaço ou de uma via de transmissão.

ruim (u-ím) *adj.2g.* (lat. *ruina*). **1.** Nocivo, mau, prejudicial. **2.** Mau, cruel, perverso. **3.** Deteriorado, estragado. **4.** De gosto desagradável. **5.** De má qualidade; ordinário.

ruína *s.f.* (lat. *ruina*). **1.** Ato ou efeito de ruir. **2.** Desabamento, desmoronamento. **3.** Restos de construções desmoronadas ou destruídas; escombros. **4.** *Fig.* Decadência, degradação, queda. **5.** *Fig.* Perda da fortuna, da prosperidade ou da felicidade. **6.** *Fig.* Causa de males ou destruição.

ruinoso (u-i...ô) *adj.* (lat. *ruinosus*). **1.** Que ameaça ruir. **2.** Que está em ruínas. **3.** Que acarreta ruína, perda ou destruição; nefasto, prejudicial, nocivo.

ruir *v.i.* (lat. *ruere*) [conj. 74]. **1.** Cair com ímpeto e rapidamente; desabar, desmoronar. **2.** *Fig.* Decair, degradar-se. **3.** *Fig.* Desfazer-se, frustrar-se.

ruivo *adj.* (lat. *rubeus*). Amarelo-avermelhado, acobreado. ★ *s.m.* Aquele cujo cabelo tem essa cor.

rum *s.m.* (ingl. *rum*). Aguardente fabricada com melaço de cana-de-açúcar por fermentação alcoólica e subseqüente destilação.

ruma *s.f.* Pilha, montão.

rumar *v.t.* (conj. 4). Pôr em rumo (a embarcação); dirigir. ★ *v.i.* Dirigir-se, encaminhar-se, ir.

rume ou **rúmen** *s.m.* Primeiro compartimento do estômago dos ruminantes.

ruminante *adj.2g.* (lat. *ruminas, ruminantis*). **1.** Que rumina. **2.** Relativo aos ruminantes. ★ *s.m.* Espécime dos ruminantes.

ruminantes *s.m.pl.* Grupo de mamíferos artiodáctilos, herbívoros, que apresentam estômago com quatro compartimentos e ruminam.

RUMINANTE ▸ Os ruminantes abrangem famílias muito diferentes, como a dos bovídeos (boi, carneiro, cabra etc.), a dos cervídeos (cervo, gamo, rena etc.) e a dos girafídeos (girafa, ocapi etc.).

cervo, um ruminante

---

ruminar *v.t.* (lat. *ruminare*) [conj. 4]. **1.** Mastigar repetidas vezes; remoer. **2.** *Fig.* Pensar muito em. ★ *v.i.* **1.** Submeter alimentos já mastigados e engolidos a segunda mastigação, após reconduzi-los do estômago à boca. **2.** *Fig.* Pensar, refletir longamente.

rumo *s.m.* (lat. *rhombus*). **1.** Cada uma das direções da rosa-dos-ventos. **2.** Direção que segue uma embarcação, avião etc. **3.** Itinerário, caminho, direção. **4.** Destino, meta.

rumor (ô) *s.m.* (lat. *rumor*). **1.** Murmúrio ou ruído produzido por coisas ou pessoas que se deslocam. **2.** Barulho de vozes; burburinho. **3.** Barulho, ruído. **4.** Boato, comentário, notícia.

rumorejar *v.i.* (conj. 4). Produzir rumor; sussurrar brandamente. ★ *v.t.* Fazer correr, propalar (um boato, uma notícia).

rupestre *adj.2g.* (lat. *rupes,* rocha). **1.** Diz-se da planta que cresce nos rochedos. **2.** Gravado ou inscrito na rocha.

rupícola *adj.2g.* (lat. cient. *rupicola*). Que vive nas rochas.

ruptura *s.f.* (lat. *ruptura*). **1.** Ato ou efeito de romper(-se); rompimento. **2.** Suspensão, corte, interrupção. **3.** Quebra, fratura. **4.** Quebra de relações sociais; separação, desligamento. **5.** Violação de contrato, trato ou tratado.

rural *adj.2g.* (lat. *ruralis*). **1.** Relativo ou pertencente ao campo; campestre. **2.** Que é próprio do campo ou da vida nos campos; agrícola, campestre.

ruralismo *s.m.* **1.** Predomínio do campo, da agricultura, em relação à cidade. **2.** Doutrina ou ação ruralista. **3.** Emprego de cenas rurais na arte.

ruralista *adj.2g.* Relativo ou pertencente ao ruralismo. ★ *s.2g.* Especialista no estudo das questões rurais.

rurícola *adj.2g.* e *s.2g.* (lat. *ruricola*). Que ou aquele que vive no campo; agricultor, lavrador.

rusga *s.f.* **1.** Desordem, confusão. **2.** Pequena briga ou desentendimento entre duas pessoas. **3.** Batida policial.

rusguento *adj.* Briguento.

rush *s.m.* (ingl.). Período do dia em que o tráfego das grandes cidades se congestiona devido ao grande número de veículos que se deslocam na mesma direção; pique, pico.

russo *adj.* Relativo ou pertencente à Rússia. ★ *s.m.* **1.** O natural ou habitante da Rússia. **2.** Língua eslava falada principalmente na Rússia.

rústico *adj.* (lat. *rusticus*). **1.** Relativo ao campo; campestre. **2.** Grosseiro, tosco, rude. **3.** Sem acabamento; tosco. ★ *s.m.* Indivíduo rústico.

rutáceas *s.f.pl.* Família de plantas dicotiledôneas, de folhas pontuadas por glândulas transparentes, que abrange o limoeiro, a laranjeira etc.

rutênio *s.m.* (lat. tard. *Ruthenia,* ant. nome da Rússia). Elemento químico (símb. Ru) de número atômico 44, que constitui um metal quebradiço de cor branco-prateada, bastante denso e resistente ao calor.

rutherfórdio *s.m.* Elemento químico transurânico (símb. Rf) de número atômico 104, denominado kurchatóvio pelos russos, obtido pelo bombardeamento do califórnio.

rutilação *s.f.* **1.** Ato ou efeito de rutilar. **2.** Brilho intenso, esplendor.

rutilante *adj.2g.* (lat. *rutilans, rutilantis*). **1.** Que rutila; resplandecente, brilhante, rútilo. **2.** De um vermelho ardente.

rutilar *v.t.* (lat. *rutilare*) [conj. 4]. **1.** Fazer brilhar vivamente. **2.** *Fig.* Emitir, despedir. ★ *v.i.* Resplandecer, cintilar, brilhar.

rutilo *s.m.* Ato ou efeito de rutilar; qualidade do que é rutilante.

rútilo *adj.* Rutilante.

Ss Ss Ss

s *s.m.* Décima oitava letra do alfabeto português.

S[1] abrev. de SUL.

S[2] símbolo químico do enxofre.

sabá *s.m.* Dia de repouso semanal consagrado a Deus (da noite de sexta-feira à noite de sábado), de observância obrigatória para os judeus, segundo a lei mosaica.

? VOCÊ SABIA...? Conforme a crença difundida durante a Idade Média entre os cristãos, o **sabá** era tido como uma assembléia em que se realizavam rituais de magia negra em presença do demônio. Antes disso, na mitologia assírio-babilônica observava-se o *sabattu*, período de recolhimento em honra a *Ishtar*, deusa lunar. Também as *sabátidas*, em honra a *Sabácio*, divindade agrícola pagã, assemelhavam-se às supostas práticas de bruxaria. Há controvérsia quanto à existência de relações reais entre essas crenças distintas de nomes semelhantes.

---

sábado *s.m.* (hebr. *shabbat,* dia de repouso). O sétimo dia da semana, depois da sexta-feira.

sabão *s.m.* (lat. *sapo, saponis*). **1.** Produto obtido por meio da ação de um álcali sobre uma substância graxa, para limpeza e branqueamento. **2.** Barra deste produto. **3.** *Fam.* Repreensão, descompostura.

sabatina *s.f.* (it. *sabbatina*). **1.** *Ant.* Trabalho escolar oral ou escrito, geralmente realizado aos sábados, a fim de recapitular a matéria da semana. **2.** Prova ou exame escolar. **3.** Reza própria para o sábado. **4.** *Fig.* Discussão, debate.

sabatinar *v.t.* (conj. 4). **1.** Recordar, recapitular. **2.** Condensar, resumir. **3.** Submeter a sabatina.

sabedor (ô) *adj.* e *s.m.* **1.** Que ou aquele que sabe alguma coisa. **2.** Sábio, erudito.

sabedoria *s.f.* **1.** Grande acúmulo de conhecimento; saber. **2.** Caráter do que é sábio; razão, justeza. **3.** Ciência, saber universal; erudição. **4.** Conhecimento e ciência segundo a concepção dos antigos. **5.** Prudência, moderação, temperança. **6.** Prática, experiência.

saber[1] *v.t.* (lat. *sapere*) [conj. 35]. **1.** Ter informação, ciência, conhecimento de. **2.** Compreender, poder explicar. **3.** Ser capaz de executar, poder fazer. **4.** Estar convencido, certo de. ★ *v.i.* Ter conhecimentos, erudição, ciência ou informação.

saber[2] *s.m.* **1.** Soma de conhecimentos. **2.** Erudição, cultura. **3.** Experiência. **4.** Prudência, sensatez. ● **Filos.** Conjunto coerente de conhecimentos adquiridos em contato com a realidade ou pelo estudo.

sabe-tudo *s.m. Fam.* Sabichão.

sabiá *s.m.* (tupi *haabi'a*). **1.** Denominação comum a aves passeriformes, canoras, onívoras, que apresentam coloração geral parda, com tons avermelhados em algumas espécies. **2.** Designação popular de uma inflamação que se localiza nos cantos da boca.

sabichão *adj. Fam.* **1.** Que ou aquele que é grande sábio; sabe-tudo. **2.** Que ou aquele que alardeia sabedoria.

sabido *adj.* Que se sabe; conhecido. ★ *adj.* e *s.m.* **1.** Que ou aquele que tem saber; erudito. **2.** Diz-se de ou pessoa esperta, astuta. **3.** Velhaco, trapaceiro.

sabino *adj.* Diz-se do cavalo cuja pelagem é mesclada com pêlos vermelhos e pretos.

sábio *adj.* (lat. *sapidus*). **1.** Que sabe muito, que tem grande saber. **2.** Que tem extensos e profundos conhecimentos; erudito. **3.** Que tem conhecimento em certa especialidade; especialista, douto. **4.** Sensato, razoável. ★ *s.m.* **1.** Indivíduo sábio. **2.** Homem de muitos conhecimentos, de muita experiência, cuja vida é geralmente tida como exemplar. **3.** Filósofo, pensador.

saboaria *s.f.* Fábrica de sabão.

sabonete (ê) *s.m.* (fr. *savonette*). **1.** Sabão aromatizado destinado à higiene corporal. **2.** Árvore de pequeno porte, de crescimento rápido, cujos frutos contêm saponina (usada para lavar roupa) e sementes duras, pretas, usadas na confecção de rosários e pulseiras.

saboneteira *s.f.* **1.** Recipiente para guardar o sabonete. **2.** *Pop.* Depressões em cada lado do pescoço, atrás da saliência das clavículas.

sabor (ô) *s.m.* (lat. *sapor*). **1.** Sensação produzida por uma substância nos órgãos do paladar. **2.** Propriedade que essa substância tem de impressionar o paladar; gosto. **3.** Qualidade, característica, tom. **4.** *Fig.* Caráter, índole, estilo. **5.** *Fig.* Espécie, gênero, teor. **6.** *Fig.* Graça, espírito.

? VOCÊ SABIA...? O **sabor** combina a capacidade da língua de perceber as substâncias químicas do alimento e a do nariz de receber seu aroma. O olfato é muito importante quando saboreamos a comida. Na parte superior da língua, há células chamadas papilas gustativas, que distinguem quatro sabores: amargo, doce, ácido e salgado. O sabor de um alimento é uma combinação desses quatro sabores básicos.

---

saborear *v.t.* (conj. 15). **1.** Degustar lentamente, com prazer. **2.** Deleitar-se comendo ou bebendo. **3.** Deliciar-se, comprazer-se com.

saboroso (ô) *adj.* (lat. *saporosus*). **1.** Que tem sabor ou gosto bom. **2.** Agradável, gostoso, delicioso. **3.** *Fig.* Engraçado, espirituoso.

sabotador (ô) *s.m.* Pessoa que pratica sabotagem.

sabotar *v.t.* (do fr. *sabot*, tamanco) [conj. 4]. **1.** Danificar ou destruir intencionalmente equipamentos, instalações etc. **2.** Deteriorar, prejudicar, minar. **3.** Dificultar ou impedir a consecução de.

sabre *s.m.* (fr. *sabre*). **1.** Arma branca, reta ou encurvada, que corta apenas de um dos lados. **2.** Arma leve para esgrima, reta, com uma concha prolongada para proteger a mão.

sabugo *s.m.* (lat. *sabucus*). **1.** Espiga de milho debulhada. **2.** O miolo do sabugueiro. **3.** Parte do dedo na qual se encrava a unha. **4.** A parte interior dos chifres dos animais.

sabugueiro *s.m.* Arbusto originário da Europa, de frutos comestíveis, e cujas inflorescências são utilizadas como sudorífero e aromatizante de bebidas.

sabujar *v.t.* (conj. 4). Agir como sabujo; bajular, adular.

sabujo *s.m.* (lat. *segusius*). **1.** Grande cão de caça. **2.** *Fig.* Indivíduo servil, bajulador.

saburra *s.f.* (lat. *saburra*). **1.** *Ant.* Matérias mucosas que se supunha formarem-se no estômago, por problemas na digestão. **2.** Crosta esbranquiçada que recobre a língua, em certas doenças; sarro. **3.** *P. ext.* Casca, revestimento. **4.** *P. ext.* Areia grossa que serve de lastro aos navios.

saca *s.f.* (gr. *sákkos*). **1.** Grande saco. **2.** Saco largo e comprido usado como medida para certos produtos, equivalente a 60 kg.

sacada[1] *s.f.* **1.** Ato ou efeito de sacar; puxão, repelão. **2.** Construção que ressalta na fachada de um prédio, formando o balcão de uma janela. **3.** *Gír.* Descoberta, achado.

sacada[2] *s.f.* **1.** Conteúdo de um saco. **2.** Porção de sacos; sacaria.

sacado *adj.* Diz-se do que se sacou; retirado, extraído. ★ *s.m.* Aquele contra quem se emite um título de crédito.

sacador (ô) *adj.* Que saca. ★ *s.m.* Aquele que emite título de crédito contra alguém.

sacana *adj.2g.* e *s.2g. Chul.* **1.** Diz-se de ou pessoa sem caráter; patife, biltre. **2.** Diz-se de ou pessoa pervertida, libertina.

sacar *v.t.* (conj. 12). **1.** Puxar para fora, retirar à força; arrancar. **2.** Retirar bruscamente. **3.** Emitir (contra alguém) um título de crédito. **4.** Arrancar, obter com esforços. **5.** Tirar, auferir, obter. **6.** *Gír.* Compreender, entender, descobrir. ★ *v.i.* **1.** Puxar e apontar uma arma. **2.** Fazer a primeira jogada de tênis, pingue-pongue, vôlei etc.; dar um saque.

sacaria *s.f.* Grande quantidade de sacos ou sacas.

sacarídeo *adj.* Var. de SACARÍDIO.

sacarídio *adj.* (do gr. *sakcharon*, açúcar). Semelhante ao açúcar. ★ *s.m.* **1.** Combinação de açúcar com ácidos orgânicos; carboidrato. **2.** Antigo nome genérico dos glicídios. (Var. SACARÍDEO.)

sacarificar *v.t.* e *v.pr.* (conj. 12). Transformar (-se) em açúcar.

sacarina *s.f.* Substância química sintética derivada do tolueno, utilizada como sucedâneo do açúcar.

saca-rolha *s.m.* ou **saca-rolhas** *s.m.2n.* Instrumento para sacar rolhas, constituído por um parafuso de metal ligado a um cabo ou um anel.

sacarose *s.f.* (do gr. *sakcharon*). Nome científico do açúcar de cana e de beterraba, formado por uma molécula de glicose e uma de frutose.

sacerdócio *s.m.* (lat. *sacerdotium*). **1.** Ofício, ministério do padre; dignidade do sacerdote. **2.** A carreira, os votos eclesiásticos. **3.** O corpo eclesiástico. **4.** Qualidade do que é superior, nobre. **5.** *Fig.* Atividade muito respeitável e que exige grande dedicação e abnegação.

sacerdotal *adj.2g.* (lat. *sacerdotalis*). Relativo ou pertencente ao sacerdócio ou aos sacerdotes.

sacerdote *s.m.* (lat. *sacerdos, sacerdotis*). **1.** Ministro de cultos religiosos. **2.** Na Igreja Católica e nas igrejas orientais, aquele que recebeu o sacramento da ordem; padre.

sachar *v.t.* (lat. *sarculare*) [conj. 4]. **1.** Arrancar o mato que cresceu em (terreno cultivado). **2.** Lavrar, afofar com o sacho.

sacho *s.m.* (lat. *sarculum*). Instrumento semelhante à enxada, para afofar a terra, mondar as ervas etc.

sachola *s.f.* Espécie de enxada de lâmina mais estreita, utilizada em jardinagem.

saci ou **saci-pererê** *s.m.* (tupi *sa'si*). Entidade fantástica do folclore brasileiro, representada sob a forma de um negrinho de uma só perna que fuma cachimbo e usa um barrete vermelho que lhe dá poderes mágicos. (Sin. MATINTA-PEREIRA.)

saciável *adj.2g.* Que se pode saciar.

saciar *v.t.* (lat. *satiare*) [conj. 16]. **1.** Aplacar, extinguir (a fome, a sede). **2.** Fartar, satisfazer. ★ *v.pr.* **1.** Comer ou beber até satisfazer-se. **2.** *Fig.* Satisfazer-se plenamente; fartar-se.

saciedade *s.f.* (lat. *satietas, satietatis*). **1.** Estado de quem se saciou. **2.** Abundância, fartura. **3.** Fastio, aborrecimento.

saco *s.m.* (gr. *sakkos*). **1.** Recipiente ou invólucro flexível geralmente retangular ou quadrado, de tamanho e materiais variados, aberto somente na parte de cima. **2.** O conteúdo do saco **3.** Antiga veste de penitente. **4.** Roupa larga e malfeita. **5.** Pequena mala. **6.** Enseada pequena. **7.** *Pop.* Escroto. **8.** *Pop.* Chateação, amolação. ● **Anat.** Cavidade recoberta por uma membrana. **Zool.** *Saco aéreo,* extensão do pulmão das aves, que se projeta entre os órgãos ou em cavidades dos ossos, responsável pelo aumento da eficiência respiratória e diminuição do peso corporal.

sacola *s.f.* **1.** Pequeno saco. **2.** Bolsa grande, em geral retangular ou quadrada, com alças. **3.** Bolsa que se leva a tiracolo.

sacolejar *v.t.* (conj. 4). Agitar muito; sacudir.

sacral *adj.2g.* Relativo ao osso sacro.

sacralização *s.f.* Fusão da quinta vértebra lombar com o osso sacro.

sacralizar *v.t.* (conj. 4). Tornar sacro ou sagrado; sagrar.

sacramental *adj.2g.* (lat. *sacramentalis*). **1.** Relativo aos sacramentos. **2.** *Fig.* Forçoso, obrigatório.

sacramentar *v.t.* (conj. 4). **1.** Administrar os sacramentos a. **2.** Tornar sagrado; consagrar, sagrar. **3.** *Pop.* Preencher todos os requisitos de (documento, trato, contrato etc.). ★ *v.pr.* **1.** Receber os sacramentos. **2.** Transubstanciar-se na eucaristia.

sacramento *s.m.* (lat. *sacramentum*). Ato ritual sagrado destinado à santificação dos homens, regulamentado pela Igreja.

sacrário *s.m.* (lat. *sacrarium*). **1.** Lugar onde se guardam coisas sagradas, como as hóstias e as relíquias. **2.** *Fig.* Lugar reservado e respeitável.

sacrificar *v.t.* (lat. *sacrificare*) [conj. 12]. **1.** Oferecer em sacrifício, em holocausto à divindade; imolar. **2.** Prejudicar, lesar. **3.** Vitimar, danificar. **4.** Renunciar a, desistir de, em favor de outra coisa. **5.** Consagrar inteiramente a. **6.** Matar um animal ou submetê-lo a experiência de laboratório. ★ *v.pr.* Devotar-se inteiramente a (algum ideal, interesse).

sacrifício *s.m.* (lat. *sacrificium*). **1.** Oferenda a uma divindade em sinal de adoração; em particular, imolação de vítimas. **2.** *Fig.* Renúncia voluntária ou forçada a algo que se possui. **3.** *Fig.* Abnegação, renúncia.

SACRIFÍCIO ▸ Nas religiões antigas e primitivas, o sacrifício é o ato principal do culto. É realizado sempre com seres vivos, principalmente animais, e inclusive seres humanos, por alguns povos de diferentes épocas e culturas. A parte do animal oferecida à divindade costuma ser queimada num fogo sagrado. O sacrifício expressa os diversos sentimentos do homem para com o deus e, por isso, pode ser de ação de graças, expiatório, de apaziguamento da divindade ou místico. Esse esquema geral é válido para um grande número de religiões.

sacrilégio *s.m.* (lat. *sacrilegium*). **1.** Profanação das coisas sagradas. **2.** Ultraje à religião. **3.** Atentado contra pessoa sagrada ou digna de veneração. **4.** *P. ext.* Ato extremamente repreensível.

sacrílego *adj.* (lat. *sacrilegus*). **1.** Que comete sacrilégio. **2.** Que implica sacrilégio. **3.** Que tem o caráter de sacrilégio. ★ *s.m.* Aquele que comete sacrilégio.

sacripanta ou **sacripante** *adj.2g.* e *s.2g.* (de *Sacripante,* n.pr.). Diz-se de ou indivíduo ignóbil, indigno; patife.

sacristão *s.m.* (lat. *sacristanus*). **1.** Empregado que tem a seu cargo a sacristia de uma igreja ou capela. **2.** Aquele que ajuda o sacerdote na missa e nos ofícios divinos.

sacristia *s.f.* (lat. *sacristia*). Dependência de uma igreja onde se guardam os vasos sagrados, os ornamentos da igreja, os paramentos, e onde os padres oficiantes se preparam para celebrar o serviço divino.

sacro[1] *adj.* (lat. *sacer, sacra, sacrum*). **1.** Sagrado. **2.** Relativo ou pertencente à religião. **3.** Que merece respeito, veneração.

sacro[2] *adj.* e *s.m.* (lat. *sacrum*). Diz-se de ou osso formado pela soldadura das cinco vértebras sacras, articulado com os ossos ilíacos, com a coluna raquidiana lombar e com o cóccix. ★ *adj.* Relativo a esse osso e às estruturas anatômicas a ele associadas (nervos, vasos, vértebras etc.).

OSSOS DA BACIA

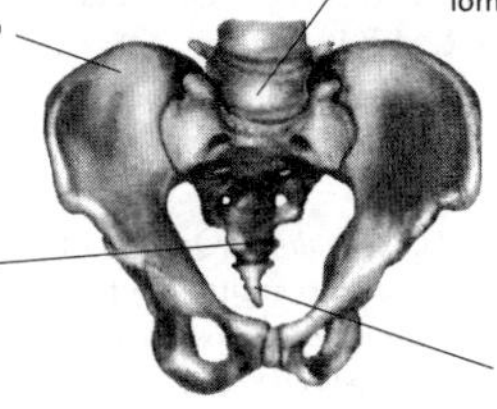

sacrossanto *adj.* (lat. *sacrosanctus*). **1.** Santo e sagrado. **2.** Sagrado, inviolável.

sacudido *adj.* **1.** Agitado, sacolejado. **2.** Forte, robusto.

sacudir *v.t.* (lat. *succutere*) [conj. 41]. **1.** Agitar fortemente em diversos sentidos. **2.** Abanar, menear. **3.** Fazer tremer ou estremecer. **4.** Expulsar, repelir.

sáculo *s.m.* Órgão do ouvido interno, situado abaixo do utrículo, cuja função é a manutenção do equilíbrio.

sádico *adj.* (de *Sade,* n.pr.). Relativo ao sadismo. ★ *adj.* e *s.m.* **1.** Que ou aquele que apresenta sadismo. **2.** *Fig.* Que ou aquele que se regozija com o sofrimento alheio.

sadio *adj.* (lat. *sanativus*). **1.** Que tem boa saúde. **2.** Que é bom para a saúde; saudável.

sadismo *s.m.* Conjunto das perversões nas quais a satisfação sexual só é obtida por meio do sofrimento ou da humilhação infligida a uma outra pessoa.

sadomasoquismo *s.m.* Termo utilizado para designar a complementaridade que caracteriza um duplo aspecto fundamental da vida pulsional, o sadismo e o masoquismo.

safado *adj.* **1.** Deteriorado ou gasto pelo uso; apagado. **2.** *Pop.* Descarado, desavergonhado. **3.** *Pop.* Devasso, libertino, obsceno. ★ *s.m.* Indivíduo vil ou imoral; safardana.

safanão *s.m.* **1.** Ato ou efeito de safar com força. **2.** *Pop.* Sacudidela, empurrão, tranco.

safar *v.t.* (conj. 4). **1.** Tirar, puxando. **2.** Livrar de esforços; desembaraçar. **3.** Furtar, roubar, surripiar. ★ *v.pr.* **1.** Esquivar-se de obrigações ou trabalhos. **2.** Fugir, escapar, livrar-se.

safardana *s.2g.* Safado.

safári *s.m.* (ár. *safara,* viajar). Expedição de caça aos grandes animais selvagens, na África.

sáfaro *adj.* **1.** Inculto, rude, agreste. **2.** Diz-se de animal bravo, esquivo. **3.** Estéril, infecundo, árido. **4.** Distante, alheio.

safena *adj.* e *s.f.* (gr. *saphenes,* visível). Diz-se de ou cada uma das duas veias que coletam sangue das veias superficiais dos membros inferiores.

safira *s.f.* (hebr. *sappir*). **1.** Pedra preciosa, variedade transparente do coríndon, de cor azul brilhante em diversos tons e muito dura. **2.** *P. ext.* A cor azul.

safo *adj.* **1.** Que se safou. **2.** Esperto, vivo. **3.** Desembaraçado.

safra *s.f.* **1.** Colheita de grandes lavouras. **2.** Estimativa de produção agrícola. **3.** Época do ano de comercialização do boi gordo e de produtos de origem pastoril. **4.** *Fig.* Produção.

saga *s.f.* (escandinavo *saga,* tradição). **1.** Nome genérico de um conjunto de narrativas épicas em prosa, geralmente redigidas na Islândia, do séc. XII ao XIV. **2.** *P. ext.* História rica em incidentes.

sagacidade *s.f.* (lat. *sagacitas*). **1.** Qualidade de sagaz; perspicácia, argúcia. **2.** Malícia, astúcia.

sagaz *adj.2g.* (lat. *sagax*). **1.** Que apreende ou compreende rapidamente, por indício simples; perspicaz, arguto. **2.** Astuto, malicioso.

sagital *adj.2g.* (lat. *sagittalis*). **1.** Que tem a forma de seta. **2.** *Corte sagital,* corte feito segundo o plano de simetria. ▸ *Sutura sagital,* sutura que une os dois ossos parietais, na linha mediana da abóbada craniana.

sagitariano *adj.* e *s.m.* Diz-se de ou indivíduo nascido sob o signo de Sagitário (de 22 de novembro a 21 de dezembro).

REPRESENTAÇÕES GRÁFICAS DO SIGNO ASTROLÓGICO DE SAGITÁRIO

sagitário *adj.* (lat. tard. *sagittarius,* arqueiro). Armado de arco e flecha; que atira setas. ★ *s.m.* Arqueiro, nas tropas auxiliares do exército romano.

sagração *s.f.* (lat. *sacratio*). **1.** Ato ou efeito de sagrar(-se). **2.** Cerimônia em que isso ocorre. **3.** Cerimônia religiosa destinada à coroação dos reis e dos imperadores.

sagrado *adj.* (lat. *sacratus*). **1.** Que se sagrou, que recebeu sagração. **2.** Consagrado ao culto. **3.** Relativo à religião ou ao culto. **4.** Que não deve ser violado ou infringido; venerável, respeitável. ★ *s.m.* O que é ou foi sagrado.

sagrar *v.t.* (lat. *sacrare*) [conj. 4]. **1.** Conferir um caráter sagrado por meio de cerimônias religiosas. **2.** Dedicar ao serviço de Deus; consagrar, benzer, abençoar. **3.** Venerar, respeitar como sagrado; consagrar.

sagu *s.m.* (malaio *sagu*). Fécula que se extrai da medula dos sagüeiros.

saguão *s.m.* (esp. *zaguán*). **1.** Pequeno pátio no interior de um edifício. **2.** Sala de entrada dos grandes edifícios, onde começa a escadaria ou ficam os elevadores que levam aos andares superiores.

sagüeiro *s.m.* Denominação comum a diversas plantas, algumas palmeiras e outras gimnospermas, que fornecem o sagu.

sagüi *s.m.* (tupi *sa'uí*). Denominação comum a mamíferos primatas de pequeno porte, providos de cauda longa, que vivem em bandos e ocorrem em florestas tropicais.

saí *s.m.* Denominação comum a várias espécies de aves passeriformes de bico fino e pontudo e plumagem brilhante, de coloração verde, azul e amarela.

saia *s.f.* **1.** Peça do vestuário que desce da cintura sobre os quadris e as pernas, de comprimento bastante variado, geralmente usada por mulheres. **2.** *P. ext.* Mulher. ● **Agric.** *Saia do cafeeiro,* a parte baixa do cafeeiro, que compreende seus ramos inferiores.

saibro *s.m.* (lat. *sabulum*). Tipo de areia grossa, pouco argilosa.

saibroso (ô) *adj.* Misturado com saibro.

saída *s.f.* **1.** Ato ou efeito de sair. **2.** Lugar por onde se sai. **3.** O momento de sair. **4.** Arranco, partida. **5.** Maneira de superar uma dificuldade; recurso, expediente. **6.** Dito inesperado, réplica xistosa. **7.** Venda, comercialização. ● **Eletrôn.** *Sinal de saída,* sinal que um circuito envia para o exterior. (Sin. ingl. OUTPUT.)

saído *adj.* **1.** Que saiu, ausente. **2.** Que ressai; saliente. **3.** Diz-se de pessoa esperta, desembaraçada. **4.** *Pop.* Atrevido, intrometido, saliente.

saimento *s.m.* **1.** Saída. **2.** Préstito fúnebre; funeral, enterro. **3.** Qualidade ou ato de pessoa saída ou saliente; atrevimento.

sainete (ê) *s.m.* (esp. *sainete*). **1.** Isca que se dava aos falcões e a outras aves para os amansar. **2.** Qualidade agradável de alguma coisa; graça. **3.** Coisa que suaviza a má impressão de outra.

saiote *s.m.* Saia curta de tecido encorpado, usada sob outra saia ou sob o vestido.

sair *v.t.* (lat. *salire*) [conj. 68]. **1.** Passar de dentro para fora. **2.** Mover-se, afastar-se, desviar-se. **3.** Livrar-se, esquivar-se. **4.** Deixar de fazer parte de; retirar-se. **5.** Mudar de estado ou condição. **6.** Proceder, prover. **7.** Irromper, aparecer, surgir. **8.** Ir dar; desembocar, terminar (via). **9.** *Sair a,* parecer, puxar. ★ *v.i.* **1.** Retirar-se de um lugar. **2.** Partir, ir-se. **3.** Nascer, brotar. **4.** Desaparecer, sumir. **5.** Vir a público. ★ *v.pr.* **1.** Livrar-se, escapar. **2.** Responder inesperadamente. **3.** Chegar a um resultado. ★ *v.lig.* **1.** Tornar-se, vir a ser. **2.** Dar em, resultar, ficar.

saíra *s.f.* (tupi *sa'i rã*). Denominação comum a aves passeriformes, de penas muito coloridas, que se alimentam de frutos e que, às vezes, prejudicam os pomares.

sal *s.m.* (lat. *sal*). **1.** Substância branca, em pó ou em pedra, solúvel em água, ordinariamente usada para dar determinado sabor aos alimentos; cloreto de sódio. **2.** *Fig.* Graça, vivacidade. ● **Fisiol.** *Sais biliares,* secreção formada nas células hepáticas, armazenada e concentrada na vesícula biliar, que é lançada para o duodeno, onde emulsifica as gorduras. **Quím.** Substância iônica pura, que resulta da ação de um ácido ou de um óxido básico sobre uma base ou um óxido básico, ou ainda da ação de um ácido ou de uma base sobre um metal. ★ *s.m.pl.* Substâncias voláteis que, quando aspiradas por uma pessoa desfalecida, têm a finalidade de fazê-la recuperar os sentidos, como os sais de amônio.

sala *s.f.* (fr. *salle,* de or. germ.). **1.** Compartimento de uma habitação no qual se recebem visitas ou se fazem as refeições. **2.** Qualquer compartimento mais ou menos amplo de um edifício. **3.** Lugar vasto e coberto, destinado a um serviço público ou a uma atividade determinada. **4.** Público que enche uma sala. **5.** Conjunto do mobiliário.

salacidade *s.f.* Qualidade de salaz; luxúria, libertinagem.

salada *s.f.* (fr. *salade*). **1.** Prato frio composto de hortaliças, legumes, carne ou peixe etc; temperados com sal, vinagre ou limão, azeite e outros. **2.** Hortaliças usadas na salada, em particular a alface. **3.** *Fig.* Mistura de coisas disparatadas; confusão, trapalhada.

salafrário *s.m. Pop.* Pessoa desleal, desonesta, vil; safardana, patife.

salamaleque *s.m.* (ár *as-salam-'alaik,* a paz seja contigo). **1.** Saudação, reverência profunda entre os muçulmanos. **2.** Mesura, cumprimento em que há polidez exagerada; rapapé.

salamandra *s.f.* (gr. *salamandra*). **1.** Nome comum a anfíbios urodelos, vivíparos, providos de cauda, cujos jovens só se diferenciam dos adultos pela presença de brânquias. **2.** Animal fabuloso indestrutível pelo fogo. **3.** Certo tipo de estufa para aquecimento doméstico.

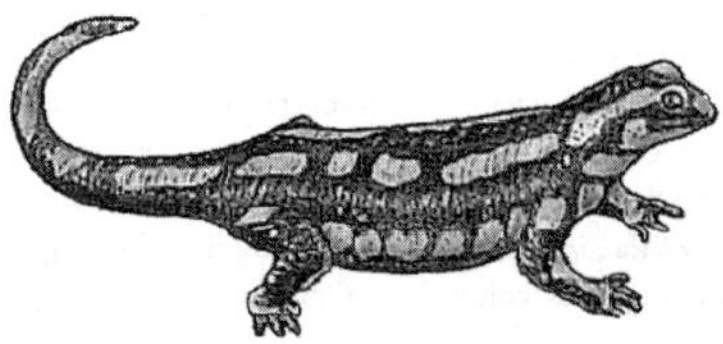

SALAMANDRA ► As salamandras são anfíbios de longo corpo cilíndrico, cauda longa e dois pares de patas frágeis. Freqüentemente, são confundidas com as lagartixas, mas há uma forma segura de distingui-las: a salamandra tem cabeça arredondada e pele suave, enquanto a lagartixa tem cabeça pontiaguda e pele escamosa.

salame *s.m.* (it. *salame*). Produto de salsicharia de origem italiana, fabricado com carne de porco picada misturada com pequenos cubos de toucinho e especiarias como pimenta em grãos.

salão *s.m.* (it. *salone*). **1.** Grande sala para recepções, reuniões, bailes etc. **2.** Galeria onde são expostas obras de arte. **3.** Exposição anual de uma indústria, área ou atividade. **4.** Nome dado a certas casas de comércio. **5.** *Dança de salão,* dança recreativa, executada quase sempre por casais, ao som de uma música específica (valsa, tango, rumba etc.).

salarial *adj.2g.* Relativo a salário.

salário *s.m.* (lat. *salarium*). Remuneração em dinheiro paga ao trabalhador pelo empregador; pagamento.

salaz *adj.2g.* (lat. *salax*). Lúbrico, impudico, libertino.

saldar *v.t.* (it. *saldare*) [conj. 4]. Pagar, liquidar (dívida, conta).

saldo *s.m.* **1.** Diferença entre o total do débito e o total do crédito de uma conta. **2.** Excedente da receita sobre a despesa. **3.** Resto do sortimento de certa mercadoria, que, em geral, é vendido por preço mais baixo. **4.** Resto, sobra. **5.** Resultado.

saleiro *s.m.* **1.** Utensílio doméstico em que se põe sal. **2.** Aquele que vende sal. ★ *adj.* Relativo a sal.

salesiano *adj.* Relativo ou pertencente à Congregação de São Francisco de Sales. ★ *s.m.* Membro dessa congregação.

saleta (ê) *s.f.* Pequena sala.

salga *s.f.* **1.** Ato ou efeito de salgar. **2.** Adição de cloreto de sódio (sal de cozinha) a alimentos, em dosagens toleráveis, para favorecer sua conservação ou melhorar o sabor; salgadura.

salgado *adj.* **1.** Que tem sal. **2.** Que tem excesso de sal. **3.** Submetido à salga, conservado em sal. **4.** Diz-se de preço alto, exagerado. **5.** Malicioso, picante. ★ *s.m.* Qualquer petisco salgado.

salgadura *s.f.* Salga.

salgar *v.t.* (conj. 14). **1.** Temperar com sal. **2.** Colocar sal em carnes e peixes crus para conservá-los; submeter à salga.

salgueiro *s.m.* Nome comum a diversas árvores ou arbustos, de folhas lanceoladas e ramos pendentes, que crescem à beira da água.

salgueiro chorão

salicílico *adj. Aldeído salicílico,* óleo incolor, de elevado ponto de ebulição, derivado de certos vegetais, empregado em perfumaria. ► *Ácido salicílico,* ácido resultante da oxidação do aldeído salicílico, encontrado em diversas essências naturais sob a forma de ésteres, utilizado na fabricação de corantes, perfumes e medicamentos.

salicultura *s.f.* Exploração de salinas.

saliência *s.f.* **1.** Qualidade de saliente. **2.** Eminência na superfície de certos objetos; proeminência, ressalto. **3.** *Fig.* Espevitamento, assanhamento.

salientar *v.t.* (conj. 4). **1.** Tornar saliente, fazer saliência. **2.** Tornar bem visível ou distinto; ressaltar. ★ *v.pr.* Tornar-se saliente ou notável; distinguir-se, sobressair.

saliente *adj.2g.* (lat. *saliens*). **1.** Que avança, que sobressai do plano a que está unido. **2.** Evidente, patente. **3.** Espevitado, intrometido, assanhado.

salina *s.f.* (lat. tard. *salina*). **1.** Terreno exposto ao vento, onde a água marinha é represada a fim de que o sal nela contido possa ser extraído após a evaporação da água. **2.** Estabelecimento industrial que produz sal.

salineiro *s.m.* (lat. *salinarius*). **1.** Produtor de sal. **2.** Dono de salina. **3.** O que vende sal. ★ *adj.* Relativo a salinas.

salinidade *s.f.* **1.** Concentração, teor de sal numa solução. **2.** Concentração de sais minerais dissolvidos nas águas marinhas.

salino *adj.* (lat. *salinus*). **1.** Que contém sal. **2.** Da natureza do sal. **3.** Que nasce à borda do mar.

salitre *s.m.* (cat. *salnitre*). Nome dado a diversos nitratos e, em particular, ao nitrato de potássio, empregado como oxidante em explosivos.

saliva *s.f.* (lat *saliva*). **1.** Líquido claro de consistência gomosa, secretado pelas glândulas salivares, de função química e mecânica na deglutição. **2.** *Fig.* Conversa.

VOCÊ SABIA...? A **saliva** é um líquido incolor, basicamente composto de água e um pouco de mucosidade. Contém ainda uma enzima que age no início da digestão, a ptialina. Saborear, cheirar ou às vezes apenas pensar em algum alimento faz que as glândulas salivares produzam saliva e a enviem à boca por pequenos condutos. Às vezes, mandam grandes jorros de saliva, e fica-se com "água na boca".

---

salivação *s.f.* Secreção da saliva.

salivante *adj.2g.* (lat. *salivans*). Que produz ou estimula a secreção da saliva; sialagogo.

salivar[1] *adj.2g.* **1.** Relativo à saliva. **2.** *Glândulas salivares,* três pares de glândulas que secretam a saliva (parótidas, submaxilares e sublinguais).

salivar[2] *v.i.* (lat. *salivare*) [conj. 4]. **1.** Secretar saliva. **2.** Expelir saliva; cuspir. ★ *v.t.* Molhar com saliva.

salmão *s.m.* (lat. *salmo, salmonis*). Peixe marinho do hemisfério Norte, que na época da reprodução sobe os rios e desova em locais de água corrente fria e bem oxigenada.

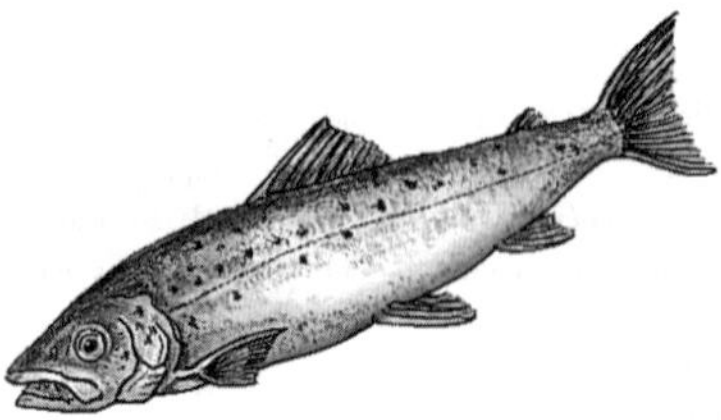

SALMÃO ► Os salmões são peixes extraordinários. O animal adulto passa muitos anos no mar, alimentando-se e crescendo. No entanto, para se reproduzir, ele volta ao rio em que nasceu. Sabe-se que os salmões chegam a saltar até 3 metros corrente acima, na tentativa de voltar ao local de origem. Após a postura, muitos deles morrem devido ao cansaço da viagem.

---

salmista *s.2g.* (gr. *psalmistes*). Pessoa que compõe salmos.

salmo *s.m.* (gr. *psalmos*). Canto litúrgico hebraico ou cristão.

salmodiar *v.i.* (conj. 16). **1.** Cantar os salmos sem inflexão da voz e sobre uma só nota. **2.** *Fig.* Cantar, ler ou recitar monotonamente. ★ *v.t.* Cantar em tom e ritmo uniformes, sem inflexão.

salmonela *s.f.* (de D. E. *Salmon,* n.pr.). Nome comum a certos bacilos patogênicos, como os agentes da febre tifóide e paratifóide.

salmonelose *s.f.* Infecção, em geral gastrointestinal, causada por salmonelas.

salmonete (ê) *s.m.* Peixe marinho que apresenta coloração rosada, três estrias longitudinais amarelas e barbilhões na mandíbula inferior.

salmoura *s.f.* (esp. *salmuera*). **1.** Solução de cloreto de sódio (sal de cozinha) em que são deixados os alimentos para a salga. **2.** Solução de cloreto de sódio com a qual se banham partes do corpo que sofreram contusões; o método assim constituído. **3.** Vasilha em que se procede à salga de alimentos.

salobro (ô) *adj.* **1.** Que tem gosto um pouco salgado. **2.** Diz-se da água de gosto desagradável pela presença de sais, embora com salinidade inferior à da água do mar.

salpicão *s.m.* (esp. *salpicón*). **1.** Paio ou chouriço grosso, fabricado com lombo de porco ou presunto e temperado com sal, alho e, opcionalmente, vinho. **2.** Prato frio preparado com frango desfiado, presunto ou lombo, misturados a uma salada.

salpicar *v.t.* (conj. 12). **1.** Espalhar sal pulverizado ou aspergir com sal diluído em um líquido (um alimento). **2.** Polvilhar alimentos com farinha de trigo ou outro pó. **3.** Borrifar, aspergir. **4.** *Fig.* Manchar, macular, desdourar.

salpico *s.m.* **1.** Ato ou efeito de salpicar. **2.** Mancha de lama ou de qualquer líquido. **3.** Pedra de sal utilizada para salgar carnes e outros alimentos. ★ *s.m.pl.* Pequenos pontos de cor em certos tecidos.

salpinge *s.f.* (gr. *salpigx*). **1.** Trombeta cônica usada pelos antigos gregos em cerimônias religiosas e nos exércitos. **2.** Trompa de Falópio ou trompa uterina. **3.** Trompa de Eustáquio.

salsa *s.f.* (lat. *salsa,* salgada). Erva originária da Europa, de folhas triangulares, cultivada e utilizada como condimento.

SALSA ► Numerosas plantas são cultivadas para fornecer ervas aromáticas e especiarias, usadas como temperos culinários. A salsa (*Petroselinum crispum*), por exemplo, é cultivada por causa de suas folhas aromáticas.

---

salsão *s.m.* Erva originária da Europa, de folhas recortadas e caule alongado, largo e macio, que pode ser consumida crua, em saladas, ou cozida, em sopas. (Sin. AIPO.)

salsaparrilha *s.f.* Nome comum a diversos cipós de ramos cilíndricos, cujas raízes têm propriedades medicinais.

salseiro *s.m.* **1.** Chuva rápida e forte. **2.** Desordem, confusão.

salsicha *s.f.* (it. *salsiccia,* lingüiça). Produto de salsicharia à base de carne moída, condimentado e embutido em tripas naturais ou artificiais.

salsicharia *s.f.* **1.** Conjunto de procedimentos técnicos que utilizam a carne de porco ou a mistura de outras carnes como matéria-prima para a fabricação de embutidos. **2.** Estabelecimento industrial ou comercial que lida com esses derivados da carne.

salsicheiro *s.m.* Profissional que prepara e vende carne de porco e produtos de salsicharia. ★ *adj.* Relativo à salsicharia.

salso *adj.* (lat. *salsus,* salgado). *Poét.* Salgado.

saltador (ô) *adj.* (lat. *saltator,* dançarino). Que salta, que dá pulos. ★ *s.m.* Atleta especializado nas provas de salto.

saltar *v.i.* (lat. *saltare*) [conj. 4]. **1.** Elevar-se do chão com esforço, atirar-se de um lugar para outro; pular. **2.** Brotar, surgir. **3.** Apear, descer. ★ *v.t.* **1.** Passar por cima, atravessar pulando. **2.** Lançar-se, investir contra. **3.** Mudar repentinamente de posição. **4.** Omitir, pular.

salteado *adj.* **1.** Tomado de improviso; surpreendido. **2.** Atacado, assaltado. **3.** Alternado, entremeado, não sucessivo.

salteador (ô) *adj.* e *s.m.* Que ou aquele que salteia, assalta; ladrão de estrada, bandoleiro.

saltear *v.t.* (conj. 15). **1.** Atacar subitamente, para roubar ou matar. **2.** Investir, acometer, assaltar. **3.** Tomar de assalto; roubar. ★ *v.i.* **1.** Ser salteador. **2.** Apavorar-se com uma má notícia. ★ *v.pr.* Assustar-se, sobressaltar-se.

saltério *s.m.* (gr. *psalterion*). Antigo instrumento de cordas pinçadas, de forma trapezoidal, que servia para acompanhar o canto dos salmos.

saltimbanco *s.m.* (it. *saltimbanco*). **1.** Artista popular que se exibe em vias públicas ou feiras. **2.** Farsante, impostor.

saltitante *adj.2g.* (lat. *saltitans*). **1.** Que saltita. **2.** *Fig.* Irrequieto, buliçoso.

saltitar *v.i.* (lat. *saltitare*) [conj. 4]. **1.** Caminhar em pequenos saltos, como certas aves. **2.** *Fig.* Mostrar-se volúvel, inconstante.

salto *s.m.* **1.** Ato ou efeito de saltar; pulo. **2.** Queda-d'água, cascata. **3.** Passagem ou mudança brusca e sem graus intermediários. **4.** Tacão de calçado. **5.** Trecho de um texto ou narrativa omitido por erro. ● **Esp.** Cada uma das diversas provas de atletismo em que os atletas disputam quem consegue saltar a melhor marca a distância, em altura, triplo, com vara, sobre o cavalo e outros. ▸ Nome de diversos movimentos de ginástica em que os dois pés saem do solo. ▸ Modalidade olímpica de hipismo em que o conjunto (cavalo e cavaleiro) deve percorrer um percurso com obstáculos no menor tempo possível. ▸ *Salto mortal,* rotação completa do corpo em uma linha horizontal imaginária. ▸ *Salto ornamental,* esporte aquático em que o atleta salta de um trampolim e faz acrobacias antes de mergulhar na água.

salubre *adj.2g.* (lat. *salubris*). **1.** Que contribui para a saúde; sadio, saudável. **2.** Que pode ser curado facilmente.

salubridade *s.f.* (lat. *salubritas*). **1.** Qualidade de salubre. **2.** Estado de saudável.

salutar *adj.2g.* (lat. *salutaris*). **1.** Útil para conservar a saúde, a vida. **2.** Que consola, dá alívio. **3.** *Fig.* Moralizador, edificante, construtivo.

salva *s.f.* **1.** Descarga de canhões, mosquetes ou fuzis disparados ao mesmo tempo. **2.** *P. ext.* Repetição de sons, de palavras. **3.** Bandeja para copos, taças ou outros objetos.

salvação *s.f.* (lat. *salvatio*). **1.** Ato ou efeito de salvar(-se). **2.** Pessoa ou coisa que salva. ● **Relig.** Felicidade eterna obtida após a morte.

salvador (ô) *adj.* e *s.m.* (lat. *salvator*). Que ou aquele que salva.

salvadorenho *adj.* Relativo ou pertencente a El Salvador, país da América Central; salvatoriano. ★ *s.m.* O natural ou habitante de El Salvador; salvatoriano.

salvadorense *adj.2g.* Relativo ou pertencente a Salvador, capital do Estado da Bahia. ★ *s.2g.* O natural ou habitante de Salvador; soteropolitano.

salvaguarda *s.f.* **1.** Proteção concedida por uma autoridade; salvo-conduto. **2.** O que serve de garantia, de defesa.

salvaguardar *v.t.* (conj. 4). **1.** Proteger, defender. **2.** Ressalvar. **3.** Acautelar.

salvamento *s.m.* **1.** Ato ou efeito de salvar; salvação. **2.** Garantia, segurança. **3.** Lugar seguro, livre de perigo. **4.** Bom êxito, sucesso.

salvar *v.t.* (lat. *salvare*) [conj. 4]. **1.** Tirar ou livrar do perigo ou da ruína. **2.** Guardar, defender, preservar. **3.** Conservar intacto. **4.** Dar a salvação a, livrar da danação eterna. **5.** Saudar, cumprimentar. ● **Inform.** Gravar em meio digital. ★ *v.i.* Dar salvas de canhão, de artilharia. ● **Inform.** Gravar um arquivo de dados. ★ *v.pr.* Livrar-se, escapar de um perigo ou risco.

salvatoriano *adj.* e *s.m.* Salvadorenho.

salva-vidas *s.m.* Espécie de bóia ou colete, geralmente de cortiça, próprio para salvar náufragos. ★ *s.2g.2n.* Nadador profissional que fica permanentemente na praia, para atender a casos de afogamento e outras emergências.

salve (lat. *salve*). *interj.* Emprega-se como saudação.

salve-rainha *s.f.* Oração consagrada à Virgem Maria, que se inicia com essas duas palavras.

sálvia *s.f.* Subarbusto originário da região mediterrânea, de flores azuis e folhas alongadas, espessas, de propriedades medicinais, utilizadas também como aromatizante e condimento.

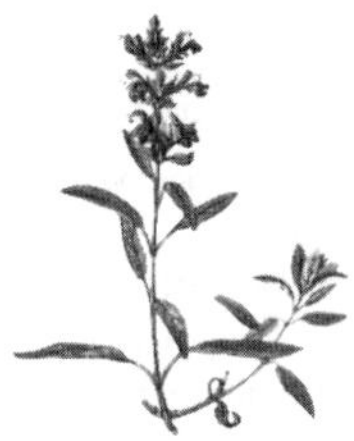

salvo *adj.* (lat. *salvus*). **1.** Livre de perigo ou de morte. **2.** Ileso, intacto. **3.** Defendido, resguardado, abrigado. **4.** Favorável, propício. **5.** *A salvo,* fora de perigo. ★ *prep.* Exceto, afora.

salvo-conduto *s.m.* **1.** Licença concedida por autoridade competente para a livre passagem por países, postos militares etc. (Cf. PASSAPORTE.) **2.** *Fig.* Segurança, salvaguarda, privilégio.

samambaia *s.f.* (do tupi). Nome comum a diversas plantas pteridófitas, na maioria ornamentais, cultivadas em jardins e vasos. (Sin. FETO.)

samambaiaçu *s.f.* Sin. de XAXIM.

sâmara *s.f.* (lat. *samara*). Fruto simples, seco, indeiscente, que possui expansões no pericarpo semelhantes a asas que facilitam sua dispersão pelo vento.

samário *s.m.* (lat. cient. *samarium*). Elemento químico (símb. Sm) de número atômico 62, da série das terras-raras, que constitui um sólido de brilho prateado, encontrado na areia monazítica.

samaritano *adj.* **1.** Relativo ou pertencente a Samaria, região e cidade da antiga Palestina que foi a capital do reino de Israel. **2.** Relativo ao Bom Samaritano, personagem bíblico conhecido pela verdadeira caridade em relação ao próximo. ★ *adj.* e *s.m. Fig.* Diz-se de ou homem bom, caridoso, beneficente.

samba *s.m.* **1.** Dança popular brasileira, com fortes influências do batuque africano, executada individualmente ou em grupos. **2.** A música que acompanha essa dança, de compasso binário e com diversas formas variantes, executada apenas com percussão ou acompanhada de canto, violão etc. **3.** Dança brasileira de salão, de par enlaçado. **4.** Batuque, batucada. **5.** Baile popular. **6.** *Escola de samba,* grande grupo carnavalesco organizado que participa de desfiles.

VOCÊ SABIA...? O **samba** se popularizou rapidamente depois da II Guerra Mundial e se expandiu pelo mundo, sendo considerado a música brasileira por excelência. O nome original (*semba*) provém da África, e seu ritmo também é derivado de danças africanas.

samba-canção *s.m.* Modalidade de samba em que predomina o caráter melódico, geralmente romântico e sentimental.

sambaqui *s.m.* (tupi *tãba'ki*). Depósito de conchas, esqueletos e utensílios domésticos acumulados por tribos que habitaram o litoral brasileiro no período pré-histórico.

sambar *v.i.* (conj. 4). Dançar o samba.

sambista *s.2g.* **1.** Componente de escola de samba. **2.** Compositor ou intérprete de sambas. **3.** Pessoa que samba.

sambladura *s.f.* Ensambladura.

samblar *v.t.* (conj. 4). Ensamblar.

samburá *s.m.* (tupi). Cesto de cipó ou taquara usado para carregar iscas de pesca.

samexuga *s.f.* Var. de SANGUESSUGA.

samoano *adj.* Relativo ou pertencente às Ilhas Samoa, arquipélago do Oceano Pacífico. ★ *s.m.* O natural ou habitante dessas ilhas.

samurai *s.m.* Antigo guerreiro japonês, membro da casta militar.

sanar *v.t.* (lat. *sanare*) [conj. 4]. **1.** Curar, sarar. **2.** Resolver, remediar.

sanativo *adj.* (lat. *sanativus*) Próprio para sanar.

sanatório *s.m.* (lat. *sanatorius*). Estabelecimento médico, público ou privado, destinado ao tratamento, mediante internação, de tuberculose e de certas doenças crônicas.

sanável *adj.2g.* (lat. *sanabilis*). Que se pode sanar.

sanção *s.f.* (lat. *sanctio,* ato de tornar santo). **1.** Ato pelo qual o chefe de Estado aprova uma lei votada pelo Congresso. **2.** Aprovação, confirmação considerada necessária. **3.** Conseqüência prevista em norma jurídica para a hipótese de violação de preceito; penalidade, punição.

sancionar *v.t.* (conj. 4). **1.** Dar a sanção a. **2.** Confirmar, aprovar, ratificar. **3.** Aplicar sanção a; penalizar, punir.

sandália *s.f.* (lat. *sandalia*). Calçado constituído de sola presa ao pé por cordões ou tiras.

sândalo *s.m.* (ár. *santal*). **1.** Árvore originária da Ásia, que fornece madeira resistente, de onde se extrai uma essência utilizada em perfumaria e farmácia. **2.** Essência extraída dessa árvore.

sandeu *adj.* e *s.m.* (fem. *sandia*). **1.** Parvo, tolo, estúpido. **2.** Insensato, insano.

sandice *s.f.* **1.** Qualidade, ato ou dito de sandeu. **2.** Tolice, parvoíce, insensatez.

sanduíche *s.m.* (ingl. *sandwich*). Fatias de pão, com ou sem manteiga, entre as quais se põe presunto, queijo, carne etc.

saneamento *s.m.* **1.** Ato ou efeito de sanear. **2.** Limpeza, asseio. **3.** Conjunto das técnicas de evacuação e tratamento das águas servidas e dos esgotos. **4.** *Fig.* Reparação, emenda.

sanear *v.t.* (lat. *sanare*) [conj. 15]. **1.** Tornar são, aplicar medidas de saneamento. **2.** Tornar (terreno) apto para a cultura. **3.** *Fig.* Reparar, eliminar falhas ou excessos. **4.** Ajustar a princípios ou critérios sãos; moralizar. **5.** Coibir abusos.

sanefa *s.f.* (ár. *sanifa*). Tira larga de tecido que se estende sobre a parte superior de uma cortina.

sanfona *s.m.* (gr. *symphonia*). **1.** Acordeão. **2.** Qualquer material ou objeto que se retrai como a sanfona ou o acordeão.

sangrado *adj.* **1.** Que se submeteu a sangria. **2.** *P. ext.* Ferido, magoado. **3.** *Fig.* Exaurido, esgotado. ● **Tip.** Diz-se de ilustração cortada rente à borda da página.

sangrador (ô) *adj.* e *s.m.* Que ou aquele que sangra.

sangradouro *s.m.* **1.** Parte do braço onde, outrora, se fazia a sangria. **2.** Lugar, no pescoço ou no peito dos animais, onde se dá o golpe para abatê-los. **3.** Canal por onde se desvia a água de um rio, açude etc.

sangradura *s.f.* Sangramento.

sangramento *s.m.* **1.** Ato ou efeito de sangrar; sangradura, sangria. **2.** Escoamento, perda, derramamento de sangue. **3.** Ação de evacuar a água, o gás etc., de uma represa, canalização ou recipiente. **4.** Tubulação, dispositivo destinado a realizar tal ação.

sangrar *v.t.* (esp. *sangrar*) [conj. 4]. **1.** Tirar sangue de. **2.** Aplicar uma sangria a. **3.** Ferir com derramamento de sangue. **4.** Extrair algum líquido de. **5.** Exaurir, esgotar, esvaziar. **6.** Ferir, magoar, atormentar. **7.** *Fig.* Extorquir bens, dinheiro. **8.** *Fig.* Enfraquecer, debilitar. ● **Tip.** Cortar (ilustração) rente à borda da página. ★ *v.i.* **1.** Verter sangue. **2.** Gotejar.

sangrento *adj.* (esp. *sangriento*). **1.** Coberto ou manchado de sangue; ensangüentado. **2.** Que envolve derramamento de sangue; sanguinolento.

sangria *s.f.* (esp. *sangría*). **1.** Sangramento. **2.** Abertura de uma veia para a retirada de sangue; flebotomia. **3.** Sangue retirado por meio desse processo. **4.** Refresco feito com vinho, açúcar, água e limão. **5.** Incisão praticada na casca de certas árvores para a extração de resinas. **6.** *Fig.* e *Fam.* Perda, evasão de dinheiro.

sangue *s.m.* (lat. *sanguis, sanguinis*). **1.** Componente fluido do organismo, de coloração vermelha, com funções de oxigenação, nutrição, remoção de metabólitos e transporte de hormônios para diversos tecidos. **2.** Descendência, família, prole, raça. **3.** A vida, a existência. **4.** *Sangue arterial,* sangue que transporta oxigênio do aparelho respiratório para as demais partes do organismo. ► *Sangue venoso,* sangue pobre em oxigênio, rico em gás carbônico, proveniente de todas as partes do organismo e encaminhado para o aparelho respiratório.

REPRESENTAÇÃO DOS ELEMENTOS DO SANGUE HUMANO

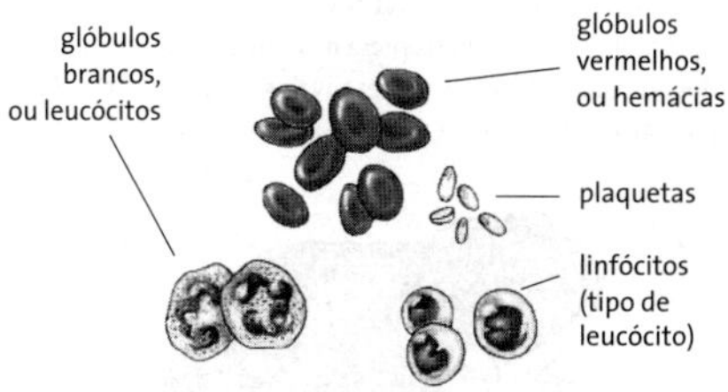

SANGUE ► O sangue circula por todo o organismo. Ao fazer isso, leva substâncias nutritivas e oxigênio aos tecidos. Também transporta dióxido de carbono e os dejetos do corpo aos órgãos que os eliminam (pulmões, rins, pele). O sangue se compõe do plasma, que é constituído por 90% de água e no qual estão em suspensão os glóbulos vermelhos, os glóbulos brancos e as plaquetas. O plasma transporta substâncias nutritivas, como açúcares, gorduras, proteínas e sais minerais. Os glóbulos vermelhos dão cor ao sangue e transportam oxigênio e dióxido de carbono. Os glóbulos brancos são os defensores do organismo e se multiplicam quando há uma infecção. Já as plaquetas são responsáveis pela coagulação. Quando há uma ferida, esses fragmentos celulares engrossam o sangue e estancam o sangramento.

sangue-frio *s.m.* Tranqüilidade, domínio de si, impassibilidade.

sangueira *s.f.* Sangue derramado em grande quantidade.

sanguessuga *s.f.* (lat. *sanguisuga*). **1.** Verme anelídeo, hirudíneo, dulcícola ou terrestre, que apresenta duas ventosas, alimenta-se de sangue e freqüentemente parasita vertebrados. (Var. SAMEXUGA.) **2.** *P. ext.* Nome dado a todos os hirudíneos. **3.** *Fig.* Indivíduo que explora outros.

sanguinário *adj.* (lat. *sanguinarius*). **1.** Que aprecia ver derramamento de sangue; sanguinolento. **2.** Em que muito sangue é derramado; feroz, cruel.

sanguíneo *adj.* (lat. *sanguineus*). **1.** Relativo ou pertencente ao sangue. **2.** Que tem a cor de sangue. **3.** *Vasos sanguíneos,* vasos pelos quais se faz a circulação do sangue.

sanguinolento *adj.* (lat. *sanguinolentus*). **1.** Tinto ou misturado de sangue. **2.** Sangrento. **3.** Sanguinário.

sanha *s.f.* Rancor, ira, cólera, ódio.

sanhaço *s.m.* (tupi *sa'i wa'su,* saí grande). Denominação comum a aves passeriformes, de plumagem colorida, que se alimentam principalmente de frutos. (Var. SANHAÇU.)

sanhaçu *s.m.* Var. de SANHAÇO.

sanidade *s.f.* (lat. *sanitas*). **1.** Qualidade, estado de são. **2.** Higiene, salubridade.

sanitário *adj.* **1.** Relativo à saúde e à higiene. **2.** Relativo à conservação da saúde pública. **3.** Relativo às instalações e aparelhos para cuidados de limpeza e higiene. ★ *s.m.* Conjunto de instalações de higiene (lavabos, latrinas etc.) de um local.

sanitarista *s.2g.* Especialista em saúde pública; higienista.

sânscrito *s.m.* Antiga língua indo-européia escrita com alfabeto próprio. ★ *adj.* Relativo ao sânscrito.

SÂNSCRITO ► O sânscrito é um idioma culto, estudado nas universidades, e uma das quinze línguas oficiais da Índia. Os *Vedas,* texto sagrado dos brâmanes, foram escritos em sânscrito. Na atualidade, essa língua desempenha um papel semelhante ao que teve o latim na Europa. O hindi, língua falada no norte da Índia, procede do sânscrito e utiliza o mesmo alfabeto. As línguas indo-européias (como o português, o inglês, o russo, o grego e muitas outras) têm parentesco remoto com o sânscrito.

sansei *s.2g.* (jap). Neto de imigrantes japoneses nascido fora do Japão.

santantônio *s.m.* **1.** *Pop.* Cabeçote de sela; santo-antônio. **2.** Peça metálica semicircular colocada na carroceria de automóveis de corrida, utilitários etc., atrás do assento do piloto, para proteção em caso de capotagem; santo-antônio.

santeiro *s.m.* Artesão que faz imagens de santos. ★ *adj.* Devoto, beato.

santelmo *s.m.* (de *Santo Elmo,* alter. de *Santo Erasmo,* n.pr.). Chama azulada que, especialmente durante as tempestades, aparece nos mastros dos navios, por efeito da eletricidade; fogo-de-santelmo.

santidade *s.f.* (lat. *sanctitas*). **1.** Qualidade daquele ou daquilo que é santo. **2.** *Sua* ou *Vossa Santidade,* título de honra reservado ao papa.

santificação *s.f.* (lat. *sanctificatio, sanctificationis*). **1.** Ato ou efeito de santificar(-se). **2.** Celebração conforme aos ritos religiosos.

santificar *v.t.* (lat. *sanctificare*) [conj. 12]. **1.** Tornar santo. **2.** Inscrever no rol dos santos; canonizar. **3.** Pôr no caminho da salvação. **4.** Celebrar segundo a lei religiosa. ★ *v.pr.* Tornar-se santo.

santista *adj.2g.* Relativo ou pertencente a Santos, cidade brasileira. ★ *s.2g.* O natural ou habitante de Santos.

santo *adj.* (lat. *sanctus*). **1.** Essencialmente puro. **2.** Que vive segundo os preceitos religiosos. **3.** Que foi santificado ou canonizado pela Igreja. **4.** Relativo ou pertencente à religião; sagrado. **5.** Consagrado ao culto sagrado. **6.** Útil, benéfico. ★ *s.m.* **1.** O que vive em estado de pureza e perfeição. **2.** Pessoa santa. **3.** Representação, estátua de um indivíduo canonizado. **4.** *Pop.* Sin. de ORIXÁ.

santo-antônio *s.m.* Santantônio.

santuário *s.m.* (lat. *sanctuarium*). **1.** Local consagrado pela religião; local santo. **2.** A parte interior, reservada, de um templo. **3.** Parte da igreja onde está o altar-mor e onde se realizam as cerimônias litúrgicas. **4.** Capela onde são guardadas e veneradas relíquias de vários santos. **5.** *Fig.* Asilo sagrado e inviolável.

são[1] *adj.* (lat. *sanus*). **1.** Que tem saúde; sadio. **2.** Que tem constituição não viciada por elementos mórbidos; sadio. **3.** Que não está estragado. **4.** Que contribui para a saúde; salubre. **5.** *Fig.* Concorde com a razão; sensato, justo. **6.** Ileso, incólume.

são² forma sincopada de santo, usada antes de nomes que se iniciam por consoante.

são-bernardo *s.m.* Cão de montanha de pêlo longo e macio, tamanho avantajado, cujas qualidades, aplicadas na salvação de viajantes extraviados na neve, são lendárias.

sapa *s.f.* (it. *zappa,* enxada). **1.** Trincheira escavada sob um muro, obra etc., para derrubá-lo. **2.** Numa guerra de sítio, via de comunicação enterrada ou subterrânea. **3.** O conjunto dos trabalhos de fortificação em campanha.

sapador (ô) *adj.* e *s.m.* Que ou aquele que tem a seu cargo a execução de sapas.

saparia *s.f.* Porção de sapos.

sapata *s.f.* (esp. *zapata*). **1.** Sapato largo e raso. **2.** Pequeno disco de camurça nas chaves dos instrumentos musicais. ● **Constr.** Tipo de fundação rasa em que as cargas são distribuídas de forma linear ou concentrada (sob pilar). **Mec.** *Sapata de freio,* peça metálica aplicada contra a banda de rodagem da roda de um veículo, ou contra a periferia de uma polia, para parar ou moderar seu movimento.

sapatão *s.m. Chul.* Lésbica.

sapataria *s.f.* **1.** Ofício de sapateiro. **2.** Estabelecimento onde se fabricam ou vendem sapatos.

sapateado *s.m.* **1.** Sapateio. **2.** Dança espanhola caracterizada pelas batidas ritmadas dos saltos do dançarino. **3.** Dança de origem americana, executada com sapatos munidos de chapas metálicas na ponta e nos saltos que produzem ruído característico.

sapateador (ô) *adj.* e *s.m.* Que ou aquele que sapateia. ★ *s.m.* Dançarino de sapateado.

sapatear *v.i.* (conj. 15). **1.** Bater repetida e vivamente com os pés no chão. **2.** Executar um sapateado.

sapateira *s.f.* **1.** Mulher que fabrica ou vende sapatos. **2.** Móvel onde se guardam sapatos.

sapateiro *s.m.* Indivíduo que fabrica, vende ou conserta calçados.

sapatilha *s.f.* **1.** Sapato de bailarinos, leve e flexível, com ou sem ponta reforçada. **2.** Calçado chato, leve, de sola flexível, para a prática de certos esportes (ginástica, esgrima, boxe etc.).

sapato *s.m.* (ár. *zabat,* sola). Calçado que cobre o pé parcial ou inteiramente.

sapé ou **sapê** *s.m.* (tupi *ssa'pé*). Erva de rizomas rastejantes, de folhas rijas, usadas como cobertura de ranchos e choupanas, e inflorescências brancas que se desenvolvem antes das folhas.

sapear *v.t.* (conj. 15). **1.** Olhar de fora, às escondidas. **2.** Observar (jogo), sem tomar parte.

sapeca¹ *adj.2g.* e *s.2g.* Diz-se de ou pessoa levada, saliente, namoradeira.

sapeca² *s.f.* **1.** Ato ou efeito de sapecar, de chamuscar. **2.** Maçada, estopada.

sapecar¹ *v.i.* (conj. 12). **1.** Namorar muito. **2.** Vadiar, vagabundar.

sapecar² *v.t.* (tupi *ha'peka*) [conj. 12]. **1.** Chamuscar, crestar. **2.** *Pop.* Executar mal. **3.** *Pop.* Aplicar (golpe), bater.

sápido *adj.* (lat. *sapidus*). Que tem sabor; saboroso.

sapiência *s.f.* (lat. *sapientia*). **1.** Grande sabedoria, erudição. **2.** Sabedoria divina.

sapiencial *adj.2g.* Relativo à sapiência.

sapiente *adj.2g.* (lat. *sapiens*). Que tem sapiência, que sabe muito; sábio, erudito.

sapinho *s.m.* **1.** Infecção das mucosas orais que dá origem a placas brancas e grumosas. **2.** Pequeno sapo.

sapo *s.m.* **1.** Denominação comum a anfíbios anuros, com forma adulta terrestre e larval aquática, que apresentam pele rugosa e possuem a língua presa na parte anterior da boca. **2.** Doença que ataca os cascos dos cavalos. **3.** (*S*) *Pop.* Indivíduo que sapeia, que assiste a um jogo sem participar dele.

sapo-cururu *s.m.* Cantiga de ninar, tradicional e popularíssima. ● **Zool.** Sin. de CURURU.

saponáceo *adj.* Que tem a natureza do sabão, que se pode empregar como sabão.

saponificação *s.f.* **1.** Transformação das substâncias graxas em sabões por meio de hidrólise alcalina. **2.** Hidrólise alcalina dos ésteres.

saponificar *v.t.* (conj. 12). **1.** Transformar em sabão. **2.** Decompor um éster por meio de uma base.

sapopema ou **sapopemba** *s.f.* **1.** Raiz que se desenvolve junto com o tronco da árvore e que às vezes se eleva até 2 m acima do solo. **2.** Nome comum a árvores que apresentam raízes desse tipo.

sapota *s.f.* (náuatle *tzapoti*). Árvore originária da América Central, de folhas alternas, fruto em forma de baga, comestível, que fornece látex utilizado na fabricação de chiclete. (Sin. SAPOTIZEIRO.)

sapoti *s.m.* (náuatle *tzapotl*). Fruto da sapota, baga muito doce, de casca fina, castanho-escura, comestível ao natural ou utilizado na preparação de xaropes para refresco.

sapotizeiro *s.m.* Sin. de SAPOTA.

saprófago *adj.* e *s.m.* Diz-se de ou animal que se alimenta de restos orgânicos em decomposição.

saprófito *adj.* e *s.m.* Diz-se de ou organismo que obtém seus nutrientes da matéria orgânica morta.

sapucaia¹ *s.f.* (tupi *ïasapuka'i*). Nome comum a diversas árvores cujos frutos, quando abertos, apresentam a forma de uma cuia, e as sementes, oleaginosas, são comestíveis.

sapucaia² *s.f.* (de *Sapucaia,* n.pr.). Depósito de lixo; monturo.

saque¹ *s.m.* **1.** Ato ou efeito de sacar. **2.** Emissão de título de crédito ou de ordem de pagamento. **3.** Jogada inicial no tênis, pingue-pongue, vôlei etc.

saque² *s.m.* **1.** Ato ou efeito de saquear; saqueio. **2.** Rapina, pilhagem feita por soldados numa cidade invadida. **3.** Assalto a casas comerciais por multidões amotinadas ou em momento de desordem.

saquê *s.m.* (jap. *sake*). Bebida alcoólica de origem japonesa, fabricada pela fermentação do mosto de arroz.

saqueador (ô) *adj.* e *s.m.* Que ou aquele que saqueia, que faz pilhagem.

saquear *v.t.* (conj. 15). Pilhar, praticar saque em. ★ *v.i.* Roubar, devastar, assaltar.

saqueio *s.m.* Saque[2].

sarabanda *s.f.* (esp. *zarabanda*). **1.** Dança nobre em três tempos, em voga nos séculos XVII e XVIII. **2.** Composição musical no tempo e com o caráter dessa dança. **3.** Repreensão, descompostura. **4.** Tumulto, grande agitação.

sarabatana *s.f.* (de or. persa). Espécie de buzina. (Cf. ZARABATANA.)

sarabulho *s.m.* **1.** Aspereza que aparece na superfície das louças, provocada por grãos de areia ou pelo vidro mal fundido. **2.** *Fig.* e *Pop.* Apostema, pústula.

saracotear *v.t.* (conj. 15). Agitar (o corpo, os braços, os quadris) graciosamente. ★ *v.i.* Estar buliçoso, irrequieto; andar de um lado para outro.

saracura *s.f.* (tupi *sara'kura*). Denominação comum a aves gruiformes que vivem no meio da vegetação aquática e alimentam-se de vermes, moluscos, crustáceos e insetos.

saraiva *s.f.* **1.** Chuva que cai em forma de pedras de gelo; chuva de pedras, pedrisco, granizo. **2.** Saraivada.

saraivada *s.f.* **1.** Grande quantidade de coisas que caem ou são lançadas rapidamente; saraiva. **2.** *Fig.* Descarga, desencadeamento, série de coisas em torrente.

saraivar *v.i.* (conj. 4). Cair saraiva. ★ *v.t.* Açoitar, flagelar como saraiva.

sarampo *s.m.* Doença infecciosa viral, muito contagiosa, caracterizada por erupção de manchas vermelhas irregulares, que ataca principalmente crianças.

SARAMPO ▸ O sarampo é uma doença muito contagiosa que afeta as crianças na forma de epidemia. O vírus que o causa é adquirido ao respirar as pequenas partículas aquosas que os doentes liberam quando tossem ou espirram. Usualmente, só se pega o sarampo uma vez na vida. Hoje, o sarampo é uma doença rara no mundo ocidental, já que pode ser evitado graças à administração da vacina anti-sarampo entre o primeiro e o segundo anos de vida das crianças.

---

sarapantar *v.t.* (conj. 4). **1.** Assustar, espantar. **2.** Causar espanto, pasmo.

sarapatel *s.m.* **1.** Iguaria de origem nordestina, preparada com sangue e miúdos de porco refogados, com abundância de molho e condimentos. (Sin. SARRABULHO.) **2.** Confusão, algazarra.

sarapintado *adj.* Que tem pintas de cores variadas; pintalgado.

sarapintar *v.t.* (conj. 4). Fazer pintas de cores variadas em; pintalgar.

sarapó *s.m.* (tupi *sara'pó*). **1.** Bolo de massa de tapioca ou mandioca semelhante ao beiju. **2.** Peixe ósseo de corpo alongado, que vive em água doce.

sarar *v.t.* (lat. *sanare*) [conj. 4]. **1.** Restituir a saúde a. **2.** Curar, debelar. ★ *v.i.* Recobrar a saúde; recuperar-se.

sarará *adj.* (tupi *sara-rá,* que tem pêlos ruivos). **1.** Albino. **2.** *P. ext.* Diz-se da cor arruivada dos cabelos de certos mulatos. **3.** Diz-se do mestiço com cabelos arruivados.

sarau *s.m.* (galego *serao*). **1.** Reunião festiva, à noite, para dançar, ouvir música e conversar. **2.** Reunião noturna, de finalidade literária.

sarça *s.f.* (ár. *xarak,* planta espinhosa). **1.** Denominação comum a arbustos espinhosos, comuns na Europa, que crescem em terrenos abandonados, formando matagais impenetráveis. **2.** Matagal.

sarcasmo *s.m.* (gr. *sarkasmos*). Zombaria acerba, atroz; ironia mordaz.

sarcástico *adj.* (gr. *sarkastikós*). **1.** Que denota sarcasmo. **2.** Que emprega o sarcasmo.

sarcodíneos *s.m.pl.* Filo de protozoários que apresentam pseudópodes utilizados na locomoção e na alimentação, que engloba as amebas e os foraminíferos.

sarcófago *s.m.* (gr. *sarkophagos,* carnívoro). **1.** Ataúde de madeira ou de pedra. **2.** Parte que, em um monumento fúnebre esculpido, representa um ataúde.

sarcoma *s.m.* (gr. *sarkoma*). Tumor maligno que tem como ponto de partida um tecido conjuntivo.

sarcômero *s.m.* Unidade funcional e morfológica do músculo estriado.

sarda *s.f.* Hiperpigmentação da pele causada por aumento do número de melanócitos.

sardento *adj.* e *s.m.* Que ou aquele que tem muitas sardas.

sardinha *s.f.* (lat. *sardina*). Peixe marinho, de grande importância comercial, que forma grandes cardumes e que pode ser consumido fresco ou após industrialização.

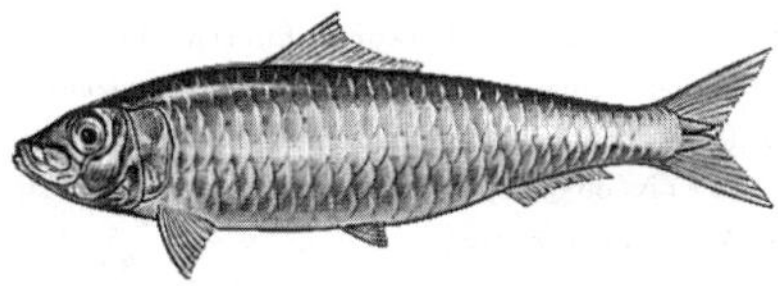

sardônico *adj.* **1.** Que revela intenção má. **2.** Diz-se de um riso convulsivo, involuntário e sarcástico.

sargaço *s.m.* (esp. *sargazo*). Alga flutuante, de coloração castanha, cuja acumulação forma, sobretudo nas costas da Flórida (mar dos Sargaços), verdadeira campina onde desovam as enguias.

sargento[1] *s.m.* (fr. ant. *sergent,* servidor). **1.** Posto das Forças Armadas, imediatamente inferior a subtenente ou a suboficial e superior a cabo. **2.** Pessoa que ocupa esse posto.

sargento[2] *s.m.* (fr. *serre-joint*). Ferramenta para encaixar ou fixar provisoriamente duas peças ou uma tábua à bancada.

sargento-mor *s.m.* **1.** Posto do Exército no Brasil colonial e imperial, correspondente a major. **2.** Pessoa que ocupava esse posto.

sarilho *s.m.* (lat. *sericula*, dobadoura). **1.** Dispositivo em que se enrolam os fios das maçarocas para fazer meadas. **2.** Máquina simples em que um cabo é tracionado por seu enrolamento em um cilindro (tambor), acionado por uma manivela de raio maior. **3.** *Pop.* Confusão, desordem.

sarja *s.f.* (fr. ant. *sarge*). **1.** Ligação muito utilizada em tecelagem para a fabricação de tecidos que se apresentam com finas nervuras diagonais. **2.** Tecido com essa ligação. ● **Med.** Incisão superficial na pele, para extrair sangue ou para drenar o pus de um abscesso; escarificação da pele.

sarjar *v.t.* (conj. 4). Fazer incisões ou sarjas em; escarificar.

sarjeta (ê) *s.f.* **1.** Escoadouro para as águas das chuvas que, nas ruas e praças, beira o meio-fio da calçada. **2.** *Fig.* Condição ignominiosa de decadência e humilhação.

sarmento *s.m.* (lat. *sarmentum*). **1.** Rebento anual da videira e de outras plantas, ainda não podado. **2.** Haste lenhosa com raízes nas articulações nodosas. **3.** Haste comprida das trepadeiras.

sarmentoso (ô) *adj.* (lat. *sarmentosus*). **1.** Relativo ou semelhante ao sarmento. **2.** Que produz muitos sarmentos.

sarna *s.f.* (lat. tard. *sarna*). **1.** Doença infecciosa cutânea determinada no homem e nos animais pela presença de ácaros sob a pele. (Sin. ESCABIOSE.) **2.** *Sarna folicular.* ★ *s.2g.* Pessoa importuna, maçadora.

sarnento *adj.* **1.** Relativo à sarna. **2.** *Fig.* Combalido, meio podre. ★ *s.m.* Pessoa acometida de sarna.

sarrabulho *s.m.* **1.** Sangue coagulado de porco. **2.** Sin. de SARAPATEL. **3.** *Fig.* Confusão, desordem.

sarraceno *adj.* Mouro, árabe, mourisco. ★ *s.m.* Designação dada aos muçulmanos pelos ocidentais durante a Idade Média.

sarrafo *s.m.* **1.** Peça de madeira com seção transversal quadrada ou retangular; ripa, fasquia. **2.** Pedaço de pau.

sarro *s.m.* (esp. *sarro*). **1.** Borra que se forma no vinho e adere à parede dos recipientes. **2.** Resíduos de nicotina encontrados nos dentes dos fumantes, em piteiras e cachimbos. **3.** Saburra. **4.** *Gír.* Coisa ou pessoa divertida, engraçada.

saruê *s.m.* Sin. de GAMBÁ.

sassafrás *s.m.* (esp. *sasafrás*). **1.** Árvore aromática, de flores verde-amareladas, fruto drupáceo, azul, e casca que fornece óleo essencial, utilizado em perfumaria. **2.** Árvore de pequenas flores e fruto oval, de cor azulada, que fornece madeira útil em construção civil e naval.

satânico *adj.* **1.** Relativo a Satã ou Satanás, príncipe dos demônios na Bíblia. **2.** Diabólico. **3.** Infernal, atroz.

satanismo *s.m.* **1.** Caráter de satânico. **2.** Culto do diabo, adoração a Satanás.

satélite *s.m.* (lat. *satelles, satellitis*). **1.** Corpo que gravita em torno de um astro de massa preponderante, em particular ao redor de um planeta. **2.** *Fig.* O que segue e vive sob a dependência e proteção de outrem. **3.** *Satélite artificial*, engenho construído pelo homem e colocado em órbita em torno de um astro, em particular da Terra, por um foguete ou um sistema de transporte espacial. ★ *adj.* **1.** Diz-se de cidades formadas ao redor das metrópoles. **2.** Diz-se do país que depende de outro no plano político e/ou econômico. ● **Anat.** Diz-se dos nervos e veias que seguem trajeto mais ou menos paralelo ao das artérias.

SATÉLITE ► Os satélites artificiais que percorrem a órbita da Terra cumprem diversas funções. Alguns são usados para recolher informações sobre a própria Terra: os *satélites meteorológicos* são utilizados para observar a atmosfera e recolher dados para a previsão do tempo; os *satélites geodésicos*, para observar a superfície terrestre e informar, por exemplo, sobre o desflorestamento e o estado das calotas polares. Já os *satélites de comunicação* contribuem para as comunicações globais, transmitindo sinais de televisão, chamadas telefônicas e dados informáticos de um ponto a outro da superfície terrestre. Os *satélites de observação astronômica* levam a bordo instrumentos para medir objetos celestes.

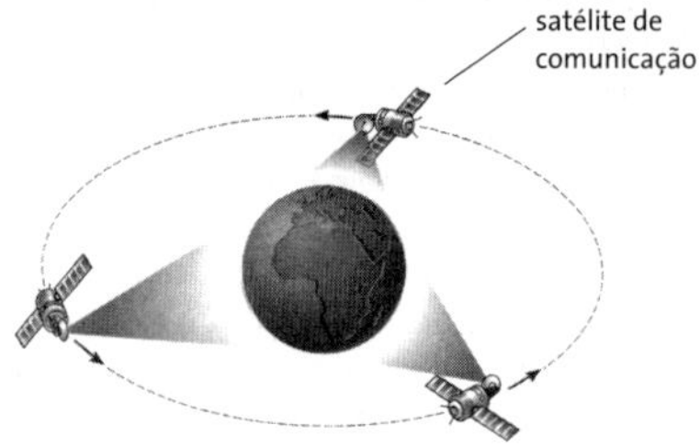

sátira *s.f.* (lat. *satira*, farsa). **1.** Modalidade literária que consiste na crítica a pessoas ou instituições. **2.** Panfleto, freqüentemente em estilo misto de verso e prosa, onde são atacados os costumes sociais. **3.** Ironia, mofa, zombaria.

satírico *adj.* (lat. *satiricus*). **1.** Que pertence à sátira; que envolve sátira. **2.** Que escreve sátiras.

satirizar *v.t.* (conj. 4). **1.** Escarnecer, expondo ao ridículo. **2.** Criticar com sátira. ★ *v.i.* Escrever sátiras.

satisfação *s.f.* (lat. *satisfactio*). **1.** Contentamento, prazer que resulta da realização do que se espera, do que se deseja. **2.** Reparação, desculpa, indenização. **3.** Explicação, justificativa.

satisfatório *adj.* **1.** Que satisfaz. **2.** Regular, suficiente, aceitável.

satisfazer *v.t.* (lat. *satisfacere*) [conj. 31]. **1.** Cumprir, realizar. **2.** Causar prazer, contentar. **3.** Saciar. **4.** Corresponder à expectativa. **5.** Reparar, indenizar, pagar o que se deve. ★ *v.i.* Bastar, ser suficiente. ★ *v.pr.* **1.** Comer ou beber até fartar-se; saciar-se. **2.** Contentar-se.

satisfeito *adj.* (lat. *satisfactus*). **1.** Que se satisfez. **2.** Cumprido, executado. **3.** Farto, saciado. **4.** Contente, alegre.

sátrapa *s.m.* **1.** Governador de província, na antiga Pérsia. **2.** Déspota.

satrapia *s.f.* **1.** Cargo ou governo de um sátrapa. **2.** Província do Império Persa.

saturação *s.f.* (lat. *saturatio*). Ato ou efeito de saturar(-se). ● **Quím.** Transformação de uma ligação múltipla em ligação simples por meio da adição de hidrogênio. ► Operação que consiste em dissolver uma substância em um líquido até a obtenção de uma solução saturada; estado da solução assim obtida.

saturado *adj.* **1.** Que se saturou. **2.** Impregnado ou embebido no mais alto grau. **3.** *Fig.* Plenamente saciado; farto, cheio. ● **Quím.** Diz-se de um composto que tem as ligações interatômicas tais que todos os elétrons estejam emparelhados. ► Diz-se de uma solução na qual é impossível, em temperatura constante, aumentar a concentração de soluto.

saturar *v.t.* (lat. *saturare*) [conj. 4]. **1.** Submeter à saturação, provocar a saturação. **2.** Impregnar, embeber. **3.** Saciar, fartar. **4.** *Fig.* Incomodar, chegar aos limites da resistência ou tolerância; enfastiar. ★ *v.pr.* **1.** Chegar ao ponto de saturação. **2.** Encher-se, enfartar-se.

saudação (a-u ou au) *s.f.* Ato ou efeito de saudar; cumprimento, felicitação.

saudade (a-u ou au) *s.f.* (lat. *solitas, solitatis,* soledade). **1.** Recordação suave e melancólica de pessoa ausente ou coisa distante, que se deseja voltar a ver ou possuir. **2.** Nostalgia. **3.** Pesar pela ausência de alguém que nos é querido.

saudar *v.t.* (lat. *salutare*) [conj. 19]. **1.** Cumprimentar, salvar. **2.** Dar a alguém um testemunho exterior de atenção, civilidade, respeito. **3.** Felicitar, festejar, aclamar.

saudável (a-u ou au) *adj.2g.* **1.** Que é bom para a saúde; salutar. **2.** Que tem saúde, robusto. **3.** *P. ext.* Útil, benéfico, propício.

saúde *s.f.* (lat. *salus, salutis*). **1.** Estado de sadio, de são. **2.** Estado habitual de equilíbrio do organismo. **3.** Força, vigor, robustez. **4.** Na definição da Organização Mundial de Saúde, "estado de completo bem-estar físico, mental e social e não somente ausência de doença ou enfermidade". **5.** *Saúde pública,* conjunto das medidas de prevenção e de luta contra as doenças contagiosas. ★ *interj.* Emprega-se para fazer um brinde ou como bom presságio a alguém que espirra.

saudita *adj.2g.* (de Ibn *Saud,* n.pr.). Relativo ou pertencente à Arábia Saudita, país do Oriente Médio. ★ *s.2g.* O natural ou habitante da Arábia Saudita.

saudosismo (a-u ou au) *s.m.* Valorização demasiada do passado.

saudosista (a-u ou au) *adj.2g.* Relativo a ou que denota saudosismo. ★ *s.2g.* Pessoa saudosista.

saudoso (a-u ou au...ô) *adj.* **1.** Que provoca saudades. **2.** Que sente saudades.

sauna *s.f.* (do finlandês). **1.** Exposição do corpo a uma temperatura elevada, proporcionada por pedras aquecidas, e posterior ducha fria e repouso. **2.** Espécie de banho de vapor, em uso em alguns países. **3.** Estabelecimento onde se toma esse tipo de banho.

sáurios *s.m.pl.* Sin. de LACERTÍLIOS.

Os lagartos são sáurios.

saúva *s.f.* (tupi *isa'ub*). Inseto himenóptero da região tropical, que carrega folhas para o ninho destinadas à manutenção de uma cultura de fungos que serve de alimento para o formigueiro. (Sin. de CARREGADEIRA, CORTADEIRA, FORMIGA-CORTADEIRA.)

savana *s.f.* (esp. *sabana*). Formação vegetal própria das regiões tropicais, com uma longa estação seca, caracterizada pelo predomínio de gramíneas e árvores esparsas.

saveiro *s.m.* **1.** Barco pequeno, em geral de fundo achatado, utilizado na travessia de rios e na pesca de linha. **2.** Tripulante desse barco. **3.** (*BA*) Barco de dois mastros, para pesca ou transporte de carga e passageiros.

saxão (cs) *s.m.* Indivíduo dos saxões, antigo povo germânico que invadiu a Inglaterra. ★ *adj.* e *s.m.* *P. ext.* Inglês.

saxofone (cs) *s.m.* (de A. *Sax,* n.pr.). Instrumento musical de sopro, de metal, com palheta vibrante simples e tubo cônico munido de um mecanismo de chaves.

VOCÊ SABIA...? O **saxofone** foi inventado pelo belga Adolphe Sax (1845). Atualmente, os saxofones formam um naipe de sete instrumentos, denominados segundo sua tessitura: saxofone sopranino, saxofone soprano, saxofone contralto, saxofone tenor, saxofone barítono, saxofone baixo e saxofone contrabaixo. Apesar de sua sonoridade e suas possibilidades técnicas, tem sido pouco utilizado em obras sinfônicas. Já o *jazz* aproveita as qualidades deste instrumento.

sazão *s.f.* (lat. *satio, sationis,* ato de semear). **1.** Cada uma das estações do ano. **2.** Tempo próprio para a colheita dos frutos. **3.** *Fig.* Oportunidade, ensejo, ocasião.

sazonado *adj.* **1.** Maduro, amadurecido. **2.** *Fig.* Experimentado, refletido.

sazonal *adj.2g.* Relativo a ou que ocorre na sazão ou estação.

sazonamento *s.m.* **1.** Ato ou efeito de sazonar. **2.** Amadurecimento.

sazonar *v.t.* (conj. 4). **1.** Amadurecer (o fruto). **2.** *Fig.* Tornar saboroso, dar bom sabor a. **3.** Tornar agradável. **4.** Tornar experimentado.

Sb símbolo químico do antimônio.

Sc símbolo químico do escândio.

scanner *s.m.* (ingl). **1.** Aparelho que cria um arquivo digital a partir de imagens analógicas ou textos impressos. (Aport. ESCÂNER.) **2.** Aparelho para diagnóstico que cria a imagem digital de uma parte do corpo ou órgão.

script *s.m.* (ingl). Texto de um programa de televisão ou de rádio, filme ou espetáculo teatral.

se¹ *pron. pess.* (lat. *se*). Forma da 3ª pess. do sing. e do pl. (caso oblíquo). Emprega-se reflexivamente, como objeto direto ou indireto ou, ainda, como partícula apassivadora ou índice de indeterminação do sujeito.

se² *conj.* (lat. *si*). **1.** Caso, no caso de, suposto que. **2.** Introduz oração subordinada substantiva.

Se símbolo químico do selênio.

SE abrev. de SUDESTE.

sé *s.f.* (lat. *sedes*, sede). **1.** Igreja episcopal ou arquiepiscopal. **2.** Bispado juntamente com a sua jurisdição. **3.** *Santa Sé,* a Igreja de Roma, o Vaticano.

seara *s.f.* (lat. *senara*). **1.** Campo de cereais. **2.** Campo semeado, cultivado. **3.** *Fig.* Partido, agremiação, associação.

sebáceo *adj.* (lat. *sebaceus*). **1.** Que é da natureza do sebo. **2.** Ensebado, sebento, seboso. **3.** Que produz ou contém matérias sebosas. **4.** Gorduroso. ● **Med.** *Cisto sebáceo,* tumor subcutâneo resultante da dilatação cística de uma glândula sebácea. ▸ *Glândula sebácea,* glândula que secreta o sebo.

sebe *s.f.* (lat. *saepes*). Cerca de arbustos, ramos ou estacas de madeira entrelaçados.

sebento *adj.* Seboso.

sebo (ê) *s.m.* (lat. *sebum*). **1.** Produto da secreção das glândulas sebáceas, composto de restos celulares, gorduras, colesterol e substâncias saponáceas, com função de proteção da pele, que amacia e isola do meio exterior. **2.** Substância gordurosa e consistente extraída das vísceras dos ruminantes. **3.** Livraria onde se vendem livros usados.

seborréia *s.f.* Aumento anormal da secreção das glândulas sebáceas e sudoríparas da pele.

seborréico *adj.* **1.** Relativo à seborréia. **2.** Em que existe seborréia.

seboso (ô) *adj.* (lat. *sebosus*). **1.** Da natureza do sebo; sebáceo. **2.** Sujo de sebo; sebento, ensebado. **3.** *Fig.* Pedante.

seca (ê) *s.f.* **1.** Falta de chuva; estiagem. **2.** Quadra de tempo em que não há chuvas.

seca *s.f.* Secagem.

secadouro *s.m.* Local de secagem; enxugadouro.

secagem *s.f.* **1.** Ato ou efeito de secar; seca. **2.** Tratamento para eliminar de um corpo, total ou parcialmente, a água que nele estiver incorporada. **3.** Passagem de uma camada de tinta do estado líquido ao estado sólido.

secante¹ *adj.2g.* (lat. *secans*, de *secare*, cortar). **1.** Diz-se de toda reta ou superfície plana que corta outra, que a divide em duas partes. **2.** Inverso do co-seno de um ângulo ou de um arco. ★ *s.f.* A reta secante ou a que corta outra linha.

secante² *adj.2g.* Que seca.

seção ou **secção** *s.f.* (lat. *sectio, sectionis*). **1.** Ato ou efeito de secionar ou seccionar. **2.** Porção, parte, divisão de um todo. **3.** Ponto ou local em que algo foi cortado ou dividido. **4.** Corte de um sólido por um plano; figura resultante de tal ação. **5.** Cada uma das subdivisões de um estabelecimento, empresa ou órgão público que tem funções diferentes das outras. ● **Biol.** Divisão de um gênero; divisão secundária, subdivisão.

secar *v.t.* (lat. *siccare*) [conj. 12]. **1.** Privar de água ou umidade, pôr a seco. **2.** Esgotar, estancar. **3.** Fazer murchar, ressequir. **4.** *Gír.* Dar azar a. ★ *v.i.* e *v.pr.* **1.** Esgotar-se, estancar-se. **2.** Perder o viço, murchar. **3.** Definhar-se.

secção *s.f.* Seção.

seccional *adj.2g.* Secional.

seccionar *v.t.* (conj. 4). Secionar.

secessão *s.f.* (lat. *secessio*). **1.** Ato ou efeito de se separar daquilo a que se estava unido; separação. **2.** Divisão, dissidência, cisão.

secional ou **seccional** *adj.2g.* Relativo a seção.

secionar ou **seccionar** *v.t.* (conj. 4). Dividir em seções; cortar em pedaços ou fatias.

seco (ê) *adj.* (lat. *siccus*). **1.** Privado ou desprovido de umidade ou líquido; enxuto. **2.** Que não tem vegetação; árido, infecundo. **3.** Murcho, ressequido, que não tem verdura. **4.** Diz-se de clima sem umidade atmosférica. **5.** Diz-se de alimentos industrialmente desidratados, para aumentar seu prazo de conservação. **6.** Magro, descarnado. **7.** Diz-se de vinho com pouco açúcar ou nenhum. **8.** *Fig.* Ríspido, severo, rude. **9.** *Fig.* Desprovido de ornatos ou pompas. **10.** *Pop.* Sequioso, sedento, muito desejoso. ★ *s.m.pl.* **1.** Gêneros secos que se vendem por medida, como trigo, feijão, grãos em geral etc. **2.** *Secos e molhados,* ramo de comércio que abrange armazéns e lojas de comestíveis.

secreção *s.f.* (lat. *secretio*). **1.** Função celular de produção e excreção de alguma substância para outro órgão, para o exterior ou para o sangue. **2.** Substância assim elaborada.

SECREÇÃO ▸ Conforme sua função, as secreções podem ser de proteção ou de lubrificação (pele, mucosa), de excreção (fígado, rins), de digestão (glândulas salivares, gástricas, intestinais, pâncreas, fígado) ou de regulação de outras funções (glândulas endócrinas). Certos órgãos têm ao mesmo tempo uma secreção externa e outra interna (fígado, pâncreas etc.). Também se dá o nome de secreção à produção das células sexuais. (O testículo e o ovário produzem uma secreção externa – espermatozóides e óvulos respectivamente – e uma secreção interna – os hormônios sexuais.) Há secreções, como a secreção mamária, que não servem ao próprio indivíduo, mas a seus filhos.

---

secreta¹ *s.f.* **1.** Oração que o padre diz em voz baixa, antes do prefácio da missa. **2.** Tese defendida só em presença dos lentes, em algumas universidades.

secreta² *s.m.* (lat. *secreta*, de *secernere*, separar, eliminar.) Produto de secreção elaborado pelas glândulas, p. opos. ao produto de excreção, dito *excreta.*

secretar *v.t.* (conj. 4). Produzir por secreção; segregar.

secretaria *s.f.* **1.** Seção de uma organização, órgão público etc., onde se faz o expediente burocrático. **2.** Ministério.

secretária¹ *s.f.* Mulher que exerce o cargo de secretário.

secretária² *s.f.* Escrivaninha.

secretariado *s.m.* **1.** Emprego ou função de secretário. **2.** Lugar onde o secretário faz o expediente e conserva os registros e arquivos cuja guarda lhe está confiada; tempo que duram as funções de secretário. **3.** O conjunto dos secretários de Estado; ministério. **4.** Curso de nível médio ou universitário para formação de secretários.

secretária-eletrônica *s.f.* Aparelho que, conectado a um telefone, atende as chamadas e grava mensagens.

secretariar *v.t.* (conj. 16). Ser secretário de.

secretário *s.m.* (lat. *secretarius*). **1.** Chefe de secretaria. **2.** Profissional que cuida da correspondência, da programação de entrevistas e toma diversas providências para outrem. **3.** Aquele que, no governo de um Estado ou município, exerce funções equivalentes às de ministro. **4.** Em certos países, ministro. **5.** Funcionário diplomático no início da carreira. **6.** *Ant.* Pessoa a quem se confiava algum segredo; confidente. **7.** *Secretário de Estado,* título do ministro das Relações Exteriores dos EUA; título do cardeal que exerce o papel de primeiro-ministro no Vaticano.

secreto *adj.* **1.** Oculto, escondido. **2.** Que deve ser mantido em segredo; confidencial. **3.** Que não é aparente, que não é visível.

secretor (ô) *adj.* e *s.m.* Diz-se de ou órgão ou tecido que produz uma secreção.

sectário *adj.* e *s.m.* (lat. *sectarius,* cortado, separado). **1.** Que ou aquele que pertence a uma seita; seguidor, sequaz, partidário. **2.** Diz-se do ou partidário fanático e extremado de uma seita religiosa. **3.** *Fig.* Que ou aquele que defende obstinadamente um ponto de vista extremado ou posições políticas, religiosas ou teóricas intransigentes e polarizadas. ★ *adj.* **1.** Relativo a seita. **2.** *Fig.* Intolerante, intransigente.

secular *adj.2g.* (lat. *saecularis*). **1.** Relativo a século. **2.** Relativo ou pertencente ao século; temporal, civil, não eclesiástico. **3.** Que tem um século, pelo menos. **4.** *P. ext.* Que dura há muito tempo, muito antigo. **5.** Que se cumpre ou se faz de cem em cem anos.

secularidade *s.f.* **1.** Qualidade de secular. **2.** A jurisdição secular de uma igreja.

secularizar *v.t.* (conj. 4). **1.** Tornar secular (o que era do domínio religioso). **2.** Sujeitar às leis civis. **3.** Dispensar dos votos monásticos. **4.** Confiscar, tomar bens que pertenciam à Igreja. ★ *v.pr.* Abandonar uma ordem religiosa.

século *s.m.* (lat. *saeculum*). **1.** Período de cem anos. **2.** Período de cem anos, contado de 1 a 100, de 101 a 200, de 201 a 300 etc., numerado a partir de uma origem cronológica chamada *era.* **3.** Período de cem anos numerado a partir do nascimento de Jesus Cristo. **4.** Época, tempo, período. **5.** O mundo considerado sob seus aspectos temporais, não religiosos, profanos. **6.** *Fam.* Período de tempo considerado excessivamente longo.

? VOCÊ SABIA...? O **século** XVIII é conhecido como o "século das revoluções", porque nele ocorreram mudanças profundas em todos os campos: filosofia, arte, ciência e política. Essa efervescência de idéias influenciou muito a pintura, a escultura e a arquitetura.

---

secundar *v.t.* (lat. *secundare*) [conj. 4]. **1.** Vir em seguida trazendo auxílio; coadjuvar, ajudar. **2.** Tornar a fazer ou a dizer; reforçar.

secundário *adj.* (lat. *secundarius*). **1.** Que secunda, que não é o principal. **2.** Que é de menor importância em relação a algo ou alguém. **3.** De pouco valor, inferior. **4.** *Curso secundário,* dizia-se do ensino intermediário entre o primário e o superior, antes da atual reforma, ou ainda do curso e do estabelecimento onde era dada essa instrução. ● **Econ.** *Setor secundário,* conjunto das atividades econômicas de transformação industrial. **Geol.** *Era secundária,* o mesozóico. **Psican.** *Processo secundário,* modalidade de funcionamento do ego enquanto instância da realidade que submete a satisfação pulsional às exigências do mundo exterior. **Quím.** Diz-se de um átomo de carbono ou de um nitrogênio ligado a dois átomos de carbono ou de uma função que contém tal átomo. ★ *s.m.* O curso secundário.

secura *s.f.* Qualidade, estado ou condição de seco; sequidão.

securitário *adj.* Relativo a seguro. ★ *s.m.* Indivíduo que trabalha em companhia de seguros.

seda (ê) *s.f.* (lat. *saeta*). **1.** Fio flexível e resistente produzido pela larva de diversas borboletas, em particular pelo bicho-da-seda, que serve para tecer o casulo. **2.** Tecido feito com esse fio. **3.** *Fig.* Pessoa ou coisa muito delicada.

sedã *s.m.* Sin. de CUPÊ.

sedação *s.f.* (lat. *sedatio*). **1.** Ato ou efeito de sedar(-se). **2.** Diminuição de dor ou de um distúrbio pela administração de um sedativo.

sedar *v.t.* (lat. *sedare*) [conj. 4]. **1.** Acalmar (o que está excitado). **2.** Administrar sedativo a.

sedativo *adj.* e *s.m.* Diz-se de ou qualquer substância capaz de moderar a atividade de um órgão, suprimir reações reflexas, acalmar a dor ou diminuir a ansiedade e combater a insônia.

sede *s.f.* (lat. *sedes*). **1.** Lugar onde funciona um tribunal, um governo, uma administração. **2.** Estabelecimento principal de uma empresa comercial. **3.** Ponto de concentração de certos fatos ou fenômenos.

sede (ê) *s.f.* (lat. *sitis*). **1.** Necessidade de beber e sensação que produz essa necessidade. **2.** *Fig.* Desejo imoderado, cobiça.

? VOCÊ SABIA...? Sentimos **sede** quando a quantidade normal de água existente no sangue diminui e ele se torna ligeiramente mais espesso. Uma parte do cérebro percebe isso e envia sinais ao corpo para avisar que necessitamos tomar líquidos. Os adultos precisam de 1,5 a 2 litros de água por dia. Grande parte dela é tirada dos alimentos; o pão, por exemplo, tem 40% de água.

---

sedentário *adj.* (lat. *sedentarius*). **1.** Que se caracteriza por inatividade física. **2.** Que tem local fixo de moradia. **3.** Que não se move, que está fixo ou preso a um local. ★ *s.m.* Aquele que tem vida sedentária.

sedentarismo *s.m.* Qualidade ou estado de sedentário; vida sedentária.

sedento *adj.* **1.** Que tem sede; sequioso. **2.** *Fig.* Muito desejoso, ávido.

sedestre *adj.2g.* Diz-se da estátua que representa alguém sentado.

sediar *v.t.* (conj. 15). Dar ou servir de sede a.

sedição *s.f.* (lat. *seditio, seditionis*). **1.** Perturbação da ordem pública; sublevação, revolta. **2.** Sublevação contra o governo constituído.

sedicioso (ô) *adj.* e *s.m.* (lat. *seditiosus*). **1.** Que ou aquele que se revolta contra a autoridade ou contra a ordem instituída. **2.** Revoltoso, insurgente, amotinado, insubordinado. ★ *adj.* **1.** Que tem o caráter de sedição. **2.** Que excita, provoca sedição ou se envolve nela.

sedimentação *s.f.* **1.** Ato ou efeito de sedimentar. **2.** Conjunto dos fenômenos que conduzem à formação e ao depósito de um sedimento. **3.** Fenômeno de depósito de partículas em suspensão, sob a ação da gravidade (às vezes, de uma força centrífuga); decantação, quando entra em jogo apenas a gravidade. ● **Med.** *Velocidade de sedimentação (globular)*, medida da velocidade de queda das hemácias em uma coluna de sangue tornado não coagulável.

sedimentar[1] *adj.2g.* **1.** Relativo à sedimentação. **2.** Que apresenta as características de um sedimento; que resulta de uma sedimentação. **3.** Diz-se da rocha formada pelo depósito mais ou menos contínuo de materiais provenientes dos continentes transportados pela água e pelo vento, após a alteração das rochas preexistentes.

sedimentar[2] *v.i.* (conj. 4). **1.** Formar sedimento. **2.** Depositar-se (partículas em suspensão).

sedimento *s.m.* (lat. *sedimentum*). **1.** Depósito produzido pela precipitação de matérias dissolvidas ou suspensas num líquido. **2.** Depósito formado pela precipitação das matérias contidas em suspensão em um líquido orgânico, especialmente na urina. ● **Geol.** Depósito de matérias sólidas, por camadas, deixadas pelas águas ou pelo gelo, ao se retirarem, ou acumuladas pela ação do vento.

sedoso (ô) *adj.* (lat. *setosus*). **1.** Que contém seda. **2.** Semelhante à seda; fino, macio, flexível.

sedução *s.f.* (lat. *seductio*). **1.** Ato ou efeito de seduzir ou ser seduzido. **2.** Atração, fascínio.

seduzir *v.t.* (lat. *seducere*) [conj. 72]. **1.** Induzir artificiosamente ao mal ou ao erro. **2.** Atrair fortemente; encantar, agradar. **3.** Levar alguém a ter relações sexuais.

sega *s.f.* **1.** Ato ou efeito de segar; ceifa, segadura. **2.** A duração da ceifa.

segadeira *s.f.* Espécie de foice grande.

segadura *s.f.* Sega.

segar *v.t.* (lat. *secare*) [conj. 4]. **1.** Ceifar, cortar. **2.** Pôr termo a; acabar com.

sege *s.f.* (fr. *siège*, assento). **1.** Carruagem de duas rodas, com um único assento, puxada por dois cavalos. **2.** *P. ext.* Qualquer carruagem.

segmentação *s.f.* **1.** Ato ou efeito de segmentar(-se). **2.** Divisão em segmentos. ● **Biol.** Conjunto das divisões sucessivas do óvulo fecundado (ovo) que leva ao estado de blástula. **Zool.** Divisão embrionária do corpo dos anelídeos e dos artrópodes em uma série de segmentos, ou anéis pluricelulares, a princípio semelhantes, depois diferenciados.

segmentar[1] *adj.2g.* **1.** Relativo a segmento; segmentário. **2.** Dividido em segmentos ou que se repete em cada segmento.

segmentar[2] *v.t.* e *v.pr.* (conj. 4). Dividir(-se) em segmentos.

segmentário *adj.* (lat. *segmentarius*). Segmentar.

segmento *s.m.* (lat. *segmentum*). Seção, porção, parte de um todo. ● **Med.** *Segmento inferior*, parte adelgaçada do útero, situada entre o colo e o corpo, que aparece a partir do sexto mês de gravidez. **Zool.** Cada uma das partes, bem definidas, em que se divide o corpo ou o apêndice de um animal.

segredar *v.t.* (conj. 4). Dizer em segredo.

segredo (ê) *s.m.* (lat. *secretum*). **1.** O que se oculta à vista, ao conhecimento; sigilo. **2.** O que a ninguém deve ser dito; confidência, sigilo. **3.** Informação, meio ou processo conhecido de poucas pessoas.

segregação *s.f.* (lat. *segregatio*). **1.** Ato ou efeito de segregar(-se). **2.** Processo pelo qual se objetiva separar e/ou isolar numa sociedade as minorias raciais, religiosas ou sociais; discriminação. ● **Genét.** Separação de pares de cromossomos homólogos ou de pares de genes alelos e sua repartição nas células filhas durante a meiose.

segregacionismo *s.m.* Política ou atitude de segregação racial. (Cf. RACISMO.)

segregar *v.t.* (lat. *segregare*) [conj. 14]. **1.** Separar nitidamente com o fim de isolar e evitar contato. **2.** Marginalizar, isolar. **3.** Secretar. ★ *v.pr.* Pôr-se à margem de; afastar-se, isolar-se.

segrel *s.m.* Compositor medieval que recebia pagamento por suas canções.

seguida *s.f.* **1.** Seguimento. **2.** *Em seguida*, logo depois, imediatamente.

seguido *adj.* **1.** Que se segue. **2.** Imediato, contínuo, ininterrupto. **3.** Que se seguiu; posto em uso.

seguinte *adj.2g.* Que (se) segue, que vem logo depois; imediato, subseqüente. ★ *s.m.* Aquilo ou aquele que se segue a outro.

seguir *v.t.* (lat. *sequere*) [conj. 55]. **1.** Ir atrás de, acompanhar. **2.** Ir no encalço de; perseguir. **3.** Ir ao longo de; percorrer, trilhar. **4.** Observar com atenção. **5.** Imitar, tomar como modelo. **6.** Tomar o partido de, partilhar as mesmas crenças; professar. **7.** Exercer (uma profissão). ★ *v.i.* **1.** Continuar, prosseguir. **2.** Tomar certa direção. **3.** Vir depois, abaixo, adiante. ★ *v.pr.* **1.** Suceder-se. **2.** Decorrer, resultar, concluir-se.

segunda[1] *s.f.* *De segunda*, de segunda classe; de qualidade inferior.

segunda[2] *s.f.* Forma reduzida de *segunda-feira*.

segunda-feira *s.f.* O segundo dia da semana. (Forma reduzida *segunda*.)

segundo[1] *num. ord.* (lat. *secundus*). Correspondente ao número dois numa seqüência. ★ *adj.* **1.** Secundário, inferior. **2.** Outro, novo. ★ *s.m.* **1.** Aquele que auxilia ou acompanha alguém; assistente. **2.** Interino, suplente.

segundo[2] *prep.* (lat. *secundum*). Conforme, de acordo com. ★ conj. **1.** À medida que. **2.** Conforme.

segundo[3] *s.m.* **1.** A sexagésima parte do minuto. **2.** *Fig.* Curtíssimo espaço de tempo. ● **Metrol.** Unidade de medida de ângulo ou de arco (símb. ''), equivalente a 1/60 do minuto.

segundo-sargento *s.m.* **1.** Posto das Forças Armadas, entre primeiro e terceiro-sargento. **2.** Pessoa que ocupa esse posto.

segundo-tenente *s.m.* **1.** Posto das Forças Armadas imediatamente inferior a primeiro-tenente e superior a aspirante ou guarda-marinha. **2.** Pessoa que ocupa esse posto.

segurado *adj.* Que tem seguro, que está no seguro. ★ *s.m.* Pessoa que firma um contrato de seguro, pagando o prêmio, podendo ou não ser o próprio beneficiário do seguro.

segurador (ô) *adj.* e *s.m.* Que ou aquele que se compromete, mediante cobrança de prêmio ou quota, a pagar ao segurado ou ao beneficiário designado uma indenização no caso de ocorrer um risco determinado.

segurança *s.f.* **1.** Ato ou efeito de segurar. **2.** Qualidade, estado de seguro. **3.** Confiança, firmeza. **4.** Garantia, caução. ● **Polít.** *Segurança nacional*, as condições de garantia da soberania nacional no âmbito das relações externas e de estabilidade das instituições políticas e individuais no âmbito interno. ★ *s.2g.* Pessoa encarregada de proteger ou evitar qualquer dano a alguém ou a empresa etc.

segurar *v.t.* (conj. 4). **1.** Tornar seguro, firme, fixo. **2.** Suster, sustentar, amparar. **3.** Agarrar, prender. **4.** Assegurar, certificar. **5.** Tranqüilizar, sossegar. **6.** Garantir, afirmar. **7.** Pôr no seguro. ★ *v.pr.* **1.** Sustentar-se, firmar-se, suster-se. **2.** Prevenir-se, precaver-se. **3.** Conter-se, controlar-se.

seguro *adj.* (lat. *securus*). **1.** Isento de perigo. **2.** Livre de riscos, perigos ou ameaças; garantido. **3.** Sem medo ou hesitação; confiante. **4.** Que não corre risco de soltar-se, desprender-se ou cair; firme. **5.** Infalível, certo, indubitável. ★ *s.m.* Contrato em que, mediante uma taxa (prêmio de seguro), uma das partes se obriga a indenizar a outra por prejuízo eventual, material ou pessoal.

seio *s.m.* (lat. *sinus*). **1.** Parte anterior do peito, onde se localizam as mamas. **2.** Sin. de **MAMA**. **3.** Curvatura, volta, sinuosidade. **4.** *Fig.* Parte interna e central; âmago, cerne. **5.** O colo, a parte do pescoço e peito que a mulher tem a descoberto. **6.** Útero, ventre. ● **Anat.** Nome dado a diversas cavidades do organismo.

seis *num. card.* (lat. *sex*). **1.** Cinco mais um. **2.** Sexto. ★ *s.m.* O algarismo (6) que representa esse número.

seiscentésimo *num. ord.* Sexcentésimo.

seiscentos *num. card.* **1.** Seis vezes cem. **2.** Sexcentésimo. ★ *s.m.* O algarismo (600) que representa esse número.

seita *s.f.* (lat. *secta*). **1.** Conjunto de pessoas que professam uma mesma doutrina. **2.** Grupo religioso ou político fechado em si mesmo e criado em oposição a idéias e práticas religiosas ou políticas dominantes. **3.** *Pop.* Partido, bando.

seiva *s.f.* (lat. *sapa*). **1.** Líquido que circula pelas diversas partes dos vegetais. **2.** *P. ext.* Sangue, substância, elemento vital. **3.** *Fig.* Vigor, força, energia. ● **Bot.** *Seiva bruta,* solução constituída de água e sais minerais que é transportada pelo xilema. ▸ *Seiva elaborada,* solução rica em compostos orgânicos que é transportada pelo floema.

seixo *s.m.* (lat. *saxum*). **1.** Pedra tosca de pequenas dimensões; calhau, cascalho, pedregulho. **2.** *Seixo rolado,* seixo cujas arestas foram arredondadas pelo desgaste provocado pela ação de águas correntes ou pelo vaivém das ondas do mar.

seja *conj.* Ou. ★ *interj.* Exprime consentimento, resignação.

sela *s.f.* (lat. *sella*). **1.** Assento que se fixa sobre o lombo das montarias. **2.** *Cavalo de sela,* o que é treinado para ser montado, p. opos. a *cavalo de tiro.* ● **Anat.** *Sela túrcica,* a cavidade ou fossa do esfenóide, onde assenta a hipófise.

selado[1] *adj.* **1.** Em que se pôs selo. **2.** Marcado, estampado com selo; estampilhado.

selado[2] *adj.* **1.** Diz-se de animal em que se pôs sela. **2.** Diz-se do cavalo cuja linha do dorso é de concavidade exagerada. ★ *s.m.* Curvatura das ilhargas das cavalgaduras.

selar[1] *v.t.* (conj. 4). **1.** Pôr selo em; estampilhar. **2.** Aplicar um sinete em; chancelar. **3.** Confirmar, validar, tornar efetivo. **4.** Pôr fim a, concluir. **5.** Fechar hermeticamente, vedar. **6.** Colocar sobre uma superfície porosa uma camada de revestimento para fechar os poros e tornar lisa a superfície.

selar[2] *v.t.* (conj. 4). Pôr sela em.

selaria *s.f.* **1.** Arte de fabricar selas e selins. **2.** Conjunto dos arreios para cavalos. **3.** Estabelecimento que fabrica ou vende selas, arreios etc.

seleção *s.f.* (lat. *selectio*). **1.** Ato ou efeito de selecionar; escolha. **2.** Conjunto de pessoas ou coisas selecionadas. **3.** Escolha natural ou predeterminada de animais ou vegetais com vistas à reprodução. **4.** *Seleção natural,* mecanismo importante no processo evolutivo, que consiste na sobrevivência de indivíduos mais adaptados ao meio e na eliminação dos menos aptos na competição pelo alimento, espaço etc. ● **Esp.** Conjunto de jogadores escolhidos dentre os melhores; selecionado, escrete.

selecionado *adj.* **1.** Que se selecionou; escolhido. **2.** Seleto, especial, distinto. ★ *s.m.* **1.** Pessoa escolhida entre outras, em vista de uma prova, competição etc. **2.** Seleção.

selecionar *v.t.* (conj. 4). **1.** Escolher e separar um ou alguns, dentre muitos; joeirar. **2.** Praticar a seleção de vegetais ou animais.

seleiro *adj.* **1.** Que é bom cavaleiro. **2.** Que fabrica selas. ★ *s.m.* **1.** Indivíduo que fabrica selas. **2.** Proprietário de um estabelecimento de selaria.

selênico[1] *adj.* (gr. *Selene,* Lua). Relativo ou pertencente à Lua; lunar, selenita.

selênico[2] *adj.* Relativo ao selênio.

selênio *s.m.* Elemento químico (símb. Se) de número atômico 34, do grupo dos não-metais, que constitui um sólido de propriedades semelhantes às do enxofre.

selenita *adj.2g.* (gr. *selenites*). Selênico. ★ *s.2g.* Nome dado, outrora, ao habitante hipotético da Lua.

selenóide *s.m.* Satélite lunar.

selenologia *s.f.* Estudo da Lua.

seleta *s.f.* (lat. *selecta*). Conjunto de trechos literários selecionados; antologia.

seletivo *adj.* **1.** Que faz seleção. **2.** Relativo à seleção. **3.** Próprio para selecionar.

seleto *adj.* (lat. *selectus*). **1.** Que foi objeto de seleção; escolhido. **2.** *P. ext.* De primeira ordem, de primeira qualidade; selecionado, distinto.

seletor (ô) *adj.* e *s.m.* (lat. *selector*). Diz-se de ou dispositivo, aparelho etc., que opera uma seleção, uma triagem.

selim *s.m.* **1.** Sela pequena e rasa; selote. **2.** Pequeno assento com molejo sobre o qual se assenta o ciclista ou o motociclista.

selo (ê) *s.m.* (lat. *sigillum*). **1.** Peça com as armas ou divisas de um Estado ou indivíduo com que se autenticam ou validam documentos pressionando-a sobre cera ou lacre derretido; chancela, sinete. **2.** A marca estampada por essa peça. **3.** Estampilha colada, fixa ou estampada por máquina, para franquear o porte de uma correspondência. **4.** *Fig.* Distintivo, marca, sinal.

? VOCÊ SABIA...? O **selo** postal foi usado pela primeira vez na Inglaterra, em 1840. Logo os demais países do mundo começaram a produzi-los. Assim, enviar cartas ficou mais fácil e econômico. Dessa forma, o correio se tornou mais eficiente e durante muito tempo constituiu um dos meios de comunicação mais importantes.

selote *s.m.* Selim.

selva *s.f.* (lat. *silva*). **1.** Mato natural, bosque, floresta (especialmente a das regiões equatoriais). **2.** *Fig.* Grande quantidade de coisas emaranhadas. **3.** *Fig.* Ambiente em que predominam agressões, rivalidades e disputas acirradas.

selvagem *adj.2g.* (prov. *salvatge*). **1.** Próprio das selvas. **2.** Que se manifesta numa natureza não humanizada. **3.** Que medra sem cultura; agreste, silvestre. **4.** Incivilizado, primitivo, bárbaro. **5.** Deserto, inculto. **6.** *Pej.* Grosseiro, rude, intratável. ● **Biol.** *Tipo selvagem,* cepa bacteriana, gene ou organismo que é predominante em uma população natural. ★ *s.2g.* **1.** Aquele que vive nas selvas; silvícola. **2.** *Fig.* Pessoa grosseira, incivil, mal-educada.

selvageria *s.f.* **1.** Qualidade, comportamento de selvagem. **2.** Ferocidade, crueldade.

sem *prep.* (lat. *sine*). **1.** Desprovido de. **2.** Com a ausência ou a exclusão de. **3.** Afora.

semafórico *adj.* Relativo a semáforo.

semáforo *s.m.* (gr. *sema,* sinal, e *phoros,* que leva). **1.** Posto de sinalização estabelecido numa costa para comunicar-se com os navios à vista. **2.** Poste de sinais luminosos em via de circulação que indica parada ou prosseguimento da marcha de veículos; sinaleiro, sinal.

semana *s.f.* (lat. *septimana*). **1.** Período de sete dias, da segunda-feira ao domingo, inclusive. **2.** Sucessão de sete dias consecutivos. **3.** Série de seis dias, de segunda-feira ao sábado inclusive, consagrados ao trabalho. **4.** Trabalho que se faz durante uma semana. **5.** Remuneração, salário pago por semana.

VOCÊ SABIA...? Agrupar os dias em períodos de sete já era prática comum entre egípcios, caldeus e judeus há mais de 2.000 anos. Os gregos dividiam os meses em três períodos de dez dias. A divisão em **semanas**, trazida do Oriente e conhecida no Ocidente já no início da era cristã, foi se impondo paulatinamente. Entre os romanos, a devoção popular dedicou cada um dos sete dias a uma divindade. O primeiro era o dia do Sol; o segundo, o da Lua; o terceiro era consagrado a Marte; o quarto, a Mercúrio; o quinto, a Júpiter; o sexto, a Vênus; e o sétimo, a Saturno. Os cristãos mudaram o "dia do Senhor", que entre os judeus é o sábado, para o primeiro dia da semana, o domingo, por ser o da Ressurreição de Cristo.

semanal *adj.2g.* **1.** Relativo a semana; hebdomadário. **2.** Que se faz, ocorre ou se publica uma vez por semana.

semanário *s.m.* Hebdomadário.

semântica *s.f.* **1.** Disciplina lingüística que estuda o sentido das unidades lingüísticas e de suas combinações. **2.** Estudo das proposições de uma teoria dedutiva do ponto de vista de sua verdade ou de sua falsidade.

semântico *adj.* (gr. *semantikós,* que significa). **1.** Relativo ao sentido, à significação das unidades lingüísticas. **2.** Relativo à semântica. **3.** *Campo semântico,* área correspondente, no domínio da significação, a uma palavra ou a um grupo de palavras.

semblante *s.m.* (prov. ant. *semblant*). **1.** Rosto, cara, feições. **2.** *Fig.* Aparência, fisionomia.

sem-cerimônia *s.f.* **1.** Falta de cerimônia, informalidade. **2.** Grosseria.

semeação *s.f.* Semeadura.

semeada *s.f.* Terreno semeado; sementeira.

semeadouro *adj.* e *s.m.* Diz-se do ou o terreno preparado para receber sementes.

semeadura *s.f.* (lat. *seminatura*). **1.** Ato ou efeito de semear; semeação. **2.** Conjunto de trabalhos agrícolas relacionados ao plantio.

semear *v.t.* (lat. *seminare*) [conj. 15]. **1.** Deitar, lançar (sementes) na terra para fazer germinar. **2.** *Fig.* Dispor sem ordem; espalhar, disseminar. **3.** *Fig.* Divulgar, propalar, propagar. **4.** *Fig.* Promover, fomentar, produzir. ● **Med.** Introduzir em um meio de cultura germes bacterianos para obter a sua multiplicação.

semelhança *s.f.* **1.** Qualidade de semelhante. **2.** Analogia, conformidade.

semelhante *adj.2g.* **1.** Que é da mesma espécie, qualidade, natureza ou forma; similar. **2.** Que tem aparência ou natureza análoga ou próxima de; parecido. ● **Geom.** *Figuras semelhantes,* as que têm os ângulos correspondentes iguais e os lados homólogos proporcionais. ★ *s.m.* O próximo. ★ *pron. dem.* Tal.

semelhar *v.t.* (lat. *similare*) [conj. 4]. **1.** Ser semelhante a, parecer com. **2.** Imitar, arremedar. **3.** Comparar, confrontar. ★ *v.i.* e *v.pr.* Ser semelhante, análogo.

sêmen *s.m.* (lat. *semens*). **1.** Semente. **2.** Sin. de ESPERMA.

semente *s.f.* (lat. *sementis*). **1.** Elemento de reprodução das plantas fanerógamas, que resulta do desenvolvimento do óvulo fertilizado. **2.** O que origina ou causa algo; germe, sêmen.

Os vegetais apresentam grande variedade de formas de sementes.

SEMENTE ▸ Uma semente é constituída pelo embrião da planta jovem e por reservas alimentares, tudo isso encerrado dentro de uma capa protetora, o tegumento. O embrião é formado por uma radícula (raiz jovem), uma plúmula (rebento) e um ou dois cotilédones (folhas que surgem da germinação da semente). As plantas desenvolveram vários sistemas para dispersar suas sementes, que geralmente são imóveis. Tais estratégias são essenciais para proporcionar às plantas jovens espaço suficiente para crescer e permitir a colonização de novos ambientes.

sementeira *s.f.* (lat. *sementaria*). **1.** Semeada. **2.** Terreno cuidadosamente preparado, em geral em viveiros com abastecimento de água próximo, no qual são colocadas as sementes para germinar. **3.** Mulher que semeia. **4.** *Fig.* Origem, fonte, causa.

sementeiro *adj.* e *s.m.* Semeador. ★ *adj.* Diz-se do saco em que o semeador leva as sementes.

semestral *adj.2g.* **1.** Relativo a semestre. **2.** Que se faz ou acontece de seis em seis meses. **3.** Que dura seis meses.

semestralidade *s.f.* Qualidade do que é semestral.

semestre *s.m.* (lat. *semestris*). Espaço de seis meses seguidos.

sem-fim *s.m.* **1.** Número ou quantidade indeterminada. **2.** Extensão ilimitada, vastidão. ● **Mec.** Parafuso cujos filetes engrenam nos dentes de uma roda dentada, fazendo-a girar um dente a cada volta nele aplicada.

semi-analfabeto *adj.* e *s.m.* Que ou aquele que é meio analfabeto, que não é totalmente alfabetizado.

semi-automático *adj.* **1.** Que não é totalmente automático. **2.** Diz-se de arma de fogo automática que exige o acionamento do gatilho para o disparo seguinte.

semibreve *s.f.* Figura de notação musical que tem o valor de duas mínimas ou de metade de uma breve.

semicircular *adj.2g.* **1.** Relativo a ou em forma de semicírculo. **2.** *Canal semicircular,* cada um dos três condutos membranosos do ouvido interno que juntos constituem o órgão do sentido do equilíbrio.

semicírculo *s.m.* (lat. *semicirculus*). Metade de um círculo.

semicircunferência *s.f.* Metade de uma circunferência.

semicolcheia *s.f.* Figura de notação musical que vale a metade de uma colcheia.

semicondutor (ô) *s.m.* Condutor elétrico que apresenta condutividade menor que a de um condutor metálico, porém maior que a de um isolante.

semideus *s.m.* (lat. *semideus*). **1.** Ser imortal da mitologia grega que participa da natureza dos deuses. **2.** Filho de um deus e de uma mortal ou de um mortal e de uma deusa. **3.** Nome dado aos mortais deificados. **4.** *Fig.* Homem excepcional pelo gênio, glória e honras que lhe são rendidas.

semiesfera *s.f.* Metade de uma esfera.

semifinal *adj.2g.* e *s.f.* Diz-se de ou prova esportiva que opõe concorrentes ou equipes e cujo vencedor ou os mais bem classificados vão à final.

semifinalista *adj.2g.* e *s.2g.* Diz-se de ou pessoa ou conjunto que se classifica para disputar a etapa semifinal de um campeonato esportivo.

semifusa *s.f.* Figura de notação musical que vale metade de uma fusa.

semi-internato *s.m.* Estabelecimento escolar em que os alunos são semi-internos.

semi-interno *adj.* e *s.m.* Diz-se de ou aluno que permanece durante a maior parte do dia na escola, onde faz uma ou mais refeições.

semilunar *adj.2g.* Que tem a forma de meia-lua. ★ *adj.* e *s.m.* Diz-se de ou o osso da primeira fila do carpo, situado entre o escafóide e o piramidal.

semimembranoso *adj.* e *s.m.* Diz-se de ou músculo da face posterior da coxa que, juntamente com outros, flete a perna sobre a coxa.

semimetal *s.m.* Elemento químico de propriedades intermediárias entre as dos metais e as dos não-metais, como o boro, o silício, o polônio etc.

semimorto (ô) *adj.* (lat. *semi-mortuus*). **1.** Quase morto. **2.** *Fig.* Enfraquecido, fatigado, esgotado.

seminação *s.f.* (lat. *seminatio, seminationis.*) **1.** Dispersão natural das sementes de uma planta. **2.** Inseminação.

seminal *adj.2g.* (lat. *seminalis*). **1.** Relativo ao sêmen ou à semente. **2.** *Fig.* Produtivo. **3.** *Vesícula seminal,* cada uma das duas estruturas alongadas, situadas por cima da próstata, atrás da bexiga e adiante do reto, que servem de reservatório do líquido seminal. ▸ *Vias seminais,* conjunto dos condutos que os espermatozóides percorrem no momento da ejaculação.

seminário *s.m.* (lat. *seminarium*). **1.** Estabelecimento onde se formam aqueles que se destinam à vida eclesiástica. **2.** Conjunto do pessoal e dos estudantes de um seminário. **3.** Congresso científico ou cultural, com exposição seguida de debates. **4.** Aula de nível universitário com exposição e discussão de temas específicos. **6.** Mesa-redonda, simpósio, colóquio.

seminarista *s.2g.* Aluno de seminário.

seminífero *adj.* **1.** Que contém sementes. **2.** Que conduz o sêmen. **3.** *Condutos seminíferos,* pequenos canais glandulares cuja reunião forma a substância do testículo e do epidídimo e nos quais se formam os espermatozóides.

semínima *s.f.* Figura de notação musical que vale a metade da mínima.

seminu *adj.* (lat. *semi-nudus*). **1.** Meio nu, quase nu. **2.** Roto, maltrapilho.

semiologia *s.f.* (do gr. *semeion,* sinal). **1.** Sin. de SEMIÓTICA. **2.** Parte da medicina que estuda os sinais e sintomas das doenças.

semiológico *adj.* Relativo à semiologia.

semiótica *s.f.* (do gr. *semeion,* sinal). **1.** Na lógica matemática, teoria dos símbolos. **2.** Teoria geral dos modos de produção, funcionamento e recepção dos diferentes sistemas de signos. (Sin. SEMIOLOGIA.)

semiótico *adj.* Relativo à semiótica.

semipermeável *adj.2g.* Diz-se de uma membrana que separa duas soluções, e que deixa passar as moléculas do solvente e não as da substância dissolvida.

semiprecioso (ô) *adj.* Diz-se de gema não preciosa (ametista, granada, água-marinha, topázio etc.) usada em joalheria.

semi-reta *s.f.* Reta limitada em um ponto, chamado extremidade.

semita *s.2g.* (hebr. *Sem,* n.pr.). **1.** Indivíduo dos semitas, conjunto de povos orientais que compreende assírios, fenícios, hebreus, árabes e outros. **2.** Judeu. ★ *adj.2g.* Relativo ou pertencente a esses povos.

semítico *adj.* **1.** Relativo aos semitas. **2.** Diz-se de um grupo de línguas faladas em um vasto domínio no norte da África e na Ásia médio-oriental.

semitismo *s.m.* **1.** Qualidade, caráter de semítico. **2.** Em sentido restrito, caráter do que é judeu ou judaico.

semitom *s.m.* **1.** Metade de um tom na escala cromática. **2.** Menor intervalo musical usado na música ocidental, que equivale à metade de um tom; meio-tom.

semitransparente *adj.2g.* Um pouco transparente.

semivogal *s.f.* Vogal com características consonânticas, que lhe permitem formar um ditongo antepondo-se (ditongo crescente) ou pospondo-se (ditongo decrescente) a outra vogal.

sem-número *s.m.* O que não se pode enumerar; aquilo que é incontável.

sêmola *s.f.* (it. *semola*). **1.** Farinha granulada, seca e peneirada, que resulta da moagem de grãos de trigo ou de outros cereais previamente umedecidos. **2.** Semolina.

semolina *s.f.* (it. *semolina*). Fécula de farinha de trigo, considerada de qualidade superior; sêmola.

semovente *adj.2g.* e *s.m.* (lat. *semovens*). Que ou o que se move por si mesmo.

sem-par *adj.* Que não tem igual; único.

sempiterno *adj.* (lat. *sempiternus*). **1.** Que não tem princípio e não há de ter fim; eterno, infinito. **2.** Muito velho e antigo.

sempre *adv.* (lat. *semper*). **1.** Por todo o tempo. **2.** Constantemente, sem interrupção. **3.** Toda vez. **4.** *Para sempre,* definitivamente. ★ *s.m.* A eternidade.

sempre-viva *s.f.* Erva originária da Austrália, de flores dispostas em capítulos no ápice dos ramos e que, depois de secas, são vendidas como adorno, por não murcharem nem perderem a cor.

sem-vergonha *adj.2g.* e *s.2g.2n.* Que ou aquele que não tem vergonha; despudorado.

sena *s.f.* (lat. *sena*). Jogo com prêmio em dinheiro para quem acertar os seis números sorteados.

senado *s.m.* (lat. *senatus*). **1.** Nome dado a diversas assembléias políticas da Antiguidade (em Roma, Cartago, Bizâncio). **2.** Corpo de legisladores que constitui uma das assembléias parlamentares. **3.** Local onde se reúnem os senadores.

senador (ô) *s.m.* (lat. *senator*). Membro do senado.

senão conj. **1.** Mas, porém. **2.** Mas também, quando não. **3.** De outro modo. ★ *prep.* Exceto, salvo, afora. ★ *s.m.* Imperfeição, lacuna, falha, defeito.

senatoria *s.f.* Mandato de senador.

senatorial *adj.2g.* Relativo a senado ou a senador.

senda *s.f.* **1.** Caminho estreito; atalho, vereda. **2.** *Fig.* Rotina, praxe, hábito.

senectude *s.f.* Senilidade, velhice.

senegalense *adj.2g.* e *s.2g.* Senegalês.

senegalês *adj.* Relativo ou pertencente ao Senegal, país da África; senegalense. ★ *s.m.* O natural ou habitante do Senegal; senegalense.

senha *s.f.* **1.** Sinal, indício, código. **2.** Frase ou gesto convencionado que identifica os que estão cientes de determinado segredo. **3.** Código que permite acesso a informações ou operações computadorizadas.

senhor (ô) *s.m.* (lat. *senior*). **1.** O que tinha autoridade feudal sobre certas pessoas ou propriedades; proprietário feudal. **2.** Aquele que exerce poder, dominação, influência. **3.** Proprietário, dono. **4.** Soberano, chefe. **5.** Tratamento de cerimônia entre pessoas que não têm intimidade e não se tratam por tu ou você. **6.** Deus. (Usa-se com maiúscula.)

senhora *s.f.* **1.** Fem. de *senhor.* **2.** Tratamento cortês dispensado a uma mulher casada e, em geral, a qualquer mulher na maturidade. **3.** Esposa.

senhorear *v.t.* (conj. 15). **1.** Conquistar, tomar posse de; assenhorear-se de. **2.** Ter influência moral sobre, dominar. **3.** Exercer mando ou domínio. ★ *v.i.* Fazer-se de senhor. ★ *v.pr.* Apossar-se, apoderar-se, assenhorear-se.

senhoria *s.f.* **1.** Direito, poder, autoridade de senhor. **2.** Proprietária de casa, prédio ou pensão em que se habita e a quem se paga aluguel. **3.** *Vossa* ou *Sua Senhoria,* fórmula de tratamento cerimonioso, usada sobretudo em linguagem comercial.

senhorial *adj.2g.* Senhoril.

senhoril *adj.2g.* **1.** Relativo a ou próprio de senhor ou senhora; senhorial. **2.** *Fig.* Nobre, imponente, distinto.

senhorio *s.m.* **1.** Direito sobre alguma coisa; domínio, autoridade. **2.** Posse, propriedade, domínio. **3.** Dono, proprietário de prédio a quem se paga aluguel ou foro.

senhorita *s.f.* Tratamento dispensado às moças não casadas.

senil *adj.2g.* (lat. *senilis*). **1.** Relativo à velhice ou aos velhos. **2.** Que resulta da velhice.

senilidade *s.f.* **1.** Qualidade, caráter de senil; estado de velhice. **2.** Diminuição das faculdades físicas e sobretudo psíquicas, originada ou determinada pela velhice.

sênior *adj.2g.* e *s.m.* (lat. *senior*). Que ou aquele que é mais velho. ★ *s.m.* Desportista que passou a idade de júnior (20 anos para a maioria das federações esportivas), e que ainda não é veterano.

seno *s.m.* (lat. *sinus*). **1.** Em relação ao ângulo agudo de um triângulo reto, razão entre o cateto oposto e a hipotenusa. **2.** No sistema de coordenadas trigonométrico, função definida como a projeção de um arco no eixo vertical; a medida dessa projeção em relação ao raio.

sensabor (ô) *adj.2g.* **1.** Que não tem sabor; insípido. **2.** Sem graça, desinteressante.

sensaboria *s.f.* **1.** Qualidade ou estado de sensabor; insipidez. **2.** *Fam.* Ato ou acontecimento desagradável; contratempo.

sensação *s.f.* (lat. *sensatio, sensationis*). **1.** Informação recebida pelos centros nervosos do homem e dos animais superiores quando um de seus órgãos dos sentidos, reagindo a um estímulo, envia a tais centros uma mensagem nervosa. **2.** Impressão física em geral. **3.** Surpresa, espanto seguido de certa agitação. **4.** Vivência significativa que mobiliza afetos e emoções.

sensacional *adj.2g.* **1.** Relativo a sensação. **2.** Que produz grande sensação; surpreendente. **3.** *Fam.* Maravilhoso, espetacular.

sensacionalismo *s.m.* **1.** Divulgação, em tom espalhafatoso, de matéria jornalística capaz de emocionar ou escandalizar. **2.** Prática de hábitos exóticos, atitudes chocantes etc.

sensacionalista *adj.2g.* Em que predomina ou que se utiliza de sensacionalismo.

sensatez (ê) *s.f.* **1.** Qualidade de sensato; juízo, siso. **2.** Prudência, circunspecção.

sensato *adj.* (lat. *sensatus*). **1.** Que tem bom senso. **2.** Prudente, ajuizado. **3.** Regrado em seus hábitos e conduta; circunspecto.

sensibilidade *s.f.* **1.** Qualidade, estado de sensível. **2.** Função do sistema nervoso que assegura, graças aos órgãos sensoriais, a detecção e a percepção de modificações físicas ou químicas provenientes do próprio corpo ou do ambiente. **3.** Faculdade de captar ou transmitir impressões capazes de causar emoção.

VOCÊ SABIA...? Os lábios são a parte do corpo que tem maior **sensibilidade** ao tato e às texturas, enquanto a região lombar é a menos sensível. As zonas que sentem mais a pressão são as pontas dos dedos, e as que a sentem menos são as nádegas. Os lábios e as pontas dos dedos são muito sensíveis porque têm mais terminações nervosas. Os dedos das mãos e dos pés têm muita sensibilidade, pois servem para investigar o mundo que nos rodeia.

---

sensibilizador (ô) *adj.* Que sensibiliza; sensibilizante.

sensibilizar *v.t.* (conj. 4). **1.** Tornar sensível. **2.** Provocar uma sensibilização. **3.** *Fig.* Comover, emocionar, tocar. **4.** *Fig.* Entristecer, contristar.

sensitiva *s.f.* **1.** Sin. de CARRAPICHO. **2.** Sin. de DORMIDEIRA.

sensitivo *adj.* (lat. tard. *sensitivus*). **1.** Relativo ou pertencente aos sentidos ou às sensações. **2.** Que tem a faculdade de sentir. **3.** Diz-se dos nervos e das estruturas nervosas que veiculam informações ligadas à sensibilidade ou aos órgãos dos sentidos. **4.** Diz-se de uma pessoa dotada de percepção extra-sensorial. **5.** *Fig.* Facilmente impressionável; melindroso, sensível. ★ *s.m.* Indivíduo sensitivo.

sensível *adj.2g.* (lat. *sensibilis*). **1.** Que pode ser percebido pelos sentidos; material, concreto. **2.** Que reage facilmente às mínimas impressões físicas ou morais. **3.** Dotado de sensibilidade; que tem sentidos. **4.** Claro, evidente, visível. **5.** *Fig.* Emotivo, compassivo, terno.

senso *s.m.* (lat. *sensus*). **1.** Faculdade de raciocinar. **2.** Juízo, ponderação. **3.** Sensatez, equilíbrio.

sensor (ô) *s.m.* (lat. *sensor*). **1.** Dispositivo que transforma uma grandeza física em outra, freqüentemente de natureza elétrica, utilizável para medidas ou comando de máquinas. **2.** Qualquer equipamento de detecção (radar, sonar etc.) por meio do qual se localizam alvos inimigos, acidentes geográficos etc.

sensorial *adj.2g.* **1.** Relativo aos órgãos dos sentidos, às estruturas nervosas que eles mobilizam e às mensagens que eles veiculam. **2.** Sensível, palpável.

sensório *adj.* (lat. *sensorius*). **1.** Relativo à sensibilidade. **2.** Que transmite sensações. ★ *s.m.* **Anat.** Qualquer centro nervoso sensitivo.

sensoriomotor *adj.* Que concerne ao mesmo tempo aos fenômenos sensoriais e à atividade motora, ou às suas interações.

sensual *adj.2g.* (lat. *sensualis*). **1.** Relativo aos sentidos. **2.** Que agrada ou satisfaz os sentidos; voluptuoso, lúbrico. ★ *s.2g.* Pessoa sensual.

sensualidade *s.f.* (lat. *sensualitas*). **1.** Qualidade, caráter de sensual; sensualismo. **2.** Inclinação pelos prazeres dos sentidos; amor às coisas ou qualidades sensíveis. **3.** Luxúria, lubricidade, lascívia.

sensualismo *s.m.* Sensualidade. ● **Filos.** Doutrina filosófica que considera a sensação como a fonte do conhecimento humano.

sentar *v.t.* e *v.i.* (conj. 4). **1.** Assentar. **2.** Tomar assento; assentar-se. ★ *v.pr.* **1.** Assentar-se. **2.** Fixar-se, estabelecer-se.

sentença *s.f.* (lat. *sententia*). **1.** Máxima, provérbio. **2.** Decisão do juiz que põe termo ao processo. ● **Gram.** Oração.

sentenciado *adj.* e *s.m.* Que ou aquele que recebeu uma sentença.

sentenciar *v.t.* e *v.i.* (conj. 16). **1.** Condenar por meio de sentença. **2.** Proferir sentença, dar sua opinião em linguagem sentenciosa.

sentencioso (ô) *adj.* (lat. *sententiosus*). **1.** Que tem a forma de uma sentença. **2.** Que contém sentenças.

sentido *s.m.* **1.** Cada uma das funções psicofisiológicas pelas quais um organismo recebe informações sobre certos elementos do meio externo, de natureza física (visão, audição, sensibilidade à pressão, ao tato) ou química (gosto, olfato). **2.** O que representa uma palavra, objeto ou estado; acepção, significação. **3.** Significado, valor. **4.** Direção, rumo. **5.** Meta, objetivo, fim. **6.** *Órgãos dos sentidos,* cada um dos órgãos onde se efetua a recepção de informações correspondentes a cada um dos sentidos. ● **Mil.** Posição de corpo ereto, braços alinhados com o corpo e calcanhares unidos, assumida ao comando de um superior. ★ *adj.* **1.** Cheio de sentimento. **2.** Magoado, melindrado, ressentido. **3.** Pesaroso, triste, compungido. ★ *s.m.pl.* Concupiscência, sensualidade; prazeres físicos.

SENTIDO ▸ O cérebro recebe informações sobre o mundo exterior por meio dos cinco sentidos: audição, visão, olfato, paladar e tato. Cada sentido é comandado por um tipo de neurônio receptor ou de célula epitelial modificada, que recebe o estímulo, e um neurônio sensitivo, que leva a informação ao cérebro.

---

sentimental *adj.2g.* **1.** Relativo ao sentimento; afetivo. **2.** Que manifesta sentimento. **3.** Que denota sentimentalismo. ★ *adj.2g.* e *s.2g.* Que ou aquele que tem ou afeta sentimentalismo; sentimentalista.

sentimentalismo *s.m.* Exaltação do sentimento ou da sensibilidade emocional.

sentimento *s.m.* (lat. tard. *sentimentum*). **1.** Ato ou efeito de sentir(-se). **2.** Aptidão para sentir; sensibilidade. **3.** Emoção, afeto, afeição. **4.** Estado afetivo complexo e duradouro, ligado a certas emoções ou representações.

sentina *s.f.* (lat. *sentina*). **1.** Cloaca, latrina. **2.** *Fig.* Lugar imundo. **3.** *Fig.* Pessoa cheia de vícios. ● **Nav.** Parte do porão do navio onde se acumulam as águas.

sentinela *s.f.* (it. *sentinella*). **1.** Soldado armado que guarda um posto. **2.** Indivíduo que está de vigia. **3.** *Fig.* Coisa elevada (torre, árvore, poste) em sítio ermo.

sentir *v.t.* (lat. *sentire*) [conj. 56]. **1.** Ter sensação; receber impressão por qualquer órgão dos sentidos. **2.** Perceber, compreender, conceber. **3.** Ser afetado por; sofrer. **4.** Pressentir, adivinhar, intuir. **5.** Lamentar, lastimar. **6.** Ter o sentimento de; apreciar. ★ *v.i.* **1.** Ter sensibilidade. **2.** Sentir dor; sofrer. ★ *v.pr.* **1.** Ter consciência do próprio estado (físico ou moral). **2.** Magoar-se, melindrar-se, ofender-se. **3.** Imaginar-se, julgar-se.

senzala *s.f.* (quimb. *sanzala*). Alojamento que se destinava à moradia dos escravos dos engenhos ou das fazendas.

sépala *s.f.* Cada uma das partes, geralmente verdes, que formam o receptáculo da flor.

CORTE DE UMA FLOR

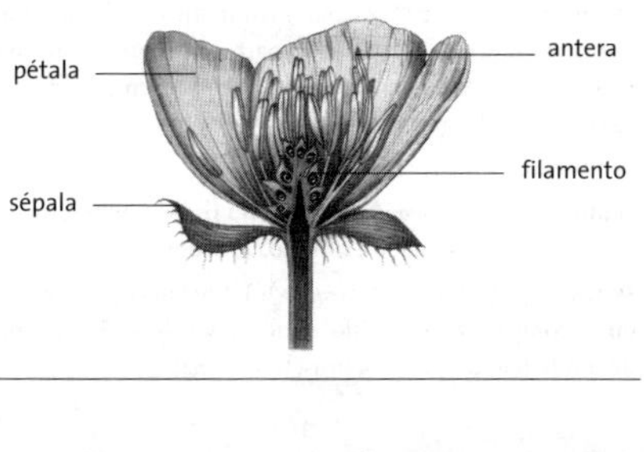

separação *s.f.* (lat. *separatio*). **1.** Ato ou efeito de separar(-se); partição, divisão, desunião. **2.** Aquilo que separa (muro, parede, cerca etc.). **3.** Ruptura do casamento.

separar *v.t.* (lat. *separare*) [conj. 4]. **1.** Afastar, apartar (seres que estavam próximos ou unidos). **2.** Repartir, dividir, isolar. **3.** Distinguir, classificar. **4.** Obstar a união; incompatibilizar. ★ *v.pr.* **1.** Afastar-se um do outro; apartar-se. **2.** Deixar de viver em comum; divorciar-se, desquitar-se. **3.** Pôr-se à parte, distanciar-se.

separata *s.f.* (lat. *separata*). Publicação, em forma de opúsculo, em volume ou livreto, de artigos já editados em jornais ou revistas.

separatismo *s.m.* Tendência dos habitantes de um território ou região a separar-se do Estado de que fazem parte para constituir um Estado independente.

sépia *s.f.* (gr. *sepia*). **1.** Sin. de SIBA. **2.** Substância de cor castanha característica, extraída do molusco denominado sépia ou siba, muito usada em pintura. **3.** Desenho feito com essa tinta. ★ *adj.2g.2n.* **1.** Diz-se da cor dessa substância. **2.** Que tem essa cor.

septicemia *s.f.* Infecção generalizada por presença, no sangue circulante, de bactérias ou microorganismos patogênicos.

septicêmico *adj.* Relativo à septicemia.

séptico *adj.* (gr. *septikós*). **1.** Que provoca infecção. **2.** Diz-se do que está contaminado ou contém germes. **3.** Que resulta dessa contaminação.

septilhão ou **setilhão** *num. card.* Mil sextilhões.

septingentésimo ou **setingentésimo** *num. ord.* (lat. *septingentesimus*). Correspondente ao número setecentos numa seqüência. ★ *s.m.* Cada uma das setenta partes iguais em que se divide um todo.

septissílabo *adj.* e *s.m.* Sin. de HEPTASSÍLABO.

septo *s.m.* (lat. *septum*). Membrana que separa cavidades de um organismo vegetal ou animal.

septuagenário ou **setuagenário** *adj.* e *s.m.* (lat. *septuagenarius*). Que ou aquele que tem 70 anos de idade.

septuagésimo ou **setuagésimo** *num. ord.* (lat. *septuagesimus*). Correspondente ao número setenta numa seqüência. ★ *s.m.* Cada uma das setenta partes iguais em que se divide um todo.

sepulcral *adj.2g.* (lat. *sepulcralis*). **1.** Relativo a sepulcro. **2.** Que contém sepulcros. **3.** *Fig.* Fúnebre, sombrio, lúgubre.

sepulcro *s.m.* (lat. *sepulcrum*). **1.** Sepultura. **2.** Lugar no centro do altar onde se conservam relíquias. **3.** *Fig.* Aquilo que esconde como túmulo ou máscara.

sepultamento *s.m.* **1.** Ato ou efeito de sepultar(-se). **2.** Enterro, inumação, sepultura.

sepultar *v.t.* (lat. tard. *sepultare*) [conj. 4]. **1.** Colocar na sepultura; enterrar. **2.** Fazer desaparecer sob um amontoamento. **3.** *Fig.* Guardar, ocultar, levar para sempre. ★ *v.pr.* Retirar-se, isolar-se.

sepulto *adj.* Que recebeu sepultura.

sepultura *s.f.* (lat. *sepultura*). **1.** Cova onde se enterram cadáveres; campa, sepulcro, túmulo. **2.** Sepultamento.

sequaz *adj.2g.* e *s.2g.* (lat. *sequax*). **1.** Que ou aquele que segue, acompanha; partidário, sectário, seguidor. **2.** Membro de um bando ou partido; prosélito, assecla.

seqüela *s.f.* (do lat. *sequi*, seguir). **1.** Ato ou efeito de seguir; seguimento, continuação. **2.** Conseqüência, resultado. **3.** Súcia, bando. ● **Med.** Qualquer distúrbio funcional ou lesão que persiste após o término da evolução clínica de uma doença ou de um acidente.

seqüência *s.f.* (lat. *sequentia*). **1.** Ato ou efeito de seguir. **2.** Encadeamento, sucessão de elementos. **3.** Série, conjunto assim ordenado. **4.** Parte de uma obra escrita que guarda conexões com a ou as precedentes.

sequer *adv.* Ao menos, pelo menos.

seqüestração *s.f.* (lat. *sequestratio*). **1.** Ato de seqüestrar; seqüestro. **2.** Isolamento.

seqüestrado *adj.* e *s.m.* Que ou o que sofreu seqüestro.

seqüestrador (ô) *adj.* e *s.m.* Que ou aquele que seqüestra.

seqüestrar *v.t.* (lat. *sequestrare*) [conj. 4]. **1.** Praticar seqüestro, pôr sob seqüestro. **2.** Tomar violentamente, apoderar-se ilegalmente. **3.** Isolar, apartar, pôr à parte.

seqüestro *s.m.* (lat. *sequestrum*). **1.** Apreensão ilegal de bens ou pessoas, por indivíduos ou grupos que contestam a ordem política e social vigente e visam a atingir certos objetivos políticos, ou que têm como objetivo o pagamento pelo resgate. **2.** Apartamento, isolamento. ● **Dir.** Medida judicial preventiva que consiste na apreensão de coisa litigiosa para evitar a sua ocultação ou desvio, até que, finda a lide, seja o bem restituído ao seu legítimo dono; a coisa apreendida. ▸ Crime que consiste na privação da liberdade de locomoção de alguém, que fica retido contra a sua vontade. **Med.** Tecido necrosado, fragmento ósseo, encravado no tecido vivo.

sequidão *s.f.* Secura.

sequilho *s.m.* Biscoito seco e quebradiço, feito com farinha de trigo, de araruta etc.

sequioso (ô) *adj.* **1.** Que tem sede; sedento. **2.** Muito seco, falto de água. **3.** Desejoso, ávido.

séquito *s.m.* **1.** Conjunto de pessoas que acompanham alguém por dever oficial ou cortesia; comitiva, acompanhamento. **2.** *Fig.* Desfile, cortejo.

sequóia *s.f.* Nome comum a diversas espécies de árvores nativas da região da Califórnia.

VOCÊ SABIA...? A maior árvore do mundo é uma **sequóia** que mede 83 metros de altura e tem quase 35 metros de circunferência. Supõe-se que tenha 2.000 anos e se encontra na Califórnia, nos Estados Unidos.

---

ser[1] *v.lig.* (conj. 3). **1.** Caracterizar-se, apresentar-se ou qualificar-se como. **2.** Equivaler a, consistir em. **3.** Estar, tornar-se, ficar. ★ *v.i.* **1.** Indica relações de tempo. **2.** Ter existência real. **3.** Existir. **4.** Acontecer, suceder. **5.** Haver. ★ *v.t.* **1.** Vir, provir. **2.** Descender. **3.** Pertencer. **4.** Ter o caráter de. ★ *v. aux.* Seguido de verbos no particípio, forma a voz passiva.

ser[2] *s.m.* **1.** Tudo o que é ou existe. **2.** Toda criatura viva, especialmente do reino animal. **3.** Natureza íntima de uma pessoa. **4.** Homem, pessoa, indivíduo. **5.** Essência.

seráfico *adj.* (lat. tard. *seraphicus*). **1.** Relativo a serafim. **2.** Digno dos serafins. **3.** *Fig.* Etéreo, angélico.

serafim *s.m.* (hebr. *Seraphim*, n.pr.). **1.** Anjo da mais alta hierarquia. **2.** *Fig.* Pessoa de extraordinária beleza.

serão *s.m.* (lat. *serum,* a tarde). **1.** Trabalho extraordinário noturno. **2.** Retribuição, pagamento por esse trabalho.

serapilheira *s.f.* Camada de detritos vegetais que se acumulam ao longo do tempo sobre o solo das matas, constituindo uma excelente fonte de adubo orgânico.

sereia *s.f.* (lat. *sirena*). **1.** Ser mitológico, metade mulher e metade peixe ou ave, que atraía os navegadores para o naufrágio com seu canto melodioso. **2.** *Fig.* Mulher sedutora. **3.** Sirena.

serelepe *s.m.* Sin. de CAXINGUELÊ. ★ *adj.* e *s.2g.* Diz-se de ou pessoa viva, esperta, buliçosa.

serenar *v.t.* (lat. *serenare*) [conj. 4]. Tornar sereno; acalmar. ★ *v.i.* Cair sereno.

serenata *s.f.* (it. *serenata*). **1.** Concerto de vozes e instrumentos que acontece à noite, sob as janelas de uma pessoa a quem se deseja render homenagem; seresta. **2.** Peça vocal acompanhada por um ou diversos instrumentos.

serenidade *s.f.* (lat. *serenitas*). Qualidade, estado de sereno.

sereno *adj.* (lat. *serenus*). **1.** Tranqüilo, calmo, sossegado. **2.** Que denota paz de espírito, harmonia. **3.** Sem nuvens; límpido, claro. ★ *s.m.* **1.** Orvalhada, relento. **2.** Chuva fina e ligeira. **3.** *Pop.* O ar livre à noite.

seresta *s.f.* Serenata.

seresteiro *s.m.* Aquele que compõe, executa ou promove serestas. ★ *adj.* Relativo a seresta.

sergipano *adj.* Relativo ou pertencente a Sergipe, Estado brasileiro; sergipense. ★ *s.m.* O natural ou habitante de Sergipe; sergipense.

sergipense *adj.2g.* e *s.2g.* Sergipano.

serial *adj.2g.* **1.** Relativo a série. **2.** Relativo ao serialismo.

serialismo *s.m.* Técnica de composição musical que aplica os princípios da série dodecafônica a outros parâmetros que não a altura (duração, tempo, nuança, timbre etc.).

seriar *v.t.* (conj. 16). Dispor em séries; classificar.

sericícola ou **serícola** *adj.2g.* Relativo à sericicultura, ou criação do bicho-da-seda. ★ *s.2g.* Sericicultor.

sericicultor (ô) ou **sericultor** (ô) *s.m.* **1.** Proprietário ou dirigente de um estabelecimento de sericicultura; sericícola, serícola. **2.** Pessoa que trabalha na criação de bicho-da-seda.

sericicultura ou **sericultura** *s.f.* (lat. *sericum,* seda). **1.** Criação empresarial do bicho-da-seda para a produção do fio de seda. **2.** Construção destinada à criação do bicho-da-seda.

sérico *adj.* (do lat. *serum,* soro.) Relativo ao soro.

serícola *adj.2g.* e *s.2g.* Sericícola.

sericultor (ô) *s.m.* Sericicultor.

sericultura *s.f.* Sericicultura.

série *s.f.* (lat. *series*). **1.** Conjunto ordenado de fatos ou objetos da mesma natureza ou análogos; seqüência. **2.** Seqüência ininterrupta. **3.** Cada uma das divisões de uma classificação; rol. **4.** Divisão do ensino de primeiro e segundo graus que corresponde ao grau de conhecimento ministrado. **5.** Quantidade considerável. **6.** *Em série,* em escala industrial, em grande número e com o mesmo padrão. ▸ *Fora de série,* que não é feito em série; incomum, excepcional, ímpar. ● **Biol.** Grupo de seres vivos. **Eletrotéc.** *Ligação em série,* ligação de diversos dispositivos de modo que sejam todos eles atravessados pela mesma corrente. **Fís.** Conjunto de valores que pode tomar uma grandeza cujas variações são contínuas; continuidade. **Geol.** Conjunto de rochas que se relacionam geneticamente. ▸ Conjunto de camadas consideradas na sua sucessão cronológica. **Mús.** Sucessão, em uma ordem fixada antecipadamente pelo compositor, dos doze sons da escala cromática, segundo as regras do dodecafonismo, do serialismo etc. **Quím.** Grupo de compostos orgânicos que apresentam uma relação característica entre o número de átomos de carbono e o número de átomos de hidrogênio.

seriedade *s.f.* (lat. *serietas*). **1.** Qualidade de sério. **2.** Retidão, integridade de caráter.

seriema *s.f.* (tupi *sari'ama*). Ave gruiforme de grande porte que vive aos casais ou em pequenos bandos nos campos cerrados, nos campos sujos e em planaltos descampados da América do Sul.

serigrafia *s.f.* **1.** Processo de impressão que usa como matriz uma tela de seda ou náilon presa a um caixilho. (Sin. ingl. SILK-SCREEN.) **2.** Obra obtida por meio desse processo.

seringa *s.f.* (gr. *syrigx, syriggos,* cana). **1.** Instrumento para injetar ou retirar líquido de tecido ou cavidade do organismo. **2.** Bomba de borracha portátil usada para injetar ou aspirar líquidos. **3.** (*N*) Látex, goma-elástica, borracha. **4.** (*SE, S*) Curral especialmente preparado para a condução de gado bovino ou cavalar, de grande abertura de acesso e que se afunila para encaminhar um animal por vez para determinado destino.

seringal *s.m.* **1.** Fazenda ou propriedade onde se procede a exploração da seringueira para a obtenção de látex. **2.** (*AM*) Mata com grande ocorrência de seringueiras.

seringalista *s.2g.* **1.** Proprietário de seringal. **2.** Seringueiro. ★ *adj.2g.* Relativo à exploração dos seringais.

seringueira *s.f.* Árvore de grande porte, de cujo caule, por meio de incisões na casca, escorre um látex utilizado na produção da borracha.

seringueiro *s.m.* (*N*) Aquele que organiza e executa a extração de látex das seringueiras e providencia sua transformação em borracha natural; seringalista.

sério *adj.* (lat. *serius*). **1.** Que não ri ou ri pouco. **2.** Circunspecto, sisudo, severo. **3.** Austero, sóbrio. **4.** Preocupado, apreensivo. **5.** Significativo, importante, grave. **6.** Honesto, honrado. ★ *s.m.* Seriedade, gravidade. ★ *adv.* **1.** Seriamente. **2.** *A sério,* com seriedade.

sermão *s.m.* (lat. *sermo, sermonis*). **1.** Discurso sobre tema religioso pregado do púlpito, às vezes durante a missa; pregação, prédica. **2.** *Fam.* e *Fig.* Censura fastidiosa e importuna; repreensão, admoestação.

serôdio *adj.* **1.** Que vem fora do tempo. **2.** *Fig.* Antigo, ultrapassado.

serologia ou **sorologia** *s.f.* Estudo do soro, de suas propriedades e aplicações.

serosa *s.f.* Membrana serosa.

serosidade *s.f.* **1.** Líquido semelhante ao soro sanguíneo. **2.** Líquido segregado pelas membranas serosas.

seroso (ô) *adj.* **1.** Relativo a soro. **2.** Que tem os caracteres da serosidade; abundante em serosidade. **3.** Que secreta serosidade. **4.** *Membrana serosa,* membrana fina que recobre algumas estruturas e órgãos do corpo; serosa.

serotonina *s.f.* Neurotransmissor do grupo das catecolaminas, que desempenha um importante papel nos mecanismos relativos à pressão arterial e nos acidentes anafiláticos.

serpe *s.f.* (b.-lat. *serpes*). *Poét.* Serpente.

serpear *v.i.* (conj. 15). Serpentear.

serpentário *s.m.* **1.** Viveiro de cobras para experiências com seus venenos e para a preparação do soro antiofídico. **2.** Ave falconiforme da África, de grande porte, que se alimenta de serpentes e outros vertebrados de pequeno porte.

serpente *s.f.* (lat. *serpens, serpentis*). **1.** Cobra, ofídio. **2.** *Fig.* Pessoa pérfida e traiçoeira; víbora. **3.** *Fig.* Coisa má ou que produz males.

A cobra-rei (venenosa), um tipo de naja, é uma serpente que chega a atingir 6 metros.

VOCÊ SABIA...? A *Crotalus cerastes*, **serpente** das regiões desérticas do sudoeste dos Estados Unidos, desloca-se flexionando o corpo em curvas em forma de S. O corpo entra em contato com o solo em dois pontos, produzindo uma série de linhas paralelas na areia.

serpentear *v.t.* (conj. 15). **1.** Mover-se como as serpentes, fazendo curvas; serpear, jiboiar. **2.** Envolver, enrolar.

serpentiforme *adj.2g.* Que tem forma de serpente; serpentino.

serpentina *s.f.* **1.** Candelabro ou castiçal com braços tortuosos. **2.** Parte do equipamento de destilaria constituída de uma tubulação de cobre, com numerosas dobras, dentro da qual circula um fluido destinado a promover trocas de calor com o meio ambiente, seja para aquecimento, seja para resfriamento. **3.** Longa e estreita fita de papel colorido enrolado que se desenrola quando lançada.

serpentino *adj.* **1.** Relativo à serpente. **2.** Serpentiforme.

serpiginoso (ô) *adj.* (fr. *serpigineux*). Semelhante à serpente; sinuoso.

serra *s.f.* (lat. *serra*). **1.** Máquina ou ferramenta que apresenta uma ou várias peças cortantes, acionada manualmente ou por motor, com movimento alternativo, retilíneo ou circular, que serve para cortar ou serrar madeira, metal, pedra etc. **2.** A lâmina dessa ferramenta. **3.** Cadeia de montanhas com picos dispostos em uma seqüência de elevações.

serragem *s.f.* **1.** Ato ou efeito de serrar; serradura. **2.** Resíduo constituído por pequenas partículas de madeira.

serralha *s.f.* Denominação comum a várias ervas da família das compostas, de folhas comestíveis em salada.

serralharia ou **serralheria** *s.f.* **1.** Arte de trabalhar o ferro, de fabricar e consertar objetos de ferro. **2.** Fábrica ou oficina onde se trabalha em ferro batido ou forjado.

serralheiro *s.m.* Profissional que faz e conserta objetos de ferro.

serralheria *s.f.* Serralharia.

serralho *s.m.* (it. *serraglio,* de or. turca). **1.** Nos países de influência turca, palácio, especialmente o do sultão de Istambul. **2.** Harém. **3.** *Fig.* Prostíbulo.

serrano *adj.* Relativo ou pertencente a serras. ★ *s.m.* **1.** O habitante das serras. **2.** *P. ext.* Homem rústico.

serrar *v.t.* (conj. 4). **1.** Cortar, separar, dividir com serra ou serrote. **2.** *Pop.* Obter gratuitamente, por meios hábeis. ★ *v.i.* Trabalhar com serra ou com serrote.

serraria *s.f.* Estabelecimento industrial onde são serradas peças de madeira.

serra-serra *s.m.* Sin. de TIZIU.

serrilha *s.f.* **1.** Trabalho ornamental feito em forma de dentes de serra. **2.** Bordo denteado de qualquer objeto. **3.** Bordo trabalhado das moedas.

serrilhado *adj.* **1.** Que tem serrilha. **2.** Recortado como uma serra.

serrilhar *v.t.* (conj. 4). Fazer serrilha em; picotar nos bordos.

serro (ê) *s.m.* **1.** Serra, cordilheira. **2.** Dorso das cavalgaduras; espinhaço.

serrote *s.m.* Lâmina de aço denteada fixada a um cabo e que serve para serrar.

sertanejo (ê) *adj.* **1.** Próprio do sertão. **2.** Originário do sertão; que vive no sertão. **3.** Rude, agreste. ★ *s.m.* **1.** Aquele que vive no sertão. **2.** Caipira.

sertanista *s.2g.* **1.** *Ant.* Aquele que entrava no sertão à procura de riquezas; bandeirante. **2.** Pessoa que freqüenta e conhece bem o sertão. **3.** Indigenista.

sertão *s.m.* **1.** Região agreste afastada dos centros de povoação e das terras cultivadas. **2.** Local pouco povoado, afastado da costa. **3.** *P. ext.* O interior do país. **4.** Zona do Nordeste brasileiro onde predominam o clima semi-árido e a caatinga.

servente *adj.2g.* e *s.2g.* (lat. *servens*). **1.** Serviçal. **2.** Que ou aquele que executa trabalhos manuais não especializados, geralmente de limpeza. **3.** Diz-se de ou operário que ajuda o oficial.

serventia *s.f.* **1.** Qualidade do que serve; préstimo, utilidade. **2.** Passagem, lugar por onde se passa. **3.** Servidão. **4.** Trabalho de serventuário.

serventuário *s.m.* **1.** Aquele que serve em emprego ou ofício. **2.** Funcionário da Justiça (escrivães, oficiais de registros públicos etc.).

serviçal *adj.2g.* **1.** Que gosta de prestar serviços; prestativo, obsequiador, diligente. **2.** Próprio de criado; subalterno, submisso. ★ *s.2g.* Criado ou criada; servente.

serviço *s.m.* (lat. *servitium*). **1.** Ato ou efeito de servir. **2.** Desempenho de funções produtivas; trabalho. **3.** Desempenho de funções obrigatórias por lei (no exército, p. ex.). **4.** Duração dessas funções. **5.** Organização de certas instituições públicas ou privadas, encarregada de uma função particular. **6.** Utilidade, préstimo, serventia. **7.** Favor, obséquio. **8.** Conjunto de peças (baixela, toalha, guardanapos) utilizado para servir à mesa. **9.** *Serviço social,* serviço de assistência e previdência pública ou particular. ● **Relig.** Celebração do ofício divino.

servidão *s.f.* **1.** Condição de servo, de escravo; escravidão, serventia. **2.** Privação da independência ou da liberdade. **3.** Cativeiro, sujeição, dependência. **4.** Direito real sobre prédio alheio cuja finalidade varia segundo a necessidade do seu beneficiário (passagem, proveito ou serviço).

servidor (ô) *adj.* (lat. *servitor*). **1.** Que serve; servente. **2.** Obsequiador, serviçal. **3.** Pontual. ★ *s.m.* **1.** Aquele que serve a alguém ou a uma instituição; servo, servente. **2.** Pessoa que presta serviços a uma determinada organização; funcionário. ● **Inform.** Computador que controla o acesso de outros à rede e aos recursos (impressoras, bancos de dados, mensagens internas e correio eletrônico) nela oferecidos.

servil *adj.2g.* (lat. *servilis*). **1.** Relativo à condição ou estado do servo. **2.** *Fig.* Baixo, vil, ignóbil.

servir *v.t.* (lat. *servire*) [conj. 54]. **1.** Cumprir, executar determinados deveres e funções; prestar serviço. **2.** Prestar serviços como criado. **3.** Auxiliar, ajudar. **4.** Pôr (alimento, bebida) na mesa ou oferecer para os presentes. **5.** Abastecer, encher. **6.** Vender, fornecer. **7.** Desempenhar as funções de; substituir. ★ *v.i.* **1.** Trabalhar ou viver como servo. **2.** Ser útil, convir, importar. **3.** Ter serventia, utilidade. **4.** Ser militar de determinada arma. ★ *v.pr.* **1.** Fazer uso de. **2.** Tomar uma porção (de comida ou bebida). **3.** Aproveitar-se.

servo *s.m.* (lat. *servus*). **1.** Indivíduo cujos bens e pessoa dependem de outro. **2.** Serviçal, criado. **3.** Escravo. ★ *adj.* Que não é livre; subordinado, dependente.

servo-croata *adj.2g.* Relativo tanto à Sérvia quanto à Croácia, repúblicas da antiga Iugoslávia. ★ *s.m.* Língua eslava falada na Croácia e na atual Iugoslávia.

servomecanismo *s.m.* Mecanismo concebido para executar somente um programa de ação, graças a uma comparação permanente entre as instruções dadas e o trabalho que executa.

sésamo *s.m.* Sin. de GERGELIM.

sesmaria *s.f.* **1.** Terra ou região que se encontra abandonada. **2.** Terra inculta que os reis de Portugal davam para ser cultivada. **3.** *Légua de sesmaria,* medida agrária igual a 6.000 metros.

sesmeiro *s.m.* **1.** Encarregado de distribuir as sesmarias. **2.** Aquele que recebeu uma sesmaria para cultivar.

sesquicentenário *s.m.* Celebração do centésimo qüinquagésimo aniversário.

sesquióxido (cs) *s.m.* Óxido que contém três átomos de oxigênio para dois átomos de metal.

sessão *s.f.* (lat. *sessio, sessionis*). **1.** Reunião dos membros de uma assembléia que delibera ou trabalha em conjunto. **2.** Tempo que dura essa reunião. **3.** Duração de um espetáculo; cada apresentação desse espetáculo. **4.** Tempo utilizado numa determinada ocupação não interrompida. ● **Psican.** e **Psicol.** Cada encontro entre o cliente e o profissional (psicoterapeuta, psicanalista, psicólogo etc.) que o atende em consultório.

sessenta *num. card.* (lat. *sexaginta*). **1.** Seis vezes dez. **2.** Sexagésimo. ★ *s.m.* O algarismo (60) que representa esse número.

séssil *adj.2g.* (lat. *sessilis*). **1.** Rente. **2.** Que não tem suporte. ● **Bot.** Diz-se de todo órgão inserido diretamente no eixo e desprovido de pecíolo ou pedúnculo. **Med.** *Tumor séssil,* tumor que se desenvolve sem separação das partes vizinhas; tumor sem pedúnculo. **Zool.** Diz-se dos animais caracterizados por sua fixação a um suporte.

sesta *s.f.* (lat. *hora sexta,* o meio-dia). **1.** Hora em que se repousa depois do almoço, nos países de clima quente. **2.** O repouso que se faz nesta hora.

sestro *adj.* **1.** Esquerdo, canhoto. **2.** *Fig.* Sinistro, agourento. ★ *s.m.* **1.** Mania, cacoete. **2.** Destino, sorte.

seta *s.f.* (lat. *sagitta*). Flecha.

sete *num. card.* (lat. *septem*). **1.** Seis mais um. **2.** Sétimo. ★ *s.m.* O algarismo (7) que representa esse número.

setecentos *num. card.* **1.** Sete vezes cem. **2.** Septingentésimo. ★ *s.m.* O algarismo (700) que representa esse número.

seteira *s.f.* **1.** Abertura longa e estreita em uma muralha, para observação e lançamento de setas. **2.** Fresta na parede de um edifício para a entrada de luz.

setembro *s.m.* (lat. *septembre*). O nono mês do ano, o qual possui 30 dias.

setenta *num. card.* (lat. *septuaginta*). **1.** Sete vezes dez. **2.** Septuagésimo. ★ *s.m.* O algarismo (70) que representa esse número.

setentrião *s.m.* Norte.

setentrional *adj.2g.* (lat. *septentrionalis*). **1.** Relativo ao setentrião. **2.** Boreal.

setilhão *num. card.* Septilhão.

sétima *adj.* Diz-se da estrofe de sete versos. ★ *s.f.* Intervalo de sete graus na escala musical diatônica.

sétimo *num. ord.* (lat. *septimus, septimum*). Correspondente ao número sete numa seqüência. ★ *s.m.* Cada uma das sete partes iguais em que se divide um todo.

setingentésimo *num. ord.* Septingentésimo.

setor (ô) *s.m.* (lat. *sector*). **1.** Divisão ou subdivisão; parte. **2.** Subdivisão de uma área, região, organização etc. **3.** Aspecto particular de um conjunto de atividades; ramo, campo, área.

setorial *adj.2g.* Relativo a ou próprio de setor.

setuagenário *adj.* e *s.m.* Septuagenário.

setuagésimo *num. ord.* Septuagésimo.

setuplicar *v.t.* (conj. 12). Multiplicar por sete. ★ *v.i.* e *v.pr.* Tornar-se sete vezes maior.

sétuplo *adj.* (lat. *septuplus*). Sete vezes maior. ★ *s.m.* Quantidade sete vezes maior que outra. ★ *num.* Multiplicativo de sete.

seu[1] *pron. poss.* (lat. *suus.*) Que pertence ou diz respeito a ele(s), ela(s) ou você(s).

seu[2] *s.m. Pop.* Forma reduzida de senhor.

severo *adj.* (lat. *severus*). **1.** Rígido, austero, rigoroso. **2.** Sério, grave, compenetrado. **3.** Pouco ornamentado, sóbrio.

sevícia *s.f.* **1.** Ato ou efeito de seviciar. **2.** Sevícias.

seviciar *v.t.* (conj. 16). Maltratar fisicamente; torturar.

sevícias *s.f.pl.* (lat. *saevitia*). **1.** Maus-tratos físicos; tortura. **2.** Atos de crueldade; desumanidade.

sevilhano *adj.* Relativo ou pertencente a Sevilha, cidade da Espanha. ★ *s.m.* O natural ou habitante de Sevilha.

sevo *adj.* (lat. *saevus*). **1.** Que aplica sevícias. **2.** Cruel, desumano.

sexagenário (cs) *adj.* e *s.m.* (lat. *sexagenarius*). Que ou aquele que tem 60 anos.

sexagesimal (cs) *adj.2g.* **1.** Relativo a sessenta. **2.** Diz-se da numeração em base 60. **3.** Diz-se da divisão do grau ou da hora em 60 minutos, ou do minuto em 60 segundos.

sexagésimo (cs) *num. ord.* (lat. *sexagesimus*). Correspondente ao número sessenta numa seqüência. ★ *s.m.* Cada uma das sessenta partes iguais em que se divide um todo.

sexcentésimo (cs) *num. ord.* (lat. *sexcentesimus*). Correspondente ao número seiscentos numa seqüência. ★ *s.m.* Cada uma das seiscentas partes iguais em que se divide um todo.

sexênio (cs) *s.m.* (lat. *sexennium*). Espaço de seis anos.

sexo (cs) *s.m.* (lat. *sexus*). **1.** Característica física permanente do organismo animal ou vegetal, que permite distinguir, em cada espécie, os machos e as fêmeas. **2.** Conjunto desses indivíduos machos ou fêmeas. **3.** Os órgãos sexuais, o pênis em se tratando do homem, a vulva e a vagina, em se tratando da mulher. **4.** Ato sexual, cópula.

sexologia (cs) *s.f.* Estudo da sexualidade e de seus distúrbios, em seus diferentes aspectos.

sexológico (cs) *adj.* Relativo a sexologia.

sexologista (cs) *s.2g.* Especialista em sexologia; sexólogo.

sexólogo (cs) *s.m.* Sexologista.

sexta (ê) *s.f.* Forma reduzida de *sexta-feira*.

sexta-feira *s.f.* O sexto dia da semana. (Forma reduzida *sexta*.)

sextante (ês) *s.m.* (lat. *sextans, sextantis*). **1.** A sexta parte de uma circunferência. **2.** Instrumento com um setor graduado de 60° que possibilita medir a altura dos astros a partir de um navio ou de uma aeronave, apesar da instabilidade do observador.

sextavado (ês) *adj.* Que tem seis faces.

sextavar (ês) *v.t.* (conj. 4). Cortar, talhar em forma hexagonal ou hexaédrica, formando seis faces.

sexteto (êstê) *s.m.* **1.** Conjunto, grupo de seis elementos; sextilha. **2.** Conjunto vocal ou instrumental de seis executantes. **3.** Composição para seis vozes ou seis instrumentos. **4.** Estrofe de seis versos.

sextil (ês) *s.m.* Distância angular entre dois astros, relativa a um terceiro, correspondente a 60°.

sextilha (ês) *s.f.* **1.** Sexteto. **2.** Poema de seis versos que apresenta numerosas combinações de rima, utilizado sobretudo no séc. XIX. **3.** Poema de forma fixa criada no séc. XIII.

sextilhão (ês) *num. card.* Mil quintilhões.

sexto (ês) *num. ord.* (lat. *sextus*). Correspondente ao número seis numa seqüência. ★ *s.m.* Cada uma das seis partes iguais em que se divide um todo.

sêxtuplo (ês) *adj.* (lat. *sextuplus*). Seis vezes maior. ★ *s.m.* **1.** Quantidade seis vezes maior que outra. **2.** Cada um dos seis gêmeos nascidos de uma mesma gravidez. ★ num. Multiplicativo de seis.

sexual (cs) *adj.2g.* (lat. tard. *sexualis*). **1.** Relativo ao sexo, à diferença biológica entre macho e fêmea. **2.** Relativo à sexualidade. **3.** Relativo à reprodução sexuada. **4.** Que caracteriza o sexo dos animais e das plantas. **5.** *Ato sexual,* copulação. ► *Caracteres sexuais,* aspectos anatômicos e fisiológicos próprios de cada sexo. ► *Órgãos sexuais,* o pênis no macho e a vulva e a vagina na fêmea. ● **Psican.** *Pulsão sexual,* pulsão caracterizada por seu objeto não ser biologicamente determinado, por seus objetivos serem variáveis e por ser especificada pelos fantasmas a ela associados.

SEXUAL ► Uma grande variedade de doenças infecciosas é transmitida por contato sexual. Diferem em sua gravidade, embora sempre afetem os genitais externos, o aparelho reprodutor e o urinário, com sintomas como dor, presença de secreção, sangramento ou úlceras. O risco é maior nas mulheres, porque a infecção pode espalhar-se para o útero e para a parte superior do aparelho reprodutor. Calcula-se que 250 milhões de novos casos de doenças sexualmente transmissíveis surgem a cada ano em todo o mundo.

sexualidade (cs) *s.f.* **1.** Qualidade de sexual. **2.** Conjunto dos fenômenos sexuais, ou ligados ao sexo, que se pode observar nos seres vivos. ● **Psicol.** Conjunto das diversas modalidades de satisfação sexual.

sezão *s.f.* Febre intermitente ou periódica.

shake *s.m.* (ingl.). Bebida espessa e nutritiva, feita com leite, frutas, cereais etc., batidos no liquidificador.

shopping-center *s.m.* (ingl.). Edifício que abriga lojas, restaurantes, lanchonetes, cinemas e serviços.

short *s.m.* (ingl.). Calção curto para esporte, passeio etc.

show *s.m.* (ingl., espetáculo). **1.** Espetáculo teatral, cinematográfico ou televisivo em que há música, dança, coreografia e que, geralmente, está montado em torno de um cantor ou animador. **2.** *Fig.* Atuação espetacular, brilhante. **3.** *Fig.* Escândalo, cena.

si[1] *s.m.* **1.** Nota musical. **2.** Sétimo grau da escala de dó. **3.** Sinal que o representa.

si[2] *pron. pess.* Forma que assumem os pron. *ele(s)/ela(s)* quando, precedidos de preposição, se referem ao sujeito do verbo.

Si símbolo químico do silício.

SI Sigla de Sistema Internacional de Unidades, sistema de medidas físicas usado internacionalmente, que substitui os sistemas anteriormente existentes.

sialagogo (ô) *adj.* e *s.m.* (do gr. *sialon,* saliva). Diz-se de ou medicamento que excita ou provoca secreção de saliva.

siamês *adj.* **1.** Relativo ou pertencente ao Sião, atual Tailândia. **2.** Diz-se de uma raça de gatos originária do Extremo Oriente, de face marrom-escura, olhos de um azul intenso, e com pelagem que vai do marrom-avermelhado ao bege. **3.** *Irmãos siameses,* nome dado aos gêmeos que nascem ligados; xifópagos. ★ *s.m.* **1.** O natural ou habitante de Sião. **2.** Gato siamês.

VOCÊ SABIA...? Dá-se o nome de **siameses** aos gêmeos que nascem unidos, devido aos irmãos Chang e Eng, que nasceram em 1811 no Sião, atual Tailândia. Chang e Eng, o primeiro caso amplamente documentado de irmãos siameses, eram ligados por uma membrana situada à altura do peito. Eles causaram sensação mundial em sua época e, felizmente, conseguiram viver até uma idade avançada de forma relativamente normal.

siba *s.f.* Molusco cefalópode do Atlântico, que apresenta dez tentáculos e possui bolsa de tinta. (Sin. SÉPIA.)

siberiano *adj.* Relativo ou pertencente à Sibéria, região do extremo norte da Ásia. ★ *s.m.* O natural ou habitante da Sibéria.

sibila *s.f.* (gr. *sibylla*). **1.** Entre os gregos antigos, profetisa inspirada por Apolo, encarregada de dar a conhecer os oráculos desse deus. **2.** *Fig.* e *Fam.* Mulher velha de maus instintos; bruxa.

sibilação *s.f.* (lat. *sibilatio*). Ato ou efeito de sibilar; silvo, sibilo. ● **Med.** Ruído semelhante a um silvo nos órgãos respiratórios.

sibilante *adj.2g.* (lat. *sibilans*). Que sibila; que silva.

sibilar *v.i.* (lat. *sibilare*) [conj. 4]. Produzir som agudo e prolongado, assoprando; silvar, assobiar.

sibilo *s.m.* (lat. *sibilus*). **1.** Sibilação. **2.** Assobio, silvo. ● **Med.** Estertor fino produzido pela expiração durante uma crise de asma.

sicário *s.m.* (lat. *sicarius*). **1.** Assassino contratado para cometer qualquer espécie de crime. **2.** Malfeitor, facínora. ★ *adj.* Cruel, sanguinolento.

sicativo *adj.* (lat. *siccativus*). Que tem a propriedade de secar; secante. ★ *s.m.* Substância que ativa a cicatrização das úlceras.

siciliano *adj.* Relativo ou pertencente à Sicília, região da Itália. ★ *s.m.* O natural ou habitante da Sicília.

sicoma *s.m.* (do gr. *sykom,* figo). Verruga, condiloma.

sicrano *s.m.* Fulano.

sideral *adj.2g.* (lat. *sideralis*). **1.** Relativo aos astros. **2.** Celeste, sidérico. **3.** *Relógio sideral,* relógio utilizado em astronomia, que marca o tempo sideral. ▸ *Revolução sideral,* intervalo que separa duas passagens consecutivas de um planeta ou de um satélite em um mesmo ponto de sua órbita.

sidéreo *adj.* (lat. *sidereus*). *Poét.* Relativo aos astros ou ao céu; sideral.

siderito *s.m.* Espécie de meteorito composto principalmente de elementos metálicos, em especial de ferro e níquel.

siderurgia *s.f.* (do gr. *siderourgos,* ferreiro). Parte da metalurgia que estuda as técnicas de elaboração de produtos ferrosos como aço e ferros fundidos.

sidra *s.f.* (esp. *sidra*). Vinho fabricado pela fermentação do suco da maçã.

sievert *s.m.* (de *Sievert,* n.pr.). Unidade de medida SI de equivalente de dose radioativa (símb. Sv).

sifão *s.m.* (gr. *siphon,* tubo). **1.** Tubo recurvado em forma de "U" invertido, utilizado para fazer passar um líquido de um nível a outro, mais baixo, elevando primeiramente o tubo acima do nível mais elevado. **2.** Dispositivo de um aparelho sanitário (pia, bacia sanitária etc.) que evita o retorno de gases malcheirosos para o ambiente . **3.** Aparelho que serve para a lavagem ou a evacuação de certas cavidades naturais do organismo. **4.** Garrafa de vidro grosso, fechada com uma válvula comandada por uma alavanca, destinada ao escoamento, sob pressão, de um líquido, geralmente água gasosa. ● **Zool.** Estrutura tubular formada pelo manto de alguns moluscos, que permite a circulação da água pelo corpo.

SIFÃO DE APARELHO SANITÁRIO

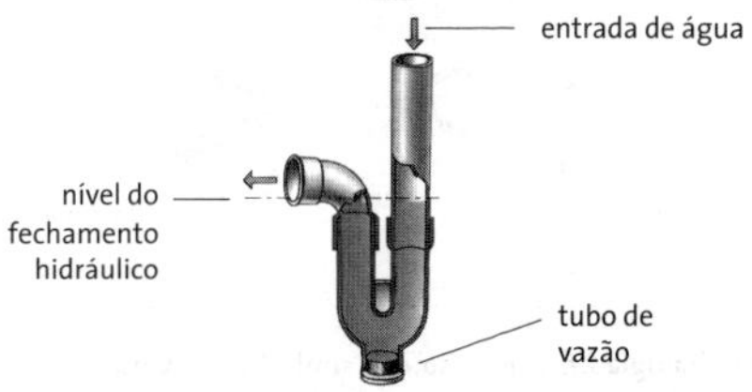

sifílide *s.f.* Lesão cutânea da sífilis secundária ou tardia.

sífilis *s.f.* (de *Syphilus,* n.pr.). Moléstia infectocontagiosa crônica, em geral transmitida sexualmente, que pode comprometer os sistemas cardiovascular e nervoso.

sifilítico *adj.* Relativo à sífilis. ★ *adj.* e *s.m.* Que ou aquele que sofre de sífilis.

sifóide *adj.2g.* Em forma de sifão.

sigilo *s.m.* (lat. *sigillum,* selo). **1.** Segredo. **2.** *Ant.* Selo, sinete para lacrar documentos.

sigiloso (ô) *adj.* **1.** Que deve ser mantido em sigilo; secreto. **2.** Marcado por um selo.

sigla *s.f.* (lat. *sigla,* abreviatura). **1.** Conjunto das letras iniciais dos vocábulos que formam um nome próprio. (Sin. ACROGRAFIA.) **2.** Sinal convencional, rubrica.

signatário *adj.* e *s.m.* Que ou aquele que assina ou subscreve um documento.

significação *s.f.* (lat. *significatio*). **1.** Ato ou efeito de significar. **2.** O que é representado ou expresso por um signo, um sinal, um gesto, um fato etc.; conteúdo, sentido. **3.** *Fig.* Valor, importância.

significado *s.m.* **1.** Significação, sentido, acepção. **2.** Interpretação de frase, símbolo ou palavra obscura. ● **Ling.** O conteúdo semântico, valor ou sentido de um signo.

significante *adj.2g.* (lat. *significans*). Que significa; significativo. ★ *s.m.* **Ling.** Imagem acústica ou manifestação fônica do signo lingüístico.

significar *v.t.* (lat. *significare*) [conj. 12]. **1.** Ter o significado de, querer dizer. **2.** Dar a entender; exprimir, traduzir. **3.** Constituir, representar.

significativo *adj.* **1.** Que significa; significante. **2.** Que exprime de maneira sensível um pensamento, uma intenção; expressivo. ● **Mat.** *Algarismos significativos,* os que têm valor próprio, p. opos. ao *zero,* cujo valor depende da posição que ocupa.

signo *s.m.* (lat. *signum*). **1.** Indício, marca, símbolo, sinal indicativo. **2.** Qualquer elemento (palavra, gesto, elemento gráfico etc.) utilizado para a comunicação. **3.** *Fig.* Elemento importante, expoente. **4.** *Signo astrológico,* uma das doze partes em que se divide o Zodíaco. ● **Ling.** Unidade lingüística constituída pela associação de um significante e de um significado.

sílaba *s.f.* (gr. *syllabe*). Vogal ou reunião de fonemas que se pronunciam em uma só emissão de voz.

silabação *s.f.* **1.** Ato de silabar. **2.** Divisão das palavras em sílabas, segundo os limites silábicos. **3.** Método de ensino da leitura que consiste em dividir as palavras em sílabas, em lugar de as decompor em letras (como se faz na soletração).

silabada *s.f.* Erro de pronúncia resultante do deslocamento do acento tônico de uma palavra.

silabar *v.i.* (conj. 4). Ler ou pronunciar destacando intencionalmente as sílabas.

silabário *s.m.* Livro elementar usado para ensinar as crianças a ler; cartilha, abecedário.

silábico *adj.* (gr. *syllabikós*). Relativo às sílabas.

silagem *s.f.* **1.** Ato ou efeito de ensilar. **2.** Alimento conservado e fermentado em depósitos especiais (silos) para a alimentação animal durante a época de escassez ou falta de pastos.

silenciador (ô) *adj.* Que silencia, que não diz nada, que cala. ★ *s.m.* **1.** Peça que se fixa na boca do cano de uma arma de fogo para amortecer o ruído da detonação. **2.** Sin. de SILENCIOSO.

silenciar *v.t.* (conj. 16). **1.** Ficar em silêncio; calar-se. **2.** Fazer calar. **3.** Omitir. **4.** *Fig.* Assassinar, matar. ★ *v.i.* Guardar silêncio.

silêncio *s.m.* (lat. *silentium*). **1.** Ausência de qualquer ruído. **2.** Sossego, repouso, inação. **3.** Mistério, segredo, sigilo.

silencioso (ô) *adj.* (lat. *silentiosus*). **1.** Em que há silêncio. **2.** Que guarda silêncio; calado. **3.** Que se faz sem ruído. ★ *s.m.* Dispositivo que, colocado à saída de um motor de combustão interna ou a jato, reduz o ruído dos gases de escapamento. (Sin. SILENCIADOR.)

silente *adj.2g.* *Poét.* Calado, silencioso.

sílex (cs) *s.m.* (lat. *silex*). **1.** Rocha muito dura, composta de calcedônia e opala, de cor vermelha, parda ou negra. **2.** Nome comum de várias pedras cuja base é a sílica.

silhueta (ê) *s.f.* (fr. *Silhouette,* n.pr.). **1.** Desenho de perfil que representa as linhas do contorno de um corpo (pessoa ou objeto) ou da sua sombra projetada. **2.** As linhas, o contorno do corpo humano.

sílica *s.f.* (lat. *silica*). Composto oxigenado do silício, presente em um grande número de minerais, tais como o quartzo, a calcedônia e a opala.

silicato *s.m.* **1.** Conjunto dos minerais que apresentam um átomo de silício no centro e átomos de oxigênio nos quatro vértices de sua estrutura cristalina elementar. **2.** Sal ou éster de um ácido silícico.

silícico *adj.* Que é da natureza do silício.

silício *s.m.* (lat. *silicium*). Elemento químico (símb. Si) de número atômico 14, do grupo dos não-metais, muito abundante na crosta terrestre em diversos minerais, em particular na sílica.

silicone *s.m.* Nome genérico das substâncias análogas aos compostos orgânicos nas quais o silício substitui o carbono, que possuem amplo emprego industrial.

silicose *s.f.* Doença pulmonar progressiva provocada por inalação de pó de sílica.

silicoso *adj.* Que se refere à silicose.

sililuia *s.f.* Sin. de ALELUIA[2].

silk-screen *s.m.* (ingl., "tela de seda"). Sin. de SERIGRAFIA.

silo *s.m.* (gr. *siros*). Grande depósito cilíndrico, de metal ou de cimento, para armazenar cereais, forragens etc.

silogismo *s.m.* (gr. *syllogismos*). Argumento formado por três proposições (a maior, a menor e a conclusão), de tal modo que a conclusão é deduzida da maior por intermédio da menor.

silogístico *adj.* (gr. *syllogistikós*). Relativo ao silogismo.

siluriano *s.m.* Período geológico da era paleozóica compreendido entre o ordoviciano e o devoniano, com duração aproximada de 30 milhões de anos. ★ *adj.* Relativo ou pertencente a esse período.

silva *s.f.* (lat. *silva*). **1.** *Poét.* Selva. **2.** Denominação comum a vários arbustos da família das rosáceas, que vegetam em terrenos pedregosos da Europa.

silvar *v.i.* (lat. *sibilare*) [conj. 4]. **1.** Assobiar, sibilar. **2.** Produzir som agudo com a boca ou um instrumento. ★ *v.t.* Aspirar com a boca, produzindo silvo.

silvestre *adj.2g.* (lat. *silvester*). **1.** Próprio das selvas; selvagem. **2.** Coberto de silvas. **3.** Diz-se da vegetação que medra espontaneamente, que não precisa ser cultivada pelo homem. **4.** Agreste, bravio.

silvícola *adj.2g.* e *s.2g.* (lat. *silvicola*). Que ou aquele que vive nas selvas; selvagem.

silvicultor (ô) *s.m.* **1.** Engenheiro agrônomo especializado em silvicultura. **2.** Agricultor que estabelece e explora plantações de árvores florestais.

silvicultura *s.f.* Estudo das essências florestais, da formação, conservação e exploração de florestas.

silvo *s.m.* **1.** Som agudo e relativamente prolongado. **2.** Sibilo, apito. **3.** Assobio das serpentes.

sim *adv.* (lat. *sic,* assim). Exprime afirmação, aprovação, concordância, consentimento. ★ *s.m.* Aprovação, consentimento, concordância.

simbionte *adj.2g.* e *s.2g.* (gr. *symbiontes*). Diz-se de ou organismo que vive em simbiose com um outro de uma espécie diferente.

simbiose *s.f.* (gr. *symbiosis*). Associação de dois ou mais seres de espécies diferentes que lhes permite viver com vantagens recíprocas e os caracteriza como um só organismo, como os liquens.

simbólico *adj.* (gr. *symbolikos,* pelo lat. *symbolicus*). **1.** Relativo a ou que constitui símbolo. **2.** Expresso por meio de símbolos. **3.** Alegórico, metafórico.

simbolismo *s.m.* **1.** Sistema de símbolos destinados a exprimir ou interpretar algo. **2.** Sistema de sinais escritos cuja organização obedece a determinadas regras e que traduz visualmente a formalização de um raciocínio. **3.** Movimento literário e artístico do final do séc. XIX, que reagiu contra o realismo parnasiano e, preso ao mistério e à essência espiritual das coisas e dos seres, procurou dar "equivalentes plásticos" da natureza e do pensamento.

simbolizador (ô) *adj.* Que simboliza.

simbolizar *v.t.* (conj. 4). **1.** Representar por meio de símbolos, exprimir simbolicamente. **2.** Ser o símbolo de. ★ *v.i.* Expressar-se por meio de símbolos.

símbolo *s.m.* (gr. *symbolon*). **1.** Sinal figurativo, imagem, ser ou objeto que representa um conceito. **2.** Sinal, divisa, emblema, marca. **3.** Comparação, alegoria, metáfora. ● **Quím.** Letra ou grupo de letras utilizado para designar os elementos.

EXEMPLOS DE SÍMBOLOS

simbologia *s.f.* **1.** Estudo dos símbolos. **2.** Conjunto de símbolos.

simetria *s.f.* (gr. *symmetria*). **1.** Correspondência de posição de dois ou vários elementos em relação a um ponto, a um plano médio. **2.** Harmonia resultante de certas combinações e proporções regulares dos elementos de um conjunto. ● **Biol.** Repetição dos órgãos ou segmentos ou artículos do corpo em relação a uma linha ou a um plano. **Gram.** Correspondência regular entre os membros de uma frase.

simétrico *adj.* (gr. *symmetrikós*). **1.** Que tem simetria, que é organizado segundo uma simetria. **2.** Regular, harmonioso. ★ *s.m.* Ponto simétrico de um outro.

simiesco (ê) *adj.* Relativo a ou próprio de símio.

símil *adj.2g.* (lat. *similis*). *Poét.* Semelhante, igual.

similar *adj.2g.* Da mesma natureza; análogo, equivalente, semelhante. ★ *s.m.* Objeto similar.

símile *s.m.* (lat. *simile*). **1.** Qualidade do que é semelhante. **2.** Comparação de coisas semelhantes; analogia. ★ *adj.2g.* Semelhante, análogo.

similitude *s.f.* (lat. *similitudo*). **1.** Semelhança, analogia. **2.** Afinidade, conformidade, identidade.

símio *s.m.* (lat. *simius*). Sin. de MACACO. ★ *adj.* Relativo a macaco; simiesco.

o gibão, um símio

SÍMIO ▸ Dentre os principais símios figuram os antropóides, macacos sem rabo, mais semelhantes ao ser humano, como os orangotangos, os gorilas e os chimpanzés, que são encontrados na África e na Ásia. Os antropóides distinguem-se de outros macacos porque perderam quase completamente a cauda, que se reduziu à vértebra do cóccix. Isso torna mais cômodo o ato de sentar-se em posição ereta, o que lhes permite ter as mãos livres para manipular alimentos, segurar as crias e realizar outras funções, como a higiene coletiva. Eles têm peito largo e omoplatas nas costas, características associadas a uma postura mais ereta.

simonia *s.f.* (lat. *simonia*, de *Simão, o Mago*). Tráfico de coisas sagradas; comércio de bens espirituais, de benefícios eclesiásticos.

simoníaco *adj.* Relativo à simonia. ★ *s.m.* Pessoa que cometeu o crime de simonia.

simpatia *s.f.* (gr. *sympatheia*). **1.** Tendência instintiva, inclinação, atração por uma pessoa ou coisa. **2.** Faculdade de participar das dores, dos prazeres e das impressões de outrem; solidariedade. **3.** Pessoa simpática. **4.** Ato, ritual ou objeto que, segundo a crença popular, têm o poder de curar doenças ou afastar o mal. ● **Fisiol.** Relação entre dois órgãos mais ou menos afastados.

simpático *adj.* **1.** Relativo à simpatia. **2.** Que inspira simpatia; agradável. **3.** Relativo ao sistema nervoso simpático. **4.** *Sistema nervoso simpático* ou *simpático* (*s.m.*), parte do sistema nervoso vegetativo cujos efeitos (aumento da freqüência cardíaca, vasoconstrição, dilatação dos brônquios etc.) se opõem aos do sistema parassimpático na regulação da vida vegetativa. ★ *s.m.* **1.** Pessoa simpática. **2.** O sistema nervoso simpático.

simpatizante *adj.2g.* e *s.2g.* Que ou aquele que manifesta simpatia por (uma doutrina, um partido etc.).

simpatizar *v.t.* (conj. 4). **1.** Ter simpatia por. **2.** Concordar, ter afinidade.

simpatria *s.f.* Ocorrência simultânea de duas ou mais populações biológicas em uma mesma área geográfica.

simples *adj.2g.* (lat. *simplex, semplicis*). **1.** Que não é composto ou que é composto de elementos homogêneos, da mesma natureza; elementar. **2.** Que é constituído de um só elemento. **3.** Que não é complicado; fácil, rudimentar. **4.** Sem enfeites ou sofisticação; natural, espontâneo. **5.** Sem malícia; ingênuo, puro. ● **Gram.** Diz-se do sujeito de uma oração na qual o verbo se refere a um só substantivo, pronome ou numeral. **Quím.** *Ligação simples*, ligação entre dois átomos garantida por um par de elétrons. ▸ *Substância simples*, aquela cuja molécula é constituída apenas por átomos de um mesmo elemento. ★ *s.2g.2n.* Pessoa simples.

simplicidade *s.f.* (lat. *simplicitas, simplicitatis*). **1.** Qualidade, caráter de simples; ausência de complicação. **2.** Naturalidade, desafetação, espontaneidade. **3.** Ingenuidade, candura, pureza. **4.** Falta de luxo, de pompa, de sofisticação.

simplificar *v.t.* (conj. 12). **1.** Tornar simples ou mais simples. **2.** Tornar claro. ● **Mat.** *Simplificar uma fração*, encontrar, quando existir, a fração irredutível equivalente à fração dada.

simplismo *s.m.* **1.** Vício de raciocínio que consiste em desprezar elementos necessários à solução. **2.** Uso de meios por demais simples; ingenuidade.

simplista *adj.2g.* Em que há simplismo. ★ *s.2g.* Pessoa que raciocina ou age com simplismo.

simplório *adj.* e *s.m.* Que ou aquele que é muito simples, ingênuo e crédulo.

simpósio *s.m.* (gr. *symposion*, de *sympinein*, beber junto). **1.** Reunião técnica ou científica para debater determinado assunto; congresso. **2.** Na Grécia antiga, segunda parte de um banquete ou de um festim, consagrada à bebida, jogos, canções, danças e outras formas de entretenimento. **3.** Banquete, festim.

simulação *s.f.* (lat. *simulatio*). **1.** Ato ou efeito de simular; fingimento, simulacro. **2.** Representação do comportamento de um processo físico, biológico, econômico etc., por meio de um modelo material cujos parâmetros e variáveis são as imagens daqueles no processo estudado.

simulacro *s.m.* (lat. *simulacrum*). **1.** Imagem, cópia ou reprodução imperfeita. **2.** Aparência, semelhança, arremedo. **3.** Fingimento, simulação.

simulador (ô) *adj.* e *s.m.* (lat. *simulator*). **1.** Que ou o que simula ou usa de simulação. **2.** Diz-se de ou aparelho capaz de reproduzir o comportamento de outro aparelho cujo funcionamento se deseja estudar, ou de um corpo cuja evolução se quer seguir.

simular *v.t.* (lat. *simulare*) [conj. 4]. **1.** Fazer parecer como real uma coisa que não o é; fingir. **2.** Disfarçar, dissimular. **3.** Fazer a simulação de.

simultâneo *adj.* (lat. *simultaneus*). Que existe, se faz ou acontece ao mesmo tempo; concomitante.

sina *s.f.* (lat. *signa,* sinais). Sorte, destino, fado.

sinagoga *s.f.* (gr. *synagoge,* assembléia). **1.** Templo onde os judeus se reúnem para o culto. **2.** Assembléia de fiéis da religião judaica.

VOCÊ SABIA...? É provável que as primeiras **sinagogas** tenham sido construídas no ano de 587 a.C. Nesse ano, os judeus exilados na Babilônia erigiram recintos especiais para preservar as tradições religiosas e observar a lei divina. Posteriormente, essas salas se transformaram em centros de culto.

---

sinal *s.m.* (lat. *signalis*). **1.** Marca, vestígio, indício. **2.** Símbolo, figura, gesto ou som de significado convencional em uma área, grupo ou organização. **3.** Particularidade física; mancha, cicatriz. **4.** Aceno, gesto. **5.** Prova, demonstração. **6.** Presságio, prenúncio, anúncio. **7.** Semáforo. ● **Eletrôn.** Impulso de natureza elétrica que é aplicado à entrada de um circuito ou que é gerado pelo circuito. **Med.** Toda manifestação objetiva de uma doença, que o médico pode constatar durante o exame, ou provocar propositadamente, com fins diagnósticos.

sinaleiro *s.m.* **1.** Semáforo. **2.** Soldado, marinheiro, ferroviário etc., especialmente o encarregado do serviço dos sinais.

sinalefa *s.f.* (gr. *synaloiphe*). Junção de duas sílabas em uma só, por elisão; crase.

sinalização *s.f.* **1.** Ato ou efeito de sinalizar. **2.** Conjunto de sinais de trânsito de uma cidade, rodovia, ferrovia etc.

sinalizar *v.t.* (conj. 4). **1.** Fazer sinais em; assinalar. **2.** Marcar com sinalização.

sinapismo *s.m.* (gr. *sinapismos*). Preparação revulsiva cujo principal constituinte é o pó do grão da mostarda escura, do qual se eliminou o óleo.

sinapse *s.f.* Região de contato entre duas células nervosas, para transmissão elétrica ou química de informações.

sinartrose *s.f.* Articulação imóvel, por encaixe de um osso denteado com outro, como no crânio.

sinceridade *s.f.* (lat. *sinceritas*). **1.** Qualidade de sincero; franqueza. **2.** Lisura, honestidade, retidão. **3.** Palavras, atos ou propósitos sinceros.

sincero *adj.* (lat. *sincerus*). **1.** Que exprime o que pensa e sente, sem disfarce ou artifício. **2.** Que é dito ou feito de modo franco. **3.** Franco, leal, verdadeiro.

sincinesia *s.f.* Movimento muscular involuntário provocado por outro movimento muscular.

sincopado *adj.* **1.** Diz-se da palavra em que houve síncope. **2.** Diz-se de um ritmo escrito em síncope.

síncope *s.f.* (gr. *synkope,* ação de cortar). **1.** Perda transitória de consciência causada por uma diminuição do débito sanguíneo cerebral, muitas vezes associada a uma parada ou a uma diminuição extrema do ritmo cardíaco. **2.** Supressão de um ou mais fonemas no interior da palavra. ● **Mús.** Processo rítmico que consiste em prolongar um tempo fraco sobre um tempo forte ou sobre a parte forte de um tempo.

fragmento de partitura que mostra as síncopes, expressas na forma de curvas acima do pentagrama

---

sincrético *adj.* **1.** Relativo ou pertencente ao sincretismo. **2.** Caracterizado pelo sincretismo.

sincretismo *s.m.* (gr. *synkretismos*). **1.** O que resulta da fusão ou amálgama de elementos de diferentes origens. **2.** Sistema filosófico ou religioso com tendência a fundir elementos de várias doutrinas diferentes. **3.** Síntese de duas ou mais culturas de origens diferentes, que origina uma nova cultura.

sincronia *s.f.* **1.** Qualidade, estado de sincrônico; simultaneidade de acontecimentos, de fenômenos. **2.** Concordância e harmonia de movimentos.

sincrônico *adj.* **1.** Que se passa ao mesmo tempo; síncrono. **2.** Que representa ou estuda fatos acontecidos ao mesmo tempo.

sincronismo *s.m.* (gr. *synkhronismós*). **1.** Estado de sincrônico; simultaneidade de dois ou mais fenômenos ou fatos. **2.** Coincidência de datas, eventos etc.

sincronizar *v.t.* (conj. 4). **1.** Tornar sincrônico; combinar (movimentos) para que se dêem ao mesmo tempo. **2.** Expor, narrar, descrever sincronicamente. **3.** Tornar solidários e simultâneos os movimentos de dois aparelhos.

síncrono *adj.* Sincrônico.

sindatilia *s.f.* Ausência congênita de separação entre os dedos ou entre os artelhos.

sindical *adj.2g.* **1.** Relativo a sindicato. **2.** Relativo ao sindicalismo.

sindicalismo *s.m.* **1.** Movimento que tem por fim a sindicalização de trabalhadores que exerçam a mesma profissão ou sejam empregados de empresas afins, com vistas à defesa dos interesses comuns. **2.** Conjunto de sindicatos; ação dos sindicatos. **3.** Doutrina que visa a fazer que os sindicatos exerçam influência na vida política do país.

sindicalizar *v.t.* (conj. 4). Organizar em sindicato. ★ *v.pr.* Filiar-se a um sindicato.

sindicância *s.f.* **1.** Inquérito, investigação. **2.** Função do síndico.

sindicar *v.t.* (conj. 4). **1.** Fazer sindicância. **2.** Tomar informações.

sindicato *s.m.* (fr. *syndicat*). **1.** Associação de indivíduos da mesma categoria ou profissão para a defesa de seus interesses profissionais, econômicos, políticos ou sociais. **2.** Cartel. **3.** Função ou exercício de síndico. **4.** *Pej.* Especulação financeira escusa.

síndico *s.m.* (gr. *syndikós*). **1.** Pessoa que tem a seu cargo fazer sindicâncias. **2.** Pessoa escolhida entre os membros de agremiação, classe, condomínio etc., para zelar pelos interesses do grupo. **3.** Administrador de uma falência.

síndrome *s.f.* (gr. *syndrome*). **1.** Conjunto dos sintomas que caracterizam uma doença. **2.** *Fig.* Conjunto de sinais ou indícios que caracterizam uma situação ruim, desagradável ou perigosa.

sinecura *s.f.* (lat. *sine cura*, sem cuidado). **1.** Emprego rendoso e de pouco ou nenhum trabalho. **2.** Emprego cujas funções não se exercem.

sinédrio ou **sinedrim** *s.m.* (gr. *synedrion*). Conselho governativo dos judeus durante a ocupação da Palestina pelos romanos.

sineiro *s.m.* **1.** Pessoa encarregada de tocar os sinos de uma igreja. **2.** Fabricante de sinos. ★ *adj.* Que tem sinos.

sinéquia *s.f.* **1.** Aderência entre órgãos após inflamação ou traumatismo. **2.** *Sinéquia uterina,* aderência entre as paredes anterior e posterior do útero, que reduz a área de nidação.

sinergia *s.f.* (gr. *synergia*, cooperação). **1.** Associação de vários órgãos no cumprimento de determinada função fisiológica. **2.** Ação simultânea. **3.** Associação de vários fatores que, contribuindo para uma ação ordenada, aumentam sua eficiência.

sinergismo *s.m.* Associação e potencialização da ação de várias substâncias medicamentosas.

sineta (ê) *s.f.* Sino pequeno, campainha.

sinete (ê) *s.m.* (fr. *signet*). **1.** Selo ou carimbo gravado em relevo ou em baixo-relevo com as armas ou as iniciais de quem o usa. **2.** Marca ou sinal feito com sinete. **3.** *Fig.* Marca distintiva, labéu.

sínfise *s.f.* **1.** Articulação pouco móvel entre dois ossos, com tecido conjuntivo. **2.** Aderência anormal dos dois folhetos de uma serosa. **3.** *Sínfise púbica* ou *pubiana,* união da parte anterior dos dois ossos ilíacos.

sinfonia *s.f.* (gr. *symphonia*). **1.** Composição musical para orquestra que, desde o séc. XVIII, empresta a forma de sonata. **2.** *Fig.* Toada harmoniosa, melodia.

sinfônico *adj.* **1.** Relativo à sinfonia. **2.** *Orquestra sinfônica,* formação de músicos em que figuram todas as categorias de instrumentos.

singelo *adj.* (lat. *singulus,* um só). **1.** Simples, sem ornamento. **2.** Inocente, ingênuo. **3.** Puro, não corrompido.

singradura *s.f.* **1.** Ato de singrar. **2.** Rota de um navio à vela pelo espaço de um dia; o espaço percorrido nesse tempo.

singrar *v.i.* (fr. ant. *singler,* de or. nórdica) [conj. 4]. **1.** Navegar à vela; velejar. **2.** Navegar em uma direção determinada. ★ *v.t.* Percorrer navegando.

singular *adj.2g.* (lat. *singularis*). **1.** Relativo ou pertencente a um só; individual, único. **2.** Que não se assemelha aos outros do gênero; particular, distinto. **3.** Raro, extraordinário. **4.** Excêntrico, esquisito. ★ *adj.2g.* e *s.m.* **Gram.** Diz-se de ou número que exprime unidade, que indica uma só coisa ou pessoa.

singularidade *s.f.* (lat. *singularitas*). **1.** Qualidade de singular. **2.** Particularidade. **3.** Ato ou dito singular, estranho, excêntrico. ● **Fís.** Fenômeno do espaço-tempo em que as leis conhecidas da física não vigoram, como o buraco negro. **Mat.** No domínio de uma função, ponto ao qual não está associada uma imagem; ponto de descontinuidade.

singularizar *v.t.* (conj. 4). **1.** Tornar singular; distinguir, notabilizar. **2.** Particularizar, detalhar. ★ *v.pr.* Tornar-se singular, particularizar-se.

sinhá *s.f.* *Ant.* **1.** Tratamento dado pelos escravos à senhora. **2.** *Pop.* Senhora.

sinhá-moça *s.f.* *Ant.* **1.** Tratamento dado pelos escravos à filha do senhor; filha da sinhá. **2.** *Pop.* Senhorita.

sinhô *s.m.* *Ant.* **1.** Tratamento dado pelos escravos ao senhor. **2.** Senhor.

sinhô-moço *s.m.* *Ant.* Tratamento dado pelos escravos ao filho do senhor.

sinimbu *s.m.* Sin. de IGUANA.

sinistra *s.f.* (lat. *sinistra*). A mão esquerda.

sinistrar *v.i.* (conj. 4). Sofrer desastre ou sinistro.

sinistro[1] *adj.* **1.** Esquerdo. **2.** Que prenuncia desgraças; funesto. **3.** Que inspira medo ou receio; ameaçador, temível. **4.** Cruel, perverso.

sinistro[2] *s.m.* (lat. *sinistrum*). **1.** Desastre, acontecimento trágico. **2.** Dano, prejuízo. ● **Dir.** Qualquer acontecimento que provoque danos.

sinistrogiro *adj.* Que gira ou aponta para o lado sinistro ou esquerdo; levogiro.

sino *s.m.* (lat. *signum*). Instrumento musical de metal, em forma de taça emborcada, tocado com golpes de martelo em sua superfície exterior ou pelo toque de um badalo em sua superfície interna.

sinoatrial *adj.2g.* Diz-se do nódulo no qual se origina o estímulo para a contração cardíaca.

sínodo *s.m.* (lat. *synodus*). **1.** Assembléia de párocos e padres convocada pelo bispo. **2.** *Sínodo episcopal,* assembléia consultiva, criada em 1967, composta de bispos convocados pelo papa a cada dois ou três anos para o estudo de problemas gerais da Igreja Católica.

sinonímia *s.f.* (gr. *synonymia*). **1.** Relação entre dois ou mais termos ou expressões que têm o mesmo sentido ou um sentido próximo. **2.** Qualidade das palavras sinônimas. **3.** Expressão de uma idéia por meio de palavras sinônimas. **4.** Estudo dos sinônimos.

sinonímico *adj.* Relativo à sinonímia ou a sinônimos.

sinônimo *adj.* e *s.m.* (gr. *synonimos*). **1.** Diz-se de ou termos que apresentam sinonímia. **2.** Que ou o que tem a mesma significação, ou quase idêntica.

sinopse *s.f.* (gr. *synopsis,* vista de conjunto). **1.** Quadro sintético de uma obra literária, científica etc. **2.** Síntese, resumo, resenha.

sinostose *s.f.* Soldadura de dois ossos por obliteração das suturas, como nos ossos do crânio.

sinótico ou **sinóptico** *adj.* (gr. *synoptikós*). **1.** Relativo à sinopse. **2.** Que permite ver concisamente as diversas partes de um conjunto; resumido, sintético.

sinóvia *s.f.* Líquido articular incolor, viscoso, para lubrificação das superfícies articulares.

sinovial *adj.2g.* **1.** Relativo à sinóvia. **2.** *Bainha sinovial,* serosa que envolve os tendões dos músculos de dedos e artelhos. ▸ *Membrana sinovial* ou *sinovial* (*s.f.*), membrana que reveste a cavidade articular e secreta o líquido sinovial.

sintagma *s.m.* (gr. e lat. *syntagma*). Tratado de algum assunto dividido em classes ou em números; coleção. ● **Ling.** Grupo de elementos que formam uma unidade em uma organização hierarquizada.

sintático *adj.* (gr. *syntaktikós*, que põe em ordem). **1.** Relativo à sintaxe; sintáxico. **2.** *Análise sintática*, estudo da oração ou do período que visa a classificar seus termos integrantes e determinar as relações existentes entre eles.

sintaxe (ss) *s.f.* (gr. *syntaxis*). **1.** Parte da gramática que descreve as regras de arranjo das palavras na construção das frases. **2.** Conjunto dessas regras característico de uma determinada língua.

sintáxico (ss) *adj.* Sintático.

síntese *s.f.* (gr. *synthesis*). **1.** Operação intelectual pela qual se reúne em um todo coerente, estruturado e homogêneo, conhecimentos referentes a um domínio particular. **2.** Agrupamento de fatos particulares em um todo que os abrange e os resume, numa visão geral. **3.** Preparação de um composto químico a partir dos seus elementos constitutivos ou de compostos de fórmula mais simples. ● **Biol.** Operação química pela qual as células vivas fabricam as diversas substâncias plásticas, energéticas ou funcionais das quais o organismo necessita para subsistir, crescer e se multiplicar. **Lóg.** Método de demonstração em que se parte dos princípios para as conseqüências, das causas para os efeitos, das partes para o todo. (Opõe-se à *análise.*)

sintético *adj.* (gr. *synthetikós*). **1.** Relativo à ou que se faz por síntese. **2.** Resumido, substanciado; posto em síntese. **3.** Produzido por processos artificiais, por síntese química; artificial.

sintetizar *v.t.* (conj. 4). **1.** Fazer síntese de; resumir, condensar. **2.** Preparar um composto químico por meio de síntese.

sintoma *s.m.* (gr. *symptoma*). **1.** Qualquer fenômeno ou mudança no organismo que revela a existência de uma afecção ou de uma lesão. **2.** *Fig.* Indício, presságio, sinal. ● **Psican.** Expressão da realização de um desejo recalcado por meio de um fantasma inconsciente.

sintomático *adj.* (gr. *symptomatikós*). **1.** Relativo a ou que constitui sintoma. **2.** Que é efeito ou sintoma de alguma doença.

sintomatologia *s.f.* Parte da medicina que estuda os sintomas das doenças.

sintonia *s.f.* **1.** Estado resultante da concordância ou igualdade de freqüências de diversos circuitos ou aparelhos. **2.** *Fig.* Concomitância, reciprocidade, acordo mútuo.

sintonizar *v.t.* (conj. 4). **1.** Ajustar (o rádio) ao comprimento de onda transmitida pela emissora desejada. **2.** Ajustar a freqüência própria de um circuito oscilatório. **3.** *Fig.* Combinar, simpatizar com; entender-se bem com.

sinuca *s.f.* (ingl. *snooker*). **1.** Variedade de jogo de bilhar em que os pontos se contam pelo número e valor das bolas que caem nas caçapas. **2.** *Pop.* Situação difícil, embaraçosa.

sinuosidade *s.f.* **1.** Qualidade, caráter ou estado de sinuoso; tortuosidade. **2.** Dobra, curva.

sinuoso (ô) *adj.* (lat. *sinuosus*). **1.** Que faz curvas; tortuoso, recurvado. **2.** *Fig.* Ardiloso, manhoso.

sinusal *adj.2g.* **1.** Relativo a um seio ou cavidade do organismo. **2.** *Ritmo sinusal*, ritmo cardíaco normal, regulado pelo nódulo sinoatrial.

sinusia *s.f.* Sin. de ESTRATO.

sinusite *s.f.* (do lat. *sinus*, seio). Inflamação da mucosa que reveste os seios da face.

sionismo *s.m.* (de *Sion*, nome judaico de Jerusalém). Doutrina e movimento nacionalista judeus, que visavam ao restabelecimento do Estado de Israel na Palestina.

sirena ou **sirene** *s.f.* Aparelho que emite sons agudos e estridentes, usado como alarma, para abrir caminho no tráfego para as ambulâncias e viaturas policiais, marcar os horários em indústrias etc.

sirênios *s.m.pl.* Ordem de mamíferos aquáticos que apresentam o corpo fusiforme, membros anteriores em forma de remo e membros posteriores ausentes, representada pelos manatis e dugongos.

siri *s.m.* (tupi *si'ri*, deslizar; andar para trás). Denominação comum a crustáceos semelhantes aos caranguejos, que possuem cinco pares de patas, sendo o último transformado em nadadeira.

sirigaita *s.f.* **1.** Mulher inquieta, buliçosa. **2.** Mulher que saracoteia muito.

sírio *adj.* Relativo ou pertencente à Síria, país do Oriente Médio. ★ *s.m.* O natural ou habitante da Síria.

siriri *s.m.* Var. de SURURU.

siroco (ô) *s.m.* (it. *sirocco*). Vento quente, muito seco, que sopra do Saara em direção ao litoral africano.

sirtes *s.2g.pl.* Bancos de areia; recifes.

sisa *s.f.* Denominação dada ao imposto de transmissão de propriedade.

sisal *s.m.* (de *Sisal*, n.pr.). **1.** Nome comum a várias plantas originárias do México, cujas folhas fornecem fibras têxteis. **2.** A fibra extraída dessas plantas. **3.** Tecido feito com essa fibra.

sísmico *adj.* **1.** Relativo a sismos ou terremotos. **2.** Produzido por sismos ou terremotos.

sismo *s.m.* (gr. *seismos*, abalo). Movimento brusco ou abalo da crosta terrestre, produzido a uma certa profundidade, a partir de um epicentro; terremoto.

sismografia *s.f.* Estudo e medida dos movimentos do solo registrados pelos sismógrafos.

sismógrafo *s.m.* Instrumento que serve para medir e registrar a intensidade das oscilações produzidas pelos tremores de terra.

sismologia *s.f.* Estudo dos sismos e dos diversos movimentos do solo.

siso *s.m.* (lat. *sensus*). **1.** Bom senso, juízo. **2.** *Dente do siso*, o terceiro molar.

sistema *s.m.* (gr. *systema*). **1.** Combinação de partes coordenadas para compor um todo. **2.** Conjunto de elementos relacionados entre si de modo coerente. **3.** Conjunto organizado de princípios coordenados de modo a formar uma teoria científica ou doutrina filosófica. **4.** Forma de organização administrativa, política, social ou econômica de um Estado. **5.** Conjunto de procedimentos, de práticas organizadas, destinados a assegurar uma função definida. **6.** Modo, forma, maneira. ● **Anat.** Aparelho orgânico caracterizado por um tecido dominante e por uma extensa participação em todas as partes do corpo. **Geol.** Subdivisão estratigráfica que corresponde a um período geológico. **Inform.** *Sistema operacional,* conjunto de diferentes programas que asseguram a gestão do funcionamento de um computador. **Telecom.** Conjunto das especificações que definem as características permanentes de um sinal de televisão de forma a permitir a síntese da imagem.

sistemática *s.f.* **1.** Sistematização. **2.** Classificação dos seres vivos segundo um sistema (filo, classe, ordem, família, tribo).

sistemático *adj.* (gr. *systematikós*). **1.** Relativo ou pertencente a sistema; sistêmico. **2.** Que se fundamenta num sistema. **3.** *P. ext.* Organizado, ordenado, metódico.

sistematização *s.f.* Ato ou efeito de sistematizar; sistemática.

sistematizar *v.t.* (conj. 4). **1.** Reduzir ou organizar como um sistema. **2.** Tornar sistemático.

sistêmico *adj.* (ingl. *systemic*). Sistemático. ● **Agric.** Diz-se do inseticida capaz de atravessar facilmente a epiderme dos vegetais e que, ao ser transportado pela seiva, espalha-se por todas as partes da planta. **Med.** Diz-se de uma doença que compromete várias localizações de um sistema anatômico.

sístole *s.f.* (gr. *systole,* contração). Contração cardíaca, simultânea para os dois ventrículos, assim como para os dois átrios. (p. opos. a *diástole*).

sisudo *adj.* Que tem siso; ajuizado, prudente, circunspecto.

site *s.m.* (ingl.). Página ou grupo de páginas na internet com alguma afinidade entre si. (Sin. lus. SÍTIO.)

sitiado *adj.* e *s.m.* Que ou aquele que está submetido a sítio; assediado, cercado.

sitiante[1] *s.2g.* Proprietário de roça ou sítio.

sitiante[2] *adj.2g.* e *s.2g.* Que ou o que sitia, cerca.

sitiar *v.t.* (al. *sittian*) [conj. 16]. Fazer sítio[2] a; cercar.

sítio[1] *s.m.* (do lat. *situs,* situado). **1.** Local, lugar determinado. **2.** Chão, terreno descoberto, para qualquer construção. **3.** Localidade, povoação, aldeia. **4.** Pequeno estabelecimento agrícola. **5.** *Lus.* Sin. de SITE.

sítio[2] *s.m.* Cerco militar ou bloqueio das vias de acesso a um local.

sito *adj.* (lat. *situs*). **1.** Situado, localizado. **2.** Bolor, mofo, bafio.

situação *s.f.* **1.** Ato ou efeito de situar(-se). **2.** Maneira como um objeto ou pessoa está colocado em relação a outros; disposição, posição. **3.** Posição de um indivíduo em relação à sua profissão. **4.** Momento da ação de um drama ou narrativa. **5.** Estado emocional, afetivo, financeiro etc., em que alguém se encontra. **6.** Conjuntura, circunstância. **7.** O governo.

situacionismo *s.m.* Partido político ou atitude dos que estão no poder.

situado *adj.* Localizado, posicionado, sito.

situar *v.t.* (lat. *situare*) [conj. 4]. **1.** Pôr, colocar em certo lugar. **2.** Dispor, assentar, construir em lugar escolhido. **3.** Determinar o lugar certo para. ★ *v.pr.* Colocar-se, pôr-se, estar situado.

sizígia *s.f.* (gr. *syzygia,* conjunção). Conjunção ou oposição de um planeta ou de um satélite com o Sol.

skate *s.m.* (ingl.). **1.** Esporte que consiste em se deslocar e executar evoluções e saltos em pé sobre uma pequena prancha fixada sobre quatro rodas. **2.** Essa prancha.

VOCÊ SABIA...? Foi na década de 1950, na Califórnia, EUA, que alguns entusiastas do surfe puseram rodinhas nas pranchas e experimentaram o surfe em terra. Modernamente, essas pranchas são chamadas de ***skates*** e podem ser de fibra de vidro, metal, plástico ou madeira. Os praticantes desse esporte realizam perigosas acrobacias com seus *skates.*

---

slide *s.m.* (ingl.). Sin. de DIAPOSITIVO.

slogan *s.m.* (ingl.). Palavra ou frase breve e incisiva usada na propaganda comercial, política etc.

Sm símbolo químico do samário.

smog *s.m.* (ingl.). Substância gasosa formada por uma mistura de névoa e poluição, característica das grandes cidades de clima temperado.

smoking *s.m.* (ingl.). Traje de cerimônia masculino, de cor preta, constituído de paletó com lapelas de cetim, faixa de cintura e calça ornada, às vezes, com um galão nas costuras laterais.

Sn símbolo químico do estanho.

só *adj.2g.* (lat. *solus*). **1.** Que não tem companhia; solitário, sozinho. **2.** Único. **3.** Isolado, deserto. ★ *adv.* Somente, apenas. ★ *s.m.* **1.** Pessoa solitária. **2.** *A sós,* sem companhia, em particular.

soalhar *v.t.* (conj. 4). Pôr soalho em; assoalhar.

soalheira *s.f.* Calor muito forte do sol.

soalho *s.m.* Piso com revestimento feito com tábuas ou outro material apropriado; assoalho. ● **Anat.** *Soalho da boca,* formação muscular e aponevrótica que se estende entre o maxilar inferior e o osso hióide.

soar *v.i.* (lat. *sonare*) [conj. 20]. **1.** Emitir, produzir som; ressoar. **2.** Fazer-se ouvir, ser pronunciado (um fonema). ★ *v.t.* **1.** Parecer, significar. **2.** Agradar, convir, interessar. **3.** Louvar, engrandecer.

sob *prep.* (lat. *sub*). **1.** Embaixo de, por baixo de. **2.** Abaixo de. **3.** Em domínio de. **4.** Ao abrigo de.

sobejar *v.t.* e *v.i.* (lat. *superare*) [conj. 4]. **1.** Estar em demasia; sobrar. **2.** Ser excessivo. ★ *v.pr.* Ter de sobejo; suprir-se.

sobejo (ê) *adj.* **1.** Farto, abundante. **2.** Demasiado, excessivo. **3.** Grande, enorme, imenso. ★ *s.m.* **1.** Sobra, resto. **2.** *De sobejo,* de sobra, em demasia, com fartura.

soberania *s.f.* **1.** Qualidade de soberano. **2.** Conjunto dos poderes institucionais de uma nação, que devem obrigatoriamente ser respeitados pelos demais Estados. **3.** *Fig.* Imperiosidade, superioridade, primazia.

soberano *adj.* (lat. *superanus,* que está acima). **1.** Que atinge o mais alto grau; supremo, excelso. **2.** Que governa ou administra com poder absoluto. **3.** Acima de qualquer controle; absoluto, incontestável. **4.** *Fig.* Altivo, arrogante. **5.** *Estado soberano,* aquele cujo governo não é submisso ao controle ou à tutela de outro governo. ★ *s.m.* **1.** Indivíduo que, num Estado, detém a soberania. **2.** Chefe de um Estado monárquico; monarca, rei, imperador. **3.** *Fig.* Potentado, magnata.

soberba (ê) *s.f.* **1.** Elevação. **2.** Orgulho excessivo, arrogância, presunção. **3.** Sobranceria, altivez.

soberbia *s.f.* (lat. *superbia*). **1.** Qualidade de soberbo. **2.** Soberba exagerada; excesso de vaidade, de orgulho.

soberbo (ê) *adj.* (lat. *superbus*). **1.** Que é mais alto, que está mais alto ou mais elevado que outro. **2.** Arrogante, orgulhoso, vaidoso, presunçoso. **3.** Magnífico, maravilhoso, esplêndido. ★ *s.m.* Pessoa excessivamente orgulhosa, arrogante.

sóbole *s.m.* (lat. *soboles,* descendência). Ramo originário de uma gema subterrânea que forma uma nova planta depois de se desenvolver e se libertar da planta de origem.

sobra *s.f.* **1.** Ato ou efeito de sobrar. **2.** O que fica depois de tirado o necessário; resto, sobejo. **3.** Abundância, fartura. **4.** *De sobra,* demasiadamente, em abundância, à saciedade. ★ *s.f.pl.* Restos, sobejos.

sobraçar *v.t.* (conj. 13). **1.** Segurar entre o braço e o tórax. **2.** Levar nos braços. **3.** Sustentar, amparar, apoiar. ★ *v.pr.* Abraçar-se.

sobrado[1] *adj.* **1.** Que sobrou; excessivo. **2.** *Fig.* Farto, abastado.

sobrado[2] *s.m.* **1.** Pavimento ou assoalho feito de madeira. **2.** O pavimento superior de uma casa que tem dois deles. **3.** Casa de dois pavimentos.

sobranceiro *adj.* **1.** Que está em posição mais elevada, acima; proeminente. **2.** Que domina outro; superior. **3.** Corajoso, ousado. **4.** Arrogante, soberbo, altivo. **5.** *Fig.* Que vê ou olha do alto.

sobrancelha (ê) *s.f.* (lat. *supercilium*). **1.** Saliência arqueada, revestida de pêlos, situada acima da órbita do olho. **2.** O conjunto de pêlos que revestem essa região; supercílio.

sobranceria *s.f.* Sobrançaria.

sobrar *v.t.* (lat. *superare*) [conj. 4]. **1.** Ter em excesso; sobejar. **2.** Restar, ficar. **3.** Estar superior, sobranceiro. ★ *v.i.* **1.** Ser mais que suficiente; chegar, bastar. **2.** Ficar de fora, ser esquecido.

sobre *prep.* (lat. *super*). **1.** Em cima de, por cima de. **2.** Acima de. **3.** A respeito de. **4.** Além de.

sobreaviso *s.m.* Precaução, cautela.

sobrecapa *s.f.* Cobertura impressa que envolve ou protege a capa, utilizada sobretudo em livros encadernados.

sobrecarga *s.f.* **1.** Carga excessiva. **2.** Aquilo que se acrescenta à carga normal. **3.** Excesso.

sobrecarregar *v.t.* (conj. 4). **1.** Impor uma sobrecarga. **2.** Carregar em demasia; sobrepesar. **3.** Aumentar em demasia, impor excessivamente.

sobrecarta *s.f.* **1.** Carta que complementa ou modifica outra com ela relacionada. **2.** Envelope.

sobrecasaca *s.f.* Casaco masculino abotoado até a cintura e com abas arredondadas que descem, atrás, até a altura dos joelhos, usado antigamente; redingote.

sobrecenho *s.m.* (lat. *supercilium*). Semblante severo, carregado, carrancudo.

sobrecéu *s.m.* Cobertura suspensa por cima de um leito ou pavilhão; dossel.

sobrecomum *adj.2g.* Diz-se do substantivo que possui um só gênero gramatical para designar pessoas de ambos os sexos.

sobreexceder *v.t.* (conj. 5). **1.** Exceder muito; ultrapassar. **2.** Levar vantagem sobre. **3.** Ir muito além; avantajar-se.

sobreexcelente *adj.2g.* **1.** Que excede em excelência. **2.** Que se realça por sua excelência; sublime, excelso.

sobre-humano *adj.* **1.** Superior às forças ou às qualidades humanas. **2.** Sobrenatural. **3.** *Fig.* Excelso, extraordinário.

sobreinfecção (e-i) *s.f.* **1.** Infecção que ataca um indivíduo já acometido de uma doença infecciosa específica. **2.** Infecção que aparece secundariamente em um ferimento.

sobreiro *s.m.* (lat. *suberarius*). Árvore natural da região mediterrânea, de folhas persistentes, pequenas, que fornece cortiça.

sobrejacente *adj.2g.* Que está ou jaz por cima.

sobrelevar *v.t.* (conj. 4). **1.** Exceder em altura; sobrepujar. **2.** Elevar, erguer, levantar. **3.** Vencer, suplantar, sobrepujar. **4.** Sobressair, exceder, ultrapassar. **5.** Agüentar, suportar. ★ *v.pr.* Distinguir-se, destacar-se.

sobreloja *s.f.* **1.** Pavimento compreendido entre o rés-do-chão e o primeiro andar. **2.** Loja que aí se situa.

sobremaneira *adv.* Excessivamente, extraordinariamente, sobremodo.

sobremesa (ê) *s.f.* Último prato de uma refeição, composto de frutas, doces etc.

sobremodo *adv.* Sobremaneira.

sobrenadar *v.i.* (conj. 4). Flutuar ou nadar à superfície de; boiar.

sobrenatural *adj.2g.* **1.** Que ultrapassa as leis e as forças da natureza; supernatural. **2.** Acima da natureza humana; sobre-humano. **3.** Que pertence ao domínio da fé. **4.** *Fig.* Muito grande, excessivo, extraordinário. ★ *s.m.* O que é ou tem caráter sobrenatural.

sobrenome *s.m.* **1.** Nome que se segue ao de batismo, ou prenome. **2.** Apelido, alcunha.

sobrepairar *v.t.* e *v.i.* (conj. 4). Pairar acima ou além (de).

sobrepeliz *s.f.* (lat. *superpellicium*). Veste litúrgica usada sobre a batina, de tecido fino e branco, com mangas largas, que chega até os joelhos.

sobrepensar *v.t.* (conj. 4). Pensar maduramente, meditar; sobrepesar.

sobrepesar *v.t.* (conj. 4). **1.** Sobrecarregar. **2.** Sobrepensar. ★ *v.i.* **1.** Causar grande pesar. **2.** Ser demasiadamente incômodo.

sobrepeso (ê) *s.m.* **1.** Peso excessivo; sobrecarga. **2.** Contrapeso.

sobrepor *v.t.* (conj. 45). **1.** Pôr em cima ou por cima; superpor. **2.** Juntar, acrescentar. **3.** Dobrar sobre a face superior. **4.** Preferir, antepor. ★ *v.pr.* **1.** Colocar-se sobre; superpor-se. **2.** Sobrevir, seguir.

sobreposição *s.f.* **1.** Ato ou efeito de sobrepor(-se). **2.** Disposição de elementos que se justapõem. **3.** Acréscimo, junção.

sobrepujar *v.t.* (conj. 4). **1.** Exceder em altura, elevar-se sobre; sobrelevar. **2.** Vencer, dominar, superar. **3.** Ter a primazia, levar vantagem. **4.** Vencer, subjugar. ★ *v.t.* e *v.i.* **1.** Sobressair, destacar-se, mostrar-se superior. **2.** Levar vantagem; exceder.

sobre-saia *s.f.* Saia usada sobre outra.

sobrescrever *v.t.* (conj. 5). **1.** Escrever sobre. **2.** Sobrescritar.

sobrescritar *v.t.* (conj. 4). **1.** Colocar o sobrescrito; sobrescrever. **2.** Escrever o nome do destinatário e o endereço em uma carta, endereçar. **3.** Dirigir ou destinar uma correspondência.

sobrescrito *s.m.* **1.** Envelope de uma carta ou ofício, em que se escrevem o nome e o endereço do destinatário. **2.** O que se escreve nesse envelope. ★ *adj.* **1.** Escrito sobre. **2.** Diz-se de caracteres colocados um pouco acima da linha, como os expoentes de matemática. (Antôn. SUBSCRITO.)

sobressair *v.i.* (conj. 68). **1.** Ressair, salientar-se. **2.** Distinguir-se, ressaltar. **3.** Sobrelevar. **4.** Soprepujar.

sobressalente *adj.2g.* **1.** Que sobressai; excedente. **2.** Que é colocado em excesso, como reserva para suprir faltas. ★ *s.m.* **1.** O que sobressai. **2.** Tudo o que sobra e é próprio para suprir faltas.

sobressaltar *v.t.* (conj. 4). Surpreender, perturbar a ponto de causar estado de pasmo e inquietude; inquietar. ★ *v. pr.* Ter sobressaltos; assustar-se.

sobressalto *s.m.* **1.** Movimento brusco e involuntário ocasionado por uma sensação súbita ou violenta; susto. **2.** Tremor, inquietação, perturbação súbita e intensa.

sobrestar *v.i.* (conj. 10). **1.** Não prosseguir; parar, cessar, interromper. **2.** Estar iminente; ameaçar. **3.** Não tentar; abster-se.

sobretaxa *s.f.* Taxa suplementar ou adicional.

sobretudo[1] *s.m.* Casacão que se veste sobre todas as outras roupas como resguardo contra a chuva ou o frio.

sobretudo[2] *adv.* Especialmente, principalmente.

sobrevida *s.f.* **1.** Estado daquele que sobrevive a outro. **2.** Prolongamento da vida além de determinado prazo.

sobrevir *v.t.* (lat. *supervenire*) [conj. 67]. **1.** Vir ou acontecer em seguida ou depois de. **2.** Chegar ou acontecer de modo inesperado, imprevisto.

sobrevivência *s.f.* **1.** Ato ou efeito de sobreviver; qualidade ou estado de sobrevivente. **2.** Aquilo que subsiste após um desaparecimento, uma perda.

sobrevivente *adj.2g.* e *s.2g.* **1.** Que ou aquele que sobrevive a outro. **2.** Que ou aquele que escapou de morte ou ruína.

sobreviver *v.i.* (lat. *supervivere*) [conj. 5]. Continuar a viver ou existir depois de outras pessoas ou de outras coisas. ★ *v.t.* Continuar vivo depois de; resistir.

sobrevoar *v.t.* (conj. 20). Voar por cima de.

sobriedade *s.f.* (lat. *sobrietas*). **1.** Qualidade, estado de sóbrio; temperança. **2.** *Fig.* Comedimento, moderação.

sobrinho *s.m.* (lat. *sobrinus*). Filho do irmão ou da irmã.

sóbrio *adj.* (lat. *sobrius*). **1.** Moderado no comer e no beber. **2.** Diz-se daquele que não está alcoolizado. **3.** Discreto, moderado. **4.** Sem excesso de ornamentação, sem luxo; simples.

sobrolho (ô) *s.m.* Sobrancelha.

soca *s.f.* (tupi *soka*, pimpolho). **1.** Nome vulgar do rizoma ou caule subterrâneo. **2.** A segunda colheita de cana, fumo, arroz etc. **3.** Fumo de qualidade inferior.

socado *adj.* **1.** Que se socou. **2.** Que levou socos. **3.** Amassado, pisado. **4.** Gordo e baixo; atarracado.

socalco *s.m.* Porção de terreno cortada nos morros, para que formem degraus.

socapa *s.f.* **1.** Disfarce, dissimulação. **2.** Astúcia, manha. **3.** *À socapa,* disfarçadamente, dissimuladamente, furtivamente.

socar *v.t.* (conj. 12). **1.** Dar socos em; esmurrar, soquear. **2.** Bater em; surrar, sovar. **3.** Amassar muito; pisar, esmagar. **4.** Calcar, apertar, comprimir. ★ *v.pr.* Esconder-se, ocultar-se, refugiar-se.

socavar *v.t.* (conj. 4). Cavar por baixo de. ★ *v.i.* Fazer escavações.

sociabilidade *s.f.* **1.** Qualidade, estado de sociável; tendência para a vida em sociedade. **2.** Modos de quem vive em sociedade.

sociabilizar *v.t.* (conj. 4). Tornar sociável, reunir em sociedade; civilizar.

social *adj.2g.* (lat. *socialis*). **1.** Relativo ou pertencente à sociedade. **2.** Que vive em sociedade. **3.** Que diz respeito à relação entre um indivíduo e a sociedade. **4.** Diz-se de aspectos como saúde, habitação, lazer etc., que caracterizam grupos de uma sociedade. **5.** Relativo a uma sociedade civil ou comercial; próprio dos sócios. **6.** Diz-se de dependência ou via de acesso vedada a entregadores e prestadores de serviços (*elevador social, entrada social, banheiro social*), que utilizam dependência ou via distinta, chamada de *serviço*. ● **Zool.** Diz-se das espécies de insetos que só podem subsistir e se reproduzir em sociedades organizadas (formigas, abelhas etc.).

socialismo *s.m.* **1.** Conjunto das doutrinas que propõem a igualdade social pela transformação das relações de propriedade. **2.** Sistema político que adota essas doutrinas.

SOCIALISMO ▸ Já no início do século XIX se empregava o termo *socialismo* para designar uma mobilização global em oposição à forma como a sociedade vinha se estabelecendo, com o capitalismo e a industrialização. Karl Marx (1818-1883) contrapôs a forma de socialismo preconizada por ele, o *socialismo científico*, aos movimentos anteriores, a que chamou de *socialismos utópicos*. No século XX, após a II Guerra Mundial, muitos socialistas se opuseram ao modelo soviético (um socialismo de matiz comunista, inspirado nas idéias marxistas). Com o fim da Guerra Fria (conflito ideológico entre o bloco de países comunistas e os capitalistas liderados pelos Estados Unidos), múltiplas tendências ligaram-se à defesa dos direitos das minorias. No início do século XXI, têm lugar os Fóruns Sociais Mundiais, em que são discutidas, entre outras, novas tendências das idéias socialistas.

---

socialização *s.f.* **1.** Ato ou efeito de socializar. **2.** Extensão de direitos e benefícios à sociedade inteira. **3.** Desenvolvimento da consciência social e do espírito de solidariedade e cooperação nos indivíduos de uma comunidade.

socializar *v.t.* (conj. 4). **1.** Tornar social; reunir em sociedade. **2.** Tornar socialista. ● **Psicol.** Adaptar uma criança à vida em grupo.

sociável *adj.2g.* (lat. *sociabilis*). **1.** Que tende para a vida em sociedade. **2.** De convívio agradável; civilizado.

socieconômico *adj.* Socioeconômico.

sociedade *s.f.* (lat. *societas*). **1.** Reunião de homens ou de animais que vivem em grupos organizados. **2.** Conjunto dos membros de uma coletividade, sujeitos às mesmas leis; comunidade. **3.** Cada um dos diversos estágios da evolução do gênero humano. **4.** União de várias pessoas que acatam um estatuto ou regulamento comum; grêmio, associação. **5.** Parceria. ● **Dir.** Contrato pelo do qual, normalmente, duas ou mais pessoas reúnem esforços e capital para atingir determinados fins; a pessoa jurídica resultante dessa associação.

▸ *Sociedade anônima,* sociedade de capitais em que o capital social é dividido em ações. **Filos.** Associação de indivíduos que repousa sobre um contrato social e cujos laços de reciprocidade instituem uma ordem econômica ou política. **Zool.** *Sociedade animal,* agrupamento de indivíduos de uma mesma espécie animal que apresenta uma estrutura social característica.

societário *adj.* Relativo a ou que faz parte de uma sociedade.

sócio *s.m.* (lat. *socius*). **1.** Membro de uma sociedade civil ou comercial. **2.** Aquele que se associa a outro ou outros para qualquer empresa de que se espera receber lucro. **3.** Parceiro, companheiro.

socioeconômico *adj.* Relativo a fatores sociais e econômicos; socieconômico.

sociolingüística *s.f.* Ciência que estuda as relações entre os fenômenos lingüísticos e sociais.

sociologia *s.f.* Ciência que estuda a organização das sociedades humanas e dos fatos sociais a elas ligados.

sociológico *adj.* Relativo ou pertencente à sociologia ou aos fenômenos estudados por essa ciência.

sociólogo *s.m.* Especialista em sociologia.

soco (ô) *s.m.* Pancada com a mão completamente fechada; murro.

socó *s.m.* (tupi *só'kó*). Denominação comum a aves ciconiformes que vivem à margem dos rios e banhados e apresentam postura do pescoço característica, sempre dobrada em forma de S.

soçobrar *v.i.* (cat. *sotsobrar*) [conj. 4]. **1.** Submergir nas águas, afundar, naufragar. **2.** Perturbar-se, vacilar, desanimar. **3.** Aniquilar-se, anular-se. ★ *v.t.* **1.** Inverter, subverter. **2.** Agitar, perturbar. **3.** Perder, pôr em perigo. **4.** Afundar em, cair, perder-se.

soçobro (ô) *s.m.* **1.** Ato ou efeito de soçobrar. **2.** Naufrágio. **3.** Desastre, sinistro. **4.** Desânimo, desalento.

socorrer *v.t.* (lat. *succurrere*) [conj. 5]. **1.** Trazer auxílio ou socorro. **2.** Defender, proteger. **3.** Dar remédio a; remediar. **4.** Dar esmolas a. ★ *v.pr.* Procurar auxílio, pedir ajuda a.

socorrista *s.2g.* **1.** Pessoa habilitada a prestar os primeiros socorros em casos de acidente, mal súbito etc. **2.** Membro de organização criada para tal fim.

socorro (ô) *s.m.* **1.** Ato ou efeito de socorrer(-se); auxílio, ajuda. **2.** Apoio, assistência. **3.** Defesa, proteção. **4.** Remédio, recurso. **5.** O que se dá para auxiliar ou socorrer alguém; esmola, ajutório. **6.** *Primeiros socorros,* conjunto dos meios práticos e terapêuticos simples praticados para socorrer pessoas acidentadas ou em perigo e dar-lhes os primeiros cuidados.

SOCORRO ▸ O sinal de S.O.S. é um pedido de socorro que indica que a embarcação em que se localiza o aparelho que o emite está ameaçada por perigo grave e pede ajuda imediata. Esse sinal foi declarado obrigatório como sinal internacional de socorro em 1906 (Conferência Radiotelegráfica de Berlim), mas só foi utilizado universalmente em 1914 (Conferência Internacional para a Segurança das Rotas Marítimas, realizada em Londres).

---

soda *s.f.* (lat. tard. *soda,* do ár. *suwwad*). **1.** Hidróxido de sódio; *soda cáustica.* **2.** Carbonato de sódio comercial, também chamado *soda do comércio.* **3.** Água carregada de gás carbônico, usada como refrigerante e acompanhamento de bebidas alcoólicas.

sódio *s.m.* (do lat. tard. *soda,* soda). Elemento químico (símb. Na) de número atômico 11, do grupo dos metais alcalinos, que constitui um sólido de brilho metálico, muito abundante na natureza.

sodomia *s.f.* (de *Sodoma,* ant. top.). Coito anal.

sodomita *adj.2g.* **1.** Relativo a Sodoma, antiga cidade cananéia. **2.** Relativo a sodomia. ★ *adj.2g.* e *s.2g.* **1.** O natural ou habitante dessa cidade. **2.** Aquele que pratica a sodomia.

soer *v.i.* (lat. *solere*) [conj. 28]. Ser comum, freqüente, vulgar; costumar. ★ *v.t.* Ter por hábito.

soerguer *v.t.* (conj. 27). Erguer a pequena altura; levantar um pouco. ★ *v.pr.* Erguer-se a custo, com dificuldade.

soez (ê) *adj.2g.* **1.** Vil, torpe, indigno. **2.** De pouco valor, ordinário, reles.

sofá *s.m.* (ár. *soffah,* coxim). Assento estofado, com braços e encosto, para duas ou mais pessoas.

sofisma *s.m.* (gr. *sophisma*). **1.** Raciocínio capcioso feito com a intenção de enganar. **2.** Dolo, engano, logro.

sofista *s.2g.* (gr. *sophistis*). Pessoa que raciocina por sofismas.

sofisticado *adj.* **1.** Que se sofisticou. **2.** Falsificado, adulterado. **3.** Muito requintado.

sofisticar *v.t.* (conj. 12). **1.** Alterar com artifícios, acréscimos e rebuscamentos. **2.** Deturpar, falsificar, adulterar. **3.** Complicar com afetação, com exagero.

sofístico *adj.* (gr. *sophistikós*). Da natureza do sofisma, que tem caráter de sofisma.

sofrear *v.t.* (lat. *sufrenare*) [conj. 15]. **1.** Puxar as rédeas de (montaria), para mudar a marcha ou parar. **2.** *Fig.* Conter, reprimir, refrear. ★ *v.pr.* *Fig.* Conter-se, reprimir-se, moderar-se.

sôfrego *adj.* **1.** Ávido em comer ou beber. **2.** Ansioso, desejoso, ávido. **3.** Impaciente, apressado.

sofreguidão *s.f.* **1.** Qualidade de sôfrego. **2.** Ato de comer ou beber sofregamente. **3.** Ambição, impaciência, pressa. **4.** Desejo, cobiça, avidez.

sofrer *v.t.* (lat. *sufferre*) [conj. 5]. **1.** Ser afligido por; padecer. **2.** Receber (uma ação); passar por, experimentar. **3.** Admitir, permitir, consentir. **4.** Ser vítima de, passar por (algo danoso ou desagradável). **5.** Suportar, tolerar. **6.** *Sofrer de,* ter (dores, doença), ser atormentado por; padecer. ★ *v.i.* Sentir dor física ou moral; padecer.

sofrimento *s.m.* **1.** Ação de sofrer; dor física ou moral. **2.** Padecimento, aflição. **3.** Desgraça, desastre, infortúnio.

sofrível *adj.2g.* **1.** Que se pode sofrer; suportável. **2.** Acima do medíocre, quase suficiente. **3.** Passável, admissível, tolerável.

software *s.m.* (ingl.). ● **Inform.** Conjunto de programas, procedimentos e regras relativo ao funcionamento de um conjunto de processamento de dados, e constituído por informações e bits (p. opos. ao *hardware,* constituído por estruturas físicas). ▸ *Amer.* Programa de computador.

soga *s.f.* (lat. *soga*). **1.** Corda grossa. **2.** Sulco ou valeta nos terrenos para escoamento ou irrigação.

sogra *s.f.* (lat. *socra*). A mãe de um dos cônjuges em relação ao outro.

sogro (ô) *s.m.* (lat. *socrus*). O pai de um dos cônjuges em relação ao outro.

soja *s.f.* (jap. *shoyu*). Planta herbácea, originária da China, de caule ramificado e flores brancas, amarelas ou violeta, cujas sementes são empregadas na alimentação e fornecem óleo comestível. (Sin. FEIJÃO-SOJA.)

sol[1] *s.m.* (lat. *sol*). **1.** Estrela em torno da qual gravita a Terra. (Usa-se com maiúscula.) **2.** Qualquer estrela. **3.** Luz e calor transmitidos pelo Sol. **4.** *Fig.* Brilho, esplendor. **5.** *Poét.* O dia.

ESTRUTURA DO SOL

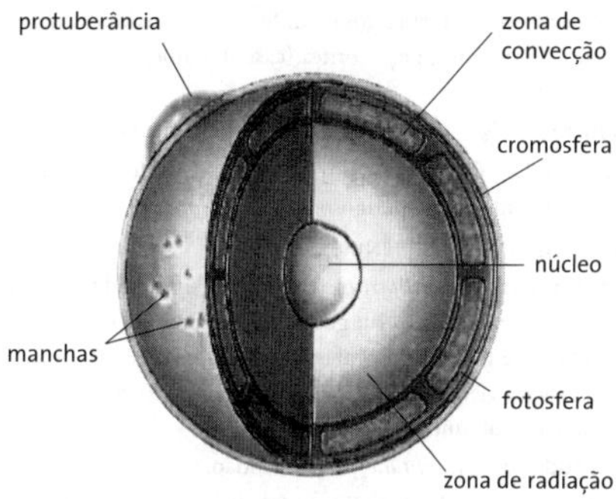

SOL ▸ O Sol é a estrela mais próxima da Terra, e é um pouco maior e mais luminoso que as outras estrelas de sua vizinhança. O Sol se formou há cerca de 4,6 bilhões de anos, como o resto do sistema solar, e supõe-se que ao fim de outros 5 bilhões de anos se expanda na forma de uma estrela gigante vermelha e finalmente morra como uma anã branca. A imensa energia emitida pelo Sol é basicamente fruto de luz e radiação ultravioleta. A luz e o calor do Sol tornaram possível o surgimento da vida na Terra.

sol[2] *s.m.* **1.** Nota musical. **2.** Quinto grau da escala de dó. **3.** Sinal que o representa. **4.** *Clave de sol,* clave que indica a colocação dessa nota.

sola *s.f.* (lat. *solea*). **1.** Couro de boi curtido, que se põe sob o calçado. **2.** Parte inferior do calçado, que fica em contato com o chão. **3.** *Fig.* A planta do pé.

solanáceas *s.f.pl.* Família de plantas dicotiledôneas, herbáceas, arbustivas ou arbóreas, de folhas alternas, inteiras, e fruto capsular ou baciforme, com muitas sementes, como o pimentão, a malagueta e a jurubeba.

solapa *s.f.* **1.** Cova por debaixo da terra, tapada de maneira que não seja vista. **2.** *Pop.* Ardil, astúcia.

solapamento *s.m.* Efeito de uma água corrente que degrada uma parede ou retira o solo de sua base.

solapar *v.t.* (conj. 4). **1.** Fazer solapa ou cova em; escavar. **2.** Produzir o solapamento. **3.** Enfraquecer, minar, arruinar. ★ *v.pr.* Esconder-se, ocultar-se.

solar[1] *adj.2g.* (lat. *solaris*). **1.** Relativo ou pertencente ao Sol. **2.** Que se baseia na utilização da irradiação e da energia do Sol. **3.** *Sistema solar,* conjunto do Sol e dos astros (planetas, em particular) que gravitam em torno dele; região do espaço na qual o Sol exerce uma atração preponderante em relação à atração das outras estrelas. ● **Neurol.** *Plexo solar,* conjunto de gânglios neurovegetativos no abdome superior, entre o estômago e a coluna vertebral.

solar[2] *s.m.* **1.** Morada de família nobre e antiga. **2.** Mansão.

solar[3] *v.t.* (conj. 4). **1.** Pôr solas em (calçado). **2.** Tornar duro como sola.

solavanco *s.m.* **1.** Movimento brusco de um veículo que avança irregularmente. **2.** *P. ext.* Abalo, agitação, choque.

solda *s.f.* **1.** Substância metálica fusível, usada para unir entre si peças metálicas.

soldada *s.f.* **1.** O salário de operários e criados; paga. **2.** Salário dos tripulantes de um navio. **3.** *Fig.* Recompensa, prêmio.

soldadesca (ê) *s.f.* **1.** Tropa militar. **2.** *Pej.* Grupo de soldados indisciplinados.

soldadesco (ê) *adj.* Relativo a ou próprio de soldados.

soldado[1] *adj.* Que se soldou.

soldado[2] *s.m.* (lat. *solidus,* soldo). **1.** Homem alistado nas fileiras do exército ou nas forças policiais estaduais. **2.** Qualquer militar. **3.** *Fig.* Defensor, partidário, militante. **4.** *Soldado do fogo,* bombeiro. ▸ *Soldado raso,* soldado sem graduação. ● **Zool.** Nas sociedades de formigas e de cupins, indivíduo adulto, neutro, de cabeça bastante desenvolvida e que tem como função a defesa da comunidade.

soldado[3] *s.m.* Ave passeriforme negra, com cauda e peito amarelos, que constrói o ninho, em forma de bolsa alongada, nas margens dos rios.

soldar *v.t.* (lat. *solidare*) [conj. 6]. Unir, por aquecimento ou pressão, duas ou mais peças, garantindo a continuidade do conjunto. ★ *v.i.* e *v.pr.* **1.** Ajustar-se, unir-se, ligar-se formando um todo. **2.** Fechar-se (a ferida).

soldo (ô) *s.m.* (lat. *solidus,* peça de ouro). **1.** Remuneração dos militares e de certos funcionários assimilados. **2.** *Fig.* Recompensa, salário.

solear *s.m.* Músculo da face posterior da perna, localizado entre a tíbia e a fíbula, e inserido inferiormente pelo tendão de Aquiles. (Sin. SÓLEO.)

solecismo *s.m.* (gr. *soloikismos*). Nome dado a qualquer erro gramatical, em particular de sintaxe.

soledade *s.f.* (lat. *solitas*). **1.** Solidão, melancolia de quem se sente só. **2.** Lugar ermo, solitário.

soleira *s.f.* **1.** Revestimento inferior no vão da porta, no nível do piso; limiar. **2.** Construção de madeira, ferro ou alvenaria em que assentam os pilares das pontes, as eclusas etc. **3.** Parte do estribo sobre a qual assenta o pé.

solene *adj.2g.* (lat. *solemnis*). **1.** Acompanhado de cerimônias públicas e extraordinárias. **2.** Pomposo, majestoso, triunfal. **3.** Sério, grave, formal. **4.** Acompanhado de certas formalidades públicas.

solenidade *s.f.* (lat. *solemnitas*). **1.** Qualidade de solene. **2.** Festa solene. **3.** Cerimônia pública, festividade solene.

solenizar *v.t.* (conj. 4). Tornar solene, celebrar publicamente e com pompa.

sóleo *s.m.* Sin. de SOLEAR.

solerte *adj.2g.* e *s.2g.* (lat. *solers, solertis*). Que ou aquele que é sagaz, astucioso, velhaco.

soletração *s.f.* **1.** Ato ou efeito de soletrar. **2.** Método de leitura que consiste em pronunciar separadamente as letras de uma palavra.

soletrar *v.t.* (conj. 4). **1.** Ler pronunciando separada e sucessivamente as letras de uma palavra. **2.** Ler mal, ler por alto. **3.** Ler pausadamente.

solfejar *v.t.* e *v.i.* (conj. 4). Ler ou entoar uma peça musical nomeando as notas e respeitando os sinais da notação.

solfejo (ê) *s.m.* (it. *solfeggio*). Ato ou efeito de solfejar.

solferino *s.m.* Cor escarlate próxima do roxo.

solicitação *s.f.* **1.** Ato ou efeito de solicitar; pedido, rogativa. **2.** Pedido feito com instância; pretensão, desejo. **3.** Apelo, convite quase irresistível.

solicitante *adj.2g* e *s.2g.* Que ou quem apresenta solicitação.

solicitar *v.t.* (lat. *solicitare*) [conj. 4]. **1.** Rogar com empenho. **2.** Pedir com deferência; requerer. **3.** Convidar, requestar.

solícito *adj.* e *s.m.* (lat. *solicitus*). **1.** Zeloso, diligente, cuidadoso. **2.** Apreensivo, receoso. **3.** Atencioso, prestativo.

solicitude *s.f.* (lat. *solicitudo*). **1.** Qualidade de solícito. **2.** Cuidado atencioso, afetuoso; zelo. **3.** Empenho, interesse, atenção.

solidão *s.f.* (lat. *solitudo*). **1.** Estado de quem está só. **2.** Ausência de relações sociais; isolamento. **3.** Lugar despovoado e não freqüentado pelas pessoas; ermo.

solidariedade *s.f.* **1.** Qualidade de solidário. **2.** Dependência mútua entre os homens. **3.** Sentimento que leva os homens a se auxiliarem mutuamente.

solidário *adj.* (lat. *solidarius*). **1.** Que está numa relação de auxílio mútuo. **2.** Recíproco, interdependente. **3.** Aderido aos interesses, opiniões, sentimentos de outrem. **4.** Que partilha o sofrimento do outro, ou se propõe a atenuá-lo. ● **Dir.** Diz-se de cada uma das pessoas que, isoladamente, respondem pela totalidade de uma obrigação conjunta ou que sejam, também isoladamente, credoras de um direito comum.

solidarizar *v.t.* (conj. 4). Tornar solidário. ★ *v.pr.* Tornar-se solidário; unir-se em atos de solidariedade.

solidéu *s.m.* (lat. *soli Deo*, só a Deus). **1.** Pequeno barrete circular que cobre o alto da cabeça, símbolo da dignidade eclesiástica. **2.** Barrete usado por todos os homens judeus durante as orações e, habitualmente, pelos ortodoxos.

solidez (ê) *s.f.* **1.** Qualidade, estado de sólido. **2.** Segurança, firmeza, estabilidade.

solidificar *v.t.* (conj. 12). **1.** Tornar sólido, fazer passar ao estado sólido; congelar. **2.** *Fig.* Tornar sólido, firme, estável. ★ *v.pr.* **1.** Fortalecer-se, tornar-se firme. **2.** Passar para o estado sólido. **3.** Congelar-se.

sólido *adj.* (lat. *solidus*). **1.** Que tem forma própria (p. opos. a *fluido*). **2.** Firme, estável, resistente. **3.** Forte, robusto. **4.** *Fig.* Bem fundamentado, incontestável, consistente. ● **Fís.** Diz-se do estado da matéria no qual os átomos oscilam em torno de posições fixas, seja com uma distribuição arbitrária (sólidos amorfos), seja ordenada (cristais). ★ *s.m.* Qualquer corpo sólido. ● **Mat.** Parte de um espaço limitada por uma superfície rígida, como um poliedro, um prisma ou um cone.

solilóquio *s.m.* (lat. *soliloquium*). Discurso de uma pessoa que fala consigo mesma; monólogo.

sólio *s.m.* (lat. *solium*). Trono.

solípede *adj.2g.* Diz-se dos mamíferos cujos dedos estão soldados numa única peça córnea (casco), como os do cavalo; ungulado.

solista *adj.2g.* e *s.2g.* Que ou aquele que executa um solo.

solitária[1] *s.f.* Célula de penitenciária onde se isola o sentenciado turbulento ou perigoso.

solitária[2] *s.f.* Sin. de TÊNIA.

solitário *adj.* (lat. *solitarius*). **1.** Que está só; isolado. **2.** Que decorre em solidão. **3.** Que gosta de viver sozinho. **4.** Que está localizado em lugar ermo, afastado, deserto. ★ *s.m.* **1.** Aquele que está ou vive só. **2.** Anel ou jóia com uma só pedra engastada, particularmente o diamante.

solitude *s.f.* (lat. *solitudo*). *Poét.* Solidão.

solo[1] *s.m.* (lat. *solum*). **1.** Terreno. **2.** Porção de superfície de terra. **3.** Chão, pavimento. **4.** Camada superficial da crosta de um planeta telúrico.

solo[2] *s.m.* (it. *solo*). **1.** Obra ou fragmento de obra musical, vocal ou instrumental, destinada a um só executante, acompanhada ou não. **2.** Parte do balé dançada por um único artista.

solstício *s.m.* (lat. *solstitium*). **1.** Época do ano em que o Sol, no seu movimento aparente sobre a eclíptica, atinge a maior declinação boreal ou austral e que corresponde à duração máxima ou mínima do dia. **2.** Ponto correspondente da trajetória aparente do Sol sobre a eclíptica.

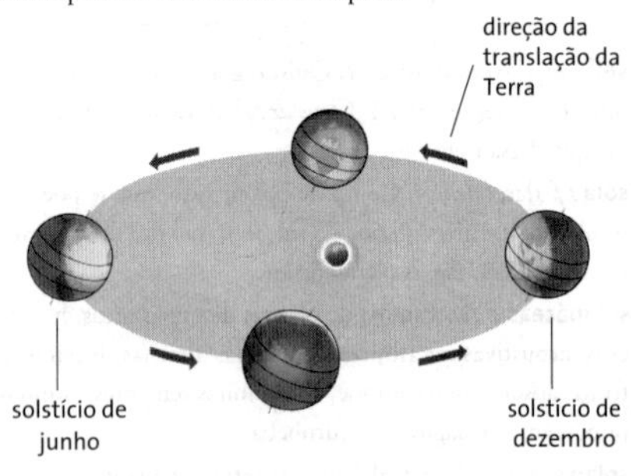

soltar *v.t.* (conj. 4). **1.** Desatar, desprender, desligar. **2.** Deixar escapar ou cair; largar. **3.** Afrouxar, desapertar. **4.** Pôr em liberdade. **5.** Lançar, emitir. ★ *v.pr.* **1.** Desatar-se, desligar-se, desprender-se. **2.** Desinibir-se, relaxar.

solteiro *adj.* e *s.m.* (lat. *solitarius*). **1.** Que ou aquele que não se casou. **2.** Que ou o que não forma casal, não tem par.

solto (ô) *adj.* **1.** Que está livre, desatado, desprendido. **2.** Largo, folgado. **3.** Posto em liberdade, livre de prisões. **4.** Desembaraçado, à vontade. **5.** *Fig.* Dissoluto, descomedido, desregrado. ● **Liter.** *Verso solto,* verso sem rima.

soltura *s.f.* **1.** Ato ou efeito de soltar, libertar quem estava preso. **2.** Qualidade, estado de solto; desembaraço. **3.** Descomedimento, desregramento, dissolução.

solubilidade *s.f.* (lat. *solubilitas*). **1.** Qualidade, estado de solúvel. **2.** Propriedade de uma substância de se dissolver em uma outra.

solução *s.f.* (lat. *solutio*). **1.** Ato ou efeito de solver. **2.** Resolução de uma dificuldade ou problema; resposta a uma questão. **3.** Termo, desfecho, conclusão. **4.** Pagamento de uma dívida. **5.** Conjunto de procedimentos e recursos adequados para determinado fim **6.** *Solução de continuidade,* interrupção, descontinuidade. ● **Mat.** Elemento de um conjunto dado que satisfaz uma equação ou um sistema de equações. **Quím.** Líquido que contém uma substância dissolvida; dissolução. ► Mistura homogênea de duas ou mais substâncias que apresentam uma única fase.

soluçar *v.i.* (conj. 13). **1.** Soltar soluços. **2.** *Fig.* Entrecortar o choro com suspiros. **3.** Chorar. **4.** Agitar-se, inquietar-se. ★ *v.t.* **1.** Dizer ou exprimir por entre soluços. **2.** Soar tristemente, como um soluço.

solucionar *v.t.* (conj. 13). Dar solução a; resolver.

soluço *s.m.* (lat. *sugluttium*). **1.** Espasmo ou sucessão de espasmos súbitos do diafragma que provoca um ruído característico de aspiração. **2.** Pranto entrecortado de suspiros.

soluto *adj.* (lat. *solutus*). Solto, dissolvido. ★ *s.m.* Substância dissolvida em um solvente.

solúvel *adj.2g.* (lat. *solubilis*). **1.** Que se pode dissolver num líquido. **2.** *Fig.* Que pode ser resolvido.

solvável *adj.2g.* (fr. *solvable*). Que se pode solver ou pagar; solvível.

solvente *adj.2g.* (lat. *solvens*). **1.** Que solve ou pode solver. **2.** Que pagou ou pode pagar o que deve. ★ *s.m.* Líquido que possui a propriedade de dissolver certas substâncias.

solver *v.t.* (lat. *solvere*) [conj. 5]. **1.** Resolver, solucionar. **2.** Tornar quite; pagar, saldar. **3.** Dissolver. **4.** Desligar, separar, desatar.

solvível *adj.2g.* Solvável.

som *s.m.* (lat. *sonus*). **1.** Fenômeno acústico que consiste na propagação de ondas sonoras produzidas por um corpo que vibra em meio a material elástico. **2.** Emissão da voz; voz. **3.** *Fam.* A música, o ritmo. **4.** *Pop.* Equipamento sonoro (toca-discos, gravador, microfone etc.).

SOM ► O som é produzido quando um objeto vibra (move-se para trás e para a frente), provocando ondas que se propagam pelo ar, pelos líquidos e pelos sólidos. Sua velocidade é de 332 metros por segundo no ar a 0° C. A intensidade do som se mede em decibéis (dB). Um som que supere 140 dB pode causar dano ao ouvido.

---

soma[1] *s.f.* (lat. *summa*). **1.** Adição. **2.** O resultado de uma adição. **3.** Certa porção de dinheiro; quantia. **4.** *Fig.* Totalidade, conjunto.

soma[2] *s.m.* (gr. *soma*). **1.** O corpo, o organismo (p. opos. ao psiquismo). **2.** Conjunto das células não reprodutivas dos seres vivos (p. opos. ao germe, que compreende as células reprodutivas).

somali *adj.2g.* Relativo ou pertencente à Somália, país da África; somaliano. ★ *s.2g.* **1.** O natural ou habitante da Somália; somali. **2.** Língua falada pelos somalis.

somar *v.t.* (lat. *summa,* soma) [conj. 4]. **1.** Fazer a soma de; adicionar. **2.** Ajuntar, acrescentar. **3.** Atingir o valor de, importar em. ★ *v.pr.* **1.** Acrescentar-se, reunir-se, juntar-se. **2.** Juntar-se, reunir-se.

somático *adj.* (gr. *somatikós*). Relativo ao corpo, ao soma (p. opos. a psíquico).

somatizar *v.i.* (conj. 4). Apresentar uma resposta física, orgânica, para uma condição psicológica.

somatório *s.m.* **1.** Operação pela qual se faz a soma de várias quantidades; soma geral. **2.** *Fig.* Totalidade, conjunto de diversos fatos e coisas; suma. ★ *adj.* **1.** Que indica soma. **2.** Relativo a soma.

sombra *s.f.* (lat. *umbra*). **1.** Interceptação da luz por um corpo opaco. **2.** O perfil escuro que assim se forma. **3.** Lugar abrigado da luz e do calor dos raios solares. **4.** *Fig.* Ausência de luz, brilho, conhecimentos ou progresso; escuridão, trevas. **5.** *Fig.* Vestígio, aparência. **6.** *Fig.* Alma, espírito, fantasma. **7.** *Fig.* Pessoa que acompanha ou persegue constantemente outra. **8.** Mistério, segredo. **9.** Condição obscura, anônima, humilde.

sombreado *adj.* Coberto de sombras. ★ *s.m.* Gradação de sombras; os escuros numa tela, num desenho etc.

sombrear *v.t.* (conj. 15). **1.** Cobrir de sombra; assombrear. **2.** Tornar sombrio, triste. **3.** Macular, manchar. **4.** *Fig.* Entristecer, desgostar. **5.** Dar sombreado em (pinturas, desenhos etc.).

sombreiro *s.m.* (esp. *sombrero*). **1.** Chapéu, especialmente o de abas largas. **2.** Coisa que produz sombra; guarda-sol. ★ *adj.* Que dá sombra.

sombrinha *s.f.* Guarda-sol próprio para mulheres.

sombrio *adj.* **1.** Que tem sombras, pouco iluminado. **2.** Escuro, cinzento. **3.** Cheio de sombras ou trevas; tenebroso. **4.** *Fig.* Triste, melancólico, soturno. **5.** *Fig.* Desanimador, desesperador. **6.** *Fig.* Lúgubre, fúnebre, funesto.

sombroso (ô) *adj.* Em que há ou que produz sombra.

somenos *adj.2g.2n.* **1.** Inferior, de menor valor. **2.** Ordinário, reles, sem importância.

somente (ò) *adv.* Apenas, só, exclusivamente.

sommelier *s.m.* (fr.). Especialista em vinhos que os serve em restaurante, bar ou evento.

sonambúlico *adj.* Próprio de sonâmbulo.

sonambulismo *s.m.* Distúrbio que consiste em realizar atos automáticos durante o sono, freqüente em crianças e adolescentes.

sonâmbulo *adj.* e *s.m.* (lat. *somnus,* sono, e *ambulare,* andar). **1.** Que ou aquele que caminha, age, fala durante o sono. **2.** *P. ext.* Que ou aquele que age automaticamente ou de maneira desconexa.

sonância *s.f.* **1.** Qualidade de sonante. **2.** Música, melodia.

sonante *adj.2g.* (lat. *sonans*). Soante.

sonar *s.m.* (ingl. *sonar*). Aparelho de detecção submarina, que utiliza ondas sonoras e permite a localização de objetos submersos. (Sin. SONDA* DE ECO.)

sonata *s.f.* (it. *sonata*). **1.** Composição musical em um ou diversos movimentos para solista ou conjunto instrumental. **2.** Melodia agradável ao ouvido.

sonda *s.f.* (fr. *sonde*, de or. germ.). **1.** Aparelho ou instrumento para determinar a profundidade da água e a natureza do fundo do mar ou de um rio. **2.** Qualquer aparelho ou engenho que recolhe e transmite informações e dados sobre um meio distante do observador. **3.** Vareta metálica com que os fiscais de alfândega examinam o conteúdo de volumes para verificar se há neles contrabando. **4.** *Sonda acústica*, aparelho emissor-receptor de ondas acústicas, utilizado para o estudo das condições físicas das altas camadas da atmosfera. **5.** *Sonda de eco* sin. de SONAR. ▸ *Sonda espacial*, engenho lançado na alta atmosfera ou no espaço interplanetário para obter dados científicos que são transmitidos à Terra pelo rádio. ● **Med.** Instrumento cilíndrico, sólido ou oco, que serve para praticar uma sondagem.

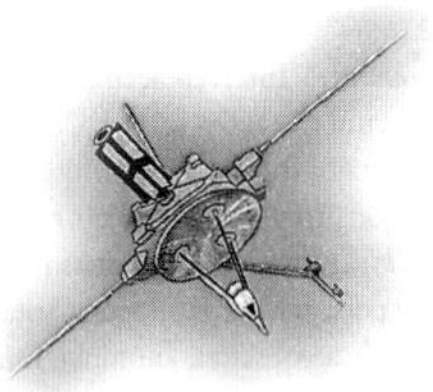

sonda espacial

SONDA ▸ A sonda de eco (também conhecida como sonar) é um aparelho usado para determinar a profundidade do mar. Como seu nome indica, funciona por meio de um eco. Uma onda ultra-sônica é lançada de um barco, propaga-se na água e "rebate" no fundo, o que provoca um eco que é registrado pelos instrumentos de medição a bordo do barco. O tempo que o eco leva para voltar determina a profundidade.

sondagem *s.f.* **1.** Ato ou efeito de sondar. **2.** Exploração metódica de um meio (cavidade, relevo submarino etc.) por meio de sonda. **3.** Pesquisa, investigação. ● **Med.** Introdução de um conduto dentro de uma cavidade natural para esvaziar seu conteúdo, medir suas dimensões ou injetar alguma substância.

sondar *v.t.* (fr. *sonder*) [conj. 4]. **1.** Perfurar (terreno) com sonda. **2.** Explorar, pesquisar por meio de sonda. **3.** Investigar, perscrutar, explorar. **4.** Proceder a uma sondagem. ★ *v.pr. Fig.* Consultar-se, examinar o que se passa no interior de si mesmo.

soneca *s.f. Fam.* Sono curto; cochilo.

sonegar *v.t.* (lat. *subnegare*) [conj. 14]. **1.** Não mencionar, não relacionar nos casos em que a lei exige descrição ou menção. **2.** Dizer que não tem, tendo; ocultar com fraude. **3.** Deixar de pagar (imposto etc.) ou de contribuir, iludindo a lei ★ *v.pr.* Eximir-se do cumprimento de alguma ordem.

soneira *s.f.* Sonolência.

soneto (ê) *s.m.* (it. *sonetto*). Peça poética de 14 versos, composta de dois quartetos e dois tercetos.

sonhar *v.i.* (conj. 4). **1.** Ter sonhos. **2.** Estar distraído, pensar de maneira vaga, devanear. ★ *v.t.* **1.** Ter sonho com. **2.** Imaginar, ter como sonho; devanear. **3.** Desejar ardentemente; ansiar, almejar. **4.** Supor, imaginar, suspeitar.

sonho[1] *s.m.* (lat. *somnium*). **1.** Produção psíquica que aparece durante o sono sob a forma de imagens freqüentemente incoerentes, que pode ser parcialmente memorizada. **2.** *Fig.* Ilusão, fantasia, devaneio. **3.** Coisa irreal, evanescente e efêmera. **4.** Idéia acalentada; aspiração, ideal. **5.** Desejo intenso e vivo; anseio, almejo.

VOCÊ SABIA...? Todos sonhamos à noite, mas não recordamos a maior parte dos **sonhos**. Segundo a teoria de Sigmund Freud, criador da psicanálise, os sonhos podem revelar, de forma disfarçada, nossos desejos e temores secretos. Outros sonhos podem ser simplesmente a forma pela qual o cérebro classifica e organiza os acontecimentos do dia.

sonho[2] *s.m.* Pequeno bolo frito, polvilhado com açúcar e canela; coscorão.

sônico *adj.* **1.** Relativo ou pertencente ao som. **2.** Relativo a ou que atinge a velocidade do som.

sonido *s.m.* (esp. *sonido*). Som, rumor, ruído.

sonífero *adj.* (lat. *somnifer*). Que faz dormir, que provoca sono; hipnótico. ★ *s.m.* Medicamento ou substância sonífera.

sono *s.m.* (lat. *somnus*). **1.** Estado funcional periódico do organismo durante o qual a vigília é abolida e a reatividade aos estímulos diminui. **2.** Necessidade, vontade de dormir.

sonolência *s.f.* **1.** Estado intermediário entre o sono e a vigília; modorra, torpor. **2.** Disposição para dormir; soneira. **3.** *Fig.* Inércia, moleza, entorpecimento.

sonolento *adj.* **1.** Relativo à sonolência. **2.** Que provoca sono. **3.** *Fig.* Pouco ativo, lento, vagaroso.

sonometria *s.f.* Estudo comparado das freqüências dos sons.

sonométrico *adj.* Relativo à sonometria.

sonoplasta *s.2g.* Técnico encarregado da sonoplastia.

sonoplastia *s.f.* Estudo, seleção e aplicação de efeitos sonoros em rádio, teatro, cinema e televisão.

sonoridade *s.f.* (lat. *sonoritas*). **1.** Qualidade de sonoro. **2.** Propriedade que têm certos corpos de emitir sons. **3.** Som harmonioso; melodia.

sonorização *s.f.* Ato ou efeito de sonorizar.

sonorizar *v.t.* (conj. 4). **1.** Tornar sonoro, dotar de som. **2.** Instalar aparelhagem de amplificação do som. ★ *v.pr.* Transformar-se (uma consoante surda) em sonora.

sonoro *adj.* (lat. *sonorus*). **1.** Que produz ou emite som. **2.** Que soa alto, com volume. **3.** Que tem som alto, claro e agradável; sonoroso. **4.** *Fig.* Melodioso, harmonioso, sonoroso. ● **Fís.** *Onda sonora*, tipo de onda elástica de freqüência variável, dentre as quais as mais comuns são o som, o infra-som e o ultra-som. **Fon.** Diz-se do fonema cuja articulação faz as cordas vocais vibrarem.

sonoroso (ô) *adj.* Sonoro.

sonoterapia *s.f.* Tratamento psiquiátrico que se utiliza de psicotrópicos para provocar um estado de sono mais ou menos profundo.

sonsice *s.f.* Qualidade de sonso.

sonso *adj.* (esp. *zonzo*). Dissimulado, astuto, manhoso, matreiro.

sopa *s.f.* (al. *Suppe*). **1.** Caldo com legumes, carne, massas etc., ordinariamente servido como entrada. **2.** *Fam.* Coisa fácil de ser feita ou resolvida.

sopapo *s.m.* **1.** Golpe com as mãos; tapa, bofetão. **2.** *Casa de* ou *a sopapo,* casa de taipa de mão.

sopé *s.m.* **1.** Base de montanha, parte inferior da encosta. **2.** Parte da rocha ou muro mais próximo do solo.

sopeira *s.f.* Recipiente fundo, com tampa, para servir sopa.

sopesar *v.t.* (conj. 4). **1.** Suspender com as mãos para avaliar o peso de. **2.** Equilibrar pesos com as mãos; contrapesar. **3.** Distribuir parcimoniosamente. **4.** Pesar. ★ *v.pr.* Ficar em equilíbrio; equilibrar-se.

sopitado *adj.* **1.** Que caiu em sonolência; adormecido. **2.** Acalmado, abrandado. **3.** Dominado, vencido.

sopitar *v.t.* (conj. 4). **1.** Adormecer. **2.** Abrandar, acalmar. **3.** Desalentar, debilitar, enlanguescer. **4.** *Fig.* Alimentar esperanças em. **5.** Dominar, vencer.

soporativo *adj.* e *s.m.* Soporífico.

soporífero *adj.* (lat. *soporiferus*). **1.** Soporífico. **2.** *Fig.* Enfadonho, entediante, maçante, fastidioso, chato.

soporífico *adj.* e *s.m.* Diz-se de ou substância que faz dormir; soporífero, soporativo.

sopranino *adj.* e *s.2g.* **1.** Diz-se do ou o instrumento mais agudo de certas famílias de instrumentos, como a dos saxofones e a dos oboés. **2.** A voz soprano mais aguda. **3.** Pessoa, ger. mulher ou criança, que tem essa voz.

soprano *s.2g.* (it. *soprano*). **1.** A mais alta categoria de voz de criança e de mulher. **2.** Pessoa que tem essa voz.

soprar *v.t.* (conj. 4). **1.** Impelir ar com a boca sobre. **2.** Agitar com o sopro; bafejar. **3.** Encher de ar. **4.** *Fig.* Infundir, inspirar, incitar. **5.** *Pop.* Dizer em voz baixa, às escondidas. ★ *v.i.* **1.** Deslocar-se (o ar, o vento). **2.** Expelir com alguma força o ar aspirado.

sopro (ô) *s.m.* **1.** Ato ou efeito de soprar. **2.** Bafo, bafejo, hálito. **3.** Vento fraco, brisa, aragem. **4.** *Fig.* Instigação, insinuação, influência. ● **Med.** Som normal ou patológico produzido pelo funcionamento de certos órgãos, percebido na auscultação.

soquear *v.t.* (conj. 15). Socar.

soqueira *s.f.* As raízes e a parte aérea remanescente das plantas, depois do corte da colheita (cana, arroz, trigo etc.).

soquete[1] *s.f.* (fr. *socquette*). Meia curta que atinge apenas o tornozelo.

soquete[2] (ê) *s.m.* Utensílio ou ferramenta utilizado para socar ou comprimir terra à volta de mourões, cercas, postes etc.

sórdido *adj.* (lat. *sordidus*). **1.** Sujo, imundo, repugnante. **2.** *Fig.* Baixo, vil, torpe. **3.** *Fig.* Mesquinho, avaro.

sorgo (ô) *s.m.* (lat. *syricum granum,* grão da Síria). **1.** Gramínea originária da Ásia e da África, que fornece cereal utilizado na alimentação. **2.** Gramínea originária da Índia, cujos caules florais são utilizados para fazer vassouras.

sorna (ô) *adj.2g.* e *s.2g.* (esp. *sorna*). Diz-se de ou pessoa mole, inerte, indolente. ★ *s.f.* **1.** Indolência, inércia, preguiça. **2.** Soneca, soneira.

soro[1] *s.m.* **1.** Grupo de esporângios das pteridófitas. **2.** Grupo de esporângios e gametângios das algas.

soro[2] (ô) *s.m.* (lat. *serum*). **1.** Líquido que exsuda de um coágulo de sangue total, coagulado ou líquido, que se separa dos glóbulos do sangue isento de células e de fibrinogênio. **2.** *Soro fisiológico,* solução salina de composição determinada e isotônica do plasma sanguíneo.

soronegativo *adj.* e *s.m.* Que ou aquele que não possui anticorpos para determinado vírus.

soropositivo *adj.* e *s.m.* 1. Que ou aquele que possui anticorpos para determinado vírus. 2. *M.us.* Que ou aquele que possui anticorpos para o vírus da aids.

SOROPOSITIVO ► Um exame soropositivo significa que o organismo foi contaminado por um determinado vírus e gerou anticorpos específicos para combatê-lo. A pessoa soropositiva pode manifestar ou não sintomas da doença causada pelo vírus, e este pode permanecer em período de latência, de inatividade ou de atividade. Desde o aparecimento da aids, o termo *soropositivo* passou a ser empregado especificamente para designar os indivíduos que contraíram essa doença. Hoje, entidades governamentais e não-governamentais agem de modo a evitar que os soropositivos sofram preconceitos sociais.

---

sóror ou **soror** (ô) *s.f.* (lat. *soror,* irmã). Tratamento dado às freiras. (Correspondente feminino de frei.)

sororoca *s.f.* (tupi *soro'roka*). **1.** Peixe ósseo muito apreciado pelos adeptos da pesca esportiva, que ocorre no Atlântico tropical e no Mediterrâneo. **2.** *Pop.* Murmúrio do moribundo; estertor.

sorrateiro *adj.* (do lat. *surreptus*). Disfarçado, furtivo, manhoso.

sorrelfa *s.f.* Disfarce para enganar; sonsice, dissimulação. ★ *adj.2g.* e *s.2g.* **1.** Diz-se de ou indivíduo matreiro, astuto, manhoso. **2.** Mesquinho, avarento.

sorrir *v.i.* e *v.pr.* (lat. *subridere*) [conj. 69]. **1.** Rir sem ruído, apenas com um ligeiro movimento dos lábios e da face. **2.** Alegrar-se, mostrar-se contente. ★ *v.t.* **1.** Dar, fazer, esboçar (sorrisos). **2.** Rir, zombar, mofar. **3.** *Fig.* Mostrar-se prometedor, ser agradável, favorável.

sorriso *s.m.* **1.** Ato ou efeito de sorrir(-se). **2.** Riso discreto e silencioso.

sorte *s.f.* (lat. *sors, sortis*). **1.** Destino, fado, fatalidade. **2.** Fortuna, ventura, felicidade. **3.** Maneira de decidir qualquer coisa por acaso; sorteio. **4.** Modo de viver; existência, vida. **5.** Classe, gênero, espécie, qualidade. **6.** Modo, maneira, forma. **7.** Bilhete ou senha com a declaração do prêmio que se ganhou em jogos de azar. **8.** Porção, quinhão que toca por sorteio ou partilha. **9.** *Fig.* Desgraça, infelicidade persistente, azar.

sortear *v.t.* (conj. 15). **1.** Escolher ou eleger por sorte; repartir por sorte. **2.** Rifar. **3.** Sortir, variar.

sorteio *s.m.* **1.** Ato ou efeito de sortear. **2.** Bazar no qual as mercadorias são distribuídas por loteria.

sortilégio *s.m.* (lat. *sortilegium*). **1.** Feitiçaria, bruxaria. **2.** Encantamento, sedução. **3.** Trama, maquinação.

sortimento *s.m.* **1.** Ato ou efeito de sortir. **2.** Coleção de mercadorias de várias espécies. **3.** Conjunto de mercadorias que formam o acervo de qualquer casa comercial.

sortir *v.t.* (lat. *sortire*) [conj. 60]. **1.** Abastecer, prover. **2.** Variar, combinar, misturar.

sorumbático *adj.* e *s.m.* Que ou aquele que é tristonho, taciturno, macambúzio.

sorvedouro *s.m.* **1.** Redemoinho, no mar ou no rio, que leva para o fundo o que nele cai; voragem. **2.** Abismo, precipício.

sorver *v.t.* (lat. *sorbere*) [conj. 5]. **1.** Beber ou aspirar aos poucos. **2.** Embeber-se, impregnar-se de, absorver. **3.** Submergir, afundar, tragar. **4.** Destruir, consumir, aniquilar.

sorvete (ê) *s.m.* (it. *sorbetto*). Doce congelado, de consistência semelhante à da neve, feito com suco de frutas ou leite, ao qual podem ser acrescentados nozes, chocolate etc.

sorveteira *s.f.* Aparelho para fazer sorvetes.

sorveteiro *s.m.* **1.** Indivíduo que prepara, vende ou entrega sorvetes. **2.** Vendedor ambulante de sorvetes.

sorveteria *s.f.* Estabelecimento que fabrica ou vende sorvetes.

sorvo (ô) *s.m.* **1.** Ato ou efeito de sorver. **2.** Gole, trago.

sósia *s.2g.* (de *Sosia,* n.pr.). Pessoa que se assemelha muito a outra.

soslaio *s.m.* (esp. *soslayo*). **1.** Obliqüidade, esguelha. **2.** *De soslaio,* de esguelha, sorrateiramente.

sossegar *v.t.* (conj. 14). **1.** Pôr sossego em; aquietar. **2.** Dar descanso a. **3.** Tranqüilizar, acalmar. ★ *v.i.* e *v.pr.* **1.** Aquietar-se, serenar. **2.** Tranqüilizar-se, acalmar-se. **3.** Descansar, repousar.

sossego (ê) *s.m.* **1.** Tranqüilidade, calma, quietude, paz. **2.** Descanso, repouso, inação.

sótão *s.m.* **1.** Pavimento entre o forro e a armação do telhado. **2.** Espaço vazio na armadura do telhado para guardar objetos de pouco uso.

sotaque *s.m.* **1.** Conjunto de hábitos que caracterizam a pronúncia dos habitantes de um país, de uma região, de um meio; acento. **2.** *Pop.* Picuinha, dito picante.

sotavento *s.m.* (cat. *sotavent*). O lado do barco oposto ao de onde o vento sopra. (Antôn. BARLAVENTO.)

soteropolitano *adj.* Relativo ou pertencente a Salvador, capital do Estado da Bahia. ★ *s.m.* O natural ou habitante de Salvador.

soterrar *v.t.* (conj. 4). **1.** Cobrir de terra; enterrar, sepultar. **2.** Aluir, solapar. **3.** *Fig.* Aterrorizar, assustar. ★ *v.pr.* **1.** Meter-se debaixo da terra. **2.** Esconder-se. **3.** *Fig.* Submergir-se, afundar.

sotopor *v.t.* (conj. 45). **1.** Pôr por baixo. **2.** Preterir, postergar, pospor.

soturno *adj.* (alter. de *Saturno,* n.pr.). **1.** Tristonho, sombrio. **2.** Lúgubre, medonho, funesto. **3.** Silencioso, taciturno.

souvenir *s.m.* Suvenir.

sova *s.f.* **1.** Ato ou efeito de sovar. **2.** Surra, pancadaria.

sovaco *s.m.* *Pop.* Axila.

sovado *adj.* **1.** Que levou uma sova; surrado, batido. **2.** Diz-se da massa alimentícia que, após ser trabalhada, é batida fortemente sobre a mesa. **3.** *P. ext.* Diz-se do pão cuja massa foi submetida a esse processo.

sovar *v.t.* (conj. 4). **1.** Trabalhar (massa de pão) batendo e amassando. **2.** Dar pancadas em; surrar. **3.** Usar, gastar com o uso.

sovela *s.f.* Instrumento com que os sapateiros e correeiros furam o couro para cosê-lo.

soverter *v.t.* (conj. 5). **1.** Subverter. **2.** Fazer desaparecer, sumir. **3.** Soterrar. ★ *v.pr.* **1.** *Ant.* Subverter-se. **2.** Desaparecer, sumir(-se).

soviete *s.m.* (russo *sovet,* conselho). **1.** Assembléia de delegados eleitos na Rússia e, depois, na União Soviética. **2.** *Soviete Supremo,* órgão superior do poder de Estado da antiga URSS.

SOVIETE ► A autoridade e a legitimidade dos sovietes derivaram de sua atuação como representantes dos anseios populares. Em junho de 1917, reuniu-se o primeiro congresso dos sovietes de toda a Rússia e elegeu-se um comitê executivo central em sessão permanente. Em outubro do mesmo ano, o congresso foi dominado pela facção bolchevique, que iniciou a Revolução Russa.

---

soviético *adj.* **1.** Relativo ou pertencente aos sovietes. **2.** Relativo ou pertencente à União das Repúblicas Socialistas Soviéticas (URSS), que deu origem à Comunidade dos Estados Independentes (CEI). ★ *s.m.* O natural ou habitante da URSS.

sovina *s.f.* **1.** Torno bifurcado para marcenaria. **2.** Instrumento perfurante em forma de lima. ★ *adj.2g.* e *s.2g.* Avarento, avaro.

sozinho *adj.* **1.** Só, solitário. **2.** Abandonado, largado, desamparado. **3.** Desacompanhado. **4.** Sem intervenção ou ajuda.

spin *s.m.* (ingl.). Momento cinético próprio de uma partícula; rotação.

spray *s.m.* (ingl.). **1.** Jato de líquido em finas gotículas lançado por um pulverizador. **2.** *P. ext.* Recipiente que o contém.

Sr símbolo químico do estrôncio.

SSE abrev. de SU-SUDESTE.

SSO abrev. de SU-SUDOESTE.

stand *s.m.* (ingl.). Estande.

status *s.m.* (lat.). Conjunto de direitos e deveres que distinguem a posição de uma pessoa numa sociedade.

stratocumulus *s.m.* (lat.). Estratocúmulo.

stratus *s.m.* (lat.). Estrato.

stress *s.m.* (ingl.). Estresse.

stricto (lat.). *Stricto sensu,* em sentido estrito; a rigor.

striptease *s.m.* (ingl.). Ação de despir-se em público, num espetáculo com música e dança ou movimentos eróticos.

sua *pron. poss.* Fem. de *seu.*

suã *s.f.* **1.** Carne de porco localizada na parte inferior do lombo. **2.** Espinha dorsal do porco.

suaçu *s.m.* Sin. de VEADO.

suado *adj.* **1.** Que suou, que tem suor. **2.** Em que há suor. **3.** *Fig.* Que custou grande sacrifício ou esforço.

suadouro *s.m.* **1.** Ato ou efeito de suar; transpiração abundante. **2.** Lugar muito quente; sauna. **3.** Golpe em que uma prostituta leva o cliente a determinado lugar para ali roubá-lo, sozinha ou com ajuda.

suar *v.i.* (lat. *sudare*) [conj. 4]. **1.** Verter suor pelos poros da pele; transpirar. **2.** Verter umidade; ressumar, gotejar. ★ *v.t.* **1.** Expelir à semelhança do suor. **2.** Molhar com suor. **3.** *Fig.* Obter à custa de grande esforço.

suástica *s.f.* (sâns. *svastika,* bom agouro). **1.** Cruz com a ponta das hastes curvada, formando ângulos retos. **2.** Esta cruz com os braços voltados para a direita, usada por A. Hitler como símbolo do nazismo e do Terceiro Reich.

suave *adj.2g.* (lat. *suavis*). **1.** Delicado, brando, meigo. **2.** Agradável, aprazível, ameno aos sentidos. **3.** Pouco pronunciado; leve. **4.** Que se faz sem esforço; pouco custoso.

suavizar *v.t.* e *v.pr.* (conj. 4). Tornar(-se) mais suave; abrandar(-se), atenuar(-se).

subafluente *s.m.* Afluente de um afluente de um rio.

subagudo *adj.* Diz-se de um estado mórbido menos acentuado que o estado agudo.

subalimentação *s.f.* Subnutrição.

subalterno *adj.* (lat. *subalternus*). **1.** Subordinado, dependente de outrem. **2.** Inferior, secundário. ★ *s.m.* Pessoa que é subordinada a outra.

subalugar *v.t.* (conj. 4). Sublocar.

subaquático *adj.* Que está debaixo de água.

subarbustivo *adj.* **1.** Diz-se do tronco cujos ramos secam anualmente. **2.** Relativo a ou próprio de subarbusto.

subarbusto *s.m.* Planta baixa com parte aérea anual e parte subterrânea perene, característica da vegetação campestre submetida anualmente a uma estação de seca.

subarrendar *v.t.* (conj. 4). Transferir a um terceiro os direitos de coisa arrendada.

subchefe *s.2g.* Funcionário imediatamente abaixo do chefe.

subclasse *s.f.* Subdivisão de uma classe. ● **Biol.** Unidade taxonômica inferior à classe e superior à ordem.

subcolateral *adj.2g.* *Pontos subcolaterais,* os oito pontos intermédios aos pontos cardeais e colaterais (nor-nordeste, nor-noroeste, su-sudeste, su-sudoeste, és-nordeste, és-sudeste, oés-noroeste e oés-sudoeste).

subcomissário *s.m.* Funcionário imediatamente abaixo do comissário.

subconjuntival *adj.2g.* Que está situado sob a conjuntiva.

subconsciente *adj.2g.* **1.** Diz-se de um estado psíquico do qual o indivíduo não tem consciência, mas que influi em seu comportamento. **2.** Relativo ou pertencente ao subconsciente. ★ *s.m.* Antiga denominação de uma instância psíquica que estaria abaixo do limiar da consciência; subconsciência.

subcutâneo *adj.* Hipodérmico.

subdelegado *s.m.* Auxiliar de delegado.

subdelegar *v.t.* (conj. 14). **1.** Confiar a alguém a autoridade recebida por delegação. **2.** Encarregar, enviar como subdelegado.

subdesenvolvido *adj.* **1.** Que não apresenta desenvolvimento normal. **2.** Diz-se de indivíduo, país ou região caracterizado por subdesenvolvimento.

subdesenvolvimento *s.m.* **1.** Desenvolvimento inferior ao normal. **2.** Estado de um país cuja situação econômico-social é caracterizada por dependência econômica externa e grandes desníveis sociais e regionais internos, que se traduzem por baixo consumo alimentar, esperança de vida curta e taxas elevadas de crescimento populacional, mortalidade infantil e analfabetismo.

SUBDESENVOLVIMENTO ▸ A expressão *subdesenvolvimento* foi trocada: hoje, fala-se de países em vias de desenvolvimento e, no caso dos mais pobres, de países menos desenvolvidos, que são os primeiros beneficiários da ajuda pública e também do auxílio privado. O subdesenvolvimento afeta quase três quartos do planeta, e dele só escapam a maior parte dos países da Europa e da América do Norte, o Japão, Israel, a Austrália e a Nova Zelândia. No resto do mundo, existem apenas zonas de relativa prosperidade, com minorias privilegiadas.

---

subdividir *v.t.* (conj. 6). Dividir as partes de um todo já dividido. ★ *v.pr.* Separar-se em várias divisões ou subdivisões.

subdivisão *s.f.* **1.** Ato ou efeito de subdividir. **2.** Parte obtida pela subdivisão.

subdural *adj.2g.* Situado entre a dura-máter e a membrana aracnóide.

subemprego (ê) *s.m.* **1.** Situação em que a mão-de-obra só encontra trabalho periodicamente ou em que o número de oportunidades não alcança o de pessoal habilitado. **2.** Emprego não qualificado e que não satisfaz as necessidades de sobrevivência.

subentender *v.t.* (conj. 5). **1.** Entender ou perceber o que não estava claro ou bem explicado. **2.** Supor, admitir mentalmente.

subentendido *adj.* Que se percebe, apesar de não ter sido expresso. ★ *s.m.* Aquilo que se subentende.

subescapular *adj.2g.* Situado abaixo da escápula ou omoplata.

subespécie *s.f.* Divisão de uma espécie. ● **Biol.** Categoria taxionômica em que se divide a espécie quando esta comporta mais de um tipo definido.

subespinhoso (ô) *adj.* **1.** Situado abaixo da espinha da omoplata. **2.** *Fossa subespinhosa,* depressão situada na face posterior da omoplata. ▸ *Músculo subespinhoso* ou *subespinhoso* (*s.m.*), músculo triangular que se insere na maior parte da fossa subespinhosa e vai se ligar à grande tuberosidade do úmero.

subestação *s.f.* **1.** Estação dependente de outra. **2.** Estação secundária de uma rede elétrica que compreende basicamente as extremidades das linhas de distribuição e/ou transmissão de energia elétrica.

subestimar *v.t.* (conj. 4). Não dar o devido valor ou apreço.

subfebril *adj.2g.* Que apresenta temperatura entre 37,3° C e 38° C.

subgerente *s.2g.* Gerente subordinado a outro gerente.

subgrupo *s.m.* Cada uma das divisões de um grupo.

subida *s.f.* **1.** Ação de subir. **2.** Caminho pelo qual se galga o alto de uma elevação; encosta. **3.** Trajetória do que sobe, do que se eleva.

subido *adj.* **1.** Alto, elevado, eminente. **2.** Sublime. **3.** Excessivo, imenso. **4.** Pomposo, aparatoso.

subir *v.i.* (lat. *subire*) [conj. 61]. **1.** Transportar-se para um plano mais elevado. **2.** Crescer em altura, aumentar de nível. **3.** Ir para cima; elevar-se. **4.** Passar (som) do grave ao agudo. **5.** *Fig.* Apresentar avanços, progressos. **6.** Alcançar taxas ou preços mais elevados; encarecer. **7.** Atingir determinado total. ★ *v.t.* **1.** Mover-se para cima de; galgar. **2.** Assomar a um lugar proeminente.

súbito *adj.* (lat. *subitus*). Repentino, inesperado. ★ *s.m.* Acontecimento inesperado. ★ *adv.* De maneira súbita; repentinamente.

subjacência *s.f.* Estado ou condição de subjacente.

subjacente *adj.2g.* (lat. *subjacens*). **1.** Que está ou jaz por baixo. **2.** *Fig.* Que não se manifesta claramente; oculto, subentendido.

subjetivar *v.t.* (conj. 4). Tornar subjetivo.

subjetividade *s.f.* **1.** Qualidade, caráter, domínio do que é subjetivo. **2.** Estado de um sujeito que considera a realidade unicamente pelos seus estados de consciência.

subjetivismo *s.m.* **1.** Propensão a julgar as coisas de um ponto de vista subjetivo. **2.** Doutrina segundo a qual tudo o que existe só tem realidade ou valor em função de um sujeito pensante, de uma consciência que lhe atribui tais qualidades.

subjetivo *adj.* (lat. *subjectivus*). **1.** Relativo ou pertencente ao sujeito. **2.** Que diz respeito ao sujeito como indivíduo, ser pensante, consciência pessoal (p. opos. a *objetivo*). **3.** Pessoal, particular.

sub judice (lat., sob o juízo). Sob apreciação judicial.

subjugar *v.t.* (lat. *subjugare*) [conj. 14]. **1.** Ter sob domínio; conquistar, vencer. **2.** Influir profundamente em. **3.** Amansar, domesticar. ★ *v.pr.* Dominar-se, conter-se.

subjuntivo *adj.* (lat. *subjunctivus*). Subordinado, dependente. ★ *adj.* e *s.m.* Diz-se de ou modo verbal em que se exprime um fato incerto, duvidoso, eventual ou irreal.

sublenhoso (sub-le...ô) *adj.* Diz-se das plantas cujos caules não se acham completamente lignificados.

sublevação (sub-le ou su-ble) *s.f.* (lat. *sublevatio*). **1.** Ato ou efeito de sublevar(-se). **2.** Revolta, rebelião, insurreição.

sublevar (sub-le ou su-ble) *v.t.* (lat. *sublevare*) [conj. 4]. **1.** Levantar, erguer. **2.** Incitar à revolta; insurrecionar. ★ *v.pr.* Amotinar-se, rebelar-se, revoltar-se.

sublimação *s.f.* Ato ou efeito de sublimar. ● **Fís.** Transformação da matéria caracterizada pela mudança do estado sólido para o estado gasoso. **Psican.** Processo pelo qual a pulsão sexual é desviada de seu alvo sexual original para um outro, não sexual.

sublimado *adj.* **1.** Tornado sublime; exaltado, engrandecido, elevado. **2.** *Fig.* Purificado, depurado. ★ *s.m.* Produto de uma sublimação. ● **Quím.** *Sublimado corrosivo,* cloreto mercúrico que, a despeito de suas propriedades anti-sépticas e inseticidas potentes, não é mais empregado devido à sua toxicidade.

sublimar *v.t.* (lat. *sublimare*) [conj. 4]. **1.** Tornar sublime; exaltar, engrandecer. **2.** Proceder à sublimação. **3.** *Fig.* Purificar, expurgar de toda imperfeição ou impureza.

sublime *adj.2g.* (lat. *sublimis*). **1.** Elevado acima de todos; excelso, excelente, grandioso. **2.** Agradável, encantador. ★ *s.m.* Coisa sublime.

subliminar (sub-li) *adj.2g.* Que é inferior ou que não ultrapassa o limiar.

sublingual (sub-li) *adj.2g.* **1.** Situado sob a língua. **2.** *Artéria sublingual,* um dos dois ramos terminais da artéria lingual. ► *Glândula sublingual,* glândula salivar par situada sob a língua.

sublinhar (sub-li ou su-bli) *v.t.* (conj. 4). **1.** Passar um traço, uma linha por baixo de. **2.** *Fig.* Acentuar, enfatizar.

sublocação (sub-lo) *s.f.* Ato ou efeito de sublocar; subaluguel.

sublocador (sub-lo...ô) *s.m.* Locatário que subloca a terceiro o imóvel ou parte do imóvel objeto de contrato firmado com o locador.

sublocar (sub-lo) *v.t.* (conj. 12). Alugar a terceiro (casa, apartamento etc. de que se é locatário); subalugar.

sublocatário (sub-lo) *s.m.* Pessoa que recebe o imóvel por sublocação.

submarino *adj.* **1.** Que existe no fundo do mar. **2.** Que se realiza por baixo do mar. **3.** *Caça* ou *pesca submarina,* esporte que consiste em apanhar peixes sob as águas, com o auxílio de arpões. ★ *s.m.* **1.** Embarcação que se move sob as águas; submersível. **2.** Navio de guerra construído para navegar e combater debaixo da água; submersível.

submarino nuclear

SUBMARINO ► Os submarinos são projetados com forma semelhante à dos peixes para facilitar seu deslocamento nas águas profundas do oceano.

submergido *adj.* Submerso.

submergir *v.t.* (lat. *submergere*) [conj. 78]. **1.** Cobrir de água, inundar. **2.** Mergulhar, afundar. **3.** *Fig.* Tragar, destruir, aniquilar. ★ *v.i.* e *v.pr.* **1.** Afundar, ficar coberto pela água. **2.** Embrenhar-se, adentrar-se.

submergível *adj.2g.* Que pode ser submergido; submersível.

submersão *s.f.* (lat. *submersio*). Ato de submergir(-se); o seu resultado.

submersível *adj.2g.* **1.** Submergível. **2.** Diz-se da máquina construída de modo a poder funcionar normalmente quando imersa em água. ★ *s.m.* Submarino.

submerso *adj.* (lat. *submersus*). **1.** Coberto pelas águas; submergido. **2.** Oculto, desaparecido sob as águas. **3.** *Fig.* Absorvido, absorto.

submeter *v.t.* (lat. *submittere*) [conj. 5]. **1.** Sujeitar, subjugar, dominar, controlar. **2.** *Fig.* Propor a julgamento, a exame. ★ *v.pr.* **1.** Sujeitar-se, obedecer, acatar. **2.** Render-se, dobrar-se, humilhar-se.

subministrar *v.t.* (lat. *subministrare*) [conj. 4]. Prover do necessário; dar, ministrar.

submissão *s.f.* (lat. *submissio*). **1.** Ato ou efeito de submeter(-se). **2.** Obediência voluntária; sujeição. **3.** Humildade excessiva; subserviência.

submisso *adj.* (lat. *submissus*). **1.** Que está em posição ou lugar inferior. **2.** Obediente, dócil, respeitoso. **3.** Subserviente, servil. **4.** Resignado, conformado.

submúltiplo *adj.* e *s.m.* Diz-se de ou número, grandeza, unidade etc., compreendidos certo número de vezes em outro número, grandeza, unidade etc.

submundo *s.m.* O conjunto de marginais ou delinqüentes vistos como grupo social organizado.

subnutrição *s.f.* **1.** Insuficiência de quantidade e qualidade de alimentação; subalimentação. **2.** Situação de pessoa cuja alimentação é insuficiente ou de baixo valor nutritivo.

subnutrido *adj.* e *s.m.* Que ou aquele que apresenta subnutrição.

suboficial *s.m.* **1.** Posto da Marinha de Guerra e da Aeronáutica brasileiras, imediatamente inferior a guarda-marinha e a aspirante-aviador e superior a primeiro-sargento. **2.** Pessoa que ocupa esse posto.

subordinação *s.f.* (lat. *subordinatio*). **1.** Ato ou efeito de subordinar(-se). **2.** Ordem que estabelece a dependência hierárquica de certas pessoas em relação a outras. **3.** Dependência de uma coisa em relação a outra. ● **Gram.** Processo sintático de construção de período composto em que há uma relação de dependência entre orações que desempenham uma função específica e uma oração independente, dita *principal*.

subordinado *adj.* **1.** Que está sob as ordens de um superior; dependente. **2.** Que tem ligação ou conexão com algo superior. **3.** Secundário, subalterno. ● **Gram.** *Oração subordinada*, oração do período composto por subordinação que se classifica, de acordo com a função desempenhada, em *substantiva, adjetiva* ou *adverbial*. ★ *s.m.* **1.** O que serve sob ordens ou mando de outrem; subalterno. **2.** Doméstico, serviçal, criado.

subordinar *v.t.* (lat. *subordinare*) [conj. 4]. **1.** Pôr sob a dependência de; sujeitar, dominar. **2.** *Fig.* Fazer depender de; condicionar. ● **Gram.** Estabelecer subordinação. ★ *v.pr.* Submeter-se, sujeitar-se, render-se.

subordinativo *adj.* Que estabelece ou demonstra subordinação. ● **Gram.** *Conjunção subordinativa*, conjunção que liga uma oração subordinada à oração principal.

subornar *v.t.* (lat. *subornare*) [conj. 4]. **1.** Induzir a procedimento ilegal ou contrário ao dever, oferecendo dinheiro ou benefícios em proveito próprio. **2.** Levar a agir contra o dever, a moral ou a justiça visando proveito próprio; peitar.

suborno (ô) *s.m.* Ato ou efeito de subornar; subornação, peita.

subprefeito *s.m.* O imediato ou substituto do prefeito.

subprefeitura *s.f.* Cada um dos órgãos administrativos de uma prefeitura, que são dirigidos por subprefeitos.

subproduto *s.m.* **1.** Tudo o que resulta, secundariamente, de outra coisa. **2.** Corpo obtido acessoriamente no curso da fabricação de uma outra substância, ou como resíduo de uma extração.

sub-reino *s.m.* Subdivisão de um reino, utilizada em algumas classificações biológicas.

sub-reptício *adj.* Que se faz furtivamente, de maneira desleal e ilícita.

sub-rogar *v.t.* (conj. 14). **1.** Pôr em lugar de alguém; substituir. **2.** Transferir, passar a outrem.

subscrever *v.t.* (lat. *subscribere*) [conj. 5]. **1.** Escrever por baixo de. **2.** Assinar, firmar. **3.** Aprovar, aceitar. **4.** Comprometer-se a contribuir com certa quantia em dinheiro para a realização de obra, empresa etc. **5.** Adquirir determinado direito (assinatura de periódico, ações de uma empresa etc.) sobre obra ou empresa a ser realizada.

subscrição *s.f.* (lat. *subscriptio*). **1.** Ato ou efeito de subscrever. **2.** Compromisso de contribuir com certa quantia em dinheiro para a realização de uma obra, a fundação de uma empresa etc. **3.** A própria quantia subscrita.

subscritar *v.t.* (conj. 4). Assinar embaixo de; subscrever.

subscrito *adj.* e *s.m.* Que ou o que se subscreveu. ★ *adj.* **1.** Angariado (recurso) por meio de subscrição. **2.** Diz-se de caracteres escritos um pouco abaixo da linha, como a indicação nas fórmulas químicas.

subseqüente *adj.2g.* (lat. *subsequens*). Que segue, que vem depois; imediato, seguinte, ulterior.

subserviente *adj.2g.* (lat. *subserviens*). **1.** Que se submete facilmente às ordens de outrem; servil, submisso. **2.** Bajulador, adulador. **3.** Excessivamente condescendente.

subsidiar (si) *v.t.* (conj. 15). **1.** Dar subsídio a; ajudar, auxiliar. **2.** Contribuir com subsídio.

subsidiária (si) *adj.* e *s.f.* Diz-se de ou empresa controlada por outra, que detém o total ou a maioria de suas ações.

subsidiário (si) *adj.* (lat. *subsidiarius*). **1.** Relativo a ou que concede subsídio. **2.** Dado acessoriamente em apoio do principal; acessório, auxiliar.

subsídio (si) *s.m.* (lat. *subsidium*). **1.** Auxílio, socorro, benefício. **2.** Quantia que o Estado oferece a obra de beneficência ou de interesse público; subvenção. **3.** Valor pago ao produtor ou ao comerciante de determinada mercadoria para que ele a possa vender a um preço inferior ao seu custo de produção. ★ *s.m.pl.* **1.** Meios, elementos subsidiários; ajuda, auxílio. **2.** Dados, informações.

SUBSÍDIO ► Durante a Idade Média, os vassalos deviam pagar subsídios para financiar as atividades dos senhores feudais. Isso ocorria, por exemplo, quando um senhor feudal armava um de seus filhos cavaleiro, decidia casar uma filha ou participava de uma cruzada, ou ainda se precisasse pagar um resgate, caso caísse prisioneiro de guerra.

---

subsistência (si) *s.f.* **1.** Estado daquilo que subsiste; permanência, sobrevivência. **2.** Conjunto de coisas necessárias para a manutenção da vida; sustento. **3.** *Agricultura de subsistência*, forma de produção agrícola cujo produto se destina predominantemente ao consumo pelos próprios produtores.

subsistente (si) *adj.2g.* (lat. *subsistens*). **1.** Que subsiste. **2.** Que continua a existir; vigente.

subsistir (si) *v.i.* (lat. *subsistere*) [conj. 6]. **1.** Existir, ser. **2.** Persistir, perdurar, permanecer. **3.** Viver, sobreviver, manter-se. **4.** Estar ainda em vigor, ser vigente.

subsolagem (so) *s.f.* Prática agrícola que utiliza o subsolador.

subsolo (so) *s.m.* **1.** Camada do solo que se acha imediatamente abaixo da terra cultivável. **2.** Parte de uma construção situada abaixo do andar térreo.

subsônico (so) *adj.* Diz-se do fenômeno que apresenta velocidade menor que a velocidade de propagação das ondas sonoras.

substabelecer *v.t.* (conj. 25). **1.** Nomear como substituto. **2.** Transferir a outrem (encargo, procuração).

substância *s.f.* (lat. *substantia*). **1.** Matéria de que uma coisa é formada. **2.** O que nutre, dá vigor e força a um ser vivo. **3.** O que existe em si, independentemente dos acidentes ou dos atributos que podem lhe ser adjuntos. **4.** *Fig.* Aquilo que há de essencial, fundamental, em alguma coisa ou alguém. ● **Anat.** *Substância branca*, designação dos prolongamentos dos corpos das células nervosas. ► *Substância cinzenta*, parte do sistema nervoso constituída pelos corpos das células, que no cérebro constitui o córtex cerebral.

substancial *adj.2g.* (lat. *substantialis*). **1.** Relativo à substância. **2.** Que dá substância; nutritivo, substancioso. **3.** Essencial, fundamental. **4.** Importante, significativo, vultoso. ★ *s.m.* O essencial, a substância.

substanciar *v.t.* (conj. 16). **1.** Vigorar, fortalecer, dar forças a. **2.** *Fig.* Expor em substância; resumir, sintetizar. ● **Med.** Dar alimentos substanciais, nutrir substancialmente.

substancioso (ô) *adj.* Substancial.

substantivar *v.t.* (conj. 4). Empregar como substantivo (palavra que originalmente não é um substantivo); tornar substantivo.

substantivo *adj.* (lat. *substantivus*). **1.** Que designa a substância; substancioso, substancial. **2.** Que define, caracteriza ou acentua algo. ● **Gram.** Que tem as funções de um substantivo. **Quím.** *Corante substantivo,* matéria corante que se aplica diretamente, sem necessidade de mordente. ★ *s.m.* **Gram.** Palavra com que se designa um ser e que, na frase, pode funcionar como sujeito ou objeto.

substituição (u-i) *s.f.* (lat. *substitutio*). **1.** Ato ou efeito de substituir(-se). **2.** Ser ou objeto colocado no lugar de outro. ● **Quím.** Reação química em que um átomo ou um radical de uma molécula é substituído por outro átomo ou radical, sem alterar a coordenação do átomo ao qual estava ligado.

substituir *v.t.* (lat. *substituere*) [conj. 74]. **1.** Pôr no lugar de. **2.** Suprir uma coisa por outra. **3.** Ocupar o lugar de outro, suceder-lhe. **4.** Mudar, trocar (por outro). **5.** Preencher momentaneamente o posto de outro. ★ *v.pr.* Pôr-se ou ser posto em lugar de outro.

substituível *adj.2g.* Que se pode substituir.

substitutivo *adj.* Que substitui; substituinte. ★ *s.m.* Substituição, emenda.

substituto *adj.* e *s.m.* (lat. *substitutus*). **1.** Que ou o que substitui, que supre. **2.** Que ou aquele que exerce as funções de outrem, na ausência ou impedimento deste.

substrato *s.m.* (lat. *substratus*). **1.** O que está na base de, que dá sustentação a. **2.** *Fig.* Fundamento, essência. ● **Biol.** Substância ou material que serve como meio para a proliferação ou cultivo de células e microorganismos. **Geol.** Terreno que se encontra por baixo daquele que está sendo considerado. **Ling.** Primeira língua conhecida e falada em uma região, que, substituída por outra, deixou traços observáveis nesta última.

subtenente *s.m.* **1.** Posto do Exército brasileiro, imediatamente inferior a aspirante e superior a primeiro-sargento. **2.** Pessoa que ocupa esse posto.

subterfúgio *s.m.* (b.-lat. *subterfugium*). Alegação, pretexto ou ardil com que alguém procura esquivar-se a dificuldades; evasiva.

subterrâneo *adj.* (lat. *subterraneus*). **1.** Que está ou ocorre debaixo da terra. **2.** Diz-se de construções ou instalações localizadas abaixo do nível do solo. **3.** *Fig.* Oculto, escondido, secreto. **4.** *Fig.* Clandestino, ilegal. ★ *s.m.* **1.** Lugar subterrâneo, artificial ou natural. **2.** Vão, galeria construída abaixo do nível do solo. ★ *s.m.pl.* A atividade, as manobras secretas de uma organização, instituição etc.

subtítulo *s.m.* Título colocado abaixo do título principal, como um desdobramento ou especificação deste; segundo título.

subtotal *s.m.* Total parcial.

subtração *s.f.* (lat. *subtractio*). **1.** Ato ou efeito de subtrair(-se). **2.** Furto, roubo. **3.** Supressão, privação, extração. ● **Mat.** Operação inversa da adição em que se calcula a diferença entre dois números.

subtraendo *s.m.* (lat. *subtrahendus*). O segundo termo de uma subtração, o número que se tira de outro numa subtração.

subtrair *v.t.* (lat. *subtrahere*) [conj. 68]. **1.** Tirar fraudulentamente; furtar, surrupiar. **2.** Afastar, esconder, ocultar. **3.** Livrar, escapar. **4.** Efetuar uma subtração; diminuir, deduzir. ★ *v.pr.* Esquivar-se, furtar-se.

subumano *adj.* **1.** Que está abaixo do nível humano. **2.** Desumano, inumano.

suburbano *adj.* (lat. *suburbanus*). **1.** Relativo ou pertencente a subúrbio. **2.** Que reside em subúrbio. **3.** *Depr.* Que revela mau gosto. ★ *s.m.* O habitante de subúrbio.

subúrbio *s.m.* (lat. *suburbium*). **1.** Conjunto das aglomerações que cercam um centro urbano e participam de sua existência. **2.** Arrabaldes, arredores.

subvenção *s.f.* (lat. *subventio, subventionis*). Auxílio pecuniário concedido, geralmente, pelo Estado.

subvencionar *v.t.* (conj. 4). Conceder subvenção a; patrocinar, subsidiar.

subversão *s.f.* (lat. *subvertio*). **1.** Ato ou efeito de subverter(-se). **2.** Ação visando a modificar os valores e as instituições estabelecidas. **3.** Insubordinação às leis ou autoridades constituídas.

subversivo *adj.* **1.** Que subverte. **2.** Próprio para subverter. ★ *adj.* e *s.m.* Que ou aquele que é militante da subversão.

subversor (ô) *adj.* e *s.m.* Que ou aquele que subverte.

subverter *v.t.* (lat. *subvertere*) [conj. 5]. **1.** Voltar de baixo para cima; revolver, soverter. **2.** Alterar, modificar uma ordem estabelecida. **3.** Desorganizar, perturbar. **4.** Revolucionar, revolver. **5.** Destruir, arruinar. **6.** Fazer soçobrar. **7.** Perverter, corromper. ★ *v.pr.* **1.** Submergir(-se), afundar-se, soverter-se. **2.** Arruinar-se; sofrer destruição.

sucata *s.f.* (ár. *sugât,* objeto sem valor). **1.** Metal fora de uso, anteriormente componente de máquinas, equipamentos etc. **2.** Depósito de ferros-velhos. **3.** Restos de processamento industrial. **4.** *Fig.* Coisa fora de uso, gasta, estragada.

sucção *s.f.* (lat. *suctio, suctionis*). **1.** Ato ou efeito de sugar, de chupar; aspiração, absorção. **2.** Modo de preensão de um líquido no qual a boca fica fechada e atua como uma bomba de aspiração. ● **Bot.** Aspiração, por meio das raízes das plantas, da água do solo que irá ser elaborada em seiva bruta.

sucedâneo *adj.* (lat. *succedaneus*). Diz-se de qualquer medicamento ou substância que pode substituir outro porque produz aproximadamente os mesmos efeitos. ★ *s.m.* **1.** Esse medicamento. **2.** *P. ext.* Qualquer coisa que pode substituir outra.

suceder *v.t.* (lat. *succedere*) [conj. 5]. **1.** Vir depois, seguir-se. **2.** Assumir, por direito de sucessão, nomeação ou eleição, as funções antes ocupadas por outrem; substituir. ★ *v.i.* Acontecer, ocorrer. ★ *v.pr.* Acontecer sucessivamente.

sucedido *adj.* e *s.m.* Que ou o que se sucedeu; acontecido, ocorrido.

sucessão *s.f.* (lat. *successio*). **1.** Ato ou efeito de suceder(-se). **2.** Seqüência, série de pessoas, coisas ou fatos que se sucedem sem interrupção ou com pequeno intervalo. **3.** *Fig.* Geração, prole, descendência. **4.** Seguimento, perpetuação, continuação (falando dos tempos). ● **Dir.** Transmissão legal, a uma pessoa viva, dos bens, direitos e funções de uma pessoa morta; herança. **Ecol.** Lento processo evolutivo mediante o qual algumas espécies vegetais substituem outras num dado lugar.

sucessivo *adj.* **1.** Contínuo, seguido, ininterrupto, consecutivo. **2.** Que acontece com pequenos intervalos; intermitente. **3.** Relativo a uma sucessão; hereditário.

sucesso *s.m.* (lat. *successus,* chegada). **1.** Resultado feliz; êxito. **2.** Acontecimento, fato, caso, ocorrência. **3.** (*NE*) Acidente, desastre.

sucessor (ô) *s.m.* (lat. *successor*). **1.** Pessoa que sucede a outra em um cargo, profissão, funções etc. **2.** Herdeiro. **3.** Pessoa com atributos iguais ou semelhantes aos de outra. ★ *adj.* Que sucede a outrem.

sucessório *adj.* Relativo a ou que trata da sucessão.

súcia *s.f.* (alter. de *suciadade,* pronúncia inculta de *sociedade*). *Pop.* Agrupamento de pessoas de má índole; malta, bando, corja.

sucinto *adj.* Dito em poucas palavras; conciso, breve, lacônico.

suco *s.m.* (lat. *sucus*). **1.** Caldo extraído de matéria orgânica (frutas, legumes, carne) por pressão, cocção ou por outro processo. **2.** Líquido orgânico produzido por secreção e que contém enzimas. **3.** Sumo, essência, substância.

suçuarana *s.f.* (tupi *susua'rana*). Mamífero felídeo, carnívoro e noturno, que apresenta coloração geral amarelo-avermelhada. (Sin. ONÇA-PARDA, PUMA.)

SUÇUARANA ► A suçuarana está presente em toda a América do Sul e no oeste da América do Norte. Ela ataca todos os mamíferos, inclusive bois, cervos e cavalos, mas foge do homem.

suculento *adj.* (lat. *succulentus*). **1.** Que tem suco ou sumo; sumarento. **2.** Dotado de substância; nutritivo. **3.** *Fig.* Apetitoso, gostoso. ● **Bot.** Diz-se da planta ou do órgão vegetal carnudo e rico em água.

sucumbir *v.i.* (lat. *succumbere*) [conj. 6]. **1.** Cair (sob o peso de); vergar, dobrar-se. **2.** Ser vencido ou dominado; não resistir, ceder. **3.** Morrer, perecer. **4.** *Fig.* Perder o ânimo ou as forças; fraquejar. **5.** Ser suprimido ou abolido; deixar de existir.

sucupira *s.f.* (tupi *suku'pira*). Nome comum a diversas espécies de árvores que fornecem madeira dura e pesada, utilizada em marcenaria, carpintaria, construção civil etc.

sucuri *s.m.* (tupi *suku'ri*). Denominação comum a répteis ofídeos, não venenosos, que chegam a atingir 12 m de comprimento, típicos do Pantanal Mato-Grossense. (Sin. ANACONDA, BOIGUAÇU, BOIÚNA.)

sucursal *adj.2g.* e *s.f.* (fr. *succursale*). Diz-se de ou casa ou estabelecimento comercial, financeiro, editorial, dependente da matriz; filial.

sucussão *s.f.* Ato ou efeito de sacudir, agitar.

sudação *s.f.* (lat. *sudatio*). Ato ou efeito de suar ou fazer suar; transpiração.

sudanês *adj.* Relativo ou pertencente ao Sudão, país da África. ★ *s.m.* O natural ou habitante do Sudão.

sudário *s.m.* (lat. *sudarium*). **1.** *Ant.* Lenço para limpar o suor. **2.** Véu com que se cobriam a cabeça ou o rosto dos mortos na Antiguidade. **3.** Mortalha.

VOCÊ SABIA...? O lençol usado no sepultamento de Jesus, ou Santo **Sudário**, é uma relíquia que alguns locais cristãos acreditavam possuir. O mais conhecido, o de Turim, na Itália, foi submetido a testes que concluíram ter sido fabricado durante a Idade Média, entre os séculos XIII e XIV. No entanto, há controvérsia quanto a esse resultado.

sudatório *adj.* Sudorífero.

sudeste ou **sueste** *s.m.* (fr. *sud-est*). **1.** Ponto colateral da rosa-dos-ventos (abrev. SE) situado entre o sul e o leste. **2.** Vento que sopra dessa direção. **3.** Região ou ponto do horizonte situados entre o sul e o leste, em relação a um ponto de referência qualquer. ★ *adj.2g.* Relativo ou situado a sudeste.

súdito *adj.* e *s.m.* (lat. *subditus*). Que ou aquele que depende da vontade de outrem; vassalo.

sudoeste *s.m.* (fr. *soud-ouest*). **1.** Ponto colateral da rosa-dos-ventos (abrev. SO ou SW) situado entre o sul e o oeste. **2.** Região ou ponto do horizonte situado entre o sul e o oeste, em relação a um ponto de referência qualquer. ★ *adj.2g.* **1.** Relativo ou situado a sudoeste. **2.** Procedente do sudoeste.

sudorese *s.f.* Secreção de suor, transpiração.

sudorífero *adj.* e *s.m.* Que ou o que provoca o suor; sudorífico, sudatório.

sudorífico *adj.* e *s.m.* Sudorífero.

sudoríparo *adj.* **1.** Relativo a ou que produz suor. **2.** *Glândula sudorípara,* glândula secretora de suor.

sudra *s.2g.* Membro da mais baixa das quatro principais castas hindus.

sueco *adj.* e *s.m.* Relativo ou pertencente à Suécia, país da Europa. ★ *s.m.* **1.** O natural ou habitante da Suécia. **2.** Língua germânica falada principalmente na Suécia.

sueste *adj.* e *s.m.* Sudeste.

suéter *s.2g.* (ingl. *sweater*). Agasalho fechado de malha de lã.

sueto (ê) *s.m.* (lat. *suetus*). **1.** Feriado escolar. **2.** *Fig.* Descanso, folga.

sufi *s.m.* **1.** Título que se dava ao soberano persa; xá. **2.** Adepto do sufismo; sufista.

suficiência *s.f.* **1.** Qualidade de suficiente. **2.** Capacidade intelectual; aptidão, habilidade.

suficiente *adj.2g.* (lat. *sufficiens*). **1.** Que satisfaz. **2.** Tanto quanto necessário; bastante. **3.** Considerável. ★ *s.m.* O bastante.

sufismo *s.m.* Parte esotérica do islamismo, que busca reintegrar o ser humano à divindade.

sufista *adj.2g.* Relativo ou pertencente ao sufismo. ★ *s.2g.* Sufi.

sufixação (cs) *s.f.* Processo de derivação que consiste em acrescentar um sufixo ao radical ou à raiz de uma palavra.

sufixo (cs) *s.m.* (lat. *suffixus*). Afixo que se acrescenta a uma raiz ou radical para formar uma nova palavra por derivação.

suflê *s.m.* (fr. *soufflé*). Massa leve e cremosa de queijo, legumes etc., e claras batidas, assada no forno.

sufocar *v.t.* (lat. *suffocare*) [conj. 12]. **1.** Fazer perder a respiração. **2.** Matar por asfixia; estrangular. **3.** Tornar a respiração difícil; abafar. **4.** Reprimir, conter. **5.** Impedir a divulgação ou o desenvolvimento; abafar. ★ *v.i.* Perder ou fazer perder a respiração; asfixiar. ★ *v.pr.* **1.** Perder a respiração. **2.** Reprimir-se, conter-se.

sufragâneo *adj.* e *s.m.* (lat. *suffraganeus*). Diz-se de ou bispo ou bispado dependente de arcebispo ou arquidiocese.

sufragar *v.t.* (lat. *suffragare*) [conj. 14]. **1.** Apoiar ou aprovar com sufrágio ou voto. **2.** Rezar, orar pelos mortos. **3.** Pedir com sufrágios ou orações.

sufrágio *s.m.* (lat. *suffragium*). **1.** Voto. **2.** Adesão, aprovação. **3.** Ato de piedade ou orações pelos defuntos.

sufragista *adj.2g.* Relativo a sufrágio. ★ *s.2g.* Diz-se de ou partidário do sufrágio universal. ★ *s.f.* Nome com o qual foram designadas, na Grã-Bretanha, as mulheres que reivindicavam, para seu sexo, o direito de votar.

sugador (ô) *adj.* **1.** Que suga. **2.** Diz-se do aparelho bucal dos insetos adaptado para sugar. ★ *s.m.* **1.** Aquele que suga. **2.** Sugadouro.

sugadouro *s.m.* **1.** Tromba dos insetos que aspiram líquidos; sugador. **2.** Órgão das plantas parasitas próprio para sugar a seiva da planta hospedeira.

sugar *v.t.* (conj. 14). **1.** Sorver por sucção o líquido de; chupar. **2.** Extrair, tirar. **3.** Subtrair fraudulentamente, extorquir.

sugerir *v.t.* (lat. *suggerere*) [conj. 57]. **1.** Lembrar, inspirar. **2.** Insinuar, propor, aventar. **3.** Ocasionar, proporcionar, provocar.

sugestão *s.f.* (lat. *suggestio*). **1.** Ato ou efeito de sugerir; inspiração. **2.** Insinuação, lembrança. **3.** Proposta, parecer, alvitre. ● **Psicol.** Técnica fundamentada na suposição de que uma pessoa pode influenciar, por meio da palavra, um estado afetivo ou uma conduta de outra.

sugestionar *v.t.* (fr. *suggestionner*) [conj. 4]. **1.** Produzir sugestão em alguém; influenciar. **2.** Sugerir, inspirar, estimular. **3.** Insinuar, aventar.

sugestionável *adj.2g.* Que se pode sugestionar.

sugestivo *adj.* **1.** Que sugere, que inspira; evocativo. **2.** Insinuante, atraente.

suiá *s.2g.* Indivíduo dos suiás, povo indígena jê que vive no Xingu.

suíças *s.f.pl.* Barba que se deixa crescer nas partes laterais da face.

suicida (u-i) *s.2g.* Indivíduo que se matou. ★ *adj.2g.* **1.** Que serviu de instrumento para o suicídio. **2.** Que provoca a morte, a destruição, a ruína ou a derrota de quem pratica (alguma coisa).

suicidar-se (u-i) *v.pr.* (conj. 7). **1.** Dar voluntariamente a morte a si mesmo; matar-se. **2.** *Fig.* Arruinar-se, perder-se, autodestruir-se.

suicídio (u-i) *s.m.* (lat. *sui*, de si, *caedere*, matar). **1.** Ato ou efeito de suicidar-se. **2.** *Fig.* Desgraça ou ruína provocada pela própria vítima; autodestruição.

suíço *adj.* Relativo ou pertencente à Suíça, país da Europa. ★ *s.m.* O natural ou habitante da Suíça.

suídeos *s.m.pl.* Família de mamíferos artiodáctilos, suiformes, representada pelos porcos.

suindara (u-in) *s.f.* (tupi *sui'dara*). Ave estrigiforme que ocorre nas Américas.

suingue *s.m.* (ingl. *swing*). **1.** Qualidade rítmica do jazz. **2.** Estilo de jazz do final da década de 30, praticado por grandes bandas. **3.** Dança ao som dessa música.

suíno *adj.* (lat. *suinus*). Relativo ao porco; porcino. ★ *s.m.* O porco.

suinocultor (u-i...ô) *s.m.* Criador de porcos.

suinocultura (u-i) *s.f.* Criação de porcos.

suíte *s.f.* (fr. *suite*). **1.** Série de peças instrumentais escritas no mesmo tom e derivadas de danças. **2.** Conjunto de aposentos em hotel, hospital, com banheiro privativo; apartamento.

sujar *v.t.* (conj. 4). **1.** Tornar sujo; poluir. **2.** *Fig.* Desonrar, macular, conspurcar. ★ *v.i.* **1.** Fazer sujeira; poluir. **2.** Fazer dejeções; defecar. ★ *v.pr.* **1.** Sujar a si próprio. **2.** Praticar atos vis. **3.** Evacuar involuntariamente.

sujeição *s.f.* (lat. *subjectio*). **1.** Ato ou efeito de subjugar. **2.** Dependência, submissão. **3.** *Fig.* Constrangimento, obediência irrestrita. **4.** Servidão, escravidão.

sujeira *s.f.* **1.** Qualidade, estado de sujo; poluição, sujidade. **2.** Coisa suja; imundície, sujidade, porcaria. **3.** Ato ou procedimento sujo, vil, indecente ou obsceno. **4.** Matérias fecais.

sujeitar *v.t.* (lat. *subjectare*) [conj. 4]. **1.** Submeter, constranger a um domínio. **2.** Subordinar, obrigar. **3.** Dominar, subjugar. **4.** Fixar, imobilizar. ★ *v.pr.* **1.** Obrigar-se a. **2.** Render-se, submeter-se, conformar-se.

sujeito[1] *adj.* (lat. *subjectus*). **1.** Que se sujeita ou submete a um poder mais forte. **2.** Dominado, dependente, submetido. **3.** Escravo, cativo. **4.** Exposto por sua natureza ou situação. **5.** Que é de natureza a produzir certos efeitos.

sujeito[2] *s.m.* (lat. *subjectum*). **1.** Pessoa, indivíduo. **2.** A pessoa a que se alude durante o discurso ou narração, ou que é personagem principal dela. **3.** Titular de um direito ou de uma obrigação. **4.** Espírito que conhece, por oposição ao objeto conhecido. ● **Gram.** Termo essencial da oração que representa o ser sobre o qual se faz uma declaração.

sujidade *s.f.* Sujeira.

sujo *adj.* (lat. *sucidus*). **1.** Que não está limpo; poluído. **2.** Indecente, indecoroso, obsceno. **3.** Torpe, vil, baixo. ★ *s.m.* **1.** Coisa suja, sujeira. **2.** Indivíduo em que não se pode confiar; tratante, trapaceiro. **3.** *Pop.* Fantasia carnavalesca feita de andrajos.

sul *s.m.* (fr. *sud*). **1.** Um dos quatro pontos cardeais (abrev. S), oposto ao norte. **2.** Parte do globo terrestre, região ou país situado, em relação a um sistema de referência, na direção desse ponto. ★ *adj.2g.* **1.** Relativo ou situado ao sul; austral, meridional. **2.** Procedente do sul.

sul-africano *adj.* Relativo ou pertencente à África do Sul, país da África. ★ *s.m.* O natural ou habitante da África do Sul.

sul-americano *adj.* Relativo ou pertencente à América do Sul. ★ *s.m.* O natural ou habitante desse continente.

sulcar *v.t.* (lat. *sulcare*) [conj. 12]. **1.** Fazer sulcos em, abrir regos. **2.** Cortar as águas; navegar. **3.** Cavar rugas; enrugar. **4.** *Fig.* Atravessar, cortar em várias direções.

sulco *s.m.* (lat. *sulcus*). **1.** Rego aberto na terra pelo arado. **2.** Quebra da superfície da água, feita pela passagem de uma embarcação; esteira. **3.** Ruga, prega. ● **Anat.** Fissura profunda na superfície de um órgão (pulmão, fígado). ▸ Fissura profunda na superfície do cérebro ou do cerebelo, que delimita os diferentes lobos.

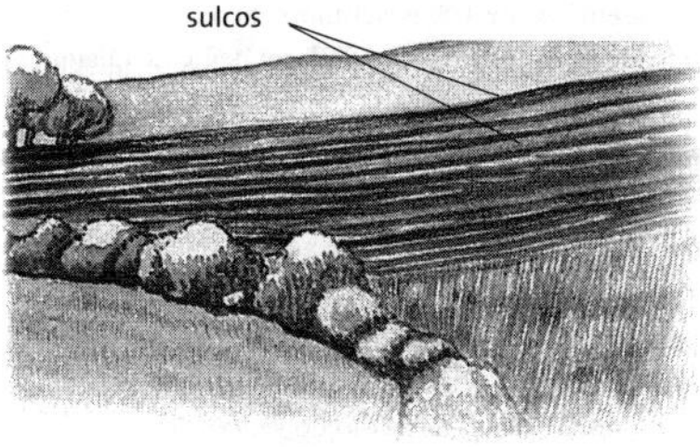

perfil de terreno arado

sulfanilamida *s.f.* Denominação corrente da amida do ácido sulfanílico, empregado no combate às bactérias.

sulfatar *v.t.* (conj. 4). **1.** Impregnar de sulfato. **2.** Aspergir solução de sulfato (em plantas), para combater certas doenças.

sulfato *s.m.* Sal ou éster do ácido sulfúrico.

súlfur *s.m.* (lat. *sulfur*). Enxofre.

sulfurado *adj.* (lat. *sulfuratus*). Que contém enxofre.

sulfurar *v.t.* (conj. 4). Combinar (uma substância) com o enxofre.

sulfúreo *adj.* **1.** Que tem a natureza do enxofre. **2.** Diz-se de uma substância em cuja composição entra enxofre. **3.** Que tem partícula ou cheiro de enxofre.

sulfúrico *adj.* **1.** Diz-se do ácido oxigenado derivado do enxofre, que constitui um líquido espesso, incolor e altamente corrosivo, de importante aplicação industrial. **2.** *Éter sulfúrico,* sin. de ÉTER.

sulfurino *adj.* Da cor do enxofre; amarelo-claro.

sulfuroso (ô) *adj.* (lat. *sulfurosus*). **1.** Que é da natureza do enxofre. **2.** Que contém ácido sulfídrico. **3.** *Ácido sulfuroso,* ácido que resulta da dissolução do dióxido de enxofre ou anidrido sulfuroso na água. ▸ *Anidrido* ou *gás sulfuroso,* dióxido de enxofre, que constitui um gás incolor de odor sufocante, proveniente da combustão do carvão e dos derivados do petróleo.

sulino *adj.* e *s.m.* Sulista.

sulista *adj.2g.* Relativo ou pertencente ao sul; sulino. ★ *s.2g.* **1.** O natural ou habitante do sul. **2.** Cidadão, soldado ou combatente dos Estados Confederados do Sul na Guerra de Secessão (EUA, 1861-1865).

sul-rio-grandense *s.2g.* e *adj.2g.* Gaúcho.

sultão *s.m.* (ár. *sultan*). **1.** Título que se dava ao imperador da Turquia. **2.** Título dado a um príncipe poderoso entre os maometanos e tártaros. **3.** *Fig.* Senhor absoluto. **4.** *Fig.* Homem que tem muitas amantes; paxá.

suma *s.m.* (lat. *summa*). Resumo, súmula, síntese, sumário.

sumarento *adj.* Que tem bastante sumo ou suco; sumoso.

sumariar *v.t.* (conj. 16). Tornar sumário; resumir, sintetizar.

sumário *s.m.* (lat. *summarium*). **1.** Resumo, suma. **2.** Síntese, sinopse. **3.** Lista no começo ou no fim de um livro ou de uma revista, localizando o título das diferentes partes da publicação; índice. ★ *adj.* **1.** Resumido, conciso, sintético. **2.** Breve, rápido. **3.** Sem formalidades, simples.

sumério *s.m.* **1.** Indivíduo dos sumérios, povo que habitou a Suméria, região da Mesopotâmia antiga. **2.** A língua falada por esse povo. ★ *adj.* Relativo ou pertencente a esse povo ou a essa região.

sumiço *s.m.* *Pop.* Desaparecimento, extravio, descaminho.

sumidade *s.f.* (lat. *summitas, summitatis*). **1.** Qualidade, estado de sumo[1]; altura, eminência. **2.** A extremidade mais alta; cimo, cume, topo. **3.** *Fig.* Pessoa que se destaca por seu talento e saber.

sumidouro *s.m.* Abertura por onde algo se escoa, some; escoadouro.

sumir *v.i.* (lat. *sumire*) [conj. 61]. **1.** Desaparecer, perder-se. **2.** Gastar-se, consumir-se. **3.** Ausentar-se, fugir, esconder-se. **4.** Afundar-se, submergir. ★ *v.t.* **1.** Fazer desaparecer. **2.** Esconder, ocultar, encobrir. **3.** Gastar, consumir. ★ *v.pr.* **1.** Esconder-se, ocultar-se, sair de vista. **2.** Deixar de existir; desaparecer.

sumo[1] *adj.* (lat. *summus*). **1.** Supremo, máximo. **2.** Excelente, excelso, poderoso. **3.** Grande, extraordinário.

sumo[2] *s.m.* (gr. *zomós*). Suco extraído de plantas.

sumoso (ô) *adj.* Sumarento.

súmula *s.f.* (lat. *summula*). **1.** Pequena suma; epítome, sinopse. **2.** Relatório curto de assembléia, competição esportiva etc.

suna *s.f.* **1.** Coletânea de preceitos e obrigações islâmicas fundamentados nas práticas do profeta e dos quatro califas ortodoxos. **2.** *P. ext.* A ortodoxia muçulmana.

sunga *s.f.* **1.** Calção curto ou cavado, para banho e natação. **2.** Cueca semelhante a esse calção.

sungar *v.t.* (quimb. *kussunga*) [conj. 14]. **1.** Suspender o cós das calças. **2.** Puxar para cima; erguer, levantar.

sunita *adj.2g.* Relativo ou pertencente à suna ou aos sunitas. ★ *s.2g.* Seguidor da suna; muçulmano ortodoxo.

suntuoso (ô) *adj.* (lat. *sumptuosus*). De grande riqueza; luxuoso, pomposo, faustoso.

suor (ô ou ó) *s.m.* (lat. *sudor*). **1.** Líquido aquoso, incolor, salgado, de odor particular, que é expelido pelos poros da pele. **2.** Ação de suar; estado de um corpo que sua. **3.** *Fig.* Trabalho penoso.

SUOR ▸ As glândulas sudoríparas segregam o fluido aquoso denominado suor em resposta à estimulação produzida pelo sistema nervoso autônomo. O suor é segregado em grandes quantidades quando a temperatura corporal é alta e produz efeito refrigerante pela evaporação da água da superfície da pele. Outro tipo de glândula sudorípara segrega suor quando a pessoa está sob estresse emocional.

superabundância *s.f.* Abundância excessiva; fartura.

superabundante *adj.2g.* **1.** Muito abundante; farto. **2.** Além do necessário; excessivo, demasiado, supérfluo.

superabundar *v.i.* (lat. *superabundare*) [conj. 4]. **1.** Existir em excessiva quantidade; sobejar. **2.** Ser mais do que necessário; exceder.

superalimentação *s.f.* **1.** Ingestão constante de uma quantidade regular de alimento superior à necessária para a manutenção do organismo. **2.** Método terapêutico que consiste no aumento anormal da quantidade de alimento absorvida por um paciente.

superaquecer *v.t.* (conj. 25). **1.** Aquecer em excesso. **2.** Levar um líquido a uma temperatura superior a seu ponto de ebulição sem que passe ao estado gasoso.

superar *v.t.* (lat. *superare*) [conj. 4]. **1.** Vencer, subjugar, dominar. **2.** Ir além de; ultrapassar. **3.** Destruir, devastar, aniquilar. **4.** Solucionar, resolver.

superávit (rá) *s.m.* (lat. *superavit,* sobrou). Em um orçamento, receita superior à despesa.

superavitário *adj.* Que apresenta superávit.

superciliar *adj.2g.* Relativo à sobrancelha, ao supercílio.

supercílio *s.m.* (lat. *supercilium*). Conjunto de pêlos dispostos em forma de arco na pele que reveste a borda óssea da órbita do olho.

superdosagem *s.f.* Administração de um medicamento em dose excessiva.

superdotado *adj.* e *s.m.* **1.** Que ou o que tem dotes além do comum. **2.** Diz-se de ou indivíduo dotado de inteligência incomum.

superego *s.m.* Em psicanálise, instância do aparelho psíquico constituída inconscientemente pela interiorização das exigências e interdições dos pais, que possui uma função de consciência moral, auto-observação e formação de ideais.

superestimar *v.t.* (conj. 4). **1.** Estimar demais. **2.** Dar excessivo apreço ou valor; ter em grande conta.

superficial *adj.2g.* (lat. *superficialis*). **1.** Relativo ou situado à superfície. **2.** Limitado à superfície; raso. **3.** *Fig.* Sem profundidade; leviano.

superfície *s.f.* (lat. *superficies*). **1.** A parte exterior e visível dos corpos. **2.** Medida do comprimento e largura de uma área. **3.** *Fig.* Aspecto exterior, aparência. ● **Mat.** Conjunto de pontos que limita uma porção do espaço; fronteira dessa porção do espaço.

supérfluo *adj.* (lat. *superfluus*). **1.** Que é demais, demasiado; excedente. **2.** Desnecessário, ocioso, inútil. ★ *s.m.* **1.** Aquilo que excede o necessário. **2.** Coisa desnecessária.

super-homem *s.m.* Homem dotado de qualidades extraordinárias, superiores às da natureza humana comum.

superintendência *s.f.* **1.** Ato ou efeito de superintender. **2.** Cargo ou funções de superintendente. **3.** Órgão de empresa pública ou particular que é destinado a superintender várias atividades.

superintendente *s.2g.* Aquele que superintende (empresa, repartição, obra etc.).

superintender *v.i.* (lat. *superintendere*) [conj. 5]. **1.** Dirigir como chefe (repartição, empresa, obra etc.). **2.** Supervisionar, inspecionar.

superior (ô) *adj.2g.* (lat. *superior*). **1.** Colocado no alto ou mais alto que. **2.** Que atinge grau mais elevado. **3.** *Fig.* Que ultrapassa os outros em dignidade, posição, mérito, qualidade etc. **4.** De qualidade excelente. **5.** Diz-se do ensino de nível universitário e do curso que ministra esse ensino. ● **Astron.** *Planeta superior,* planeta que está mais distante do Sol que a Terra; planeta exterior. ★ *s.2g.* **1.** Pessoa que exerce autoridade sobre outra. **2.** Aquele que dirige uma instituição religiosa.

superioridade *s.f.* (lat. *superioritas, superioritatis*). **1.** Qualidade, estado de superior. **2.** Vantagem, preeminência, preponderância, primazia, supremacia.

superlativo *adj.* (lat. *superlativus*). Que exprime o auge da intensificação de uma qualidade. ★ *s.m.* Grau de comparação do adjetivo ou do advérbio que exprime qualidade ou modalidade em um nível mais elevado, superior ou inferior a outros (superlativo relativo), ou independente de qualquer referência (superlativo absoluto).

superlotação *s.f.* **1.** Ato ou efeito de superlotar. **2.** Excesso de lotação.

superlotar *v.t.* (conj. 4). Lotar demasiadamente, exceder em lotação.

supermercado *s.m.* (ingl. *supermarket*). Loja de produtos alimentícios e outros, geralmente grande, em que o cliente pega as mercadorias sem intermédio do vendedor.

supernova *s.f.* Estrela maciça que, ao atingir um estágio avançado de sua evolução, explode e apresenta temporariamente um brilho muito mais elevado.

súpero-lateral *adj.2g.* Situado na parte superior e ao lado.

superpopulação *s.f.* População excessiva; superpovoamento.

superpor *v.t.* e *v.pr.* (lat. *superponere*) [conj. 45]. Sobrepor(-se).

superposição *s.f.* (lat. *superpositio*). Ato ou efeito de superpor; sobreposição.

superprodução *s.f.* **1.** Excesso de produção. **2.** Espetáculo (filme, show etc.) produzido com grande orçamento e lançado com muita publicidade. ● **Econ.** Produção excessiva de um produto em relação às necessidades dos consumidores que dispõem de poder de compra para adquiri-lo.

supersensível *adj.2g.* Muito sensível.

supersônico *adj.* **1.** Diz-se de velocidades superiores à do som. **2.** Relativo a essas velocidades. ★ *adj.* e *s.m.* Diz-se de ou avião que atinge essas velocidades.

? VOCÊ SABIA...? Os aviões **supersônicos**, como o anglo-francês Concorde (que deixou de operar comercialmente devido aos altos custos envolvidos), podem atingir velocidades de cerca de 3.200 km por hora. Eles utilizam asas em forma de delta, que proporcionam maior estabilidade em alta velocidade.

---

superstição *s.f.* (lat. *superstitio, superstitionis*). **1.** Crença no caráter religioso ou poder sobrenatural de prática, objeto etc., desvinculada de religião instituída; crendice. **2.** Adivinhação, presságio obtido dessa maneira.

supersticioso (ô) *adj.* (lat. *superstitiosus*). Relativo a superstição. ★ *adj.* e *s.m.* Que ou aquele que tem ou é dominado por superstições.

superveniência *s.f.* **1.** Qualidade de superveniente. **2.** Supervenção.

superveniente *adj.2g.* (lat. *superveniens*). Que sobrevém, que aparece ou vem depois.

supervisão *s.f.* **1.** Ato ou efeito de supervisar ou supervisionar. **2.** Função de supervisor.

supervisar *v.t.* (ingl. *supervise*) [conj. 4]. Dirigir, orientar ou inspecionar (trabalho, operação etc.); supervisionar.

supervisionar *v.t.* (conj. 4). Supervisar.

supervisor (ô) *adj.* e *s.m.* Que ou aquele que supervisa ou supervisiona.

supetão *s.m. De supetão,* de súbito, de repente, inopinadamente.

supimpa *adj.2g.* Muito bom; ótimo, excelente.

supinação *s.f.* **1.** Rotação do antebraço que leva a palma da mão para cima e o polegar para fora. **2.** Posição de alguém deitado de costas.

supinador (ô) *adj.* e *s.m.* Diz-se de ou cada um dos músculos do antebraço e da mão que executam um movimento de supinação.

supino *adj.* (lat. *supinus*). **1.** Elevado, alto, superior. **2.** Deitado de costas, com o ventre para cima. **3.** *Fig.* Demasiado, excessivo. ★ *s.m.* **Ling.** Forma nominal do verbo latino.

suplantar *v.t.* (lat. *supplantare*) [conj. 4]. **1.** Meter debaixo dos pés; pisar, calcar. **2.** Derrubar, prostrar. **3.** Levar vantagem, vencer. **4.** Ser superior a, exceder. **5.** *Fig.* Humilhar, dominar.

suplementação *s.f.* Ato ou efeito de suplementar.

suplementar[1] *adj.2g.* (fr. *supplémentaire.*) **1.** Que serve de suplemento; adicional. **2.** Que amplia ou completa; complementar.

suplementar[2] *v.t.* (conj. 4). **1.** Fornecer suplemento para; acrescer alguma coisa a. **2.** Servir de suplemento ou aditamento a. **3.** Suprir ou compensar a deficiência de.

suplemento *s.m.* (lat. *supplementum*). **1.** O que se acresce para suprir qualquer falta; complemento. **2.** Aditamento, acréscimo. **3.** Páginas com matéria especial acrescentada ao número ordinário de páginas e assuntos de um jornal ou revista.

suplência *s.f.* **1.** Ato ou efeito de suprir. **2.** Função de suplente.

suplente *adj.2g.* e *s.2g.* (lat. *supplens, supplentis*). **1.** Que ou aquele que supre, que substitui. **2.** Que ou aquele que assume as funções do titular na falta ou ausência deste.

supletivo *adj.* (lat. *suppletivus*). Que supre, que completa; supletório. ★ *adj.* e *s.m.* **1.** Diz-se de ou ensino destinado a suprir a escolarização regular dos que não a concluíram na idade própria. **2.** Escola que ministra esse curso.

súplica *s.f.* **1.** Ato ou efeito de suplicar. **2.** Oração feita com insistência e submissão; prece, rogativa.

suplicado *adj.* Pedido com humildade. ★ *s.m.* Pessoa contra quem um suplicante requer em juízo.

suplicante *adj.2g.* Súplice. ★ *adj.2g.* e *s.2g.* Que ou aquele que suplica, que roga. ● **Dir.** Requerente, impetrante.

suplicar *v.t.* e *v.i.* (lat. *supplicare*) [conj. 12]. **1.** Pedir humildemente ou com insistência; rogar, implorar. **2.** Requerer em juízo; pleitear.

súplice *adj.2g.* (lat. *supplex, supplicis*). **1.** Que suplica, que pede humildemente; suplicante. **2.** Que traduz súplica.

supliciar *v.t.* (conj. 16). **1.** Castigar com suplício. **2.** Infligir a pena de morte. **3.** Torturar, seviciar. **4.** *Fig.* Fazer sofrer; afligir, magoar.

suplício *s.m.* (lat. *suplicium*). **1.** Grave punição corporal ordenada antigamente pela justiça. **2.** Pena de morte. **3.** Tortura, sevícia. **4.** *Fig.* Dor ou aflição intensa e prolongada. ★ *s.m.pl.* **1.** Cordas com que os mártires eram supliciados. **2.** Disciplinas ou correias com que os religiosos castigavam o corpo.

supor *v.t.* (lat. *supponere*) [conj. 45]. **1.** Alegar por hipótese, admitir hipoteticamente. **2.** Conjeturar, presumir, imaginar. **3.** Fazer presumir como necessário, exigir a existência de.

suportar *v.t.* (lat. *supportare*) [conj. 4]. **1.** Ter sobre si; sustentar. **2.** Sofrer, permitir, tolerar. **3.** Agüentar, resistir ou sobreviver. ★ *v.pr.* Tolerar-se mutuamente.

suportável *adj.2g.* Que se pode suportar; tolerável.

suporte[1] *s.m.* (fr. *support*). **1.** Objeto colocado debaixo de outro para sustentá-lo ou firmá-lo; sustentáculo, apoio. **2.** Superfície de tela, madeira, papel etc., sobre a qual se executa uma pintura.

suporte[2] *s.m.* (ingl. *Amer. support*). Serviço de orientação técnica ou especializada oferecido pelo fabricante ou fornecedor aos seus clientes.

suposição *s.f.* (lat. *suppositio*). **1.** Ato ou efeito de supor; conjetura, hipótese. **2.** Opinião formada sem provas.

supositório *s.m.* Forma medicamentosa destinada a ser introduzida no organismo por via retal.

suposto (ô) *adj.* (lat. *suppositus*). **1.** Admitido por hipótese. **2.** Fictício, falso. ★ *s.m.* Suposição, conjetura, hipótese.

supracitado *adj.* Citado ou mencionado acima.

supra-renal *adj.2g.* **1.** Situado acima dos rins. **2.** *Glândula supra-renal* ou *supra-renal* (*s.f.*), cada uma das glândulas endócrinas situadas acima dos rins, que secretam hormônios importantes para várias funções do organismo, como a adrenalina e a cortisona.

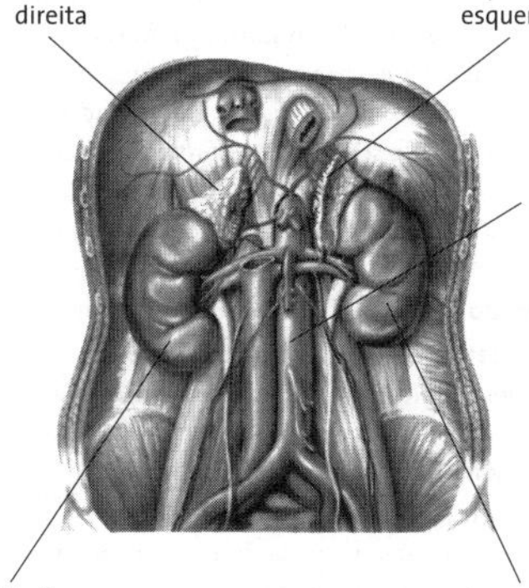

supremacia *s.f.* (ingl. *supremacy*). **1.** Superioridade absoluta; hegemonia. **2.** Preeminência.

supremo *adj.* (lat. *supremus*). **1.** Que está acima de tudo. **2.** Superior, sumo. **3.** Último, derradeiro. **4.** Relativo à divindade máxima. **5.** Diz-se da corte, do tribunal que julga em última instância.

supressão *s.f.* (lat. *suppressio*). **1.** Ato ou efeito de suprimir; eliminação. **2.** Aquilo que foi suprimido ou omitido; lacuna, omissão.

supressivo *adj.* Que suprime; supressor.

supressor (ô) *adj.* **1.** Supressivo. **2.** Diz-se de uma variedade de linfócitos que têm a propriedade de regular as reações imunitárias.

suprimento *s.m.* **1.** Ato ou efeito de suprir. **2.** Ajuda, auxílio. **3.** Provisão, fornecimento.

suprimir *v.t.* (lat. *supprimere*) [conj. 6]. **1.** Impedir de existir, de ser publicado. **2.** Fazer desaparecer; eliminar, extinguir. **3.** Cortar. **4.** Não mencionar, omitir. **5.** Anular, abolir, cassar.

suprir *v.t.* (lat. *supplere*) [conj. 6]. **1.** Ajuntar (alguma coisa) para substituir, completar ou inteirar. **2.** Fazer as vezes de; substituir. **3.** Prover, abastecer, fornecer. **4.** Remediar, acudir, auxiliar.

supurar *v.i.* (lat. *suppurare*) [conj. 4]. Formar, acumular ou expelir pus.

supurativo *adj.* e *s.m.* Que ou o que produz ou facilita a supuração.

sura[1] *s.f.* (lat. *sura*). Panturrilha, barriga da perna.

sura[2] *s.f.* Cada um dos versículos do Corão.

surdez (ê) *s.f.* **1.** Privação ou enfraquecimento considerável do sentido da audição; ensurdecimento. **2.** Estado de surdo. **3.** *Surdez cortical,* surdez causada por uma lesão do córtex cerebral. ▸ *Surdez labiríntica,* surdez devida à doença do labirinto. ▸ *Surdez verbal,* distúrbio da percepção auditiva que consiste na dificuldade de compreensão de sons lingüísticos.

surdimudez (ê) *s.f.* Estado de surdo-mudo.

surdina *s.f.* (it. *sordina*). **1.** Dispositivo destinado a atenuar a intensidade sonora dos instrumentos musicais e a modificar seu timbre. **2.** O pedal esquerdo do piano. **3.** *Em surdina,* sem barulho ou alarde, de modo oculto.

surdir *v.i.* (conj. 6). **1.** Sair, aparecer, brotar, irromper. **2.** Emergir, vir à superfície. ★ *v.t.* Resultar, provir, advir.

surdo *adj.* (lat. *surdus*). **1.** Privado do sentido da audição; que sofre de surdez. **2.** Que não ouve ou quase não ouve; mouco. **3.** Pouco sonoro, abafado. **4.** *Fig.* Insensível, indiferente, impassível. ● **Fon.** Diz-se de fonemas produzidos sem vibração das cordas vocais. **Med.** Diz-se de uma dor que se acompanha de sensação de peso. ★ *s.m.* **1.** Indivíduo que não ouve, que sofre de surdez. **2.** Tambor de som abafado.

surdo-mudo *adj.* e *s.m.* Diz-se de ou pessoa surda e muda.

surfactante *s.m.* (ingl. *surfactant*). **1.** Molécula que, em solução aquosa diluída, abaixa a tensão superficial da água; tensoativo. **2.** Substância complexa que recobre os sacos alveolares pulmonares.

surfe *s.m.* (ingl. *surf*). Esporte que consiste em, equilibrando-se sobre uma prancha, fazer evoluções na crista de uma onda ou deslizar no interior do túnel formado por ela.

surfista *s.2g.* Pessoa que pratica o surfe.

surgimento *s.m.* Ato ou efeito de surgir; aparecimento.

surgir *v.i.* (lat. *surgere*) [conj. 52]. **1.** Aparecer, elevando-se; despontar, emergir. **2.** Nascer, brotar, erguer-se. **3.** Vir, chegar. **4.** Aparecer de repente, sobrevir. ★ *v.t.* **1.** Provir, sair. **2.** Ocorrer, vir.

surinamense *adj.2g.* e *s.2g.* Surinamês.

surinamês *adj.* Relativo ou pertencente ao Suriname, país da América do Sul; surinamense. ★ *s.m.* O natural ou habitante do Suriname; surinamense.

suro *adj.* Suru.

surpreender *v.t.* (conj. 5). **1.** Apanhar ou tomar de improviso. **2.** Aparecer inopinadamente diante de. **3.** *Fig.* Causar surpresa; espantar, desconcertar. **4.** Admirar, maravilhar.

surpresa (ê) *s.f.* **1.** Ato ou efeito de surpreender(-se). **2.** Acontecimento imprevisto. **3.** Acontecimento feliz, prazeroso e inesperado.

surpreso (ê) *adj.* Perplexo, admirado, tomado de espanto; surpreendido.

surra *s.f.* **1.** *Pop.* Ato ou efeito de surrar; pancada, sova, tunda, coça, pisa. **2.** Derrota expressiva infligida ao adversário.

surrão *s.m.* (ár. *surra*). **1.** Espécie de bornal de couro usado pelos pastores para levar a comida e objetos de seu uso. **2.** Roupa gasta e suja. **3.** Indivíduo muito sujo.

surrar *v.t.* (conj. 4). **1.** Curtir, pisar, machucar o couro para torná-lo flexível. **2.** Bater, açoitar, espancar, sovar. **3.** Usar muito, gastar com o uso. ★ *v.pr.* Gastar-se pelo uso (peça de vestuário).

surrealismo *s.m.* Movimento literário e artístico surgido em meados do século XX, com raízes no dadaísmo e influências da psicanálise, que busca representar as imagens oníricas do inconsciente.

surripiar ou **surrupiar** *v.t.* (lat. *surripere*) [conj. 16]. *Pop.* Tirar indevidamente; furtar.

sursis *s.m.* (fr.). Suspensão condicional de penas privativas de liberdade.

surtir *v.t.* (conj. 6). Ter por conseqüência; originar, produzir.

surto *adj.* Ancorado, fundeado. ★ *s.m.* **1.** Vôo alto. **2.** Impulso, arrancada. **3.** Aparecimento repentino, irrupção.

suru ou **suro** *adj.* Diz-se de ou animal sem cauda ou que só tem o cotó da cauda.

suruba *adj.2g.* Bom, excelente. ★ *s.f.* **1.** Cacete, bengala. **2.** *Chul.* Ato sexual de que participam três ou mais pessoas; bacanal.

surubi *s.m.* Var. de SURUBIM.

surubim *s.m.* (tupi *suru'bi*). Denominação comum aos peixes de couro de água doce, de cabeça grande e achatada, que atingem 3 m de comprimento. (Var. SURUBI; sin. PINTADO, JURUPOCA.)

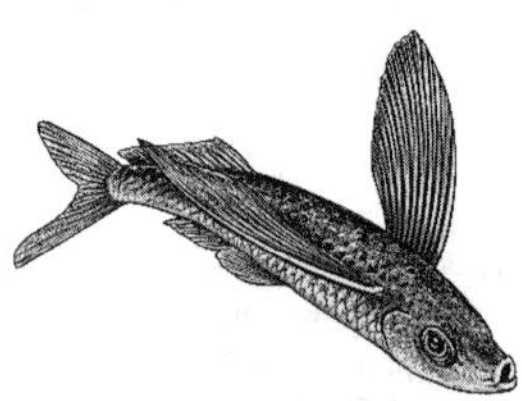

surucucu *s.f.* (tupi *suruku'ku*). Réptil ofídio venenoso, que apresenta a cauda terminada em um espinho e atinge 3,60 m de comprimento, sendo a maior serpente brasileira.

surucucu-dourado *s.m.* Sin. de JARARACUÇU.

surucucurana ou **surucurana** *s.f.* Sin. de COBRA-D'ÁGUA.

suruí *s.2g.* Indivíduo dos suruís, povo indígena tupi que vive no Pará e em Rondônia.

sururu *s.m.* (tupi *seru'ru*). **1.** Molusco bivalve de água doce, comestível, que ocorre em Alagoas. (Var. SIRIRI.) **2.** Sin. de MEXILHÃO. **3.** *Pop.* Briga, desordem, confusão.

sus *interj.* Exprime encorajamento.

suscetibilidade ou **susceptibilidade** *s.f.* **1.** Qualidade, estado de suscetível. **2.** Sensibilidade exacerbada, melindre. ● **Fís.** *Susceptibilidade magnética,* coeficiente de proporcionalidade entre um campo magnético externo e a magnetização que ele induz em um material.

suscetibilizar ou **susceptibilizar** *v.t.* (conj. 4). **1.** Tornar suscetível; sensibilizar. **2.** Ofender ligeiramente, melindrar. ★ *v.pr.* Considerar-se ofendido; ressentir-se.

suscetível ou **susceptível** *adj.2g.* (lat. *susceptibilis*). **1.** Capaz de receber, experimentar ou sofrer impressões. **2.** Que tem a sensibilidade física, nervosa etc., exaltada. **3.** *Fig.* Que se ofende facilmente; melindroso.

suscitar *v.t.* (lat. *suscitare*) [conj. 4]. **1.** Fazer surgir ou nascer; provocar, causar, originar. **2.** Sugerir, lembrar, inspirar. ● **Dir.** Levantar ou apresentar como impedimento; opor como dificuldade.

suserania *s.f.* **1.** Qualidade ou poder de suserano. **2.** Território ou país dominado por um suserano.

suserano *s.m.* (fr. *suzerain*). **1.** *Ant.* Senhor feudal que possuía um feudo de que dependiam outros feudos. **2.** *Ant.* Chefe de Estado que recebia vassalagem de outros Estados aparentemente autônomos. ★ *adj.* **1.** Relativo a suserano. **2.** Que exerce suserania.

suspeição *s.f.* **1.** Ato ou efeito de suspeitar; suspeita. **2.** Desconfiança, dúvida.

suspeita *s.f.* **1.** Conjetura ou opinião desfavorável mais ou menos fundada a respeito de algo ou de alguém; desconfiança. **2.** Idéia vaga; pressentimento.

suspeitar *v.t.* (lat. *suspectare*) [conj. 4]. **1.** Conjeturar, supor, desconfiar. **2.** Ter suspeitas, desconfiança. **3.** Considerar, tachar à base de suspeitas. **4.** Pressentir, prever.

suspeito *adj.* (lat. *suspectus*). **1.** Que infunde suspeita, desconfiança. **2.** Incerto, duvidoso. **3.** Que parece esconder defeitos ou vícios. **4.** Que se supõe ser falso ou falsificado. **5.** Diz-se do juiz de direito comprometido em sua imparcialidade, da testemunha ou do perito que não podem prestar sua função em juízo sob compromisso. ★ *s.m.* Pessoa suspeita.

suspeitoso (ô) *adj.* Que tem suspeitas; receoso, desconfiado.

suspender *v.t.* (lat. *suspendere*) [conj. 6]. **1.** Deixar pendente; pendurar. **2.** Levantar, erguer. **3.** Interromper temporariamente. **4.** Retirar temporariamente de suas funções. **5.** Adiar, diferir. ★ *v.i.* Zarpar (navio).

suspensão *s.f.* (lat. *suspensio*). **1.** Ato ou efeito de suspender. **2.** Interrupção temporária; retardamento, adiamento. **3.** Pena disciplinar que impede temporariamente o exercício de um direito (freqüentar determinado local, receber vencimentos etc.). ● **Quím.** Sistema formado por partículas sólidas que flutuam em um fluido sem que nele se dissolvam.

suspense *s.m.* (ingl. *suspense*). Momento de um filme, de uma obra literária, em que a ação, retardando seu desfecho, mantém o espectador, o ouvinte ou o leitor na expectativa angustiante do que vai acontecer.

suspensivo *adj.* **1.** Que tem o poder de suspender. **2.** Que provoca ou determina suspensão.

suspenso *adj.* (lat. *suspensus*). **1.** Que se suspendeu; pendurado, pendente. **2.** Que recebeu suspensão. **3.** *Ponte suspensa,* ponte pênsil.

suspensório *adj.* Próprio para suspender. ★ *s.m.pl.* Tiras que, presas ao cós, passam por sobre os ombros e sustentam as calças.

suspicaz *adj.2g.* (lat. *suspicax*). **1.** Que causa suspeita; suspeito. **2.** Desconfiado, que suspeita.

suspirar *v.i.* (lat. *suspirare*) [conj. 4]. **1.** Dar suspiros. **2.** *Poét.* Soprar brandamente; sussurrar, murmurar. ★ *v.t.* **1.** Desejar, ter saudades. **2.** Cantar com ternura e melancolia. **3.** Estar enamorado.

suspiro *s.m.* (lat. *suspirium*). **1.** Respiração entrecortada e prolongada ocasionada pela dor, por uma emoção etc. **2.** Gemido, lamento. **3.** Gemido amoroso. **4.** Abertura para respiração de um poço, túnel etc.; respiradouro. **5.** Doce muito fofo e macio feito com açúcar e claras de ovos batidas.

suspiroso (ô) *adj.* Que se manifesta por suspiros, que suspira; lamentoso.

sussurrante *adj.2g.* Que sussurra, que murmura; rumorejante.

sussurrar *v.i.* (lat. *susurrare*) [conj. 4]. **1.** Falar em voz baixa; murmurar. **2.** *Fig.* Produzir som baixo; zumbir, ciciar. ★ *v.t.* Dizer em voz baixa; segredar.

sussurro *s.m.* (lat. *susurrus*). **1.** Ato ou efeito de sussurrar; murmúrio. **2.** Zumbido, cicio.

sustação *s.f.* Ato ou efeito de sustar; interrupção.

sustança *s.f.* *Pop.* Sustância.

sustância *s.f.* (lat. *substantia*). *Pop.* **1.** Substância, sustança. **2.** Força, vigor, robustez.

sustar *v.t.* (lat. *substare*) [conj. 4]. Fazer parar; interromper. ★ *v.i.* e *v.pr.* Suspender-se, sobrestar.

sustenido *s.m.* (it. *sostenuto*). **1.** Acidente que eleva em um semitom a nota que estiver à sua direita. **2.** Sinal (#) que o representa.

sustentação *s.f.* (lat. *sustentatio*). **1.** Ato ou efeito de sustentar(-se). **2.** Apoio, sustentáculo. **3.** Manutenção, sustento, conservação. **4.** Defesa, confirmação. ● **Bot.** *Tecido de sustentação,* tecido formado por células com membranas espessas, celulósicas (colênquima) ou lenhosas (esclerênquima, tronco). **Fís.** Componente vertical da resultante das forças exercidas em um corpo devido ao seu movimento em um fluido, particularmente no ar.

sustentáculo *s.m.* (lat. *sustentaculum*). **1.** Aquilo que sustenta; suporte, apoio, base. **2.** *Fig.* Amparo, proteção, arrimo.

sustentar *v.t.* (lat. *sustentare*) [conj. 4]. **1.** Suster, suportar. **2.** Amparar, escorar. **3.** Fazer perdurar, manter. **4.** Assegurar a sobrevivência, prover do necessário à subsistência. **5.** Financiar, manter. **6.** Nutrir, alimentar, fortificar. **7.** *Fig.* Animar, alentar. **8.** Defender, proteger. **9.** Ratificar, confirmar. ★ *v.pr.* **1.** Manter-se em uma mesma posição; suster-se. **2.** Manter-se em pé ou aprumado. **3.** Amparar-se reciprocamente para não cair. **4.** Assegurar a própria sobrevivência; manter-se.

sustentável *adj.2g.* **1.** Que se pode sustentar, manter; suportável. **2.** Defensável.

sustento *s.m.* **1.** O que sustenta, garante a sobrevivência; alimento. **2.** Manutenção, conservação. **3.** *Fig.* Amparo, arrimo, apoio.

suster *v.t.* (lat. *sustinere*) [conj. 1]. **1.** Amparar, sustentar. **2.** Fazer face a, resistir. **3.** Alimentar, nutrir. **4.** Impedir o movimento, a marcha de. **5.** Reprimir, refrear. ★ *v.pr.* **1.** Manter-se. **2.** Equilibrar-se, firmar-se. **3.** Conter-se.

susto *s.m.* **1.** Sobressalto, terror repentino. **2.** Medo, receio. **3.** Surpresa desagradável.

su-sudeste ou **su-sueste** *s.m.* **1.** Ponto subcolateral da rosa-dos-ventos (abrev. SSE) situado entre o sul e o sudeste. **2.** Vento que sopra desse ponto.

su-sudoeste *s.m.* **1.** Ponto subcolateral da rosa-dos-ventos (abrev. SSO ou SSW) situado entre o sul e o sudoeste. **2.** Vento que sopra desse ponto.

sutache *s.f.* (fr. *soutache*). Pequena trança de seda, lã ou algodão que serve de adorno a peças do vestuário.

sutiã *s.m.* (fr. *soutien-gorge*). Peça de roupa feminina que serve para sustentar ou modelar os seios; porta-seios.

sutil *adj.2g.* (lat. *subtilis*). **1.** Fino, delgado, tênue. **2.** Agudo, penetrante, apurado. **3.** Quase imperceptível, muito leve. **4.** *Fig.* Perspicaz, hábil, engenhoso. **5.** Feito com delicadeza.

sútil *adj.2g.* (lat. *sutilis*). Que tem emendas ou costuras; cosido.

sutileza (ê) *s.f.* **1.** Qualidade de sutil. **2.** Finura, penetração ou agudeza de espírito. **3.** Ato ou dito sutil.

sutilizar *v.t.* (conj. 4). Tornar sutil; apurar, refinar. ● **Quím.** Volatilizar, vaporizar. ★ *v.i.* Pensar, raciocinar ou discorrer com sutileza. ★ *v.pr.* **1.** Tornar-se sutil. **2.** Tornar-se engenhoso, hábil.

sutura *s.f.* (lat. *sutura*). **1.** Articulação de dois ossos recortados à semelhança de dentes que se encaixam um no outro. **2.** Costura feita para aproximar tecidos separados por acidente ou por intervenção cirúrgica. ● **Biol.** Linha de junção de duas peças livres ou soldadas.

suturar *v.t.* (conj. 4). Fazer a sutura de.

suvenir *s.m.* (fr. *souvenir*). Objeto típico de determinado lugar, adquirido como lembrança de viagem.

Tt Tt Tt

t[1] *s.m.* Décima nona letra do alfabeto português.

t[2] símbolo da tonelada.

T símbolo do tesla.

Ta símbolo químico do tantálio.

taba *s.f.* (tupi *tawa*). Aldeia de índios.

tabacaria *s.f.* Estabelecimento em que se vendem cigarros, charutos e fumo em geral; charutaria.

tabaco *s.m.* **1.** Planta herbácea, de flores avermelhadas e cujas folhas amplas, oblongas e macias quando dessecadas, constituem o fumo utilizado na produção de cigarros e charutos e, em infusão, são utilizadas como insetífugo. **2.** Fumo.

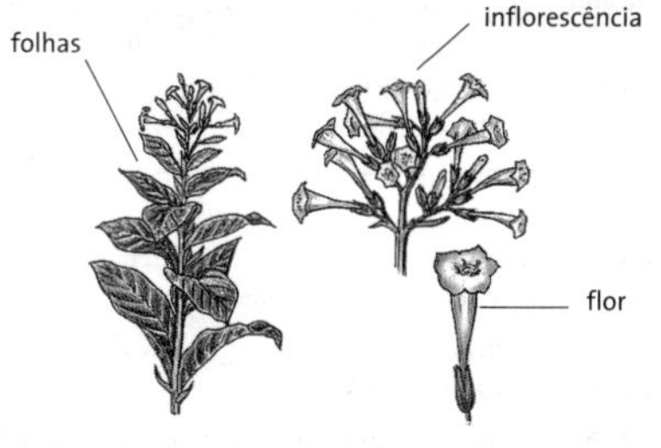

tabagismo *s.m.* **1.** Uso do tabaco ou fumo. **2.** Intoxicação provocada por esse uso; nicotinismo.

tabagista *s.2g.* Pessoa dada ao tabagismo.

tabagístico *adj.* Relativo ao tabagismo.

tabajara *s.2g.* Indivíduo dos tabajaras, povo indígena tupi, extinto.

tabaque *s.m.* Atabaque.

tabaqueira *s.f.* Bolsa ou caixa pequena para tabaco ou rapé.

tabarana *s.f.* (tupi *taiuá rana*). Peixe ósseo, de água doce, próximo do dourado, porém de menor porte.

tabaréu *s.m.* (tupi *taba'ré*). **1.** Soldado sem traquejo, confuso. **2.** Caipira, matuto. **3.** *Pej.* O que sabe pouco de seu ofício.

tabatinga *s.f.* (tupi *tawá tiga*). Argila formada por sedimentação, mole e untuosa, às vezes branca ou esbranquiçada.

tabe ou **tabes** *s.f.* Distúrbio neurológico causado por sífilis não tratada, com atrofia dos tratos posteriores da medula espinhal.

tabefe *s.m.* (ár. *tabikh,* cozido). **1.** Soro de leite coalhado. **2.** Gemada preparada com ovos, leite e açúcar fervidos. **3.** *Pop.* Sopapo, tapa.

tabela *s.f.* (lat. *tabella*). **1.** Pequena tábua, quadro ou folha de papel em que são registrados nomes de coisas ou de pessoas. **2.** Lista, índice, rol, catálogo. **3.** Escala de serviço. **4.** Quadrado onde se fixa a cesta de basquete. **5.** A face interna da borda da mesa de bilhar ou sinuca. **6.** Relação de preços de mercadorias. **7.** Disposição de números, texto ou outro elemento na intersecção de linhas e colunas de conteúdo relacionado, formando células. • **Quím.** *Tabela periódica*, organização dos elementos químicos em linhas correspondentes a períodos e colunas correspondentes a grupos, em ordem crescente do número atômico dos elementos.

tabelado *adj.* Submetido a tabelamento.

tabelamento *s.m.* Ato ou efeito de tabelar preços, em geral dos produtos de primeira necessidade; controle oficial dos preços.

tabelar[1] *adj.2g.* **1.** Relativo à tabela. **2.** Que tem forma de tabela.

tabelar[2] *v.t.* (conj. 4). Fazer tabela ou sujeitar a uma lista oficial os preços de.

tabelião *s.m.* Oficial público incumbido de redigir e instrumentar contratos e atos jurídicos para os quais a lei exige a formalidade da escritura pública.

tabelionato *s.m.* **1.** Cargo, ofício de um tabelião. **2.** Escritório de tabelião. **3.** Conjunto das normas referentes à profissão de tabelião. **4.** Corpo de tabeliães.

taberna *s.f.* (lat. *taberna*). **1.** Casa onde se vendem bebidas a varejo, especialmente vinho. (Var. TAVERNA.) **2.** Restaurante ordinário; bodega, botequim.

tabernáculo *s.m.* (lat. *tabernaculum*). **1.** Pequeno armário para guardar as hóstias consagradas. **2.** Mesa de trabalho do ourives. **3.** *Fig.* Residência, habitação, morada.

taberneiro *s.m.* (lat. *tabernarius*). **1.** Proprietário de taberna. **2.** Vendedor de vinho em taberna. (Var. TAVERNEIRO.)

tabético *adj.* Relativo à tabe; tábido. ★ *adj.* e *s.m.* Acometido pela tabe.

tábido *adj.* **1.** Tabético. **2.** Podre, corrupto.

tabique *s.m.* (ár. *tachbik*). Parede divisória de qualquer material, exceto tijolos. ● **Anat.** Membrana que divide uma cavidade.

tablado *s.m.* **1.** Parte do teatro onde os atores representam; palco. **2.** Palanque. **3.** Estrado de madeira.

tablete *s.m.* (fr. *tablette*). **1.** Placa de produto alimentício ou de remédio. **2.** Medicamento à base de açúcar, de aglutinante e de produto ativo, destinado principalmente a agir sobre as mucosas bucal ou estomacal.

tablóide *adj.2g.* (ingl. *tabloid*). Que apresenta formato de pastilha. ★ *s.m.* Publicação cujo formato é a metade do formato habitual dos jornais.

taboa (ô) *s.f.* Planta herbácea, vivaz, cujas folhas são utilizadas para fazer esteiras e cestos, e cujas espigas, frutíferas, apresentam pêlos semelhantes à paina. (var. TABU, TABUA.)

taboca *s.f.* (tupi *ta'boka*). **1.** Nome comum a diversas plantas semelhantes a bambu, que fornecem material para cestos, obras trançadas e jacás. **2.** Pequena casa de negócio; venda, vendinha. **3.** (*NE*) Gomo de bambu cheio de pólvora, para a fabricação de foguetes.

tabocal *s.m.* Quantidade considerável de tabocas.

tabu[1] *s.m.* (polinésio *ta'bu*, o sagrado; o proibido). **1.** Em determinadas sociedades, característica atribuída a um objeto, pessoa ou comportamento que os torna proibidos ou perigosos aos membros da comunidade. **2.** Proibição convencional determinada pelos costumes de uma comunidade. **3.** *P. ext.* Qualquer coisa inviolável, proibida ou interdita; objeto dessa proibição. ★ *adj.2g.* Que tem caráter sagrado; proibido, interdito.

tabu[2] *s.m.* Var. de TABOA.

tabua *s.f.* Var. de TABOA.

tábua *s.f.* (lat. *tabula*). **1.** Peça plana e alongada, geralmente de madeira. **2.** Tabela, índice, catálogo. **3.** Carta geográfica, mapa. **4.** Mesa de jogo ou de refeições. **5.** *Fam.* Recusa a pedido de casamento ou a convite para dançar. ● **Anat.** Cada uma das duas lâminas de tecido compacto que constituem as faces dos ossos chatos da abóbada craniana.

tabuada *s.f.* **1.** Tabela aritmética que ensina as quatro operações. **2.** Livro que contém essa tabela.

tabulador (ô) *s.m.* Dispositivo que fixa as margens laterais da máquina de escrever.

tabular[1] *adj.2g.* (lat. *tabularis*). **1.** Relativo a tábuas, gráficos, mapas ou ao seu emprego. **2.** Que tem a forma de tábua.

tabular[2] *v.t.* (conj. 4). Fixar as margens laterais em uma máquina de escrever com o tabulador.

tabuleiro *s.m.* **1.** Peça de madeira, metal etc. com bordas levantadas para conter ou transportar objetos; bandeja. **2.** Superfície dividida em 64 quadrados alternadamente brancos e pretos, sobre a qual se jogam damas, xadrez etc. **3.** Banco de areia que emerge na vazante. **4.** Porção de terra separada em que se plantam flores, hortaliças etc. **5.** Patamar entre dois lanços de escada. ● **Eng.** Parte plana de uma ponte ou viaduto que contém a via de tráfego. **Geogr.** Forma topográfica própria a terrenos sedimentares, que se assemelha a pequenos platôs limitados por escarpas pouco elevadas.

tabuleiro de xadrez

tabuleiro de damas

tabuleta (ê) *s.f.* **1.** Tábua em que se inscrevem informações, afixada em local visível. **2.** Anúncio, aviso.

taça *s.f.* (ár. *tasa*). **1.** Copo geralmente pouco profundo e de boca larga, dotado de pé. **2.** O conteúdo desse copo. **3.** Qualquer copo. **4.** Troféu esportivo em forma de taça; copa.

tacacá *s.m.* Papa de amido de mandioca com tucupi, jambo, camarões secos moídos, pimenta e outros temperos.

tacada *s.f.* **1.** Golpe ou jogada com taco. **2.** Golpe imprevisto e favorável. **3.** Ganho de quantia avultada. **4.** *Fam.* Pancada.

tacanhez (é) *s.f.* Tacanhice.

tacanhice *s.f.* Qualidade ou ação de tacanho; tacanhez.

tacanho *adj.* **1.** Pequeno, baixo. **2.** Mesquinho, miserável. **3.** *Fig.* Que revela estreiteza de idéias; acanhado.

tacão *s.m.* **1.** Pedaço de madeira, de sola ou de cortiça com que se faz o salto do calçado. **2.** *P. ext.* O salto do calçado.

tacape *s.m.* (do tupi). Espécie de clava de alguns indígenas americanos.

tacar *v.t.* (conj. 12). **1.** Bater com o taco (em golfe, bilhar etc.). **2.** Atirar, jogar, lançar. **3.** Bater, maltratar.

tacha[1] *s.f.* (esp. *tacha*). Espécie de prego curto de cabeça larga e chata; brocha. (Cf. TAXA.)

tacha[2] *s.f.* **1.** Mancha, nódoa. **2.** Defeito moral. (Cf. TAXA.)

tacha[3] *s.f.* Tacho grande, usado nos engenhos de açúcar. (Cf. TAXA.)

tachar *v.t.* (conj. 4). **1.** Pôr tacha[2], defeito em; notar ou supor defeito em. **2.** Censurar. (Cf. TAXAR.)

tachear *v.t.* (conj. 15). Pregar tachas[1] em.

tacho *s.m.* Recipiente circular de metal ou de barro, para uso doméstico ou industrial.

tácito *adj.* (lat. *tacitus*). **1.** Que não se exprime formalmente; implícito, subentendido. **2.** Que não faz rumor; silencioso.

taciturnidade *s.f.* **1.** Qualidade, caráter ou estado de taciturno. **2.** Tristeza, melancolia.

taciturno *adj.* (lat. *taciturnus*). **1.** Que fala pouco; calado, silencioso. **2.** Triste, tristonho, sombrio.

taco *s.m.* **1.** Bastão de formato variado com que se toca a bola em jogos como bilhar, beisebol, golfe, pólo etc etc. **2.** Pequeno retângulo de madeira com que se recobrem assoalhos. **3.** *Fig.* Indivíduo que joga bem bilhar; p. ext., indivíduo hábil, perito em alguma coisa. ● **B.-Art.** Pedaço plano de madeira usado como matriz de uma xilogravura.

tacômetro *s.m.* Aparelho que indica a velocidade angular de rotação de uma máquina.

tactismo *s.m.* Movimento direcionado apresentado por uma célula ou organismo, em resposta a um estímulo externo. (Var. TATISMO.)

táctil *adj.2g.* Var. de TÁTIL.

tacto *s.m.* Var. de TATO.

tae kwon do *s.m.* Arte marcial com luta desarmada, de origem coreana, que teve sua forma atual definida em 1955, mas que se baseia em formas de autodefesa mais antigas, como o caratê.

tafetá *s.m.* (persa *tafta*). Tecido de seda, armado e com um certo brilho.

taful *adj.* **1.** Elegante, gracioso, casquilho. **2.** Luxuoso, festivo. ★ *s.m.* Janota, casquilho.

tagarela *adj.2g.* e *s.2g.* **1.** Que ou aquele que fala sem parar sobre assuntos frívolos. **2.** Que ou aquele que comete indiscrições; linguarudo.

tagarelar *v.i.* (conj. 4). **1.** Falar muito, frívola e inconseqüentemente. **2.** Cometer indiscrições, não guardar segredos. **3.** Palrar.

tagarelice *s.f.* Qualidade ou ato de tagarela.

taifa *s.f.* (ár. *taifa*). **1.** Grupo de soldados e marinheiros que guarnecem a tolda durante os combates. **2.** Conjunto e serviço dos criados de bordo.

taifeiro *s.m.* **1.** Cada um dos membros da taifa. **2.** Criado nos navios mercantes.

tailandês *adj.* Relativo ou pertencente à Tailândia, país da Ásia. ★ *s.m.* O natural ou habitante da Tailândia.

tainha *s.f.* (gr. *tagenias*). Peixe marinho, do Atlântico, que desova na água doce e é comum nas costas brasileiras.

tainheira (a-i) *s.f.* Rede ou canoa usada para a pesca da tainha.

taioba *s.f.* (tupi *taia'oba*). **1.** Planta de flores triangulares, violáceas, e rizoma tuberoso, ambos comestíveis. **2.** Erva de caule ereto que fornece rizoma farináceo, comestível, e folhas utilizadas na alimentação. **3.** (*N*) Cadeia, prisão.

taioba-de-são-tomé *s.f.* Sin. de INHAME.

taipa *s.f.* **1.** Sistema construtivo que emprega terra úmida ou molhada para confecção de paredes e muros. **2.** *Taipa de mão* ou *de sopapo,* engradamento de varas perpendiculares e eqüidistantes (paus-a-pique) onde o barro é atirado com as mãos, simultaneamente, pelas duas faces; sebe, pau-a-pique.

taipar *v.t.* (conj. 4). **1.** Construir ou dividir com taipas. **2.** Socar a taipa.

taipeiro *s.m.* **1.** O que faz taipas. **2.** (*NE*) Prato cheio de diversas comidas.

taitiano (a-i) *adj.* Relativo ou pertencente ao Taiti, principal ilha da Polinésia Francesa. ★ *s.m.* O natural ou habitante do Taiti.

taiuiá (ai-ui) *s.m.* (tupi *taiu'ya*). Trepadeira herbácea cujos frutos são bagas de efeito purgativo.

taiwanês *adj.* Relativo ou pertencente a Taiwan (ou Formosa), país da Ásia. ★ *s.m.* O natural ou habitante de Taiwan.

tal *adj.* (lat. *talis*). **1.** Semelhante, igual. **2.** Tão grande, tamanho. **3.** *Tal qual,* igual. ★ *pron. dem.* **1.** Esse, aquele. **2.** Isso, aquilo. ★ *s.2g.* Pessoa proeminente.

tala *s.f.* (lat. *tabula*). **1.** Lâmina de material resistente que se aplica em um membro fraturado ou luxado, a fim de mantê-lo imóvel. **2.** Chicote de uma só tira de couro.

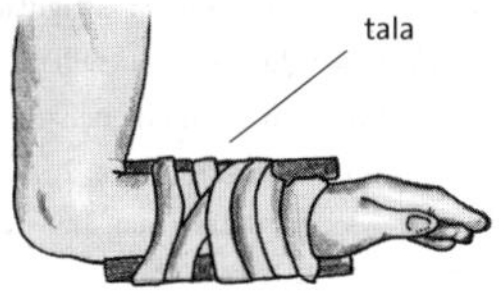

talagada *s.f.* *Pop.* Gole de bebida alcoólica que se toma de uma só vez.

talagarça *s.f.* Pano grosso cujos fios são bem destacados, no qual se borda.

talalgia *s.f.* Dor no calcanhar.

tálamo *s.m.* (gr. *thalamos*). Leito conjugal. ● **Anat.** Estrutura nervosa de substância cinzenta situada profundamente nos hemisférios cerebrais e que forma as paredes laterais do terceiro ventrículo. **Bot.** Receptáculo das flores, em geral alargado, onde se inserem os diversos verticilos.

talante *s.m.* **1.** Desejo, vontade. **2.** Arbítrio. **3.** Empenho, diligência.

talão[1] *s.m.* (fr. *étalon*). **1.** Bloco de folhas, geralmente destacáveis, em que se encadernam cheques, recibos, bilhetes de rifa etc. **2.** Parte de um recibo ou outro documento dada como contraprova.

talão[2] *s.m.* **1.** Parte posterior e inferior do pé. **2.** Parte traseira do calçado.

talar[1] *adj.2g.* (lat. *talaris*). **1.** Relativo ao talão[2]. **2.** Que desce até os calcanhares.

talar[2] *v.t.* (esp. *talar*) [conj. 4]. **1.** Sulcar, abrir valas nos campos. **2.** *Fig.* Arrasar, destruir, assolar, devastar.

talassemia *s.f.* Anemia por deficiência de um tipo de hemoglobina, de transmissão genética autossômica.

talássico *adj.* (gr. *thalassikós*). **1.** Relativo ao mar. **2.** Da cor do mar.

talco *s.m.* (ár. *talq*). **1.** Silicato hidratado natural de magnésio, muito mole, encontrado nas rochas metamórficas. **2.** Pó fino e branco dessa substância, a que se adicionam perfumes ou medicamentos. **3.** *Fig.* Brilho falso, aparente.

talento *s.m.* (gr. *talanton,* pelo lat. *talentum*). **1.** Unidade de peso da Grécia antiga, de valor variável. **2.** Unidade monetária contábil da Grécia antiga equivalente a 6.000 dracmas. **3.** Aptidão invulgar (natural ou adquirida); engenho. **4.** Indivíduo engenhoso, de habilidade ou capacidade incomuns.

talentoso (ô) *adj.* Que revela talento.

talha[1] *s.f.* **1.** Vaso de cerâmica ou louça de grande bojo, para água. **2.** Recipiente de lata ou zinco, para guardar azeite ou cereais.

talha[2] *s.f.* (lat. *taliare,* cortar). **1.** Ação de talhar; entalhe, talhadura. **2.** Escultura ou ornato arquitetônico executado por desbastamento ou entalhe em madeira, marfim etc. **3.** *P. ext.* Conjunto de obras entalhadas.

talhada *s.f.* **1.** Fatia, lasca, naco. **2.** (*S, SE*) Farinha de mandioca com rapadura ou com melado. **3.** *Fam.* Repreensão, censura.

talhadeira *s.f.* Ferramenta de aço, com lâmina afiada numa das extremidades, usada para cortar ou talhar pedra, metal etc.

talhado *adj.* **1.** Que se talhou ou cortou; cortado, retalhado. **2.** Próprio, conveniente, moldado. **3.** Coagulado.

talhador (ô) *adj.* e *s.m.* Que ou o que talha.

talhadura *s.f.* **1.** Talho. **2.** Maneira de talhar.

talha-mar *s.m.* **1.** Sin. de QUEBRA-MAR. **2.** A parte mais saliente da proa do navio, que corta o mar. **3.** Ave caradriiforme, que ocorre em toda a América do Sul.

talhão *s.m.* **1.** Pedaço de terreno entre dois regos de água, nas hortas. **2.** Pote para água, grande talha. **3.** (*SP* e *MG*) Nas fazendas de café, trecho do cafezal, de tamanho variável, sob os cuidados de um trabalhador ou de um grupo de trabalhadores.

talhar *v.t.* (lat. *taliare*) [conj. 4]. **1.** Fazer corte ou incisão em; cortar. **2.** Cortar o pano para fazer roupa. **3.** Entalhar, esculpir. ★ *v.i.* Coagular-se (o leite), coalhar.

talharim *s.m.* (it. *tagliarini*). Tipo de macarrão em forma de tiras delgadas.

talhe *s.m.* **1.** Feitio, feição do corpo. **2.** A feição de qualquer objeto. **3.** Modo de cortar uma roupa; corte. **4.** Talho.

talher *s.m.* (it. *taglière*). **1.** Instrumento (garfo, colher, faca etc.) para comer ou servir alimentos. **2.** *Fig.* Lugar destinado a cada pessoa em uma mesa.

talho *s.m.* **1.** Ato ou efeito de talhar ou cortar; incisão, talhamento, talha. **2.** Corte produzido por fio ou gume. **3.** Modo de cortar ou talhar uma roupa; talhe. **4.** Feitio, feição, talhe. **5.** Cepo sobre o qual se retalha a carne. ● **B.-Art.** Incisão feita pelo gravador em uma prancha.

talião *s.m.* (lat. *talio, talionis*). *Lei de talião,* lei que, para punir uma ofensa, inflige ao delinqüente mal ou dano idêntico àquele por ele cometido; retaliação.

talidomida *s.f.* Medicamento tranqüilizante imunossupressor, de uso proibido devido aos efeitos teratogênicos, utilizado somente no tratamento da hanseníase.

tálio *s.m.* (lat. cient. *thallium*). *s.m.* Elemento químico (símb. Tl) de número atômico 81, que constitui um metal bastante denso e maleável, de cor cinza, semelhante ao chumbo.

talismã *s.m.* (fr. *talisman*). **1.** Objeto mágico ao qual se atribui a virtude de trazer sorte, proteger de males etc.; amuleto. **2.** Objeto ou imagem preparada ritualisticamente para uma ação mágica ou protetora.

Talmude *s.m.* Livro que apresenta a doutrina e a jurisprudência da lei mosaica. (Usa-se com maiúscula.)

talmúdico *adj.* Relativo ou pertencente ao talmude.

talo *s.m.* (gr. *thallós,* ramo verde). Corpo vegetativo de alguns vegetais inferiores, que não se diferencia em raiz, caule e folhas. ● **Bot.** Caule.

Os caules, ou talos, apresentam variadas formas.

talófitas *s.f.pl.* Importante divisão do reino vegetal que compreende os liquens, os fungos e as algas, cujo aparelho vegetativo é constituído de um talo.

talófito *s.m.* **1.** Vegetal provido de talo. **2.** Espécime das talófitas.

talonário *adj.* e *s.m.* Diz-se de ou bloco, livro etc. cujas folhas constituem talões.

taloso (ô) *adj.* Que tem talos.

talude *s.m.* (esp. *talud*). **1.** Terreno em acentuado declive; rampa. **2.** Superfície inclinada, natural ou resultante dos trabalhos de terraplenagem realizados para a construção de uma plataforma.

taludo *adj.* **1.** Que tem talo rijo, resistente. **2.** *Pop.* Diz-se de pessoas jovens, mas de físico já bem desenvolvido; corpulento, troncudo.

talvegue *s.m.* **1.** Linha mais ou menos sinuosa no fundo de um vale, definida pela interseção dos planos das vertentes, pela qual correm as águas. **2.** Canal mais profundo do leito de um curso de água.

talvez (ê) *adv.* **1.** Possivelmente, provavelmente. **2.** Porventura, acaso.

tamancada *s.f.* Pancada com tamanco.

tamancaria *s.f.* **1.** Fábrica de tamancos. **2.** Lugar onde se vendem tamancos.

tamanco *s.m.* **1.** Calçado grosseiro com sola de madeira. **2.** Peça do carro de bois que, pressionada sobre o aro da roda, funciona como freio.

tamanduá *s.m.* (tupi *tamãndu'á*). Mamífero edentado, desprovido de dentes, com cabeça alongada e afilada, boca tubular, língua longa e pegajosa, que se alimenta de formigas e cupins. (Sin. PAPA-FORMIGAS.)

? VOCÊ SABIA...? Os modernos **tamanduás**, tatus e preguiças são os animais que restaram de um grupo de mamíferos sul-americanos que já foi muito maior. O nome latino da ordem à qual eles pertencem, *Edentata,* significa literalmente "desdentados". Na verdade, embora a maioria possua poucos dentes, só os tamanduás não têm nenhum.

tamanduá-bandeira *s.m.* Mamífero edentado, ameaçado de extinção, que habita regiões tropicais e subtropicais da América do Sul. (Sin. TAMANDUÁ-CAVALO.)

tamanduá-cavalo *s.m.* Sin. de TAMANDUÁ-BANDEIRA.

tamanho *adj.* (lat. *tam magnus,* tão grande). **1.** Tão grande. **2.** Tão notável. ★ *s.m.* **1.** Grandeza, volume, dimensões de um corpo ou objeto. **2.** Dimensão coordenada de um item de vestuário (chapéu, calçado, luva).

tamanqueira *s.f.* Árvore de porte regular, armada de espinhos, de folhas alternas e flores brancas, que fornece madeira sedosa, utilizada na fabricação de móveis, cabos de ferramentas e tamancos.

tamanqueiro *s.m.* **1.** Operário que fabrica tamancos. **2.** Vendedor de tamancos.

tâmara *s.f.* (ár. *tamra*). Fruto da tamareira, com baga de forma alongada, de grande valor nutritivo e dietético.

tamareira *s.f.* Palmeira originária da África e do Oriente Médio, alta, comum nos oásis, e cultivada em vários países como ornamental e pelos frutos.

tamarindeiro *s.m.* Sin. de TAMARINDO.

tamarindo *s.m.* (ár. *támar hindi,* tâmara indiana). **1.** Árvore originária da África tropical, de flores esbranquiçadas e frutos de polpa ácida, comestível, cultivada também para arborização urbana. (Sin. TAMARINDEIRO, TAMARINHO.) **2.** O fruto dessa árvore.

tamarinho *s.m.* Sin. de TAMARINDO.

tamarutaca *s.f.* Var. de TAMBURUTACA.

tambaqui *s.m.* (tupi *tãba'ki*). Denominação comum a peixes de água doce, de carne saborosa, que se alimentam de frutos e são comuns na Amazônia.

também *adv.* **1.** Do mesmo modo, igualmente. **2.** Além disso, ainda. **3.** Aliás.

tambiú *s.m.* (do tupi). Peixe teleósteo que ocorre no rio São Francisco.

tambor (ô) *s.m.* (ár. *attanbur*). **1.** Instrumento musical que consiste em uma armação, geralmente cilíndrica, com uma ou ambas extremidades recobertas por uma membrana de pele esticada, percutida com baquetas ou com as mãos. **2.** Homem que toca tambor. **3.** Designação comum a muitos objetos de forma cilíndrica. **4.** Espécie de tonel, em geral metálico, usado para acondicionar líquidos. **5.** Peça cilíndrica do revólver, em que são colocados os cartuchos.

tamborete (ê) *s.m.* (fr. *tabouret*). Banco baixo e pequeno, sem braço nem espaldar; banqueta.

tamboril *s.m.* Tamborim.

tamborilar *v.i.* (conj. 4). **1.** Imitar o rufo do tambor batendo com os dedos ou com um objeto qualquer sobre uma superfície. **2.** Produzir ruído semelhante ao do rufar do tambor.

tamborim *s.m.* Pequeno tambor; tamboril.

tamburi *s.m.* (tupi *tambori*). Árvore de tronco muito grosso, cujo fruto é utilizado para a fabricação de sabão e cuja madeira, porosa, é usada para fazer canoas inteiriças.

tamburutaca *s.f.* (do tupi). Crustáceo semelhante à lagosta, desprovido de antenas longas, que vive em galerias subterrâneas e fendas de rochas e corais. (Var. TAMARUTACA.)

tamis *s.m.* (fr. *tamis*). Peneira fina, em geral de uso farmacêutico, na qual são passadas matérias pulverulentas ou líquidos densos.

tamisação *s.f.* Ato ou efeito de tamisar.

tamisar *v.t.* (conj. 4). **1.** Passar pelo tamis; peneirar. **2.** *Fig.* Depurar, joeirar.

tamoio *s.2g.* Indivíduo dos tamoios, povo indígena tupi, extinto.

tampa *s.f.* (de or. gótica). Peça móvel com que se tapa ou veda a abertura, orifício ou vão de um recipiente.

tampado *adj.* Que se tampou.

tampão *s.m.* (fr. *tampon*). **1.** Grande tampa para obstruir buracos. **2.** Rolha grande. **3.** Chumaço de pano, algodão ou gaze, que serve para absorver líquidos e secreções de fluxos patológicos. **4.** Laje ou placa de ferro que fecha a abertura de um esgoto, de um poço. **5.** Cilindro de algodão comprimido que se introduz no interior da cavidade vaginal durante a menstruação. ● **Quím.** Mistura de soluções cujo pH não varia durante uma diluição. ▸ Substância que, quando presente numa solução, mantém o pH relativamente constante, quando um ácido ou uma base forem bruscamente adicionados a essa solução.

tampar *v.t.* (conj. 4). Pôr tampa ou tampo em; fechar, vedar.

tampo *s.m.* Peça circular onde são entalhadas as aduelas das cubas, tinas etc.

tamponamento *s.m.* Ato ou efeito de tamponar. ● **Med.** Hemostase praticada com a ajuda de um tampão de algodão ou de mechas de gaze introduzidos num ferimento ou numa cavidade natural.

tamponar *v.t.* (fr. *tamponner*) [conj. 4]. **1.** Fechar ou obstruir com tampão. **2.** Introduzir tampão em (ferida ou cavidade), a fim de estancar o sangue ou qualquer secreção. ● **Quím.** Manter constante o pH de uma solução, mediante o emprego de tampão adequado.

tampouco *adv.* Também não.

tanajura *s.f.* (tupi *tanayu'rá*). **1.** Formiga saúva (fêmea). **2.** Formiga de asas; içá.

tanatologia *s.f.* (do gr. *thanatos,* morte). **1.** Estudo dos sinais, condições, causas e natureza da morte. **2.** Campo da medicina legal voltado para o estudo da morte e dos problemas médico-legais a ela vinculados.

tanga *s.f.* (quimb. *tanga*). **1.** Pedaço de tecido com que os negros e os índios se cobrem da cintura aos joelhos. **2.** Calcinha reduzida usada como roupa íntima ou como peça de traje de banho.

tangará *s.m.* (tupi *tana'ra*). Denominação comum a aves passeriformes, que exibem dança nupcial característica, cuja coloração varia de acordo com a espécie.

tangedor (ô) *adj.* e *s.m.* Que ou aquele que tange.

tangência *s.f.* (lat. *tangentia*). **1.** Estado ou propriedade de tangente. **2.** *Ponto de tangência,* ponto único em que duas curvas ou duas superfícies se tocam.

tangencial *adj.2g.* **1.** Relativo à tangência, à tangente. **2.** Que se efetua segundo uma tangente, um plano tangente. ● **Fís.** *Aceleração tangencial,* projeção ortogonal do vetor aceleração sobre o vetor velocidade. ▸ *Força tangencial,* força orientada no sentido da tangente à trajetória.

tangenciar *v.t.* (conj. 16). **1.** Traçar uma tangente. **2.** Seguir a tangente de. **3.** Tocar ou passar muito próximo de; roçar.

tangente *adj.2g.* (lat. *tangens*). Que tange. ★ *adj.* e *s.f.* **1.** Diz-se de ou reta que toca uma curva ou um plano curvo em um único ponto. **2.** Função trigonométrica definida como a razão entre as funções seno e co-seno.

A B C D E F G H I J K L M N O P Q R S T U V W X Y Z

tanger *v.t.* (lat. *tangere*) [conj. 26]. **1.** Tocar (as cordas de instrumentos musicais, um fole de ferreiro). **2.** Tocar, açoitar, fustigar (animais para que andem ou fujam). **3.** *Fig.* Dizer respeito a, referir-se a, concernir. ★ *v.i.* Soar.

tangerina *s.f.* (de *Tânger*, top.). Fruto da tangerineira, de cor amarelo-forte, geralmente de casca solta, muito suculento, perfumado e rico em vitamina C. (Sin. BERGAMOTA, LARANJA-CRAVO, MEXERICA.)

tangerineira *s.f.* Árvore originária da China, armada de espinhos, de flores branca, e frutos ácidos, aromáticos e comestíveis, cuja casca é rica em óleo essencial. (Sin. LARANJEIRA-CRAVO, MEXERIQUEIRA.)

tangerino *adj.* Relativo ou pertencente a Tânger, cidade do Marrocos. ★ *s.m.* O natural ou habitante de Tânger.

tangibilidade *s.f.* Qualidade, caráter de tangível.

tangível *adj.2g.* (lat. *tangibilis*). **1.** Que se pode tanger ou tocar; palpável, sensível. **2.** Real, verdadeiro.

tanglomanglo *s.m.* **1.** Doença atribuída a feitiçaria; bruxedo, malefício, sortilégio. **2.** *Pop.* Doença, mal. (Var. TANGOLOMANGO.)

tango *s.m.* **1.** Dança de salão originária da Argentina, de ritmo lento, em dois tempos. **2.** Composição instrumental ou vocal para essa dança.

tangolomango *s.m.* Var. de TANGLOMANGLO.

tanino *s.m.* (fr. *tanin*). Substância amorfa muito difundida na madeira, na casca, nas folhas e nas raízes de vários vegetais, capaz de curtir a pele e transformá-la em couro.

taninoso (ô) *adj.* Que contém tanino.

tanoaria *s.f.* **1.** Fabricação de artefatos de madeira arqueada (barris, tonéis, pipas etc.). **2.** Ofício de tanoeiro. **3.** Lugar onde trabalha o tanoeiro.

tanoeiro *s.m.* Artífice especializado em tanoaria.

tanque *s.m.* **1.** Reservatório para líquidos. **2.** Pequeno reservatório de alvenaria, próprio para a lavagem de roupas. **3.** (*NE*) Açude. **4.** Veículo militar de combate, blindado e armado de metralhadoras pesadas, canhões ou mísseis.

? VOCÊ SABIA...? No dia 15 de setembro de 1916, durante a I Guerra Mundial, os britânicos utilizaram os primeiros veículos blindados. Com esses veículos, cruzaram as linhas alemãs no rio Somme. A nova arma, chamada ***tanque*** pelos ingleses e ***carro de assalto*** pelos franceses, permitiu atravessar trincheiras e alambrados sob fogo inimigo.

tantã[1] *s.m.* (fr. *tam-tam*, a partir do concani e bengali *tantan*). Tambor de madeira africano que serve para a transmissão de mensagem ou o acompanhamento de danças.

tantã[2] *adj.* e *s.2g.* *Fam.* Tonto, biruta, desequilibrado, amalucado.

tantálio *s.m.* Elemento químico (símb. Ta) de número atômico 73, que constitui um metal cinza muito denso, bastante resistente ao calor e corrosão; tântalo.

tântalo *s.m.* (gr. *tántalos*, n.pr.). Tantálio.

tanto *pron. indef.* (lat. *tantus*). **1.** Tão grande, tão numeroso, tamanho. **2.** (no pl.) Muitas pessoas. ★ *s.m.* **1.** Porção indeterminada. **2.** Igual quantidade. ★ *adv.* De tal modo, em tal quantidade, com tal intensidade, com tal freqüência.

tantra *s.m.* Conjunto de textos e práticas esotéricas de origem indiana.

tântrico *adj.* Relativo ao tantra ou ao tantrismo.

tantrismo *s.m.* Doutrina religiosa originada do tantra.

tanzaniano *adj.* Relativo ou pertencente à Tanzânia, país da África. ★ *s.m.* O natural ou habitante da Tanzânia.

tao (a-o) *s.m.* Princípio metafísico em que se fundamenta o taoísmo.

tão *adv.* (lat. *tam*). Forma reduzida de *tanto*.

taoísmo *s.m.* Ensinamento filosófico-religioso desenvolvido na China antiga.

taoísta *adj.2g.* Relativo ao taoísmo.

tapa[1] *s.f.* **1.** Ato ou efeito de tapar. **2.** Rolha de madeira usada para tapar a boca do canhão e de outras peças de artilharia.

tapa[2] *s.m.* Golpe aplicado com a mão; bofetão, bofetada.

tapa-buraco *s.m.* Pessoa ou objeto que é usado para encher um lugar vazio, para figurar ou fazer número.

tapada *s.f.* **1.** Espaço limitado por um tapume. **2.** O próprio tapume. **3.** Mata cercada por um muro dentro do qual se cria caça. **4.** Parque, cerrado.

tapado *adj.* **1.** Encoberto, tampado. **2.** *Fam.* e *Fig.* Estúpido, bronco, ignorante.

tapagem *s.f.* **1.** Tapume. **2.** Espécie de tapume de varinhas, armado no rio, para pegar peixes.

tapar *v.t.* (conj. 4). **1.** Cobrir com tampa; tampar. **2.** Cobrir, esconder, ocultar. **3.** Fechar, vedar.

tapeação *s.f.* *Fam.* **1.** Ato ou efeito de tapear; engano, logro. **2.** Reparo malfeito.

tapeador (ô) *s.m.* Aquele que tapeia, que engana ou ilude.

tapear[1] *v.t.* (conj. 15). Estapear.

tapear[2] *v.t.* (conj. 15). *Pop.* Enganar, lograr, iludir.

tapeçaria *s.f.* **1.** Estofo, tecido ou bordado com que se revestem paredes e móveis (cadeiras, poltronas, sofás etc.). **2.** Arte ou profissão de tapeceiro. **3.** Estabelecimento onde se fabricam ou se vendem tapetes.

tapeceiro *s.m.* **1.** Fabricante ou vendedor de tapetes. **2.** Pessoa que executa manualmente tapetes ou tapeçarias. ★ *adj.* Relativo à fabricação de tapetes.

tapera *s.f.* (tupi *ta'pera*). **1.** Povoação ou casa abandonada. **2.** Lugar feio e desolado. **3.** Habitação em ruínas. ★ *adj.2g.* Diz-se do indivíduo que não tem um olho ou os dois olhos.

taperebá *s.m.* Sin. de UMBUZEIRO.

tapete (ê) *s.m.* (gr. *tapes, tapetos*). **1.** Peça de estofo, móvel ou fixa, em geral de aspecto aveludado, com que se recobrem pisos, escadas, assoalhos etc. **2.** Peça de tecido usada para decorar paredes e revestir móveis; tapeçaria. **3.** Peça de tecido decorativo para colocar junto das camas, sofás etc.

tapioca *s.f.* (tupi *tïpi'og*, sedimento). **1.** Fécula alimentícia extraída da mandioca; goma. **2.** Beiju recheado com coco ralado. **3.** (*NE*) Papagaio de papel; pipa.

tapir *s.m.* Sin. de ANTA.

tapiti *s.m.* Sin. de COELHO-DO-MATO.

tapona *s.f.* *Gír.* Bofetada, tapa.

tapucaja *s.m.* Sin. de JABURU.

tapuia *s.2g.* Denominação dada pelos tupis dos primeiros séculos e pelos colonizadores aos indígenas de tronco lingüístico diferente, seus inimigos. (Var. TAPUIO.) ★ *adj.2g.* Relativo ou pertencente a esses indígenas.

tapuio *s.m.* Var. de TAPUIA.

tapume *s.m.* **1.** Vedação de um terreno feita com madeira; tapagem, tabique. **2.** Sebe, cerca.

taquara *s.f.* (tupi *ta'kwar*). **1.** Nome comum a diversas gramíneas e a vários tipos de bambu, em geral de caule oco e com diversas aplicações na lavoura e na indústria caseira. **2.** Ripa ou lasca de bambu.

taquari *s.m.* (tupi *takwa'ri*, taquara pequena). **1.** Planta de colmos que atingem até 12 m de altura, de ramos finos e folhas lineares, ásperas nas margens. **2.** Cachimbo de bambu. **3.** Canudo de cachimbo. ★ *adj.* Diz-se de espingarda de pequeno calibre.

taquarinha *s.f.* Sin. de BICHO-PAU.

taquarizeiro *s.m.* Arbusto ornamental, de casca vermelha, folhas agudas e flores pálidas, cujos ramos menores, por serem ocos, são utilizados como tubos para cachimbo.

taquear *v.t.* (conj. 15). Revestir o chão de tacos.

taquiarritmia *s.f.* Ritmo cardíaco irregular e rápido demais, que ocorre na fibrilação atrial.

taquicardia *s.f.* **1.** Aceleração do ritmo cardíaco acima do valor máximo normal de 90 contrações por minuto, por motivos fisiológicos ou patológicos. **2.** *Taquicardia paroxística supraventricular*, taquicardia funcional devida a um ritmo recíproco que cria um circuito de reentrada.

TAQUICARDIA ▸ Em medicina, fala-se de taquicardia quando a freqüência cardíaca é superior a 100 batimentos por minuto em uma pessoa adulta. Embora o aumento dos batimentos do coração seja normal quando fazemos exercício, se essa condição ocorre quando estamos em repouso pode indicar alterações na saúde, como febre, problemas da tireóide, doenças do coração etc. A freqüência cardíaca média, considerada normal, situa-se entre 72 e 78 batimentos por minuto.

---

taquicardíaco *adj.* e *s.m.* Que ou aquele que apresenta taquicardia.

taquifasia ou **taquifemia** *s.f.* Distúrbio da linguagem, com elocução muito acelerada, por alteração maníaca do humor ou lesão cerebral.

taquigrafar *v.t.* e *v.i.* (conj. 4). Estenografar.

taquigrafia *s.f.* Estenografia.

taquipnéia *s.f.* Aceleração anormal do ritmo respiratório.

taquipsiquia *s.f.* ou **taquipsiquismo** *s.m.* Encadeamento anormalmente rápido de idéias, característico dos estados maníacos.

tara[1] *s.f.* (ár. *tarah*). **1.** Peso de um recipiente, embalagem ou veículo vazio, que se pode deduzir do peso bruto para conhecer o peso da carga ou mercadoria. **2.** Redução do preço concedida a título de desconto da embalagem.

tara[2] *s.f.* **1.** Defeito, vício, estigma. **2.** Desvio do comportamento, que geralmente implica uma perversão. **3.** Afecção congênita ou adquirida que acarreta distúrbios das funções fisiológicas e uma deficiência na defesa do organismo contra as doenças. ● **Vet.** Tumor de origem traumática, mecânica ou congênita, que afeta o cavalo.

tarado[1] *adj.* Diz-se do que tem marcado o peso da tara.

tarado[2] *adj.* **1.** Que apresenta um desvio do comportamento. **2.** Defeituoso, falhado. **3.** *Fig.* Atraído, fascinado por. ★ *adj.* e *s.m.* Que ou aquele que pratica crimes sexuais.

taraíra *s.f.* Var. de TRAÍRA.

tarambola *s.f.* Sin. de MAÇARICO.

taramela *s.f.* Var. de TRAMELA.

taramelar *v.i.* (conj. 4). *Pop.* Falar muito e sem sentido; tagarelar, matraquear.

tarantela *s.f.* (it. *tarentella*). Dança popular italiana.

tarântula *s.f.* (it. *tarantola*). Aranha de grande porte, que ocorre na Europa e na América, cuja picada, venenosa e dolorida, causa febre e delírio.

VOCÊ SABIA...? Existem cerca de 30.000 espécies conhecidas de aranhas. As maiores são as **tarântulas** da América do Sul. Algumas espécies chegam a ter 8 cm de corpo e 18 cm de envergadura de patas. Porém, apesar do aspecto assustador, a maioria das tarântulas sul-americanas é inofensiva para o homem.

---

tarar *v.t.* (conj. 4). **1.** Pesar (mercadoria) para abater a tara. **2.** Ajustar a tara para equilibrar uma balança.

tardança *s.f.* Ato ou efeito de tardar; demora, atraso, delonga.

tardar *v.t.* (lat. *tardare*) [conj. 4]. Adiar, protelar, retardar. ★ *v.i.* Vir tarde; demorar-se, atrasar-se.

tarde *adv.* (lat. *tarde*). **1.** Depois da hora marcada, conveniente ou própria. **2.** Em hora avançada. **3.** *Mais tarde*, posteriormente. ★ *s.f.* Parte do dia que vai do meio-dia ao começo da noite.

tardígrado *adj.* e *s.m.* (lat. *tardigradus*). *Poét.* Que ou o que anda devagar. ★ *s.m.* Espécime dos tardígrados.

tardígrados *s.m.pl.* Filo de animais invertebrados, com até 1 mm de comprimento, de corpo revestido por cutícula sem quitina, que vivem em musgos, liquens e alguns em praias marinhas arenosas.

tardinha *s.f.* O período final da tarde; entardecer.

tardio *adj.* **1.** Que chega tarde. **2.** Que se desenvolve devagar ou após o esperado. **3.** Moroso, lento. ● **Agric.** Diz-se de planta ou cultura cujo desenvolvimento é lento em relação a outras de desenvolvimento mais rápido, ou então cujo desenvolvimento é retardado em função de condições climáticas adversas.

tardo *adj.* (lat. *tardus*). Que faz tudo lentamente; preguiçoso, vagaroso.

tarefa *s.f.* (ár. *tareha,* preço fixo). **1.** Trabalho que se deve executar dentro de um prazo. **2.** Qualquer trabalho que se faz por dever ou necessidade. **3.** Trabalho remunerado por unidade de serviço; empreitada.

tarefeiro *s.m.* Aquele que trabalha por tarefa; empreiteiro.

tarifa *s.f.* (do ár. *ta'rif,* fazer constar). **1.** Tabela que indica o custo das mercadorias, o montante dos direitos alfandegários devidos, dos impostos ou taxas, o preço do transporte etc. **2.** Pauta que relaciona os valores cobrados por serviços, p. ex., cartas e volumes postados.

tarifar *v.t.* (conj. 4). Submeter a tarifa; aplicar tarifa a.

tarifário *adj.* Relativo a tarifa.

tarimba *s.f.* **1.** Estrado de madeira em que dormem os soldados nos quartéis. **2.** *P. ext.* Cama dura, sem conforto. **3.** *Fig.* Vida dos quartéis. **4.** *Fig.* Experiência, malícia.

tarimbado *adj.* **1.** Soldado com grau de experiência de tropa. **2.** Que tem tarimba; experiente.

tarja *s.f.* (fr. *targe*). **1.** Faixa preta colocada nas margens do papel, para indicar luto. **2.** Qualquer faixa colocada na margem do papel. **3.** Ornato esculpido ou pintado, que delimita a superfície de um objeto.

tarjado *adj.* Guarnecido com tarja; orlado.

tarjar *v.t.* (conj. 4). Pôr tarja em; guarnecer com tarja; orlar.

tarô *s.m.* Baralho de 78 cartas, dividido em duas séries de 22 e 56 lâminas, usado em técnicas divinatórias.

tarrafa *s.f.* (ár. *tarrha*). Pequena rede de pesca, guarnecida de chumbo nas bordas, que se lança à mão.

tarrafar ou **tarrafear** *v.i.* (conj. 4 ou 15). Pescar com tarrafa.

tarraxa *s.f.* **1.** Parafuso, rosca. **2.** Cunha, prego, cavilha. **3.** Ferramenta utilizada para efetuar um trabalho de rosqueamento externo.

tarraxar *v.t.* (conj. 4). Atarraxar.

tarsal *adj.2g.* Tarsiano.

tarsalgia *s.f.* Dor no tarso.

társeo *adj.* Tarsiano.

tarsiano *adj.* **1.** Relativo ao tarso; társico, tarsal, társeo.

társico *adj.* Tarsiano.

tarso *s.m.* (gr. *tarsos*). **1.** Parte da perna correspondente ao tornozelo e à articulação da tíbia com o pé, composta por sete ossos. **2.** Cada uma das placas de tecido conjuntivo que formam a estrutura de uma pálpebra. **3.** Quinta parte da pata dos insetos.

tartamudear *v.i.* (conj. 15). **1.** Falar com tremor na voz por susto ou medo; gaguejar. **2.** Falar de maneira ininteligível; balbuciar.

tartamudez (ê) *s.f.* Estado ou qualidade de tartamudo.

tartamudo *adj.* e *s.m.* Que ou aquele que tartamudeia.

tartárico *adj.* Relativo ao tártaro[2].

tártaro[1] *adj.* Relativo ou pertencente à Tartária, região da Ásia antiga. ★ *s.m.* O natural ou habitante da Tartária.

tártaro[2] *s.m.* (lat. tard. *tartarum*). **1.** Depósito duro, muito aderente, que se forma sobre os dentes a partir da placa bacteriana e que pode provocar gengivites. **2.** Crosta calcária, dura e insolúvel, que se deposita nas paredes das caldeiras, canalizações de água ou vapor etc.

tartaruga *s.f.* (it. *tartaruga*). **1.** Réptil quelônio aquático, ovíparo, que possui o corpo protegido por uma carapaça dorsal, fundida lateralmente ao plastrão ventral. **2.** A carapaça desse animal, utilizada na fabricação de objetos de adorno, em marchetaria etc. **3.** Réptil quelônio terrestre; jabuti.

tartaruga terrestre

? VOCÊ SABIA...? A **tartaruga** das ilhas Galápagos é uma tartaruga gigante, que pode pesar até 250 kg.

tartufice *s.f.* Ato ou dito próprios de tartufo; hipocrisia.

tartufo *s.m.* (de *Tartufo,* n.pr.). Falso devoto; hipócrita.

tarugo *s.m.* **1.** Pino ou prego que liga duas peças. **2.** *Pop.* Indivíduo atarracado.

tarumã *s.m.* **1.** Árvore de copa larga, folhas compostas e flores azul-claras, que fornece madeira boa para obras em lugares úmidos. **2.** Nome comum a diversas árvores ou arbustos que fornecem madeira e frutos comestíveis que lembram azeitonas.

tasca *s.f.* Taberna, bodega, boteco.

tatame *s.m.* **1.** Placa de palha usada no Japão como piso tradicional. **2.** Placa de palha coberta com lona ou de material sintético, colocada sobre o solo para a prática de esportes como judô e jiu-jitsu.

tatarana *s.f.* Var. de TATURANA.

tataraneto *s.m.* Var. de TETRANETO.

tataravó *s.f.* Var. de TETRAVÓ.

tataravô *s.m.* Var. de TETRAVÔ.

tateante *adj.2g.* Que tateia.

tatear *v.t.* (conj. 15). **1.** Conhecer pelo tato; apalpar. **2.** *Fig.* Indagar, sondar com cautela. ★ *v.i.* Tocar com as mãos, os pés ou algum objeto (bengala etc.) para procurar alguma coisa ou guiar-se por ela.

tatibitate *adj.2g.* Gago, tartamudo.

tática *s.f.* (gr. *taktike*). **1.** Arte de combinar a ação de tropas ou os recursos característicos das diferentes armas, a fim de obter o máximo de eficácia no combate. **2.** *Fig.* Conjunto de meios ou recursos empregados para alcançar um resultado favorável.

tático *adj.* (gr. *taktikós*). Relativo à tática. ★ *s.m.* Especialista ou teórico da tática.

tátil *adj.2g.* (lat. *tactilis*). **1.** Relativo ao tato. (Var. TÁCTIL.) **2.** Que se pode tocar ou tatear.

tatismo *s.m.* Var. de TACTISMO.

tato *s.m.* (lat. *tactus*). **1.** Domínio da sensibilidade relacionado à percepção consciente dos estímulos mecânicos de intensidade moderada, ao nível dos revestimentos cutâneo e mucoso. (Var. TACTO.) **2.** Ato ou efeito de tatear, de apalpar. **3.** *Fig.* Prudência, cautela.

tatu *s.m.* (tupi *ta'tu*). Mamífero edentado provido de carapaça dorsal protetora, que vive em galerias subterrâneas.

tatu e sua cria

TATU ▸ Os tatus constituem, junto com os tamanduás e as preguiças, a ordem *Edentata*. Suas patas são dotadas de fortes garras, que servem para cavar tocas e procurar minhocas, larvas e insetos, além de raízes e tubérculos.

tatuagem *s.f.* **1.** Técnica de desenhar ou pintar a pele, pela introdução de pigmentos sob a epiderme. **2.** Desenho ou pintura obtidos por esse processo.

tatuar *v.t.* (conj. 4). Fazer tatuagem em.

tatu-bola *s.m.* **1.** Nome comum de alguns tatus que se enrolam como uma bola. **2.** Sin. de TATUZINHO.

tatu-canastra *s.m.* Mamífero edentado, ameaçado de extinção, que atinge 85 cm de corpo e 50 cm de cauda.

tatupeba *s.m.* (tupi *tatu'pewa,* tatu chato). Mamífero edentado comum em todo o Brasil, que apresenta seis cintas de placas móveis e pelagem densa, mas de pêlos curtos. (Sin. TATU-PELUDO.)

tatu-peludo *s.m.* Sin. de TATUPEBA.

taturana *s.f.* (tupi *tata'rana,* semelhante ao fogo). **1.** Denominação comum às lagartas dos insetos lepidópteros que podem causar uma sensação urticante, de queimadura, quando tocam a pele. (Var. TATARANA; sin. LAGARTA-DE-FOGO.) **2.** *Fig.* Indivíduo albino.

tatuzinho *s.m.* **1.** Pequeno tatu. **2.** Crustáceo terrestre que vive em locais úmidos e se enrola formando uma bola, quando ameaçado. (Sin. BARATINHA, TATUZINHO-DE-JARDIM, TATU-BOLA.)

tatuzinho-de-jardim *s.m.* Sin. de TATUZINHO.

taumaturgia *s.f.* Poder, ação de taumaturgo.

taumatúrgico *adj.* Relativo ou pertencente à taumaturgia.

taumaturgo *s.m.* (gr. *thaumatourgós*). Aquele que faz ou pretende fazer milagres.

tauriano *adj.* e *s.m.* Var. de TAURINO².

taurino¹ *adj.* (lat. *taurinus*). **1.** Relativo ou pertencente ao touro. **2.** *Fig.* Forte, como de um touro.

taurino² *adj.* e *s.m.* Diz-se de ou indivíduo nascido sob o signo de Touro (de 21 de abril a 20 de maio). (Var. TAURIANO.)

REPRESENTAÇÕES GRÁFICAS DO SIGNO ASTROLÓGICO DE TOURO

tauromaquia *s.f.* (gr. *tauromachía*). A arte de tourear.

tauromáquico *adj.* Relativo à tauromaquia.

tautologia *s.f.* (gr. *tautología*). Vício ou figura retórica que consiste em repetir a mesma idéia utilizando termos diferentes.

tautológico *adj.* **1.** Relativo à tautologia. **2.** Que se caracteriza pela tautologia.

tauxia *s.f.* (ár. *tausiya*). Lavores de ouro, prata etc., embutidos em obra de aço ou de ferro.

tauxiar *v.t.* (conj. 16). **1.** Lavrar com tauxia. **2.** *Fig.* Corar, ruborizar.

taverna *s.f.* Var. de TABERNA.

taverneiro *s.m.* Var. de TABERNEIRO.

tavolagem *s.f.* **1.** Jogo. **2.** O vício do jogo. **3.** *P. ext.* Casa onde se joga.

taxa *s.f.* **1.** Razão de juro. **2.** Percentagem. **3.** Tributo, imposto. (Cf. TACHA.)

taxação *s.f.* (lat. *taxatio*). Ato ou efeito de taxar; tributação.

taxador (ô) *adj.* e *s.m.* Que ou aquele que taxa.

taxar *v.t.* (lat. *taxare*) [conj. 4]. **1.** Submeter a uma taxa, a um imposto etc. **2.** Fixar ou determinar a taxa ou o preço de. **3.** Onerar com impostos; tributar. (Cf. TACHAR.)

taxativo *adj.* **1.** Que taxa, que limita; restritivo. **2.** Definitivo, irretorquível.

táxi (cs) *s.m.* (ingl. *taxi*). **1.** Automóvel de aluguel, com motorista, dotado de taxímetro. **2.** *Táxi aéreo,* avião de passageiros, em geral monomotor, para viagens de curta distância.

taxiar (cs) *v.i.* (conj. 16). Mover (uma aeronave) em terra, sobre as rodas, em manobras.

taxidermia (cs) *s.f.* Arte de empalhar animais vertebrados.

taxidérmico (cs) *adj.* Relativo à taxidermia.

taxidermista (cs) *s.2g.* Aquele que se dedica à taxidermia.

taxímetro (cs) *s.m.* Instrumento que equipa os táxis e que indica o valor da corrida em função da quilometragem e do tempo de espera.

taxionomia (cs) *s.f.* Taxonomia.

taxionômico (cs) *adj.* Taxonômico.

taxista (cs) *s.2g.* Aquele que dirige um táxi.

taxodiáceas (cs) *s.f.pl.* Família de plantas gimnospermas, lenhosas, arbóreas, que tem como representante principal a sequóia.

táxon (cs) *s.m.* Qualquer categoria taxonômica; espécie, gênero, família etc.

A B C D E F G H I J K L M N O P Q R S T U V W X Y Z

taxonomia (cs) *s.f.* **1.** Teoria das classificações; taxionomia. **2.** Ciência que estuda as leis e procedimentos utilizados na classificação dos seres vivos.

taxonômico (cs) *adj.* Relativo à taxonomia; taxionômico.

Tb símbolo químico do térbio.

Tc símbolo químico do tecnécio.

tchau *interj.* Empregada como despedida.

tcheco ou **checo** *adj.* e *s.m.* Relativo ou pertencente à República Tcheca, país da Europa. ★ *s.m.* Língua eslava falada na República Tcheca, onde, ao lado do eslavo, é língua oficial.

tchecoslovaco ou **checoslovaco** *adj.* Relativo ou pertencente à antiga Tchecoslováquia, país da Europa; checo, tcheco. ★ *s.m.* O natural ou habitante da Tchecoslováquia; checoslovaco, tcheco.

te *pron. pess.* (lat. *te*). Forma da 2ª pess. sing. (caso oblíquo), empregada como objeto direto ou indireto.

Te símbolo químico do telúrio.

teáceas *s.f.pl.* Família de plantas dicotiledôneas, lenhosas, arbóreas ou arbustivas, de folhas inteiras e flores geralmente vistosas, como o chá.

tear *s.m.* Qualquer aparelho, manual ou elétrico, para tecer.

teatro *s.m.* (gr. *theatron*). **1.** Edifício destinado à representação de obras dramáticas, óperas etc. **2.** O próprio espetáculo. **3.** A atividade teatral. **4.** A literatura dramática. **5.** Conjunto de obras dramáticas de um autor ou de uma época. **6.** *Fig.* Lugar em que ocorrem certos fatos; palco.

? VOCÊ SABIA...? Os gregos encenavam peças de **teatro** desde a Antiguidade. Os atores usavam máscaras e túnicas. Os espectadores assistiam a comédias e tragédias ao ar livre, acomodados em degraus de madeira ou pedras.

---

teatral *adj.2g.* (lat. *theatralis*). **1.** Relativo ao teatro; dramático. **2.** Que procura efeitos para impressionar; dramático.

teatrólogo *s.m.* Escritor de peças teatrais; dramaturgo.

tebaína *s.f.* Alcalóide extraído do ópio, que possui atividade analgésica.

teca *s.f.* Denominação genérica das carapaças protetoras dos animais invertebrados e dos vegetais.

tecedor (ô) *adj.* e *s.m.* **1.** Tecelão. **2.** *Fig.* Que ou aquele que tece.

tecedura *s.f.* **1.** Ato ou efeito de tecer. **2.** Os fios que atravessam a urdidura.

tecelagem *s.f.* **1.** Fabricação de tecidos. **2.** Estabelecimento industrial em que se fabricam tecidos.

tecelão *s.m.* Operário que tece fibras têxteis; tecedor.

tecer *v.t.* (lat. *texere*) [conj. 25]. **1.** Entrelaçar fios de trama e de urdume de maneira regular. **2.** Fabricar um tecido em tecelagem. **3.** *Fig.* Tramar, urdir, engendrar.

tecido *adj.* **1.** Feito no tear. **2.** Urdido, preparado. ★ *s.m.* **1.** Artigo têxtil formado pelo cruzamento de fios de trama e de urdume. **2.** Qualquer artigo têxtil. **3.** Textura, maneira pela qual os fios se entrelaçam. **4.** *Fig.* Encadeamento, série de coisas ligadas umas às outras. ● **Biol.** Conjunto de células que possuem mesma estrutura e função, como o tecido nervoso.

tecla *s.f.* **1.** Dispositivo de máquina, aparelho etc. sobre o qual se atua por pressão ou por contato de um só dedo para acioná-lo. **2.** Nos instrumentos musicais de teclado, alavanca basculante que, sob pressão dos dedos, aciona mecanicamente o som. **3.** *P. ext.* A parte da tecla que é premida pelos dedos do executante.

teclado *s.m.* Aparelho ou dispositivo onde estão dispostas as teclas de instrumento musical, máquina etc.

teclar *v.t.* (conj. 4). Pressionar ou acionar (uma tecla).

tecnécio *s.m.* (do gr. *technetos,* artificial). Elemento químico (símb. Tc) de número atômico 43, que constitui um metal cinza-prateado obtido por bombardeamento do urânio e foi o primeiro elemento artificial produzido pelo homem.

técnica *s.f.* (do gr. *techné,* arte; artifício). **1.** Conjunto de procedimentos e métodos de uma arte, ofício ou atividade industrial. **2.** Prática, experiência, conhecimento em determinado domínio.

tecnicidade *s.f.* Caráter ou qualidade do que é técnico; tecnicismo.

tecnicismo *s.m.* **1.** Tecnicidade. **2.** Valorização excessiva dos recursos tecnológicos ou da atuação dos técnicos.

técnico *adj.* (gr. *technikos*). **1.** Relativo à prática ou ao conhecimento de uma atividade ou domínio especializado. **2.** Relativo ao funcionamento de uma máquina ou sistema. ★ *s.m.* **1.** Profissional de determinada técnica; perito, especialista. **2.** Treinador de uma equipe esportiva ou de um atleta.

tecnicolor (ô) *adj.2g.* (ingl. *technicolor*) [marca registrada]. **1.** Diz-se de certo processo de cinema em cores. **2.** *P. ext.* Diz-se de qualquer filme colorido.

tecnocracia *s.f.* **1.** Categoria dos técnicos que, na sociedade contemporânea, exercem muito poder no seio das grandes administrações ou firmas importantes. **2.** Governo conduzido por técnicos.

tecnocrata *s.2g.* **1.** Partidário da tecnocracia. **2.** Político, administrador ou funcionário que procura soluções técnicas ou racionais desprezando os aspectos humanos e sociais do problema.

tecnocrático *adj.* Relativo ou pertencente à tecnocracia ou a tecnocrata.

tecnologia *s.f.* **1.** Conjunto dos conhecimentos, processos e métodos empregados nos diversos ramos da indústria. **2.** Conjunto de conhecimentos e produtos que resultam em uma aplicação.

tecnológico *adj.* Relativo à tecnologia.

tecnólogo *s.m.* Especialista em tecnologia.

teco-teco *s.m.* (onomat.). Pequeno avião, movido por motor de explosão de pequena potência, para trajetos curtos.

tectônica *s.f.* (gr. *tectonike,* a arte de carpinteiro). **1.** Deformação de rochas causada por forças endógenas. **2.** Parte da geologia que estuda essa deformação.

tectônico *adj.* Relativo a ou causado pela tectônica.

tédio *s.m.* (lat. *taedium*). Fastio, aborrecimento, desgosto.

tedioso (ô) *adj.* (lat. *taediosus*). Que causa, inspira ou revela tédio; fastidioso, aborrecido, maçante.

tegme ou **tégmen** *s.m.* (lat. *tegmen,* cobertura). Membrana que, nas sementes com dois tegumentos, corresponde ao tegumento interno.

A B C D E F G H I J K L M N O P Q R S U V W X Y Z

tégmina *s.f.* (lat. *tegmina*). A asa anterior, mais ou menos coriácea, dos insetos ortópteros.

tegumentar *adj.2g.* Relativo a tegumento; tegumentário.

tegumentário *adj.* Tegumentar.

tegumento *s.m.* (lat. *tegumentum*). **1.** Conjunto de tecidos que recobre o corpo dos animais. **2.** Qualquer membrana, invólucro ou estrutura que reveste e protege um órgão ou parte de um vegetal.

teia *s.f.* (lat. *tela*). **1.** Conjunto de fios de seda segregados pelas aranhas e muitas vezes regularmente dispostos. **2.** Tecido de linho, algodão, cânhamo etc. **3.** *Fig.* Enredo, intriga, trama.

teima *s.f.* (gr. *thema*, assunto, proposição). **1.** Ato ou efeito de teimar; insistência, obstinação, pertinácia. **2.** *Fig.* Ponto controverso, discutido.

teimar *v.i.* (conj. 4). Insistir, obstinar-se. ★ *v.t.* Pretender com insistência, insistir em.

teimosia *s.f.* **1.** Apego obstinado às próprias idéias, gostos etc. **2.** Obstinação, persistência, pertinácia exagerada.

teimoso (ô) *adj.* **1.** Que tem ou denota teimosia. **2.** Obstinado, persistente, insistente.

teína *s.f.* (do fr. *thé*, chá). Principal alcalóide da folha de chá, idêntico à cafeína.

teísmo[1] *s.m.* (do gr. *theos*, deus). Doutrina filosófico-religiosa que afirma a existência de um Deus pessoal como causa primeira do mundo.

teísmo[2] *s.m.* Intoxicação por abuso de chá.

teísta *adj.2g.* Relativo ou pertencente ao teísmo[1]. ★ *s.2g.* Partidário do teísmo[1].

teiú *s.m.* (tupi *te'yu*). **1.** Sin. de LAGARTO. **2.** Denominação comum a répteis lacertílios, que atingem quase 2 m de comprimento e que ocorrem na América do Sul. (Var. TEJU; sin. TEIUGUAÇU.)

teiuguaçu *s.m.* Sin. de TEIÚ.

teju *s.m.* Var. de TEIÚ.

tela *s.f.* (lat. *tela*). **1.** Conjunto de fios tecidos ou entrelaçados. **2.** Tecido. **3.** Pedaço de linho grosso, juta, algodão ou lona esticado num chassi de madeira e preparado para servir de suporte para pintura a óleo, têmpera, tinta acrílica etc. **4.** *P. ext.* Quadro pintado sobre tela. **5.** Superfície opaca ou translúcida sobre a qual são projetadas imagens cinematográficas ou fotográficas. **6.** *P. ext.* A arte cinematográfica, o cinema. ● **Eletrôn.** Superfície ou aparelho em que são exibidas figuras, gráficos etc. originadas por sinais eletrônicos.

telangectasia *s.f.* Anormalidade capilar com multiplicação, dilatação e modificação na estrutura dos capilares.

telar *v.t.* (conj. 4). **1.** Reforçar papel colando-o sobre tecido fino; entelar. **2.** Guarnecer (portas e janelas) com tela.

telecinesia *s.f.* Movimentação de objetos sem meios mecânicos, atribuída a poderes paranormais.

telecinético *adj.* Relativo a ou causado por telecinesia.

telecomandar *v.t.* (conj. 4). Comandar ou controlar à distância, por meio de telecomando.

telecomando *s.m.* Sistema que permite realizar a manobra de um mecanismo à distância, por meio de fios ou de ondas hertzianas.

telecomunicação *s.f.* Transmissão, emissão ou recepção de informações por fio, radioeletricidade, óptica ou outros sistemas eletromagnéticos.

TELECOMUNICAÇÃO ► A telecomunicação (transmissão de informações por meio de palavras, sons e imagens através de sistemas elétricos ou eletromagnéticos) começou a desenvolver-se no século XIX. O termo deriva da palavra grega *tele*, que significa "longe". Todos os sistemas de comunicação constam de três partes básicas: um *emissor*, um *canal de transmissão* e um *receptor*. O emissor dá à informação uma forma apropriada e emite o sinal. O canal de transmissão conduz o sinal e pode ser um cabo elétrico, de fibra óptica ou ondas eletromagnéticas. A terceira parte do sistema, o receptor, detecta o sinal e o converte na forma desejada.

teleférico *s.m.* Sistema de transporte de pessoas ou de cargas por meio de assentos, cabines ou caçambas suspensos, enviados em intervalos regulares ao longo de cabos em movimento.

telefonar *v.i.* (conj. 4). Falar ao telefone. ★ *v.t.* Comunicar-se pelo telefone; ligar.

telefone *s.m.* (fr. *téléphone*). **1.** Aparelho de telefonia que compreende ao menos um microfone e um receptor. **2.** Instalação de telefonia. **3.** *Telefone fixo*, sistema de telefonia em que os sinais são transmitidos por fio. (Alguns aparelhos, ditos *telefone sem fio*, têm uma base que recebe o sinal pela fiação e o transmite por ondas de curto alcance para o dispositivo onde se fala e ouve.) ► *Telefone móvel*, o que recebe sinais em forma de onda diretamente da antena da operadora; telefone celular.

telefonema *s.m.* Conversa ou comunicação pelo telefone.

telefonia *s.f.* Forma de telecomunicação destinada basicamente à troca de informações sob a forma de palavra falada.

telefônico *adj.* Relativo a telefone ou à telefonia.

telefonista *s.2g.* Pessoa encarregada de estabelecer as ligações telefônicas em mesas de comutação manual.

telefoto ou **telefotografia** *s.f.* Fotografia transmitida e reproduzida por ondas radioelétricas, através de circuitos telefônicos.

telegrafar *v.t.* (conj. 4). Transmitir informações por telegrafia, enviar um telegrama.

telegrafia *s.f.* Forma de telecomunicação na qual as informações transmitidas são registradas, quando de sua recepção, sob a forma de um documento gráfico.

telegráfico *adj.* **1.** Relativo a telégrafo ou à telegrafia. **2.** *Fig.* Muito resumido; lacônico. **3.** Diz-se de texto ou estilo caracterizado pela eliminação de conjunções, preposições ou artigos não necessários ao entendimento da mensagem.

telegrafista *s.2g.* Pessoa que, nas agências telegráficas, transmite ou recebe telegramas.

telégrafo *s.m.* Aparelho, instalação ou dispositivo de telegrafia.

telegrama *s.m.* Mensagem transmitida por um serviço telegráfico e remetida por escrito ao destinatário.

teleguiar *v.t.* (conj. 16). Guiar à distância (engenhos, foguetes, projéteis, aviões etc.) por meio de ondas hertzianas.

telejornal *s.m.* Noticiário apresentado pela televisão.

A B C D E F G H I J K L M N O P Q R S T U V W X Y Z

telejornalismo *s.m.* Atividade jornalística exercida em telejornal.

telemetria *s.f.* Medida de distância obtida por procedimentos acústicos, ópticos ou radioelétricos.

telemétrico *adj.* Relativo à telemetria.

telêmetro *s.m.* Instrumento de óptica que serve para medir a distância entre o observador e um ponto distante.

telencéfalo *s.m.* Estrutura do sistema nervoso central do embrião, que se diferencia nos dois hemisférios cerebrais.

telenovela *s.f.* História apresentada em capítulos na televisão.

teleobjetiva *s.f.* Lente objetiva fotográfica de grande distância focal, que permite fotografar objetos distantes.

teleósteo *s.m.* Espécime dos teleósteos. ★ *adj.* Relativo aos teleósteos.

teleósteos *s.m.*pl. (gr. *teleos,* acabado e *osteon,* osso). Grupo de peixes ósseos que apresentam ossificação completa do esqueleto, bexiga natatória com função hidrostática e nadadeira caudal simétrica.

telepata *s.2g.* Indivíduo que pratica a telepatia; médium.

telepatia *s.f.* Transmissão de pensamentos ou de quaisquer impressões de uma pessoa a outra, fora de qualquer via sensorial conhecida.

telepático *adj.* Relativo a ou transmitido por telepatia.

telescópico *adj.* **1.** Relativo a ou feito com o auxílio do telescópio. **2.** Diz-se de uma estrutura tubular cujos elementos podem ser colocados uns por dentro dos outros, aumentando ou reduzindo o comprimento.

telescópio *s.m.* Instrumento de observação astronômica cuja objetiva é um espelho.

DESENHO ESQUEMÁTICO DE UM TELESCÓPIO

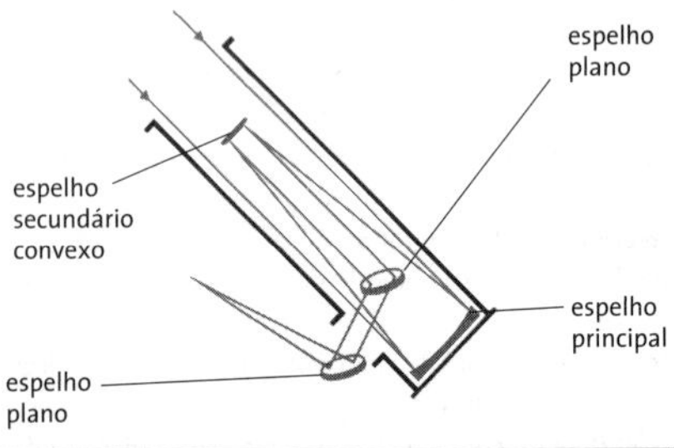

telespectador (ô) *adj.* e *s.m.* Que ou aquele que assiste a espetáculos de televisão.

teletipista *s.2g.* Pessoa que trabalha com teletipo.

teletipo *s.m.* (ingl. *teletype*). Aparelho telegráfico que envia diretamente um texto por meio de um teclado datilográfico, registrando a mensagem, no posto receptor, sob a forma de caracteres de impressão.

televisão *s.f.* (ingl. *television*) [abrev. TV]. **1.** Transmissão, por cabo ou por ondas radioelétricas, de imagens que podem ser reproduzidas sobre uma tela quando de sua recepção. **2.** Aparelho receptor dessas imagens. **3.** Empresa que produz ou transmite programas artísticos, culturais, informativos etc. por meio dessa técnica. **4.** Conjunto dos programas produzidos por uma empresa, país etc.

televisionar *v.t.* (conj. 4). Transmitir por televisão.

televisivo *adj.* Relativo a ou próprio da televisão.

televisor (ô) *adj.* (ingl. *televisor*). Relativo à técnica da televisão. ★ *s.m.* Aparelho receptor de imagens de televisão.

televisora (ô) *s.f.* Estação de televisão.

telex (cs) *s.m.* (fr. *télex*). **1.** Serviço telegráfico que permite a utilização do aparelho receptor e impressor no endereço do destinatário. **2.** Esse aparelho.

telha (ê) *s.f.* (lat. *tegula*). **1.** Peça geralmente de barro cozido e de forma variada que, imbricada em outras, forma a cobertura de casas, prédios etc. **2.** *Pop.* Intenção, veneta. **3.** *Pop.* Cabeça, mente.

EXEMPLOS DE TELHAS

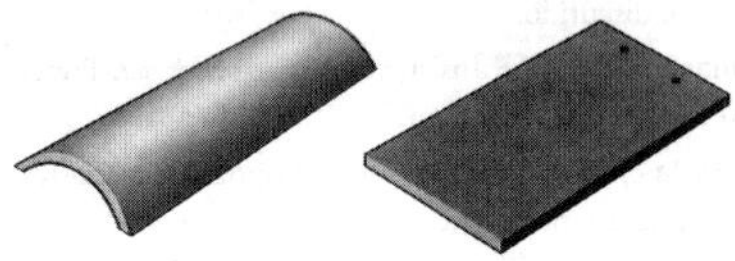

TELHA ▸ As telhas são fabricadas com uma pasta consistente e homogênea de argila, que é submetida a um processo de umedecimento antes de receber a forma definitiva. Depois de secar durante certo tempo, as telhas são cozidas em forno especial.

telhado *s.m.* **1.** Conjunto de telhas que, encaixadas umas nas outras e simetricamente dispostas, cobrem uma construção. **2.** *P. ext.* Qualquer cobertura de outro material.

telhar *v.t.* (conj. 4). Cobrir com telhas.

telha-vã *s.f.* Telhado sem forro.

telheiro *s.m.* **1.** Fabricante de telhas. **2.** Cobertura simples de telhas destinada a abrigar animais, proteger utensílios etc.

telófase *s.f.* Estágio final da mitose e da meiose, no qual ocorre a reconstituição da membrana nuclear em torno dos cromossomos e a divisão do citoplasma.

telômero *s.m.* Extremidade do cromossomo.

telúrico *adj.* (lat. *tellus, telluris,* terra). **1.** Relativo ou pertencente à Terra. **2.** Relativo ao solo. **3.** *Abalo telúrico,* sismo, terremoto. ▸ *Planeta telúrico,* planeta do tipo da Terra, de grande densidade média, mas de dimensões relativamente modestas. ● **Quím.** Relativo aos compostos do telúrio.

telúrio *s.m.* (do lat. *tellus, telluris,* terra, solo). Elemento químico (símb. Te) de número atômico 52, do grupo dos semimetais, que constitui um sólido branco-prateado, utilizado industrialmente em ligas com outros metais.

tema *s.m.* (gr. *thema*). **1.** Assunto, matéria. **2.** Proposição que deve ser desenvolvida por um aluno. **3.** Idéia musical melódica, rítmica ou harmônica sobre a qual é construída uma composição. ● **Gram.** Forma constituída de radical e vogal temática. **Liter.** Idéia principal ou secundária que pode se abstrair de um conto, novela, romance ou peça teatral.

temapara *s.m.* Sin. de TEIÚ.

temário *s.m.* O conjunto de temas ou assuntos a serem tratados num congresso científico, artístico, literário etc.

temática *s.f.* Conjunto de temas que constitui o material de base da construção de uma obra artística ou literária.

temático *adj.* (gr. *thematikos*). Relativo ao tema. ● **Gram.** *Vogal temática,* vogal (a, e, i) que se junta ao radical de um verbo, e que determina a conjugação à qual pertence.

temente *adj.2g.* Que teme, que tem temor.

temer *v.t.* (lat. *timere*) [conj. 5]. **1.** Ter medo; recear. **2.** Reverenciar, adorar.

temerário *adj.* (lat. *temerarius*). **1.** Audacioso, atrevido até a imprudência. **2.** Sem base, infundado.

temeridade *s.f.* (lat. *temeritas*). Imprudência, audácia presunçosa.

temeroso (ô) *adj.* **1.** Que infunde temor, terrível, assustador. **2.** Que experimenta e revela temor; receoso, medroso.

temido *adj.* **1.** Que infunde medo ou temor. **2.** *Fig.* Valente, destemido.

temível *adj.2g.* Que se deve temer, que infunde temor.

temor (ô) *s.m.* (lat. *timor*). **1.** Ato ou efeito de temer; receio, medo. **2.** Sentimento de respeito ou reverência. **3.** Pontualidade, zelo, escrúpulo.

têmpera *s.f.* (it. *tempera,* de *temperare,* temperar). **1.** Ato ou efeito de temperar. **2.** Tratamento térmico que consiste em aquecer um metal em temperatura acima da zona crítica e resfriá-lo rapidamente, para aumentar sua dureza. **3.** Tinta obtida misturando-se o pigmento com gema de ovo, cal ou cola. **4.** Quadro pintado com essa técnica. **5.** *Fig.* Caráter, temperamento.

temperado *adj.* (lat. *temperatus*). **1.** Que se temperou, que passou pela têmpera. **2.** Que tem tempero; condimentado. **3.** Comedido, moderado, regrado. **4.** Diz-se de um tipo de clima dominante nas latitudes médias, entre as regiões polares e o mundo tropical. ● **Mús.** Diz-se do intervalo ligeiramente diminuído.

temperamental *adj.2g.* Relativo a temperamento. ★ *adj.2g.* e *s.2g.* Que ou aquele que tem um temperamento suscetível, sujeito a reações súbitas e intensas.

temperamento *s.m.* (lat. *temperamentum*). **1.** Aspecto da personalidade de um indivíduo relacionado às suas reações e disposições emocionais de modo geral; compleição. **2.** Caráter, índole, conjunto de tendências. **3.** Em homeopatia, conjunto de reações que diferenciam um indivíduo dos demais pertencentes à mesma constituição física.

temperança *s.f.* (lat. *temperantia*). **1.** Disciplina dos desejos e paixões humanas. **2.** Sobriedade no consumo de alimentos e bebidas. **3.** Moderação, comedimento, parcimônia.

temperar *v.t.* (lat. *temperare*) [conj. 4]. **1.** Pôr tempero em. **2.** Acrescentar um líquido a outro para dilui-lo. **3.** Suavizar, amenizar, moderar. **4.** Conciliar, harmonizar. **5.** Praticar a operação de têmpera de um metal ou de um vidro, para que se torne mais duro. **6.** *Fig.* Fortalecer, enrijecer. ★ *v.pr.* **1.** Moderar-se. **2.** Adquirir têmpera; fortalecer-se.

temperatura *s.f.* (lat. *temperatura*). **1.** Grandeza física que expressa a quantidade de calor de um corpo ou ambiente. **2.** Grau de calor existente no ar atmosférico. **3.** Grau de calor interno do corpo humano ou animal. **4.** *Pop.* Febre.

tempero (ê) *s.m.* **1.** Nome genérico dos ingredientes que se adicionam à comida para lhe dar mais sabor, tais como pimentas, ervas, especiarias etc.; condimento. **2.** *Fig.* Remédio, paliativo.

tempestade *s.f.* (lat. *tempestas, tempestatis*). **1.** Violenta perturbação atmosférica acompanhada de relâmpagos, trovões, rajadas de vento e pancadas de chuva ou granizo; temporal, tormenta, procela. **2.** *Fig.* Calamidade, sofrimento, desgraça. **3.** *Fig.* Desencadeamento violento; tumulto.

tempestividade *s.f.* Qualidade, caráter de tempestivo; oportunidade.

tempestivo *adj.* (lat. *tempestivus*). Que vem a tempo; oportuno.

tempestuoso (ô) *adj.* (lat. *tempestuosus*). **1.** Que traz tempestade. **2.** Sujeito a tempestades. **3.** Que apresenta freqüentes tempestades. **4.** *Fig.* Agitado, perturbado.

templário *s.m.* Cavaleiro da Ordem do Templo, ordem militar e religiosa medieval.

templo *s.m.* (lat. *templum*). **1.** Edifício construído em honra de uma divindade, onde se celebram cultos. **2.** Edifício no qual os protestantes celebram seu culto. **3.** *Fig.* Local freqüentado pelos conhecedores, amantes de uma arte, ofício ou atividade.

tempo *s.m.* (lat. *tempus*). **1.** Noção fundamental concebida como um meio infinito no qual os acontecimentos se sucedem. **2.** Medida de duração dos fenômenos, da existência etc. **3.** Momento fixado, prazo. **4.** Época, período. **5.** Estação, época. **6.** Estado da atmosfera (temperatura, umidade, ocorrência de chuvas e ventos etc.) num determinado momento e lugar. **7.** Divisão de um compasso musical. **8.** Disponibilidade, possibilidade de ocupar-se de algo. ● **Automóv.** Cada uma das fases de operação de um ciclo de um motor a combustão interna. **Gram.** Flexão verbal que localiza o fato expresso pelo verbo relativamente ao momento em que se fala. ▸ *Tempos compostos,* os formados por um verbo auxiliar mais o particípio do verbo que se quer conjugar. ▸ *Tempos simples,* os que se conjugam sem verbo auxiliar. **Liter.** Marcação do ritmo da prosa de ficção que se distingue em *tempo cronológico* (ritmo calendário) e *tempo psicológico* (marcado pela memória das personagens). **Mús.** Velocidade de execução de uma obra.

têmpora *s.f.* (lat. *tempora*). Parte lateral da cabeça, compreendida entre o olho, a fronte, a orelha e a bochecha; fonte, têmporas.

temporada *s.f.* **1.** Período prolongado. **2.** Época do ano caracterizada por determinada atividade periódica.

temporal *adj.2g.* (lat. *temporalis*). **1.** Relativo ao tempo. **2.** Que é situado no tempo, que tem uma duração limitada. **3.** Relativo ou pertencente às coisas materiais, aos interesses do mundo. ● **Anat.** Relativo às têmporas. ▸ Relativo ao lobo temporal. ▸ *Osso temporal* ou *temporal* (*s.m.*), osso de forma complexa situado na parte inferior e lateral do crânio, atrás do esfenóide, sob o parietal e na frente do occipital. ▸ *Lobo temporal,* lobo do cérebro situado sob o sulco lateral do hemisfério cerebral. ★ *s.m.* **1.** Tempestade. **2.** O osso temporal.

temporalidade *s.f.* **1.** Qualidade, caráter de temporal. **2.** Qualidade do que é provisório; interinidade.

temporão *adj.* (lat. *temporaneus*). **1.** Que acontece ou aparece antes do tempo ou fora do tempo próprio; extemporâneo. **2.** Que amadurece fora da época própria. **3.** Prematuro, precoce. ★ *adj.* e *s.m.* Diz-se de ou filho que nasce muito depois do irmão que o precede imediatamente, ou muito depois do casamento dos pais.

temporário *adj.* (lat. *temporarius*). **1.** Que só dura algum tempo; provisório, transitório. **2.** *Cultura temporária,* lavoura que utiliza plantas com ciclo vegetativo de no máximo um ano, como milho, feijão e arroz.

têmporas *s.f.pl.* Têmpora.

temporizar *v.t.* (conj. 4). **1.** Demorar, retardar, adiar. **2.** Contemporizar, condescender.

tem-tem *s.m.* Ave falconiforme de rapina, de asas curtas e cauda longa, que se caracteriza pela presença de uma mancha escura, em forma de lua, ao lado do pescoço.

tenacidade *s.f.* (lat. *tenacitas*). **1.** Qualidade de tenaz. **2.** *Fig.* Apego obstinado a uma idéia, a um projeto; persistência. **3.** Capacidade de um material de absorver energia até se romper, quando submetido a um ou mais esforços.

tenalgia *s.f.* Dor em um tendão.

tênar *s.m.* (gr. *thenar,* palma da mão). Saliência situada na parte externa da palma da mão, formada pelos músculos do polegar.

tenaz *adj.2g.* (lat. *tenax*). **1.** Que adere fortemente; viscoso, pegajoso. **2.** Que prende ou segura firmemente. **3.** Teimoso, insistente. **4.** Difícil de extirpar. **5.** Diz-se do material que resiste à ruptura, que tem elevada tenacidade. **6.** *Fig.* Muito apegado às suas idéias; obstinado. **7.** *Fig.* Avaro, mesquinho. ★ *s.f.* **1.** Ferramenta composta de duas peças cruzadas que se movimentam em torno de um eixo e cujas extremidades mordentes se aproximam para segurar, prender ou cortar objetos. **2.** *Fig.* O que provoca aperto ou mal-estar físico ou moral.

EXEMPLOS DE TENAZES

tenção *s.f.* (lat. *tentio*). **1.** Intento, propósito, desígnio. **2.** Devoção, veneração. **3.** Briga, contenda.

tencionar *v.t.* (conj. 4). Fazer tenção de; planejar, pretender. ★ *v.i.* Escrever (um juiz) seu voto de tenção.

tenda *s.f.* (lat. *tenda,* de *tendere,* estender). **1.** Barraca de pano grosso impermeabilizado, que se arma ao ar livre para servir de abrigo. **2.** Caixa com tampa de vidro, carregada ao pescoço pelo vendedor ambulante, com suas quinquilharias. **3.** Pequena oficina de ferreiro, sapateiro, marceneiro etc. ● **Anat.** *Tenda do cerebelo,* expansão da dura-máter que separa o lobo occipital do cerebelo.

tendal[1] *s.m.* **1.** Toldo fixo sobre a primeira coberta do navio. **2.** Espaço onde, nos engenhos de açúcar, se assentam as fôrmas.

tendal[2] *s.m.* **1.** Varal. **2.** Entreposto onde se estende a carne das reses abatidas para venda aos açougues.

tendão *s.m.* (lat. *tendo, tendinis*). **1.** Cordão ou feixe fibroso situado na extremidade dos músculos e que serve para ligá-los aos ossos, às aponevroses, ou à pele. **2.** *Tendão de Aquiles,* grosso tendão do calcanhar, pelo qual os músculos da panturrilha se inserem no calcâneo; tendão calcâneo.

tendeiro *s.m.* O que tem tenda ou vende em tenda.

tendência *s.f.* (fr. *tendance*). **1.** Ação, força pela qual um corpo é levado a mover-se. **2.** Propensão, inclinação. **3.** Pendor, vocação. **4.** Disposição, intenção.

tendencioso (ô) *adj.* Que tem uma intenção secreta ou a tendência a impor uma opinião.

tendente *adj.2g.* Que tende a.

tender *v.t.* (lat. *tendere*) [conj. 5]. **1.** Estender, estirar. **2.** Ter tendência, vocação ou disposição para; inclinar-se. **3.** Ter como objetivo ou meta; destinar-se. **4.** Dirigir-se, encaminhar-se. **5.** Aproximar-se, acercar-se. ★ *v.pr.* Alargar-se, estender-se.

tênder *s.m.* (ingl. *tender*). **1.** Veículo que, colocado imediatamente atrás de uma locomotiva a vapor, transporta o combustível (carvão ou lenha) e a água necessários à alimentação da máquina. **2.** Presunto cozido e ligeiramente defumado.

tendinite *s.f.* Inflamação de um tendão.

tendinoso (ô) *adj.* Da natureza dos tendões.

tenebrosidade *s.f.* Qualidade de tenebroso.

tenebroso (ô) *adj.* (lat. *tenebrosus*). **1.** Envolto em trevas; escuro, sombrio. **2.** *Fig.* Horrível, medonho. **3.** *Fig.* Aflitivo, pungente. **4.** Criminoso, indigno. **5.** Difícil de saber ou de compreender; obscuro.

tenente *s.m.* (lat. *tenens, tenentis*). **1.** Substituto de um chefe na sua ausência. **2.** Posto das Forças Armadas e da Polícia Militar imediatamente inferior ao de capitão. **3.** Pessoa que ocupa esse posto. **4.** Denominação comum a primeiro-tenente e segundo-tenente.

tenente-brigadeiro *s.m.* **1.** Posto da Aeronáutica imediatamente inferior a marechal-do-ar e superior a major-brigadeiro. **2.** Pessoa que ocupa esse posto.

tenente-coronel *s.m.* **1.** Posto do Exército brasileiro imediatamente inferior a coronel e superior a major. **2.** Pessoa que ocupa esse posto.

tenente-coronel-aviador *s.m.* **1.** Posto da Aeronáutica brasileira imediatamente inferior a coronel e superior a major-aviador. **2.** Pessoa que ocupa esse posto.

tenente-do-mar *s.m.* **1.** Antigo oficial da Marinha de Guerra. **2.** Pessoa que ocupava esse posto.

tenentismo *s.m.* **1.** Série de movimentos militares liderados por tenentes no final da Primeira República. **2.** A ideologia desses movimentos.

tenesmo (ê) *s.m.* (gr. *teinesmos*). Sensação dolorosa na bexiga ou na região anal, provocada pela necessidade frustrada de urinar ou defecar.

tênia *s.f.* (gr. *tainia*). Verme platelminto de corpo achatado e alongado, provido de ventosas, que parasita o homem e os animais domésticos. (Sin. SOLITÁRIA.)

teníase *s.f.* Parasitose provocada por tênias.

tenicida *s.m.* Medicamento que mata as tênias.

tenífugo *adj.* e *s.m.* Diz-se de ou medicamento que provoca a expulsão das tênias.

tênis *s.m.* (ingl. *tennis*). **1.** Esporte executado por dois ou quatro jogadores que, munidos de raquetes, atiram uma pequena bola por cima da rede que divide em dois campos a quadra. **2.** Calçado esportivo de lona, couro ou material similar, com sola de borracha. **3.** *Tênis de mesa,* espécie de jogo de tênis praticado sobre uma mesa, com raquetes e bolas especiais.

TÊNIS ▸ O **tênis** pode ser disputado ao ar livre ou em recinto fechado, e sobre diversos tipos de piso: grama, saibro ou material sintético. Todos os anos realizam-se grandes torneios, entre os quais destacam-se os de Flushing Meadow, nos Estados Unidos, Wimbledon, na Inglaterra, Roland-Garros, na França, e o Aberto da Austrália.

tenista *s.2g.* Jogador de tênis.

tenor (ô) *s.m.* (it. *tenore*). **1.** Voz masculina mais aguda que o barítono. **2.** Cantor que possui essa voz. **3.** Instrumento cuja extensão corresponde à da voz de tenor.

tenossinovite *s.f.* Inflamação simultânea de um tendão e de sua bainha sinovial.

tenotomia *s.f.* Secção de um tendão.

tenro *adj.* (lat. *tenerum*). **1.** Brando, mole, macio. **2.** *Fig.* O que tem pouco tempo; recente, jovem. **3.** *Fig.* Fresco, viçoso.

tensão *s.f.* (lat. *tensio*). **1.** Qualidade, estado de tenso. **2.** Estado de rigidez que se manifesta em certas partes do organismo. **3.** Excitação, enervamento. **4.** Situação que pode desencadear uma ruptura, um conflito. **5.** Estado de um elemento, de uma estrutura, solicitado à tração ou à compressão. ● **Eletr.** Diferença de potencial elétrico entre dois pontos de um circuito; voltagem. **Fís.** *Tensão superficial,* energia por unidade de superfície de um líquido em equilíbrio com seu vapor. **Fisiol.** *Tensão arterial,* conjunto de forças internas a que são submetidas as paredes das artérias sob a influência da pressão do líquido nelas contido. **Med.** Contratura ou sensação dolorosa de estiramento. ▸ *Tensão nervosa,* estado psicofisiológico caracterizado por apreensão, contração dos músculos posturais, irritabilidade ou ansiedade, geralmente acompanhado de manifestações dolorosas ou de modificações funcionais do organismo.

tensiômetro *s.m.* Sin. de ESFIGMOMANÔMETRO.

tensivo *adj.* Que produz tensão.

tenso *adj.* (lat. *tensus*). **1.** Estendido com força; teso, estirado, retesado. **2.** Que apresenta tensão. **3.** *Fig.* Nervoso, angustiado.

tensoativo *adj.* Surfactante.

tensor (ô) *adj.* e *s.m.* Que ou o que estende. ★ *s.m.* **1.** Músculo que provoca o tensionamento de tendões ou aponevroses durante o movimento. **2.** Grandeza matemática que tem diversos componentes e que possui certas propriedades de invariância formal em uma mudança de base dos espaços vetoriais subjacentes.

tentação *s.f.* (lat. *tentatio*). **1.** Ato ou efeito de tentar. **2.** O que tenta, incita ou cria o desejo. **3.** Atração por coisa proibida. **4.** Desejo veemente. **5.** Incitação à revolta contra as leis divinas.

tentaculado *adj.* Que possui tentáculos.

tentacular *adj.2g.* **1.** Relativo a tentáculo. **2.** Provido de tentáculos. **3.** *Fig.* Que se estende à maneira de tentáculo.

tentáculo *s.m.* (lat. cient. *tentaculum*). **1.** Apêndice muscular, alongado e flexível, do corpo de alguns invertebrados, com função de locomoção e captura de alimento. **2.** *Fig.* Meio astucioso de que alguém se serve para enredar outrem (mais usado no pl.).

TENTÁCULO ▸ As lulas e as sibas possuem dez tentáculos, dos quais dois são finos e longos e servem para agarrar a presa, normalmente um peixe ou crustáceo. Com a ajuda dos outros oito tentáculos, elas levam a presa à boca, matando-a com uma mordida. Os polvos têm oito tentáculos, e qualquer um pode ser usado para agarrar a presa. O polvo imobiliza a vítima com uma picada e injeta-lhe sua saliva venenosa.

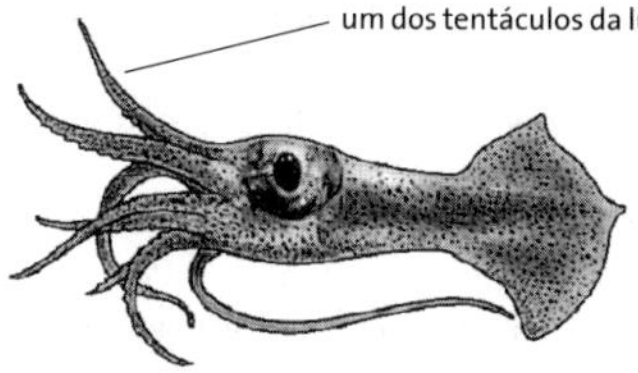

tentado *adj.* **1.** Próximo a ceder à tentação; seduzido, atraído. **2.** Que foi ou está sendo objeto de tentativa.

tentador (ô) *adj.* e *s.m.* (lat. *tentator*). Que ou aquele que tenta, que desperta desejo.

tentame ou **tentâmen** *s.m.* (lat. *tentamen*). Ato de tentar; tentativa, ensaio.

tentar *v.t.* (lat. *tentare*) [conj. 4]. **1.** Procurar conseguir; empreender, intentar. **2.** Tencionar, pretender. **3.** Experimentar. **4.** Causar desejo a, despertar vontade em. **5.** Instigar para o mal ou para o pecado; induzir. **6.** Aventurar-se, arriscar-se.

tentativa *s.f.* **1.** Ação de tentar, procurar obter. **2.** Ensaio, experiência.

tentear[1] *v.t.* (conj. 15) **1.** Dar tento, atenção; cuidar. **2.** Calcular, pesar, dirigir com tento. **3.** Paliar, entreter. **4.** Economizar para que dure.

tentear[2] *v.t.* (conj. 15). **1.** Sondar, explorar, pesquisar. **2.** Apalpar, tatear.

tento[1] *s.m.* (lat. *tentus,* de *tenere,* segurar). **1.** Tino, atenção, cuidado. **2.** Varinha terminada por pequena bola, em que o pintor apóia a mão para pintar com firmeza. **3.** Cálculo, cômputo.

tento[2] *s.m.* (lat. *talentum,* material de moeda, penhor). **1.** Peça de marfim, metal, osso etc., com que se marcam pontos num jogo. **2.** Os pontos assim marcados.

tento[3] *s.m.* (esp. *tiento*). Tira de couro usada em laços, costuras etc.

tênue *adj.2g.* (lat. *tenuis*). **1.** Delgado, fino, frágil. **2.** Sutil, leve, ligeiro. **3.** *Fig.* Fraco, débil.

teobromina *s.f.* Alcalóide encontrado no cacau, no chá e no café, que possui ação diurética.

teocracia *s.f.* (gr. *theokrateía*). Forma de governo no qual a autoridade é tida como emanada de Deus ou de deuses.

teocrata *s.2g.* **1.** Pessoa que exerce poder teocrático. **2.** Adepto da teocracia.

teocrático *adj.* Relativo ou pertencente à teocracia.

teodolito *s.m.* (ingl. *theodolite*). Instrumento portátil de astronomia e de geodésia que serve para medir ângulos horizontais e verticais, em particular os azimutes e as alturas.

teofobia *s.f.* Horror a Deus e às coisas divinas.

teofóbico *adj.* Relativo à teofobia.

teogonia *s.f.* (gr. *theogonía,* origem dos deuses). **1.** Conjunto de divindades que formam a mitologia de um povo. **2.** Doutrina relativa à origem dos deuses, quase sempre relacionada com a formação do mundo.

teogônico *adj.* Relativo à teogonia.

teologia *s.f.* (gr. *theología*). **1.** Ciência da religião, das coisas divinas. **2.** Em sentido cristão, estudo sobre Deus e as coisas divinas à luz da revelação. **3.** Doutrina religiosa de um autor ou de uma escola. **4.** Tratado teológico.

teológico *adj.* (gr. *theologikós*). Relativo ou pertencente à teologia.

teologismo *s.m.* Abuso da teologia, das discussões teológicas.

teólogo *s.m.* (gr. *theologos*). Pessoa que estuda e escreve sobre teologia.

teomania *s.f.* (gr. *theomania*). Mania, loucura em que o doente acredita que é Deus ou inspirado por Deus.

teomaníaco *adj.* e *s.m.* Que ou aquele que sofre de teomania.

teor (ô) *s.m.* (lat. *tenor*). **1.** Conteúdo essencial de um texto, sentença etc. **2.** Norma, regra, regulamento. **3.** Porção contida em cada um dos elementos de um corpo composto. **4.** Maneira, modo.

teorema *s.m.* (gr. *theorema*). **1.** Proposição científica que pode ser demonstrada. **2.** Formulação fechada de uma teoria, que pode ser obtida a partir dos axiomas dessa teoria através de uma seqüência finita de aplicação das regras de dedução.

teoria *s.f.* (gr. *theoría*). **1.** Conjunto organizado de princípios, regras e leis científicas que visam a descrever e explicar um certo conjunto de fatos. **2.** Conjunto relativamente organizado de idéias, conceitos e princípios que fundamentam uma atividade, e que lhe determinam a prática. **3.** Conjetura, hipótese.

teórico *adj.* (gr. *theorikos*). **1.** Relativo ou pertencente à teoria. **2.** Que não tem nenhum caráter prático. ★ *s.m.* Pessoa que conhece, estuda ou expõe uma teoria.

teorização *s.f.* Ato ou efeito de teorizar.

teorizar *v.i.* (conj. 4). Expor teorias sobre um assunto. ★ *v.t.* Emitir sobre um assunto julgamentos enunciados em forma teórica; reduzir a teorias.

teosofia *s.f.* Doutrina filosófico-religiosa fundada por Helena Blavatsky (1831-1891).

teosófico *adj.* Relativo ou pertencente à teosofia.

teosofista *s.2g.* Pessoa que segue a teosofia; teósofo.

teósofo *s.m.* Teosofista.

tépala *s.f.* Cada uma das peças florais que constitui o perianto de uma flor, sem distinção entre cálice e corola.

tepidez (ê) *s.f.* **1.** Qualidade, estado de tépido. **2.** *Fig.* Tibieza, frouxidão.

tépido *adj.* (lat. *tepidus*). **1.** Que está entre o quente e o frio; morno. **2.** *Fig.* Tíbio, pouco definido.

ter *v.t.* (lat. *tenere*) [conj. 1]. **1.** Estar na posse de; possuir, haver. **2.** Trazer nas mãos ou consigo; portar. **3.** Sentir, sofrer, experimentar. **4.** Encerrar, conter. **5.** Conservar, manter. **6.** Obter, conseguir, receber. **7.** Desfrutar, gozar, usufruir. **8.** Sofrer, padecer de (mal); contrair. **9.** Demonstrar, revelar, dar provas de. **10.** Passar por, experimentar, vivenciar. **11.** Contar (medida, idade etc.). **12.** Valer, importar. **13.** Julgar, supor. **14.** Dar à luz, gerar. **15.** Estar obrigado a; dever. ★ *v.i.* Ter posses, recursos, bens. ★ *v.pr.* **1.** Agüentar-se, manter-se. **2.** Conter-se, refrear-se. **3.** Julgar-se, considerar-se. ★ *v.aux.* Seguido de verbos no particípio forma tempos compostos.

terabyte *s.m.* **Inform.** Unidade de medida de informação, de símbolo TB e equivalente a 10^{12} bytes. (Cf. BYTE.)

terapeuta *s.2g.* (gr. *therapeutes*). **1.** Médico que se dedica à terapêutica. **2.** Sin. de PSICOTERAPEUTA.

terapêutica *s.f.* (gr. *therapeutike*). **1.** Parte da medicina que tem por objetivo o tratamento das doenças. (Sin. TERAPIA.) **2.** Método apropriado para tratar de uma doença; tratamento, terapia.

terapêutico *adj.* (gr. *therapeutikos*). Relativo ao tratamento das doenças.

terapia *s.f.* (gr. *therapeia*). **1.** Sin. de TERAPÊUTICA. **2.** Tratamento médico em geral. **3.** Sin. de PSICOTERAPIA.

teratogenética *s.f.* **1.** Ramo da teratologia que tem por objeto a identificação da causa das malformações. **2.** Produção experimental de anomalias do desenvolvimento biológico.

teratogenia *s.f.* Estudo da evolução embriológica dos seres malformados.

teratogênico *adj.* **1.** Relativo à teratogenia. **2.** Diz-se de um agente mecânico, químico, físico ou microbiano que, aplicado ao ovo ou ao embrião em processo de desenvolvimento, determina sua transformação monstruosa; teratógeno.

teratógeno *adj.* Teratogênico.

teratóide *adj.2g.* Que apresenta característica de monstruosidade.

teratologia *s.f.* (do gr. *teras, teratos,* monstro). Ciência que estuda as monstruosidades orgânicas.

teratológico *adj.* Relativo à teratologia.

teratologista s. 2g. Especialista em teratologia.

teratoma *s.m.* Tumor, benigno ou maligno, constituído por tecidos cujo aspecto lembra os diferentes estágios do desenvolvimento embrionário.

teratópago *s.m.* Ser anômalo formado por dois indivíduos ligados por superfície corpórea.

térbio *s.m.* (lat. cient. *terbium*). Elemento químico (símb. Tb) de número atômico 65, que constitui um metal do grupo das terras-raras, de cor branco-prateada, encontrado na monazita.

terça[1] (ê) *s.f.* (lat. *tertia,* terceira). **1.** A terça parte. **2.** Parceria agrícola em que o parceiro proprietário das terras arca com as despesas do cultivo e recebe dois terços da colheita, cabendo o restante (a *terça*) ao parceiro trabalhador. ● **Mús.** Intervalo de três graus na escala diatônica.

terça[2] *s.f.* Forma reduzida de *terça-feira.*

terçã *adj.* e *s.f.* (lat. *tertiana*). Diz-se de ou febre que se manifesta a cada três dias.

terçado *s.m.* **1.** Espada curta e larga. **2.** Facão grande. ★ *adj.* Que tem três coisas misturadas.

terça-feira *s.2g.* O terceiro dia da semana. (Forma reduzida *terça*).

terçar *v.t.* (lat. *tertiare,* intervir, entrar como terceiro) [conj. 13]. **1.** Misturar (três coisas). **2.** Dividir em três partes. **3.** Atravessar, cruzar. **4.** Intervir, pugnar, combater **5.** Servir de medianeiro; interceder.

terceiro *num. ord.* (lat. *tertiarius*). Correspondente ao número três numa seqüência. ★ *s.m.* **1.** O que intervém ou intercede em assunto de interesse exclusivo de duas partes. **2.** Mediador, árbitro. **3.** Outro.

terceiro-sargento *s.m.* **1.** Posto das Forças Armadas imediatamente inferior a segundo-sargento e superior a cabo. **2.** Pessoa que ocupa esse posto.

terceto (ê) *s.m.* (it. *terzetto*). **1.** Grupo de três versos unidos pelo sentido e por certas combinações de rimas. **2.** Composição para três vozes ou três instrumentos. **3.** Conjunto de três vozes.

terciário *adj.* (lat. *tertiarius*). **1.** Que pertence à terceira classe ou à terceira ordem. **2.** Diz-se do período que segue os estágios primário e secundário de uma doença de caráter cíclico (sífilis em particular). **3.** Diz-se de um período geológico da era cenozóica anterior ao quaternário, com duração aproximada de 63 milhões de anos. **4.** Relativo ou pertencente a esse período. **5.** *Setor terciário,* um dos três grandes setores em que a economia é dividida, compreendendo as atividades de serviços (bancos, transportes etc.) e de comércio. ★ *s.m.* **Geol.** O período terciário.

tercina *s.f.* Quiáltera composta de três notas.

terço (ê) *s.m.* (lat. *tertius,* terceiro). **1.** Cada uma das três partes iguais em que se divide um todo. **2.** A terça parte do rosário. **3.** *Fig.* O próprio rosário. **4.** *Ant.* Corpo de tropas, regimento.

terçol *s.m.* (lat. *triticeolum,* grão de trigo). Pequena vesícula que se desenvolve sobre o bordo livre da pálpebra, provocada geralmente pela inflamação de uma ou mais glândulas sebáceas. (Sin. HORDÉOLO.)

terebintina *s.f.* **1.** Designação genérica das resinas semilíquidas extraídas de certas coníferas, utilizadas como solventes. **2.** *Essência de terebintina,* essência fornecida pela destilação das terebintinas, empregada na fabricação de vernizes, na diluição de tintas etc.

terebrante *adj.2g.* **1.** Perfurante. **2.** Diz-se do animal que escava buracos e galerias num corpo duro.

terena *s.2g.* Indivíduo dos terenas, povo indígena aruaque que vive em São Paulo e Mato Grosso do Sul.

teréns *s.m.pl.* (*NE*) Móveis e demais objetos de uso caseiro; trens, trastes.

tergal[1] *adj.2g.* Relativo ao tergo ou dorso.

tergal[2] *s.m.* (fr. *tergal*) [marca registrada]. **1.** Fibra têxtil à base de um certo polímero. **2.** Tecido feito com essa fibra.

tergiversação *s.f.* (lat. *tergiversatio*). **1.** Ato ou efeito de tergiversar. **2.** Hesitação, vacilação, evasiva.

tergiversador (ô) *adj.* e *s.m.* Que ou aquele que tergiversa, que usa de tergiversações.

tergiversar *v.i.* (lat. *tergiversari*) [conj. 4]. **1.** Virar as costas. **2.** Usar de subterfúgios ou evasivas.

tergo *s.m.* Placa protetora que recobre a superfície dorsal dos artrópodes.

termal *adj.2g.* **1.** Relativo ao calor; quente, térmico. **2.** Relativo às termas.

termas *s.f.pl.* (lat. *terma*). **1.** Águas minerais quentes. **2.** Estação ou estabelecimento que faz uso terapêutico dessas águas. **3.** Estabelecimento de banhos públicos dos antigos romanos.

termeletricidade *s.f.* Termoeletricidade.

termelétrico *adj.* Termoelétrico.

térmico *adj.* **1.** Relativo ao calor; termal. **2.** Que conserva o calor. **3.** *Energia térmica,* energia decorrente da energia cinética de agitação das moléculas de um corpo, que se manifesta através do aumento de temperatura. ● **Neurol.** *Sensibilidade térmica,* domínio da sensibilidade que concerne à percepção de variações de temperatura do revestimento cutâneo e do interior do corpo.

terminação *s.f.* (lat. *terminatio*). **1.** Ato ou efeito pelo qual uma coisa chega a seu término. **2.** Conclusão, fim. **3.** Remate, extremidade. ● **Anat.** *Terminação livre,* receptor sensorial situado na derme e constituído pela extremidade encapsulada de um axônio. ▸ *Terminação nervosa,* parte mais distal de um nervo. **Gram.** Qualquer elemento (sufixo ou desinência) colocado depois de um radical.

terminal *adj.2g.* (b.-lat. *terminalis*). **1.** Que ocupa a extremidade. **2.** Que termina, que marca o fim. **3.** Relativo a termo ou conclusão. **4.** Que não tem cura ou recuperação possível, próximo da morte. ● **Quím.** Diz-se de um grupo funcional fixado à extremidade de uma cadeia hidrocarbônica ou de uma cadeia peptídica. ★ *s.m.* **1.** A parte que termina, que marca o fim. **2.** Edifício, em uma estação ou aeroporto, que serve de ponto de partida e de chegada dos passageiros. ● **Eletr.** Cada um dos dois conectores que servem para ligar um dispositivo a condutores externos. (Sin. PÓLO.) **Inform.** Unidade de acesso a um computador distante que permite o envio de informações ou de ordens e a recepção de respostas ou de mensagens. **Técn.** Conjunto de reservatórios de armazenamento ligados a oleodutos e utilizados para recepção ou expedição de petróleo bruto e seus derivados, em terra ou mar.

terminal de apresentação de passageiros em aeroporto

terminante *adj.2g.* (lat. *terminans*). **1.** Que termina ou faz terminar; concludente. **2.** Decisivo, inapelável. **3.** Irrefutável, irretorquível, categórico.

terminar *v.t.* (lat. *terminare*) [conj. 4]. **1.** Pôr termo a; acabar, concluir. **2.** Delimitar, marcar, determinar. **3.** Ocupar a extremidade de. ★ *v.i.* **1.** Findar, acabar. **2.** Possuir certa desinência (os vocábulos).

terminativo *adj.* Que faz terminar; terminante.

A B C D E F G H I J K L M N O P Q R S T U V W X Y Z

término *s.m.* (lat. *terminus*). **1.** Ato ou efeito de terminar; termo, fim. **2.** Marco final, limite.

terminologia *s.f.* Conjunto de termos rigorosamente definidos que são específicos de uma ciência, técnica ou domínio particular.

terminológico *adj.* Relativo ou pertencente à terminologia.

térmita ou **térmite** *s.f.* (lat. *termes, termites,* verme roedor). Sin. de CUPIM.

termo (ê) *s.m.* (lat. *terminus*). **1.** Término. **2.** Fim, limite, no espaço e no tempo. **3.** Tempo fixado, prazo. **4.** Lugar afastado, confim. **5.** Espaço, extensão. **6.** Limite moral. **7.** Modo, disposição, maneira. **8.** Palavra, expressão. **9.** Vocábulo de uso ou significado específico de um domínio particular. ● **Filos.** Expressão verbal de um conceito. **Gram.** *Termos da oração,* classificação adotada pela N.G.B. para os elementos da oração, divididos em *termos essenciais* (sujeito e predicado), *integrantes* (complemento nominal e complementos verbais) e *acessórios* (adjunto adnominal, adjunto adverbial, aposto e vocativo). **Lóg.** Na lógica aristotélica, o sujeito ou o predicado em uma premissa de um silogismo. ► Seqüência de símbolos de uma linguagem formal, submetida às regras usuais de formação. **Mat.** Nome dado a cada um dos elementos de uma seqüência, de uma série, de uma soma, de um polinômio. ► *Termos de uma fração,* o numerador e o denominador. ★ *s.m.pl.* **1.** Maneiras, modo, procedimento. **2.** Relações sociais. **3.** Arquejos de agonia, estertores.

termodinâmica *s.f.* Ramo da física que estuda as propriedades dos sistemas onde intervêm as noções de temperatura e de calor.

termodinâmico *adj.* Relativo à termodinâmica.

termoeletricidade ou **termeletricidade** *s.f.* Eletricidade produzida a partir de energia térmica.

termoelétrico ou **termelétrico** *adj.* **1.** Relativo à termoeletricidade. **2.** *Par termoelétrico,* dispositivo composto por dois metais diferentes, utilizado para medir a diferença de temperatura entre dois sistemas. (Sin. TERMOPAR.)

termogênese *s.f.* Produção de calor contínua e regular no organismo, controlada pelo hipotálamo.

termografia *s.f.* Registro preciso das variações de temperatura de um organismo em função da emissão de raios infravermelhos.

termologia *s.f.* **1.** Tratado acerca do calor. **2.** Parte da física relativa ao calor.

termológico *adj.* Relativo à termologia.

termoluminescência *s.f.* Tipo de luminescência gerada pelo aumento de temperatura.

termoluminescente *adj.2g.* Que apresenta termoluminescência.

termomagnético *adj.* Relativo ao termomagnetismo.

termomagnetismo *s.m.* **1.** Magnetismo desenvolvido pelo calor. **2.** Parte do eletromagnetismo que trata da relação entre campos magnéticos e o calor.

termometria *s.f.* Processo de medição da energia térmica.

termométrico *adj.* Relativo ao termômetro ou à termometria.

termômetro *s.m.* (fr. *thermomètre*). **1.** Instrumento utilizado para medir variações de temperatura, através da expansão ou contração de um líquido padrão. **2.** *Fig.* O que indica ou revela o estado de uma situação.

termonuclear *adj.2g.* **1.** Diz-se das reações nucleares entre elementos leves, possibilitadas pelo emprego de temperaturas muito elevadas; reação de fusão nuclear. **2.** Diz-se da energia liberada por tais reações. **3.** *Bomba termonuclear,* projétil nuclear que utiliza esse tipo de reação; bomba de hidrogênio.

termopar *s.m.* Sin. de PAR TERMOELÉTRICO.

termoquímica *s.f.* Parte da química que estuda os fenômenos térmicos que acompanham as reações.

termoquímico *adj.* Relativo à termoquímica.

termorreceptor (ô) *s.m.* Receptor sensorial que avalia a temperatura cutânea e interna do corpo, por terminações livres na periferia.

termosfera *s.f.* Zona da atmosfera de um planeta situada acima da mesosfera e caracterizada por um forte aumento da temperatura com a altitude.

termosférico *adj.* Relativo à termosfera.

termostato *s.m.* Dispositivo regulador que permite manter, em uma câmara fechada, a temperatura entre dois valores predeterminados.

termoterapia *s.f.* Tratamento de doenças pelo calor.

ternário *adj.* (lat. *ternarius*). **1.** Relativo ao número três. **2.** Distribuído em grupos de três. **3.** *Compasso ternário,* compasso de três tempos. ● **Quím.** Diz-se de substâncias orgânicas, como os glicídios e os lipídios, constituídas de carbono, hidrogênio e oxigênio.

terneiro *s.m.* **1.** (*RS*) A cria da vaca até a idade de um ano; bezerro. **2.** (*PE*) Feto do gado vacum.

terno[1] *s.m.* **1.** Grupo de três coisas ou pessoas; trio, trindade. **2.** Vestuário masculino composto de três peças: paletó, colete e calça. **3.** *P. ext.* Traje composto de paletó e calça. **4.** Combinação ou seqüência de três números, usada em diversos jogos.

terno[2] *adj.* (lat. *tenerum*). **1.** Inclinado à amizade ou ao amor. **2.** Afetuoso, meigo, carinhoso. **3.** Suave, delicado, langoroso.

ternura *s.f.* **1.** Qualidade de terno; meiguice, carinho. **2.** Afeto brando, sem arroubos.

terra *s.f.* (lat. *terra*). **1.** Planeta do sistema solar habitado pelo homem. (Neste sentido, com maiúscula.) **2.** A parte emersa dos continentes e das ilhas, p. opos. ao mar. **3.** Camada superficial do solo, em que nascem as plantas. **4.** País, região. **5.** Lugar de origem; pátria. **6.** Poeira, pó. **7.** Propriedade rural, mais ou menos extensa. **8.** *Terra vegetal,* parte do solo misturada com humo, própria para o cultivo. ● **Eletr.** Condutor de baixa impedância ligado à terra; aterramento, fio de terra.

terra-a-terra *adj.2g.2n.* Que não tem elevação; prosaico, trivial, prático. ★ *s.m.* Materialidade.

terraceamento *s.m.* Sistema de proteção do solo ou prática agrícola que consiste na abertura de terraços ou de patamares em um terreno.

terraço *s.m.* (fr. *terrasse*). **1.** Balcão coberto ou descoberto; varanda. **2.** Patamar aberto numa encosta, sustentado por uma parede de pedras, construído para evitar a erosão. ● **Geogr.** Extensão de terreno estreita, em forma de patamar, que acompanha geralmente as curvas de nível, em uma escarpa, ou à margem de um rio, lago ou mar.

terracota *s.f.* (it. *terra cotta,* barro cozido). **1.** Argila moldada e cozida em baixa temperatura e sem verniz. **2.** Objeto assim fabricado.

VOCÊ SABIA...? A **terracota** tem sido utilizada para fabricar objetos de cerâmica desde o neolítico. Como resulta em um material atraente, fácil de manejar e versátil, tem ampla aplicação em estatuetas, esculturas de maior tamanho, vasos, pratos, elementos de decoração arquitetônica e objetos de arte popular.

terra-nova *s.2g.* Cão de pêlo escuro, originário da ilha da Terra Nova.

terraplenagem *s.f.* Conjunto de movimentos de terra, escavações e aterros necessários para uma construção ou para a abertura de uma via.

terraplenar *v.t.* (conj. 4). **1.** Encher de terra um vão ou uma cavidade. **2.** Fazer terraplenagem.

terrapleno *s.m.* **1.** Volume de terra ou outros materiais trazidos para determinado local ou dele retirados a fim de fazer uma superfície plana. **2.** Terreno plano. **3.** Terreno no qual se executou a terraplenagem.

terráqueo *adj.* (lat. *terraqueus*). Pertencente ou relativo ao planeta Terra; terrestre. ★ *s.m.* Habitante da Terra, por oposição aos supostos habitantes de outros planetas.

terrário *s.m.* Área de terreno reservada à criação e confinamento de répteis, anfíbios.

terras-raras *s.f.pl.* Denominação habitual dos lantanídios, quinze elementos químicos de difícil obtenção, empregados nas indústrias de vidro, cerâmica, iluminação etc.

terreiro *s.m.* (lat. *terrarium*). **1.** Espaço de terra largo e plano, sem vegetação ou construções. **2.** Praça, largo dentro da povoação. **3.** Porção de terra cultivável. **4.** Nas fazendas, área próxima à sede, em terra batida ou calçada com tijolos, destinada à secagem da colheita, especialmente a de café. **5.** Casa ou construção onde se realizam cerimônias e rituais de candomblé, umbanda e outros.

terremoto *s.m.* (it. *terremòto*). Abalo ou tremor na superfície terrestre, originário de um foco subterrâneo; sismo.

TERREMOTO ▸ A fricção e a sobreposição das placas litosféricas (ou tectônicas) são responsáveis pelos terremotos e maremotos. Infelizmente, muitos terremotos ocorrem sem nenhum sinal prévio que permita retirar a população da zona de perigo. Por outro lado, alguns terremotos são precedidos por variações em alguns parâmetros físicos, como campos magnéticos locais, nível das marés e propagação de ondas sísmicas. O grande terremoto ocorrido em 1975 na China foi previsto graças à observação de mudanças desses parâmetros, o que permitiu reduzir o número de vítimas. No Brasil, quase não há registros de tremores, pois todo o território localiza-se distante das extremidades das placas litosféricas.

terreno *s.m.* (lat. *terrenum*). **1.** Extensão de terra. **2.** Solo, considerado do ponto de vista de sua natureza. **3.** *Fig.* Posição, situação. **4.** *Fig.* Área de atividade, assunto, setor. ★ *adj.* **1.** Que tem o caráter ou a natureza da Terra, próprio da Terra; terrestre, térreo. **2.** Material, mundano (p. opos. a *espiritual*).

térreo *adj.* (lat. *terreus*). **1.** Terreno. **2.** Que tem por pavimento o próprio solo, sem ser soalhado ou coberto. ★ *adj.* e *s.m.* Diz-se de ou andar ou pavimento que fica ao rés-do-chão.

terrestre *adj.2g.* (lat. *terrestris*). **1.** Relativo ou pertencente à Terra. **2.** Que vive na parte sólida do globo (p. opos. a *aquático, fluvial, lacustre* ou *marinho*). **3.** Terreno.

terrícola *adj.2g.* (lat. *terricola*). Diz-se do animal que vive na terra.

terrificante *adj.2g.* (lat. *terrificans*). Que causa terror, que terrifica; terrífico.

terrificar *v.t.* (lat. *terrificare*). [conj. 12]. Aterrorizar, apavorar.

terrífico *adj.* (lat. *terrificus*). Terrificante.

terrina *s.f.* (fr. *terrine*). Vasilha de louça ou metal, geralmente com tampa, em que se servem sopas e caldos; sopeira.

territorial *adj.2g.* (lat. *territorialis*). **1.** Relativo a território. **2.** *Águas territoriais,* zona marítima ao longo do litoral de um país, que nela exerce sua soberania.

territorialidade *s.f.* **1.** O que propriamente faz parte do território de um Estado. **2.** Limitação da força imperativa das leis ao território do Estado que as promulga.

território *s.m.* (lat. *territorium*). **1.** Grande extensão de terra. **2.** Área de um país, Estado, cidade etc. **3.** Área sujeita a uma autoridade, a uma jurisdição qualquer. **4.** Área certa e delimitada, dentro de cujas fronteiras o Estado exerce sua soberania, que abrange a superfície, o subsolo, as águas territoriais, o espaço aéreo etc.

terrível *adj.2g.* (lat. *terribilis*). **1.** Que causa ou inspira terror. **2.** Muito forte, violento. **3.** Incomum, extraordinário. **4.** Péssimo.

terror (ô) *s.m.* (lat. *terror*). **1.** Grande medo; pavor. **2.** O que aterroriza, amedronta.

terrorismo *s.m.* **1.** Conjunto de atos de violência cometidos por grupos políticos para combater o poder estabelecido. **2.** Esses grupos ou organizações. **3.** Modo de coação, de domínio ou de governo que emprega o terror e a violência.

TERRORISMO ▸ O terrorismo costuma ocorrer em regiões em que parte da população não reconhece o governo e reivindica uma fração do território ou como protesto contra a atuação de um país fora de suas fronteiras. Em 11 de setembro de 2001, o terrorismo atingiu os EUA. A organização de Osama Bin Laden, em ações simultâneas, seqüestrou aviões de passageiros e arremessou-os contra alvos de grande importância simbólica, comercial e política. Duas torres em Nova York foram destruídas, e a sede do Departamento de Defesa, em Washington, também sofreu estragos, mas pôde ser restaurada. O número oficial de mortos e desaparecidos nesse atentado ultrapassou 3.000. Em 11 de março de 2004, novos atentados com bombas mataram cerca de 200 pessoas no sistema ferroviário de Madri, na Espanha.

terrorista *adj.2g.* Relativo ou pertencente ao terrorismo. ★ *adj.2g.* e *s.2g.* Que ou aquele que pratica ou participa de ato de terrorismo.

terroso (ô) *adj.* (lat. *terrosus*). Da cor, da aparência da terra; baço.

tesão *s.m.* (lat. *tensio*). **1.** Qualidade, estado de teso; rijeza, tesura. **2.** Força, intensidade, ímpeto. ★ *s.2g. Pop.* **1.** Desejo, excitação sexual. **2.** Pessoa que o inspira. **3.** Coisa muito boa, interessante, excitante.

tesar *v.t.* (conj. 4). Entesar.

tese *s.f.* (gr. *thesis*). **1.** Proposição que se enuncia, expõe ou sustenta. **2.** Conjunto dos trabalhos apresentados como obra, após o término de um curso universitário, para a obtenção de um grau ou título. **3.** *P. ext.* A publicação que contém esse trabalho. **4.** *Em tese,* teoricamente, de um modo geral. ● **Filos.** Idéia, proposição que forma o primeiro termo de uma antinomia (nas filosofias racionalistas de tipo kantiano) ou de uma contradição de tipo dialético (nas filosofias hegeliana e marxista).

tesla *s.m.* (de *Tesla,* n.pr.) Unidade de medida de indução magnética (símb. T).

teso (ê) *adj.* (lat. *tensus*). **1.** Retesado, tenso, esticado. **2.** Rígido, hirto, ereto. **3.** Rijo, forte. **4.** Violento, intenso. **5.** Áspero, ríspido. **6.** Audaz, corajoso.

tesoura *s.f.* (lat. *tonsoria*). **1.** Instrumento cortante constituído por duas lâminas fixas a um eixo central, sobre o qual se movem, abrindo-se em cruz. **2.** Conjunto de peças de madeira utilizado para suportar telhados. **3.** Denominação comum a várias aves passeriformes que apresentam a cauda bifurcada.

tesourar *v.t.* (conj. 4). **1.** Cortar com a tesoura. **2.** Dilacerar, cortando. **3.** *Fam.* Falar mal de.

tesouraria *s.f.* **1.** Administração do tesouro público. **2.** Lugar onde se guarda ou administra esse tesouro. **3.** Seção de banco, de empresa etc., onde se operam as transações monetárias. **4.** Cargo do tesoureiro.

tesoureiro[1] *s.m.* **1.** Funcionário de tesouro público encarregado de administrar os serviços de arrecadação dos dinheiros do Estado. **2.** Funcionário de estabelecimentos bancários, de comércio etc. encarregado das operações relativas à entrada e à saída de dinheiro.

tesoureiro[2] *s.m.* Ave passeriforme, migratória, que apresenta cauda longa e preta. (Sin. TESOURINHA.)

tesourinha *s.f.* **1.** Sin. de LACRAINHA. **2.** Sin. de TESOUREIRO[2].

tesouro *s.m.* (gr. *thesaurós*). **1.** Quantidade vultosa de ouro, prata, pedras preciosas ou dinheiro. **2.** Lugar onde se guardavam os objetos preciosos de um senhorio ou de uma comunidade. **3.** Repartição em que se arrecada o dinheiro público; erário. **4.** O Ministério da Fazenda. **5.** *Fig.* O que é muito precioso ou estimado.

tessitura *s.f.* (it. *tessitura*). **1.** Conjunto de sons da escala musical que melhor convém a uma determinada voz. **2.** Conjunto de sons que aparecem mais freqüentemente em uma peça musical. **3.** Extensão média de uma voz ou instrumento.

testa *s.f.* (lat. *testa*). **1.** Parte superior do rosto entre os olhos e a raiz dos cabelos; fronte. **2.** *P. ext.* Cabeça. **3.** *Fig.* Frente, dianteira. ● **Bot.** Invólucro exterior da semente.

testada *s.f.* **1.** Pancada com a testa. **2.** Medida da fachada de um prédio. **3.** Linha que separa uma propriedade particular de logradouro público. **4.** *Fig.* Erro, tolice.

testa-de-ferro *s.2g.* Pessoa ou sociedade que age em seu próprio nome na defesa dos interesses de outra, isentando-a da responsabilidade dos atos cometidos.

testado *adj.* **1.** Que foi submetido a teste; examinado, verificado. **2.** Considerado bom.

testador (ô) *adj.* Que ou o que testa.

testamental *adj.2g.* Testamentário.

testamentário *adj.* (lat. *testamentarius*). **1.** Relativo a testamento; testamental. **2.** *Executor testamentário,* testamenteiro. ★ *s.m.* Herdeiro por testamento.

testamenteiro *s.m.* Pessoa encarregada da execução de um testamento; executor testamentário.

testamento *s.m.* (lat. *testamentum*). **1.** Ato jurídico através do qual uma pessoa declara suas últimas vontades e dispõe de seus bens para depois de sua morte. **2.** *Fig.* Escrito postumamente revelado em que seu autor fixa suas opiniões ou projetos. **3.** *Antigo Testamento,* parte da Bíblia que relata a história da aliança de Deus com o povo judeu, livro sagrado dos israelitas e, com o Novo Testamento, dos cristãos. ▸ *Novo Testamento,* parte da Bíblia que relata a vida de Jesus Cristo, que constitui, com o Antigo Testamento, o livro sagrado dos cristãos.

testar[1] *v.t.* e *v.i.* (lat. *testari*) [conj. 4]. Deixar em testamento; legar, transmitir. ★ *v.i.* Fazer o seu testamento.

testar[2] *v.t.* (conj. 4). **1.** Submeter a um teste; aplicar teste a. **2.** Pôr à prova, experimentar.

teste *s.m.* (ingl. *test*). Exame, verificação ou prova para determinar a qualidade, a natureza ou o comportamento de alguma coisa, ou de um sistema sob certas condições. ● **Psicol.** Exame ou prova que permite conhecer e avaliar as aptidões de um indivíduo ou as características de sua personalidade.

testemunha *s.f.* **1.** Aquele que presenciou determinado fato e pode atestar sua veracidade. **2.** Pessoa que presta um depoimento sobre algum fato, de que tenha conhecimento e que necessite ser esclarecido, perante a autoridade policial ou judiciária. **3.** Pessoa que assiste à realização de um ato para dar-lhe validade legal. **4.** Prova material.

testemunhal *adj.2g.* **1.** Relativo a testemunha ou a testemunho. **2.** Que serve para atestar ou testemunhar.

testemunhar *v.t.* (conj. 4). **1.** Manifestar por palavras ou atos. **2.** Ver, presenciar. **3.** Dar testemunho acerca de, declarar ter ouvido, visto ou conhecido; testificar. **4.** Depor sobre fato específico de que se tenha conhecimento, perante a autoridade policial ou judicial. ★ *v.i.* Servir de testemunha.

testemunho *s.m.* (lat. *testimonium*). **1.** Ato ou efeito de testemunhar. **2.** Relato feito por uma pessoa do que viu ou ouviu. **3.** *Fig.* Sinal exterior, prova. **4.** Indício, vestígio. ● **Geol.** Elevação isolada que restou da destruição erosiva de um antigo bloco sedimentar.

testicular *adj.2g.* Relativo aos testículos.

testículo *s.m.* (lat. *testiculus*). Glândula genital ou gônada masculina que, entre os animais, produz os espermatozóides e o hormônio masculino denominado testosterona.

testificar *v.t.* (lat. *testificari*) [conj. 12]. **1.** Testemunhar. **2.** Comprovar, atestar. **3.** Assegurar, afirmar, declarar.

testo (ê) *s.m.* (lat. *testum*). **1.** Tampa com que se cobre a panela ou o cântaro. **2.** Vaso de barro. **3.** A cabeceira da serra. **4.** Fragmento de louça; caco. **5.** Camada de fuligem endurecida no fundo das panelas. **6.** A testa do boi.

A B C D E F G H I J K L M N O P Q R S T U V W X Y Z

testosterona *s.f.* Principal hormônio andrógeno, secretado principalmente pelo tecido intersticial testicular do homem e, em quantidade desprezível, pelo ovário e pela supra-renal.

? VOCÊ SABIA...? Hormônio masculino secretado pelos testículos, pelos ovários e glândulas supra-renais, a **testosterona** controla a formação do esperma e o desenvolvimento dos órgãos genitais e das características sexuais secundárias. Estimula também a síntese de proteínas, principalmente nos tecidos ósseo e muscular.

---

testudo *adj.* **1.** Que tem grande testa ou cabeça. **2.** *Fig.* Teimoso, obstinado.

tesura *s.f.* **1.** Qualidade ou estado de teso; tesão. **2.** Força, rigidez. **3.** *Fig.* Orgulho, vaidade.

teta (ê) *s.f.* (gr. *theta*). Glândula mamária.

tetania *s.f.* Hiperexcitabilidade neuromuscular, com contraturas simétricas, cãibras e parestesias de extremidades.

tetânico *adj.* **1.** Relativo ao tétano. **2.** *Toxina tetânica,* toxina secretada pelo bacilo tetânico, responsável pelos espasmos mortais do tétano.

tetaniforme *adj.2g.* Que tem a aparência do tétano.

tetanização *s.f.* Ação de tetanizar.

tetanizar *v.t.* (conj. 4). Provocar contraturas tetânicas.

tétano *s.m.* (gr. *tétanos,* rigidez). Toxiinfecção devida ao bacilo tetânico e caracterizada por contraturas musculares.

tetéia *s.f.* **1.** Enfeite, berloque de criança. **2.** Coisa bonita e delicada. **3.** *Pop.* Moça atraente, muito graciosa.

teto *s.m.* (lat. *tectum*). **1.** Superfície plana, horizontal ou inclinada, que forma, numa construção, a parte superior interna de um recinto coberto. **2.** Cobertura de um edifício, de uma casa; telhado. **3.** *P. ext.* Casa, habitação. **4.** *Fig.* Lar, abrigo.

tetracampeão *s.m.* Indivíduo ou sociedade esportiva que ganhou quatro campeonatos.

tetraciclina *s.f.* Antibiótico de largo espectro, cujo uso deve ser evitado em gestantes e em crianças por provocar distúrbios de ossificação.

tétrade *s.f.* (do gr. *tetrádion,* número quatro). **1.** Conjunto de quatro células resultante da meiose, na linhagem germinal dos dois sexos. **2.** Conjunto formado pelos quatro grãos de pólen, originários de uma mesma célula-mãe, que permanecem unidos entre si.

tetraédrico *adj.* **1.** Relativo ao tetraedro. **2.** Em forma de tetraedro.

tetraedro *s.m.* (gr. *tetráedron*). **1.** Poliedro convexo de quatro faces; pirâmide de base triangular. **2.** *Tetraedro regular,* o que tem por faces quatro triângulos eqüiláteros iguais.

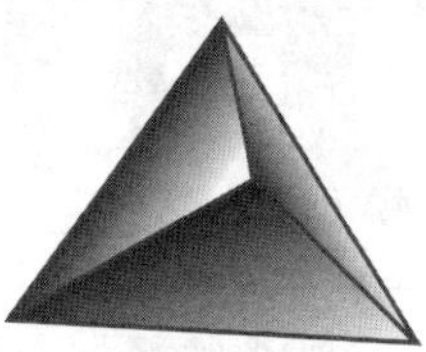

tetrafoliado *adj.* Diz-se da planta que tem folhas dispostas de quatro em quatro.

tetragonal *adj.2g.* Que tem a forma de tetrágono.

tetrágono *s.m.* (gr. *tetragonós*). Quadrilátero.

tetraidrotironina (a-i) *s.f.* Tiroxina.

tetraidrocanabinol (a-i) *s.m.* Composto químico que constitui o princípio ativo da maconha.

tetraneto *s.m.* Filho do trineto ou da trineta. (Var. TATARANETO.)

tetraplegia *s.f.* Paralisia dos quatro membros.

tetraplégico *adj.* Relativo à tetraplegia. ★ *adj.* e *s.m.* Que ou aquele que foi acometido de tetraplegia.

tetraplóide *adj.2g.* Diz-se da célula, do núcleo ou do organismo que apresenta tetraploidia.

tetraploidia *s.f.* Anomalia genética celular na qual o número haplóide de cromossomos está quadruplicado.

tetrápode *s.m.* Espécime dos tetrápodes. ★ *adj.2g.* Diz-se do animal que possui quatro patas; quadrúpede.

tetrápodes *s.m.pl.* Grupo de vertebrados caracterizados pela presença de dois pares de patas, mesmo que estejam modificadas, reduzidas ou ausentes em algumas espécies, que inclui os anfíbios, os répteis, as aves e os mamíferos.

tetrassílabo *adj.* (gr. *tetrasyllabos*). Que tem quatro sílabas. ★ *s.m.* Verso de quatro sílabas.

tetravalente *adj.2g.* (ingl. *tetravalent*). Que possui valência quatro.

tetravó *s.f.* Mãe do trisavô ou da trisavó. (Var. TATARAVÓ.)

tetravô *s.m.* Pai do trisavô ou da trisavó. (Var. TATARAVÔ.)

tetraz *s.m.* Ave galiforme, de plumagem negra e castanha com reflexos metálicos, que apresenta uma mancha avermelhada acima dos olhos e ocorre nas florestas de coníferas dos Pireneus.

tétrico *adj.* (lat. *tetricus*). **1.** Triste, fúnebre, lúgubre. **2.** Medonho, horrível. **3.** Rígido, severo.

teu *pron. poss.* (lat. *tuus*). Que te pertence ou diz respeito.

teuto-brasileiro *adj.* Relativo à Alemanha e ao Brasil, ou a alemães e a brasileiros. ★ *s.m.* Indivíduo descendente de alemães e brasileiros.

tevê *s.f.* Forma cursiva de TV, abrev. de televisão.

têxtil *adj.2g.* (lat. *textilis*). **1.** Que é constituído ou pode ser subdividido em fibras próprias para formar fio e compor tecidos ou malhas. **2.** Relativo à fabricação de tecidos.

texto (ê) *s.m.* (lat. *textum*). **1.** Conjunto de palavras, de frases escritas. **2.** Obra escrita considerada em sua redação original e autêntica. **3.** Obra ou parte de uma obra literária.

textual *adj.2g.* **1.** Relativo a texto. **2.** Que é reproduzido ou transcrito com fidelidade. **3.** Relativo ao texto literário, à análise do seu conteúdo.

textura *s.f.* (lat. *textura*). **1.** Tipo ou maneira de entrecruzamento dos fios de um tecido. **2.** Estado do que é tecido. **3.** Constituição geral de um material sólido. ● **Geol.** Conjunto das características que definem o arranjo e as relações volumétricas e espaciais dos minerais de uma rocha. **Histol.** Entrelaçamento das fibras que compõem uma parte do corpo (p. ex. a textura da pele).

texugo *s.m.* (lat. *taxonus*). Denominação comum a mamíferos carnívoros, que apresentam pelagem negra mesclada de branco e ocorrem nas regiões montanhosas da Europa e na América do Norte.

tez (ê) *s.f.* **1.** Epiderme, especialmente do rosto. **2.** Cútis, pele.

Th símbolo químico do tório.

Ti símbolo químico do titânio.

ti *pron. pess.* (lat. *ti*, contr. de *tibi*). Forma que assume o pronome *tu*, quando precedido de preposição.

tia *s.f.* (gr. *theía*). **1.** Irmã do pai ou da mãe, em relação aos filhos destes. **2.** *P. ext.* Mulher do tio, em relação aos sobrinhos deste. **3.** *Fam.* Solteirona.

tia-avó *s.f.* A irmã do avô ou da avó.

tiamina *s.f.* **1.** Sin. de VITAMINA B1. **2.** *Pirofosfato de tiamina*, coenzima essencial na transformação dos glicídios em lipídios.

tiara *s.f.* (gr. *tiára*). **1.** Espécie de arco usado na cabeça como adorno ou para prender os cabelos; diadema. **2.** Mitra com três coroas usada pelos papas até Paulo VI. **3.** *Fig.* Dignidade papal; o papado.

tiazol *s.m.* Líquido incolor, solúvel em água e em éter, empregado na preparação de corantes.

tibetano *adj.* Relativo ou pertencente ao Tibete, região autônoma da China. ★ *s.m.* **1.** O natural ou habitante dessa região. **2.** Língua falada pelos tibetanos.

tíbia *s.f.* (lat. *tibia*). **1.** Osso longo e espesso que forma a parte interna do esqueleto da perna. **2.** Flauta de pastor; trombeta. ● **Zool.** Segmento da pata marchadora dos artrópodes, de forma alongada, situado perto do meio do comprimento desse membro.

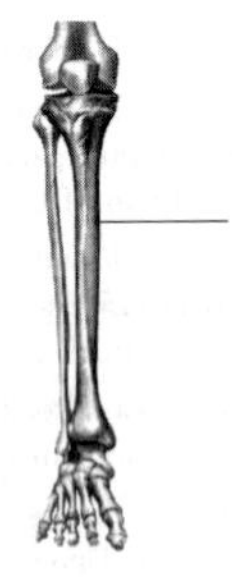

tibial *adj.2g.* (lat. *tibialis*). Relativo à tíbia.

tibiez (ê) ou **tibieza** (ê) *s.f.* **1.** Qualidade, estado de tíbio. **2.** Frouxidão, indolência, fraqueza.

tíbio *adj.* (lat. *tepidus*). **1.** Tépido, morno. **2.** Frouxo, fraco, lasso. **3.** Sem ardor, sem energia.

tição *s.m.* **1.** Pedaço de madeira queimado em parte e ainda em ignição. **2.** Atiçador.

ticar *v.t.* (conj. 4). Pôr tique[2] em.

tico *s.m.* Pequeno pedaço ou bocado de.

tico-tico *s.m.* **1.** Denominação comum a aves passeriformes que possuem topete ornamental e estrias longitudinais no alto da cabeça. **2.** Espécie de velocípede para criança pequena. **3.** *Fig.* Homem pequeno e franzino.

tiê *s.m.* Denominação comum a várias aves passeriformes, cujos machos exibem um topete vermelho sobre a cabeça. (Var. TIÉ.)

tié *s.m.* (tupi *ti'ié*). Var. de TIÊ.

tiete *s.2g.* *Gír.* Fã, admirador.

tifáceas *s.f.pl.* (do gr. *typhe*). Família de plantas monocotiledôneas, herbáceas, que crescem em brejos e alagadiços, de folhas longas e inflorescências cilíndricas, como a taboa.

tífico *adj.* **1.** Relativo ao tifo ou à febre tifóide. **2.** Acometido por tifo ou por febre tifóide.

tiflite *s.f.* (lat. *typhlitis*). Inflamação do ceco.

tiflose *s.f.* (do gr. *thyphlos*). Cegueira.

tiflossole *s.f.* Prega intestinal dos oligoquetos e moluscos bivalves, que aumenta a superfície de absorção do alimento.

tifo *s.m.* (gr. *typhos*, estupor). **1.** Doença infecciosa causada por uma riquétsia e transmitida ao homem por artrópodes (piolhos, carrapatos, pulgas) que constituem o reservatório natural da infecção. **2.** *Tifo aviário*, doença infecciosa e contagiosa das aves, causada por uma bactéria.

tifobacilose *s.f.* Tuberculose aguda de sintomas semelhantes aos da febre tifóide.

tifóide *adj.2g.* **1.** Semelhante ao tifo, que apresenta caráter de tifo. **2.** *Febre tifóide* ou *tifóide* (*s.f.*), doença infecto-contagiosa provocada por bacilo, contraída por ingestão de água ou alimentos contaminados.

tifoso (ô) *adj.* Relativo à febre tifóide.

tigela *s.f.* (lat. *tegula*, telha). **1.** Vasilha redonda e alta para alimentos. **2.** O conteúdo dessa vasilha.

tigelada *s.f.* **1.** Conteúdo de uma tigela. **2.** Prato feito com legumes picados e ovos batidos, assado ao forno.

tigrado *adj.* Raiado como a pelagem do tigre.

tigre *s.m.* (lat. *tigris*). **1.** Mamífero felídeo asiático, de grande porte, carnívoro, que apresenta pelagem amarelada, raiada de faixas transversais escuras. **2.** *Fig.* Indivíduo muito cruel, sanguinário.

tigresa (ê) *s.f.* **1.** A fêmea do tigre. **2.** *Pop.* Mulher de beleza exuberante, felina.

tijolo (ô) *s.m.* (esp. *tejuelo*). **1.** Peça de argila avermelhada, em forma de prisma retangular, cozida em forno e utilizada em construção civil. **2.** Bloco de forma semelhante, em que são moldados doces, sorvetes etc.

tijuca *s.f.* Var. de TIJUCO.

tijuco *s.m.* (tupi *ti'yug*). **1.** Lama, lodo. **2.** Atoleiro, charco. (Var. TIJUCA.)

til *s.m.* (lat. *titulus,* inscrição). Sinal (~) que, colocado sobre uma vogal, indica nasalização.

tílburi *s.m.* (ingl. *Tilbury,* n.pr.). Cabriolé leve e descoberto, de dois lugares.

tília *s.f.* (lat. *tilia*). Árvore ornamental originária da Europa, de folhas alternas, verde-escuras, e flores perfumadas, de propriedades medicinais, que fornece madeira branca, fácil de trabalhar.

tiliáceas *s.f.pl.* Família de plantas dicotiledôneas, herbáceas ou lenhosas, arbustivas ou arbóreas, de flores vistosas, como a tília.

tilintante *adj.2g.* Que tilinta.

tilintar *v.i.* (onomat.) [conj. 4]. Soar (sino, campainha ou moeda). ★ *v.t.* Fazer tilintar.

tilo *s.m.* Nas plantas, expansão celular de uma célula parenquimatosa para o interior de um vaso condutor.

tilose *s.f.* (gr. *tylosis*). **1.** Qualquer calo ou calosidade na pele. **2.** Obstrução dos vasos lenhosos de uma planta por tilos desenvolvidos em grande quantidade.

timão *s.m.* (lat. *temo, temonis*). **1.** Barra do leme e, p. ext., o próprio leme. **2.** *Fig.* Direção, governo.

timbale *s.m.* (fr. *timbale*). Espécie de tambor formado de uma semi-esfera de cobre coberta por uma pele esticada.

timbaleiro *s.m.* Aquele que toca timbale.

timbira *s.2g.* Indivíduo dos timbiras, povos indígenas jês que vivem na região Nordeste do Brasil.

timbó *s.m.* (tupi *ti'bo,* da cor branca ou cinzenta). Nome comum a diversos arbustos que contêm um alcalóide utilizado para atordoar peixes e facilitar a pescaria. (Sin. CIPÓ-TIMBÓ, TIMBÓ-DE-PEIXE.)

timbó-de-peixe *s.m.* Sin. de TIMBÓ.

timbragem *s.f.* **1.** Ato ou efeito de timbrar. **2.** Processo de impressão que resulta em um relevo dado por estampagem ou pela camada de tinta colocada sobre o suporte.

timbrar *v.t.* (conj. 4). **1.** Pôr timbre em, marcar com timbre. **2.** Qualificar, apodar. **3.** Empenhar-se, zelar por.

timbre *s.m.* (fr. *timbre*). **1.** Marca, sinal, insígnia, principalmente em papel de correspondência. **2.** Selo, carimbo, sinete. **3.** *Fig.* Ponto de honra, gala, capricho. ● **Fon.** Qualidade que distingue dois sons da mesma altura e da mesma intensidade, ligada às intensidades relativas dos harmônicos que os compõem.

timbu *s.m.* Sin. de GAMBÁ.

time *s.m.* (ingl. *team*). **1.** Nos esportes coletivos, grupo de pessoas selecionadas para a disputa de um jogo, de uma partida. **2.** *P. ext.* Grupo de indivíduos associados numa ação comum.

tímico *adj.* Relativo ao timo[1].

timicuim (u-i) *s.m.* Sin. de MICUIM.

timidez (ê) *s.f.* **1.** Qualidade ou caráter de tímido; falta de coragem. **2.** Insegurança, acanhamento, inibição. **3.** *Fig.* Debilidade, fraqueza.

tímido *adj.* (lat. *timidus*). **1.** Que não tem coragem; medroso. **2.** Acanhado, inibido, inseguro. **3.** *Fig.* Fraco, débil.

timina *s.f.* Base aminada constituinte do ácido desoxirribonucléico.

timing *s.m.* (ingl., de *to time,* medir o tempo). Constatação, fixação ou previsão do tempo correspondente às diversas fases de execução de uma tarefa, de uma ação.

timo[1] *s.m.* (gr. *thymós,* alma; coração). Órgão glandular situado atrás do esterno, de função imunológica, que involui com a puberdade.

timo[2] *s.m.* Sin. de TOMILHO.

timoanaléptico *adj.* e *s.m.* Sin. de ANTIDEPRESSIVO.

timol *s.m.* Fenol extraído do tomilho, empregado como anti-séptico bucal, que participa da composição de pastas dentifrícias.

timoneiro *s.m.* **1.** Aquele que governa o timão das embarcações. **2.** Patrão. **3.** *Fig.* Aquele que dirige qualquer coisa; guia, condutor, chefe.

timorato *adj.* (lat. *timoratus*). Que tem medo excessivo de errar; medroso, tímido.

timpânico *adj.* (gr. *tympanikos*). **1.** Relativo ao tímpano. **2.** *Membrana timpânica,* tímpano. ▸ *Osso timpânico,* base óssea do tímpano.

timpanismo *s.m.* Distensão abdominal perceptível na percussão devido à presença de gases nas alças intestinais; timpanite.

timpanite *s.f.* **1.** Inflamação da caixa do tímpano; otite média. **2.** Timpanismo.

tímpano *s.m.* (gr. *tympanon,* tambor). **1.** Peça metálica em formato de sino que vibra ao toque do martelo nas campainhas. **2.** Instrumento de percussão constituído por uma meia esfera de madeira, metal ou barro sobre a qual é estendida uma pele. **3.** Cavidade do ouvido médio que funciona como uma caixa de ressonância e se adapta às intensidades acústicas. **4.** Membrana delgada e tensa que limita o ouvido médio por fora e o separa do conduto auditivo externo; membrana timpânica.

tímpano-ossicular *adj.2g.* Relativo à membrana timpânica e aos ossículos do ouvido.

timpanoplastia *s.f.* Reparação cirúrgica de um ou mais elementos do sistema tímpano-ossicular.

timpanosclerose *s.f.* Enrijecimento do tímpano e dos ossículos, que provoca surdez.

timucu *s.m.* Sin. de PEIXE-AGULHA.

tina *s.f.* (lat. *tina*). **1.** Vasilha de aduelas para transportar água, lavar roupa etc. **2.** Vaso grande de pedra ou de metal, para nele se tomar banho. **3.** Grande recipiente com diversas utilizações na indústria.

tinamiforme *s.m.* Espécime dos tinamiformes. ★ *adj.2g.* Relativo aos tinamiformes.

tinamiformes *s.m.pl.* Ordem de aves que apresentam asas curtas, arredondadas, cauda curta e esterno provido de quilha, que engloba os inhambus e os macucos.

tingido *adj.* Que se tingiu, submetido a tintura ou a tingimento; tinto.

tingidor (ô) *adj.* Que tinge.

tingidura *s.f.* Tintura.

tingimento *s.m.* **1.** Processo destinado a fixar substâncias corantes sobre um suporte de estrutura fibrosa (têxtil, couro ou madeira) de maneira durável. **2.** Tintura.

tingir *v.t.* (lat. *tingire*) [conj. 52]. **1.** Comunicar certa cor a; colorir. **2.** Submeter a tintura ou tingimento. **3.** Corar, ruborizar, enrubescer. ★ *v.pr.* Adquirir determinada cor.

tinha *s.f.* (lat. *tinea*). **1.** Infestação da pele e de seus anexos por um tipo de fungo. **2.** *Fig.* Defeito, mácula. **3.** *Tinha favosa* ou *tinha fávica,* dermatose do couro cabeludo provocada por um fungo, caracterizada pela presença de uma lesão na base do pêlo. (Sin. FAVO.)

tinhorão *s.m.* (do tupi). Planta herbácea, bulbosa, que deu origem a dezenas de variedades, com folhas variadas, muito ornamentais.

tinhoso (ô) *adj.* **1.** Relativo a tinha; acometido por tinha. **2.** *Fig.* Repelente, repugnante, nojento.

tinido *s.m.* (lat. *tinnitus*). **1.** Ação ou efeito de tinir. **2.** Som agudo de metal ou de vidro.

tinir *v.i.* (lat. *tinnire*) [conj. 6]. **1.** Soar agudamente (metal, vidro). **2.** Zunir. **3.** Sentir grande fome ou apetite. **4.** *Pop.* Estar bem preparado ou desenvolvido.

tino *s.m.* **1.** Juízo, sensatez. **2.** Prudência, cuidado, tato. **3.** Penetração, agudez, inteligência. **4.** Intuição, faro.

tinta *s.f.* **1.** Substância utilizada em pintura, formada de pigmentos corantes e de um aglutinante e que, quando aplicada a uma superfície, a ela adere. **2.** Essa substância em estado líquido, utilizada para escrever, imprimir, pintar etc.

tinteiro *s.m.* Recipiente para armazenar tinta de escrever.

tintinábulo *s.m.* (lat. *tintinabulum*). Campainha, sineta.

tinto *adj.* (lat. *tinctus*). Tingido. ★ *adj.* e *s.m.* Diz-se de ou vinho de cor vermelho-escura, proveniente de uvas pretas.

tintura *s.f.* (lat. *tinctura*). **1.** Ato ou efeito de tingir; tingidura, tingimento. **2.** Solução de matérias corantes utilizada para tingir cabelos, tecidos etc. **3.** Medicamento líquido obtido por ação do álcool etílico sobre outra substância. **4.** *Fig.* Conhecimentos rudimentares, superficiais.

tinturaria *s.f.* **1.** Ofício de tintureiro. **2.** Indústria em que se realizam os tingimentos. **3.** Lavanderia.

tintureira *s.f.* Pequena árvore armada de espinhos, de flores amarelas e folhas compostas, que produz matéria tintorial preta ou vermelha e cujas vagens contêm tanino.

tintureiro *s.m.* **1.** Profissional cuja especialidade é tingir, estampar, lavar a seco etc. artigos têxteis em geral. **2.** (*RJ*) Carro policial com um compartimento especial para transporte de presos; camburão.

tio *s.m.* (gr. *theios*). **1.** Irmão do pai ou da mãe em relação aos filhos destes. **2.** O marido da tia. **3.** *Pop.* Tratamento usado pelos jovens em relação aos adultos de média idade.

tio-avô *s.m.* **1.** Irmão do avô ou da avó. **2.** Marido da tia-avó.

tiocomposto *s.m.* Composto químico que resulta da substituição de um oxigênio por um átomo de enxofre.

tiofeno *s.m.* Líquido incolor, solúvel em éter e em álcool, encontrado no alcatrão da hulha.

tipicidade *s.f.* Qualidade de típico.

típico *adj.* (gr. *typikós*). **1.** Que distingue uma pessoa, um objeto; característico. **2.** Que constitui tipo; que tem uma feição bem caracterizada.

tipiti *s.m.* (do tupi). Cesto cilíndrico de palha em que se coloca a mandioca para ser espremida.

tipo *s.m.* (gr. *typos,* marca; contorno; molde). **1.** Modelo ideal que reúne em alto grau os caracteres essenciais ou distintivos de todos os indivíduos ou objetos da mesma espécie. **2.** Categoria formada por um conjunto de propriedades, de características gerais. **3.** *Fam.* Pessoa de grande originalidade, excêntrica. **4.** Indivíduo qualquer, sujeito. ● **Biol.** Forma geral em torno da qual oscilam as variações de uma espécie, de uma raça. ► Material original (espécime, desenho ou, às vezes, descrição) sobre o qual se baseia a definição de uma unidade de classificação (gênero, espécie etc.), ao qual se faz referência internacionalmente. **Ind. Gráf.** Pequeno bloco de metal fundido onde se encontra, em relevo, o caractere a ser impresso. **Psicol.** Conjunto de traços somáticos e/ou psicológicos que apresentam uma certa coesão entre si.

tipografia *s.f.* Processo de composição e de impressão sobre formas em relevo (tipos móveis, gravuras, clichês).

VOCÊ SABIA...? O primeiro texto impresso foi obra dos chineses no século IX. Essa impressão foi obtida com a utilização de pranchas de madeira gravadas ou esculpidas. Por volta de 1440, o alemão Johannes Gutenberg foi o primeiro a usar caracteres móveis de metal no processo de impressão. Esse procedimento gráfico, chamado ***tipografia***, ainda existe, convivendo com técnicas mais modernas de composição, como a *fotocomposição* e a *editoração eletrônica*, e de impressão, como o *ofsete* e a *impressão sob demanda.* A invenção da imprensa possibilitou a produção de livros em grandes quantidades, o que favoreceu a difusão de idéias.

tipográfico *adj.* Relativo à tipografia.

tipógrafo *s.m.* Profissional que trabalha em serviços de tipografia (composição, impressão etc.).

tipóia *s.f.* (tupi *ti'poia*). **1.** Rede em que os índios traziam os filhos às costas. **2.** Tira de pano ou lenço preso ao pescoço para sustentar um braço doente. **3.** Palanquim de rede para transportar pessoas.

tipologia *s.f.* **1.** Estudo dos traços característicos de um conjunto de dados, visando a determinação de tipos, sistemas. **2.** Sistema de classificação dos indivíduos em tipos físicos e/ou psicológicos, onde em geral se procura estabelecer correspondências entre ambos.

tique[1] *s.m.* (fr. *tic*). Contração repetitiva de certos músculos, principalmente os do rosto; cacoete.

tique[2] *s.m.* Pequena marca ou sinal colocado em um item de uma relação, para indicar que foi conferido.

tique-taque *s.m.* (onomat.). Ruído baixo e cadenciado de engrenagens de relógio etc.

tíquete *s.m.* (ingl. *ticket*). Cartão, bilhete ou comprovante de venda que garante o acesso a um serviço público, a uma praça de diversões etc.

tira *s.f.* **1.** Retalho de pano, couro, papel etc., mais comprido que largo. **2.** Friso, filete. **3.** Segmento de uma história em quadrinhos. ★ *s.m. Pop.* Agente de polícia, investigador.

tira-bolhas *s.m.2n.* Dispositivo que elimina as bolhas de ar de um líquido destinado a ser injetado ou reinjetado no organismo.

tiracolo *s.m.* (fr. ant. *tiracol*). **1.** Correia atravessada de um dos ombros para o lado oposto do corpo, passando por baixo do braço, para transporte de objetos. **2.** *A tiracolo,* diz-se de bolsas, sacolas etc. que se levam pendentes de uma correia assim trespassada no corpo.

tirada[1] *s.f.* **1.** Ato ou efeito de tirar. **2.** Exportação de gêneros. **3.** Espaço longo de tempo. **4.** Grande extensão de caminho.

tirada[2] *s.f.* (fr. *tirade*). **1.** Exposição oratória ou escrita de grande extensão, geralmente feita de lugares-comuns. **2.** Fala prolongada de uma personagem.

tirador (ô) *adj.* Que tira, puxa.

tiragem *s.f.* **1.** Impressão das folhas de um livro, dos exemplares de uma obra em cada edição. **2.** Número de exemplares de uma publicação ou de uma gravura impressa a partir de uma matriz. ● **Med.** Depressão das partes moles do tórax observada quando a inspiração pulmonar está dificultada por um obstáculo brônquico.

tira-leite *s.m.* Aparelho para retirar leite da mama.

tira-linhas *s.m.2n.* Pequeno instrumento de desenho que permite traçar linhas de espessura variável.

tirania *s.f.* (gr. *tyrannís*). **1.** Domínio, poder ou qualidade de tirano. **2.** Governo autoritário, que não respeita as liberdades individuais, e sobre o qual os governados não exercem controle.

? VOCÊ SABIA...? Modernamente o termo **tirania** designa a opressão de um governo que não respeita as liberdades individuais dos cidadãos e não permite que se exerça controle sobre o poder. Na Antiguidade clássica, no entanto, tratava-se de um poder soberano conferido ao governante justamente pelos cidadãos.

---

tirânico *adj.* **1.** Relativo a ou próprio de tirano ou tirania. **2.** *Fig.* Que exerce forte poder, influência irresistível.

tiranizador (ô) *adj.* e *s.m.* Que ou aquele que tiraniza.

tiranizar *v.t.* (conj. 4). **1.** Governar com tirania. **2.** Exercer autoridade opressiva. **3.** *Fig.* Exercer um poder moral absoluto. **4.** *Fig.* Opor obstáculos ao bom funcionamento ou desenvolvimento de; constranger.

tirano *s.m.* (gr. *tyrannos*). **1.** Soberano injusto, cruel; déspota. **2.** Pessoa que abusa de sua autoridade. **3.** *Fig.* O que escraviza e tortura moralmente.

tirante *adj.2g.* **1.** Que tira ou puxa. **2.** Que se aproxima de (cor, tonalidade); semelhante. ★ *s.m.* **1.** Cada uma das correias que prendem um veículo à(s) cavalgadura(s) que o puxa(m). **2.** Barra de ferro que transmite o movimento do êmbolo às rodas das máquinas a vapor. **3.** Peça que tem por função aliviar um sistema ou uma estrutura ou suportar um esforço de tração sob a ação de uma carga capaz de destruir o conjunto desse sistema. ★ *prep.* Exceto, salvo.

tirar *v.t.* (conj. 4). **1.** Fazer sair de um lugar; retirar. **2.** Fazer com que se locomova; puxar. **3.** Arrancar, extrair, extirpar. **4.** Privar de, espoliar, subtrair. **5.** Despir, descalçar. **6.** Receber, colher. **7.** Livrar de, aliviar. **8.** Excluir, excetuar. **9.** Abolir, extinguir, apagar. **10.** Fazer a subtração; subtrair, diminuir. **11.** Imprimir, fazer a tiragem. **12.** Deixar de fazer ou dizer; suprimir. **13.** Obter julgamento ou sentença por comparação ou avaliação. **14.** *Fig.* Desviar, afastar, apartar.

tireoestimulina *s.f.* Hormônio hipofisário que controla a atividade da tireóide. (Abrev. TSH, do inglês *thyroid stimulating hormon.*) [Sin. TIREOTROFINA.]

tireoglobina *s.f.* Proteína tireoidiana que representa o estoque de iodo da tireóide.

tireo-hióideo ou **tiro-hioídeo** *adj.* **1.** Relativo à cartilagem tireóide e ao osso hióide. **2.** Diz-se de um músculo da laringe.

tireóide ou **tiróide** *adj.2g.* (gr. *thyreoeides,* que tem forma de escudo). **1.** Diz-se da glândula endócrina situada diante da traquéia e que produz hormônios que atuam no crescimento e no metabolismo. **2.** Diz-se da maior das cartilagens da laringe, que forma no homem a saliência chamada pomo-de-adão. ★ *s.f.* **1.** A glândula tireóide. **2.** A cartilagem tireóide.

tireóideo ou **tireoidiano** ou **tiroidiano** *adj.* Relativo à tireóide.

tireoidite ou **tiroidite** *s.f.* Inflamação da tireóide caracterizada por dor, tumefação e febre.

tireomegalia ou **tiromegalia** *s.f.* Aumento do volume da glândula tireóide.

tireoprivo ou **tiroprivo** *adj.* Que se relaciona com a ausência anatômica ou com a supressão funcional da glândula tireóide.

tireotoxicose (cs) *s.f.* Conjunto de distúrbios decorrentes do hipertireoidismo.

tireotrofina ou **tirotrofina** *s.f.* Sin. de TIREOESTIMULINA.

tiririca *s.f.* (tupi *tiri'rika*). **1.** Planta herbácea vivaz cujos rizomas formam tubérculos que infestam as terras cultivadas. **2.** Planta herbácea de caule triangular, altamente infestante e de difícil combate. **3.** Erva que cresce na areia e é utilizada como fixadora de dunas. ★ *adj.2g. Fam.* Zangado, irritado, furioso.

tiritante *adj.2g.* Que tirita.

tiritar *v.i.* (onomat.) [conj. 4]. Tremer com frio.

tiro *s.m.* **1.** Ato ou efeito de atirar ou disparar qualquer arma de fogo; disparo. **2.** A carga disparada pela arma de fogo; bala. **3.** Distância que alcança a carga ou o disparo. **4.** Dispositivo que liga o animal de tração a um veículo ou ao arado; dispo-

A B C D E F G H I J K L M N O P Q R S T U V W X Y Z

sitivo que liga o trator aos implementos. **5.** *Animal de tiro,* eqüino, bovino ou outro animal treinado para, sozinho ou em parelhas, puxar arado ou veículo. ● **Esp.** *Tiro de meta,* no futebol, chute para repor em jogo a bola que saiu do campo pela linha de fundo, dado de dentro da pequena área.

TIRO ▸ Em todas as épocas, o homem sempre praticou o tiro para caçar e alimentar-se. Logicamente, suas primeiras armas não eram muito sofisticadas: uma zarabatana, arco e flecha ou uma pedra lançada com a mão. O tiro se modernizou e diversificou graças aos progressos da técnica e à invenção das armas de fogo: os japoneses produziram a primeira arma de fogo no século XIII, e a primeira escopeta de caça foi desenvolvida durante o reinado de Luís XIV, no século XVII.

---

tirocínio *s.m.* (lat. *tirocinium*). **1.** Experiência, prática adquirida no exercício de uma atividade, ou necessária ao exercício de uma profissão. **2.** Capacidade de discernimento.

tiro-de-guerra *s.m.* Organização do Exército brasileiro para treinamento militar de reservistas de 2ª Categoria, treinados apenas para funções gerais básicas.

tiróide *s.f.* Tireóide.

tirolês *adj.* Relativo ou pertencente ao Tirol, província austríaca. ★ *s.m.* O natural ou habitante do Tirol.

tironina *s.f.* Aminoácido cuja estrutura é a mesma que a dos hormônios tireoidianos.

tirosina *s.f.* Aminoácido cuja oxidação fornece um pigmento escuro, a melanina.

tirosinase *s.f.* Enzima que oxida a tirosina em melanina, cuja deficiência congênita causa o albinismo.

tiroteio *s.m.* **1.** Tiros de fuzilaria amiudados. **2.** *P. ext.* Troca de tiros.

tiroxina (cs) *s.f.* Hormônio secretado pela tireóide, que estimula os processos metabólicos do organismo; tetraidrotironina.

tisana *s.f.* (gr. *ptisane*). **1.** Cozimento da cevada. **2.** Medicamento aquoso, preparado ordinariamente com ervas, que se ministra aos doentes.

tisanuro *s.m.* Espécime dos tisanuros. ★ *adj.* Relativo aos tisanuros.

tisanuros *s.m.pl.* Ordem de insetos desprovidos de asas, que apresentam o corpo coberto por escamas finas e o abdome provido de três cerdas longas.

tísica *s.f.* **1.** Tuberculose pulmonar. **2.** *Tísica galopante,* tuberculose pulmonar de evolução muito rápida.

tísico *adj.* e *s.m.* Que ou aquele que está atacado de tísica.

tisiologia *s.f.* (do gr. *phthisis,* consumido). Especialidade médica consagrada à tuberculose pulmonar.

tisiológico *adj.* Relativo à tisiologia.

tisiologista *s.2g.* Especialista em tisiologia; tisiólogo.

tisiólogo *s.m.* Tisiologista.

tisna *s.f.* **1.** Ato ou efeito de tisnar; tisnadura. **2.** Substância própria para enegrecer qualquer coisa.

tisnadura *s.f.* Tisna.

tisnar *v.t.* (conj. 4). **1.** Tingir de preto; enegrecer. **2.** Macular, sujar. **3.** Queimar ligeiramente, tostar.

titã[1] *s.m.* (gr. *Titan,* n.pr.). Pessoa de características físicas ou morais extraordinárias.

titã[2] *s.m.* Inseto coleóptero, com até 20 cm de comprimento, que ocorre na Amazônia.

titânico *adj.* (gr. *titanikós*). Relativo a ou próprio de titã[1]. ● **Quím.** Relativo aos compostos do titânio.

titânio *s.m.* (lat. cient. *titanium*). Elemento químico (símb. Ti) de número atômico 22, que constitui um metal brilhante, bastante rígido e resistente à corrosão e aos ataques ácidos.

títere *s.m.* (esp. *títere*). **1.** Boneco que se move por cordéis e engonços, imitando gestos humanos; bonifrate, fantoche, marionete. **2.** Palhaço, bufão. **3.** *Fig.* Indivíduo que se deixa levar facilmente por outrem, que só age por inspiração ou a mando de outrem.

titia *s.f. Fam.* Tia.

titica *s.f.* **1.** Excremento de certos animais, principalmente galinha. **2.** *Pop.* Qualquer excremento ou sujeira.

titilação *s.f.* Ato ou efeito de titilar.

titilante *adj.2g.* Que titila; palpitante.

titilar *v.t.* (lat. *titillare*) [conj. 4]. **1.** Fazer prurido ou cócegas. **2.** *Fig.* Lisonjear; afagar. ★ *v.i.* **1.** Ter estremecimentos; palpitar. **2.** Prurir, coçar.

titio *s.m. Fam.* Tio.

titubeante *adj.2g.* Que titubeia; vacilante, indeciso, hesitante.

titubear *v.i.* (lat. *titubare*) [conj. 15]. **1.** Vacilar sobre as pernas; cambalear. **2.** Estar indeciso; hesitar. ★ *v.t.* Vacilar.

titubeio *s.m.* Ato ou efeito de titubear.

titulado *adj.* Que possui título nobiliárquico ou honorífico. ● **Quím.** Diz-se de uma solução cujo título é conhecido.

titular[1] *adj.2g.* **1.** Que tem título honorífico ou nobiliárquico. **2.** Que tem só o título, sem a posse ou domínio; honorário. ★ *adj.2g.* e *s.2g.* Que ou aquele que detém oficialmente uma posição, um cargo etc. ★ *s.2g.* **1.** Pessoa nobre; fidalgo. **2.** Cada um dos membros de um ministério.

titular[2] *v.t.* (lat. *titulare*) [conj. 4]. **1.** Dar título a; intitular. **2.** Escrever ou registrar em livro de padrões e títulos autênticos.

título *s.m.* (lat. *titulus*). **1.** Inscrição no início de um texto ou de uma obra impressa, que o nomeia e pode indicar seu teor. **2.** Nome de peça teatral, filme, obra de arte etc. **3.** Rótulo, letreiro. **4.** Nome de cargo, ofício ou grau; denominação honorífica. **5.** Qualificação que exprime uma relação social, função ou dignidade. **6.** Reputação, renome, fama. **7.** Documento que comprova ou autoriza o uso de um direito. **8.** Documento negociável que atesta um direito de crédito relativo a mercadorias ou a quantia pecuniária. **9.** Qualidade, capacidade. ● **Metal.** Relação entre o peso do metal fino contido em uma liga e seu peso total, expressa em milésimos e gravada na peça. **Quím.** Composição de uma solução; normalidade.

tiziu *s.m.* (onomat.). Denominação comum a aves passeriformes, cujo nome deriva do som emitido, que é curiosamente acompanhado por um salto vertical. (Sin. ALFAIATE.)

Tl símbolo químico do tálio.

Tm símbolo químico do túlio.

TNT abrev. de trinitrotolueno.

toa (ô) *s.f.* (ingl. *tow*). **1.** Cabo ou corda com que uma embarcação reboca outra; sirga. **2.** *À toa,* a esmo, ao acaso. (Cf. À-TOA.)

toá *s.m.* Planta de caule revestido de casca rugosa, pequenas flores e fruto com amêndoa comestível, que fornece fibras para a fabricação de cordas.

toada *s.f.* **1.** Ato ou efeito de toar; ruído. **2.** Som de instrumentos, de vozes; canto, entoação. **3.** Cantiga de melodia simples e monótona, texto curto.

toalete *s.f.* (fr. *toilette*). Ação de lavar-se, pentear-se, adornar-se, vestir-se. ★ *s.m.* **1.** Traje feminino requintado usado geralmente em festas, reuniões etc. **2.** Pequeno móvel onde se colocam os objetos do toucador. **3.** Aposento sanitário; banheiro.

toalha *s.f.* (prov. *toalha,* de or. germ.). **1.** Peça de tecido em geral felpudo, usada para enxugar as mãos ou o corpo após o banho. **2.** Tecido que se estende sobre a mesa, às refeições. **3.** Peça análoga para cobrir o altar.

toalheiro *s.m.* **1.** Utensílio onde são penduradas ou guardadas as toalhas. **2.** Fabricante ou vendedor de toalhas.

toante *adj.2g.* **1.** Que toa. **2.** *Rima toante,* sin. de RIMA ASSONANTE*.

toar *v.i.* (lat. *tonare*) [conj. 20]. **1.** Emitir som ou tom forte; soar. **2.** Trovejar, estrondear. ★ *v.t.* **1.** Convir, agradar, aprazer. **2.** Condizer, ficar bem.

tobá *s.m.* Var. de ATOBÁ.

tobogã *s.m.* (ingl. *toboggan*). **1.** Trenó articulado, que se usa nas descidas em pistas de gelo. **2.** Pista ondulada, em declive, sobre a qual se desliza nos parques de diversões.

toca *s.f.* (esp. *tueca*). **1.** Abrigo ou esconderijo de animais; covil. **2.** Lapa, gruta, cova. **3.** *Fig.* Refúgio, abrigo.

toca-discos *s.m.2n.* Aparelho elétrico destinado a pôr em movimento discos fonográficos, para reproduzir o que neles está gravado.

tocador (ô) *adj.* e *s.m.* **1.** Que ou aquele que toca um instrumento. **2.** Que ou aquele que toca ou guia um lote de animais de carga.

toca-fitas *s.m.2n.* Aparelho utilizado para a reprodução de sons gravados em fitas magnéticas.

tocaia *s.f.* (tupi *to'kaia*). **1.** Emboscada, cilada, espreita ao inimigo ou caça. **2.** Lugar disfarçado onde se espera a caça.

tocaiar *v.t.* (conj. 4). **1.** Emboscar-se para matar ou caçar. **2.** Espreitar em tocaia.

tocante *adj.2g.* **1.** Que toca. **2.** Comovente, emocionante. **3.** Relativo, concernente.

tocantinense *adj.2g.* Relativo ou pertencente a Tocantins, Estado brasileiro. ★ *s.2g.* O natural ou habitante do Tocantins.

tocar *v.t.* (conj. 12). **1.** Pôr a mão em; apalpar. **2.** Ter contato com; atingir. **3.** Atingir com um golpe. **4.** Tirar sons (de instrumento musical). **5.** Executar (uma música). **6.** Dar aviso ou sinal por meio de um som; anunciar. **7.** Impressionar, comover, sensibilizar. **8.** Mencionar, referir-se a. **9.** Estar vizinho, próximo de. **10.** Tanger, conduzir (gado). **11.** *P. ext.* Fazer sair, expulsar (pessoas ou animais). **12.** Caber por partilha, pertencer. **13.** Dizer respeito, interessar. ● **Med.** Realizar o toque em uma cavidade natural. ★ *v.i.* **1.** Executar instrumentos musicais. **2.** Produzir sons. **3.** Fazer que ande. **4.** Dar (o telefone) sinal de que completou-se a ligação. ★ *v.pr.* **1.** Encontrar-se, aproximar-se, pôr em contato. **2.** Magoar-se, ofender-se. **3.** *Gír.* Dar-se conta, tomar consciência de.

tocata *s.f.* (it. *toccata*). **1.** Peça instrumental geralmente destinada aos teclados. **2.** Concerto popular. **3.** Concerto de banda militar; retreta.

tocha *s.f.* (fr. *torche*). **1.** *Ant.* Feixe de mechas besuntadas com cera que se usava para iluminar. **2.** Vela grossa e grande de cera. **3.** Archote, facho. **4.** Luz, brilho. **5.** *Fig.* Força de um sentimento, de uma paixão.

tocheiro *s.m.* **1.** Castiçal grande para tocha. **2.** Grande candelabro apoiado no chão.

toco (ô) *s.m.* (de or. celta). **1.** Parte inferior de um tronco vegetal que permanece ligada à terra depois de cortada a árvore. **2.** Pau curto, cacete. **3.** Pedaço de vela ou de tocha; coto.

tocoferol *s.m.* Nome comum de antioxidantes naturais, como a vitamina E.

tocografia *s.f.* Monitoramento fetal durante a gravidez e o trabalho de parto.

tocologia *s.f.* Obstetrícia.

tocólogo *s.m.* Obstetra.

todavia *conj.* (lat. *tota via,* em todo o caminho). Contudo, no entanto, ainda assim.

todo (ô) *pron. indef.* (lat. *totus*). **1.** Cada, qualquer. **2.** (no pl.) Todas as pessoas. ★ *adv.* **1.** Totalmente, completamente. **2.** *Ao todo,* no total. ▸ *De todo,* completamente. ★ *s.m.* A totalidade, o total, o conjunto. ★ *adj.* Inteiro, completo.

todo-poderoso *adj.* Diz-se daquele que pode tudo; onipotente. ★ *s.m.* **1.** Aquele que pode tudo. **2.** Deus. (Usa-se com maiúscula.)

tô-fraco *s.m.* Sin. de GALINHA-D'ANGOLA.

toga *s.f.* (lat. *toga*). **1.** Vestimenta dos cidadãos livres por nascimento na Roma Antiga. **2.** Vestimenta ampla usada pelos juízes, advogados ou promotores no tribunal, ou por formandos durante a cerimônia de formatura; beca. **3.** A própria magistratura.

? VOCÊ SABIA...? A **toga** tradicional é um amplo roupão de tecido preto, que se veste por cima da roupa comum. Costuma ter uma grande gola sobreposta de veludo. Seu complemento, especialmente quando é usada em cerimônias de formatura, é um chapéu plano, o barrete.

togado *adj.* (lat. *togatus*). Que ou aquele que usa toga. ★ *s.m.* Juiz, magistrado judicial.

toicinho *s.m.* Toucinho.

tojo (ô) *s.m.* (esp. *toza*). Arbusto ramoso, espinhoso, que pode alcançar até 4 m de altura, originário da Europa.

tolda (ô) *s.f.* **1.** Ato ou efeito de toldar. **2.** Toldo. **3.** A primeira coberta do navio. **4.** Cobertura de palha ou de madeira que, nas embarcações, abriga a carga.

toldar *v.t.* (conj. 4). **1.** Cobrir com tolda ou toldo. **2.** Anuviar, tapar, encobrir. **3.** Obscurecer, turbar. ★ *v.pr.* **1.** Turvar-se. **2.** Obscurecer-se, anuviar-se, encobrir-se. **3.** *Fig.* Embriagar-se.

toldo (ô) *s.m.* (fr. dial. *tialt,* de or. germ.). Peça de lona ou de outro material própria para cobrir a entrada de um edifício, um caminhão etc., como proteção contra as intempéries; tolda.

toleirão *adj.* e *s.m.* Que ou aquele que é muito tolo; pateta.

tolerância *s.f.* (lat. *tolerantia*). **1.** Ato ou efeito de tolerar. **2.** Disposição de admitir, nos outros, modos de pensar, de agir e de sentir diferentes dos nossos. **3.** Excesso ou insuficiência de dimensão ou de peso admitidos na fabricação de qualquer coisa. **4.** *Casa de tolerância,* prostíbulo. ● **Med.** Ausência de reação imunitária a certos antígenos que resulta de um estado de paralisia imunitária constitucional ou induzido por um primeiro contato com o antígeno. ► Atenuação ou desaparecimento da atividade de um medicamento após administração repetida, que exige aumento das doses.

tolerante *adj.2g.* (lat. *tolerans*). **1.** Que tolera; condescendente, indulgente. **2.** Que dá provas de tolerância ou indulgência.

tolerar *v.t.* (lat. *tolerare*) [conj. 4]. **1.** Aceitar com indulgência; admitir. **2.** Permitir tacitamente; não impedir. **3.** Suportar, resistir.

tolerável *adj.2g.* Que se pode tolerar; suportável.

tolete (ê) *s.m.* (fr. *tolet*). Pequena haste presa verticalmente na borda de uma barca ou canoa, para servir de apoio ao remo.

tolher *v.t.* (lat. *tollere*) [conj. 5]. **1.** Proibir, vedar. **2.** Estorvar, embaraçar. **3.** Obstar, opor-se. **4.** Constranger, coibir. **5.** Paralisar. ★ *v.pr.* **1.** Ficar paralítico. **2.** Perder o movimento.

tolhido *adj.* **1.** Proibido, vedado. **2.** Impedido, constrangido. **3.** Paralítico, entrevado.

tolhimento *s.m.* Ato ou efeito de tolher(-se).

tolice *s.f.* **1.** Qualidade, ato ou dito de tolo. **2.** Coisa insignificante, sem valor.

tolo (ô) *adj.* **1.** Sem inteligência, sem juízo. **2.** Ingênuo, simplório. **3.** Idiota, palerma, bobo. **4.** Ridículo, parvo, pateta. **5.** Que não tem sentido ou importância; fútil. **6.** Vaidoso, presunçoso. ★ *s.m.* Indivíduo tolo.

tolueno *s.m.* Hidrocarboneto aromático, semelhante ao benzeno, que constitui um líquido incolor utilizado como solvente e na preparação de explosivos.

tom *s.m.* (lat. *tonus*). **1.** Tensão, tono. **2.** Efeito de tonificar; vigor. **3.** Grau de elevação ou abaixamento da voz ou do som de um instrumento. **4.** Inflexão ou expressão da voz. **5.** Modo, maneira, estilo. **6.** Gradação de intensidade de uma cor. ● **Mús.** Intervalo entre duas notas que corresponde a dois semitons. ► Determinação da altura de uma escala pelo enunciado de sua tônica.

tomada *s.f.* **1.** Ato ou efeito de tomar. **2.** Invasão, conquista. **3.** Pequena represa de água utilizada para fins industriais. ● **Elétr.** Dispositivo fixo que contém contatos do tipo fêmea e que, conectado a uma fonte de energia elétrica, permite a alimentação de equipamentos elétricos mediante um plugue. ► O plugue utilizado para estabelecer essa conexão.

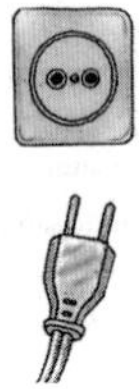

tomar *v.t.* (conj. 4). **1.** Pegar, agarrar, segurar. **2.** Apoderar-se de; invadir, conquistar. **3.** Furtar, arrebatar, apreender. **4.** Ocupar, preencher (determinado tempo ou lugar). **5.** Ingerir, beber. **6.** Apanhar (meio de transporte). **7.** Imitar, seguir. **8.** Assumir determinada posição ou atitude; defender, apoiar. **9.** Calcular, medir. **10.** Fazer, efetuar determinada operação. ★ *v.pr.* Deixar-se envolver ou dominar.

tomara *interj.* Exprime desejo, aspiração, voto.

tomate *s.m.* (náuatle *tómatl*). Fruto do tomateiro, baga de tamanho variável, arredondada ou alongada, de cor vermelha ou amarelada, com muitas sementes, rica em vitamina C.

tomateiro *s.m.* Planta herbácea, originária da América do Sul, ramificada, de folhas pilosas, flores amarelas e frutos carnosos, comestíveis.

tombadilho *s.m.* Superestrutura situada na parte traseira do navio, de um bordo a outro, em geral completamente fechada.

tombador (ô) *adj.* e *s.m.* Que ou aquele que faz tombos, inventários.

tombamento[1] *s.m.* Ato ou efeito de tombar[1]. ● **Agric.** Moléstia provocada por fungos que provocam a murcha e tombamento das plantas.

tombamento[2] *s.m.* Ato ou efeito de tombar[2].

tombar[1] *v.t.* (it. *tombolare*) [conj. 4]. Derrubar, deitar ao chão; fazer cair. ★ *v.i.* **1.** Cair rolando, cair no chão. **2.** Declinar, descair. ★ *v.pr.* Voltar-se, virar-se, cair para o lado.

tombar² *v.t.* (conj. 4). **1.** Fazer tombo, inventário de. **2.** Arrolar, inventariar, registrar (bens, terrenos, imóveis). **3.** Declarar de interesse histórico ou artístico um monumento, uma localidade etc., colocando sua conservação e sua restauração sob o controle de órgãos administrativos competentes.

tombo¹ *s.m.* **1.** Ato ou efeito de tombar¹; queda. **2.** Cachoeira alta, volumosa, em queda quase vertical. **3.** *Pop.* Capacidade, inclinação, gênio.

tombo² *s.m.* (lat. *tumulum*). **1.** Inventário de bens (terrenos etc.). **2.** Arquivo. **3.** Registro de coisas ou fatos relativos a uma especialidade ou a uma região.

tômbola *s.f.* (it. *tombola*). **1.** Jogo de loto em que ganha quem primeiro encher um cartão inteiro. **2.** Jogo de azar em que um aparelho impulsiona, por meio de uma manivela, uma pequena bola que saltita por sobre um tabuleiro com cavidades múltiplas pintadas em cores diversas, ganhando o jogador que tiver apostado na cor da cavidade em que a bola cair.

tomento *s.m.* (lat. *tomentum*). **1.** Lanugem que cobre ou reveste certos órgãos de plantas. **2.** A parte áspera do linho.

tomentoso (ô) *adj.* Diz-se dos órgãos penugentos, felpudos, de certas plantas.

tomilho *s.m.* (esp. *tomillo*). Erva originária da Europa, de flores rosadas das quais se extrai um óleo essencial utilizado como anti-séptico, cujas folhas são utilizadas como tempero. (Sin. TIMO².)

tomo *s.m.* (gr. *tómos*, fração). **1.** Divisão de uma obra, determinada pelo autor, que geralmente forma um volume. **2.** Divisão, parte. **3.** *Fig.* Importância, alcance.

tomodensitometria *s.f.* Sin. de TOMOGRAFIA.

tomodensitômetro *s.m.* Sin. de TOMÓGRAFO.

tomografia *s.f.* (do gr. *tomós*, que corta). **1.** Procedimento radiológico de reconstrução digital da imagem de um corte do corpo a partir de uma série de análises de densidade efetuadas pela oscilação e/ou rotação do conjunto de tubos de raios X detectores. (Sin. TOMODENSITOMETRIA.) **2.** Imagem obtida por esse processo.

tomográfico *adj.* Relativo à tomografia.

tomógrafo *s.m.* Aparelho utilizado para tomografia. (Sin. TOMODENSITÔMETRO).

tona *s.f.* (lat. *tunna*). **1.** Casca tênue, película, camada fina. **2.** *À tona*, à superfície (de líquidos, especialmente a água).

tonal *adj.2g.* Relativo a tom ou tonalidade.

tonalidade *s.f.* **1.** Cor, matiz, tom. **2.** Cor dominante, atmosfera colorida de uma pintura, de um quadro.

tonante *adj.2g.* (lat. *tonans*). **1.** Que troveja. **2.** Que atroa. **3.** *Fig.* Vibrante, forte.

tonel *s.m.* (fr. ant. *tonel*). **1.** Recipiente para líquidos, de grande capacidade, fabricado com madeiras especiais para cada finalidade, aparelhado com aduelas e dotado de tampos e arcos metálicos de contenção. **2.** Antiga medida para líquidos, equivalente a 957,6 litros.

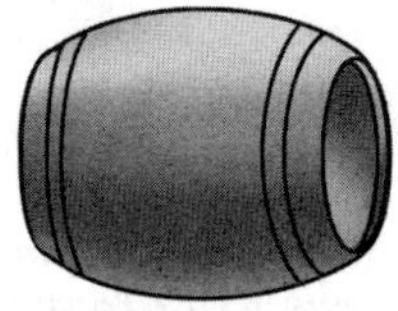

tonelada *s.f.* **1.** O conteúdo de um tonel. **2.** Medida usada para calcular o porte e frete dos navios. **3.** Unidade de medida de massa (símb. t) equivalente a 1.000 kg.

tonelagem *s.f.* **1.** Quantidade de mercadorias expressa em toneladas. **2.** Capacidade de carga de um navio.

tônica *s.f.* **1.** Primeira nota de uma escala musical, também chamada primeiro grau. **2.** *Fig.* Idéia ou assunto principal.

tonicidade *s.f.* **1.** Qualidade ou estado do que é tônico. **2.** Caráter dos músculos dotados de tônus.

tônico *adj.* (gr. *tonikós*). Relativo a tom. ● **Gram.** Diz-se da sílaba ou da vogal que, num vocábulo, são proferidas com maior intensidade. **Med.** Relativo ao tono muscular. ► Diz-se de uma estrutura anatômica cuja atividade se mantém regular durante toda a duração do estímulo que lhe é aplicado. ★ *adj.* e *s.m.* **1.** Que ou o que tonifica, fortifica. **2.** Diz-se de ou medicamento que reconstitui as forças vitais do organismo ou de uma função; fortificante.

tonificação *s.f.* Ato ou efeito de tonificar.

tonificante *adj.2g.* Que tonifica.

tonificar *v.t.* (fr. *tonifier*) [conj. 12]. Dar vigor a; revigorar, fortalecer. ★ *v.pr.* Fortalecer-se, revigorar-se.

toninha *s.f.* Mamífero cetáceo marinho, que ocorre nas costas do Brasil, Uruguai e Argentina.

tonitruante *adj.2g.* Ruidoso como o trovão.

tonitruar *v.i.* (lat. *tonitruare*) [conj. 4]. Atroar, retumbar, trovejar.

tono *s.m.* (lat. *tonus*). **1.** Toada, tom. **2.** Música alegre. **3.** Disposição, atitude. ● **Fisiol.** Tensão a que se encontra submetido qualquer músculo esquelético em estado de repouso; tônus.

tonofibrila *s.f.* Fibra citoplasmática muito fina de certas junções celulares.

tonografia *s.f.* Registro da pressão intra-ocular feito por meio de um tonógrafo.

tonógrafo *s.m.* Aparelho que permite medir e registrar a pressão intra-ocular.

tonometria *s.f.* **1.** Medida da tensão vascular obtida por meio de aparelhos diversos. **2.** Medida da pressão intra-ocular. **3.** Medida do tono de um órgão. **4.** Estudo das soluções químicas pela medida da pressão de seu vapor saturante.

tonométrico *adj.* Relativo à tonometria.

tonsila *s.f.* Sin. de AMÍGDALA.

tonsilar *adj.2g.* Relativo às amígdalas.

tonsilite *s.f.* Sin. de AMIGDALITE.

tonsura *s.f.* (lat. *tonsura*). **1.** Ato ou efeito de tosquiar. **2.** Ato ou efeito de cortar o cabelo ou as barbas. **3.** Corte de cabelo circular, rente, na parte superior do crânio, usado pelos clérigos. **4.** Cerimônia litúrgica que marcava a entrada de um leigo na vida clerical.

tonsurado *adj.* e *s.m.* Diz-se de ou clérigo que recebeu a tonsura.

tonsurante *adj.2g.* Que tonsura.

tonsurar *v.t.* (lat. *tonsurare*) [conj. 4]. **1.** Fazer tonsura em. **2.** Conferir a tonsura.

tontear *v.i.* (conj. 15). **1.** Ficar tonto, sentir tonturas. **2.** Dizer ou fazer tolices; disparatar. **3.** *Fig.* Perturbar-se, titubear. ★ *v.t.* **1.** Perturbar, alvoroçar. **2.** Atordoar, estontear.

tonteira *s.f.* **1.** Tontura, vertigem. **2.** Tontice.

tontice *s.f.* Ato ou dito de tonto.

tonto *adj.* **1.** Que tem tonturas. **2.** Atônito, perturbado, atarantado. **3.** Tolo, parvo. ★ *s.m.* Indivíduo tonto.

tontura *s.f.* Sensação vaga de mal-estar, geralmente acompanhada de falta de equilíbrio, que pode ser provocada por distúrbio orgânico ou psicológico; vertigem, tonteira.

tônus *s.m.* Tono.

topada *s.f.* **1.** Ato ou efeito de bater com o pé de encontro a um obstáculo. **2.** Choque, encontro.

topar *v.t.* (conj. 4). **1.** Encontrar, deparar. **2.** Bater com o pé inadvertidamente em; dar uma topada. **3.** Aceitar, concordar.

topázio *s.m.* (gr. *topázion*). Silicato fluorado de alumínio, cristalizado, que é uma pedra semipreciosa amarela e transparente.

tope *s.m.* (fr. *top*, batida). **1.** Choque de dois corpos. **2.** Topo, cimo, cume. **3.** O mais alto grau; auge. **4.** Extremidade dos mastros, onde se desfraldam as flâmulas. **5.** Laia, espécie. ● Mec. Elemento limitador de parada de um mecanismo.

topetada *s.f.* Pancada com a cabeça.

topetar *v.t.* (conj. 4). Bater com a cabeça.

topete (ê ou é) *s.m.* (fr. *toupet*). **1.** Cabelo levantado na parte anterior da testa. **2.** Penas alongadas na cabeça de algumas aves. **3.** Parte da crina do cavalo que cai sobre a testa. **4.** *Fig.* Atrevimento, ousadia.

topetudo *adj.* **1.** Que traz topete. **2.** *Fig.* Atrevido, valentão.

tópica *s.f.* Doutrina dos tópicos ou remédios tópicos. ● **Psican.** Modo teórico de representação do funcionamento psíquico como sendo um aparelho com uma disposição espacial.

tópico *adj.* (gr. *topikós*). **1.** Relativo a lugar. **2.** Que se refere exatamente àquilo de que se está tratando. **3.** Diz-se de medicamento de uso externo. ★ *s.m.* **1.** Subdivisão ou item de um texto, de uma súmula, de um roteiro; argumento, tema. **2.** Sinal que marca essa subdivisão. **3.** Breve comentário sobre assunto da atualidade; nota. ★ *s.m.pl.* **1.** Lugares-comuns. **2.** Generalidades.

topo (ô) *s.m.* **1.** A parte mais elevada; cimo, cume. **2.** Extremidade, limite.

topocêntrico *adj.* Diz-se dos fenômenos relacionados ao sistema de coordenadas cuja origem é o ponto do observador.

topografia *s.f.* (do gr. *tópos*, lugar). **1.** Descrição detalhada de uma localidade; topologia. **2.** Técnica de representação (em um plano) das formas de um terreno, com os detalhes de seus elementos naturais ou artificiais. **3.** Conjunto das características físicas de um dado trecho da superfície terrestre, relativo aos desníveis do relevo e à disposição da rede hidrográfica.

TOPOGRAFIA ► A topografia compreende várias técnicas. Entre elas, podem-se citar a *planimetria*, que consiste em diferentes tipos de medições de superfícies planas realizadas com instrumentos especiais, e a *altimetria*, que determina as alturas e profundidades do relevo.

---

topográfico *adj.* Relativo à topografia.

topógrafo *s.m.* Técnico que procede às operações de levantamento topográfico.

topologia *s.f.* (do gr. *tópos*, lugar, situação no espaço). **1.** Topografia. **2.** Ramo da matemática que estuda as propriedades invariantes sob o efeito de transformações biunívocas contínuas.

topológico *adj.* **1.** Relativo à topologia. **2.** Diz-se de um espaço sobre o qual foi definida uma topologia.

toponímia *s.f.* (gr. *tópos*, lugar, e *onyma*, nome). **1.** Parte da onomástica que estuda os nomes de lugares, sua origem, suas relações com a língua falada. **2.** Conjunto dos nomes de lugares de uma região, de uma língua.

toponímico *adj.* Relativo à toponímia.

topônimo *s.m.* Nome próprio de lugar.

toque *s.m.* **1.** Ação de tocar. **2.** Impressão produzida por um corpo que se toca; contato. **3.** Ato ou efeito de tocar, tanger um instrumento. **4.** Pequeno teor ou quantidade de; sinal, vestígio. **5.** Referência rápida e sutil a um assunto determinado. **6.** Inspiração. **7.** Esmero artístico, pequeno adorno; retoque. **8.** Título (de liga de metais). ● **Med.** Exame clínico efetuado através da introdução de um ou mais dedos protegidos com luvas especiais (toque vaginal, toque retal).

tora *s.f.* **1.** Grande tronco de madeira. **2.** Tronco serrado de árvore. **3.** Porção, pedaço, bocado.

torá *s.f.* (hebr. *Torah*). A lei mosaica.

torácico *adj.* (gr. *thorakikós*). **1.** Relativo ao tórax. **2.** *Ducto torácico*, tronco linfático que drena os membros inferiores e a região subdiafragmática.

toracoabdominal *adj.2g.* Relativo ao tórax e ao abdome.

toracocentese *s.f.* Punção da cavidade pleural pela parede torácica, denominada correntemente *punção pleural*.

toracoplastia *s.f.* Ressecção de um certo número de costelas destinada ao tratamento de uma caverna pulmonar.

toracotomia *s.f.* Abertura cirúrgica do tórax.

toranja *s.f.* (ár. *turúnya*). Fruto da toranjeira, semelhante à laranja, porém maior, de pouco suco e sabor muito ácido, utilizado em doces e refrescos. (Var. TORONJA.)

toranjeira *s.f.* Árvore originária da Malásia, de copa arredondada, folhas ovais, flores brancas, solitárias e aromáticas, que fornece fruto comestível. (Var. TORONJEIRA.)

torar *v.t.* (conj. 4). **1.** Cortar (árvores) em toros ou toras. **2.** Fazer em pedaços; partir, cortar.

tórax (cs) *s.m.2n.* (gr. *thórax*). **1.** Cavidade dos vertebrados, limitada pelas costelas e pelo diafragma, que contém os pulmões e o coração. **2.** Parte do corpo de um artrópode, situada entre a cabeça e o abdome, que porta os apêndices locomotores, as patas e as asas.

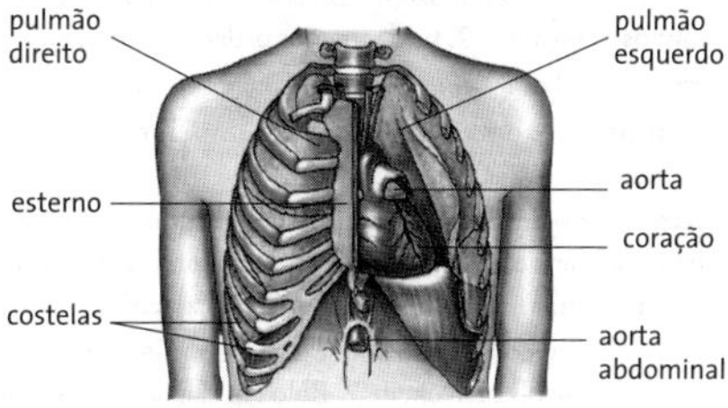

torçal *s.m.* **1.** Feixe de fios torcidos. **2.** Motivo ornamental que representa um cordão torcido.

torção *s.f.* Torcedura. ● **Med.** Entorse. **Vet.** Cólica de certos animais.

torcedor (ô) *adj.* Que torce. ★ *s.m.* **1.** Bastão com o qual se torce ou se aperta uma corda. **2.** Instrumento para torcer. **3.** Aquele que torce.

torcedura *s.f.* Ato ou efeito de torcer; torção.

torcer *v.t.* (lat. *torquere*) [conj. 25]. **1.** Fazer voltar sobre si mesmo ou em espiral. **2.** Entortar, envergar, dobrar. **3.** Deslocar, desarticular. **4.** *Fig.* Dar intencionalmente interpretação diversa ao que se diz; desvirtuar (o sentido de palavras ou frases). ★ *v.i.* **1.** Tomar o partido de um atleta ou agremiação esportiva numa competição. **2.** Desejar o êxito de. ★ *v.pr.* **1.** Contorcer-se, dobrar-se, contrair-se (de dor). **2.** Dobrar-se, vergar-se. **3.** Dar-se por vencido; render-se.

torcicolo *s.m.* (lat. *tortus,* torto, e *collum,* pescoço). **1.** Qualquer posição viciosa da cabeça fixada por hipertonia muscular, de qualquer causa. **2.** Dor que resulta dessa má posição.

torcida[1] *s.f.* **1.** Ato ou efeito de torcer pela vitória ou êxito de alguém. **2.** Grupo de torcedores de uma agremiação esportiva.

torcida[2] *s.f.* **1.** Pavio. **2.** Objeto comprido e torcido. **3.** Ato ou efeito de torcer.

tordilho *adj.* e *s.m.* (esp. *tordillo*). Diz-se de ou cavalo cujo tom cinzento da pelagem resulta de uma mistura de pêlos brancos e pretos.

tordo (ô) *s.m.* (lat. *turdus*). Denominação comum a diversas espécies de aves passeriformes, insetívoras e granívoras, de plumagem acastanhada e canto melodioso que ocorrem na Eurásia.

tório *s.m.* (de Thor, n.pr.). Elemento químico radioativo (símb. Th) de número atômico 90, que constitui um metal branco e dúctil, empregado como combustível nos reatores nucleares.

tormenta *s.f.* (lat. *tormenta*). **1.** Tempestade violenta, especialmente no mar; borrasca. **2.** *Fig.* Grande perturbação; desordem, agitação.

tormento *s.m.* (lat. *tormentum*). **1.** Ato ou efeito de atormentar(-se). **2.** Tortura, suplício, padecimento físico. **3.** Sofrimento, angústia, aflição.

tormentório *adj.* Em que há tormentas; tormentoso.

tormentoso (ô) *adj.* **1.** Tormentório. **2.** *Fig.* Que causa tormentos; aflitivo.

torna *s.f.* **1.** O que se dá a mais para igualar o valor do objeto que se troca. **2.** Compensação que o herdeiro mais favorecido dá ao co-herdeiro para igualar os quinhões. **3.** Reposição em dinheiro.

tornado *s.m.* Fenômeno meteorológico que consiste em um movimento de turbilhão originado na base de cúmulos-nimbos.

tornar *v.i.* (lat. *tornare*) [conj. 4]. **1.** Voltar, regressar, retornar ao ponto de que se tinha partido. **2.** Virar, volver. ★ *v.t.* **1.** Mudar de estado ou condição; transformar. **2.** Fazer novamente, repetir a mesma ação. **3.** Devolver, retornar. ★ *v.pr.* Transformar-se, vir a ser, ficar.

tornassol *s.m.* Mistura de corantes naturais empregada para medir o pH de uma solução.

torneado *adj.* **1.** Fabricado ou lavrado ao torno. **2.** Arredondado, roliço. **3.** *Fig.* Escrito, redigido com elegância.

torneador (ô) *adj.* e *s.m.* Que ou aquele que torneia[1].

torneamento *s.m.* Ato ou efeito de tornear[1]; torneio.

tornear[1] *v.t.* (conj. 15). **1.** Fabricar ou lavrar ao torno. **2.** Tornar roliço, arredondar. **3.** *Fig.* Polir, aprimorar.

tornear[2] *v.i.* (conj. 15). **1.** Andar em torneio ou justa. **2.** Exercitar-se em torneios ou campeonatos.

torneio[1] *s.m.* Torneamento.

torneio[2] *s.m.* (prov. *tornei*). **1.** Concurso, campeonato, competição. **2.** *Fig.* Debate, polêmica.

torneira *s.f.* Tubo com um fecho acionado manualmente usado em canos, barris etc., para possibilitar a retirada fácil do líquido neles contido; bica.

torneiro *s.m.* Operário que trabalha com o torno.

torniquete (ê) *s.m.* (fr. *tourniquet*). **1.** Instrumento semelhante a um garrote empregado em casos de urgência para comprimir uma artéria principal de um membro e estancar uma hemorragia. **2.** Borboleta. **3.** *Fig.* Embaraço, dificuldade, situação crítica.

torno (ô) *s.m.* (gr. *tórnos*). **1.** Aparelho ou máquina para usinar, com remoção de material, uma peça geralmente em rotação ao redor de um eixo, por meio de uma ferramenta cortante. **2.** Engenho com um prato rotativo, movido por pedal, sobre o qual se trabalha a argila.

tornozelo (ê) *s.m.* (do gr. *tórnos,* torno). Segmento do membro inferior compreendido entre a perna e o pé, formado pela articulação tíbio-tarsiana e os tecidos que a envolvem.

toro *s.m.* (lat. *torus,* corda). **1.** Tronco de árvore limpo de rama. **2.** Peça de madeira cujas seções terminais são paralelas. **3.** Reunião de fios grossos ou de cordéis torcidos juntos, de modo a formar um cabo. ● **Arquit.** Moldura convexa em forma de semicírculo cuja seção é reta. **Geom.** Superfície gerada pela revolução de uma circunferência em torno de uma reta situada em seu plano, mas que não passa por seu centro. ► Sólido limitado pela superfície precedente.

toró *s.m.* **1.** (*RJ*) Garoa. **2.** (*MG, SP* e *RJ*) Forte aguaceiro, bátega de chuva.

toronja *s.f.* Var. de TORANJA.

toronjeira *s.f.* Var. de TORANJEIRA.

torpe (ô) *adj.2g.* **1.** Impudico, desonesto. **2.** Infame, vergonhoso. **3.** Obsceno, indecente. **4.** Sórdido, abjeto, ignóbil.

torpedeamento *s.m.* Ato ou efeito de torpedear.

torpedear *v.t.* (conj. 15). **1.** Atacar com o auxílio de torpedos. **2.** *Fig.* Fazer malograr.

torpedeiro *s.m.* **1.** Antigo navio de guerra, rápido e de pequena tonelagem, cuja principal arma era o torpedo. **2.** Marinheiro especializado no serviço de torpedo. ★ *adj.* Diz-se de qualquer veículo bélico equipado com torpedos.

torpedo (ê) *s.m.* (lat. *torpedo,* torpor). **1.** Míssil submarino que explode quando atinge o alvo. **2.** Bomba aérea utilizada na I Guerra Mundial.

torpeza (ê) *s.f.* **1.** Qualidade ou ato de torpe. **2.** Indignidade, sordidez.

torpor (ô) *s.m.* (lat. *torpor*). **1.** Sensação de mal-estar geral ou parcial, com diminuição da sensibilidade e da motricidade. **2.** Entorpecimento, adormecimento. **3.** *Fig.* Marasmo.

torque *s.m.* **1.** Esforço de torção que um eixo suporta quando transmite um movimento. **2.** Esforço de rotação, em uma máquina ou motor. ● **Fís.** Produto de uma força pela distância perpendicular ao ponto de ação, também chamado momento de força.

torquês *s.f.* (fr. ant. *tenailles turcoises,* tenazes turcas). Instrumento articulado de ferro, próprio para segurar e arrancar pinos, pregos etc.; tenaz.

torra *s.f.* Torração.

torração *s.f.* **1.** Ato ou efeito de torrar; torra. **2.** *Fig.* Liquidação, venda por qualquer preço.

torrada *s.f.* Fatia de pão torrado.

torradeira *s.f.* Aparelho de fazer torradas.

torrado *adj.* **1.** Que se torrou. **2.** Tostado, muito seco. **3.** *Fam.* Vendido por qualquer preço.

torrador (ô) *s.m.* Aparelho manual formado por um tambor rotativo que gira sobre uma fonte de calor como um braseiro, e que se destina a torrar grãos de café, de amendoim etc.

torrão *s.m.* **1.** Pedaço de terra endurecida. **2.** Gleba, terreno, solo. **3.** *P. ext.* Pedaço de qualquer substância. **4.** Bloco de terra no qual se desenvolveram as raízes da planta, conservado para permitir o transplante.

torrar *v.t.* (lat. *torrere*) [conj. 4]. **1.** Ressequir pelo calor (do sol ou do fogo). **2.** Tostar, assar, queimar ligeiramente. **3.** Terrificar. **4.** *Fig.* Vender por qualquer preço; queimar, liquidar. **5.** *Pop.* Aborrecer, incomodar, irritar.

torre (ô) *s.f.* (lat. *turris*). **1.** Construção muito alta, sobre base quadrada, circular ou poligonal. **2.** Estrutura alta de metal destinada a suportar as antenas em estações de rádio e televisão, cabos de transmissão de energia elétrica etc. **3.** Peça do jogo de xadrez. **4.** Campanário. **5.** Fortificação, fortaleza.

torreão *s.m.* **1.** Torre larga, com ameias, que constitui o reduto defensivo de um castelo. **2.** Torre no alto de um edifício.

torrear *v.t.* (conj. 15). Munir com torres, fortificar. ★ *v.i.* **1.** Elevar-se à maneira de torre. **2.** Ostentar-se, pompear.

torrefação *s.f.* **1.** Ato ou efeito de torrefazer, torrificar. **2.** Operação que consiste em tratar com calor, em contato com o ar, certos produtos alimentícios (café, cacau, tabaco), a fim de desidratá-los e desenvolver certas qualidades aromáticas. **3.** Estabelecimento de torrar café.

torrefazer *v.t.* (conj. 31). Torrificar.

torrencial *adj.2g.* **1.** Relativo a torrente. **2.** Que tem a natureza das torrentes; copioso, caudaloso, abundante.

torrente *s.f.* (lat. *torrens, torrentis*). **1.** Curso de água de montanha, rápido e irregular, resultante das enxurradas. **2.** Líquido que corre com abundância. **3.** *Fig.* Grande quantidade, abundância.

torresmo (ê) *s.m.* (esp. *torrezno*). **1.** Toucinho cortado em pedaços retangulares que são fritos para serem consumidos sequinhos e crocantes. **2.** Cada um dos pedaços do sarrabulho.

tórrido *adj.* (lat. *torridus*). Excessivamente quente; ardente.

torrificar *v.t.* (lat. *torrefacere*) [conj. 12]. **1.** Tornar tórrido; torrefazer. **2.** Tostar, torrar.

torso (ô) *s.m.* (it. *torso*). **1.** Conjunto constituído pelas espáduas, pelo tórax e pela parte superior do abdome. **2.** Escultura que representa o corpo humano sem cabeça nem membros.

torta *s.f.* (it. *torta*). **1.** Prato doce ou salgado, feito com massa assada que envolve o recheio. **2.** Bolo em camadas, recheado e coberto com calda, frutas etc. **3.** Subproduto da indústria de extração de óleo de sementes, utilizado como adubo ou na alimentação do gado.

torto (ô) *adj.* (lat. *tortus*). **1.** Tortuoso. **2.** Que não é reto ou plano. **3.** Oblíquo, enviesado. **4.** Retorcido, sinuoso. **5.** *A torto e a direito,* sem discernimento, a esmo.

tortuosidade *s.f.* Qualidade, estado de tortuoso ou torto.

tortuoso (ô) *adj.* (lat. *tortuosus*). **1.** Que dá voltas, que não segue caminho reto; torto. **2.** *Fig.* Que falta à verdade, à justiça; ardiloso, astucioso.

tortura *s.f.* (lat. *tortura,* ato de torcer). **1.** Suplício violento a que se submete alguém. **2.** *Fig.* Sofrimento moral intenso; angústia.

torturador (ô) *adj.* e *s.m.* Que ou aquele que tortura.

torturante *adj.2g.* Que tortura, que atormenta.

torturar *v.t.* (conj. 4). **1.** Submeter a tortura. **2.** *Fig.* Atormentar, afligir, angustiar.

torvar *v.t.* (lat. *turbare*) [conj. 4]. **1.** Perturbar, alterar. **2.** Estorvar, atrapalhar. ★ *v.i.* e *v.pr.* **1.** Perturbar-se, alterar-se. **2.** Encolerizar-se, irritar-se.

torvelinho *s.m.* **1.** Redemoinho. **2.** Agitação.

torvo (ô) *adj.* (lat. *torvus*). **1.** Que infunde ou causa terror. **2.** Perturbado, alterado. **3.** Raivoso, iracundo.

tosa *s.f.* **1.** Tosadura. **2.** Operação de cortar a lã dos carneiros. **3.** Ato de aparar a felpa da lã.

tosador (ô) *adj.* e *s.m.* Que ou aquele que tosa.

tosadura *s.f.* Ato ou efeito de tosar; tosa.

tosão *s.m.* Pêlo, pelagem dos carneiros e de certos animais de pêlo lanoso ou encaracolado.

tosar *v.t.* (lat. *tonsare*) [conj. 4]. **1.** Cortar rente (cabelos, relva, pêlo de um animal etc.). **2.** Tosquiar.

toscanejar *v.i.* (conj. 4). Cabecear com sono, abrindo e fechando os olhos.

toscano *adj.* Relativo ou pertencente à Toscana, região da Itália. ★ *s.m.* O natural ou habitante da Toscana.

tosco (ô) *adj.* (lat. *tuscus,* etrusco). **1.** Grosseiro, malfeito. **2.** Rude, rústico. **3.** Inculto, bronco.

tosquia *s.f.* **1.** Ato ou efeito de tosquiar. **2.** Lã que se retira nessa operação. **3.** Época em que se costuma tosquiar o rebanho.

tosquiadeira *s.f.* Tesoura ou máquina de tosquiar.

tosquiador (ô) *adj.* e *s.m.* Que ou aquele que tosquia.

tosquiar *v.t.* (esp. ant. *tosquilar*) [conj. 16]. **1.** Cortar a lã dos animais. **2.** *Fig.* Rapar, cortar rente; tosar. **3.** *Fig.* Espoliar, explorar.

tosse *s.f.* (lat. *tussis*). **1.** Expiração repentina e ruidosa do ar contido nos pulmões, provocada pela irritação das vias respiratórias. **2.** *Tosse comprida,* sin. pop. de COQUELUCHE. ▸ *Tosse de cachorro,* tosse rouca característica da coqueluche ou que acompanha as afecções da laringe.

tossir *v.i.* (lat. *tussire*) [conj. 59]. Ter tosse. ★ *v.t.* Expelir da garganta; lançar fora da boca.

tostado *adj.* **1.** Levemente crestado ou queimado. **2.** Moreno.

tostão *s.m.* **1.** Antiga moeda divisionária brasileira equivalente a 100 réis. **2.** Pequena quantia em dinheiro.

tostar *v.t.* e *v.i.* (lat. *tostare*) [conj. 4]. **1.** Queimar levemente; crestar. **2.** Bronzear (a pele). ★ *v.pr.* Queimar-se, crestar-se.

total *adj.2g.* (lat. *totalis*). **1.** A que nada falta; completo, inteiro. ● **Astron.** Diz-se de um eclipse do Sol durante o qual o disco solar aparente fica completamente oculto pela Lua pelo menos em relação a um ponto da superfície terrestre. ▸ Diz-se do eclipse da Lua em que esta encontra-se totalmente no interior do cone de sombra da Terra. ★ *s.m.* **1.** Reunião das várias partes que formam um todo; totalidade, soma. **2.** Resultado de uma adição.

totalidade *s.f.* O conjunto dos elementos que formam um todo.

totalitário *adj.* Diz-se de um governo, país ou regime político que aplica o totalitarismo.

totalitarismo *s.m.* Regime político não democrático em que os poderes executivo, legislativo e judiciário se concentram nas mãos de pequeno grupo de dirigentes que impõe arbitrariamente sua vontade.

totalitarista *adj.2g.* Relativo ou pertencente ao totalitarismo. ★ *s.2g.* Adepto do totalitarismo.

totalização *s.f.* Ato ou efeito de totalizar.

totalizar *v.t.* (conj. 4). Reunir num total.

totem *s.m.* (do algonquino *ototeman,* ele ou ela é do meu clã). **1.** Animal ou vegetal considerado como o ancestral e/ou o protetor de uma coletividade ou de um indivíduo. **2.** Representação desse animal.

totêmico *adj.* Relativo a totem ou ao totemismo.

totemismo *s.m.* Em certas sociedades, conjunto de crenças e práticas culturais em que um animal, um objeto ou um conjunto de seres vivos ou de fenômenos são considerados protetores do grupo.

touca *s.f.* (lat. *tauca*). **1.** Peça de tecido colocada na cabeça como adorno ou proteção contra o frio. **2.** Parte do vestuário das religiosas que cobre a cabeça, o pescoço e desce sobre os ombros ou sobre as costas. **3.** Turbante em forma de faixa que envolve a cabeça.

touça *s.f.* **1.** Pé de castanheiro ou de cana-de-açúcar. **2.** Cepa. **3.** Moita.

toucado *adj.* **1.** Que tem touca. **2.** *Fig.* Orlado, circundado. ★ *s.m.* Conjunto de ornatos usados na cabeça pelas mulheres.

toucador (ô) *s.m.* **1.** Cômoda encimada por um espelho, diante da qual as pessoas se penteiam etc.; penteadeira. **2.** *P. ext.* Quarto ou dependência onde as mulheres se adornam, se enfeitam ou compõem o vestuário. **3.** Espécie de touca para dormir.

toucar *v.t.* (conj. 12). **1.** Pôr touca em. **2.** Preparar, pentear o cabelo (próprio ou o de outrem). **3.** Compor o vestuário de; adornar. **4.** *Fig.* Encimar. **5.** *Fig.* Aureolar, circundar. ★ *v.pr.* **1.** Preparar, consertar o próprio cabelo. **2.** *Fig.* Adornar-se.

touceira *s.f.* **1.** Grande touça ou moita. **2.** Parte da árvore que fica viva no solo após o corte do caule. (Cf. CEPA.) **3.** Conjunto dos rebentos de uma planta.

toucinho ou **toicinho** *s.m.* (esp. *tocino*). Gordura de certos animais, como o porco, subjacente à pele, com o respectivo couro.

toupeira *s.f.* **1.** Mamífero insetívoro, que apresenta visão deficiente, palma e garras das mãos bem desenvolvidas, adaptado à vida subterrânea. **2.** *Fig.* Indivíduo estúpido, ignorante.

tourada *s.f.* Espetáculo e esporte nacional da Espanha, que consiste no combate entre o homem (toureiro) e o touro, dentro de uma grande arena cercada de paliçadas.

toureação *s.f.* Ato ou efeito de tourear.

toureador (ô) *s.m.* Toureiro.

tourear *v.t.* e *v.i.* (esp. *torear*) [conj. 15]. Exercer a profissão de toureiro.

toureiro *s.m.* (esp. *torero*). Indivíduo que participa de touradas; toureador.

touro *s.m.* (lat. *taurus*). **1.** Macho reprodutor da espécie bovina. **2.** *Fig.* Homem muito forte, robusto e fogoso.

toutiço *s.m.* **1.** A parte posterior da cabeça. **2.** Cachaço, nuca.

toxemia (cs) *s.f.* Conjunto de distúrbios provocado pela disseminação de toxinas no sangue.

toxêmico (cs) *adj.* Relativo à toxemia.

toxicidade (cs) *s.f.* Propriedade que têm certas substâncias de serem tóxicas; toxidez.

tóxico (cs) *adj.* e *s.m.* (gr. *toxikon,* veneno). **1.** Diz-se de ou substância capaz de provocar intoxicação. **2.** *P. ext.* Droga psicoativa.

toxicologia (cs) *s.f.* Estudo dos tóxicos, de seus efeitos e de sua classificação.

toxicológico (cs) *adj.* Relativo à toxicologia.

toxicologista (cs) *s.2g.* Toxicólogo.

toxicólogo (cs) *s.m.* Especialista em toxicologia; toxicologista.

toxicomania (cs) *s.f.* Hábito patológico de consumir uma ou várias substâncias psicoativas (drogas) capazes de produzir um estado de dependência física ou psíquica.

toxicomaníaco (cs) *adj.* Relativo à toxicomania.

toxicômano (cs) *s.m.* Indivíduo dependente de drogas, que apresenta toxicomania.

toxidermia (cs) *s.f.* Alteração dermatológica provocada pela ingestão de um medicamento.

toxidez (cs...ê) *s.f.* Toxicidade.

toxiinfecção (cs) *s.f.* Infecção causada por germes que produzem toxinas patogênicas.

toxinfeccioso (cs...ô) *adj.* Relativo a uma toxiinfecção.

toxina (cs) *s.f.* **1.** Veneno encontrado em certos organismos vivos. **2.** Substância solúvel tóxica elaborada pelas bactérias.

toxocaríase (cs) ou **toxocarose** (cs) *s.f.* Parasitose de cães e gatos provocada por um tipo de nematóide.

toxoplasma (cs) *s.m.* Parasita intracelular de diversos animais.

toxoplasmose (cs) *s.f.* Doença parasitária causada por um protozoário parasita de gatos, que provoca fadiga e febre, de maior gravidade para gestantes por causar malformações no feto.

trabalhadeira *adj.* Diz-se de mulher que trabalha com muita disposição e zelo.

trabalhador (ô) *adj.* Que trabalha; ativo, laborioso. ★ *s.m.* **1.** Indivíduo que trabalha. **2.** Indivíduo que trabalha e sobre o qual se aplicam as leis do direito do trabalho. **3.** Empregado, operário, funcionário. **4.** *Trabalhador autônomo,* indivíduo que presta serviços sem vínculo empregatício.

trabalhão *s.m.* Grande trabalho, azáfama; trabalheira.

trabalhar *v.i.* (conj. 4). **1.** Dedicar-se a uma atividade, desempenhar um ofício, fazer um trabalho. **2.** Empenhar-se, esforçar-se para obter algo. **3.** Funcionar. **4.** Representar, atuar. ★ *v.t.* **1.** Pôr em obra; lavrar, lavorar. **2.** Executar cuidadosamente, com arte. **3.** Comerciar, negociar.

trabalheira *s.f.* Trabalhão.

trabalhismo *s.m.* Doutrina que pugna pela melhora das condições sociais e econômicas do operariado.

trabalhista *adj.2g.* Relativo ou pertencente ao trabalhismo. ★ *s.2g.* **1.** Partidário do trabalhismo. **2.** Membro de um partido trabalhista.

trabalho *s.m.* (lat. *tripalium,* instrumento de tortura composto de três paus; sofrimento; esforço; luta). **1.** Atividade humana aplicada à produção, à criação ou ao entretenimento. **2.** O produto dessa atividade; obra. **3.** Atividade profissional regular e remunerada. **4.** Exercício de uma atividade profissional; lugar onde essa atividade é exercida. **5.** Texto literário ou científico. **6.** *Fig.* Preocupação, cuidado, aflição. **7.** *Pop.* Magia, feitiço ou ritual de candomblé, umbanda ou espiritismo. **8.** *Direito do trabalho,* conjunto de leis que regulam as relações individuais ou coletivas entre empregadores e empregados. ● **Fís.** Quantidade de energia recebida por um sistema material que se desloca sob o efeito de uma força e que é igual ao produto escalar da força pelo vetor deslocamento.

trabalhoso (ô) *adj.* Que dá muito trabalho; difícil, custoso.

trabécula *s.f.* **1.** Fileira de células que atravessa um espaço tissular ou intercelular. **2.** Filamento protoplasmático que atravessa um vacúolo. **3.** Prolongamento de tecido, em forma de barra, que atravessa um órgão ou uma cavidade de planta ou animal.

trabelho (ê) *s.m.* (lat. *trabeculum*). Pequena peça de madeira com que se torce a corda da serra para tensioná-la.

trabucar *v.t.* (conj. 12). **1.** Atacar com o trabuco. **2.** Fazer voltar e ir a pique (embarcação). **3.** Agitar. ★ *v.i.* **1.** Voltar-se (o navio), soçobrar. **2.** Trabalhar muito, lidar. **3.** Fazer estrondo.

trabuco *s.m.* (prov. *trabuc*). **1.** Antiga máquina de guerra que arremessava pedras. **2.** Espingarda de boca larga.

EXEMPLOS DE TRABUCO

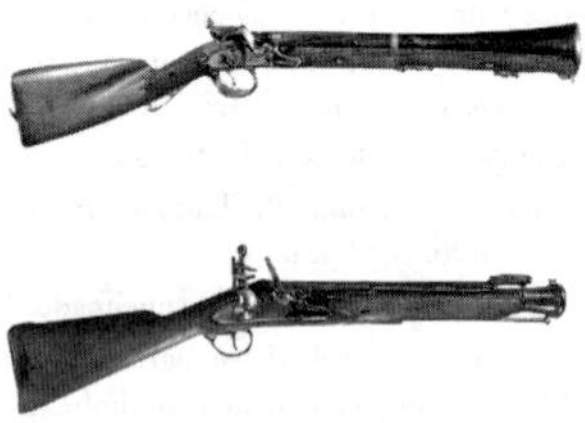

traça *s.f.* **1.** Denominação comum a insetos lepidópteros, cujas lagartas se alimentam de tecidos de algodão, lã, peles etc. (Sin. TRAÇA-DE-ROUPA.) **2.** Inseto tisanuro, cujas larvas se alimentam de substâncias amiláceas, como a cola das encadernações dos livros e etiquetas. (Sin. TRAÇA-DE-LIVRO.)

traça-de-livro *s.f.* Sin. de TRAÇA.

traça-de-roupa *s.f.* Sin. de TRAÇA.

traçado *adj.* Que se traçou; delineado, projetado. ★ *s.m.* **1.** Ato ou efeito de traçar (linhas, riscos etc.); risco. **2.** Plano, projeto, planta.

tracajá *s.m.* (tupi *taraka'ya*). Réptil quelônio cujos ovos e carne são muito procurados como iguarias, e que ocorre no Mato Grosso e no Alto Xingu.

tração *s.f.* (lat. *tractio*). **1.** Ação de uma força que puxa ou desloca um objeto móvel. **2.** Força que age sobre um corpo na direção de seu eixo e que tende a alongá-lo. **3.** *Animal de tração,* animal que se atrela a um veículo, por oposição àquele que se reserva para o serviço de sela ou de carga. ● **Mec.** Ação exercida pelas rodas motrizes e transmitida a todo o veículo, levando-o a movimentar-se. **Med.** Método ortopédico aplicado para a correção de fraturas.

cavalo de tração

traçar *v.t.* (conj. 13). **1.** Fazer traços, marcar com traços; riscar. **2.** Delinear, esboçar. **3.** Assinalar, delimitar, demarcar. **4.** Determinar, dar um plano.

tracejar *v.i.* (conj. 4). Fazer traços ou riscos. ★ *v.t.* **1.** Formar, desenhar com traços. **2.** Delinear, planejar. **3.** Descrever ligeiramente.

traço *s.m.* **1.** Linha traçada com qualquer objeto numa superfície; risco. **2.** Contorno de um desenho não sombreado. **3.** Caráter, marca distintiva. **4.** Em geometria descritiva, intersecção de uma reta ou de um plano com um dos planos de projeção. ★ *s.m.pl.* **1.** Feições, linhas do rosto. **2.** Parecença, semelhança. **3.** *Fig.* Vestígio, rasto. **4.** Quantidade muito pequena de uma substância que se descobre, por análise, em outra substância.

tracoma *s.m.* (gr. *trachoma*). Doença infecciosa do aparelho ocular, que compromete a conjuntiva, a córnea e as pálpebras.

tracomatoso (ô) *adj.* Relativo ao tracoma. ★ *adj.* e *s.m.* Diz-se de ou indivíduo acometido de tracoma.

tracto *s.m.* Trato.

tractomia *s.f.* Secção de um cordão (trato) medular com finalidade terapêutica.

tradição *s.f.* (lat. *traditio*). **1.** Ato ou efeito de transmitir ou entregar. **2.** Transmissão, sobretudo oral, de lendas, fatos etc., de geração em geração. **3.** Costume transmitido de geração a geração. **4.** Transmissão oral ou escrita de valores espirituais; o conjunto desses valores.

tradicional *adj.2g.* **1.** Relativo à tradição. **2.** Que se funda na tradição. **3.** Que se incorporou aos hábitos, ao uso; costumeiro.

tradicionalismo *s.m.* **1.** Apego às tradições. **2.** Sistema de crenças baseado nas tradições.

tradicionalista *adj.2g.* Relativo a ou próprio do tradicionalismo. ★ *s.2g.* Partidário do tradicionalismo.

trado *s.m.* (lat. *taratrum*). **1.** Grande verruma de carpinteiro. **2.** Furo aberto com essa verruma. **3.** Ferramenta utilizada na sondagem de solos, que trabalha por pressão ou rotação.

tradução *s.f.* (lat. *traductio*). **1.** Ato ou efeito de traduzir. **2.** Obra traduzida. ● **Biol.** Produção de uma cadeia no citoplasma celular, conforme as informações contidas no ARN mensageiro.

tradutor (ô) *adj.* e *s.m.* Que ou aquele que traduz.

traduzir *v.t.* (lat. *traducere*) [conj. 72]. **1.** Transpor a significação de um termo ou de um discurso de uma língua para o seu correspondente em outra língua. **2.** Transpor uma mensagem de um código ou sistema de signos para outro. **3.** Exprimir, comunicar. **4.** Explicar, interpretar. ★ *v.pr.* Expressar-se, manifestar-se.

traduzível *adj.2g.* Que se pode traduzir.

trafegar *v.i.* (conj. 14). **1.** Andar no tráfego. **2.** Transitar. ★ *v.t.* Negociar, traficar.

tráfego *s.m.* (it. *traffico*). **1.** Movimento, circulação de trens, de veículos, de aviões etc. **2.** Trânsito.

traficância *s.f.* **1.** Ato de traficar. **2.** *Pop.* Manobra fraudulenta feita em transações; negociata.

traficante *s.2g.* Pessoa que exercita comércio ilícito.

traficar *v.t.* e *v.i.* (it. *trafficare*) [conj. 12]. **1.** Comerciar, negociar, mercadejar. **2.** Realizar operações comerciais clandestinas e ilegais.

tráfico *s.m.* (it. *traffico*). **1.** Comércio, negócio. **2.** Comércio ilegal e clandestino.

tragada *s.f.* **1.** Ato de tragar o fumo do tabaco. **2.** Golada, talagada (de bebida alcoólica, especialmente).

tragar *v.t.* (conj. 14). **1.** Engolir rapidamente, com avidez e sem mastigar. **2.** Absorver totalmente, fazer desaparecer. **3.** *Pop.* Agüentar, tolerar. ★ *v.i.* Aspirar, engolir a fumaça do tabaco para expeli-la depois.

tragável *adj.2g.* Que se pode tragar.

tragédia *s.f.* (gr. *tragoidia*). **1.** Peça de teatro de tema freqüentemente mitológico ou histórico e cujos personagens, em geral ilustres, representam uma ação destinada a provocar a piedade ou o terror, por meio da exposição das paixões humanas e das suas conseqüências fatais, as catástrofes. **2.** Gênero dramático ao qual pertence esse tipo de peça. **3.** *Fig.* Acontecimento funesto.

trágico *adj.* (gr. *tragikós*). **1.** Relativo à tragédia. **2.** *Fig.* Funesto, sinistro. ★ *s.m.* **1.** Aquele que escreve ou que interpreta tragédias. **2.** Pessoa dada a tragédias.

tragicomédia *s.f.* **1.** Obra dramática de enredo principalmente trágico, mas que apresenta elementos de comédia e, em geral, tem desfecho feliz. **2.** *Fig.* Mistura de coisas sérias e cômicas.

tragicômico *adj.* **1.** Relativo à tragicomédia. **2.** Que foi composto no gênero da tragicomédia.

trago[1] *s.m.* **1.** Porção de líquido que se engole de uma vez; gole, sorvo, hausto. **2.** *Fig.* Aflição, adversidade.

trago[2] *s.m.* ou **trágus** *s.m.2n.* Cartilagem saliente triangular situada à frente do conduto auditivo externo.

traição (a-i ou ai) *s.f.* (lat. *traditio, traditionis*). **1.** Ato ou efeito de trair; infidelidade, deslealdade. **2.** Ato criminoso, de natureza política, contra a segurança do Estado.

traiçoeiro (a-i ou ai) *adj.* **1.** Relativo à traição. **2.** Que usa de traição. **3.** Em que há traição. **4.** Desleal, pérfido.

traído *adj.* Que sofreu traição.

traidor (a-i ou ai…ô) *adj.* e *s.m.* (lat. *traditor*). Que ou aquele que trai, que comete traição.

trailer *s.m.* (ingl). **1.** Reboque. **2.** Reboque equipado com camas, mesa, banheiro, cozinha etc., puxado por um automóvel. **3.** Trechos ou cenas de um filme exibidos como anúncio.

trainee *s.2g.* (ingl.). Profissional em treinamento, recém-formado ou sem experiência.

traineira *s.f.* **1.** Embarcação de pesca, particularmente de arrasto. **2.** Grande rede trapezoidal usada nessa embarcação, na pesca da sardinha.

trair *v.t.* (lat. *tradere,* entregar) [conj. 68]. **1.** Enganar perfidamente, atraiçoar. **2.** Faltar ao cumprimento de (dever ou compromisso). **3.** Revelar, denunciar. **4.** Demonstrar, expressar. **5.** Não ajudar, abandonar. ★ *v.pr.* Denunciar-se por imprudência; comprometer-se.

traíra *s.f.* (tupi *tare'ira*). Peixe teleósteo carnívoro, de água doce, que apresenta coloração geral escura, abdome claro e manchas irregulares espalhadas pelo corpo. (Var. TARAÍRA.)

trajar *v.t.* (conj. 4). Usar como vestuário; vestir. ★ *v.pr.* Vestir-se.

traje *s.m.* Vestuário habitual; vestes, roupa.

trajeto *s.m.* (lat. *trajectus*). Espaço que se percorre para ir de um lugar a outro; percurso.

trajetória *s.f.* **1.** Curva descrita por um ponto em movimento, em relação a um determinado ponto de referência. **2.** *Fig.* Caminho, via.

tralha *s.f.* (lat. *tragula*). **1.** Pequena rede que pode ser manejada por um só homem. **2.** Malha de rede. **3.** Fio de arremate das redes de pesca. **4.** Bagagem ou objeto sem valor, inútil e que atrapalha; traste.

trama *s.f.* (lat. *trama*). **1.** Conjunto dos fios que os tecelões fazem passar com a lançadeira entre os fios estendidos do urdume e transversalmente a estes. **2.** Seqüência de acontecimentos que constituem a base do enredo de um romance, conto, filme ou peça de teatro. **3.** *Fig.* Conspiração, conluio. **4.** Negócio, empresa. **5.** Roubalheira, ladroeira. ● **Anat.** Conjunto de elementos que constituem o arcabouço ou a parte resistente de um tecido.

tramador (ô) *adj.* e *s.m.* **1.** Que ou aquele que trama. **2.** Operário que dispõe os fios da trama de um tecido.

tramar *v.t.* (conj. 4). **1.** Dispor, entrelaçar os fios de trama com os fios do urdume, no tear. **2.** *Fig.* Maquinar, conspirar. **3.** *Fig.* Intrigar, enredar.

trambolhão *s.m.* **1.** Queda com ruído; tombo. **2.** Ato de cair rolando.

trambolho (ô) *s.m.* **1.** Objeto pesado que se prende ao pé dos animais domésticos para que não se afastem da casa. **2.** Coisa incômoda; empecilho. **3.** *Fam.* O que é muito grande e incomoda por ocupar muito espaço.

tramela *s.f.* (lat. *trabella,* trave pequena). Pequena trave que gira em torno de um prego ou parafuso, e serve para fechar portas, janelas etc. (Var. TARAMELA.)

tramitação *s.f.* Ato ou efeito de tramitar.

tramitar *v.i.* (conj. 4). Seguir os trâmites (processo etc.).

trâmite *s.m.* (lat. *trames, tramitis*). Caminho com rumo determinado. ★ *s.m.pl.* Vias apropriadas, progressivas, seguidas rotineiramente (por um processo administrativo, uma questão judicial etc.).

tramóia *s.f.* (esp. *tramoya*). **1.** *Fam.* Trama, intriga, enredo. **2.** Velhacaria, trampolinagem.

tramontana *s.f.* (it. *stella tramontana,* estrela tramontina). **1.** A estrela Polar. **2.** O vento do norte. **3.** *Fig.* O rumo do norte.

trampolim *s.m.* (it. *trampolino*). **1.** Prancha inclinada, ou muito elástica e fixa numa das extremidades, que permite a mergulhadores ou ginastas tomar impulso para aumentar a altura ou a extensão do salto. **2.** *Fig.* O que permite que alguém tome impulso para atingir uma situação elevada ou mais elevada.

trampolinagem *s.f.* Ação própria de trampolineiro; trapaça, tramóia.

trampolinar *v.i.* (conj. 4). Fazer trampolinagens.

trampolineiro *adj.* e *s.m.* Embusteiro, trapaceiro, velhaco.

tranca *s.f.* (celta *tarinca,* pau, cravo). **1.** Barra de madeira ou de ferro que se põe atrás de uma porta para fechá-la. **2.** *P. ext.* Coisa com que se trava ou prende; peia, obstáculo.

trança *s.f.* **1.** Punhado de fios ou de cabelos divididos em três e entrelaçados. **2.** Qualquer objeto com essa disposição. **3.** *Fam.* Intriga, tramóia.

trancado *adj.* Fechado ou seguro com tranca.

trançado *adj.* Disposto em trança. ★ *s.m.* **1.** Trança. **2.** Obra trançada.

trançador (ô) *adj.* Que trança. ★ *s.m.* **1.** Profissional que faz tranças artificiais. **2.** *Fam.* Indivíduo intrigante, mexeriqueiro.

trancafiar *v.t.* (conj. 16). *Pop.* Prender, encarcerar.

trancamento *s.m.* Ato ou efeito de trancar(-se).

trancar *v.t.* (conj. 12). **1.** Fechar com tranca. **2.** Prender, enclausurar. **3.** Obstruir, fechar. ★ *v.pr.* **1.** Encerrar-se em lugar seguro; fechar-se. **2.** *Fig.* Isolar-se, recolher-se. **3.** Não dizer nada, não se manifestar.

trançar *v.t.* (conj. 13). **1.** Arrumar em trança; entrelaçar, entrançar. **2.** Reunir em trança, por torção, fios têxteis de qualquer natureza. ★ *v.i.* **1.** *Fam.* Ir e vir continuamente, andar de cá para lá. **2.** *Fig.* Enredar, intrigar.

tranco *s.m.* **1.** Salto que dá o cavalo. **2.** Solavanco, abalo. **3.** Empurrão, safanão, encontrão. **4.** Esbarro, repelão.

tranqueira *s.f.* **1.** Estacada ou paliçada para fortificar. **2.** Trincheira. **3.** Cerca de madeira. **4.** Porteira, tapume. **5.** Coisa velha e abandonada.

tranqüilidade *s.f.* (lat. *tranquillitas*). **1.** Qualidade, estado de tranqüilo. **2.** Calma, quietude, serenidade.

tranqüilizador (ô) *adj.* Que tranqüiliza, que traz tranqüilidade.

tranqüilizante *adj.2g.* e *s.m.* **1.** Que ou o que acalma, tranqüiliza. **2.** Sin. de ANSIOLÍTICO.

tranqüilizar *v.t.* (conj. 4). Tornar ou fazer ficar tranqüilo; sossegar, acalmar. *v.pr.* Ficar tranqüilo, despreocupado.

tranqüilo *adj.* (lat. *tranquillus*). **1.** Sem agitação; calmo, parado. **2.** Sem inquietude; sossegado, sereno.

transa (za) *s.f.* *Gír.* **1.** Transação. **2.** Ato ou efeito de transar. **3.** Ligação, compromisso. **4.** Combinação, ajuste. **5.** Qualquer relação mais ou menos íntima, afetiva ou de outra natureza, entre duas ou mais pessoas.

transação (za) *s.f.* (lat. *transactio*). **1.** Ato ou efeito de transigir. **2.** Combinação, convênio, ajuste. **3.** Operação comercial.

transacional (za) *adj.2g.* **1.** Que tem caráter de transação. **2.** *Análise transacional,* método psicoterápico de grupo que se propõe a compreender os mecanismos das interações dos indivíduos para que eles os dominem melhor.

transacionar (za) *v.i.* (conj. 4). Fazer transações; negociar, contratar.

transalpino (za) *adj.* Que está além dos Alpes.

transaminação (za) *s.f.* Adição de grupo aminado a um aminoácido por uma transaminase.

transaminase (za) *s.f.* Enzima intracelular catalisadora da transaminação.

transandino (za) *adj.* Situado além dos Andes.

transar (za) *v.t.* (conj. 4). *Gír.* **1.** Combinar, ajustar. **2.** Maquinar, tramar. **3.** Fazer uso ou comércio de. **4.** Cuidar de, dedicar-se a. ★ *v.i.* Ter uma transa com alguém.

transatlântico (za) *adj.* Que está além do Atlântico. ★ *s.m.* **1.** Navio que atravessa o oceano Atlântico. **2.** *P. ext.* Qualquer navio de longo curso, especialmente navios de passageiros.

transbordamento *s.m.* Ato ou efeito de transbordar; transbordo.

transbordante *adj.2g.* Que transborda.

transbordar *v.i.* (conj. 4). Sair (líquido) pelas bordas; extravasar. ★ *v.t.* **1.** Verter, entornar, derramar. **2.** Estar possuído de (um sentimento).

transbordo (ô) *s.m.* **1.** Transbordamento. **2.** Transferência de passageiros, bagagens ou carga de um navio ou trem para outro, por motivo de risco ou avaria.

transcendência *s.f.* **1.** Qualidade, caráter de transcendente. **2.** Propriedade de um número transcendente.

transcendental *adj.2g.* Transcendente.

transcendentalismo *s.m.* **1.** Nome dado à filosofia crítica de Kant e aos sistemas de seus sucessores na Alemanha. **2.** Escola filosófica americana, representada principalmente por Emerson.

transcendente *adj.2g.* **1.** Que transcende; transcendental. **2.** Que ultrapassa os limites individuais. **3.** Que ultrapassa os limites físicos ou sensoriais; transcendental.

transcender *v.t.* (lat. *transcendere*) [conj. 5]. **1.** Ser superior a; exceder. **2.** Passar além de; ultrapassar. ★ *v.i.* **1.** Ir além do ordinário, exceder a todos. **2.** Elevar-se acima de determinado nível do conhecimento e ascender a uma instância superior.

transcontinental *adj.2g.* Que atravessa um continente.

transcorrer *v.i.* (lat. *transcurrere*). [conj. 5] **1.** Passar além; decorrer. **2.** Permanecer (em certo estado ou condição).

transcrever *v.t.* (lat. *transcribere*) [conj. 5]. **1.** Copiar, reproduzir por escrito. **2.** Adaptar uma partitura para instrumento, voz ou grupo de instrumentos que não fazem parte da composição original.

transcrição *s.f.* (lat. *transcriptio*). **1.** Ato ou efeito de transcrever. **2.** O texto transcrito. **3.** *Transcrição genética,* síntese do ARN a partir de um modelo de ADN.

transcriptase *s.f.* **1.** Enzima catalisadora de transcrição genética. **2.** *Transcriptase reversa,* enzima que catalisa a síntese de ADN a partir de ARN.

transcrito *adj.* (lat. *transcriptus*). Que se transcreveu; copiado, trasladado. ★ *s.m.* Cópia, traslado.

transcurso *s.m.* (lat. *transcursus*). Ato ou efeito de transcorrer; decurso.

transdução *s.f.* Troca de material genético entre duas células, por meio de um vírus.

transe (ze) *s.m.* **1.** Conjuntura aflitiva ou perigosa; crise. **2.** Estado do médium quando se supõe que nele se manifesta um espírito. **3.** *Transe hipnótico,* estado de sonolência profunda provocado por hipnose.

transepto *s.m.* (lat. *trans,* além, e *septum,* recinto). Galeria transversal de uma igreja que separa o coro da nave e forma os braços do cruzeiro.

transeunte (ze-ún) *adj.2g.* e *s.2g.* (lat. *transeuns*). **1.** Que ou aquele que passa; passante. **2.** Que ou aquele que vai andando ou passando, que não permanece.

transexual (cs) *adj.2g.* e *s.2g.* Diz-se de ou indivíduo que apresenta transexualismo.

transexualismo (cs) *s.m.* Condição de um indivíduo que se esforça em pertencer ao sexo oposto.

transferase *s.f.* Enzima que catalisa a transferência de um grupo químico de um doador para um receptor.

transferência *s.f.* **1.** Ato ou efeito de transferir(-se). **2.** Mudança, deslocamento. ● **Fís.** Troca de calor ou energia entre dois meios. **Psican.** Em sentido amplo, deslocamento de uma quantidade de investimento de uma representação psíquica para outra segundo os processos primários; em sentido estrito, substituição de uma pessoa por outra na troca das ligações amorosas e afetivas do indivíduo.

transferidor (ô) *adj.* Que transfere. ★ *s.m.* Círculo ou semicírculo graduado, destinado a medir ou transportar ângulos.

transferir *v.t.* (lat. *transferre*) [conj. 57]. **1.** Mudar de um lugar para outro. **2.** Despachar de uma para outra parte; remover. **3.** Mudar de data; adiar, retardar. **4.** Em psicanálise, realizar a transferência. ★ *v.pr.* Mudar-se de um lugar para outro.

transferível *adj.2g.* Que se pode transferir.

transfiguração *s.f.* (lat. *transfiguratio*). Ato ou efeito de transfigurar(-se).

transfigurador (ô) *adj.* Que transfigura.

transfigurar *v.t.* (lat. *transfigurare*) [conj. 4]. **1.** Mudar a figura, a feição de; transformar. **2.** Desfigurar, falsear, alterar. ★ *v.pr.* Mudar de aspecto, por efeito de uma reação psicológica diante de situação inesperada.

transfixão (cs) *s.f.* **1.** Ato ou efeito de transfixar; ferida, perfuração. **2.** Processo cirúrgico que consiste em atravessar de um golpe a parte a ser amputada e seccioná-la de dentro para fora.

transfixar (cs) *v.t.* (conj. 4). Ferir ou transpassar com instrumento perfurante; perfurar.

transformação *s.f.* (lat. *transformatio*). **1.** Ato ou efeito de transformar(-se). **2.** Mudança de forma; metamorfose. ● **Biol.** *Transformação bacteriana,* transferência de caracteres genéticos de bactérias doadoras para bactérias receptoras, por integração nestas de genes das bactérias doadoras.

transformador (ô) *adj.* e *s.m.* **1.** Que ou o que transforma; transformante. **2.** Diz-se de ou aparelho estático de indução eletromagnética, destinado a transformar um sistema de tensões e correntes alternadas em outro de mesma freqüência, mas geralmente de valores diferentes, para efetuar uma transferência de energia elétrica.

transformante *adj.2g.* Que transforma; transformador.

transformar *v.t.* (lat. *transformare*) [conj. 4]. **1.** Dar nova forma a; alterar, transfigurar. **2.** Tornar diferente do que era; mudar, metamorfosear. **3.** Converter, mudar. **4.** Dissimular, disfarçar. ★ *v.pr.* **1.** Adquirir nova forma. **2.** Metamorfosear-se, transfigurar-se. **3.** Disfarçar-se, dissimular-se.

transformativo *adj.* Relativo à transformação.

transformável *adj.2g.* Que se pode transformar.

transformismo *s.m.* **1.** Doutrina segundo a qual as diversas formas animais e vegetais derivam umas das outras por via de filiação. **2.** *Transformismo brutal,* nome dado às idéias pré-científicas sobre as metamorfoses e sobre a geração espontânea, segundo as quais um ser animado ou inanimado podia bruscamente se transformar em um outro, mesmo que muito diferente. **3.** A atividade de um transformista ou travesti.

transformista *s.2g.* **1.** Partidário do transformismo. **2.** Pessoa que se disfarça para representar um personagem. **3.** *P. ext.* Travesti. ★ *adj.2g.* Relativo ao transformismo.

trânsfuga *adj.2g.* e *s.2g.* (lat. *transfuga*). **1.** Desertor. **2.** Desertor que se engaja no exército inimigo. **3.** *P. ext.* Que ou aquele que muda de partido, de religião etc.

A B C D E F G H I J K L M N O P Q R S T U V W X Y Z

transfundido *adj.* **1.** Que se trasnfundiu. **2.** Diz-se de alguém que recebe ou recebeu uma transfusão de sangue.

transfundir *v.t.* (lat. *transfundere*) [conj. 6]. **1.** Fazer passar (um líquido) de um recipiente para outro. **2.** Espalhar, difundir. **3.** Realizar uma transfusão sanguínea. **4.** *Fig.* Transmitir, infundir. ★ *v.pr.* Tornar-se outro; transformar-se.

transfusão *s.f.* **1.** Ato ou efeito de transfundir. **2.** Método que consiste em injetar por via endovenosa o sangue de um indivíduo em um receptor de grupo sanguíneo idêntico ou compatível.

transgênero *adj.* Diz-se de pessoa que mudou de sexo, após tratamento médico e cirúrgico.

transgênico *adj.* e *s.m.* Diz-se de ou alimento obtido de plantas ou animais geneticamente modificados, pela transferência de gene de uma variedade para outra ou mesmo de uma espécie para outra.

TRANSGÊNICO ► O melhoramento genético tradicional é feito há 10.000 anos, por meio da escolha dos melhores indivíduos para reprodução, tanto de plantas como de animais. Porém, mesmo quando os conhecimentos da genética são usados para identificar os genes responsáveis por certas características, os descendentes são seres gerados por processos naturais. No caso dos transgênicos, por outro lado, os genes são colocados artificialmente em um indivíduo, que depois é reproduzido e difundido. A polêmica sobre o uso de alimentos transgênicos baseia-se na falta de estudos de longo prazo sobre as conseqüências da difusão desses alimentos e também em conflito de interesses comerciais.

---

transgredir *v.t.* (lat. *transgredi*) [conj. 57]. **1.** Passar além de; atravessar. **2.** Violar, infringir (norma moral, legal, contratual etc.).

transgressão *s.f.* (lat. *transgressio*). Ato ou efeito de transgredir; violação, infração.

transgressivo *adj.* (lat. *transgressivus*). Que transgride ou envolve transgressão.

transgressor (ô) *adj.* e *s.m.* Que ou aquele que transgride.

transição (zi) *s.f.* (lat. *transitio*). **1.** Ato ou efeito de transitar. **2.** Passagem de um estado a outro. **3.** Estádio intermediário. **4.** Trajeto, trajetória. ● **Fís.** Mudança de estado de um sistema quântico (átomo ou molécula). **Quím.** *Elementos* ou *metais de transição,* elementos químicos que possuem camadas eletrônicas parcialmente preenchidas, dissolvem-se facilmente nos ácidos diluídos e geralmente produzem compostos paramagnéticos.

transido (zi) *adj.* **1.** Impregnado, repassado (de dor, de susto, de paixão etc.). **2.** Enregelado, inteiriçado.

transigência (zi) *s.f.* Ato ou efeito de transigir; tolerância, indulgência, condescendência.

transigente (zi) *adj.2g.* Que transige; condescendente, tolerante. ★ *s.2g.* Pessoa que transige.

transigir (zi) *v.i.* (lat. *transigere*) [conj. 52]. **1.** Chegar a acordo; condescender. **2.** Concluir um acordo por concessões recíprocas; contemporizar.

transigível (zi) *adj.2g.* **1.** Sobre que se pode transigir. **2.** Que pode ser objeto de transação.

transir (zi) *v.t.* (lat. *transire*) [conj. 79]. **1.** Penetrar, transpassar, repassar. **2.** *Fig.* Assombrar, aterrar, assustar. ★ *v.i.* Estar ou ficar hirto, gelado, de frio, de dor etc.

transistor (zi...ô) *s.m.* (ingl. *transistor,* de *transfer resistor,* resistência de transferência). **1.** Dispositivo com semicondutores que, como uma válvula eletrônica, pode amplificar correntes elétricas, gerar oscilações elétricas e assumir funções de modulação e detecção. **2.** Receptor de radiodifusão portátil equipado de transistores.

transistorizado (zis) *adj.* Diz-se do aparelho que tem transistores em lugar de válvulas eletrônicas.

transistorizar (zis) *v.t.* (conj. 4). Equipar um aparelho com transistores.

transitar (zi) *v.i.* (conj. 4). **1.** Passar em trânsito; fazer caminho. **2.** Mover-se, deslocar-se. ★ *v.t.* **1.** Passar por; percorrer. **2.** Mudar de estado, lugar ou condição.

transitável (zi) *adj.2g.* Que se pode transitar.

transitivo (zi) *adj.* (lat. *transitivus*). **1.** Que passa; transitório. **2.** Que transita ou faz transitar. ● **Filos.** Diz-se de uma ação cuja causa é exterior ao agente. **Gram.** Diz-se dos verbos que exigem uma palavra para integrar-lhes o sentido.

trânsito (zi) *s.m.* (lat. *transitus*). **1.** Ato ou efeito de transitar; marcha. **2.** Ato ou efeito de passar; passagem. **3.** Caminho, trajeto. **4.** Movimento de veículos e de pedestres considerado em seu conjunto; tráfego. **5.** Morte, passamento.

transitoriedade (zi) *s.f.* Qualidade de transitório.

transitório (zi) *adj.* (lat. *transitorius*). **1.** Que não é permanente. **2.** Que dura pouco; passageiro, breve, transitivo. **3.** Sujeito à morte; mortal.

translação *s.f.* **1.** Ato ou efeito de transladar; transladação, trasladação, transporte. **2.** Movimento que um planeta faz em torno do Sol; revolução.

translacional *adj.2g.* Relativo à translação.

transladação *s.f.* Translação.

transladado *adj.* Que se transladou; trasladado.

transladar *v.t.* (conj. 4). **1.** Mudar (de um lugar para outro); transportar, trasladar. **2.** Traduzir. **3.** Adiar, transferir. **4.** Copiar, transcrever. ★ *v.pr.* Mudar-se, transferir-se.

translado *s.m.* Ato ou efeito de transladar; traslado.

translato *adj.* (lat. *translatus*). **1.** Transladado, trasladado. **2.** Metafórico, figurado.

transliteração *s.f.* Transcrição dos caracteres de um sistema de escrita para outro.

transliterar *v.t.* (conj. 4). Fazer uma transliteração.

translocação *s.f.* **1.** Mecanismo de transporte de substâncias em um vegetal, através do floema e do xilema. **2.** Tipo de mutação genética que consiste na mudança de posição de um trecho do cromossomo, com alteração na seqüência de genes.

translucidez (ê) *s.f.* Estado, qualidade de translúcido.

translúcido *adj.* (lat. *translucidus*). **1.** Que deixa passar a luz, sem permitir, entretanto, que se vejam nitidamente os objetos através de sua espessura. **2.** *Fig.* Claro, evidente.

transluzir *v.i.* (conj. 72). **1.** Luzir através de algum corpo. **2.** Mostrar-se através de alguma coisa; transparecer. **3.** Deduzir-se, concluir-se. ★ *v.pr.* Manifestar-se, refletir-se.

transmigração *s.f.* (lat. *transmigratio*). **1.** Ato ou efeito de transmigrar. **2.** *Transmigração da alma,* metempsicose.

transmigrar *v.i.* (lat. *transmigrare*) [conj. 4]. **1.** Passar de um lugar para outro (país, região etc.). **2.** Passar (a alma) de um corpo para outro.

transmissão *s.f.* (lat. *transmissio*). **1.** Ato ou efeito de transmitir(-se). **2.** Comunicação do movimento de um dispositivo a outro por meio de engrenagens, correntes etc.; dispositivo que efetua essa operação. **3.** Transferência de informações codificadas em sinais de um ponto a outro. **4.** Difusão de um programa de rádio ou de televisão.

transmissibilidade *s.f.* Qualidade de transmissível.

transmissível *adj.2g.* Que se pode transmitir.

transmissivo *adj.* Transmissor.

transmissor (ô) *adj.* Que transmite; transmissivo. ★ *s.m.* Aparelho que emite sinais telegráficos ou radiotelegráficos, de televisão etc.

transmitir *v.t.* (lat. *transmittere*) [conj. 6]. **1.** Mandar de um lugar para outro. **2.** Transportar, conduzir. **3.** Referir, contar, noticiar. **4.** Expedir, comunicar, fazer chegar. **5.** Transferir. **6.** Efetuar a difusão de um programa de rádio ou de televisão. **7.** Comunicar (doença) através de contágio. ★ *v.pr.* Transportar-se, propagar-se.

transmudar *v.t.* (conj. 4). Transmutar.

transmutação *s.f.* (lat. *transmutatio*). Ato ou efeito de transmutar(-se). ● **Biol.** Formação de nova espécie por meio de mutações. **Fís.** Transformação de um núcleo atômico em um outro.

transmutar *v.t.* (lat. *transmutare*) [conj. 4]. **1.** Mudar, alterar, transmudar. **2.** Transformar, converter. **3.** Efetuar uma transmutação. ★ *v.pr.* Alterar-se, transformar-se.

transmutável *adj.2g.* Que pode sofrer transmutação.

transoceânico (zo) *adj.* Que atravessa o oceano.

transparecer *v.i.* (conj. 25). **1.** Aparecer através de; transluzir. **2.** *Fig.* Revelar-se, manifestar-se.

transparência *s.f.* **1.** Qualidade, estado de transparente. **2.** Texto, imagem etc., montados sobre um transporte translúcido para possibilitar projeção.

transparente *adj.2g.* **1.** Que, deixando-se atravessar pela luz, permite distinguir nitidamente os objetos através de sua espessura. **2.** Diz-se de processo, informação ou atividade que todos podem ver, acompanhar ou saber. **3.** *Fig.* Evidente, claro.

transpassar *v.t.* (conj. 4). **1.** Passar além; transpor, traspassar. **2.** Passar através de; atravessar, varar. **3.** Furar de lado a lado; penetrar. **4.** *Fig.* Pungir, magoar. **5.** Transgredir, violar (lei ou norma). **6.** Ceder ou vender, passar a outrem. **7.** Copiar, transcrever. **8.** No vestuário, colocar uma parte de tecido sobre outra. ★ *v.pr.* **1.** Transportar-se, transferir-se. **2.** Morrer, falecer, finar-se.

transpasse *s.m.* Ato ou efeito de transpassar(-se); traspasse.

transpiração *s.f.* (lat. *transpiratio*). **1.** Ato ou efeito de transpirar. **2.** *P. ext.* O suor. ● **Bot.** Perda de vapor de água, pelas plantas.

transpirar *v.i.* (lat. *transpirare*) [conj. 4]. **1.** Exalar do corpo, pelos poros. **2.** Suar. **3.** *Fig.* Divulgar-se, espalhar-se. ★ *v.t.* **1.** Fazer sair pelos poros; exalar. **2.** Exalar, manifestar, exprimir.

transplantação *s.f.* **1.** Ato ou efeito de transplantar; transplante. **2.** Mudança de planta do viveiro para o local definitivo.

transplantado *adj.* Que sofreu transplante, que se transplantou.

transplantador (ô) *adj.* e *s.m.* **1.** Que ou aquele que transplanta. **2.** Diz-se de ou instrumento próprio para transplantar árvores ou mudas de plantas com a terra que envolve as raízes.

transplantar *v.t.* (lat. *transplantare*) [conj. 4]. **1.** Mudar uma planta do viveiro para o lugar definitivo. (Sin. ENXERTAR.) **2.** Implantar em outro local; introduzir. **3.** Realizar um transplante de tecido, órgão, em um indivíduo diferente do doador ou nele mesmo. ★ *v.pr.* Transferir-se, mudar(-se).

transplante *s.m.* **1.** Transplantação. **2.** Operação que consiste em transferir para um indivíduo partes de tecido ou de órgão retirados dele mesmo ou de outra pessoa. **3.** Reimplante de um dente ou de um germe dental em outro alvéolo que não aquele de onde foi retirado. **4.** *Transplante de córnea,* sin. de CERATOPLASTIA.

? VOCÊ SABIA...? Os primeiros **transplantes** renais foram feitos simultaneamente em Boston, por J. P. Merrill, e em Paris, por J. Hamburger, em 1959. Os resultados foram muito satisfatórios (cerca de 50% dos rins transplantados continuavam funcionando transcorridos dez anos). O primeiro transplante cardíaco no homem foi realizado em 1967, na Cidade do Cabo, África do Sul, por Christiaan Barnard. Hoje, já se realiza o transplante duplo de coração e pulmão.

transpor *v.t.* (lat. *transponere*) [conj. 45]. **1.** Colocar algo em lugar diferente daquele em que estava. **2.** Alterar a ordem de colocação de. **3.** Passar além de; galgar. **4.** Ultrapassar, exceder. ● **Mús.** Reescrever ou executar um trecho em tom diferente daquele em que foi escrito; transportar.

transportador (ô) *adj.* e *s.m.* Que ou aquele que transporta.

transportadora (ô) *s.f.* **1.** Estabelecimento comercial que se incumbe de transportar mercadorias. **2.** Empresa que embala, transporta e coloca no lugar os móveis e objetos de uma mudança.

transportar *v.t.* (lat. *transportare*) [conj. 4]. **1.** Levar de um lugar para outro; conduzir. **2.** Enlevar, extasiar, arrebatar. **3.** Transpor, transferir. ● **Mús.** Transpor. ★ *v.pr.* **1.** Passar de um lugar para outro; transferir-se. **2.** *Fig.* Arrebatar-se, extasiar-se.

transportável *adj.2g.* Que se pode transportar.

transporte *s.m.* **1.** Ato ou efeito de transportar(-se). **2.** O meio usado para transportar(-se); condução. **3.** Veículo próprio para transportar tropas, munições, cargas. ● **Econ.** Soma que passa de uma coluna para outra, de uma página para outra. **Fisiol.** Movimento de líquidos nos vasos sanguíneos, linfáticos etc. ★ *s.m.pl.* Conjunto dos diversos meios de locomoção de mercadorias e de pessoas.

EXEMPLOS DE MEIOS DE TRANSPORTE

transposição *s.f.* 1. Ato ou efeito de transpor. 2. Alteração na ordem das palavras de uma oração. ● **Med.** Deslocamento de certos órgãos, particularmente de vísceras, de modo que sua localização é oposta à que deveriam ocupar normalmente. **Mús.** Transporte das notas de uma peça ou de um fragmento musical de uma altura a outra, sem mudar os intervalos entre as notas nem seus valores.

transposto (ô) *adj.* Diz-se, em matemática, de uma matriz que é simétrica de outra.

transtornado *adj.* 1. Perturbado, confundido. 2. Desordenado, atrapalhado.

transtornar *v.t.* (conj. 4). 1. Alterar, revirar a ordem; desorganizar. 2. Agitar, perturbar, confundir. 3. Corromper, desencaminhar. 4. Confundir, atordoar. ★ *v.pr.* 1. Perturbar-se, agitar-se. 2. Desorientar-se, atrapalhar-se.

transtorno (ô) *s.m.* 1. Ato ou efeito de transtornar. 2. Contrariedade, contratempo. 3. Perturbação mental.

transubstanciação *s.f.* Ato ou efeito de transubstanciar(-se). ● **Relig.** Mudança da substância do pão e do vinho (operada na eucaristia, durante a missa, através da consagração) na substância do corpo e do sangue de Jesus Cristo.

transubstancial *adj.2g.* Que se transubstancia.

transubstanciar *v.t.* (lat. *transubstanciare*) [conj. 16]. Mudar uma substância em outra. ● **Relig.** Proceder à transubstanciação. ★ *v.pr.* Mudar-se, converter-se em outra substância.

transudação *s.f.* Ato ou efeito de transudar.

transudar *v.i.* (fr. *transuder*) [conj. 4]. Passar (líquido) através do recipiente que o contém; transpirar, exsudar, coar-se. ★ *v.t.* Ressumar, verter, transvazar.

transudato *s.m.* Líquido que atravessa uma membrana, como a pele, uma mucosa ou uma serosa, com menor teor protéico que o exsudato.

transurânico (zu) *adj.* Diz-se dos elementos químicos que, na classificação periódica, estão colocados após o urânio.

transvasar *v.t.* (conj. 4). Passar (um líquido) de um vaso para outro; trasvasar. (Cf. TRANSVAZAR.)

transvazar *v.t.* (conj. 4). Entornar, pôr fora, transudar. (Cf. TRANSVASAR.)

transversal *adj.2g.* 1. Que passa ou está de través ou obliquamente. 2. Diz-se de rua que atravessa uma via principal, ou nesta desemboca. ● **Fís.** *Onda transversal,* onda elástica na qual a deformação do meio ocorre em direção perpendicular à direção de propagação da onda. **Mat.** Diz-se da reta que corta uma curva em dois pontos. ★ *s.f.* 1. Rua transversal. 2. Reta transversal. ★ *s.m.* **Anat.** Nome de vários músculos que cortam transversalmente uma parte do corpo.

transverso *adj.* (lat. *transversus*). De través, atravessado, oblíquo. ● **Anat.** Que está colocado em direção transversal em relação ao eixo do corpo.

transviamento *s.m.* Transvio.

transviar *v.t.* (conj. 16). 1. Desviar do caminho ou dever; extraviar, desencaminhar. 2. Seduzir, corromper. ★ *v.pr.* 1. Desviar-se, desencaminhar-se. 2. *Fig.* Corromper-se.

transvio *s.m.* Ato ou efeito de transviar; transviamento.

trapaça *s.f.* 1. Procedimento fraudulento, ilícito; dolo. 2. Procedimento para enganar ou iludir; logro, embuste.

trapacear *v.i.* (conj. 15). Fazer trapaça.

trapaceiro *adj.* e *s.m.* Que ou aquele que faz trapaças.

trapalhada *s.f.* *Fam.* 1. Confusão, balbúrdia. 2. Embrulhada, engano.

trapalhão *adj.* e *s.m.* Que ou aquele que se atrapalha com facilidade ou que faz muita trapalhada.

trapeiro *s.m.* 1. Indivíduo que cata trapos; negociante de trapos. 2. Indivíduo que apanha papéis nas ruas, latas etc., vendendo-os às fábricas de papel.

trapézio *s.m.* (gr. *trapezion*). 1. Quadrilátero, geralmente convexo, tal que dois lados opostos (chamados bases) são paralelos. 2. Aparelho para exercícios de ginástica ou acrobacias formado de uma barra cilíndrica horizontal sustentada em suas extremidades por duas cordas verticais. ● **Anat.** Músculo grande, achatado, superficial, situado na parte posterior do pescoço e do dorso. ▸ Osso trapezóide.

trapezista *s.2g.* Ginasta ou acrobata que trabalha em trapézio.

trapezoidal *adj.2g.* Que tem a forma de trapézio.

trapezóide *adj.2g.* (gr. *trapezoeides*). 1. Que tem forma semelhante à do trapézio. 2. *Osso trapezóide,* osso da segunda fila do carpo; trapézio. ★ *s.m.* 1. O osso trapezóide. 2. Quadrilátero cujos lados são todos oblíquos entre si.

trapiche *s.m.* (esp. *trapiche*). 1. Armazém ou depósito para embarque ou desembarque de mercadorias. 2. (*NE*) Pequeno engenho de açúcar movido por animais.

trapicheiro *s.m.* O que possui ou administra trapiches.

trapo *s.m.* (lat. *drappus*). 1. Pedaço de pano velho ou usado; farrapo. 2. Roupa surrada e rasgada. 3. *Fig.* Indivíduo em estado de decadência física ou moral. 4. *Fig.* Indivíduo cansado, sem energia.

trapoeraba *s.f.* Planta de folhas avermelhadas na face interior e de flores cor-de-rosa, considerada medicinal e cultivada como ornamental.

traque *s.m.* (onomat.). 1. Qualquer estalo; estrépito, estouro. 2. Pequeno artefato pirotécnico. 3. *Chul.* Ventosidade que sai com estrépito do ânus; peido.

traquéia *s.f.* (gr. *tracheia*). 1. Canal que comunica a laringe com os brônquios e que serve de passagem para o ar, durante a respiração. 2. Vaso que serve à condução da seiva bruta e cujo conjunto, associado às fibras e células lenhosas, constitui o lenho dos vegetais. 3. Aparelho respiratório da maioria dos artrópodes terrestres, que consiste em tubos ramificados nas extremidades, que levam diretamente o ar a todas as células do corpo.

traqueíde *s.f.* Elemento lenhoso condutor dos vegetais, que apresenta septos transversais não perfurados, relacionado com a condução de água e o suporte mecânico.

traqueíte *s.f.* Inflamação da traquéia.

traquejado *adj.* 1. Perseguido, acossado. 2. *Ant.* Que tem traquejo; experiente.

traquejar *v.t.* (conj. 4). **1.** Perseguir, acossar. **2.** *Ant.* Exercitar, tornar apto por experiência.

traquejo (ê) *s.m.* Habilidade, prática, experiência, perícia.

traqueobrônquico *adj.* **1.** Relativo à traquéia e aos brônquios. **2.** *Gânglio traqueobrônquico,* cada um dos linfonodos situados de cada lado da traquéia, próximos de sua bifurcação.

traqueobronquite *s.f.* Inflamação simultânea da traquéia e dos brônquios.

traqueocele *s.f.* Hérnia que se forma na parede da traquéia.

traquéola *s.f.* Ramificação terminal da traquéia dos artrópodes.

traqueomalácia *s.f.* Amolecimento generalizado da traquéia, devido à degeneração gordurosa das cartilagens.

traqueorragia *s.f.* Derramamento de sangue através das paredes da traquéia.

traqueorrágico *adj.* Relativo à traqueorragia.

traqueoscopia *s.f.* Exame endoscópico da traquéia.

traqueostenose *s.f.* Estreitamento da traquéia.

traqueostomia *s.f.* Abertura da traquéia com introdução de cânula em seu interior para estabelecer um acesso respiratório. (Cf. TRAQUEOTOMIA.)

traqueostômico *adj.* Relativo à traqueostomia.

traqueotomia *s.f.* Operação cirúrgica que consiste em abrir a traquéia a fim de retirar um obstáculo, cauterizar um pólipo etc. (Cf. TRAQUEOSTOMIA.)

traqueotômico *adj.* Relativo à traqueotomia.

traquete (ê) *s.m.* (fr. ant. *triquet*). Mastro maior da proa de um navio.

traquina *adj.2g.* e *s.2g.* Traquinas.

traquinada *s.f.* Traquinagem.

traquinagem *s.f.* Ação de traquinas; travessura, traquinada.

traquinar *v.i.* (conj. 4). **1.** Fazer travessuras, traquinagens. **2.** Fazer motim, estar inquieto.

traquinas *adj.2g.* e *s.2g.2n.* Diz-se de ou pessoa, particularmente criança, travessa, buliçosa, peralta.

traquitana *s.f.* **1.** Carruagem de quatro rodas, para duas pessoas. **2.** *Pop.* Carro desconjuntado, calhambeque.

trás *prep.* (lat. *trans*). Atrás de. ★ *adv.* **1.** Atrás, detrás. **2.** Em seguida, após.

trasanteontem *adv.* No dia anterior ao de anteontem.

traseira *s.f.* **1.** Parte posterior; retaguarda. **2.** Parte posterior de um veículo, de um animal, de um comboio etc. **3.** *Pop.* As nádegas.

traseiro *adj.* Situado atrás; que fica na parte posterior. ★ *s.m.* **1.** *Pop.* As nádegas. **2.** Parte posterior da meia carcaça, peça comercial que resulta do abate do boi no matadouro ou frigorífico.

trasladação *s.f.* Translação.

trasladado *adj.* Transladado.

trasladar *v.t.* (conj. 4). Transladar.

traslado *s.m.* Translado.

trasorelho (ê) *s.m.* *Pop.* Caxumba.

traspassar *v.t.* (conj. 4). Transpassar(-se).

traspasse *s.m.* Transpasse.

traste[1] *s.m.* (lat. *transtrum*). **1.** Móvel caseiro. **2.** Coisa velha, de pouco valor. **3.** Indivíduo inútil, sem préstimo.

traste[2] ou **trasto** *s.m.* (it. *trasto*). Cada uma das pequenas barras incrustadas no braço de certos instrumentos de corda (violão, guitarra, bandolim etc.), por onde o tocador se guia para apoiar os dedos.

TRASTE ▸ Os trastes dispostos ao longo do braço das guitarras e de vários instrumentos de corda servem para que, ao pressionar as cordas contra eles, obtenha-se uma modulação dos sons.

trasvasar *v.t.* (conj. 4). Transvasar.

tratadista *s.2g.* Pessoa que escreve tratados.

tratado *s.m.* (lat. *tractatus*). **1.** Obra ou estudo desenvolvido e aprofundado acerca de matéria científica, literária etc. **2.** Ato solene firmado por dois ou mais Estados soberanos que estabelecem entre si negócios de interesse recíproco, de natureza jurídica, política, social, militar ou econômica.

tratador (ô) *adj.* e *s.m.* Que ou aquele que trata (especialmente de animais).

tratamento *s.m.* **1.** Ato ou efeito de tratar(-se); trato. **2.** Maneira de tratar ou acolher alguém. **3.** Conjunto de medidas terapêuticas e de regras de higiene destinadas a cuidar de uma doença ou de um ferimento; terapêutica, terapia. **4.** Conjunto de operações a que são submetidas certas matérias que se deseja transformar. **5.** Alimentação diária. ● **Agric.** Pulverização de uma cultura com o objetivo de combater pragas. **Gram.** *Pronome de tratamento,* palavra ou locução que tem o valor de um pronome pessoal e que, embora designe a 2ª pessoa, leva o verbo para a 3ª pessoa.

tratantada *s.f.* Ação própria de tratante; velhacaria, patifaria.

tratante *adj.2g.* e *s.2g.* **1.** Que ou aquele que procede ardilosamente, com velhacaria; velhaco, patife. **2.** *Ant.* Que ou aquele que faz negócios, que trafica.

tratar *v.t.* (lat. *tractare*) [conj. 4]. **1.** Fazer uso de; praticar. **2.** Travar relações com; freqüentar, conviver. **3.** Agir bem ou mal com alguém. **4.** Receber, hospedar. **5.** Diligenciar, empenhar-se. **6.** Cultivar, cuidar. **7.** Modificar por meio de um agente; submeter a tratamento. **8.** Expor verbalmente ou por escrito; abordar. **9.** Procurar medicar, cuidar; submeter a tratamento. **10.** Dar certo título, qualificação ou alcunha. **11.** Pensar, ocupar-se. **12.** Pactuar, ajustar. **13.** Sustentar, alimentar. **14.** Proceder, haver-se; portar-se. **15.** Comercializar, negociar. **16.** Praticar os cuidados necessários à limpeza e manutenção da pelagem dos animais domésticos (cão, gato, cavalo etc.). **17.** Representar um assunto ou tema de uma obra artística. **18.** Fazer preparativos. ★ *v.pr.* **1.** Cuidar de si, tratar da própria saúde. **2.** Manter relações entre si.

tratável *adj.2g.* (lat. *tractabilis*). **1.** Que se pode tratar. **2.** Afável, lhano.

trato[1] *s.m.* **1.** Ação de tratar; tratamento. **2.** Ação de tratar um animal doméstico. **3.** Convivência, contato, intimidade. **4.** Modo ou maneira de alguém se portar; procedimento. **5.** Ajuste, combinação. ★ *s.m.pl.* Tormentos, torturas.

trato[2] *s.m.* (lat. *tractus*). **1.** Extensão de terra. **2.** Trecho, extensão de alguma coisa. ● **Agric.** *Trato cultural,* trabalho relativo à preparação ou conservação de terras. **Anat.** Feixe de fibras nervosas que têm a mesma origem, função e terminação; tracto. ▸ Formação, geralmente de origem conjuntiva, que é observada na superfície ou na espessura dos órgãos. ▸ Conjunto dos órgãos de um mesmo sistema.

trator (ô) *s.m.* (ingl. *tractor*). **1.** Máquina ou mecanismo que produz tração. **2.** Veículo automóvel com dispositivo de reboque ou de escavação, que serve para múltiplas finalidades em serviços de engenharia, agricultura etc.

tratorista *s.2g.* Pessoa que guia um trator.

trauma *s.m.* (gr. *trauma,* ferimento). **1.** Traumatismo. **2.** *Trauma psíquico,* para Freud, acontecimento que possui grande valor emocional e que ocasiona em um sujeito sintomas psicopatológicos ou somatizações em conseqüência de sua incapacidade de responder adequadamente ao acontecimento.

traumático *adj.* (gr. *traumatikós*). **1.** Relativo a trauma ou traumatismo. **2.** Que diz respeito às contusões, às feridas.

traumatismo *s.m.* **1.** Conjunto de lesões que atingem tecidos e órgãos, provocadas por um agente exterior, assim como as variadas perturbações que delas resultam; trauma. **2.** Choque emocional violento que provoca uma perturbação durável em um indivíduo; trauma. **3.** *Fig.* Forte abalo físico ou moral. ● **Psican.** Trauma.

traumatizado *adj.* e *s.m.* Que ou aquele que sofreu traumatismo ou trauma.

traumatizante *adj.2g.* Que provoca um traumatismo.

traumatizar *v.t.* (conj. 4). Provocar um traumatismo físico ou psíquico.

traumatologia *s.f.* Parte da medicina e da cirurgia consagrada ao estudo e ao tratamento dos traumatismos físicos.

traumatológico *adj.* Relativo à traumatologia.

traumatologista *s.2g.* Médico especializado em traumatologia.

traumatopnéia *s.f.* Ruído respiratório perceptível à saída ou à entrada do ar, quando um ferimento torácico cria uma comunicação entre a pleura e a atmosfera exterior.

trautear *v.t.* e *v.i.* (conj. 15). Cantarolar.

trava *s.f.* **1.** Peça que serve para deter ou limitar o curso de outra. **2.** Dispositivo para reduzir a marcha, parar ou imobilizar um conjunto mecânico dotado de movimento.

travação *s.f.* Travamento.

travado *adj.* **1.** Ligado, unido, entrelaçado. **2.** Preso, trancado. **3.** Freado, retido. **4.** Iniciado, começado, entabulado.

travamento *s.m.* **1.** Ato ou efeito de travar(-se); travação. **2.** Dispositivo mecânico, elétrico etc., destinado a manter uma peça, um contato etc., numa certa posição.

travanca *s.f.* Obstáculo, embaraço, empecilho.

travão *s.m.* **1.** Barra ou alavanca com que se freia o movimento de um veículo, o funcionamento de um mecanismo. **2.** Peça do arreio utilizada para impedir que os cavalos atrelados escoiceiem.

travar *v.t.* (conj. 4). **1.** Pôr trava em, limitar o movimento de. **2.** Prender, trancar. **3.** Fazer parar (veículo, mecanismo) com o travão ou peça a isso destinada; interromper o funcionamento de (programa, computador, sistema). **4.** Tolher, impedir os movimentos; frear, refrear. **5.** Começar, entabular. **6.** Cruzar, entrecruzar. ★ *v.i.* **1.** Frear. **2.** Parar de funcionar, emperrar. ★ *v.pr.* **1.** Unir-se, juntar-se. **2.** Cruzar-se, entrecruzar-se.

trave *s.f.* (lat. *trabs, trabis*). **1.** Viga de madeira usada para sustentar ou reforçar uma estrutura. **2.** Cada um dos postes verticais que sustentam a barra horizontal do gol. **3.** Aparelho de ginástica constituído de uma viga longa situada a 1,20 m do solo, sobre a qual a ginasta realiza exercícios de equilíbrio estáticos e dinâmicos.

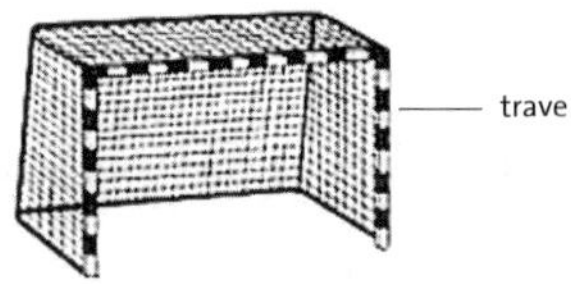

travejamento *s.m.* **1.** Conjunto de traves que sustentam uma construção. **2.** Vigamento.

través *s.m.* (do lat. *trasversus*). **1.** Esguelha, soslaio. **2.** *De través,* obliquamente, de modo transversal.

travessa *s.f.* **1.** Peça de madeira posta de través entre outras duas peças. **2.** Viga, trave. **3.** Rua estreita, secundária e transversal a duas outras mais importantes. **4.** Prato oblongo, raso, em que as iguarias vêm à mesa. **5.** Prendedor de cabelos em forma de pente.

travessão *s.m.* **1.** Travessa grande. **2.** Peça oblonga que se move em torno de um eixo horizontal, em cujas extremidades estão suspensos os pratos de uma balança (e em que fica o fiel). **3.** A barra horizontal que liga as traves do gol. ● **Geogr.** Banco de areia ou afloramento rochoso que atravessa longitudinalmente o leito de um rio; corredeira. **Gram.** Sinal de pontuação (—) que indica mudança de interlocutor nos diálogos e que isola, num contexto, palavras ou frases.

travesseiro *s.m.* **1.** Almofada de espuma, penas etc. onde se coloca a cabeça para dormir ou descansar, e que fica estendida ao longo da cabeceira da cama. **2.** Face ao lado das volutas do capitel jônio.

travessia *s.f.* **1.** Ato ou efeito de atravessar, cruzar (uma região, um rio, um mar). **2.** Vento contrário à navegação. **3.** Ação de açambarcar mercadorias. **4.** Longo trecho de caminho ermo.

travesso (ê) *adj.* (lat. *traversus,* transviado). **1.** Traquinas, turbulento, inquieto. **2.** Malicioso, astucioso, maldoso. **3.** *Fig.* Engraçado, brincalhão, vivo.

travessura *s.f.* **1.** Ação de pessoa travessa; traquinagem. **2.** Desenvoltura, malícia. **3.** Brincadeira ligeiramente maldosa ou perigosa de criança.

travesti *s.m.* (fr. *travesti*). **1.** Vestimenta que permite a uma pessoa disfarçar-se. **2.** Pessoa que se disfarça para representar um personagem; transformista. **3.** Homossexual que adota vestes e costumes do sexo oposto.

travo *s.m.* **1.** Sabor adstringente de qualquer comida ou bebida; amargor. **2.** *Fig.* Impressão desagradável, amarga.

trazer *v.t.* (lat. *trahere,* puxar, arrastar) [conj. 30]. **1.** Transportar algo para perto ou junto de quem fala. **2.** Conduzir, guiar, acompanhar para cá. **3.** Vestir, trajar, usar. **4.** Ocasionar, acarretar, causar. **5.** Chamar, atrair. **6.** Manter, conservar. **7.** Ter, apresentar, mostrar.

trecentésimo *num. ord.* (lat. *trecentesimus*). Correspondente ao número trezentos numa seqüência. ★ *s.m.* Cada uma das trezentas partes iguais em que se divide um todo.

trecho (ê) *s.m.* (lat. *tractus*). **1.** Pequeno espaço de tempo ou lugar; intervalo. **2.** Pequena passagem de uma obra literária ou musical; fragmento, excerto, extrato. **3.** Parte de um todo; fragmento, pedaço.

treco *s.m. Gír.* Qualquer objeto pequeno e mais ou menos insignificante.

trêfego *adj.* **1.** Turbulento, irrequieto, traquinas. **2.** Astuto, dissimulado.

trégua *s.f.* (gót. *trigwa,* acordo). **1.** Cessação temporária de todo ato de hostilidade. **2.** *Fig.* Cessação momentânea de uma luta ou atividade laboriosa.

treinado *adj.* **1.** Que tem treino ou treinamento. **2.** Ensinado, adestrado. **3.** Que se treinou; ensaiado.

treinador (ô) *s.m.* Aquele que treina, adestra ou prepara alguém ou algum animal para competições esportivas, que ministra o treinamento.

treinamento *s.m.* **1.** Ato ou efeito de treinar; treino. **2.** Conjunto de exercícios físicos variados, reunidos à prática regular do próprio esporte, destinados a preparar alguém ou algum animal para uma competição.

treinar *v.t.* (fr. ant. *traïner*) [conj. 4]. **1.** Adestrar, habituar, acostumar. **2.** Exercitar. **3.** Preparar um atleta, um animal etc., para uma competição. ★ *v.i.* Exercitar-se para alguma competição esportiva.

treino *s.m.* **1.** Ato ou efeito de treinar; treinamento. **2.** Série de exercícios ou adestramentos físicos e sistemáticos através dos quais se preparam pessoas ou animais para torneios, competições, exibições. **3.** Destreza em qualquer ramo de atividade.

trejeito *s.m.* **1.** Gesto, movimento de corpo. **2.** Gesto cômico; careta, esgar. **3.** Ilusionismo, prestidigitação.

trela *s.f.* **1.** Correia a que vai preso o cão. **2.** *Fig.* Tagarelice, conversa. **3.** *Fig.* Travessura, traquinada.

treliça *s.f.* (fr. *treillis*). **1.** Rede de vigas cruzadas usada no travejamento de pontes. **2.** Armação de ripas de madeira cruzadas diagonalmente, empregada em balcões, divisórias etc.

trem *s.m.* (fr. *train*). **1.** Seqüência de veículos ferroviários puxados pela mesma máquina; comboio. **2.** Conjunto de objetos que compõem a bagagem de um viajante. **3.** Conjunto dos móveis de uma casa. **4.** Conjunto de utensílios ou de dispositivos destinados a um fim específico. **5.** *Pop.* Qualquer objeto. **6.** *Trem de aterrissagem,* mecanismo que sustenta as rodas sobre as quais um avião repousa.

trema *s.m.* (gr. *trema,* furo, ponto). Sinal ortográfico (¨) usado sobre a vogal *u* quando precedida por *q* ou *g* e seguida por *e* ou *i* para que ela seja pronunciada atonamente, sem formar dígrafo.

trematódeo *s.m.* Espécime dos trematódeos. ★ *adj.* Relativo aos trematódeos.

trematódeos *s.m.pl.* (gr. *trematodes*). Classe de vermes platelmintos, parasitas principalmente de vertebrados, que apresentam corpo provido de ventosas e ou de ganchos ventrais para fixação no hospedeiro.

tremedeira *s.f.* **1.** *Pop.* Tremor, tremura. **2.** Malária. **3.** *Fig.* Medo.

tremedor (ô) *adj.* Que treme.

tremelicar *v.t.* (conj. 12). **1.** Tremer de medo. **2.** Tremer de frio; tiritar. **3.** Tremer repetidamente.

tremelique *s.m.* Ação de tremelicar.

tremeluzente *adj.2g.* Que tremeluz.

tremeluzir *v.i.* (conj. 72). Cintilar, brilhar com luz trêmula; luziluzir.

tremendo *adj.* (lat. *tremendus*). **1.** Que causa temor e faz tremer. **2.** Horrível, pavoroso. **3.** Espantoso, formidável. **4.** Grande, excessivo.

tremer *v.i.* (lat. *tremere*) [conj. 5]. **1.** Ser agitado por pequenos movimentos; vibrar. **2.** Ter rápidas contrações musculares (por frio, medo etc.). **3.** Cintilar, tremeluzir. ★ *v.t.* Fazer estremecer ou fazer oscilar.

tremido *adj.* **1.** Irregular, tortuoso. **2.** Diz-se de som que varia rapidamente de intensidade. ★ *s.m.* **1.** Tremor, tremura. **2.** Tortuosidade, irregularidade.

tremoceiro *s.m.* Nome comum a diversas espécies de plantas originárias da Europa e da América, algumas ornamentais, outras forrageiras, que fornecem semente comestível.

tremoço (ô) *s.m.* Semente do tremoceiro, comestível e rica em proteínas.

tremor (ô) *s.m.* (lat. *tremor, tremoris*). **1.** Ato ou efeito de tremer; agitação, abalo. **2.** Agitação do corpo ou de parte dele por pequenos abalos. **3.** Sucessão de oscilações rítmicas involuntárias em uma parte do corpo ou em todo ele; tremura. **4.** Temor, medo. **5.** *Tremor de terra,* sismo, terremoto.

trempe *s.f.* **1.** Arco de ferro de três pés, sobre o qual se põe a panela que vai ao fogo. **2.** As três pedras sobre as quais se apóia a panela quando levada ao fogo. **3.** Jangada de três paus. **4.** *Fam.* Três pessoas unidas pela mesma idéia ou interesse.

tremulante *adj.2g.* Trêmulo.

tremular *v.t.* (lat. *tremulare*) [conj. 4]. Mover, agitar com tremor. ★ *v.i.* **1.** Mover-se tremendo. **2.** Cintilar, tremeluzir. **3.** Ressoar tremendo. **4.** *Fig.* Hesitar, vacilar.

tremulina *s.f.* **1.** Movimento trêmulo superficial. **2.** Reflexo trêmulo da luz nas superfícies planas (planícies, águas etc.), semelhando pequenas ondas.

trêmulo *adj.* (lat. *tremulus*). **1.** Que treme, que tem tremores; tremulante. **2.** Hesitante, indeciso. **3.** Tímido, receoso. **4.** Efeito produzido pela repetição rápida dos mesmos sons num instrumento. ★ *s.m.* Tremido na voz ou no canto. ★ *s.m.pl.* Pedras preciosas que, compondo flores, oscilam presas à extremidade de pequenos arames.

tremura *s.f.* Tremor.

trena *s.f.* **1.** Fita de seda, ouro ou prata para trançar ou atar o cabelo. **2.** Fita de aço, plástico etc. graduada, enrolada no interior de uma caixa circular, destinada a realizar medições de distâncias. **3.** Fita métrica usada por alfaiates ou outros profissionais.

trenó *s.m.* (fr. *traîneau*). Veículo com esquis em vez de rodas, próprio para deslizar sobre o gelo ou a neve.

treonina *s.f.* Aminoácido componente essencial das proteínas.

trepada *s.f.* **1.** Ladeira, subida, encosta. **2.** *Chul.* Cópula, coito.

trepadeira *adj.* e *s.f.* Diz-se de ou plantas que trepam ao longo de corpos vizinhos, seja por meio da haste com a qual se enrolam, como o feijão, seja por meio de órgãos especiais de fixação (gavinhas), como a ervilha ou a videira.

trepador (ô) *adj.* **1.** Que trepa. **2.** Maledicente, falador. ● Bot. Diz-se do caule que se apóia em suportes para subir.

trepanação *s.f.* Operação cirúrgica que consiste em praticar uma abertura em um osso por meio de um trépano ou de qualquer outro instrumento.

trepanado *adj.* Diz-se do indivíduo que sofreu uma trepanação na caixa craniana.

trepanar *v.t.* (conj. 4). **1.** Praticar uma trepanação. **2.** Furar, perfurar.

trépano *s.m.* (gr. *trypanon*). **1.** Instrumento cirúrgico que permite perfurar os ossos. **2.** Ferramenta de perfuração dotada de lâminas, dentes ou semi-esferas nas extremidades para auxiliar a penetração.

trepar *v.t.* (conj. 4). Subir a sítio íngreme e de difícil acesso; galgar. ★ *v.i.* **1.** Elevar-se em categoria. **2.** Alçar-se com as mãos e ou com os pés. **3.** *Pop.* Copular.

trepidação *s.f.* (lat. *trepidatio*). **1.** Ato ou efeito de trepidar. **2.** Pequeno abalo; tremor.

trepidante *adj.2g.* **1.** Que trepida ou treme. **2.** Hesitante, vacilante. **3.** *Fig.* Agitado, inquieto, buliçoso.

trepidar *v.i.* (lat. *trepidare*) [conj. 4]. **1.** Ser agitado por pequenos e rápidos abalos; tremer, estremecer. **2.** Tremer de medo ou susto. **3.** Hesitar, vacilar.

tréplica *s.f.* **1.** Ato de treplicar. **2.** Resposta dada a uma réplica.

treplicar *v.t.* (conj. 12). **1.** Responder a uma réplica. **2.** Refutar com tréplica (a uma réplica).

treponema ou **treponemo** *s.m.* (gr. *trépo*, envolto, e *nema*, fio). Nome comum a três espécies de bactérias espiraladas que constituem os agentes da sífilis, da bouba e do carate.

treponematose *s.f.* Doença causada por um treponema.

três *num. card.* (lat. *tres*). **1.** Dois mais um. **2.** Terceiro. ★ *s.m.* **1.** O algarismo (3) que representa esse número. **2.** *Regra de três*, operação que permite calcular um número a partir de três outros números conhecidos, dois dos quais variam em proporção direta ou inversa.

tresandar *v.t.* (conj. 4). **1.** Fazer andar para trás; desandar. **2.** Confundir, transtornar, perturbar. **3.** Exalar mau cheiro.

tresdobrado *adj.* Triplicado.

tresdobrar *v.t.* e *v.i.* (conj. 4). Triplicar.

tresdobro (ô) *s.m.* O triplo.

tresloucado *adj.* e *s.m.* Louco, desvairado.

tresloucar *v.t.* (conj. 12). Tornar louco; desvairar. ★ *v.i.* **1.** Enlouquecer. **2.** Tornar-se imprudente.

tresmalhado *adj.* Perdido, fugido, desgarrado, transviado.

tresmalhar *v.t.* (conj. 4). **1.** Trocar, perder ou deixar cair (as malhas) de. **2.** Deixar perder, escapar ou fugir. **3.** Fazer fugir, dispersar. ★ *v.i.* Perder-se do bando; dispersar-se, extraviar-se. ★ *v.pr.* **1.** Escapar das malhas da rede. **2.** Fugir dispersando-se; espalhar-se, debandar(-se).

tresmalho *s.m.* Ato ou efeito de tresmalhar(-se).

três-marias *s.f.pl.* Sin. de PRIMAVERA.

tresnoitar *v.t.* (conj. 4). Privar (alguém) do sono; não deixar dormir. ★ *v.i.* Passar a noite sem dormir, sem sono.

trespassar *v.t.* (conj. 4). Fazer trespasse de; traspassar.

trespasse *s.m.* **1.** Ato ou efeito de trespassar. **2.** Morte, falecimento, passamento, traspasse.

tresvariar *v.i.* (conj. 16). **1.** Praticar tresvarios, estar fora de si, delirar. **2.** Dizer ou fazer disparates.

tresvario *s.m.* **1.** Ato ou efeito de tresvariar. **2.** Delírio, alucinação.

treta (ê) *s.f.* (esp. *treta*). **1.** Destreza no jogo de esgrima. **2.** Manha, ardil, estratagema, artifício. ★ *s.f.pl.* Palavreado para iludir.

treteiro *adj.* e *s.m.* Que ou aquele que é dado a tretas; tratante, velhaco.

trevas *s.f.pl.* **1.** Escuridão completa. **2.** *Fig.* Ignorância, estupidez.

trevo (ê) *s.m.* **1.** Nome comum a diversas espécies de plantas herbáceas, muitas das quais originárias da Europa e cultivadas no Brasil como ornamentais ou para o fornecimento de forragem. (Sin. TRIFÓLIO.) **2.** Local onde se cruzam diversas vias de circulação.

EXEMPLOS DE TREVOS

VOCÊ SABIA...? O **trevo** é uma planta com folhas agrupadas de três em três. Por isso, costuma-se dizer que encontrar um trevo de quatro folhas é sinal de boa sorte. O trevo com mais folhas que já se viu tinha 14.

treze (ê) *num. card.* (lat. *tredecim*). **1.** Dez mais três. **2.** Décimo terceiro. ★ *s.m.* O algarismo (13) que representa esse número.

trezena *s.f.* **1.** Conjunto de treze elementos. **2.** O espaço de treze dias.

trezentos *num. card.* **1.** Três vezes cem. **2.** Trecentésimo. ★ *s.m.* O algarismo (300) que representa esse número.

triácido *adj.* e *s.m.* Diz-se de ou substância que possui três funções ácido.

tríade ou **tríada** *s.f.* (gr. *triás, triádos*). **1.** Conjunto de três coisas ou pessoas; trindade. **2.** Em música, acorde de três notas.

triagem *s.f.* (fr. *triage*). Ato ou efeito de triar; seleção.

triálcool *s.m.* Composto que possui três funções álcool.

triangulação *s.f.* **1.** Ato ou efeito de triangular. **2.** Método de levantamento geodésico ou topográfico em que o terreno é dividido conforme uma rede de triângulos, para medida da área. **3.** Manobra, no jogo de xadrez, para forçar o rei a sair da posição.

triangulado *adj.* e *s.m.* Dividido em triângulos.

triangular[1] *adj.2g.* (lat. *triangularis*). **1.** Que tem a forma de um triângulo. **2.** Diz-se de um prisma, de uma pirâmide cuja base ou seção é um triângulo. **3.** Que se faz entre três pessoas ou três grupos; que envolve três elementos.

triangular[2] *v.t.* (conj. 4). Dividir em triângulos.

triângulo *s.m.* (lat. *triangulum*). **1.** Polígono de três lados; interior de tal polígono. **2.** Qualquer objeto de forma semelhante. **3.** Instrumento musical que se compõe de uma haste de aço redobrada em triângulo, suspensa por um cordão e percutida por meio de uma vareta de aço. **4.** *Triângulo amoroso,* relação amorosa que envolve três pessoas.

TIPOS DE TRIÂNGULOS

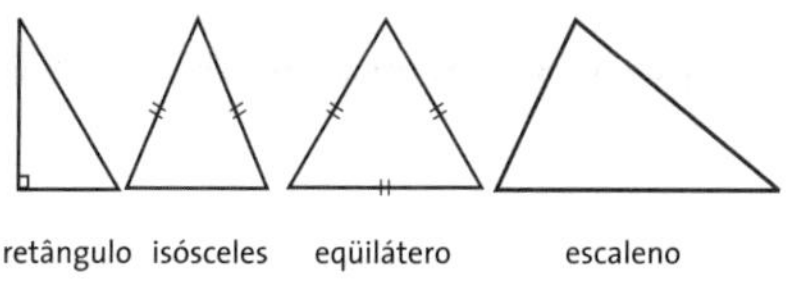

triássico *s.m.* Período geológico do início da era mesozóica, com duração aproximada de 40 milhões de anos. ★ *adj.* Relativo ou pertencente a esse período.

tribal *adj.2g.* Relativo ou pertencente a tribo.

tribo *s.f.* (lat. *tribus,* cada um dos três povos que fundaram Roma). **1.** Aglomeração de famílias que vivem na mesma região, num dispositivo social comum, tendo primitivamente uma mesma origem. **2.** Grupo primário de uma sociedade, ou subgrupo resultante desta, cujos membros estão ligados entre si por obrigações recíprocas. **3.** Divisão da população, em certos povos. ● **Biol.** Grupo de gêneros vizinhos, igual ou inferior em extensão à subfamília.

tribulação *s.f.* (lat. *tribulatio*). **1.** Aflição, tormento, atribulação. **2.** Adversidade, contrariedade.

tribuna *s.f.* **1.** Lugar elevado, espécie de estrado de onde discursam os oradores. **2.** Em certos locais de reunião ou de espetáculos, local reservado às autoridades e pessoas importantes. **3.** Galeria ou plataforma elevada em edifício público, salão ou igreja. **4.** *Fig.* Arte de falar em público; eloqüência.

tribunal *s.m.* (lat. *tribunal*). **1.** Instituição onde se discutem e julgam as questões judiciais. **2.** Os magistrados que compõem um tribunal. **3.** O lugar em que funciona o tribunal.

tribunício *adj.* (lat. *tribunicius*). Relativo ou pertencente a tribuno.

tribuno *s.m.* (lat. *tribunus*). Orador popular ou revolucionário.

tributação *s.f.* Ato ou efeito de tributar.

tributar *v.t.* (conj. 4). **1.** Onerar com tributo, impor tributo a. **2.** Prestar, render, dedicar.

tributário *adj.* (lat. *tributarius*). **1.** Relativo a tributo. **2.** *Direito tributário,* conjunto de leis reguladoras da arrecadação dos tributos, bem como de sua fiscalização. ★ *adj.* e *s.m.* **1.** Que ou aquele que paga tributo; contribuinte. **2.** Sin. de AFLUENTE.

tributável *adj.2g.* Que pode ou deve ser tributado.

tributo *s.m.* (lat. *tributum,* imposto). **1.** O que um povo ou um Estado é obrigado a fornecer a um outro do qual é dependente. **2.** Dano, sacrifício, perda sofrida em razão de alguma coisa ou para alguma coisa. **3.** Prestação imposta pelo Estado aos membros da comunidade, para prover ao custeio das atividades que lhe são próprias.

trica *s.f.* (lat. *trica*). Intriga, chicana, enredo.

tricampeão *s.m.* Que se tornou campeão três vezes.

tricentenário *adj.* Que tem 300 anos. ★ *s.m.* Comemoração do terceiro centenário de um evento.

tríceps *adj.2g.2n.* e *s.m.* Diz-se de ou músculo composto de três feixes ou que se insere por meio de três tendões; tricípite.

triciclo *s.m.* (fr. *tricycle*). **1.** Pequeno veículo de três rodas, com pedais, para transportar pequenas cargas. **2.** Veículo leve, próprio para crianças, com três rodas e impulsionado a pedal.

tricípite *adj.2g.* e *s.m.* (lat. *triceps, tricepitis.*) **1.** Que ou aquele que tem três cabeças. **2.** Tríceps.

tricô *s.m.* (fr. *tricot*). **1.** Tecido feito à mão com duas agulhas próprias para esse trabalho, nas quais se armam as malhas, que são trabalhadas passando-se de uma agulha para a outra. **2.** O mesmo tecido feito à máquina. **3.** A arte e a técnica de executar esse trabalho.

tricobótrio *s.m.* Órgão quimiossensível, em forma de pêlo, que ocorre nas extremidades dos apêndices das aranhas.

tricocefalíase *s.f.* Sin. de TRICURÍASE.

tricocisto *s.m.* Corpúsculo oval ou em forma de bastonete, tóxico ou não, com função de defesa, captura de alimento e fixação, que ocorre nos ciliados.

tricofítico *adj.* Relativo à tricofitose.

tricófito *s.m.* Fungo parasita capilar causador da tinha tonsurante.

tricofitose *s.f.* Doença da pele ou do couro cabeludo (micose ou tinha) causada por tricófitos.

tricologia *s.f.* (do gr. *trix, trikhos,* cabelo). Estudo dos cabelos e dos pêlos.

tricolor (ô) *adj.2g.* (lat. *tricolor*). Que tem três cores.

tricoma *s.m.* Qualquer prolongamento especializado da epiderme dos vegetais, como o pêlo.

tricomona *s.f.* Protozoário parasita do trato digestivo ou de vias genitais masculinas ou femininas.

tricomoníase *s.f.* Doença causada por tricomonas, cuja localização genital, sexualmente transmissível, provoca na mulher um corrimento vaginal fétido amarelado.

tricotar *v.t.* (conj. 4). Fazer tricô.

tricotilomania *s.f.* Tique que consiste em arrancar os cabelos.

tricotomia *s.f.* **1.** Ramificação em que cada ramo de uma planta se divide em três partes, que por sua vez se dividem em três etc. **2.** Operação destinada a raspar os pêlos de uma dada região anatômica antes de uma intervenção cirúrgica.

tricotômico *adj.* Relativo à tricotomia.

tricuríase *s.f.* Parasitose intestinal causada por tricuros que se instalam no ceco. (Sin. TRICOCEFALÍASE.)

tricuro *s.m.* Verme nematóide parasita do intestino.

tricúspide *adj.2g.* Que apresenta três pontas. ● **Anat.** *Válvula tricúspide,* válvula anexa ao orifício atrioventricular direito do coração, que impede o refluxo do sangue do ventrículo direito no átrio durante a sístole.

tridentado *adj.* Que tem três dentes; tridente.

tridente *adj.2g.* (lat. *tridens*). Tridentado. ★ *s.m.* Arpão com três dentes pontiagudos, atributo do deus grego Netuno e do demônio cristão.

tridimensional *adj.2g.* Que comporta três dimensões (altura, comprimento e largura).

tríduo *s.m.* (lat. *triduum*). **1.** Espaço de três dias. **2.** Festa que dura três dias. **3.** Oração que se faz em três dias consecutivos.

triédrico *adj.* Relativo a triedro; que tem três faces.

triedro *adj.* (lat. *trihedrum*). Que tem três faces ou é formado pela reunião de três planos. ★ *s.m.* **1.** Ângulo triedro. **2.** Figura geométrica formada por três semi-retas da mesma origem, mas não situadas no mesmo plano, e limitada por três ângulos que têm essas semi-retas como lados.

trienal *adj.2g.* **1.** Que dura três anos; que se renova de três em três anos. **2.** Diz-se da planta que frutifica de três em três anos. ★ *s.f.* Exposição (em geral de arte) que se realiza de três em três anos.

triênio *s.m.* (lat. *triennium*). Espaço de três anos.

triéster *s.m.* Substância que possui três funções éster.

trifásico *adj.* **1.** Diz-se de um sistema de tensões ou de correntes polifásicas constituído por três grandezas monofásicas defasadas umas das outras numa relação de um terço de período. **2.** Diz-se de um sistema termodinâmico que comporta três fases.

trifoliado *adj.* Diz-se da peça vegetal que tem três folhas.

trifólio *s.m.* (lat. *trifolium*). **1.** Sin. de TREVO. **2.** Ornato formado por três circunferências, semelhante a um trevo de três folhas. ● **Mat.** Curva que tem a forma de uma rosácea de três folhas.

triforme *adj.2g.* Que tem três formas.

trifosfato *s.m.* Composto químico que apresenta três radicais fosfato, como o trifosfato de adenosina (ATP).

trigal *s.m.* Campo de trigo; seara.

trigemelar *adj.2g.* Diz-se de uma gravidez que comporta três embriões.

trigêmeo *adj.* e *s.m.* (lat. *trigeminus*). **1.** Diz-se de ou cada uma das três crianças nascidas de uma gravidez trigemelar. **2.** Diz-se de ou cada um dos nervos que compõem o quinto par de nervos cranianos.

trigésimo *num. ord.* (lat. *trigesimus*). Correspondente ao número trinta numa seqüência. ★ *s.m.* Cada uma das trinta partes iguais em que se divide um todo.

triglicérido *s.m.* Lipídio formado pela esterificação do glicerol por três ácidos graxos, principal constituinte dos óleos e gorduras.

trigo *s.m.* (lat. *triticum*). **1.** Planta herbácea, de colmo ereto, longas espigas com pequenas inflorescências que portam, cada uma, várias flores e grãos de onde se extrai a farinha; é um dos mais importantes cereais na alimentação humana. **2.** O grão dessa planta.

trigonometria *s.f.* Ramo da matemática oriundo da astronomia que, associado com a geometria euclidiana, possibilita o cálculo das medidas dos lados de um triângulo ou de seus ângulos.

trigonométrico *adj.* **1.** Relativo à trigonometria. **2.** *Função trigonométrica,* cada uma das funções definidas nos triângulos ou no sistema de eixos trigonométrico (seno, co-seno, tangente, secante, co-secante e co-tangente).

trigueiro *adj.* **1.** Que tem a cor do trigo maduro; moreno, escuro. **2.** Relativo ou pertencente ao trigo. ★ *s.m.* Indivíduo moreno.

trilar *v.t.* (conj. 4). **1.** Trinar. **2.** Fazer soar (o apito). ★ *v.i.* Trinar.

trilateral *adj.2g.* Trilátero.

trilátero *adj.* (lat. *trilaterus*). Que tem três lados; trilateral.

trilha *s.f.* **1.** Ato ou efeito de trilhar. **2.** Vestígio, pista, rastro. **3.** Caminho, vereda. **4.** Atalho, picada. **5.** Debulha de cereais. **6.** *Fig.* Caminho a seguir, norma, exemplo. ● **Eletroac.** Conjunto das espirais de um sulco de disco que apresenta uma gravação.

trilhado *adj.* Que se trilhou; percorrido, caminhado.

trilhão *num. card.* (fr. *trillion*). Mil bilhões.

trilhar *v.t.* (lat. *tribulare*) [conj. 4]. **1.** Moer, esbagoar ou debulhar (cereais) com o trilho[1]. **2.** Calcar, bater com os pés; pisar. **3.** Dividir em pequenas partes. **4.** Marcar com o trilho, deixar pegadas ou rastos. **5.** Abrir caminho por; andar por. **6.** Percorrer, explorar.

trilho[1] *s.m.* (lat. *tribulum*). **1.** Cilindro de madeira com dentes de ferro que serve para debulhar cereais. **2.** Utensílio de bater a coalhada para fazer queijo.

trilho[2] *s.m.* **1.** Barra de aço laminada que constitui a pista de rolamento e a guia dos frisos das rodas dos veículos ferroviários. **2.** Trilha, caminho, direção. **3.** Barra metálica que serve de guia para o movimento de outra.

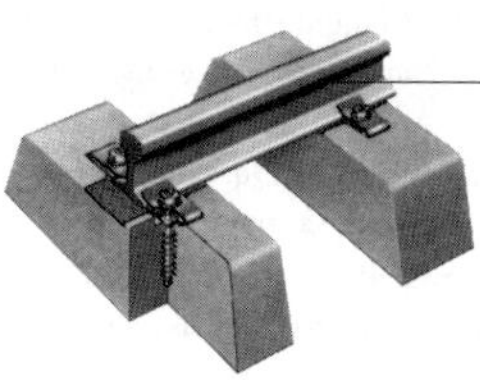

trilíngüe *adj.2g.* (lat. *trilinguis*). Escrito em três línguas. ★ *adj.2g.* e *s.2g.* Que ou aquele que fala três línguas.

trilionésimo *num. ord.* Correspondente ao número um trilhão numa seqüência. ★ *s.m.* Parte contida um trilhão de vezes num todo.

trilo *s.m.* (it. *trillo*). **1.** Trino. **2.** O som do apito; silvo. ● **Mús.** Trinado.

trilogia *s.f.* (gr. *trilogía*). **1.** Conjunto de três obras literárias vinculadas entre si, ou uma obra dividida em três partes. **2.** Soma de três coisas que formam um conjunto, que constituem um todo.

trimensal *adj.2g.* Que ocorre ou se realiza três vezes por mês.

trimestral *adj.2g.* **1.** Que dura três meses. **2.** Que ocorre ou se realiza de três em três meses.

trimestralidade *s.f.* Qualidade de trimestral.

trimestre *s.m.* (lat. *trimestris*). Intervalo de tempo igual a três meses.

trimotor (ô) *adj.* e *s.m.* Que ou o que tem três motores.

trinado *s.m.* Trino. ● **Mús.** Ornamento vocal ou instrumental que consiste em repetir rápida e alternadamente duas notas conjuntas; trilo.

trinar *v.t.* (onomat.) [conj. 4]. Exprimir ou cantar com trinos; trilar, gorjear. ★ *v.i.* **1.** Soltar trinos; trilar, gorjear. **2.** Ornar com trinados, emitir trinados. **3.** Tanger rápida e levemente as cordas de um instrumento musical.

trinca[1] *s.f.* **1.** Reunião de três coisas análogas ou semelhantes. **2.** *Pop.* Trio. **3.** Reunião de três cartas do mesmo naipe e seguidas.

trinca[2] *s.f.* Rachadura, fresta.

trincado *adj.* Rachado, fendido. ● **Med.** Diz-se do osso que apresenta uma pequena rachadura.

trinca-ferro *s.m.* Denominação comum a aves passeriformes, de coloração esverdeada, com uma mancha amarela na região da garganta.

trincafio *s.m.* (esp. *trincafía*). **1.** Linha branca e fina de sapateiro. **2.** *Fig.* Manha, astúcia. **3.** Estopa que se enrola no parafuso para dar mais pressão à porca.

trincar *v.t.* (lat. *truncare*) [conj. 12]. **1.** Partir com os dentes. **2.** Morder, apertar com os dentes. **3.** Picar, cortar. **4.** Comer, petiscar. ★ *v.i.* **1.** Estalar ao ser cortado ou partido pelos dentes. **2.** Rachar. ★ *v.pr.* *Fig.* Desesperar-se, zangar-se.

trincha *s.f.* **1.** Ferro cortante, semelhante à enxó, usado por carpinteiros. **2.** Fatia, posta ou apara delgada, como a que se corta com uma faca. **3.** Pincel espalmado. **4.** Ferramenta para arrancar pregos. **5.** *Gír.* Qualquer ferro que sirva para arrombar portas.

trinchante *adj.2g.* Que trincha. ★ *s.m.* **1.** Conjunto de faca e garfo para trinchar. **2.** Mesa ou aparador sobre o qual se trincham as carnes.

trinchar *v.t.* (fr. ant. *trencher*) [conj. 4]. Cortar (carne) em fatias.

trincheira *s.f.* (fr. ant. *tranchée*). **1.** Escavação aberta no solo para proteção do combatente. **2.** Vala onde se plantam cepas de videira. **3.** *Fig.* Fortaleza. **4.** Espécie de tabique no qual, nas praças de touros, se refugiam os toureiros.

trinco *s.m.* **1.** Pequeno ferrolho próprio para fechar janelas, persianas, postigos etc. **2.** Lingüeta da fechadura que é movida pela maçaneta ou pela própria chave.

trindade *s.f.* (lat. *trinitas*). **1.** Na teologia cristã, designação de Deus em três pessoas (Pai, Filho e Espírito Santo) distintas, iguais e consubstanciais em uma única e indivisível natureza. (Usa-se com maiúscula). **2.** *P. ext.* Divindade tríplice. **3.** Tríade.

trineto *s.m.* Filho do bisneto.

trinitroglicerina *s.f.* Líquido explosivo, de cor amarelo pálida, utilizado na produção de dinamite.

trinitrotolueno *s.m.* Sólido cristalizado, obtido pela nitração do tolueno, que constitui um potente explosivo (abrev. TNT).

TRINITROTOLUENO ▸ Os explosivos para projéteis desenvolvidos desde fins do século XIX mudaram a história militar ao serem empregados nas duas grandes guerras mundiais. Um foi o ácido pícrico, obtido na França em 1886. O outro, chamado trinitrotolueno, ou TNT, foi obtido em 1863 por J. Wilbrand. Ambos são de grande potência, mas requerem um detonador para explodir. Sem esses explosivos, os ataques cerrados de artilharia durante a I Guerra Mundial não teriam sido possíveis.

trino[1] *adj.* (lat. *trinus*). Que é composto de três.

trino[2] *s.m.* Canto de pássaro; gorjeio, trilo, trinado.

trinômio *s.m.* (lat. *trinomius*). Polinômio composto por três monômios. ★ *adj.* Que tem três termos.

trinta *num. card.* (lat. *triginta*). **1.** Três vezes dez. **2.** Trigésimo. ★ *s.m.* O algarismo (30) que representa esse número.

trinta-réis *s.m.2n.* Denominação comum a aves caradriiformes, semelhantes às gaivotas, que apresentam cauda em forma de forquilha, bico longo e afilado.

trintena *s.f.* Conjunto, grupo de trinta pessoas ou coisas.

trio *s.m.* (it. *trio*). **1.** Reunião de três pessoas ou coisas; trinca. **2.** Conjunto instrumental ou vocal formado por três elementos. **3.** Composição musical escrita para esse conjunto.

trióxido (cs) *s.m.* Composto cuja molécula contém três átomos de oxigênio.

tripa *s.f.* **1.** Nome dado aos intestinos, especialmente dos animais. **2.** Estômago de diversos ruminantes, diferentemente preparados para alimentação humana; bucho. **3.** Intestino de porco abatido, lavado, limpo e salgado, utilizado em salsicharia para a fabricação de embutidos. **4.** Invólucro cilíndrico sintético que cumpre a mesma finalidade da tripa animal, em salsicharia.

tripanossoma ou **tripanossomo** *s.m.* Protozoário parasita de vertebrados, que é transportado de um hospedeiro ao outro por meio de inseto sugador de sangue; o mais importante entre nós é aquele causador da doença de Chagas e transmitido pelo barbeiro.

tripanossomíase *s.f.* Parasitose devida a um tripanossoma, como a doença de Chagas e a doença do sono.

tripartição *s.f.* Ato ou efeito de tripartir.

tripartido *adj.* (lat. *tripartitus*). **1.** Dividido em três partes. **2.** Realizado entre três partes.

tripartir *v.t.* (lat. *tripartiri*) [conj. 6]. Dividir em três partes.

tripé *s.m.* **1.** Banco com três pés; tripeça. **2.** Suporte de três pés.

tripeça *s.f.* (lat. *tripeccia*). **1.** Tripé. **2.** Instrumento de sapateiro. **3.** *Fig.* Ofício de sapateiro.

tripeptídio *s.m.* Polipeptídio que por hidrólise fornece três aminoácidos.

triplicação *s.f.* Ato ou efeito de triplicar(-se).

triplicado *adj.* Que triplicou; tresdobrado.

triplicar *v.t.* (lat. *triplicare*) [conj. 12]. **1.** Multiplicar por três. **2.** Aumentar três vezes; tresdobrar. ★ *v.i.* e *v.pr.* Tornar-se três vezes maior; tresdobrar.

triplicata *s.f.* (lat. *triplicata*). Terceira cópia.

tríplice *adj.2g.* Que se constitui de três partes; triplo.

triplicidade *s.f.* Qualidade, caráter de triplo.

triplo *adj.* (lat. *triplus*). **1.** Três vezes maior. **2.** Tríplice. **3.** Que se repete três vezes. ★ *s.m.* Quantidade três vezes maior que outra; tresdobro. ★ *num.* Multiplicativo de três.

triploblástico *adj.* Diz-se do animal formado por três camadas de células embrionárias, o ectoderma, o mesoderma e o endoderma.

triplóide *adj.2g.* e *s.m.* Diz-se de ou célula ou organismo que possui três vezes o número haplóide de cromossomos.

triploidia *s.f.* Estado de indivíduo triplóide.

tripsinogênio *s.m.* Precursor inativo da tripsina.

triptofano *s.m.* Aminoácido essencial, indispensável na dieta tanto de lactentes quanto de adultos.

tripudiante *adj.2g.* Que tripudia.

tripudiar *v.i.* (lat. *tripudiare*) [conj. 16]. **1.** Dançar, batendo com os pés; sapatear. **2.** *Fig.* Exultar após uma vitória, desdenhando o derrotado. **3.** Viver no crime ou no vício.

tripúdio *s.m.* (lat. *tripudium*). **1.** Ato ou efeito de tripudiar. **2.** *Fig.* Libertinagem.

tripulação *s.f.* **1.** Conjunto dos marinheiros de um navio. **2.** Conjunto dos homens que trabalham a bordo de um avião; equipagem.

tripulante *adj.2g.* e *s.2g.* **1.** Que ou aquele que tripula. **2.** Que ou aquele que pertence à tripulação.

tripular *v.t.* (conj. 4). **1.** Prover de tripulação, equipar. **2.** Governar, manobrar e exercer demais serviços em uma embarcação ou em um avião.

triquíase *s.f.* Implantação e crescimento anômalos dos cílios em direção ao globo ocular, que provoca irritação do olho.

triquina *s.f.* Nematóide parasita do homem e do porco.

triquinose ou **triquiníase** *s.f.* Parasitose do homem e de alguns carnívoros, cuja contaminação se dá pela ingestão de carne de porco mal cozida.

trirreme *s.f.* (lat. *triremis*). Antigo navio de guerra com três fileiras de remos sobrepostas.

trisavó *s.f.* A mãe do bisavô ou da bisavó.

trisavô *s.m.* O pai do bisavô ou da bisavó.

triscar *v.i.* (do gótico) [conj. 12]. **1.** Fazer bulha, ruído. **2.** Armar desordem. **3.** Altercar, brigar. ★ *v.t.* Tocar ou roçar levemente, produzindo um ruído especial.

trismo *s.m.* Contratura dos músculos masseteres que impossibilita a abertura da mandíbula, e que constitui o primeiro sintoma do tétano.

trissilábico *adj.* Que tem três sílabas; trissílabo.

trissílabo *adj.* e *s.m.* (gr. *trisyllabos*). Diz-se de ou vocábulo ou verso que tem três sílabas.

trissomia *s.f.* Alteração cromossômica em um organismo diplóide em que ocorre triplicação de um cromossomo ou de parte dele.

trissômico *adj.* **1.** *Relativo à trissomia.* **2.** *Afetado pela trissomia.*

triste *adj.2g.* (lat. *tristis*). **1.** Magoado, aflito. **2.** Infeliz, lúgubre, sem alegria ou contentamento. **3.** Desgostoso, penalizado, compungido. **4.** Que provoca ou infunde tristeza; entristecedor. **5.** Que revela tristeza. **6.** Desprezível, vil. **7.** Escuro, sombrio.

tristeza (ê) *s.f.* (lat. *tristitia*). **1.** Qualidade ou estado de triste. **2.** Falta de alegria. **3.** Pena, consternação. **4.** Virose que ataca cítricos, combatida com a utilização de porta-enxertos resistentes e rebentos sãos.

tristonho *adj.* **1.** Que demonstra tristeza, que tem aspecto triste; sorumbático, melancólico. **2.** Que causa tristeza.

tritão *s.m.* Anfíbio urodelo da Europa, cujo macho exibe uma crista dorsal na época do acasalamento.

TRITÃO ▸ O tritão tem um comportamento específico e apresenta uma coloração característica durante o período de reprodução. Muitas espécies realizam complexos rituais de cortejo. Durante o acasalamento, o macho deposita um espermatóforo (cápsula onde se alojam os espermatozóides), que a fêmea recolhe em sua cloaca. Então os espermatozóides são liberados sobre os óvulos à medida que eles são postos, transformando-os em ovos.

tritícola *adj.2g.* Relativo ao trigo.

triticultor (ô) *s.m.* Aquele que se dedica à triticultura.

triticultura *s.f.* Cultura de trigo.

tritongo *s.m.* (gr. *tri,* três, e *phloggos,* som, tom). União de três vogais numa sílaba só.

tritura *s.f.* Trituração.

trituração *s.f.* (lat. *trituratio*). Ato ou efeito de triturar; tritura.

triturado *adj.* Que se triturou. ★ *s.m.* Produto farmacêutico obtido por trituração.

triturar *v.t.* (lat. *triturare*) [conj. 4]. **1.** Reduzir a pequenos fragmentos; moer, pisar. **2.** Reduzir a pó; pulverizar. **3.** *Fig.* Atormentar, afligir.

triturável *adj.2g.* Que se pode triturar.

triunfador (i-un...ô) *adj.* e *s.m.* (lat. *triumphator*). Que ou aquele que triunfa.

triunfal (i-un) *adj.2g.* (lat. *triumphalis*). Relativo a triunfo.

triunfante (i-un) *adj.2g.* **1.** Que triunfa; triunfador. **2.** Cheio de alegria; radiante, exultante. **3.** Que não admite réplica; decisivo, categórico; terminante.

triunfar (i-un) *v.i.* (lat. *triumphare*) [conj. 4]. **1.** Alcançar triunfo ou vitória; vencer. **2.** Ser tomado de grande alegria; exultar. ★ *v.t.* **1.** Levar vantagem; prevalecer, preponderar. **2.** Jactar-se, vangloriar-se.

triunfo (i-un) *s.m.* (lat. *triumphus*). **1.** Na Roma antiga, entrada solene e festiva de um general que tivesse obtido uma grande vitória. **2.** Grande vitória militar. **3.** Vitória, êxito. **4.** Grande sucesso. **5.** Aclamação, ovação.

trivalência *s.f.* Caráter das substâncias químicas trivalentes.

trivalente *adj.2g.* Que possui a valência 3.

trivial *adj.2g.* (lat. *trivialis*). Conhecido por todos; vulgar, comum, banal. ★ *s.m.* Os pratos cotidianos das refeições caseiras.

trivialidade *s.f.* **1.** Qualidade ou caráter de trivial. **2.** Coisa trivial; banalidade.

triz *s.m.* (onomat.). *Por um triz,* por um fio, por quase nada.

troada *s.f.* **1.** Som de muitos tiros, de bombardas disparadas. **2.** Barulho forte de trovão ou de tambores.

troante *adj.2g.* Que troa; retumbante, tonitruante, estrondoso, trovejante.

troar *v.i.* (lat. *tonare*) [conj. 20]. Soar fortemente, com estrondo; retumbar, trovejar.

troca *s.f.* **1.** Ato ou efeito de trocar; permuta. **2.** Colocação de uma coisa em lugar de outra. **3.** Mudança, transformação.

troça *s.f.* **1.** Ato ou efeito de troçar; zombaria, brincadeira. **2.** Pândega, farra.

trocadilho *s.m.* Jogo de palavras semelhantes na forma mas diferentes no significado, que enseja ambigüidade.

trocado *adj.* **1.** Que se trocou. **2.** Mudado, transformado, substituído. ★ *s.m.* Dinheiro miúdo.

trocânter *s.m.* Cada uma das duas tuberosidades do fêmur na junção do colo e do corpo, o pequeno e o grande trocânter.

trocar *v.t.* (conj. 12). **1.** Dar (coisa ou pessoa) por outra; permutar. **2.** Substituir. **3.** Fazer troco de. **4.** Tomar (coisa ou pessoa) por outra; confundir. **5.** Mudar, alterar. **6.** Alternar, reciprocar.

troçar *v.t.* (conj. 13). **1.** Fazer de alguém ou de alguma coisa objeto de brincadeira ou de escárnio; caçoar. **2.** Fazer pouco caso de; menosprezar, zombar, ridicularizar.

trocista *adj.2g.* e *s.2g.* Que ou aquele que tem o hábito de fazer troça; zombeteiro. ★ *adj.* Que exprime brincadeira, bom humor.

tróclea *s.f.* Estrutura óssea de forma semelhante a uma polia.

troclear *adj.2g.* **1.** Diz-se de uma articulação na qual uma das superfícies tem forma de polia. **2.** *Nervo troclear,* sin. de NERVO PATÉTICO*.

troco (ô) *s.m.* **1.** Total de moedas ou notas que se dão em troca de uma que vale tanto quanto elas. **2.** Dinheiro que se recebe de pessoa a quem se pagou com moeda superior ao preço ajustado. **3.** *Fam.* Réplica, revide.

troço *s.m.* *Pop.* **1.** Qualquer coisa, qualquer objeto; treco, traste. **2.** Pessoa importante; figurão. [Cf. TROÇO (ô).]

troço (ô) *s.m.* (prov. cat. *tros,* pedaço). **1.** Pedaço de madeira tosco e roliço. **2.** Porção de gente. **3.** *Chul.* Fezes. ● **Arm.** Cada uma das aduelas do molde do canhão. **Mil.** Parte de um corpo de tropas. (Cf. TROÇO.)

troféu *s.m.* (gr. *tropaion,* pelo lat. *trophaeum*). **1.** Taça, placa ou outro objeto que recebem os vencedores de certas competições. **2.** Armadura de um inimigo vencido que se içava num tronco de árvore. **3.** *Fig.* Vitória, triunfo.

trófico *adj.* Relativo à nutrição.

trofoblástico *adj.* Relativo ao trofoblasto.

trofoblasto *s.m.* Camada embrionária de função nutritiva que constituirá posteriormente um dos elementos da placenta.

troglodita *adj.2g.* e *s.2g.* (gr. *troglodytes*). Que ou aquele que vive em uma gruta ou em morada cavada na rocha. ★ *s.m.* Ave passeriforme, de pequeno porte e com plumagem castanha, que nidifica em buracos de muros, em árvores e em moitas.

trogoniforme *s.m.* Espécime dos trogoniformes. ★ *adj.2g.* Relativo aos trogoniformes.

trogoniformes *s.m.pl.* Ordem de aves que apresentam bico curto e forte, pés pequenos e frágeis, plumagem frouxa, brilhante, freqüentemente verde.

trole *s.m.* **1.** Pequeno carro chato de quatro rodas, puxado à mão sobre uma via férrea, utilizado para o transporte de materiais. **2.** Carruagem rústica. **3.** Dispositivo que assegura, por contato de rolamento ou de escorregamento, a ligação elétrica entre um condutor aéreo e um receptor móvel.

trólebus ou **troleibus** *s.m.2n.* (ingl. *trolleybus*). Veículo de transporte coletivo urbano, elétrico e com pneumáticos, alimentado por uma linha aérea de fio duplo; ônibus elétrico ou elétrico.

trolha *s.f. Fam.* Bofetada, cachação, tabefe.

tromba[1] *s.f.* **1.** Apêndice facial ímpar e mediano dos elefantes, constituído por um tubo alongado e musculoso terminado por uma pinça carnuda preênsil. **2.** Órgão sugador de certos insetos (mosca, abelha etc.). **3.** Focinho sustentado por uma forte cartilagem e capaz de cavar, ou de fossar, como o da toupeira ou do javali. **4.** *Pop.* Cara, rosto. **5.** *Fam.* Careta de amuo.

tromba[2] *s.f.* Forma reduzida de tromba-d'água.

trombada *s.f.* **1.** Encontrão ou choque com a tromba. **2.** Focinhada. **3.** *P. ext.* Choque, pancada, batida de automóvel.

tromba-d'água *s.f.* **1.** Fenômeno meteorológico que consiste em um tornado desencadeado sobre uma superfície líquida (mar, lago), formando uma coluna de água de c. 20 m de diâmetro, aspirada por ventos com rápidos movimentos de rotação e translação, tendo quase sempre a forma de um cone invertido. **2.** *Pop.* Chuva muito forte; temporal.

trombadinha *s.2g. Gír.* Menor delinqüente que, em grupo, assalta transeuntes após um esbarro.

trombar *v.i.* (conj. 4). Dar trombada; chocar-se, bater.

trombeta (ê) *s.f.* (it. *trombetta*). **1.** Instrumento de sopro constituído de um tubo de metal ou de chifre, longo e afunilado, que emite um som surdo e monocórdio. **2.** Máscara de couro que se coloca nos cavalos para que só comam ou bebam da ração. ★ *s.m.* **1.** Aquele que toca trombeta; trombeteiro. **2.** *Fig.* Indivíduo que divulga segredos.

trombetear *v.i.* (conj. 15). Tocar trombeta. ★ *v.t.* **1.** Fazer soar (uma trombeta). **2.** Fazer soar como uma trombeta. **3.** *Fig.* Alardear, apregoar.

trombeteiro *s.m.* **1.** Tocador ou fabricante de trombetas. **2.** Ave ciconiforme que ocorre da Venezuela e das Guianas à Colômbia e ao Brasil.

trombidíase *s.f.* Dermatose do homem e de animais, causada por larvas de ácaros.

trombina *s.f.* Enzima que transforma o fibrinogênio em fibrina na coagulação sanguínea.

trombo *s.m.* (gr. *thrómbos,* coágulo). Massa sanguínea coagulada no interior de um vaso, cuja presença constitui a trombose.

tromboastenia *s.f.* Distúrbio da coagulação com alteração das plaquetas.

trombócito *s.m.* Sin. de PLAQUETA.

trombocitose *s.f.* Elevação do número de plaquetas no sangue acima do valor máximo de 400 mil por milímetro cúbico.

tromboelastiografia *s.f.* Método de avaliação da coagulação.

tromboelastograma *s.m.* Registro do tempo de coagulação e da elasticidade do coágulo, para avaliar a coagulação sanguínea.

tromboembólico *adj.* Diz-se de processo com formação de coágulos intravasculares e risco de embolia.

tromboflebite *s.f.* Inflamação intravenosa provocada por um trombo.

trombólise *s.f.* Dissolução de um trombo, seja pelas enzimas existentes na circulação, seja por método terapêutico com enzimas exógenas.

trombone *s.m.* (it. *trombone*). Instrumento de sopro com bocal, provido de uma vara com a qual o executante alonga ou encurta a coluna de ar em vibração para modificar a altura dos sons.

tromboplastina *s.f.* Tromboquinase.

tromboquinase *s.f.* Enzima proteolítica que intervém durante a coagulação para formar a trombina a partir da protrombina; tromboplastina.

trombose *s.f.* (gr. *thrombosis*). Formação de um ou de vários coágulos no sistema cardiovascular.

trombudo *adj.* **1.** Que tem tromba. **2.** *Fig.* Amuado, emburrado, carrancudo.

trompa *s.f.* (germ. *trump*). **1.** Instrumento musical de sopro com embocadura, composto de um longo tubo cônico enrolado sobre si mesmo e terminado em um pavilhão. **2.** Instrumento de vidro usado nos laboratórios para fazer aspiração do ar. ● **Anat.** Designação genérica de condutos anatômicos recurvados e alargados. ▸ *Trompa de Eustáquio* ou *tuba auditiva,* canal que liga o ouvido médio à faringe. ▸ *Trompas de Falópio* ou *tubas uterinas,* cada um dos dois condutos que se estendem de cada ângulo lateral do útero ao ovário correspondente. **Arquit.** Triângulo esférico usado como elemento de sustentação das abóbadas. **Med.** *Ligadura das trompas,* intervenção destinada a esterilizar a mulher, que consiste em colocar uma ou duas ligaduras em cada uma das trompas uterinas e muitas vezes em praticar uma ressecção tubária. ★ *s.m.* Tocador de trompa.

trompete *s.m.* (fr. *trompette*). Instrumento musical de sopro e com embocadura, composto de um tubo cilíndrico dobrado sobre si mesmo e que termina em um pavilhão.

troncho *adj.* (esp. *troncho*). **1.** Privado de algum membro ou ramo; mutilado. **2.** Torto, curvo para um lado. ★ *s.m.* **1.** O membro cortado. **2.** *Fam.* Homem desajeitado, brutamontes. **3.** (*NE*) Indivíduo violento.

tronco *s.m.* (lat. *truncus*). **1.** Parte de uma árvore compreendida entre a raiz e os ramos. **2.** Parte do corpo humano que compreende o tórax, o abdome e a pelve. **3.** Parte do corpo dos animais (sobretudo dos vertebrados) situada entre a cabeça e a cauda. **4.** Pau fincado no chão ao qual se amarravam escravos para os fustigar. **5.** Espécie de armação de madeira onde se colocam os grandes animais para imobilizá-los com o intuito de tratamento. ● **Anat.** Designação de certos vasos e nervos que se dividem em vários ramos terminais, após um curto trajeto. **Geom.** Parte de um sólido geométrico separada por corte perpendicular ou oblíquo ao respectivo eixo. **Neurol.** *Tronco cerebral,* parte do cérebro que une a medula espinhal aos hemisférios cerebrais e por onde transitam todas as grandes vias sensitivas e motoras.

SECÇÃO DE UM TRONCO

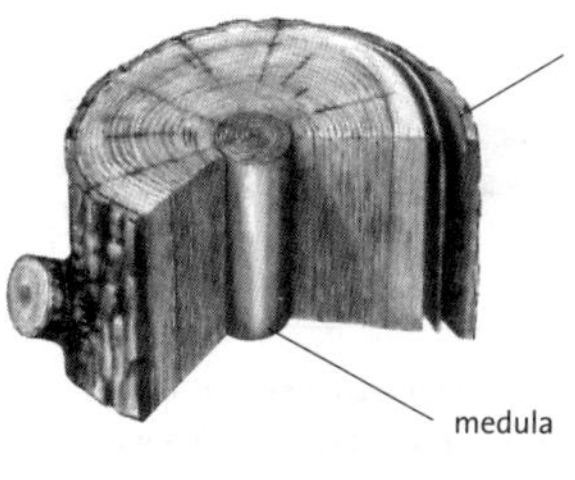

troncudo *adj.* Que tem o tronco desenvolvido, forte; corpulento.

trono *s.m.* (lat. *thronus*). **1.** Cadeira usada por reis ou soberanos nas cerimônias; sólio. **2.** *Fig.* Poder ou autoridade do soberano; sólio. **3.** *Fam.* Latrina.

tropa *s.f.* **1.** Grupo de militares. **2.** *P. ext.* O exército. **3.** Conjunto de pessoas reunidas; multidão. **4.** (*S*) Grande porção de gado vacum em marcha. **5.** Caravana de animais de carga.

tropeção *s.m.* Ato ou efeito de tropeçar; tropicão, tropeço.

tropeçar *v.t.* (conj. 13). **1.** Bater involuntariamente com o pé em (algum obstáculo). **2.** Esbarrar, encontrar. **3.** Cair, incorrer. ★ *v.i.* Bater involuntariamente com o pé em um obstáculo; pisar em falso.

tropeço (ê) *s.m.* **1.** Ato ou efeito de tropeçar; tropeção. **2.** Aquilo em que se tropeça. **3.** *Fig.* Embaraço, obstáculo, dificuldade.

trôpego *adj.* **1.** Que anda com dificuldade, mancando. **2.** Que tem dificuldade ou impossibilidade de mover qualquer dos membros.

tropeiro *s.m.* **1.** Condutor de tropas de animais. **2.** Condutor de bestas de carga.

tropel *s.m.* (fr. ant. *tropel*). **1.** Grande multidão tumultuosa. **2.** Ruído, estrépito de muitos cascos ou pés batendo no solo. **3.** Confusão, tumulto, arruaça.

tropelia *s.f.* **1.** Tumulto de gente em tropel. **2.** *Fig.* Travessura, diabrura. **3.** *Fig.* Astúcia, ardil. **4.** *Fig.* Maus tratos.

tropeoláceas *s.f.pl.* Família de plantas dicotiledôneas, herbáceas, algumas trepadeiras, de folhas inteiras e flores grandes, vistosas.

tropical *adj.2g.* **1.** Relativo a ou próprio dos trópicos. **2.** Situado entre os trópicos. **3.** Relativo às regiões situadas entre os trópicos, que têm climas quentes. **4.** *Clima tropical,* tipo de clima das regiões constantemente quentes, onde a diferença entre as estações se efetua sobretudo em função das variações pluviométricas, que opõem um período seco a um período úmido.

tropicão *s.m.* Tropeção.

tropicar *v.i.* (conj. 12). **1.** Tropeçar. **2.** Tropeçar várias vezes, a miúdo.

trópico *s.m.* (gr. *tropikos*). Cada um dos dois círculos imaginários do globo terrestre, paralelos ao equador, que limitam as regiões da Terra (regiões intertropicais) nas quais o Sol passa duas vezes por ano pelo zênite. ★ *adj. Ano trópico,* intervalo de tempo entre duas passagens do Sol pelo ponto vernal.

tropismo *s.m.* (do gr. *tropos,* desvio). Orientação de crescimento apresentada pelos órgãos vegetais em resposta a diversos estímulos unilaterais, físicos (luz, gravidade, umidade) ou químicos (presença de certos íons etc.).

tropo *s.m.* (gr. *tropos,* desvio, volta). Emprego de uma palavra ou de uma expressão em sentido figurado.

troposfera *s.f.* Camada inferior da atmosfera que apresenta gradiente vertical acentuado de temperatura, situada entre o solo e a tropopausa.

tropopausa *s.f.* Camada de transição entre a troposfera e a estratosfera.

troqueu *adj.* e *s.m.* (gr. *trochaikós,* que corre). Diz-se de ou verso composto por uma sílaba longa e uma breve.

trotador (ô) *adj.* e *s.m.* **1.** Diz-se de ou eqüídeo que trota; trotão. **2.** Diz-se de ou raça de cavalos selecionados por suas aptidões para a velocidade no trote; troteador.

trotão *adj.* e *s.m.* Diz-se de ou cavalo que anda a trote; trotador.

trotar *v.i.* (al. ant. *trotton*) [conj. 4]. Andar em trote. ★ *v.t.* Dar ou passar trote; zombar, troçar.

trote *s.m.* **1.** Marcha do cavalo e de certos quadrúpedes, intermediária entre o passo e o galope, caracterizada por batidas igualmente espaçadas, apropriada para percursos rápidos e intensos. **2.** Zombaria, gracejo ou indiscrição que se comete com alguém pelo telefone, anonimamente. **3.** Brincadeira que os estudantes veteranos fazem com os calouros.

troteador (ô) *adj.* e *s.m.* Trotador.

troteiro *adj.* e *s.m.* Diz-se de ou cavalo que trota.

trouxa *s.f.* **1.** Fardo de roupa. **2.** Pacote. ★ *adj.2g.* e *s.2g. Fam.* Que ou aquele que se deixa enganar facilmente; palerma.

trova *s.f.* **1.** Composição poética vulgar e ligeira. **2.** Quadra popular; cantiga, loa. **3.** Canção, cantiga.

trovador (ô) *s.m.* (prov. ant. *trobador*). **1.** Poeta medieval que compunha a letra e a melodia das cantigas e as executava. **2.** *P. ext.* Poeta. **3.** Poeta que compõe trovas.

? VOCÊ SABIA...? Foi durante o século XII, na Idade Média, que a palavra ***trovador*** começou a ser usada. Com ela, eram designados os poetas da *língua d'oc*, falada na Provença, no sul da França, e do *galego-português* (que deu origem ao português e ao galego modernos), falado na península Ibérica. A poesia trovadoresca se difundiu em outros países e tornou-se um modelo seguido por muitos.

---

trovadoresco (ê) *adj.* Relativo aos trovadores da Idade Média.

trovão *s.m.* **1.** Meteoro acústico ou ribombo produzido por uma descarga elétrica ou raio, cuja perda de energia provoca um súbito aquecimento do ar atmosférico e sua conseqüente expansão, originando ondas sonoras que se propagam por muitos quilômetros. **2.** *P. ext.* Grande ruído comparável ao do trovão.

trovar *v.i.* (prov. ant. *trobar*) [conj. 4]. Fazer trovas; cantar, versejar. ★ *v.t.* Exprimir por meio de cantigas.

trovejar *v.i.* (conj. 4). **1.** Troar, ressoar (o trovão); trovoar. **2.** Produzir ruído semelhante ao do trovão. ★ *v.t. Fig.* Falar com veemência contra alguém ou alguma coisa.

trovoada *s.f.* **1.** Série de trovões, produzidos por descargas elétricas sucessivas, durante uma tempestade. **2.** *P. ext.* A própria tempestade. **3.** *Fig.* Grande estrondo. **4.** Balbúrdia, algazarra, confusão.

trovoar *v.i.* (conj. 20). Trovejar.

truanesco (ê) *adj.* **1.** Relativo ou próprio do truão. **2.** Que imita o truão.

truanice *s.f.* Ato, dito ou arte de truão; momice.

truão *s.m.* (fr. *truand*). Bobo, palhaço, saltimbanco.

trucar *v.i.* (cat. *trucar*, golpear) [conj. 12]. **1.** Propor ao parceiro a primeira parada no jogo de truco. **2.** *Fig.* Fazer declarações ou citações erradas ou mentirosas.

trucidação *s.f.* (lat. *trucidatio*). Ato ou efeito de trucidar; trucidamento.

trucidamento *s.m.* Trucidação.

trucidar *v.t.* (lat. *trucidare*) [conj. 4]. Matar cruelmente; chacinar.

truco *s.m.* (cat. *truc*). Jogo de cartas que envolve geralmente quatro pessoas divididas em duplas adversárias; truque.

truculência *s.f.* Qualidade de truculento.

truculento *adj.* (lat. *truculentus*). **1.** Em que se emprega força ou violência brutais. **2.** Feroz, cruel. **3.** Violento, brutal.

trufa *s.f.* (prov. ant. *trufa*). Cogumelo ascomiceto comestível que ocorre na Europa.

trufeira *s.f.* Terreno onde se encontram trufas.

trufeiro *adj.* Relativo à trufa. ★ *s.m.* Aquele que se ocupa em vender ou apanhar trufas.

truísmo *s.m.* (ingl. *truism*, de *true*, verdadeiro). Proposição que, por ser absolutamente evidente ou tautológica, não merece ser enunciada.

truncado *adj.* Privado de alguma de suas partes essenciais; mutilado, incompleto.

truncamento *s.m.* Ato ou efeito de truncar.

truncar *v.t.* (lat. *truncare*) [conj. 12]. **1.** Privar de uma parte essencial; mutilar. **2.** Omitir parte essencial de. **3.** Cortar a partir do tronco. ● **Geom.** Interceptar por um plano secante.

trunfo *s.m.* (alter. de *triunfo*). **1.** Naipe escolhido no jogo de cartas e que vence os outros. **2.** *Fig.* O que possibilita ganhar ou obter êxito.

truque[1] *s.m.* (fr. *truc*). **1.** Maneira sutil e habilidosa de enganar alguém; artimanha, ardil. **2.** Truco.

truque[2] *s.m.* (ingl. *truck*.) Chassi de suporte com dois ou três eixos que sustenta a extremidade de um veículo ferroviário, ligado ao chassi principal por uma articulação.

truste *s.m.* (ingl. *trust*, de *to trust*, ter confiança). **1.** Grupo de empresas que, embora conservando sua autonomia jurídica, é controlado por uma sociedade matriz. **2.** Empresa poderosa que exerce influência sobre todo um setor econômico.

truta *s.f.* (lat. *tructa*). Denominação comum a peixes carnívoros, marinhos ou de água doce, de águas frias, utilizados em piscicultura pela qualidade de sua carne.

truta-arco-íris

truta comum

---

tsé-tsé *s.f.* Denominação indígena comum a duas moscas africanas transmissoras da doença do sono.

tsutsugamushi *s.f.* (ingl.). Rickettsiose transmitida pela larva de ácaro de roedores, que provoca febre contínua, comprometimento do estado geral e adenopatia.

tu *pron. pess.* (lat. *tu*.). Forma da 2ª pessoa do sing. (caso reto), empregada como sujeito.

tua *pron. poss.* Fem. de *teu*.

tuba *s.f.* (lat. *tuba*). **1.** Trombeta dos antigos romanos, constituída de um tubo reto e estreito. **2.** Instrumento de sopro, metálico e com pistões, de registro grave; bombardão. ● **Anat.** *Tuba auditiva*, trompa de Eustáquio. ► *Tubas uterinas*, trompas de Falópio.

tubagem *s.f.* Tubulação. ● **Med.** Introdução de um tubo através de um orifício ou de um canal natural, com finalidade diagnóstica ou terapêutica.

tubarão *s.m.* **1.** Denominação comum a peixes elasmobrânquios predadores, marinhos, que apresentam esqueleto cartilaginoso, boca ventral e de cinco a sete pares de fendas branquiais. **2.** *Fam.* Comerciante ganancioso.

tubarão-tigre

tubarão-branco

VOCÊ SABIA...? Existem no mundo pelo menos 250 espécies de **tubarões**, das quais apenas cerca de 25 são consideradas perigosas para os humanos; ainda assim, a carne humana não é agradável ao paladar dos tubarões. Entre as espécies mais agressivas estão o tubarão-branco, o tubarão-martelo e o tubarão-tigre. O maior tubarão existente, e também o maior peixe, é o inofensivo tubarão-baleia, que atinge 15 m de comprimento.

tubário *adj.* **1.** Relativo à tuba auditiva (trompa de Eustáquio) ou às tubas uterinas (trompas de Falópio). **2.** *Gravidez tubária,* implantação do óvulo fecundado em uma das tubas uterinas, o que na maioria dos casos requer intervenção cirúrgica e interrupção da gravidez.

tuberculado *adj.* Sin. de TUBERCULOSO.

tubercular *adj.2g.* Sin. de TUBERCULOSO.

tuberculide *s.f.* Lesão cutânea da tuberculose.

tuberculina *s.f.* Substância protéica purificada isolada de certos bacilos, usada em teste intradérmico de hipersensibilidade tardia para avaliar a reatividade do paciente quanto à tuberculose.

tuberculínico *adj.* Relativo à tuberculina.

tubérculo *s.m.* (lat. *tuberculum*). Raiz ou caule subterrâneo ou aéreo que apresenta um espessamento, devido à presença de grande quantidade de reservas nutritivas. ● **Anat.** Saliência natural de pequeno tamanho. ► *Tubérculos quadrigêmeos,* saliências da face dorsal do mesencéfalo. **Patol.** Infiltrado profundo e circunscrito da derme, que se observa com freqüência na sífilis terciária. ► Lesão elementar da tuberculose.

tuberculose *s.f.* **1.** Doença infecto-contagiosa aguda ou crônica, comum ao homem e aos animais, provocada por um bacilo que se instala principalmente nos pulmões. **2.** *Tuberculose miliar,* forma aguda de tuberculose caracterizada pela presença de granulações cinzentas em todos os órgãos invadidos pelo mal, sendo em geral o pulmão o mais comprometido.

tuberculoso (ô) *adj.* **1.** Relativo à tuberculose. **2.** Que tem a natureza do tubérculo. (Sin. TUBERCULADO, TUBERCULAR.) **3.** Diz-se do vegetal guarnecido de tubérculos. ★ *s.m.* Aquele que sofre de tuberculose.

tuberosidade *s.f.* **1.** Dilatação presente em certos ossos, que dá inserção a músculos e ligamentos. **2.** Excrescência carnuda dos vegetais.

tuberoso (ô) *adj.* Que apresenta tuberosidade.

tubiforme *adj.2g.* Que tem forma de tubo.

tubo *s.m.* (lat. *tubus*). **1.** Canal cilíndrico; cano, canudo. **2.** Conduto para circulação de fluidos, cilíndrico e de secção constante, em metal, vidro etc. **3.** Embalagem cilíndrica de metal muito maleável ou de matéria plástica, para substâncias pastosas. **4.** Conduto de secção geralmente circular para a passagem de gases. **5.** Canal ou conduto natural. ● **Biol.** Nome de diversos órgãos ocos e cilíndricos, tais como a base de certas corolas e os órgãos de alguns cogumelos.

tubulação *s.f.* **1.** Conjunto de tubos, unidos em seqüência, que assegura a circulação de um fluido ou de um produto pulverulento numa instalação. **2.** Colocação de tubos; tubagem.

tubulado *adj.* Tubular.

tubular *adj.2g.* **1.** Que tem forma de tubo; tubulado. **2.** Que tem a estrutura constituída por tubos.

tubuliforme *adj.2g.* Tubular.

túbulo *s.m.* Pequeno tubo. ● **Anat.** *Túbulo renal,* canalículo do néfron, após o glomérulo. **Zool.** *Túbulos de Malpighi,* órgão de excreção dos artrópodes, com exceção dos crustáceos.

tubulonefrite *s.f.* Doença renal que afeta os túbulos.

tubulopatia *s.f.* Nefropatia que pode ser congênita, com alteração do transporte tubular e conseqüente alteração urinária.

tubuloso (ô) *adj.* **1.** Que assume forma de tubo. **2.** *Glândula tubulosa,* glândula de forma cilíndrica, retilínea ou não.

tucano[1] *s.m.* (tupi *tu'kana*). Denominação comum a aves que apresentam bico maior que a cabeça, dois dedos voltados para a frente e dois para trás, e que se alimentam de frutos.

tucano[2] *s.2g.* Indivíduo dos tucanos, povo indígena que vive no Amazonas.

tucho *s.m.* Peça que transmite o movimento do virabrequim à válvula, nos motores de automóveis.

tucum *s.m.* (tupi *tu'ku*). **1.** Palmeira de cujas folhas se extrai uma fibra forte e cujas nozes contêm sementes que fornecem óleo alimentício. **2.** Essa fibra ou a fibra do tucumã, empregadas na confecção de esteiras e redes.

TUBERCULOSE ► A tuberculose ataca especialmente os pulmões, mas também pode afetar outras partes do organismo, como a pele, os gânglios linfáticos, os rins, as meninges e os ossos. O surgimento de medicamentos eficazes contra a tuberculose (antibióticos), na década de 1950, acarretou uma grande diminuição na incidência dessa doença no mundo ocidental, mas não sua erradicação em nível mundial. A tuberculose continua sendo um grande problema nos países em desenvolvimento, circunstância agravada pela aparição de resistência no agente causador da doença a alguns medicamentos antes eficazes. Além disso, é uma complicação comum nos pacientes de aids. A vacinação protege das manifestações mais graves da doença.

tucumã *s.f.* (tupi *tuku'mã*). Denominação comum a duas palmeiras guarnecidas por espinhos longos e finos, cujas folhas fornecem uma fibra utilizada na fabricação de cordas, redes de pesca e de dormir. ★ *adj.* Diz-se da mandioca de tronco vermelho.

tucunaré *s.m.* (tupi *tucuna'ré*). Peixe ósseo, de carne saborosa, que apresenta uma mancha ocelar na base da cauda e ocorre nos rios da Amazônia e do Nordeste. (Sin. TUCUNARETINGA.)

tucunaretinga (ré) *s.m.* Sin. de TUCUNARÉ.

tucupi *s.m.* Molho consistente e escuro de sumo de mandioca cozido, para carnes e peixes, típico das cozinhas amazonense e maranhense.

tudo *pron. indef.* (lat. *totum*). **1.** Todas as coisas, a totalidade. **2.** O que importa, o que basta, o que é essencial.

tufão *s.m.* (ár. *tufan,* inundação). **1.** Denominação dos violentos ciclones tropicais do Pacífico oriental e do mar da China. **2.** Vento muito tempestuoso; vendaval.

tufar *v.t.* e *v.i.* (conj. 4). **1.** Formar ou dispor em tufos. **2.** Estufar, inflar, enfunar. **3.** *Fig.* Envaidecer.

tufo *s.m.* **1.** Conjunto de coisas da mesma natureza (flores, penas, lã etc.) prensadas umas contra as outras, em forma de ramalhete ou de cacho. **2.** Porção de lã aberta. **3.** Saliência, proeminência do tecido de parte do vestuário feminino.

tugir *v.i.* (conj. 78). **1.** Falar em voz baixa. **2.** Manifestar-se. ★ *v.t.* Proferir, dizer.

tugúrio *s.m.* (lat. *tugurium*). **1.** Cabana, choça, habitação rústica. **2.** *P. ext.* Refúgio, abrigo.

tuia *s.f.* (gr. *thyia*). Árvore ornamental, originária da América setentrional, de ramos achatados cobertos por folhas em forma de escamas, que fornece madeira amarelada, leve e aromática, própria para obras expostas.

tuim *s.m.* (tupi *tu'i*). Ave psitaciforme que ocorre das Guianas ao Paraguai e em todo o Brasil.

tularemia *s.f.* Doença infecto-contagiosa provocada por um bacilo, epidêmica nos roedores e transmissível ao homem.

tule *s.m.* (de *Tulle,* top.). Tecido fino, leve e transparente, de malhas que formam um reticulado redondo ou poligonal.

tulha *s.f.* **1.** Cova utilizada para comprimir azeitonas antes de seu envio para o lagar. **2.** Recipiente para guardar cereais. **3.** Celeiro. **4.** Porção de cereais, de feno etc. erguida no campo. **5.** Terreno próprio para a secagem de frutos.

túlio *s.m.* (lat. cient. *thulium*). Elemento químico (símb. Tm) de número atômico 69, da série das terras-raras, que constitui um metal branco-prateado, maleável, encontrado na areia monazítica.

tulipa *s.f.* (turco ant. *tuliband,* planta turbante). **1.** Planta herbácea, bulbosa, de folhas elípticas e flores campanuladas, geralmente vermelhas, originária da Europa, que possui diversas variedades cultivadas comercialmente. **2.** Objeto ou ornamento em forma de tulipa.

tumba *s.f.* (gr. *tymbos*). Lugar em que um morto é enterrado; sepultura.

tumefação *s.f.* **1.** Ato ou efeito de tumefazer(-se). **2.** Aumento do volume de uma parte do corpo provocado por um processo inflamatório, por oposição ao provocado por um processo tumoral. **3.** A parte do corpo que apresenta esse aumento.

tumefaciente *adj.2g.* (lat. *tumidus*). Que tumefaz.

tumefacto ou **tumefato** *adj.* Que apresenta tumefação; inchado, intumescido.

tumefazer *v.t.* e *v.pr.* (lat. *tumefacere*) [conj. 31]. Fazer(-se) túmido; tumeficar(-se).

tumeficar *v.t.* e *v.pr.* (conj. 12). Tumefazer(-se).

tumescência *s.f.* Estado ou qualidade de tumescente; intumescência.

tumescente *adj.2g.* Que tumesceu; intumescente.

tumescer *v.t.*, *v.i.* e *v.pr.* (conj. 25). Tornar túmido; intumescer(-se).

túmido *adj.* (lat. *tumidus*). **1.** Intumescido, inchado. **2.** Proeminente, grosso, dilatado. **3.** *Fig.* Orgulhoso, soberbo, arrogante.

tumor (ô) *s.m.* (lat. *tumor*). Processo patológico no qual a proliferação exagerada das células leva a uma superprodução, que persiste e apresenta tendência a crescer.

tumoral *adj.2g.* Relativo a um tumor.

tumular *adj.2g.* **1.** Relativo a túmulo; sepulcral. **2.** *P. ext.* Sombrio, melancólico, fúnebre.

túmulo *s.m.* (lat. *tumulus*). **1.** Monumento funerário que se erige em memória de um morto no lugar onde ele está enterrado. **2.** Sepultura. **3.** *Fig.* Morte, extinção. **4.** *Fig.* Lugar sombrio, fúnebre, triste.

tumulto *s.m.* (lat. *tumultus*). **1.** Grande movimento acompanhado de barulho, de desordem. **2.** Agitação, motim. **3.** *Fig.* Inquietação, desassossego.

tumultuado *adj.* Em que ocorreu tumulto; agitado, desordenado.

tumultuar *v.t.* (lat. *tumultuare*) [conj. 4]. **1.** Incitar ao tumulto, à desordem. **2.** Agitar, amotinar. ★ *v.i.* **1.** Mover-se desordenadamente; agitar-se. **2.** Fazer grande barulho ou estrondo. **3.** Espalhar-se confusamente.

tumultuário *adj.* (lat. *tumultuarius*). **1.** Que tem caráter de tumulto; desordenado. **2.** Barulhento, ruidoso. **3.** Confuso, desconexo.

tumultuoso (ô) *adj.* Em que há tumulto.

tunda *s.f.* Surra, sova.

tundra *s.f.* (russo *túndra*). Formação vegetal das regiões subpolares, de clima frio e solos congelados quase o ano todo, constituída essencialmente por liquens e musgos.

túnel *s.m.* (ingl. *tunnel*). Construção subterrânea de forma alongada e cilíndrica, utilizada como via de transporte através de regiões inacessíveis.

tungar *v.i.* (conj. 14). **1.** Teimar, porfiar. **2.** Tundar, bater. **3.** *Pop.* Enganar, lograr, iludir.

tungstênio *s.m.* (sueco *tung,* pesado, e *sten,* pedra). Elemento químico (símb. W) de número atômico 74, que constitui um metal bastante duro, denso e resistente ao calor, de grande aplicação industrial.

túnica *s.f.* (lat. *tunica*). **1.** Veste simples, comprida e mais ou menos ajustada ao corpo. **2.** Espécie de paletó que faz parte do uniforme militar. ● **Anat.** Membrana fina que reveste um órgão, vaso etc. **Bot.** Membrana ou invólucro de um bulbo ou de certos órgãos vegetais. **Zool.** Camada de natureza celulósica que reveste o corpo dos tunicados.

tunicado *s.m.* Sin. de UROCORDADO. ★ *adj.* Diz-se do órgão vegetal envolto por várias túnicas.

tunicados *s.m.pl.* Sin. de UROCORDADOS.

tunisiano *adj.* Relativo ou pertencente à Tunísia, país da África. ★ *s.m.* O natural ou habitante da Tunísia.

tupã *s.m.* Nome tupi do trovão, empregado pelos jesuítas para designar o Deus único cristão durante a catequese.

tupari *s.2g.* Indivíduo dos tuparis, povo indígena tupi que vive em Rondônia.

tupi *s.2g.* Indivíduo dos tupis, conjunto de povos indígenas que viviam na região costeira do Brasil. ★ *s.m.* **1.** Grupo de línguas faladas por esses povos, que abrange as línguas tupi-guaranis e outros subgrupos. **2.** Denominação dada a várias línguas tupi-guaranis, entre as quais o tupi antigo, ou tupinambá, e o tupi moderno, nheengatu ou língua geral amazônica. ★ *adj.2g.* Relativo ou pertencente a esses povos ou a essas línguas.

tupi-guarani *s.2g.* Indivíduo dos tupis-guaranis, conjunto de povos indígenas tupis que viviam na região costeira do Brasil. ★ *s.m.* Grupo de línguas faladas por esses povos e pelos primeiros colonizadores. ★ *adj.2g.* Relativo ou pertencente a esses povos ou a essas línguas.

tupinambá *s.2g.* (tupi). **1.** Indivíduo dos tupinambás, designação genérica de várias tribos tupis que ocupavam o litoral do Brasil no séc. XVI. **2.** *Fig.* Chefe, manda-chuva. ★ *s.m.* Tupi antigo.

tupiniquim *s.2g.* Indivíduo dos tupiniquins, povo indígena tupi-guarani do Espírito Santo. ★ *adj.2g.* **1.** Relativo ou pertencente a esse povo. **2.** Próprio do Brasil; brasileiro.

turba *s.f.* (lat. *turba*). **1.** Multidão em desordem. **2.** Muitas pessoas reunidas; multidão, povo. **3.** Vozes em coro.

turbação *s.f.* (lat. *turbatio*). **1.** Ato ou efeito de turbar(-se); turbamento. **2.** Perturbação, confusão.

turbamento *s.m.* Turbação.

turbante *s.m.* (persa *dulband*). **1.** Toucado oriental, formado por uma longa peça de tecido enrolada em volta da cabeça. **2.** *P. ext.* Pano ou lenço enrolado na cabeça.

turbar *v.t.* (lat. *turbare*) [conj. 4]. **1.** Pôr em desordem; revolver, agitar. **2.** Tornar turvo ou opaco; escurecer. **3.** Transtornar, perturbar. ★ *v.pr.* **1.** Toldar-se, turvar-se. **2.** *Fig.* Sentir forte comoção; alterar-se, abalar-se. **3.** Tornar-se (a atmosfera) sombria; turvar-se.

turbelário *s.m.* Espécime dos turbelários. ★ *adj.* Relativo aos turbelários.

turbelários *s.m.pl.* Classe de vermes platelmintos, geralmente de vida livre, que apresentam o corpo achatado, com epiderme ciliada, desprovido de ganchos e ventosas, representada pelas planárias.

turbidez (ê) *s.f.* Qualidade ou estado de túrbido.

túrbido *adj.* (lat. *turbidus*). **1.** Que perturba. **2.** Turvo, escuro, sombrio.

turbilhão *s.m.* **1.** Movimento rápido de rotação do ar; redemoinho. **2.** Massa de água que redemoinha rapidamente, formando uma espécie de funil. **3.** *Fig.* O que arrasta ou envolve com desordem ou ímpeto.

turbilhonar *v.i.* (conj. 4). Agitar-se de maneira que lembra um turbilhão; torvelinhar, redemoinhar.

turbina *s.f.* (fr. *turbine*). **1.** Máquina na qual a energia de um fluido motor (água, vapor, gás etc.) faz girar uma roda móvel da qual se retira trabalho. **2.** Equipamento das usinas de açúcar no qual se processa a separação por centrifugação dos cristais de açúcar dos elementos não cristalizáveis.

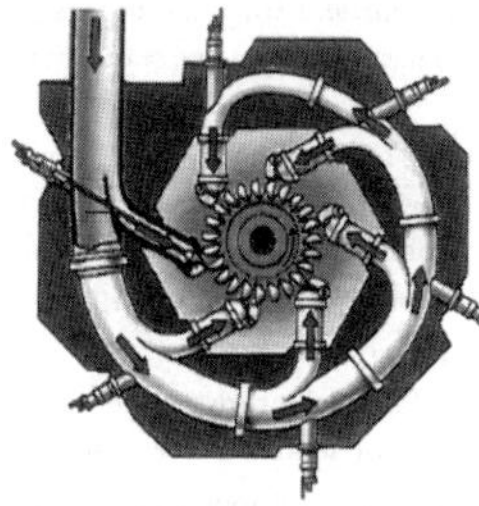

turbina hidráulica

turbinado *adj.* (lat. *turbinatus*). Que tem turbinas. ● **Anat.** Diz-se de cada um dos dois ossículos da base do nariz.

turbinagem *s.f.* Operação industrial que consiste em submeter uma substância à ação da força centrífuga produzida por uma turbina.

turbo *adj.* Diz-se da turbina movida a gás que funciona como um motor.

turbopausa *s.f.* Em uma atmosfera planetária, limite entre a zona em equilíbrio de mistura e a zona em equilíbrio de difusão.

turbulência *s.f.* **1.** Qualidade ou estado de turbulento. **2.** Agitação, inquietação, desordem, motim. **3.** Estado de instabilidade de uma massa de ar ou de água.

turbulento *adj.* (lat. *turbulentus*). **1.** Tumultuoso, agitado. **2.** Inclinado ou disposto à desordem; sedicioso. **3.** Irrequieto, buliçoso.

túrcico *adj.* *Sela túrcica,* depressão no osso esfenoidal na qual se aloja a hipófise.

turco *adj.* **1.** Relativo ou pertencente à Turquia, país da Europa e da Ásia; otomano. **2.** *Banho turco,* tipo de banho de vapor. ★ *s.m.* **1.** O natural ou habitante da Turquia; otomano. **2.** Língua falada principalmente na Turquia.

turfa *s.f.* (al. *Torf*). Solo de cor escura e textura esponjosa, constituído de matéria vegetal parcialmente decomposta, comum nas regiões de clima temperado ou frio.

turfe *s.m.* (ingl. *turf,* relva). **1.** Hipódromos e prados onde se realizam corridas de cavalos. **2.** Esporte das corridas de cavalos de raça.

turfeira *s.f.* Pântano ou ambiente propício para a formação de turfa.

turfista *s.2g.* Pessoa que se interessa por turfe, particularmente o apostador.

turfístico *adj.* Relativo ao turfe.

turgência *s.f.* Turgidez.

turgescência *s.f.* (fr. *turgescence*). **1.** Dilatação, intumescência, inchação. **2.** Aumento de volume de uma célula por penetração de água em seu interior, quando é mergulhada num meio menos concentrado. **3.** *Fig.* Exageração, ênfase.

turgescente *adj.2g.* (lat. *turgescens, turgescentis*). Túrgido.

turgidez (ê) *s.f.* Qualidade, caráter ou estado de túrgido; turgência.

túrgido *adj.* (lat. *turgidus*). Inchado, túmido, turgescente. ● **Fisiol.** Que apresenta turgescência.

turibular *v.t.* (conj. 4). **1.** Queimar incenso em honra de. **2.** *Fig.* Adular, lisonjear.

turíbulo *s.m.* (lat. *turibulum*). Vaso suspenso por pequenas correntes, usado nas igrejas, em que se queima o incenso; incensório.

turismo *s.m.* (ingl. *tourism*). **1.** Viagem de recreio, geralmente em lugares que despertam interesse. **2.** Conjunto de serviços destinados a promover e orientar, industrial e comercialmente, esse tipo de atividade. **3.** O movimento dos turistas.

turista *s.2g.* Aquele que faz turismo.

turístico *adj.* **1.** Relativo ao turismo ou aos turistas. **2.** Diz-se dos lugares que apresentam interesse ao turista.

turma *s.f.* (lat. *turma*). **1.** Grupo, bando. **2.** Grupo de trabalhadores que operam juntos sob a direção de um chefe. **3.** Cada um dos grupos de alunos em que se divide uma classe ou série. **4.** Turno. **5.** *Pop.* Grupo de amigos.

turmalina *s.f.* (cingalês *toramalli*). Pedra semipreciosa de coloração variada, constituída de prismas alongados que se eletrizam pelo calor ou pelo atrito.

turno *s.m.* (fr. *tourne*, de *tourner*, girar). **1.** Cada um dos grupos de pessoas que se revezam numa tarefa; turma. **2.** Cada um dos períodos em que se divide o dia, para fins de organização de trabalho. **3.** Cada um dos períodos em que se divide um campeonato esportivo.

turquesa (ê) *s.f.* (fr. *turquoise*). Pedra opaca semipreciosa, de cor azul-celeste a azul-esverdeada, que é uma variedade de fosfato de alumínio natural. ★ *s.m.* A cor dessa pedra. ★ *adj.2g.*2n. Que é dessa cor.

turra *s.f.* **1.** Forte pancada com a testa. **2.** *Fam.* Teima, birra, caturrice. **3.** Altercação, disputa, discussão. ★ *adj.2g.* e *s.2g.* Diz-se de ou pessoa teimosa, pertinaz; turrão.

turrão *adj.* e *s.m.* *Pop.* Turra.

turrar *v.i.* (conj. 4). **1.** Bater com a testa. **2.** Teimar, embirrar. **3.** Altercar, discutir.

turuna *adj.2g.* e *s.2g.* (tupi *tu'runa*, negro poderoso). **1.** *Pop.* Forte, valente, poderoso. **2.** Indivíduo brigão e forte.

tururu *s.m.* Sin. de PATURI.

turvação *s.f.* (lat. *turbatio*). **1.** Ato ou efeito de turvar(-se); turvamento. **2.** Estado ou qualidade de turvo; opacidade.

turvamento *s.m.* Turvação.

turvar *v.t.* (lat. *turbare*) [conj. 4]. **1.** Tornar turvo ou opaco; turbar. **2.** Alterar, transformar. **3.** Embaciar, escurecer. **4.** Embriagar, embebedar. ★ *v.i.* e *v.pr.* **1.** Tornar-se turvo; turbar-se. **2.** Tornar-se carrancudo; alterar-se.

turvo *adj.* (lat. *turbidus*). **1.** Que não é totalmente transparente; opaco, embaciado. **2.** Escuro, sombrio. **3.** *Fig.* Agitado, perturbado. **4.** *Fig.* Confuso, complicado.

tussígeno ou **tussíparo** *adj.* **1.** Que provoca tosse. **2.** *Zona tussígena*, cada uma das zonas especializadas da mucosa respiratória cuja irritação provoca a tosse.

tuta-e-meia *s.f.* *Fam.* **1.** Insignificância, ninharia, bagatela. **2.** Pouco dinheiro.

tutano *s.m.* **1.** Medula óssea. **2.** *Fig.* O âmago, o cerne.

tutela *s.f.* (lat. *tutela*). **1.** Encargo civil que se confere a alguém para dirigir os bens e proteger a pessoa do menor que se acha fora do pátrio poder, além de representá-lo nos atos da vida civil. **2.** *Fig.* Proteção, amparo, auxílio. **3.** *Fig.* Sujeição ou dependência vexatória.

tutelado *adj.* (lat. *tutelatus*). **1.** Sujeito a tutela. **2.** Protegido, amparado. ★ *s.m.* Pessoa sujeita a tutela.

tutelar[1] *adj.2g.* (lat. *tutelaris*). **1.** Relativo a tutela. **2.** Que tem alguém sob sua tutela ou proteção; protetor.

tutelar[2] *v.t.* (conj. 4). **1.** Exercer tutela sobre, proteger ou cuidar como tutor; tutorar. **2.** Amparar, proteger, guiar.

tutor (ô) *s.m.* (lat. *tutor*). **1.** Indivíduo que exerce a tutela de um menor ou de um interdito, por disposição de lei, nomeação de testamento ou determinação judicial. **2.** Defensor, protetor.

tutorar *v.t.* (conj. 4). Tutelar.

tutoria *s.f.* (lat. *tutoria*). **1.** Autoridade legal para exercer a função de tutor. **2.** Poder de tutor; tutela. **3.** *Fig.* Proteção, amparo, defesa.

tutu *s.m.* **1.** Feijão cozido e engrossado com farinha de mandioca ou de milho. **2.** *Gír.* Dinheiro.

txucarramãe *s.2g.* Indivíduo dos txucarramães, povo indígena jê que vive no Xingu.

tzar *s.m.* Var de CZAR.

Uu Uu *Uu*

u *s.m.* Vigésima letra do alfabeto português.

U símbolo químico do urânio.

uaçá *s.m.* Sin. de CARANGUEJO.

uai *interj.* Exprime surpresa, espanto, dúvida.

uaicá *s.2g.* Indivíduo dos uaicás, povo indígena que vive no Amazonas e em Rondônia.

uaurá *s.2g.* Indivíduo dos uaurás, povo indígena aruaque que vive no Xingu.

ubá[1] *s.f.* (tupi *iwa,* árvore). Canoa indígena fabricada de um só tronco ou casca de árvore, e sem quilha; igara.

ubá[2] *s.m.* (tupi *u'ba*). Planta de colmo ereto, quase lenhoso, usada pelos índios para a confecção de flechas.

ubaia *s.f.* Var. de UVAIA.

uberal *adj.2g.* Relativo ao úbere.

uberdade *s.f.* **1.** Qualidade de úbere. **2.** *Fig.* Fartura, abundância. **3.** Fertilidade, fecundidade. **4.** *Fig.* Riqueza, opulência.

úbere *s.m.* (lat. *uber, uberis*). Glândula mamária, mama (principalmente da vaca, da cabra, da ovelha); teta. ★ *adj.2g.* Fértil, fecundo.

ubijara *s.f.* **1.** Sin. de COBRA-CEGA. **2.** Sin. de COBRA-DE-DUAS-CABEÇAS.

ubiqüidade ou **ubiquação** *s.f.* Caráter ou estado de ubíquo; onipresença.

ubíquo *adj.* (lat. *ubique,* por toda a parte). Que está ao mesmo tempo em toda parte; onipresente.

uca *s.f.* Cachaça.

ucraniano *adj.* Relativo ou pertencente à Ucrânia. ★ *s.m.* **1.** Indivíduo natural ou habitante da Ucrânia, país da Ásia. **2.** Língua eslava falada principalmente na Ucrânia.

ué *interj.* Exprime dúvida, espanto, surpresa, ironia.

ufa *interj.* Exprime cansaço, impaciência, alívio.

ufanar *v.t.* (conj. 4). **1.** Tornar ufano; envaidecer. **2.** Contentar, alegrar, regozijar. ★ *v.pr.* Jactar-se, vangloriar-se.

ufania *s.f.* **1.** Estado ou qualidade de ufano. **2.** Vaidade exacerbada, jactância, orgulho.

ufano *adj.* (esp. *ufano*). **1.** Que se orgulha de si ou de algo. **2.** Jactancioso, presunçoso, arrogante, ufanoso.

ufanoso (ô) *adj.* Ufano.

ugandense *adj.2g.* Relativo ou pertencente à Uganda, país da África. ★ *s.2g.* O natural ou habitante de Uganda.

UHF (abrev. do ingl. *ultrahigh frequency,* freqüência ultraelevada). Tipo de onda sonora que se propaga com freqüência muito maior que a do ultrasom, entre 300 e 3.000 MHz, utilizada em telecomunicação.

ui *interj.* Exprime dor.

uiara *s.f.* Iara.

uiporanga *s.m.* Sin. de ARAPONGA.

uirapuru *s.m.* (tupi *uira'puru*). Denominação comum a várias aves passeriformes, de pequeno porte, que apresentam canto melodioso e ocorrem nas matas de várias regiões do Brasil. (Var. ARAPURU, GUIRAPURU.)

uísque *s.m.* (ingl. *whisky*). Bebida originária da Escócia, proveniente da destilação de cereais fermentados.

uivar *v.i.* (lat. *ululare*) [conj. 4]. **1.** Dar uivos; ulular. **2.** Berrar, gritar, bradar. **3.** *Fig.* Vociferar, bravejar.

uivo *s.m.* **1.** Grito prolongado, peculiar ao lobo e a outras feras. **2.** Grito humano agudo e prolongado, de dor ou cólera. **3.** *Poét.* Barulho do vento, da tempestade.

úlcera *s.f.* **1.** Perda de substância em um revestimento epitelial, cutâneo ou mucoso, acompanhada de inflamação e lesões mais ou menos profundas nos tecidos subjacentes; ulceração. **2.** *Úlcera de Bauru,* sin. de LEISHMANIOSE CUTÂNEA. **3.** *Úlcera gástrica,* úlcera péptica do revestimento mucoso do estômago. **4.** *Úlcera péptica,* úlcera da mucosa digestiva exposta à pepsina e ao ácido clorídrico. **5.** *Úlcera varicosa,* úlcera do revestimento cutâneo das pernas, geralmente causada por distúrbio da circulação venosa.

VOCÊ SABIA...? Muitos fatores podem favorecer uma **úlcera** no estômago: problemas emocionais, estresse, consumo excessivo de certos alimentos irritantes à mucosa gástrica, bebidas alcoólicas ou tabaco, desordem nos hábitos alimentares ou os efeitos colaterais de alguns medicamentos (aspirina, por exemplo).

---

ulceração *s.f.* (lat. *ulceratio*). **1.** Ato ou efeito de ulcerar. **2.** Úlcera.

ulcerar *v.t.* (lat. *ulcerare*) [conj. 4]. **1.** Provocar úlcera. **2.** *Fig.* Causar ressentimento profundo e duradouro em. **3.** *Fig.* Corromper, depravar. ★ *v.i.* e *v.pr.* **1.** Converter-se em úlcera. **2.** *Fig.* Ressentir-se, magoar-se.

ulcerativo *adj.* Que produz uma ulceração.

ulceroso (ô) *adj.* (lat. *ulcerosus*). **1.** Que tem a natureza da úlcera. **2.** Coberto de úlceras. ★ *s.m.* Aquele que tem úlcera.

ulite *s.f.* (gr. *oulon,* gengiva). Inflamação mucosa gengival.

ulna *s.f.* Cúbito.

ulterior (ô) *adj.2g.* (lat. *ulterior*). **1.** Que está ou acontece depois. **2.** Que chega depois. **3.** Diz-se de uma região situada além de uma outra.

ultimar *v.t.* (lat. *ultimare*) [conj. 4]. **1.** Pôr fim ou termo a; concluir, rematar, completar. **2.** Concluir uma negociação.

últimas *s.f.pl.* **1.** O ponto extremo; limite. **2.** A extrema miséria; pobreza, penúria. **3.** Os últimos momentos da vida.

ultimato *s.m.* (lat. *ultimatum*). **1.** Últimas condições impostas por um Estado a outro, com exigências que devem ser cumpridas dentro do prazo estipulado, sob pena de declaração de guerra. **2.** *P. ext.* Intimação, exigência definitiva e irrevogável.

último *adj.* (lat. *ultimus*). **1.** Que está ou vem depois de todos os outros. **2.** Que é mais recente ou moderno na ordem cronológica. **3.** Final, extremo. **4.** Precedente, anterior. **5.** Decisivo, definitivo. ★ *s.m.* **1.** O que está em último lugar (no espaço ou no tempo). **2.** *Fig.* O mais vil, desprezível ou miserável.

ultracorreção *s.f.* Sin. de HIPERCORREÇÃO.

ultrajante *adj.2g.* Que ultraja, que ofende; ultrajoso.

ultrajar *v.t.* (fr. *outrager*) [conj. 4]. Ofender fortemente a dignidade de outrem; insultar, afrontar.

ultraje *s.m.* (fr. *outrage*). **1.** Ato ou efeito de ultrajar; injúria, ofensa grave. **2.** Calúnia, difamação.

ultramar *s.m.* **1.** Região além-mar. **2.** Possessão ultramarina. **3.** Pigmento azul, preparado a partir do lápis-lazúli; azul ultramarino. **4.** A cor deste pigmento.

ultramarino *adj.* **1.** Situado no ultramar. **2.** Relativo ao ultramar. **3.** *Azul ultramarino,* ultramar.

ultrapassar *v.t.* (conj. 4). **1.** Passar além de; transpor, superar. **2.** Exceder (limites estabelecidos). **3.** Passar à frente de alguém ou de algo. ★ *v.i.* Passar à frente.

ultra-som *s.m.* Designação dada às ondas sonoras que se propagam com freqüência superior à das ondas perceptíveis pelo ouvido humano.

ULTRA-SOM ► A freqüência das ondas de ultra-som é superior a 20.000 Hz. Os ultra-sons são muito utilizados em medicina para inspecionar órgãos internos nos casos em que os raios X poderiam causar danos ao organismo, por exemplo em mulheres grávidas. Outras aplicações são a detecção de defeitos em metais, a limpeza de superfícies e a elaboração de algumas substâncias químicas.

---

ultra-sônico *adj.* Relativo aos ultra-sons.

ultra-sonografia *s.f.* **1.** Método de exploração médica que analisa a reflexão dos ultra-sons sobre os órgãos. (Sin. ECOGRAFIA.) **2.** Imagem assim obtida.

ultravioleta *adj.* e *s.m.* Diz-se de ou tipo de radiação eletromagnética que se propaga com comprimento de onda menor que o das radiações visíveis (abrev. UV).

ulular *v.i.* (lat. *ululare*) [conj. 4]. **1.** Ganir, uivar. **2.** Emitir som plangente; gritar. **3.** *Fig.* Queixar-se. ★ *v.t.* Bradar, vociferar.

ululo *s.m.* Ato ou efeito de ulular; ululação, uivo, ganido.

um *num. card.* (lat. *unus*). **1.** O primeiro número do conjunto dos inteiros naturais; a unidade. **2.** Primeiro. ★ *s.m.* O algarismo (1) que representa esse número. ★ *adj.* Uno, único. ★ *art. indef.* Indica, de modo indefinido, pessoa ou coisa entre outras da mesma espécie. ★ *pron. indef.* Certo, algum.

uma *num. card., art. indef.* e *pron. indef.* Fem. de *um.*

umbanda *s.f.* (quimb. *u'mana*). Forma religiosa brasileira resultante do sincretismo do candomblé, do espiritismo, do catolicismo e de outros cultos.

UMBANDA ► O templo da umbanda assemelha-se ao católico, com corredores e bancos para os fiéis, altares laterais e altar principal, onde são encontradas imagens de santos católicos, estatuetas de orixás, flores e velas. As sessões são realizadas uma vez por semana, variando-se o dia de acordo com o espírito a ser invocado. O transe mediúnico é obtido por meio de danças, cantos, toques de tambores e outros rituais. Após a incorporação do espírito, inicia-se a fase de consultas. Ao contrário do candomblé, a umbanda geralmente evita o sacrifício de animais, favorecendo banhos de ervas e orações.

---

umbaúba *s.f.* (tupi). Var. de EMBAÚBA.

umbela *s.f.* (lat. *umbella,* dim. de *umbra,* sombra). **1.** Espécie de pálio circular franjado, cuja forma lembra a de um chapéu-de-sol. **2.** *P. ext.* Qualquer objeto de forma semelhante. ● **Bot.** Tipo de inflorescência em que os pedúnculos, como no funcho, partem todos do mesmo ponto para elevarem-se ao mesmo nível. (Var. UMBRELA.)

umbelíferas *s.f.pl.* Família de plantas dicotiledôneas herbáceas, de folhas compostas, flores pequenas reunidas em inflorescências do tipo umbela, como a cenoura, a salsa, a erva-doce e a mandioquinha.

umbigada *s.f.* **1.** Pancada com o umbigo ou com a barriga. **2.** A região do umbigo. **3.** Passo de dança folclórica brasileira em que um parceiro convida outro para dançar com uma pancada com o umbigo; essa dança.

umbigo *s.m.* (lat. *umbilicus*). **1.** Orifício existente no abdome do feto que dá passagem à veia umbilical e às artérias umbilicais, e em volta do qual se insere a bainha do cordão umbilical. **2.** Cicatriz que permanece no abdome, no local onde se encontrava esse orifício, após a queda do cordão. **3.** *Fig.* O ponto central. ● **Bot.** Saliência que lembra a forma de um umbigo, existente em certos frutos, como a laranja-da-baía.

umbilical *adj.2g.* **1.** Relativo ou pertencente ao umbigo. **2.** *Cordão umbilical,* feixe vascular em forma de cordão que liga o feto à placenta e lhe assegura a nutrição, no período da gestação. ▸ *Hérnia umbilical,* hérnia que se produz ao nível do umbigo.

umbral *s.m.* (esp. *umbral*). **1.** Ombreira de porta. **2.** Entrada, limiar.

umbrela *s.f.* (lat. cient. *umbrella*). **1.** Var. de UMBELA. **2.** Órgão das medusas, em forma de campânula, orlado de tentáculos urticantes que se contraem para a natação.

úmbrio *adj.* Relativo ou pertencente à Umbria, região da Itália. ★ *s.m.* O natural ou habitante da Úmbria.

umbroso (ô) *adj.* (lat. *umbrosus*). **1.** Que dá sombra. **2.** *P. ext.* Muito copado. **3.** *Fig.* Sombrio, tenebroso.

umbu *s.m.* Fruto do umbuzeiro, pequena drupa oblonga, amarelo-esverdeada, de polpa verde-clara doce e aromática, comestível ao natural e utilizado em doces e compotas. (Var. IMBU.)

umbuia *s.f.* Var. de IMBUIA.

umbuzeiro *s.m.* Árvore alta, de folhas alternas, compostas, e frutos comestíveis, que fornece madeira para obras internas e caixotaria. (Var. IMBUZEIRO.)

umectação *s.f.* Ato ou efeito de umectar.

umectante *adj.2g.* **1.** Que umecta. **2.** Diz-se de um produto líquido que possui a propriedade de se estender na superfície dos corpos com os quais entra em contato. ● **Quím.** *Agente umectante,* substância química capaz de diminuir as tensões superficiais e interfaciais dos meios líquidos.

umectar *v.t.* (lat. *umectare*) [conj. 4]. Impregnar fortemente de umidade; molhar, umedecer.

umedecer *v.t.* e *v.pr.* (conj. 25). Tornar(-se) úmido; molhar(-se) levemente.

umeral *adj.2g.* **1.** Relativo ao úmero ou ao braço. **2.** *Artéria umeral,* artéria que nasce da artéria axilar e se divide na prega do cotovelo em artéria radial e cubital (ou ulnar).

úmero *s.m.* (lat. *umerus,* ombro). Osso longo que forma o esqueleto do braço.

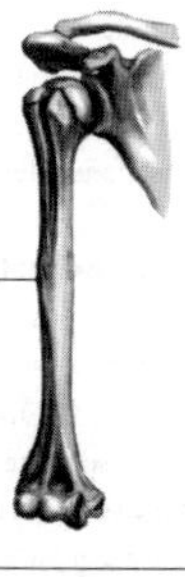

umidade *s.f.* (lat. *umitas*). **1.** Estado ou qualidade do que é úmido. **2.** Orvalho. ● **Meteor.** Teor de vapor d'água existente na atmosfera.

úmido *adj.* (lat. *umidus*). **1.** Impregnado de água ou vapor d'água. **2.** Levemente molhado. **3.** De natureza aquosa; líquido.

unânime *adj.2g.* (lat. *unanimis*). **1.** Que se refere a todos. **2.** Que exprime acordo comum ou concordância geral; uníssono.

unanimidade *s.f.* (lat. *unaninimitas*). **1.** Qualidade de unânime. **2.** Conformidade geral de opiniões, de votos.

unção *s.f.* (lat. *unctio*). **1.** Untura. **2.** Ato ou efeito de ungir. **3.** Na religião católica, aplicação de óleo santo sobre uma pessoa, empregada nos ritos de batismo, confirmação, ordenação e outros. **4.** *Fig.* Doçura de expressão. **5.** Piedade religiosa. ● **Med.** Fricção suave com uma pomada que contém um princípio ativo destinado a penetrar na pele.

undécimo *num. ord.* (lat. *undecimus*). Correspondente ao número onze numa sequência. ★ *s.m.* Cada uma das onze partes iguais em que se divide um todo.

undécuplo *adj.* (lat. *undecuplus*). Onze vezes maior. ★ *s.m.* Quantidade onze vezes maior que outra. ★ *num.* Multiplicativo de onze.

undoso (ô) *adj.* (lat. *undosus*). **1.** Em que há ondas. **2.** Que apresenta ondulações.

ungido *adj.* Que se ungiu. ★ *s.m.* **1.** Aquele que foi alvo de uma cerimônia de sagração. **2.** Eclesiástico que recebeu as ordens do bispo.

ungir *v.t.* (lat. *ungere*) [conj. 78]. **1.** Friccionar com óleo, ungüento ou qualquer substância gordurosa; untar. **2.** Dar a unção com óleos santos; sagrar. **3.** Conferir poder ou autoridade por meio de unção. **4.** *Fig.* Purificar, corrigir, melhorar. ★ *v.pr.* Untar-se.

úngüe *s.m.* ou **úngüis** *s.m.2n.* (lat. *unguis,* unha). Pequeno osso delgado, quadrilátero, situado na parede interna da órbita ocular.

ungueal *adj.2g.* **1.** Relativo a unha. **2.** *Falange ungueal,* falange onde se localiza a unha. ▸ *Matriz ungueal,* tecido germinativo em forma de meia-lua localizado na base da unha. (Sin. LÚNULA.)

ungüento *s.m.* (lat. *unguentum*). **1.** Nome que os antigos davam a substâncias aromáticas e a essências com que perfumavam e embalsamavam os corpos. **2.** Medicamento feito à base de resina, gorduras e princípios ativos diversos, para ser aplicado sobre a pele.

ungüiforme *adj.2g.* Que tem forma de unha.

úngula *s.f.* (lat. *ungula*). Saliência membranosa do ângulo interno do olho.

ungulado *adj.* (lat. *ungulatus*). Diz-se dos mamíferos cujos dedos terminam em cascos, como os artiodáctilos e os perissodáctilos.

ungulígrado *adj.* Diz-se dos mamíferos ungulados que andam apoiados sobre a ponta dos artelhos.

unha *s.f.* (lat. *ungula*). **1.** Lâmina córnea ovalada implantada sobre a face dorsal da extremidade dos dedos e dos artelhos do homem e de um grande número de animais vertebrados.

2. Endurecimento, calosidade no dorso das bestas; calo, pisadura dos arreios. **3.** Parte de alguns instrumentos, ferramentas, utensílios, que tem forma de unha ou de gancho.

? VOCÊ SABIA...? As **unhas** são constituídas de células mortas que contêm queratina, uma proteína que existe na camada exterior da pele. Elas crescem horizontalmente à pele, na extremidade da última falange do dedo. Em sua maior parte, as unhas são semitransparentes; os vasos sanguíneos que se encontram por baixo lhes transmitem a coloração rosada que vemos.

---

unhaca *s.2g. Pop.* **1.** Avaro. **2.** Pessoa íntima, muito amiga.

unhada *s.f.* Arranhão ou ferimento feito com a unha.

unhar *v.t.* (conj. 4). **1.** Riscar ou ferir com as unhas; arranhar. **2.** Marcar ou assinalar com a unha. **3.** Roubar, furtar. ★ *v.i.* Ferir-se com as unhas.

unheiro *s.m.* **1.** Inflamação na raiz da unha ou entre a unha e o dedo; panarício superficial. **2.** Úlcera ou calo infectado que se manifesta entre os casos dos animais, em conseqüência do ataque da febre aftosa.

união *s.f.* **1.** Ato ou efeito de unir(-se); ligação, junção. **2.** Associação ou combinação de diferentes coisas, de modo a formar um todo. **3.** Justaposição, junção, contato. **4.** Ligação ou combinação de esforços e de vontades; coesão, unidade. **5.** Pacto, aliança, liga. **6.** Ligação matrimonial. **7.** Coito animal; cruzamento. **8.** Concórdia, paz, harmonia. ● **Mat.** Adição de dois conjuntos para formar um terceiro que contém todos os elementos de ambos.

unicelular *adj.2g.* Formado por uma só célula. ★ *s.m.* Protista.

EXEMPLOS DE SERES UNICELULARES

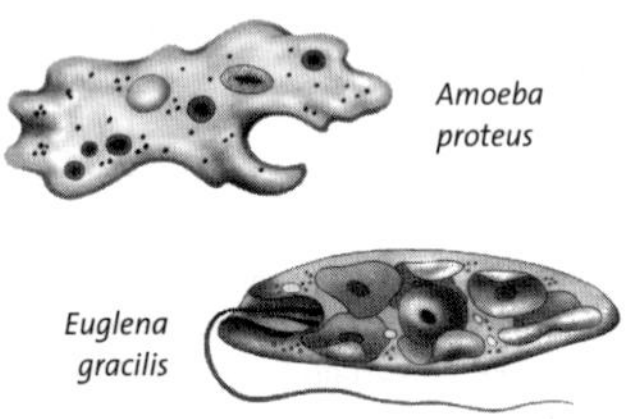

único *adj.* (lat. *unicus*). **1.** Que é só, que não tem precedentes, semelhantes ou sucessores no seu gênero ou espécie. **2.** Que não pode ser igualado em valor, virtude, importância, prestígio etc. **3.** Que é o mesmo para vários indivíduos ou coisas; comum.

unicorne *adj.2g.* Que tem um só corno. ★ *s.m.* Unicórnio.

unicórnio *s.m.* (lat. *unicornis*). Animal mitológico representado com um corpo de cavalo, um corno na testa, barba de bode e unhas fendidas; unicorne.

unidade *s.f.* (lat. *unitas*). **1.** Grandeza tomada como termo de comparação entre grandezas da mesma espécie. **2.** O número um. **3.** Qualidade do que é um ou único. **4.** Homogeneidade, conformidade, igualdade. **5.** Harmonia do conjunto de uma obra artística ou literária. **6.** Estrutura organizada que faz parte de um conjunto maior; subdivisão. **7.** Tropa de soldados que manobram juntamente. **8.** Cada um dos objetos de uma produção em série. **9.** *Sistema de unidades,* conjunto de unidades escolhidas de maneira a simplificar certas fórmulas físicas que relacionam várias grandezas.

unidimensional *adj.2g.* Diz-se do que tem apenas uma dimensão.

unidirecional *adj.2g.* **1.** Que tem uma só direção. **2.** Que se desloca em um sentido único.

unido *adj.* **1.** Que se uniu; ligado, preso. **2.** Junto, concomitante. **3.** Diz-se de pessoas próximas, ligadas entre si.

unificação *s.f.* **1.** Ato ou efeito de unificar(-se); reunião. **2.** Coligação, união.

unificar *v.t.* (conj. 12). **1.** Reunir num só corpo ou num todo. **2.** Coligar, unir. **3.** Fazer convergir para um só fim. **4.** Tornar uniforme; padronizar. ★ *v.pr.* Tornar-se um; unir-se.

unifloro *adj.* Diz-se da planta que tem uma só flor.

unifólio *adj.* Diz-se de planta que tem uma só folha.

uniforme *adj.2g.* (lat. *uniformis*). **1.** Que tem a mesma forma ou aspecto; idêntico. **2.** Que não varia, que é sempre o mesmo; regular, homogêneo. **3.** Semelhante, análogo, parecido. ● **Fís.** Diz-se de um campo elétrico cuja dimensão, escalar ou vetorial, possui o mesmo valor em todos os pontos. ▸ *Movimento uniforme,* movimento de um ponto material no qual o módulo do vetor velocidade permanece constante. ★ *s.m.* Traje comum a toda uma categoria; farda.

uniformidade *s.f.* (lat. *uniformitas*). **1.** Estado ou qualidade de uniforme. **2.** Harmonia, coerência.

uniformizar *v.t.* (conj. 4). **1.** Tornar uniforme; padronizar. **2.** Fazer vestir uniforme. ★ *v.pr.* **1.** Tornar-se uniforme. **2.** Vestir uniforme.

unigênito *adj.* e *s.m.* (lat. *unigenitus*). **1.** Que ou aquele que é o único ser gerado. **2.** Diz-se de ou filho único.

unilateral *adj.2g.* **1.** Disposto ou situado em um só lado. **2.** Que se inclina para um lado. **3.** Que só atende às razões, aos interesses, de uma das partes em questão; parcial.

unilíngüe *adj.2g.* Que é escrito ou falado em uma só língua.

uníparo *adj.* **1.** Que pare apenas um filho de cada vez. **2.** Diz-se do vegetal que só gera um membro.

unipessoal *adj.2g.* **1.** Que consta de uma só pessoa. **2.** Relativo a uma só pessoa.

unipolar *adj.2g.* **1.** Que apresenta um só pólo. **2.** *Cabo unipolar,* aquele que apresenta apenas um condutor isolado.

unir *v.t.* (lat. *unire*) [conj. 6]. **1.** Tornar um só; reunir. **2.** Ligar, juntar. **3.** Estabelecer comunicação entre (espaços). **4.** Ligar (pessoas) por laços afetivos, sociais etc. **5.** Associar, aliar, combinar. **6.** Pôr em contato. **7.** Harmonizar, conciliar. **8.** Combinar, misturar. ★ *v.pr.* **1.** Ligar-se por afeto, casamento, interesse etc. **2.** Pôr-se em contato; ligar-se, juntar-se. **3.** Juntar-se a (grupo, partido); aderir. **4.** Combinar-se, harmonizar-se.

unissex (cs) *adj.2g.*2n. (ingl. *unisex*). Diz-se de roupa, penteado etc., que pode ser usado indiferentemente por homens ou mulheres.

unissexuado (cs) *adj.* ou **unissexual** (cs) *adj.2g.* **1.** Diz-se de indivíduos ou de espécies que possuem apenas um sexo. **2.** Diz-se de flores que só têm estames ou pistilos.

uníssono *adj.* (lat. *unisonus*). **1.** Diz-se do som que tem a mesma altura que outro; unissonante. **2.** *Fig.* Unânime, geral. ★ *s.m.* Execução simultânea de uma mesma nota ou melodia por vários instrumentos ou por várias vozes.

unitário *adj.* **1.** Relativo à unidade. **2.** Diz-se de um conjunto que tem apenas um elemento. **3.** Relativo à unidade política de um país. **4.** Unitarista.

unitarismo *s.m.* Doutrina ou sistema que prega a unificação ou centralização em política ou em religião.

unitivo *adj.* (lat. *unitivus*). Que une.

univalente *adj.2g.* Monovalente.

univalve *adj.2g.* **1.** Diz-se dos moluscos que têm só uma valva. **2.** Diz-se dos frutos capsulares de uma só peça, ou dos frutos que se abrem de um lado só.

universal *adj.2g.* (lat. *universalis*). **1.** Relativo ou pertencente ao Universo, ao cosmo. **2.** Diz-se do que se estende a toda a Terra; mundial, planetário. **3.** Que se estende a todas as coisas e pessoas, que envolve a totalidade dos seres. **4.** Que se aplica em todos os casos; geral. **5.** Que tem inúmeras aptidões ou que diz respeito a várias áreas de conhecimento. **6.** Que pode ser adaptado ou ajustado para diversas finalidades. **7.** *Sufrágio universal,* sistema em que o corpo eleitoral é constituído por todos os cidadãos de maior idade e não incapazes por lei. ★ *s.m.* O que é universal.

universalismo *s.m.* Tendência para universalizar uma idéia, uma obra, um sistema.

universalizar *v.t.* e *v.pr.* (conj. 4). **1.** Tornar(-se) universal; generalizar(-se). **2.** Espalhar(-se), difundir(-se).

universidade *s.f.* **1.** Na Idade Média, instituição eclesiástica que usufruía de privilégios reais e pontificais e encarregava-se do ensino. **2.** Conjunto dos estabelecimentos escolares que se ocupam do ensino superior, agrupados num mesmo organismo administrativo.

universitário *adj.* **1.** Relativo ou pertencente à universidade ou ao ensino superior. **2.** Que leciona ou estuda no ensino superior. ★ *s.m.* Aluno de universidade.

universo *s.m.* (lat. *universum*). **1.** Conjunto de tudo aquilo que existe; o cosmo, o macrocosmo. (Em astrofísica, escreve-se com maiúscula.) **2.** O sistema solar. **3.** Toda a Terra; o conjunto da humanidade. **4.** *Fig.* O meio em que algo ou alguém vive; mundo. **5.** *Fig.* Domínio psicológico de um grupo ou de uma atividade. **6.** Conjunto dos conceitos ou de objetos abstratos considerados como um sistema organizado. ● **Estat.** Conjunto que pode ser dotado de uma probabilidade. (Sin. POPULAÇÃO.)

UNIVERSO ▸ O Universo é tudo o que existe. Compreende uma grande variedade de estrelas, planetas e outros corpos celestes, distribuídos pela imensidão do espaço. As distâncias entre os corpos celestes podem ser enormes, assim como sua massa, densidade, temperatura e velocidade. Essas distâncias não são medidas em quilômetros, mas em anos-luz (ou seja, a distância percorrida pela luz em um ano, aprox. 9,5 trilhões de km) ou em outras unidades astronômicas. Costuma-se calcular a massa dos corpos comparando-a com a do Sol.

---

univitelino *adj.* Diz-se de cada um dos gêmeos originados de um mesmo óvulo fecundado; gêmeo idêntico. (Sin. MONOZIGOTO.)

unívoco *adj.* (lat. *univocus*). **1.** Diz-se de uma relação lógica entre dois objetos que só se exerce em um sentido (p. opos. a *biunívoco*). **2.** Que tem a mesma natureza. **3.** Que só pode ser interpretado de uma forma. ● **Filos.** Diz-se de um conceito ou atributo aplicável a seres distintos com sentido rigorosamente idêntico.

uno *adj.* (lat. *unus*). **1.** Um. **2.** Único, singular.

untanha *s.f.* Anfíbio anuro carnívoro que apresenta protuberâncias sobre os olhos semelhantes a chifres. (Var. INTANHA.)

untar *v.t.* (lat. *unctuare*) [conj. 4]. **1.** Friccionar com substância untuosa; ungir. **2.** Cobrir com unto; besuntar. ★ *v.pr.* Passar unto, óleo, gordura, no próprio corpo; ungir-se.

unto *s.m.* (lat. *unctum*). **1.** Banha ou gordura de porco. **2.** Gordura, óleo.

untuoso (ô) *adj.* (lat. *unctuosus*). **1.** Que tem unto; gorduroso, oleoso. **2.** Lubrificado, escorregadio. **3.** *Fig.* Melífluo, bajulador. **4.** *Fig.* Macio, suave.

untura *s.f.* (lat. *unctura*). **1.** Ato ou efeito de untar; unção, untadura. **2.** Medicamento próprio para untar; ungüento. **3.** (*RS*) Mistura de sebo, carvão moído e outros ingredientes, aplicada em ferimentos de animais; untadura. **4.** *Fig.* Conhecimentos superficiais.

upa *interj.* Empregada para incitar animais, mas também empregada para expressar espanto.

upgrade *s.m.* (ingl.). Versão mais nova e em geral aperfeiçoada de um programa.

urânio *s.m.* (lat. cient. *uranium*). Elemento químico (símb. U) de número atômico 92, da série dos actinídios, que constitui um metal extremamente radioativo, muito usado na produção de energia nuclear.

uranismo *s.m.* **1.** Inversão sexual. **2.** Homossexualidade masculina, pederastia.

uranoplastia *s.f.* Restauração do véu palatino.

urbanidade *s.f.* (lat. *urbanitas*). **1.** Qualidade ou caráter de urbano. **2.** *Fig.* Civilidade, cortesia, delicadeza, polidez.

urbanismo *s.m.* Conjunto de medidas técnicas, administrativas, econômicas e sociais que visam ao desenvolvimento racional e humano das cidades.

urbanístico *adj.* Relativo a urbanismo.

urbanita *adj.2g.* e *s.2g.* Que ou aquele que reside em cidade.

urbanização *s.f.* **1.** Ato ou efeito de urbanizar. **2.** Conjunto de obras (esgotos, eletricidade, água etc.) e serviços (transportes, educação) presentes nas cidades. **3.** Fenômeno demográfico que se expressa na tendência de concentração da população nas cidades.

urbanizar *v.t.* (fr. *urbaniser*) [conj. 4]. Tornar urbano; civilizar.

urbano *adj.* (lat. *urbanus*). **1.** Relativo ou pertencente à cidade. **2.** Que tem caráter de cidade. **3.** *Fig.* Cortês, polido, afável.

urbe *s.f.* (lat. *urbs, urbis*). Cidade.

urdidura *s.f.* **1.** Conjunto de fios paralelos, espaçados regularmente e dispostos, no tear, no sentido do comprimento de uma peça de tecido e perpendicularmente à trama; urdume. **2.** *Fig.* Trama, intriga, maquinação.

urdir *v.t.* (lat. *ordiri*) [conj. 6]. **1.** Preparar o urdume que irá alimentar o tear. **2.** *Fig.* Enredar, tramar, maquinar, intrigar.

urdume *s.m.* Urdidura.

uréia *s.f.* (do gr. *ouron,* urina). Composto orgânico solúvel em água que constitui um resíduo do metabolismo dos aminoácidos, eliminado pela urina.

urente *adj.2g.* (lat. *urens,* de *urere,* queimar). Que queima; ardente.

ureter (tér) *s.m.* (gr. *oureter*). Cada um dos dois canais que conduzem a urina dos rins à bexiga.

uretra *s.f.* Conduto urinário que interliga a bexiga com o meio externo, por onde flui a urina e, no homem, também o esperma.

uretral *adj.2g.* Relativo à uretra.

urgência *s.f.* (lat. *urgentia*). **1.** Qualidade ou caráter de urgente; pressa. **2.** Serviço hospitalar para onde são encaminhados os feridos e os pacientes cujo estado necessita de tratamento imediato.

urgente *adj.2g.* (lat. *urgens*). Que urge, que não pode ser adiado ou retardado.

urgir *v.t.* (lat. *urgere*) [conj. 52]. **1.** Fazer imediatamente necessário; reclamar, exigir. **2.** Perseguir de perto; apertar, estreitar. ★ *v.i.* **1.** Ser urgente, ser necessário. **2.** Estar iminente; instar.

uricemia *s.f.* (fr. *uricémie*). Taxa de ácido úrico no sangue.

úrico *adj.* **1.** Relativo à urina. **2.** *Ácido úrico,* ácido orgânico nitrogenado encontrado em pequeno teor no sangue e em maior quantidade na urina, que resulta da degradação das proteínas no organismo.

urina *s.f.* Líquido amarelo transparente elaborado pelos rins, que contém principalmente as substâncias metabólicas a serem eliminadas.

? VOCÊ SABIA...? Os rins produzem a **urina**, líquido que é excretado com os resíduos do sangue filtrado. A coloração amarela da urina se deve às substâncias formadas pelo fígado ao decompor a hemoglobina do sangue. Ela passa para a bexiga, onde é armazenada antes de ser expelida através da uretra.

---

urinar *v.i.* (fr. *uriner*) [conj. 4]. Expelir a urina pelas vias normais (uretra). ★ *v.t.* **1.** Expelir pela uretra, em geral misturado com urina. **2.** Sujar com urina. ★ *v.pr.* **1.** Molhar-se com a própria urina. **2.** Demonstrar medo.

urinário *adj.* **1.** Relativo à urina. **2.** *Aparelho urinário,* os rins e as vias urinárias. ▸ *Meato urinário,* orifício externo da uretra. ▸ *Vias urinárias,* conjunto dos órgãos responsáveis pela eliminação da urina: cálices, bacinetes e ureteres (ou vias superiores), bexiga e uretra (ou vias inferiores).

urinol *s.m.* Vaso próprio para nele se urinar e defecar; penico, bispote, vaso.

URL (sigla de *uniform resource locator*). Seqüência de caracteres com a qual se localiza uma página na internet; endereço de página.

urocordado *s.m.* e *adj.* Sin. de TUNICADO.

urodelos *s.m.*pl. Ordem de anfíbios de cauda persistente, que apresentam corpo alongado, dois pares de patas curtas e cujas larvas, aquáticas, se assemelham ao adulto quanto à forma. (Sin. CAUDADOS.)

urogenital *adj.2g.* Geniturinário.

urólito *s.m.* Cálculo urinário.

urologia *s.f.* (do gr. *ouron,* urina). Ramo da medicina consagrado às afecções do rim, das vias urinárias nos dois sexos e do aparelho geniturinário masculino.

urológico *adj.* Relativo à urologia.

uropigial *adj.2g.* **1.** Relativo ou pertence ao uropígio. **2.** *Glândula uropigial,* glândula que secreta uma substância oleosa responsável pela impermeabilização das penas das aves.

uropígio *s.m.* (gr. *ouropygion*). Parte traseira do corpo das aves que compreende a glândula uropigial e dá suporte às penas da cauda.

urna *s.f.* (lat. *urna*). **1.** Vaso destinado a conservar as cinzas dos mortos. **2.** Vaso de barro ou de bronze que os antigos usavam para buscar água na fonte. **3.** Caixa, saco ou qualquer recipiente inviolável usado para recolher votos numa eleição. ● **Bot.** Esporângio de musgos, em forma de urna, recoberto por um opérculo. ★ *s.f.pl.* Eleição, sufrágio.

urrar *v.i.* (conj. 4). Dar urros; rugir, bramir. ★ *v.t.* Exprimir com urros.

urro *s.m.* **1.** Bramido ou rugido de algumas feras. **2.** Berro ou grito rouco.

ursada *s.f.* *Fam.* Traição de amigo.

urso *s.m.* (lat. *ursus*). **1.** Mamífero carnívoro, de pelagem longa e espessa, cauda curta, e marcha plantígrada, que ocorre na América do Norte, México, Europa e Ásia. **2.** *Fig.* Pessoa ensimesmada, que foge ao contato social.

urso-pardo

URSO ▸ Os ursos são animais de pelagem longa e espessa, patas curtas, garras muito longas e molares adaptados a um regime onívoro. No entanto, raramente se alimentam de outros animais de grande porte, preferindo insetos, folhas, frutas, nozes e outras substâncias doces. Podem ficar de pé facilmente sobre as patas traseiras. Hibernam, sem baixa de temperatura corporal. Nadam bem e costumam escalar árvores e escarpas com facilidade. Seu tamanho varia muito, do urso-malaio, que pesa até 45 kg, ao urso-polar, que chega a atingir 800 kg. A maioria dos ursos ocorre apenas na Europa, na Ásia e na América do Norte. Na América do Sul existe apenas o urso-de-óculos, bastante raro, que vive nos Andes, da Venezuela ao Chile.

---

urticação *s.f.* Reação inflamatória cutânea com sensação de queimadura.

urticáceas *s.f.pl.* Família de plantas dicotiledôneas, predominantemente herbáceas, de flores muito pequenas, como o rami e a urtiga.

urticante *adj.2g.* **1.** Diz-se de animais ou vegetais cujo contato produz a sensação de queimadura, de ardor. **2.** *Pêlo urticante,* pêlo oco, ligado a uma vesícula venenosa, a qual expulsa seu conteúdo quando o pêlo entra em contato com um corpo estranho, como em certas lagartas.

urticária *s.f.* Dermatose semelhante a uma queimadura de urtiga, provocada pela sensibilização alérgica do organismo a plantas, animais etc.

urtiga *s.f.* (lat. *urtica*). Nome comum a diversas plantas herbáceas providas de pêlos urticantes, que produzem queimaduras na pele; algumas espécies são comestíveis e possuem propriedades medicinais.

urtiga-do-mar *s.f.* Sin. de ÁGUA-VIVA.

uru[1] *s.m.* Ave galiforme, de bico curto, que ocorre no Brasil, Paraguai e Argentina.

uru[2] *s.m.* (tupi *u'ru*). Cesto de palha de carnaúba ou fibra de piaçaba, com alça.

urubu *s.m.* (tupi *uru'bu*). **1.** Denominação comum a aves falconiformes que apresentam a cabeça nua e se alimentam de carne em putrefação. **2.** Indivíduo vestido de preto. **3.** *Pop.* Indivíduo que transmite ou pressagia má sorte.

urucu *s.m.* (tupi *uru'ku,* vermelho). **1.** Fruto do urucuzeiro, cápsula grande, revestida de espinhos moles, que contém numerosas sementes utilizadas para a obtenção de matéria corante vermelha ou amarela. **2.** Substância que se extrai da polpa desse fruto. (Var. URUCUM.)

urucubaca *s.f.* Caiporismo, azar, infelicidade.

urucum *s.m.* Var. de URUCU.

urucungo *s.m.* (quimb. *rikugu,* cova). Sin. de BERIMBAU.

urucuzeiro *s.m.* Arbusto ou pequena árvore de folhas elípticas, flores avermelhadas e fruto que fornece corante utilizado em culinária e na indústria alimentícia.

uruguaio *adj.* Relativo ou pertencente ao Uruguai, país da América do Sul. ★ *s.m.* O natural ou habitante desse país.

urupema ou **urupemba** *s.f.* (tupi *uru'pema,* uru chato). (*N*) Peneira de fibra vegetal para farinha de mandioca, milho etc.

urutau ou **urutauí** *s.m.* (tupi *uruta'u*). Ave caprimulgiforme que ocorre do México à Bolívia, Argentina, Uruguai e em todo Brasil.

urutu *s.2g.* (tupi *uru'tu*). Réptil ofídio, venenoso, que apresenta dorso pardo ornado por desenhos escuros em forma de ferradura, além de uma mancha em forma de cruz na cabeça. (Sin. CRUZEIRO[2].)

urze *s.f.* Nome comum a diversas espécies de arbustos, alguns cultivados como ornamentais.

usança *s.f.* Uso, costume, hábito antigo.

usar *v.t.* (conj. 4). **1.** Fazer uso de, servir-se de. **2.** Empregar, utilizar. **3.** Trajar, vestir. **4.** Ter ou trazer habitualmente. **5.** Estar habituado a; costumar. **6.** Ter como hábito ou costume a ingestão ou consumo de.

useiro *adj.* Que costuma fazer alguma coisa.

usina *s.f.* (fr. *usine*). **1.** Grande estabelecimento industrial onde se transformam matérias-primas em produtos finais; fábrica, indústria. **2.** Conjunto de instalações destinadas ao aproveitamento de energia; central. **3.** (*NE*) Estabelecimento industrial moderno que substituiu o engenho na fabricação do açúcar.

usinar *v.t.* (conj. 4). Submeter uma peça à ação de uma ou mais máquinas, visando principalmente o desbastamento do material.

uso *s.m.* (lat. *usus*). **1.** Ato ou efeito de usar. **2.** Aplicação, emprego. **3.** Prática consagrada; costume, hábito. **4.** Gasto, deterioração.

usual *adj.2g.* (lat. *usualis*). Que é de uso corrente; comum, habitual.

ustular *v.t.* (lat. *ustulare*) [conj. 4]. **1.** Queimar ligeiramente. **2.** Secar ao fogo. **3.** Realizar uma ustulação.

ustulação *s.f.* **1.** Procedimento em que uma substância é expelida de outra por aquecimento. **2.** Aquecimento de um composto para decompô-lo e oxidar determinados elementos.

usuário *adj.* e *s.m.* (lat. *usuarius*). **1.** Que ou aquele que tem direito de uso ou usufruto (de um serviço, bem etc.). **2.** Que ou aquele que faz uso de um serviço público ou privado. ● **Inform.** Que ou aquele que usa um sistema ou programa não sendo programador nem analista.

usucapião *s.2g.* (lat. *usucapio*). Modo derivado de aquisição da propriedade, através de sua posse continuada durante um determinado tempo.

usufruir *v.t.* e *v.i.* (lat. *usus frui*) [conj. 74]. Gozar, fruir, desfrutar.

usufruto *s.m.* (lat. *usus et fructus*). **1.** Ato ou efeito de usufruir. **2.** Aquilo que se usufrui.

usura *s.f.* (lat. *usura*). **1.** Cobrança de taxas de juros consideradas exorbitantes, superiores às taxas máximas permitidas por lei ou admitidas como normais pela praxe dos negócios de empréstimos. **2.** (*NE*) Mesquinhez, avareza. **3.** Desgaste dos materiais em virtude do uso prolongado.

usurário *adj.* e *s.m.* (lat. *usurarius*). **1.** Que ou aquele que pratica a usura; agiota. **2.** Avaro.

usurpar *v.t.* (lat. *usurpare*) [conj. 4]. **1.** Apoderar-se (de alguma coisa) de maneira violenta ou artificiosa; obter sem direito. **2.** Assumir o exercício de, por fraude ou violência. **3.** Exercer indevidamente.

utensílio *s.m.* (lat. *utensilium*). **1.** Objeto que se usa no exercício de uma arte, ofício etc. **2.** Objeto que serve de instrumento para se executar uma tarefa.

uterino *adj.* (lat. *uterinus*). Relativo ao útero.

útero *s.m.* (lat. *uterus*). Órgão do aparelho genital feminino destinado a receber o óvulo fecundado até seu completo desenvolvimento. (Sin. MATRIZ.)

útil *adj.2g.* (lat. *utilis*). **1.** Que tem uso, préstimo ou serventia; que satisfaz uma necessidade. **2.** Que traz vantagem, proveito ou benefício; vantajoso, proveitoso. **3.** *Dia útil,* cada um dos dias em que, durante a semana, funcionam o comércio, a indústria etc. ★ *s.m.* Aquilo que é útil.

utilidade *s.f.* (lat. *utilitas*). **1.** Qualidade de útil. **2.** Objeto útil. **3.** Emprego, uso, vantagem, serventia. **4.** Propriedade ou aptidão de uma coisa para satisfazer as necessidades econômicas do homem.

utilitário *adj.* (lat. *utilitarius*). **1.** Relativo à utilidade. **2.** Que tem como finalidade principal a utilidade. ★ *s.m.* **1.** Veículo comercial destinado ao transporte de mercadorias ou pessoas. **2.** Utilitarista. ● **Inform.** Programa que auxilia em atividades relacionadas ao funcionamento do computador (pesquisa de arquivos, correção de defeitos etc.).

veículo utilitário

utilitarismo *s.m.* (ingl. *utilitarism*). **1.** Doutrina moral que faz da utilidade o princípio de todos os valores. **2.** Modo de agir segundo essa doutrina.

utilizar *v.t.* (fr. *utiliser*) [conj. 4]. **1.** Fazer uso de; empregar, usar. **2.** Tornar útil ou empregar utilmente; aproveitar. **3.** Tirar proveito de; explorar. ★ *v.i.* Ser útil ou proveitoso; ter uso ou préstimo. ★ *v.pr.* Lançar mão de; valer-se, servir-se de.

utilizável *adj.2g.* Que se deve ou pode utilizar.

utopia *s.f.* (gr. *ou,* não, e *topos,* lugar). **1.** Sistema ou projeto irrealizável; concepção imaginária. **2.** Idealização de uma sociedade perfeita. **3.** *P. ext.* Projeto de realização impossível; fantasia.

utópico *adj.* **1.** Relativo à utopia; utopista. **2.** Que se caracteriza pela utopia; irrealizável, quimérico.

uva *s.f.* (lat. *uva*). **1.** Fruto da videira, uma baga globosa, disposta em cachos, ácida na planta selvagem e adocicada nas variedades cultivadas, comestível ao natural e utilizada na produção de sucos, geléias e principalmente de vinhos. **2.** Fruto das vinhas em geral. **3.** *Pop.* Coisa bonita, agradável.

uvaia *s.f.* (tupi *iwa ya,* fruto azedo). **1.** Arbusto de flores brancas, solitárias e frutos amarelos, muito ácidos, comestíveis e utilizados na produção de vinagre fino, sucos e sorvetes. (Var. UBAIA.) **2.** O fruto dessa planta.

úvea *s.f.* Tecido ocular composto pela íris, corpo ciliar e coróide.

úvula *s.f.* (lat. cient. *uvula*). Apêndice móvel e contrátil que pende do bordo livre posterior do véu do palato e que desempenha importante papel na deglutição e na fonação. (Sin. pop. CAMPAINHA.)

uvulite *s.f.* Inflamação da úvula.

uxoricida (cs) *adj.2g.* e *s.m.* **1.** Que ou aquele que assassinou a própria esposa. **2.** Que concorre para o uxoricídio ou o determina.

uxoricídio (cs) *s.m.* (do lat. *uxor, uxoris,* esposa). Assassinato de uma mulher pelo próprio marido.

uxório (cs) *adj.* (lat. *uxorius*). Relativo à mulher casada.

Vv Vv Vv

v *s.m.* Vigésima primeira letra do alfabeto português.

V[1] símbolo químico do vanádio.

V[2] símbolo do volt.

vaca *s.f.* (lat. *vacca*). **1.** Fêmea reprodutora da espécie bovina. **2.** Carne de gado vacum que se vende nos açougues para consumo alimentício. **3.** *Fig.* Fonte permanente de interesses; sinecura. **4.** *Pej.* Mulher que mantém relações sexuais com vários parceiros.

vaca-fria *s.f. Voltar à vaca-fria,* retornar a um assunto ou questão anteriormente discutida.

vacância *s.f.* (fr. *vacance*). **1.** Estado do que se apresenta desocupado ou vago. **2.** Tempo durante o qual um cargo, emprego, função, posto, ofício permanente, termo ou comarca permanecem sem titular. ● **Fís.** Em uma rede cristalina, lugar não ocupado por um átomo ou molécula; em um átomo da rede, ausência de um elétron na camada de valência.

vacante *adj.2g.* **1.** Vago, desocupado. **2.** Diz-se de cargo, função ou emprego que está temporariamente vago.

vacaria *s.f.* **1.** Vacada. **2.** Estábulo próprio para abrigar vacas. **3.** Gado vacum.

vacilar *v.i.* (lat. *vacillare*) [conj. 4]. **1.** Oscilar por falta de firmeza; tremer. **2.** Caminhar sem firmeza; cambalear. **3.** *Fig.* Estar ou ficar indeciso, irresoluto; hesitar. ★ *v.t.* Ter dúvida ou hesitação; hesitar.

vacina *s.f.* (lat. *vaccinus*). **1.** Doença inicialmente observada na vaca (de onde seu nome) e depois no cavalo, e que é caracterizada pela erupção de pústulas de aspecto variável. **2.** Substância de origem microbiana que, administrada a uma pessoa ou a um animal, lhe confere imunidade contra a infecção determinada pelos mesmos micróbios de onde foi extraída e às vezes também contra outras infecções. **3.** Vacinação.

vacinação *s.f.* **1.** Ato ou efeito de vacinar; vacina. **2.** Introdução no organismo de uma vacina para criar imunidade contra a infecção correspondente ou para desenvolver as defesas do organismo contra uma infecção já instalada.

VACINAÇÃO ► A primeira vacina foi criada em 1796 pelo médico inglês Edward Jenner. Ele observou que, com a vacinação feita com o exsudato de uma doença das vacas, era possível prevenir a varíola nos seres humanos. A substância recebeu esse nome pelo fato de a matéria-prima ter sido obtida "de vacas", em latim *vaccina.*

---

vacinar *v.t.* (fr. *vacciner*) [conj. 4]. Inocular a vacina em.

vacinóide *adj.2g.* Que se assemelha à vacina.

vacuidade (u-i) *s.f.* **1.** Qualidade ou estado de vazio; ausência, falta. **2.** *Fig.* Vaidade, presunção.

vacum *adj.2g.* e *s.m.* Designação comum às vacas, aos bois, novilhos, garrotes e bezerros.

vácuo[1] *adj.* (lat. *vaccuus*). Que não contém nada; vazio, oco.

vácuo[2] *s.m.* (lat. *vaccuum*). **1.** Espaço não ocupado por coisa alguma. **2.** Meio ambiente que corresponde a um estado cuja pressão é inferior à da atmosfera. ● **Aeron.** Zona da atmosfera afetada por correntes descendentes de ar, onde uma aeronave perde a sustentação abruptamente. **Fís.** Estado correspondente à ausência total de partículas reais. **Técn.** Estado de um gás rarefeito.

vacúolo *s.m.* Compartimento celular, limitado por uma membrana, que ocorre nos vegetais, animais e protozoários.

vadear *v.t.* (esp. *vadear*) [conj. 15]. Atravessar (rio, córrego) a vau. (Cf. VADIAR.)

vade-mécum (dè) *s.m.* (lat. *vade mecum,* vai comigo). **1.** Livros de conteúdo prático e formato cômodo. **2.** Caderno em que se lançam apontamentos das obrigações diárias; agenda.

vadiagem *s.f.* **1.** Vida de vadio; malandragem, vadiação. **2.** Os vadios. **3.** Contravenção penal que consiste em uma pessoa levar vida ociosa, sendo válida para o trabalho e não possuindo renda própria; vagabundagem.

vadiar *v.i.* (conj. 16). **1.** Levar vida ociosa; não trabalhar, vagabundear. **2.** Andar sem rumo certo; vaguear. **3.** Não estudar, vagabundear. **4.** Entregar-se ao divertimento; brincar. **5.** *Pop.* (*NE*) Manter relações sexuais. (Cf. VADEAR.)

vadio *adj.* **1.** Que não tem domicílio certo; errante. **2.** Que não tem ocupação; desocupado, malandro, vagabundo. **3.** Que ou aquele que não trabalha o bastante; preguiçoso, malandro.

vaga[1] *s.f.* (fr. *vague*, de or. nórdica). **1.** Onda grande, em mar agitado, geralmente formada pela ação do vento. **2.** *Fig.* Multidão tumultuosa; turba.

vaga[2] *s.f.* **1.** Ato ou efeito de vagar[1]. **2.** Cargo ou função que se acha em disponibilidade. **3.** Lugar vazio, disponível, em que se pode alocar algo ou alguém.

vagabundar *v.i.* (conj. 4). Vagabundear.

vagabundear *v.i.* (conj. 15). **1.** Viver ociosamente; vagabundar. **2.** Vadiar.

vagabundo *adj.* (lat. *vagabundus*). **1.** Que vagueia; errante, nômade, vadio. **2.** Que não trabalha ou não gosta de trabalhar; vadio. **3.** De má qualidade; ordinário, inferior. ★ *s.m.* **1.** Indivíduo vagabundo; mendigo. **2.** Indivíduo desocupado, vadio, ocioso.

vagal *adj.2g.* Relativo ao nervo vago.

vagalhão *s.m.* Onda grande; grande vaga.

vaga-lume *s.m.* Denominação comum a insetos coleópteros, noturnos, que apresentam no abdome órgãos produtores de luz. (Sin. PIRILAMPO.)

vagante[1] *adj.2g.* Que vagueia; errante.

vagante[2] *adj.2g.* Que está disponível ou vago.

vagão *s.m.* (ingl. *waggon*). **1.** Veículo ferroviário rebocado, destinado ao transporte de mercadorias, animais ou passageiros. **2.** O seu conteúdo.

vagar[1] *v.i.* (lat. *vacare*) [conj. 14]. **1.** Ficar (lugar, colocação) vago, sem quem o ocupe. **2.** Sobrar, sobejar. ★ *v.t.* **1.** Não estar ocupado; sobrar, restar. **2.** Deixar de ter; faltar. **3.** Fazer lugar, abrir vaga em; desocupar. ★ *s.m.* **1.** Tempo desocupado; ócio. **2.** Falta de pressa, lentidão.

vagar[2] *v.i.* (lat. *vagare*) [conj. 14]. **1.** Andar sem destino; errar, vaguear. **2.** Movimentar-se (embarcação) sem direção, ao sabor das vagas. **3.** Espalhar, repercutir.

vagareza (ê) *s.f.* Falta de pressa; lentidão, morosidade.

vagaroso (ô) *adj.* **1.** Que não tem pressa; lento. **2.** Falto de diligência ou de desembaraço.

vagem *s.f.* (lat. *vagina*, bainha). Denominação comum aos frutos secos das leguminosas, geralmente deiscentes, providos de várias sementes. (Sin. LEGUME.)

vagido *s.m.* (lat. *vagitus*). **1.** Choro de criança recém-nascida. **2.** Lamento, gemido.

vagina *s.f.* (lat. *vagina*, bainha). **1.** Canal músculo-mucoso que se estende do colo do útero à vulva. **2.** Corpo membranoso que cerca a base dos pedúnculos dos musgos.

vaginal *adj.2g.* **1.** Relativo à vagina. **2.** Que tem forma de bainha; vaginiforme. **3.** *Túnica vaginal* ou *vaginal* (*s.f.*), membrana serosa que no homem envolve a quase totalidade do testículo e do epidídimo.

vaginismo *s.m.* Contração espasmódica dolorosa e involuntária dos músculos da vagina, que torna o relacionamento sexual difícil ou impossível.

vaginite *s.f.* Inflamação da mucosa da vagina que se traduz por leucorréias.

vagínula *s.f.* (lat. *vaginula*). **1.** Pequena bainha. **2.** Corola tubulosa das flores compostas.

vagir *v.i.* (lat. *vagire*) [conj. 78]. **1.** Dar vagidos (recém-nascido). **2.** Gritar, chorar. **3.** Gemer, lamentar-se.

vago[1] *adj.* (lat. *vaccuus*). Desocupado, vazio, vacante.

vago[2] *adj.* (lat. *vagus*). **1.** Que vagueia; errante, vagabundo. **2.** Inconstante, instável, volúvel. **3.** Falto de certeza, de precisão; impreciso, incerto. **4.** Que não se distingue bem; indefinido, confuso. ★ *s.m.* Nervo componente do décimo par de nervos cranianos, relacionado aos órgãos do tórax e abdome. (Sin. NERVO PNEUMOGÁSTRICO.)

vagolítico *adj.* e *s.m.* Diz-se de ou substância que paralisa o nervo vago.

vagoneta (ê) ou **vagonete** (ê) *s.f.* (fr. *wagonette*). Pequeno vagão para transporte de cargas em mineração, redes industriais etc.

vaguear *v.i.* (lat. *vagare*) [conj. 15]. **1.** Andar sem destino; errar, vagar, perambular. **2.** Ter vida ociosa; vagabundear.

vagueza[1] (ê) *s.f.* Qualidade ou estado de vago[2]; indeterminação, inconstância.

vagueza[2] (ê) *s.f.* (it. *vaghezza*). Vaporosidade de tintas distribuídas com suavidade.

vaia *s.f.* (esp. *vaya*). **1.** Manifestação pública de desagrado; apupo. **2.** Zombaria, chacota.

vaiar *v.t.* (conj. 4). **1.** Manifestar, isoladamente ou em grupo, publicamente, desagrado; apupar. **2.** Fazer chacota, zombar de.

vaidade *s.f.* (lat. *vanitas, vanitatis*). **1.** Desejo imoderado de chamar a atenção ou de receber elogios. **2.** Idéia exageradamente positiva que alguém faz de si próprio; presunção, fatuidade. **3.** Coisa vã, ilusória, fútil. **4.** Alarde, ostentação, vanglória.

vaidoso (ô) *adj.* Que tem vaidade; fútil, presunçoso, fátuo.

vaivém *s.m.* **1.** Ato de ir e vir repetidas vezes. **2.** Movimento oscilatório; balanço. **3.** Dobradiça que permite a uma porta movimentos de vaivém.

vaixia *s.m.* Membro da casta dos comerciantes, agricultores e pastores, superior à mais baixa das quatro principais castas hindus.

vala *s.f.* **1.** Escavação longa, de profundidade e largura variáveis, com diversas finalidades (escoamento das águas pluviais, defesa militar de uma passagem etc.). **2.** *Vala comum*, sepultura para um grande número de cadáveres.

valado *s.m.* (lat. *vallatus*, entrincheirado, fortificado). **1.** Vala rasa, guarnecida de tapume ou sebe, que cerca uma propriedade rural. **2.** Propriedade rural guarnecida por essa vala. **3.** Elevação de terra que limita uma propriedade rural.

vale[1] *s.m.* (lat. *vallis*). **1.** Depressão alongada cavada por um rio ou geleira. **2.** Depressão ou planície entre montes ou na base de um monte. **3.** Várzea ou planície à beira de um rio.

vale[2] *s.m.* **1.** Documento sem forma legal que comprova dívida, empréstimo, adiantamento por conta do salário ou retirada eventual de numerário em caixa. **2.** Recibo provisório.

valência *s.f.* (lat. *valentia,* de *valere,* valer). Número possível dos átomos de determinada natureza que podem se ligar quimicamente a um determinado átomo. ● **Fís.** *Banda* ou *camada de valência,* em um átomo de uma rede cristalina, o mais elevado nível de energia que, à temperatura suficientemente baixa, é completamente ocupado por elétrons.

valentão *adj.* e *s.m.* **1.** Que ou aquele que é muito valente; peitudo, bamba. **2.** Que ou aquele que faz ostentação de valentia; fanfarrão, jactancioso, gabarola.

valente *adj.2g.* (lat. *valens, valentis*). **1.** Que tem valor e coragem; bravo, corajoso, valoroso. **2.** Que tem valia; forte, vigoroso. **3.** Enérgico, eficaz. ★ *s.2g.* Homem de valor, de coragem.

valentia *s.f.* **1.** Qualidade de valente; valor, bravura, coragem. **2.** Ação de valor, que revela grande coragem; proeza, façanha. **3.** Energia, força, vigor.

valer *v.t.* (lat. *valere*) [conj. 43]. **1.** Ter o preço ou valor de. **2.** Ser digno de; merecer. **3.** Proteger, socorrer, amparar. **4.** Trazer como conseqüência; acarretar. **5.** Ter o valor de; significar. **6.** Ter o mesmo valor; ser equivalente a. **7.** Granjear, obter. ★ *v.i.* **1.** Ter valor ou validade; vigorar. **2.** Ser proveitoso, útil. **3.** Ter crédito, poder, prestígio. ★ *v.pr.* Lançar mão de; servir-se, utilizar-se de.

valeriana *s.f.* Planta herbácea ou arbustiva, nativa da Europa, de flores brancas ou cor-de-rosa, que apresenta propriedades antiespasmódicas e sedativas.

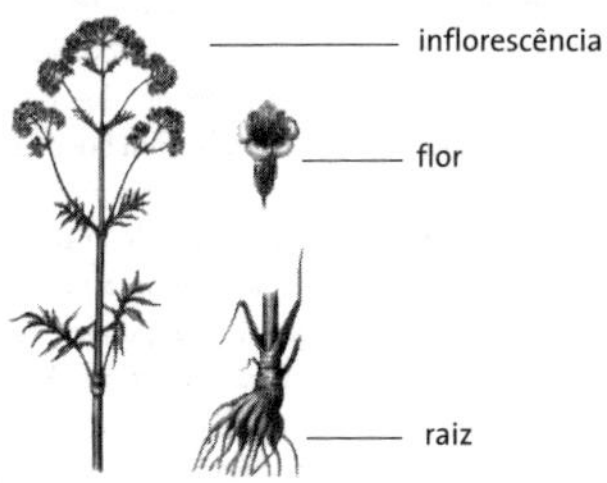

valeta (ê) *s.f.* **1.** Pequena vala que margeia as estradas ou as ruas, para escoamento de águas. **2.** Vala profunda e curta, revestida em alvenaria, que serve para inspecionar as partes inferiores de veículos.

valete *s.m.* (fr. ant. *vaslet*). **1.** Na Idade Média, jovem nobre colocado ao lado de um senhor para iniciar-se como cavaleiro. **2.** Pajem, lacaio, criado. **3.** Carta do baralho que tem a figura de um valete.

valetudinário *adj.* (lat. *valetudinarius*). Que tem saúde débil, que está habitualmente adoentado; enfermiço.

valia *s.f.* **1.** Valor intrínseco a um objeto. **2.** Valor estimativo. **3.** Préstimo, utilidade. **4.** Merecimento, mérito, valor.

validade *s.f.* **1.** Qualidade ou caráter do que é válido. **2.** Legitimidade, valimento. **3.** *Prazo* ou *data de validade,* prazo ou data além da qual um produto não deve mais ser utilizado.

validar *v.t.* (lat. *validare*) [conj. 4]. **1.** Tornar ou declarar válido. **2.** Legitimar. ★ *v.pr.* Fazer-se válido.

valido *s.m.* Pessoa que tem valimento; favorito, privado. ★ *adj.* **1.** Protegido, favorecido, socorrido, amparado. **2.** Estimado, querido.

válido *adj.* (lat. *validus*). **1.** Que tem valor; valioso. **2.** Que tem saúde; são, sadio. **3.** Que tem validade; legal. **4.** Que surte efeito; eficiente.

valimento *s.m.* **1.** Ato ou efeito de valer. **2.** Validade.

valina *s.f.* Aminoácido essencial, isto é, não sintetizado pelo organismo e assim indispensável na dieta.

valioso (ô) *adj.* **1.** Que tem valia ou valor. **2.** Que vale muito. **3.** Que tem méritos.

valisa ou **valise** *s.f.* (fr. *valise*). Pequena mala de mão.

valo *s.m.* (lat. *vallus*). **1.** Muro que defende um campo entrincheirado. **2.** Arena ou liça onde combatiam os participantes dos torneios. **3.** Fosso, vala.

valor (ô) *s.m.* (lat. *valor*). **1.** Estima, mérito ou preço atribuído a alguma coisa. **2.** Qualidade que revela o préstimo ou serventia de algo. **3.** Validade, legitimidade. **4.** Poder de aquisição (de uma moeda). **5.** Uma das determinações possíveis de uma grandeza ou de uma quantidade variável. **6.** *Fig.* Consideração, estima. **7.** *Fig.* Importância, significação. ★ *s.m.pl.* **1.** Conjunto de princípios, ideais e julgamentos morais. **2.** Quaisquer títulos de crédito, ações etc., representativos de dinheiro e negociáveis em Bolsa.

valorização *s.f.* **1.** Ato ou efeito de valorizar(-se). **2.** Elevação de preço de uma mercadoria acima do nível que o jogo espontâneo da lei da oferta e procura lhe atribui.

valorizar *v.t.* (fr. *valoriser*) [conj. 4]. **1.** Aumentar o valor de. **2.** Aumentar o préstimo de; enriquecer. **3.** Reconhecer o valor de. ★ *v.pr.* **1.** Aumentar de valor. **2.** Reconhecer os próprios méritos, dons ou qualidades.

valoroso (ô) *adj.* **1.** Que tem valor. **2.** Bravo, corajoso. **3.** Forte, enérgico.

valsa *s.f.* (al. *Walzer,* de *walzen,* rodar, girar). **1.** Dança de salão padronizada, em três tempos, com uma leve acentuação sobre o primeiro, executada por casais e rodopiada. **2.** Música apropriada para esta dança. **3.** Forma de composição destinada à execução instrumental.

valsar *v.i.* (conj. 4). Dançar uma valsa. ★ *v.t.* Dançar valsando.

valva *s.f.* (lat. *valva*). Cada uma das peças que compõem as conchas dos moluscos. ● **Bot.** Cada uma das partes de um fruto seco que se abrem para permitir a saída dos grãos. ▸ Parte plana, diversamente ornamentada, paralela ao eixo maior, da teca das diatomáceas. **Med.** *Valva cardíaca,* cada uma das lâminas membranosas que entram na constituição das válvulas dos orifícios atrioventriculares; prótese destinada a substituir uma válvula cardíaca.

VALVAS DE MOLUSCOS

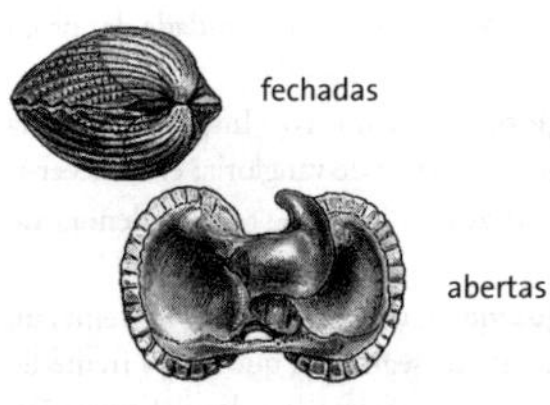

VALVA ▸ Nos moluscos bivalves distinguem-se a valva direita e a valva esquerda, unidas pela articulação dorsal. Um molusco é eqüivalve quando suas valvas são simétricas. Uma valva cujas partes anterior e posterior sejam simétricas chama-se eqüilateral.

válvula *s.f.* (lat. *valvula*). **1.** Pequena valva. **2.** Peça que serve para interromper, restabelecer ou regular a circulação de um fluido em uma canalização através de um obturador comandado externamente. **3.** *P. ext.* Qualquer meio ou recurso capaz de diminuir uma tensão psicológica. **4.** Ampola de vidro, cerâmica ou aço, que contém vácuo ou gás a baixa pressão e vários eletrodos entre os quais circulam cargas elétricas, destinada a gerar, amplificar ou modular sinais elétricos. ● **Anat.** Dobra membranosa que dirige os líquidos nos vasos e condutos do organismo e impede o refluxo de sangue. **Zool.** *Válvula espiral,* cada um dos septos internos, dispostos em espiral, que ocorrem no intestino dos peixes cartilaginosos.

valvulado *adj.* ou **valvular** *adj.2g.* Diz-se do ser vivo que tem válvulas.

valvulite *s.f.* Inflamação das válvulas cardíacas.

vampirismo *s.m.* **1.** Qualidade de vampiro. **2.** Crença nos vampiros. **3.** *Fig.* Avidez excessiva.

vampiro *s.m.* (sérvio *vampir*). **1.** Morto que, segundo as lendas e o folclore de certos países, sai provisoriamente da sepultura, à noite, para sugar o sangue dos vivos, levando consigo a vitalidade das vítimas. **2.** Denominação comum aos morcegos hematófagos, transmissores da raiva nos bovinos, que eventualmente atacam o homem. **3.** *Fig.* Indivíduo que obtém muito dinheiro ou vantagens à custa do trabalho alheio.

morcego vampiro

vanádio *s.m.* (de *Vana-Dis,* n.pr.). Elemento químico (símb. V) de número atômico 23, que constitui um metal branco prateado, bastante maleável (semelhante ao fósforo) e de uso industrial restrito.

vandalismo *s.m.* **1.** Ato de vândalo; pilhagem, destruição. **2.** Destruição de obras de arte, de objetos importantes etc., por ignorância, selvageria ou falta de gosto.

vândalo *s.m.* (lat. *vandalus*). **1.** Indivíduo dos vândalos, povo germânico bárbaro da Antiguidade. **2.** Indivíduo que comete atos de vandalismo; bárbaro. ★ *adj.* Vandálico.

vanglória *s.f.* Presunção infundada das próprias qualidades; vaidade, jactância, bazófia.

vangloriar *v.t.* (conj. 16). Inspirar vanglória a; desvanecer. ★ *v.pr.* Encher-se de vanglória; envaidecer-se, jactar-se.

vanglorioso (ô) *adj.* Que tem ou denota vanglória; jactancioso.

vanguarda *s.f.* (fr. *avant-garde*). **1.** Frente, dianteira. **2.** Destacamento de segurança que atua à frente de uma tropa em marcha, para informá-la e dar-lhe proteção. **3.** Movimento artístico renovador, geralmente em ruptura com aquele que o precedeu.

vantagem *s.f.* (fr. *avantage*). **1.** Qualidade do que é superior ou do que se encontra à frente de algo ou alguém; superioridade, dianteira. **2.** Primazia, excelência. **3.** Lucro, interesse. **4.** Utilidade, proveito.

vantajoso (ô) *adj.* **1.** Que oferece vantagens. **2.** Que dá lucro; econômico.

vão *adj.* (lat. *vanus*). **1.** Vazio, oco. **2.** Sem valor; inútil, ineficaz. **3.** Fútil, frívolo. **4.** Falso, aparente. **5.** Vanglorioso, ufanoso, jactancioso. **6.** *Em vão,* inutilmente, debalde. ★ *s.m.* **1.** Espaço vazio entre duas coisas; intervalo. **2.** Vácuo, lacuna. **3.** Dimensão horizontal medida entre os pontos de apoio de uma viga, arco, abóbada etc.

vapor (ô) *s.m.* (lat. *vapor*). **1.** Gás resultante da vaporização de um líquido ou da sublimação de um sólido. **2.** Finas gotículas em suspensão no ar. **3.** Vapor de água empregado como força motriz. **4.** *Ant.* Navio movido por uma máquina a vapor. **5.** *Ant.* Trem ou comboio movido a vapor.

vaporizador (ô) *adj.* Que vaporiza. ★ *s.m.* Recipiente no qual se procede à vaporização de um líquido.

vaporizar *v.t.* (conj. 4). **1.** Operar a vaporização de uma substância; volatilizar. **2.** Aspergir líquido em finas gotículas. **3.** Evaporar. ★ *v.pr.* **1.** Converter-se em vapor; evaporar-se. **2.** Encher-se ou impregnar-se de vapor.

vaporoso (ô) *adj.* (lat. *vaporosus*). **1.** Que contém vapores. **2.** Que tem aparência gasosa. **3.** Extremamente delicado; leve, tênue. **4.** *Fig.* Pouco compreensível; nebuloso, obscuro.

vaqueiro *s.m.* Guardador ou condutor de gado *vacum.*

vaquejada *s.f.* **1.** Reunião de gado espalhado para apartação, ferra, marcação etc.; apartação. **2.** Modalidade esportiva praticada sobretudo no Nordeste, em que dois vaqueiros a cavalo devem, durante o galope, derrubar um boi puxando-o pelo rabo.

? VOCÊ SABIA...? Herança de antigos costumes, dos tempos em que a economia nordestina era dominada pelo ciclo do gado, as populares **vaquejadas** se tornaram atrações folclóricas e turísticas. As mais famosas, de Surubim e Caruaru, em Pernambuco, realizam-se em setembro, com a presença de vaqueiros encourados, violeiros, bandas de pífanos e o *boi-surubim* (nome regional do *bumba-meu-boi*).

vaqueta (ê) *s.f.* Couro delgado e macio.

vaquinha *s.f.* **1.** Vaca pequena. **2.** *Pop.* Rateio entre amigos, para pagamento de uma despesa ou obrigação comum. **3.** Inseto coleóptero fitófago, de coloração acinzentada, com pontinhos negros nos élitros, que ataca a folhagem de várias plantas.

vara *s.f.* (lat. *vara*). **1.** Haste ou ramo delgado de árvore. **2.** Peça geralmente de madeira roliça, comprida e delgada, para vários usos. **3.** Pau, bordão. **4.** Ramo delgado usado para bater ou castigar; p. ext. surra, tunda. **5.** Cada uma das circunscrições judiciais presididas por um juiz de direito. **6.** Manada de porcos. **7.** Segmento cilíndrico de metal que corre sob a parte fixa do tubo do trombone e que, fazendo variar o tamanho do tubo, faz com que a altura do som possa variar. **8.** Antiga medida de comprimento equivalente a 1,10 m.

varal *s.m.* **1.** Cada uma das duas peças que prolongam um veículo ou máquina agrícola e entre as quais se atrela um animal de tração. **2.** Cada uma das varas colocadas nas laterais de liteiras, padiolas, andores etc., para que os carregadores a sustentem. **3.** Arame, corda ou fio de plástico esticado a certa altura, onde se estende a roupa para secar; estendal, estendedouro, tendal.

varanda *s.f.* **1.** Balcão ou sacada coberta. **2.** Parapeito de grade que guarnece uma sacada. **3.** Alpendre à frente ou em volta das casas; avarandado.

varão *s.m.* **1.** Indivíduo do sexo masculino. **2.** Homem adulto. **3.** Homem valoroso ou respeitável. ★ *adj.* Do sexo masculino.

varapau *s.m.* **1.** Pau comprido. **2.** *Fig.* Pessoa muito alta e magra.

varar *v.t.* (lat. *varare*) [conj. 4]. **1.** Flagelar com varas; fustigar. **2.** Passar além de; trespassar. **3.** Passar ou sair impetuosamente. **4.** Fazer sair; expelir. **5.** Espantar, aterrorizar. **6.** Decepcionar, desapontar. **7.** Embrenhar-se.

varejão *s.m.* **1.** Vara grande. **2.** Grande local de vendas onde se comercializam mercadorias a granel.

varejar *v.t.* (conj. 4). **1.** Açoitar ou sacudir com vara. **2.** Bater forte em; fustigar. **3.** Revistar (habitações) em busca de criminosos ou foragidos. **4.** Atirar com violência; jogar.

varejeira *s.f.* Sin. de MOSCA-VAREJEIRA.

varejista *s.2g.* Comerciante que vende a varejo, a miúdo, a retalho. ★ *adj.2g.* Relativo a varejo.

varejo (ê) *s.m.* **1.** Inspeção realizada nos estabelecimentos comerciais, para constatar a honestidade das declarações alfandegárias, o bom estado dos gêneros e produtos etc. **2.** Fogo de artilharia ou fuzilaria. **3.** Comércio de mercadorias em pequenas quantidades ou em frações de peças. **4.** *A varejo,* por miúdo, a retalho.

vareta (ê) *s.f.* **1.** Vara pequena. **2.** Haste delgada. **3.** Perna de compasso. **4.** Cada uma das varas da armação sobre as quais assenta o pano dos guarda-chuvas, guarda-sóis, sombrinhas. **5.** Cada uma das varas de um leque.

vargem *s.f.* Várzea.

variação *s.f.* (lat. *variatio*). Ato ou efeito de variar(-se). ● **Biol.** Diferença ou conjunto de diferenças que um indivíduo animal ou vegetal de uma idade definida apresenta em relação a seus pais e outros ascendentes, considerados no mesmo grau de desenvolvimento. **Estat.** *Coeficiente de variação,* razão, expressa como percentagem, do desvio padrão pelo valor absoluto da média ou da esperança matemática. **Mús.** Modificação, separada ou simultaneamente, da melodia, ritmo, compasso, modo, tom, ou da harmonia, deixando o tema original discernível.

variado *adj.* (lat. *variatus*). **1.** Diverso, diferente, vário. **2.** Numeroso, múltiplo. **3.** Inconstante, instável, mutável. **4.** De várias cores; matizado, variegado.

variância *s.f.* Em matemática, coeficiente que expressa a oscilação de valores em torno de um valor médio, e que é expresso pelo quadrado do desvio padrão.

variante *adj.2g.* **1.** Que varia. **2.** Que constitui variação. ★ *s.f.* **1.** Variação, diferença. **2.** Cada uma das várias formas de um vocábulo. **3.** Cada uma das várias formas de um texto; versão. ★ *adj.* e *s.f.* **Gram.** Diz-se de ou unidades (morfológicas ou fonológicas) divergentes na forma, mas equivalentes quanto à semântica.

variar *v.t.* (lat. *variare*) [conj. 16]. **1.** Submeter a mudanças; diversificar. **2.** Alternar, revezar. **3.** Matizar, variegar. ★ *v.i.* **1.** Sofrer mudanças; mudar, transformar-se. **2.** Divergir, discordar. **3.** Apresentar diferentes aspectos. **4.** Ser inconstante, volúvel. **5.** *Pop.* Perder o juízo; enlouquecer, desvairar. ● **Mat.** Mudar de valor. ★ *v.pr.* Transformar-se, alterar-se.

varicela *s.f.* Doença infecciosa, muito contagiosa, caracterizada por pápulas e vesículas pruriginosas, provocada por um vírus, que acomete principalmente crianças; catapora.

VARICELA ▸ A varicela é causada por um vírus do tipo herpes, que se dissemina através das gotículas que as pessoas afetadas emitem ao tossir ou suar. Popularmente conhecida como *catapora*, é muito contagiosa e ocorre na infância, imunizando a criança permanentemente. Não tem gravidade, a não ser quando atinge adultos (especialmente mulheres grávidas), o que é raro.

---

varicoso (ô) *adj.* (lat. *varicosus*). **1.** Relativo às varizes. **2.** Que tem varizes.

variedade *s.f.* (lat. *varietas*). **1.** Qualidade de vário ou variado. **2.** Diversidade, diferença. **3.** Multiplicidade. **4.** Inconstância, instabilidade, volubilidade. ● **Biol.** Subdivisão das espécies que se fundamenta em pequenas diferenças nos caracteres distintivos dos indivíduos da mesma espécie. ★ *s.f.pl.* **1.** Espetáculo ou apresentação em TV, teatro etc. que abrange números diversificados. **2.** Miscelânea de assuntos diversos tratados em literatura ou jornalismo.

variegado *adj.* **1.** De cores diversas; matizado. **2.** Diversificado, sortido.

variegar *v.t.* (conj. 14). Variar.

vário *adj.* (lat. *varius*). **1.** De diversos matizes, formas, tipos etc. **2.** Numeroso, múltiplo. **3.** Inconstante, mutável. **4.** Perplexo, irresoluto, hesitante. **5.** Desvairado, delirante. ★ *pron. indef.* (no pl.) Muitos, diversos, alguns.

varíola *s.f.* (lat. *variola,* de *varius,* de várias cores, sarapintado). **Med.** Doença infecciosa, extremamente contagiosa e epidêmica, provocada por um vírus e caracterizada por febre alta, dores difusas e erupções na pele. (Sin. pop. BEXIGA.) **Veter.** *Varíola aviária,* virose das aves domésticas caracterizada por nódulos epiteliais e membranas diftéricas sobre a cabeça.

varioloso (ô) *adj.* **1.** Varicólico. **2.** Que tem varíola.

variz *s.f.* (lat. *varix*). Dilatação permanente de uma veia, que ocorre em geral na perna. **Zool.** Tumor ou proeminência no rebordo de algumas conchas univalves.

varo *adj.* (Do lat. *varus.*) Diz-se de um membro ou de um segmento dele que se encontra voltado para dentro.

varonia *s.f.* (fr. *baronnie*). **1.** Qualidade ou condição de varão. **2.** Sucessão ou descendência por linha masculina.

varonil *adj.2g.* **1.** Relativo a varão; viril. **2.** Valoroso, corajoso, audacioso. **3.** Enérgico, firme, determinado. **4.** Heróico, nobre.

varrão *s.m.* Sin. de CACHAÇO.

varredor (ô) *s.m.* Aquele que varre.

varredura *s.f.* **1.** Ação de varrer. **2.** Lixo que se acumula varrendo. ● **Arm.** Ação de percorrer com radar ou sonar um determinado setor a fim de localizar possíveis alvos. **Eletrotéc.** Exploração ponto a ponto de objeto ou imagem através de um feixe eletrônico ou luminoso de pequena abertura.

varrer *v.t.* (lat. *varrere*) [conj. 5]. **1.** Limpar com vassoura. **2.** Limpar, expurgar. **3.** Esvaziar, esgotar, exaurir. **4.** Destruir, arrasar. **5.** *Fig.* Fazer desaparecer; eliminar. ★ *v.pr.* *Fig.* Desvanecer-se, dissipar-se.

A B C D E F G H I J K L M N O P Q R S T U V W X Y Z

várzea *s.f.* **1.** Planície, terreno plano em vale amplo, próprio para o aproveitamento agrícola; vargem, veiga. **2.** Terreno cultivável junto aos rios e ribeirões. **3.** Vazante. **4.** *(SP)* Designação geral do futebol amador, antes praticado nas várzeas.

vasa *s.f.* (hol. *wase*). **1.** Lodo que se deposita no fundo das águas. **2.** Terreno lodoso. **3.** *Fig.* Degradação moral; torpeza.

vasca *s.f.* Convulsão forte; ânsia final. ★ *s.f.pl.* Ânsias de vomitar; náusea.

vasco *adj.* e *s.m.* Sin. de BASCO.

vascolejar *v.t.* (de lat. *vasculum*, vaso pequeno) [conj. 4]. **1.** Agitar (líquido contido num vaso). **2.** Revolver, revirar. **3.** Perturbar, abalar, inquietar.

vasconço *s.m.* Sin. de BASCO.

vascular *adj.2g.* **1.** Relativo aos vasos, particularmente aos sanguíneos. **2.** Constituído de vasos. ● **Bot.** Diz-se das plantas que possuem vasos condutores. **Med.** Diz-se de distúrbios, de doenças que resultam de um defeito de irrigação dos tecidos devido a espasmos, tromboses, embolias ou, ao contrário, a uma ruptura de um vaso sanguíneo que provoca uma hemorragia local.

vascularização *s.f.* **1.** Disposição dos vasos sanguíneos de uma região, de um órgão. **2.** Densidade da rede vascular. **3.** Organização dos vasos em um tecido inflamatório ou tumoral.

vasculhar *v.t.* (conj. 4). **1.** Varrer com vasculho. **2.** Pesquisar minuciosamente; esquadrinhar.

vasculho *s.m.* Vassoura de cabo comprido utilizada para limpeza de fornos, tetos e paredes altas.

vasectomia *s.f.* Cirurgia de ressecção dos canais deferentes, em geral para esterilização do homem.

vaselina *s.f.* (al. *Wasser*, água, e gr. *élaion*, óleo). **1.** Substância oleosa obtida de petróleo, utilizada como lubrificante ou excipiente de pomadas. **2.** *Vaselina líquida* ou *óleo de vaselina*, mistura purificada de hidrocarbonetos líquidos obtidos a partir do petróleo, impropriamente chamada *óleo de parafina* e empregada como laxante.

vasilha *s.f.* (lat. *vasilia*). **1.** Qualquer vaso em que se colocam líquidos. **2.** Pipa, tonel, barril. **3.** Recipiente de uso doméstico utilizado para conter ou guardar alimentos.

vasilhame *s.m.* **1.** Conjunto de vasilhas. **2.** Garrafa que serve para conter líquidos; casco.

vaso *s.m.* (lat. vulgar *vasum*). **1.** Recipiente côncavo mais profundo do que largo, de forma, volume e materiais diversos, utilizado para vários fins. **2.** Recipiente decorativo em que se colocam flores. **3.** Recipiente cheio de terra, em que se cultiva uma planta ornamental. **4.** Canal em que circula o sangue ou a linfa. **5.** Navio de dimensões razoavelmente grandes, particularmente navio de guerra de grande tonelagem. **6.** Vaso de louça, próprio para dejeção; privada, bacia, latrina. ● **Bot.** Qualquer elemento tubuloso, utilizado para o transporte de soluções. ▸ Em sentido restrito, elemento condutor do xilema, que apresenta perfurações nos septos transversais. (Sin. TRAQUÉIA.)

vasoconstritor (ô) *adj.* Diz-se de um medicamento ou de um nervo que provoca ou regula a constrição dos vasos.

vasodilatador (ô) *adj.* Diz-se de um medicamento ou de um nervo que provoca aumento do calibre dos vasos.

vasomotor (ô) *adj.* Diz-se dos nervos cuja ação determina a contração ou o relaxamento dos vasos orgânicos (veias, artérias etc.). ★ *s.m.* Filete nervoso que se distribui sobre a parede muscular dos vasos e que determina sua contração ou seu relaxamento.

vasomotricidade *s.f.* Variação do calibre dos vasos.

vassalagem *s.f.* **1.** Estado, condição de vassalo. **2.** Compromisso assumido pelo vassalo de ser fiel a seu senhor. **3.** Conjunto de vassalos. **4.** *Fig.* Submissão, sujeição.

? VOCÊ SABIA...? Na Idade Média, na base da pirâmide formada pelas relações de **vassalagem** estavam os servos da gleba, obrigados a trabalhar a terra de seu senhor, que, em contrapartida, lhes fornecia terra e proteção. Os senhores da terra, por sua vez, eram vassalos de outros, até chegar ao rei, considerado vassalo apenas de Deus.

---

vassalo *s.m.* (lat. *vassalus*, de *vassus*, servidor). **1.** Na Idade Média, pessoa ligada a um senhor pela obrigação de fé e homenagem; feudatário. **2.** *Fig.* Indivíduo submisso, dependente. ★ *adj.* Dependente, submisso.

vassoura *s.f.* **1.** Utensílio doméstico para varrer o chão, constituído de ramos, fibras de piaçaba, fios plásticos etc. presos a um cabo longo. **2.** Denominação comum a diversas plantas cujos ramos são utilizados para a confecção de vassouras.

vassourinha *s.f.* **1.** Pequena vassoura. **2.** Erva de folhas lanceoladas e pequenas flores brancas, cujos ramos são amarrados em feixe para compor vassouras simples e baratas. **3.** Feixe de fios metálicos, abertos em leque, usado para percutir uma bateria. **4.** Jogo infantil em que, com uma mão só, se tenta recolher quatro pedrinhas ou saquinhos de pano antes de aparar a queda de um que foi lançado para cima.

vasto *adj.* (lat. *vastus*). Que tem grande extensão; muito amplo. ★ *adj.* e *s.m.* **Anat.** Diz-se de ou duas das três porções do músculo tríceps braquial e duas das quatro porções do músculo quadríceps.

vatapá *s.m.* (ioruba *vata'pa*). Prato baiano de consistência pastosa, feito com galinha ou peixe, camarão, leite de coco, azeite de dendê, castanha de caju torrada etc.

vate *s.2g.* (lat. *vates*). **1.** Aquele que faz vaticínio; profeta, adivinho. **2.** *Fig.* Poeta.

vaticano *adj.* Relativo ou pertencente ao Vaticano. ★ *s.m.* **1.** Palácio papal, em Roma; a Santa Sé. (Usa-se com maiúscula.) **2.** Governo pontifício.

vaticinação *s.f.* Vaticínio.

vaticinar *v.t.* (lat. *vaticinare*, profetizar) [conj. 4]. Predizer, adivinhar, prenunciar.

vaticínio *s.m.* (lat. *vaticinium*). **1.** Ato ou efeito de vaticinar; vaticinação. **2.** Predição, prognóstico, profecia.

vau *s.m.* (lat. *vadum*). Lugar raso do rio ou do mar, que pode ser transposto a pé ou a cavalo.

vaza *s.f.* (it. *bazza*). Conjunto de cartas de baralho que os parceiros jogam em cada rodada e que são recolhidas pelo ganhador.

vazadouro *s.m.* Lugar onde se despejam detritos ou qualquer líquido.

vazamento *s.m.* **1.** Ato ou efeito de vazar; vazão. **2.** Lugar por onde vaza um líquido. **3.** *P. ext.* O líquido que vaza. **4.** Ação de despejar metal ou vidro em fusão num molde ou na lingoteira.

vazante *adj.2g.* Que vaza; vazador. ★ *s.f.* **1.** Saída, vazão. **2.** Época de águas baixas em um rio, durante o período de estiagem. **3.** Qualquer terra baixa e plana, temporariamente alagada, ao longo dos rios, lagoas e aguadas; várzea. **4.** Cultura feita à margem dos açudes ou dos leitos dos rios, quando estes voltam ao seu nível normal na época da estiagem. **5.** *Vazante da lua,* o quarto minguante.

vazão *s.f.* **1.** Ato ou efeito de vazar, vazamento. **2.** Escoamento, esgotamento. **3.** Volume de fluido etc., que circula, por unidade de tempo, em conduto, rio etc.; débito fluvial. **4.** *Fig.* Venda, saída, consumo.

vazar *v.t.* (conj. 4). **1.** Tornar vazio; esvaziar. **2.** Fazer correr (um líquido); despejar, entornar. **3.** Desaguar. **4.** Furar, atravessar, transpassar. **5.** Fundir (metais). **6.** Verter (o metal fundido) nos moldes. **7.** Modelar, calcar. **8.** Enterrar, cravar. **9.** Vencer, transpor. ★ *v.i.* **1.** Esgotar-se, refluir, baixar. **2.** Deixar sair o líquido. ★ *v.pr.* Esvaziar-se, escoar-se.

vazio *adj.* (lat. *vacivus*). **1.** Que nada contém; que só contém ar. **2.** Que não tem ocupantes; desocupado, vago. **3.** Despovoado, desabitado. **4.** Falto, privado, carente, destituído. **5.** *Pej.* Vão, fútil, frívolo. ● **Mat.** Diz-se de um conjunto que não comporta nenhum elemento. ★ *s.m.* **1.** Espaço vazio. **2.** *Fig.* Sentimento angustiante produzido por saudade, privação ou ausência. **3.** *Fig.* Ausência de valor ou sentido; insignificância.

veadeiro *s.m.* **1.** Caçador de veados. **2.** Cão adestrado para a caça ao veado.

veado *s.m.* (lat. *venatus,* caça). **1.** Nome comum a mamíferos artiodáctilos, velozes, da família dos cervídeos, que apresentam chifres simples ou ramificados. (Sin. SUAÇU.) **2.** *Chul.* Homossexual masculino.

veado-do-pantanal *s.m.* Sin. de CERVO.

Veda *s.f.* Conjunto de textos sagrados do hinduísmo e do bramanismo e da tradição filosófica da Índia. (Usa-se com maiúscula.)

vedação *s.f.* **1.** Ato ou efeito de vedar; isolação. **2.** Aquilo que serve para vedar.

vedanta *s.m.* Sistema de filosofia ortodoxa da Índia, que afirma a unidade essencial de todas as coisas.

vedar *v.t.* (lat. *vetare*) [conj. 4]. **1.** Impedir, proibir, interditar. **2.** Tapar ou arrolhar (qualquer recipiente), impedindo a saída do líquido. **3.** Tornar estanque; isolar. ★ *v.i.* Parar de sair; estancar.

vedete *s.f.* (fr. *vedette*). **1.** Atriz do teatro de revista. **2.** Ator ou atriz principal de uma peça ou filme. **3.** Pessoa que está em evidência.

védico *adj.* Relativo ou pertencente aos Vedas.

veemência *s.f.* (lat. *vehementia*). **1.** Qualidade ou estado de veemente. **2.** Eloqüência, empolgação.

veemente *adj.2g.* (lat. *vehemens*). **1.** Impetuoso, animado, arrojado. **2.** Intenso, vivo. **3.** Eloqüente, enérgico, vigoroso. **4.** Caloroso, entusiástico.

vegetação *s.f.* **1.** Ato ou efeito de vegetar. **2.** Desenvolvimento ou crescimento progressivo das partes constituintes dos vegetais. **3.** Cobertura vegetal de uma região. **4.** Excrescência que se desenvolve sobre animais e vegetais. ● **Med.** Lesão papilomatosa patológica que se eleva irregularmente na pele, nas mucosas ou nos órgãos, como se fosse um cacho de couve-flor.

VOCÊ SABIA...? A **vegetação** traz vários benefícios:

● *Preserva o solo da erosão*

As raízes das árvores retêm terra e impedem que o solo se empobreça pela ação da chuva e do vento. Um solo que sofreu erosão perde a fertilidade.

● *Purifica o ar*

As árvores proporcionam uma grande quantidade de oxigênio à atmosfera, e, mais do que elas, as algas. Somadas, são uma importante proteção para a nossa saúde e a do planeta. Cada 100 m^2 de vegetação produzem de 300 a 1.000 litros de oxigênio por dia.

● *Influi no clima*

As árvores absorvem a água do solo e logo a devolvem ao ar, por meio da transpiração. Assim, contribuem para a formação de nuvens.

● *Dá abrigo ao mundo animal*

Abriga mamíferos (coelhos, raposas, capivaras, onças, veados), aves (bem-te-vis, corujas) e inúmeros insetos.

vegetal *adj.2g.* **1.** Pertencente ou relativo aos vegetais e às plantas. **2.** Proveniente dos vegetais. ● **Bot.** *Formação vegetal,* conjunto de espécies vegetais que recobre determinada região, caracterizado por sua fisionomia geral. ★ *s.m.* Ser vivo, geralmente clorofilado e fixado ao solo; planta.

vegetar *v.i.* (lat. *vegetare*) [conj. 4]. **1.** Crescer e desenvolver-se (as plantas). **2.** Crescer e diferenciar (o vegetal) seus órgãos vegetativos (folhas, ramos), sem formar flores. **3.** *Fig.* Viver como um vegetal; ser incapaz de mover-se ou sentir emoções.

vegetarianismo *s.m.* Sistema alimentar que se baseia na ingestão exclusiva de vegetais ou de produtos de origem vegetal.

vegetariano *adj.* (fr. *végétarien*). Relativo ao vegetarianismo. ★ *s.m.* Adepto do vegetarianismo.

vegetarismo *s.m.* Sistema de alimentação no qual se suprimem todas as espécies de carnes, mas não certos alimentos de origem animal (ovos, leite, manteiga, queijo, mel) que são proscritos no vegetarianismo.

vegetativo *adj.* (lat. *vegetativus*). **1.** Que faz vegetar. **2.** Que se limita à manutenção das funções vitais sem a intervenção das faculdades intelectuais. **3.** Diz-se das funções homeostáticas do organismo (respiração, circulação etc.) sob controle do sistema nervoso autônomo. ● **Anat.** *Sistema nervoso vegetativo,* parte do sistema nervoso relacionada ao funcionamento dos órgãos internos, que compreende dois sistemas antagônicos, o simpático e o parassimpático. (Sin. SISTEMA NERVOSO AUTÔNOMO*.) **Bot.** Diz-se de qualquer atividade vital das plantas que não se refira à reprodução. ► *Órgãos vegetativos,* conjunto das raízes, dos caules e das folhas (p. opos. aos *órgãos reprodutores,* que são as flores).

vegetomineral *adj.2g.* Que tem natureza vegetal e mineral.

veia *s.f.* (lat. *vena,* canal; veio). **1.** Vaso que transporta o sangue dos órgãos para o coração, p. opos. a *artéria.* **2.** *Fig.* Índole, vocação, tendência. ● **Bot.** Nervura secundária das folhas. **Geol.** Pequeno veio.

veicular[1] (e-i) *adj.2g.* Relativo a ou que serve de veículo.

veicular[2] (e-i) *v.t.* (conj. 4). **1.** Transportar em veículo; conduzir. **2.** *Fig.* Introduzir, importar. **3.** Transmitir, propagar, difundir.

veículo *s.m.* (lat. *vehiculum*). **1.** Qualquer meio de transporte. **2.** Tudo o que transmite alguma coisa; condutor, conduto. **3.** Qualquer meio utilizado para difundir uma mensagem publicitária. **4.** Excipiente líquido.

veiga *s.f.* Várzea.

veio *s.m.* **1.** Faixa longa e estreita, encontrada nas madeiras e pedras, que se distingue pela natureza ou pela cor. **2.** Camada mineral explorável; filão. **3.** Filete de água; riacho, regato. **4.** Estria, risco. **5.** *Fig.* Ponto central; âmago, essência.

vela[1] *s.f.* **1.** Ato ou efeito de velar[2]; vigília. **2.** Peça cilíndrica de substância gordurosa e combustível com um pavio que serve para iluminar. **3.** Elemento filtrante constituído por um cilindro oco e poroso que, mergulhado em um líquido, separa deste as partículas em suspensão. ● **Automóv.** *Vela de ignição,* peça do sistema de ignição de um motor de combustão interna, que inicia a combustão da mistura combustível quando salta uma faísca entre os seus eletrodos. **Metrol.** Antiga unidade de intensidade luminosa, substituída pela *candela.*

vela[2] *s.f.* (lat *vela*). **1.** Pano de dimensões e formas variáveis, que é estendido e içado a um mastro a fim de aproveitar a força do vento para impulsionar uma embarcação. **2.** Prática esportiva da navegação a vela.

EXEMPLOS DE VELAS DE NAVEGAÇÃO

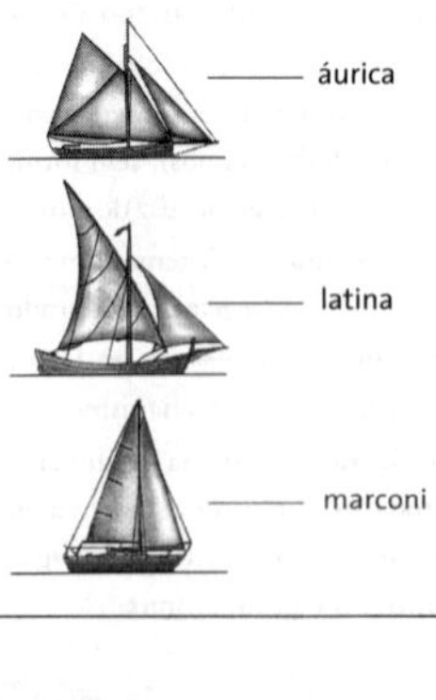

velado *adj.* (lat. *velatus*). **1.** Coberto com véu. **2.** *Fig.* Oculto, escondido, encoberto, dissimulado. ● **Bot.** Diz-se do coco quando sua amêndoa está inteiramente solta na casca.

velame[1] *s.m.* **1.** Conjunto de velas de uma embarcação ou de um de seus mastros. **2.** Porção de velas náuticas. **3.** Conjunto das superfícies de sustentação de uma aeronave. **4.** Superfície de tecido de um pára-quedas.

velame[2] *s.m.* **1.** Arbusto ramificado, de folhas lanceoladas, tormentosas e pequenas flores. **2.** Subarbusto de flores brancas e aromáticas, cujas raízes e folhas fornecem polvilho de uso medicinal. (Var. VELÂMEN.)

velâmen *s.m.* (lat. *velamen,* abertura; traje). **1.** Sin. de VÉU. **2.** Var. de VELAME[2]. **3.** Envoltório de muitas raízes aéreas, constituído por diversas camadas de células compactas, espessas e cheias de ar, que protege os tecidos internos e absorve água, encontrado em orquídeas e aráceas epífitas.

velar[1] *v.t.* (lat. *velare*) [conj. 4]. **1.** Cobrir com véu. **2.** Encobrir, esconder, ocultar. ● **Fot.** Obscurecer (prova fotográfica).

velar[2] *v.t.* (lat. *vigilare*) [conj. 4]. **1.** Passar a noite em claro, junto de (doente ou defunto). **2.** Ter cuidados com, dispensar atenção a; zelar. **3.** Vigiar. ★ *v.i.* **1.** Passar em vigília o tempo destinado ao sono. **2.** Estar alerta ou vigilante.

velar[3] *adj.2g.* (lat. *velum,* véu). Relativo ao véu palatino. ● **Fon.** Sin. de POSTERIOR.

veleidade *s.f.* (lat. tard. *velleitas,* de *velle,* querer). **1.** Intenção pouco firme, ou dificilmente realizável; pretensão. **2.** Vontade injustificada; capricho, fantasia. **3.** Imprudência, leviandade. **4.** Presunção, vaidade.

veleiro *s.m.* **1.** Fabricante de velas de navio. **2.** Embarcação movida a velas utilizada em treinamento de marujos, como veículo de lazer ou em competição náutica. ★ *adj.* **1.** Que se move a vela. **2.** Diz-se da embarcação de velas que navega com extrema velocidade; rápido, ligeiro. **3.** Que se move facilmente, que gira sem exigir esforço. **4.** Rápido, ligeiro.

velejador (ô) *adj.* e *s.m.* Que ou aquele que veleja.

velejar *v.i.* (conj. 4). Navegar à vela. ★ *v.t.* Largar as velas para navegar.

velhaco *s.m.* (esp. *bellaco*). Homem que vive de procedimentos enganadores; embusteiro, patife, tratante. ★ *adj.* **1.** Fraudulento, enganador, falso. **2.** Maroto, finório, esperto.

velharia *s.f.* **1.** O que é próprio de pessoa idosa. **2.** Coisa velha, muito antiga. **3.** *Pej.* Objeto velho de pouco valor; traste.

velhice *s.f.* **1.** Último período da vida normal, caracterizado pelo enfraquecimento das funções vitais. **2.** Estado de redução das forças físicas e das faculdades mentais que acompanha habitualmente esse período. **3.** O conjunto dos velhos.

velho *adj.* (lat. *vetulus*). **1.** Que tem idade avançada; idoso. **2.** Que é, existe ou emprega-se há muito tempo; antigo. **3.** Desgastado, gasto. **4.** Ultrapassado, desusado. ★ *s.m.* **1.** Homem idoso. **2.** Aquilo que é velho. **3.** *Fam.* Pai.

velhote *s.m. Fam.* **1.** Velho alegre e folgazão. **2.** Homem já um pouco velho; velhusco. ★ *adj.* Um pouco velho; velhusco.

velhusco *adj.* e *s.m.* Velhote.

velo *s.m.* (lat. *villus*). **1.** Lã de carneiro, ovelha ou cordeiro. **2.** Pele de animal lanígero com a respectiva lã; velocino. **3.** Lã cardada.

velocidade *s.f.* (lat. *velocitas*). **1.** Qualidade do que é veloz. **2.** Movimento rápido; rapidez. ● **Automóv.** Marcha. **Fís.** Grandeza vetorial que expressa a variação da posição de um corpo em movimento em relação a uma unidade de tempo. **Quím.** *Velocidade de reação,* variação por unidade de tempo, da concentração de um reagente ou de um produto em uma reação química.

VOCÊ SABIA...? O guepardo pode atingir uma **velocidade** de 100 km/h. Por outro lado, a preguiça é tão lenta que se desloca menos de 10 metros por dia.

preguiça

velocímetro *s.m.* Aparelho utilizado para medir a velocidade de um veículo.

velocino *s.m.* Velo.

velocípede *s.m.* **1.** Nome dado aos primeiros veículos de duas rodas, que precederam a bicicleta atual. **2.** Pequeno veículo para crianças, de três rodas, sendo duas traseiras. ★ *adj.2g.* Que anda com rapidez.

velódromo *s.m.* Pista própria para competições de ciclismo.

velório *s.m.* **1.** Ação de velar um morto. **2.** Local onde o morto é velado.

veloso (ô) *adj.* **1.** Que tem velo. **2.** Felpudo. **3.** Cabeludo.

veloz *adj.2g.* (lat. *velox*). **1.** Que se movimenta a grande velocidade; rápido, ligeiro. **2.** Que passa muito depressa.

veludo *s.m.* (lat. *villutus*). **1.** Tecido que apresenta um lado veloso e macio. **2.** *Fig.* Objeto extremamente macio ao tato.

venal[1] *adj.2g.* (lat. *venalis*). **1.** Relativo a venda. **2.** Que pode ser vendido. **3.** *Fig.* Que se deixa subornar; corrupto, desonesto.

venal[2] *adj.2g.* Venoso.

venalidade *s.f.* (lat. *venalitas*). Qualidade ou caráter de venal[1].

venatório *adj.* Relativo à caça.

vencer *v.t.* (lat. *vincere*) [conj. 25]. **1.** Obter vitória sobre; derrotar. **2.** Obter resultado favorável em; ganhar. **3.** Ser mais forte que; dominar, controlar. **4.** Levar vantagem, ter primazia sobre. **5.** Superar, exceder, sobrelevar. **6.** Andar, percorrer, cobrir. **7.** Agüentar, resistir a. ★ *v.i.* Alcançar vitória; triunfar. ★ *v.pr.* Chegar (uma dívida) ao dia ajustado para seu pagamento.

vencido *adj.* **1.** Que sofreu derrota; derrotado. **2.** Que se venceu, que teve o prazo expirado. ★ *s.m.* **1.** Aquele que foi derrotado. **2.** Aquele que não tem ânimo para lutar, para enfrentar dificuldades.

vencimento *s.m.* **1.** Ato ou efeito de vencer; vencido. **2.** Vitória, triunfo. **3.** Dia em que expira o prazo para o pagamento de uma letra ou para o cumprimento de qualquer encargo. **4.** Ato de expirar esse prazo. ★ *s.m.pl.* Ordenado, honorários, rendimento.

venda[1] *s.f.* **1.** Ato ou efeito de vender; vendagem. **2.** Loja onde se vendem artigos diversos; mercearia, armazém de secos e molhados. **3.** Taberna, bar, botequim.

venda[2] *s.f.* (al. *Binde,* faixa, tira). Faixa com que se cobrem os olhos.

vendagem[1] *s.f.* **1.** Venda. **2.** Percentagem a que tem direito aquele que operou a venda por comissão.

vendagem[2] *s.f.* Ato de vendar.

vendar *v.t.* (conj. 4). **1.** Cobrir os olhos com uma venda. **2.** Por venda nos olhos de. **3.** *Fig.* Obscurecer, cegar.

vendaval *s.m.* (fr. *vent d'aval,* vento de baixo). **1.** Vento muito forte. **2.** *Fig.* Tumulto, agitação.

vendável *adj.2g.* **1.** Que se vende com facilidade, que tem boa aceitação no mercado. **2.** Vendível.

vendedor (ô) *adj.* e *s.m.* Que ou aquele que vende ou tem por profissão vender.

vendeiro *s.m.* Proprietário de venda[1].

vender *v.t.* (lat. *vendere*) [conj. 5]. **1.** Alienar ou ceder algo a alguém por um preço convencionado; trocar por dinheiro. **2.** Fazer comércio de; negociar em. **3.** Conceder, pôr à disposição de (por dinheiro ou interesse material); trair. **4.** Sacrificar a troco de dinheiro ou interesse. ★ *v.i.* **1.** Pôr a venda a troco de dinheiro. **2.** Exercer a atividade de vendedor. **3.** Ser vendável, ter boa venda. ★ *v.pr.* **1.** Alienar por dinheiro a própria liberdade. **2.** Deixar-se subornar. **3.** Prostituir-se.

vendido *adj.* **1.** Que se vendeu ou alienou por venda. **2.** Que se deixou subornar por dinheiro; subornado. **3.** Enganado, traído. **4.** Contrafeito, contrariado. ★ *adj.* e *s.m.* Que ou aquele que se vendeu.

vendilhão *s.m.* **1.** Vendedor ambulante. **2.** Indivíduo que trafica publicamente coisas de ordem moral.

vendível *adj.2g.* (lat. *vendibilis*). Que se pode vender, que é suscetível de ser vendido; vendável.

venefício *s.m.* **1.** Ato ou efeito de envenenar. **2.** O crime de envenenamento.

venéfico *adj.* Venenoso.

veneno *s.m.* (lat. *venenum*). **1.** Substância que, introduzida no organismo em dose suficiente, destrói ou altera as funções vitais. **2.** *Fig.* Pessoa de má índole; maledicente, caluniador. **3.** *Fig.* Maldade, malignidade. **4.** Conceito ou interpretação maldosa; maledicência. ● **Quím.** Elemento que, pela sua presença, prejudica ou impede as trocas normais no decorrer de uma operação ou de um tratamento químico.

venenoso (ô) *adj.* (lat. *venenosus*). **1.** Que contém ou que pode secretar veneno. **2.** Que envenena; tóxico, venéfico. **3.** Diz-se dos animais e das plantas cuja ingestão, ou simples contato, provoca problemas de saúde e eventualmente a morte. **4.** Diz-se dos animais e das plantas que podem injetar veneno em seus predadores ou presas por meio de um órgão especializado, como, p. ex., as cobras venenosas. **5.** *Fig.* Malévolo, maledicente, caluniador.

Amanita phalloides, cogumelo venenoso

venera *s.f.* (esp. *venera*). **1.** Concha que os romeiros de Santiago de Compostela usavam como insígnia; vieira. **2.** Insígnia honorífica; comenda, medalha.

veneração *s.f.* (lat. *veneratio*). **1.** Ato ou efeito de venerar; reverência. **2.** Culto respeitoso às coisas santas.

venerado *adj.* Que inspira veneração; respeitado.

venerando *adj.* Venerável.

venerar *v.t.* (lat. *venerare*) [conj. 4]. **1.** Render culto a; reverenciar. **2.** Ter em grande consideração; respeitar.

venerável *adj.2g.* (lat. *venerabilis*). Digno de veneração; venerando, respeitável.

venéreo *adj.* (lat. *venereus*). **1.** Relativo à deusa Vênus. **2.** Que diz respeito às relações amorosas ou sexuais; sensual, erótico. **3.** Diz-se das doenças sexualmente transmissíveis.

veneta (ê) *s.f.* **1.** Acesso repentino de loucura ou fúria. **2.** *P. ext.* Capricho repentino.

veneziana *s.f.* (de *Venezia,* top.). Janela de fasquias, que deixa penetrar o ar quando fechada, mas que veda a claridade.

veneziano *adj.* Relativo ou pertencente à Veneza, cidade italiana. ★ *s.m.* O natural ou habitante de Veneza.

venezuelano ou **venezolano** *adj.* Relativo ou pertencente à Venezuela, país da América do Sul. ★ *s.m.* O natural ou habitante da Venezuela.

vênia *s.f.* (lat. *venia*). **1.** Permissão, licença. **2.** Perdão, desculpa. **3.** Cortesia, mesura.

venial *adj.2g.* (lat. *venialis*). Digno de vênia; perdoável, desculpável.

venialidade *s.f.* Qualidade de venial.

venoso (ô) *adj.* (lat. *venosus*). **1.** Formado por veias. **2.** Relativo às veias. **3.** *Sangue venoso,* sangue que as veias de grande circulação transportam para o coração.

venta *s.f.* **1.** Cada um dos dois orifícios por onde as bestas aspiram o ar. **2.** *Pop.* Nariz.

ventania *s.f.* Vento forte e contínuo.

ventar *v.i.* (conj. 4). **1.** Haver vento; soprar com força o vento. **2.** Manifestar-se subitamente. **3.** *Fig.* Ser propício ou favorável. **4.** *Pop.* Soltar ventosidades.

ventarola *s.f.* (it. *ventarola,* ventoinha). Espécie de abano ou leque sem varetas e de formato circular.

ventilador (ô) *adj.* e *s.m.* Que ou o que ventila. ★ *s.m.* Aparelho que põe o ar em movimento, seja num ambiente, seja num circuito movido pelo ar.

ventilar *v.t.* (lat. *ventilare*) [conj. 4]. **1.** Fazer o ar circular em (ambiente, local). **2.** Renovar o ar de; arejar. **3.** *Fig.* Espalhar, difundir (informação ou notícia até então oculta).

vento *s.m.* (lat. *ventus*). **1.** Ar em movimento, que se desloca de uma zona de altas pressões para uma zona de baixas pressões. **2.** Ar artificialmente agitado. **3.** Atmosfera, ar. **4.** Bolha de ar em peça fundida que se forma durante a solidificação. **5.** influência favorável ou desfavorável. **6.** Coisa vã, sem fundamento. **7.** Faro. ● **Astron.** *Vento solar,* fluxo de partículas carregadas, principalmente prótons e elétrons, que permanentemente escapam da coroa solar e cuja expansão no meio interplanetário é regulada pelos campos magnéticos do Sol.

ventoinha (o-i) *s.f.* **1.** A parte móvel do catavento. **2.** O conjunto de pás ou hélice de um ventilador. **3.** *Fig.* Indivíduo volúvel.

ventosa *s.f.* (lat. *ventosa*). **1.** Órgão presente em alguns animais, com função de fixação ao substrato ou ao hospedeiro. **2.** Pequeno recipiente de vidro com o qual se produz uma aspiração de sangue para a superfície da pele.

ventosidade *s.f.* Acumulação de gases no intestino ou no estômago; flato.

ventoso (ô) *adj.* (lat. *ventosus*). **1.** Cheio de vento. **2.** Em que venta muito. **3.** *Fig.* Arrogante, soberbo, presunçoso. **4.** Vão, fútil.

ventral *adj.2g.* (lat. *ventralis*). **1.** Relativo ou pertencente ao ventre. **2.** Diz-se da face anterior do corpo. ● **Bot.** Diz-se da face inferior dos órgãos laminares ou foliáceos das plantas.

ventre *s.m.* (lat. *venter, ventris*). **1.** Parte do corpo onde estão alojados o estômago, o intestino, o fígado, o pâncreas, a bexiga etc.; abdome, barriga. **2.** O útero. **3.** Face do tronco dos animais normalmente voltada para o solo ou para o fundo da água. **4.** *Fig.* Parte central; âmago. **5.** *Prisão de ventre,* dificuldade na defecação; constipação intestinal. ▸ *Soltura de ventre,* diarréia. ● **Anat.** Parte média e mais ou menos volumosa de certos músculos. **Fís.** Ponto, linha ou superfície de um sistema de ondas estacionárias onde a amplitude vibratória é máxima (p. opos. a *nó*).

ventricular *adj.2g.* **1.** Relativo a ventrículo. **2.** *Líquido ventricular,* líquido que preenche os ventrículos cerebrais. ▸ *Sístole ventricular,* a contração dos ventrículos do coração.

ventrículo *s.m.* (lat. *ventriculus*). **1.** Nome dado a certas cavidades de diversos órgãos do corpo. **2.** Cavidade do coração, de paredes musculosas, cujas contrações impulsionam o sangue para as artérias. **3.** *Ventrículos cerebrais,* as quatro cavidades situadas no encéfalo, que contêm líquido cefalorraquidiano. ▸ *Ventrículos laríngeos,* os dois recessos laterais da laringe.

ventriloquia *s.f.* Arte de falar sem mover os lábios, de modo fazer crer que é outra pessoa ou um boneco quem fala.

ventríloquo (quo ou co) *adj.* e *s.m.* (lat. *ventriloquus*). Que ou aquele que pratica a ventriloquia.

ventura *s.f.* (lat. *ventura*). **1.** Sorte (boa ou má), acaso, destino. **2.** Sorte boa; dita. **3.** Risco, perigo.

venturoso (ô) *adj.* **1.** Que tem ventura ou felicidade; ditoso, feliz. **2.** Em que há risco ou ventura; perigoso, arriscado.

vênula *s.f.* (lat. *venula*). **1.** Pequena veia; veiazinha. **2.** Pequeno veio de material mais ou menos escuro existente em algumas rochas.

vênus *s.f.2n.* (lat. *Venus,* n.pr.). **1.** Mulher de grande beleza. **2.** Tipo, ideal de beleza feminina. **3.** *Ant.* Cobre.

venusiano *adj.* Suposto habitante do planeta Vênus.

venusto *adj.* (lat. *venustus,* de Vênus). Muito formoso; belo, gracioso.

ver *v.t.* (lat. *videre*) [conj. 40]. **1.** Perceber pela vista; enxergar, avistar, olhar. **2.** Ser espectador ou testemunha de; assistir a, presenciar. **3.** Distinguir, perceber, entender. **4.** Encontrar-se casual ou propositadamente com; avistar-se com. **5.** Observar, notar, reconhecer. **6.** Conceber, projetar. **7.** Imaginar, fantasiar. **8.** Conhecer, aprender, apreender. **9.** Selecionar, escolher. ★ *v.i.* **1.** Perceber as coisas pela vista; enxergar. **2.** Considerar, julgar. ★ *v.pr.* **1.** Contemplar-se, mirar-se, olhar-se. **2.** Estar junto; encontrar-se, avistar-se. **3.** Encontrar-se, achar-se, reconhecer-se. ★ *s.m.* **1.** O uso ou o sentido da visão. **2.** Parecer, juízo, opinião.

veranear *v.i.* (conj. 15). Passar o verão em cidades de recreio.

veraneio *s.m.* Ato ou efeito de veranear.

veranista *s.2g.* Pessoa que passa temporadas, geralmente durante o verão, em lugar (praia, campo, estação termal) diferente daquele onde vive habitualmente.

verão *s.m.* **1.** A mais quente estação, após a primavera e antes do outono, e que no hemisfério Sul vai do solstício de dezembro (21 ou 22) ao equinócio de março (20 ou 21). **2.** Período de calor em geral. **3.** No Amazonas e no Nordeste, estação da seca.

veraz *adj.2g.* (lat. *verax*). Verdadeiro.

verba *s.f.* (lat. *verba*). **1.** Cláusula de documento escrito. **2.** Apontamento, nota. **3.** Dotação orçamentária destinada a um fim específico. **4.** *P. ext.* Importância, quantia.

verbal *adj.2g.* (lat. *verbalis*). **1.** Relativo a ou próprio do verbo. **2.** Diz-se de uma frase, de uma oração que contém um verbo. **3.** Que é expresso de viva voz e não por escrito; oral. ● **Gram.** *Predicado verbal,* aquele que tem um verbo transitivo ou intransitivo como elemento principal da declaração que se faz do sujeito.

verbalismo *s.m.* **1.** Abundância de palavras em detrimento das idéias; falatório, verbiagem. **2.** Ensino feito de forma exclusivamente verbal.

verbalizar *v.t.* (conj. 4). **1.** Tornar verbal. **2.** Expor verbalmente.

verbena *s.f.* Planta herbácea, de caule ramificado, flores azuis e perfumadas, utilizadas como aromatizante para licores.

verberador (ô) *adj.* Que verbera.

verberar *v.t.* (lat. *verberare*) [conj. 4]. **1.** Açoitar, fustigar, flagelar. **2.** *Fig.* Repreender com energia; censurar, criticar. ★ *v.i.* Refletir-se, reverberar.

verberativo *adj.* Que é próprio para verberar ou açoitar.

verbete (ê) *s.m.* **1.** Apontamento, comentário, nota, verba. **2.** Papel em que se escreve um apontamento. **3.** Nos dicionários e enciclopédias, conjunto de significações e explicações referentes a um vocábulo.

verbo *s.m.* (lat. *verbum*). **1.** Palavra, expressão oral do pensamento, linguagem oral e, por extensão, escrita; idioma. **2.** *Fig.* Palavra, discurso. ● **Gram.** Palavra que se flexiona em *número, pessoa, modo, tempo, aspecto* e *voz* para exprimir um acontecimento. **Teol.** A segunda pessoa da Santíssima Trindade, encarnada em Jesus Cristo. (Usa-se com maiúscula.)

VERBO ▸ Conforme a terminação que apresentam no infinitivo, os verbos regulares se classificam em três conjugações: pertencem à primeira conjugação os verbos terminados em *-ar*, como *amar, avançar, falar*; à segunda, os que terminam em *-er*, como *vender, comer, entender*; e à terceira, os que terminam em *-ir*, como *partir, assumir.*

---

verbo-nominal *adj.2g.* Diz-se do predicado que se constrói com um verbo transitivo ou intransitivo e um predicativo do sujeito.

verborragia *s.f.* Abundância de palavras inúteis, que exprimem poucas idéias; palavrório, palavreado, verborréia.

verborréia *s.f.* Verborragia.

verboso (ô) *adj.* (lat. *verbosus*). **1.** Abundante em palavras; palavroso. **2.** Que se exprime com facilidade; eloqüente, facundo.

verdade *s.f.* (lat. *veritas, veritatis*). **1.** Identidade de uma representação com a realidade representada; exatidão, autenticidade. **2.** O que é certo, verdadeiro. **3.** Princípio certo, constante; axioma. **4.** Boa-fé, sinceridade.

verdadeiro *adj.* **1.** Conforme à verdade; autêntico, verídico, veraz. **2.** Que tem as qualidades essenciais à sua natureza, que não tem mistura ou alteração; puro, genuíno. **3.** Que diz a verdade; veraz, sincero. **4.** Que faz jus a um título, uma posição ou um conceito. ★ *s.m.* A verdade, a realidade.

verde *adj.2g.* (lat. *viridis*). **1.** Diz-se da cor situada entre o azul e o amarelo no espectro da luz branca. **2.** Diz-se do que é dessa cor. **3.** Diz-se de vegetal que ainda tem seiva, que não está seco. **4.** Diz-se de fruta que não está madura. **5.** *Fig.* Inexperiente, principiante. **6.** *Fig.* Relativo aos primeiros anos da existência. **7.** *Sinal (farol) verde,* sinal de trânsito que indica passagem livre. ● **Agric.** *Revolução verde,* adaptação e difusão das técnicas modernas de agricultura nos países em desenvolvimento, em particular na área da produção de variedades de sementes melhoradas e da utilização de adubos. ★ *s.m.* **1.** A cor verde. **2.** Vegetação.

verdejar *v.i.* (conj. 4). Tornar-se verde, apresentar cor verde.

verdoengo ou **verdolengo** *adj.* **1.** Tirante a verde; esverdeado. **2.** Que ainda não está bem maduro; um tanto verde.

verdor (ô) *s.m.* **1.** Qualidade ou caráter de verde; verdura. **2.** A cor verde das árvores e folhas. **3.** *Fig.* Inexperiência da juventude; verdura.

verdugo *s.m.* (lat. *viriducum,* vara cortada verde para o açoite). **1.** Indivíduo que inflige castigos e penas físicas; algoz, carrasco. **2.** *P. ext.* Indivíduo cruel, desumano. **3.** Pequena navalha muito afiada.

verdura *s.f.* **1.** Verdor. **2.** Termo genérico que designa certas plantas hortenses de folhas (alface, chicória, agrião etc.); hortaliça. **3.** *Fig.* As plantas, os vegetais.

verdureiro *s.m.* Vendedor ambulante de verduras, legumes e frutas.

vereação *s.f.* **1.** O conjunto de vereadores de uma câmara municipal. **2.** Cargo de vereador; vereança. **3.** Tempo de duração desse cargo.

vereador (ô) *s.m.* Parlamentar de Câmara Municipal.

vereança *s.f.* Vereação.

vereda (ê) *s.f.* (lat. *vereda,* de *veredus,* cavalo de posta). **1.** Caminho estreito, atalho, senda. **2.** *Fig.* Rumo, caminho, direção. **3.** Região com maior abundância de água e vegetação na zona das caatingas.

veredicto *s.m.* (lat. *vere dictum,* verdadeiramente dito). **1.** Decisão judiciária sobre causa cível ou criminal submetida à Justiça. **2.** *P. ext.* Julgamento pronunciado sobre qualquer assunto.

verga (ê) *s.f.* (lat. *virga*). **1.** Vara delgada e flexível que se usa para açoitar, para fazer cestos etc. **2.** Barra metálica delgada. **3.** Suporte horizontal de madeira, pedra, metal ou concreto, que fecha a parte superior de uma abertura e que sustenta a superestrutura de uma construção. **4.** Sulco deixado na terra pelo arado. **5.** *Chul.* Pênis.

vergalhão *s.m.* **1.** Vergalho grande. **2.** Barra de ferro roliça, de diversos diâmetros, utilizada em construção civil.

vergalhar *v.t.* (conj. 14). Bater com verga em; açoitar, surrar.

vergalho *s.m.* **1.** Órgão genital do boi ou do cavalo, depois de cortado e seco. **2.** Chicote feito com esse órgão. **3.** Chicote, chibata, azorrague. **4.** *Pop.* Patife, tratante, velhaco.

vergão *s.m.* **1.** Verga grande. **2.** Marca ou vinco na pele, especialmente a produzida por chibatada.

vergar *v.t.* (conj. 14). **1.** Dobrar, curvar como se curva uma verga. **2.** *Fig.* Submeter, sujeitar, dobrar. **3.** *Fig.* Abater, humilhar. **4.** *Fig.* Apiedar, comover, abalar. ★ *v.i.* **1.** Ceder ao peso de; curvar-se. **2.** *Fig.* Abater-se, humilhar-se. **3.** *Fig.* Perder as forças; desfalecer.

vergasta *s.f.* **1.** Verga pequena. **2.** Vara delgada que serve de chibata. **3.** *Fig.* Castigo, flagelo.

vergastar *v.t.* (conj. 4). **1.** Açoitar com vergasta. **2.** Açoitar, fustigar. **3.** Condenar com veemência; verberar.

vergel *s.m.* (prov. ant. *vergier*). Terreno plantado de árvores frutíferas; pomar.

vergência *s.f.* Inverso da distância focal de um sistema óptico.

vergonha *s.f.* (lat. *verecundia*). **1.** Infâmia, desonra, opróbrio. **2.** Sentimento da própria dignidade; brio, pundonor. **3.** Medo do ridículo; insegurança, timidez. **4.** Ato indecoroso que provoca indignação. **5.** Rubor das faces causado pelo pejo. ★ *s.m.pl.* Os genitais humanos.

vergonhoso (ô) *adj.* **1.** Que causa vergonha; indecoroso, humilhante. **2.** Que tem vergonha; tímido, acanhado. **3.** Obsceno, indecoroso.

vergôntea *s.f.* **1.** Rebento. **2.** Rebento da videira; pimpolho. **3.** Peça de madeira com que se fazem mastros, mastaréus etc.

verídico *adj.* (lat. *veridicus*). Verdadeiro.

verificação *s.f.* **1.** Ato ou efeito de verificar(-se). **2.** Prova, demonstração. **3.** Cumprimento, realização.

verificar *v.t.* (lat. *verificare*) [conj. 12.]. **1.** Indagar a verdade de; averiguar. **2.** Provar a verdade de; confirmar, corroborar. ★ *v.pr.* Realizar-se, efetivar-se, ocorrer.

verificável *adj.2g.* Que se pode verificar; suscetível de verificação.

verme[1] *s.m.* (lat. *vermis*). **1.** Denominação comum aos invertebrados pluricelulares, de simetria bilateral, que apresentam corpo alongado, mole, desprovido de apêndices articulados e esqueleto interno. **2.** Nome comum às larvas de insetos, desprovidas de patas. **3.** Parasita, em geral intestinal, do homem e de animais domésticos, causador de helmintíase. **4.** *Fig.* Indivíduo reles, desprezível.

verme[2] *s.m.* Parte mediana do cerebelo.

vermelhar *v.t.* e *v.i.* (conj. 4). Tornar(-se) vermelho.

vermelhidão *s.f.* **1.** Qualidade do que é vermelho. **2.** Rubor da face; afogueamento. ● **Agric.** Designação genérica de diversas doenças da vinha, de causa fisiológica ou parasitária, caracterizadas por um avermelhamento das folhas.

vermelho (ê) *adj.* e *s.m.* (lat. *vermiculus*). Diz-se de ou cor encarnada muito viva, como a do sangue, que corresponde a um dos limites visíveis do espectro solar. ★ *adj.* **1.** Que é dessa cor. **2.** Ruivo. **3.** Ruborizado, envergonhado. **4.** Diz-se do tipo de solo resultante da rubefação. ★ *s.m.* **1.** Tinta ou pigmento vermelho. **2.** Cor característica dos sinais de parada ou de perigo. **3.** Situação deficitária de alguém, de uma empresa, de um país.

vermicida *adj.2g.* e *s.m.* Vermífugo.

vermicular *adj.2g.* **1.** Relativo a verme. **2.** Que se assemelha a um verme, na forma ou no movimento. ● **Anat.** *Movimento vermicular,* contração sucessiva das diferentes partes de um canal muscular.

vermiforme *adj.2g.* Que tem forma de verme. ● **Med.** Cuja forma lembra um verme, como apêndice vermiforme.

vermífugo *adj.* e *s.m.* Diz-se de ou substância que destrói os vermes; vermicida.

verminose *s.f.* Afecção provocada pela presença de vermes no organismo.

verminoso (ô) *adj.* (lat. *verminosus*). **1.** Cheio de vermes; coberto de vermes. **2.** Produzido ou determinado por vermes.

vermute *s.m.* (al. *Wermut*). Bebida alcoólica, usada como aperitivo, produzida a partir de vinho branco com infusão de certos vegetais ou por adição de essências.

vernaculidade *s.f.* Qualidade de vernáculo; vernaculismo.

vernaculismo *s.m.* **1.** Preocupação excessiva em evitar influências externas na língua; purismo. **2.** Vernaculidade.

vernaculista *adj.2g.* e *s.2g.* Que ou aquele que fala ou escreve em língua vernácula.

vernaculizar *v.t.* (conj. 4). Tornar vernáculo.

vernáculo *adj.* (lat. *vernaculus*). **1.** Próprio de um país ou de uma nação; pátrio, nacional. **2.** Diz-se de linguagem pura, genuína, sem estrangeirismos. **3.** Relativo ou pertencente a essa linguagem; castiço. ★ *s.m.* Língua vernácula.

vernal *adj.2g.* (lat. *vernalis*). **1.** Relativo à primavera. **2.** Diz-se das plantas cujas flores desabrocham na primavera. ● **Astron.** *Ponto vernal,* ponto da esfera celeste, situado em uma das duas interseções do equador e da eclíptica, que o Sol transpõe e que tem uma declinação crescente.

vernalização *s.f.* Tratamento físico ou químico, aplicado em plantas ou sementes, com o objetivo de acelerar o seu desenvolvimento.

verniz *s.m.* (fr. ant. *verniz,* de or. grega). **1.** Preparação não pigmentada que se aplica em demãos finas sobre superfícies de móveis, quadros etc. **2.** A película dura, translúcida e brilhante que essa preparação produz. **3.** Denominação comum a diversos vegetais produtores de verniz. **4.** *Fig.* Aparência enganosamente boa. **5.** *Fig.* Conhecimento superficial.

vero *adj.* (lat. *verus*). Verdadeiro, verídico, real.

verônica[1] *s.f.* (de *Verônica*, n.pr.). Imagem do rosto de Jesus estampada no pano com que, segundo a tradição, uma mulher de Jerusalém, chamada Verônica, enxugou o rosto de Cristo.

verônica[2] *s.f.* Arbusto trepador, de folhas penadas e pequenas flores brancas, cujo fruto é uma sâmara; ocorre nas matas pluviais.

verossímil *adj.2g.* (lat. *verisimilis*). **1.** Que parece verdadeiro; verossimilhante. **2.** Provável, possível.

verossimilhante *adj.2g.* Verossímil.

verossimilitude *s.f.* Verossimilhança.

verrina *s.f.* (lat. *Verrina*, n.pr.). **1.** Cada um dos discursos que Cícero pronunciou contra Verres. **2.** *P. ext.* Reprovação severa, geralmente escrita ou manifestada em discursos públicos.

verrucoso (ô) *adj.* (lat. *verrucosus*). **1.** Relativo a verruga. **2.** Da natureza da verruga.

verruga *s.f.* (lat. *verruca*). **1.** Tumor benigno da epiderme causado por um vírus. **2.** Pequena protuberância rugosa nas plantas.

VERRUGA ► Existem vários tipos de verrugas, muitos deles contagiosos. As verrugas mais comuns são acinzentadas, de aspecto ressecado, e surgem nas mãos, joelhos, dedos e, às vezes, no rosto. As mais dolorosas são as verrugas que aparecem nas camadas profundas da pele da planta do pé.

---

verrugoso (ô) *adj.* **1.** Cheio ou coberto de verrugas; verruguento. **2.** Que tem forma de verruga.

verruma *s.f.* Ferramenta de aço própria para furar madeira, cuja haste maior é lavrada em hélice e termina em ponta como um parafuso.

verrumar *v.t.* (conj. 4). **1.** Furar com verruma ou instrumento semelhante. **2.** *Fig.* Meditar profundamente sobre. **3.** *Fig.* Afligir, torturar, espicaçar. ★ *v.i.* Abrir furos com verruma.

versado *adj.* (lat. *versatus*). Perito, exercitado, entendido, experimentado.

versal *adj.2g.* e *s.2g.* Maiúscula tipográfica.

versalete (ê) *s.m.* Letra tipográfica que tem forma de maiúscula e altura equivalente à da minúscula do texto.

versão *s.f.* **1.** Ato ou efeito de verter ou de voltar. **2.** Tradução em outro idioma, linguagem ou código. **3.** Maneira de contar, de interpretar um texto ou um fato; interpretação, explicação. ● **Astron.** Curso de um astro em sua órbita; revolução. **Inform.** Cada uma das sucessivas edições de um programa ou *software*. **Med.** Conjunto de manobras operatórias usadas para mudar a posição do feto, colocando-o em outra, mais adequada ao parto natural.

versar *v.t.* (lat. *versare*) [conj. 4]. **1.** Examinar, manejar, manusear. **2.** Exercitar, estudar, praticar. **3.** Ter por tema ou objeto; discorrer. **4.** Ponderar, examinar.

versátil *adj.2g.* (lat. *versatilis*). **1.** Propenso à mudança; mutável. **2.** Que se move facilmente; que está em movimento. **3.** Que se pode adaptar a várias funções ou usos. **4.** Que tem capacidade ou experiência para diversas atividades.

versatilidade *s.f.* Estado, qualidade ou caráter de versátil.

versejar *v.i.* (conj. 4). **1.** Fazer versos; poetar, trovar. **2.** Fazer versos sem estro; compor maus versos. ★ *v.t.* **1.** Versificar. **2.** Declamar.

versicolor (ô) *adj.2g.* (lat. *versicolor*). **1.** Que tem várias cores; matizado, policromo. **2.** Diz-se do animal ou da planta que muda de cor segundo a incidência dos raios luminosos.

versículo *s.m.* (lat. *versiculus*). **1.** Subdivisão de artigo, parágrafo etc. **2.** Pequeno parágrafo numerado que subdivide cada capítulo de um livro sagrado, principalmente da Bíblia.

versificação *s.f.* (lat. *versificatio*). **1.** Ato ou efeito de versificar ou versejar. **2.** Arte, método ou maneira de fazer versos; metrificação.

versificar *v.t.* (lat. *versificare*) [conj. 12]. Colocar em versos; versejar. ★ *v.i.* Versejar.

versista *adj.2g.* e *s.2g.* Que ou aquele que verseja.

verso[1] *s.m.* (lat. *versus*). **1.** Sucessão de sílabas ou fonemas que formam uma unidade rítmica e melódica. **2.** Cada uma das linhas de um poema. **3.** O gênero poético, a poesia. **4.** *Pop.* Qualquer composição poética.

verso[2] *s.m.* (lat. *versus*, voltado, virado). **1.** Página oposta à da frente. **2.** *P. ext.* Face posterior de qualquer objeto, oposta à da frente.

versus (vér) *prep.* (lat.). Contra (abrev. vs.).

vértebra *s.f.* (lat. *vertebra*). Cada um dos ossos curtos que, justapostos, formam a coluna vertebral, ou raque, eixo e sustentação do corpo do homem e de todos os animais da divisão dos vertebrados. (Sin. ESPÔNDILO.)

vertebrado *s.m.* Espécime dos vertebrados. ★ *adj.* **1.** Relativo aos vertebrados. **2.** Que apresenta vértebras.

vertebrados *s.m.pl.* Grupo de animais cordados caracterizados pela presença de coluna vertebral dorsal envolvendo um cordão nervoso tubular, que engloba os peixes, os anfíbios, os répteis, as aves e os mamíferos.

Os répteis são uma das classes dos vertebrados.

VERTEBRADOS ► Todos os vertebrados têm uma *coluna vertebral*, ou *espinha dorsal*, que é formada por pequenos ossos (as vértebras) e contém a medula espinhal. O papel de sustentação da coluna é incrementado por duas cinturas, nas quais se inserem as asas ou extremidades: a *cintura peitoral* (conjunto de ossos que sustentam as extremidades anteriores) e a *cintura pélvica* (conjunto de ossos que sustentam as extremidades posteriores). Todos os vertebrados, exceto os agnatos (peixes sem mandíbulas), desenvolvem mandíbulas ao redor da boca e têm o cérebro protegido por uma caixa óssea ou cartilaginosa, o *crânio*. Os vertebrados possuem sistemas de órgãos apropriados a um estilo de vida ativo, entre os quais se encontram os órgãos sensoriais, concentrados na região da cabeça, um aparelho circulatório bem desenvolvido e um coração muscular dividido em compartimentos.

---

vertebral *adj.2g.* **1.** Relativo à vértebra. **2.** Constituído de vértebras. **3.** *Canal vertebral*, grande orifício situado no centro de cada vértebra, por onde passa a medula. ► *Lâmina vertebral*, cada uma das duas partes posteriores das vértebras que se unem para formar a apófise espinhosa.

vertente *adj.2g.* (lat. *vertens*). **1.** Que verte; vertedor. **2.** De que se trata, se discute. ★ *s.f.* **1.** Declive lateral de uma elevação, pelo qual correm as águas; encosta. **2.** Cada uma das superfícies de um telhado. **3.** *Fig.* Lado, tendência, agrupamento.

verter *v.t.* (lat. *vertere*) [conj. 5]. **1.** Fazer correr (um líquido); entornar, derramar. **2.** Chover, jorrar. **3.** Espalhar, difundir, lançar. **4.** Fazer versão ou tradução de; traduzir. ★ *v.i.* **1.** Derivar, brotar. **2.** Desaguar, desembocar (rio). **3.** Rever, ressumar.

vertical *adj.2g.* (lat. *verticalis*). **1.** Perpendicular ao plano do horizonte. **2.** Que tem a direção do fio de prumo; direito, aprumado. **3.** Que está colocado no vértice. ★ *s.f.* **1.** A direção vertical. **2.** Linha vertical.

verticalidade *s.f.* **1.** Qualidade ou estado de vertical. **2.** Predominância da tendência vertical numa composição artística.

vértice *s.m.* (lat. *vertex, verticis*). **1.** O ponto culminante; cume, cimo, pináculo. **2.** Ponto de intersecção dos lados ou faces de uma figura geométrica.

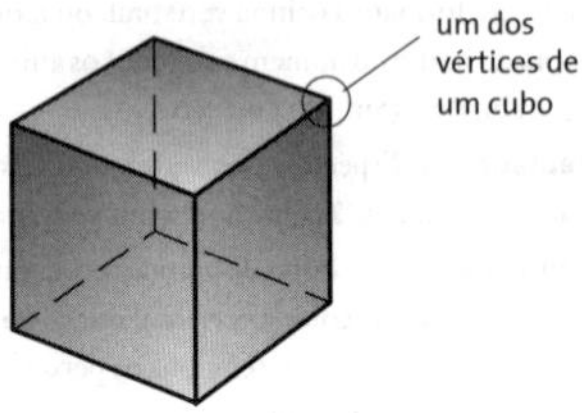

verticilo *s.m.* (lat. *verticillus*). Conjunto de peças florais que se dispõem em um mesmo plano de um eixo.

vertigem *s.f.* (lat. *vertigo, vertiginis*). **1.** Sensação de rotação dos objetos e do meio ambiente ao redor do indivíduo, por vezes acompanhada de náusea e distúrbios do equilíbrio; tonteira, tontura. **2.** Desmaio, síncope, delíquio. **3.** *Fig.* Loucura momentânea; desvario. **4.** *Fig.* Tentação súbita.

vertiginoso (ô) *adj.* (lat. *vertiginosus*). **1.** Que causa vertigens. **2.** Que sofre de vertigens. **3.** *Fig.* Que gira ou corre com muita rapidez.

verve *s.f.* (fr. *verve*). **1.** Imaginação que estimula o poeta, o orador, o artista. **2.** Graça, vivacidade de espírito.

vesgo (ê) *adj.* **1.** Estrábico. **2.** *Fig.* Oblíquo, torto.

vesguice *s.f.* **1.** Qualidade ou estado de vesgo. **2.** Estrabismo.

vesicante *adj.2g.* (fr. *vésicant*). Que faz nascer bolhas na pele; vesicatório. ★ *s.m.* Substância que produz vesicação.

vesicoabdominal *adj.2g.* Relativo à bexiga e ao abdome.

vesicoprostático *adj.* Relativo à bexiga e à próstata.

vesícula *s.f.* (lat. *vesicula*). **1.** Saco membranoso semelhante a uma pequena bexiga. **2.** Pequena elevação circunscrita da epiderme que contém um líquido claro. (Sin. FLICTENA.) **3.** *Vesícula biliar,* reservatório membranoso em forma de pêra, localizado junto à face inferior do fígado, no qual é concentrada e armazenada a bile. ► *Vesícula sináptica,* estrutura localizada na porção do axônio próxima da sinapse e que contém um mediador químico. ► *Vesículas seminais,* pequenos reservatórios de sêmen, situados na parte póstero-inferior da próstata, acima do reto, que se comunicam com a uretra pelos condutos ejaculadores. ● **Biol.** *Vesícula vitelina* ou *umbilical,* anexo embrionário comum à maior parte dos vertebrados e que encerra as reservas nutritivas do ovo. (Sin. SACO VITELINO.) ► Cada uma das partes do tubo neural primitivo.

vesicular *adj.2g.* **1.** Que tem forma de vesícula; vesiculoso. **2.** Constituído por vesículas; vesiculoso.

vesiculite *s.f.* Inflamação das vesículas seminais.

vesiculoso (ô) *adj.* (lat. *vesiculosus*). Vesicular.

vespa (ê) *s.f.* (lat. *vespa*). **1.** Denominação comum a insetos himenópteros, solitários ou sociais, que apresentam abdome listrado de preto e amarelo e cuja fêmea possui ferrão venenoso. **2.** Nome dado popularmente a outros himenópteros. **3.** *Fig.* Pessoa de caráter intratável e acrimonioso.

vespeiro *s.m.* **1.** Ninho de vespas. **2.** *Fig.* Situação ou lugar em que repentinamente surgem perigos ou insídias imprevistas.

Vésper *s.m.* (lat. *Vesper,* n.pr.). **1.** O planeta Vênus, quando aparece à tarde; estrela vespertina. (Usa-se com maiúscula.) **2.** *Fig.* O ocidente, o ocaso, o poente.

véspera *s.f.* (lat. *vespera*). **1.** A tarde. **2.** Dia imediatamente anterior àquele de que se trata. ★ *s.f.pl.* Dias que antecedem mais proximamente um fato ou acontecimento.

vesperal *adj.2g.* (lat. *vesperalis*). Que se realiza ou acontece à tarde.

vespertino *adj.* (lat. *vespertinus*). **1.** Relativo à tarde. **2.** *Estrela vespertina,* Vésper. ★ *s.m.* Jornal que circula à tarde ou à noite.

vestal *s.f.* (lat. *vestalis*). **1.** Sacerdotisa de Vesta, deusa dos antigos romanos. **2.** *Fig.* Mulher casta; donzela, virgem.

veste *s.f.* (lat. *vestis*). Vestimenta.

vestiário *s.m.* (lat. *vestiarium*). Lugar em que trocam a roupa e guardam seus pertences os membros de uma empresa, associação, companhia teatral etc.

vestibulando *s.m.* Aluno que se prepara para prestar o exame vestibular.

vestibular *adj.2g.* **1.** Relativo a vestíbulo. **2.** Diz-se de exame a que se submetem alunos egressos do curso secundário, em disputa por uma vaga em curso universitário. **3.** Diz-se do curso preparatório para esse exame; cursinho, curso pré-universitário. ● **Anat.** Relativo ao vestíbulo do ouvido interno e ao vestíbulo bucal. ► *Nervo vestibular,* nervo do equilíbrio que se reúne ao nervo coclear para formar o nervo acústico. **Med.** *Sistema vestibular,* conjunto de estruturas do ouvido interno relacionadas ao equilíbrio. *Síndrome vestibular,* conjunto de sintomas que traduzem um distúrbio do sistema vestibular. ★ *s.m.* Exame vestibular.

vestíbulo *s.m.* (lat. *vestibulum*). **1.** Espaço entre a via pública e a entrada de um edifício; átrio, pátio. **2.** Entrada de um edifício. **3.** Espaço entre a porta e a principal escadaria interior de um edifício. ● **Anat.** Parte mediana do labirinto ósseo do ouvido interno. ► Na mulher, depressão vulvar limitada lateralmente pelos pequenos lábios. ► *Vestíbulo bucal,* parte anterior da boca, situada na frente da arcada gengivo-dentária. ► *Vestíbulo da laringe,* parte superior da laringe.

vestido *s.m.* **1.** Vestimenta feminina formada de saia e blusa em uma só peça. **2.** Vestimenta. ★ *adj.* **1.** Que traz vestimenta, coberto por vestes (p. opos. a *nu*). **2.** *Fig.* Revestido, investido, impregnado.

vestígio *s.m.* (lat. *vestigium*). **1.** Sinal deixado pelos pés no lugar por onde se passa; pisada, pegada, rasto. **2.** *Fig.* Indicação, indício. **3.** *Fig.* Resquícios, restos.

vestimenta *s.f.* (lat. *vestimenta*). **1.** Aquilo que veste alguém ou algo; veste, vestido. **2.** Roupa, vestuário, veste, vestido. **3.** Paramentos sacerdotais solenes; veste.

vestir *v.t.* (lat. *vestire*) [conj. 54]. **1.** Cobrir com roupa ou veste. **2.** Pôr sobre si uma peça de vestuário; roupa. **3.** Dar vestuário a, fornecer roupas. **4.** Cobrir, revestir. **5.** Calçar (luvas, sapatos etc.). **6.** *Fig.* Adornar, enfeitar. **7.** *Fig.* Disfarçar, encobrir, mascarar. ★ *v.i.* **1.** Trajar, pôr veste. **2.** Assentar, ter caimento (roupa). ★ *v.pr.* **1.** Cobrir-se com roupa. **2.** Comprar roupas para o próprio uso. **3.** Impregnar-se, imbuir-se. **4.** Revestir-se, cobrir-se. **5.** Disfarçar-se, mascarar-se.

vestuário *s.m.* (lat. *vestuarium*). Traje ou estilo de roupa utilizado em diferentes épocas, culturas e lugares.

vetar *v.t.* (lat. *vetare*) [conj. 4]. **1.** Opor veto. **2.** *P. ext.* Proibir, vedar, interditar.

veterano *adj.* e *s.m.* (lat. *veteranus*). **1.** Diz-se de ou militar antigo ou reformado. **2.** *P. ext.* Que ou aquele que exerce há muito tempo um cargo, função, profissão etc.; experimentado. **3.** *Pop.* Diz-se de ou estudante que freqüenta as últimas séries de uma faculdade ou escola.

veterinária *s.f.* Ciência que se ocupa das doenças dos animais, em particular dos animais domésticos.

? VOCÊ SABIA...? Os primeiros registros conhecidos de medicina animal provêm da antiga civilização babilônica e datam de 2100 a.C. A prática **veterinária** também se estabeleceu no antigo Egito e floresceu na Índia a partir de 1800 a.C. Os primeiros hospitais de animais foram construídos na Índia em 250 a.C., sob o imperador Asoka.

---

veterinário *adj.* Relativo à veterinária. ★ *s.m.* Pessoa que, diplomada por uma escola superior de veterinária, exerce a medicina veterinária.

veto *s.m.* (de lat. *veto*, proíbo). Ato pelo qual um indivíduo ou um órgão se opõe, temporária ou definitivamente, à entrada em vigor de uma decisão de outro indivíduo ou de outro órgão; proibição, oposição.

vetor (ô) ou **vector** (ô) *adj.* (lat. *vector*, o que transporta). Diz-se do inseto suscetível de transmitir ao homem, aos animais ou às plantas uma doença qualquer da qual abriga os agentes. ★ *s.m.* **1.** Animal, planta etc. que serve de suporte à transmissão de doenças epidêmicas. **2.** Aquilo que serve de suporte à transmissão de informações, notícias etc. ● **Fís.** Símbolo que representa as grandezas vetoriais da física. **Mat.** Segmento de reta orientado que tem módulo, direção e sentido correspondentes, respectivamente, a seu comprimento, a sua orientação em relação a um referencial e ao sentido de crescimento.

vetusto *adj.* (lat. *vetustus*). **1.** Deteriorado pelo tempo; antigo, velho. **2.** Respeitável pela idade. **3.** *Pej.* Ultrapassado, superado, obsoleto.

véu *s.m.* (lat. *velum*). **1.** Tecido que serve para cobrir e proteger alguma coisa. (Sin. VELÂMEN.) **2.** Pano, às vezes transparente ou rendado, usado pelas mulheres em algumas ocasiões para cobrir o rosto ou a cabeça, ou como adorno. **3.** *Fig.* Aquilo que cobre, esconde ou mascara alguma coisa. ● **Anat.** *Véu palatino* ou *do paladar*, membrana que separa a boca das fossas nasais e cuja extremidade póstero-inferior, a úvula ou campainha, flutua acima da base da língua. **Bot.** Nos cogumelos basidiomicetos, membrana que fixa o bordo do chapéu ao pedúnculo. **Zool.** Invaginação da parte inferior do corpo de algumas medusas, que controla o fluxo de água durante a movimentação.

vexação *s.f.* (lat. *vexatio*). Ato ou efeito de vexar; vexame.

vexado *adj.* **1.** Envergonhado, corado, ruborizado. **2.** (*NE*) Apressado.

vexame *s.m.* (lat. *vexamen*). **1.** Vexação. **2.** Aquilo que vexa. **3.** Vergonha, pudor, pejo. **4.** Afronta, ultraje. **5.** (*NE*) Pressa.

vexar *v.t.* (lat. *vexare*) [conj. 4]. **1.** Causar vergonha a; humilhar, envergonhar. **2.** Causar tormento a; afligir, atormentar. **3.** (*NE*) Apressar. ★ *v.pr.* **1.** Sentir vexame; envergonhar-se. **2.** (*NE*) Apressar-se.

vexatório *adj.* Que vexa, que causa vexame.

vexilo (cs) *s.m.* (lat. *vexillum*). **1.** Estandarte, bandeira. **2.** Pétala superior, mais larga, da flor de certas leguminosas. (Sin. ESTANDARTE.) **3.** Conjunto de ramificações da pena de uma ave, que se inserem em um eixo principal.

vez (ê) *s.f.* (lat. *vicis*). **1.** Circunstância em que se pode fazer algo; ocasião, ensejo. **2.** Alternativa. **3.** Turno, hora. **4.** Cada um dos casos em que ocorre um fato. **5.** Intensidade maior ou menor de uma ação por comparação com outra, tomada como unidade. **6.** Repetição ou multiplicação de uma quantidade. **7.** *Às vezes, de vez em quando, de quando em vez,* de tempos em tempos. ► *De vez,* definitivamente, terminantemente. ► *Em vez de,* em lugar de. ► *Uma vez que,* já que, pois que.

vezeiro *adj.* Que tem vezo; habituado, acostumado.

vezo (ê) *s.m.* (lat. *vitium*). **1.** Hábito ou costume geralmente repreensível. **2.** Qualquer hábito ou costume.

VHF (abrev. do ingl. *very high frequency,* freqüência muito alta). **Telecom.** Tipo de onda sonora que se propaga com freqüência maior que a do ultra-som, entre 30 e 300 MHz.

via *s.f.* (lat. *via*). **1.** Caminho que conduz de um lugar a outro; estrada. **2.** Meio de transporte. **3.** Rumo, direção, rota. **4.** Cada uma das cópias igualmente válidas de um documento. **5.** Meio, maneira, modo. **6.** Modo de administração de um medicamento. **7.** *Em vias de,* prestes a. ● **Anat.** Conjunto de estruturas e canais que participam de uma função (vias nervosas, ópticas etc.) ou que contribuem para a secreção e excreção de um líquido orgânico (vias biliares, urinárias etc.). **Quím.** Maneira pela qual se efetua uma reação química ou o tratamento de materiais. ► *Via seca,* operação conduzida sem emprego de líquidos. ► *Via úmida,* emprego dos solventes ou de um meio líquido.

viabilidade *s.f.* Qualidade de viável.

viabilizar *v.t.* Tornar viável, especialmente em termos econômicos ou práticos; tornar possível a execução de; possibilitar.

viação *s.f.* **1.** Maneira ou meio de percorrer uma via ou caminho. **2.** Conjunto de estradas ou caminhos públicos de um país. **3.** Serviço de transporte de carga ou passageiros.

via-crúcis *s.f.* Via-sacra.

viaduto *s.m.* Em uma ferrovia ou rodovia, passagem em nível superior (principalmente para transposição de rios, vales, ou cruzamento de duas vias em níveis diferentes).

viagem *s.f.* (prov. *viatge*). **1.** Ato ou efeito de ir de um lugar a outro razoavelmente distante. **2.** *Gír.* Êxtase provocado por droga, entorpecente ou tóxico; barato.

viajante *adj.2g.* e *s.2g.* Que ou quem viaja; viajor.

viajar *v.i.* (conj. 4). Fazer viagem. ★ *v.t.* Percorrer, visitar.

viajor (ô) *s.m.* Viajante.

vianda *s.f.* (fr. *viande*). **1.** Qualquer gênero alimentício. **2.** Carne usada na dieta alimentar humana. ★ *s.f.pl.* Guisados, assados.

viandante *adj.2g.* e *s.2g.* Que ou aquele que vianda; transeunte.

viário *adj.* (lat. *viarius*). Relativo a via. ★ *s.m.* Leito da via férrea.

via-sacra *s.f.* (lat. *Via Sacra,* caminho sagrado). **1.** Série de 14 quadros que representam as diversas etapas do percurso de Jesus Cristo carregando a cruz desde a pretoria de Pilatos até o Gólgota; via-crúcis. **2.** *P. ext.* Conjunto de orações que se dizem diante desses quadros. **3.** *Fig.* Sacrifício, padecimento.

viatura *s.f.* (fr. *voiture*). **1.** Qualquer veículo de transporte de cargas ou passageiros. **2.** Meio de transporte.

viável[1] *adj.2g.* (lat. *via,* caminho). Que se pode percorrer; transitável.

viável[2] *adj.2g.* (fr. *viable*). **1.** Exeqüível, realizável. **2.** Que se pode levar a efeito; praticável.

víbora *s.f.* (lat. *vipera*). **1.** Réptil ofídio, peçonhento, da Europa, Ásia e norte da África, cujos dentes permanecem recolhidos, projetando-se apenas no ato da picada. **2.** *Fig.* Pessoa má, traiçoeira.

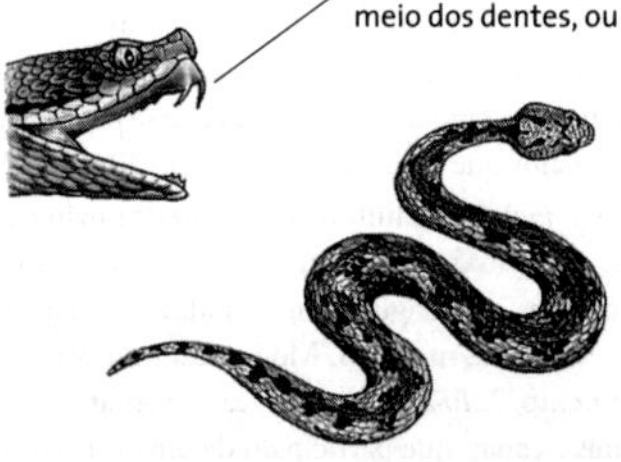

VÍBORA ▸ As víboras se distinguem das outras cobras por ter a cauda curta, que se estreita bruscamente, por sua pupila vertical e por sua cabeça triangular. Possuem caninos venenosos cortados por um canal, fixados à parte anterior da mandíbula. A boca é grande o suficiente para possibilitar a ingestão de presas volumosas, às vezes muito maiores do que a víbora.

vibração *s.f.* (lat. *vibratio*). **1.** Ato ou efeito de vibrar. **2.** Movimento oscilatório rápido. **3.** Tremor no ar ou na voz. **4.** *Fig.* Manifestação de emotividade; comoção; ardor, entusiasmo. ● **Fís.** Sin. de OSCILAÇÃO.

vibrante *adj.2g.* (lat. *vibrantis*). **1.** Que vibra. **2.** *Fig.* Comovente, tocante. ● **Fon.** Diz-se de consoante constritiva em cuja emissão o ápice da língua contra os alvéolos, ou a raiz da língua contra o véu palatino, executa rápido movimento vibratório, liberando e interrompendo a corrente expiratória.

vibrar *v.t.* (lat. *vibrare*) [conj. 4]. **1.** Fazer oscilar. **2.** Agitar, brandir. **3.** Lançar, atirar, arremessar. **4.** Dedilhar, tanger. ★ *v.i.* **1.** Sofrer abalos rápidos; estremecer. **2.** Tremer, produzindo sons. **3.** Manifestar emoção ou entusiasmo; comover-se.

vibrátil *adj.2g.* Que pode vibrar. ● **Anat.** *Movimento vibrátil,* movimento que apresentam os cílios de certos epitélios, como o traqueobrônquico. **Biol.** *Cílio vibrátil,* cílio ou flagelo de uma célula viva, animado de vibrações constantes. **Fís.** Sin. de OSCILATÓRIO.

vibratório *adj.* **1.** Que vibra; vibrante. **2.** Composto ou acompanhado de vibrações. ● **Fís.** Sin. de OSCILATÓRIO.

vibrião *s.m.* Bactéria em forma de vírgula com cílios na extremidade, como o agente da cólera.

vibrissa *s.f.* (lat. *vibrissae*). Longo pêlo sensorial, situado nos lados da cabeça dos mamíferos e das aves. ● **Anat.** Pêlos que se desenvolvem nas fossas nasais.

viçar *v.i.* (conj. 13). **1.** Vicejar. **2.** *Fig.* Aumentar, desenvolver-se, alastrar-se, medrar.

vicariante *adj.2g.* Diz-se de um órgão cuja atividade aumenta para suprir a deficiência de outro.

vicário *adj.* (lat. *vicarius*). Que substitui, que faz as vezes de.

vice-almirante *s.2g.* **1.** Posto da Marinha de Guerra imediatamente inferior ao de almirante-de-esquadra e superior ao de contra-almirante. **2.** Pessoa que ocupa esse posto.

vice-governador (ô) *s.m.* Aquele que legalmente substitui o governador na sua ausência ou impedimento.

vicejante *adj.2g.* **1.** Que viceja. **2.** Ornado, florido.

vicejar *v.i.* (conj. 4). **1.** Vegetar com opulência, ter viço; viçar. **2.** *Fig.* Ostentar exuberantemente. ★ *v.t.* **1.** Dar viço a. **2.** Fazer brotar com viço.

vice-presidência *s.f.* Cargo ou dignidade de vice-presidente.

vice-presidente *s.2g.* Aquele que legalmente substitui o presidente na sua ausência ou impedimento.

vice-rei *s.m.* Governador de um reino (ou de uma grande província) dependente de outro reino.

vice-reinado *s.m.* **1.** Cargo ou dignidade de vice-rei. **2.** Tempo que dura o governo de um vice-rei.

vice-versa *adv.* **1.** Em sentido contrário. **2.** Reciprocamente.

viciado *adj.* **1.** Que tem vício ou defeito. **2.** Falsificado, alterado, contrafeito. **3.** Impuro, estragado. **4.** Diz-se de baralho, dados, roleta etc. adulterados com o fim de manipular os resultados do jogo. ★ *s.m.* Indivíduo viciado.

viciar *v.t.* (conj. 16). **1.** Corromper física ou moralmente, incutir vício. **2.** Falsificar, adulterar, contrafazer. **3.** Corromper, perverter, depravar. ● **Dir.** Tornar nulo; anular. ★ *v.pr.* **1.** Contrair vício. **2.** Corromper-se, perverter-se, depravar-se.

vicinal *adj.2g.* (lat. *vicinalis,* de *vicinus,* vizinho). **1.** Vizinho, próximo. **2.** Diz-se de caminho ou estrada que liga povoações próximas.

vício *s.m.* (lat. *vitium*). **1.** Defeito que torna algo ou alguém inadequado a determinado fim; imperfeição, deformidade. **2.** Tendência para determinado hábito prejudicial. **3.** Disposição contumaz para o mal. **4.** Costume moralmente censurável; devassidão, libertinagem. **5.** Costume ou hábito nocivo. ● **Gram.** *Vício de linguagem,* modo de falar que contraria os padrões normativos de uma língua no âmbito fonológico, morfológico ou sintático.

vicioso (ô) *adj.* (lat. *vitiosus*). **1.** Que tem vício. **2.** Corrupto, depravado. **3.** Que tem defeitos; imperfeito.

vicissitude *s.f.* (lat. *vicissitudo*). **1.** Mudança das coisas que se sucedem; alternância. **2.** Eventualidade, acaso, azar. **3.** Revés. **4.** Instabilidade, volubilidade.

viço *s.m.* (lat. *vitium,* vício). **1.** A força, a exuberância vegetativa das plantas, verdor da vegetação. **2.** Exuberância, força, vigor. **3.** Florescência, frescura. **4.** Excesso de zelo; mimo. **5.** Mimo, frescura.

viçoso (ô) *adj.* Que tem viço.

vicunha *s.f.* (esp. *vicuña,* de or. quíchua). **1.** Mamífero artiodáctilo ruminante que produz lã finíssima e ocorre nas regiões montanhosas do Peru, Bolívia e Chile. **2.** A lã desse animal. **3.** Tecido muito fino, fabricado com essa lã.

vida *s.f.* (lat. *vita*). **1.** Característica própria aos seres vivos que possuem estruturas complexas, capazes de resistir a diversas modificações, aptos a renovar, por assimilação, seus elementos constitutivos, a crescer e a se reproduzir. **2.** Conjunto das condições e características da existência próprias a um tipo de ser vivo. **3.** O período compreendido entre o nascimento e a morte; existência. **4.** O fato de viver, o estado de vivo. **5.** Maneira de viver. **6.** Os acontecimentos que se sucedem numa existência. **7.** Biografia. **8.** Conjunto de condições, especialmente materiais (habitação, alimentação, vestuário etc.), socialmente necessárias à preservação da existência. **9.** Ardor, animação, calor. ● **Fís.** Duração média da existência de um sistema atômico ou nuclear em um estado determinado. **Mec.** *Vida útil,* duração média do funcionamento de uma máquina, de um equipamento etc., desde sua entrada em operação até a desativação ou substituição.

VOCÊ SABIA...? A Terra tinha cerca de 1 bilhão de anos quando surgiram os primeiros sinais de **vida**. Quando o planeta esfriou, a atmosfera formou-se, as chuvas encheram os oceanos e neles se iniciou a vida. Não se sabe bem como isso se deu: talvez a energia de um relâmpago tenha desencadeado as reações químicas do primitivo "caldo" de elementos do jovem planeta. Talvez os minerais das rochas tenham formado, sucessivas vezes, novas combinações químicas. Seja como for, surgiu uma combinação química extraordinária: uma célula viva capaz de alimentar-se e reproduzir-se por si mesma. No decorrer de milhões de anos, as células vivas evoluíram lentamente, fazendo surgir seres mais complexos, como plantas e animais.

---

vide *s.f.* (lat. *vitis*). Vara ou braço de videira.

videira *s.f.* Arbusto trepador munido de gavinhas, cujo caule lenhoso sustenta ramos foliados, folhas pecioladas e pequenas flores esverdeadas, cultivado pelos frutos, que são bagas arredondadas, dispostas em cachos, chamadas uvas.

vidência *s.f.* Clarividência.

vidente *adj.2g.* e *s.2g.* (lat. *videns*). **1.** Que ou aquele que vê, que tem visão (p. opos. a *cego*). **2.** Clarividente.

vídeo *s.m.* (lat. *video,* de *videre,* ver). **1.** Conjunto das técnicas relativas à formação, ao registro, ao tratamento ou à transmissão de imagens ou sinais de televisão. **2.** Aparelho ou parte de um equipamento que permite visualizar essas imagens. **3.** As imagens e sons assim obtidas. **4.** Forma reduzida de videocassete.

videocassete *s.m.* Aparelho que permite o registro e a leitura, sobre fita magnética, dos sinais que representam as imagens animadas, com os sons associados. (Forma reduzida: VÍDEO.)

videoclipe *s.m.* (ingl. *video clip*). Vídeo para apresentação de música em que se editam imagens visuais, não necessariamente ligadas à execução da música; clipe.

videogame *s.m.* (ingl.). Jogo cuja ação se desenrola numa tela de televisão.

videoteipe *s.m.* (ingl. *video tape*). Processo eletromagnético de registro de sinais de vídeo numa fita de vídeo; a própria fita (abrev. VT).

vidoeiro *s.m.* Sin. de BÉTULA.

vidraça *s.f.* **1.** Lâmina de vidro polido, usada em caixilhos de portas e janelas. **2.** Caixilho com vidros.

vidraçaria *s.f.* **1.** Conjunto de vidraças de um edifício. **2.** Vidraria.

vidraceiro *s.m.* Aquele que corta, emoldura, vende etc. vidraças, vidros e espelhos.

vidrado *adj.* **1.** Provido de vidros. **2.** Vitrificado. **3.** Vítreo. **4.** *Gír.* Encantado, apaixonado. ★ *s.m.* Camada contínua de vidro, ou de vidro e cristais aderentes, aplicada sobre a superfície de um corpo cerâmico.

vidrar *v.t.* (conj. 4). **1.** Vitrificar. **2.** *Fig.* Fazer perder o brilho; embaciar, empanar. ★ *v.pr.* Perder o brilho, embaciar-se (falando especialmente dos olhos).

vidraria *s.f.* **1.** A arte de fabricar vidros. **2.** Fábrica de vidros. **3.** Estabelecimento onde se vendem e cortam vidros, espelhos, cristais etc.; vidraçaria. **4.** Conjunto de objetos de vidro.

vidreiro *adj.* Relativo à fabricação ou comércio de vidros ou objetos de vidro.

vidrilho *s.m.* Pequenos tubo de vidro que, enfiados à maneira de contas, servem de enfeite ao vestuário.

vidro *s.m.* (lat. *vitrum,* vidro). **1.** Substância transparente e frágil resultante da fusão de areia silicosa, cal e carbonato de sódio ou potássio. **2.** Lâmina, frasco, recipiente ou qualquer objeto feito dessa substância. **3.** *P. ext.* Conteúdo de um frasco ou vidro. **4.** *Fig.* Coisa frágil, quebradiça. ● **Geol.** Matéria mineral amorfa resultante do resfriamento rápido de rochas fundidas.

vieira *s.f.* **1.** Molusco bivalve que ocorre no Atlântico e no Mediterrâneo, usado como alimento. **2.** Venera.

---

viela *s.f.* Rua estreita; beco, travessa.

vienense *adj.2g.* Relativo ou pertencente à Viena, capital da Áustria. ★ *s.2g.* O natural ou habitante de Viena.

viés *s.m.* (fr. *biais*). **1.** Linha oblíqua. **2.** Diagonal de um tecido, em relação a seus fios retos. **3.** *De viés,* obliquamente, de esguelha.

vietnamita *adj.2g.* Relativo ou pertencente ao Vietnã, país da Ásia. ★ *s.2g.* O natural ou habitante desse país. ★ *s.m.* Língua falada principalmente no Vietnã, onde é a língua oficial.

viga *s.f.* (lat. *biga*). **1.** Peça da estrutura de um edifício, de comprimento maior que a largura e a altura e geralmente horizontal, destinada à distribuição de esforços e à sustentação dos outros elementos; trave. **2.** *Viga mestra,* grande peça de madeira que suporta outras peças em uma construção.

vigamento *s.m.* **1.** Conjunto de vigas que compõem a estrutura de um edifício. **2.** Sistema de vigas de uma construção; travejamento.

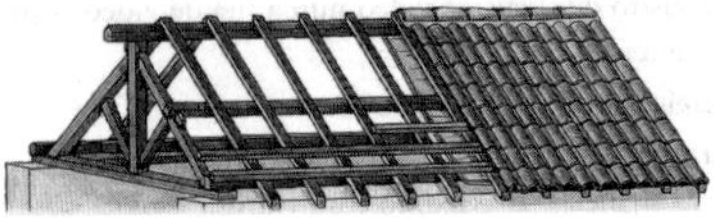

vigário *s.m.* (lat. *vicarius*). **1.** Aquele que substitui outro. **2.** Padre adjunto a um prior, encarregado de cuidar de uma paróquia, e que o substitui em caso de ausência ou de doença. **3.** Título de pároco.

vigarista *s.2g.* (lat. *vicarius*). **1.** Pessoa que obtém fraudulentamente dinheiro de outra explorando-lhe a credulidade. **2.** Trapaceiro, intrujão, velhaco. ★ *adj.2g.* Relativo a ou próprio de vigarista.

vigência *s.f.* (lat. *vigentia*). **1.** Qualidade ou caráter de vigente. **2.** Tempo durante o qual uma lei ou um decreto ou um contrato ficam em vigor.

vigente *adj.2g.* Que está em vigor, que vigora, que vige.

viger *v.i.* (lat. *vigere*) [conj. 26]. Vigorar.

vigésimo *num. ord.* (lat. *vigesimus*). Correspondente ao número vinte numa seqüência. ★ *s.m.* Cada uma das vinte partes iguais em que se divide um todo.

vigia *s.f.* (lat. *vigilia*). **1.** Ação de vigiar. **2.** Estado de vigília. **3.** Sentinela. **4.** Orifício no casco de um navio por onde entra a luz para os camarotes. **5.** Orifício por onde se espreita. ★ *s.2g.* Pessoa que vigia; sentinela, guarda.

vigiar *v.t.* (lat. *vigilare*) [conj. 16]. **1.** Observar com atenção; espreitar, espiar. **2.** Tomar conta de. **3.** *Fig.* Cuidar, velar por. ★ *v.i.* Manter-se atento, estar de sentinela.

vigilância *s.f.* (lat. *vigilantia*). **1.** Ato ou efeito de vigiar. **2.** Observação, atenção. **3.** Precaução, diligência, zelo.

vigilante *adj.2g.* (lat. *vigilans*). **1.** Que vigia. **2.** Cuidadoso, atento, zeloso. ★ *s.2g.* Pessoa encarregada de vigiar.

vigília *s.f.* (lat. *vigilia*). **1.** Privação (voluntária ou involuntária) do sono durante a noite. **2.** Estado de quem se encontra desperto durante a noite. **3.** Dia que precede e que prepara uma festa religiosa. ● **Fisiol.** Fase do ciclo nictemeral caracterizada por traçado eletroencefalográfico típico, manutenção do tônus dos músculos posturais, ativação de certas funções cerebrais como atenção etc.

vigor (ô) *s.m.* (lat. *vigor*). **1.** Energia física ou moral; força. **2.** Eficácia, valor, valia. **3.** Qualidade do que vigora; vigência. **4.** Firmeza, determinação.

vigorante *adj.2g.* Que vigora.

vigorar *v.t.* (lat. *vigorare*) [conj. 4]. Tornar vigoroso, fortalecer, vigorizar. ★ *v.i.* **1.** Adquirir vigor. **2.** Estar em vigor, não ter sido ab-rogado ou prescrito; viger.

vigoroso (ô) *adj.* **1.** Que tem vigor físico ou moral; forte. **2.** Feito com vigor; enérgico.

vigota *s.f.* Pequena viga.

viking *adj.* e *s.2g.* (ingl.). Sin. de NORMANDO.

? VOCÊ SABIA...? Os **vikings** eram piratas da Escandinávia. Navegadores arrojados e hábeis, cruzaram os mares europeus em embarcações robustas, dotadas de grandes velas quadradas, mas que também usavam remos. Assolaram o oeste da Europa nos séculos IX e X, e aos poucos chegaram aos quatro cantos do continente, como a Espanha, a Itália, a Inglaterra e a Rússia. Os *vikings* que se estabeleceram na França foram chamados *normandos*, de onde vem o nome Normandia, região no noroeste do país. Os *vikings* ainda chegaram à Islândia e à Groenlândia em 982 e foram os primeiros europeus a pisar no continente americano, em Vinland, no nordeste dos Estados Unidos, por volta do ano 1000. Considera-se que a "era *viking*" compreende o período entre o fim do século VIII e o início do século XI.

---

vil *adj.* (lat. *vilis*). **1.** Que tem pouco valor. **2.** Reles, baixo, ordinário. **3.** Desprezível, infame.

vila[1] *s.f.* (lat. *villa,* propriedade rural). **1.** Provoação menor que uma cidade, mas maior que uma aldeia. **2.** Alinhamento de residências que formam uma rua particular, geralmente sem saída pelos fundos, e cuja entrada se abre para uma via pública.

vila[2] *s.f.* (it. *villa*). **1.** Casa de campo nos arredores das cidades italianas. **2.** *P. ext.* Casa de campo elegante.

vilancete (ê) *s.m.* (esp. *villancete,* de *villa,* vila). Antiga composição de origem popular galego-portuguesa constituída por um terceto (mote) glosada em duas ou mais oitavas (voltas).

vilania *s.f.* **1.** Qualidade, ato ou dito de vilão. **2.** Avareza, mesquinhez.

vilão *adj.* (lat. *villanus,* rústico). **1.** Que habita numa vila. **2.** *Fig.* Rústico. **3.** Grosseiro, malcriado, descortês. **4.** *Fig.* Abjeto, desprezível, vil. ★ *s.m.* **1.** O natural ou habitante de uma vila. **2.** Camponês, rústico. **3.** Indivíduo vil, desprezível; bandido.

vileza (ê) *s.f.* Qualidade de vil; baixeza, mesquinhez.

vilipendiar *v.t.* (conj. 16). Tratar com vilipêndio ou desprezo.

vilipêndio *s.m.* Desprezo, menosprezo, menoscabo, afronta.

vime *s.m.* (lat. *vimens*). **1.** Haste ou vara delgada e flexível, amarela, fornecida pelo vimeiro e utilizada para fazer cestos, móveis etc. **2.** Sin. de VIMEIRO.

vimeiro *s.m.* Subarbusto originário da Europa, de ramos longos, flexíveis, e folhas compridas, cultivado para a produção de vime. (Sin. VIME.)

vinagre *s.m.* (lat. *vinum acre,* vinho azedo). **1.** Produto obtido pela fermentação acética de líquidos que contêm álcool. **2.** *Fig.* Coisa áspera, azeda ou desagradável. **3.** *Fig.* Pessoa de mau gênio, irritadiça. **4.** Usurário, avarento, avaro.

vinagreira *s.f.* **1.** Barril ou tonel onde se fabrica o vinagre. **2.** Vasilha onde se guarda o vinagre.

vincar *v.t.* (conj. 12). **1.** Fazer vincos em; marcar com vincos. **2.** *Fig.* Marcar de modo pronunciado; acentuar.

vincendo *adj.* (lat. *vincendus*). Diz-se dos juros e dívidas que estão por vencer.

vinco *s.m.* **1.** Sinal ou sulco que fica em algo que se dobrou. **2.** Marca deixada pela passagem de uma roda, por uma pancada etc.

vincular[1] *adj.2g.* Relativo a vínculo.

vincular[2] *v.t.* (lat. *vinculare*) [conj. 4]. **1.** Ligar intimamente, prender com vínculos. **2.** Firmar a posse de. **3.** Impor obrigação; penhorar. **4.** Sujeitar, obrigar. ★ *v.pr.* Unir-se, ligar-se.

vínculo *s.m.* (lat. *vinculum*). **1.** Laço, liame, atilho. **2.** *Fig.* Laço moral, relação.

vinda *s.f.* Ato ou efeito de vir; chegada.

vindicar *v.t.* (lat. *vindicare*) [conj. 12]. **1.** Reclamar, exigir a restituição de. **2.** Defender, justificar (por escrito).

vindicativo *adj.* Que pode vindicar, que justifica ou defende.

vindima *s.f.* (lat. *vindemia*). **1.** Colheita de uvas. **2.** Uvas colhidas. **3.** O tempo da colheita das uvas ou de outra fruta.

vindimar *v.t.* (lat. *vindemiare*) [conj. 4]. **1.** Colher as uvas de. **2.** Fazer a vindima.

vindita *s.f.* (lat. *vindicta*). **1.** Punição legal. **2.** Vingança.

vindo *adj.* **1.** Que veio; chegado. **2.** Procedente, proveniente, originário.

vindouro *adj.* Que está por vir; futuro.

vingança *s.f.* **1.** Ato ou efeito de vingar(-se); desforra, vindita. **2.** Punição, castigo, represália.

vingar *v.t.* (lat. *vindicare*) [conj. 4]. **1.** Tirar desforra de; desforrar, desafrontar. **2.** Castigar, punir. **3.** Promover reparação de; reparar. **4.** Conseguir, alcançar, lograr. **5.** Atingir, subir, galgar. **6.** Vencer, dominar. **7.** Lutar por, defender. ★ *v.i.* **1.** Ter bom êxito, ser bem-sucedido, dar certo. **2.** Desenvolver-se, crescer, medrar. **3.** Viver até a idade adulta; sobreviver, criar-se. ★ *v.pr.* **1.** Tirar desforra ou vingança de ofensa recebida; desforrar-se. **2.** Dar-se por contente; satisfazer-se.

vingativo *adj.* Que tem propensão para atos de vingança.

vinha *s.f.* (lat. *vinea*). **1.** Terreno plantado de videiras. (Cf. VINHEDO.) **2.** A cultura das videiras. **3.** *Fig.* e *Fam.* Aquilo que dá grande lucro.

vinhaça *s.f.* **1.** Vinho de péssima qualidade. **2.** Bebedeira, embriaguez. **3.** Vinhoto.

vinhaço *s.m.* Bagaço de uvas depois de extraído o suco para o preparo do mosto, praticamente sem suco ou com suco residual.

vinha-d'alhos *s.f.2n.* Molho preparado com vinho ou vinagre, alho e especiarias, para temperar ou conservar peixes e carnes.

vinhal *s.m.* Lavoura cultivada com videiras; área com plantação de uvas.

vinhateiro *s.m.* **1.** Cultivador de vinhas. **2.** Fabricante de vinho. ★ *adj.* **1.** Relativo à cultura de vinha. **2.** Que cultiva vinha.

vinhático *s.m.* (lat. *vineaticus*). Denominação comum a certas árvores aproveitadas pela madeira amarelada.

vinhedo (ê) *s.m.* **1.** Grande quantidade de vinhas. **2.** O conjunto das vinhas de uma região.

vinheta (ê) *s.f.* (fr. *vignette*). **1.** Pequeno motivo que decora as páginas de um livro, revista, jornal etc. **2.** Pequena ilustração de livros. **3.** Ornamento tecido ou bordado na orla de um lenço. **4.** Peça curta para televisão ou rádio, repetida várias vezes durante a programação.

vinho *s.m.* (lat. *vinum*). **1.** Bebida alcoólica proveniente da fermentação do suco de uva. **2.** No rito da eucaristia, símbolo sacramental do sangue de Cristo. **3.** *Fig.* Bebedeira, embriaguez.

vinhoto (ô) *s.m.* Resíduo da destilação do álcool de cana-de-açúcar; vinhaça.

vinícola *adj.2g.* **1.** Relativo à vinicultura. **2.** Diz-se da região de expressão econômica na produção de vinhos.

vinicultor (ô) *s.m.* Aquele que se ocupa de vinicultura.

vinicultura *s.f.* Produção de vinhos.

vinil *s.m.* Nome dado impropriamente aos materiais plásticos obtidos por polimerização de monômeros que contêm radicais vinila.

vinte *num. card.* (lat. *viginti*). **1.** Duas vezes dez. **2.** Vigésimo. ★ *s.m.* O algarismo (20) que representa esse número.

vinte-e-um *s.m.* Jogo de cartas no qual os jogadores recebem inicialmente duas cartas e vão pedindo outras; vence aquele que totalizar vinte e um pontos ou um valor próximo menor.

vintém *s.m.* Antiga moeda portuguesa de cobre introduzida no Brasil ao final do séc. XVI ★ *s.m.pl.* Dinheiro, pecúlio.

vintena *s.f.* Grupo de vinte (coisas ou pessoas).

viola *s.f.* **1.** Instrumento de cordas, de som agudo, que soa por dedilhado, semelhante ao violão, com cinco ou seis cordas metálicas duplas. **2.** Instrumento de quatro cordas, da família dos violinos.

violáceo *adj.* (lat. *violaceus*). Da cor da violeta; roxo, arroxeado.

violão *s.m.* Instrumento de seis cordas dedilháveis, maior que a viola, dotado de caixa de ressonância da qual sai um braço longo, largo e reto.

violar *v.t.* (lat. *violare*) [conj. 4]. **1.** Infringir, transgredir. **2.** Desrespeitar a santidade de; profanar. **3.** Estuprar, violentar. **4.** Divulgar, revelar (o que deveria ser mantido em segredo).

violeiro *s.m.* Indivíduo que fabrica ou toca violas e outros instrumentos musicais de corda.

violência *s.f.* (lat. *violentia*). **1.** Qualidade ou caráter de violento. **2.** Ação violenta. **3.** Ato ou efeito de violentar. **4.** Constrangimento físico ou moral. **5.** Qualquer força material ou moral empregada contra a vontade ou a liberdade de uma pessoa; coação.

violentar *v.t.* (conj. 4). **1.** Exercer violência sobre; coagir, constranger. **2.** Contrariar as normas de; violar. **3.** Forçar, arrombar. **4.** Estuprar. ★ *v.pr.* Forçar a própria vontade; constranger-se.

violento *adj.* (lat. *violentus*). **1.** Que atua com força, com ímpeto. **2.** Em que se usa de força física ou brutalidade. **3.** Colérico, irascível, arrebatado. **4.** Intenso, veemente.

violeta (ê) *s.f.* (fr. *violette,* do lat. *viola*). **1.** Planta herbácea, originária da Europa e Ásia, acaule, de rizoma espesso e flores violáceo-escuras, raramente lilases ou brancas, aromáticas. **2.** A flor dessa planta. ★ *s.m.* A cor violeta. ★ *adj.2g.2n.* Que tem cor da violeta; arroxeado.

violinista *s.2g.* Pessoa que toca violino; violino.

violino *s.m.* (it. *violino*). **1.** Instrumento musical de quatro cordas que se ferem com um arco. **2.** Violinista.

violista *s.2g.* Pessoa que toca viola; viola.

violoncelista *s.2g.* Pessoa que toca violoncelo; violoncelo.

violoncelo *s.m.* (it. *violoncello*). **1.** Instrumento musical da família do violino, da qual constitui o baixo. **2.** Violoncelista.

violonista *s.2g.* Pessoa que toca violão.

viperino *adj.* (lat. *viperinus*). **1.** Relativo a víbora. **2.** Venenoso, peçonhento. **3.** *Fig.* Mordaz, satírico.

vir *v.t.* (lat. *venire*) [conj. 67]. **1.** Deslocar-se para cá (na direção daquele que fala). **2.** Regressar, voltar. **3.** Provir, proceder. **4.** Descender. **5.** Afluir. **6.** Ocorrer. ★ *v.i.* **1.** Chegar. **2.** Aproximar-se. **3.** Aparecer, surgir. **4.** Comparecer, apresentar-se. **5.** Regressar, voltar. **6.** Acontecer, suceder. ★ *v.lig.* Andar.

vira[1] *s.f.* **1.** Tira estreita de couro que se cose ou prega entre as solas e junto às suas bordas. **2.** Tecido que é dobrado sobre a manta do recém-nascido.

vira[2] *s.m.* **1.** Dança popular portuguesa. **2.** Música que acompanha essa dança.

vira-bosta *s.m.* Sin. de CHOPIM.

virabrequim *s.m.* (fr. dial. *virebrequin*). Eixo que permite, em conjunto com as bielas, transformar o movimento alternativo do pistão em movimento de rotação. (Sin. ÁRVORE* DE MANIVELAS.)

viração *s.f.* (it. *virazione*). **1.** Vento suave e fresco que sopra do mar para a terra. **2.** (*AM* e *GO*) Local de desova das tartarugas.

vira-casaca *s.2g.* Pessoa que muda de idéias, de time ou de partido político, conforme seus interesses pessoais.

virada *s.f.* **1.** Ato de virar. **2.** Mudança, reviravolta.

virado *adj.* Que alguém virou ou se virou por si mesmo; posto às avessas, dobrado. ★ *s.m. Virado de feijão,* feijão cozido e refogado com temperos, a que se acrescenta farinha de milho ou de mandioca até embeber todo o caldo.

virago *s.f.* (lat. *virago*). Mulher que tem estatura, voz e maneiras de homem.

viral *adj.2g.* **1.** Relativo aos vírus. **2.** Provocado por um vírus.

vira-lata *adj.2g.* e *s.2g.* **1.** Diz-se de ou cão oriundo de cruzamentos sucessivos de variedades díspares, sem características fixas. **2.** Diz-se de ou cão de rua que se alimenta de restos e detritos.

virar *v.t.* (conj. 4). **1.** Mudar de lado a direção ou posição de; voltar, volver. **2.** Pôr do avesso; revirar. **3.** Fazer girar em torno de um eixo; rodar. **4.** Beber ou entornar rapidamente. **5.** Contornar, tomando outra direção; dobrar. **6.** Dirigir, apontar. **7.** Transformar-se em; tornar-se. ★ *v.i.* **1.** Mudar de rumo, de direção; dobrar. **2.** Tombar, mudando de posição. **3.** Sofrer alteração ou mudança brusca. ★ *v.pr.* **1.** Voltar-se, volver-se. **2.** Rebelar-se, revoltar-se. **3.** *Pop.* Arranjar-se por seus próprios meios.

viravolta *s.f.* **1.** Volta inteira. **2.** Mudança, reviravolta. **3.** *Fig.* Rodeio, subterfúgio.

virgem *s.f.* (lat. *virgo, virginis*). **1.** Mulher que nunca teve relações sexuais; donzela. **2.** Título dado à mãe de Jesus Cristo. ★ *adj.2g.* **1.** Relativo ou próprio de virgem; virginal. **2.** Casto, puro, virginal. **3.** Que nunca foi tocado. **4.** Que nunca foi utilizado ou nunca entrou em funcionamento; novo. **5.** Diz-se de uma substância que não é misturada ou tratada. **6.** Diz-se de um óleo obtido por meio de pressão a frio das sementes ou dos frutos oleaginosos e que pode ser diretamente entregue ao consumo. **7.** *Fig.* Inocente, ingênuo, virginal. **8.** *Mata* ou *floresta virgem,* trecho de mata ou de floresta onde o homem civilizado ainda não penetrou. ▸ *Terra virgem,* terra que ainda não foi cultivada.

virginal *adj.2g.* (lat. *virginalis*). Virgem.

virgindade *s.f.* (lat. *virginitas*). **1.** Estado de pessoa virgem. **2.** *Fig.* Pureza, candura, castidade.

virginiano *adj.* e *s.m.* Diz-se de ou indivíduo nascido sob o signo de Virgem (de 23 de agosto a 22 de setembro).

REPRESENTAÇÕES GRÁFICAS DO SIGNO ASTROLÓGICO DE VIRGEM

vírgula *s.f.* (lat. *virgula,* pequena vara). **1.** Sinal de pontuação (,) que marca uma pausa e serve para separar ou isolar palavras, grupos de palavras ou orações. **2.** Sinal que separa, na notação decimal de um número, a parte inteira da parte decimal.

viril *adj.2g.* (lat. *virilis*). **1.** Relativo a ou próprio de homem; varonil. **2.** *Fig.* Bravo, corajoso, vigoroso. **3.** *Idade viril,* idade de um homem adulto.

virilha *s.f.* (lat. *virilia*). Parte do corpo situada na junção da coxa com o ventre.

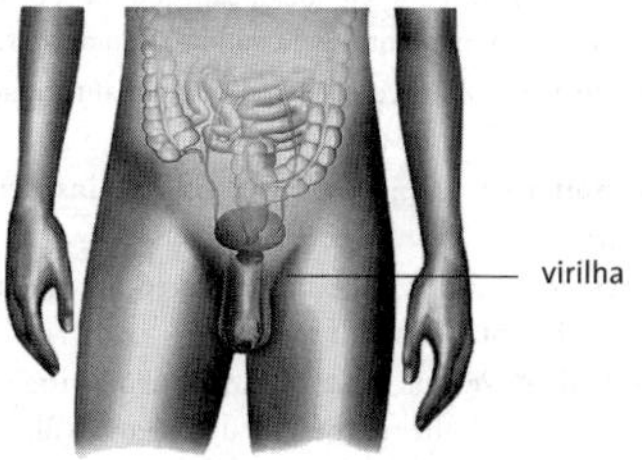

VIRILHA ► A dobra da virilha protege importantes gânglios linfáticos e nervosos, veias e artérias.

virilidade *s.f.* (lat. *virilitas*). **1.** Qualidade de viril; masculinidade. **2.** Plenitude da capacidade sexual do homem. **3.** Esforço, vigor, coragem.

virilismo *s.m.* Aspecto masculino da mulher, com pilosidade excessiva, hipertrofia do clitóris, em geral por tumor da glândula adrenal ou do ovário.

virilização *s.f.* Presença de caracteres sexuais masculinos em uma mulher. (Sin. MASCULINIZAÇÃO.)

virilizar *v.t.* (conj. 4). **1.** Tornar viril ou vigoroso. **2.** Provocar virilização em. (Sin. MASCULINIZAR.) ★ *v.pr.* Tornar-se viril.

virologia *s.f.* Parte da microbiologia que tem por objetivo o estudo dos vírus.

virólogo *s.m.* Virologista.

virose *s.f.* Doença provocada por um vírus.

virótico *adj.* Relativo ao vírus.

virtual *adj.2g.* (lat. *virtualis*). Que não se realizou, mas é suscetível de realizar-se; potencial. ● **Inform.** Que existe apenas pela troca de informações ou comunicação a distância, em especial pela internet. ► *Realidade virtual*, simulação de realidade feita por computador. **Ópt.** *Foco virtual*, em um sistema óptico, ponto onde se cruzam os prolongamentos dos raios luminosos. ► *Imagem* ou *objeto virtual*, em um sistema óptico, imagem cujos diferentes pontos se encontram no prolongamento dos raios incidentes.

virtude *s.f.* (lat. *virtus, virtutis*). **1.** Disposição constante de praticar o bem e evitar o mal. **2.** Ato virtuoso. **3.** Castidade, pudicícia. **4.** Qualidade própria para produzir certos efeitos; propriedade. **5.** Força, poder físico ou moral. **6.** *Em virtude de*, em conseqüência de, por causa de.

virtuose *s.2g.* (fr. *virtuose*). **1.** Instrumentista capaz de resolver, com facilidade, as maiores dificuldades técnicas; virtuoso. **2.** Pessoa que possui em alto grau a técnica de uma arte. **3.** *Pej.* Aquele que, em arte, possui habilidade técnica requintada mas destituída de sentimento, de probidade interpretativa.

virtuosidade *s.f.* Virtuosismo.

virtuosismo *s.m.* **1.** Talento e habilidade do virtuose em música. **2.** Habilidade técnica em interpretação artística; virtuosidade.

virtuoso[1] (ô) *adj.* (lat. *virtuosus*). **1.** Que tem virtude. **2.** Inspirado pela virtude.

virtuoso[2] (ô) *s.m.* (it. *virtuoso*). Virtuose.

virulência *s.f.* **1.** Qualidade ou estado de virulento. **2.** Intensidade do poder patogênico de uma bactéria, de um germe, de um agente infeccioso.

virulento *adj.* **1.** Que tem natureza de vírus. **2.** Que é provocado por vírus. **3.** *Fig.* Cheio de rancor, de ódio; acrimonioso.

vírus *s.m.* (lat. *virus*, humor; veneno). Microorganismo de estrutura e organização simples, que apresenta um único tipo de ácido nucléico, parasita intracelular obrigatório e agente de várias moléstias infecciosas.

visagem *s.f.* (fr. *visage*). **1.** Trejeito fisionômico; careta, esgar. **2.** *Ant.* Rosto, face, cara. **3.** Fantasma, assombração.

visão *s.f.* (lat. *visio*). **1.** Ato ou efeito de ver. **2.** Função assegurada pelos olhos e pelo cérebro do homem e da maioria dos animais, que informa ao indivíduo a distância, a forma e a cor dos objetos colocados em seu campo visual exposto à luz. **3.** Imagem irreal, produto de loucura, sonho ou superstição. **4.** Modo de entender ou compreender alguma coisa.

VISÃO ► Dois dos defeitos mais comuns da visão são a *miopia* e a *hipermetropia*. Ambas podem ser corrigidas por meio de óculos ou lentes de contato. Na miopia, a imagem se forma diante da retina, defeito que é corrigido por meio de uma lente divergente. Na hipermetropia, a imagem se forma atrás da retina, e corrige-se esse defeito por meio de uma lente convergente.

visar *v.t.* (lat. *visare*) [conj. 4]. **1.** Dirigir o olhar para um ponto determinado. **2.** Apontar arma de fogo para um alvo; mirar. **3.** Apor visto em. **4.** Ter em vista, ter o propósito de, ter em mira.

vis-à-vis *adv.* (fr.). Em face, defronte.

víscera *s.f.* (lat. *viscera*). Designação genérica dos principais órgãos situados nas grandes cavidades do corpo (craniana, torácica e abdominal), tais como o coração, o estômago, os pulmões, o fígado etc. ★ *s.f.pl.* **1.** Entranhas, intestinos. **2.** *Fig.* A parte interior; o âmago.

visceral *adj.2g.* (lat. *visceralis*). **1.** Relativo a ou que contém as vísceras. **2.** *Fig.* Profundo, intenso. ● **Zool.** *Arco visceral*, peça esquelética, cartilaginosa ou óssea, que sustenta a região bucofaríngea das vértebras. ► *Esqueleto visceral*, conjunto dos arcos viscerais.

visco *s.m.* (lat. *viscum*). **1.** Planta parasita de árvores, que ocorre na Europa. **2.** Suco vegetal glutinoso com que se envolvem varas delgadas para apanhar pequenas aves; visgo. **3.** *Fig.* Engodo, atrativo.

viscondado *s.m.* **1.** Título ou dignidade de visconde. **2.** Antigo território ou jurisdição de visconde.

visconde *s.m.* (b.-lat. *vicecomes*). Título de nobreza imediatamente inferior ao de conde, dado principalmente aos filhos caçulas do conde e sua descendência.

viscosidade *s.f.* (lat. *viscositas*). **1.** Qualidade do visco ou de viscoso. **2.** Resistência de um fluido ao deslizamento de uma camada em relação a outra. **3.** Propriedade física de um fluido que implica uma relação entre tensões e velocidades de deformação.

viscoso (ô) *adj.* (lat. *viscosus*). **1.** Que tem visco; pegajoso, visguento. **2.** Diz-se de fluido que possui viscosidade.

viseira *s.f.* (fr. *visière*). **1.** Peça do capacete ou do elmo que se pode levantar ou abaixar sobre o rosto. **2.** Prolongamento frontal de um boné ou quepe que protege o rosto, principalmente os olhos. **3.** Peça de tecido, plástico etc. que protege o rosto dos raios solares.

visgo *s.m.* (lat. *viscum*). **1.** Subarbusto rizomatoso, de glândulas viscosas, flores amarelas em cachos terminais e legumes com até 3 cm de comprimento. **2.** Visco. **3.** Borracha de qualidade inferior, que consiste em um coagulado obtido diretamente a partir de látex não filtrado.

visguento *adj.* Viscoso.

visibilidade *s.f.* **1.** Qualidade ou caráter de visível. **2.** Possibilidade de se ver a certa distância. **3.** Grau de transparência do ar atmosférico.

visigodo (ô) *s.m.* Indivíduo dos visigodos, povo godo. ★ *adj.* Relativo a esse povo.

visionário *adj.* **1.** Relativo à visão ou a visões. **2.** Que tem idéias extravagantes ou irrealizáveis. ★ *s.m.* **1.** Indivíduo visionário, que tem visões. **2.** Devaneador, utopista.

visita *s.f.* **1.** Ato ou efeito de visitar; visitação. **2.** Pessoa que visita outra; visitante. **3.** Inspeção, fiscalização.

visitar *v.t.* (lat. *visitare*) [conj. 4]. **1.** Ir ver (uma pessoa) em casa ou outro lugar, por cortesia, afeição, dever etc. **2.** Ir ver (lugares, monumentos). **3.** Fiscalizar, inspecionar, vistoriar. **4.** Mostrar-se, surgir, aparecer em. ★ *v.pr.* Conviver, privar, freqüentar.

visível *adj.2g.* (lat. *visibilis*). **1.** Que se pode ver. **2.** Claro, evidente, patente. **3.** Aparente, perceptível.

vislumbrar *v.t.* (esp. *vislumbrar*) [conj. 4]. **1.** Ver indistintamente, ao longe; entrever, lobrigar. **2.** Conhecer imperfeitamente. **3.** Lembrar. ★ *v.i.* **1.** Mostrar um pequeno clarão, apresentar uma luz tênue. **2.** Apontar, surgir ao longe. **3.** Aparecer indistintamente, entrever-se.

vislumbre *s.m.* (esp. *vislumbre*). **1.** Reflexo ou fraco clarão de luz; luz tênue. **2.** Aparência indistinta. **3.** Conjetura, suspeita. **4.** Pequena semelhança. **5.** *Fig.* Sinal, vestígio.

vison *s.m.* (fr. *vison*). Mamífero carnívoro que apresenta orelhas redondas e cauda peluda, cuja pele, macia e sedosa, é utilizada na fabricação de casacos.

víspora *s.f.* Jogo de azar da mesma família do bingo, do loto e da tômbola.

vista *s.f.* **1.** Ato ou efeito de ver(-se). **2.** A faculdade de ver, o sentido da visão. **3.** O aparelho visual, os olhos. **4.** Extensão ou área que se pode ver de um lugar qualquer; quadro ou fotografia que a representa. **5.** Janela, fresta ou qualquer abertura que permite ver ou estender a visão. **6.** *Vista cansada.* ► *Vista curta,* sin. de MIOPIA.

visto *adj.* **1.** Percebido pela vista. **2.** Aceito, acolhido. **3.** Reputado, considerado. **4.** Sabido. **5.** *Visto que,* uma vez que, já que, porquanto. ★ *s.m.* Selo, carimbo ou rubrica que se coloca num documento, para validá-lo ou autenticá-lo.

vistoria *s.f.* **1.** Inspeção, exame feito por autoridade ou perito. **2.** Revista, exame, investigação.

vistoriar *v.t.* (conj. 16). Fazer vistoria; inspecionar, investigar.

vistoso (ô) *adj.* **1.** Que chama a atenção; aparatoso, ostentoso. **2.** Notável, admirável.

visual *adj.2g.* (lat. *visualis*). **1.** Relativo à vista ou à visão. **2.** *Raio visual,* linha reta que vai do objeto ao olho do observador. ★ *s.m. Pop.* Aparência, aspecto.

visualização *s.f.* **1.** Ato ou efeito de visualizar. ● **Inform.** Modo de exibição de um documento ou outro arquivo.

visualizar *v.t.* (conj. 4). **1.** Tornar visual, dar forma visual a. **2.** Transformar conceitos abstratos em imagens mentalmente visíveis.

visuomotor (ô) *adj.* **1.** Relativo à visão e à motricidade. **2.** *Coordenação visuomotora,* função que regula os movimentos a partir das informações visuais.

vital *adj.2g.* (lat. *vitalis*). **1.** Pertencente ou relativo à vida. **2.** Que dá força ou vigor; fortificante. **3.** *Fig.* Fundamental, essencial.

vitalício *adj.* Que se possui ou tem o direito de uso ou fruição durante toda a vida.

vitalidade *s.f.* (lat. *vitalitas*). **1.** Qualidade ou caráter de vital. **2.** Conjunto das propriedades e funções orgânicas. **3.** *Fig.* Força, vigor, energia.

vitalizante *adj.2g.* Que vitaliza.

vitalizar *v.t.* (conj. 4). Dar vitalidade, vigor a; energizar.

vitamina *s.f.* (ingl. *vitamine*). **1.** Substância orgânica presente em pequenas quantidades nos alimentos, indispensável para a manutenção da saúde. **2.** Alimento que se prepara com frutas ou legumes, geralmente batidos com leite no liquidificador. **3.** *Fig.* Coisa benéfica, vitalizante, energizante. **4.** *Vitamina A,* vitamina que intervém na formação de um pigmento visual e cuja carência pode levar a distúrbios visuais. ► *Vitamina* B_1, vitamina que participa do metabolismo energético e cuja carência produz o beribéri; tiamina. ► *Vitamina* B_2, vitamina que intervém nas reações de oxidação celulares e cuja carência pode levar à ceratite e à diminuição da acuidade visual; riboflavina. ► *Vitamina* B_3, vitamina que participa dos processos redutores do organismo e cuja carência pode levar à pelagra; nicotinamida, vitamina PP. ► *Vitamina* B_5, vitamina que intervém nas reações de oxidação dos ácidos graxos; ácido pantotênico. ► *Vitamina* B_6, vitamina que participa da formação do sangue e cuja carência pode levar à distúrbios do crescimento ou à anemia; piridoxina. ► *Vitamina* B_{12}, vitamina que participa da formação do sangue e cuja carência determina um tipo de anemia; cianocobalamina. ► *Vitamina C,* vitamina que intervém na respiração celular e cuja carência provoca o escorbuto; ácido ascórbico. ► *Vitamina D,* vitamina que estimula a absorção intestinal do cálcio e do fósforo, e cuja carência pode levar ao raquitismo. ► *Vitamina E,* vitamina que funciona como fator antioxidante e que se acredita estar relacionada ao funcionamento do aparelho genital e à fecundidade; tocoferol. ► *Vitamina F,* vitamina que participa do metabolismo dos lipídios e cuja carência pode provocar distúrbios da pele; ácido linoléico. ► *Vitamina H,* vitamina que participa da biossíntese dos ácidos graxos e cuja carência provoca distúrbios da pele; biotina. ► *Vitamina K,* vitamina que intervém na síntese hepática de um fator da coagulação sanguínea e cuja carência provoca graves distúrbios hemorrágicos. ► *Vitamina P,* vitamina que participa da proteção dos endotélios vasculares e cuja carência leva a distúrbios dos vasos capilares.

VITAMINA ► As vitaminas são compostos inorgânicos necessários na dieta em quantidades muito pequenas em comparação com os nutrientes. Os alimentos podem conter uma determinada vitamina ou ser fontes de um composto que se altera quimicamente dentro do corpo, chamado de *protovitamina*, para chegar à forma ativa da vitamina. As vitaminas são destruídas por oxidação, um processo que se acelera com o calor ou com a exposição a ácidos, álcalis, metais (o ferro, por exemplo) ou luz intensa. Assim, a quantidade de vitamina ativa útil dos alimentos pode se reduzir consideravelmente em conseqüência de cozimento prolongado ou condições inadequadas de armazenagem.

---

vitaminização *s.f.* Adição de vitaminas a um alimento ou a um medicamento.

vitando *adj.* (lat. *vitandus*). Que se deve evitar; abominável.

vitela *s.f.* **1.** Novilha de idade inferior a um ano; bezerra. **2.** Carne de vitela.

vitelino *adj.* **1.** Relativo à gema de ovo. **2.** Que tem cor amarelada, como a gema do ovo. ● **Biol.** *Membrana vitelina,* membrana que envolve o óvulo dos animais. ► *Núcleo vitelino,* núcleo do ovo fecundado. ► *Saco vitelino,* bolsa com reservas nutritivas ligada ao umbigo do embrião dos vertebrados e que subsiste nas crias de peixes.

vitelo[1] *s.m.* (lat. *vitellus*). Rês bovina com idade inferior a um ano; novilho, bezerro.

vitelo[2] *s.m.* Massa de substância nutritiva contida no interior do óvulo e cuja assimilação garante o desenvolvimento das estruturas embrionárias primitivas.

vitícola *adj.2g.* Relativo à viticultura.

viticultor (ô) *adj.* e *s.m.* Que ou aquele que cultiva vinhas.

viticultura *s.f.* Cultura das vinhas.

vitiligo ou **vitiligem** *s.f.* (lat. *vitiligo*). Dermatose caracterizada pelo aparecimento de manchas despigmentadas cercadas de zonas mais escuras que a pele normal.

vítima *s.f.* (lat. *victima*). **1.** Criatura viva oferecida em sacrifício a uma divindade. **2.** Pessoa assassinada, torturada, ferida ou ofendida por outra. **3.** Pessoa que sofre acidente, desastre, desgraça ou calamidade. **4.** *P. ext.* O que sofre dano ou prejuízo.

vitimar *v.t.* (lat. *victimare*) [conj. 4]. **1.** Tornar ou fazer vítima. **2.** Sacrificar, imolar, matar. **3.** *Fig.* Danificar, prejudicar, destruir. ★ *v.pr.* **1.** Tornar-se vítima; sacrificar-se. **2.** Sofrer acidente.

vitivinicultura *s.f.* Conjunto de técnicas racionais de cultura da videira e de produção de vinhos.

vitória *s.f.* (lat. *victoria*). **1.** Vantagem ou triunfo obtido contra o adversário de uma batalha, de uma guerra ou qualquer competição. **2.** *P. ext.* Qualquer ganho ou vantagem obtida; sucesso.

vitória-régia *s.f.* Planta aquática, presa ao fundo por um rizoma vertical, de folhas redondas com bordos levantados, que chegam a quase 2 m de diâmetro, e flores brancas ou rosadas, que só abrem à noite e alcançam 30 cm de diâmetro. (Sin. FORNO-D'ÁGUA, JAÇANÃ.)

vitorioso (ô) *adj.* e *s.m.* Que ou aquele que alcançou vitória; vencedor, triunfante.

vitral *s.m.* (fr. *vitrail*). Painel decorativo, feito de vidros coloridos e transparentes sustentados por uma armação de ferro, em geral formando desenhos ou figuras, utilizado em portas ou janelas.

vítreo *adj.* (lat. *vitreum*). **1.** Relativo a vidro. **2.** Que tem a natureza ou que é feito de vidro. **3.** Que tem aspecto ou aparência de vidro. **4.** *Fig.* Transparente, translúcido. ● **Anat.** *Humor vítreo,* meio transparente e viscoso situado no olho, atrás do cristalino e limitado exteriormente pela retina e pelo corpo ciliar. **Fís.** *Estado vítreo,* estado físico da matéria no qual os corpos apresentam o aspecto de um sólido amorfo quando, na realidade, são líquidos dotados de elevada viscosidade. **Geol.** Diz-se da textura de uma rocha constituída em grande parte por vidro.

vitrificar *v.t.* (lat. *vitrificare*) [conj. 12]. **1.** Transformar em vidro. **2.** Dar aspecto de vidro a; vidrar. **3.** Revestir com substância transparente. ★ *v.i.* e *v.pr.* **1.** Converter-se em vidro. **2.** Adquirir aparência vítrea.

vitrina ou **vitrine** *s.f.* (fr. *vitrine*). **1.** Vidraça de loja, atrás da qual se expõem amostras de mercadorias. **2.** Armário envidraçado, onde se colocam objetos destinados à venda.

vitriolado *adj.* **1.** Que contém ou é composto de vitríolo. **2.** Rugoso ou deformado pela ação do vitríolo. **3.** *Fig.* Corroído, deformado.

vitríolo *s.m.* (lat. *vitriolum*). **1.** Denominação antiga dos sulfatos, devido à sua aparência vítrea. **2.** Antigo nome do ácido sulfúrico concentrado.

vitrola *s.f.* (de *Victrola,* n.pr.). Toca-discos.

vituperar *v.t.* (lat. *vituperare*) [conj. 4]. **1.** Injuriar, insultar, ofender. **2.** Desprezar, aviltar. **3.** Censurar, repreender.

vitupério *s.m.* (lat. *vituperium*). **1.** Vituperação. **2.** Impropério, insulto, ofensa. **3.** Desprezo, ignomínia. **4.** Ato vergonhoso, infame; ultraje. **5.** Acusação infame; injúria.

viúva *s.f.* (lat. *vidua*). Mulher a quem morreu o marido, enquanto não contrair novas núpcias.

viúva-negra *s.f.* Aracnídeo venenoso que apresenta 1 cm de comprimento, de coloração negra com uma mancha vermelha no abdome, cujo nome deriva do fato de a fêmea comer o macho após a cópula.

viuvar (i-u) *v.t.* e *v.i.* (conj. 4). Tornar(-se) viúvo; enviuvar.

viuvez (i-u… ê) *s.f.* **1.** Estado ou condição de viúvo. **2.** *Fig.* Desamparo, privação.

viuvinha (i-u) *s.f.* Trepadeira ornamental de ramos aveludados, folhas lanceoladas e flores azuis ou violeta, dispostas em cachos.

viúvo *adj.* (lat. *viduus*). **1.** Diz-se da pessoa cujo cônjuge está morto. **2.** *Fig.* Só, abandonado, desamparado. **3.** *Fig.* Privado, carente. ★ *s.m.* Homem cuja esposa é falecida, enquanto não contrair novas núpcias.

viva *interj.* Expressão de aplauso, alegria, felicitação. ★ *s.m.* Aplauso, saudação.

vivacidade *s.f.* (lat. *vivacitas*). **1.** Qualidade ou caráter de vivaz. **2.** Atividade, energia, vigor. **3.** Prontidão em agir, em se mover; viveza. **4.** *Fig.* Esperteza, astúcia. **5.** Brilho, brilhantismo, expressividade.

vivaz *adj.2g.* (lat. *vivax*). **1.** Que é cheio de vida, de energia; vivo, ativo. **2.** Que viverá ou durará muito; duradouro. **3.** *Fig.* Vigoroso, forte. ● **Bot.** Diz-se de uma planta cujo período de vegetação se estende por vários anos.

viveiro *s.m.* (lat. *vivarium*). **1.** Lugar onde se criam e se conservam animais vivos (particularmente pássaros). **2.** Cercado de varas, dentro da água, onde se criam peixes, crustáceos etc. **3.** Canteiro ou tabuleiro onde se semeiam vegetais cujas mudas vão ser depois transplantadas. **4.** Sin. de **AVIÁRIO**.

vivência *s.f.* **1.** Fato de viver, de ter vida; existência. **2.** Experiência de vida. **3.** Qualquer experiência vivida conscientemente.

vivenda *s.f.* (lat. *vivenda*). **1.** Habitação, estabelecimento. **2.** Morada, casa, em geral suntuosa.

vivente *adj.2g.* e *s.2g.* Que ou o que vive, que tem vida; vivo.

viver *v.i.* (lat. *vivere*) [conj. 5]. **1.** Ter vida ou existência; existir. **2.** Durar, perdurar, subsistir. **3.** Comportar-se em vida. **4.** Aproveitar a vida. **5.** Habitar, residir, morar. **6.** Estar freqüentemente (em algum lugar ou em companhia de alguém). ★ *v.t.* **1.** Alimentar-se, sustentar-se de. **2.** Obter a subsistência exclusiva ou principalmente de. **3.** Entreter relações, ser amasiado com.

víveres *s.m.pl.* Tudo aquilo de que o homem se alimenta; gêneros alimentícios.

viveza (ê) *s.f.* Vivacidade.

vivido *adj.* **1.** Que se viveu. **2.** Que viveu muito, que tem experiência da vida.

vívido *adj.* (lat. *vividus*). **1.** Vivo, ardente, intenso. **2.** Brilhante, luzente. **3.** Que tem cores vivas.

vivificante *adj.2g.* Que vivifica; vivificador.

vivificar *v.t.* (lat. *vivificare*) [conj. 12]. **1.** Dar vida a, fazer existir; animar. **2.** Reviver, reanimar. **3.** Ativar, dar movimento a.

viviparidade *s.f.* Tipo de reprodução animal em que o embrião se desenvolve dentro do organismo materno, do qual obtém seus requisitos nutricionais. ● **Bot.** Processo de reprodução vegetal no qual o embrião se desenvolve enquanto a semente está junto à planta, sendo liberado em estado avançado de desenvolvimento.

vivíparo *adj.* e *s.m.* (lat. *viviparus*). Diz-se de ou organismo animal ou vegetal que se reproduz por viviparidade.

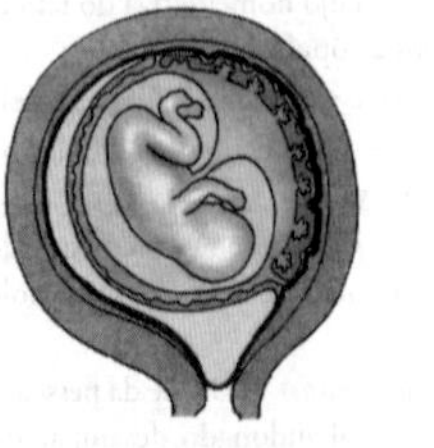

O ser humano é vivíparo.

vivissecção *s.f.* Dissecação anatômica e experimentação fisiológica praticada sobre um ser vivo.

vivo *adj.* (lat. *vivus*). **1.** Que vive; que tem vida. **2.** Que tem muito vigor, atividade, agilidade. **3.** Brilhante, resplandecente. **4.** Animado, expressivo. **5.** *Pop.* Esperto, matreiro, astucioso. ● **Biol.** *Seres vivos,* seres organizados (animais, vegetais, unicelulares) que apresentam, ou que em épocas passadas apresentaram, as características da vida e que são passíveis de serem classificados em espécies e em grupos. ★ *s.m.* **1.** Qualquer ser dotado de vida, particularmente o homem. **2.** *Ao vivo,* no mesmo momento em que acontece.

vizinhança *s.f.* **1.** Qualidade de vizinho. **2.** As pessoas ou famílias vizinhas. **3.** Arrabaldes, cercanias.

vizinho *adj.* (lat. *vicinus*). **1.** Que está próximo ou perto; limítrofe, confinante. **2.** Análogo, semelhante. ★ *s.m.* Indivíduo que reside próximo.

vizir *s.m.* (turco *vezir*). Ministro de um príncipe muçulmano.

voador (ô) *adj.* e *s.m.* **1.** Que ou aquele que voa. **2.** *Fig.* Muito rápido, veloz. **3.** Diz-se de ou acrobatas que saltam de um trapézio para outro, a certa distância.

voar *v.i.* (lat. *volare*) [conj. 20]. **1.** Sustentar-se ou mover-se no ar por meio de asas ou de máquinas (aviões, balões, planadores); deslocar-se pelo ar. **2.** Passar, decorrer rapidamente (o tempo). **3.** Propalar-se rapidamente. **4.** *Fig.* Mover-se velozmente.

vocabular *adj.2g.* Relativo a vocábulo.

vocabulário *s.m.* (lat. *vocabularium*). **1.** Conjunto dos vocábulos empregados em um discurso ou dominados pelo falante de uma língua. **2.** Conjunto de termos próprios de uma ciência, técnica, grupo ou autor. ● **Ling.** Conjunto das palavras compiladas em uma obra lexicográfica, como um dicionário ou um glossário.

vocábulo *s.m.* (lat. *vocabulum*). Palavra, termo. ● **Ling.** Unidade pertencente ao vocabulário que corresponde à ocorrência de um lexema no discurso.

vocação *s.f.* (lat. *vocatio*). **1.** Ato ou efeito de chamar. **2.** Tendência ou inclinação para um estado, uma profissão etc. **3.** Apelo ao sacerdócio ou à vida religiosa. **4.** *Fig.* Aptidão natural; talento.

vocacional *adj.2g.* Relativo a vocação.

vocal *adj.2g.* (lat. *vocalis*). **1.** Relativo à voz ou aos órgãos da voz. **2.** Oral.

vocálico *adj.* **1.** Relativo às vogais. **2.** *Encontro vocálico,* união de vogais e semivogais que soam numa mesma sílaba (ditongos e tritongos) ou em sílabas separadas (hiatos).

vocalizar *v.t.* (conj. 4). Cantar a música sobre uma ou diversas sílabas, sem pronunciar as palavras nem nomear as notas. ● **Ling.** Efetuar uma vocalização.

vocativo *s.m.* (lat. *vocativus*). **1.** Termo acessório da oração que serve para invocar, chamar ou nomear uma pessoa ou coisa personificada. **2.** Caso de declinação em que um nome se flexiona para exprimir uma interpelação direta.

você *pron. pess.* (contr. de *vosmecê*). Forma da 2ª pessoa do sing. (caso reto). Emprega-se como sujeito em substituição a *tu,* mas com o verbo na 3ª pessoa.

vociferar *v.t.* (lat. *vociferare*) [conj. 4]. Proferir em voz alta; bradar. ★ *v.i.* Falar com ira; berrar.

vodca *s.f.* (russo *vodka,* agüinha). Bebida alcoólica de origem russa, obtida pela retificação do destilado alcoólico de cereais.

vodu *s.m.* Designação genérica das divindades do Daomé (atual República Popular do Benin).

? VOCÊ SABIA...? O culto **vodu** se originou no Benin, na África. Uma palavra da língua *fon*, que se fala nesse país, deu origem ao nome com que ele é conhecido. Utiliza-se essa palavra para referir-se a um espírito ou a um deus. O vodu chegou à América com os escravos levados de Benin para São Domingos para trabalhar nas plantações. Embora o vodu tenha mantido o caráter africano, a ele foram incorporados elementos católicos e até mesmo de cultos ameríndios.

---

voejar *v.i.* (conj. 4). Esvoaçar, adejar.

voejo (ê) *s.m.* **1.** Ato ou efeito de voejar; adejo. **2.** Pó que se desprende da farinha, quando esta é agitada.

voga *s.f.* **1.** Ato ou efeito de vogar. **2.** Uso atual; moda. **3.** Divulgação, propalação. ● **Nav.** Ato de remar; a cadência da remada.

vogal *adj.* e *s.f.* (lat. *vocalis*). **1.** Diz-se de ou som da linguagem produzido pela vibração da corrente de ar na laringe e que escoa livremente pela cavidade bucal. **2.** Diz-se de ou letra que representa um som vocálico. ★ *s.2g.* **1.** Pessoa que pode dar voto numa comissão. **2.** Membro de uma corporação, de um júri. ● **Dir.** Juiz de fato, representante paritário (dos empregados ou dos empregadores) junto aos órgão judicantes da Justiça do Trabalho.

vogar *v.i.* (lat. *vocare,* chamar) [conj. 14]. **1.** Ser impelido por velas ou remos; navegar. **2.** Remar. **3.** Estar em uso, em moda. **4.** Importar, valer.

volante *adj.2g.* **1.** Que tem a faculdade de voar; voador. **2.** Que se desloca facilmente. **3.** Que não tem domicílio ou residência fixa. **4.** *Fig.* Mutável, inconstante, volúvel. ★ *s.m.* **1.** Peça circular que permite ao condutor de um veículo automotivo ou ao piloto de um barco a motor guiar o veículo. **2.** *P. ext.* Motorista, chofer. **3.** Impresso em que se marcam apostas de jogo. ★ *s.f.* Tropa ligeira, sem bagagem nem artilharia. ★ *s.2g.* No futebol, jogador que fica à frente dos zagueiros, com função de marcação.

volátil *adj.2g.* (lat. *volatilis*). **1.** Que pode voar; voador. **2.** Que se pode reduzir a gás ou a vapor; que se evapora com facilidade. **3.** Relativo a aves. **4.** *Fig.* Mutável, volúvel, inconstante. ★ *s.m.* Animal que voa ou pode voar.

volatilidade *s.f.* Qualidade de volátil.

volatilização *s.f.* Ato ou efeito de volatilizar (-se); vaporização, evaporação.

volatilizante *adj.2g.* Que volatiliza.

volatilizar *v.t.* (conj. 4). Reduzir a gás ou a vapor; evaporar, vaporizar. ★ *v.i.* e *v.pr.* Reduzir(-se) a gás ou a vapor.

vôlei ou **voleibol** *s.m.* (ingl. *volleyball*). Jogo desportivo para duas equipes de seis pessoas cada, que rebatem uma bola por sobre uma rede, usando as mãos ou os punhos.

volemia *s.f.* Volume de sangue do compartimento intravascular do organismo.

volição *s.f.* (fr. *volition,* de *vouloir,* querer). Ato de vontade, manifestação da vontade.

volitivo *adj.* Relativo a ou resultante de volição, manifestação da vontade.

volt *s.m.* (de *A. Volta,* n.pr.). Unidade de medida SI de força eletromotriz e de diferença de potencial ou tensão elétrica (símb. V).

volta *s.f.* **1.** Ato ou efeito de voltar(-se). **2.** Regresso, retorno. **3.** Mudança, alteração. **4.** Cada uma das curvas de uma espiral. **5.** Ângulo, canto, sinuosidade. **6.** Curva sinuosa. **7.** Passeio rápido; giro. **8.** *Pop.* Resposta, réplica, troco. **9.** *Fig.* Vicissitude, revés. ● **Liter.** Espécie de glosa em que as palavras do mote ficam a critério do glosador.

voltagem *s.f.* Medida da diferença de potencial entre dois pontos de um circuito.

voltaico *adj.* Relativo aos sistemas eletroquímicos estudados pelo físico italiano Alessandro Volta (1745-1827).

voltar *v.t.* (conj. 4). **1.** Ir ou vir ao ponto de partida; regressar, retornar. **2.** Tornar, recomeçar. **3.** Mudar de posição ou direção; virar. **4.** Dirigir, apontar. **5.** Replicar, responder. **6.** Devolver, restituir. ★ *v.i.* **1.** Ir ou vir (ao ponto de onde partiu); regressar, retornar. **2.** Andar à roda; girar, voltear. **3.** Manifestar-se ou produzir-se de novo; reproduzir-se. ★ *v.pr.* **1.** Mover-se para o lado ou em torno; virar-se. **2.** Entregar-se, dedicar-se a. **3.** Dirigir-se, recorrer, apelar.

voltear *v.t.* (conj. 15). **1.** Andar à volta de; contornar. **2.** Fazer girar. ★ *v.i.* **1.** Dar voltas; girar. **2.** Esvoaçar, adejar.

volteio *s.m.* **1.** Ato ou efeito de voltear. **2.** Exercício de manejo ou acrobacia circense que consiste em saltar de diversas maneiras sobre um cavalo a galope ou parado. **3.** Exercício na corda bamba ou no trapézio.

voltímetro *s.m.* Aparelho utilizado para medir a voltagem de um circuito.

volume *s.m.* (lat. *volumen*). **1.** Livro impresso ou manuscrito. **2.** Cada uma das partes de uma obra, que se encaderna separadamente; tomo. **3.** Espaço ocupado por um corpo ou definido por seus limites; medida desse espaço. **4.** Quantidade, massa. **5.** Embrulho, pacote, maço, fardo. **6.** Intensidade de som ou de voz.

volumétrico *adj.* Relativo a volume. ● **Fís.** *Expansão volumétrica,* aumento de volume de um corpo.

volumoso (ô) *adj.* **1.** Que tem grande volume. **2.** Que se compõe de muitos volumes ou tomos.

voluntariado *s.m.* **1.** Qualidade ou condição de voluntário. **2.** Conjunto de voluntários. **3.** Serviço militar realizado por voluntários.

voluntário *adj.* (lat. *voluntarius*). **1.** Que é feito por vontade, sem constrangimento ou coação; espontâneo. **2.** Que só age de acordo com a sua própria vontade; caprichoso, voluntarioso. ★ *s.m.* **1.** Aquele que se oferece para uma tarefa a que não estava obrigado. **2.** Indivíduo que se alista espontaneamente num exército.

voluntarioso (ô) *adj.* Voluntário.

volúpia *s.f.* (lat. *volupia*). **1.** Prazer sensitivo intenso e refinado; voluptuosidade. **2.** Prazer sexual.

voluptuosidade *s.f.* Volúpia.

voluptuoso (ô) *adj.* (lat. *voluptuosus*). **1.** Que encerra volúpia ou prazer; deleitoso, delicioso. **2.** Sensual, lascivo, libidinoso. **3.** Que é dado aos prazeres, especialmente aos sexuais. ★ *s.m.* Indivíduo voluptuoso.

voluta *s.f.* (lat. *voluta*). **1.** Ornato espiralado que remata os ânguios do capitel jônico. **2.** Espiral que arremata a cravelha de certos instrumentos musicais de corda.

volúvel *adj.2g.* (lat. *volubilis*). **1.** Que se volve, que gira facilmente. **2.** *Fig.* Inconstante, instável, variável. ● **Bot.** Diz-se dos caules que se enrolam espiralmente em volta dos corpos vizinhos.

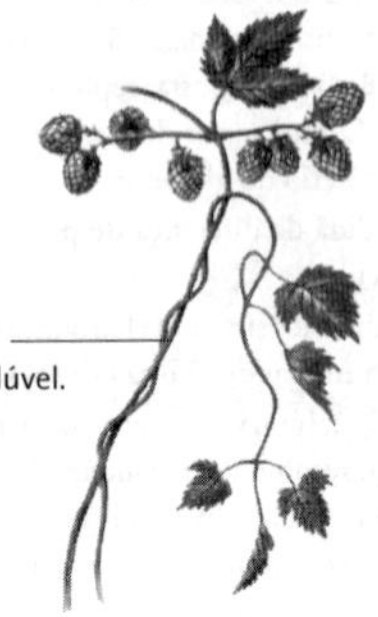

volver *v.t.* (lat. *volvere*) [conj. 5]. **1.** Voltar, tornar. **2.** Transportar, levar consigo, rolar. **3.** Remexer, revolver. **4.** Pôr em movimento, agitar. **5.** Retrucar, replicar. **6.** Devolver, restituir. **7.** Retornar, regressar. ★ *v.i.* Decorrer, correr, passar. ★ *v.pr.* **1.** Voltar-se, virar-se. **2.** Agitar-se, revolver-se.

volvo (ô) *s.m.* **1.** Rosca ou volta de cobra. **2.** Sin. de ÍLEO².

vômer *s.m.* (lat. *vomer,* relha de arado). Osso ímpar, delgado e irregularmente quadrilátero, que forma a parte superior do septo das fossas nasais.

vomerino ou **vomeriano** *adj.* Relativo ao vômer.

vômica *s.f.* Expectoração purulenta provinda de um abscesso pulmonar.

vômico *adj.* (lat. *vomicus*). Vomitório.

vomífico *adj.* e *s.m.* (lat. *vomificus*). Vomitório.

vomitar *v.t.* (lat. *vomitare*) [conj. 4]. **1.** Expelir com esforço pela boca (o que estava no estômago). **2.** Sujar ou manchar com vômito. **3.** Lançar violentamente para fora de si. **4.** *Fig.* Proferir com violência. ★ *v.i.* Expelir vômito. ★ *v.pr.* Sujar-se de vômito.

vomitivo *adj.* e *s.m.* (fr. *vomitif*). Vomitório.

vômito *s.m.* **1.** Ato ou efeito de vomitar(-se). **2.** As matérias expelidas por quem vomita.

vomitório *adj.* e *s.m.* (lat. *vomitorius*). **1.** Que ou o que faz vomitar; vômico, vomífico, vomitivo. **2.** Diz-se de ou medicamento suscetível de provocar vômito; emético.

vontade *s.f.* (lat. *voluntas, voluntatis*). **1.** Faculdade de livremente praticar ou deixar de praticar certos atos. **2.** Firmeza moral, determinação. **3.** Desejo, intenção. **4.** Capricho, veleidade. **5.** Necessidade física ou psíquica. **6.** *À vontade,* sem cerimônia; com fartura.

vôo *s.m.* **1.** Seqüência de movimentos de asas, coordenados, através da qual aves e insetos se sustentam e se movimentam no ar. **2.** Movimento no ar, em conjunto, de grupos de aves ou insetos. **3.** Movimento de qualquer objeto pelo ar. **4.** Modo de locomoção em que um veículo se desloca na atmosfera. **5.** Percurso coberto por uma aeronave no ar. **6.** A própria aeronave. **7.** Fato de um avião, um engenho, se deslocar no ar, no espaço. **8.** *Fig.* Elevação do pensamento; êxtase, arrebatamento. **9.** *Vôo livre,* esporte aéreo praticado com asa-delta.

vôo ▸ As aves têm características físicas especiais para o vôo, como corpo leve (muitos de seus ossos são ocos), forma aerodinâmica (que oferece pouca resistência ao ar), plumagem disposta de maneira que as ajuda a planar, músculos fortes nas asas e cauda forte, que funciona como estabilizador ou leme.

A águia-pescadora, como a maioria das aves, tem a forma aerodinâmica ideal para o vôo.

voracidade *s.f.* (lat. *voracitas*). **1.** Qualidade de voraz. **2.** *Fig.* Avidez, sofreguidão.

voragem *s.f.* **1.** Sorvedouro ou redemoinho no mar. **2.** Abismo na terra. **3.** *Fig.* Tudo que é suscetível de consumir, de tragar com violência. **4.** Cataclismo.

voraginoso (ô) *adj.* (lat. *voraginosus*). **1.** Que encerra ou contém voragem; cheio de voragens. **2.** Que sorve, subverte ou traga com ímpeto.

voraz *adj.2g.* (lat. *vorax*). **1.** Que devora ou come com avidez. **2.** Que exige grande quantidade de alimentos. **3.** Que gasta ou arruína; destruidor, consumidor. **4.** *Fig.* Muito ávido; ambicioso.

vórmio *s.m.* (lat. *vormius*). Cada um dos pequenos ossos delimitados pelas suturas cranianas, variáveis em número e forma.

vórtice *s.m.* (lat. *vortex, vorticis*). Turbilhão que se forma, sob determinadas condições, em meio a um fluido em escoamento.

vos *pron. pess.* Forma da 2ª pessoa do pl. (caso oblíquo), empregada como objeto direto ou indireto.

vós *pron. pess.* (lat. *vos*). Forma da 2ª pessoa do pl. (caso reto), empregada como sujeito.

vosmecê ou **vossemecê** *pron.* Formas contraídas do antigo tratamento Vossa Mercê.

vosso *pron. poss.* (lat. *vostrum*). Que vos pertence ou diz respeito.

votação *s.f.* **1.** Ato ou efeito de votar(-se). **2.** Eleição, escrutínio. **3.** O conjunto dos votos dados ou recolhidos numa eleição ou assembléia.

votante *adj.2g.* e *s.2g.* Que ou aquele que vota.

votar *v.t.* (conj. 4). **1.** Aprovar por meio de voto. **2.** Fazer voto de, prometer solenemente. **3.** Oferecer à divindade; consagrar. **4.** Empregar, destinar, aplicar. ★ *v.i.* **1.** Opinar por voto (contra ou a favor de alguém ou de alguma coisa). **2.** Emitir ou ter direito de emitir voto. ★ *v.pr.* Consagrar-se, dedicar-se.

votivo *adj.* (lat. *votivus*). **1.** Relativo a voto. **2.** Prometido ou ofertado em voto.

voto *s.m.* (lat. *votum*). **1.** Manifestação de vontade ou preferência que fazem os participantes de uma eleição ou assembléia; votação. **2.** Declaração, geralmente escrita, que indica a preferência de cada eleitor; sufrágio. **3.** Promessa que alguém faz à divindade, para obter uma graça ou simplesmente para agradá-la. **4.** Oferenda em cumprimento dessa promessa. **5.** Desejo ardente; anelo.

vovó *s.f.* Fem. de *vovô*.

vovô *s.m.* Tratamento familiar dado a avô.

voyeur *s.m.* (fr., espiador). Pessoa que pratica o *voyeurismo*.

voyeurismo *s.m.* Desvio sexual que consiste em espiar outra pessoa em suas práticas íntimas (relações sexuais, toalete, defecação, micção).

voz *s.f.* (lat. *vox*). **1.** Sinal sonoro emitido pelo homem e pelos animais por meio de órgãos vibratórios associados a cavidades que atuam como caixas de ressonância. **2.** A faculdade de falar. **3.** Parte vocal de uma composição musical. **4.** *Fig.* Conselho, advertência, apelo. **5.** Intimação oral em tom alto. **6.** Boato generalizado; rumores. **7.** Direito de falar numa assembléia, reunião etc. ● **Gram.** Flexão verbal que representa o fato expresso pelo verbo como praticado pelo sujeito (voz ativa), sofrido pelo sujeito (voz passiva) ou como praticado e sofrido pelo sujeito (voz reflexiva).

vozear *v.t.* (conj. 15). Dizer gritando, proferir em voz alta. ★ *v.i.* Falar muito alto e desentoadamente; gritar.

vozearia *s.f.* Som de grande quantidade de vozes; berreiro, gritaria, vozerio.

vozeio *s.m.* Ato ou efeito de vozear.

vozeirão *s.m.* **1.** Voz muito grossa e forte. **2.** Indivíduo de timbre vocal forte.

vulcânico *adj.* **1.** Relativo a vulcão. **2.** *Fig.* Ardente, impetuoso. ● **Geol.** *Rocha vulcânica,* rocha magmática resultante da solidificação de um magma à superfície. (Sin. ROCHA EXTRUSIVA*.)

vulcanismo *s.m.* **1.** O conjunto de manifestações vulcânicas. **2.** *Fig.* Irrupção desastrosa.

vulcanização *s.f.* Operação que consiste em religar entre si as macromoléculas de um elastômero, de modo a impedir que ocorram, por escoamento viscoso, deformações permanentes.

vulcanizar *v.t.* (conj. 4). **1.** Tornar ardente; calcinar. **2.** *Fig.* Exaltar, inflamar. ● **Técn.** Submeter (um elastômero) à vulcanização. ★ *v.pr.* *Fig.* Exaltar-se, inflamar-se.

vulcanologia *s.f.* Ciência que estuda os vulcões e os fenômenos vulcânicos.

vulcão *s.m.* (lat. *Vulcanus,* n.pr.). **1.** Abertura na superfície de um planeta (ou na crosta terrestre), através da qual o material magmático (lava, gases, cinza etc.) oriundo de camadas profundas é lançado à superfície. **2.** Forma de relevo, em geral montanha de forma cônica, edificada pelas lavas expelidas do interior da Terra por um conduto ou chaminé. **3.** *Fig.* Perigo iminente. **4.** *Fig.* Pessoa de natureza explosiva, impetuosa.

vulgacho *s.m.* Ralé, plebe.

vulgar *adj.2g.* (lat. *vulgaris*). **1.** Relativo ou pertencente ao vulgo. **2.** Comum, ordinário, trivial. **3.** Baixo, ínfimo, reles. **4.** Que não se distingue dos seus congêneres; medíocre. **5.** Que não tem caráter algum de nobreza ou distinção. ● **Ling.** Diz-se da forma de uma língua usada cotidianamente pelo conjunto da população (p. opos. a *forma escrita* ou *literária*). ★ *s.m.* Aquilo que é vulgar.

vulgaridade *s.f.* (lat. *vulgaritas*). **1.** Qualidade ou caráter de vulgar. **2.** Coisa vulgar.

vulgarizar *v.t.* (fr. *vulgariser*) [conj. 4]. **1.** Tornar vulgar. **2.** Tornar muito conhecido; divulgar, propagar. **3.** Acanalhar, abandalhar. ★ *v.pr.* **1.** Tornar-se muito conhecido; popularizar-se. **2.** Tornar-se vulgar, reles, desprezível.

vulgata *s.f.* (lat. *Vulgata,* de *vulgatus,* divulgado). Tradução da Bíblia para o latim feita por São Jerônimo.

vulgo *s.m.* (lat. *vulgus*). A classe popular; a plebe, o povo. ★ *adv.* Vulgarmente, popularmente.

vulnerar *v.t.* (lat. *vulnerare*) [conj. 4]. **1.** Ferir. **2.** *Fig.* Melindrar, ofender.

vulnerável *adj.2g.* (lat. *vulnerabilis*). Suscetível de ser ferido, ofendido ou tocado.

vulpino *adj.* (lat. *vulpinus,* de *vulpes,* raposa). **1.** Relativo a ou próprio de raposa. **2.** *Fig.* Astuto, manhoso, pérfido.

vulto *s.m.* (lat. *vultus*). **1.** Rosto, semblante, face. **2.** Corpo, figura. **3.** Sombra, figura indistinta. **4.** Volume, massa, grandeza. **5.** *Fig.* Homem importante, indivíduo notável.

vultoso (ô) *adj.* **1.** De grande vulto; volumoso. **2.** Importante, grande, considerável.

vulva *s.f.* (lat. *vulva*). Genitália externa feminina que, na mulher, compreende os grandes e os pequenos lábios, o clitóris, o orifício uretral externo e o intróito vaginal.

vulvar *adj.2g.* Relativo à vulva; vulvário.

vulvário *adj.* Vulvar.

vulvite *s.f.* Inflamação da vulva, geralmente por candidíase ou outro germe sexualmente transmissível.

VULCÃO ► Um vulcão é uma montanha, geralmente de encostas muito inclinadas, formada por rochas fundidas (*magma*) que foram expulsas através de uma abertura na crosta terrestre (*chaminé vulcânica*). O magma que jorra pela chaminé num fluxo parcialmente sólido chama-se *lava*. Freqüentemente, o vulcão expele partículas sólidas ou líquidas que se elevam no ar até uma certa altura e logo caem ao redor da cratera. A erupção sempre é acompanhada pelo desprendimento de gases.

ESTRUTURA DE UM VULCÃO

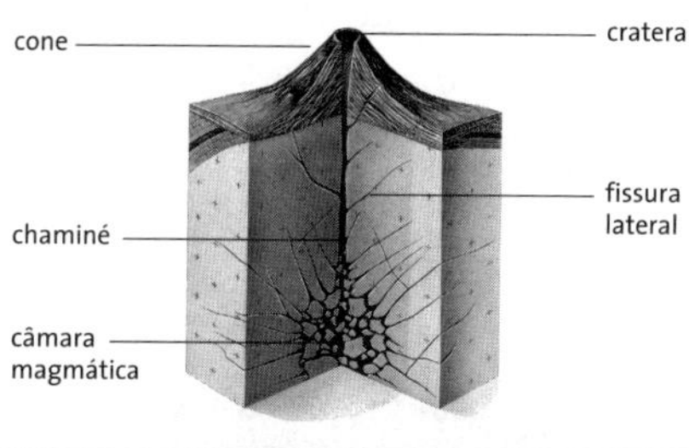

Ww Ww Ww

w *s.m.* Letra oficialmente abolida do alfabeto português e substituída por *u* ou *v.* (Mantém-se, porém, na grafia de nomes próprios estrangeiros ou deles derivados e em abreviaturas e símbolos adotados por convenção internacional.)

W[1] símbolo químico do tungstênio, ant. wolfrâmio.

W[2] símbolo do watt.

wagneriano *adj.* Relativo a Richard Wagner, músico alemão (1813-1883), ou à sua obra.

WAGNERIANO ► Richard Wagner afasta-se da concepção italiana; em suas óperas impõe uma ação musical contínua e intensifica a participação orquestral, fundindo texto e música, explora o *leitmotiv* (tema musical de um personagem) e obtém uma simbiose entre vozes e instrumentos. As inovações wagnerianas influenciaram compositores do século XX como Strauss, Mahler, Debussy e Schoenberg.

---

wagnerita *s.f.* Fosfato de magnésio, que contém flúor, monoclínico.

warrant *s.m.* (ingl., "garantia"). Título nominativo e negociável que os armazéns gerais expedem com o caráter de recibo das mercadorias neles depositadas.

warrantagem (uó) *s.f.* Ato de garantir por meio de *warrant.*

water-closet *s.m.* (ingl.). Banheiro, privada (abrev. w.c.).

watt (uót) *s.m.* (de *J. Watt,* n.pr.). Unidade de medida SI de potência elétrica (símb. W).

watt-hora *s.m.* Unidade de trabalho ou de energia (símb. Wh), que equivale a 3.600 J.

wattômetro *s.m.* Aparelho utilizado para medir o consumo de energia elétrica de um circuito.

Wb símbolo do weber.

web (ingl., teia). Nome dado à rede mundial de computadores, internet.

webdesign *s.m.* (ingl.). *Design* de páginas, *sites* etc. na *web.*

webdesigner *s.m.* (ingl.). *Designer* que cria páginas, *sites* etc. na *web.*

weber *s.m.* (de *W. E. Weber,* n.pr.). Unidade de medida SI de fluxo de indução magnética (símb. Wb).

webmail *s.m.* (ingl.). Serviço de correio eletrônico em que o usuário pode acessar sua caixa postal (enviar e receber *e-mails*) usando um programa de navegação, sem necessidade de transferir os arquivos para seu computador através de um programa de *e-mail.*

Wh símbolo do watt-hora.

windsurf *s.m.* (ingl.) Prática de surfe com uma prancha a vela.

wolfrâmio *s.m.* Sin. ant. de TUNGSTÊNIO.

wurtzita *s.f.* Sulfeto de zinco hexagonal, de cor parda a negra, mineral raro.

www *s.f.* (sigla do ingl. *world wide web,* teia de alcance mundial). Sistema de navegação desenvolvido em 1990 que possibilitou a popularização da internet com o uso integrado de textos, sons, vídeos e imagens gráficas.

Xx **Xx** *Xx*

x[1] *s.m.* Vigésima segunda letra do alfabeto português.

x[2] **Mat.** Letra que designa em álgebra uma incógnita; em geometria, a abscissa e, geralmente, em análise, uma variável real.

X Fís. *Raio X,* tipo de radiação eletromagnética que tem comprimento de onda muito pequeno, inferior ao das ondas ultravioleta, de grande aplicação tecnológica por ser de baixa absorção e atravessar a matéria com facilidade.

xá *s.m.* (persa *shah*). Título usado pelos soberanos do Oriente Médio (no Irã, desde o início do séc. XVI até 1979), da Ásia Central e da Índia.

xácara *s.f.* (esp. *jácara*). **1.** Antiga canção popular de origem árabe, popular na península Ibérica, a qual consistia numa narrativa sentimental, com predominância de forma dramática. **2.** Narrativa popular, em verso. (Cf. CHÁCARA.)

xadrez (ê) *s.m.* (ár. *ax-xatrang,* de or. sâns.). **1.** Jogo para dois jogadores, disputado sobre um tabuleiro com 64 quadrados alternadamente claros e escuros. **2.** Desenho em forma de quadrados, em cores alternadas. **3.** *Pop.* Cadeia, prisão. ★ *adj.2g.* Diz-se do que é decorado com esse desenho; axadrezado.

xadrezista *s.2g.* Enxadrista.

xairel *s.m.* (ár. *jalal*). Manta que se usa no dorso da cavalgadura, sob a sela.

xale *s.m.* (persa *xal*). Grande peça de tecido que as mulheres usam nos ombros como agasalho.

xamã *s.m.* Indivíduo que, em alguns povos asiáticos, faz curas espirituais e físicas, intermediando a ação dos espíritos.

xamanismo *s.m.* Religião de alguns povos asiáticos, baseada na crença de que os espíritos são guiados por xamãs.

xampu *s.m.* (ingl. *shampoo*). Sabão ou substância saponácea líquida usada para a lavagem dos cabelos.

xantina *s.f.* **1.** Base púrica componente dos ácidos nucléicos. **2.** Base púrica presente no chá e no café (cafeína, teofilina, teobromina).

XADREZ ► A movimentação das peças: as setas no diagrama à direita indicam as direções do movimento das peças e o modo como cada uma pode se mover. Apenas o cavalo pode saltar sobre as peças que encontra em seu caminho. Exceto o peão, que come a peça adversária em diagonal, todas as outras peças comem no sentido de sua movimentação.

ELEMENTOS DO JOGO DE XADREZ

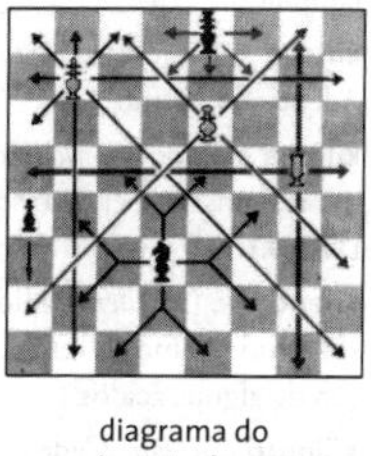
diagrama do movimento das peças sobre o tabuleiro

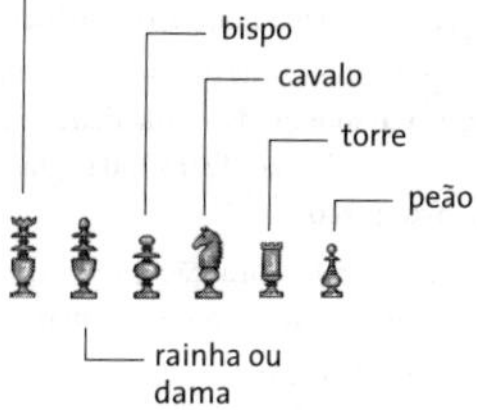

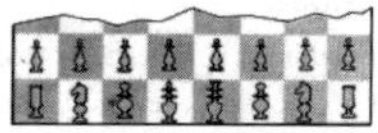
disposição das peças no início da partida

xantungue *s.m.* (de *Shandong*, top.). **1.** Tecido de seda, com pequenas saliências provenientes da espessura irregular dos fios da trama. **2.** *P. ext.* Qualquer tecido com saliências semelhantes.

xátria *s.m.* Membro da casta dos guerreiros, a segunda mais alta das quatro principais castas hindus.

xará *s.2g.* (tupi *xe'rera*, meu nome). *Pop.* Pessoa que tem o mesmo prenome que outra; homônimo.

xaréu[1] *s.m.* Denominação comum a peixes teleósteos, migradores, que ocorrem no oceano Atlântico.

xaréu[2] *s.m.* (*N*) Capa de couro com que os vaqueiros cobrem as ancas do cavalo.

xaropada *s.f.* **1.** A porção de xarope que pode ser tomada de uma vez. **2.** Qualquer medicamento contra a tosse; tisana. **3.** *Fam.* Coisa maçante; caceteação, chatice.

xarope *s.m.* (ár. *xaráb*, bebida, poção). **1.** Preparação medicamentosa aquosa e muito doce; tisana. **2.** Calda. ★ *adj.2g. Fam.* **1.** Pessoa ou coisa muito maçante, enfadonha. **2.** Tolo, bobo.

xavante *s.2g.* Indivíduo dos xavantes, povo indígena jê que vive no Mato Grosso. ★ *s.m.* Língua da família jê.

xaveco *s.m.* (ár. *xabbaka*, rede). **1.** Embarcação com três mastros, que navega a vela e a remo. **2.** Barco pequeno e mal construído. **3.** *Fig.* Pessoa ou coisa sem importância.

xaxim *s.m.* Nome comum aos troncos de certas samambaias arborescentes, que possuem massa fibrosa constituída por raízes adventícias entrelaçadas, muito utilizados em floricultura. (Sin. SAMAMBAIAÇU.)

Xe símbolo químico do xenônio.

xeique *s.m.* (ár. *shaik*, velho). **1.** Denominação respeitosa dada pelos muçulmanos aos sábios, religiosos e pessoas respeitáveis. **2.** Guia espiritual das confrarias de dervixes. (Var. XEQUE.)

xelim[1] *s.m.* (ingl. *shilling*). **1.** Antiga moeda inglesa equivalente à vigésima parte da libra. **2.** Unidade monetária de Quênia, Somália, Tanzânia e Uganda.

xelim[2] *s.m.* (al. *Schilling*). Unidade monetária da Áustria.

xenofilia *s.f.* Simpatia por pessoas ou coisas estrangeiras.

xenófilo *adj.* e *s.m.* Que ou aquele que manifesta xenofilia.

xenofobia *s.f.* (do gr. *xenos*, estranho). Hostilidade sistemática às coisas e pessoas estrangeiras.

xenófobo *adj.* e *s.m.* Que ou aquele que manifesta xenofobia.

xenônio *s.m.* (gr. *xenon*, estranho). Elemento químico (símb. Xe) de número atômico 54, que constitui um gás incolor e inodoro, do grupo dos gases nobres, de uso industrial restrito.

xepa (ê) *s.f. Pop.* **1.** Comida de quartel. **2.** Comida ordinária. **3.** Mercadorias que sobram da venda diária nas feiras livres, que, quando perecíveis, são distribuídas gratuitamente ou oferecidas a baixo preço.

xeque[1] *s.m.* (ár. *xah*, rei). **1.** Situação no jogo de xadrez em que o rei está numa casa ameaçada por uma ou mais peças do adversário. **2.** *Fig.* Perigo, risco.

xeque[2] *s.m.* Var. de XEIQUE.

xeque-mate *s.m.* (ár. *xah mat*, o rei está morto). Xeque em que o rei não pode ser defendido, levando à derrota do jogador que o recebe; mate.

xerém *s.m.* (do ioruba). **1.** Milho pilado grosso que não passa na peneira e serve de comida para pintos; quirera. **2.** Dança de roda ao som da sanfona.

xerente *s.2g.* Indivíduo dos xerentes, povo indígena jê que vive em Tocantins.

xereta (ê) *adj.2g.* e *s.2g.* Intrometido, bisbilhoteiro, abelhudo.

xeretar *v.t.* e *v.i.* (conj. 4). Intrometer-se, bisbilhotar.

xerez (ê) *s.m.* (de *Jerez*, top.). Vinho branco espanhol da Andaluzia, de grande conceito internacional.

xerga (ê) *s.f.* (lat. *serica*, panos de seda). Tecido grosseiro.

xerife *s.m.* (ingl. *sheriff*). **1.** Na Grã-Bretanha, oficial administrativo que representa a Coroa em cada condado. **2.** Nos EUA, oficial administrativo eleito, com poder policial e judicial limitado.

xerocar *v.t.* (conj. 12). Copiar por processo xerográfico.

xerocópia *s.f.* (marca registrada). Processo de reprodução gráfica, variante da xerografia; xérox.

xerófito *adj.* e *s.m.* Diz-se de ou vegetal que possui adaptações morfológicas e fisiológicas à vida em ambientes secos.

xerografar *v.t.* (conj. 4). Fazer uma xerografia.

xerografia *s.f.* Processo de reprodução gráfica em que a imagem do original é projetada em um cilindro coberto de material condutor de eletricidade sob a ação da luz, que passa a apresentar, assim, uma área eletrizada à qual vão aderir as partículas de tinta que reproduzirão a imagem no papel.

xeromorfo *adj.* Diz-se do vegetal que se assemelha estruturalmente aos xerófitos.

xérox (ocs) ou **xerox** (ócs) *s.f.* (marca registrada). Xerocópia.

xexéu *s.m.* (tupi *xe'xéu*). **1.** Bodum, catinga. **2.** Ave passeriforme, comum no Brasil.

xi *interj.* Exprime surpresa, espanto, admiração, preocupação.

xícara *s.f.* (náuatle *xicalli*). **1.** Pequena vasilha com asa, para café, chá etc. **2.** O conteúdo de uma xícara.

xifóide *adj.2g.* (gr. *xiphoeides*). **1.** Que tem forma de espada. **2.** *Apêndice xifóide*, extremidade inferior do esterno.

xifopagia *s.f.* Condição de xifópago.

xifópago *adj.* e *s.m.* Diz-se de ou o ser anômalo formado por dois indivíduos unidos desde o apêndice xifóide até o umbigo.

xiismo *s.m.* Doutrina muçulmana que sustenta só serem autênticas as tradições do profeta transmitidas através de seus familiares.

xiita *adj.2g.* (ár. *xiy'ai*, da seita). Relativo ao xiismo. ★ *s.2g.* Adepto do xiismo.

xilema *s.m.* (do gr. *xylon*, madeira). Tecido vascular das plantas, responsável pelo transporte de água e sais minerais. (Sin. LENHO.)

xileno *s.m.* (fr. *xilène*). Hidrocarboneto aromático, utilizado sobretudo como solvente e como intermediário na preparação de alguns ácidos.

xilindró *s.m. Pop.* Cadeia, prisão.

xilo *s.m.* Xilogravura.

xilófago *adj.* e *s.m.* (gr. *xylophagos*, que rói madeira). Diz-se de ou inseto que rói madeira e dela se nutre.

xilofone *s.m.* Instrumento musical constituído de um jogo de lâminas de madeira afinadas, dispostas em um teclado e tocadas com baquetas.

xilografia *s.f.* **1.** Arte de gravar em madeira. **2.** Técnica de impressão em que o desenho é entalhado com goiva, formão, faca ou buril em uma chapa de madeira.

xilogravura *s.f.* Gravura obtida pelo processo da xilografia; xilo, gravura em madeira.

ximango *s.m.* Ave falconiforme que se alimenta de carniça e de parasitas de gado, comum no sul da América do Sul. (Var. CHIMANGO.)

ximbé *adj.2g.* Diz-se do animal que tem o nariz ou o focinho curto e chato.

xingação *s.f.* Xingamento.

xingar *v.t.* e *v.i.* (quimb. *kuxinga*) [conj. 14]. **1.** Dizer insultos ou palavras afrontosas; injuriar. **2.** Censurar, descompor.

xintô ou **xintoísmo** *s.m.* (jap. *shinto*). Religião do Japão anterior ao budismo.

xinxim *s.m.* (do ioruba). Refogado de pedaços de galinha, muitos temperos, azeite-de-dendê, camarões secos e amendoim ou castanha de caju moídos.

xiquexique *s.m.* **1.** Planta cujo caule é um cladódio sem folhas, espinhoso, rico em água, que ocorre nas caatingas. **2.** Denominação comum a várias ervas ou subarbustos de flores amareladas, cujos frutos são vagens.

xisto *s.m.* (gr. *schistos*). Grupo de rochas metamórficas com nítida xistosidade.

xistoso (ô) *adj.* De natureza ou constituição do xisto; friável.

xixi *s.m.* (onomat.). *Fam.* Urina.

xodó *s.m. Fam.* **1.** Namorado ou namorada. **2.** Namoro. **3.** Estima especial, apreço.

xucro *adj.* (esp. amer. *chúcaro,* arisco). **1.** Diz-se do animal de sela não domado, arisco, montado em rodeios. **2.** *P. ext.* Diz-se de indivíduo totalmente sem adestramento em determinada tarefa; bronco, ignorante.

Yy Yy Yy

y[1] *s.m.* Letra oficialmente abolida do alfabeto português e substituída pelo *i.* (Permanece, todavia, na grafia de nomes próprios estrangeiros ou deles derivados e em abreviaturas e símbolos adotados por convenção internacional.)

y[2] letra que designa, em geometria, a ordenada; em álgebra, a segunda incógnita e, em análise, uma função da variável real ou complexa.

Y símbolo químico do ítrio.

yagi *s.f.* (jap.). Antena de televisão de ondas curtas.

yang *s.m.* (chinês). No taoísmo, um dos dois aspectos da realidade, correspondente, p. ex., à atividade, à luz, ao calor, ao masculino etc., em opos. a *yin.*

Yb símbolo químico do itérbio.

yin *s.m.* (chinês). No taoísmo, um dos dois aspectos da realidade, correspondente à passividade, ao escuro, ao frio, ao feminino etc., em opos. a *yang.*

yuppie *s.m.* (ingl. amer.). Designação atribuída aos jovens executivos dinâmicos e ambiciosos.

Zz Zz Zz

z[1] *s.m.* Vigésima terceira letra do alfabeto português.

z[2] letra que designa, em álgebra, a terceira incógnita em um sistema de equações, ou representa um número ou uma variável complexa.

zabumba *s.m. Pop.* Tambor grande, cilíndrico, de madeira e com ambas extremidades fechadas.

zaga *s.f.* (esp. *zaga,* retaguarda). No futebol, posição ocupada pelos jogadores de defesa.

zagaia *s.f.* Azagaia.

zagueiro *s.m.* (esp. *zaguero*). No futebol, jogador basicamente encarregado da defesa.

zaino *adj.* **1.** Diz-se de cavalo de pêlo castanho-escuro e uniforme, sem manchas ou malhas. **2.** *P. ext.* Diz-se de cavalo cujo pêlo não apresenta malhas brancas. **3.** *Fig.* Retraído, dissimulado. ★ *s.m.* Cavalo zaino.

zairense *adj.2g.* Relativo ou pertencente ao Zaire, país da África. ★ *s.2g.* O natural ou habitante desse país.

zambiano *adj.* Relativo ou pertencente à Zâmbia, país da África. ★ *s.m.* O natural ou habitante desse país.

zanga *s.f.* **1.** Aversão, ódio, rancor. **2.** Irritação, aborrecimento.

zangão ou **zângão** *s.m.* **1.** Macho dos insetos himenópteros, desprovido de ferrão, que não produz mel. **2.** Designação genérica de grandes abelhas sociais, como a mamangaba.

zangar *v.t.* (conj. 14). Causar zanga a alguém; molestar, irritar. ★ *v.pr.* Irritar-se.

zanzar *v.i.* (conj. 4). Andar ao acaso, de um lado para outro.

zarabatana *s.f.* (ár. *zarbatana,* de or. persa). Arma que consiste em um tubo comprido através do qual se sopram setas ou pequenos dardos, freqüentemente untados com veneno como o curare. (Cf. SARABATANA.)

zarcão *s.m.* (ár. *zarkun*). **1.** Pigmento vermelho-alaranjado, constituído por dois óxidos do chumbo. (Sin. MÍNIO.) **2.** Tinta anticorrosiva feita com material de mesmo nome.

zarolho (ô) *adj.* e *s.m.* Vesgo, estrábico, caolho.

zarpar *v.t.* e *v.i.* (esp. *zarpar*) [conj. 4]. Partir (o navio); erguer a âncora, levantar ferros.

zebra (ê) *s.f.* **1.** Denominação comum a mamíferos perissodáctilos, de pelagem branca com listras transversais pretas, que vivem em bandos na África. **2.** *Fig.* Pessoa sem inteligência; burro, asno. **3.** *Pop.* Resultado inesperado numa partida de futebol, páreo hípico etc.

ZEBRA ► Existem quatro espécies de zebras, cada uma dividida em subespécies geográficas. Elas vivem nas regiões orientais e meridionais da África, mas diversas variedades desapareceram por excesso de caça. Vivem em grupos sociais que reúnem várias fêmeas, um macho e os filhotes. As fêmeas têm uma cria a cada quatro anos.

---

zebrado *adj.* Que tem listras, como as da zebra.

zebróide *adj.2g.* Semelhante à zebra.

zebu *s.m.* (tibetano *zeba,* corcova de camelo). Mamífero artiodáctilo domesticado, que apresenta uma excrescência muscular dorsal e chifres de tamanho variado.

zebuíno *adj.* Relativo ou pertencente ao zebu.

zefir *s.m.* (fr. *zéphyr,* zéfiro). Tecido fino de algodão utilizado para roupas infantis e camisas masculinas.

zéfiro *s.m.* (gr. *Zephyros,* n.pr.). **1.** Vento brando que sopra do ocidente; favônio. **2.** Vento brando e agradável; aragem, brisa.

zelador (ô) *adj.* e *s.m.* (lat. *zelator*). Que ou aquele que zela. ★ *s.m.* Indivíduo encarregado de zelar pela manutenção e bom funcionamento de edifícios.

zelar *v.t.* (conj. 4). **1.** Ter zelo por; vigiar com o máximo cuidado. **2.** Cuidar, administrar com zelo.

zelo (ê) *s.m.* (gr. *zelos,* fervor, emulação). **1.** Cuidados para com qualquer pessoa ou coisa; desvelo. **2.** Empenho extraordinário na execução dos deveres, obrigações etc. **3.** Afeição ardente e viva por alguém.

zelote *adj.2g.* e *s.m.* (gr. *zelotes,* fervoroso). **1.** Diz-se de ou membro de um movimento nacionalista que exerceu um papel ativo na revolta judaica de 66-70 contra a ocupação romana. **2.** Que ou aquele que finge ter zelos.

zen *adj.2g.* Zen-budista. ★ *s.m.* Zen-budismo.

zen-budismo *s.m.* Forma de budismo caracterizada pela contemplação intuitiva para chegar ao autoconhecimento e iluminação; zen.

zenital *adj.2g.* Relativo ao zênite. ● **Astron.** *Distância zenital* ou *zenital* (*s.f.*), distância angular de um ponto da esfera celeste ao zênite.

zênite *s.m.* (alter. do ár. *samt,* caminho). **1.** Ponto em que a vertical de um lugar encontra a esfera celeste. **2.** *Fig.* O ponto mais elevado; auge, ápice, apogeu.

zepelim *s.m.* (de *Zeppelin,* n.pr.). Aeróstato dirigível rígido de grandes dimensões, com carcaça metálica que lembra um enorme charuto.

VOCÊ SABIA...? Embora o francês Henri Giffard tenha voado pela primeira vez em um dirigível em 1852, só em 1880 esse tipo de aeronave se tornou uma realidade prática. Eles passaram a ser chamados de **zepelins** devido ao nome do conde alemão Ferdinand von Zeppelin, o primeiro a construir dirigíveis com motor a combustível e estrutura de alumínio, em 1900. Em 1910, os zepelins já realizavam viagens comerciais, e durante a I Guerra Mundial foram usados pelos alemães para bombardear a Inglaterra.

---

zé-pereira *s.m.* **1.** Ritmo e cantiga carnavalescos, apoiados no bombo. **2.** Conjunto de foliões que executam esse ritmo.

zé-povo ou **zé-povinho** *s.m.* **1.** Homem comum, do povo. **2.** Povo, gentalha, ralé.

zero *num. card.* (ár. *sifr,* vazio). Expressa uma quantidade ou valores numéricos nulos. ★ *s.m.* **1.** O algarismo (0) que representa esse número. **2.** Quantidade, valor nulos. **3.** Nada. **4.** *Fig.* Pessoa ou coisa imprestável, inútil.

zibelina *s.f.* (russo *sobol,* pelo fr. *zibéline*). Mamífero carnívoro asiático de pequeno porte, corpo delgado e comprido, muito procurado por sua pelagem castanho-escura e sedosa, que no inverno se torna branca.

zigoma *s.m.* (gr. *zygoma*). Apófise zigomática.

zigomático *adj.* Relativo à apófise zigomática. ● **Anat.** *Apófise zigomática,* apófise apresentada pela escama do temporal e que se articula com a borda posterior do osso malar; zigoma. ▸ *Músculo zigomático,* cada um dos três músculos cutâneos da maçã do rosto.

zigoto (ô) *s.m.* (do gr. *zygos,* jugo). Célula diplóide, resultante da fecundação, que ainda não sofreu divisão celular.

ziguezague *s.m.* **1.** Série de linhas que formam entre elas ângulos alternadamente para a direita e para a esquerda. **2.** Percurso assim delineado; sinuosidade.

ziguezaguear *v.i.* (conj. 15). Fazer ziguezagues; andar em ziguezagues.

zimbabuano *adj.* Relativo ou pertencente a Zimbábue, país da África. ★ *s.m.* O natural ou habitante de Zimbábue.

zimbório *s.m.* (gr. *kiborion*). Domo.

zimbro *s.m.* Arbusto ou pequena árvore, originário da Europa, cujos frutos são utilizados na preparação do gim ou da genebra e na aromatização de conservas ou carnes defumadas. (Sin. JUNÍPERO.)

zinabre *s.m.* Azinhavre.

zinco *s.m.* (al. *Zink*). Elemento químico (símb. Zn) de número atômico 30, que constitui um metal cinza, maleável e quebradiço, pouco resistente ao calor, que tem muitas aplicações.

zíngaro *s.m.* (it. *zingaro*). Cigano.

zínia *s.f.* (de *Zinu,* n.pr.). Planta ornamental, de folhagem verde-escura e flores amarelo-alaranjadas, originária do México e do Texas.

zíper *s.m.* (ingl. *zipper*) [marca registrada]. Dispositivo constituído por duas tiras dentadas que se engastam graças à ação de um cursor, usado no fechamento de peças de roupa, bolsas, pastas etc. (Sin. FECHO* ÉCLAIR.)

zircão *s.m.* (fr. *zircon,* do persa *zarcum,* alaranjado). Pedra preciosa natural, transparente, constituída pelo silicato de zircônio, e que pode ter coloração amarela, verde, castanha, vermelho-alaranjada ou ainda azul-esverdeada.

zircônio *s.m.* (do fr. *zircon,* zircão). Elemento químico (símb. Zr) de número atômico 40, que constitui um metal cinza-prateado, bastante leve, mas resistente ao calor e a ataques ácidos.

Zn símbolo químico do zinco.

zoada *s.f.* Ação de zoar; zoeira.

zoar *v.i.* (conj. 20). **1.** Soar fortemente. **2.** Zunir, zumbir.

zodiacal *adj.2g.* Relativo ao zodíaco. ● **Astron.** *Constelações zodiacais,* constelações que atravessam a eclíptica. ▸ *Luz zodiacal,* fraca luminosidade do céu noturno, aproximadamente centrada sobre a eclíptica e devida à difusão da luz solar sobre uma nuvem de poeiras interplanetárias que se estende em forma de lente em torno do Sol.

zodíaco *s.m.* (gr. *zoidiakos,* bestiário). **1.** Zona da esfera celeste que se estende de um lado e de outro da eclíptica, na qual se observa o deslocamento aparente do Sol, da Lua e dos principais planetas do sistema solar, salvo Plutão. **2.** Representação simbólica dessa zona, com os doze signos astrológicos.

zoeira *s.f.* **1.** Zoada. **2.** *Gír.* Desordem, briga, barulho.

zombar *v.t.* (conj. 4). **1.** Troçar, escarnecer, debochar, zombetear. **2.** Não temer, não levar em consideração. ★ *v.i.* Gracejar, escarnecer, zombetear.

zombaria *s.f.* Ato ou efeito de zombar; escárnio, chacota, ridicularização.

zombetear *v.t.* e *v.i.* (conj. 15). Zombar.

zombeteiro *adj.* e *s.m.* Zombador.

zona *s.f.* (gr. *zone,* faixa, cinto). **1.** Espaço delimitado dentro de outro. **2.** Área, região (de uma cidade, de um país) caracterizada por certas particularidades. **3.** Cada uma das divisões da Terra, determinadas pelos círculos polares, trópicos e equador, e às quais correspondem aproximadamente certos tipos de clima. **4.** A parte da cidade onde funciona o meretrício. **5.** *Pop.* Desordem, confusão. **6.** *Zona franca,* área isolada e delimitada dentro de um país, onde entram mercadorias nacionais ou estrangeiras livres de tarifas alfandegárias normais. ● **Med.** Sin. de COBREIRO.

zoneamento *s.m.* **1.** Divisão de um espaço geográfico em seções funcionais. **2.** Divisão de uma cidade em zonas reservadas a certas atividades para fins de planejamento urbano.

zonzo *adj.* Estonteado, tonto, atordoado.

zôo *s.m.* Forma reduzida de jardim zoológico.

zoófago *adj.* e *s.m.* Diz-se de ou animal que se alimenta de outros.

zoofilia *s.f.* Polinização efetuada por animais, quase sempre insetos.

zoófilo *adj.* e *s.m.* Que ou aquele que é amigo dos animais. ★ *adj.* Diz-se das plantas polinizadas por animais.

zoofobia *s.f.* Medo mórbido de animais.

zoólatra *adj.2g.* e *s.2g.* Que ou aquele que adora animais.

zoolatria *s.f.* Adoração de animais divinizados.

zoologia *s.f.* (do gr. *zoon*, ser vivo, animal). Ramo da biologia que estuda os animais.

zoológico *adj.* **1.** Relativo à zoologia. **2.** *Jardim zoológico, zoológico* ou *zôo* (*s.m.*), parque onde são confinados animais de várias espécies destinados a exposição, estudo e preservação.

zoólogo *s.m.* Especialista em zoologia.

zoomorfismo *s.m.* **1.** Culto religioso que imprime forma animal à divindade. **2.** Crença na transformação do homem em animal.

zooplâncton *s.m.* Grupo de animais que formam o plâncton.

zootecnia *s.f.* Ciência que estuda a criação e o aperfeiçoamento dos animais domésticos.

zoroastrismo *s.m.* Religião e reforma do masdeísmo criada por Zaratustra ou Zoroastro (séc. VII a.c.), na antiga Pérsia.

zorra (ô) *s.f.* (ár. *djarra*, arrastar). **1.** Carro muito baixo e com quatro rodas. **2.** Espécie de trenó para levar madeiras. **3.** Espécie de pião de lata ou plástico que zune quando gira. **4.** *Fig.* Pessoa ou coisa lenta, vagarosa. **5.** *Gír.* Desordem, bagunça.

zorrilho *s.m.* Sin. de CANGAMBÁ.

Zr símbolo químico do zircônio.

zuarte *s.m.* Pano de algodão azul ou preto.

zuir (u-i) *v.i.* (conj. 74). **1.** Fazer ruído. **2.** Zumbir, zunir.

zulu *s.2g.* Indivíduo dos zulus, povo negro do sul da África.

zumbaia *s.f.* (malaio *sembahyang*, saudação reverencial). Cortesia exagerada, mensura rasgada, salamaleque.

zumbi *s.m.* (do quimb.). **1.** Fantasma que, segundo as religiões afro-brasileiras, só sai à noite. **2.** *Fig.* Indivíduo que só sai à noite.

zumbido *s.m.* **1.** Ato ou efeito de zumbir. **2.** Ruído surdo de alguns insetos. **3.** Murmúrio surdo, rumor. ● **Med.** Sensação sonora que não tem origem em um ruído exterior.

zumbir *v.i.* (onomat.) [conj. 6]. Produzir um ruído surdo e contínuo, semelhante ao de certos insetos quando voam. ★ *v.t.* Dizer em voz baixa, semelhante a zumbido.

zunido *s.m.* Ato ou efeito de zunir; zumbido.

zunir *v.i.* (onomat.) [conj. 6]. **1.** Produzir som agudo e sibilante. **2.** Zumbir, sibilar. **3.** Produzir som forte e áspero.

zunzum *s.m.* (onomat.). **1.** Zunido, zumbido. **2.** Boatos, mexericos, zunzunzum.

zunzunzum *s.m.* (onomat.). Zunzum.

zurrapa *s.f.* (esp. *zurrapa*). **1.** Vinho ordinário, de má qualidade; vinho estragado. **2.** Café ralo, malfeito.

zurrar *v.i.* e *v.t.* (onomat.) [conj. 4]. Soltar zurros; ornear, ornejar. ★ *v.t.* Proferir tolices, sandices.

zurro *s.m.* (onomat.). A voz do burro, do jumento; ornejo.

zurzir *v.t.* (conj. 72). **1.** Maltratar, açoitar, vergastar. **2.** Castigar, punir. **3.** Afligir, magoar. **4.** Repreender asperamente.

zwinglianismo *s.m.* Doutrina religiosa do reformador suíço Zwingli (1484-1531), que se aproxima do luteranismo.

zwingliano *adj.* Relativo ou pertencente ao zwinglianismo. ★ *s.m.* Adepto do zwinglianismo.

O Dicionário Larousse Ilustrado da Língua Portuguesa
foi impresso em São Paulo S/P pela RR Donnelley América Latina
para a Larousse do Brasil em março de 2004